LAROUSSE

DICCIONARIO ESCOLAR

ILUSTRADO

Av. Diagonal 407 Bis-10 *08008 Barcelona* — *Dinamarca 81* *México 06600, D. F.* — *21 Rue du Montparnasse* *75298 París Cedex 06* — *Valentín Gómez 3530* *1191 Buenos Aires*

PRIMERA EDICIÓN — 12ª reimpresión

ISBN 970-607-393-0 (Ediciones Larousse, versión rústica)

Impreso en México — Printed in Mexico

A LOS PADRES Y MAESTROS

¿Cómo aprenden los nativos de un lugar a comunicarse? Desde los primeros balbuceos, los hablantes van incorporando a través del intercambio un universo de señales lingüísticas que les posibilita entenderse con los demás. Este proceso de aprendizaje desde la intercomunicación permite construir un código. Cuando este código se estructura en forma de inventario, ordenado alfabéticamente, estamos ante lo que se conoce como diccionario.

Un diccionario puede ser un listado de definiciones generales y sus acepciones —matices del significado, casos particulares del uso, usos regionales—, pero también puede extender sus alcances si incluye los ejemplos que posibilitan la comprensión de cada palabra en sus contextos habituales. Esto último se parece al camino seguido por el aprendizaje: un niño, así como el hablante que se inicia en una lengua extranjera, necesitará de muchos ejemplos hasta entender en profundidad toda la riqueza de un término. No le bastará con saber que *cabeza* es una parte del cuerpo sino que necesitará haber oído "encabeza la lista de invitados", "quedó vacante la cabeza del equipo", "es una cabeza pensante". Cada uno de estos ejemplos permite al hablante reconstruir un proceso semántico, y la suma de experiencias particulares lo lleva a reconocer otros casos concretos y a comprender matices. Una vez establecidas estas abstracciones podrá generalizar y comprender la definición de un término, y por lo tanto, estará en condiciones de aplicarla a otros casos nuevos.

El Diccionario Escolar Júnior Ilustrado ha encontrado la manera de reproducir este proceso de aprendizaje de la lengua: junto a los ejemplos hay definiciones de fácil comprensión, y los ejemplos dan muestra de cómo funcionan estas definiciones. Los parecidos y contrarios permiten afinar los contenidos y elaborar matices y posibilidades.

Este Diccionario Escolar Júnior Ilustrado contiene las palabras que se consideran indispensables para un manejo del mundo, adecuado a la etapa escolar. Para ello, un equipo de lingüistas y profesores ha confeccionado los listados de las palabras registradas como de uso habitual en las diversas comunidades, sin que ello signifique empobrecer un léxico potencialmente tan rico como el de nuestro idioma, cuyos orígenes se remontan a viejas raíces. La universalidad del idioma está hecha de los aportes de todas las comunidades que lo manejan como instrumento cotidiano, renovado cada día a medida que se transforma el mundo. Esta relación activa entre el hombre, su pensamiento, el mundo y la lengua, ha sido contemplada en nuestro *Júnior*, para que los padres y maestros sirvan de intermediarios en la relación entre el diccionario y el niño.

De acuerdo con esto, al nivel básico elegido se le han incorporado americanismos y voces de otras lenguas modernas coexistentes que son hoy de uso corriente en el léxico del hablante hispanoamericano. Todo esto ayudará a trasmitir un uso de la lengua que la rescate de criterios envejecidos y le devuelva todo el dinamismo que subyace en su uso actual. Porque el idioma no debe ser nunca un depósito arqueológico de términos desactualizados, sino la posibilidad de establecer relaciones múltiples entre las palabras, su significado y su uso posible. En un mundo en el que la informática gana día a día nuevos adeptos y enriquece sus aplicaciones, el diccionario adquiere nuevas dimensiones como medio por el que el pensamiento organiza un instrumento básico: la lengua.

El Diccionario Escolar Júnior Ilustrado, no sólo aspira a resolver los problemas inmediatos. También pretende ser un recurso activo de procesos de aprendizaje estimulantes. Funciones y correlaciones entre las palabras, la agrupación en familias o las inferencias rescatables a través de semejanzas y contrastes, son caminos para que el aprendizaje de la lengua lleve al niño a profundizar sus posibilidades de expresión y, por lo tanto, a pensar de una forma más clara. Ofrece, también, los fundamentos gramaticales y algunos datos de uso escolar organizados adecuadamente. Las ilustraciones conllevan la necesidad de precisar el alcance de ciertos términos y de los universos semánticos a los que éstos pertenecen.

Un uso adecuado del *Júnior* proporcionará, sin duda, la posibilidad de madurar el medio fundamental de creación del ser humano: su lengua.

A LOS ALUMNOS

Hemos hecho este diccionario para que puedas buscar el significado de las palabras que oyes o lees y no entiendes.

No explicamos las palabras con definiciones. En los diccionarios grandes se hace así y a veces son más difíciles de entender que la misma palabra que queremos que nos expliquen.

Aquí te damos un ejemplo, una frase en la que se usa esa palabra que buscabas. De ese modo entiendes un poquito más lo que significa. Y para que acabes de entenderlo te damos una pequeña explicación.

Como sabes, la mayor parte de las palabras tienen varios significados. Por esto, en este diccionario, muchas palabras tienen varios ejemplos y varias explicaciones (un ejemplo y una explicación para cada significado de la palabra).

Te encontrarás, además, una serie de signos y abreviaturas que te ayudarán a aprender a utilizar los diccionarios grandes que están llenos de ellas porque los que hacemos diccionarios nos empeñamos en decir muchas cosas en poco espacio y, para conseguirlo, las utilizamos con mucha frecuencia.

Si te fijas ahora en las explicaciones que te damos, con una palabra sacada de este diccionario, te será más fácil entenderlo.

CÓMO USAR TU DICCIONARIO

Si alguna vez oyes la palabra *hermético* y no sabes lo que significa, es posible que vayas a buscarla en la letra E y no la encuentres. Pensarás que no está en el diccionario. Siempre que oigas una palabra que empieza por vocal y no la encuentres, por si acaso, búscala en la letra H.

En nuestro diccionario esta palabra se explica así:

> **hermético, a** adj. **1**. *Este frasco de conserva tiene una tapa* **hermética** (= no deja pasar el aire). **2**. *Tiene un carácter muy* **hermético** *y es muy difícil saber lo que piensa* (= es muy reservado en el trato).
> **SINÓN: 1**. cerrado. **2**. incomprensible, reservado. **ANTÓN: 1**. abierto. **2**. claro, comprensible, extrovertido.

Como ves, desde el comienzo estamos ahorrando espacio; en lugar de poner **hermético, hermética** ponemos **hermético, a** para indicarte que esta palabra tiene masculino y femenino. Luego viene una abreviatura, **adj.**, que indica que esta palabra es un adjetivo y que los significados que explicamos a continuación se refieren al uso de esta palabra como adjetivo.

Las abreviaturas que utilizamos en este diccionario son estas:

adj.	adjetivo	**s.**	sustantivo
adj. indef.	adjetivo indefinido	**s. f.**	sustantivo femenino
adv.	adverbio	**sinón.**	sinónimo
antón.	antónimo	**s. m.**	sustantivo masculino
conj.	conjunción	**s. m. f.**	sustantivo masculino o femenino
FAM:	familia de palabras	**v. aux.**	verbo auxiliar
interj.	interjección	**v. cop.**	verbo copulativo
loc.	locución	**v. impers.**	verbo impersonal
prep.	preposición	**v. intr.**	verbo intransitivo
pron. indef.	pronombre indefinido	**v. pron.**	verbo pronominal
pron. inter.	pronombre interrogativo	**v. tr.**	verbo transitivo
pron. relat.	pronombre relativo		

→ La flecha indica que se debe consultar la palabra escrita a la derecha de la flecha

Si lo que vas buscando es el significado, te puedes saltar la abreviatura, pero si estás haciendo un ejercicio de gramática en el que se te pregunta qué clase de palabra es, esta abreviatura te ayudará mucho porque te dice directamente si es un adjetivo, un verbo, un sustantivo, etcétera.

Después de la abreviatura viene un número, el **1**, que indica que a partir de ahí el diccionario te explica el primer significado de esta palabra: *"Este frasco de conserva tiene una tapa* ***hermética****"* y después, entre paréntesis, una explicación "(= no deja pasar el aire)". Si has entendido bien esto te va a ser muy fácil comprender todas las palabras y significados que explicamos en este diccionario, porque todo está explicado del mismo modo. En este ejemplo puedes ver que luego hay otro número, el **2**, y que detrás de ese número se explica, del mismo modo que el anterior, el segundo significado de la palabra **hermético**.

Fácil ¿no? pues ¡ánimo, a consultar todo lo que no entiendes!

Por si fuera poco, no queda ahí la información que te da este diccionario. Después de explicarte los significados, te pone palabras de significados parecidos y palabras de significados contrarios para que puedas, con la ayuda del diccionario, resolver los ejercicios de palabras que, a veces, te ponen en el colegio, donde algún día te dirán que a las palabras de significado parecido se las llama "sinónimos" y a las de significado contrario se las llama "antónimos".

Por último, como este diccionario ha sido elaborado pensando en los alumnos de Latinoamérica, las palabras que usamos en nuestro continente también figuran. Las podrás encontrar porque llevan las siguientes abreviaturas geográficas:

Amér.	América hispánica en general	Méx.	México
Amér. Cent.	América Central	Nic.	Nicaragua
Amér. Merid.	América Meridional	Pan.	Panamá
Ant.	Antillas	Par.	Paraguay
Arg.	Argentina	P. Rico	Puerto Rico
Bol.	Bolivia	R. de la Plata	Río de la Plata
Col.	Colombia	R. Dom.	República Dominicana
C. Rica	Costa Rica	Salv.	El Salvador
Ec.	Ecuador	Urug.	Uruguay
Guat.	Guatemala	Ven.	Venezuela
Hond.	Honduras		

Letras del alfabeto español

NOMBRE	LETRAS DE IMPRENTA O MECÁNICAS		LETRAS MANUSCRITAS O CURSIVAS	
	mayúsculas	minúsculas	mayúsculas	minúsculas
a	A	a	*A*	*a*
be	B	b	*B*	*b*
ce	C	c	*C*	*c*
de	D	d	*D*	*d*
e	E	e	*E*	*e*
efe	F	f	*F*	*f*
ge	G	g	*G*	*g*
hache	H	h	*H*	*h*
i	I	i	*I*	*i*
jota	J	j	*J*	*j*
ka	K	k	*K*	*k*
ele	L	l	*L*	*l*
eme	M	m	*M*	*m*
ene	N	n	*N*	*n*
eñe	Ñ	ñ	*Ñ*	*ñ*
o	O	o	*O*	*o*
pe	P	p	*P*	*p*
cu	Q	q	*Q*	*q*
ere	R	r	*R*	*r*
(erre)	(RR)	(rr)	*(RR)*	*(rr)*
ese	S	s	*S*	*s*
te	T	t	*T*	*t*
u	U	u	*U*	*u*
ve corta	V	v	*V*	*v*
doble ve	W	w	*W*	*w*
equis	X	x	*X*	*x*
y griega	Y	y	*Y*	*y*
zeta	Z	z	*Z*	*z*

ARTÍCULOS

DETERMINADOS: CUANDO HABLAMOS DE PERSONAS O COSAS QUE TODOS CONOCEMOS

SINGULAR	**EL:**	*Ha venido* ***el*** *profesor* (= el profesor que esperábamos). *Vamos* ***al*** *cine.* Cuando el artículo ***el*** va detrás de la preposición *a* escribiremos ***al*** y no *a el.* *Vengo* ***del*** *médico.* Cuando el artículo ***el*** va detrás de la preposición *de* escribiremos ***del*** y no *de el.*
	LA:	***La*** *amiga de mi hermana siempre me trae caramelos* (= la amiga que tú y yo conocemos).
PLURAL	**LOS:**	*Me hacen daño* ***los*** *zapatos* (= los zapatos que llevo puestos).
	LAS:	*¿Quieres* ***las*** *galletas ahora o más tarde?* (= las galletas que me habías pedido).

INDETERMINADOS: CUANDO HABLAMOS DE PERSONAS O COSAS QUE NO CONOCEMOS

SINGULAR	**UN:**	*Ha venido* ***un*** *profesor* (= un profesor que no conocemos).
	UNA:	*Hoy ha venido* ***una*** *amiga de mi hermana* (= una amiga entre otras muchas).
PLURAL	**UNOS:**	*Hay* ***unos*** *niños jugando en el parque* (= unos niños que no conocemos).
	UNAS:	*¿Quieres* ***unas*** *galletas?* (= unas galletas cualesquiera).

PRONOMBRES PERSONALES

SON AQUELLAS PALABRAS QUE SUSTITUYEN A UN NOMBRE CUANDO ESTE NOMBRE SE REFIERE A UNA PERSONA.
Cuando se refiere a la persona que hace la acción del verbo (sujeto):

SINGULAR	1ª persona	**YO:**	***Yo*** *estudio matemáticas.* El pronombre **yo** se refiere a la persona que realiza la acción del verbo (estudiar).
	2ª persona	**TÚ:** **USTED:**	***Tú*** *vives en Antofagasta.* *¿* ***Usted*** *es el médico de urgencia?*
	3ª persona	**ÉL/ELLA:**	***Él*** *siempre dice la verdad.*
PLURAL	1ª persona	**NOSOTROS/NOSOTRAS:**	***Nosotros*** *llegaremos más tarde.*
	2ª persona	**VOSOTROS/VOSOTRAS:** **USTEDES:**	***Vosotros*** *tenéis una casa en el campo.* ***Ustedes*** *empezarán a trabajar mañana.*
	3ª persona	**ELLOS/ELLAS:**	***Ellas*** *son hermanas.*

PRONOMBRES PERSONALES

Cuando acompaña al verbo para indicar cuál es la persona que recibe la acción de este verbo:

SINGULAR	1ª persona	**ME:**	*Luis* ***me*** *llamó por teléfono* (= a mí). El pronombre ***me*** acompaña al verbo *llamar* para indicar que yo recibo la acción.
	2ª persona	**TE:**	*Tu hermano* ***te*** *quiere mucho* (= a ti).
		LE:	*¿****Le*** *gustan a usted las fresas?*
	3ª persona	**LE/LO/LA:**	*Yo* ***lo*** *vi cuando volvía a casa* (= a él).
		SE:	***Se*** *cayó al suelo* (= él mismo).
PLURAL	1ª persona	**NOS:**	*Ellos* ***nos*** *vieron en el cine el domingo* (= a nosotros).
	2ª persona	**OS:**	*Yo* ***os*** *llevaré al parque de atracciones* (= a vosotros).
		LES:	*¿****Les*** *apetece a ustedes un segundo plato?*
	3ª persona	**LOS/LAS:**	*Yo sólo* ***los*** *esperaré hasta las cinco* (= a ellos).
		SE:	*Ellos* ***se*** *vieron el fin de semana pasado* (= entre ellos).

Cuando acompaña al verbo para mostrar cuál es la persona a la que va destinado un objeto:

SINGULAR	1ª persona	**ME:**	*Marta* ***me*** *trajo un regalo* (= a mí). El pronombre ***me*** acompaña al verbo *traer* para mostrar que yo soy la persona a la que va destinado el regalo.
	2ª persona	**TE:**	*Yo* ***te*** *dije la verdad* (= a ti).
		LE:	*Nosotros* ***le*** *enseñaremos a usted el sitio exacto.*
	3ª persona	**LE:**	*José* ***le*** *llevará unas flores* (= a ella).
		SE:	*José* ***se*** *las llevará* (= llevará unas flores para ella). Cuando el pronombre **le** va delante de otro pronombre que empieza por **l** se convierte en **se**. ***Se*** *lava los dientes tres veces al día* (= a sí mismo).
PLURAL	1ª persona	**NOS:**	*Los chicos* ***nos*** *dieron una dirección equivocada.* (= a nosotros).
	2ª persona	**OS:**	*Nosotros* ***os*** *enseñaremos la manera de construir una cabaña* (= a vosotros).
		LES:	*Nosotros* ***les*** *explicaremos a ustedes la verdadera historia.*
	3ª persona	**LES:**	*El profesor* ***les*** *entregó un premio* (= a ellos).
		SE:	*El profesor* ***se*** *lo entregó* (= un premio para ellos). Al igual que ocurre con el pronombre **le**, cuando el pronombre **les** va delante de otro que empieza por **l** se convierte en **se**. *Ellos* ***se*** *comieron todos los caramelos* (= entre ellos).

PRONOMBRES PERSONALES

Cuando acompaña a un verbo unido a las preposiciones ***a*** o ***para***:

SINGULAR	1ª persona	**MÍ:**	*¿Has traído los cuentos para **mí**?* El pronombre **mí** unido a la preposición **para** acompaña al verbo traer para indicar a quién van destinados los cuentos.
	2ª persona	**TI:**	*Nunca cuento **mis** secretos pero te los contaré a **ti**.*
		USTED:	*He guardado para **usted** el pan más dorado.*
	3ª persona	**ÉL/ELLA:**	*El plato más lleno es para **él**.*
		SÍ:	*Siempre guarda sus pensamientos para **sí**.* (= para él mismo).
PLURAL	1ª persona	**NOSOTROS/NOSOTRAS:**	*Juan ha traído bombones para **nosotras**.*
	2ª persona	**VOSOTROS/VOSOTRAS:**	*He comprado regalos para **vosotros**.*
		USTEDES:	*A **ustedes** les he reservado la mejor mesa.*
	3ª persona	**ELLOS/ELLAS:**	*Los pasteles más grandes son para **ellas**.*
		SÍ:	*Ellos todo lo quieren para **sí*** (= para ellos mismos).

Cuando acompaña a un verbo para indicar en compañía de alguien:

SINGULAR	1ª persona	**CONMIGO:**	*¿Vendrás al teatro **conmigo**?* (= en mi compañía).
	2ª persona	**CONTIGO:**	*Lleva a tu hermano **contigo*** (= en tu compañía).
		CON USTED:	*¿Ha venido alguien **con usted**?* (= en su compañía).
	3ª persona	**CON ÉL/CON ELLA:**	*Fue **con él** a Italia* (= en su compañía).
		CONSIGO:	*Se llevó **consigo** todas sus cosas.*
PLURAL	1ª persona	**CON NOSOTROS: CON NOSOTRAS:**	*Vivirá **con nosotras** este verano* (= en nuestra compañía).
	2ª persona	**CON VOSOTROS: CON VOSOTRAS:**	*Viajará **con vosotras** hasta Cuba* (= en vuestra compañía).
	3ª persona	**CON ELLOS: CON ELLAS:**	*¿Por qué no vas **con ellos** a patinar?* (en su compañía).
		CONSIGO:	*Se trajeron **consigo** la comida de una semana.*

POSESIVOS

Los **posesivos** son aquellas palabras que, unidas a un nombre, sirven para indicar posesión o propiedad.

Si yo poseo un objeto:	**Si yo poseo varios objetos:**
MÍO: *El reloj es **mío**, pero te lo regalo.* El posesivo ***mío*** indica que *yo* soy el propietario del reloj.	**MÍOS:** *Pero hijos **míos**, ¿qué están haciendo?*
MÍA: *La bicicleta roja es la **mía**.*	**MÍAS:** *Las zapatillas rojas son **mías**, las blancas son de Marta.*
MI: *¡No entres en **mi** habitación!*	**MIS:** ***Mis** dibujos son los mejores de la clase.* El posesivo ***mis*** muestra que yo he hecho los dibujos.

POSESIVOS

Si tú posees un objeto:

TUYO: *¿Es* ***tuyo*** *el abrigo que hay en el armario?*
TUYA: *Esa amiga* ***tuya*** *siempre está diciendo mentiras.*
El posesivo ***tuya*** sirve para indicar que *tú* tienes esa amiga.
TU: *¿Cuál es* ***tu*** *libro favorito?*

Si tú posees varios objetos:

TUYOS: *¿Todos los libros que hay en la habitación son* ***tuyos****?*
El posesivo ***tuyos*** sirve para mostrar que *tú* eres el propietario de los libros.
TUYAS: *No he traído mis pinturas. ¿Puedes prestarme las* ***tuyas****?*
TUS: ***Tus*** *amigos son muy simpáticos.*

Si él o ella poseen un objeto:

SUYO: *Ana dijo que el anillo era* ***suyo****.*
El posesivo ***suyo*** sirve para mostrar que *ella* era la propietaria del anillo.
SUYA: *Vi a Pedro montado en una moto, pero no creo que fuera* ***suya****.*
SU: *Luis me ha invitado a una fiesta en* ***su*** *casa.*

Si él o ella poseen varios objetos:

SUYOS: *Ahora Carlos siempre va con esos amigos* ***suyos****.*
SUYAS: *María y Marta ya no son amigas* ***suyas****, se pelearon con ella.*
SUS: *Mi madre está muy orgullosa de* ***sus*** *pasteles.*
El posesivo ***sus*** indica que *ella hace los pasteles.*

Si nosotros o nosotras poseemos un objeto:

NUESTRO: *¿Has visto* ***nuestro*** *coche nuevo?*
El posesivo ***nuestro*** muestra que *nosotros* somos los dueños del coche.
NUESTRA: ***Nuestra*** *casa tiene tres habitaciones.*

Si nosotros o nosotras poseemos varios objetos:

NUESTROS: ***Nuestros*** *jugadores siempre ganan los partidos.*
NUESTRAS: ***Nuestras*** *películas favoritas son las de aventuras.*
El posesivo ***nuestras*** indica que las películas de aventuras son las que más nos gustan a *nosotros.*

Si vosotros o vosotras poseéis un objeto:

VUESTRO: *¿El señor de las gafas es* ***vuestro*** *profesor de matemáticas?*
VUESTRA: *Ayer vi a* ***vuestra*** *hermana paseando por la calle.*
El posesivo ***vuestra*** muestra que *vosotros* tenéis esa hermana.

Si vosotros o vosotras poseéis varios objetos:

VUESTROS: ***Vuestros*** *vecinos son muy escandalosos.*
VUESTRAS: ***Vuestras*** *habitaciones son las que están al fondo del pasillo.*
El posesivo ***vuestras*** sirve para indicar que ésas son las habitaciones en las que *vosotros* dormiréis.

Si ellos o ellas poseen un objeto:

SUYO: *No esperes ningún regalo* ***suyo****; son muy tacaños.*
SUYA: *¿La casa junto al mar es* ***suya****? No, ellos viven en la montaña.*
SU: ***Su*** *casa es muy grande porque son diez hermanos.*
El posesivo ***su*** muestra que *ellos son los propietarios de la casa.*

Si ellos o ellas poseen varios objetos:

SUYOS: *No creo que los dibujos sean* ***suyos****. Ellos dibujan muy mal.*
SUYAS: *Todas las canciones del disco eran* ***suyas****, las habían compuesto ellos.*
SUS: *Los chicos que van con ellos son* ***sus*** *compañeros de clase.*

PRONOMBRES DEMOSTRATIVOS

CERCA DE MÍ
(DE LA PERSONA QUE HABLA)

Singular: **ÉSTE:** ***Éste*** *es mi coche nuevo* (= el coche que te estoy enseñando).

ÉSTA: *He visitado muchas ciudades pero* ***ésta*** *es la que mejor conozco.* (= la ciudad en la que estamos ahora).

ESTO: ***Esto*** *está mal, te has equivocado* (= los deberes que estamos corrigiendo).

Plural: **ÉSTOS:** *¿Te gustan los pantalones que te he comprado? Sí, pero me gustan más* ***éstos*** (= los pantalones que llevo puestos).

ÉSTAS: *Estas cartas son para tu madre y* ***éstas*** *son para ti* (= las cartas que te estoy dando).

ÉSTE, ÉSTA, ESTO, ÉSTOS y **ÉSTAS** son *PRONOMBRES DEMOSTRATIVOS,* porque sustituyen a un nombre y, además, indican proximidad. Por ejemplo, el pronombre **éste** sustituye al nombre *coche,* y además nos hace saber que el coche está cerca de la persona que habla.

CERCA DE TI
(DE LA PERSONA A LA QUE HABLAS)

Singular: **ÉSE:** *Déjame ver tu anillo. No,* ***ése*** *no, el de oro* (= el anillo que llevas puesto).

ÉSA: *De todas tus camisas* ***ésa*** *es la que mejor te queda* (= la camisa que llevas puesta).

Plural: **ESO:** *Si le dices* ***eso*** *se enfadará mucho, no soporta que lo critiquen.*

ÉSOS: *Conozco a todos tus amigos menos a* ***ésos*** (= los que están a tu lado).

ÉSAS: *¿Qué chocolatín prefieres? Dáme uno de* ***ésos*** (= de los chocolatines que están junto a ti).

ÉSE, ÉSA, ESO, ÉSOS y **ÉSAS**, en estas oraciones, también funcionan como *PRONOMBRES DEMOSTRATIVOS.* Por ejemplo, en la primera oración, **ése** está sustituyendo al nombre *anillo.* Al mismo tiempo, nos muestra que el anillo está alejado de la persona que habla y cerca de la persona a la que se habla.

LEJOS DE LOS DOS

Singular: **AQUÉL:** *¿Quién es tu hermano?* ***Aquél*** *que viene por allí.*

AQUÉLLA: *¿Ha nevado en las montañas? No, sólo en* ***aquélla*** *más alta.*

AQUELLO: ***Aquello*** *que dijiste era mentira.*

Plural: **AQUÉLLOS:** *¿Qué zapatos te compraste?* ***Aquéllos*** *que eran tan baratos.*

AQUÉLLAS: *Estas plantas hay que regarlas a diario, pero* ***aquéllas*** *sólo una vez por semana.*

AQUÉL, AQUÉLLA, AQUELLO, AQUÉLLOS y **AQUÉLLAS** son *PRONOMBRES DEMOSTRATIVOS,* que sustituyen a un nombre y el mismo tiempo indican lejanía. Por ejemplo, ***aquél*** está sustituyendo al nombre *chico* y, al mismo tiempo, nos muestra que el chico está lejos de las dos personas que hablan.

ADJETIVOS DEMOSTRATIVOS

CERCA DE MÍ
(DE LA PERSONA QUE HABLA)

Singular: **ESTE:** ***Este*** *libro es mi favorito* (= el libro que tengo en las manos).

ESTA: ***Esta*** *silla es la más cómoda* (= la silla en la que estoy sentado).

Plural: **ESTOS:** ***Estos*** *guantes hacen juego con mi bufanda nueva* (= los guantes que llevo puestos).

ESTAS: ***Estas*** *fotografías no las había visto* (= las fotografías que estoy mirando).

ESTE, ESTA, ESTOS y **ESTAS** son *ADJETIVOS DEMOSTRATIVOS*, ya que acompañan a un nombre e indican proximidad. Por ejemplo, el adjetivo ***este*** acompaña al nombre *libro* y al mismo tiempo nos hace saber que el libro está cerca de la persona que habla.

CERCA DE TI
(DE LA PERSONA A LA QUE HABLAS)

Singular: **ESE:** ***Ese*** *bolso se parece mucho al mío* (= el bolso que llevas).

ESA: ***Esa*** *amiga tuya es muy simpática* (= la que estaba antes contigo).

Plural: **ESOS:** *¿Vas a leer todos* ***esos*** *libros?* (= los libros que llevas en las manos).

ESAS: *Me parece que* ***esas*** *botas te harán daño* (= las botas que te estás probando).

ESE, ESA, ESOS y **ESAS** también son *ADJETIVOS DEMOSTRATIVOS*. Por ejemplo, el adjetivo ***ese*** acompaña al nombre *bolso*, e indica que el bolso está un poco alejado de la persona que habla.

LEJOS DE LOS DOS

Singular: **AQUEL:** ***Aquel*** *avión está aterrizando.*

AQUELLA: *Venus es* ***aquella*** *estrella que brilla tanto.*

Plural: **AQUELLOS:** ***Aquellos*** *papeles se quemaron en el incendio.*

AQUELLAS: *Recuerdo a menudo* ***aquellas*** *tardes de invierno.*

AQUEL, AQUELLA, AQUELLOS y **AQUELLAS** son *ADJETIVOS DEMOSTRATIVOS* que indican lejanía, ya sea en el tiempo o en el espacio. Por ejemplo, el adjetivo ***aquel*** acompaña al nombre *avión* y nos hace saber que el avión está lejos tanto de la persona que habla como de la persona a la que se está hablando.

PREPOSICIONES

A:	*Voy* **a** *mi casa.* Puede acompañar a palabras que se refieren a lugar, para indicar una dirección determinada. *Comeremos* **a** *las tres.* Puede ir unida a palabras que indican tiempo, para expresar el momento en que se hace algo. *La playa está* **a** *pocos metros de mi casa.* Puede acompañar a palabras que se refieren a distancia, indicando así la situación. *Rompió la radio* **a** *golpes.* Acompañando a un nombre (golpes), puede mostrar la manera en que se hace algo. *¡***A** *trabajar!* Delante de un verbo en infinitivo (trabajar), puede ser una orden. *Esta noche iremos* **al** *cine.* Cuando la preposición **a** se encuentra junto al artículo *el* se escribirá **al** y no *a el.* *Quiero mucho* **a** *mi madre.* Acompañando a una persona sirve para introducir el objeto directo: la persona sobre la cual recae la acción del verbo (mi madre). *Le regalé un libro* **a** *mi hermano.* También puede introducir el objeto indirecto: la persona (mi hermano) para la cual está destinado el objeto (un libro).
ANTE:	*De repente, apareció* **ante** *nosotros un bonito caballo.* Unida a un pronombre personal (nosotros), significa delante de alguien o en presencia de alguien.
BAJO:	*He visitado una cueva a muchos metros* **bajo** *tierra.* Nos muestra la relación entre dos cosas para indicar que una (cueva) está situada debajo de la otra (tierra).
CON:	*Juan va al colegio* **con** *su hermano.* Relaciona a dos personas para indicar que una va en compañía de la otra. *Rompió el cristal* **con** *una piedra.* Puede acompañar al instrumento (piedra) con que se hace algo (romper). *Leía el libro* **con** *interés.* Se puede utilizar para expresar la forma en que se hace una cosa.
CONTRA:	*El coche chocó* **contra** *la farola.* Indica choque, oposición entre dos cosas. *Jugaremos el partido padres* **contra** *hijos.* Si pone en relación a distintas personas, indica enfrentamiento entre estas personas.
DE:	*El coche* **de** *mi padre es rojo.* Si acompaña a una persona, indica que un objeto es propiedad de esa persona. *Llegó ayer* **de** *Francia.* Unida a un lugar, muestra de dónde viene una persona. *Dijo que era* **de** *Alemania.* Unida a un lugar, muestra de dónde es una persona o un objeto. *Estuvimos tres horas* **de** *pie haciendo cola.* Puede acompañar a un nombre (pie), para expresar la manera en que se hace algo. *Tengo un anillo* **de** *oro.* Si va unida a un material (oro), nos dice de qué está hecho un objeto (anillo). *Beberé un vaso* **de** *leche.* Indica que el contenido (leche) está en un recipiente determinado (vaso). *Este libro es* **de** *aventuras.* Unida al tema (aventuras), nos dice de qué trata el libro. *He visto la casa nueva* **del** *abuelo.* Cuando la preposición **de** se encuentra junto al artículo *el* se escribirá **del** y no *de el.* *Se bebió la botella* **de** *un trago.* Unido a un o una, indica que la acción se ha realizado muy rápidamente.

PREPOSICIONES

DESDE:	*No lo veo* ***desde*** *el año pasado.* Acompañando a un período de tiempo (año) muestra el principio de este período.
EN:	***En*** *un minuto se han acabado todos los caramelos.* Unida a un período de tiempo (minuto), indica que el hecho se ha producido en ese tiempo. *Tengo muchos juguetes* ***en*** *mi habitación.* Acompañando a un lugar, indica que algo se encuentra en el interior de ese lugar. *¡No lo dirás* ***en*** *serio!* Muestra la manera de hacer o decir una cosa.
ENTRE:	*Me senté* ***entre*** *Aurora y Elena.* Sirve para indicar una situación en medio de varias personas o cosas.
HACIA:	*Voy* ***hacia*** *el norte.* Unida a un lugar, indica que la persona va en esa dirección (norte).
HASTA:	*Seguirá* ***hasta*** *que no pueda más.* Se utiliza para referirnos al final de algo.
PARA:	*Este regalo es* ***para*** *Ana.* Se usa para relacionar un objeto (regalo) con su destino (Ana). ***Para*** *crecer, debes alimentarte bien.* Unida a un verbo, indica el motivo (crecer) por el que se debe hacer algo (alimentarse). *¿Te vas* ***para*** *tu casa?* Unida a un lugar, indica en dirección a ese lugar.
POR:	*Me voy de viaje* ***por*** *poco tiempo.* Puede ir unida a palabras que indican tiempo. *Mis consejos son* ***por*** *tu bien.* Se puede usar para introducir el motivo de algo (tu bien). *Siempre está hablando* ***por*** *teléfono.* También puede introducir el medio (teléfono) o la manera de hacer algo (hablar por teléfono). *Yo haré los deberes* ***por*** *ti.* Acompañando a un pronombre personal (ti), indica que alguien (yo) hace algo en lugar de quien debería hacerlo (tú). *Tengo mucho trabajo* ***por*** *hacer.* Unida a un verbo (hacer), significa que algo está pendiente de realizar (trabajo).
SEGÚN:	*Hay cosas que están bien o mal* ***según*** *se mire.* Sirve para mostrar que existen distintas posibilidades de hacer algo o de juzgar algo.
SIN:	*Llevo dos noches* ***sin*** *dormir.* Unida a un verbo, expresa que la acción del verbo no se ha producido.
SOBRE:	*Deja el plato* ***sobre*** *el mantel.* Se utiliza para relacionar la posición de dos objetos, de manera que uno (plato) se encuentra encima de otro (mantel). *He leído un libro* ***sobre*** *la época romana.* Acompañando a una obra (libro), sirve para introducir el tema del que trata (época romana).
TRAS:	***Tras*** *el invierno viene la primavera.* Sirve para mostrar la relación entre dos cosas, según la cual una va primero (invierno) y otra después (primavera).

CONJUNCIONES

Y:	*Los Reyes Magos son Melchor, Gaspar* ***y*** *Baltasar.* Sirve para unir palabras o frases.
E:	*Madre* ***e*** *hija van siempre juntas.* La conjunción ***y*** toma la forma ***e*** cuando la escribimos delante de palabras que empiezan por ***i*** o ***hi***.
NI:	***Ni*** *ha escrito* ***ni*** *ha llamado por teléfono.* Se utiliza para unir frases cuando éstas son negativas (no ha hecho ninguna de las dos cosas).
O:	*Date prisa* **o** *me marcharé sin ti.* Sirve para mostrar que sólo puede darse una de las dos posibilidades.
U:	*¿Cuándo llegaban, ayer* ***u*** *hoy?* La conjunción ***o*** toma la forma ***u*** cuando la escribimos delante de palabras que empiezan por ***o*** u ***ho***.
YA:	***Ya*** *sea solo,* ***ya*** *acompañado, pienso marcharme de vacaciones.* Se utiliza para unir dos frases que se refieren a posibilidades distintas y contrarias (*ir solo o ir acompañado*).
PERO:	*Dijeron que vendrían,* **pero** *con ellos nunca se sabe.* Sirve para introducir una posibilidad (que no vengan) contraria a lo que sería normal (*que vengan pues así lo han dicho*).
AUNQUE:	*Iré* **aunque** *llueva.* Se utiliza para mostrar que algo en contra (*que llueva*) no impedirá que realicemos la acción (*ir*).
SINO:	*No quiero dormir* **sino** *permanecer despierto.* Sirve para unir dos oraciones que se refieren a hechos contrarios, y se utiliza para indicar que preferimos una posibilidad (*permanecer despierto*) a otra (*dormir*).
PORQUE:	*No fui a clase* **porque** *estaba enfermo.* Se usa para introducir la causa (*que estaba enfermo*) de lo que hemos dicho anteriormente (*que no fui a clase*).
PUES:	*No hablaré más,* **pues** *creo que he dicho bastante.* Como en el caso anterior, también sirve para introducir el motivo (*haber dicho bastante*) de lo afirmado con anterioridad (*que no hablaré más*).
PUESTO QUE:	***Puesto que*** *no quieres venir, iré a buscarte.* Sirve para introducir el motivo (*que no quieres venir*) por el cual vamos a hacer algo determinado (*ir a buscarte*).
COMO:	*Tenía el cabello rubio* **como** *el oro.* Se utiliza para comparar dos cosas distintas pero parecidas (*el cabello y el oro*).
SI:	***Si*** *tuviera dinero me iría de viaje.* Se utiliza para introducir la condición (*tener dinero*) necesaria para poder realizar un deseo (*ir de viaje*).
CONQUE:	*No has comido nada,* **conque** *acábate el pescado.* Sirve para mostrar que una orden (*que te acabes el pescado*) es consecuencia de una acción realizada anteriormente (*no haber comido nada*).
ASÍ QUE:	*Es muy tarde,* **así que** *ya te estás yendo a dormir.* Tiene la misma función que la preposición anterior (***conque***).
PARA QUE:	*Te llevaré en coche* **para que** *llegues a tiempo.* Sirve para introducir la finalidad (*que llegues a tiempo*) de lo que vamos a hacer (*llevarte en coche*).
CUANDO:	*Comeremos* **cuando** *llegue papá.* Se utiliza para introducir la frase que indica en qué momento (*en el momento en que llegue papá*) realizaremos una acción determinada (*comer*).
QUE:	*Lola me dijo* **que** *no quería verte más.* Se usa para introducir una oración que completa lo que acabamos de decir (*para introducir lo que dijo Lola*).

Amar (modelo 1ª conjugación)

INDICATIVO

Presente	**Pret. perf. comp.**	
amo	he	amado
amas	has	amado
ama	ha	amado
amamos	hemos	amado
amáis	habéis	amado
aman	han	amado

Pret. imperf.	**Pret. pluscuamp.**	
amaba	había	amado
amabas	habías	amado
amaba	había	amado
amábamos	habíamos	amado
amabais	habíais	amado
amaban	habían	amado

Pret. perf. simple	**Pret. anterior**	
amé	hube	amado
amaste	hubiste	amado
amó	hubo	amado
amamos	hubimos	amado
amasteis	hubisteis	amado
amaron	hubieron	amado

Futuro	**Futuro perf.**	
amaré	habré	amado
amarás	habrás	amado
amará	habrá	amado
amaremos	habremos	amado
amaréis	habréis	amado
amarán	habrán	amado

Condicional	**Condicional perf.**	
amaría	habría	amado
amarías	habrías	amado
amaría	habría	amado
amaríamos	habríamos	amado
amaríais	habríais	amado
amarían	habrían	amado

SUBJUNTIVO

Presente	**Pret. perf.**	
ame	haya	amado
ames	hayas	amado
ame	haya	amado
amemos	hayamos	amado
améis	hayáis	amado
amen	hayan	amado

Pret. imperf.	**Pret. pluscuamp.**	
amara	hubiera	
o amase	*o* hubiese	amado
amaras	hubieras	
o amases	*o* hubieses	amado
amara	hubiera	
o amase	*o* hubiese	amado
amáramos	hubiéramos	
o amásemos	*o* hubiésemos	amado
amarais	hubierais	
o amaseis	*o* hubieseis	amado
amaran	hubieran	
o amasen	*o* hubiesen	amado

Futuro	**Futuro perf.**	
amare	hubiere	amado
amares	hubieres	amado
amare	hubiere	amado
amáramos	hubiéremos	amado
amareis	hubiereis	amado
amaren	hubieren	amado

IMPERATIVO

Presente	
ama	tú
ame	él
amemos	nosotros
amad	vosotros
amen	ellos

FORMAS NO PERSONALES

Infinitivo	**Infinitivo compuesto**	
amar	haber	amado

Gerundio	**Gerundio compuesto**
amando	habiendo amado

Participio

amado

Temer (modelo 2ª conjugación)

INDICATIVO

Presente	**Pret. perf. comp.**	
temo	he	temido
temes	has	temido
teme	ha	temido
tememos	hemos	temido
teméis	habéis	temido
temen	han	temido

Pret. imperf.	**Pret. pluscuamp.**	
temía	había	temido
temías	habías	temido
temía	había	temido
temíamos	habíamos	temido
temíais	habíais	temido
temían	habían	temido

Pret. perf. simple	**Pret. anterior**	
temí	hube	temido
temiste	hubiste	temido
temió	hubo	temido
temimos	hubimos	temido
temisteis	hubisteis	temido
temieron	hubieron	temido

Futuro	**Futuro perf.**	
temeré	habré	temido
temerás	habrás	temido
temerá	habrá	temido
temeremos	habremos	temido
temeréis	habréis	temido
temerán	habrán	temido

Condicional	**Condicional perf.**	
temería	habría	temido
temerías	habrías	temido
temería	habría	temido
temeríamos	habríamos	temido
temeríais	habríais	temido
temerían	habrían	temido

SUBJUNTIVO

Presente	**Pret. perf.**	
tema	haya	temido
temas	hayas	temido
tema	haya	temido
temamos	hayamos	temido
temáis	hayáis	temido
teman	hayan	temido

Pret. imperf.	**Pret. pluscuamp.**	
temiera *o* temiese	hubiera *o* hubiese	temido
temieras *o* temieses	hubieras *o* hubieses	temido
temiera *o* temiese	hubiera *o* hubiese	temido
temiéramos *o* temiésemos	hubiéramos *o* hubiésemos	temido
temierais *o* temieseis	hubierais *o* hubieseis	temido
temieran *o* temiesen	hubieran *o* hubiesen	temido

Futuro	**Futuro perf.**	
temiere	hubiere	temido
temieres	hubieres	temido
temiere	hubiere	temido
temiéremos	hubiéremos	temido
temiereis	hubiereis	temido
temieren	hubieren	temido

IMPERATIVO

Presente	
teme	tú
tema	él
temamos	nosotros
temed	vosotros
teman	ellos

FORMAS NO PERSONALES

Infinitivo	**Infinitivo compuesto**
temer	haber temido

Gerundio	**Gerundio compuesto**
temiendo	habiendo temido

Participio

temido

Partir (modelo 3ª conjugación)

INDICATIVO

Presente	**Pret. perf. comp.**	
parto	he	partido
partes	has	partido
parte	ha	partido
partimos	hemos	partido
partís	habéis	partido
parten	han	partido

Pret. imperf.	**Pret. pluscuamp.**	
partía	había	partido
partías	habías	partido
partía	había	partido
partíamos	habíamos	partido
partíais	habíais	partido
partían	habían	partido

Pret. perf. simple	**Pret. anterior**	
partí	hube	partido
partiste	hubiste	partido
partió	hubo	partido
partimos	hubimos	partido
partisteis	hubisteis	partido
partieron	hubieron	partido

Futuro	**Futuro perf.**	
partiré	habré	partido
partirás	habrás	partido
partirá	habrá	partido
partiremos	habremos	partido
partiréis	habréis	partido
partirán	habrán	partido

Condicional	**Condicional perf.**	
partiría	habría	partido
partirías	habrías	partido
partiría	habría	partido
partiríamos	habríamos	partido
partiríais	habríais	partido
partirían	habrían	partido

SUBJUNTIVO

Presente	**Pret. perf.**	
parta	haya	partido
partas	hayas	partido
parta	haya	partido
partamos	hayamos	partido
partáis	hayáis	partido
partan	hayan	partido

Pret. imperf.	**Pret. pluscuamp.**	
partiera	hubiera	
o partiese	*o* hubiese	partido
partieras	hubieras	
o partieses	*o* hubieses	partido
partiera	hubiera	
o partiese	*o* hubiese	partido
partiéramos	hubiéramos	
o partiésemos	*o* hubiésemos	partido
partierais	hubierais	
o partieseis	*o* hubieseis	partido
partieran	hubieran	
o partiesen	*o* hubiesen	partido

Futuro	**Futuro perf.**	
partiere	hubiere	partido
partieres	hubieres	partido
partiere	hubiere	partido
partiéremos	hubiéremos	partido
partiereis	hubiereis	partido
partieren	hubieren	partido

IMPERATIVO

Presente	
parte	tú
parta	él
partamos	nosotros
partid	vosotros
partan	ellos

FORMAS NO PERSONALES

Infinitivo	**Infinitivo compuesto**	
partir	haber	partido

Gerundio	**Gerundio compuesto**
partiendo	habiendo partido

Participio

partido

Haber (verbo auxiliar)

INDICATIVO

Presente	Pret. perf. comp.	
he	he	habido
has	has	habido
ha*	ha	habido
hemos	hemos	habido
habéis	habéis	habido
han	han	habido

Pret. imperf.	Pret. pluscuamp.	
había	había	habido
habías	habías	habido
había	había	habido
habíamos	habíamos	habido
habíais	habíais	habido
habían	habían	habido

Pret. perf. simple	Pret. anterior	
hube	hube	habido
hubiste	hubiste	habido
hubo	hubo	habido
hubimos	hubimos	habido
hubisteis	hubisteis	habido
hubieron	hubieron	habido

Futuro	Futuro perf.	
habré	habré	habido
habrás	habrás	habido
habrá	habrá	habido
habremos	habremos	habido
habréis	habréis	habido
habrán	habrán	habido

Condicional	Condicional perf.	
habría	habría	habido
habrías	habrías	patido
habría	habría	habido
habríamos	habríamos	habido
habríais	habríais	habido
habrían	habrían	habido

SUBJUNTIVO

Presente	Pret. perf.	
haya	haya	habido
hayas	hayas	habido
haya	haya	habido
hayamos	hayamos	habido
hayáis	hayáis	habido
hayan	hayan	habido

Pret. imperf.	Pret. pluscuamp.	
hubiera *o* hubiese	hubiera *o* hubiese	habido
hubieras *o* hubieses	hubieras *o* hubieses	habido
hubiera *o* hubiese	hubiera *o* hubiese	habido
hubiéramos *o* hubiésemos	hubiéramos *o* hubiésemos	habido
hubierais *o* hubieseis	hubierais *o* hubieseis	habido
hubieran *o* hubiesen	hubieran *o* hubiesen	habido

Futuro	Futuro perf.	
hubiere	hubiere	habido
hubieres	hubieres	habido
hubiere	hubiere	habido
hubiéremos	hubiéremos	habido
hubiereis	hubiereis	habido
hubieren	hubieren	habido

IMPERATIVO

Presente	
he	tú
haya	él
hayamos	nosotros
habed	vosotros
hayan	ellos

FORMAS NO PERSONALES

Infinitivo
haber

Infinitivo compuesto
haber habido

Gerundio
habiendo

Gerundio compuesto
habiendo habido

Participio
habido

* Cuando este verbo se usa impersonalmente, la 3ª persona del singular es *hay*.

Ser (verbo copulativo)

INDICATIVO

Presente	Pret. perf. comp.	
soy	he	sido
eres	has	sido
es	ha	sido
somos	hemos	sido
sois	habéis	sido
son	han	sido

Pret. imperf.	Pret. pluscuamp.	
era	había	sido
eras	habías	sido
era	había	sido
éramos	habíamos	sido
erais	habíais	sido
eran	habían	sido

Pret. perf. simple	Pret. anterior	
fui	hube	sido
fuiste	hubiste	sido
fue	hubo	sido
fuimos	hubimos	sido
fuisteis	hubisteis	sido
fueron	hubieron	sido

Futuro	Futuro perf.	
seré	habré	sido
serás	habrás	sido
será	habrá	sido
seremos	habremos	sido
seréis	habréis	sido
serán	habrán	sido

Condicional	Condicional perf.	
sería	habría	sido
serías	habrías	sido
sería	habría	sido
seríamos	habríamos	sido
seríais	habríais	sido
serían	habrían	sido

SUBJUNTIVO

Presente	Pret. perf.	
sea	haya	sido
seas	hayas	sido
sea	haya	sido
seamos	hayamos	sido
seáis	hayáis	sido
sean	hayan	sido

Pret. imperf.	Pret. pluscuamp.	
fuera *o* fuese	hubiera *o* hubiese	sido
fueras *o* fueses	hubieras *o* hubieses	sido
fuera *o* fuese	hubiera *o* hubiese	sido
fuéramos *o* fuésemos	hubiéramos *o* hubiésemos	sido
fuerais *o* fueseis	hubierais *o* hubieseis	sido
fueran *o* fuesen	hubieran *o* hubiesen	sido

Futuro	Futuro perf.	
fuere	hubiere	sido
fueres	hubieres	sido
fuere	hubiere	sido
fuéremos	hubiéremos	sido
fuereis	hubiereis	sido
fueren	hubieren	sido

IMPERATIVO

Presente	
sé	tú
sea	él
seamos	nosotros
sed	vosotros
sean	ellos

FORMAS NO PERSONALES

Infinitivo	Infinitivo compuesto	
ser	haber	sido

Gerundio	Gerundio compuesto	
siendo	habiendo	sido

Participio

sido

Estar (verbo copulativo)

INDICATIVO

Presente	**Pret. perf. comp.**	
estoy	he	estado
estás	has	estado
está	ha	estado
estamos	hemos	estado
estais	habéis	estado
están	han	estado

Pret. imperf.	**Pret. pluscuamp.**	
estaba	había	estado
estabas	habías	estado
estaba	había	estado
estábamos	habíamos	estado
estabais	habíais	estado
estaban	habían	estado

Pret. perf. simple	**Pret. anterior**	
estuve	hube	estado
estuviste	hubiste	estado
estuvo	hubo	estado
estuvimos	hubimos	estado
estuvisteis	hubisteis	estado
estuvieron	hubieron	estado

Futuro	**Futuro perf.**	
estaré	habré	estado
estarás	habrás	estado
estará	habrá	estado
estaremos	habremos	estado
estaréis	habréis	estado
estarán	habrán	estado

Condicional	**Condicional perf.**	
estaría	habría	estado
estarías	habrías	estado
estaría	habría	estado
estaríamos	habríamos	estado
estaríais	habríais	estado
estarían	habrían	estado

SUBJUNTIVO

Presente	**Pret. perf.**	
esté	haya	estado
estés	hayas	estado
esté	haya	estado
estemos	hayamos	estado
estéis	hayáis	estado
estén	hayan	estado

Pret. imperf.	**Pret. pluscuamp.**	
estuviera	hubiera	
o estuviese	*o* hubiese	estado
estuvieras	hubieras	
o estuvieses	*o* hubieses	estado
estuviera	hubiera	
o estuviese	*o* hubiese	estado
estuviéramos	hubiéramos	
o estuviésemos	*o* hubiésemos	estado
estuvierais	hubierais	
o estuvieseis	*o* hubieseis	estado
estuvieran	hubieran	
o estuviesen	*o* hubiesen	estado

Futuro	**Futuro perf.**	
estuviere	hubiere	estado
estuvieres	hubieres	estado
estuviere	hubiere	estado
estuviéremos	hubiéremos	estado
estuviereis	hubiereis	estado
estuvieren	hubieren	estado

IMPERATIVO

Presente	
está	tú
esté	él
estemos	nosotros
estad	vosotros
estén	ellos

FORMAS NO PERSONALES

INFINITIVO	**INFINITIVO COMPUESTO**	
estar	haber	estado

GERUNDIO	**GERUNDIO COMPUESTO**	
estando	habiendo	estado

PARTICIPIO

estado

La puntuación

Nombres Signos ortográficos	Usos	Ejemplos
Punto .	— El punto indica el final de una oración con sentido completo.	Llueve a cántaros.
	— No se usa punto después de los signos de interrogación y de admiración que cierran una oración con sentido completo.	¿A qué hora saldremos? ¡Qué guapa estás!
Coma ,	— La coma permite separar palabras o grupos de palabras que constituyen una enumeración.	María tiene muchas joyas: anillos, brazaletes, collares, broches, pendientes, aretes.
	— No se usa coma cuando las palabras o grupos de palabras están unidas por las conjunciones «o» («u») «y» («e»), «ni».	Susana, Yolanda e Isabel son mis mejores amigas.
	— Se usa coma antes y después de las expresiones que permiten aclarar, explicar o matizar una oración.	Me gustaría, a pesar de todo lo que pasó, que continuásemos siendo amigos.
Punto y coma ;	— El punto y coma indica una pausa entre dos o más miembros de una oración.	Después de la discusión, Luis se marchó muy triste; pero, al cabo de una semana, volvió a ser el mismo chico alegre.
Dos puntos :	— Se usan dos puntos delante de una enumeración.	Asistieron todos los invitados: el Presidente, los ministros, los diputados y los senadores.
	— Se utilizan también dos puntos delante de una cita textual.	Se marchó diciéndome: «¡Ni en sueños haré lo que me pides!».
Puntos suspensivos ...	— Se emplean cuando se deja en suspenso una frase y se supone que el interlocutor conoce o puede adivinar el resto.	Más vale pájaro en mano...
	— Los puntos suspensivos indican una pausa o suspensión de la locución por vacilación o porque se va a anunciar algo importante.	Me gustaría ayudarte... pero ¿cómo? Tengo el placer de anunciarte que... has aprobado el curso con sobresaliente.

Signos de interrogación ¿ ?	— Enmarcan una frase o una expresión interrogativa. — Después de cerrar interrogación no se escribe punto.	¿Quieres asistir a la ceremonia? Pero si ya lo sabías, ¿por qué diablos no me lo dijiste?
Signos de admiración ¡ !	— Enmarcan una frase o una expresión admirativa. — Después de cerrar exclamación no se escribe punto.	¡Qué flores tan hermosas! Me gusta mucho esta actriz; ¡es tan guapa!
Paréntesis ( )	— Los paréntesis se emplean para aislar una observación o para intercalar una explicación complementaria a lo que se dice o escribe. — Se encierran entre paréntesis los datos cronológicos o aclaratorios.	Era muy temprano (el sol acababa de ocultarse en el horizonte) cuando nos marchamos. Miguel de Cervantes (1547-1616) es mi escritor preferido.
Guiones mayores —	— Se utilizan al principio de lo que dice cada interlocutor en la transcripción de un diálogo. — Se emplean también en los incisos de una frase.	—¿Has acabado? —Aún no. Diego aceptó —pero de muy mal humor— efectuar el trabajo que le pedían.
Guión -	— Se usa al cortar silábicamente una palabra al final de una línea. — Se utilizan para enlazar los dos elementos de ciertas palabras compuestas.	Mi hermano mayor estu-dia en la Universidad. El conferenciante habló de las relaciones franco-norteamericanas e iberoamericanas.
Comillas " " « »	— Se usan comillas para encerrar citas o textos reproducidos literalmente. — Se utilizan también comillas para enmarcar las palabras no castellanas y los apodos o sobrenombres.	«En boca cerrada no entran moscas». Tiene un «bungalow» en la costa. Le llaman irónicamente «Comidita» pues es un tragón.

Países	Capitales	Gentilicios	Monedas	Lenguas
Afganistán	Kabul	afgano	afghani	pashtu y dari
África del Sur	El Cabo y Pretoria	sudafricano	rand	afrikaans e inglés
Albania	Tirana	albanés	lek	albanés
Alemania	Berlín	alemán	marco alemán	alemán
Andorra	Andorra La Vella	andorrano	franco francés y peseta española	catalán
Angola	Luanda	angoleño	kwanza	portugués
Arabia Saudita	Riyad	árabe	riyal	árabe
Argelia	Argel	argelino	dinar	argelino - árabe
Argentina	Buenos Aires	argentino	peso	español
Australia	Canberra	australiano	dólar australiano	inglés
Austria	Viena	austríaco	chelín austríaco	alemán
Bélgica	Bruselas	belga	franco belga	francés y holandés
Bolivia	La Paz	boliviano	peso boliviano	español
Bosnia-Herzegovina	Sarajevo	bosnio	dinar	serbocroata
Brasil	Brasilia	brasileño	cruzeiro real	portugués
Bulgaria	Sofía	búlgaro	lev	búlgaro
Camboya	Phnom Penh	camboyano	riel	jmer
Canadá	Ottawa	canadiense	dólar canadiense	inglés y francés
Centroafricana	Bangui	centroafricano	franco C.F.A.	francés
Checa, Rep.	Praga	checo	corona	checo
Chile	Santiago	chileno	peso chileno	español
China	Pekín	chino	yuan	chino
Chipre	Nicosia	chipriota	libra chipriota	griego y turco
Comunidad de Estados Independientes			rublo	ruso y lenguas nacionales en cada república
Congo	Brazzaville	congolés	franco C.F.A.	francés

Países	Capitales	Gentilicios	Monedas	Lenguas
Corea del N.	Pyongyang	coreano	won	coreano
Corea del S.	Seúl	coreano	won	coreano
Costa Rica	San José	costarricense	colón	español
Croacia	Zagreb	croata	dinar	croata
Cuba	La Habana	cubano	peso cubano	español
Dinamarca	Copenhague	dinamarqués	corona danesa	danés
Dominicana, Rep.	Santo Domingo	dominicano	franco francés,	
			libra esterlina y dólar de	
			las Antillas orientales	inglés
Ecuador	Quito	ecuatoriano	sucre	español
Egipto	El Cairo	egipcio	libra egipcia	árabe
El Salvador	San Salvador	salvadoreño	colón	español
Emiratos árabes	Abù Zabì	árabe	dirham	árabe
Eslovaca, Rep.	Bratislava	eslovaco	corona	eslovaco
Eslovenia	Lubliana	esloveno	tolar y dinar	esloveno
España	Madrid	español	peseta	español
Estados Unidos	Washington	estadounidense	dólar	inglés
Estonia	Tallin	estonio	rublo	estonio
Etiopía	Addis Abeba	etíope	birr	amhárico
Filipinas	Manila	filipino	peso filipino	tagalo
Finlandia	Helsinski	finlandés	markka	finés y sueco
Francia	París	francés	franco	francés
Georgia	Tiflis	georgiano	rublo	georgiano
Gran Bretaña	Londres	inglés	libra esterlina	inglés
Grecia	Atenas	griego	dracma	griego
Guatemala	Ciudad de Guatemala	guatemalteco	quetzal	español

Países	Capitales	Gentilicios	Monedas	Lenguas
Guinea	Conakry	guineano	franco guineano	francés
Guyana	Georgetown	guyano	dólar de Guyana	inglés
Haití	Puerto Príncipe	haitiano	gourde	francés
Honduras	Tegucigalpa	hondureño	lempira	español
Hungría	Budapest	húngaro	forint	húngaro
India	Nueva Delhi	indio	rupia	hindi e inglés
Indonesia	Yakarta	indonesio	rupia	indonesio
Irak	Bagdad	iraquí	dinar iraquí	árabe
Irán	Teherán	iraní	rial	persa
Irlanda	Dublín	irlandés	libra irlandesa	irlandés e inglés
Islandia	Reykjavik	islandés	corona islandesa	islandés
Israel	Jerusalén	israelí	shekel	hebreo
Italia	Roma	italiano	lira	italiano
Jamaica	Kingston	jamaiquino	dólar de Jamaica	inglés
Japón	Tokio	japonés	yen	japonés
Jordania	Ammán	jordano	dinar jordano	árabe
Laos	Vientiane	laosiano	kip	lao y francés
Letonia	Riga	letón	rublo	letón
Líbano	Beirut	libanés	libra libanesa	árabe
Libia	Trípoli	libio	dinar libio	árabe
Lituania	Vilna	lituano	rublo	lituano
Malaysia	Kuala Lumpur	malayo	dólar de la Malasia	malayo
Marruecos	Rabat	marroquí	dirham	árabe
México	México	mexicano	peso mexicano	español
Mónaco	Montecarlo	monegasco	franco francés	francés
Nepal	Katmandú	nepalí	rupia nepalesa	nepalí
Nicaragua	Managua	nicaragüense	córdoba	español

Países	Capitales	Gentilicios	Monedas	Lenguas
Noruega	Oslo	noruego	corona noruega	noruego
Nueva Zelanda	Wellington	neozelandés	dólar neozelandés	inglés
Países Bajos	Amsterdam	holandés	florín	neerlandés
Pakistán	Islamabad	pakistaní	rupia pakistaní	urdu e inglés
Panamá	Panamá	panameño	balboa	español
Paraguay	Asunción	paraguayo	guaraní	español
Perú	Lima	peruano	sol	español y quechua
Polonia	Varsovia	polaco	zloty	polaco
Portugal	Lisboa	portugués	escudo	portugués
Puerto Rico	San Juan	portorriqueño	dólar norteamericano	español
Rumania	Bucarest	rumano	leu	rumano
Senegal	Dakar	senegalés	franco CFA	francés y uolof
Siria	Damasco	sirio	libra siria	árabe
Somalia	Mogadishu	somalí	chelín	somalí
Sudán	Jartum	sudaní	libra sudanesa	árabe
Suecia	Estocolmo	sueco	corona sueca	sueco
Suiza	Berna	suizo	franco suizo	alemán, francés, italiano y romanche
Tailandia	Bangkok	tailandés	baht	tai
Taiwán	Taibei	taiwanés	dólar de Taiwán	chino
Turquía	Ankara	turco	libra turca	turco
Uruguay	Montevideo	uruguayo	peso uruguayo	español
Venezuela	Caracas	venezolano	bolívar	español
Vietnam	Hanoi	vietnamita	dong	vietnamita
Zaire	Kinshasa		zaire	francés

A s. f. **1.** La **a** es la primera letra del abecedario español. **2.** ***A*** también es una preposición. VER CUADRO DE PREPOSICIONES.

abad s. m. *El **abad** fue elegido entre todos los monjes* (= es la persona que hace de director del monasterio en que viven los monjes).
SINÓN: superior. **FAM:** *abadesa, abadía.*

abadesa s. f. *La **abadesa** fue elegida entre todas las monjas* (= la persona que hace de directora del monasterio donde viven las monjas).
SINÓN: superiora. **FAM:** → *abad.*

abadía s. f. *Durante la excursión visitamos una **abadía*** (= un convento en el que viven monjas o frailes dirigidos por un abad o una abadesa).
SINÓN: convento, monasterio. **FAM:** → *abad.*

abajo adv. **1.** *El sótano de una casa está **abajo*** (= en la parte inferior). **2.** *Cansa menos correr cuesta **abajo** que cuesta arriba.*
SINÓN: 1. debajo. **ANTÓN:** arriba. **FAM:** → *bajar.*

abalanzarse v. pron. *El águila **se abalanzó** sobre el cordero* (= se lanzó rápidamente sobre él).
SINÓN: lanzarse, precipitarse, tirarse.

abanderado, a s. *En los desfiles militares y en las procesiones, los **abanderados** van delante* (= los que llevan las banderas).
FAM: → *bandera.*

abandonar v. tr. **1.** *Hay pájaros que **abandonan** a sus crías* (= las dejan solas). **2.** *Antonio **ha abandonado** sus estudios* (= ha dejado de estudiar). ◆ **abandonarse** v. pron. **3.** *La gente que **se abandona** acaba mal* (= que deja de cuidarse y de hacer las cosas bien). **4.** *¡**No te abandones** a la desesperación!* (= no te dejes vencer por el desánimo).
SINÓN: 1, 2. dejar, descuidar. **ANTÓN: 1.** atender, cuidar, proteger. **2.** continuar. **3.** arreglarse, cuidarse. **FAM:** *abandono.*

abandono s. m. *En las carreras ciclistas hay muchos **abandonos*** (= muchos corredores se retiran antes de llegar a la meta).
FAM: *abandonar.*

abanicarse v. pron. *Un señor **se abanicaba** con un periódico para darse aire* (= lo movía).
FAM: *abanico.*

abanico s. m. **1.** *En verano, mi abuela usa mucho el **abanico*** (= un instrumento formado por varillas y una banda de tela o de papel plegado que sirve para darse aire). **2.** *El futuro me ofrece un **abanico** de posibilidades* (= muchas posibilidades).
FAM: *abanicarse.*

abaratamiento s. m. *El **abaratamiento** del precio de los coches se debe al aumento de la producción* (= la bajada del precio).
SINÓN: bajada, descenso, rebaja. **ANTÓN:** aumento, subida. **FAM:** → *barato.*

abaratar v. tr. *Las tiendas **abaratan** las cosas para vender más* (= bajan sus precios).
SINÓN: bajar, disminuir, rebajar. **ANTÓN:** aumentar, encarecer, subir. **FAM:** → *barato.*

abarcar v. tr. **1.** *Hay un árbol tan grueso en el jardín que no lo podemos **abarcar** con los brazos* (= no lo podemos rodear con los brazos). **2.** *La Gramática **abarca** la Sintaxis, la Morfología, la Fonología y la Semántica* (= estudia todos esos temas). **3.** *Desde lo alto de esta torre **abarcamos** un amplio panorama con la mirada* (= alcanzamos una amplia visión).
SINÓN: 1. abrazar, rodear. **2.** comprender, incluir.

abarrotar v. tr. *La gente **abarrotaba** el estadio deportivo para ver el partido* (= lo llenaba).
SINÓN: colmar, llenar.

abarrotes s. m. pl. Amér. **1.** *Voy a la tienda de **abarrotes*** (= tienda de comestibles). **2.** *En este depósito hay muchos **abarrotes*** (= mercancías).

abastecer v. tr. *El río **abastece** de agua a la ciudad* (= le suministra agua).
SINÓN: proporcionar, suministrar, surtir. **FAM:** *abastecimiento, abastos.*

abastecimiento s. m. *El **abastecimiento** de agua es insuficiente para esta ciudad* (= la cantidad suministrada).
FAM: → *abastecer.*

abastos s. m. pl. **1.** *Fuimos al mercado de **abastos** a comprar carne, pescado, verdura y fruta* (= al lugar donde se venden alimentos en grandes cantidades). ◆ **dar (o no) abasto. 2.** *Había tanto trabajo que entre todos **no dábamos abasto** para terminarlo* (= no podíamos acabarlo).
FAM: → *abastecer.*

abatatar v. tr. R. de la Plata. **1.** *La respuesta de Juan* ***abatató*** *a Pedro* (= lo turbó). ◆ **abatatarse** v. pron. **2.** *Ante la reprimenda de la maestra, el alumno* ***se abatató*** (= se avergonzó).
SINÓN: **1.** inquietar, turbar. **2.** avergonzarse. **ANTÓN:** **1.** apaciguar, calmar, sosegar, tranquilizar. **2.** enorgullecerse.

abatimiento s. m. *Pedro sufre un gran* ***abatimiento*** *desde la muerte de su abuelo* (= está muy desanimado y triste).
SINÓN: depresión, desaliento. **ANTÓN:** ánimo, coraje, valor. **FAM:** → *batir.*

abatir v. tr. **1.** *El huracán* ***ha abatido*** *varios árboles* (= los ha derribado). **2.** *La pérdida del partido* ***abatió*** *a los jugadores* (= los entristeció). ◆ **abatirse** v. pron. **3.** *El águila* ***se abate*** *desde el cielo sobre su presa* (= se lanza sobre la presa).
SINÓN: **1.** derribar. **2.** desanimar, entristecer. **ANTÓN:** **1.** levantar. **2.** animar, estimular, excitar. **FAM:** → *batir.*

abdicación s. f. *La* ***abdicación*** *del rey causó graves conflictos sociales* (= la renuncia a su cargo).
SINÓN: dimisión, renuncia. **FAM:** *abdicar.*

abdicar v. tr. **1.** *El rey* ***abdicó*** *en su hijo* (= le cedió sus poderes). ◆ **abdicar** v. intr. **2.** *Napoleón* ***abdicó*** *del poder en 1814* (= renunció al poder que tenía).
SINÓN: ceder, dimitir, renunciar. **FAM:** *abdicación.*

abdomen s. m. *El médico le palpó el* ***abdomen*** *para saber si tenía apendicitis* (= le tocó la barriga).
SINÓN: barriga, panza, vientre. **FAM:** *abdominal.*

abdominal adj. *Marta tiene dolores* ***abdominales*** (= le duele el vientre).
FAM: *abdomen.*

abecedario s. m. El **abecedario** es el conjunto de letras ordenadas de la ***a*** a la ***z***.
SINÓN: alfabeto.

abedul s. m. El **abedul** es un árbol de las altas montañas con el tronco claro y hojas pequeñas.

abeja s. f. Las **abejas** son insectos que viven en colmenas y producen cera y miel.
FAM: *abejorro, apicultura.*

abejorro s. m. El **abejorro** es un insecto con vello y trompa que produce zumbidos al volar. **FAM:** → *abeja.*

aberración s. f. *Maltratar a los demás es una* ***aberración*** (= es un acto que no debe hacerse).
FAM: *aberrante.*

aberrante adj. *Su discurso fue tan* ***aberrante*** *que el público se fue de la sala indignado* (= fue muy desagradable y malo).
FAM: *aberración.*

abertura s. f. **1.** *Cuando pronunciamos la* a *la* ***abertura*** *de la boca es mayor que cuando pronunciamos la* u (= abrimos más la boca). **2.** *Un valle es una* ***abertura*** *entre montañas* (= es un espacio abierto entre ellas). **3.** *Los dos países han iniciado una fase de* ***abertura*** *en sus relaciones* (= un período de confianza entre ellos).
SINÓN: **1.** apertura. **3.** confianza, franqueza. **ANTÓN:** **1.** cierre. **FAM:** → *abrir.*

abicharse v. pron. Amér. Merid. *El veterinario desinfectó la herida del caballo para que no* ***se abichara*** (= para que no se llenara de gusanos). **FAM:** → *bicho.*

abierto, a adj. **1.** *Llegamos a campo* ***abierto*** *sin edificios que impidieran la visión* (= un lugar con mucha extensión visible). **2.** *El parque público es un lugar* ***abierto*** *a todos* (= todo el mundo puede estar en él). **3.** *Es un hombre muy* ***abierto*** *de carácter* (= que le gusta relacionarse con los demás).
SINÓN: **1.** llano, raso. **ANTÓN:** **2.** cerrado, clausurado. **FAM:** → *abrir.*

abismal adj. *Entre las personas puede haber diferencias* ***abismales*** *de carácter* (= diferencias muy grandes).
SINÓN: grande. **FAM:** *abismo.*

abismo s. m. **1.** *La carretera que bordea la montaña está tan cerca del* ***abismo*** *que da miedo mirar hacia abajo* (= está cerca del precipicio). **2.** *Entre lo que dice y lo que hace hay un* ***abismo*** (= una gran diferencia).
SINÓN: **1.** barranco, precipicio. **FAM:** *abismal.*

ablandar v. tr. **1.** *El calor* ***ablanda*** *la nieve y la cera* (= la derrite). **2.** *Le pedí perdón pero no conseguí* ***ablandar*** *su enfado* (= no logré calmarlo).
SINÓN: derretir, reblandecer. **2.** calmar, templar. **ANTÓN:** **1, 2.** endurecer. **FAM:** → *blando.*

abnegación s. f. *Para poder realizar un buen trabajo es necesario tener* ***abnegación*** (= renunciar a los propios intereses en beneficio de los demás).
SINÓN: altruismo, generosidad, sacrificio. **ANTÓN:** egoísmo, indiferencia, interés. **FAM:** → *negar.*

abocarse v. pron. R. de la Plata. *No sabemos cómo* ***abocarnos*** *a este asunto* (= enfrentarlo y solucionarlo).
FAM: → *boca.*

abochornar v. tr. **1.** *El calor del verano me* ***abochorna*** (= me agobia y me deja sin ganas de hacer nada). ◆ **abochornarse** v. pron. **2.** *Cada vez que recuerdo lo mal que me porté* ***me abochorno*** (= me avergüenzo).
SINÓN: **1.** sofocar(se). **2.** avergonzarse, ruborizarse, sonrojarse. **ANTÓN:** **1.** refrescar. **FAM:** *bochorno.*

abofetear v. tr. *Pedro* ***abofeteó*** *a su hermana sin ningún motivo* (= le dio varias bofetadas).
FAM: → *bofetada.*

abogacía s. f. *Ejerce la* ***abogacía*** *desde hace diez años* (= trabaja como abogado).
FAM: → *abogar.*

abogado s. **1.** *El* ***abogado*** *defendió a su cliente en el juicio* (= la persona autorizada para defender los derechos de un acusado). **2.** *Tuve que hacer de* ***abogada*** *en la discusión entre mis hermanos* (= tuve que intervenir para que dejaran de discutir).

SINÓN: **1.** letrado. **1, 2.** defensor, intercesor. FAM: → *abogar.*

abogar v. intr. *Mi compañero* ***abogó*** *por mí para que me aprobara el profesor* (= habló en mi favor).

SINÓN: defender, interceder. FAM: *abogado, abogacía.*

abolengo s. m. *Tiene un apellido de noble* ***abolengo*** (= le viene de muy antiguo).

abolición s. f. *Los diputados han votado la* ***abolición*** *de la pena de muerte* (= la supresión).

SINÓN: anulación, supresión. FAM: *abolir.*

abolir v. tr. *Todos los estados del mundo* ***abolieron*** *la esclavitud* (= la suprimieron legalmente).

SINÓN: anular, cancelar, suprimir. ANTÓN: implantar restablecer, restaurar. FAM: *abolición.*

abolladura s. f. *He llevado el coche al taller para reparar las* ***abolladuras*** *causadas por el accidente* (= las partes de la carrocería que han quedado hundidas).

SINÓN: bollo. FAM: → *bollo.*

abollar v. tr. *De tanto golpearlo,* ***has abollado*** *este plato de aluminio* (= lo has deformado). FAM: → *bollo.*

abombado, a adj. Amér. Cent., Merid. **1.** *María se dio un fuerte golpe en la cabeza y quedó* ***abombada*** (= atontada). Amér. **2.** *Carlos es un chico* ***abombado*** (= tonto).

SINÓN: **1.** aturdido. **2.** bobo, estúpido, necio. ANTÓN: **1.** lúcido. **2.** inteligente. FAM: → *bomba.*

abombarse v. pron. **1.** *La madera* ***se abomba*** *con el agua* (= se curva). Amér. **2.** *No dejes la carne fuera del refrigerador porque* ***se abombará*** *con el calor* (= se corromperá).

SINÓN: **1.** curvar, doblar. **2.** descomponer(se). FAM: → *bomba.*

abominable adj. **1.** *El crimen es un acto* ***abominable*** (= es un delito tan grave que quien lo comete debe ser condenado). **2.** *En la película salía el* ***abominable*** *hombre de las nieves* (= un hombre monstruoso).

SINÓN: **1.** despreciable, detestable. **2.** espantoso, horrible, monstruoso. ANTÓN: **1.** admirable, adorable. FAM: *abominar.*

abonar v. tr. **1.** *El agricultor* ***abona*** *la tierra para que dé buenas cosechas* (= le echa fertilizantes para mejorarla). **2.** *Ya* ***he abonado*** *el importe del recibo del gas* (= ya lo he pagado). ◆ **abonarse** v. pron. **3.** *Mi padre* ***se ha abonado*** *a una revista mensual de deportes* (= se ha suscrito a ella para recibirla en casa).

SINÓN: **1.** enriquecer. **2.** pagar. **3.** suscribirse. ANTÓN: **2.** adeudar, deber. FAM: *abono.*

abono s. m. **1.** *El uso de* ***abonos*** *permite obtener mejores cosechas de la tierra* (= productos que enriquecen la tierra). **2.** *Me he comprado un* ***abono*** *a la ópera porque me gusta mucho* (= un lote de entradas para poder ir muchas veces). Amér. **3.** *Juan compró un coche en* ***abonos*** (= a plazos, en cuotas).

SINÓN: **1.** fertilizante. FAM: *abonar.*

abordaje s. m. *¡****Al abordaje!****, gritó el capitán pirata a su tripulación* (= ¡Vamos a ocupar el barco enemigo!).

FAM: *abordar.*

abordar v. tr. **1.** *Un barco* ***abordó*** *a otro* (= chocó contra él). **2.** *Los tripulantes de la última nave* ***abordaron*** *a la primera* (= los tripulantes de una pasaron a otra para tomarla). **3.** *Roberto me* ***abordó*** *en la calle para hablarme de sus proyectos* (= se acercó a mí). **4.** *Eres una persona que* ***aborda*** *las dificultades con valentía* (= que las enfrenta). Amér. **5.** ***Abordaremos*** *el tren en la próxima estación* (= subiremos, tomaremos).

SINÓN: **1.** chocar, topar. **3.** acercarse, aproximarse. **4.** afrontar, resolver. **5.** subir. ANTÓN: **3.** alejarse. **5.** bajar. FAM: *abordaje.*

aborigen adj. **1.** *El tordo es un ave* ***aborigen*** *de Chile* (= es natural de aquel lugar). ◆ **aborigen** s. m. f. **2.** *Los incas eran los* ***aborígenes*** *del Perú* (= los antiguos habitantes).

SINÓN: indígena, nativo, natural. ANTÓN: extranjero, forastero.

aborrecer v. tr. *Si sigo comiendo tanta pizza acabaré* ***aborreciéndola*** (= dejará de gustarme).

SINÓN: despreciar, detestar, odiar. ANTÓN: amar, querer.

abortar v. intr. *Debido al accidente de coche, mi hermana* ***abortó*** (= perdió el hijo que esperaba). FAM: *aborto.*

aborto s. m. *El* ***aborto*** *se produce al interrumpirse el embarazo antes de que el niño nazca.*

FAM: *abortar.*

abotonar v. tr. ***Abotona*** *la camisa del niño que hace frío* (= ciérrala pasando los botones por los ojales).

SINÓN: abrochar. ANTÓN: desabrochar. FAM: → *botón.*

abrasador, a adj. *El sol en verano es* ***abrasador*** (= desprende mucho calor).

SINÓN: ardiente. FAM: → *brasa.*

abrasar v. tr. **1.** *El incendio* ***abrasó*** *gran parte del bosque* (= lo quemó y lo convirtió en cenizas). ◆ **abrasar** v. intr. **2.** *Esta sopa* ***abrasa*** (= está tan caliente que no la puedo tomar). ◆ **abrasarse** v. pron. **3.** *Cuando las plantas no tienen humedad, sus hojas* ***se abrasan*** (= se secan y se mueren).

SINÓN: **1.** carbonizar, incendiar, quemar. **1, 2.** arder. **3.** marchitarse, secarse. FAM: → *brasa.*

abrazar v. tr. **1.** *Juan* ***abrazó*** *a sus padres antes de salir de viaje* (= los estrechó entre sus brazos). **2.** *El tronco era tan grueso que yo sola*

no podía ***abrazarlo*** (= no podía rodearlo con los brazos).
SINÓN: **1.** estrechar. **2.** rodear. ANTÓN: **1.** soltar. FAM: → *brazo.*

abrazo s. m. *Hacía tiempo que los dos amigos no se veían y, al encontrarse, se dieron fuertes* ***abrazos*** (= se estrecharon entre sus brazos).
FAM: → *brazo.*

abrecartas s. m. *María no abre las cartas con el cuchillo, usa el* ***abrecartas*** (= instrumento semejante al cuchillo).

abrelatas s. m. *Dame el* ***abrelatas*** *para abrir la lata de conservas* (= un utensilio que sirve para abrir las latas y botes de conserva).

abrevadero s. m. *Los animales van a beber al* ***abrevadero*** (= una pila grande donde se les pone agua).
SINÓN: bebedero, pila. FAM: *abrevar.*

abrevar v. tr. *Al final del día el ganadero conduce las vacas a* ***abrevar*** *al establo* (= las lleva a beber).
FAM: *abrevadero.*

abreviar v. tr. ***Abrevié*** *la redacción para que me cupiese en una página* (= tuve que acortarla).
SINÓN: acortar, reducir, resumir. ANTÓN: alargar, ampliar, extender. FAM: → *breve.*

abreviatura s. f. Sr. y Ud. *son* ***abreviaturas*** (= palabras abreviadas o más cortas que sustituyen a Señor y Usted.)
FAM: → *breve.*

abridor s. m. *Pedí el* ***abridor*** *para abrir la botella de vino* (= instrumento que sirve para quitar las tapas metálicas y los corchos de las botellas).
FAM: → *abrir.*

abrigar v. tr. **1.** *Mi madre* ***abrigó*** *al niño porque hacía frío* (= le puso más ropa). **2.** *Nunca me he ganado la lotería, pero* ***abrigo*** *la esperanza de que algún día me suceda* (= tengo la esperanza).
SINÓN: **1.** arropar, cubrir, tapar. **2.** albergar. ANTÓN: **1.** desabrigar. FAM: *abrigo.*

abrigo s. m. **1.** *Voy a ponerme el* ***abrigo*** *porque hoy hace mucho frío* (= prenda de vestir para proteger del frío). **2.** *Una cueva nos sirvió de* ***abrigo*** *contra la lluvia* (= de protección para no mojarnos). **3.** *Durante el temporal las naves buscan el* ***abrigo*** *de la costa* (= un lugar para resguardarse).
SINÓN: **1.** gabán. **2, 3.** amparo, defensa, protección, refugio. FAM: *abrigar.*

abril s. m. ***Abril*** *es el cuarto mes del año* (= está después de marzo y antes de mayo).

abrillantar v. tr. *Por las mañanas* ***abrillantamos*** *los zapatos* (= los cepillamos para que tengan brillo).
FAM: → *brillo.*

abrir v. tr. **1.** *Tengo ganas de* ***abrir*** *el regalo* (= de destaparlo). **2.** *Carlos* ***abre*** *la puerta de la calle para entrar en su casa* (= aparta la puerta). **3.** *Al oír tu voz* ***abrí*** *los ojos* (= separé los párpados). **4.** *Hace poco* ***abrí*** *mi alcancía para sacar el dinero que contenía* (= la rompí). **5.** *Para poder comer una naranja hay que* ***abrirla*** (= hay que partirla). **6.** *En cuanto recibí tu carta la* ***abrí*** (= rasgué el sobre). **7.** *Cuando llueve* ***abrimos*** *el paraguas* (= lo extendemos para no mojarnos). **8.** ***Han abierto*** *un camino en el monte* (= lo han hecho). **9.** *El abanderado* ***abría*** *el desfile* (= iba delante, el primero). **10.** *En mi calle* ***han abierto*** *una cafetería* (= la han inaugurado). **11.** *Mañana* ***abren*** *el plazo de inscripción* (= empieza el plazo). ◆ **abrir** v. intr. **12.** *Parece que* ***abre*** *el cielo* (= que clarea). ◆ **abrirse** v. pron. **13.** *Cuando hace viento, la puerta de mi habitación* ***se abre*** *sola* (= se mueve sola dejando el paso libre). **14.** *Para pronunciar la* a ***se abre*** *mucho la boca* (= se separan mucho los labios). **15.** *Las flores* ***se abren*** *con el calor* (= separan sus pétalos). ◆ **abrirse paso** **16.** *Roberto* ***se abrió paso*** *entre la multitud* (= apartó a la gente para poder pasar). **17.** *El conductor* ***se abrió*** *mucho al tomar la curva* (= se desplazó hacia el carril contrario). **18.** *Mi amigo* ***se abrió*** *a mí* (= me confió sus secretos).
SINÓN: **1.** destapar. **4.** romper. **5.** cortar, partir. **6.** rasgar. **7.** desplegar, extender. **8.** construir. **9.** encabezar. **10.** inaugurar. **11.** empezar, iniciar. **12.** clarear, despejar, escampar. **15.** florecer, nacer. **17.** desplazarse. **18.** confiarse, sincerarse. ANTÓN: **1.** tapar. **1, 2, 3, 4, 6, 7, 9, 10, 11, 13, 14, 15, 17.** cerrar(se). **7.** plegar. **10.** clausurar. **11.** finalizar, terminar. **12.** cubrirse, nublarse. **18.** desconfiar. FAM: *abertura, abierto, abridor, apertura, entreabrir.*

abrocharse v. pron. *Mi hermano se* ***abrocha*** *la camisa hasta el cuello para ponerse la corbata* (= se la cierra con los botones).
SINÓN: abotonarse. ANTÓN: desabrocharse. FAM: → *broche.*

abrumar v. tr. **1.** *El director* ***abruma*** *a los empleados con tanto trabajo* (= los agobia). **2.** ***Abrumaron*** *a Juan con tantas alabanzas y tantos piropos* (= lo sonrojaron, lo turbaron). ◆ **abrumarse** v. pron. **3.** *Me* ***abrumo*** *con tu amabilidad* (= me aturdo con tu amabilidad).
SINÓN: **1.** agobiar, oprimir **2, 3.** confundir(se), apabullar(se). ANTÓN: **1.** aliviar. FAM: *abrumado, abrumador.*

abrupto, a adj. *El camino era tan* ***abrupto*** *que el coche daba tumbos* (= tenía rocas y pendientes).
SINÓN: accidentado. ANTÓN: liso, llano.

absceso s. m. *La herida se le infectó y le produjo un* ***absceso*** *muy doloroso* (= una acumulación de pus).

ábside s. m. *El coro se ubicó en el* ***ábside*** (parte del templo, semicircular, que sobresale en su parte posterior).

absolución s. f. *El sacerdote impartió la* ***absolución*** *a los fieles después de la confesión* (= los perdonó).
SINÓN: indulto, perdón. **ANTÓN:** condena. **FAM:** → *absolver.*

absolutismo s. m. *En los siglos XVII y XVIII en Europa reinó el* ***absolutismo*** (= forma de gobierno en la que el gobernante tiene un poder absoluto sobre todas las personas y cosas).

absoluto, a adj. **1.** *La orden que dio el capitán exige una obediencia* ***absoluta*** (= total). **2.** *Una monarquía es* ***absoluta*** *cuando el poder es ejercido por una sola persona.* **3.** *Este partido político ha ganado las elecciones por mayoría* ***absoluta*** (= consiguió la mayoría de votos a su favor). ◆ **en absoluto 4.** *¿Te apetece venir con nosotros?* ***En absoluto*** (= de ninguna manera).
SINÓN: 1. completo, total. **ANTÓN: 1.** parcial. **FAM:** → *absolver.*

absolver v. tr. *El juez* ***ha absuelto*** *al acusado por falta de pruebas* (= fue declarado no culpable y quedó libre).
ANTÓN: condenar. **FAM:** → *absolución, absolutismo, absoluto, absuelto.*

absorbente adj. **1.** *El papel secante es muy* ***absorbente*** (= chupa con rapidez la tinta). **2.** *Juan tiene un carácter muy* ***absorbente*** (= quiere imponer su voluntad a los demás).
SINÓN: secante. **FAM:** → *absorber.*

absorber v. tr. **1.** *El papel secante* ***absorbe*** *la tinta* (= se empapa de ella). **2.** *A Juan lo* ***absorbe*** *su trabajo completamente* (= ocupa toda su atención).
SINÓN: 1. empapar, impregnar. **ANTÓN: 1.** arrojar, expulsar. **FAM:** → *absorbente, absorción, absorto.*

absorción s. f. *A través de la digestión se realiza la* ***absorción*** *de los alimentos* (= el estómago los asimila para que el cuerpo los aproveche).
FAM: → *absorber.*

absorto, a adj. **1.** *María se quedó* ***absorta*** *al ver la belleza del paisaje* (= se quedó admirada). **2.** *Pedro está* ***absorto*** *en la lectura de su libro* (= no atiende a nada ni a nadie).
SINÓN: 1. admirado, asombrado. **2.** ensimismado. **ANTÓN: 1.** impasible, indiferente. **2.** distraído. **FAM:** → *absorber.*

abstemio, a adj. *Juan es* ***abstemio*** (= no bebe ninguna bebida con alcohol).
ANTÓN: borracho.

abstención s. f. *En las elecciones hubo algunas* ***abstenciones*** (= algunas personas no votaron).
ANTÓN: participación. **FAM:** → *abstenerse.*

abstenerse v. pron. *Debo* ***abstenerme*** *de comer dulces si no quiero engordar* (= debo renunciar a comerlos).
SINÓN: prescindir, privarse. **FAM:** → *abstención, abstinencia.*

abstinencia s. f. *Durante muchos años la Iglesia impuso la* ***abstinencia*** *de comer carne todos los viernes* (= no se podía comer carne).
SINÓN: privación, renuncia. **ANTÓN:** abuso, exceso. **FAM:** → *abstenerse.*

abstracción s. f. *El profesor tiene mucha capacidad de* ***abstracción*** (= es capaz de extraer las ideas principales).
FAM: → *abstraer.*

abstracto, a adj. Bondad, alegría, amor, *son palabras* ***abstractas*** (= no señalan cosas materiales, sino ideas).
ANTÓN: concreto. **FAM:** → *abstraer.*

abstraer v. tr. **1.** *No consigo* ***abstraer*** *las ideas principales de este texto* (= no logro descubrirlas). ◆ **abstraerse** v. pron. **2.** *Cuando está trabajando* ***se abstrae*** *de manera que no me escucha* (= se concentra en sus pensamientos).
SINÓN: 2. enfrascarse, ensimismarse. **ANTÓN: 2.** distraerse. **FAM:** *abstracción, abstracto.*

absuelto, a adj. *El acusado quedó* ***absuelto*** *en el juicio* (= quedó libre).
ANTÓN: condenado. **FAM:** → *absolver.*

absurdo, a adj. **1.** *Esta explicación es* ***absurda*** (= no es lógica). ◆ **absurdo** s. m. **2.** *Es un* ***absurdo*** *pelearse* (= con ello no conseguimos nada).
SINÓN: 1. disparatado, irracional. **2.** disparate. **ANTÓN: 1.** lógico, racional, razonable. **2.** comprensible, normal.

abuchear v. tr. *El público* ***abucheó*** *a los jugadores* (= gritó enfadado).
SINÓN: pitar, silbar. **ANTÓN:** aclamar, aplaudir. **FAM:** *abucheo.*

abuelo, a s. **1.** *Yo tengo dos* ***abuelos****: el padre de mi padre y el padre de mi madre. También tengo dos* ***abuelas****: la madre de mi padre y la madre de mi madre.* **2.** *Los* ***abuelos*** *suelen sentarse en el parque al sol* (= las personas ancianas).
SINÓN: 2. anciano. **ANTÓN: 2.** joven. **FAM:** → *bisabuelo, tatarabuelo.*

abulia s. f. *Hoy tengo una* ***abulia*** *que no soy capaz de moverme* (= tengo mucha pereza).
SINÓN: flojera, indiferencia. **ANTÓN:** entusiasmo. **FAM:** → *abúlico.*

abúlico, a adj. *Estoy* ***abúlico****, no tengo ganas de trabajar* (= estoy apático).
SINÓN: apático, desinteresado, pasivo. **ANTÓN:** activo, dinámico. **FAM:** → *abulia.*

abultado, a adj. *Este paquete está muy* ***abultado*** (= es voluminoso).
SINÓN: grande, voluminoso. **ANTÓN:** menudo, pequeño. **FAM:** → *bulto.*

abultamiento s. m. → **bulto.**

abultar v. intr. *Este paquete* ***abulta*** *mucho* (= ocupa mucho espacio).
FAM: → *bulto.*

abundancia s. f. *Este año ha habido gran* ***abundancia*** *de fruta* (= se ha recogido mucha fruta).
SINÓN: exceso, riqueza. **ANTÓN:** carencia, escasez. **FAM:** → *abundar.*

abundante adj. *Ha sido un año de* ***abundantes*** *lluvias* (= ha llovido mucho).
SINÓN: copioso, cuantioso. **ANTÓN:** escaso. **FAM:** → *abundar.*

abundar v. intr. *En Argentina* ***abundan*** *los prados* (= hay muchos).
ANTÓN: carecer, escasear, faltar. **FAM:** *abundancia, abundante.*

aburrido, a adj. *La película que vimos ayer fue muy* ***aburrida*** (= no fue divertida).
SINÓN: pesado. **ANTÓN:** divertido, entretenido. **FAM:** → *aburrir.*

aburrimiento s. m. *El partido de fútbol fue tan malo que nos causó un gran* ***aburrimiento*** (= no nos distrajo).
SINÓN: fastidio, hastío. **ANTÓN:** distracción, diversión, entretenimiento. **FAM:** → *aburrir.*

aburrir v. tr. **1.** *El libro* ***aburrió*** *a los niños* (= era poco interesante). ◆ **aburrirse** v. pron. **2.** *Cuando no tengo nada que hacer,* ***me aburro*** (= el tiempo se me hace muy largo).
SINÓN: 1, 2. cansar(se), hartar(se). **ANTÓN: 1.** agradar. **1, 2.** distraer(se), divertir(se), entretener(se). **FAM:** *aburrido, aburrimiento.*

abusar v. intr. **1.** *Los borrachos* ***abusan*** *de la bebida* (= beben demasiado). **2.** *Los tiranos* ***abusan*** *de su poder* (= se sirven de su poder para perjudicar o aprovecharse de otras personas).
SINÓN: 1. excederse. **2.** aprovecharse. **ANTÓN: 2.** respetar. **FAM:** *abusivo, abuso.*

abusivo, iva adj. **1.** *Es una chica tan* ***abusiva*** *que siempre espera que la inviten* (= se aprovecha de los demás). R. de la Plata. **2.** *En ese supermercado cobran precios* ***abusivos*** (= excesivo, injustificado).
FAM: → *abusar.*

abuso s. m. *El* ***abuso*** *del alcohol o del tabaco provoca enfermedades* (= su consumo excesivo).
SINÓN: exceso. **FAM:** → *abusar.*

acá adv. *¡Deja eso y ven* ***acá!*** (= cerca de mí).
SINÓN: aquí. **ANTÓN:** allá, allí.

acabado, a adj. **1.** *Este hombre está* ***acabado*** (= ya no se cuida porque ha fracasado en todo). ◆ **acabado** s. m. **2.** *El* ***acabado*** *de este coche es perfecto* (= tiene muchos detalles).
FAM: → *acabar.*

acabar v. tr. **1.** *Cuando* ***acabe*** *el trabajo me iré a comer* (= cuando lo termine). ◆ **acabar** v. intr. **2.** *El insecticida* ***acabó*** *con las moscas* (= las mató a todas). **3.** *La espada* ***acaba*** *en punta* (= termina de esa forma). **4.** *No quiero nada porque* ***acabo*** *de comer hace un momento* (= he comido hace poco tiempo). **5.** *Aunque no lo dejes ir,* ***acabará*** *haciendo lo que quiera* (= conseguirá hacerlo). ◆ **acabarse** v. pron. **6.** *Se* ***acabaron*** *las vacaciones hace dos días* (= se terminaron).
SINÓN: terminar. **1, 6.** concluir(se), finalizar. **2.** matar. **ANTÓN: 1, 6.** comenzar, empezar, iniciar(se). **FAM:** *acabado, inacabable.*

acacia s. f. La **acacia** es un árbol que da flores, amarillas o blancas muy aromáticas, en racimos. Con su madera se hacen muebles.

academia s. f. **1.** *La Real* ***Academia*** *de la Lengua es la institución oficial que cuida del idioma.* **2.** *Mi amiga Mónica va a una* ***academia*** *de baile* (= va a un centro donde le enseñan a bailar).
SINÓN: 1. institución, sociedad. **FAM:** *académico.*

académico, a adj. **1.** *Los títulos* ***académicos*** *son los obtenidos en los centros oficiales de enseñanza.* **2.** *Este texto es demasiado* ***académico*** (= está escrito siguiendo las normas que indica la Real Academia Española de la Lengua). ◆ **académico, a** s. **3.** *Camilo José Cela es un* ***académico*** *español* (= pertenece a la Real Academia Española).
FAM: *academia.*

acaecer v. intr. *El accidente* ***acaeció*** *al anochecer* (= sucedió al anochecer).
SINÓN: ocurrir, pasar, suceder. **FAM:** *acaecimiento.*

acallar v. tr. **1.** ***Acalló*** *el llanto del niño acunándolo* (= consiguió callarlo). **2.** *María* ***acalló*** *su conciencia dando un donativo* (= tranquilizó su conciencia).
SINÓN: 1. silenciar. **2.** serenar, calmar, tranquilizar. **ANTÓN: 2** excitar. **FAM:** → *callar.*

acalorar v. tr. **1.** *La carrera* ***acaloró*** *a los corredores* (= los sofocó). **2.** *Como siempre discutes, consigues* ***acalorar*** *a tu padre* (= lo enojas). ◆ **acalorarse** v. pron. **3.** *Carlos* ***se acalora*** *jugando al fútbol* (= se pone rojo). **4.** *Juana* ***se acalora*** *cuando le llevan la contraria* (= se enfada).
SINÓN: 1, 3. sofocar(se). **2, 4.** enfadar(se), exaltar(se). **FAM:** → *calor.*

acampada s. f. *El próximo fin de semana iremos de* ***acampada*** (= iremos a la montaña y montaremos allí las tiendas de campaña).
FAM: → *campo.*

acampar v. intr. ***Acampamos*** *cerca del lago* (= colocamos nuestras tiendas de campaña a la orilla del lago).
FAM: → *campo.*

acantilado s. m. *Me senté en una roca del* ***acantilado*** *para ver el mar* (= del terreno cortado que da al mar).

acaparar v. tr. **1.** *Aunque quedaba poca fruta, Juan la* ***acaparó*** toda (= la tomó para él). **2.** *Su trabajo le* ***acapara*** *mucho tiempo* (= le ocupa tiempo).
SINÓN: 1. apropiarse. **2.** ocupar. **ANTÓN: 1.** compartir, distribuir. **FAM:** *acaparador.*

acaramelar v. tr. **1.** *Mi hermana me enseñó a* ***acaramelar*** *la crema* (= a ponerle caramelo encima). ◆ **acaramelarse** v. pron. **2.** *Los novios* ***se acaramelaban*** *en el parque* (= estaban muy cariñosos el uno con el otro).
FAM: → *caramelo.*

acariciar v. tr. **1.** *A los gatos les gusta que los* ***acaricien*** (= que se les pase la mano con suavidad). **2.** *La brisa* ***acariciaba*** *las hojas de los árboles* (= las movía suavemente). **3.** ***Acaricio*** *la esperanza de aprobar el curso* (= deseo y espero aprobarlo).
SINÓN: 1. mimar. **2.** rozar, tocar. **ANTÓN: 1.** maltratar, pegar. **FAM:** → *caricia.*

acarrear v. tr. **1.** *Los agricultores* ***acarrean*** *el heno en verano* (= lo transportan en carros). **2.** *Lo que hiciste te* ***acarreará*** *grandes disgustos* (= te ocasionará).
SINÓN: 1. conducir, transportar. **2.** causar, ocasionar, producir. **FAM:** → *carro.*

acaso adv. **1.** ***Acaso*** *venga mañana, pero no lo sé* (= tal vez venga). ◆ **por si acaso 2.** *Llévate el paraguas* ***por si acaso*** *luego llueve* (= en previsión de que llueva).
SINÓN: 1. quizá(s).

acatar v. tr. *Todos los ciudadanos* ***acatan*** *las leyes* (= las respetan y cumplen).
SINÓN: aceptar, cumplir, obedecer, respetar. **ANTÓN:** desobedecer, rebelarse. **FAM:** *desacatar.*

acatarrarse v. pron. *Abrígate o* ***te acatarrarás*** (= contraerás un resfriado).
SINÓN: constiparse, resfriarse. **FAM:** → *catarro.*

acaudalado, a adj. *Se casó con un hombre* ***acaudalado*** *y ahora vive con todas las comodidades* (= con una persona con dinero y bienes).
SINÓN: adinerado, millonario, rico. **ANTÓN:** indigente, necesitado, pobre. **FAM:** → *caudal.*

acceder v. intr. **1.** *Mis padres no me dejaban ir de excursión, pero, al fin,* ***accedieron*** (= me dejaron ir). **2.** *Por aquella carretera se* ***accedía*** *a la autopista* (= se entraba a la autopista). **3.** *Ramiro* ***ha accedido*** *a un cargo importante* (= ha conseguido un buen cargo).
SINÓN: 1. autorizar, consentir, permitir. **2.** entrar, llegar. **3.** conseguir, lograr. **ANTÓN: 1.** negarse, rehusar. **FAM:** *accesible, acceso, accesorio, inaccesible.*

accesible adj. **1.** *La cima de la montaña sólo es* ***accesible*** *andando* (= sólo se puede llegar andando). **2.** *Mi maestro es una persona* ***accesible*** (= amable y comprensiva con nosotros). **3.** *Este libro es* ***accesible*** (= se entiende fácilmente).
SINÓN: 1, 2, 3. asequible. **2.** amable, comprensivo. **3.** comprensible. **ANTÓN: 1.** inalcanzable. **2.** distante. **3.** incomprensible. **FAM:** → *acceder.*

acceso s. m. **1.** *El* ***acceso*** *a la cima de la montaña es difícil* (= la llegada). **2.** *La casa tiene dos* ***accesos****: uno por delante y otro por detrás* (= dos entradas). **3.** *El niño tuvo un nuevo* ***acceso*** *de tos* (= ha vuelto a tener tos).
SINÓN: 1. acercamiento, llegada. **2.** entrada. **3.** ataque. **ANTÓN: 1.** alejamiento. **2.** salida. **FAM:** → *acceder.*

accesorio, a adj. **1.** *He hecho un resumen de la lección anotando las ideas importantes pero no las* ***accesorias*** (= no las que no son fundamentales). ◆ **accesorio** s. m. **2.** *El gato es uno de los* ***accesorios*** *del coche* (= uno de sus complementos).
SINÓN: 1. secundario. **2.** complemento. **ANTÓN: 1.** esencial, principal. **FAM:** → *acceder.*

accidentarse v. pron. *Un albañil* ***se accidentó*** *al caerse del andamio* (= se hizo mucho daño).
SINÓN: herirse, lesionarse. **FAM:** *accidente.*

accidente s. m. **1.** *En la calle se ha producido un* ***accidente*** *entre dos coches* (= un choque de coches). **2.** *Las bahías, los golfos, las montañas y los valles son* ***accidentes*** *geográficos* (= diversos aspectos del terreno). **3.** *El género y el número son* ***accidentes*** *gramaticales* (= variaciones que puede sufrir una palabra).
SINÓN: 1. incidente, percance, golpe. **FAM:** *accidentarse.*

acción s. f. **1.** *Dar limosna al pobre es una buena* ***acción*** (= una buena obra). **2.** *Por la* ***acción*** *del calor se me derritió el helado* (= a causa del calor). **3.** *El molino se mueve por* ***acción*** *del agua o del viento* (= gracias a su fuerza). **4.** *Mi padre ha comprado* ***acciones*** *de su empresa para recibir parte de los beneficios* (= ha comprado una parte de la empresa).
SINÓN: 1. acto, obra. **2.** efecto. **FAM:** *accionar, accionista, reacción, reaccionar, reactor.*

accionar v. tr. *Para* ***accionar*** *la palanca del freno debes tirar de ella* (= para hacerla funcionar).
SINÓN: manejar, mover. **FAM:** → *acción.*

accionista s. m. f. *Mi tío es* ***accionista*** *de la empresa* (= tiene parte del capital de la empresa).
FAM: → *acción.*

acebo s. m. El **acebo** es un árbol de hojas brillantes con espinas en los bordes y pequeños frutos en forma de bolitas rojas. Se usa para decorar la casa en Navidad.

acechar v. tr. *El gato* ***acecha*** *al ratón* (= lo vigila para sorprenderlo).
SINÓN: espiar, vigilar. **FAM:** *acecho.*

acecho s. m. *Durante el robo, uno de los ladrones estaba al* ***acecho*** (= vigilaba los alrededores para ver si venía alguien).
SINÓN: vigilancia. **FAM:** *acechar.*

aceite s. m. **1.** El **aceite** es un líquido graso que se utiliza para cocinar y que se obtiene de las aceitunas, del girasol y de otros frutos y semillas. **2.** El petróleo es un **aceite** mineral que se encuentra en la Naturaleza y que se utiliza en la industria.
FAM: *aceitero, aceitoso, aceituna, aceitunero.*

aceitoso, a adj. **1.** *La ensalada ha quedado muy* ***aceitosa*** (= llena de aceite). **2.** *Tomé un jarabe* ***aceitoso*** (= de sabor y consistencia semejantes a los del aceite).
FAM: → *aceite.*

aceituna s. f. La **aceituna** es el fruto del olivo. Es de color verde o negro, redonda y pequeña.
FAM: → *aceite.*

aceitunero, a s. **1.** Las personas que recogen o venden aceitunas se llaman **aceituneros. 2.** *El* ***aceitunero*** *estaba lleno a causa de la buena cosecha* (= lugar donde se guardan las aceitunas).
FAM: → *aceite.*

aceleración s. f. *Los ciclistas, al bajar la cuesta, adquirieron gran* ***aceleración*** (= aumentaron su velocidad).
FAM: → *acelerar.*

acelerador, a adj. **1.** *El viento fuerte es el mecanismo* ***acelerador*** *de las embarcaciones de vela* (= las hace ir más de prisa). ◆ **acelerador** s. m. **2.** *El conductor pisó el* ***acelerador*** (= el pedal que pone en marcha el mecanismo que hace ir más de prisa el coche).
FAM: → *acelerar.*

acelerar v. tr. **1.** *Como se nos hacía tarde* ***aceleramos*** *el paso* (= caminamos más rápido). **2.** *El conductor* ***aceleró*** *el coche para ir más de prisa* (= le dio más velocidad).
SINÓN: 1. aligerar, apresurar, avivar. **ANTÓN: 1.** retardar. **2.** frenar. **FAM:** *aceleración, acelerador.*

acelga s. f. La **acelga** es una planta comestible de hojas grandes y verdes.

acento s. m. **1.** *En clase estamos estudiando el* ***acento*** *de las palabras* (= la sílaba que se pronuncia con más fuerza). **2.** *La palabra* café *lleva un* ***acento*** *ortográfico en la* e (= una rayita que indica que hay que pronunciarla con más fuerza). **3.** *La gente de cada país y de cada región tiene un* ***acento*** *particular* (= una manera especial de hablar y de pronunciar).
SINÓN: 1. acentuación. **2.** tilde. **3.** entonación, tono. **FAM:** *acentuación, acentuar.*

acentuación s. f. *En clase nos han enseñado las normas de* ***acentuación*** (= las que dicen cuándo hay que poner el acento ortográfico a una palabra).
SINÓN: acento. **FAM:** → *acento.*

acentuar v. tr. **1.** *Para hablar con corrección hay que* ***acentuar*** *las palabras en la sílaba que corresponda* (= hay que dar mayor fuerza a la voz). **2.** *Debes tener cuidado con las faltas de ortografía y no olvidar* ***acentuar*** *las palabras que lleven tilde* (= ponerles la tilde). **3.** *El gobierno* ***acentuó*** *las medidas de seguridad* (= las aumentó). ◆ **acentuarse** v. pron. **4.** *La palabra* camión *se* ***acentúa*** *en la vocal* **o** *porque es aguda y acaba en* **n** (= lleva tilde).
SINÓN: 1. marcar. **3.** aumentar, reforzar. **ANTÓN: 3.** disminuir. **FAM:** → *acento.*

acepción s. f. *La palabra* metro *tiene varias* ***acepciones:*** **1.** unidad de medida. **2.** instrumento para medir. **3.** ferrocarril, transporte público (= tiene varios significados).
SINÓN: sentido, significado. **FAM:** → *aceptar.*

aceptable adj. *Los técnicos consideran* ***aceptable*** *este proyecto* (= lo consideran bueno para hacerlo).
SINÓN: conveniente, pasable. **ANTÓN:** inconveniente. **FAM:** → *aceptar.*

aceptación s. f. **1.** *El nuevo alumno ha tenido buena* ***aceptación*** (= ha sido bien acogido por sus compañeros). **2.** *La* ***aceptación*** *de la obra de teatro fue espectacular* (= el aplauso por parte del público).
SINÓN: 1. acogida, recibimiento. **2.** aplauso, éxito. **ANTÓN: 1, 2.** rechazo. **2.** fracaso. **FAM:** → *aceptar.*

aceptar v. tr. **1.** *María* ***aceptó*** *con alegría el ramo de flores que le envié* (= lo recibió con gran satisfacción). **2.** *Los niños* ***aceptaron*** *el programa de excursión* (= lo consideraron bueno).
SINÓN: 1. admitir, recibir. **2.** aprobar. **ANTÓN:** rehusar, rechazar. **FAM:** *acepción, aceptable, aceptación, inaceptable.*

acequia s. f. Las **acequias** de riego son canales que llevan el agua a los cultivos (= es el sitio por donde va el agua para regar el campo).
SINÓN: canal.

acera s. f. **1.** *Caminen por la* ***acera*** *porque hay muchos coches* (= por la parte lateral de la calle reservada a los peatones). **2.** *Yo vivo en la* ***acera*** *de los números pares* (= en la fila de casas).
SINÓN: banqueta.

acerca *En la reunión se habló* ***acerca de*** *este problema* (= sobre este problema).

acercamiento s. m. *El* ***acercamiento*** *de las dos familias disgustadas fue posible gracias a la voluntad de ambas* (= la aproximación).
SINÓN: aproximación. **ANTÓN:** alejamiento, separación. **FAM:** → *cerca.*

acercar v. tr. **1.** *Tengo que* ***acercar*** *la lámpara a la mesa porque, si no, no veo bien* (= tengo que juntarla más). ◆ **acercarse** v. pron. **2.** *¡Se* ***acercan*** *las vacaciones!* (= se aproximan, están cerca).
SINÓN: 1. juntar. **1, 2.** aproximar(se). **2.** avecinarse. **ANTÓN: 1.** alejar, separar. **FAM:** → *cerca.*

acero s. m. *La hoja del cuchillo es de* **acero** (= hierro fundido muy duro y resistente).

acertado, a adj. *Tomaste una decisión* ***acertada*** (= oportuna y conveniente).
SINÓN: apropiado, conveniente, oportuno. **ANTÓN:** inconveniente, inoportuno. **FAM:** → *acertar.*

acertar v. tr. **1.** *De diez dardos que tiré al blanco* ***acerté*** *el tiro cinco veces* (= di en el punto central cinco veces). **2.** *Mi amigo* ***acertó*** *una quiniela de catorce resultados* (= adivinó la quiniela de catorce resultados). ◆ **acertar** v. intr. **3.** *Después de mucho buscar,* ***acertó*** *con la dirección*

que le habían dado (= la encontró). **4.** *Ángeles **ha acertado** todas las preguntas del examen* (= ha dado las respuestas correctas).
SINÓN: **1.** atinar, **2.** adivinar. **4.** encontrar, hallar. **ANTÓN:** **1, 2, 3.** errar, fallar. **FAM:** *acertado, acertante, acertijo, acierto, desacierto.*

acertijo s. m. *María me ha dicho un **acertijo** para ver si lo adivinaba* (= una pregunta cuya respuesta hay que adivinar).
SINÓN: adivinanza. **FAM:** → *acertar.*

acetona s. f. *Mi madre se quita la pintura de las uñas con **acetona*** (= con un líquido disolvente).

achacar v. tr. *El conductor **achacó** la culpa del accidente al mal estado de la carretera* (= culpó a otra cosa que no fuera él).
FAM: *achacoso, achaque.*

achacoso, a adj. *Mi abuelo es un anciano **achacoso** pero muy agradable* (= que tiene pequeños problemas de salud).
SINÓN: delicado, enfermizo. **ANTÓN:** sano. **FAM:** *achacar.*

achaque s. m. *Tiene los **achaques** propios de la vejez, pero lleva una vida normal* (= las enfermedades normales de la vejez).
SINÓN: mal. **FAM:** *achacar.*

achicar v. tr. **1.** *El sastre me va a **achicar** el abrigo* (= va a reducir su tamaño). ◆ **achicarse** v. pron. **2.** *Es una persona que **se achica** ante los problemas* (= se acobarda).
SINÓN: **1.** reducir. **2.** acobardarse. **ANTÓN:** **1.** agrandar, ampliar. **FAM:** → *chico.*

achicharrarse v. pron. **1.** *La carne del asado **se achicharró*** (= se asó mucho). **2.** *En el verano **se achicharra** uno con el calor que hace* (= se pasa mucho calor).
SINÓN: **1.** asarse, chamuscarse, quemarse, tostarse. **ANTÓN:** **2.** helarse.

achicoria s. f. La **achicoria** es una planta comestible de sabor parecido al café.

achinado, a adj. R. de la Plata → **aindiado.**

achiote s. m. Amér. Cent., Bol., Méx., Per. *Mi mamá cocinó un pollo al **achiote*** (= salsa que se prepara con las semillas molidas de la planta del mismo nombre).

achurar v. tr. Amér. Merid. **1.** *En el matadero, los operarios **achuran** las reses* (= les extraen sus entrañas comestibles). Bol., Chile, R. de la Plata **2.** *Fue condenado a quince años de cárcel por **achurar** a un hombre* (= matar con mucha crueldad).
SINÓN: **2.** asesinar. **FAM:** → *achuras.*

achuras s. f. pl. Amér. Merid. *Me gustan mucho las **achuras** asadas* (=entrañas comestibles de las reses).
FAM: → *achurar.*

acicalarse v. pron. *Suele **acicalarse** antes de salir de casa* (= se arregla para estar bella).
SINÓN: arreglarse. **ANTÓN:** desarreglarse. **FAM:** *acicalado.*

acidez s. f. *No me gusta la **acidez** del limón* (= su sabor agrio).
FAM: *ácido.*

ácido, a adj. *Me gusta el sabor **ácido** de la piña* (= un poco agrio).
SINÓN: agrio. **ANTÓN:** dulce. **FAM:** *acidez.*

acierto s. m. **1.** *Apostó en la quiniela y tuvo trece **aciertos*** (= adivinó trece resultados). **2.** *Ha sido un **acierto** reservar las entradas porque, si no, nos habríamos quedado sin entrar* (= ha sido lo mejor).
ANTÓN: **1, 2.** equivocación, error. **FAM:** → *acertar.*

aclamar v. tr. *Los espectadores **aclamaron** al vencedor* (= lo aplaudieron).
SINÓN: aplaudir, vitorear. **ANTÓN:** abuchear, silbar. **FAM:** → *clamar.*

aclaración s. f. *Roberto no entendía el motivo de mi enfado y me ha pedido una **aclaración*** (= una explicación).
SINÓN: explicación. **FAM:** → *claro.*

aclarar v. tr. **1.** *La lavandera **aclara** la ropa con agua limpia* (= le quita el jabón). **2.** *Si no entendemos algo en clase, el profesor **aclara** nuestras dudas explicándolas* (= lo explica de nuevo). **3.** ***Aclara** el chocolate deshecho vertiendo más leche* (= hazlo más líquido). **4.** *En la peluquería **aclaran** el color del pelo* (= lo hacen más rubio). **5.** *El día **aclaró** cuando salió el sol y se levantó la niebla* (= se despejó). ◆ **aclararse** v. pron. **6.** *Al correr las cortinas, la habitación **se aclaró*** (= entró la luz).
SINÓN: **1.** enjuagar. **2.** explicar. **5.** despejarse. **6.** iluminarse. **ANTÓN:** **2.** liar. **3.** espesar. **4, 6.** oscurecer(se). **5.** cubrirse, nublarse. **FAM:** → *claro.*

aclimatar v. tr. **1.** *En el zoológico **aclimatan** los espacios donde están los animales* (= los adaptan según las características del animal). ◆ **aclimatarse** v. pron. **2.** *Las plantas tropicales necesitan **aclimatarse*** (= adaptarse a un nuevo ambiente).
SINÓN: **1, 2.** adaptar(se), ambientar(se), habituar(se), **2.** acostumbrar(se). **FAM:** → *clima.*

acné s. m. *Luisa tiene la frente y la barbilla llenas de **acné*** (= de granos y espinillas en la piel).

acobardar v. tr. *Los ladridos del perro **acobardaron** a los ladrones* (= los atemorizaron).
SINÓN: asustar, atemorizar, espantar. **ANTÓN:** animar. **FAM:** → *cobarde.*

acogedor, a adj. *Tu habitación es muy **acogedora*** (= es muy cómoda y agradable).
SINÓN: agradable, cómodo, confortable. **ANTÓN:** desagradable, incómodo. **FAM:** → *coger.*

acoger v. tr. **1.** *Juan **acoge** muy bien a sus amigos* (= los recibe muy bien). **2.** *El gobierno **acogió** las propuestas del diputado* (= las acep-

tó). **3.** *El asilo* ***acoge*** *a los ancianos* (= los protege y ampara).
SINÓN: 1. recibir. **2.** aceptar, aprobar. **3.** amparar, proteger, refugiar, socorrer. **ANTÓN: 2.** rechazar, rehusar. **FAM:** → *coger.*

acogida s. f. **1.** *Roberto nos dio una* ***acogida*** *amistosa* (= un buen recibimiento). **2.** *En el hospital, la* ***acogida*** *dada al enfermo fue ejemplar* (= la ayuda y los cuidados fueron muy buenos). **3.** *La conferencia del director del colegio tuvo una buena* ***acogida*** (= fue aceptada y aprobada por todos).
SINÓN: 1. recibimiento. **2.** amparo, ayuda, cuidado, protección. **3.** aceptación. **ANTÓN: 1, 2, 3.** rechazo. **FAM:** → *coger.*

acolchado s. m. Arg. *Te cubriré con el* ***acolchado*** (= cobertor relleno de lana o plumas).
FAM: → *colcha.*

acolchonar v. tr. Amér. *Cosimos y* ***acolchonamos*** *dos telas para hacer un edredón* (= las rellenamos de algodón, lana o plumas).
SINÓN: acolchar. **FAM:** → *colcha.*

acollarar v. tr. R. de la Plata. *Los dos caballos quedaron* ***acollarados*** *para tirar del carro* (= unidos por el cuello).

acometer v. tr. **1.** *Lo* ***acometieron*** *por la espalda dos individuos enmascarados* (= lo atacaron por la espalda sin que se diera cuenta). **2.** ***Acometió*** *el trabajo con espíritu entusiasta* (= lo emprendió con ganas). **3.** *La película era tan aburrida que me* ***acometió*** *el sueño* (= me vino el sueño de golpe y me dormí).
SINÓN: 1. agredir, embestir. **2.** comenzar, emprender, iniciar. **3.** entrar, venir. **ANTÓN: 1.** huir. **2.** abandonar, cesar. **FAM:** *acometida.*

acomodado, a adj. **1.** *Mario disfrutaba del partido de baloncesto,* ***acomodado*** *en su butaca* (= estaba cómodo en su sillón). **2.** *Disfrutamos de una posición* ***acomodada*** (= vivimos bien, somos ricos). ◆ **acomodado, a** s. m. Amér. Merid. **3.** *El nuevo empleado es un* ***acomodado*** (= logró su posición por amistad o relación familiar).
SINÓN: 2. adinerado, rico. **ANTÓN: 2.** pobre.
FAM: → *cómodo.*

acomodador, a s. *El* ***acomodador*** *del teatro nos acompañó hasta la butaca* (= persona que en los espectáculos públicos conduce a los espectadores a su asiento).
FAM: → *cómodo.*

acomodar v. tr. **1.** *He podido* ***acomodar*** *mis libros de modo que quepan todos en la estantería* (= he podido colocarlos). **2.** *La azafata* ***acomoda*** *a los pasajeros en el avión* (= les indica sus asientos). **3.** *El carpintero* ***acomodó*** *las nuevas puertas en los marcos* (= las adaptó). ◆ **acomodarse** v. pron. **4.** *Mi abuela no acaba de* ***acomodarse*** (= no se acostumbra).
SINÓN: 1. colocar, ordenar. **3.** adecuar, ajustar. **3, 4.** adaptar(se). **4.** acostumbrarse, habituarse.
FAM: → *cómodo.*

acomodo s. m. Amér. Merid. **1.** *El hijo del gerente consiguió el puesto por* ***acomodo*** (= amistad o relación familiar, sin mérito propio). R. de la Plata **2.** *Denunciaron que en el convenio hay un* ***acomodo*** (= un acuerdo secreto y deshonesto).
FAM: → *cómodo.*

acompañamiento s. m. **1.** *Teresa canta con* ***acompañamiento*** *de guitarra* (= a su voz se une el sonido de la guitarra). **2.** *El* ***acompañamiento*** *de los novios era muy numeroso* (= la gente que fue a la boda). **3.** *Las papas fritas son un buen* ***acompañamiento*** *para la carne* (= son un buen complemento).
SINÓN: 2. corte, séquito. **FAM:** → *acompañar.*

acompañante s. m. f. *El ministro y sus* ***acompañantes*** *llegaron de Francia en visita oficial* (= las personas que iban con él).
FAM: → *acompañar.*

acompañar v. tr. **1.** ***Acompañé*** *a mi amigo a la estación* (= fui con él). **2.** *Un pianista* ***acompaña*** *a la cantante* (= une el sonido del piano a su voz). ◆ **acompañar** v. intr. **3.** *La radio* ***acompaña*** *cuando estás solo en casa* (= hace que te sientas menos solo). ◆ **acompañar a alguien en el sentimiento 4.** *Te* ***acompaño en el sentimiento*** (= siento mucho que se te haya muerto una persona querida).
SINÓN: 1, 2. seguir. **ANTÓN: 2.** abandonar, dejar.
FAM: *acompañamiento, acompañante.*

acompasar v. tr. *Al bailar* ***acompasamos*** *el movimiento del cuerpo con la música* (= seguimos el ritmo de la música).
FAM: → *compás.*

acondicionar v. tr. **1.** ***Acondicionamos*** *la habitación para el bebé* (= la adaptamos a sus necesidades). **2.** *En verano* ***acondicionamos*** *el aire de la casa* (= lo refrescamos con un aparato).
SINÓN: 1. adaptar, arreglar, disponer, preparar. **2.** climatizar. **ANTÓN: 1.** desarreglar. **FAM:** → *condición.*

acongojar v. tr. **1.** *La tardanza de mi hermano menor* ***acongojaba*** *a mi madre* (= la preocupaba). ◆ **acongojarse** v. pron. **2.** ***Se acongojaron*** *al recibir tan mala noticia* (= se entristecieron).
SINÓN: angustiar(se), apenar(se), entristecer(se), preocupar(se). **ANTÓN:** alegrar(se). **FAM:** → *congoja.*

aconsejable adj. *Es* ***aconsejable*** *revisar los coches antes de salir de viaje* (= es preferible hacerlo).
SINÓN: recomendable. **FAM:** → *consejo.*

aconsejar v. tr. *Las personas mayores* ***aconsejan*** *a los jóvenes* (= les sugieren lo que deben hacer).
SINÓN: recomendar, sugerir. **ANTÓN:** desaconsejar. **FAM:** → *consejo.*

acontecer v. intr. ***Aconteció*** *lo que suponíamos* (= pasó).
SINÓN: ocurrir, suceder. **FAM:** *acontecimiento.*

acontecimiento s. m. *Los Juegos Olímpicos son siempre un* ***acontecimiento*** (= un suceso importante).
SINÓN: hecho, suceso. FAM: *acontecer.*

acoplado s. m. R. de la Plata, Chile. *En la carretera volcó un camión con* ***acoplado*** (= trailer, vehículo remolcado por otro).

acoplar v. tr. **1.** *El carpintero* ***acopló*** *las dos maderas formando un ángulo* (= las hizo coincidir). **2.** *He tenido que* ***acoplar*** *una nueva pieza en el enchufe para conectar la lavadora* (= he tenido que ponerle otra pieza). ◆ **acoplarse** v. pron. **3.** *Mi hermano y el tuyo* ***se acoplan*** *tan bien que son íntimos amigos* (= se llevan muy bien entre sí).
SINÓN: **1.** encajar. **2.** adaptar. ANTÓN: desencajar. FAM: *acoplador, acoplamiento.*

acorazado s. m. *Varios* ***acorazados*** *de la marina salieron del puerto* (= buques de guerra blindados y de gran tamaño).
FAM: → *coraza.*

acordar v. tr. **1.** *En la reunión de vecinos* ***acordaron*** *por unanimidad subir la cuota de la comunidad* (= lo decidieron entre todos). ◆ **acordarse** v. pron. **2.** ***Me acuerdo*** *de lo bien que pasé las vacaciones* (= me viene a la memoria).
SINÓN: **1.** convenir, decidir, determinar, pactar, resolver. **2.** recordar. ANTÓN: **2.** olvidar. FAM: → *acorde, acuerdo, desacuerdo, recordar, recordatorio, recuerdo.*

acorde adj. **1.** *En este punto todos tenemos opiniones* ***acordes*** (= pensamos lo mismo). ◆ **acorde** s. m. **2.** *El pianista tocó unos* ***acordes*** *para ver si el piano estaba afinado* (= unas notas).
FAM: → *acordar.*

acordeón s. m. *Me gusta el sonido del* ***acordeón*** (= instrumento musical portátil con teclas que suena con el viento que produce al mover su fuelle).
FAM: *acordeonista.*

acorralar v. tr. **1.** *Los perros* ***acorralaron*** *al conejo* (= hicieron un círculo y lo encerraron en medio). **2.** *En la discusión, Roberto* ***acorraló*** *a su contrincante* (= lo dejó sin respuestas). **3.** *Todas las noches, el pastor* ***acorrala*** *las ovejas en el establo* (= las encierra en un lugar).
SINÓN: **1.** cercar, rodear. **2.** acobardar, acosar, atemorizar, confundir. **3.** encerrar. FAM: *corral.*

acortar v. tr. *María* ***acortó*** *su falda dos centímetros* (= la hizo más corta).
ANTÓN: alargar. FAM: → *cortar.*

acosar v. tr. **1.** *Los lobos* ***acosaron*** *a la oveja hasta capturarla* (= la persiguieron sin descanso). **2.** *La policía* ***acosaba*** *al detenido con muchas preguntas* (= no paraba de hacerle preguntas).
SINÓN: **1.** perseguir. **2.** importunar. FAM: → *acosador, acoso.*

acostar v. tr. **1.** *Mi madre* ***acostó*** *a mi hermano pequeño* (= lo puso en la cama para dormir). ◆ **acostarse** v. pron. **2.** *María* ***se acuesta*** *a las nueve de la noche* (= se va a la cama).
ANTÓN: levantar(se). FAM: → *recostarse.*

acostumbrar v. tr. **1.** ***He acostumbrado*** *a mi gato a dormir en su cesta* (= lo he habituado). ◆ **acostumbrar** v. intr. **2.** ***Acostumbro*** *a tomar café después de comer* (= suelo hacerlo). ◆ **acostumbrarse** v. pron. **3.** *El perro* ***se ha acostumbrado*** *a nosotros* (= se ha adaptado a nosotros).
SINÓN: **1.** habituar. **2.** soler. **3.** familiarizar(se).
FAM: → *costumbre.*

ácrata adj. **1.** *Tiene ideas* ***ácratas*** *y piensa que el poder político no es necesario* (= cree que no ha de haber ningún gobierno). ◆ **ácrata** s. m. f. **2.** *Los* ***ácratas*** *quieren una sociedad sin gobierno.*
SINÓN: anarquista.

acre adj. **1.** *El olor de la lejía es tan* ***acre*** *que me produce ardor en la garganta* (= es muy fuerte). ◆ **acre** s. m. **2.** Un **acre** es una medida de superficie inglesa que equivale a 40 áreas.
SINÓN: **1.** agrio. ANTÓN: **1.** agradable, dulce, suave.

acreditado, a adj. *Picasso es un pintor muy* ***acreditado*** (= muy importante).
SINÓN: conocido, famoso. ANTÓN: anónimo, desconocido. FAM: → *crédito.*

acreditar v. tr. **1.** *Los propietarios* ***acreditaron*** *con documentos ser los dueños de la finca* (= lo demostraron). **2.** *El gobierno* ***acreditó*** *un nuevo embajador para la representación del país* (= lo nombró para el cargo). ◆ **acreditarse** v. pron. **3.** *Un buen pintor* ***se acredita*** *con sus obras* (= adquiere fama).
SINÓN: **1.** confirmar, demostrar, justificar. **2.** designar, nombrar. FAM: → *crédito.*

acreedor, a adj. **1.** *Sus buenos actos le han hecho* ***acreedor*** *de mi admiración* (= es merecedor de ella). ◆ **acreedor, a** s. **2.** *Los* ***acreedores*** *le reclamaban el dinero que les debía* (= las personas que le habían prestado dinero).
SINÓN: **1.** digno, merecedor. **2.** prestamista.
ANTÓN: **1.** indigno. FAM: → *crédito.*

acribillar v. tr. **1.** *Los mosquitos me* ***acribillan*** *a picotazos en verano* (= me llenan de picaduras). **2.** *Los periodistas* ***acribillan*** *a preguntas a los famosos* (= los molestan con tantas preguntas). **3.** *El ladrón fue* ***acribillado*** *por la policía* (= fue baleado).
SINÓN: **1.** molestar. **3.** balear.

acriollarse v. pron. Amér. *Los inmigrantes* ***se acriollaron*** *muy rápidamente* (= adoptaron las costumbres del país donde vivían).
FAM: → *criollo.*

acrobacia s. f. **1.** *Hemos aplaudido las* ***acrobacias*** *del trapecista* (= los ejercicios arriesgados

que hacía). **2.** *Los aviones hicieron* ***acrobacias*** *espectaculares* (= movimientos en el aire).
SINÓN: pirueta. FAM: → *acróbata.*

acróbata s. m. f. *El domingo vi en el circo a una familia de* ***acróbatas*** *que me dejaron impresionada* (= personas que hacen ejercicios muy difíciles con gran habilidad).
FAM: → *acrobacia.*

acta s. f. **1.** *El* ***acta*** *de la reunión de diputados ocupa cien folios* (= la relación escrita de lo que se dice y sucede en una reunión). ◆ **levantar acta 2.** *El secretario se encarga de* ***levantar acta*** *de la sesión* (= la redacta).
FAM: → *acto.*

actitud s. f. *Ante el mal juego de su equipo, el público mostró una* ***actitud*** *agresiva* (= mostró el ánimo alterado).
SINÓN: conducta, comportamiento.

activar tr. **1.** *Hay que* ***activar*** *las obras para que se terminen a tiempo* (= hay que hacerlas más de prisa). **2.** ***Activaron*** *el reactor del submarino* (= lo pusieron en marcha).
SINÓN: **1.** acelerar. ANTÓN: **1.** aplazar, atrasar, retrasar. FAM: → *acto.*

actividad s. f. **1.** *En el hospital hay una gran* ***actividad*** *día y noche* (= no se para de trabajar). **2.** *En la escuela se realizan diversas* ***actividades*** (= diversas tareas).
SINÓN: **1.** ajetreo, diligencia, movimiento. **2.** tarea, trabajo. ANTÓN: inactividad. FAM: → *acto.*

activo, a adj. **1.** *En este país no hay volcanes* ***activos*** (= no pueden ponerse en erupción). **2.** *Es una persona* ***activa*** (= que hace cosas constantemente). **3.** *Como el medicamento era muy* ***activo****, me curé en seguida de la gripe* (= era muy efectivo). ◆ **activo** s. m. **4.** *El banco tiene un* ***activo*** *muy elevado* (= su conjunto de bienes).
SINÓN: **2.** diligente, dinámico. **3.** efectivo, eficaz. ANTÓN: pasivo. FAM: → *acto.*

acto s. m. **1.** *Ayudar a cruzar la calle a un ciego es un* ***acto*** *cívico* (= es una buena acción). **2.** *Al* ***acto*** *de inauguración de la universidad asistieron muchas autoridades* (= a la ceremonia). **3.** *Esta obra de teatro tiene tres* ***actos*** (= está dividida en tres partes). ◆ **en el acto 4.** *Llamamos al médico de urgencias y acudió* ***en el acto*** (= llegó en seguida).
SINÓN: **1.** acción, obra **2.** acontecimiento, ceremonia. **4.** rápidamente, en seguida.
FAM: *acta, activar, actividad, activo, actor, actriz, actuación, actual, actualidad, actualizar, actuar, inactivo.*

actor, triz s. **1.** *¿Quién es la* ***actriz*** *principal de la película?* (= ¿quién es la persona que representa el papel principal?). **2.** *Raúl es un gran* ***actor*** (= puede representar a cualquier personaje con mucha facilidad).
SINÓN: **1, 2.** artista, intérprete. FAM: → *acto.*

actuación s. f. *La* ***actuación*** *del abogado en el juicio ha sido ejemplar* (= ha hecho muy bien su trabajo).
SINÓN: comportamiento, conducta, intervención.
FAM: → *acto.*

actual adj. *La televisión nos informa de los acontecimientos* ***actuales*** (= de lo que sucede ahora).
SINÓN: moderno, presente. ANTÓN: anticuado, pasado. FAM: → *acto.*

actualidad s. f. **1.** *Está al corriente de la* ***actualidad*** (= de lo que pasa ahora). **2.** *Es una película de gran* ***actualidad*** *y hay grandes colas para ir a verla* (= es interesante para mucha gente).
SINÓN: **1.** presente. ANTÓN: **1.** antigüedad, futuro, pasado. FAM: → *acto.*

actualizar v. tr. *Tengo que* ***actualizar*** *los ficheros de mi biblioteca* (= ponerlos al día).
SINÓN: modernizar. FAM: → *acto.*

actuar v. intr. **1.** *En la película* ***actúa*** *mi actor favorito* (= interpreta un papel). **2.** *Los bomberos* ***actuaron*** *con eficacia y apagaron el incendio* (= hicieron bien su trabajo). **3.** *Marta* ***actúa*** *de un modo muy inteligente* (= obra con inteligencia).
SINÓN: **1.** interpretar, representar. **2, 3.** obrar, proceder. FAM: → *acto.*

acuarela s. f. **1.** *Tengo una caja de* ***acuarelas*** *pero aún no sé pintar bien con ellas* (= pinturas que se diluyen en agua). **2.** *He visitado una exposición de* ***acuarelas*** (= de cuadros pintados con esa pintura).
FAM: → *agua.*

acuario s. m. **1.** Es el 11º signo del zodíaco: comprende las personas nacidas entre el 20 de enero y el 18 de febrero. **2.** *Tengo ocho peces en mi* ***acuario*** (= en un recipiente acondicionado para que puedan vivir). **3.** *He ido a visitar el* ***acuario*** *del zoológico* (= un edificio donde hay todo tipo de peces y plantas acuáticas).
SINÓN: **2.** pecera. FAM: → *agua.*

acuático, a adj. *Los peces son animales* ***acuáticos*** (= viven en el agua).
FAM: → *agua.*

acudir v. intr. **1.** *Cristina* ***acudió*** *a la cita con puntualidad* (= llegó a la hora). **2.** ***Acudí*** *a mi abuela para que me diera dinero porque no tenía* (= recurrí a ella).
SINÓN: **1.** asistir, ir, presentarse. **2.** recurrir.
ANTÓN: **1.** marcharse, partir.

acueducto s. m. *El* ***acueducto*** *fue inaugurado por el intendente* (= una construcción en forma de puente que se utilizaba para abastecer de agua a la ciudad).
FAM: → *agua.*

acuerdo s. m. **1.** *La comunidad de vecinos ha llegado a un* ***acuerdo*** (= a una resolución). ◆ **de acuerdo 2.** *Después de mucho discutir se pusieron* ***de acuerdo*** (= estuvieron conformes en la opinión). Arg. **3.** *Hoy hubo* ***acuerdo*** *de minis-*

tros (= reunión, consejo). **3.** *El senado prestó **acuerdo** para la designación de nuevos jueces* (= confirmación, consentimiento).
SINÓN: **1.** conclusión, decisión, determinación. FAM: → *acordar.*

acumulador s. m. *Se ha estropeado el **acumulador** eléctrico del coche* (= el aparato que recoge y guarda energía para usarla cuando haga falta).
SINÓN: batería. FAM: *acumular.*

acumular v. tr. *Durante el verano las hormigas **acumulan** gran cantidad de comida* (= la almacenan).
SINÓN: almacenar, amontonar, juntar, reunir. FAM: *acumulador, cúmulo.*

acunar v. tr. *Como no dejaba de llorar, tuve que **acunar** al bebé* (= tuve que mecerlo en la cuna).
SINÓN: balancear, mecer. FAM: *cuna.*

acuñar v. tr. **1.** ***Han acuñado** monedas de las olimpíadas* (= han fabricado monedas). **2.** *El carpintero **acuñó** la pata de la mesa para que no se moviera* (= le puso una cuña). **3.** *Algunos escritores **acuñan** frases muy bonitas* (= las hacen famosas).
SINÓN: **1.** fabricar, grabar, imprimir, sellar. **3.** crear, inventar. FAM: → *cuña.*

acupuntura s. f. *Algunas enfermedades pueden curarse mediante la **acupuntura*** (= es un método que consiste en clavar agujas muy finas en puntos muy precisos del cuerpo).

acurrucarse v. pron. *Mi gato **se acurruca** en el sofá como si fuera un ovillo* (= se encoge sobre sí mismo).
SINÓN: encogerse. ANTÓN: desperezarse, estirarse.

acusación s. f. *El fiscal leyó la **acusación** en el tribunal* (= la denuncia contra el acusado).
SINÓN: denuncia. ANTÓN: defensa. FAM: → *acusar.*

acusado, a adj. **1.** *Tiene unas facciones muy **acusadas*** (= muy marcadas, que se ven con facilidad). ◆ **acusado, a** s. **2.** *El **acusado** respondía a las preguntas del juez* (= persona a la que se juzga en un tribunal).
SINÓN: **1.** marcado, pronunciado. **2.** reo. FAM: → *acusar.*

acusar v. tr. *Lo **acusaron** de haber robado* (= lo culparon).
SINÓN: culpar, delatar, denunciar. FAM: *acusación, acusado, acusador, excusa, excusar.*

acústica s. f. *Este teatro tiene buena **acústica*** (= está bien acondicionado para oír música).

adagio s. f. El **adagio** es un ritmo musical lento y suave.

adaptable adj. *Es una persona muy **adaptable*** (= se acostumbra fácilmente a cualquier situación).
SINÓN: amoldable. FAM: → *apto.*

adaptación s. f. **1.** *La película es una **adaptación** cinematográfica de la novela* (= está basada en la novela). **2.** *Los animales salvajes necesitan un período de **adaptación** para vivir en cautiverio* (= necesitan acomodarse al nuevo ambiente).
FAM: → *apto.*

adaptar v. tr. **1.** *Mi madre **adaptó** la cortina a la nueva ventana* (= la utilizó arreglándola). **2.** *Por la noche **adaptamos** el sofá como cama* (= lo usamos como cama). **3.** *El propio autor de la novela la **adaptó** al cine* (= la cambió un poco para hacer la película). ◆ **adaptarse** v. pron. **4.** *No consigo **adaptarme** a la nueva casa* (= no logro acostumbrarme a ella).
SINÓN: **1.** acoplar, ajustar. **2.** acondicionar, transformar. **4.** acomodarse, acostumbrarse, habituarse. FAM: → *apto.*

adecuado, a adj. *Alquilamos un vehículo **adecuado** al tipo de terreno por el que íbamos a viajar* (= apropiado para ese terreno).
SINÓN: apropiado, conveniente. ANTÓN: impropio, inadecuado. FAM: *adecuar.*

adecuar v. tr. *Han arreglado el viejo edificio para **adecuarlo** como hospital* (= para adaptarlo, hacerlo propio de un hospital).
SINÓN: acomodar, adaptar. FAM: *adecuado.*

adefesio s. m. *Con ese traje tan feo y ridículo va hecho un **adefesio*** (= su aspecto es ridículo).
SINÓN: mamarracho.

adelantado, a adj. *Marta es la más **adelantada** de la clase* (= la más aventajada en los estudios).
SINÓN: aventajado. ANTÓN: atrasado, retrasado. FAM: → *delante.*

adelantar v. tr. **1.** ***Adelanté** mi silla para ver mejor el pizarrón* (= la puse más hacia delante, más cerca del pizarrón). **2.** *En Navidad las empresas **adelantan** la paga a los trabajadores* (= la anticipan, la pagan antes de lo normal). **3.** *Empezó mal la carrera, pero luego **adelantó** a todos* (= los dejó atrás). **4.** *El reloj del comedor se atrasa y de vez en cuando hay que **adelantarlo*** (= avanzar las agujas). ◆ **adelantar** v. intr. **5.** *Gracias a los investigadores, las ciencias **adelantan*** (= las ciencias progresan, avanzan: cada día se saben más cosas). ◆ **adelantarse** v. pron. **6.** ***Nos adelantamos** para prepararlo todo* (= llegamos antes).
SINÓN: **1, 3, 5.** avanzar. **2, 3, 6.** anticipar(se). avanzar. **5.** progresar. ANTÓN: **1, 5.** retroceder. **2, 4, 6.** retrasar(se). FAM: → *delante.*

adelante adv. **1.** *Mira hacia **adelante*** (= mira enfrente). **2.** *Debido al embotellamiento no pudimos seguir **adelante*** (= no pudimos seguir más allá). **3.** *Si no trabajas, no puedes ir **adelante*** (= no puedes progresar). **4.** *De hoy en **adelante** estudiaré más* (= a partir de hoy).
ANTÓN: **1.** atrás. FAM: → *delante.*

adelanto s. m. **1.** *Mi padre ha tenido que pedir un **adelanto** antes de terminar el mes* (= una parte de su salario). **2.** *Los **adelantos** científicos*

de este siglo son muy numerosos (= los progresos). **3.** *El tren ha llegado con un* **adelanto** *de 5 minutos* (= ha llegado 5 minutos antes de su hora).
SINÓN: **1.** anticipo. **2.** progreso. ANTÓN: **3.** retraso. FAM: → *delante.*

adelfa s. f. La **adelfa** es un arbusto parecido al laurel con flores grandes en racimos de diversos colores.

adelgazar v. tr. *Comiendo sólo frutas y verduras mi tía* **adelgazó** *tres kilos* (= perdió volumen y peso).
ANTÓN: engordar. FAM: → *delgado.*

ademán s. m. **1.** *Hizo* **ademán** *de sacar algo del bolsillo* (= hizo el gesto). ◆ **ademanes** s. m. pl. **2.** *Lo expresó con feos* **ademanes** (= con feos modales, con feos movimientos).
SINÓN: **1.** actitud, gesto. **2.** modales, maneras.

además adv. *Cuando fuimos a la montaña hacía frío y,* **además**, *llovía* (= no sólo hacía frío sino que también llovía).
SINÓN: también.

adentrarse v. pron. **1.** *En la excursión nos* **adentramos** *en el bosque* (= penetramos en él). **2.** *Los científicos* **se adentran** *en el estudio del cáncer para conocerlo más y poder curar a los enfermos que lo sufren* (= profundizan en su estudio).
SINÓN: **1.** internarse, penetrar. **2.** profundizar.
ANTÓN: **1.** salir. FAM: → *dentro.*

adentro adv. **1.** *Vamos* **adentro** (= entremos). ◆ **adentros** s. m. pl. **2.** *Juan piensa para sus* **adentros**, *que su amigo le miente* (= en su interior).
SINÓN: **1.** dentro. **2.** interior. ANTÓN: **1.** afuera.
FAM: → *dentro.*

adepto, a s. *Los* **adeptos** *al deporte son cada vez más numerosos* (= sus partidarios).
SINÓN: partidario.

aderezar v. tr. *Antes de freír la carne, mi madre la* **adereza** (= le pone condimentos: sal, pimienta...).
SINÓN: aliñar, condimentar, sazonar.

adeudar v. tr. *Pedro* **adeuda** *cien pesos* (= debe cien pesos).
SINÓN: deber. ANTÓN: abonar, pagar. FAM: → *deuda.*

adherir v. tr. **1.** *Antes de echar la carta en el buzón,* **adhiero** *el sello al sobre* (= lo pego). ◆ **adherirse** v. pron. **2.** *Si la piel está húmeda, la tela adhesiva no* **se adhiere** (= no se pega). **3.** **Se adhirieron** *a nuestra propuesta porque estaban de acuerdo* (= se unieron a nuestra idea).
SINÓN: **1, 2.** pegar(se). **3.** solidarizarse, unirse.
ANTÓN: **1, 2.** arrancar, despegar(se). **3.** separarse. FAM: *adhesivo.*

adhesivo, a adj. **1.** *Cierra el paquete con cinta* **adhesiva** (= con una cinta que sirve para pegar). ◆ **adhesivo** s. m. **2.** *En mi carpeta llevo muchos* **adhesivos** (= recortes de papel o de tela que se pegan).
SINÓN: **1.** adherente. **2.** calcomanía. FAM: *adherir.*

adicción s. f. *La droga es muy mala y además crea* **adicción** (= crea la necesidad de tomarla cada día).
SINÓN: dependencia. FAM: *adicto.*

adición s. f. Una **adición** es una suma.
SINÓN: suma. ANTÓN: resta. FAM: *adicional, adicionar.*

adicto, a adj. **1.** *Juan es muy* **adicto** *a la música clásica* (= le gusta mucho). ◆ **adicto, a** s. **2.** *Cada vez se conocen más* **adictos** *a las drogas* (= personas que necesitan tomar drogas cada día).
SINÓN: **1.** aficionado, entusiasta, forofo. FAM: *adicción.*

adiestrar v. tr. **1.** *Los cazadores* **adiestran** *a los perros para la caza* (= los acostumbran a obedecer). ◆ **adiestrarse** v. pron. **2.** *José* **se adiestró** *en el manejo de la computadora* (= se ejercitó).
SINÓN: **1.** amaestrar. **2.** ejercitarse. FAM: → *diestro.*

adinerado, a adj. *Mi vecino es una persona* **adinerada** (= tiene mucho dinero).
SINÓN: acaudalado, rico. ANTÓN: necesitado, pobre. FAM: → *dinero.*

adiós interj. **1.** *Cuando mi amigo se fue, me dijo:* **¡Adiós!** (= es una expresión que se emplea para despedirse). **2.** **¡Adiós!** *¡Se ha roto la puerta!* (= expresa sorpresa o impresión por algo).

adivinanza s. f. *Mi amigo no fue capaz de acertar la* **adivinanza** (= una pregunta de respuesta difícil que sirve de pasatiempo).
SINÓN: acertijo. FAM: → *adivinar.*

adivinar v. tr. **1.** *Hay quien piensa que se puede* **adivinar** *el futuro* (= saber lo que va a suceder). **2.** *El policía* **adivinó** *dónde estaba el ladrón siguiendo sus pistas* (= lo descubrió). **3.** **Adiviné** *el acertijo que me hizo mi hermano* (= lo resolví).
SINÓN: **1.** profetizar, pronosticar. **2.** descubrir. **3.** acertar, descifrar, resolver. ANTÓN: **3.** errar.
FAM: *adivinanza, adivino.*

adivino, a s. *No sé lo que va a pasar porque no soy* **adivino** (= no soy de esas personas que pronostican el futuro).
SINÓN: profeta. FAM: → *adivinar.*

adjetivo, a adj. *En* casa grande y bonita, *las palabras* grande y bonita *son dos* **adjetivos** (= son palabras que expresan cualidades o características del sustantivo).
FAM: *adjetivación, adjetivar.*

adjudicar v. tr. **1.** *Le* **han adjudicado** *el primer premio* (= se lo han dado). ◆ **adjudicarse** v. pron. **2.** *Mi primo, el glotón,* **se ha adjudicado** *el mejor trozo de la tarta* (= se ha apropiado del mejor trozo). **3.** *El equipo visitante* **se adjudicó** *la victoria* (= obtuvo el triunfo).

SINÓN: 1. asignar, conceder, dar, entregar, otorgar. **2.** apropiarse, apoderarse. **3.** ganar, obtener. **ANTÓN: 1, 2, 3.** despojar. **3.** perder. **FAM:** *adjudicable, adjudicación.*

adjuntar v. tr. *En la carta* ***he adjuntado*** *mi fotografía* (= he añadido mi fotografía).
SINÓN: añadir, incluir. **FAM:** *adjunto.*

adjunto, a adj. **1.** *Este catálogo lleva una lista de precios* ***adjunta*** (= la lleva unida, añadida). ◆ **adjunto, a** s. **2.** *El* ***adjunto*** *del director me ha llamado* (= el auxiliar del director o el que le ayuda en su cargo).
SINÓN: 1. añadido, unido. **2.** auxiliar, ayudante. **FAM:** *adjuntar.*

administración s. f. **1.** *Mi madre lleva la* ***administración*** *de la casa* (= controla los gastos y los ingresos). **2.** *Juan trabaja en la* ***administración*** *de correos* (= en la oficina donde se controla la distribución de la correspondencia). **3.** *Carlos tuvo problemas con la* ***Administración*** (= con el Gobierno).
SINÓN: 1. control. **FAM:** → *administrar.*

administrador, a s. *Los* ***administradores*** *cuidan de nuestros intereses* (= son las personas que controlan nuestros gastos y beneficios).
FAM: → *administrar.*

administrar v. tr. **1.** *El alcalde es la persona encargada de* ***administrar*** *el pueblo* (= de gobernarlo). **2.** *Aquel doctor es el que* ***administra*** *el hospital* (= el que dirige y organiza el funcionamiento del hospital). **3.** *El médico me* ***administró*** *un jarabe para la tos* (= me dio un jarabe). **4.** *El sacerdote* ***administró*** *el bautismo al recién nacido* (= le dio el bautismo, lo bautizó). ◆ **administrarse** v. pron. **5.** *No tiene mucho dinero pero* ***se administra*** *bien* (= se arregla con lo que tiene).
SINÓN: 1. gobernar, regir. **2.** dirigir, organizar. **ANTÓN: 5.** derrochar, malgastar. **FAM:** *administración, administrador.*

admirable adj. *Es una persona de una inteligencia* ***admirable*** (= es muy inteligente).
SINÓN: extraordinario, magnífico, maravilloso, soberbio. **ANTÓN:** lamentable. **FAM:** → *admirar.*

admiración s. f. **1.** *Su eficacia en el trabajo ha causado gran* ***admiración*** (= ha producido una sorpresa agradable). **2.** *El espectáculo es digno de* ***admiración*** (= produce asombro). **3.** *Las interjecciones y exclamaciones se escriben entre signos de* ***admiración*** *(¡!).*
SINÓN: 1, 2. respeto. **3.** exclamación. **ANTÓN: 1, 2.** desprecio, indiferencia. **FAM:** → *admirar.*

admirador, a adj. **1.** *Es un gran* ***admirador*** *de los cuadros de Velázquez* (= es un seguidor de sus pinturas, le entusiasman). ◆ **admirador, a** s. **2.** *El cantante estaba rodeado de una multitud de* ***admiradores*** (= de personas que se sienten atraídas por él).
SINÓN: 1. entusiasta. **2.** seguidor. **ANTÓN: 2.** adversario. **FAM:** → *admirar.*

admirar v. tr. **1.** ***Admiro*** *sus obras de arte* (= las contemplo con entusiasmo). **2.** ***Admiro*** *a esta actriz* (= le tengo aprecio por sus grandes cualidades). ◆ **admirarse** v. pron. **3.** ***Me admiro*** *de que no sepas todavía la noticia* (= me sorprende que no te hayas enterado).
SINÓN: 1, 2. apreciar. **3.** asombrarse, sorprenderse. **ANTÓN: 1, 2.** aborrecer, despreciar. **FAM:** *admirable, admiración, admirador.*

admisión s. f. **1.** *He pedido mi* ***admisión*** *en el nuevo colegio* (= mi ingreso; he pedido que me acepten). **2.** *La dirección de este local se reserva el* ***derecho de admisión*** (= el derecho de dejar entrar o no a quien quiera).
SINÓN: 1. aceptación, acogida, ingreso. **ANTÓN: 1.** rechazo. **2.** expulsión. **FAM:** *admitir.*

admitir v. tr. **1.** *Juan* ***ha sido admitido*** *en la Universidad* (= lo han aceptado y ha podido matricularse). **2.** ***Admito*** *tus explicaciones* (= acepto tus argumentos). **3.** *La operación del enfermo no* ***admite*** *retraso* (= no permite esperar).
SINÓN: 1. acoger, recibir. **1, 2.** aceptar. **3.** permitir, tolerar. **ANTÓN: 1, 2.** rechazar, rehusar. **FAM:** *admisión.*

adobar v. tr. **1.** *En aquel restaurante* ***adoban*** *las pizzas con orégano y hierbas aromáticas* (= las condimentan). **2.** *Mi madre* ***ha adobado*** *la carne hoy para comerla mañana* (= la ha sumergido en una salsa para conservarla).
SINÓN: 1. aderezar, condimentar, sazonar. **FAM:** *adobo.*

adobe s. m. *Mis abuelos tienen en el pueblo una casa construida con* ***adobes*** (= con una mezcla de barro y paja, secada al aire y a la que se ha dado forma de ladrillo).

adobo s. m. Méx. *Pusimos la carne de novillo en* ***adobo*** (= salsa preparada con chile y especias en vinagre).

adolescencia s. f. *La* ***adolescencia*** *es el período de la vida humana comprendido entre la niñez y la juventud* (= entre los doce y dieciocho años aproximadamente).
FAM: *adolescente.*

adolescente s. *Mi hermano tiene quince años, es todo un* ***adolescente*** (= ha dejado de ser un niño pero todavía no es un adulto).
FAM: *adolescencia.*

adonde adv. **1.** *El lugar* ***adonde*** *vamos es muy bonito* (= el sitio al que vamos). **2.** ***¿Adónde*** *vas?* (= ¿a qué lugar vas?).
FAM: *donde.*

adoptar v. tr. **1.** ***Adoptar*** *un niño es aceptarlo legalmente como hijo propio* (= dándole apellidos y protección). **2.** *Debido a la expansión del Imperio Romano, varios pueblos* ***adoptaron*** *la lengua latina* (= la tomaron como si fuera la suya propia). **3.** *El director* ***adoptó*** *una actitud de comprensión ante aquella situación* (= tomó esa actitud). **4.** *El líquido* ***adopta*** *la forma de la va-*

sija que lo contiene (= adquiere esa misma forma).
SINÓN: 2. abrazar, seguir. **3, 4.** tomar. **4.** adquirir. **ANTÓN: 2.** rechazar, rehusar. **FAM:** *adoptivo.*

adoptivo, a adj. **1.** *Carlos es hijo* ***adoptivo****, no ha vivido nunca con sus verdaderos padres, sino con los padres* ***adoptivos*** (= Carlos fue acogido y aceptado legalmente como hijo de unos padres que no son los que le dieron la vida). **2.** *El alcalde nació en Cuzco pero lo han declarado hijo* ***adoptivo*** *de La Paz* (= porque en La Paz lo quieren mucho).
FAM: *adoptar.*

adoquín s. m. **1.** *En la parte antigua de la ciudad hay muchas calles pavimentadas con* ***adoquines*** (= bloques de piedra de forma rectangular que servían para empedrar las calles). **2.** *¡No seas* ***adoquín****!* (= ¡no seas torpe e ignorante!)
SINÓN: 2. zoquete. **FAM:** *adoquinar.*

adoquinar v. tr. ***Han adoquinado*** *el paseo del parque* (= lo han pavimentado con adoquines, con piedras rectangulares).
SINÓN: empedrar, pavimentar. **FAM:** *adoquín.*

adorable adj. *Mi hermano pequeño es* ***adorable*** (= es encantador: inspira cariño y simpatía).
SINÓN: encantador. **FAM:** → *adorar.*

adoración s. f. *Siento gran* ***adoración*** *por mi abuelo* (= lo admiro y respeto mucho).
SINÓN: amor, devoción, veneración. **ANTÓN:** desprecio, odio, rechazo. **FAM:** → *adorar.*

adorador, a adj. *Los incas eran* ***adoradores*** *del Sol* (= personas que idolatraban y veneraban al Sol porque creían que era un dios).
FAM: → *adorar.*

adorar v. tr. **1.** *Los cristianos* ***adoran*** *a Dios* (= lo aman y lo honran como ser superior). **2.** *Una madre* ***adora*** *a su hijo* (= lo ama en extremo). **3.** *Ana* ***adora*** *los pasteles* (= le gustan mucho).
SINÓN: 1. honrar, venerar. **1, 2.** amar, querer. **3.** gustar. **ANTÓN:** detestar, odiar. **FAM:** *adorable, adoración, adorador.*

adormecer v. tr. **1.** *Al enfermo le dieron un calmante que* ***adormeció*** *su dolor* (= se lo calmó). ◆ **adormecerse** v. pron. **2.** *Después de comer, mi abuelo se sienta en su sillón y* ***se adormece*** (= se va durmiendo poco a poco). **3.** *Un alpinista quedó atrapado en la nieve y* ***se le adormecieron*** *las piernas* (= no las sentía, se le entumecieron).
SINÓN: 1. calmar, mitigar, tranquilizar. **2.** adormilarse. **2, 3.** dormirse. **3.** entumecerse. **ANTÓN: 1.** avivar. **2.** despabilar, despertarse. **FAM:** → *dormir.*

adormidera s. f. *La* ***adormidera*** *es una planta parecida a la amapola, de cuyo fruto se extrae el opio.*

adormilarse v. pron. *Después de comer y con el sonido de la televisión, mi padre* ***se adormila*** (= se queda medio dormido, se amodorra).
SINÓN: adormecerse, amodorrarse. **ANTÓN:** despabilarse, despertarse. **FAM:** → *dormir.*

adornar v. tr. **1.** *En Navidad* ***adornamos*** *el aula con guirnaldas de papel de bonitos colores* (= la decoramos). **2.** *Los geranios* ***adornan*** *los balcones de las casas* (= los embellecen).
SINÓN: decorar, embellecer, engalanar, ornamentar. **ANTÓN:** afear. **FAM:** *adorno.*

adorno s. m. *Mi casa tiene muchos* ***adornos*** (= objetos que la embellecen).
FAM: *adornar.*

adosado, a adj. *Están construyendo casas* ***adosadas*** (= chalets independientes pero unidos por una pared).
FAM: *adosar.*

adosar v. tr. ***He adosado*** *el armario a la pared* (= lo he arrimado a la pared).
SINÓN: arrimar, pegar. **ANTÓN:** separar. **FAM:** *adosado.*

adquirir v. tr. **1.** *Gracias a la lotería algunas personas* ***adquieren*** *una gran fortuna* (= ganan mucho dinero). **2.** *Mi hermano* ***ha adquirido*** *un coche nuevo* (= ha comprado). **3.** *Con el tiempo* ***he adquirido*** *más experiencia en mi trabajo* (= he conseguido saber más).
SINÓN: 1. ganar, obtener. **2.** comprar. **3.** conseguir. **ANTÓN: 1.** perder. **2.** vender. **FAM:** *adquiridor, adquisición, adquisitivo.*

adquisición s. f. **1.** *Para la clase de música el director está pensando en la* ***adquisición*** *de un piano* (= está pensando en la compra de un piano). **2.** *Has hecho una buena* ***adquisición*** (= has conseguido o has comprado algo bueno).
SINÓN: 1, 2. compra. **ANTÓN: 1, 2.** venta. **FAM:** → *adquirir.*

adquisitivo, a adj. *El* ***poder adquisitivo*** *actual es mayor que el de hace sesenta años* (= la capacidad de comprar cosas es mayor porque hay más dinero).
FAM: → *adquirir.*

adrede adv. *Juan ha llegado tarde, pero no lo hizo* ***adrede*** (= a propósito).
SINÓN: voluntariamente. **ANTÓN:** involuntariamente.

aduana s. f. *Siempre que viajamos al extranjero debemos pasar por la* ***aduana*** (= por un lugar donde nos piden la documentación y nos revisan el equipaje).

adueñarse v. pron. **1.** *Los ladrones* ***se adueñaron*** *de los bienes ajenos* (= se apropiaron). **2.** *En una maniobra del avión el miedo* ***se adueñó*** *de los pasajeros* (= se apoderó de ellos).
SINÓN: 1. apropiarse. **1, 2.** apoderarse. **ANTÓN: 1.** renunciar, desprenderse. **FAM:** → *dueño.*

adulación s. f. *Hay personas muy dadas a la* ***adulación*** (= que les gusta alabar en exceso a los demás para sacar algún provecho).
SINÓN: alabanza. **ANTÓN:** desprecio, insulto, ofensa. **FAM:** *adular.*

adular v. tr. *Hay quienes* ***adulan*** *a sus superiores* (= los alaban).
SINÓN: alabar, halagar. ANTÓN: despreciar, insultar, ofender. FAM: *adulación.*

adulterar v. tr. *La leche que compramos en el supermercado está* ***adulterada*** (= no es pura, le añaden agua y productos químicos).
ANTÓN: purificar. FAM: *adulterio.*

adulterio s. m. *Cuando una persona casada se une con otra que no es su cónyuge comete* ***adulterio.***
FAM: *adulterar.*

adulto, a adj. **1.** *Quiero ser una persona* ***adulta*** (= ser mayor y tener experiencia sobre las cosas). ◆ **adulto, a** s. **2.** *Mis padres son* ***adultos*** (= son personas mayores).

advenimiento s. m. **1.** *Todos esperamos el* ***advenimiento*** *de la primavera* (= su llegada). **2.** *Todos los ciudadanos acudieron al* ***advenimiento*** *del nuevo presidente* (= a la toma de posesión de su cargo).
SINÓN: llegada, venida. FAM: → *venir.*

adverbio s. m. Ahora, bien *y* muy *son* ***adverbios*** (= palabras invariables que modifican el sentido de un verbo, de un adjetivo o de otro adverbio).
FAM: → *verbo.*

adversario, a s. *Juan ha respondido a los ataques de sus* ***adversarios*** (= de sus rivales).
SINÓN: contrario, enemigo, rival. ANTÓN: aliado, amigo, compañero. FAM: → *adversidad.*

adversidad s. f. **1.** *A pesar de la* ***adversidad*** *del clima, ya que llovía mucho, lo pasamos muy bien* (= a pesar de esta circunstancia, contraria a nuestros deseos). **2.** *Parece que a Emilio lo persigue la* ***adversidad*** (= la mala suerte). **3.** *A los verdaderos amigos se los reconoce en la* ***adversidad****, no cuando todo va bien* (= en la desgracia, en las situaciones difíciles).
SINÓN: **1.** contrariedad. **2, 3.** desdicha, desgracia. ANTÓN: **2.** suerte. FAM: *adversario, adverso.*

adverso, a adj. **1.** *Los marineros dejaron el puerto con viento* ***adverso*** (= con el viento en contra, desfavorable). **2.** *En la reunión había personas con ideas* ***adversas*** (= opuestas).
SINÓN: **1.** desfavorable. **2.** contrario, opuesto. ANTÓN: **1.** favorable. FAM: → *adversidad.*

advertencia s. f. **1.** *Ten en cuenta mis* ***advertencias*** (= los consejos que te doy). **2.** *En las primeras páginas de los libros suele colocarse una* ***advertencia*** (= una pequeña nota u observación escrita para el lector).
SINÓN: **1.** consejo. **1, 2.** observación. **2.** aclaración, nota. FAM: *advertir.*

advertir v. tr. **1.** *En la rama de un árbol* ***advertimos*** *la presencia de un nido* (= nos dimos cuenta de que había un nido). **2.** *Te* ***advertí*** *que para aprobar el curso era necesario estudiar* (= te avisé).
SINÓN: **1.** percatarse, reparar. **2.** avisar, prevenir.
FAM: *advertencia.*

adviento s. m. *Todos los años la Iglesia Católica prepara el nacimiento de Jesús durante el* ***adviento*** (= período que comprende las cuatro semanas antes del día de Navidad).
FAM: → *venir.*

adyacente adj. **1.** *Vivo en una calle* ***adyacente*** *a esta avenida* (= contigua, que está al lado). **2.** *En geometría, los ángulos* ***adyacentes*** *son los que tienen un lado común.*
SINÓN: **1.** contiguo, limítrofe.

aéreo, a adj. *Las fotografías* ***aéreas*** *están tomadas desde el aire, por eso se llaman así* (= es aéreo todo lo que se relaciona con el aire).
ANTÓN: terrestre. FAM: → *aire.*

aeródromo s. m. *El* ***aeródromo*** *es un aeropuerto pequeño* (= es un terreno preparado para que los aviones despeguen y aterricen).
SINÓN: aeropuerto. FAM: → *aire.*

aeromodelismo s. m. *Mi padre es aficionado al* ***aeromodelismo*** (= construye aviones reducidos que vuelan).
FAM: → *aire.*

aeronáutica s. f. La **aeronáutica** es la ciencia que estudia los medios y técnicas de la aviación.
FAM: → *aire.*

aeronave s. f. *El cohete, el avión, el globo son* ***aeronaves*** (= vehículos capaces de navegar por el aire, de volar).
FAM: → *aire.*

aeroplano s. m. → **avión.**

aeropuerto s. m. *En el* ***aeropuerto*** *había gran movimiento de aviones y personas que llegaban y se marchaban* (= es el terreno e instalaciones preparados para la llegada y salida de aviones y pasajeros).
SINÓN: aeródromo. FAM: → *aire.*

afable adj. *Aquella señora tiene un carácter muy* ***afable*** (= muy agradable).
SINÓN: agradable, amable. ANTÓN: áspero, desagradable. FAM: *afabilidad.*

afán s. m. **1.** *Mi padre trabaja con* ***afán*** *para sacar la familia adelante* (= trabaja mucho, trabaja con ahínco). **2.** *Su* ***afán*** *era llegar a ser un gran futbolista* (= su deseo).
SINÓN: **1.** ahínco. **2.** deseo. ANTÓN: **1.** apatía, desgana, negligencia. FAM: *afanarse.*

afanarse v. pron. *Necesitaba aprobar el curso y* ***se afanó*** *por conseguirlo* (= se esforzó, hizo todo lo posible por conseguirlo).
SINÓN: esforzarse. ANTÓN: holgazanear. FAM: *afán.*

afear v. tr. *Las chimeneas de las fábricas* ***afean*** *el paisaje* (= lo hacen feo).
SINÓN: estropear. ANTÓN: embellecer. FAM: → *feo.*

afectado, a adj. **1.** *Siempre quiere aparentar lo que no es y habla con tono* ***afectado*** (= habla con poca naturalidad, con tono forzado). **2.** *Lui-*

sa está afectada por la mala noticia (= la ha hecho sentirse mal).
SINÓN: **1.** fingido, forzado, rebuscado. **2.** afligido. **ANTÓN:** **1.** natural, sencillo. **2.** indiferente. **FAM:** → *afecto.*

afectar v. tr. **1.** *Como son para los mayores, las órdenes del director no me* ***afectan*** (= no me conciernen, no son para mí). **2.** *El profesor* ***afecta*** *seriedad ante sus alumnos* (= aparenta seriedad, aunque es muy simpático). **3.** *La humedad* ***afectó*** *a los cimientos de la vivienda* (= perjudicó). ◆ **afectarse** v. pron. **4.** ***Se afectó*** *mucho al ver el accidente* (= se impresionó).
SINÓN: **1.** atañer, concernir. **2.** aparentar, fingir, simular. **3.** perjudicar. **4.** conmoverse, emocionarse, impresionarse. **FAM:** → *afecto.*

afectivo, a adj. **1.** *El sentimiento* ***afectivo*** *es el que nos hace querer u odiar.* **2.** *Carlos es muy* ***afectivo*** (= muy sensible, se emociona con facilidad).
SINÓN: **2.** sensible. **ANTÓN:** **2.** insensible. **FAM:** → *afecto.*

afecto s. m. *Mi primo me tiene mucho* ***afecto*** (= me quiere mucho, me tiene cariño).
SINÓN: aprecio, cariño, simpatía. **ANTÓN:** antipatía, desprecio, odio. **FAM:** *afectado, afectar, afectivo, afectuoso.*

afectuoso, a adj. *Mi abuelo es muy* ***afectuoso*** *con los niños* (= es muy cariñoso con ellos).
SINÓN: cariñoso. **ANTÓN:** antipático, hostil, huraño. **FAM:** → *afecto.*

afeitarse v. pron. *Mi hermano* ***se afeita*** *todas las mañanas* (= se corta los pelos de la barba con una maquinita).
FAM: *afeitado.*

afeminado, a adj. *Este muchacho es un poco* ***afeminado*** (= se parece en su aspecto y modo de ser a una mujer).
FAM: → *femenino.*

afianzar v. tr. **1.** *El techo del garaje se estaba cayendo y los albañiles lo* ***han afianzado*** (= le han puesto unos postes para sujetarlo). ◆ **afianzarse** v. pron. **2.** *Cada vez* ***me afianzo*** *más en la idea de estudiar idiomas* (= cada vez estoy más seguro de esa idea).
SINÓN: **1.** afirmar, asegurar, reforzar. **ANTÓN:** **1.** aflojar, soltar.

afiche s. m. R. de la Plata. *En período electoral, las paredes se llenan de* ***afiches*** (= grandes hojas de papel en las que se anuncia algo).
SINÓN: anuncio, cartel, letrero, póster.

afición s. f. **1.** *Pedro tiene* ***afición*** *a la caza* (= le gusta cazar). **2.** *La* ***afición*** *está contenta con el equipo* (= los seguidores del equipo).
SINÓN: **1.** inclinación. **FAM:** *aficionado, aficionar.*

aficionado, a adj. **1.** *María es* ***aficionada*** *a coleccionar monedas antiguas* (= le gusta mucho). ◆ **aficionado, a** s. **2.** *Muchos deportes son practicados por* ***aficionados*** (= personas que no cobran por ello, que lo hacen por gusto). **3.** *Los* ***aficionados*** *del fútbol son numerosos* (= los seguidores).
SINÓN: **3.** adictos, partidarios, seguidores. **ANTÓN:** **2.** profesionales. **FAM:** → *afición.*

aficionar v. tr. **1.** *Con su entusiasmo Juan me* ***aficionó*** *al deporte* (= me animó a practicarlo, hizo que me gustara). ◆ **aficionarse** v. pron. **2.** *Marta* ***se ha aficionado*** *a los veleros* (= le ha gustado y quiere salir a navegar).
SINÓN: **1.** animar. **2.** encariñarse, interesarse. **ANTÓN:** **1.** desanimar. **2.** desinteresarse. **FAM:** → *afición.*

afilador, a adj. **1.** *Este cuchillo ya no corta, tendré que pasarlo por la máquina* ***afiladora*** (= por la máquina que lo deja más cortante). ◆ **afilador, a** s. **2.** *Lleva el cuchillo y las tijeras al* ***afilador*** (= a la persona que se encarga de arreglarlos para que corten más).
FAM: → *filo.*

afilar v. tr. **1.** *Antes de cortar la carne, el carnicero* ***afila*** *el cuchillo* (= lo prepara para que corte mejor). **2.** *Antes de empezar a escribir,* ***afilamos*** *el lápiz* (= le sacamos punta).
FAM: → *filo.*

afiliarse v. intr. *Mi madre me* ***afilió*** *a un club de natación* (= me inscribió).
SINÓN: asociarse, inscribirse. **FAM:** → *afiliación, afiliado.*

afín adj. *Mi amiga y yo tenemos gustos* ***afines*** (= gustos parecidos).
SINÓN: parecido, semejante. **FAM:** → *afinidad.*

afinar v. tr. **1.** *El carpintero pasó la lija para* ***afinar*** *la superficie de la mesa* (= para pulirla). **2.** *Vivir en la ciudad* ***ha afinado*** *sus modales* (= se ha vuelto más educado). **3.** *Tendrás que* ***afinar*** *la puntería si quieres ganar* (= tendrás que perfeccionarla). **4.** *El piano sonaba mal, pero vino un técnico y lo* ***afinó*** (= lo puso en el tono justo).
SINÓN: **1.** pulir. **2.** refinar. **3.** perfeccionar. **ANTÓN:** **4.** desafinar. **FAM:** → *fino.*

afincarse v. pron. *Nos hemos* ***afincado*** *en un pueblo de la costa* (= nos hemos establecido, hemos comprado una casa y vamos a vivir allí).
FAM: → *finca.*

afinidad s. f. **1.** *Todos conocemos la* ***afinidad*** *entre las lenguas española e italiana* (= la semejanza entre las dos). **2.** *Cuando mi hermana se casó entró en* ***afinidad*** *con la familia de su marido* (= entró en parentesco).
SINÓN: **1.** analogía, parecido, semejanza. **2.** parentesco. **ANTÓN:** **1.** diferencia. **FAM:** → *afín.*

afirmación s. f. *Me gusta que conteste siempre con* ***afirmaciones*** (= una afirmación es contestar sí a una pregunta o decir que una cosa es cierta).
SINÓN: aseveración. **ANTÓN:** negación. **FAM:** → *firme.*

afirmar v. tr. **1.** ***Afirmo*** *que es verdad lo que dice mi amigo* (= lo confirmo, lo aseguro).

2. ***Afirmamos*** *las paredes de la casa* (= las reforzamos, las hicimos más seguras).
SINÓN: 1. certificar, confirmar. **2.** afianzar. **ANTÓN: 1.** negar. **2.** debilitar. **FAM:** → *firme.*

afirmativo, a adj. *Me han dado una respuesta* ***afirmativa*** (= me han dicho que sí).
ANTÓN: negativo. **FAM:** → *firme.*

afligir v. tr. **1.** *La enfermedad* ***afligía*** *al enfermo* (= lo hacía sufrir mucho). **2.** *El no tener amigos* ***aflige*** *a las personas* (= las entristece). ◆ **afligirse** v. pron. **3.** ***Se afligió*** *mucho cuando murió su padre* (= sufrió mucho).
SINÓN: 1, 2. angustiarse. **2.** apenarse, disgustarse, entristecerse. **ANTÓN: 2.** alegrarse. **FAM:** → *aflicción.*

aflojar v. tr. **1.** *Voy a* ***aflojar*** *las cuerdas* (= voy a dejarlas más sueltas). **2.** ***Afloja*** *los cien pesos que me debes* (= dámelos). ◆ **aflojar** v. intr. **3.** *Debemos esperar a que la tormenta* ***afloje*** (= que disminuya).
SINÓN: 1. soltar. **2.** dar. **3.** disminuir. **ANTÓN: 1.** apretar. **3.** aumentar. **FAM:** → *flojo.*

aflorar v. intr. *Las raíces de aquel gran olivo* ***afloran*** *a la superficie* (= surgen de debajo de la tierra hacia fuera).
SINÓN: brotar, salir, surgir. **ANTÓN:** desaparecer, esconderse.

afluente s. m. *El Paraná es un* ***afluente*** *del Río de la Plata* (= es un río algo más pequeño que desemboca en el Río de la Plata).
FAM: → *fluir.*

afluir v. intr. **1.** *Las aguas de los ríos* ***afluyen*** *en el mar, en otro río o en un lago* (= vierten su agua, desembocan). **2.** *La sangre* ***afluye*** *al cerebro* (= llega al cerebro).
SINÓN: 1, 2. desembocar. **FAM:** → *fluir.*

afonía s. f. *El cantante padece una fuerte* ***afonía*** (= se ha quedado sin voz).
SINÓN: ronquera. **FAM:** → *afónico, sinfonía.*

afónico, a adj. *De tanto cantar y gritar en la excursión, me quedé* ***afónico*** (= me quedé ronco, mi voz apenas se oía).
SINÓN: ronco. **FAM:** → *afonía.*

afortunado, a adj. **1.** *Yo soy muy* ***afortunado*** *en el juego* (= tengo mucha suerte, siempre gano). **2.** *Siempre ha tenido una vida* ***afortunada*** (= una vida feliz).
SINÓN: 2. dichoso, feliz. **ANTÓN:** desafortunado, desdichado, desgraciado, infeliz. **FAM:** → *fortuna.*

africano, a adj. **1.** *El desierto* ***africano*** *del Sahara es inmenso* (= África). ◆ **africano, a** s. **2.** *Los* ***africanos*** *son las personas nacidas en África.*

afrontar v. tr. **1.** ***Afronta*** *tus problemas, no los esquives* (= acéptalos e intenta solucionarlos). **2.** *El explorador* ***afrontó*** *con valentía las dificultades de la travesía* (= hizo frente a los peligros).
SINÓN: desafiar, enfrentarse. **ANTÓN:** esquivar. **FAM:** → *frente.*

afuera adv. **1.** *Vayamos* ***afuera*** (= fuera del sitio en donde estamos). **2.** ***Afuera*** *hay gente que espera para entrar* (= en la parte exterior). ◆ **afueras** s. f. pl. **3.** *Hay grandes fábricas en las* ***afueras*** *de la ciudad* (= en los alrededores).
SINÓN: 1, 2. fuera. **3.** alrededores. **ANTÓN: 1, 2.** dentro. **3.** centro. **FAM:** → *fuera.*

agachar v. tr. **1.** *Cuando el maestro lo regañó, mi amigo* ***agachó*** *la cabeza* (= bajó la cabeza). ◆ **agacharse** v. pron. **2.** *Para levantar un lápiz del suelo hay que* ***agacharse*** (= hay que inclinarse).
SINÓN: 1. bajar. **1, 2.** inclinar(se). **ANTÓN: 1, 2.** levantar(se). **2.** enderezarse, incorporarse.

agalla s. f. **1.** *Pedro ha tomado el pez por las* ***agallas*** (= las branquias o agujeros que tienen los peces a cada lado de la cabeza y que les permiten respirar). ◆ **tener agallas 2.** *Los héroes de las películas del Oeste tienen* ***agallas*** (= tienen valentía, son muy valientes).
SINÓN: 1. branquia. **2.** coraje, valentía.

ágape s. m. *Los novios y sus invitados se reunieron en un restaurante, después de la boda, para el* ***ágape*** (= para celebrar la boda con una gran comida).
SINÓN: banquete.

agarradera s. f. *Tomo los cacharros por las* ***agarraderas*** (= por las asas o los mangos).
SINÓN: asa, mango. **FAM:** → *garra.*

agarrar v. tr. **1.** *Cuando atravieso la calle* ***agarro*** *a mi hermano pequeño de la mano* (= lo sujeto con fuerza). **2.** *El águila* ***agarró*** *al conejo fuertemente para que no se le escapara* (= lo cogió con sus garras). **3.** ***He agarrado*** *un fuerte resfriado* (= me he resfriado).
SINÓN: 1, 2, 3. coger. **1, 2.** sujetar. **2.** atrapar, capturar. **ANTÓN:** soltar. **FAM:** → *garra.*

agarrotarse v. pron. *El atleta no llegó a la meta porque* ***se le agarrotó*** *un músculo de la pierna* (= se le quedó rígido y no podía ni andar).
SINÓN: entumecer. **FAM:** → *garrote.*

agasajar v. tr. *El día de mi cumpleaños me* ***agasajaron*** *con una fiesta y un montón de regalos* (= me obsequiaron).
SINÓN: obsequiar, regalar. **FAM:** *agasajo.*

ágata s. f. *Mi madre tiene un anillo con un* ***ágata*** (= con una piedra preciosa de vivos colores).

agazaparse v. pron. *El gato* ***se agazapó*** *para poder atrapar por sorpresa al ratón* (= se escondió).
SINÓN: esconderse.

agencia s. f. **1.** *Fuimos a una* ***agencia*** *de viajes para que nos organizaran las vacaciones* (= a una oficina que ofrece un servicio a la gente). **2.** *El banco tiene en la ciudad varias* ***agencias*** (= varias sucursales de la oficina principal).
SINÓN: 1. oficina. **2.** sucursal. **FAM:** *agente.*

agenda s. f. *Escribo las direcciones de mis amigos en mi* ***agenda*** (= un librito donde apunto las direcciones, números de teléfonos o cosas que tengo que hacer cada día).

agente s. m. **1.** *El agua y el aire son* ***agentes*** *de la Naturaleza* (= que producen efectos en las rocas). ◆ **agente** s. **2.** *Después del accidente avisamos al* ***agente*** *de seguros* (= a la persona que se encarga de los seguros). **3.** *Me perdí y le pregunté la dirección a un* ***agente*** (= a un policía).
SINÓN: 3. guardia, policía. **FAM:** *agencia.*

ágil adj. **1.** *Los monos son animales muy* ***ágiles*** (= se mueven con facilidad y rapidez). **2.** *El prestidigitador es muy* ***ágil*** *con sus manos* (= mueve las manos con ligereza).
SINÓN: 1, 2. ligero, rápido, veloz. **ANTÓN:** lento, torpe. **FAM:** *agilidad.*

agilidad s. f. *El atleta corre con* ***agilidad*** (= corre con ligereza y facilidad).
SINÓN: ligereza, velocidad. **FAM:** *ágil.*

agitar v. tr. **1.** *Hay que* ***agitar*** *el jarabe antes de tomarlo* (= hay que mover el frasco con fuerza). ◆ **agitarse** v. pron. **2.** *Cuando el viento sopla con fuerza, las hojas de los árboles* ***se agitan*** (= se mueven rápidamente). **3.** *Al pitar el árbitro una falta, los seguidores del equipo* ***se agitaron*** (= se pusieron nerviosos).
SINÓN: 1. remover, revolver. **2.** moverse. **3.** excitarse, inquietarse. **ANTÓN: 3.** calmarse, pacificarse, sosegarse, tranquilizarse. **FAM:** *agitación.*

aglomeración s. f. *Cuando los ciclistas llegaron a la meta, se produjo una gran* ***aglomeración*** *de personas* (= hubo un montón de gente que se acercó a la meta).
ANTÓN: dispersión. **FAM:** *aglomerar.*

aglomerar v. tr. **1.** *Para hacer las albóndigas mi madre* ***aglomera*** *la carne picada, el ajo y el huevo batido con harina* (= lo junta todo y hace una masa). ◆ **aglomerarse** v. pron. **2.** *Ante la amenaza de incendio, los que estaban en el interior del cine* ***se aglomeraron*** *en la puerta de salida* (= se amontonaron porque todos querían salir).
SINÓN: amontonar(se), reunir(se). **ANTÓN:** dispersar(se), separar(se). **FAM:** *aglomeración.*

agobiar v. tr. *El exceso de trabajo me* ***agobia*** (= me preocupa y no me deja tiempo libre).
ANTÓN: aliviar. **FAM:** → *agobiado, agobio.*

agonizar v. intr. **1.** *El herido* ***agoniza*** (= se está muriendo). **2.** *La vela está* ***agonizando*** (= se está acabando.)
SINÓN: 1, 2. acabar, extinguir, terminar. **ANTÓN: 2.** comenzar, empezar. **FAM:** → *agonía.*

agosto s. m. *Hace mucho frío en invierno, sobre todo en* ***agosto*** (= octavo mes del año, entre julio y septiembre).

agotador, a adj. *El trabajo continuo es* ***agotador*** (= cansa mucho).
SINÓN: cansado. **FAM:** → *gota.*

agotamiento s. m. *Al acabar la carrera, el caballo está en un estado de* ***agotamiento*** *total* (= está muy cansado).
SINÓN: cansancio, fatiga. **ANTÓN:** fortaleza, vigor. **FAM:** → *gota.*

agotar v. tr. **1.** ***Agotamos*** *los refrescos que había en el refrigerador* (= los acabamos). ◆ **agotarse** v. pron. **2.** ***Se han agotado*** *las entradas para el partido* (= ya no quedan, se han acabado). **3.** *Muchos atletas* ***se agotan*** *en el maratón* (= se cansan tanto que no pueden continuar).
SINÓN: 1, 2. acabar(se), apurar, consumir, gastar. **3.** cansarse, fatigarse, debilitarse. **ANTÓN: 3.** fortalecer. **FAM:** → *gota.*

agraciado, a adj. **1.** *Mi hermana pequeña es muy* ***agraciada*** (= es muy guapa). ◆ **agraciado, a** s. **2.** *Los* ***agraciados*** *con la lotería están muy contentos* (= los que han ganado el premio).
SINÓN: 1. bello, guapo, lindo. **2.** afortunado. **ANTÓN: 1.** feo, **2.** desafortunado. **FAM:** → *gracia.*

agradable adj. **1.** *Mi abuelo es muy* ***agradable*** (= da gusto estar con él). **2.** *El olor de las rosas es* ***agradable*** (= huelen muy bien).
SINÓN: 1. afectuoso, grato, placentero. **ANTÓN: 1, 2.** desagradable. **FAM:** → *agrado.*

agradar v. tr. *Cuando hace frío* ***me agrada*** *ponerme al calor de la chimenea* (= me gusta mucho).
SINÓN: gustar, satisfacer. **ANTÓN:** desagradar, disgustar, molestar. **FAM:** → *agrado.*

agradecer v. tr. *Te* ***agradezco*** *que me hayas llamado, quería hablar contigo* (= te doy las gracias por haberme llamado).
ANTÓN: desagradecer. **FAM:** *agradecido, agradecimiento, desagradecer, desagradecido, desagradecimiento.*

agradecido, a adj. *Es una persona muy* ***agradecida*** (= que muestra siempre su reconocimiento por todo cuanto hacen por ella).
ANTÓN: desagradecido, ingrato. **FAM:** → *agradecer.*

agradecimiento s. m. *Mi familia mandó un ramo de flores a la doctora que me curó como muestra de* ***agradecimiento*** (= como muestra de reconocimiento por sus cuidados; para darle las gracias).
SINÓN: gratitud, reconocimiento. **ANTÓN:** ingratitud. **FAM:** → *agradecer.*

agrado s. m. **1.** *El portero del edificio respondió con* ***agrado*** *a mis preguntas* (= me respondió con amabilidad). **2.** *Come lo que sea de tu* ***agrado*** (= lo que más te guste, lo que quieras).
SINÓN: 1. amabilidad, simpatía. **2.** gusto, placer, voluntad. **ANTÓN: 1.** antipatía. **2.** desagrado. **FAM:** *agradable, agradar, desagradable, desagradar, desagrado.*

agrandar v. tr. *Tirando una de las paredes de la habitación* ***hemos agrandado*** *el salón* (= lo hemos hecho más amplio).

SINÓN: ampliar, aumentar. **ANTÓN:** disminuir, reducir. **FAM:** → *grande.*

agrario, a adj. *Los campesinos dicen que el trabajo* ***agrario*** *es bonito pero muy duro* (= el trabajo del campo).
SINÓN: agrícola, rural. **ANTÓN:** urbano. **FAM:** → *agro.*

agravamiento s. m. *El* ***agravamiento*** *del enfermo hizo que lo trasladaran a la clínica* (= su empeoramiento).
SINÓN: empeoramiento. **ANTÓN:** mejoría. **FAM:** → *grave.*

agravante s. m. *El* ***agravante*** *de aquel duro y largo viaje fue el mal tiempo* (= lo que empeoró el viaje).
FAM: → *grave.*

agravar v. tr. **1.** *Este problema* ***agravó*** *la situación* (= la empeoró). ◆ **agravarse** v. pron. **2.** *Su enfermedad* ***se agravó*** *tanto que creyeron que se moría* (= su enfermedad empeoró, el enfermo se puso más grave).
SINÓN: 1, 2. empeorar. **ANTÓN: 1, 2.** mejorar. **FAM:** → *grave.*

agraviar v. tr. *Nunca debes* ***agraviar*** *a tus amigos* (= no debes ofenderlos ni hacerles daño).
SINÓN: ofender, perjudicar. **ANTÓN:** favorecer. **FAM:** *agravio.*

agravio s. m. **1.** *Aquellos insultos fueron un* ***agravio*** *para él* (= fueron una ofensa, lo ofendieron). **2.** *Al no prestarle tu ayuda le has hecho un* ***agravio*** (= lo has perjudicado, le has hecho daño).
SINÓN: 1. ofensa. **2.** daño, perjuicio. **FAM:** *agraviar.*

agredir v. tr. *Un delincuente* ***agredió*** *a una señora* (= la atacó y la hirió).
SINÓN: atacar, golpear. **FAM:** *agresión, agresivo, agresor.*

agregar v. tr. **1.** *Al terminar su novela, el escritor* ***agregó*** *una nota* (= añadió una nota al final). ◆ **agregarse** v. pron. **2.** *Aunque no habían sido invitados,* ***se agregaron*** *a la fiesta* (= se unieron a la fiesta).
SINÓN: 1, 2. añadir(se). **2.** unirse. **ANTÓN: 1.** quitar.

agresión s. f. *Mi hermano sufrió una* ***agresión*** *en la calle por un desconocido* (= alguien lo atacó violentamente).
SINÓN: ataque. **FAM:** → *agredir.*

agresivo, a adj. **1.** *En la finca tenían unos perros muy* ***agresivos*** (= atacaban a todos los que no conocían). **2.** *Hay personas que usan palabras y gestos* ***agresivos*** (= actitudes que provocan y molestan a los demás).
SINÓN: 1, 2. provocador. **ANTÓN:** manso. **FAM:** → *agredir.*

agresor, a s. **1.** *Los* ***agresores*** *de mi hermano llevaban la cara cubierta* (= los que lo atacaron). ◆ **agresor, a** adj. **2.** *Todos acusan al país* ***agresor*** (= al país que no respeta los derechos de los demás países).
FAM: → *agredir.*

agreste adj. *Los bosques son lugares* ***agrestes*** (= lugares por donde es difícil caminar debido a su abundante vegetación).
FAM: → *agro.*

agriarse v. pron. *La salsa* ***se agrió*** *porque hace mucho tiempo que la hicimos* (= se puso en mal estado y tenía un sabor ácido).
FAM: *agrio.*

agrícola adj. *Los tractores son máquinas* ***agrícolas*** (= utilizadas por los campesinos para trabajar en el campo).
SINÓN: agrario. **FAM:** → *agro.*

agricultor, a s. *Mi abuelo es* ***agricultor*** (= labra y cultiva la tierra).
FAM: → *agro.*

agricultura s. f. *Los campesinos se dedican a la* ***agricultura*** (= a la labranza y cultivo de la tierra).
FAM: → *agro.*

agridulce adj. *Mi madre hizo la carne con una salsa* ***agridulce*** (= agria y dulce al mismo tiempo).

agrietarse v. pron. *Las paredes de algunos edificios viejos* ***se agrietan*** (= se producen aberturas de forma larga y estrecha).
SINÓN: abrirse, rajarse. **FAM:** → *grieta.*

agrimensor, a s. *Para poder hacer el mapa de mi pueblo y alrededores llamaron al* ***agrimensor*** (= persona que mide con gran precisión los terrenos).
FAM: → *agro.*

agrimensura s. f. *La* ***agrimensura*** *es la técnica de medir los terrenos.*

agrio, a adj. **1.** *El vinagre y el limón tienen un sabor* ***agrio*** (= un sabor ácido). ◆ **agrios** s. m. pl. **2.** *España exporta* ***agrios*** *a otros países* (= naranjas y limones).
SINÓN: 1. ácido. **2.** cítricos. **ANTÓN: 1.** dulce. **FAM:** *agriarse.*

agro s. m. *El* ***agro*** *produce abundantes frutas y cereales* (= el campo de labranza, que se puede cultivar).
FAM: *agrario, agreste, agrícola, agricultor, agricultura, agrimensor, agrimensura, agronomía, agrónomo, agropecuario.*

agronomía s. f. *La* ***agronomía*** *intenta mejorar el aprovechamiento del campo* (= es la ciencia que estudia el cultivo de la tierra).
FAM: → *agro.*

agrónomo, a adj. *El ingeniero* ***agrónomo*** *aconseja al agricultor sobre cómo cuidar la tierra* (= es la persona especializada en las técnicas del cultivo de la tierra).
FAM: → *agro.*

agropecuario, a adj. *Argentina es un país que tiene una importante producción* ***agrope-***

cuaria (= tiene muchos productos que se cultivan en el campo y también mucha ganadería).
FAM: → *agro.*

agrupación s. f. *Un equipo de fútbol es una* ***agrupación*** (= un conjunto de futbolistas).
SINÓN: agrupamiento, asociación, conjunto, grupo. **FAM:** → *grupo.*

agrupamiento s. m. → **agrupación.**

agrupar v. tr. **1.** ***Hemos agrupado*** *nuestros rotuladores de colores* (= hemos juntado por un lado los azules, por otro los rojos). ◆ **agruparse** v. pron. **2.** *Los chicos* ***se han agrupado*** *para formar un equipo de fútbol* (= se han reunido).
SINÓN: congregar, juntar, reunir. **ANTÓN:** separar. **FAM:** → *grupo.*

agua s. f. **1.** *El* ***agua*** *pura es un líquido que no tiene color, ni olor, ni sabor* (= líquido transparente que hay en los ríos, en los lagos y en el mar). **2.** *Abril es un mes de mucha* ***agua*** (= en abril llueve mucho). **3.** *El agua que sale de las fuentes es* ***agua potable*** (= que se puede beber). **4.** *El* ***agua dulce*** *es la de los ríos y lagos, y el* ***agua salada*** *es la del mar.* **5.** *El* ***agua mineral*** *es muy buena para la salud* (= lleva sustancias medicinales). **6.** *El* ***agua de colonia*** *sirve para perfumar.* **7.** *El* ***agua oxigenada*** *sirve para curar las heridas* ◆ **aguas** s. f. pl. **8.** *El mármol forma bonitas* ***aguas*** (= forma un dibujo con ondulaciones brillantes). **9.** *Se han celebrado las regatas en* ***aguas*** *del Uruguay* (= frente a la costa del Uruguay). ◆ **hacerse la boca agua 10.** *Cuando veo un pastel* ***se me hace la boca agua*** (= me entran ganas de comérmelo). ◆ **estar con el agua al cuello 11.** *Juan está con el* ***agua al cuello*** (= está en mala situación por falta de dinero). ◆ **estar más claro que el agua 12.** *Esa pregunta* ***está más clara que el agua*** (= se entiende muy bien).
SINÓN: **2.** lluvia. **8.** ondulaciones. **FAM:** *acuarela, acuario, acuático, acueducto, aguacero, aguar, aguardiente, aguarrás, desaguar, desagüe.*

aguacate s. m. **1.** El **aguacate** es un árbol que proviene de América. **2.** El **aguacate** es la fruta del árbol del mismo nombre. Su forma se parece a una pera de piel arrugada y verde.
SINÓN: palta.

aguacero s. m. *Salimos al campo y nos cayó un fuerte* ***aguacero*** (= una lluvia abundante, intensa y de poca duración).
SINÓN: chaparrón, chubasco. **FAM:** → *agua.*

aguacil o **alguacil** s. m. Río de la Plata. *Un* ***aguacil*** *atrapó su presa cuando volaba* (= insecto que tiene cuatro alas iguales, largas y transparentes).
SINÓN: libélula. **FAM:** → *agua.*

aguada s. f. Amér. Merid. *En la chacra hay varias* ***aguadas*** *para el ganado* (= pila grande, llena de agua).
SINÓN: abrevadero, bebedero. **FAM:** → *agua.*

aguafiestas s. *Lo estábamos pasando en grande hasta que llegó el* ***aguafiestas*** *de Pedro* (= persona que estropea cualquier diversión).

aguamiel s. f. Méx. *El pulque se elabora dejando fermentar el* ***aguamiel*** (= jugo del maguey).

aguantar v. tr. **1.** *Por no molestar* ***aguanté*** *el dolor* (= lo soporté). **2.** *La grúa* ***aguanta*** *grandes pesos* (= los sostiene). ◆ **aguantarse** v. pron. **3.** *Quieres salir a jugar pero aún no has estudiado, así que* ***te aguantas*** (= lo haces aunque no te guste).
SINÓN: **1.** contener, resistir. **1, 2.** soportar. **2.** sostener. **3.** fastidiarse. **ANTÓN:** **2.** soltar. **FAM:** *aguante, inaguantable.*

aguante s. m. **1.** *Mi profesor es una persona de mucho* ***aguante*** (= con mucha paciencia). **2.** *El dique del puerto tiene mucho* ***aguante*** (= resiste el ímpetu de las olas).
SINÓN: **1.** paciencia. **2.** fuerza, resistencia. **ANTÓN:** **1.** intolerancia, impaciencia. **2.** fragilidad. **FAM:** → *aguantar.*

aguar v. tr. **1.** *Cuando el vino es demasiado fuerte, lo podemos* ***aguar*** (= podemos echarle agua). **2.** *La tormenta nos* ***aguó*** *la fiesta* (= nos la estropeó).
SINÓN: **2.** estropear, frustrar. **ANTÓN:** **2.** favorecer. **FAM:** → *agua.*

aguardar v. tr. ***Aguardamos*** *las vacaciones de verano con impaciencia* (= las esperamos).
SINÓN: esperar. **FAM:** → *guardar.*

aguardiente s. m. *En esa bodega se guarda un buen* ***aguardiente*** (= licor que se obtiene de la destilación del vino).
FAM: → *agua.*

aguarrás s. m. *Después de pintar, lavamos las brochas con* ***aguarrás*** (= un líquido que disuelve la pintura).
FAM: → *agua.*

agudeza s. f. **1.** *El cuchillo de cortar jamón tiene una* ***agudeza*** *extraordinaria* (= está muy afilado y corta mucho). **2.** *La* ***agudeza*** *del dolor de oídos lo hizo llorar* (= el dolor era muy fuerte). **3.** *El águila tiene una* ***agudeza*** *visual fuera de lo común* (= ve muy bien). **4.** *Su* ***agudeza*** *permitió resolver el problema rápidamente* (= su ingenio o inteligencia).
SINÓN: **2.** intensidad. **4.** astucia, ingenio. **ANTÓN:** **4.** torpeza. **FAM:** *agudo.*

agudo, a adj. **1.** *El aguijón de la abeja es muy* ***agudo*** (= termina en una punta muy fina). **2.** *Las agujas del reloj forman un ángulo* ***agudo*** *cuando son las doce y diez* (= es el ángulo que mide de menos de 90 grados). **3.** *Los niños tienen la voz más* ***aguda*** *que los adultos* (= su voz tiene un sonido más alto). **4.** *El detective es muy* ***agudo*** (= se da cuenta de cosas que los demás no ven). **5.** *Pedro, contando chistes, es muy* ***agudo*** (= es muy gracioso). **6.** *El dolor de muelas suele ser muy* ***agudo*** (= muy fuerte). **7.** *El perro de caza tiene un olfato muy* ***agudo*** (= rápidamente olfa-

tea la caza). **8.** *"Mamá", "abril", "salón" son palabras* ***agudas*** (= palabras que tienen la entonación más fuerte en la última sílaba).
SINÓN: 1. afilado, puntiagudo. **3.** alto. **4.** sagaz. **5.** gracioso, ocurrente. **6.** fuerte. **ANTÓN: 2.** obtuso. **3.** bajo. **4.** torpe. **5.** soso. **6.** apagado, débil, leve. **FAM:** *agudeza.*

agüero s. m. **1.** Los **agüeros** eran los presagios que algunos pueblos antiguos encontraban en los elementos de la naturaleza. ◆ **mal agüero 2.** *Es un pájaro de* ***mal agüero*** (= presagio o señal de que algo va a ir mal).
SINÓN: 1. premonición, presagio. **FAM:** *agorar, agorero.*

aguijón s. m. *Las avispas y abejas pican con su* ***aguijón*** (= un órgano puntiagudo).

águila s. f. El **águila** es un ave grande de presa que se alimenta de otros pájaros y animales; tiene muy buena vista.
FAM: *aguilucho.*

aguileño, a adj. *Este hombre tiene la nariz* ***aguileña*** (= tiene la nariz encorvada).
ANTÓN: chato. **FAM:** → *águila.*

aguilucho s. m. **1.** *El* ***aguilucho*** *es la cría del águila.* Chile, R. de la Plata **2.** *Al atardecer, un* ***aguilucho*** *surcó el aire* (= ave de presa más pequeña que el águila).
FAM: → *águila.*

aguinaldo s. m. **1.** *Ya he recibido el* ***aguinaldo*** (= regalo que se da en Navidad). Amér. **2.** *Algunas empresas dieron dos* ***aguinaldos*** (= sueldo o gratificación anual).

aguja s. f. **1.** *Mi madre se pinchó un dedo con la* ***aguja de coser*** (= es una barrita muy fina de metal que por un lado acaba en punta y por el otro tiene un agujero por donde se pasa el hilo). **2.** *El practicante me pinchó con la* ***aguja*** *de la jeringa* (= una varilla de acero, hueca y puntiaguda). **3.** *Al mediodía las dos* ***agujas*** *del reloj coinciden en el número doce* (= son las manecillas que señalan los números del reloj). **4.** *La* ***aguja*** *del tocadiscos es lo que permite que salga el sonido* (= es una púa pequeña que recorre los surcos del disco). **5.** *El encargado de la estación acaba de cambiar las* ***agujas*** *del ferrocarril* (= rieles móviles que sirven para que el tren cambie de vía). **6.** *Las* ***agujas*** *de las catedrales góticas parecen mirar al cielo* (= torres altas y afiladas).
FAM: *agujerear, agujero, agujetas.*

agujerear v. tr. ***Hemos agujereado*** *la pared para poner una ventana* (= hemos hecho un agujero).
SINÓN: abrir, perforar. **ANTÓN:** cerrar, tapar, taponar. **FAM:** → *aguja.*

agujero s. m. *Mi padre se quemó la camisa con un cigarro y ahora tiene un* ***agujero*** (= una abertura más o menos redonda).
SINÓN: abertura, orificio. **FAM:** → *aguja.*

agujetas s. f. pl. **1.** *Siempre tengo* ***agujetas*** *después de hacer mucha gimnasia* (= dolor en los músculos). **2.** Méx. *Átate las* ***agujetas*** *de los zapatos; podrías caerte* (= cordones).
FAM: → *aguja.*

aguzar v. tr. **1.** *Es lo mismo sacarle punta al lápiz que* ***aguzar*** *el lápiz.* **2.** *Ese olor tan bueno me ha hecho* ***aguzar*** *el apetito* (= me ha hecho tener hambre). **3.** *Hay que* ***aguzar*** *el ingenio para resolver los problemas más difíciles* (= hay que avivar la inteligencia).
SINÓN: 1. afilar. **2.** estimular, incitar. **3.** afinar, avivar. **FAM:** *aguzado.*

¡ah! interj. *¡Ah... qué pena!* (= expresión de dolor, alegría o sorpresa).

ahí adv. **1.** *Vamos* ***ahí*** (= vamos a ese lugar concreto). **2.** *La dificultad está* ***ahí*** (= está en eso). **3.** *Llueve mucho, de* ***ahí*** *que tengamos que llevar el paraguas* (= por eso tenemos que llevarlo). **4.** *Me voy por* ***ahí*** *un rato* (= por cualquier sitio).

ahijado, a s. *María es la* ***ahijada*** *de Pedro y Lucía* (= Pedro y Lucía son sus padrinos, sus protectores).
FAM: → *hijo.*

ahínco s. m. *Raquel trabaja con* ***ahínco*** (= con empeño, se esfuerza en su trabajo).
SINÓN: empeño, esfuerzo. **ANTÓN:** apatía, desgana.

ahogado, a s. *Están intentando reanimar al* ***ahogado*** (= a la persona a quien le falta la respiración porque ha tragado mucha agua).
SINÓN: asfixiado. **FAM:** *ahogar.*

ahogar v. tr. **1.** *La serpiente* ***ahogó*** *al conejo enroscándose en su cuello* (= lo mató porque lo dejó sin respiración). ◆ **ahogarse** v. pron. **2.** *El fuerte calor* ***nos ahoga*** (= nos sofoca). **3.** *La noticia del accidente* ***nos ahogó*** *en llanto* (= nos entristeció). **4.** *El capitán del barco se* ***ahogó*** *en el mar.*
SINÓN: 1. asfixiar. **2.** fatigar, sofocar. **3.** entristecer. **ANTÓN: 3.** alegrar. **FAM:** *ahogado, desahogar, desahogo.*

ahondar v. tr. **1.** *Hay que* ***ahondar*** *más el pozo para obtener agua* (= hacerlo más profundo). ◆ **ahondar** v. intr **2.** *Las raíces de los árboles* ***ahondan*** *en la tierra* (= penetran en la tierra). **3.** *Hay que* ***ahondar*** *en el problema para saber por qué ha ocurrido* (= hay que investigar, estudiar a fondo).
SINÓN: 1, 3. profundizar. **2.** penetrar. **3.** investigar. **FAM:** → *hondo.*

ahora adv. **1.** ***Ahora*** *mismo me voy* (= en este momento). **2.** *Me lo han dicho* ***ahora*** (= me lo acaban de decir). **3.** ***Ahora*** *te lo diré* (= dentro de poco te lo diré).
FAM: → *hora.*

ahorcar v. tr. *En otros tiempos* ***se ahorcaba*** *a los condenados a muerte* (= se los colgaba atados por el cuello).
SINÓN: colgar. **FAM:** → *horca.*

ahorrador, a adj. *Mi hermano siempre ha sido muy **ahorrador*** (= guarda una parte del dinero que gana).
SINÓN: ahorrativo, economizador. **ANTÓN:** gastador. **FAM:** → *ahorro.*

ahorrar v. tr. **1.** *Yo **ahorro** 500 pesos al mes* (= los guardo y no me los gasto). **2.** *Tenemos que **ahorrar** el papel o no tendremos para mañana* (= tenemos que reservarlo).
SINÓN: 1, 2. economizar, reservar. **ANTÓN: 1, 2.** derrochar, desperdiciar, despilfarrar, gastar, malgastar, tirar. **FAM:** → *ahorro.*

ahorrativo, a adj. → **ahorrador.**

ahorro s. m. *Con mis **ahorros** compraré un regalo a mi padre el día de su cumpleaños* (= con el dinero que no he gastado).
FAM: *ahorrador, ahorrar, ahorrativo.*

ahuecar v. tr. **1.** *Los indios **ahuecaban** los troncos de los árboles para hacer sus canoas* (= les quitaban la parte interior). **2.** *Yo **ahueco** la lana de la almohada para que esté más blanda* (= la golpeo con suavidad para que se ablande). ◆ **ahuecar el ala 3.** *Era tan pesada la reunión que **ahuecamos el ala*** (= nos marchamos).
SINÓN: 1. vaciar. **2.** ablandar, mullir. **3.** ausentarse, largarse, marcharse. **ANTÓN: 1.** rellenar. **3.** quedarse. **FAM:** → *hueco.*

ahumado, a adj. **1.** *En mi casa comemos mucho jamón **ahumado*** (= secado al humo para que se conserve). **2.** *El cristal **ahumado** es muy decorativo* (= es un cristal con dibujos parecidos al humo).
FAM: → *humo.*

ahumar v. tr. **1.** *Hay pescados a los que **ahuman** para su conservación* (= los ponen al humo). **2.** *Para poder sacar la miel de las colmenas, las **ahumamos*** (= las llenamos de humo para que huyan las abejas y no nos piquen). ◆ **ahumarse** v. pron. **3.** *Las chimeneas **se ahuman*** (= se ennegrecen y forman hollín por causa del humo).
SINÓN: 3. ennegrecerse. **FAM:** → *humo.*

ahuyentar v. tr. **1.** *El fuego **ahuyenta** las fieras* (= las hace huir) **2.** *Debemos **ahuyentar** los malos pensamientos* (= desecharlos).
SINÓN: 1. asustar, espantar. **2.** desechar. **ANTÓN: 1.** atraer. **FAM:** → *huir.*

aindiado, a adj. Amér. *Tomás es muy **aindiado*** (= tiene rasgos físicos indígenas muy acentuados).
SINÓN: achinado. **FAM:** → *indio.*

airado, a adj. *Habla en tono **airado*** (= habla mostrando enojo).
SINÓN: enfadado, enojado, irritado. **ANTÓN:** apacible, pacífico, sereno. **FAM:** → *ira.*

aire s. m. **1.** *Todo cuanto vive y respira necesita el **aire** para vivir* (= la mezcla de gases que forma la atmósfera terrestre). **2.** *¡Cierra la ventana, que hay mucho **aire**!* (= mucho viento). **3.** *Raquel tiene un **aire** a su padre* (= se parece a su padre). **4.** *Aquel señor tiene **aire** de buena persona* (= parece buena persona) ◆ **al aire libre 5.** *Fuimos de excursión y comimos **al aire libre*** (= comimos fuera de cualquier resguardo). ◆ **darse aires 6.** *Aquel hombre **se da aires** de grandeza* (= quiere hacer creer que es superior a los demás sin serlo). ◆ **tomar el aire 7.** *Estoy cansada de estudiar, me voy a **tomar el aire*** (= voy a salir a que me dé el aire, a pasear). ◆ **quedar en el aire 8.** *La pregunta **quedó en el aire*** (= quedó sin respuesta, nadie contestó).
SINÓN: 1. atmósfera. **2.** brisa, viento. **3.** parecido. **4.** apariencia, aspecto. **FAM:** *aéreo, aeródromo, aeromodelismo, aeronáutica, aeronave, aeroplano, aeropuerto, airear, airoso, antiaéreo.*

airear v. tr. *Por la mañana, cuando nos levantamos, abrimos la ventana del dormitorio para **airearlo*** (= para ventilarlo, para que entre aire).
SINÓN: ventilar. **FAM:** → *aire.*

airoso, a adj. **1.** *Durante el desfile, los jinetes y caballos presentan una imagen **airosa*** (= una imagen elegante, con garbo y con gracia). **2.** *Mi amigo salió **airoso** del examen* (= lo superó con facilidad).
SINÓN: 1. elegante, garboso. **2.** triunfante. **ANTÓN: 1.** ridículo, torpe. **2.** fracasado. **FAM:** → *aire.*

aislado, a adj. *Un ermitaño vive **aislado** en su ermita* (= vive solo, sin compañía).
SINÓN: incomunicado, solitario, solo. **ANTÓN:** acompañado. **FAM:** → *isla.*

aislar v. tr. **1.** *Es conveniente **aislar** los cables eléctricos* (= ponerles algo de plástico para que la electricidad no nos llegue al tocarlos). ◆ **aislarse** v. pron. **2.** *A los enfermos contagiosos **se los aísla*** (= se los separa para que no contaminen a los demás).
SINÓN: 2. apartarse, incomunicarse. **ANTÓN: 2.** juntarse. **FAM:** → *isla.*

¡ajá! interj. ***¡Ajá!** Te pillé, ahora te toca a ti* (= expresión de alegría o sorpresa por haber conseguido algo).

ajar v. tr. **1.** *Los sufrimientos lo **han ajado*** (= lo han estropeado, envejecido). ◆ **ajarse** v. pron. **2.** *Las flores **se ajan** con el tiempo* (= se marchitan).
SINÓN: 1. envejecer, estropear. **2.** marchitarse. **ANTÓN: 1.** rejuvenecer. **2.** florecer. **FAM:** *ajado.*

ajedrez s. m. *Una partida de **ajedrez** requiere mucha concentración por parte de los dos jugadores* (= cada uno mueve dieciséis piezas, según unas reglas, sobre un tablero de cuadros blancos y negros).

ajeno, a adj. *No debes apoderarte de los objetos **ajenos*** (= que pertenecen a otra persona).
SINÓN: extraño, impropio. **ANTÓN:** personal, propio.

ajetreo s. m. *En un mercado hay mucho **ajetreo*** (= mucho movimiento, la gente entra, sale y se mueve continuamente).
SINÓN: actividad, movimiento, trajín. **ANTÓN:** reposo, sosiego, tranquilidad.

ají s. m. Amér. Merid., Ant. *Marta condimentó el guiso con **ají*** (= pimiento verde, dulce o picante, según las especies).
SINÓN: chile, guindilla.

ajo s. m. **1.** El **ajo** es una planta cuyo fruto tiene un fuerte olor. Se emplea como condimento en las comidas. **2.** Un **diente de ajo** es una de las partes del fruto del mismo nombre y es blanco (= tiene la misma forma que un gajo de mandarina).

ajuar s. m. *A mi hermana le están haciendo el **ajuar*** (= le están preparando ropa y cosas de la casa para cuando se case).

ajustar v. tr. **1.** *Mi madre **ha ajustado** los pantalones porque me quedaban grandes* (= me los ha arreglado para que me queden bien). **2.** *El mecánico **ajustó** las tuercas del motor* (= las apretó). **3.** *Al cerrar la tienda, la cajera **ajusta** la caja* (= hace coincidir las ventas con los ingresos). **4.** *Tenemos que **ajustar** el precio* (= nos tenemos que poner de acuerdo en el precio). ◆ **ajustarse** v. pron. **5.** ***Ajústate** a lo que te he mandado* (= haz exactamente lo que te he mandado). ◆ **ajustar cuentas 6.** *Tú y yo **ajustaremos cuentas*** (= arreglaremos un asunto pendiente).
SINÓN: 1. arreglar, acomodar. **2.** apretar, encajar. **4.** acordar, concertar. **5.** ceñirse, limitarse. **ANTÓN: 2.** soltar. **FAM:** → *justo.*

ajusticiar v. tr. *Antiguamente **ajusticiaban** a los reos* (= los castigaban con la pena de muerte).
SINÓN: ejecutar, matar. **ANTÓN:** absolver. **FAM:** → *justo.*

ala s. f. **1.** *El pájaro fue herido en un **ala*** (= no puede volar). **2.** *Los aviones tienen dos **alas** como los pájaros* (= las partes planas que permiten sostenerlo en vuelo). **3.** *En el **ala** derecha del Congreso estaba el Presidente* (= en el lado derecho del edificio). **4.** *El sombrero mexicano tiene un **ala** muy ancha* (= la parte que rodea la copa del sombrero). **5.** *El ejército sufrió varias bajas en el **ala** izquierda* (= la tropa situada a la izquierda). **6.** *No toques las **alas** del ventilador cuando está funcionando, porque es peligroso* (= las aspas del ventilador).
FAM: *alado, alero, alerón, aleta, aletazo, aletear.*

alabanza s. f. *Mi amiga hace grandes **alabanzas** de su padre* (= habla muy bien de él).
SINÓN: elogio. **ANTÓN:** censura. **FAM:** *alabar.*

alabar v. tr. *El maestro **alabó** mi trabajo* (= lo elogió).
SINÓN: elogiar. **ANTÓN:** censurar, condenar. **FAM:** *alabanza.*

alabastro s. m. *Vimos en el museo una escultura de **alabastro*** (= de piedra blanca parecida al yeso).

alacena s. f. *En las cocinas antiguas existían **alacenas*** (= huecos hechos en la pared con estantes y puertas que servían de armarios).

alacrán s. m. → **escorpión.**

alado, a adj. *La mosca es un insecto **alado*** (= que tiene alas).
FAM: → *ala.*

alambique s. m. *En las fábricas de licores se usa mucho el **alambique*** (= aparato que sirve para destilar, para depurar).
SINÓN: destilador.

alambrada s. f. *Los ganaderos cercaron el prado con una **alambrada*** (= una cerca de alambres sujetos por postes).
SINÓN: cerca, valla. **FAM:** → *alambre.*

alambre s. m. **1.** *Mi madre cuelga la ropa para que se seque en un **alambre*** (= un hilo metálico, forrado o no de plástico). **2.** *Las hojas de mi cuaderno están sujetas con un **alambre*** (= un hilo metálico con forma de espiral).
FAM: *alambrada.*

alameda s. f. **1.** *Cerca de aquel río se ve una **alameda*** (= un lugar poblado de álamos). **2.** *Vamos de paseo por la **alameda*** (= un camino donde hay álamos o árboles de otro tipo).
SINÓN: 2. camino, paseo, sendero. **FAM:** *álamo.*

álamo s. m. Los ***álamos** son árboles muy altos, de madera blanca, que suelen crecer donde hay mucha humedad.*
FAM: *alameda.*

alarde s. m. *Aquel hombre hace **alarde** de sus riquezas* (= presume de sus riquezas).
SINÓN: gala, ostentación. **FAM:** *alardear, alardeo.*

alargar v. tr. **1.** ***Alargamos** el cable porque no llegaba al enchufe* (= añadimos más cable). **2.** *En gimnasia **alargamos** los brazos* (= los estiramos). **3.** ***Hemos alargado** las vacaciones porque había tres días de fiesta* (= las hemos prolongado). ◆ **alargarse** v. pron. **4.** *Al cantante le pidieron otra canción y el concierto **se alargó*** (= duró más tiempo).
SINÓN: 1, 3. prolongar(se). **2.** estirar, extender. **ANTÓN: 1.** recoger. **2.** encoger. **3.** acortar, reducir. **FAM:** → *largo.*

alarido s. m. *Durante la catástrofe se oyeron grandes **alaridos*** (= gritos lastimosos por el dolor o la pena).
SINÓN: chillido, grito.

alarma s. f. **1.** *Cuando los ladrones entraron en la joyería se disparó la **alarma*** (= dispositivo o aparato que da la señal de peligro o amenaza). **2.** *¡Levántate!, está sonando la **alarma** del despertador* (= el sonido que da la señal para que te levantes). **3.** *Cuando se rompió la presa, se extendió la **alarma** en el pueblo* (= el susto y sobresalto).

SINÓN: **3.** inquietud, sobresalto, susto. ANTÓN: **3.** calma. FAM: *alarmante, alarmar.*

alarmante adj. *El estado del enfermo es* ***alarmante*** (= es preocupante).
SINÓN: inquietante, preocupante. FAM: → *alarma.*

alarmar v. tr. **1.** *Las últimas noticias* ***alarmaron*** *a la población ante el peligro de una guerra* (= la alertaron, la asustaron). ◆ **alarmarse** v. pron. **2.** *El pueblo* ***se alarmó*** *ante el incendio del bosque* (= se asustó, quedó atemorizado).
SINÓN: alertar(se), asustar(se), atemorizar(se), inquietar(se). ANTÓN: sosegar(se), tranquilizar(se). FAM: → *alarma.*

alba s. f. *Salimos de caza al* ***alba*** (= al amanecer, antes de que saliera el sol).
SINÓN: amanecer, aurora. ANTÓN: anochecer. FAM: *alborada.*

albañil s. m. *Los* ***albañiles*** *han comenzado a levantar la casa* (= obreros que se dedican a la construcción).
FAM: *albañilería.*

albañilería s. f. La **albañilería** es el arte y oficio de construir edificios u obras con materiales de construcción.
FAM: *albañil.*

albaricoque s. m. El **albaricoque** es una fruta dulce que sale del albaricoquero; tiene la piel de color naranja, la pulpa amarillenta y rosada y un hueso grande en el centro. En México se llama chabacano.
FAM: *albaricoquero.*

albaricoquero s. m. El **albaricoquero** es un árbol frutal que produce albaricoques y su madera se emplea en ebanistería. En México también se llama chabacano al árbol.
FAM: *albaricoque.*

albatros s. m. El **albatros** es un ave marina de plumas blancas; tiene el pico más largo que la cabeza y sus alas son también largas y estrechas.

albedrío s. m. **1.** *Las personas obran a su libre* ***albedrío*** (= a su voluntad). **2.** *Puede usted hacerlo a su* ***albedrío*** (= a su gusto, a su antojo, como usted quiera).
SINÓN: **1.** voluntad. **2.** antojo, gusto.

alberca s. f. Amér. Cent., Méx. *Aprendimos a nadar en la* ***alberca*** *del club* (= piscina para nadar o practicar deportes).
SINÓN: estanque, pileta de natación, piscina.

albergar v. tr. **1.** ***Albergamos*** *a sus amigos en nuestra casa* (= los hospedamos). **2.** *Los médicos* ***albergan*** la esperanza de curar al enfermo (= tienen la esperanza de curarlo). ◆ **albergarse** v. pron. **3.** *Cuando nos fuimos a México* ***nos albergamos*** *en un hotel* (= nos alojamos).
SINÓN: **1, 3.** alojar(se), hospedar(se). **2.** abrigar. FAM: *albergue.*

albergue s. m. **1.** *Cuando fuimos de excursión paramos en un* ***albergue*** *de montaña para resguardarnos de la lluvia* (= en un refugio donde nos pudimos alojar). **2.** *Fueron de vacaciones a un* ***albergue*** *de juventud* (= a una posada donde los jóvenes pueden alojarse por poco dinero).
SINÓN: **1.** refugio. FAM: *albergar.*

albino, a adj. **1.** *Copito de Nieve es un gorila* ***albino*** (= tiene, como algunas personas, la piel y el pelo muy blancos y los ojos muy claros). ◆ **albino, a** s. **2.** *La luz del sol molesta a los* ***albinos.***

albóndiga s. f. *Fui a comprar* ***albóndigas*** *a la carnicería y ya no quedaban* (= bolas de carne o pescado picado, a las que se añaden huevos batidos, especias y pan rallado o harina, y se comen fritas o guisadas).

alborada s. f. *El gallo canta a la* ***alborada*** (= cuando amanece).
SINÓN: alba, amanecer. FAM: *alba.*

albornoz s. m. *Al salir del baño, Julia se pone su* ***albornoz*** (= una bata de tela de toalla).

alborotado, a adj. **1.** *Hoy estás muy* ***alborotado*** (= muy revoltoso y excitado). **2.** *Cuando Amalia se levanta por la mañana, tiene el pelo* ***alborotado*** (= revuelto y despeinado).
SINÓN: **1.** excitado, nervioso. **2.** despeinado, enmarañado, revuelto. ANTÓN: **1.** tranquilo. **2.** peinado. FAM: → *alboroto.*

alborotador, a adj. *Pascual es muy* ***alborotador*** (= altera continuamente el orden en la clase).
SINÓN: ruidoso. ANTÓN: pacífico, sosegado, tranquilo. FAM: → *alboroto.*

alborotar v. tr. **1.** *Algunos niños* ***alborotan*** *la clase* (= la alteran, rompen el orden). ◆ **alborotarse** v. pron. **2.** *Cuando hay tormenta en el mar, las olas* ***se alborotan*** (= se agitan).
SINÓN: **1.** alterar, excitar, perturbar. **2.** agitarse. ANTÓN: **1.** tranquilizar. FAM: → *alboroto.*

alboroto s. m. **1.** *En el patio de recreo había tanto* ***alboroto*** *que no se podía entender nada* (= tanto griterío). **2.** *Todos discutían violentamente formando un gran* ***alboroto*** (= un gran desorden).
SINÓN: **1.** bulla, escándalo, griterío, jaleo. **2.** desorden, tumulto. ANTÓN: **1.** silencio. **1, 2.** calma. FAM: *alborotado, alborotador, alborotar.*

albufera s. f. *Fuimos a pescar a la* ***albufera*** (= laguna de agua salada separada del mar por un trozo largo y estrecho de tierra).

álbum s. m. **1.** *Ignacio clasifica las monedas en un* ***álbum*** (= un libro con hojas en blanco donde se van colocando las monedas). **2.** *Mi madre va poniendo todas las fotos que tiene en el* ***álbum*** (= un libro con hojas fuertes donde pega las fotos).

alcachofa s. f. La **alcachofa** es una planta de hojas espinosas que forma pequeñas cabezuelas comestibles.

alcahuete, a s. *Celestina, personaje de la literatura, es una **alcahueta*** (= una intermediaria y encubridora de relaciones amorosas secretas).
SINÓN: encubridor, chismoso.

alcalde s. m. *El **alcalde** inauguró el teatro que acababan de construir* (= es el hombre elegido por los ciudadanos para ser la máxima autoridad del Ayuntamiento).
FAM: *alcaldesa, alcaldía.*

alcaldesa s. f. *La **alcaldesa** de mi ciudad ha hecho una nueva ley* (= es la mujer elegida por los ciudadanos para ser la máxima autoridad del Ayuntamiento).
FAM: → *alcalde.*

alcaldía s. f. **1.** *Don Manuel ostenta la **alcaldía** del municipio* (= tiene el cargo de alcalde). **2.** *El alcalde manda en toda la **alcaldía*** (= el territorio que está bajo su mandato). **3.** *La **alcaldía** está en la plaza del pueblo* (= casa u oficina del alcalde).
SINÓN: **3.** ayuntamiento. **FAM:** → *alcalde.*

alcance s. m. **1.** *Esa flor está a mi **alcance*** (= la puedo tomar). **2.** *La noticia ha tenido el **alcance** que esperábamos* (= la importancia). **3.** *Tengo unos prismáticos de largo **alcance*** (= con ellos puedo ver lo que está muy lejos).
SINÓN: **2.** importancia, trascendencia. **FAM:** → *alcanzar.*

alcantarilla s. f. **1.** *Los obreros están arreglando la **alcantarilla*** (= el canal subterráneo que sirve para evacuar las aguas sucias y las de la lluvia). Amér. **2.** *Quitaron una de las **alcantarillas** de la calle* (= reja que cubre los conductos del alcantarillado).
SINÓN: cloaca, desagüe. **FAM:** *alcantarillado, alcantarillar.*

alcantarillado s. m. *Hay pueblos pequeños que no tienen **alcantarillado*** (= las aguas sucias y las de lluvia no están canalizadas).
FAM: → *alcantarilla.*

alcantarillar v. tr. *Hace poco que **han alcantarillado** mi pueblo* (= han canalizado las aguas sucias y las de lluvia).
FAM: → *alcantarilla.*

alcanzar v. tr. **1.** *El atleta que iba retrasado aceleró el paso y **alcanzó** a los que iban delante* (= se unió a ellos). **2.** *El termómetro **alcanzó** los 30° a la sombra* (= llegó a marcar los 30°). **3.** *Sonia **alcanzó** las manzanas del árbol* (= alargando su mano, pudo agarrarlas). **4.** *A este paso no **alcanzaremos** el último autobús* (= lo perderemos). **5.** *En medio de la multitud **alcancé** a ver a mi amigo* (= logré verlo). **6.** *Marta **alcanza** todo lo que se propone* (= lo consigue todo). ◆ **alcanzar** v. intr. **7.** *El agua nos **alcanzó** hasta el final de la excursión* (= tuvimos suficiente agua).
SINÓN: **2.** llegar. **4.** pillar. **5, 6.** conseguir, lograr. **7.** bastar. **ANTÓN:** **1.** distanciarse. **FAM:** *alcance, inalcanzable.*

alcaparra s. f. Las **alcaparras** son pequeños frutos utilizados como condimento que brotan de una planta también llamada **alcaparra**.

alcaucil s. m. R. de la Plata. *Me gusta comer en ensalada las hojas tiernas del fruto crudo del **alcaucil*** (= alcachofa).

alcayata s. f. *Mi padre clavó una **alcayata** en la pared y colgó el cuadro* (= un clavo doblado en ángulo recto).

alcázar s. m. *El enemigo no pudo tomar el **alcázar*** (= el recinto fortificado).

alce s. m. El **alce** es un animal mamífero parecido al ciervo.

alcoba s. f. *Las casas antiguas tenían muchas **alcobas*** (= muchas habitaciones).
SINÓN: aposento, cuarto, dormitorio.

alcohol s. m. *Me desinfectaron la herida con **alcohol*** (= un líquido incoloro, inflamable y de olor fuerte que se obtiene de algunos vegetales).
FAM: *alcohólico, alcoholismo.*

alcohólico, a adj. **1.** *El vino y la cerveza son bebidas **alcohólicas*** (= llevan alcohol). ◆ **alcohólico, a** s. **2.** *Aquel hombre es un **alcohólico*** (= bebe demasiado alcohol).
SINÓN: **2.** borracho. **FAM:** → *alcohol.*

alcoholismo s. m. **1.** *Muchos de los accidentes de coche se deben al **alcoholismo** de sus conductores* (= que beben mucho alcohol). **2.** *Algunas personas padecen la enfermedad del **alcoholismo*** (= es una intoxicación crónica producida por beber mucho alcohol).
SINÓN: **1.** borrachera. **FAM:** → *alcohol.*

alcornoque s. m. **1.** El **alcornoque** es un árbol de cuya corteza se obtiene el corcho. **2.** *Este mueble es de **alcornoque*** (= de madera del árbol del mismo nombre). ◆ **alcornoque** adj. **3.** *¡No seas **alcornoque**!* (= ¡no seas tonto!).
SINÓN: **3.** necio, tarugo, torpe, zafio. **ANTÓN:** **3.** listo.

aldaba s. f. *En la puerta de entrada de algunos caserones hay una **aldaba*** (= pieza de metal para llamar a la puerta).

aldea s. f. *Tomás vive en una **aldea*** (= en un pueblo con pocos habitantes).
FAM: *aldeano.*

aldeano, a adj. **1.** *Las casas **aldeanas** son diferentes de las de las ciudades* (= las casas de las aldeas). ◆ **aldeano, a** s. **2.** *Aquellos **aldeanos** han preparado la Fiesta Mayor de su aldea* (= personas que viven en una aldea o pueblo pequeño).
FAM: *aldea.*

aleación s. f. *El bronce es una **aleación** de cobre y estaño* (= es una mezcla de dos metales).
FAM: *alear.*

alegar v. tr. *El abogado **alegó** tener pruebas para demostrar la inocencia de su cliente* (= expuso y aportó pruebas).

alegrar v. tr. **1.** *Tu carta nos* ***alegró*** (= nos causó alegría, nos puso contentos). ◆ **alegrarse** v. pron. **2.** *Mis padres* ***se alegran*** *cuando tengo buenas notas* (= se ponen contentos). **3.** *Los amigos de mi padre, cuando beben vino o licores,* ***se alegran*** (= se ponen un poco borrachos, ríen y hacen bromas).
SINÓN: **1, 2.** animar(se), entusiasmar(se), regocijar(se). ANTÓN: **1, 2.** apenar(se), entristecer(se). FAM: → *alegría.*

alegre adj. **1.** *Un tío mío ha ganado la lotería y está muy* ***alegre*** (= muy contento). **2.** *Mi maestro es una persona* ***alegre*** (= nunca se lo ve triste). **3.** *Aunque tenga problemas, mi madre siempre tiene la cara* ***alegre*** (= expresa alegría). **4.** *Prefiero los colores* ***alegres,*** *como el rojo o el verde, a los tristes como el negro o el gris* (= los colores vivos). **5.** *Con solo un par de copas, Alberto se pone* ***alegre*** (= se pone un poco borracho).
SINÓN: **1.** contento. **1, 2.** feliz. **2.** optimista. **4.** vivo. ANTÓN: **1.** afligido. **1, 2, 3.** triste. **2.** infeliz, pesimista. **4.** apagado. FAM: → *alegría.*

alegría s. f. **1.** *Me invitaron a ir al cine y acepté con* ***alegría*** (= con placer). **2.** *Toda la clase, al ganar el campeonato, daba saltos de* ***alegría*** (= estaban tan contentos que saltaban y gritaban).
SINÓN: **1.** placer, satisfacción. **2.** gozo, júbilo. ANTÓN: amargura, desconsuelo, pena, tristeza. FAM: *alegrar, alegre.*

alejamiento s. m. **1.** *Los emigrantes sufren por el* ***alejamiento*** (= por estar lejos de los suyos y de su tierra). **2.** *Entre mi amiga y yo ha habido un* ***alejamiento*** (= un distanciamiento, ya no somos tan amigas).
SINÓN: **1.** distancia, lejanía, separación. **2.** distanciamiento, enfriamiento. ANTÓN: **1.** cercanía, proximidad, unión. FAM: → *lejos.*

alejar v. tr. **1.** ***Aleja*** *la estufa de las cortinas, se pueden quemar* (= retírala, apártala). ◆ **alejarse** v. pron. **2.** *¡Niños, no* ***se alejen*** *mucho!* (= ¡no se vayan muy lejos!).
SINÓN: **1.** apartar, retirar. ANTÓN: **1.** arrimar. **1, 2.** acercar(se), aproximar(se). FAM: → *lejos.*

aleluya s. m. **1.** *En tiempo de Pascua, la Iglesia entona el* ***aleluya*** (= un canto de júbilo). ◆ **¡aleluya!** interj. **2.** *Cuando ganamos el partido, alguien gritó:* ***¡Aleluya!*** (= un grito de alegría).

alemán, ana adj. **1.** *La cerveza* ***alemana*** *tiene mucha fama* (= de Alemania). ◆ **alemán, ana** s. **2.** *Los* ***alemanes*** *son las personas nacidas en Alemania.* **3.** *El intérprete hablaba* ***alemán*** (= el idioma hablado por los alemanes).
SINÓN: **1.** germánico. **2.** germano.

alentar v. tr. *Tus felicitaciones me* ***alientan*** *a continuar mis estudios* (= me animan).
SINÓN: animar. ANTÓN: desalentar, desanimar. FAM: → *aliento.*

alergia s. f. **1.** *Marisa tiene* ***alergia*** *al pescado* (= no puede comerlo porque le sienta mal). **2.** *Ciertas personas tienen* ***alergia*** *a la música clásica* (= no les gusta).
SINÓN: **2.** antipatía, fobia, manía, odio. ANTÓN: **2.** agrado.

alero s. m. *Las golondrinas anidan en los* ***aleros*** *de los tejados* (= en las partes inferiores del tejado, que sobresalen de la pared).
SINÓN: ala. FAM: → *ala.*

alerón s. m. *Lo que permite la inclinación de los aviones son los* ***alerones*** (= las piezas móviles que están en el borde posterior de las alas).
FAM: → *ala.*

alerta adv. **1.** *Hay que andar* ***alerta*** *con los ladrones* (= con cuidado y vigilancia). ◆ **alerta** s. f. **2.** *Cuando oímos la voz de* ***alerta,*** *todos corrimos a casa* (= de alarma). ◆ **alerta** adj. **3.** *El guardián siempre está en actitud* ***alerta*** (= vigilante).
SINÓN: **2.** alarma. **3.** atento, vigilante. ANTÓN: **3.** descuidado, distraído. FAM: *alertar.*

aleta s. f. **1.** *Los peces nadan gracias a sus* ***aletas*** (= partes externas que mueven para nadar). **2.** *Cuando hago natación me pongo las* ***aletas*** (= unas piezas de plástico que se ponen en los pies para nadar mejor). **3.** *En el accidente han abollado la* ***aleta*** *izquierda del coche* (= la parte de la carrocería que está encima de la rueda).
SINÓN: **3.** guardabarros, salpicadera. FAM: → *ala.*

aletargar v. tr. **1.** *Las medicinas* ***aletargaron*** *al enfermo* (= lo adormilaron). ◆ **aletargarse** v. pron. **2.** *Los reptiles* ***se aletargan*** *durante el invierno* (= se quedan todo el invierno en un sueño profundo).
SINÓN: **1.** adormecer, adormilar. ANTÓN: **1.** despabilar, despertar. FAM: → *letargo.*

alevosía s. f. **1.** *Los ladrones actuaron con* ***alevosía*** para que nadie descubriera su robo (= lo prepararon con cuidado). **2.** *Hay pruebas de su* ***alevosía*** (= de su traición).
SINÓN: **2.** traición. ANTÓN: **2.** fidelidad, lealtad.

alfabético, a adj. *Las palabras que contiene el diccionario están colocadas en orden* ***alfabético*** (= siguiendo el orden del abecedario, que empieza por la *a* y termina en la *z*).
FAM: → *alfabeto.*

alfabetizar v. tr. **1.** ***Alfabetizar*** *a una persona es enseñarle a leer y escribir.* **2.** *Mi profesor* ***ha alfabetizado*** *la lista de alumnos de mi clase* (= la ha ordenado alfabéticamente).
FAM: → *alfabeto.*

alfabeto s. m. *El* ***alfabeto*** *español tiene 27 letras, que van desde la* **a** *a la* **z** (= el conjunto ordenado de las letras de una lengua).
SINÓN: abecedario. FAM: *alfabético, alfabetizar, analfabeto.*

alfajor s. m. Amér. Merid. *En cada región se rellenan los* ***alfajores*** *con dulces diferentes* (= formados por dos piezas circulares de masa, unidas con una capa de dulce).

alfalfa s. f. La **alfalfa** es una hierba cultivada que sirve de alimento a los caballos, vacas y demás animales herbívoros.

alfarería s. f. **1.** *Pedro hace **alfarería*** (= fabrica y cuece vasijas de barro). **2.** *Hemos visitado una **alfarería*** (= un lugar donde fabrican y venden platos, jarrones y botijos de barro).
SINÓN: 1. cerámica. **FAM:** *alfarero.*

alfarero, a s. *En Bolivia hay muchos **alfareros*** (= muchas personas que se dedican a fabricar objetos de barro cocido).
FAM: *alfarería.*

alférez s. m. **1.** *En el desfile, el **alférez** iba el primero* (= persona que va delante llevando la bandera). **2.** *El teniente ordenó al **alférez** que se retirara* (= es el oficial inmediatamente inferior al teniente, cuya insignia es una estrella dorada de seis puntas).
SINÓN: 1. abanderado.

alfil s. m. El **alfil** es una pieza del juego del ajedrez que se mueve diagonalmente.

alfiler s. m. **1.** *La costurera se ha pinchado con un **alfiler*** (= con un fino clavillo metálico que en un extremo termina en punta y en el otro tiene una cabecilla). **2.** *Los días de fiesta, mi padre lleva un bonito **alfiler*** (= una joya que se pone para sujetar o adornar la corbata). ◆ **no caber ni un alfiler 3.** *Hoy en el subterráneo **no cabía ni un alfiler*** (= estaba muy lleno).

alfombra s. f. **1.** *Tenemos una bonita **alfombra** persa en el comedor* (= un tejido de lana que cubre el suelo). **2.** *En algunos pueblos y ciudades cubren las calles con **alfombras** de flores el día del Corpus* (= las cubren con pétalos de flores y el suelo parece una *alfombra).*
FAM: *alfombrar.*

alfombrar v. tr. *Hemos **alfombrado** el salón* (= hemos puesto una alfombra en él).
FAM: *alfombra.*

alforja s. f. *El burro llevaba las **alforjas** cargadas de melones* (= dos grandes bolsas unidas por el centro).

alga s. f. *Muchos peces se alimentan de **algas*** (= plantas que viven en el agua).

algarabía s. f. *¡Qué **algarabía** se formó cuando hicimos la fiesta de final de curso!* (= se formó un gran griterío).
SINÓN: bulla, griterío, vocerío. **ANTÓN:** silencio.

algarroba s. f. **1.** La **algarroba** es una planta de flores blancas y hojas pequeñas cuya semilla sirve de alimento a palomas, bueyes y otros animales. **2.** *En la plaza de la catedral echamos a las palomas **algarrobas*** (= semillas parecidas a las lentejas y que salen de la planta del mismo nombre). **3.** *La **algarroba** es el fruto del algarrobo formado por vainas comestibles.*
FAM: *algarrobo.*

algarrobal s. m. Amér. Merid. *En las regiones áridas de América del Sur abundan los **algarrobales*** (= bosques de algarrobos).
FAM: *algarroba, algarrobo.*

algarrobo s. m. *Con la madera dura del **algarrobo** se construyen muebles fuertes y sólidos* (= árbol americano, de grueso tronco, ramas retorcidas y fruto comestible envuelto en vainas).
FAM: *algarroba.*

algo pron. **1.** *Aquí hay **algo** que no comprendo* (= alguna cosa). **2.** *Falta **algo** para llegar a la ciudad* (= una distancia o tiempo indeterminados). ◆ **algo** adv. **3.** *Mi profesor entiende **algo** de francés* (= un poco).
SINÓN: 2, 3. poco. **ANTÓN: 2, 3.** bastante, demasiado, mucho. **FAM:** *alguien, algún, alguno.*

algodón s. m. **1.** El **algodón** es una planta que crece en zonas cálidas. **2.** *Compré en la farmacia un paquete de **algodón** para limpiar las heridas* (= también se le llama algodón hidrófilo y es la pelusa fina y blanca que recubre el fruto de la planta de algodón). **3.** *Andrés tiene una camisa de **algodón*** (= de un tejido fabricado con algodón hilado).
FAM: *algodonero.*

alguacil o **aguacil** s. m. **1.** *Manuel es el **alguacil** de la Municipalidad de mi pueblo* (= el empleado que se encarga de ejecutar las órdenes del alcalde). R. de la Plata **2.** *Un **alguacil** atrapó su presa cuando volaba* (= insecto que tiene cuatro alas iguales, largas y transparentes).
SINÓN: libélula. **FAM:** *agua.*

alguien pron. *Vine porque **alguien** me aconsejó venir* (= una persona, alguna persona).
ANTÓN: nadie. **FAM:** → *algo.*

algún adj. *¿Hay **algún** libro de historia?* (= ¿hay alguno?).
SINÓN: alguno. **ANTÓN:** ningún, ninguno. **FAM:** → *algo.*

alguno, a adj. **1.** *En la estantería tenemos **algunos** libros de historia* (= unos cuantos). **2.** *Tenía **alguna** esperanza en la recuperación de su madre* (= ni poca ni mucha).
SINÓN: 1, 2. cierto. **2.** bastante. **ANTÓN: 1, 2.** ninguno. **FAM:** → *algo.*

alhaja s. f. **1.** *Mi abuela guarda varias **alhajas** en su joyero: anillos y pulseras de gran valor* (= guarda joyas valiosas). **2.** *El cuadro de Las Meninas es una **alhaja*** (= es una obra del Museo del Prado de mucho valor). **3.** *Esta niña se porta tan bien que es una **alhaja*** (= es muy buena).
SINÓN: 1. joya. **ANTÓN: 1.** baratija, bisutería, chuchería.

alhelí s. m. El **alhelí** es una planta con flores de varios colores que tienen un olor muy agradable.

aliado, a adj. *Estados Unidos y Gran Bretaña son países **aliados*** (= son países que se ayudan mutuamente).
SINÓN: asociado. **ANTÓN:** enemigo. **FAM:** → *aliarse.*

alianza s. f. **1.** *Chile ha firmado varias **alianzas** con otros países a lo largo de la historia* (= ha firmado documentos para ayudarse mutuamente). **2.** *La **alianza** de los novios es de oro* (= el anillo que se ponen en el dedo).
SINÓN: 1. convenio, pacto, tratado. **2.** anillo. **ANTÓN: 1.** enfrentamiento, rivalidad. **FAM:** → *aliarse.*

aliarse v. pron. *Mi hermano y yo **nos hemos aliado** para defender nuestros derechos* (= nos hemos puesto de acuerdo para conseguir el mismo fin).
SINÓN: asociarse, unirse. **ANTÓN:** desunirse, separarse. **FAM:** *aliado, alianza.*

alias adv. **1.** *Jean Baptiste Poquelin, **alias** "Molière", fue un escritor muy importante* (= llamado también Molière). ◆ **alias** s. m. **2.** *En mi pueblo todos nos conocemos por nuestro **alias*** (= por el apodo).
SINÓN: 2. apodo, mote.

alicates s. m. pl. *Utilizamos unos **alicates** para doblar el alambre* (= un instrumento en forma de pinza que sirve para coger o torcer objetos).
SINÓN: tenazas.

aliciente s. m. *El premio de poesía que he ganado en la escuela es un **aliciente** para seguir escribiendo* (= es un atractivo).
SINÓN: estímulo. **ANTÓN:** inconveniente.

aliento s. m. **1.** *Llegamos a la cima de la montaña sin **aliento*** (= nos faltaba la respiración). **2.** *Le olía bien el **aliento*** (= el aire espirado). **3.** *Estaba tan desanimado que ya no tenía **aliento** para acabar la carrera* (= no tenía valor).
SINÓN: 1. respiración, soplo. **3.** ánimo. **FAM:** → *alentar, desalentar, desaliento.*

aligerar v. tr. **1.** *Quité algunos libros de la estantería para **aligerar** el peso* (= para que sostuviera menos peso). **2.** *Como salimos un poco tarde de casa, **aligeramos** el paso para llegar a tiempo* (= nos dimos prisa). **3.** *El jarabe me **aligeró** la tos* (= me la quitó).
SINÓN: 1. descargar. **2.** acelerar, apresurar, avivar. **3.** aliviar. **ANTÓN: 1.** cargar. **2.** retrasar. **3.** aumentar. **FAM:** → *ligero.*

alimaña s. f. *La zorra, el lince y el milano son **alimañas*** (= son animales perjudiciales para el hombre porque se comen el ganado).

alimentación s. f. *La **alimentación** es necesaria para la salud* (= el comer).
SINÓN: alimento, comida, nutrición. **FAM:** → *alimento.*

alimentar v. tr. **1.** *Las aves **alimentan** a sus crías hasta que éstas pueden hacerlo por sí solas* (= les dan de comer). ◆ **alimentar** v. intr. **2.** *El pan solo no **alimenta** suficientemente* (= no nutre lo suficiente). ◆ **alimentarse** v. pron. **3.** *El león **se alimenta** de carne* (= come carne). **4.** *Los coches **se alimentan** con gasolina* (= utilizan gasolina para funcionar).
SINÓN: 1, 2, 3. nutrir(se). **3.** comer. **FAM:** → *alimento.*

alimenticio adj. *La leche es un producto **alimenticio** necesario para el crecimiento* (= es un producto nutritivo).
SINÓN: nutritivo. **FAM:** → *alimento.*

alimento s. m. *Los seres vivos toman **alimentos** para obtener la energía que necesitan para vivir.*
SINÓN: comida. **FAM:** → *alimentación, alimentar, alimenticio, sobrealimentar.*

alinear v. tr. **1.** ***Alinearon** a los soldados según su estatura* (= los pusieron en fila). **2.** *Hace tiempo que el entrenador de fútbol no me **alinea** en los partidos* (= no me incluye en el equipo titular). ◆ **alinearse** v. pron. **3.** *Cuando hacemos gimnasia, **nos alineamos** en la pista* (= nos ponemos en fila).
FAM: *línea.*

aliñar v. tr. *Me gusta **aliñar** la ensalada con sal y limón* (= me gusta echar esos ingredientes).
SINÓN: aderezar, condimentar, sazonar.

alisar v. tr. **1.** *Las excavadoras **alisaron** el terreno para construir edificios* (= lo dejaron plano). ◆ **alisarse** v. pron. **2.** *Antes de salir de casa **me aliso** el cabello* (= me peino).
SINÓN: 1. allanar, aplanar. **2.** peinarse. **ANTÓN: 1.** arrugar. **2.** despeinarse. **FAM:** → *liso.*

alistar v. tr. **1.** *Antes de comenzar el curso nos **alistan** en la secretaría del colegio* (= ponen nuestro nombre en la lista de alumnos). ◆ **alistarse** v. pron. **2.** *Mi hermano mayor **se ha alistado** como voluntario en la marina* (= se ha inscrito en la armada).
SINÓN: 2. apuntarse, inscribirse. **FAM:** → *lista.*

aliviar v. tr. **1.** *Para **aliviar** el peso de mi mochila, no llevo todos los libros al colegio* (= disminuir el peso). **2.** *El medicamento te **aliviará** el dolor* (= te lo quitará). ◆ **aliviarse** v. pron. **3.** *Con el medicamento, ya **me he aliviado** de la enfermedad* (= ya me he mejorado).
SINÓN: 1. aligerar, disminuir. **2.** calmar, suavizar. **3.** mejorar. **ANTÓN: 1.** cargar, recargar. **2.** agravar. **3.** empeorar. **FAM:** *alivio.*

alivio s. m. *Las pastillas me proporcionaron **alivio** al dolor de garganta* (= mejoría).
SINÓN: mejoría. **FAM:** *aliviar.*

aljaba s. f. R. de la Plata. *He plantado **aljabas** en el jardín* (= plantas ornamentales, de flores colgantes).
SINÓN: fucsia.

aljibe s. m. *Algunas casas tienen **aljibe** para aprovechar el agua de la lluvia* (= depósitos que la recogen).
SINÓN: cisterna, depósito.

allá adv. **1.** ***Allá,** a lo lejos, hay una aldea* (= en un lugar lejano). ◆ **el más allá 2.** *No sa-*

bemos nada sobre ***el más allá*** (= sobre lo que hay después de la vida).
SINÓN: allí. **ANTÓN:** acá, aquí.

allanar v. tr. **1.** *Las máquinas* ***allanaron*** *el terreno* (= lo pusieron parejo). **2.** *Los ladrones* ***allanaron*** *nuestra casa* (= rompieron la puerta y entraron en ella).
SINÓN: 1. aplanar, igualar, nivelar. **2.** robar. **FAM:** → *llano.*

allegado, a s. *A la boda asistieron todos los amigos y* ***allegados*** *de los novios* (= los parientes).
SINÓN: pariente.

allí adv. **1.** *Pon este libro* ***allí*** (= en aquel lugar). **2.** *Vamos* ***allí*** (= a aquel lugar).
SINÓN: allá. **ANTÓN:** acá, aquí.

alma s. f. **1.** *El hombre está formado por una parte material, el cuerpo, y otra inmaterial que es el* ***alma*** (= es la parte espiritual del hombre). **2.** *Hacía tanto frío que no se veía un* ***alma*** *por la calle* (= no había ninguna persona). **3.** *Cuando el atleta corre sus últimos metros pone toda su* ***alma*** (= toda su energía). **4.** *Tu hermano es tan divertido que se convierte en el* ***alma*** *de la fiesta* (= en la persona que divierte a los demás). ◆ **caérsele a uno el alma a los pies 5.** *Cuando vio que, a pesar de su esfuerzo, no había aprobado,* ***se le cayó el alma a los pies*** (= se apenó mucho).
SINÓN: 1. ánima, espíritu. **2.** habitante, individuo, persona. **3.** energía, esfuerzo. **ANTÓN: 3.** desaliento, desánimo.

almacén s. m. **1.** *Los agricultores guardan sus cosechas en el* ***almacén*** (= en el depósito para guardar cosas). Amér. Cent., Merid. **2.** *Todos los sábados mi madre va a hacer las compras al* ***almacén*** (= tienda donde se venden comestibles). ◆ **grandes almacenes 3.** *En los* ***grandes almacenes*** *se puede comprar de todo* (= tienda donde venden todo tipo de productos).
SINÓN: 1. depósito. **FAM:** → *almacenar, almacenero.*

almacenar v. tr. **1.** *El vendedor* ***almacena*** *existencias en la tienda* (= guarda productos en un almacén). **2.** *Durante el verano, las hormigas* ***almacenan*** *grandes cantidades de comida para el invierno* (= la acumulan para que no les falte en invierno).
SINÓN: 2. acumular, amontonar, reunir. **ANTÓN: 2.** distribuir, repartir. **FAM:** → *almacén.*

almacenero, a s. Amér. *Mi padre es* ***almacenero*** (= propietario de un almacén).
FAM: → *almacén.*

almanaque s. m. *En la clase tenemos colgado de la pared un* ***almanaque*** (= calendario en forma de libro, para ver la fecha en que estamos).
SINÓN: calendario.

almeja s. f. Las **almejas** son moluscos comestibles marinos con dos valvas.

almena s. f. *La muralla tenía varias* ***almenas*** *en su parte superior* (= tenía unos bloques de piedra desde donde vigilaban los soldados).

almendra s. f. La **almendra** es un fruto ovalado, de cáscara dura, que nace en los almendros.
FAM: *almendro.*

almendro s. m. El **almendro** es un árbol de flores blancas cuyo fruto es la almendra.
FAM: *almendra.*

almíbar s. m. *Mi abuela hizo una tarta y empapó el bizcocho con* ***almíbar*** (= una mezcla de agua y azúcar cocida al fuego).

almidón s. m. *La camisa está muy rígida porque tiene demasiado* ***almidón*** (= una sustancia extraída de plantas para endurecer las telas).

almirante s. m. El **almirante** es el oficial que tiene el cargo más importante en la marina.

almohada s. f. *No me gusta dormir con* ***almohadas*** (= una especie de cojín que se coloca en la cama para apoyar la cabeza).
FAM: *almohadilla, almohadón.*

almohadilla s. f. *Las bordadoras usan una* ***almohadilla*** *para clavar las agujas y alfileres* (= un cojín pequeño).
FAM: → *almohada.*

almohadón s. m. *El sofá es mucho más cómodo con los* ***almohadones*** (= con cojines para apoyarse en ellos).
SINÓN: cojín. **FAM:** → *almohada.*

almorzar v. intr. **1.** *Los albañiles paran el trabajo a media mañana para* ***almorzar*** (= para comer algo a media mañana). **2.** *En mi casa* ***almorzamos*** *todos juntos al mediodía* (= comemos al mediodía).
SINÓN: 1. desayunar. **2.** comer. **FAM:** *almuerzo.*

almuerzo s. m. **1.** *Me comeré el sandwich del* ***almuerzo*** *a las diez de la mañana* (= el desayuno de media mañana). **2.** *Hoy hemos comido un buen* ***almuerzo*** (= la comida del mediodía).
SINÓN: 1. desayuno. **2.** comida. **FAM:** *almorzar.*

alocado, da adj. *Es una chica un poco* ***alocada*** (= que hace las cosas sin pensar).
SINÓN: atolondrado, insensato, irresponsable. **ANTÓN:** juicioso, prudente, sensato. **FAM:** → *loco.*

áloe o **aloe** s. m. El **áloe** es una planta de hojas largas y carnosas, cuyo jugo se usa como medicina.

aloja s. f. Amér. Merid. *Los aborígenes del sur de América se embriagaban con* ***aloja*** (= bebida fermentada hecha con algarroba y agua).

alojamiento s. m. **1.** *Los hoteles de las ciudades sirven de* ***alojamiento*** *a los viajeros que las visitan* (= el lugar donde se hospedan). **2.** *Le ofrecí* ***alojamiento*** *en mi casa mientras estaba en la ciudad* (= estancia en mi casa).
SINÓN: 1, 2. hospedaje. **2.** estancia. **FAM:** → *alojar.*

alojar v. tr. **1.** *Un amigo mío pudo **alojarnos** en su casa* (= pudimos residir allí). ◆ **alojarse** v. pron. **2.** *Suele **alojarse** en hoteles cuando va de vacaciones* (= suele hospedarse allí). **3.** *La bala **se le alojó** en la pierna* (= se le introdujo).
SINÓN: 1, 2. albergar(se), hospedar(se). **2.** residir. **3.** introducir. **ANTÓN: 1.** desalojar. **FAM:** → *alojamiento, desalojar.*

alondra s. f. Las **alondras** son pájaros de plumaje pardo, que anidan en los campos de cereales y cuyo canto es muy agradable.

alpaca s. f. **1.** *Mi madre ha comprado unos cubiertos de **alpaca*** (= de un metal plateado). **2.** La **alpaca** es un animal que vive en la región de los Andes.

alpargata s. m. *En el campo uso **alpargatas** para estar cómodo* (= un calzado de tela con suela de esparto).
SINÓN: zapatilla.

alpinismo s. m. *Practica el **alpinismo** desde muy joven* (= un deporte que consiste en escalar las cumbres de las altas montañas).
SINÓN: montañismo. **FAM:** → *alpino.*

alpinista s. m. f. *La tempestad de nieve dejó atrapados a tres **alpinistas*** (= personas que practican el alpinismo).
SINÓN: escalador. **FAM:** → *alpino.*

alpino, a adj. *El paisaje **alpino** es muy bello por la gran altura de sus montañas* (= el paisaje de los Alpes).
FAM: → *alpinismo, alpinista.*

alpiste s. m. El **alpiste** es una planta terminada en una espiga que contiene pequeñas semillas que sirven de alimento para pájaros.

alquilar v. tr. *Cada verano mi familia **alquila** nuestro apartamento porque nosotros no lo usamos* (= lo habita otra familia y nos paga por ello).
SINÓN: arrendar. **FAM:** → *alquiler.*

alquiler s. m. **1.** *Vivimos en un piso de **alquiler*** (= que no es nuestro). **2.** *¿Cuánto cuesta el **alquiler** de este piso?* (= ¿cuál es el precio que se paga por habitarlo?).
SINÓN: 1. arriendo. **2.** renta. **FAM:** → *alquilar.*

alquitrán s. m. *La carretera está cubierta de **alquitrán*** (= una pasta negra y de olor fuerte que se extrae del carbón o del petróleo).

alrededor adv. **1.** *La Tierra gira **alrededor** del Sol* (= lo rodea). **2.** *Llegamos a la estación **alrededor** de las dos de la tarde* (= poco más o menos a esa hora). ◆ **alrededores** s. m. pl. **3.** *Los aeropuertos se encuentran en los **alrededores** de las ciudades* (= en las afueras).
SINÓN: 2. aproximadamente, cerca. **3.** afueras, cercanías.

alta s. f. → **alto, a**.

altanero, a adj. *Es una persona **altanera** que se cree superior a todo el mundo* (= es muy orgullosa).
SINÓN: altivo, orgulloso, vanidoso. **ANTÓN:** humilde, modesto. **FAM:** *altanería.*

altar s. m. *El sacerdote celebra la misa en el **altar*** (= en la mesa de la iglesia).

altavoz s. m. *El **altavoz** de la estación anunciaba la llegada de los trenes* (= un aparato que sirve para elevar la intensidad del sonido).
FAM: → *alto.*

alteración s. f. **1.** *Ha habido una **alteración** de los planes previstos* (= un cambio). **2.** *Sufrió una gran **alteración** con el susto del incendio* (= un gran sobresalto).
SINÓN: 1. cambio, transformación, variación. **2.** sobresalto. **ANTÓN: 1.** conservación. **FAM:** → *alterar.*

alterar v. tr. **1.** *El sol **altera** los colores* (= los cambia). ◆ **alterarse** v. pron. **2.** ***Me alteré** con el ruido* (= me asusté).
SINÓN: cambiar, mudar, transformar, variar. **2.** asustarse, inquietarse. **ANTÓN: 1.** mantener. **2.** calmarse, sosegarse. **FAM:** → *alteración, inalterable.*

altercado s. m. *Mi hermano y yo tuvimos un **altercado** porque no opinábamos lo mismo* (= una discusión).
SINÓN: discusión, disputa, riña.

alternador s. m. *Se estropeó el **alternador** y nos quedamos sin luz* (= es un aparato que produce corriente eléctrica).

alternar v. tr. **1.** *Juan **alterna** el estudio con el deporte* (= unas veces estudia y otras entrena). ◆ **alternar** v. intr. **2.** *Le gusta **alternar** con sus compañeros de trabajo* (= relacionarse).
SINÓN: 1. turnar. **2.** relacionarse, tratar. **FAM:** → *alternativa, alterno.*

alternativa s. f. *Me encuentro ante la **alternativa** de aceptar o no tu propuesta* (= tengo la posibilidad de hacer una cosa u otra).
SINÓN: opción, posibilidad. **FAM:** → *alternar.*

alterno, a adj. *Tenemos clase de música en días **alternos*** (= un día sí y otro no).
FAM: → *alternar.*

alteza s. f. **Alteza** es el título que se da a los hijos de los reyes.
FAM: → *alto.*

altibajos s. m. pl. **1.** *La máquina apisonadora ha reparado los **altibajos** de la carretera* (= los desniveles). **2.** *Estoy pasando una época de **altibajos*** (= a veces estoy contenta y otras triste).
SINÓN: 1. desigualdad, desnivel.

altiplano o **altiplanicie** s. m. Amér. Merid. *La extensa meseta de los Andes bolivianos se llama **altiplano**.*
SINÓN: puna. **FAM:** → *alto.*

altitud s. f. *La montaña tiene 3.000 metros de **altitud*** (= tiene esa altura sobre el nivel del mar).
SINÓN: altura. **FAM:** → *alto.*

altivez s. f. *Juan nos trata con tanta* ***altivez*** *que nadie lo aprecia* (= con mucho orgullo).
SINÓN: arrogancia, orgullo, soberbia. **ANTÓN:** humildad, modestia. **FAM:** → *alto.*

altivo, a adj. *Es tan* ***altiva*** *que no cae bien a nadie* (= es orgullosa y arrogante).
SINÓN: arrogante, orgulloso, soberbio. **ANTÓN:** humilde, modesto. **FAM:** → *alto.*

alto, a adj. **1.** *Tenemos un árbol muy* ***alto*** *en el jardín* (= que llega muy arriba). **2.** *Mi hermano es más* ***alto*** *que yo* (= tiene una estatura superior). **3.** *Mi madre no compra merluza porque su precio es muy* ***alto*** (= es muy caro). **4.** *Mi vecina pone el volumen de la televisión muy* ***alto*** (= muy fuerte). **5.** *Juan tiene mucha influencia porque ocupa un* ***alto*** *puesto en la empresa* (= un cargo muy importante). **6.** *Conozco en esta ciudad a una familia de clase* ***alta*** (= acomodada). **7.** *Cuando estuve enfermo tuve una temperatura muy* ***alta*** (= tuve mucha fiebre). **8.** *La fiesta terminó a* ***altas*** *horas de la madrugada* (= muy tarde). **9.** *El sonido de la flauta es más* ***alto*** *que el del oboe* (= su sonido es más agudo). ◆ **alto** s. m. **10.** *Esta mesa mide un metro de* ***alto*** (= de altura). **11.** *Hemos hecho un* ***alto*** *en el camino para descansar* (= una parada). ◆ **alta** s. f. **12.** *He pedido el* ***alta*** *en el polideportivo porque me gustaría hacer deporte* (= el ingreso). ◆ **dar de alta 13.** *El médico me* ***ha dado de alta*** *porque ya estoy curado.*
SINÓN: **1.** crecido. **2.** mayor. **3.** caro. **4.** fuerte, subido. **5.** importante. **6.** acomodado, rico. **8.** tarde. **9.** agudo. **10.** altura. **11.** descanso, parada. **12.** ingreso. **ANTÓN:** **1, 2, 3, 4, 6, 7, 9.** bajo. **3.** barato. **6.** humilde, pobre. **8.** temprano. **9.** grave. **FAM:** *altavoz, alteza, altitud, altivez, altivo, altozano, altura.*

altoparlante s. m. Amér. *Durante la fiesta, el sonido de los* ***altoparlantes*** *era tan potente, que se lo oía desde las casas vecinas* (= altavoces).

altozano s. m. *Subimos a un* ***altozano*** *para ver el pueblo desde arriba* (= a una pequeña colina).
SINÓN: cerro, colina, montículo. **FAM:** → *alto.*

altruismo s. m. *Las monjas del asilo cuidan a los ancianos por* ***altruismo*** (= por amor al prójimo).
SINÓN: caridad, generosidad. **ANTÓN:** egoísmo, interés. **FAM:** *altruista.*

altruista adj. *María, ayudando siempre a los demás, se está convirtiendo en una persona* ***altruista*** (= es una persona que ayuda a otras personas a cambio de nada).
SINÓN: caritativo, generoso, humanitario. **ANTÓN:** egoísta, interesado. **FAM:** *altruismo.*

altura s. f. **1.** *El pino que hay cerca del colegio tiene una* ***altura*** *de 15 metros* (= se eleva a 15 metros). **2.** La **altura** del triángulo es la línea perpendicular trazada desde un vértice al lado opuesto. **3.** *Subimos a una* ***altura*** *cercana para ver el pueblo desde arriba* (= una cima). ◆ **alturas** s. f. pl. **4.** *El humo de la chimenea se elevaba hacia las* ***alturas*** (= hacia el cielo). ◆ **a estas alturas 5.** ***A estas alturas*** *del curso todavía no has empezado a estudiar* (= cuando el curso está ya muy avanzado).
SINÓN: **1.** elevación. **3.** cima, cumbre. **4.** cielo. **FAM:** → *alto.*

alubia s. f. Las **alubias** son plantas que dan un fruto comestible del mismo nombre.
SINÓN: habichuela, judía, poroto.

alucinar v. tr. **1.** *La fiebre lo hacía* ***alucinar*** (= ver cosas irreales). **2.** *Me* ***alucinan*** *los libros de aventuras* (= me gustan mucho).
SINÓN: **2.** apasionar, encantar, gustar. **FAM:** *alucinación, alucinado, alucinante.*

alud s. m. **1.** *Los alpinistas han sido atrapados por un* ***alud*** (= por una gran masa de nieve que se precipita desde lo alto de una montaña). **2.** *Un* ***alud*** *de público entró en el local para ver a su actor favorito* (= un gran número de gente).
SINÓN: **1, 2.** avalancha. **2.** multitud.

aludir v. intr. *La carta de mi amigo* ***alude*** *a sus proyectos pero no los explica claramente* (= se refiere a ellos).
SINÓN: citar, mencionar, referir. **ANTÓN:** callar, prescindir, reservar. **FAM:** *alusión.*

alumbrado s. m. *El* ***alumbrado*** *de esta calle es insuficiente* (= el conjunto de luces para iluminar algo).
SINÓN: iluminación. **FAM:** → *lumbre.*

alumbrar v. tr. **1.** *El Sol* ***alumbra*** *la Tierra* (= la cubre de luz). **2.** *Como se fue la luz, tuvimos que* ***alumbrarnos*** *con una linterna* (= nos iluminamos). ◆ **alumbrar** v. intr. **3.** *La bombilla del comedor* ***alumbra*** *muy poco* (= da poca luz).
SINÓN: **1, 2, 3.** iluminar. **ANTÓN:** **2.** apagar. **FAM:** → *lumbre.*

aluminio s. m. *Las ventanas de mi colegio tienen el marco de* ***aluminio*** (= un metal ligero que no se oxida).

alumno, a s. *Todos los* ***alumnos*** *de la escuela hemos celebrado el carnaval con una fiesta* (= estudiantes que van al colegio).
SINÓN: colegial, discípulo, escolar, estudiante. **FAM:** → *alumnado.*

alunizaje s. m. *La nave llegó a la Luna, pero el* ***alunizaje*** *fue difícil* (= el aterrizaje en la Luna).
FAM: → *luna.*

alunizar v. intr. *Los astronautas descendieron de la nave después de* ***alunizar*** (= de aterrizar en la Luna).
FAM: → *luna.*

alusión s. f. *Cuando comentó los exámenes, el profesor hizo* ***alusión*** *a algunos alumnos* (= se refirió a ellos).
SINÓN: referencia. **FAM:** → *aludir.*

aluvión s. m. *La ciudad se ha inundado por el* ***aluvión*** *de agua que ha caído* (= la gran cantidad).

alvéolo s. m. Los **alvéolos** del pulmón son una especie de saquitos en los que terminan las últimas ramificaciones de los bronquios.

alza s. f. *Ha habido un* ***alza*** *en los precios de la gasolina* (= una subida).
SINÓN: aumento, subida. ANTÓN: baja, bajada, descenso. FAM: → *alzar.*

alzamiento s. m. *El* ***alzamiento*** *militar provocó la guerra civil española* (= la rebelión armada).
SINÓN: rebelión, sublevación. FAM: → *alzar.*

alzar v. tr. **1.** *El ganador* ***alzó*** *los brazos en señal de triunfo* (= los levantó). **2.** *Cuando hay mucho barullo hay que* ***alzar*** *la voz* (= elevarla).
SINÓN: elevar, levantar, subir. ANTÓN: bajar. FAM: → *alza, alzamiento.*

ama s. f. **1.** *Mi tía es el* ***ama*** *de su vivienda* (= la propietaria). **2.** *El cura ha contratado un* ***ama*** *para que lo atienda* (= una mujer que se encarga de hacerle la comida y cuidar la casa).
SINÓN: **1.** dueña, propietaria. **2.** criada. FAM: → *amo.*

amabilidad s. f. *Trata a todos sus compañeros con mucha* ***amabilidad*** (= con cortesía y educación).
SINÓN: cortesía, delicadeza, gentileza. ANTÓN: antipatía. FAM: → *amable.*

amable adj. *Mi abuelo es una persona* ***amable*** (= es agradable y cortés con los demás).
SINÓN: afectuoso, agradable, cordial, cortés. ANTÓN: antipático, desagradable, huraño. FAM: → *amabilidad.*

amado, a adj. *La profesora es una persona* ***amada*** *por sus alumnos* (= muy querida).
SINÓN: estimado, querido. ANTÓN: odiado. FAM: → *amor.*

amaestrar v. tr. *El cazador* ***amaestra*** *a su perro para que le traiga las presas* (= lo enseña).
SINÓN: adiestrar, enseñar, instruir. FAM: → *maestro.*

amago s. m. *Mi abuelo ha sufrido un* ***amago*** *de infarto* (= un principio de infarto).
SINÓN: inicio, intento, principio. FAM: → *amagar.*

amainar v. intr. **1.** *Cuando el temporal* ***amainó,*** *los pescadores salieron a pescar* (= disminuyó). ◆ **amainar** v. tr. **2.** *Aunque le pido disculpas, no consigo* ***amainar*** *su enojo* (= calmarlo).
SINÓN: apaciguar, calmar, disminuir, tranquilizar.

amamantar v. tr. *Los mamíferos* ***amamantan*** *a sus crías* (= les dan de mamar).
SINÓN: criar, nutrir.

amanecer s. m. **1.** *Salimos de viaje al* ***amanecer,*** *con el cielo todavía rojizo* (= al salir el Sol). ◆ **amanecer** v. intr. **2.** *En invierno* ***amanece*** *más tarde que en verano* (= sale el Sol más tarde). **3.** *El jardín* ***amaneció*** *cubierto de nieve* (= apareció así por la mañana).
SINÓN: **1.** alba, aurora, madrugada. **2.** clarear. **3.** aparecer. ANTÓN: **1, 2.** anochecer. **2.** oscurecer.

amanerado, a adj. *El cantante tenía unos gestos muy* ***amanerados*** (= poco naturales).
SINÓN: afectado, forzado, rebuscado. ANTÓN: espontáneo, natural, sencillo. FAM: → *manera.*

amanita s. f. *¡No toques ese hongo! es una* ***amanita.*** (= una clase de hongo venenoso).

amansado, da adj. *Este caballo salvaje ya está* ***amansado*** (= domado).
SINÓN: domado, domesticado. FAM: → *manso.*

amansar v. tr. **1.** *El domador* ***amansa*** *leones* (= después de mucho trabajo consigue que le obedezcan). ◆ **amansarse** v. pron. **2.** *Después de la tormenta el tiempo* ***se amansó*** (= se apaciguó).
SINÓN: **1.** domar, domesticar. **2.** apaciguar. FAM: → *manso.*

amante s. m. f. **1.** *Los* ***amantes*** *paseaban por el parque tomados de la mano* (= dos personas que se aman). **2.** *Luis es* ***amante*** *de la pintura* (= le gusta mucho).
SINÓN: **1.** enamorado. **2.** entusiasta. FAM: → *amor.*

amapola s. f. La **amapola** es una flor de color rojo que nace en los campos de cereales.

amar v. tr. **1.** *José* ***ama*** *a su mujer y a sus hijos* (= siente amor hacia ellos). **2.** *Juan* ***ama*** *la música* (= le gusta mucho).
SINÓN: **1.** querer. **1, 2.** adorar, apreciar, estimar. ANTÓN: **1, 2.** aborrecer, detestar, odiar. FAM: → *amor.*

amargar v. tr. **1.** *El limón y el vinagre* ***amargan*** *la ensalada* (= le dan sabor amargo). **2.** *La mala noticia nos* ***amargó*** *la tarde* (= nos la estropeó). ◆ **amargarse** v. pron. **3.** *No* ***te amargues*** *la vida* (= no te apenes).
ANTÓN: **1.** endulzar. FAM: → *amargo.*

amargo, a adj. **1.** *Hay almendras muy* ***amargas*** (= que tienen un sabor muy desagradable). **2.** *La muerte de mi abuelo fue un momento muy* ***amargo*** *para mí* (= muy triste). ◆ **amargo** Amér. **3.** *Mi padre suele tomar un* ***amargo*** *como aperitivo* (= bebida alcohólica hecha con cáscaras de frutas cítricas). R. de la Plata. **4.** *Después del trabajo diario los gauchos se reunían para tomar unos* ***amargos*** (= mates cebados sin azúcar).
SINÓN: **1.** agrio. **2.** doloroso, triste. ANTÓN: **1.** azucarado, dulce. **2.** agradable, alegre. FAM: → *amargar, amargura.*

amargura s. f. *Los aplazos son una gran* ***amargura*** *para mí* (= son un gran disgusto).
SINÓN: disgusto, pena, tristeza. ANTÓN: alegría, gozo, júbilo, placer. FAM: → *amargo.*

amarillento, a adj. *Mi camisa blanca está* ***amarillenta*** (= de color parecido al amarillo).
FAM: → *amarillo.*

amarillo, a adj. **1.** *El plátano y el limón maduros son de color* ***amarillo***. ◆ **amarillo** s. m. **2.** *Mi color preferido es el* ***amarillo***.
FAM: → *amarillento.*

amarra s. f. *El temporal rompió las* ***amarras*** *de los barcos* (= las gruesas cuerdas para asegurar los barcos al puerto).
FAM: → *amarrar.*

amarrete adj. R. de la Plata. *Pedro es muy* ***amarrete*** (= avaro).
FAM: → *amarrar.*

amarrar v. tr. **1.** *El equipaje que pusimos encima del portaequipajes del coche lo* ***amarramos*** *con cuerdas* (= lo atamos). **2.** *Los marineros* ***amarraron*** *el barco en el puerto* (= lo sujetaron con fuertes cables).
SINÓN: atar, ligar, sujetar. ANTÓN: desatar, soltar. FAM: → *amarra.*

amasar v. tr. **1.** *El panadero* ***amasa*** *la harina para hacer el pan* (= la mezcla haciendo una masa). ◆ **amasar una gran fortuna 2.** *En poco tiempo* ***amasó una gran fortuna*** *y cerró el negocio* (= reunió mucho dinero).
SINÓN: **2.** atesorar, reunir. FAM: → *masa.*

amatista s. f. La **amatista** es una piedra fina de color violeta, usada en joyería.

amazona s. f. **1.** *Aunque es una buena* ***amazona,*** *el caballo la ha tirado al suelo* (= una mujer que monta a caballo). **2.** *Las* ***amazonas*** *lucharon con valentía* (= mujer de raza guerrera).
SINÓN: **1.** jinete.

ámbar s. m. **1.** El **ámbar** es un material de resina fosilizada con el que se fabrican objetos de adorno. **2.** *El semáforo se puso en* ***ámbar***. ◆ **ámbar** adj. **3.** *El color* ***ámbar*** *indica a los conductores que deben pararse.*

ambición s. f. *La mayor* ***ambición*** *de un político es ganar las elecciones* (= el mayor deseo).
SINÓN: aspiración, deseo. FAM: → *ambicionar, ambicioso.*

ambicionar v. tr. *Felipe* ***ambiciona*** *ser director de cine* (= lo desea ardientemente).
SINÓN: anhelar, ansiar, desear, pretender. ANTÓN: desechar, despreciar. FAM: → *ambición.*

ambicioso, a s. **1.** *El* ***ambicioso*** *sólo piensa en conseguir lo que se propone.* ◆ **ambicioso, a** adj. **2.** *Luis tiene proyectos* ***ambiciosos*** *para su nueva empresa* (= muy importantes).
SINÓN: **1.** codicioso. **2.** importante. ANTÓN: humilde, modesto. FAM: → *ambición.*

ambientar v. tr. **1.** *El escritor* ***ambientó*** *su novela en el siglo XV* (= situó la obra en ese momento). **2.** *En Navidad, el Ayuntamiento* ***ambienta*** *las calles de la ciudad con luces de colores* (= las decora). ◆ **ambientarse** v. pron. **3.** *Los atletas se fueron a la montaña para* ***ambientarse*** *a la altura* (= para acostumbrarse).
SINÓN: **1.** enmarcar. **2.** decorar. **3.** aclimatarse, adaptarse, habituarse. FAM: → *ambiente.*

ambiente s. m. **1.** *En primavera el* ***ambiente*** *es muy agradable* (= el aire que nos rodea). **2.** *En los invernaderos se crea un* ***ambiente*** *apropiado para que se desarrollen las plantas* (= se crean las condiciones adecuadas). **3.** *Me fui del baile porque no había buen* ***ambiente*** (= no me resultaba agradable). **4.** *Los literatos frecuentan* ***ambientes*** *intelectuales* (= lugares y gentes interesantes para ellos). ◆ **medio ambiente 5.** *La contaminación destruye el* ***medio ambiente*** (= las características de la naturaleza).
SINÓN: **1.** aire, atmósfera. **2.** medio. FAM: → *ambientar.*

ambiguo, a adj. **1.** *Me dio una respuesta tan* ***ambigua*** *que no sé qué tengo que hacer* (= muy imprecisa). **2.** *Las palabras* mar *y* calor *son palabras de género* ***ambiguo*** *porque pueden usarse en masculino o femenino.*
SINÓN: **1.** confuso, impreciso, indeterminado. ANTÓN: **1.** claro, preciso. FAM: → *ambigüedad.*

ámbito s. m. *Vivo en un pueblo fuera del* ***ámbito*** *de la ciudad* (= de su extensión).
SINÓN: contorno, extensión.

ambos, as pron. pl. *Uno de los chicos terminó antes que el otro, pero* ***ambos*** *lo hicieron muy bien* (= los dos).

ambulancia s. f. *La* ***ambulancia*** *llegó a tiempo para socorrer a los heridos* (= el vehículo que transporta heridos o enfermos).

ambulante adj. *Los vendedores* ***ambulantes*** *llevan sus mercancías de un lugar a otro* (= no tienen un sitio fijo donde vender).
SINÓN: errante, nómada. ANTÓN: estable, fijo. FAM: → *deambular.*

ambular v. intr. → **deambular**.

ambulatorio s. m. *Pedro fue al* ***ambulatorio*** *porque se hizo una herida* (= a un dispensario médico).

amedrentar v. tr. *Las duras palabras del profesor* ***amedrentaron*** *a los alumnos* (= los asustaron).
SINÓN: acobardar, asustar, atemorizar.

amén s. m. **1.** *Al terminar las oraciones se dice* ***amén,*** *que significa* así sea. ◆ **decir amén 2.** *Raquel* ***dice amén*** *a todo* (= está de acuerdo con todo lo que le dicen).

amenaza s. f. **1.** *La bomba atómica es una* ***amenaza*** *para el mundo* (= un peligro). **2.** *La* ***amenaza*** *de mi madre de castigarme me asustó* (= la advertencia).
SINÓN: **1.** peligro, riesgo. **2.** advertencia. ANTÓN: **1.** seguridad. FAM: → *amenazar.*

amenazar v. tr. **1.** *El jefe lo* ***amenazó*** *con despedirlo* (= le advirtió con tono enfadado que lo despediría). ◆ **amenazar** v. intr. **2.** *El cielo* ***amenaza*** *lluvia* (= parece que lloverá).
SINÓN: **1.** advertir. **2.** anunciar. ANTÓN: **1.** tranquilizar. FAM: → *amenaza.*

ameno, a adj. *Es un programa muy* ***ameno*** *y me gusta verlo* (= muy entretenido).
SINÓN: agradable, entretenido, grato, placentero. ANTÓN: aburrido, desagradable.

americana s. f. *Hace calor: voy a quitarme la* ***americana*** (= la chaqueta).
SINÓN: chaqueta.

americanismo s. m. *Las palabras* tabaco *y* maíz *son* ***americanismos*** *porque provienen de América.*
FAM: → *americano.*

americano, a adj. **1.** *México es un país* ***americano*** (= de América). ◆ **americano, a** s. **2.** *Los* ***americanos*** *son las personas nacidas en América.*
FAM: → *americanismo.*

amerindio, a adj. *Los guaraníes, los aztecas, los comanches, los quechuas fueron pueblos* ***amerindios*** (= pueblos aborígenes de América).

amerizar v. intr. *El hidroavión* ***ha amerizado*** *cerca de la costa* (= ha aterrizado sobre el agua del mar).
FAM: → *mar.*

ametralladora s. f. *La* ***ametralladora*** *es un arma de fuego que dispara muchos proyectiles rápidamente.*
SINÓN: metralleta. FAM: → *metralleta.*

amianto s. m. *Los trajes de los bomberos son de* ***amianto*** (= son de una materia mineral que sirve de protección contra el fuego).

amígdala s. f. Las **amígdalas** son pequeños órganos situados a cada lado de la garganta.

amigo, a s. **1.** *Raquel ha reunido en su casa a sus* ***amigos*** (= personas que la aprecian). **2.** *Pablo es* ***amigo*** *de la buena música* (= le gusta mucho).
SINÓN: **1.** camarada, compañero. **2.** amante. ANTÓN: enemigo. FAM: → *amistad, amistoso, enemigo, enemistad, enemistar.*

aminorar v. tr. *Le pedí al taxista que* ***aminorara*** *la velocidad porque me estaba mareando* (= que la disminuyera).
SINÓN: disminuir, reducir. ANTÓN: aumentar. FAM: → *menor.*

amistad s. f. *Tengo* ***amistad*** *con Julio* (= me une a él un afecto personal).
SINÓN: afecto, cariño. ANTÓN: enemistad. FAM: → *amigo.*

amistoso, a adj. *Aunque no opinamos lo mismo, seguimos manteniendo un trato* ***amistoso*** *entre nosotros* (= amable).
SINÓN: amable, cordial. ANTÓN: hostil. FAM: → *amigo.*

amnesia s. f. *Después del accidente, el conductor sufrió* ***amnesia*** (= perdió la memoria).
ANTÓN: memoria.

amnistía s. f. La **amnistía** es un perdón que otorga el gobierno a personas condenadas por motivos políticos.
SINÓN: absolución, indulto, perdón. ANTÓN: condena.

amo s. m. *Conozco al* ***amo*** *de esta finca* (= al propietario).
SINÓN: dueño, propietario. FAM: → *ama.*

amodorrarse v. pron. *Mi abuelo, después de cenar,* ***se amodorra*** *en el sofá* (= se adormece).
SINÓN: adormecerse, adormilarse, dormirse. ANTÓN: despabilarse, despertarse, espabilarse.

amoldarse v. pron. *Aunque vino de otro país,* ***se amoldó*** *rápidamente a las costumbres de aquí* (= se adaptó).
SINÓN: acomodarse, acostumbrarse, adaptarse. FAM: → *molde.*

amonestar v. tr. *El árbitro* ***amonestó*** *al jugador con la tarjeta roja* (= lo castigó).
SINÓN: castigar, regañar, reprender. ANTÓN: alabar, elogiar.

amoníaco s. m. El **amoníaco** es un gas incoloro de fuerte olor que se usa en la industria química.

amontonar v. tr. **1.** *En mi mesa de trabajo* ***amontono*** *los libros que utilizo* (= los pongo unos encima de otros). **2.** ***Amontonaron*** *las ovejas en el camión para transportarlas* (= las apretaron unas contra otras). ◆ **amontonarse** v. pron. **3.** *El trabajo* ***se amontonaba*** *sobre mi mesa pero no tenía tiempo para hacerlo* (= se acumulaba).
SINÓN: **1.** apilar. **2.** apretar, acumularse. ANTÓN: **1, 2.** esparcir. FAM: → *montón.*

amor s. m. **1.** *Los padres sienten* ***amor*** *por sus hijos* (= los aman). **2.** *La música es mi gran* ***amor*** (= lo que más me gusta). **3.** *Ernesto es un don Juan que tiene muchos* ***amores*** (= muchas relaciones amorosas). ◆ **amor propio 4.** *Sus reproches hirieron mi* ***amor propio*** (= mi orgullo). ◆ **de mil amores 5.** *Cualquier cosa que le pidas, te la dará* ***de mil amores*** (= con agrado). ◆ **por amor al arte 6.** *Trabaja* ***por amor al arte*** *porque le gusta su trabajo* (= gratis).
SINÓN: **1.** afecto, cariño, ternura. ANTÓN: **1, 2.** odio. FAM: → *amado, amante, amar, amoroso, enamorado, enamorar.*

amoral adj. Una persona **amoral** es aquella a la que no le interesan las cuestiones morales.
ANTÓN: moral. FAM: → *moral.*

amordazar v. tr. *Los ladrones* ***amordazaron*** *al cajero del banco para que no gritara* (= le taparon la boca con un trapo).
FAM: → *mordaza.*

amorfo, a adj. *Los gases y los líquidos son sustancias* ***amorfas*** *porque no tienen una forma determinada.*

amoroso, a adj. *Los novios se escriben cartas* ***amorosas*** (= cariñosas).
SINÓN: afectuoso, cariñoso, dulce. ANTÓN: desagradable, odioso. FAM: → *amor.*

hoja
de la
puerta
portón
muro
hiedra
seto
palmera
yuca
cepa virgen
ciprés
cenador
manguera
manga
de riego
camino
sendero
chorro de agua
césped
máquina
cortadora
de césped
nenúfar
pino
olivo
adelfa
laurel rosa
cacto
cactus
áloe

EL HUERTO

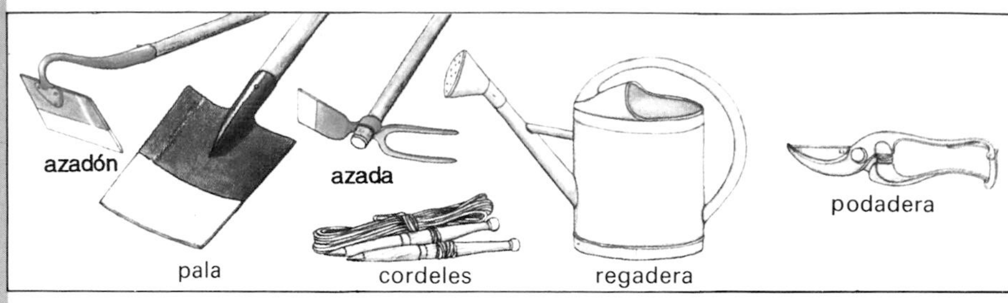
azadón
pala
azada
cordeles
regadera
podadera

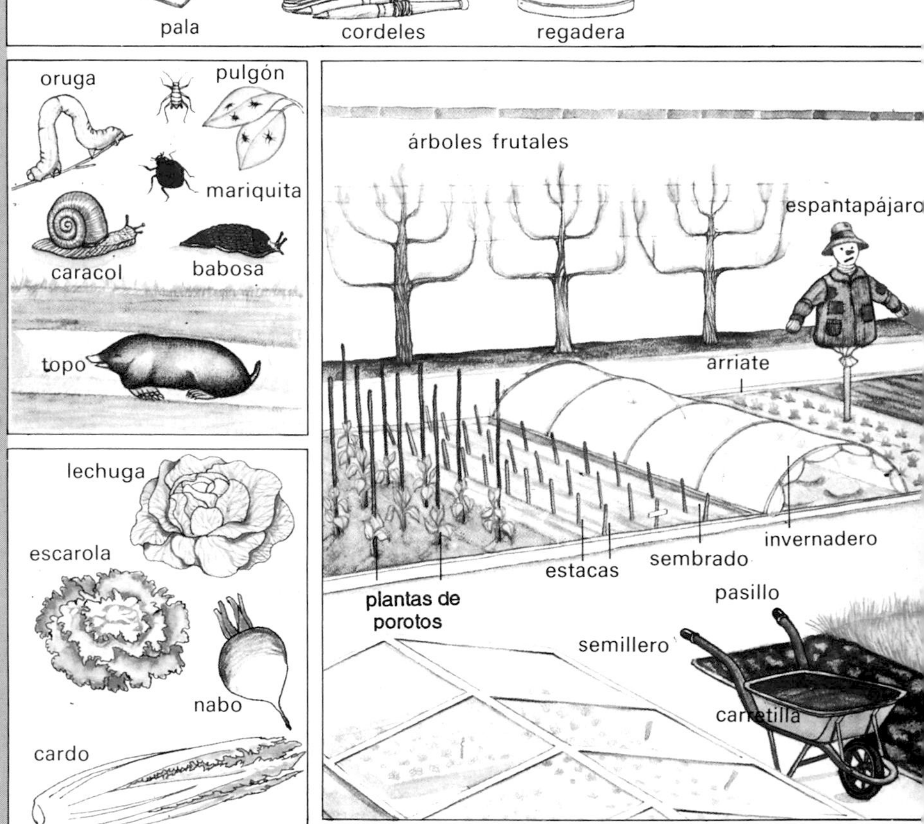
oruga
pulgón
mariquita
caracol
babosa
topo
árboles frutales
espantapájaro
arriate
invernadero
sembrado
estacas
plantas de porotos
pasillo
semillero
carretilla
lechuga
escarola
nabo
cardo

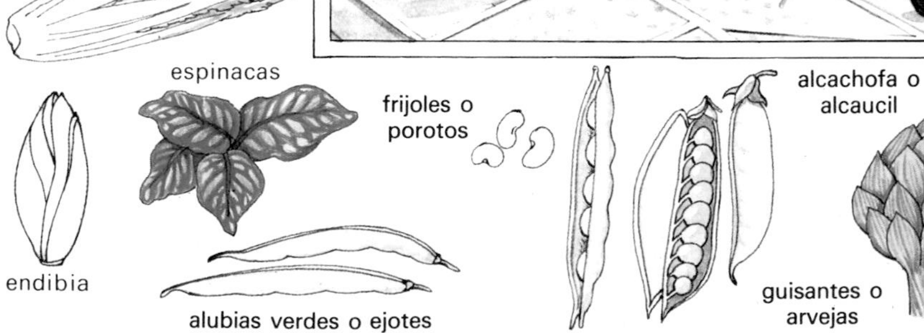
espinacas
frijoles o porotos
alcachofa o alcaucil
endibia
alubias verdes o ejotes
guisantes o arvejas

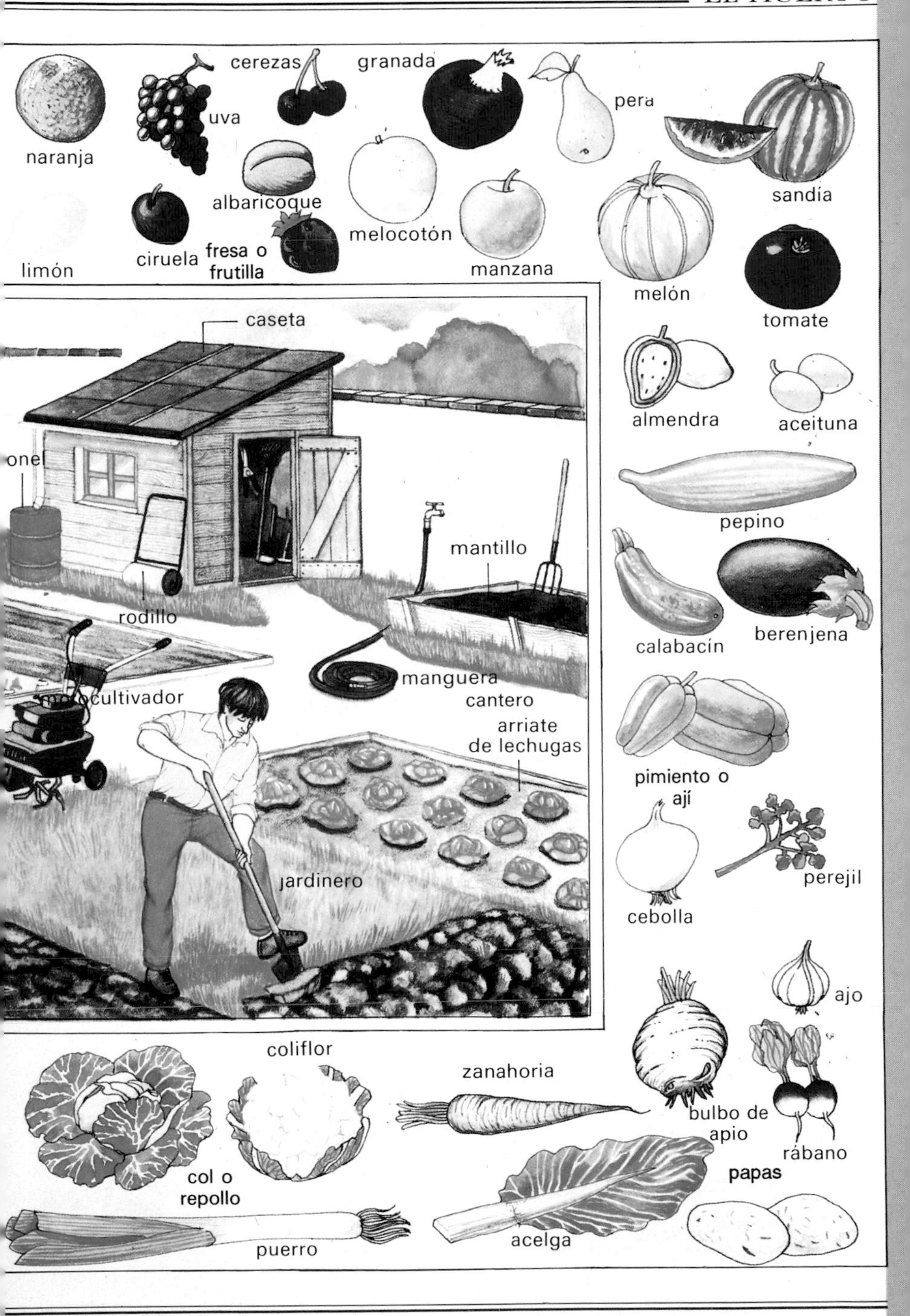
naranja
uva
cerezas
granada
pera
sandía
limón
ciruela
albaricoque
fresa o frutilla
melocotón
manzana
melón
tomate
caseta
almendra
aceituna
pepino
rodillo
mantillo
calabacín
berenjena
manguera
cultivador
cantero
arriate de lechugas
pimiento o ají
perejil
jardinero
cebolla
ajo
coliflor
zanahoria
bulbo de apio
rábano
col o repollo
papas
puerro
acelga

LAS FLORES

dalia
lila
alhelí
azucena
camelia
clavel
margarita
hortensia
anémona
lirio
magnolia
fucsia
aljaba
rosa
gladiolo
jacinto
orquídea
tulipán
geranio
petunia
romero
narciso
violeta
cantero o
macetero
peonía

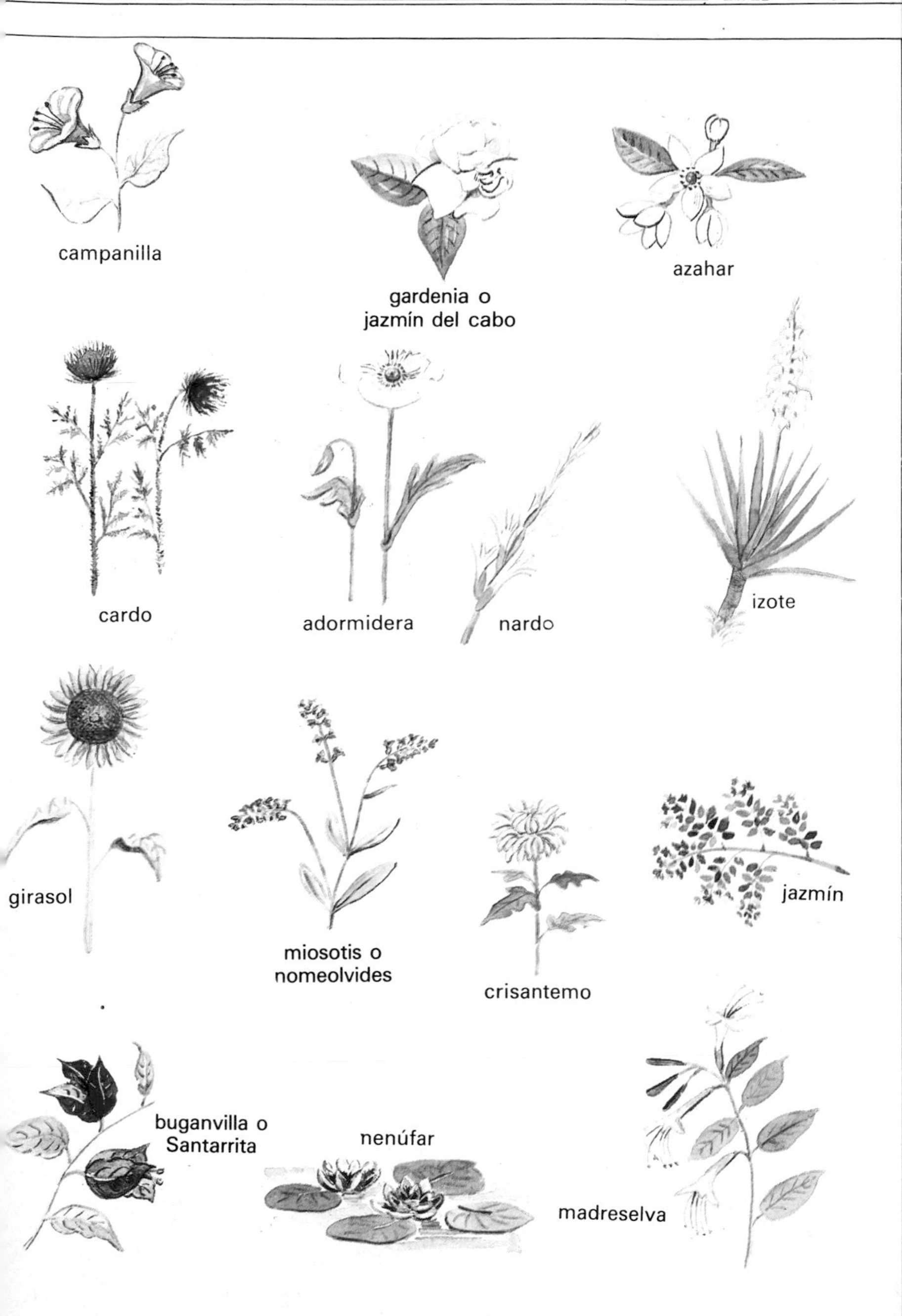
campanilla
gardenia o
jazmín del cabo
azahar
cardo
adormidera
nardo
izote
girasol
miosotis o
nomeolvides
crisantemo
jazmín
buganvilla o
Santarrita
nenúfar
madreselva

ñandú

tatú o
armadillo

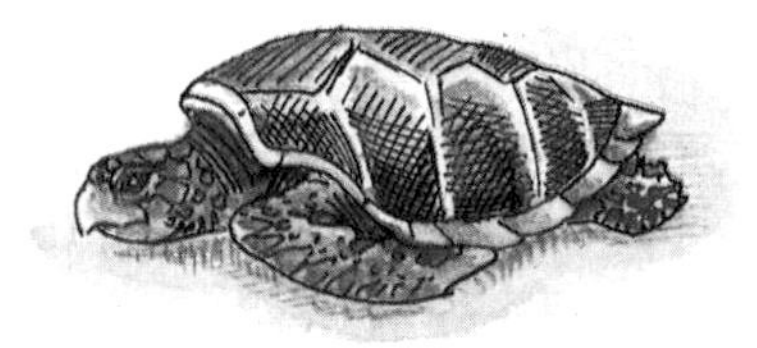

tortuga marina

foca

bisonte

pecarí

bambú

oso panda

llama

papagayo
quetzal
sietecolores
hornero
zorzal
chingolo
urraca
cuervo
codorniz

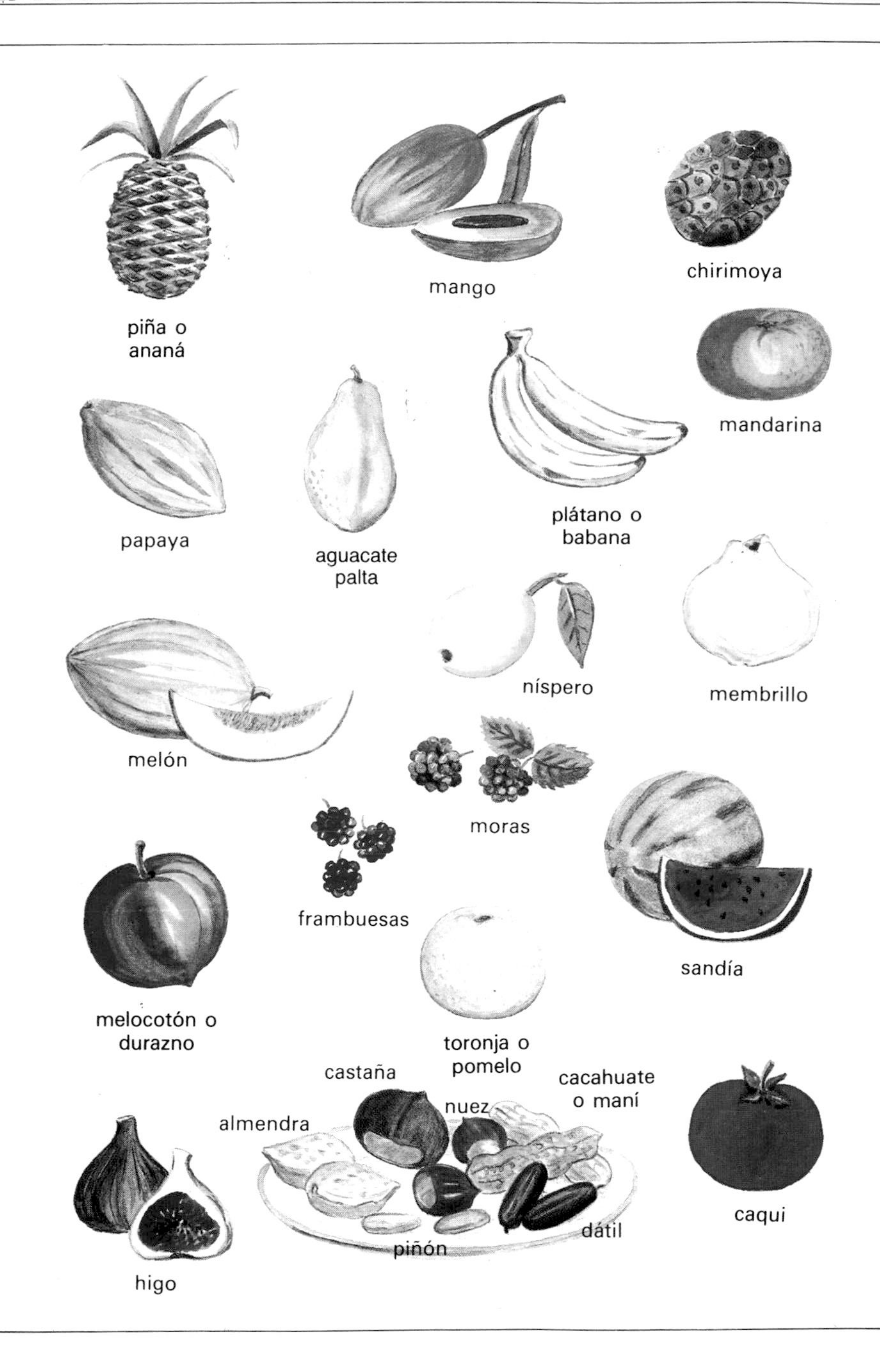
mango
chirimoya
piña o
ananá
mandarina
plátano o
babana
papaya
aguacate
palta
níspero
membrillo
melón
moras
frambuesas
sandía
melocotón o
durazno
toronja o
pomelo
castaña
cacahuate
o maní
nuez
almendra
caqui
dátil
piñón
higo

arrope s. m. Amér. Merid. *Mi abuela hace un delicioso **arrope** de tuna* (= dulce que se hace cociendo higos tunos con azúcar).

arrorró s. m. Amér. Merid. *La mamá hace dormir al bebé cantándole un **arrorró*** (= una nana).

arroyo s. m. *Mis amigos y yo pescamos cangrejos en un **arroyo*** (= en una pequeña corriente de agua).
SINÓN: riachuelo.

arroz s. m. **1.** El **arroz** es una planta que se cría en terrenos muy húmedos. **2.** La paella se hace con **arroz,** el fruto de esa planta.
FAM: *arrozal.*

arruga s. f. **1.** *Mi abuela tiene **arrugas** en la cara* (= pequeños pliegues en la piel). **2.** *Plánchame las **arrugas** de la camisa* (= el sitio donde la tela tiene pliegues).
FAM: *arrugar, inarrugable.*

arrugar v. tr. *Cuando mi papá está sentado **arruga** su pantalón* (= le hace pequeños pliegues).
ANTÓN: estirar, planchar. FAM: → *arruga.*

arruinar v. tr. **1.** *El incendio **arruinó** el almacén* (= lo destruyó, le ocasionó grandes daños). **2.** *El naufragio del barco **arruinó** a mi tío* (= lo empobreció). ◆ **arruinarse** v. pron. **3.** *Un tío mío **se ha arruinado*** (= ha perdido su dinero y sus bienes).
SINÓN: **1.** arrasar, destruir. **2, 3.** empobrecer(se). ANTÓN: **2, 3.** enriquecer(se), prosperar. FAM: → *ruina.*

arrullar v. tr. **1.** *Los palomos **arrullan** a las palomas* (= hacen un ruido particular con su garganta). **2.** *La mamá **arrulla** al bebé en su regazo* (= le canta suavemente para que se duerma). **3.** *El novio **arrulla** a la novia* (= le dice palabras tiernas y dulces).
SINÓN: **2.** adormecer. **3.** enamorar. ANTÓN: **2.** espabilar. FAM: *arrullo.*

arrullo s. m. **1.** Canto monótono con el cual se atraen las palomas y las tórtolas. **2.** *El bebé se duerme con los **arrullos** de su madre* (= canciones y sonidos que lo adormecen).
SINÓN: **2.** nana, canto, susurro. FAM: *arrullar.*

arsenal s. m. **1.** *Fuimos a ver un **arsenal,** allí había barcos a medio construir y barcos acabados* (= lugar donde se construyen barcos). **2.** *En el **arsenal** encontramos la escopeta que buscábamos* (= depósito de armas y municiones). **3.** *En su casa tiene un **arsenal** de juguetes* (= tiene muchos juguetes).
SINÓN: **1.** astillero.

arsénico s. m. *El gato murió porque había tomado **arsénico*** (= elemento químico muy venenoso).

arte s. m. **1.** *Nuestro profesor tiene el **arte** de hacernos amenas las clases* (= virtud). **2.** *Los cuadros, las estatuas, las joyas son obras de **arte*** (= objetos bellos). ◆ **bellas artes** s.f. **3.** La pintura y la escultura forman parte de las **bellas artes**.
SINÓN: **1.** talento, virtud. ANTÓN: **1.** incapacidad. FAM: *artesanía, artesano, artimaña, artista, artístico.*

artefacto s. m. **1.** *Hemos ideado un **artefacto** para sacar agua del pozo* (= una máquina muy sencilla). **2.** *La lavadora, la tostadora, el refrigerador son **artefactos** domésticos* (= máquinas o aparatos). **3.** *El labrador desechó la cosechadora antigua por ser un **artefacto** inservible* (= un armatoste). **4.** *Los terroristas han colocado un **artefacto** explosivo* (= una bomba).
SINÓN: **1, 2.** aparato, instrumento, máquina. **3.** armatoste, cachivache, trasto. **4.** bomba.

arteria s. f. **1.** La sangre que sale del corazón circula por unos vasos o conductos que se llaman **arterias**. **2.** *Esta avenida es la principal **arteria** de la ciudad* (= la calle o vía con más gente).
SINÓN: **1.** conducto, vaso. **2.** avenida, calle, vía.

artesa s. f. *No había masa en la **artesa** del panadero* (= recipiente de madera para amasar el pan).

artesanía s. f. **1.** En la Edad Media, la **artesanía** era la clase social formada por los artesanos. **2.** *En algunas regiones está muy desarrollada la **artesanía*** (= los trabajos que hacen los artesanos).
FAM: → *arte.*

artesano, a adj. **1.** *El alfarero, el ebanista, las bordadoras realizan trabajos **artesanos*** (= trabajos manuales no industriales). ◆ **artesano, a** s. **2.** *He mandado encuadernar un libro a un **artesano*** (= persona que trabaja manualmente por su cuenta).
FAM: → *arte.*

ártico, a adj. **1.** El polo **ártico** es el Polo Norte. **2.** *El oso polar vive en las tierras **árticas*** (= del norte).
SINÓN: septentrional. ANTÓN: antártico, meridional. FAM: *antártico.*

articulación s. f. **1.** *Tengo un dolor en la **articulación** del codo* (= en la unión de los huesos del brazo y del antebrazo). **2.** *Pedro tiene un defecto de **articulación*** (= pronuncia de manera incorrecta algunos sonidos). **3.** *El agua se escapa por una **articulación** de la tubería* (= por una unión). **4.** *Cortamos las rosas por las **articulaciones*** (= uniones al tallo). **5.** *Unimos las **articulaciones** del juguete mecánico* (= los elementos).
SINÓN: **1, 3, 4, 5.** enlace, junta, unión. **2.** pronunciación. FAM: *articulado, articular, articulista, artículo.*

articulado, a adj. *El cuerpo humano es un conjunto **articulado*** (= los huesos y músculos están unidos entre sí).
SINÓN: unido. ANTÓN: desunido. FAM: → *articulación.*

articular v. tr. **1.** *Del susto, me quedé sin **articular** palabra* (= no pude decir nada). ◆ **articularse** v. pron. **2.** *La mano **se articula** con el antebrazo* (= se une a él por medio de la muñeca).
SINÓN: **1.** pronunciar. **2.** unirse. FAM: → *articulación.*

articulista s. m. f. *Mi padre trabaja como **articulista** en un periódico* (= escribe artículos).
FAM: → *articulación.*

artículo s. m. **1.** *El, los, la, las* son **artículos** VER CUADRO DE ARTÍCULOS. **2.** *El almacén vende **artículos** de deporte* (= vende objetos deportivos). **3.** *El periódico publica un **artículo** importante* (= un escrito importante). **4.** Un **artículo** del código de la circulación es una parte de este texto. **5.** Se llama **artículo** a cada una de las explicaciones que componen un diccionario.
SINÓN: **2.** producto. **3.** crónica, editorial. **4.** apartado, capítulo. FAM: → *articulación.*

artificial adj. **1.** *Los embalses son lagos **artificiales*** (= son lagos construidos por el hombre, no son naturales). **2.** *Los personajes de esta novela son muy **artificiales*** (= no se ajustan a la vida real).
SINÓN: **2.** falso, fingido. ANTÓN: **1, 2.** natural. **2.** auténtico. FAM: → *artificio.*

artificiero s. m. **1.** *Trasladando municiones murió un **artificiero*** (= persona que maneja las municiones). **2.** *Iremos al **artificiero** a comprar los petardos para las fiestas* (= persona que fabrica los petardos y los cohetes).
SINÓN: **1.** artillero. **2.** pirotécnico. FAM: → *artificio.*

artificio s. m. **1.** *Este aparato está hecho con gran **artificio*** (= con gran habilidad). **2.** *Los fuegos de **artificio** se lanzan en la noche de San Juan* (= los petardos, los cohetes se lanzan en la noche de San Juan). **3.** *Usa mucho **artificio** para salir sin ser visto* (= usa muchos trucos).
SINÓN: **1.** habilidad. **3.** artimaña, truco. FAM: *artificial, artificiero.*

artillería s. f. **1.** *Los cañones de un ejército forman su **artillería*** (= forman parte de sus armas de guerra pesadas). **2.** *Mi tío hizo su servicio militar en **Artillería*** (= un cuerpo del ejército).
FAM: *artillero.*

artillero, a adj. **1.** *El tanque, el cañón, son máquinas **artilleras*** (= de guerra). ◆ **artillero** s.m. **2.** *Marco es **artillero*** (= hace su servicio militar en Artillería).
FAM: *artillería.*

artimaña s. f. *Enrique ha obtenido lo que quería usando sus **artimañas*** (= sus astucias).
SINÓN: astucia, engaño, trampa, treta, truco. ANTÓN: franqueza, honestidad, honradez. FAM: → *arte.*

artista s. **1.** *El pintor, el escultor, la bailarina son **artistas*** (= hacen obras de arte o actúan en espectáculos públicos). **2.** *María es una **artista** haciendo bordados* (= los hace muy bien).
FAM: → *arte.*

artístico, a adj. *Una catedral, un cuadro, una escultura son obras **artísticas*** (= agradan al verlas porque tienen mucho arte, son muy bellas).
FAM: → *arte.*

artrópodo s. m. Los **artrópodos** son animales invertebrados con esqueleto exterior y patas articuladas, como los insectos.

arveja s. f. Amér. Merid. *El cultivo de la **arveja** está muy difundido en América* (= planta que produce una semilla verde, redonda y comestible).
SINÓN: guisante.

arzobispo s. m. El **arzobispo** es el superior del obispo.
FAM: *obispo.*

as s. m. **1.** El **as** es la carta que lleva el número uno en cada palo de la baraja. **2.** En los dados, el **as** es la cara que tiene un solo punto. **3.** *Roberto es un **as** en mecánica* (= sobresale en esta profesión, es el mejor). **4.** *Vamos a ver al **as** de la carrera ciclista* (= al campeón).
SINÓN: **3.** maestro. **4.** campeón.

asa s. f. *Pascual ha tomado el cesto por las **asas*** (= por la parte que sobresale en forma de curva).
SINÓN: agarradero, asidero. FAM: *asidero, asir.*

asado, a adj. **1.** *Esta papa está muy **asada*** (= ha estado mucho tiempo en el horno). **2.** *Estoy **asada*** (= tengo mucho calor). ◆ **asado** s. m. **3.** *Después de la sopa comimos **asado*** (= carne hecha al horno o a la parrilla).
SINÓN: **2.** acalorada. ANTÓN: **1.** cruda. **2.** helada. FAM: *asar.*

asador s. m. R. de la Plata. *Algunos restaurantes tienen **asadores** a la vista del público* (= instrumentos de hierro para sostener una res o un trozo de carne para asar sobre las brasas).
FAM: *asado, asar.*

asalariado, a s. m. f. *Mi padre trabaja en una fábrica, es un **asalariado*** (= trabaja a cambio de un sueldo, de dinero).
SINÓN: empleado, obrero, proletario, trabajador.
FAM: *salario.*

asaltar v. tr. **1.** ***Asaltaron** la fortaleza por su parte norte* (= la atacaron para tomarla). **2.** ***Ha sido asaltado** por dos individuos enmascarados* (= ha sido robado violentamente). **3.** *Ante el humo lo **asaltó** el miedo de quemarse* (= se llenó de miedo).
SINÓN: **1.** acometer, atacar. **2.** abordar, atracar, despojar, hurtar. **3.** dominar. ANTÓN: **1, 2.** amparar, defender, proteger. FAM: → *saltar.*

asalto s. m. **1.** *Nuestras tropas han respondido al **asalto*** (= a un fuerte ataque). **2.** *Ayer fuimos víctimas de un **asalto** en la calle* (= ataque violento con fines de robo).
SINÓN: acometida, ataque. FAM: → *saltar.*

asamblea s. f. *El orador se ha dirigido a la* ***asamblea*** (= a las personas de la reunión).
SINÓN: auditorio, concurrencia.

asar v. tr. **1.** *La cocinera* ***asó*** *un pescado al horno* (= lo metió en el horno encendido para que se cociera). **2.** *En verano el sol nos* ***asa*** (= nos quema). ◆ **asarse** v. pron. **3.** *Bajo el sol del verano los segadores* ***se asan*** (= pasan mucho calor).
SINÓN: 1. dorar, freír. **2, 3.** acalorar(se), achicharrar(se). **FAM:** *asado.*

ascendencia s. f. *Estoy solo en el mundo y no conozco mi* ***ascendencia*** (= no conozco ni a mis padres ni a mis abuelos ni a mis bisabuelos).
SINÓN: genealogía, origen. **ANTÓN:** descendencia. **FAM:** → *ascender.*

ascender v. intr. **1.** *Miguel* ***ha ascendido*** *a la montaña* (= ha subido a ella). **2.** *María* ***ascendió*** *en su empleo* (= subió de categoría). **3.** *Los gastos de la compra* ***ascienden*** *a dos mil pesos* (= se elevan a esa cantidad). ◆ **ascender** v. tr. **4.** *El director de la empresa* ***ha ascendido*** *a mi padre* (= le ha concedido un cargo más importante).
SINÓN: 1. escalar, subir. **2.** prosperar. **3.** sumar. **ANTÓN: 1.** bajar, descender. **FAM:** *ascendencia, ascendiente, ascensión, ascenso, ascensor.*

ascendiente s. m. **1.** *Mis* ***ascendientes*** *son de esta región* (= mis padres y abuelos). **2.** *Pedro tiene mucho* ***ascendiente*** *sobre sus compañeros* (= mucha influencia).
SINÓN: 1. antepasado. **2.** autoridad, influencia. **ANTÓN: 1.** descendiente. **FAM:** → *ascender.*

ascensión s. f. *Hoy se celebra la* ***ascensión*** *de la Virgen a los cielos* (= la subida).
SINÓN: ascenso, subida. **ANTÓN:** bajada, descenso. **FAM:** → *ascender.*

ascenso s. m. **1.** *El* ***ascenso*** *a la cumbre de la montaña fue difícil* (= la subida). **2.** *Mi hermano ha tenido un* ***ascenso*** *en su trabajo* (= ha subido de categoría).
SINÓN: 1. escalada, subida. **ANTÓN: 1.** bajada, descenso. **FAM:** → *ascender.*

ascensor s. m. *Fuimos a ver a mi tía y como vive en un cuarto piso fuimos en el* ***ascensor*** *para no subir a pie* (= aparato elevador que transporta a las personas de un piso a otro en un edificio).
SINÓN: montacargas. **FAM:** → *ascender.*

asceta s. m. f. Un **asceta** es una persona que vive en soledad, dedicada al sacrificio y a la oración.
SINÓN: anacoreta, ermitaño.

asco s. m. **1.** *Encontrar una mosca o un pelo en la sopa me da mucho* ***asco*** (= me produce repugnancia y me dan ganas de vomitar). **2.** *Es un* ***asco*** *tener que hacer ahora los deberes* (= es un aburrimiento).
SINÓN: 1. náusea, repugnancia. **2.** aburrimiento, fastidio. **ANTÓN: 1.** agrado, atracción, placer, satisfacción. **FAM:** *asquear, asqueroso.*

ascua s. f. **1.** *Sobre las* ***ascuas*** *del fuego podemos tostar el pan* (= brasas). ◆ **estar en** o **sobre ascuas 2.** *Juan* ***está sobre ascuas*** (= está inquieto).
SINÓN: 1. brasa.

aseado, a adj. *Amelia tiene un aspecto* ***aseado*** (= limpio).
SINÓN: limpio. **ANTÓN:** asqueroso, descuidado, sucio. **FAM:** → *aseo.*

asear v. tr. **1.** *Antes de salir* ***aseo*** *mi habitación* (= limpio y ordeno). ◆ **asearse** v. pron. **2.** ***Me aseo*** *cada mañana* (= me lavo y me peino).
SINÓN: 1. arreglar, ordenar. **2.** arreglarse, lavarse. **ANTÓN: 1.** desordenar. **1, 2.** ensuciar(se). **FAM:** → *aseo.*

asediar v. tr. **1.** *Los enemigos* ***han asediado*** *la ciudad* (= la han sitiado). **2.** *Los periodistas me* ***asediaron*** *a preguntas* (= me hicieron muchas preguntas).
SINÓN: 1. cercar, incomunicar, sitiar. **2.** acosar. **FAM:** *asedio.*

asegurar v. tr. **1.** ***Aseguré*** *el clavo a la pared* (= lo dejé firme, seguro). **2.** *Te* ***aseguro*** *que no exagero* (= te lo garantizo). **3.** *Las pruebas en el juicio* ***aseguraron*** *la inocencia del procesado* (= la fortalecieron). **4.** ***Hemos asegurado*** *nuestra casa contra incendios* (= hemos hecho un contrato contra este riesgo).
SINÓN: 1. fijar. **2, 3.** certificar, garantizar. **3.** fortalecer. **ANTÓN: 1.** aflojar. **3.** contradecir, negar, rechazar. **FAM:** → *seguro.*

asemejarse v. pron. *Esos niños* ***se asemejan*** *mucho* (= se parecen mucho).
SINÓN: parecerse.

asentar v. tr. **1.** ***Han asentado*** *los cimientos de este edificio para que no se caiga* (= han asegurado los cimientos). **2.** ***Asentó*** *su tienda aquí* (= acampó aquí). **3.** ***Asentó*** *su posición* (= dejó clara su posición). **4.** *Esta mesa se mueve, hay que* ***asentarla*** (= hay que fijarla). ◆ **asentarse** v. pron. **5.** *El pueblo* ***se asentó*** *en la colina* (= está situado en la colina).
SINÓN: 1. asegurar. **2.** instalar. **4.** fijar. **5.** ubicarse.

asentir v. intr. ***Asiento*** *a tu propuesta* (= la admito).
SINÓN: aceptar, admitir, aprobar. **ANTÓN:** rechazar. **FAM:** → *sentir.*

aseo s. m. **1.** El **aseo** es la limpieza de nuestro cuerpo, de nuestros vestidos o de nuestra casa. **2.** *Presentamos los escritos con* ***aseo*** (= con esmero).
SINÓN: 1. higiene, limpieza. **2.** esmero. **ANTÓN: 1.** suciedad. **FAM:** *aseado, asear.*

asepsia s. f. *En los hospitales existe una gran* ***asepsia*** (= todos los materiales quirúrgicos están desinfectados, sin microbios).
SINÓN: higiene, desinfección. **ANTÓN:** infección.

asequible adj. **1.** *Este abrigo no es caro, es **asequible*** (= se puede comprar). **2.** *Juan habla con todo el mundo, es un hombre **asequible*** (= tiene un trato fácil). **3.** Un libro **asequible** es fácil de entender.
SINÓN: **1, 2, 3.** accesible. **2.** amable, cordial. **3.** comprensible. ANTÓN: **1, 2, 3.** inaccesible. **2.** cerrado. **3.** difícil.

aserradero s. m. *Vamos al **aserradero** para que nos corten estos tablones* (= lugar donde se corta, sierra la madera).
FAM: → *sierra.*

aserrar v. tr. → **serrar.**

asesinar v. tr. *El dictador ha hecho **asesinar** a sus adversarios* (= los ha hecho matar).
SINÓN: exterminar, matar. FAM: *asesinato, asesino.*

asesinato s. m. *Este **asesinato** fue una venganza* (= crimen).
SINÓN: crimen, homicidio. FAM: → *asesinar.*

asesino, a s. **1.** *El que mata a un ser humano voluntariamente es un **asesino*** (= un criminal). ◆ **asesino, a** adj. **2.** *Le dirigió una mirada **asesina*** (= una mirada que lo censuró, que lo condenó).
SINÓN: **1.** criminal, homicida. FAM: → *asesinar.*

asesor, a s. *Mi hermano es mi **asesor*** (= es quien me aconseja).
SINÓN: consejero. FAM: *asesorar, asesoría.*

asestar v. tr. *Juan **asestó** un golpe a Pedro* (= le dio un golpe).

aseverar v. tr. *El policía **aseveró** lo que contaba el acusado* (= lo confirmó).
SINÓN: afirmar, confirmar. FAM: *aseveración.*

asfaltar v. tr. ***Han asfaltado** la carretera* (= la han cubierto de alquitrán).
SINÓN: pavimentar. FAM: *asfalto.*

asfalto s. m. *Han cubierto las calles de **asfalto*** (= un betún negro, derivado del petróleo).
FAM: *asfaltar.*

asfixia s. f. **1.** *Dos mineros murieron por **asfixia*** (= por falta de aire). **2.** *Debido al exceso de calor la gente sufría **asfixia*** (= respiraba con dificultad).
SINÓN: **2.** ahogo, sofoco. FAM: → *asfixiante, asfixiar.*

asfixiante adj. *Hace un calor **asfixiante*** (= se respira muy mal).
SINÓN: agobiante, sofocante. ANTÓN: respirable.
FAM: → *asfixia.*

asfixiar v. tr. *Un escape de gas butano **asfixió** a dos personas* (= causó su muerte porque no podían respirar).
FAM: → *asfixia.*

así adv. **1.** *¿Por qué me miras **así?*** (= de esa manera). ◆ **así, así 2.** *¿Cómo te encuentras?* **Así, así.** (= regular).

asiático, a adj. **1.** *China es un país **asiático*** (= de Asia). ◆ **asiático, a** s. **2.** *Los **asiáticos** son las personas nacidas en Asia.*

asidero s. m. *Toma la cesta por el **asidero*** (= por el asa).
SINÓN: agarradero, asa. FAM: → *asa.*

asiduo, a s. m. *Es un **asiduo** del teatro* (= va mucho al teatro).
FAM: *asiduidad.*

asiento s. m. **1.** *La silla, el sillón, el taburete y el banco son **asientos*** (= muebles sobre los que uno puede sentarse). **2.** *Pase y tome **asiento*** (= siéntese).
FAM: *sentar.*

asignación s. f. *Mis padres me dan una pequeña **asignación** para mis gastos* (= un poco de dinero).
SINÓN: paga, sueldo. FAM: → *asignar.*

asignar v. tr. **1.** *En el avión esperé a que la azafata me **asignara** el asiento que me correspondía* (= señalara). **2.** *A mi padre le **han asignado** un buen sueldo* (= se lo han fijado).
SINÓN: **1.** adjudicar, señalar. **2.** fijar. FAM: *asignación, asignatura.*

asignatura s. f. *Yo soy brillante en las **asignaturas** de letras; pero fallo en las de ciencias* (= disciplinas).
SINÓN: disciplina, materia. FAM: → *asignar.*

asilo s. m. **1.** Un **asilo** es una casa donde se recogen personas pobres o ancianas. **2.** *Le dieron **asilo** por una noche* (= alojamiento). **3.** *Estábamos en el campo y no encontramos **asilo*** (= no encontramos cobijo).
SINÓN: **1.** hospicio. **2.** albergue, alojamiento. **2, 3.** abrigo, cobijo. FAM: *asilar.*

asimilación s. f. *El cuerpo no realiza la **asimilación** de materias grasas* (= no las aprovecha).
FAM: *asimilar.*

asimilar v. tr. **1.** *Juan **asimila** todo lo que aprende* (= lo comprende todo). **2.** *El organismo **asimila** los alimentos* (= los convierte en sustancia propia).
SINÓN: **1.** comprender, entender. FAM: *asimilación.*

asimismo o **así mismo** adv. *Es **asimismo** necesario que estudies inglés* (= es también necesario que lo hagas).
SINÓN: igualmente.

asir v. tr. **1.** *Pedro **asió** a su hermana antes de que cayera* (= la sostuvo). ◆ **asirse** v. pron. **2.** ***Me así** a la barandilla para no caerme* (= me agarré).
SINÓN: **1.** coger, sujetar. **2.** agarrarse. ANTÓN: **1, 2.** soltar(se). FAM: → *asa.*

asirio, a adj. **1.** *El imperio **asirio** dominó el antiguo Oriente hace muchos siglos* (= de Asiria). ◆ **asirio, a** s. **2.** *Los asirios son las personas que* *habitaron en el antiguo imperio asirio.* **3.** El **asirio** es la lengua que se hablaba en Asiria.

asistencia s. f. **1.** *En el accidente de carretera los heridos necesitaron* ***asistencia*** *médica* (= cuidados del médico). **2.** *En el partido de fútbol había una gran* ***asistencia*** (= acudió mucha gente).
SINÓN: 1. auxilio, ayuda, cuidado. **2.** concurrencia. **ANTÓN: 1.** abandono. **2.** ausencia. **FAM:** → *asistir.*

asistente s. m. f. **1.** *Fueron diez los* ***asistentes*** *a la reunión* (= las personas que acudieron a la reunión). **2.** *Los altos mandos del Ejército tienen un* ***asistente*** (= un soldado que se ocupa del servicio personal del jefe militar). **3.** *Tenemos en casa una* ***asistente*** (= una muchacha que hace las faenas del hogar pero no reside con nosotros).
SINÓN: 2. ayudante, ordenanza. **3.** criada, sirvienta. **FAM:** → *asistir.*

asistir v. tr. **1.** *La Cruz Roja* ***asiste*** *a los heridos en los accidentes* (= los socorre). **2.** *Al enfermo le* ***asiste*** *un médico famoso* (= lo cuida). ◆ **asistir** v. intr. **3.** ***He asistido*** *a la reunión* (= he estado presente). **4.** ***Asisto*** *con frecuencia al teatro* (= voy habitualmente).
SINÓN: 1. auxiliar, ayudar, socorrer. **2.** atender, cuidar. **3.** presenciar. **4.** acudir, ir. **ANTÓN: 1.** abandonar. **3, 4.** ausentarse, faltar. **FAM:** *asistencia, asistenta, asistente.*

asma s. f. *A María le cuesta respirar, tiene* ***asma*** (= enfermedad que hace difícil la respiración).
FAM: *asmático.*

asmático, a s. *María es* ***asmática*** (= persona que tiene asma).
FAM: *asma.*

asno s. m. El **asno** es un animal doméstico, más pequeño que el caballo, con orejas largas; se emplea como animal de carga.
SINÓN: burro.

asociación s. f. *Hemos formado una* ***asociación*** *cultural* (= un conjunto de personas que nos preocupamos por la cultura).
SINÓN: agrupación, sociedad. **FAM:** → *asociar.*

asociado, a s. *Soy el* ***asociado*** *número treinta del grupo cultural al que pertenezco* (= soy el socio número treinta).
SINÓN: miembro, socio. **FAM:** → *asociar.*

asociar v. tr. **1.** *Siempre* ***asocio*** *las vacaciones de verano con la playa* (= relaciono las vacaciones de verano con la playa). ◆ **asociarse** v. pron. **2.** *Mi padre* ***se ha asociado*** *con amigos para formar un club de ajedrez* (= se ha juntado).
SINÓN: 1. relacionar. **2.** agruparse, juntarse. **ANTÓN: 2.** separarse. **FAM:** → *asociación, asociado.*

asolar v. tr. *El terremoto* ***asoló*** *la ciudad* (= la destruyó).
SINÓN: arrasar, destruir, devastar. **ANTÓN:** construir.

asomar v. intr. **1.** *Empieza a* ***asomar*** *el día* (= amanece). ◆ **asomar** v. tr. **2.** *Me gusta* ***asomar*** *la cabeza por la ventana* (= sacarla).
SINÓN: 1. aparecer, despuntar, surgir. **2.** sacar. **ANTÓN: 1, 2.** esconder, ocultar. **FAM:** *asomo.*

asombrar v. tr. **1.** *La maravillosa voz de María* ***asombra*** *al que la escucha* (= maravilla). ◆ **asombrarse** v. pron. **2.** *Mi abuelo* ***se asombra*** *de los avances científicos* (= le causan admiración).
SINÓN: admirar(se), maravillar(se), sorprender(se). **FAM:** *asombro, asombroso.*

asombro s. m. *Mi madre recibió con gran* ***asombro*** *mis buenas notas* (= con gran admiración).
SINÓN: admiración, sorpresa. **FAM:** → *asombrar.*

asombroso, a adj. *Este edificio tiene una altura* ***asombrosa*** (= sorprendente).
SINÓN: admirable, extraordinario, sorprendente. **ANTÓN:** común, corriente, habitual, vulgar. **FAM:** → *asombrar.*

asomo s. m. **1.** *Juan no muestra ni un* ***asomo*** *de mejoría* (= ni una señal de mejoría). ◆ **ni por asomo 2.** *No voy* ***ni por asomo*** (= de ninguna manera).
SINÓN: indicio, señal, síntoma. **FAM:** *asomar.*

aspa s. f. **1.** *Las* ***aspas*** *del molino giraban movidas por el viento* (= los cuatro brazos del molino). **2.** *El signo de la multiplicación es una cruz en forma de* ***aspa*** (= x).

aspaviento s. m. *No hagas tantos* ***aspavientos*** *y tómate la sopa* (= gestos exagerados de agrado, desagrado o sorpresa).

aspecto s. m. *El murciélago tiene* ***aspecto*** *de ave, aunque es un mamífero* (= apariencia).
SINÓN: apariencia.

aspereza s. f. **1.** *Las bolsas de papas tienen gran* ***aspereza*** (= no son suaves). **2.** *Se arañó las manos con las* ***asperezas*** *de las rocas* (= con sus partes puntiagudas). **3.** *La trató con* ***aspereza*** (= con brusquedad).
SINÓN: 3. brusquedad. **ANTÓN: 1.** suavidad. **3.** amabilidad. **FAM:** *áspero.*

áspero, a adj. *Este árbol tiene la corteza* ***áspera*** (= resulta rasposa al tocarla).
SINÓN: rasposo. **ANTÓN:** liso, suave. **FAM:** *aspereza.*

áspid s. m. El **áspid** es una serpiente muy venenosa parecida a la culebra.
SINÓN: víbora.

aspiración s. f. **1.** *Mediante la* ***aspiración*** *introducimos aire en los pulmones.* **2.** *Juan tiene la* ***aspiración*** *de ser un actor famoso* (= tiene la pretensión).
SINÓN: 1. inspiración. **2.** ambición, deseo, objetivo, pretensión. **ANTÓN: 1.** espiración. **FAM:** → *aspirar.*

aspirador, a adj. **1.** *A todo lo que respira o recoge aire lo calificamos de* ***aspirador.*** ◆ **aspi-**

radora s. f. **2.** La **aspiradora** es una máquina de limpieza que aspira el polvo.
FAM: → *aspirar.*

aspirante s. m. f. *Eres* ***aspirante*** *a la medalla de oro* (= candidato).
SINÓN: candidato. FAM: → *aspirar.*

aspirar v. tr. **1. Aspirar** el aire es introducirlo en los pulmones. **2.** ***Aspira*** *a la celebridad* (= anhela conseguirla).
SINÓN: **1.** inspirar. **2.** ambicionar, anhelar, ansiar, desear. ANTÓN: **1.** espirar, soplar. **2.** renunciar. FAM: *aspiración, aspirador, aspirante.*

aspirina s. f. *Me dolía la cabeza y me tomé una* ***aspirina*** (= un medicamento que calma el dolor y baja la fiebre).

asquear v. tr. *El olor a pescado podrido me* ***asquea*** (= me desagrada).
SINÓN: desagradar, repugnar. ANTÓN: agradar, complacer. FAM: → *asco.*

asqueroso, a adj. **1.** *¡Ve a lavarte las manos porque las tienes* ***asquerosas****!* (= muy sucias) **2.** *Me resulta* ***asqueroso*** *el olor a tabaco* (= me da asco).
SINÓN: **1.** sucio. **2.** desagradable, repugnante. ANTÓN: **1.** limpio. **2.** agradable. FAM: → *asco.*

asta s. f. **1.** Un **asta** es un palo al que se sujeta una bandera. **2.** *Ciertos animales como las cabras, los toros y los ciervos, tienen* ***astas*** (= cuernos). ◆ **a media asta 3.** *La bandera está* ***a media asta*** (= la bandera está a medio izar en señal de luto).
SINÓN: **2.** cuerno.

asterisco s. m. El **asterisco** es un signo en forma de estrella (*), que se utiliza como llamada para las notas añadidas a un texto escrito.

asteroide adj. **1.** *El asterisco tiene forma de* ***asteroide*** (= de estrella). ◆ **asteroide** s. m. **2.** Un **asteroide** es un pequeño planeta que sólo se ve por el telescopio.

astilla s. f. *Mario tiene clavada en su mano una* ***astilla*** (= un trocito puntiagudo de madera).

astillero s. m. *Como el barco estaba averiado lo llevaron al* ***astillero*** (= al lugar donde se construyen o reparan barcos).

astracán s. m. *De todos los abrigos de pieles, el que más me gusta es el de* ***astracán*** (= piel de cordero muy fina, de pelo rizado).

astro s. m. *Las estrellas y los planetas son* ***astros*** (= cuerpos celestes).
FAM: *astrología, astronauta, astronomía, astronómico.*

astrología s. f. La **Astrología** estudia la influencia del movimiento de los astros sobre la conducta humana.
FAM: → *astro.*

astronauta s. m. *Los* ***astronautas*** *han caminado sobre la Luna* (= los tripulantes de las naves que van al espacio).
SINÓN: cosmonauta. FAM: → *astro.*

astronomía s. f. La **Astronomía** es el estudio científico del Universo: del Sol, de los planetas, de las estrellas.
FAM: → *astro.*

astronómico, a adj. **1.** *El precio de ese coche es* ***astronómico*** (= muy elevado). **2.** *El telescopio es un aparato* ***astronómico*** (= sirve para ver los astros, las estrellas).
FAM: → *astro.*

astucia s. f. **1.** *El zorro es el símbolo de la* ***astucia*** (= de la picardía). **2.** *He encontrado una* ***astucia*** *para resolver el problema* (= una manera ingeniosa).
SINÓN: **1.** sagacidad. **2.** artimaña. ANTÓN: **1.** ingenuidad, inocencia. FAM: *astuto.*

astuto, a adj. *Los comerciantes son personas* ***astutas*** (= hábiles y sagaces).
SINÓN: sagaz. ANTÓN: ingenuo. FAM: → *astucia.*

asumir v. tr. **1.** ***He asumido*** *la dirección de la fiesta* (= me he hecho cargo de la dirección). **2.** *Lo tengo muy* ***asumido*** (= lo he aceptado).
SINÓN: **1.** encargarse, responsabilizarse.

asunto s. m. **1.** *El* ***asunto*** *de nuestra conversación fue el deporte* (= la materia de nuestra conversación). **2.** *El* ***asunto*** *de la novela es muy interesante* (= tema). **3.** *Mi tío está metido en un* ***asunto*** *importante* (= en un negocio importante).
SINÓN: **2.** argumento, tema. **3.** negocio.

asustadizo, a adj. *A María le da miedo cualquier cosa, es muy* ***asustadiza*** (= enseguida tiene miedo).
SINÓN: temeroso. ANTÓN: valiente. FAM: → *susto.*

asustar v. tr. **1.** *Me* ***asustan*** *las tormentas* (= me dan miedo). ◆ **asustarse** v. pron. **2.** *Al oír los truenos, el niño* ***se asustó*** (= se atemorizó).
SINÓN: espantar(se), sobresaltar(se). ANTÓN: calmar(se), tranquilizar(se). FAM: → *susto.*

atacar v. tr. **1.** *El ladrón* ***atacó*** *a dos señoras* (= acometió). **2.** ***Ataqué*** *sus argumentos* (= los contradije). **3.** *Los agricultores* ***atacan*** *las plagas de insectos con insecticidas* (= acaban con las plagas de insectos). **4.** *Este niño me* ***ataca*** *los nervios* (= me irrita, me altera).
SINÓN: **1.** acometer, agredir. **2.** contradecir. **3.** combatir. ANTÓN: **1, 2.** defender. FAM: *ataque.*

atadura s. f. **1.** *El prisionero rompió las* ***ataduras*** *y se escapó* (= rompió los ligamentos). **2.** *Soy una persona sin* ***ataduras*** (= no tengo nada ni a nadie que me impida hacer lo que quiero).
FAM: → *atar.*

atajar v. intr. **1.** ***Atajamos*** *por el sendero para ir al colegio* (= fuimos por el camino más corto). **atajar** v. tr. Amér. **2.** *El arquero* ***atajó*** *el penal* (= detuvo la pelota con las manos).
SINÓN: acortar. FAM: *atajo.*

atajo s. m. *Para ir a la playa hay un* ***atajo*** (= un camino más corto).
FAM: *atajar.*

atalaya s. f. *Juan se subió a la **atalaya** para ver el panorama* (= lugar alto desde el que se divisaba todo el panorama).

atañer v. intr. *No te **atañe** lo que estamos diciendo* (= no te concierne).
SINÓN: concernir, importar, incumbir. ANTÓN: desinteresar, extrañar.

ataque s. m. **1.** *La infantería ha lanzado un violento **ataque*** (= un asalto). **2.** *Este muchacho padece a veces **ataques** de nervios* (= movimientos violentos).
SINÓN: **1.** agresión, asalto. **2.** crisis. ANTÓN: **1.** defensa. FAM: *atacar.*

atar v. tr. **1.** ***Atamos** el paquete con una cuerda para que no se soltara* (= liamos el paquete). **2.** *Los policías **ataron** al ladrón* (= le impidieron moverse). **3.** *Los niños te **atan** mucho* (= te quitan mucha libertad). ◆ **atarse** v. pron. **4.** *Juan **se ata** los zapatos* (= se anuda los zapatos). ◆ **atar de pies y manos a alguien 5.** ***Me ató de pies y manos** y no pude hacer nada* (= me dejó sin libertad). ◆ **atar cabos 6.** *Me dijo aquello y **até cabos*** (= relacioné una cosa con otra y descubrí algo).
SINÓN: **1.** amarrar. **1, 4.** anudar(se). **2.** encadenar, sujetar. ANTÓN: **1, 2, 4.** desatar. **2.** liberar, soltar. FAM: *atadura, desatar.*

atardecer s. m. **1.** *Me gusta pasear al **atardecer*** (= cuando cae la tarde). ◆ **atardecer** v. intr. **2.** *En verano **atardece** más tarde que en invierno* (= oscurece más tarde).
SINÓN: **1.** crepúsculo, ocaso. **2.** anochecer, oscurecer. ANTÓN: **1.** alba, madrugada. **1, 2.** amanecer. FAM: → *tarde.*

atareado, a adj. *Ángel está muy **atareado*** (= muy ocupado).
SINÓN: ocupado. ANTÓN: desocupado, ocioso. FAM: → *tarea.*

atascarse v. pron. **1.** ***Se atascó** una tubería y tuvimos que llamar al plomero para que la arreglara* (= se obstruyó). **2.** *Cuando hablo en público **me atasco*** (= no me salen las palabras). Méx. **3.** *El niño **se atascó** la ropa* (= se ensució mucho).
SINÓN: **1.** atrancarse, obstruirse, taparse, taponarse. **3.** ensuciarse. ANTÓN: **1.** desatascarse. FAM: *atasco.*

atasco s. m. **1.** *A la salida del colegio se forman grandes **atascos*** (= no se puede circular libremente). **2.** *La tubería del lavabo tiene un **atasco*** (= una obstrucción que le impide desaguarse).
SINÓN: **1.** embotellamiento. FAM: *atascarse.*

ataúd s. m. *En el cementerio, bajaron el **ataúd** y lo enterraron* (= la caja de madera que contenía el cadáver).
SINÓN: féretro.

ataviarse v. pron. ***Se atavió** para ir a la fiesta* (= se vistió y se arregló).
SINÓN: acicalarse, arreglarse. FAM: *atavío, ataviado.*

ateísmo s. m. El **ateísmo** es la doctrina que niega la existencia de Dios.
SINÓN: irreligiosidad, incredulidad. FAM: *ateo.*

atemorizar v. tr. *El disfraz de monstruo **atemorizó** a los niños* (= los asustó).
SINÓN: asustar, espantar. FAM: → *temor.*

atención s. f. **1.** *Prestamos **atención** a las explicaciones del profesor* (= las escuchamos con mucho interés). **2.** *Ha tenido muchas **atenciones** conmigo* (= ha tenido muchos detalles, muchas consideraciones conmigo). ◆ **llamar la atención 3.** *Luisa es tan guapa que **llama la atención*** (= despierta interés).
SINÓN: **1.** interés. **2.** consideración, miramiento. ANTÓN: **1.** desinterés, distracción. FAM: → *atender.*

atender v. tr. **1.** *El médico **atiende** al enfermo* (= lo cuida). **2.** ***Atendieron** la petición de mi padre* (= hicieron caso de la petición de mi padre). ◆ **atender** v. intr. **3.** *¡**Atiende** a lo que haces!* (= pon cuidado). **4.** *Le concedieron la medalla **atendiendo** a sus méritos* (= se la dieron considerando sus méritos).
SINÓN: **1.** cuidar, ocuparse. **2.** aceptar, admitir. **3.** fijarse. **4.** considerar. ANTÓN: **1.** descuidar. **2.** negar. **3.** distraerse. FAM: *atención, atento.*

atenerse v. pron. *Yo **me atengo** a lo que veo* (= me ajusto).
SINÓN: ajustarse, ceñirse.

atentado s. m. *El presidente ha salido ileso de un **atentado*** (= de una agresión).
SINÓN: agresión, ataque. FAM: → *tentar.*

atentar v. intr. *Los terroristas **han atentado** contra la vida del presidente* (= han cometido una agresión).
SINÓN: agredir, atacar. FAM: → *tentar.*

atento, a adj. **1.** *Yo suelo estar **atento** en clase* (= no me distraigo). **2.** *María es una niña muy **atenta*** (= muy cortés y educada).
SINÓN: **1.** aplicado. **2.** cortés, educado. ANTÓN: **1.** distraído. **2.** grosero, malcriado. FAM: → *atender.*

atenuar v. tr. *Corre las cortinas para **atenuar** la luz* (= para que haya menos luz).
SINÓN: amortiguar, mitigar, suavizar. ANTÓN: aumentar. FAM: *atenuación, atenuante.*

ateo, a s. El **ateo** no cree en la existencia de Dios.
SINÓN: descreído, irreligioso. ANTÓN: creyente. FAM: *ateísmo, monoteísmo, politeísmo.*

aterciopelado, a adj. *El melocotón tiene una piel **aterciopelada*** (= parecida al terciopelo).
SINÓN: suave, velloso. ANTÓN: áspero, basto. FAM: *terciopelo.*

aterrar v. tr. *El lobo **aterró** a Caperucita Roja* (= la asustó).
SINÓN: asustar, atemorizar. FAM: *aterrador.*

aterrizaje s. m. *Los aviones se posan en tierra, en la pista de* ***aterrizaje****.*
FAM: → *tierra.*

aterrizar v. intr. *El avión* ***aterrizó*** *en la pista del aeropuerto* (= se posó).
ANTÓN: despegar. FAM: → *tierra.*

aterrorizar v. tr. *El perro que ladraba* ***aterrorizó*** *al niño* (= le causó mucho miedo).
SINÓN: asustar, atemorizar, espantar. FAM: → *terror.*

atesorar v. tr. **1.** *El avaro* ***atesora*** *muchas riquezas* (= guarda cosas de valor). **2.** *El Museo del Prado* ***atesora*** *lo mejor de la pintura española* (= reúne los mejores cuadros).
SINÓN: **1.** acumular, guardar. **2.** reunir. ANTÓN: **1.** derrochar, malgastar. FAM: → *tesoro.*

atestado, a adj. *El circo estaba* ***atestado*** *de público* (= estaba lleno de gente).
FAM: *atestar.*

atestiguar v. tr. *Tuvo que* ***atestiguar*** *lo que había visto* (= tuvo que explicar).
SINÓN: atestar, declarar.

ático s. m. *Mis tíos viven en un* ***ático*** (= en el último piso de un edificio).

atinar v. intr. **1.** ***Atiné*** *con la dirección de mi amigo* (= la encontré). **2.** *Tiré cinco bolas a los muñecos de la feria pero sólo* ***atiné*** *dos veces* (= sólo acerté dos veces). **3.** ***He atinado*** *con la respuesta correcta* (= la he acertado).
SINÓN: **1.** encontrar. **1, 2, 3.** acertar. ANTÓN: **1.** confundir, equivocar. **2.** fallar. FAM: *tino.*

atizar v. tr. **1.** ***Atizamos*** *el fuego para que caliente más* (= lo removemos). **2.** *Jugando al fútbol me* ***atizaron*** *una patada* (= me golpearon).
SINÓN: **1.** avivar. **2.** golpear. ANTÓN: **1.** apagar. FAM: *tizón.*

atlántico, a adj. **1.** *Argentina tiene costa* ***atlántica*** (= del océano Atlántico). ◆ **atlántico** s. m. **2.** El **Atlántico** es uno de los océanos del mundo.

atlas s. m. El **atlas** es un libro que recoge mapas y dibujos sobre la Tierra y sus países.

atleta s. m. f. **1.** Todos los que practican deportes son **atletas**. **2.** Se llama también **atleta** a la persona que tiene muchos músculos.
SINÓN: **1.** deportista. FAM: *atletismo.*

atletismo s. m. El **atletismo** es la práctica de deportes individuales como la carrera y los saltos.
FAM: *atleta.*

atmósfera s. f. La **atmósfera** es el conjunto de gases que rodean la Tierra.
FAM: *atmosférico.*

atmosférico, a adj. *La lluvia y el granizo son fenómenos* ***atmosféricos*** (= que se producen en la atmósfera).
FAM: *atmósfera.*

atole s. m. Amér. *Mi mamá prepara un delicioso* ***atole*** *de fresa* (= bebida hecha con harina de maíz disuelta en agua o leche con azúcar y frutas licuadas).

atolladero s. m. *Estoy en un* ***atolladero:*** *tengo que pagar el coche pero todavía no he cobrado* (= en un apuro).
SINÓN: apuro, dificultad.

atolón s. m. Un **atolón** es un islote con una laguna en medio donde pueden llegar los barcos.

atolondrado, a adj. *Has tropezado porque andas* ***atolondrado*** (= estás despistado).
SINÓN: alocado, despistado.

atómico, a adj. **1.** *Todo lo que está relacionado con el átomo se llama* ***atómico****.* **2.** La bomba **atómica** aprovecha la enorme energía de los átomos.
FAM: *átomo.*

átomo s. m. El **átomo** es una partícula muy pequeña de materia.
FAM: *atómico.*

atónito, a adj. *La noticia me dejó* ***atónito*** (= me dejó asombrado).
SINÓN: asombrado, sorprendido.

átono, a adj. Las palabras, sílabas o vocales que no llevan acento son **átonas**.
ANTÓN: tónico.

atontar v. tr. *El largo viaje me* ***atontó*** (= me dejó adormilado).
SINÓN: adormilar. ANTÓN: despabilar. FAM: → *tonto.*

atormentar v. tr. **1.** *El dolor de muelas me* ***atormenta*** (= me duele mucho). ◆ **atormentarse** v. pron. **2.** *¡No* ***te atormentes*** *por tan poco!* (= no te preocupes).
SINÓN: **1.** molestar. **1, 2.** martirizarse. **2.** angustiarse, preocuparse. ANTÓN: **1.** aliviar. FAM: → *tormento.*

atornillar v. tr. ***Hemos atornillado*** *un tornillo en la pared* (= lo hemos introducido dando vueltas para que no se mueva).
SINÓN: enroscar. ANTÓN: desatornillar, desenroscar. FAM: → *tornillo.*

atorrante, a s. R. de la Plata **1.** *Este lugar está lleno de* ***atorrantes*** (= holgazán, haragán).
SINÓN: **1.** holgazán, vago.

atracadero s. m. *Cuando llegamos al* ***atracadero,*** *nos bajamos del barco* (= lugar donde cargan y descargan los barcos).
SINÓN: puerto. FAM: → *atracar.*

atracador, a s. *La policía apresó a los* ***atracadores*** (= a los ladrones).
SINÓN: ladrón. FAM: → *atracar.*

atracar v. tr. **1.** *Los ladrones* ***atracaron*** *el banco* (= se llevaron el dinero que no era suyo). **2.** *Los marineros* ***atracaron*** *las barcas en el muelle* (= las arrimaron al muelle). ◆ **atracarse**

v. pron. **3.** *Si* ***te atracas*** *de pasteles te dolerá la barriga* (= si comes demasiados).
SINÓN: 1. robar. **3.** empacharse, hartarse. **ANTÓN: 3.** ayunar. **FAM:** *atracadero, atracador, atraco, atracón.*

atracción s. f. **1.** *El satélite ha escapado de la* ***atracción*** *terrestre* (= de la fuerza que lo atrae a la Tierra). **2.** *El circo tiene gran* ***atracción*** *para los niños* (= porque les gusta y divierte). **3.** *El domingo iremos al parque de* ***atracciones*** (= donde hay números de feria).
SINÓN: 2, 3. diversión. **FAM:** → *atraer.*

atraco s. m. Unos ladrones hicieron un ***atraco*** *en el banco* (= un robo).
SINÓN: asalto, robo. **FAM:** → *atracar.*

atracón s. m. *Pepe se dio un* ***atracón*** *de bombones* (= comió demasiados).
SINÓN: panzada. **ANTÓN:** ayuno. **FAM:** → *atracar.*

atractivo, a adj. **1.** *Esta lectura es* ***atractiva*** (= es interesante). **2.** *Félix es muy* ***atractivo*** (= es una persona que nos atrae). ◆ **atractivo** s. m. **3.** *La actriz tenía un gran* ***atractivo*** *en sus ojos* (= eran muy bonitos).
SINÓN: 1. ameno, interesante. **3.** encanto. **ANTÓN: 1.** aburrido, pesado. **FAM:** → *atraer.*

atraer v. tr. **1.** *El imán* ***atrae*** *al hierro* (= lo acerca a él). **2.** *A Carlos le* ***atrae*** *la música clásica* (= le gusta mucho).
SINÓN: 2. cautivar, encantar. **ANTÓN: 1.** repeler. **FAM:** *atracción, atractivo, atrayente.*

atragantarse v. pron. *Mi hermano come tan deprisa que* ***se atraganta*** (= se le queda la comida en la garganta).
FAM: → *tragar.*

atrancarse v. pron. *La tubería del lavabo* ***se atrancó*** *con un anillo* (= se atascó y no corría el agua).
SINÓN: atascarse, obstruirse. **ANTÓN:** desatascarse, desatrancar.

atrapar v. tr. **1.** *Los perros* ***atraparon*** *al conejo* (= lo capturaron). **2.** ***Atrapé*** *un trozo de tarta* (= lo conseguí).
SINÓN: 1. capturar, cazar. **2.** conseguir. **ANTÓN: 1.** dejar, liberar, soltar.

atrás adv. **1.** *Después de mucho caminar dejamos* ***atrás*** *nuestro pueblo* (= lo dejamos lejos). **2.** *Llevo la mochila colgada* ***atrás*** (= en la espalda).
SINÓN: 2. detrás. **ANTÓN: 2.** delante. **FAM:** *atrasar, atraso.*

atrasar v. tr. **1.** ***Hemos atrasado*** *el viaje* (= lo haremos más tarde). **2.** *Mi abuela* ***ha atrasado*** *el reloj del comedor* (= ha retrocedido las agujas). ◆ **atrasar** v. intr. **3.** *Mi reloj* ***atrasa****: cuando son las ocho marca las ocho menos cinco.* ◆ **atrasarse** v. pron. **4.** *Mario siempre* ***se atrasa*** (= llega más tarde que los demás).
SINÓN: retrasar(se). **ANTÓN:** adelantar(se). **FAM:** → *atrás.*

atraso s. m. **1.** *Este reloj tiene un* ***atraso*** *de diez minutos; marca las diez y son las diez y diez.* **2.** *Es un* ***atraso*** *que un país no tenga trenes* (= es una falta de desarrollo).
SINÓN: retraso. **ANTÓN:** adelanto. **FAM:** → *atrás.*

atravesar v. tr. **1.** ***Atravesamos*** *el río en una barca de madera* (= lo cruzamos de un lado a otro). **2.** *Hemos* ***atravesado*** *la tela con un alfiler* (= la hemos agujereado).
SINÓN: 1. cruzar. **1, 2.** traspasar. **2.** agujerear. **FAM:** → *través.*

atrayente adj. **1.** *Este tema es muy* ***atrayente*** (= muy interesante). **2.** *Este actor es muy* ***atrayente*** (= muy atractivo).
SINÓN: atractivo. **FAM:** → *atraer.*

atreverse v. pron. ***Se ha atrevido*** *a decir lo que pensaba* (= ha tenido valor).
SINÓN: arriesgarse, osar. **ANTÓN:** acobardarse. **FAM:** *atrevido, atrevimiento.*

atrevido, a adj. **1.** *Carlos es muy* ***atrevido*** (= no tiene miedo a nada). **2.** *Ana fue* ***atrevida*** *con su madre* (= le faltó el respeto).
SINÓN: 1. arriesgado. **2.** irrespetuoso. **ANTÓN:** cobarde, miedoso, prudente. **FAM:** → *atreverse.*

atrevimiento s. m. **1.** *Mi amigo no tiene el* ***atrevimiento*** *de saltar las vallas* (= no se atreve). **2.** *Tuvo el* ***atrevimiento*** *de portarse mal* (= la falta de respeto).
SINÓN: 1. audacia, coraje, osadía. **2.** irrespetuosidad. **ANTÓN:** cautela, prudencia. **FAM:** → *atreverse.*

atribuir v. tr. **1.** *A los soldados se les* ***atribuye*** *valor* (= se supone que lo tienen). **2.** *Se* ***atribuye*** *este cuadro a Goya* (= se supone que fue su autor).
FAM: *atributo.*

atributo s. m. **1.** *El mayor* ***atributo*** *de los hombres es su inteligencia* (= su mejor característica). **2.** *La corona es el* ***atributo*** *del rey* (= el objeto característico).
SINÓN: 1. característica. **FAM:** → *atribuir.*

atril s. m. *Tengo un* ***atril*** *para colocar los libros* (= un soporte para leer cómodamente).

atrincherar v. tr. **1.** *El ejército* ***atrincheró*** *el pueblo* (= lo rodeó para que no entraran los enemigos). ◆ **atrincherarse** v. pron. **2.** *El ejército* ***se atrincheró*** (= se refugió en las trincheras).
FAM: → *trinchera.*

atrio s. m. *Fuimos a visitar el* ***atrio*** *de un monasterio* (= lugar en el interior de un edificio religioso, rodeado de columnas y que da a un jardín).

atrocidad s. f. **1.** *Matar a una persona es una* ***atrocidad*** (= es un acto muy grave). **2.** *En los campos de fútbol los espectadores dicen* ***atrocidades*** *al árbitro* (= le dicen insultos).
SINÓN: 1. brutalidad, crueldad. **1, 2.** barbaridad. **2.** insulto. **FAM:** *atroz.*

atropellar v. tr. **1.** *Un coche que iba a gran velocidad* ***atropelló*** *a un anciano* (= lo derribó). **2.** *Los fuertes* ***atropellan*** *a los débiles*

(= abusan de su fuerza). **3.** *No* ***atropelles*** *a la gente, que ya salimos* (= no la empujes). **4.** *Los terroristas* ***atropellan*** *las leyes* (= no las respetan).
SINÓN: **1.** arrollar. **2.** abusar. **3.** empujar. **4.** violar. ANTÓN: **2, 3, 4.** respetar. FAM: *atropello.*

atropello s. m. **1.** *El tío de mi amigo sufrió un* ***atropello*** *al cruzar la calle* (= lo derribó un coche). **2.** *Matar a una persona es un* ***atropello*** *contra su derecho a la vida.*
SINÓN: **2.** atentado. ANTÓN: **2.** respeto. FAM: *atropellar.*

atroz adj. **1.** *He visto una película* ***atroz*** (= muy mala). **2.** *El asesinato es un acto* ***atroz*** (= cruel).
SINÓN: **1.** pésimo. **1, 2.** horrible. **2.** cruel, inhumano, salvaje. FAM: *atrocidad.*

atuendo s. m. *El actor se quitó el* ***atuendo*** *cuando terminó la obra de teatro* (= la ropa que llevaba).
SINÓN: indumentaria, ropa, vestido.

atún s. m. El **atún** es un pez de gran tamaño y de color azul; es comestible y se come fresco o en conserva.

aturdir v. tr. **1.** *Los gritos me* ***aturden*** (= me molestan). ◆ **aturdirse** v. pron. **2.** ***Me aturdí*** *con el fuerte golpe en la cabeza* (= me quedé atontado).
SINÓN: **1.** molestar, turbar. **2.** atontarse. ANTÓN: **1.** serenar, tranquilizar.

audacia s. f. *El escalador realizó una gran* ***audacia*** *al subir la montaña más alta del mundo* (= ha sido una hazaña, una valentía).
SINÓN: atrevimiento, coraje, osadía. ANTÓN: cobardía, prudencia. FAM: *audaz.*

audaz adj. *Para ser piloto de carreras hay que ser muy* ***audaz*** (= muy atrevido).
SINÓN: arriesgado, atrevido, valiente. ANTÓN: cauteloso, cobarde, prudente. FAM: *audacia.*

audición s. f. **1.** *Bruno tiene problemas de* ***audición*** (= oye mal). **2.** *El pianista dio una* ***audición*** *musical* (= un concierto).
SINÓN: **2.** concierto. FAM: → *oír.*

audiencia s. f. **1.** *El programa de los viernes tiene mucha* ***audiencia*** (= mucha gente que lo ve o lo oye). **2.** *Pedimos* ***audiencia*** *para hablar con el Ministro* (= permiso para hablar con el Ministro o con el Papa).
FAM: → *oír.*

audífono s. m. *Mi abuelo está sordo y le han puesto un* ***audífono*** (= un aparato para oír bien).
FAM: → *oír.*

audiovisual adj. *Los medios* ***audiovisuales*** *utilizan el sonido y la imagen para informar o enseñar.*

auditivo, a adj. **1.** *El nervio* ***auditivo*** *se encarga de transmitir los sonidos al cerebro.* **2.** *Bruno tiene problemas* ***auditivos*** (= no oye bien).
FAM: → *oír.*

auditorio s. m. **1.** *Todo el* ***auditorio*** *escuchaba en silencio el concierto* (= el público). **2.** *Un* ***auditorio*** *es una sala destinada a ofrecer conciertos de música.*
SINÓN: **1.** espectadores, público. FAM: → *oír.*

auge s. m. *La fama de este artista llegó a su* ***auge*** (= a su punto culminante).
SINÓN: apogeo. ANTÓN: decadencia, ocaso.

augurar v. tr. *Estas nubes tan negras* ***auguran*** *una tormenta* (= predicen que lloverá).
SINÓN: predecir, presagiar.

aula s. f. *Los alumnos están en el* ***aula*** (= en la sala de clase).

aullar v. intr. *El perro y el lobo* ***aúllan*** *cuando les pasa algo* (= gritan para avisar a los demás).
FAM: *aullido.*

aullido s. m. Los **aullidos** son gritos agudos, prolongados y lastimeros del perro o del lobo.
FAM: *aullar.*

aumentar v. tr. **1.** *Va a* ***aumentar*** *el precio de la gasolina* (= va a costar más cara). **2.** *Quiere* ***aumentar*** *la superficie de su casa* (= quiere hacerla más grande).
SINÓN: **1.** subir. **2.** agrandar, ampliar. ANTÓN: disminuir, reducir. FAM: *aumentativo, aumento.*

aumentativo, a adj. **1.** *El sufijo* ón *es* ***aumentativo*** (= hace más grande). ◆ **aumentativo** s. m. **2.** *El* ***aumentativo*** *de perro es perrazo* (= la palabra que significa que algo es más grande).
ANTÓN: diminutivo. FAM: → *aumentar.*

aumento s. m. **1.** *El* ***aumento*** *del precio del autobús ha molestado a todos* (= la subida del precio). **2.** *La lupa tiene* ***aumento*** *para ver más grandes los objetos.*
ANTÓN: **1.** disminución, reducción. FAM: *aumentar.*

aun adv. *Todos nos asustamos de la tormenta,* ***aun*** *mi hermano mayor* (= también él).
SINÓN: incluso.

aún adv. *Comí, pero* ***aún*** *tengo hambre* (= mi hambre continúa).
SINÓN: todavía.

aunar v. tr. **1.** *Vamos a* ***aunar*** *fuerzas para levantar el mueble* (= vamos a hacerlo a la vez). **2.** *Si* ***aunamos*** *las opiniones nos pondremos de acuerdo* (= si unificamos lo que pensamos).
SINÓN: unificar, unir.

aunque **Aunque** es una conjunción. VER CUADRO DE CONJUNCIONES.

aupar v. tr. ***He aupado*** *a mi hermano pequeño* (= lo he levantado).
SINÓN: alzar, levantar.

aureola s. f. **1.** *La imagen del santo tiene una* ***aureola*** (= un círculo luminoso alrededor de la

cabeza). **2.** *Tiene* ***aureola*** *de ser buena persona* (= tiene fama).
SINÓN: **2.** fama, reputación.

aurícula s. f. *Las* ***aurículas*** *son las dos cavidades superiores del corazón* (= las que reciben la sangre transportada por las venas).

auricular s. m. *Al oír la llamada tomé el* ***auricular*** *del teléfono* (= la parte que sirve para oír).
FAM: → *oír.*

aurora s. f. *Nos despertamos con la* ***aurora*** *para ir de excursión* (= con la primera luz del sol).
SINÓN: alba, amanecer, madrugada. **ANTÓN:** anochecer, atardecer, ocaso.

auscultar v. tr. *El médico* ***ausculta*** *el corazón del enfermo* (= escucha los latidos producidos por el corazón).

ausencia s. f. **1.** *Estaba triste por la* ***ausencia*** *de mis amigos* (= porque no estaban). **2.** *La* ***ausencia*** *de azúcar hizo que el postre no estuviera bueno* (= la falta de azúcar).
SINÓN: **2.** falta. **ANTÓN:** **1.** presencia. **2.** abundancia. **FAM:** → *ausentarse.*

ausentarse v. pron. *Durante las vacaciones* ***nos ausentamos*** *de la ciudad* (= nos marchamos).
SINÓN: irse, marcharse, partir. **ANTÓN:** quedarse. **FAM:** *ausencia, ausente.*

ausente adj. *Los alumnos* ***ausentes*** *tendrán menos nota en el examen* (= los que no están).
ANTÓN: presente. **FAM:** → *ausentarse.*

auspiciar v. tr. *El municipio* ***auspicia*** *el festival* (= ayuda con un subsidio).
SINÓN: patrocinar, sostener. **FAM:** *auspicio.*

auspicio s. m. **1.** *El proyecto se pudo realizar por el* ***auspicio*** *de varias empresas* (= ayuda económica). ◆ **auspicios** s. m. pl. **2.** *Inició su nueva actividad con los mejores* ***auspicios*** (= pronósticos favorables).
SINÓN: **1.** ayuda, patrocinio, protección. **FAM:** *auspiciar.*

austero, a adj. *Es una persona* ***austera*** *en todo lo que hace* (= seria y prudente).
SINÓN: rígido, serio. **ANTÓN:** alegre.

austral adj. *En invierno, soplan vientos* ***australes*** *en el hemisferio sur* (= del sur).

australiano, a adj. **1.** *El canguro es un animal* ***australiano*** (= procede de Australia). ◆ **australiano, a** s. **2.** *Los* ***australianos*** *son las personas nacidas en Australia.*

austríaco, a adj. **1.** *Viena es la capital* ***austríaca*** (= la capital de Austria). ◆ **austríaco, a** s. **2.** *Los* ***austríacos*** *son las personas nacidas en Austria.*

auténtico, a adj. *Estos cuadros son* ***auténticos*** (= no son una imitación o una copia).
SINÓN: legítimo, verdadero. **ANTÓN:** falso, falsificado.

auto s. m. **1.** ***Auto*** *es apócope de automóvil.* **2.** ***Auto*** *es un prefijo que forma parte de muchas palabras, como autobiografía, autógrafo o autorretrato* (= significa propio o hecho por uno mismo). **3.** *Son famosos los* ***autos*** *de Calderón de la Barca* (= unas obras de teatro breves donde los protagonistas son personajes bíblicos).
SINÓN: **1.** automóvil, coche. **FAM:** → *automóvil.*

autobiografía s. f. Una **autobiografía** es una obra en la que el autor escribe sobre su vida.
FAM: → *biografía.*

autobomba s. f. La **autobomba** es un vehículo grande, provisto de mangueras, donde los bomberos se trasladan al lugar del incendio.

autobús s. m. El **autobús** es un vehículo grande para llevar a las personas de un lugar a otro de la ciudad.

autoclave s. m. → **esterilizador**.

autóctono, a adj. *Mis primos son* ***autóctonos*** *de Colombia* (= han nacido allí).
SINÓN: nativo.

autógrafo s. m. *Un famoso jugador de baloncesto vino al colegio y me firmó un* ***autógrafo*** (= firmó en un papel para darme un recuerdo suyo).

autómata s. m. **1.** *Fuimos a visitar la sala de* ***autómatas*** *del parque de atracciones* (= muñecos que se mueven solos). **2.** *Cuando me levanto parezco un* ***autómata*** (= hago las cosas sin pensar ni darme cuenta).

automático, a adj. **1.** *La lavadora es* ***automática*** *porque funciona sola.* **2.** *Se colocó los anteojos con un gesto* ***automático*** (= sin darse cuenta).
SINÓN: **2.** inconsciente, mecánico.

automóvil s. m. El **automóvil** es un vehículo que se mueve por sí mismo porque tiene motor propio.
SINÓN: auto, coche. **FAM:** *auto, automovilismo, automovilista.*

automovilismo s. m. *A Pedro le encanta el* ***automovilismo*** *y no se pierde ninguna carrera* (= deporte de las carreras de coche).
FAM: → *automóvil.*

automovilista s. m. f. *Los taxistas son* ***automovilistas*** (= personas que conducen un automóvil).
SINÓN: conductor, chofer. **FAM:** → *automóvil.*

autonomía s. f. **1.** *En su trabajo tiene* ***autonomía*** *para hacerlo como prefiera* (= tiene independencia). **2.** *España es un país que está dividido en* ***autonomías*** (= en comunidades con gobierno propio). **3.** *Un barco, un coche o un avión tienen* ***autonomía*** (= son capaces de recorrer cierta distancia sin necesidad de reponer combustible).
SINÓN: **1.** independencia, libertad. **ANTÓN:** **1.** dependencia. **FAM:** *autónomo.*

autónomo, a adj. Un territorio es **autónomo** cuando se administra a sí mismo libremente, con autonomía.
SINÓN: independiente, libre. ANTÓN: dependiente. FAM: *autonomía.*

autopista s. f. *Fuimos a la ciudad por la* ***autopista*** (= una carretera sin cruces, con más de un carril en cada dirección).

autopsia s. f. *Para determinar las causas de la muerte se ha procedido a la* ***autopsia*** (= al examen médico del cadáver).

autor, a s. **1.** *Miguel de Cervantes es el* ***autor*** *del Quijote* (= la persona que lo escribió). **2.** *Edison fue el* ***autor*** *de la bombilla* (= fue su inventor). **3.** *La policía ha detenido al* ***autor*** *del robo* (= a la persona que lo hizo).
SINÓN: **1.** escritor. **1, 2.** creador. **2.** inventor. **3.** responsable. FAM: *autoridad, autoritario, autorización, autorizar.*

autoridad s. f. **1.** *El alcalde es la persona que tiene más* ***autoridad*** *en un pueblo* (= la persona que lo gobierna). **2.** *El director es la persona que tiene* ***autoridad*** *en el colegio* (= que decide cómo deben hacerse las cosas). **3.** *Este médico es una* ***autoridad*** *en enfermedades de la piel* (= sabe mucho sobre su trabajo).
SINÓN: **1, 2.** poder, decisión. **3.** celebridad. FAM: → *autor.*

autoritario, a adj. *Juan es tan* ***autoritario*** *que siempre tenemos que hacer lo que él dice* (= es una persona que quiere imponer su voluntad).
SINÓN: dominante. ANTÓN: dócil, tolerante. FAM: → *autor.*

autorización s. f. *Hay que pedir* ***autorización*** *para entrar aquí* (= permiso).
SINÓN: consentimiento, permiso. FAM: → *autor.*

autorizar v. tr. *El médico* ***ha autorizado*** *al enfermo a levantarse* (= le ha dado permiso).
SINÓN: consentir, permitir. ANTÓN: prohibir. FAM: → *autor.*

autorradio s. m. *Es muy frecuente el robo de las* ***autorradios*** *en los coches* (= receptor de radio de un vehículo automotor).

autorretrato s. m. *Muchos pintores han pintado su* ***autorretrato*** (= han hecho su propio retrato).
FAM: → *retratar.*

autoservicio s. m. *Compramos la verdura en un* ***autoservicio*** (= tienda donde tomamos nosotros mismos lo que vamos a comprar).

auto-stop s. m. *Perdimos el último autobús y tuvimos que hacer* ***auto-stop*** *para volver a casa* (= nos pusimos en la carretera esperando que nos recogiera un coche).
SINÓN: aventón, raid.

auxiliar adj. **1.** *Los verbos* ***auxiliares*** *son* **haber** *y* **ser** (= son los que se usan para formar los tiempos compuestos). **2.** *En mi casa tengo una cama* ***auxiliar*** (= un mueble por si se queda alguien a dormir). ◆ **auxiliar** s. m. f. **3.** *El* ***auxiliar*** *dio la clase en ausencia del profesor* (= el ayudante). ◆ **auxiliar** v. tr. **4.** *El barco* ***auxilió*** *a los náufragos* (= les prestó ayuda).
SINÓN: **3.** agregado, suplente. **4.** ayudar, socorrer. ANTÓN: **3.** titular. **4.** abandonar. FAM: *auxilio.*

auxilio s. m. *Hay que prestar* ***auxilio*** *a los heridos* (= ayuda).
SINÓN: asistencia, ayuda, socorro. FAM: *auxiliar.*

avalancha s. f. *El chalet ha sido arrasado por una* ***avalancha*** *de nieve* (= una gran cantidad de nieve desprendida de la montaña).
SINÓN: alud.

avance s. m. **1.** *El* ***avance*** *de la informática ha ayudado mucho en el trabajo* (= el adelanto). **2.** *La televisión ha dado un* ***avance*** *de las noticias* (= un anticipo de lo que explicará después).
SINÓN: **1.** adelanto, progreso. ANTÓN: **1.** atraso, retroceso. FAM: *avanzar.*

avanzar v. intr. **1.** *Si corremos,* ***avanzamos*** *más deprisa* (= vamos hacia delante). **2.** *¿Has* ***avanzado*** *en tu trabajo?* (= lo has hecho progresar).
SINÓN: **1, 2.** adelantar. **2.** progresar. ANTÓN: **1, 2.** atrasarse. **1.** retroceder. FAM: *avance.*

avaricia s. f. *Hay personas con gran* ***avaricia*** (= con deseo excesivo de adquirir y atesorar riqueza).
SINÓN: avidez, codicia. ANTÓN: generosidad. FAM: *avaricioso, avaro.*

avaricioso, a adj. *Miguel es muy* ***avaricioso*** *porque todo lo quiere para él.*
SINÓN: avaro, codicioso. ANTÓN: desprendido, generoso. FAM: → *avaricia.*

avaro, a adj. **1.** *Este hombre es* ***avaro*** (= le gusta reunir dinero y guardarlo). **2.** *Raúl es* ***avaro*** *de su saber* (= no enseña nada a nadie).
SINÓN: **1.** avaricioso, roñoso, tacaño. ANTÓN: **1.** desprendimiento, generoso. FAM: → *avaricia.*

avasallar v. tr. **1.** *Deja de* ***avasallar*** *a tu hermano con tantas preguntas* (= deja de molestarlo). **2.** *A veces los fuertes* ***avasallan*** *a los débiles* (= los dominan).
SINÓN: **2.** dominar, oprimir, someter. FAM: *vasallo.*

ave s. f. **1.** *El canario, el mirlo, la gallina y el águila son* **aves** (= animales con dos alas y con el cuerpo cubierto de plumas). ◆ **ave de rapiña** **2.** *Luis es un* ***ave de rapiña*** (= siempre intenta quitarle las cosas a los demás). **3.** *El buitre es un* ***ave de rapiña*** (= carnívora).
FAM: *avícola, avicultura.*

avecinarse v. pron. ***Se avecina*** *una tormenta* (= se acerca).
SINÓN: acercarse, aproximarse. ANTÓN: alejarse. FAM: → *vecino.*

avejentar v. tr. *El pelo canoso **avejenta** el aspecto de mi hermano* (= lo hace parecer de más edad).
SINÓN: envejecer. **ANTÓN:** rejuvenecer.

avellana s. f. La **avellana** es el fruto del avellano; suele comerse tostado.
FAM: *avellano.*

avellano s. m. El **avellano** es el árbol que produce avellanas; es cultivado tanto por su fruto como por su madera.
FAM: *avellana.*

avemaría s. f. El **avemaría** es una oración a la Virgen María.

avena s. f. La **avena** es un cereal cuyos granos del mismo nombre son utilizados como alimento.

avenida s. f. *Fuimos a pasear por una **avenida** de la ciudad* (= por una calle ancha rodeada de árboles).
SINÓN: calle, paseo. **FAM:** → *venir.*

aventajado, a adj. *Mónica es la niña más **aventajada** de la clase* (= es la que tiene mejores notas).
SINÓN: adelantado, sobresaliente. **ANTÓN:** atrasado. **FAM:** → *ventaja.*

aventajar v. tr. *El ciclista **aventajó** al pelotón* (= lo adelantó).
SINÓN: adelantar, superar. **FAM:** → *ventaja.*

aventura s. f. **1.** *A todo suceso peligroso o extraño se lo llama **aventura**.* **2.** *A los exploradores les gusta realizar **aventuras*** (= viajes arriesgados).
FAM: → *aventurarse.*

aventurarse v. pron. *No **se aventuraron** a ir de excursión porque llovía* (= se atrevieron).
SINÓN: arriesgarse, atreverse. **FAM:** *aventura, aventurero.*

aventurero, a adj. **1.** *Este chico es muy **aventurero*** (= le gustan las aventuras y los riesgos). ◆ **aventurero, a** s. **2.** *El **aventurero** llegó a la ciudad explicando sus viajes* (= la persona que ha vivido muchas aventuras).
SINÓN: **1.** arriesgado, atrevido. **FAM:** → *aventurarse.*

avergonzar v. tr. **1.** ***Avergonzó** a Pedro con sus reproches* (= le hizo sentir vergüenza). ◆ **avergonzarse** v. pron. **2.** ***Me avergüenzo** cuando hablo en público* (= paso vergüenza).
SINÓN: **1.** humillar. **2.** abochornarse, ruborizarse, sonrojarse. **ANTÓN:** enorgullecerse. **FAM:** → *vergüenza.*

avería s. f. *Por culpa del frío, el motor sufrió una **avería*** (= un desperfecto).
SINÓN: daño, desperfecto. **FAM:** → *averiarse.*

averiarse v. pron. ***Se ha averiado** el motor del refrigerador* (= se ha estropeado).
SINÓN: estropearse. **ANTÓN:** arreglarse. **FAM:** *avería.*

averiguar v. tr. *La policía **ha averiguado** quién robó el banco* (= ha descubierto la verdad).
SINÓN: descubrir.

aversión s. f. *Siento **aversión** hacia las arañas* (= no me gustan).
SINÓN: asco, repugnancia.

avestruz s. m. El **avestruz** es un ave corredora, muy grande, de cuello muy largo, de cabeza pequeña, que vive en África.

aviación s. f. *La **aviación** comenzó a principios de este siglo* (= la navegación aérea).
FAM: → *avión.*

aviador, a s. El **aviador** es la persona que pilotea un avión.
SINÓN: piloto. **FAM:** → *avión.*

avícola adj. *Pascual tiene una granja **avícola** en la que cría aves.*
FAM: → *ave.*

avicultura s. f. La **avicultura** consiste en reproducir y criar aves para luego venderlas.
FAM: → *ave.*

avidez s. f. *Antonio tiene una **avidez** insaciable de comida* (= tiene muchas ganas de comer).
SINÓN: ambición, ansia. **FAM:** *ávido.*

ávido, a adj. *Yo estoy **ávido** por conocer la verdad* (= ansioso).
SINÓN: ansioso. **ANTÓN:** harto, indiferente. **FAM:** → *avidez.*

avión s. m. *Los **aviones** son vehículos con motor y alas grandes y pesadas* (= vuelan muy rápido y despegan y aterrizan en el aeropuerto).
FAM: *aviación, aviador, avioneta.*

avioneta s. f. *En la **avioneta** sólo caben dos personas* (= es un avión pequeño).
FAM: → *avión.*

avisar v. tr. **1.** *En la estación había un cartel que **avisaba** el horario de los trenes* (= lo anunciaba). **2.** *Me **avisó** de los peligros, pero no le hice caso* (= me advirtió).
SINÓN: **1.** anunciar, comunicar, informar. **2.** aconsejar, advertir, prevenir. **FAM:** *aviso.*

aviso s. m. **1.** *Recibí tu **aviso** ayer* (= tu recado). **2.** *Se ha dado un **aviso** a la población para que no se bañe en el río* (= un consejo). ◆ **andar** o **estar sobre aviso 3.** *Ya **estoy sobre aviso** de tu llegada* (= ya lo sé).
SINÓN: **1.** comunicación, noticia. **2.** advertencia, consejo. **FAM:** *avisar.*

avispa s. f. La **avispa** es un insecto de color amarillo con franjas negras parecido a la abeja.
FAM: *avispero.*

avispero s. m. **1.** *El **avispero** es el nido que se hacen las avispas* (= el lugar donde viven). **2.** Un enjambre de avispas también se llama **avispero.**
SINÓN: **1.** panal. **2.** enjambre **FAM:** *avispa.*

avistar v. tr. *El águila **avistó** al conejo mientras volaba* (= lo vio desde muy lejos).
SINÓN: divisar. **FAM:** → *ver.*

avivar v. tr. **1.** ***Aviva** el paso, que llegamos tarde* (= anda más deprisa). **2.** ***Avivé** la reunión contando un chiste* (= la animé). **3.** ***Avivamos** el fuego con el fuelle para que ardiera más.* **4.** *Podríamos **avivar** la habitación colgando tus dibujos en las paredes* (= hacerla más alegre). ◆ **avivarse** v. pron. **5.** *Las plantas **se avivan** con la luz del sol* (= crecen más).
SINÓN: **1.** acelerar, aligerar. **2.** animar. **3.** atizar. **ANTÓN:** **2, 3, 4.** apagar.

axila s. f. La **axila** es el hueco situado debajo del brazo en el punto de su unión al tronco.
SINÓN: sobaco.

¡ay! interj. **1.** *¡Ay! me has pisado* (= es una expresión que indica casi siempre dolor). ◆ **ay** s. m. **2.** *Oí los **ayes** del niño* (= los quejidos).
SINÓN: **2.** lamento, quejido, suspiro.

ayer adv. ***Ayer** trabajé mucho* (= el día anterior a hoy).
FAM: *anteayer.*

ayuda s. f. *Con tu **ayuda** hemos terminado rápidamente el trabajo* (= con tu apoyo).
SINÓN: amparo, apoyo, auxilio. **ANTÓN:** estorbo. **FAM:** → *ayudar.*

ayudante adj. **1.** *El señor Pérez es **ayudante** del director* (= lo ayuda en su trabajo). ◆ **ayudante** s. m. f. **2.** *Hoy nos dio la clase el **ayudante** del profesor* (= la persona que lo sustituye).
SINÓN: auxiliar, colaborador, suplente, sustituto. **FAM:** → *ayudar.*

ayudar v. tr. **1.** ***Ayudé** a mi amigo a terminar su trabajo* (= le presté mi colaboración). **2.** ***Ayudé** a un ciego a atravesar la calle* (= lo auxilié).
SINÓN: **1.** colaborar, contribuir, cooperar. **2.** auxiliar. **ANTÓN:** estorbar, perjudicar. **FAM:** *ayuda, ayudante.*

ayunar v. intr. *El doctor me ha recomendado **ayunar** todo el día* (= no comer).
ANTÓN: hartarse. **FAM:** *ayuno, desayunar, desayuno.*

ayuno s. m. *Antiguamente, la Iglesia obligaba a varios días de **ayuno*** (= a no comer o a comer menos).
SINÓN: abstinencia. **FAM:** → *ayunar.*

ayuntamiento s. m. **1.** *El **ayuntamiento** está compuesto por el alcalde y los concejales.* **2.** *El **ayuntamiento** está en la plaza del pueblo* (= el edificio donde está la administración municipal).
SINÓN: alcaldía.

azabache s. m. **1.** *María tiene un collar de **azabache*** (= una piedra muy negra, bonita y dura). ◆ **azabache** adj. **2.** *Ese caballo tiene un pelaje **azabache*** (= negro).

azada s. f. *El jardinero trabaja con la **azada*** (= una herramienta de hierro alargada y plana que sirve para trabajar la tierra).
FAM: *azadón.*

azadón s. m. *Los obreros han hecho una zanja a golpes de **azadón*** (= una herramienta parecida a la azada pero más grande).
FAM: *azada.*

azafata s. f. *Las **azafatas** nos explicaron cómo abrocharnos los cinturones de seguridad* (= son las personas que se encargan de atender a los viajeros en los aviones).

azafrán s. m. *Hemos condimentado el arroz con **azafrán*** (= hilos o polvo amarillo extraído de las flores del mismo nombre que sirve para cocinar).

azahar s. m. El **azahar** es la flor del naranjo y del limonero, es blanca y muy perfumada.

azar s. m. **1.** *Nos encontramos en la calle por **azar*** (= por casualidad). **2.** *La lotería es un juego de **azar*** (= no se sabe quién ganará).
SINÓN: **1.** casualidad.

azotaina s. f. *El niño ha recibido una **azotaina** por portarse mal* (= una zurra).
SINÓN: paliza, zurra. **FAM:** → *azote.*

azotar v. tr. **1.** *Antiguamente **azotaban** a los ladrones* (= les pegaban con un látigo). **2.** *El mar **azota** las rocas* (= las golpea).
SINÓN: **1.** zurrar. **2.** golpear. **FAM:** → *azote.*

azote s. m. **1.** *La madre dio unos **azotes** al niño* (= le dio unos golpes con la mano extendida en las nalgas). **2.** *Los jinetes llevan un **azote** para animar a los caballos* (= un látigo). **3.** *Los **azotes** de la tormenta rompieron el barco* (= los golpes de las olas). **4.** *La inundación fue un gran **azote** para el pueblo* (= fue una desgracia). **5.** *Hitler fue el **azote** de los judíos* (= fue una persona que les causó mucho daño).
SINÓN: **1.** azotaina. **2.** látigo. **4, 5.** desgracia. **FAM:** *azotaina, azotar.*

azotea s. f. *Mi madre tiende la ropa en la **azotea*** (= la terraza).
SINÓN: terraza.

azteca s. **1.** *La capital de los **aztecas** era la ciudad de Tenochtitlán* (= cultura prehispánica que tenía su centro en la meseta mexicana). ◆ **azteca** adj. **2.** *La cultura **azteca** fue una de las más importantes de la América prehispánica* (= de los aztecas).

azúcar s. f. El **azúcar** es un alimento de sabor dulce que se extrae de la caña de **azúcar** o de la remolacha.
FAM: *azucarar, azucarera, azucarero.*

azucarar v. tr. **1.** *¿Has **azucarado** el café?* (= ¿le has echado azúcar?). **2.** *En las ferias **azucaran** las manzanas* (= las bañan en azúcar).
SINÓN: dulcificar, endulzar. **FAM:** → *azúcar.*

azucarera s. f. **1.** *El azúcar se pone en la **azucarera*** (= el recipiente donde se guarda). **2.** *El azúcar se elabora en la **azucarera*** (= en la fábrica).
SINÓN: **1.** azucarero. **FAM:** → *azúcar.*

azucena s. f. La **azucena** es una planta de flores blancas y muy olorosas que tienen el mismo nombre.

azufre s. m. El **azufre** es una sustancia de color amarillo que cuando se quema produce un humo sofocante.

azul adj. **1.** *El cielo sin nubes es de color **azul**.* ◆ **azul** s. m. **2.** *El color que más me gusta es el **azul**.*
FAM: *azulado.*

azulado, a adj. *Lleva un pantalón **azulado*** (= que parece azul).
FAM: *azul.*

azulejo s. m. *Las paredes de la cocina están cubiertas de **azulejos*** (= pequeños baldosines esmaltados de colores).
SINÓN: mosaico.

azuzar v. tr. *El jinete **azuza** al caballo para que corra más* (= lo anima).

B

B s. f. La **b** *(be)* es la segunda letra del abecedario español.

baba s. f. **1.** *El perro ha manchado el suelo con su* ***baba*** (= con la saliva que cae de su boca). **2.** *El caracol deja un hilo de* ***baba*** *al caminar* (= un líquido pegajoso). ◆ **caérsele la baba** **3.** *Cuando veo un pastel* ***se me cae la baba*** *porque me gusta mucho.*
SINÓN: 1. saliva. **FAM:** *babear, babero, babosa, baboso.*

babear v. intr. *Los niños pequeños* ***babean*** (= se les cae la baba).
FAM: → *baba.*

babero s. m. *A los bebés se les pone un* ***babero*** *alrededor del cuello para que no se manchen.*
FAM: → *baba.*

babor s. m. *Un barco de pesca se acercó por* ***babor*** *a nuestra barca* (= por el lado izquierdo).
ANTÓN: estribor.

babosa s. f. Las **babosas** son animales semejantes a los caracoles, pero sin concha, que dejan una huella de baba cuando caminan.
FAM: → *baba.*

baboso, a adj. *Este bebé es un* ***baboso*** *y hay que ponerle el babero* (= es un niño que echa muchas babas).
FAM: → *baba.*

babucha s. f. *Tengo unas* ***babuchas*** *para estar cómodo en casa* (= zapatillas de cuero, sin tacón).
SINÓN: zapatilla.

baca s. f. *Llevamos las bicicletas en la* ***baca*** *porque no cabían en el maletero del coche* (= en una plataforma en el techo del coche).

bacalao s. m. El **bacalao** es un pescado del mar, comestible, que se suele conservar seco y salado.

bache s. m. *En esta carretera hay muchos* ***baches*** (= hoyos).
SINÓN: agujero, hoyo, socavón.

bachiller s. m. f. *Cuando acabe el bachillerato seré* ***bachiller*** (= tendré el título).
FAM: *bachillerato.*

bachillerato s. m. *Se debe aprobar el* ***bachillerato*** *antes de ir a la Universidad.*
FAM: *bachiller.*

bacilo s. m. El **bacilo** es una bacteria con forma de bastoncillo que transmite algunas enfermedades.
SINÓN: bacteria, microbio.

bacteria s. f. *La enfermedad fue causada por* ***bacterias*** (= por organismos vegetales microscópicos, que tienen una sola célula).
SINÓN: bacilo, microbio.

báculo s. m. *Los obispos y algunas autoridades eclesiásticas utilizan un* ***báculo*** (= un bastón largo).
SINÓN: bastón.

badajo s. m. El **badajo** de la campana es la pieza móvil que cuelga en el interior y que la hace sonar.

bagatela s. f. *Se han enojado por una* ***bagatela*** (= por una cosa sin importancia).

bagre s. m. *Pescamos un* ***bagre*** *en el río* (= pez sin escamas, de carne amarillenta, de pocas espinas y muy sabrosa).

bagual s. m. Amér. Merid. *El domador toma precauciones cuando tiene que montar un* ***bagual*** (= potro arisco, que aún no ha sido domado).

baguala s. f. R. de la Plata. *El joven cantaba una* ***baguala*** *al son de su guitarra* (= especie de vidala de ritmo lento y letra melancólica o triste).

¡bah! interj. ***¡Bah!,*** *no me importa* (= se usa para expresar que algo da igual).

bahía s. f. *Las embarcaciones pequeñas se resguardaron del temporal en la* ***bahía*** (= en una entrada del mar en la costa).
SINÓN: ensenada, golfo.

bailar v. intr. **1.** *Pablo no sabe* ***bailar*** (= no mueve su cuerpo al ritmo de la música). **2.** *Los pies me* ***bailan*** *dentro de los zapatos porque me quedan demasiado grandes* (= se mueven dentro).
SINÓN: 1. danzar. **FAM:** *bailarín, baile.*

bailarín, ina adj. **1.** *Pedro es muy* ***bailarín*** (= no se cansa de bailar). ◆ **bailarín, ina** s. **2.** *Me gustó mucho la actuación de los* ***bailarines*** *rusos* (= las personas que bailan profesionalmente).
SINÓN: danzarín. **FAM:** → *bailar.*

baile s. m. **1.** *Nos gusta mucho el* ***baile*** (= mover el cuerpo al ritmo de la música). **2.** *El rock y el vals son tipos de* ***baile*** (= son maneras diferentes de bailar). **3.** *El domingo iremos a un* ***baile*** (= a un lugar o fiesta donde se baila).
SINÓN: 1, 2. danza. **FAM:** → *bailar.*

baja s. f. **1.** *Mi padre está muy contento con la* ***baja*** *en el precio de la gasolina* (= con la disminución del precio). **2.** *Me he dado de* ***baja*** *en el club* (= ya no soy socio). **3.** *El ejército tuvo muchas* ***bajas*** *en el combate* (= murieron muchas personas).
SINÓN: 1. bajada, caída, disminución. **3.** muerte, pérdida. **ANTÓN: 1.** aumento, subida. **2.** alta. **FAM:** → *bajar.*

bajada s. f. **1.** *Esta* ***bajada*** *tan pronunciada es peligrosa* (= esta pendiente). **2.** *La* ***bajada*** *de las aguas desbordó el río* (= el descenso).
SINÓN: 2. descenso. **ANTÓN: 1, 2.** subida, **2.** ascenso. **FAM:** → *bajar.*

bajamar s. f. *Cuando llega la* ***bajamar,*** *el agua se retira de la playa* (= cuando el agua baja).
ANTÓN: pleamar.

bajar v. intr. **1.** *Los pastores* ***bajan*** *desde la montaña al valle con su ganado* (= descienden de un lugar alto). ◆ **bajar** v. tr. **2.** ***Ha bajado*** *el precio del pescado* (= cuesta menos dinero). **3.** *Los medicamentos le* ***bajaron*** *la fiebre* (= se la redujeron). **4.** *Mi amigo* ***bajó*** *la cabeza cuando lo regañó el maestro* (= la inclinó hacia abajo). ◆ **bajarse** v. pron. **5.** ***Nos bajamos*** *del autobús en la parada de la esquina* (= nos apeamos).
SINÓN: 1, 2, 3, 5. descender. **2, 3.** disminuir. **2.** rebajar. **4.** agachar, inclinar. **5.** apearse. **ANTÓN: 1, 2, 3, 4, 5.** subir(se). **1, 2, 3.** ascender. **2, 3.** aumentar. **4.** levantar. **FAM:** → *abajo, baja, bajada, bajo, bajón, debajo, rebaja, rebajar.*

bajeza s. f. *La jugarreta que me has hecho es una* ***bajeza*** *que no me esperaba de ti* (= es una mala acción).
SINÓN: fechoría.

bajío s. m. Amér. Merid., Méx. *Aquellos* ***bajíos*** *se inundan cada vez que aumenta el nivel del río* (= terrenos bajos).

bajo, a adj. **1.** *Juan es más* ***bajo*** *que Pedro* (= su estatura es inferior). **2.** *Vivimos en el piso* ***bajo*** *del edificio* (= en el piso inferior). **3.** *Hace mucho frío: la temperatura es* ***baja*** (= hay pocos grados). **4.** *En la tienda de mi amiga compro ropa a* ***bajo*** *precio* (= barato). **5.** *Este vestido es de* ***baja*** *calidad* (= es inferior a otros). **6.** *En la sociedad hay clases altas y* ***bajas*** (= modestas). **7.** *Me gustan las voces y los sonidos* ***bajos*** *del coro y de la orquesta* (= los sonidos graves y no agudos). **8.** *La* ***Baja*** *Edad Media fue una época histórica* (= los últimos años de esa época). ◆ **bajo** s. m. **9.** *El* ***bajo*** *es el instrumento que produce los sonidos más graves* (= parece una guitarra pero sólo tiene cuatro cuerdas). **10.** *Mi hermana se descosió el* ***bajo*** *de la falda con el tacón del zapato* (= la parte inferior de la falda). ◆ **bajo** adv. **11.** *Hablas tan* ***bajo*** *que casi no te oigo* (= en voz baja). ◆ **bajo** prep. **12.** ***Bajo*** es una preposición. VER CUADRO DE PREPOSICIONES.
SINÓN: 6. humilde, modesto. **7.** grave. **ANTÓN: 1, 3, 6, 7, 8.** alto. **7.** agudo. **FAM:** → *bajar.*

bajón s. m. *He tenido un gran* ***bajón*** *en mis estudios* (= he sacado peores notas que antes).
FAM: → *bajar.*

bala s. f. **1.** *El cazador disparó tres* ***balas*** *para matar al animal* (= los proyectiles de las armas de fuego). **2.** *En el puerto cargan* ***balas*** *de algodón* (= unos bultos muy grandes y apretados de algodón).
SINÓN: 1. proyectil. **2.** fardo. **FAM:** *balazo.*

balance s. m. *El comerciante hace su* ***balance*** *cada año para saber qué ganancias ha tenido* (= hace la cuenta de lo que compró y vendió).
FAM: → *balanza.*

balancear v. tr. **1.** *Me gusta* ***balancear*** *al niño en la cuna* (= mecerlo de un lado a otro). ◆ **balancearse** v. pron. **2.** *La abuela* ***se balancea*** *en la mecedora.*
SINÓN: 1, 2. mecer(se). **FAM:** → *balanza.*

balanceo s. m. *El* ***balanceo*** *del barco nos mareaba por la brusquedad de su movimiento* (= el movimiento de un lado a otro).
SINÓN: vaivén. **FAM:** → *balanza.*

balancín s. m. **1.** *Compramos un* ***balancín*** *para ponerlo en el jardín* (= un columpio). **2.** *Los equilibristas del circo usan el* ***balancín*** *para mantener el equilibrio* (= una barra larga).
FAM: → *balanza.*

balandra s. f. Una **balandra** es una embarcación con un solo palo.
FAM: *balandro.*

balandro s. m. *Pasean por la bahía en un* ***balandro*** (= un barco pequeño, deportivo y alargado).
FAM: *balandra.*

balanza s. f. *El frutero me ha pesado un kilo de naranjas en su* ***balanza*** (= en un instrumento para pesar).
SINÓN: báscula. **FAM:** *balance, balancear, balanceo, balancín.*

balar v. intr. *El cordero, la cabra y el ciervo* ***balan*** (= chillan).
FAM: *balido.*

balasto s. m. *La vía férrea se apoya sobre el* ***balasto*** (= sobre la capa de piedras que soporta los rieles).

balaustrada s. f. *Esta escalera tiene una hermosa* ***balaustrada*** (= una barandilla formada por pequeñas columnas).
SINÓN: baranda, barandilla. **FAM:** *balaustre.*

balaustre s. m. *Se rompió uno de los* ***balaustres*** *de la escalera* (= una de las columnas de la barandilla.)
FAM: *balaustrada.*

balazo s. m. *Le dieron un* ***balazo*** *en el pecho y murió por la herida causada* (= un impacto de bala).
FAM: *bala.*

balbucear v. tr. *Se puso nervioso y* ***balbuceó*** *unas palabras que no entendimos* (= habló con dificultad).
FAM: *balbuceo.*

balbuceo s. m. *No entiendo el* ***balbuceo*** *de mi hermano de dos años* (= el modo de hablar de los niños pequeños).
FAM: *balbucear.*

balcánico, a adj. *Los montes* ***balcánicos*** *son muy altos* (= de los Balcanes).

balcón s. m. *La gente se asomaba al* ***balcón*** *para ver pasar la procesión* (= a la terraza que da a la calle).

balde s. m. *Transporto agua en un* ***balde*** (= en un cubo de metal o de plástico).
SINÓN: barreño.

balde *Se esforzó* ***en balde*** *por llegar primero en la carrera* (= en vano, inútilmente).
SINÓN: inútilmente.

baldosa s. f. *El albañil coloca las* ***baldosas*** *en el suelo del cuarto de baño* (= ladrillos planos de colores que se ponen en el suelo).
FAM: *mosaico.*

balero s. m. Amér. *Me regalaron un* ***balero*** *de madera pintada* (= juguete que consiste en una bola de madera agujereada y unida por un cordel a un palito; la bola se lanza al aire y se trata de introducir el palito en el agujero).
SINÓN: boliche.

balido s. m. El **balido** es la voz del cordero, la cabra y el ciervo.
FAM: *balar.*

baliza s. f. *Esta roca aislada en el mar está señalada para los navegantes con una* ***baliza*** (= una señal visible desde lejos).
SINÓN: boya.

ballena s. f. La **ballena** es un mamífero marino que puede llegar a pesar 150 toneladas.
FAM: *ballenato, ballenero.*

ballenato s. m. El **ballenato** es la cría de la ballena.
FAM: → *ballena.*

ballenero s. m. *Dijeron que en el puerto había entrado un* ***ballenero*** (= un barco que se dedica a la pesca de ballenas).
FAM: → *ballena.*

ballesta s. f. *Antiguamente se usaban* ***ballestas*** (= arcos para lanzar piedras o flechas).

ballet s. m. *María va a clases de* ***ballet*** (= de danza).

balneario s. m. *Mis abuelos van todos los años al* ***balneario*** *para bañarse en aguas curativas* (= lugar donde hay aguas buenas para la salud).

balón s. m. *Los Reyes Magos me trajeron un* ***balón*** (= una pelota grande usada en varios deportes).
SINÓN: pelota.

baloncesto s. m. *Cuando juego al* ***baloncesto*** *con mi equipo hacemos muchos puntos metiendo el balón en el cesto contrario.*

balonmano s. m. Formo parte del equipo de siete jugadores de **balonmano** (= juego de pelota que se juega sólo con las manos).
SINÓN: handbol.

balsa s. f. *Hemos atravesado el río en una* ***balsa*** (= en una embarcación hecha con troncos de madera unidos entre sí).
FAM: *embalse.*

bálsamo s. m. *Le han aplicado en la herida un* ***bálsamo*** *para quitarle el dolor* (= un medicamento que alivia el dolor).
FAM: *embalsamar.*

báltico, a adj. *El marinero conocía muy bien las costas* ***bálticas*** (= del mar Báltico).

bambolearse v. pron. *El barco se* ***bamboleaba*** *en alta mar* (= se movía de un lado a otro).
SINÓN: mecerse.

bambú s. m. Con el tallo del **bambú** se pueden hacer cañas de pescar, fabricar muebles y construir cabañas. Sus hojas sirven de alimento a los osos panda.

bambuco s. m. Col., Ec. *Son muy populares la danza y la tonada del* ***bambuco.***

banal adj. *Hablaba de cosas* ***banales*** (= de cosas sin importancia).

banana s. f. *La* ***banana*** *es muy alimenticia y rica en minerales* (= fruto del banano, de pulpa blanda y dulce).
SINÓN: plátano. **FAM:** → *banano, bananero.*

bananero, a adj. **1.** *En la isla de Cuba hay una gran producción* ***bananera*** (= de plátanos). ◆ **bananero** s. m. **2.** El **bananero** es una planta cuyo fruto es la banana o plátano.

banano s. m. *En América Central hay grandes plantaciones de* ***bananos*** (= planta herbácea, de 2 a 3 metros, con grandes hojas y cuyo fruto es la banana).
SINÓN: plátano. **FAM:** → *banano, bananero.*

banca s. f. **1.** *Hemos comprado una* ***banca*** (= un asiento largo de madera sin respaldo). **2.** *Ayer se reunieron en Guayaquil los presidentes de la* ***banca*** *sudamericana* (= de todos los bancos de Sudamérica).
SINÓN: banco.

bancario, a adj. **1.** *Mi padre pidió un préstamo* ***bancario*** (= pidió dinero a un banco). **2.** *El novio de Paula es* ***bancario*** (= trabaja en un banco).
FAM: → *banco.*

bancarrota s. f. *El negocio de Juan fue a la* ***bancarrota*** (= fue a la ruina).
SINÓN: quiebra, ruina. **FAM:** → *banco.*

banco s. m. **1.** *Nos sentamos en un* ***banco*** *del jardín* (= en un asiento largo en el que pueden sentarse varias personas). **2.** *He retirado dinero del* ***banco*** (= del establecimiento donde guardo mi dinero). **3.** *Los pescadores vieron un* ***banco*** *de sardinas no muy lejos de la playa* (= un grupo de peces que se desplazan juntos).
FAM: *banca, bancario, bancarrota, banquero, banqueta, banquillo.*

banda s. f. **1.** *El alcalde puso una* ***banda*** *azul al ganador del concurso* (= una cinta ancha que lo destacaba como vencedor). **2.** *Antiguamente, los caminos eran recorridos por* ***bandas*** *de ladrones* (= por grupos de ladrones). **3.** *Una* ***banda*** *de cornetas y tambores desfiló en la procesión* (= un grupo de músicos).
SINÓN: **1.** cinta. **3.** orquesta. **FAM:** *bandada, bandazo, bandido, bandolero.*

bandada s. f. *Las palomas vuelan en* ***bandadas*** (= en grupos).
FAM: → *banda.*

bandazo s. m. *Debido al fuerte viento, el barco empezó a dar* ***bandazos*** (= empezó a inclinarse de un lado a otro).
FAM: → *banda.*

bandeja s. f. *El camarero nos trajo las bebidas en una* ***bandeja*** (= en una pieza plana con bordes que sirve para llevar refrescos).

bandera s. f. **1.** *La* ***bandera*** *argentina es celeste y blanca* (= pieza de tela generalmente rectangular que representa a un país o a un grupo de personas). ◆ **bandera blanca** **2.** *El soldado izó la* ***bandera blanca*** (= levantó la bandera en señal de paz).
FAM: *abanderado, banderilla, banderín.*

banderín s. m. *Colocaron un* ***banderín*** *en cada esquina del campo de fútbol* (= una bandera pequeña).
FAM: → *bandera.*

bandido s. m. *La policía detuvo al* ***bandido*** *al salir de la ciudad tras haber robado un banco* (= detuvo al ladrón).
SINÓN: delincuente. **FAM:** → *banda.*

bando s. m. **1.** *El alcalde ha publicado un* ***bando*** (= un escrito para dar a conocer las órdenes municipales). **2.** *Juan pertenece a un* ***bando*** *opuesto al de Jorge* (= pertenece a un grupo de personas que comparte las mismas ideas).

bandolero s. m. *En otros tiempos, los* ***bandoleros*** *asaltaban a los viajeros en los caminos* (= ladrones que formaban parte de una banda).
SINÓN: bandido. **FAM:** → *banda.*

bandoneón s. m. Amér. *En las orquestas de música de tango se emplea el* ***bandoneón*** (= instrumento musical de viento, que consta de un fuelle cerrado en sus extremos en los que están las teclas).

bandurria s. f. *Unos tocaban la* ***bandurria*** *y otros la flauta* (= una guitarra pequeña de doce cuerdas).

banjo s. m. *En clase de música aprendí a tocar el* ***banjo*** (= un instrumento musical parecido a una guitarra redonda, construido con una piel muy tensa).

banquero, a s. *El* ***banquero*** *le prestó dinero a Ernesto* (= el director o propietario del banco).
FAM: → *banco.*

banqueta s. f. **1.** *Siéntate en la* ***banqueta*** (= asiento bajo sin respaldo). **2.** *Delante del sillón hay una* ***banqueta*** (= un banco pequeño que sirve para poner los pies). Méx. **3.** *Los niños jugaban en la* ***banqueta*** (= vereda).
SINÓN: **3.** acera, vereda. **FAM:** → *banco.*

banquete s. m. *Celebramos su cumpleaños con un gran* ***banquete*** (= con una gran comida con muchas personas).
SINÓN: comilona, convite, festín.

banquillo s. m. **1.** *El acusado permaneció sentado en el* ***banquillo*** (= en el asiento reservado a los acusados durante un juicio). **2.** *Vicente se pasó todo el partido sentado en el* ***banquillo*** (= en el asiento de los jugadores suplentes y los entrenadores).
FAM: → *banco.*

bañadera s. f. Amér. Cent. y Merid. *Para lavarme el cuerpo, me meto en la* ***bañadera*** (= recipiente para bañarse).
SINÓN: bañera, pila. **FAM:** → *baño.*

bañado s. m. Amér. *En los pueblos cercanos a un río o una laguna, suele haber* ***bañados*** (= terrenos extensos y llanos, cubiertos de agua o muy húmedos).
SINÓN: marisma. **FAM:** → *baño.*

bañador s. m. *Si vas a la playa no te olvides de llevar el* ***bañador*** (= el traje de baño).
FAM: → *bañar.*

bañar v. tr. **1.** *El Océano Pacífico* ***baña*** *las costas de Chile* (= sus aguas tocan las costas). **2.** *La tarta está* ***bañada*** *de chocolate* (= está cubierta). **3.** *La luz del sol* ***bañaba*** *los campos de trigo* (= les daba de lleno). ◆ **bañarse** v. pron. **4.** *Fui a* ***bañarme*** *a la playa de Acapulco* (= a mojarme en el agua del mar).
SINÓN: **2.** remojar. **3.** iluminar. **4.** chapuzarse, sumergirse. **FAM:** *bañador, bañera, bañista, baño.*

bañera s. f. *Llené la* ***bañera*** *de agua caliente* (= el recipiente para bañarme).
SINÓN: tina. **FAM:** → *bañar.*

bañista s. *La playa está llena de* ***bañistas*** (= de personas que se bañan).
FAM: → *bañar.*

baño s. m. **1.** *He tomado un* ***baño*** *con agua bien caliente* (= me he metido en el agua). **2.** *Juana toma un* ***baño*** *de sol en la terraza* (= expone su cuerpo al sol). **3.** *Lávate los dientes en el*

baño (= en el aseo). **4.** *Los pendientes que me regalaste llevan un* ***baño*** *de oro* (= tienen una capa de oro). ◆ **baño maría 5.** *Pon la tableta de chocolate al* ***baño maría*** *para que se derrita* (= recipiente con agua caliente en el que ponemos otro recipiente con un alimento para calentarlo).
SINÓN: 3. aseo. **4.** capa. **FAM:** → *bañar.*

baobab s. m. El **baobab** es un enorme árbol de África.

baquiano s. m. Amér. Merid. *Para recorrer zonas desconocidas es conveniente hacerse acompañar por un* ***baquiano*** (= persona que conoce a la perfección los caminos y sendas de una región).
SINÓN: conocedor, entendido, experto. **ANTÓN:** ignorante, inexperto, principiante.

bar s. m. *En la calle donde vivo han abierto un* ***bar*** (= un establecimiento en el que sirven bebidas y comidas).
SINÓN: fuente de soda.

barahúnda s. f. *Hicimos una gran* ***barahúnda*** *al cambiar los muebles de sitio* (= mucho ruido y confusión).
SINÓN: alboroto, jaleo.

baraja s. f. *Como falta una carta de la* ***baraja*** *ya no podemos jugar* (= juego de cartas completo).
FAM: *barajar.*

barajar v. tr. *Antes de repartir las cartas hay que* ***barajarlas*** (= mezclarlas unas con otras).
SINÓN: mezclar. **FAM:** *baraja.*

baranda s. f. *La* ***baranda*** *del balcón es de madera* (= la protección para no caernos).
SINÓN: barandilla. **FAM:** *barandilla.*

barandilla s. f. *Se apoyó en la* ***barandilla*** *de hierro del balcón para no caerse* (= protección en los balcones o escaleras).
SINÓN: balaustrada, baranda. **FAM:** *baranda.*

baratija s. f. *A María le encantan las* ***baratijas*** (= las cosas de poco valor).
SINÓN: chuchería. **FAM:** → *barato.*

barata s. f. Col., Méx. *Esta tarde vamos a recorrer las tiendas que hacen* ***baratas*** (= ventas de mercancías a precios rebajados).
SINÓN: liquidación, ofertas. **FAM:** → *baratija, barato.*

barato, a adj. **1.** *Los caramelos son* ***baratos*** (= cuestan poco dinero). **2.** *Compré* ***barato*** *este diccionario* (= por poco precio).
SINÓN: 1, 2. económico. **ANTÓN: 1, 2.** caro.
FAM: *abaratamiento, abaratar, baratija.*

barba s. f. **1.** *Mi amigo ha recibido un golpe en la* ***barba*** (= en la parte de la cara que está debajo de la boca). **2.** *Mi hermano mayor se ha dejado crecer la* ***barba*** (= los pelos que nacen en los hombres en la barbilla y en las mejillas). ◆ **por barba 3.** *Comimos tres trozos de pastel* ***por barba*** (= por persona).
SINÓN: 1. barbilla, mentón. **FAM:** *barbería, barbero, barbilla, barbudo.*

barbacoa s. f. **1.** *Asamos la carne en la* ***barbacoa*** (= parrilla en la que asamos carne o pescado al aire libre). **2.** *Mis amigos prepararon una riquísima* ***barbacoa*** (= guiso). Méx. **3.** *En la casa de mi abuela comemos* ***barbacoa*** *envuelta en hojas de plátano* (= carne de chivo o borrego cocida en un agujero cavado en el suelo).

barbaridad s. f. **1.** *Deja de decir* ***barbaridades*** (= no digas más tonterías). **2.** *Durante la guerra se cometieron muchas* ***barbaridades*** (= se hicieron cosas crueles y horribles). **3.** *Esta niña come una* ***barbaridad*** (= come mucho).
SINÓN: 1. disparate, tontería. **2.** atrocidad, crueldad, horror, salvajada. **FAM:** *bárbaro.*

bárbaro, a adj. **1.** *Para los romanos, los pueblos extranjeros eran* ***bárbaros*** (= los otros pueblos que habitaban en Europa hace muchos siglos). **2.** *El* ***bárbaro*** *rey mandó matar a la princesa* (= el malvado rey). **3.** *Pasamos una tarde* ***bárbara*** *en el parque de atracciones* (= muy divertida).
SINÓN: 2. cruel, fiero, malvado. **3.** excelente, extraordinario, magnífico. **FAM:** *barbaridad.*

barbecho s. m. *El agricultor dejó las tierras en* ***barbecho*** *para que luego dieran mejores cosechas* (= las dejó sin labrar uno o dos años para mejorarlas).

barbería s. f. *Mi padre está en la* ***barbería*** (= en el establecimiento donde los hombres se afeitan la barba y se cortan el pelo).
SINÓN: peluquería. **FAM:** → *barba.*

barbero s. m. *El* ***barbero*** *cortó el pelo a mi hermano* (= la persona que tiene como oficio cortar el pelo y la barba de los hombres).
SINÓN: peluquero. **FAM:** → *barba.*

barbilla s. f. *Tropecé, me caí y me di un golpe en la* ***barbilla*** (= parte de la cara que está debajo de la boca).
SINÓN: mentón, barba. **FAM:** → *barba.*

barbo s. m. El **barbo** es un pez de agua dulce.

barbudo, a adj. *Pedro es muy* ***barbudo*** (= tiene muchos pelos en la barba).
FAM: → *barba.*

barca s. f. *Se pueden alquilar* ***barcas*** *para dar un paseo por el lago* (= embarcaciones pequeñas para pescar o navegar en ríos, lagos o cerca de la costa).
SINÓN: bote, lancha. **FAM:** → *barco.*

barco s. m. *En el puerto hay toda clase de* ***barcos****: embarcaciones de motor, de vela y de remos* (= vehículos grandes que se utilizan para transportar por el agua cosas o personas).
SINÓN: embarcación. **FAM:** *barca, barquero, desembarcar, desembarco, embarcación, embarcadero, embarcar.*

barniz s. m. *Dimos una capa de* ***barniz*** *a la mesa del comedor* (= de un líquido que da brillo y protege la madera).
FAM: *barnizador, barnizar.*

barnizador, a s. *El* ***barnizador*** *abrillantó los muebles* (= la persona que protege los muebles y maderas con barniz).
FAM: → *barniz.*

barnizar v. tr. ***Barnizamos*** *las estanterías antes de ponerlas en la pared* (= las protegimos y abrillantamos con barniz).
FAM: → *barniz.*

barómetro s. m. *Los navegantes vigilan el* ***barómetro*** *del barco* (= el instrumento que sirve para prever el tiempo pues señala la presión atmosférica).

barón, onesa s. *Carlos heredó el título de* ***barón*** *cuando murió su padre* (= persona que posee este título de nobleza).

barquero, a s. *Los* ***barqueros*** *amarran sus barcas en el puerto* (= las personas que conducen una barca).
FAM: → *barca.*

barquillero, a s. *Ya ha llegado el* ***barquillero*** *dispuesto a vender barquillos* (= persona que vende o hace barquillos).
FAM: *barquillo.*

barquillo s. m. *Me gusta comer* ***barquillos*** (= golosina de pasta muy fina de harina, azúcar y canela).
FAM: *barquillero.*

barra s. f. **1.** *Montaban el circo con gruesas* ***barras*** *de hierro* (= con piezas rectas más largas que anchas). **2.** *Tomamos un refresco en la* ***barra*** *del bar* (= en el mostrador alargado donde se sirven comidas y bebidas). **3.** *La bandera de nuestro equipo es blanca con una* ***barra*** *azul en el centro* (= con una raya ancha). R. de la Plata **4.** *Todos los chicos de la* ***barra*** *fuimos a la fiesta* (= grupo de amigos). Chile, Méx., R. de la Plata **5.** *Tomamos sol en la* ***barra*** (= banco de arena que se forma en la desembocadura de un río).
SINÓN: **1.** barrote. **2.** mostrador. **4.** grupo. FAM: *barrera, barrote.*

barraca s. f. **1.** *En las afueras del pueblo construyeron* ***barracas*** (= casas humildes construidas con materiales sencillos). **2.** *Jugamos a la tómbola en una de las* ***barracas*** *de la feria* (= en una de las casetas de juego).
SINÓN: cabaña, chabola, choza. **2.** caseta. FAM: *barracón.*

barracón s. m. *Los soldados duermen en los* ***barracones*** *del campamento* (= en viviendas o cobertizos hechos con materiales sencillos).
FAM: *barraca.*

barranca s. f. Amér. *Ten cuidado, no vayas a caer por la* ***barranca*** (= pendiente brusca del terreno).
SINÓN: barranco.

barranco s. m. *El autobús se salió del camino y cayó por un* ***barranco*** (= por un precipicio).
SINÓN: precipicio.

barredor, a adj. *En las grandes ciudades se usan máquinas* ***barredoras*** (= que sirven para limpiar las calles).
FAM: → *barrer.*

barrendero, a s. *Los* ***barrenderos*** *municipales barren las calles y recogen las hojas muertas* (= las personas que tienen como oficio barrer las calles).
FAM: → *barrer.*

barrer v. tr. **1.** *El portero del edificio* ***barre*** *la escalera con una escoba* (= la limpia con ayuda de una escoba). **2.** *El viento* ***barre*** *las nubes* (= se las lleva).
SINÓN: **1.** cepillar. FAM: *barredor, barrendero.*

barrera s. f. *Los Andes sirven de* ***barrera*** *natural entre Argentina y Chile* (= separan los dos países).
SINÓN: obstáculo. FAM: → *barra.*

barriada s. f. *Desde esta* ***barriada*** *al centro de la ciudad hay dos kilómetros* (= desde este barrio).
SINÓN: barrio. FAM: → *barrio.*

barrial adj. Amér. Merid. **1.** *Para carnaval habrá festejos* ***barriales*** (= del barrio). ◆ **barrial** s. m. **2.** *Cuando llueve, el jardín se convierte en un* ***barrial*** (= lugar lleno de barro).
SINÓN: **2.** barrizal. FAM: *barrio, barro.*

barrica s. f. *En la bodega encontrarás una* ***barrica*** *de vino* (= un tonel mediano para guardar el vino).
SINÓN: barril, tonel.

barricada s. f. *Los manifestantes hicieron una* ***barricada*** *en la calle* (= amontonaron materiales para impedir el paso y protegerse).

barriga s. f. *Si comes tantos caramelos te dolerá la* ***barriga*** (= el vientre).
SINÓN: abdomen, panza, vientre.

barril s. m. *Los* ***barriles*** *de cerveza están en la bodega* (= los toneles grandes para guardar un líquido).
SINÓN: tonel. FAM: *barrilete.*

barrilete s. m. R. de la Plata *Remontamos el* ***barrilete*** *que me regalaron en mi cumpleaños* (= cometa).
SINÓN: papalote.

barrio s. m. *María y yo vivimos en el mismo* ***barrio*** (= en una de las partes en que se dividen las ciudades).
SINÓN: barriada. FAM: *barriada.*

barro s. m. **1.** *Como ha llovido tanto, los caminos están llenos de* ***barro*** (= mezcla de tierra y agua). **2.** *El alfarero puso los jarrones de* ***barro*** *a cocer en el horno* (= un material de tierra y agua que puede moldearse).
SINÓN: **1.** fango, lodo. **2.** arcilla. FAM: *barrizal.*

barroco, a adj. **1.** *En mi ciudad hay una iglesia de estilo* ***barroco*** (= edificios, esculturas o pinturas que se caracterizan por tener muchos adornos). ◆ **barroco** s. m. **2.** El **Barroco** es un estilo artístico muy cargado de adornos que se desarrolló en los siglos XVII y XVIII.

barrote s. m. *Los presos se asoman a la calle por entre los* ***barrotes*** *de la ventana* (= las barras de hierro que cubren una ventana).
SINÓN: barra. **FAM:** → *barra.*

bartola s. f. *Llegó de trabajar y se tumbó* ***a la bartola*** (= se tumbó para no preocuparse de nada).

bártulos s. m. pl. *Se fue de viaje con un montón de* ***bártulos:*** *paquetes, maletas...* (= con muchas cosas).

barullo s. m. *Se armó un* ***barullo*** *tan grande que era imposible entenderse* (= se formó un gran alboroto).
SINÓN: alboroto, confusión, desorden. **ANTÓN:** orden, silencio. **FAM:** *embarullarse.*

basar v. tr. **1.** *El conferenciante* ***basó*** *su discurso en datos históricos* (= se apoyó en ellos para explicar algo). ◆ **basarse** v. pron. **2.** ***Se basaron*** *en un cuento de los hermanos Grimm para realizar la película* (= se sirvieron del cuento para hacer la película).
SINÓN: **1.** apoyar, fundamentar. **FAM:** → *base.*

báscula s. f. *Pesaron todos los sacos de cemento en una* ***báscula*** (= en un aparato que sirve para pesar objetos muy pesados).

base s. f. **1.** *Los cimientos son la* ***base*** *del edificio* (= son el soporte en que se apoya el edificio). **2.** *Los soldados establecieron su* ***base*** *militar en las afueras de la ciudad* (= instalaron su campamento militar).
SINÓN: **1.** cimiento, fundamento, soporte. **FAM:** *basar, básico.*

básico, a adj. *Saber leer y escribir es* ***básico*** *para estudiar* (= es esencial, muy importante).
SINÓN: esencial, fundamental, imprescindible. **ANTÓN:** secundario, superficial, superfluo. **FAM:** → *base.*

basílica s. f. *Las primeras iglesias de la cristiandad se llamaban* ***basílicas.***

¡basta! interj. *Cuando hay mucho jaleo en clase, el profesor impone silencio gritando* ***¡basta!*** (= se usa *¡basta!* para poner fin a algo).

bastante adv. **1.** *Estoy* ***bastante*** *sorprendido por la noticia que me has dado* (= estoy no poco sorprendido). **2.** *No me sirva más comida, gracias, ya tengo* ***bastante*** (= ya tengo suficiente).
FAM: *bastar.*

bastar v. intr. *Con el dinero que teníamos* ***bastaba*** *para ir al cine* (= teníamos suficiente).
SINÓN: alcanzar. **ANTÓN:** faltar. **FAM:** *bastante.*

bastardo, a adj. Se llama así a un hijo nacido fuera del matrimonio.
SINÓN: ilegítimo. **ANTÓN:** legítimo.

bastidor s. m. **1.** *El pintor puso el lienzo en el* ***bastidor*** (= en el conjunto de maderas en el que se sujeta la tela para pintar). **2.** *El actor esperaba detrás de los* ***bastidores*** *el momento de salir a escena* (= detrás de los decorados laterales del escenario del teatro). **3.** *El* ***bastidor*** *del coche se torció en el accidente* (= la pieza metálica que sostiene la carrocería del coche).
SINÓN: **3.** chasis.

basto, a adj. **1.** *Las bolsas se hacen con una tela* ***basta*** (= poco suave). **2.** *Hemos conocido a una persona muy* ***basta*** (= muy grosera). ◆ **bastos** s. m. pl. **3.** *La baraja española tiene cuatro palos: los oros, las espadas, las copas y los* ***bastos.***
SINÓN: **1.** áspero, tosco. **2.** chabacano, grosero, vulgar. **ANTÓN:** **1.** fino, suave. **2.** atento, cortés, educado.

bastón s. m. *Mi abuelo camina apoyándose en un* ***bastón*** (= un palo con una empuñadura que sirve para apoyarse al andar).
SINÓN: cayado. **FAM:** *bastonazo.*

bastonazo s. m. *Mi abuelo ahuyentó el perro a* ***bastonazos*** (= dándole golpes con su bastón).
FAM: *bastón.*

basura s. f. **1.** *Los basureros recogen la* ***basura*** (= los desperdicios y la suciedad de las casas y las calles). **2.** *Tira las cáscaras del huevo a la* ***basura*** (= en el cubo o bolsa donde arrojamos los desperdicios).
SINÓN: **1.** desperdicio, porquería, suciedad. **FAM:** *basurero.*

basural s. m. Amér. *En las afueras de mi pueblo se encuentra el* ***basural*** (= lugar donde los basureros depositan las basuras y los desperdicios).
FAM: *basura.*

basurero s. m. **1.** *En algunas ciudades, los* ***basureros*** *llevan camiones que trituran la basura* (= personas que tienen como oficio recoger los desperdicios de las calles). **2.** *Cuando los camiones están llenos de basura van al* ***basurero*** *municipal* (= al sitio donde se tiran los desperdicios para quemarlos).
SINÓN: **2.** vertedero. **FAM:** *basura.*

bata s. f. **1.** *Para estar en casa, mi madre se pone una* ***bata*** (= una prenda de vestir amplia y cómoda). **2.** *Los médicos y los dentistas llevan una* ***bata*** *cuando trabajan* (= una prenda de vestir ligera, generalmente blanca, para no ensuciarse).
FAM: *batín.*

batacazo s. m. **1.** *Se dio un* ***batacazo*** *al caerse desde lo alto del árbol* (= un golpe fuerte). **2.** *Aunque todo vaya bien, no te confíes demasiado porque podrías darte un* ***batacazo*** (= podrías tener una decepción).
SINÓN: **1.** golpe, porrazo. **2.** decepción, fracaso. **ANTÓN:** **2.** éxito, triunfo.

batalla s. f. *Los ejércitos enemigos han librado una* ***batalla*** (= se han enfrentado en un combate).
SINÓN: combate, contienda, lucha. FAM: *batallar, batallón.*

batallar v. intr. **1.** *El ejército* ***batalló*** *valientemente por vencer al enemigo* (= luchó con armas). **2.** *Los jugadores* ***han batallado*** *durante todo el partido* (= se han esforzado en ganar).
SINÓN: **1.** combatir, luchar, pelear. **2.** afanarse, esforzarse. FAM: → *batalla.*

batallón s. m. *El comandante ordenó al* ***batallón*** *que se preparara para un posible ataque* (= unidad del ejército al mando de un comandante).
FAM: → *batalla.*

batata s. f. Amér. Merid. *En el puchero rioplatense se incluye papas y* ***batatas*** (= papas dulces).
SINÓN: boniato, camote.

bate s. m. *Me han regalado el* ***bate*** *y el guante de béisbol* (= una pala de madera que sirve para golpear la pelota en el béisbol).
FAM: *bateador, batear.*

batea s. f. Amér. *En algunos pueblos, la ropa se lava en una* ***batea*** *de madera* (= recipiente cuadrado cuyas paredes se van estrechando hacia el fondo).
SINÓN: artesa, pila, pileta.

batería s. f. **1.** *Los soldados revisaron la* ***batería*** *dejándola preparada para el combate* (= examinaron el conjunto de ametralladoras o cañones colocados para hacer fuego al enemigo). **2.** *Gracias a la* ***batería,*** *los faros de los coches dan luz* (= aparato que acumula corriente eléctrica). **3.** *El tambor forma parte de la* ***batería*** *de la orquesta* (= instrumento formado por tambores y platillos). ◆ **batería de cocina 4.** *Compré una* ***batería de cocina*** *nueva* (= un conjunto de ollas y utensilios de diversos tamaños que sirven para cocinar). ◆ **batería** s. m. f. **5.** *Mi hermano es el* ***batería*** *de la orquesta* (= es la persona que toca la batería en un grupo de música).

batido s. m. **1.** *He preparado* ***batido*** *de frutas para merendar* (= una bebida fresca con leche, azúcar y frutas). **2.** *Mientras yo hago el* ***batido*** *de los huevos, tú pones la mesa* (= los bato para hacer tortilla).
FAM: → *batir.*

batidora s. f. *La cocinera tritura los tomates con una* ***batidora*** *eléctrica* (= con un utensilio de cocina que sirve para batir o triturar alimentos).
FAM: → *batir.*

batir v. tr. **1.** *Mi madre* ***bate*** *los huevos para hacer una tortilla* (= los mezcla repetidamente). **2.** *El mar* ***batía*** *las rocas* (= las golpeaba). **3.** *El pájaro* ***batía*** *las alas* (= las movía con rapidez). **4.** *El equipo visitante* ***batió*** *el récord de goles* (= hizo más goles que nunca). **5.** *La policía* ***batió*** *el terreno en busca del ladrón* (= registró el lugar). ◆ **batirse** v. pron. **6.** *Los dos mosqueteros decidieron* ***batirse*** *a duelo* (= decidieron luchar uno contra el otro).
SINÓN: **1, 3.** agitar. **2.** golpear, sacudir. **5.** inspeccionar, recorrer, registrar. **6.** luchar, batallar. FAM: *abatimiento, abatir, batido, batidor, batidora, combate, combatiente, combatir, debate, debatir.*

batracio s. m. *Las ranas y los sapos son* ***batracios*** (= son animales que viven tanto en el agua como en la tierra).
SINÓN: anfibio.

batuta s. f. *El director de orquesta dirige a los músicos con una* ***batuta*** (= con una varita delgada).

baúl s. m. *Al abrir el* ***baúl*** *de la abuela encontramos un disfraz* (= caja grande que sirve para guardar ropa y otros objetos).
SINÓN: arca, cofre.

bautismo s. m. El **bautismo** es el sacramento por el que uno se hace cristiano.
FAM: → *bautizar.*

bautizar v. tr. *El sacerdote* ***bautizó*** *al niño* (= le echó agua bendita sobre la cabeza administrándole el bautismo).
FAM: *bautismo, bautizo.*

bautizo s. m. *Fui a la fiesta del* ***bautizo*** *de mi primo* (= fui a la fiesta organizada con motivo de su bautismo).
FAM: → *bautizar.*

bayeta s. f. *Mi madre friega el suelo con una* ***bayeta*** (= con un trapo para limpiar).

bayoneta s. f. *En otros tiempos, los soldados utilizaban como arma la* ***bayoneta*** (= un cuchillo largo que se encajaba en el cañón del fusil).

bazar s. m. **1.** *En nuestro viaje por Oriente compramos las alfombras en un* ***bazar*** *de la India* (= en un mercado público de Oriente). **2.** *Compré la radio en un* ***bazar*** (= en un comercio donde se venden productos diversos).
SINÓN: **1.** mercado. **2.** comercio, tienda.

bazo s. m. El **bazo** es un órgano del cuerpo situado a la izquierda del estómago.

beatificar v. tr. *El Papa* ***beatificó*** *a varias personas por sus buenas virtudes* (= hizo que se les pudiera dar culto).
FAM: *beato.*

beato, a s. *El Papa declaró* ***beata*** *a aquella mujer cuya virtud y bondad fueron extraordinarias* (= se llama **beato** a una persona difunta a la que el Papa permite dar culto).
FAM: *beatificar.*

bebé s. m. *La mamá pasea a su* ***bebé*** (= a su niño pequeño).
SINÓN: crío, nene, niño.

bebedero s. m. **1.** *El pájaro tiene dentro de su jaula un* ***bebedero*** (= un recipiente que contiene agua). **2.** *Los charcos y los lagos sirven de* ***be-***

***bedero** a las aves y a otros animales* (= lugar donde los animales acuden a beber).
SINÓN: **2.** abrevadero. FAM: → *beber.*

bebedor, a adj. *Pedro es muy **bebedor*** (= abusa de las bebidas alcohólicas).
ANTÓN: abstemio. FAM: → *beber.*

beber v. tr. **1.** *Cuando tengo sed **bebo** agua* (= la trago). **2.** *Antes **bebía** mucho, pero ahora no prueba el alcohol* (= antes tomaba muchas bebidas alcohólicas).
FAM: *bebedero, bebedor, bebida, biberón.*

bebida s. f. **1.** *Nos nutrimos gracias a la comida y a la **bebida*** (= gracias a los alimentos y a los líquidos que tomamos). **2.** *La limonada es una **bebida** refrescante, y el vino una **bebida** alcohólica* (= son líquidos para beber).
FAM: → *beber.*

beca s. f. *Mi hermano tiene una **beca** de estudios* (= el Estado le ha concedido una ayuda económica para pagar sus estudios).
SINÓN: subvención.

becerro, a s. El becerro es la cría de la vaca.
SINÓN: novillo, ternero.

bedel s. m. *Le pregunté al **bedel** dónde estaba el aula de informática* (= a la persona que se encarga del orden fuera de las aulas de los centros de estudio).
SINÓN: ordenanza.

beige adj. **1.** *Tengo un abrigo de color **beige*** (= de color casi blanco). ◆ **beige** s. m. **2.** *El **beige** es el color que mejor te sienta.*

béisbol s. m. *El **béisbol** y el baloncesto son mis deportes favoritos* (= es un juego entre dos equipos que tienen que recorrer puestos en el campo después de haber lanzado una pelota con un bate).

bejuco s. m. *Desde tiempos remotos, se emplea en América el tallo del **bejuco** para confeccionar hamacas, sillas, cestos y puentes colgantes* (= planta trepadora de tallo largo y flexible).

belén s. m. *En Navidad hicimos en la clase un **belén*** (= una representación con figuras del nacimiento de Jesucristo).
SINÓN: pesebre, nacimiento.

belga adj. **1.** *La bandera **belga** es de color negro, amarillo y rojo* (= de Bélgica). ◆ **belga** s. **2.** *Los **belgas** son las personas nacidas en Bélgica.*

bélico, a adj. *El conflicto **bélico** entre los dos países ha causado ya cientos de muertos* (= es un asunto de guerra entre países).

belleza s. f. *Estoy maravillado por la **belleza** de este paisaje* (= por el conjunto de cualidades del paisaje).
SINÓN: hermosura. ANTÓN: fealdad. FAM: *bello, embellecer.*

bello, a adj. **1.** *David ha pintado un **bello** cuadro* (= un cuadro muy bonito). **2.** *Juan te ayudará porque es una **bella** persona* (= es una persona excelente).
SINÓN: **1.** bonito, hermoso, lindo, precioso. **2.** encantador, excelente. ANTÓN: **1.** feo. **2.** mezquino. FAM: → *belleza.*

bellota s. f. La **bellota** es el fruto de la encina y del roble y sirve de alimento a los cerdos.

bendecir v. tr. **1.** *El Papa **bendijo** a la muchedumbre* (= pidió para ella la protección de Dios). **2.** *El obispo **bendijo** la nueva iglesia* (= la consagró para celebrar en ella ceremonias religiosas).
SINÓN: **2.** consagrar. FAM: → *decir.*

bendición s. f. *El Papa dio la **bendición** a la muchedumbre* (= pidió a Dios que la protegiera haciendo la señal de la cruz).
FAM: → *decir.*

bendito, a adj. **1.** *El sacerdote echó agua **bendita** en la cabeza del niño al bautizarlo* (= agua que ha sido bendecida o consagrada). ◆ **bendito, a** s. **2.** *Pedro no se enojará porque es un **bendito*** (= una buena persona).
SINÓN: **1.** bendecido. FAM: → *decir.*

beneficencia s. f. **1.** *En el colegio hicimos una obra de **beneficencia** y reunimos comida para los niños que pasan hambre en el mundo* (= una obra que tiene como fin socorrer a los pobres). **2.** *El Estado, a través de diversos organismos, se encarga de la **beneficencia*** (= protege y auxilia a los más necesitados).
SINÓN: **1.** caridad. FAM: → *bien.*

beneficiar v. tr. *Las medicinas **benefician** a los enfermos* (= los ayudan a curarse).
SINÓN: favorecer, ayudar. ANTÓN: dañar, perjudicar. FAM: → *bien.*

beneficiario, a s. *Mi padre ha hecho un seguro de vida y nosotros somos los **beneficiarios*** (= somos los que recibiremos el dinero de este seguro).
FAM: → *bien.*

beneficio s. m. **1.** *La lluvia ha sido de gran **beneficio** para los campos, pues ha favorecido la cosecha* (= ha sido de gran provecho). **2.** *Aunque es pequeña, la empresa produce grandes **beneficios*** (= dinero).
SINÓN: **1.** provecho. ANTÓN: **1.** daño, perjuicio.
FAM: → *bien.*

beneficioso, a adj. *Hacer deporte es **beneficioso** para la salud* (= es bueno).
SINÓN: provechoso. ANTÓN: perjudicial. FAM: → *bien.*

benéfico, a adj. *He ganado una muñeca en el sorteo **benéfico*** (= en un sorteo cuyas ganancias van destinadas a gente necesitada).
FAM: → *bien.*

bengala s. f. *Compramos cohetes y **bengalas** para celebrar la verbena* (= fuegos artificiales).

benigno, a adj. **1.** *El profesor fue **benigno** en los exámenes* (= no fue muy severo). **2.** *La primavera es una estación **benigna** porque no hace mucho frío ni mucho calor* (= es una estación

apacible). **3.** *Nos quedamos más tranquilos cuando el médico nos dijo que la enfermedad era* ***benigna*** (= que era una enfermedad sin gravedad).
SINÓN: **1.** compasivo. **2.** apacible, suave, templado. ANTÓN: **1.** severo. **1, 2.** riguroso. **3.** grave, maligno.

berberecho s. m. El **berberecho** es un molusco comestible con dos conchas que vive en la arena.

berenjena s. f. La **berenjena** es una hortaliza comestible y alargada, de piel morada y fina.
FAM: *berenjenal.*

berenjenal s. m. **1.** *En el huerto de la granja hay un pequeño* ***berenjenal*** (= un terreno plantado de berenjenas). ◆ **meterse en un berenjenal 2.** *Pedro* ***se ha metido en un buen berenjenal*** (= se ha metido en un lío).
FAM: *berenjena.*

bergantín s. m. *Entró en el puerto un* ***bergantín*** (= un barco de vela de dos palos).

berlinés, esa adj. **1.** *Compré un diccionario de alemán en una librería* ***berlinesa*** (= de la ciudad alemana de Berlín). ◆ **berlinés, esa** s. **2.** *Los* ***berlineses*** *son las personas nacidas en Berlín.*

berrear v. intr. **1.** *Los ciervos* ***berrean,*** *los perros ladran y las gallinas cacarean* (= gritan). **2.** *Mi hermano pequeño se ha pasado toda la noche* ***berreando*** (= dando fuertes gritos).
SINÓN: chillar, gritar. FAM: *berrido.*

berrendo s. m. Amér. Cent. *Durante el paseo vimos una manada de* **berrendos** (= mamíferos rumiantes parecidos al ciervo; tienen la parte superior del cuello de color castaño, y el vientre blanco).

berrido s. m. **1.** El **berrido** es el sonido que emiten el becerro, el ciervo y otros animales. **2.** *Marta, si sigues dando estos* ***berridos*** *despertarás a todos los vecinos* (= estos gritos).
SINÓN: **2.** chillido, grito. FAM: *berrear.*

berrinche s. m. *Mi hermano hace un* ***berrinche*** *a la menor contrariedad* (= enojos cortos pero muy fuertes).
SINÓN: enfado, rabieta, pataleo.

berro s. m. Los **berros** son plantas que crecen en lugares húmedos y cuyas hojas, de sabor picante y agradable, se comen en ensalada.

besamel s. f. *Ayer comimos canelones con* ***besamel*** (= con una salsa blanca hecha con leche, harina, manteca y sal).

besar v. tr. ***Besé*** *a mis padres al despedirme de ellos* (= les di unos besos).
FAM: *beso.*

beso s. m. *Juan dio un* ***beso*** *en la mejilla a su hermana* (= le puso los labios en la mejilla).
FAM: *besar.*

bestia s. f. **1.** *La mula es una* ***bestia*** *de carga* (= un animal). **2.** *Este hombre es una* ***bestia*** (= se comporta como un bruto).
FAM: *bestial, bestialidad.*

bestial adj. *Un asesinato es un crimen* ***bestial*** (= un acto brutal).
SINÓN: bárbaro, brutal, salvaje. FAM: → *bestia.*

bestialidad s. f. *Quemar los bosques es una* ***bestialidad*** (= una barbaridad).
SINÓN: barbaridad, brutalidad, crueldad. ANTÓN: bondad. FAM: → *bestia.*

besugo s. m. El **besugo** es un pez de mar de carne blanca, muy apreciado como alimento.

betabel s. m. Méx. *En algunos países se fabrica azúcar del* ***betabel*** (= planta de raíz carnosa, dulce y de color rojo oscuro).
SINÓN: betarraga, remolacha.

betarraga s. f. Chile → **remolacha.**

betún s. m. **1.** *Todos los días limpio mis zapatos con* ***betún*** *y un cepillo* (= con una crema o un líquido que sirve para abrillantar el calzado). **2.** Capa cremosa y comestible para adornar los pasteles.

biberón s. m. *La mamá le dio la leche a su bebé en un* ***biberón*** (= en un frasco que tiene una tetina de plástico).
FAM: → *beber.*

biblia s. f. La **Biblia** es el conjunto de libros sagrados que la Iglesia considera inspirados por Dios y que se dividen en Antiguo y Nuevo Testamento.
FAM: *bíblico.*

bíblico, a adj. *Moisés es un personaje* ***bíblico*** (= de la Biblia).
FAM: *biblia.*

bibliografía s. f. *Cuando tengo que hacer un trabajo, consulto la* ***bibliografía*** *sobre el tema* (= los libros escritos sobre un determinado tema o autor).

biblioteca s. f. **1.** *En la* ***biblioteca*** *municipal me prestan los libros que necesito* (= lugar donde se guardan ordenados los libros que están a disposición de la gente). **2.** *Los libros se colocan en una* ***biblioteca*** (= en un mueble compuesto de estanterías).
SINÓN: **2.** estantería. FAM: *bibliotecario.*

bibliotecario, a s. *Pregunté al* ***bibliotecario*** *en qué estantería estaban los diccionarios* (= la persona que cuida, ordena y presta los libros de una biblioteca).
FAM: *biblioteca.*

bicameral adj. *En algunos países, el poder legislativo es* ***bicameral*** (= que tiene dos Cámaras, una de senadores y otra de diputados).

bicarbonato s. m. *Cuando tiene ardores de estómago, mi padre toma* ***bicarbonato*** (= una sustancia blanca en forma de polvo que se usa para aliviar el dolor de estómago).

bíceps s. m. *El atleta levanta pesas para fortalecer los* ***bíceps*** (= los músculos del brazo).

bicharraco s. m. *Ha entrado un* ***bicharraco*** *por la ventana* (= un animal pequeño pero desagradable).
FAM: *bicho.*

bicho s. m. **1.** *He visto un* ***bicho*** *en la cortina* (= un animal pequeño). **2.** *Tiene en su casa toda clase de* ***bichos*** (= de animales). **3.** *Tengo un compañero en clase que es un* ***bicho*** (= un niño travieso). ◆ **bicho viviente 4.** *No hay* ***bicho viviente*** *que no conozca la noticia* (= no hay ninguna persona que no lo sepa).
FAM: *bicharraco.*

bicicleta s. f. *Felipe pedalea en su* ***bicicleta*** (= en un vehículo de dos ruedas y sin motor que se mueve impulsado por la acción de los pies sobre los pedales).

bicolor adj. *Tengo una camisa* ***bicolor*** (= de dos colores).
FAM: → *color.*

bidé s. m. *En el cuarto de baño tenemos un* ***bidé*** (= un recipiente de aseo, bajo y de forma alargada).

bidón s. m. *La gasolina se puede transportar en* ***bidones*** (= en recipientes de metal o plástico que sirven para envasar y transportar líquidos).

biela s. f. *Las locomotoras de vapor llevan unas* ***bielas*** *que facilitan el movimiento de las ruedas* (= unas barras metálicas móviles).

bien s. m. **1.** *Haz el* ***bien*** *y no mires a quién* (= haz lo que creas conveniente para ti y para los demás). **2.** *Este medicamento me ha hecho un* ***bien*** *extraordinario* (= me ha sido muy útil, me ha beneficiado). **3.** *Este hombre posee muchos* ***bienes*** (= riquezas). ◆ **bien** adv. **4.** *Mi hermano lo hace todo* ***bien*** (= correctamente). **5.** *Me encuentro* ***bien*** *de salud* (= tengo buena salud). **6.** *Quiero un café* ***bien*** *caliente* (= muy caliente). **7.** *Yo* ***bien*** *iría a tu fiesta pero no puedo* (= de buena gana). **8.** *Ayer cené* ***bien*** (= comí mucho). **9.** *¿Vamos esta tarde al cine?* ***Bien*** (= de acuerdo).
SINÓN: **2.** beneficio, provecho. **3.** fortuna, riqueza. **4.** correctamente, satisfactoriamente. **7.** gustosamente. **8.** mucho. ANTÓN: **1, 2.** mal. **2.** daño, perjuicio. **8.** poco. FAM: *beneficencia, beneficiar, beneficiario, beneficio, beneficioso, benéfico, bienestar, bienhechor, bienvenido, requetebién.*

bienestar s. m. **1.** *Ha conseguido vivir con cierto* ***bienestar*** *gracias a su trabajo* (= con cierta comodidad económica). **2.** *Después de un baño se tiene una sensación de* ***bienestar*** (= uno se encuentra bien).
SINÓN: **2.** comodidad, dicha. ANTÓN: **1.** estrechez. **2.** malestar. FAM: → *bien.*

bienhechor, a s. *Luis ha podido estudiar gracias a la ayuda de sus* ***bienhechores*** (= a las personas que lo han ayudado y protegido).
SINÓN: protector. FAM: → *bien.*

bienio s. m. *Este equipo elige a sus representantes cada* ***bienio*** (= cada dos años).

bienvenido, a adj. **1.** *En casa de Juan, los amigos siempre son* ***bienvenidos*** (= son recibidos con alegría). ◆ **bienvenida** s. f. **2.** *Nuestros tíos nos dieron la* ***bienvenida*** *cuando llegamos* (= nos recibieron con alegría).
SINÓN: **2.** acogida, recibimiento. ANTÓN: **2.** despedida. FAM: → *bien.*

bife s. m. Amér. Merid. *Los rioplatenses llaman* ***bife*** *de chorizo a un grueso trozo de carne asada de vacuno* (= tajada de carne vacuna).

bifurcarse v. pron. *Aquí el río* ***se bifurca*** (= se divide en dos).
SINÓN: dividirse, separarse. ANTÓN: juntarse, unirse.

bigamia s. f. *Ha sido condenado por* ***bigamia*** (= estaba casado con dos mujeres a la vez).

bigote s. m. *Mi profesor se ha dejado crecer el* ***bigote*** (= los pelos que salen sobre el labio superior).
FAM: *bigotudo.*

bigotudo, a adj. *El portero de mi casa es muy* ***bigotudo*** (= tiene un bigote muy grande).
FAM: *bigote.*

bilateral adj. *Uruguay y Brasil han firmado un pacto* ***bilateral*** (= han firmado las dos partes).
FAM: → *lado.*

bilingüe adj. *He comprado un diccionario* ***bilingüe*** *francés-español* (= se traducen las palabras a las dos lenguas).
FAM: → *lengua.*

bilis s. f. *El hígado segrega la* ***bilis*** (= un líquido amarillo verdoso y amargo).

billar s. m. *Jugamos a menudo al* ***billar*** (= juego que consiste en golpear, con un palo llamado taco, unas bolas de marfil sobre una mesa forrada de paño).

billete s. m. **1.** *He encontrado un* ***billete*** *de mil pesos en el suelo* (= dinero en forma de papel moneda cuyo valor aparece estampado en él). **2.** *Mi padre compró* ***billetes*** *de lotería* (= unos papeles con un número escrito que le permiten participar en un sorteo).
SINÓN: **2.** cupón. FAM: *billetera.*

billetera s. f. *Guardó el dinero en la* ***billetera*** (= en una cartera pequeña para llevar billetes).
FAM: *billete.*

billón s. m. *Un* ***billón*** *es un millón de millones* (= se indica escribiendo un uno seguido de doce ceros).

bimestral adj. *Estoy suscrito a una revista* ***bimestral*** (= la recibo cada dos meses).
FAM: → *mes.*

bimestre s. m. *Durante el último* ***bimestre*** *de curso trabajamos mucho* (= durante los dos últimos meses).
FAM: → *mes.*

binoculares s. m. pl. *Para seguir las carreras de caballos usamos* ***binoculares*** (= anteojos de largavista, que consisten en un par de tubos con lentes para ver a gran distancia).

biografía s. f. *Leí la* ***biografía*** *del escritor Julio Verne* (= leí la historia de su vida).
FAM: *autobiografía.*

biología s. f. *Santiago estudia* ***Biología*** (= la ciencia que estudia los seres vivos).
FAM: *biólogo.*

biólogo, a s. *Eva es* ***bióloga*** (= se dedica a la ciencia que estudia los seres vivos).
FAM: *biología.*

biombo s. m. *La habitación está dividida en dos partes por un* ***biombo*** (= por un mueble con paneles plegables que sirve para aislar o dividir un lugar).

biopsia s. f. *El médico ha practicado la* ***biopsia*** *al enfermo para averiguar qué le sucede* (= un examen que se realiza con el microscopio).

bípedo, a adj. *El hombre es un animal* ***bípedo*** (= tiene dos pies).
FAM: → *pie.*

biquini s. m. *Esta mañana, María ha estrenado en la playa el* ***biquini*** *que le regalamos* (= un traje de baño de dos piezas).

birrete s. m. *El juez lleva toga negra sobre el cuerpo y* ***birrete*** *en la cabeza* (= un gorro en forma de rombo con una borla arriba).

bis s. m. **1.** *La canción tuvo tanto éxito que el público pidió un* ***bis***. **2.** También es un prefijo que indica el doble.
SINÓN: **1.** repetición.

bisabuelo, a s. *Su* ***bisabuelo*** *acaba de morir* (= era el padre de uno de sus abuelos).
FAM: → *abuelo.*

bisagra s. f. *La puerta no se sujeta al marco porque se han roto las* ***bisagras*** (= las partes móviles que permiten abrir y cerrar las puertas).

bisexual adj. Una persona **bisexual** es aquella que mantiene relaciones sexuales tanto con personas del otro sexo como con las del propio.
FAM: → *sexo.*

bisiesto adj. *Cada cuatro años hay un año* ***bisiesto:*** *el año dura 366 días y el mes de febrero tiene 29 días en vez de 28.*

bisílabo, a adj. Casa, árbol, silla *son palabras* ***bisílabas*** (= tienen dos sílabas).
FAM: → *sílaba.*

bisnieto, a s. *El señor Antonio tiene un* ***bisnieto*** *de su nieta Isabel* (= es el hijo de su nieta).
FAM: *nieto.*

bisonte s. m. El **bisonte** es un animal mamífero de la misma familia que el toro, con un abultamiento en la parte superior del lomo.

bistec s. m. *Después de la sopa he comido un* ***bistec*** (= un filete de carne, frita o asada).

bisturí s. m. *El cirujano opera con un* ***bisturí*** (= con un pequeño cuchillo muy afilado).

bisutería s. f. **1.** *A Juana le gustan los adornos de* ***bisutería*** (= los anillos, pulseras o pendientes hechos con materiales baratos). **2.** *Amalia mira el escaparate de una* ***bisutería*** (= una tienda donde venden objetos de adorno baratos).

bizco, a adj. *Isabel es* ***bizca*** (= sus ojos no miran en la misma dirección).

bizcocho s. m. *Marcela toma* ***bizcochos*** *en el desayuno* (= pan hecho con harina, huevo y azúcar).

blanco, a adj. **1.** *La nieve y la leche son de color* ***blanco***. **2.** *A mi padre le gusta el vino* ***blanco*** (= el que es de color más claro que los otros). **3.** *Los europeos son de raza* ***blanca*** (= su piel es de color claro). ◆ **blanco** s. m. **4.** *Los policías ejercitan su puntería tirando al* ***blanco*** (= apuntando a un objeto distante). ◆ **quedarse en blanco 5.** *Cuando el profesor me preguntó la lección* ***me quedé en blanco*** (= no me acordaba de nada).
SINÓN: **4.** diana, objetivo. ANTÓN: **1, 3.** negro. **2.** tinto. FAM: *blancura, blancuzco, blanqueador, blanquear, blanquecino.*

blancura s. f. *Me puse unos anteojos oscuros porque me hacía daño la* ***blancura*** *de la nieve* (= lo blanca que estaba la nieve).
ANTÓN: negrura, oscuridad. FAM: → *blanco.*

blando, a adj. **1.** *Me gusta el pan* ***blando*** (= tierno). **2.** *Es un profesor demasiado* ***blando*** *con sus alumnos* (= los consiente demasiado).
SINÓN: **2.** tolerante. ANTÓN: **1, 2.** duro. **2.** exigente, severo. FAM: *ablandar, blandura, reblandecer.*

blanquear v. tr. **1.** *La lejía* ***blanquea*** *la ropa* (= la pone blanca). **2.** *El pintor* ***blanqueó*** *con cal la fachada de la casa* (= la encaló para dejarla blanca).
SINÓN: **2.** encalar. ANTÓN: **1.** ennegrecer, oscurecer. FAM: → *blanco.*

blanquecino, a adj. *El día comienza con una luz* ***blanquecina*** (= casi blanca).
SINÓN: blancuzco. ANTÓN: negruzco. FAM: → *blanco.*

blasfemar v. intr. *Es un hombre que suele* ***blasfemar*** *contra la iglesia* (= dice palabras insultantes contra las cosas sagradas).
SINÓN: insultar, renegar. ANTÓN: alabar. FAM: *blasfemia.*

blasfemia s. f. *Juan ha dicho* ***blasfemias*** (= palabras que ofenden las cosas sagradas).
SINÓN: insulto. ANTÓN: alabanza. FAM: *blasfemar.*

bledo s. m. **1.** El **bledo** es una planta comestible, de hojas verdes, que se cultiva en los huertos. ◆ **importar o no un bledo 2.** *Me* ***importa un bledo*** *no ser tan atractivo como tú* (= me da igual).

blindar v. tr. *Hicimos **blindar** la puerta de mi casa* (= le pusieron una chapa metálica para protegerla de los golpes violentos).
SINÓN: reforzar.

bloc s. m. *Arranqué las tres primeras hojas del **bloc*** (= de la libreta).
SINÓN: cuaderno, libreta.

bloque s. m. **1.** *De la cantera han extraído enormes **bloques de piedra*** (= grandes trozos de piedra). **2.** *En el interior de este **bloque** de viviendas hay un patio* (= de este conjunto de edificios). ◆ **en bloque 3.** *Los soldados desfilaron **en bloque*** (= en conjunto).
SINÓN: 2. edificio. **FAM:** *bloquear.*

bloquear v. tr. *El ejército **bloqueó** las comunicaciones marítimas* (= interrumpió el movimiento de barcos).
SINÓN: detener, interrumpir, paralizar. **FAM:** *bloque.*

blusa s. f. *Mi madre ha comprado una **blusa** de seda* (= una camisa holgada y con mangas que cubre el torso).
SINÓN: camisa. **FAM:** *blusón.*

blusón s. m. *Mi vecina llevaba un **blusón** por encima de los pantalones* (= una blusa larga y ancha).
SINÓN: blusa, camisa. **FAM:** *blusa.*

boa s. f. La **boa** es una serpiente muy grande de América; no es venenosa pero tiene mucha fuerza.

bobada s. f. *Este niño está haciendo continuamente **bobadas*** (= tonterías).
SINÓN: bobería, estupidez, tontería. **FAM:** → *bobo.*

bobalicón, ona s. *¡Qué **bobalicón** es, se lo cree todo!* (= ¡qué tonto!, se deja engañar fácilmente).
SINÓN: bobo, simple, tonto. **ANTÓN:** astuto, listo. **FAM:** → *bobo.*

bobina s. f. **1.** *El hilo de coser está enrollado en una **bobina*** (= un pequeño canuto). **2.** *El mecánico nos cambió la **bobina** del coche* (= un aparato conductor de electricidad).
SINÓN: 1. carrete.

bobo, a adj. *Este chico es **bobo*** (= es poco inteligente).
SINÓN: bobalicón, simple, tonto. **ANTÓN:** astuto, inteligente, listo. **FAM:** *bobada, bobalicón, bobería, embobar.*

boca s. f. **1.** *Mi madre metió la cucharada de papilla en la **boca** de mi hermano pequeño* (= en la abertura que sirve para comer y hablar). **2.** *El montañista encontró la **boca** de una cueva* (= su entrada). ◆ **boca abajo 3.** *Se estiró en la cama **boca abajo*** (= se tendió con la boca hacia abajo). ◆ **boca arriba 4.** *Toma el sol **boca arriba*** (= tendido con la boca hacia arriba). ◆ **boca a boca 5.** *Cuando lo sacaron del agua tuvieron que hacerle la respiración **boca a boca*** (= la respiración artificial). ◆ **a boca de jarro** o **a bocajarro. 6.** *Me dio la noticia tan **a boca de jarro** que me asustó* (= me lo dijo de golpe). ◆ **andar de boca en boca 7.** *Lo que ocurrió el domingo **andaba de boca en boca** por todo el barrio* (= era conocido por todo el barrio). ◆ **con la boca abierta 8.** *El espectáculo de los trapecistas nos dejó **con la boca abierta*** (= nos asombró y gustó mucho). ◆ **no abrir boca 9.** *Como nunca me das la razón, **no abriré más la boca*** (= no hablaré más).
SINÓN: 2. abertura, agujero. **FAM:** *bocacalle, bocadillo, bocado, bocana, bocanada, boquete, boquiabierto, boquilla, bucal, desbocarse, desembocadura, desembocar.*

bocacalle s. f. *Cruza en la primera **bocacalle** y encontrarás la dirección* (= entrada de una calle).
FAM: → *boca.*

bocadillo s. m. *A la hora del recreo como un **bocadillo*** (= dos trozos de pan entre los que se pone embutido).
SINÓN: emparedado, sandwich. **FAM:** → *boca.*

bocado s. m. **1.** *Teníamos mucha prisa y sólo comimos un **bocado*** (= un poco de comida). **2.** *Tenía tanta hambre que me he acabado el bocadillo en tres **bocados*** (= en tres mordiscos). **3.** *El caballo muerde el **bocado** porque está nervioso* (= la barra de metal metida en su boca a la que van sujetas las bridas).
SINÓN: 2. dentellada, mordisco. **FAM:** → *boca.*

bocana s. f. *El puerto se comunica con el mar por una **bocana*** (= por un pasaje estrecho).
FAM: → *boca.*

bocanada s. f. **1.** *Bebía el refresco a **bocanadas*** (= a grandes tragos). **2.** *Por la chimenea salió una **bocanada** de humo* (= una gran cantidad de humo).
SINÓN: 1. sorbo, trago. **FAM:** → *boca.*

boceto s. m. *Este dibujo no es más que un **boceto*** (= no es definitivo; sólo es un esquema).
SINÓN: borrador, croquis, esquema.

bochinche s. m. R. de la Plata. *En el salón de baile se produjo un gran **bochinche*** (= barullo, tumulto).

bochorno s. m. **1.** *En verano el **bochorno** es sofocante* (= el aire caliente). **2.** *Cuando me preguntan en clase, el **bochorno** me hace sonrojar* (= la vergüenza).
SINÓN: 2. vergüenza. **ANTÓN: 1.** frescor.

bocina s. f. **1.** *El camionero tocó la **bocina** para que nos apartáramos* (= un aparato sonoro que llevan los vehículos para llamar la atención). Amér. **2.** *Mi equipo de sonido tiene dos **bocinas*** (= dos altavoces o altoparlantes).
SINÓN: claxon. **FAM:** *abochornar.*

boda s. f. **1.** *Nuestros amigos nos han invitado a su **boda*** (= a la celebración de su enlace matrimonial). ◆ **bodas de diamante 2.** *Mis abuelos celebraron las **bodas de diamante*** (= celebraron que hacía sesenta años que se habían casado). ◆ **bodas de oro 3.** *El anciano ca-*

pellán cumplió ayer sus ***bodas de oro*** (= hacía cincuenta años que era sacerdote). ◆ **bodas de plata 4.** *El doctor Martín celebró sus* ***bodas de plata*** *como médico* (= hacía veinticinco años que era médico).
SINÓN: 1. casamiento, enlace. **ANTÓN: 1.** divorcio.

bodega s. f. **1.** *Fuimos a comprar una botella de vino a la* ***bodega*** (= tienda donde se venden vinos y licores). **2.** *Mi tío ha bajado a buscar una botella de vino a la* ***bodega*** (= al sótano de la casa, que nos sirve de almacén).
FAM: *bodeguero.*

bodegón s. m. *Vimos la exposición de un pintor que hace unos* ***bodegones*** *muy bonitos* (= cuadros que representan objetos de cocina, frutas y jarrones).

bodeguero, a s. **1.** *Martín tiene una bodega, es* ***bodeguero*** (= es el dueño de una bodega). **2.** *En algunos restaurantes el vino es servido por el* ***bodeguero*** (= la persona encargada de la bodega donde están los vinos).
FAM: *bodega.*

bodrio s. m. *Esta película es un* ***bodrio,*** *me voy a la cama* (= es muy mala).

bofetada s. f. **1.** *El niño recibió tal* ***bofetada*** *que le dejó la cara roja* (= recibió un golpe con la mano abierta en la mejilla). ◆ **darse de bofetadas 2.** *Esta falda de rayas y esta chaqueta de lunares* ***se dan de bofetadas*** (= desentonan).
SINÓN: bofetón, cachete, guantazo, tortazo. **FAM:** *abofetear, bofetón.*

bofetón s. m. *Le dio un* ***bofetón*** *tan fuerte que le dejó la mano marcada en la cara* (= le dio una cachetada muy fuerte).
SINÓN: bofetada, cachetada, tortazo. **FAM:** → *bofetada.*

boga (en) *El ciclismo está muy* ***en boga*** *entre los jóvenes* (= está muy de moda).

bogar v. intr. *Los marineros* ***bogaban*** *contra las olas* (= remaban).
SINÓN: remar.

bogavante s. m. El **bogavante** es un animal marino parecido a la langosta, con el cuerpo azulado y pinzas fuertes, que se vuelve rojo al cocerse.

bohemio, a adj. *Algunos artistas llevan una vida* ***bohemia*** (= llevan una vida poco convencional).

boicot s. m. *Aquel país sufrió un* ***boicot*** *mundial por no respetar los derechos humanos* (= los otros países del mundo rompieron sus relaciones comerciales y sociales con él).
ANTÓN: apoyo. **FAM:** *boicotear.*

boicotear v. tr. *Los trabajadores intentaron* ***boicotear*** *la producción de la fábrica* (= intentaron pararla para conseguir algo).
FAM: *boicot.*

boina s. f. *Mi abuelo cubre su cabeza con una* ***boina*** (= una gorra sin visera, redonda y de lana).
SINÓN: gorra.

boj s. m. El **boj** es un arbusto de tallos derechos que se emplea para hacer setos.

bola s. f. **1.** *La adivina consultaba su* ***bola*** *de cristal* (= objeto esférico). **2.** *Sospecho que todo lo que nos ha contado es una* ***bola*** (= es una mentira).
SINÓN: 1. esfera. **2.** embuste, engaño, mentira. **ANTÓN: 2.** verdad. **FAM:** *bolera, bolo.*

boleadoras s. f. pl. R. de la Plata. *Los gauchos rioplatenses usaban* ***boleadoras,*** *como los indios de la pampa, para cazar o defenderse* (= un par de bolas de piedra, envueltas en cuero y atadas a una tercera con la que se las revoleaba antes de arrojarlas).

bolear v. tr. R. de la Plata. **1.** *En una fiesta gaucha varios paisanos* ***bolearon*** *potros y toros* (= echaron las boleadoras a un animal). Méx. **2.** *Juan es muy limpio; todos los días* ***bolea*** *sus zapatos* (= los limpia y lustra).
FAM: *bola, boleadora.*

bolero s. m. Amér. **1.** *Los cantantes mexicanos hicieron popular el* ***bolero*** (= canción melódica de letra romántica y ritmo lento originaria de Cuba). Méx. **2.** *El* ***bolero*** *limpió los zapatos de mi tío* (= el limpiabotas).

boletín s. m. *Hoy me han dado el* ***boletín*** *de notas y me han reprobado en matemáticas* (= hoy me han dado el papel de las notas).
FAM: *boleto.*

boleto s. m. **1.** *Vendíamos* ***boletos*** *de lotería para recaudar dinero para el viaje de fin de curso* (= billetes de lotería). Amér. **2.** *Compramos los* ***boletos*** *del avión con un mes de anticipación* (= billete para ingresar a un medio de transporte, al teatro o al cinematógrafo). Arg. **3.** *Pedrito siempre anda diciendo* ***boletos*** (= embustes, fantasías).
SINÓN: 2. billete. **3.** embuste, mentira. **FAM:** *boletín.*

boliche s. m. **1.** El **boliche** es una bola pequeña que se usa en el juego de los bolos. Amér. Merid. **2.** *En mi barrio hay varios* ***boliches*** (= comercios pequeños, de comestibles y bebidas). **3.** *Nos invitaron a bailar en un* ***boliche*** (= lugar de entretenimiento donde se bebe y, a veces, también se baila).
SINÓN: 2. barata, comercio, tienda. **3.** bar, café, confitería, discoteca.

bólido s. m. **1.** *Los* ***bólidos*** *alcanzan grandes velocidades* (= los coches de carreras). **2.** Un **bólido** es un cuerpo desprendido de algún astro que atraviesa con rapidez la atmósfera.
SINÓN: 2. meteorito.

bolígrafo s. m. *Escribo con un* ***bolígrafo*** *con tinta azul* (= un instrumento de metal o plástico con un tubo de tinta y una bolita metálica en la punta).

bolita s. f. Amér. Merid. *Ayer, cuando jugaba con mis amigos, perdí una* ***bolita*** (= bola muy pequeña de barro cocido o de vidrio).
SINÓN: canica.

boliviano, a adj. **1.** *Los tejidos* ***bolivianos*** *tienen colores muy llamativos* (= de Bolivia). ◆ **boliviano, a** s. **2.** *Los* ***bolivianos*** *son las personas nacidas en Bolivia.*

bollo s. m. **1.** *El pastelero hace unos* ***bollos*** *riquísimos* (= unos panecillos blandos de harina, leche, huevos, azúcar y mantequilla). **2.** *Me caí y me hice un* ***bollo*** *en la frente* (= se me hinchó). **3.** *El mecánico arregló todos los* ***bollos*** *del coche* (= todos los golpes). ◆ **no está el horno para bollos 4.** *Cuando me encontré a Juan no le di la mala noticia porque vi que no* ***estaba el horno para bollos*** (= Juan estaba de mal humor).
SINÓN: **2.** bulto, chichón. **3.** abolladura. FAM: *abolladura, abollar, bollería.*

bolo s. m. *En esta partida sólo he tirado dos* ***bolos*** (= palos de madera redondeados que se tienen en pie y se derriban con unas bolas).
FAM: → *bola, boliche.*

bolsa s. f. **1.** *En casa guardamos el pan en una* ***bolsa*** *de tela* (= un saco para guardar o llevar cosas). **2.** *Antiguamente llevaban el dinero en una* ***bolsa*** (= en un monedero de cuero o tela). **3.** *El empresario invierte en acciones de* ***bolsa*** (= de otros negocios).
FAM: *bolsillo, bolso, desembolsar.*

bolsillo s. m. **1.** *Mi pantalón tiene dos* ***bolsillos*** (= bolsas de tela cosidas a la prenda con una abertura en las que puedo meter las manos). **2.** *Al final tendré que pagar la cena de mi* ***bolsillo*** (= con mi dinero).
FAM: → *bolsa.*

bolso s. m. *Mi madre lleva en el* ***bolso*** *el monedero, los anteojos y el pañuelo* (= cartera donde lleva las cosas que necesita).
FAM: → *bolsa.*

bomba s. f. **1.** *La policía ha desactivado una* ***bomba*** (= una pieza hueca que tiene dentro materia explosiva). **2.** *Los aviones han lanzado* ***bombas*** *contra el enemigo* (= unos proyectiles que estallan, destruyen y matan). **3.** Una **bomba** de agua es una máquina para extraer y elevar agua. ◆ **pasarlo bomba. 4.** ***Lo pasé bomba*** *en la fiesta* (= lo pasé muy bien).
SINÓN: **1, 2.** explosivo. **2.** proyectil. FAM: *bombardear, bombardeo, bombardero, bombazo, bombero, bombona.*

bombacha s. f. Amér. Merid. **1.** *Los gauchos usan* ***bombacha*** *porque resulta más cómoda para andar a caballo* (= pantalones anchos ceñidos en los tobillos). Arg. **2.** *Las muchachas usan* ***bombachas*** *de colores* (= prenda interior femenina que cubre el bajo vientre y las nalgas).
SINÓN: **2.** bragas, calzones.

bombardear v. tr. *Los aviones* ***han bombardeado*** *un puente* (= lo han destruido con bombas).
FAM: → *bomba.*

bombardeo s. m. *El* ***bombardeo*** *ha destruido una parte de la ciudad* (= el lanzamiento de bombas).
FAM: → *bomba.*

bombardero s. m. *Varios* ***bombarderos*** *sobrevolaban la ciudad* (= aviones o barcos que llevan las bombas en las guerras).
FAM: → *bomba.*

bombazo s. m. **1.** *El* ***bombazo*** *hizo un profundo agujero en el lugar de la explosión* (= el impacto de la bomba). **2.** *La noticia resultó un* ***bombazo*** (= resultó muy interesante para todo el mundo).
SINÓN: **1.** estallido, explosión, impacto. FAM: → *bomba.*

bombear v. tr. ***Han bombeado*** *el agua del estanque* (= han sacado el agua con una bomba).
FAM: → *bomba.*

bombero s. m. *Para apagar el incendio llamaron a los* ***bomberos*** (= a las personas especialistas en apagar fuegos).
FAM: → *bomba.*

bombilla s. f. **1.** *Hay que cambiar la* ***bombilla*** *fundida de esta lámpara* (= una ampolla de cristal con hilitos metálicos que sirven para alumbrar). Amér. Merid. **2.** *Para mi cumpleaños, me regalaron una* ***bombilla*** *de plata* (= tubo delgado, de metal que termina en forma de almendra llena de agujeritos; se usa para tomar mate).
SINÓN: **1.** foco.

bombín s. m. *La actriz llevaba un traje negro de hombre y* ***bombín*** *en la cabeza* (= un sombrero con ala pequeña y copa baja y redondeada).

bombo s. m. **1.** *En la orquesta, Daniel toca el* ***bombo*** (= un tambor grande). **2.** *Las bolas de la lotería se meten en un* ***bombo*** (= se meten en una caja metálica y redonda que gira). **3.** *La película se anunció con mucho* ***bombo*** (= se anunció con mucha publicidad).

bombón s. m. *Me gustan mucho los* ***bombones*** (= las golosinas de chocolate).
SINÓN: malvavisco. FAM: *bombonera.*

bombona s. f. *Compré una* ***bombona*** *de gas para la estufa* (= una botella grande metálica que contiene gas a presión).
FAM: → *bomba.*

bombonera s. f. *Regalé a mi madre una* ***bombonera*** *de cristal llena de bombones* (= una caja para guardar bombones).
FAM: *bombón.*

bonachón, ona adj. *Mi abuelo es un hombre* ***bonachón*** *y pacífico* (= de carácter muy bueno).
SINÓN: bondadoso. FAM: → *bueno.*

bondad s. f. **1.** *La* ***bondad*** *de la enfermera era admirada por todos* (= la inclinación a hacer

el bien). **2.** *Si tiene la* ***bondad*** *de seguirme* (= si tiene la amabilidad de seguirme).
SINÓN: 1. honradez. **2.** amabilidad. **ANTÓN:** crueldad, maldad. **FAM:** → *bueno.*

bondadoso, a adj. *Mi amigo es muy* ***bondadoso****; nunca nos niega nada* (= mi amigo es muy generoso).
SINÓN: honrado. **ANTÓN:** malo, malvado, perverso. **FAM:** → *bueno.*

bonete s. m. *Aquel sacerdote llevaba un* ***bonete*** *en la cabeza* (= llevaba un gorro de cuatro picos usado por los eclesiásticos).

boniato o **boñato** s. m. Amér. *Me gusta comer* ***boniatos*** *asados a las brasas* (= tubérculos de pulpa amarillenta y de sabor dulce como el de la castaña).
SINÓN: batata, camote.

bonificación s. f. *He recibido una* ***bonificación*** *de diez mil pesos por mi trabajo* (= un premio).
SINÓN: gratificación. **ANTÓN:** recargo. **FAM:** *bonificar.*

bonito, a adj. **1.** *María tiene una cara muy* ***bonita*** (= es muy guapa). ◆ **bonito** s. m. **2.** El **bonito** es un pescado de mar comestible cuyo sabor es parecido al del atún.
SINÓN: 1. agraciado, bello, guapo, hermoso, lindo. **ANTÓN: 1.** feo, horrible.

bono s. m. **1.** *Compré un* ***bono*** *de autobús de diez viajes* (= compré una tarjeta para utilizar el autobús diez veces). **2.** *En la Bolsa se venden* ***bonos*** *de la deuda externa* (= título de deuda que emite el Estado o una empresa industrial o comercial).
SINÓN: 1. abono.

boñiga s. f. *Después de pastar, las vacas dejaban el prado lleno de* ***boñigas*** (= dejaban el prado lleno de excrementos).
SINÓN: excremento.

boom s. m. *Ya ha pasado el* ***boom*** *de la falda larga* (= ya ha pasado la moda de la falda larga).

boomerang s. m. *Los australianos usaban el* ***boomerang*** *como arma para cazar* (= lámina de madera en forma de V que una vez lanzada puede volver al punto de partida).

boquerón s. m. El **boquerón** es un pescado de mar parecido a la sardina pero más pequeño.

boquete s. m. **1.** *Los montañistas entraron en la cueva por un* ***boquete*** (= por una entrada estrecha). **2.** *Los obreros hicieron un* ***boquete*** *en el muro* (= hicieron un orificio).
SINÓN: agujero, brecha. **FAM:** → *boca.*

boquiabierto, a adj. *Ante la belleza de los cuadros se quedó* ***boquiabierto*** (= se quedó asombrado).
SINÓN: asombrado, sorprendido. **FAM:** → *boca.*

boquilla s. f. **1.** *Ana fuma con una* ***boquilla*** (= tubo pequeño donde se mete parte del cigarrillo). **2.** *El flautista cambió la* ***boquilla*** *del instrumento* (= la pieza que se pone en un extremo del instrumento para soplar).
FAM: → *boca.*

borbotón *El agua hervía* ***a borbotones*** (= haciendo muchas burbujas).

borda s. f. **1.** *No te acerques a la* ***borda*** *del barco que podrías caerte* (= al borde del barco). ◆ **tirar por la borda 2.** *El marinero tiró los desperdicios por la* ***borda*** (= los tiró al mar). ◆ **echar por la borda 3.** *Juan* ***echó por la borda*** *su carrera política con aquel escándalo* (= echó a perder su carrera política).

bordado, a adj. **1.** *Hemos visto una exposición de cuadros* ***bordados*** (= hechos con sedas de varios colores). ◆ **bordado** s. m. **2.** *La bordadora hizo en mi pañuelo un* ***bordado*** *en relieve con la inicial de mi nombre.*
SINÓN: 2. labor. **FAM:** → *bordar.*

bordador, a s. *La* ***bordadora*** *se pinchó mientras trabajaba* (= la persona que tiene por oficio bordar).
FAM: → *bordar.*

bordar v. tr. ***Han bordado*** *un manto para la Virgen* (= le han hecho adornos con hilo y aguja).
FAM: *bordado, bordador.*

borde s. m. **1.** *Tu vaso está muy cerca del* ***borde*** *de la mesa y se puede caer* (= está muy cerca del extremo). **2.** *Llenamos la jarra hasta el* ***borde*** (= la llenamos hasta arriba). ◆ **estar al borde de 3.** ***Estoy al borde de*** *un ataque de nervios* (= estoy a punto de tener un ataque de nervios).
SINÓN: 1. canto, extremo, orilla. **FAM:** *bordear, bordillo, desbordamiento, desbordante, desbordar, reborde, transbordador, transbordar, transbordo.*

bordear v. tr. ***Bordeamos*** *el lago dando un paseo* (= recorrimos toda su orilla).
SINÓN: rodear. **FAM:** → *borde.*

bordillo s. m. *Me caí y me golpeé con el* ***bordillo*** *de la acera* (= me golpeé con el desnivel que la separa de la carretera).
FAM: → *borde.*

bordo s. m. **1.** *Los marineros limpiaban los* ***bordos*** *del barco* (= los lados exteriores del barco). ◆ **a bordo 2.** *Yo ya estaba* ***a bordo*** *del barco cuando llegó el capitán* (= estaba en el barco).

boreal adj. La aurora **boreal** es un conjunto de arcos luminosos blancos, amarillos, rojos y verdes visibles en el cielo de ciertas regiones del polo norte.

borla s. f. *María se pone polvos de maquillaje en la cara con una* ***borla*** (= una pelotita hecha con trocitos de lana, plumas o algodón).

borra s. f. *Los colchones de la casa de mi abuela son de* ***borra*** (= de trozos de lana sin tratar).

borrachera s. f. *Jaime tenía una* ***borrachera*** *tremenda* (= había consumido demasiadas bebidas alcohólicas).
FAM: *borracho, emborrachar.*

borracho, a adj. **1.** *Después de beber dos copas de vino, se puso* ***borracho*** (= tomó demasiadas bebidas alcohólicas). ◆ **borracho, a** s. **2.** *El* ***borracho*** *que vive en mi edificio asiste a un centro para curarse* (= una persona que está enferma porque consume mucho alcohol).
SINÓN: **1.** ebrio. ANTÓN: **1.** sobrio. **2.** abstemio.
FAM: *borrachera.*

borrador s. m. *Suelo hacer un* ***borrador*** *de los exámenes para luego presentarlos corregidos y limpios* (= un primer texto para corregirlo y volverlo a escribir correctamente).
FAM: → *borrar.*

borrar v. tr. *María* ***ha borrado*** *su dibujo* (= lo ha hecho desaparecer con una goma o borrador).
FAM: *borrador, borrón, borroso, emborronar, imborrable.*

borrasca s. f. *Los marineros se vieron envueltos en una* ***borrasca*** (= en una tempestad).
SINÓN: tempestad, temporal, tormenta. ANTÓN: bonanza.

borrego, a s. El **borrego** es un cordero de uno o dos años.

borrón s. m. **1.** *He hecho un* ***borrón*** *en mi cuaderno* (= una mancha de tinta). ◆ **hacer borrón y cuenta nueva** **2.** *Me perdonas y* ***hacemos borrón y cuenta nueva*** (= y lo olvidamos todo).
FAM: → *borrar.*

borronear v. tr. **1.** *Mi hermana pequeña* ***borroneó*** *su cuaderno con garabatos* (= lo llenó de manchas). **2.** *Mientras viajaba el escritor* ***borroneaba*** *papeles con sus pensamientos* (= escribía frases rápidamente).
SINÓN: **1.** manchar. **2.** escribir. ANTÓN: **1.** limpiar. FAM: → *borrar.*

borroso, a adj. *Tu escrito estaba muy* ***borroso*** (= no se entendía bien).
SINÓN: confuso. ANTÓN: claro. FAM: → *borrar.*

bosque s. m. *Hemos ido de excursión al* ***bosque*** (= un terreno grande lleno de árboles).
SINÓN: arboleda. FAM: *emboscada.*

bosquejar v. tr. *En pocas palabras* ***bosquejó*** *las metas que quería conseguir* (= esquematizó lo que quería conseguir).
ANTÓN: esquematizar.

bostezar v. intr. *Verónica* ***bosteza*** *porque tiene sueño* (= abre mucho la boca involuntariamente, inspirando y espirando lenta y profundamente).
FAM: *bostezo.*

bostezo s. m. *Mario ha puesto la mano en su boca para ocultar un* ***bostezo*** (= para ocultar una abertura involuntaria de su boca, debida al sueño o al cansancio).
FAM: *bostezar.*

bota s. f. **1.** *Carlos lleva unas* ***botas*** *del número cuarenta* (= calzado que cubre el pie por encima del tobillo). **2.** *En la excursión mi tío lleva el vino en una* ***bota*** (= en un recipiente de cuero con una boquilla para beber).

botánica s. f. *Andrés recogía plantas porque estudia* ***Botánica*** (= estudia la ciencia que trata de los vegetales).
FAM: *botánico.*

botánico, a adj. **1.** *En los jardines* ***botánicos*** *se estudia la reproducción y las enfermedades de las plantas* (= lugares destinados a tener y estudiar los vegetales). ◆ **botánico, a** s. **2.** *Como mi tío es* ***botánico*** *conoce todas las plantas* (= es una persona que estudia los vegetales).
FAM: *botánica.*

botar v. tr. **1.** *En el fútbol no puedes* ***botar*** *la pelota* (= no la puedes hacer saltar). **2.** *En el astillero* ***botaron*** *el barco al agua* (= lo lanzaron al agua, después de construido).
SINÓN: **2.** lanzar. FAM: *bote.*

bote s. m. **1.** *En el supermercado hay gran cantidad de* ***botes*** *de conserva* (= recipientes con alimentos en conserva). **2.** *Dimos un paseo por el lago en* ***bote*** (= en una pequeña embarcación con remos). **3.** *Esta pelota da un* ***bote*** *muy alto* (= sube a mucha altura al chocar contra el suelo). **4.** *Los canguros caminan dando* ***botes*** (= caminan dando saltos). ◆ **bote salvavidas** **5.** *Cuando el barco peligra se sacan los* ***botes salvavidas*** (= las embarcaciones de auxilio). ◆ **de bote en bote** **6.** *El local estaba* ***de bote en bote*** (= estaba lleno de gente).
SINÓN: **1.** lata. **2.** barca, lancha. **3.** rebote. **4.** brinco, salto. FAM: *botar, rebotar, rebote.*

botella s. f. **1.** *Han metido el vino en* ***botellas*** (= en recipientes de vidrio con cuello estrecho). **2.** *Me he bebido una* ***botella*** *de leche* (= me he bebido todo el líquido que tenía).
FAM: *botellazo, embotellamiento, embotellar.*

botellazo s. m. *Recibió un* ***botellazo*** *en la cabeza* (= un golpe dado con una botella).
FAM: → *botella.*

botica s. f. *Vete a la* ***botica*** *a comprar estos medicamentos* (= a la farmacia).
SINÓN: farmacia. FAM: *boticario, botiquín.*

boticario, a s. *El* ***boticario*** *preparaba los medicamentos* (= el farmacéutico).
SINÓN: farmacéutico. FAM: → *botica.*

botín s. m. **1.** *Tengo unos* ***botines*** *con hebillas en el tobillo* (= un calzado que cubre el pie y el tobillo). **2.** *Los soldados se repartieron el* ***botín*** *de la guerra* (= las armas y propiedades del ejército vencido).
SINÓN: **1.** bota.

arnicería
ARNICERIA
Pasteler
toldo
comercio

farol o
farola
camión
de basura
boca de
incendios
basurero

autobús u
ómnibus
68
parada
de autobús
prohibido
el paso

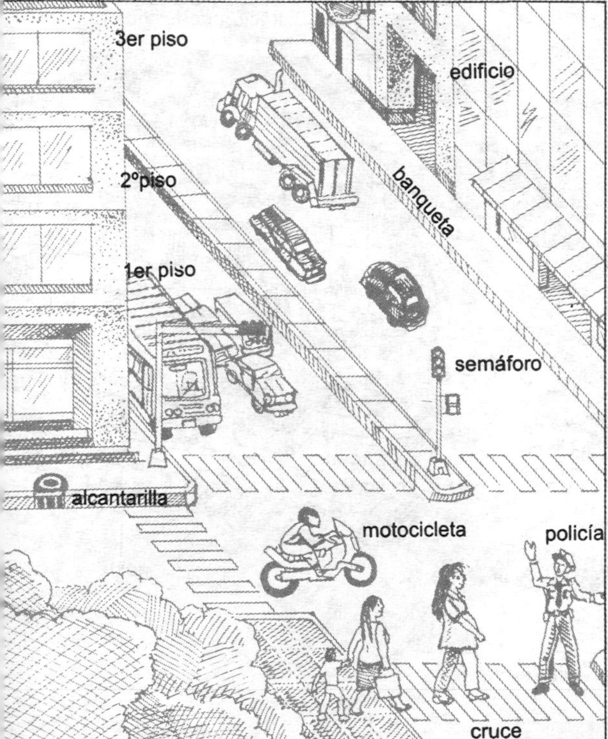
3er piso
edificio
2ºpiso
banqueta
1er piso
semáforo
alcantarilla
motocicleta
policía
cruce

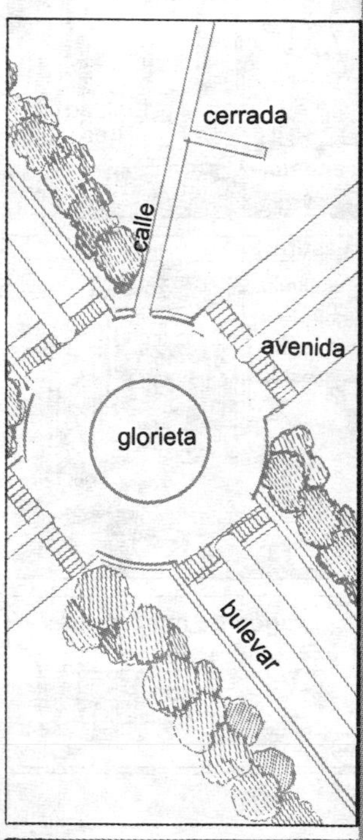
cerrada
calle
avenida
glorieta
bulevar

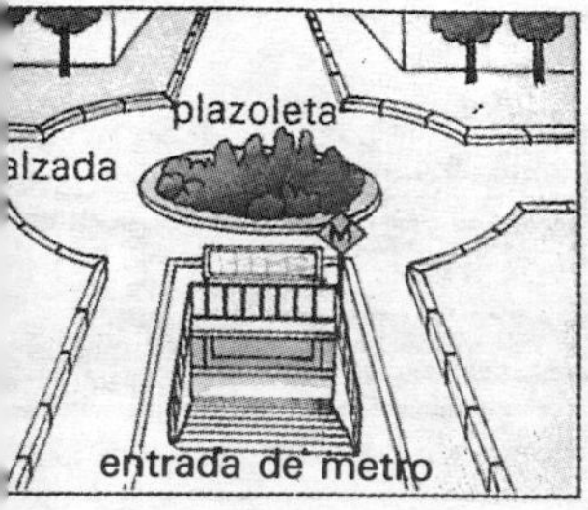
plazoleta
alzada
entrada de metro

ALCAZAR
kiosco de periódicos
CRIA
CUERVOS
C SAURA
carteles
revistas

taladro

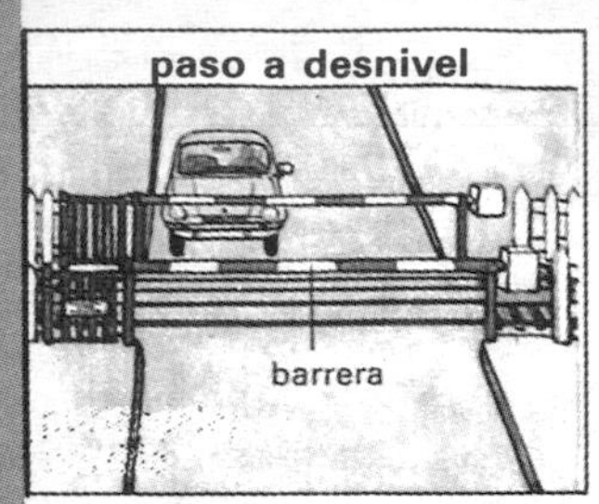
paso a desnivel
barrera

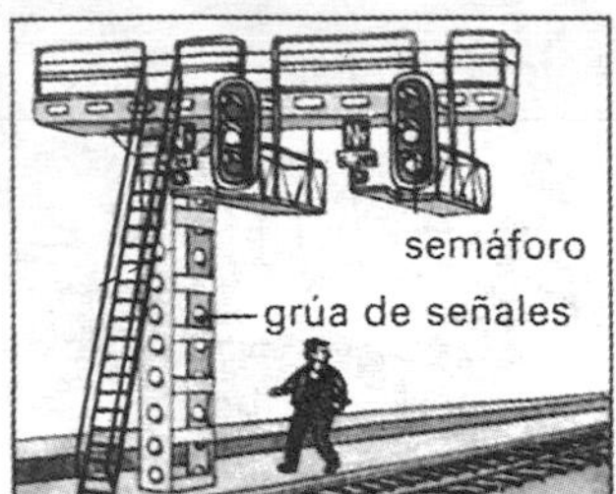
semáforo
grúa de señales

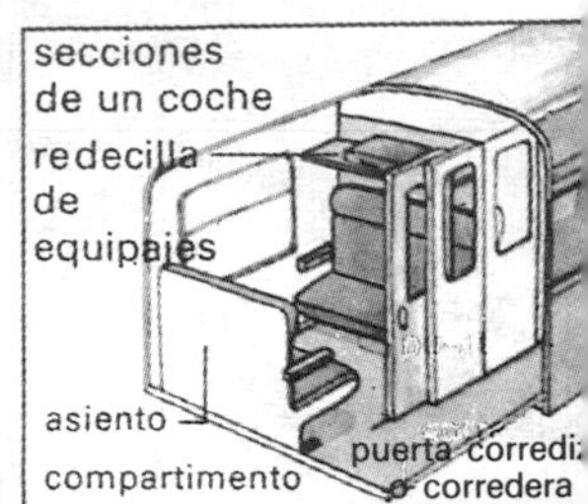
secciones de un coche
redecilla de equipajes
asiento
compartimento
puerta corredi
o corredera

estación de metro
unidad tren
andén

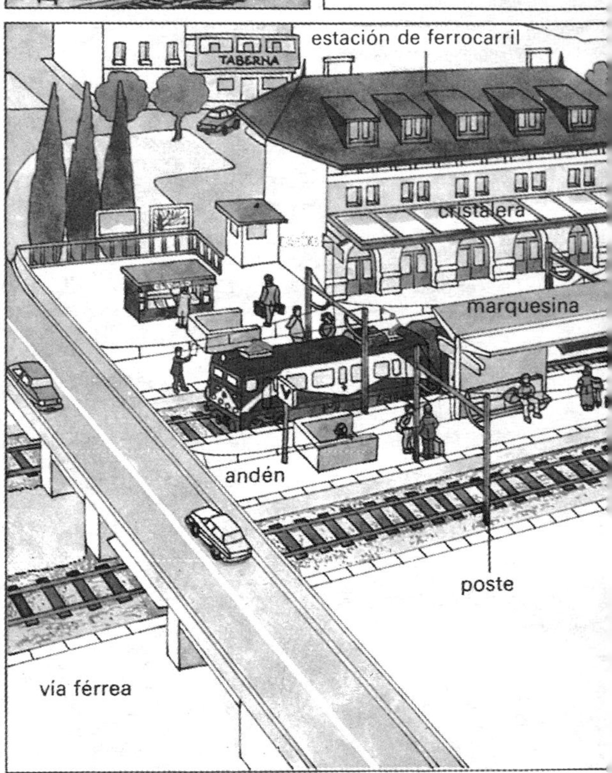
estación de ferrocarril
TABERNA
cristalera
marquesina
andén
poste
vía férrea

vestíbulo
horarios
ventanilla
BILLETES
fonda
FONDA

vagón de mercancias

fuelle
vagón de pasajeros

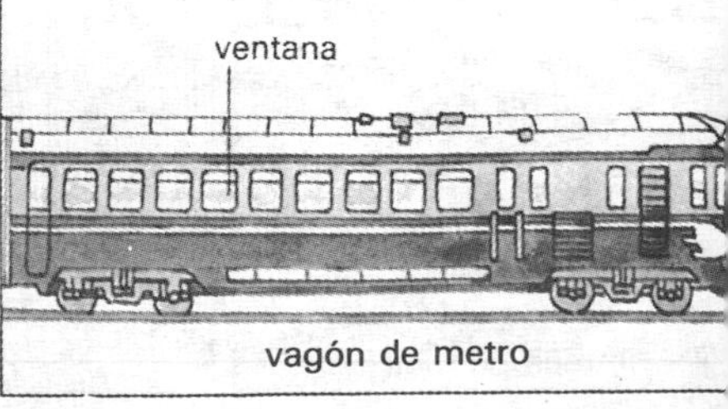
ventana
vagón de metro

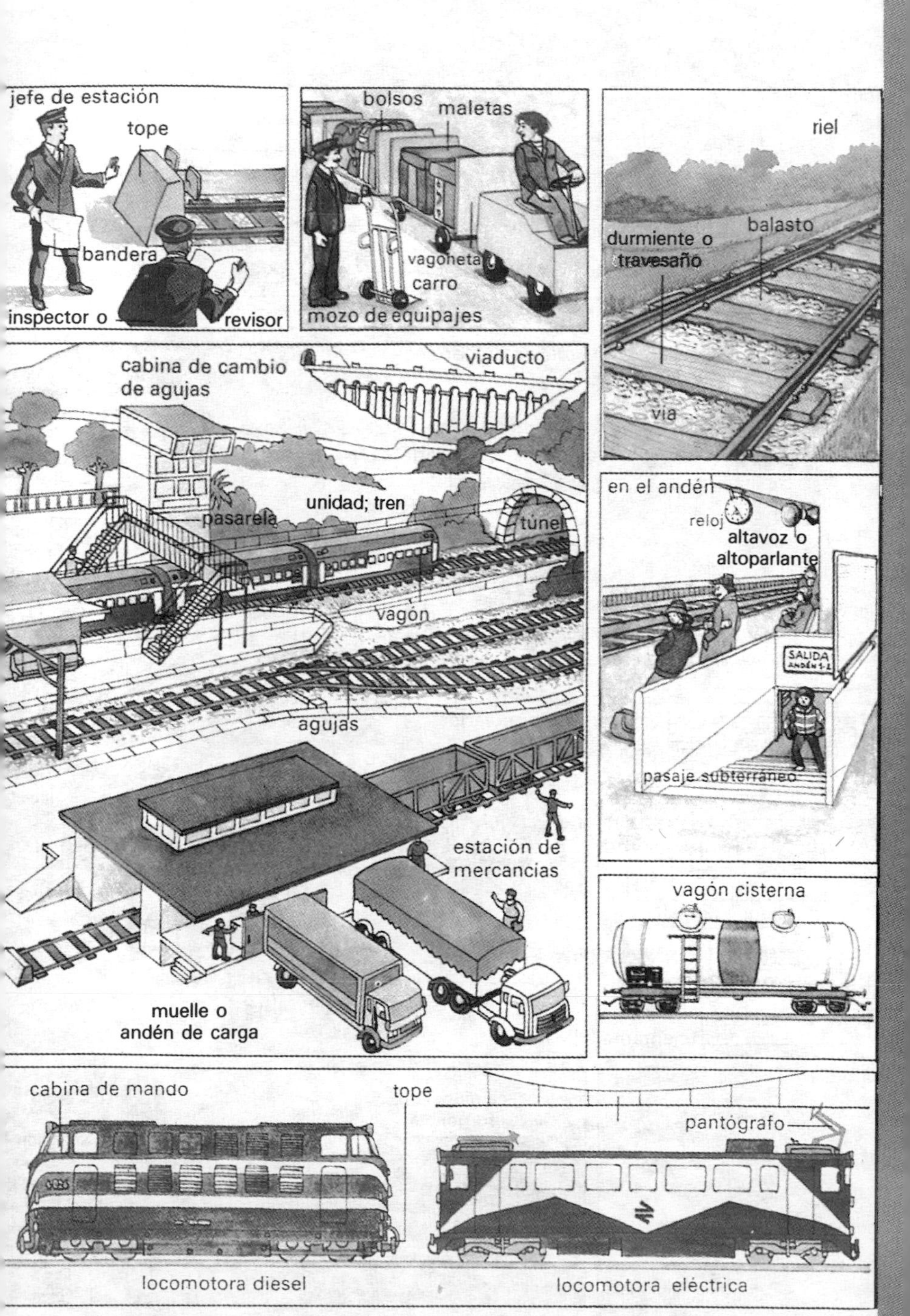
jefe de estación
tope
bandera
inspector o
revisor
bolsos
maletas
vagoneta
carro
mozo de equipajes
riel
balasto
durmiente o
travesaño
vía
cabina de cambio
de agujas
viaducto
pasarela
unidad; tren
túnel
vagón
agujas
estación de
mercancías
muelle o
andén de carga
en el andén
reloj
altavoz o
altoparlante
SALIDA
pasaje subterráneo
vagón cisterna
cabina de mando
tope
pantógrafo
locomotora diesel
locomotora eléctrica

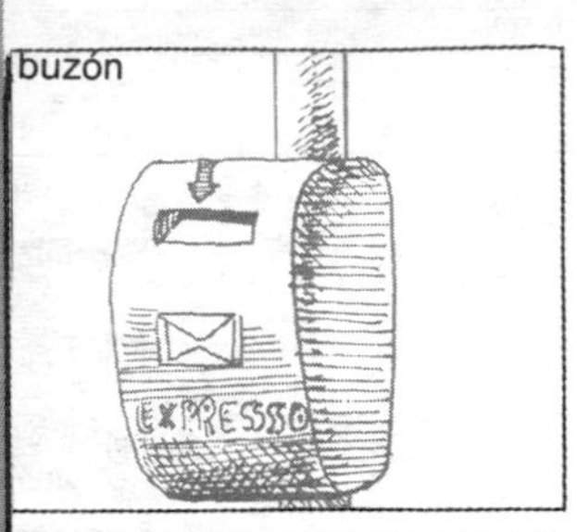
buzón
EXPRESSO

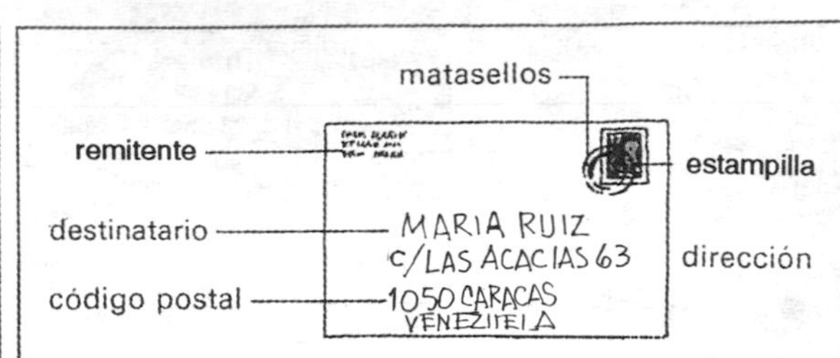
matasellos
remitente
estampilla
destinatario
MARIA RUIZ
C/LAS ACACIAS 63
dirección
código postal
1050 CARACAS
VENEZUELA

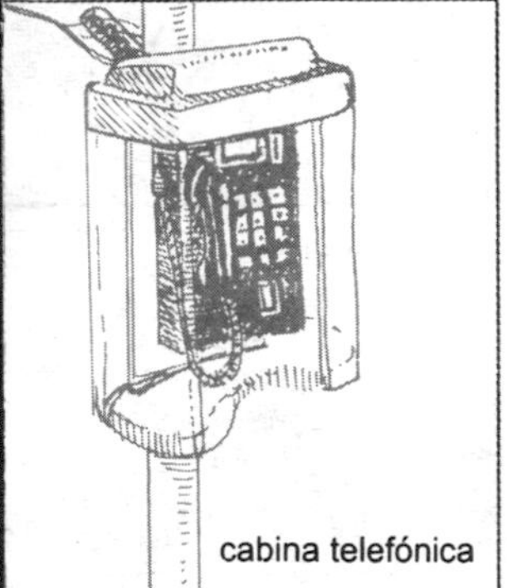
cabina telefónica

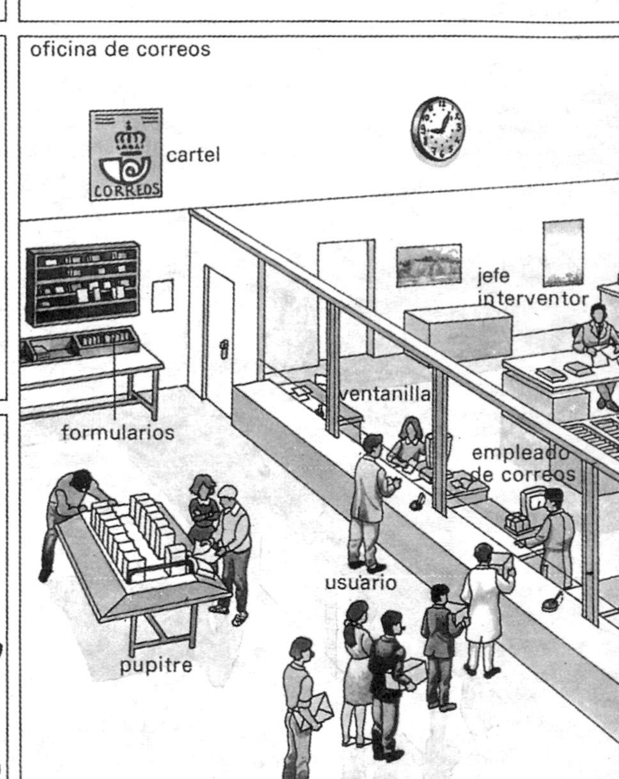
oficina de correos
cartel
CORREOS
jefe
interventor
ventanilla
formularios
empleado
de correos
usuario
pupitre

giro
cheque postal
TELEGRAMA
sello
telegrama

DIRECTORIO
Ciudad
guía telefónica

camioneta o
furgoneta
CORREOS
cartero
recolección

botiquín s. m. *En el colegio tenemos un* ***botiquín*** *para guardar las medicinas* (= un pequeño mueble para guardar remedios, alcohol y vendas).
FAM: → *botica.*

botón s. m. **1.** *Mi abrigo se abrocha con cuatro* ***botones***. **2.** *Antes de entrar en casa apretamos el* ***botón*** *del timbre para que nos abran la puerta.*
FAM: *abotonar.*

botones s. m. *El* ***botones*** *del hotel fue a comprar los periódicos* (= el chico que hace mandados en un hotel).
SINÓN: recadero.

bou s. m. Es una forma de pescar en la que la red está sujeta a dos barcas que tiran de ella.

bóveda s. f. **1.** *La iglesia de mi pueblo tiene una* ***bóveda*** (= un techo curvo). ◆ **bóveda celeste 2.** *Las estrellas brillan en la* ***bóveda celeste*** (= en el firmamento). ◆ **bóveda craneal 3.** La **bóveda craneal** es la parte interior del cráneo.

bóvidos s. m. pl. *Los animales rumiantes como la cabra, el toro o el búfalo pertenecen a la familia de los* ***bóvidos***.

bovino, a adj. **1.** *Las vacas y los toros son animales* ***bovinos*** (= son mamíferos rumiantes). ◆ **bovino** s. m. **2.** Los **bovinos** son un grupo zoológico de mamíferos rumiantes de gran tamaño.
SINÓN: vacuno.

boxeador s. m. *Después del combate los dos* ***boxeadores*** *se quitaron los guantes y se saludaron* (= deportistas que practican boxeo).
FAM: → *boxeo.*

boxear v. intr. *Carlos* ***boxea*** *en la categoría de los pesos pesados* (= practica el boxeo en esta categoría).
SINÓN: luchar, pelear. FAM: → *boxeo.*

boxeo s. m. El **boxeo** es un deporte en el que dos jugadores se enfrentan a puñetazos con las manos protegidas por unos guantes especiales.
FAM: *boxeador, boxear.*

boya s. f. *La entrada del puerto marítimo está indicada por unas* ***boyas*** (= por unos objetos flotantes que indican por dónde deben circular los barcos).
SINÓN: baliza, indicación, señal.

bozal s. m. *He comprado un* ***bozal*** *para mi perro* (= unas tiras de cuero que se ponen alrededor del hocico para que no haga daño a nadie).

bracear v. intr. *Aprendí a* ***bracear*** *en la clase de natación* (= nadar a brazo).
FAM: → *braza.*

bracero s. m. Amér. Merid. **1.** *Cuando llega el tiempo de recoger la cosecha, el patrón contrata* ***braceros*** (= trabajadores que reciben una paga por día de trabajo). Méx. **2.** *Se fueron a Estados Unidos a trabajar como* ***braceros*** (= campesinos que emigran a regiones más ricas para trabajar en ellas).
SINÓN: jornalero, peón. FAM: *brazo.*

bragueta s. f. *Juan, llevas la* ***bragueta*** *abierta* (= la abertura delantera del pantalón).
FAM: *braga.*

bramar v. intr. **1.** *Los toros y otros animales salvajes* ***braman*** (= gritan). **2.** *Ante aquella injusticia, la gente* ***bramaba*** *llena de ira* (= gritaba violentamente).
SINÓN: **2.** chillar, gritar, vocear, vociferar. ANTÓN: callar, enmudecer. FAM: *bramido.*

bramido s. m. **1.** *Se oyó un* ***bramido*** *de las vacas en el establo* (= un mugido). **2.** *Cuando Pedro está enfadado da fuertes* ***bramidos*** (= da grandes voces). **3.** *El* ***bramido*** *del viento huracanado era ensordecedor* (= el ruido del viento).
SINÓN: **1.** mugido. **2.** chillido, grito. **3.** ruido, estruendo. FAM: *bramar.*

brandy s. m. → **coñac**.

branquia s. f. Los órganos respiratorios de los peces son las **branquias**.
SINÓN: agalla.

brasa s. f. *Apagamos las* ***brasas*** *del fuego para que no se reavivara* (= los restos del fuego).
FAM: → *abrasar, abrasador, brasero.*

brasero s. m. En invierno nos sentamos alrededor del **brasero** para calentarnos (= recipiente circular de metal donde se echan brasas para calentar).
FAM: → *brasa.*

brasileño, a adj. **1.** *El carnaval* ***brasileño*** *es famoso en todo el mundo* (= que se celebra en Brasil). ◆ **brasileño, a** s. **2.** *Los* ***brasileños*** *son las personas nacidas en Brasil.*

bravío, a adj. **1.** *Aunque era un caballo* ***bravío***, *el jinete logró domarlo* (= era salvaje). **2.** *Juan tiene un carácter tan* ***bravío*** *que se pelea por cualquier motivo* (= tan rebelde).
SINÓN: **1.** feroz, indómito, salvaje. **2.** rebelde. ANTÓN: **1.** domado, doméstico. **1, 2.** manso. **2.** pacífico, tranquilo. FAM: → *bravo.*

bravo, a adj. **1.** *El* ***bravo*** *marinero consiguió salvar el barco de la tempestad* (= el valiente marinero). **2.** *En las corridas de toros se torean los toros* ***bravos*** (= los mansos no se torean). **3.** *Con la tempestad, el mar se puso* ***bravo*** (= con grandes olas). **4.** *Se enfadó con nosotros y se puso* ***bravo*** (= se puso violento). ◆ **¡bravo!** interj. **5.** *Después de la obra de teatro, los asistentes aplaudían diciendo:* ***¡Bravo!, ¡Bravo!*** (= ¡muy bien!, ¡hurra!).
SINÓN: **1.** valiente. **2, 3, 4.** bravío. **3.** alborotado. 4. enfadado, enojado, violento. **5.** ¡hurra! ANTÓN: **1.** cobarde, temeroso. **2.** doméstico, manso. **3, 4.** tranquilo. FAM: *bravío, bravura.*

bravura s. f. **1.** *En la corrida los toros carecían de* ***bravura*** *para embestir* (= no tenían fiereza).

2. *Nuestras tropas han demostrado su* ***bravura*** *en la batalla* (= su valentía).
SINÓN: **1.** fiereza, ferocidad. **2.** valentía, valor. ANTÓN: **1.** mansedumbre. **2.** cobardía. FAM: → *bravo.*

braza s. f. *Mi hermano nada a* ***braza*** (= moviendo los brazos y las piernas de adelante atrás a la vez).
FAM: → *brazo.*

brazada s. f. *Recorrimos la piscina en diez* ***brazadas*** (= en diez movimientos de brazos).
FAM: → *brazo.*

brazalete s. m. *La novia llevaba un* ***brazalete*** *de oro en la muñeca* (= un aro que se pone alrededor de la muñeca y sirve de adorno).
SINÓN: pulsera. FAM: → *brazo.*

brazo s. m. **1.** *Me he roto el* ***brazo*** *derecho* (= parte del cuerpo que va desde el hombro hasta la mano). **2.** *La lámpara del salón tiene cinco* ***brazos*** (= cada una de las partes que sale del centro para colocar las bombillas). **3.** *Apoyamos los codos en los* ***brazos*** *del sillón* (= respaldo para los brazos). ◆ **brazo de gitano 4.** *De postre comimos un* ***brazo de gitano*** *de chocolate* (= un pastel alargado). ◆ **brazo de mar 5.** Un **brazo de mar** es un canal estrecho y alargado de agua marina que penetra en la tierra. ◆ **con los brazos abiertos 6.** *En casa de Pedro siempre me reciben* ***con los brazos abiertos*** (= con mucho cariño). ◆ **cruzarse de brazos 7.** ***Se cruza de brazos*** *y no hace nada en todo el día.* ◆ **dar o no su brazo a torcer 8.** *Aunque no tenga razón, es tan terco que nunca* ***da su brazo a torcer*** (= nunca reconoce sus errores).
FAM: *abrazadera, abrazo, abrazar, antebrazo, bracear, braza, brazada, brazalete.*

brea s. f. *Los marineros utilizan* ***brea*** *para tapar las juntas de las maderas de los barcos* (= una sustancia para que no entre agua en los barcos).

brecha s. f. *Los obreros han hecho una* ***brecha*** *en la pared* (= un hueco).
SINÓN: abertura, agujero, boquete, hueco.

breva s. f. Las **brevas** son los primeros frutos que da la higuera, más grandes que los higos.

breve adj. **1.** *El profesor hizo una* ***breve*** *exposición del tema* (= una corta exposición). ◆ **en breve 2.** *La emisión de televisión se iniciará* ***en breve*** (= muy pronto).
SINÓN: **1.** corto. ANTÓN: duradero, extenso, interminable, largo. FAM: *abreviar, abreviatura, brevedad, breviario.*

brevedad s. f. *El discurso me gustó por su* ***brevedad*** (= por su poca duración).
FAM: → *breve.*

breviario s. m. **1.** *Me he comprado un* ***breviario*** *de informática para empezar a aprender* (= un libro poco extenso sobre un tema). **2.** *El cura leía las oraciones en su* ***breviario*** (= libro de rezos).
SINÓN: **1.** manual, tratado. FAM: → *breve.*

brezo s. m. Los **brezos** son arbustos pequeños con flores violetas o rosadas, cuya madera se usa para hacer pipas.

bribón, ona s. *Este niño es un* ***bribón****: sólo come lo que le gusta* (= es un pillo).
SINÓN: pícaro, pillo, sinvergüenza.

brida s. f. *El jinete sujeta a su caballo tirando de las* ***bridas*** (= correas atadas al hocico del animal).

bridge s. m. El **bridge** es un juego de cartas.

brigada s. f. *Todas las* ***brigadas*** *del cuartel desfilaron delante del general* (= todos los regimientos militares).

brillante adj. **1.** *Usé papel* ***brillante*** *para hacerme el disfraz de hada* (= deslumbrante). **2.** *Mi amigo hizo una* ***brillante*** *exposición de su tema* (= excelente). ◆ **brillante** s. m. **3.** *El joyero talla un* ***brillante*** *para hacer un anillo* (= una piedra preciosa).
SINÓN: **1.** deslumbrante, luminoso, **2.** admirable, destacado, espléndido, excelente, sobresaliente. **3.** diamante. ANTÓN: **1.** apagado, mate. **2.** ordinario, vulgar. FAM: → *brillo.*

brillantina s. f. *Mi hermano se pone* ***brillantina*** *en el pelo para no despeinarse* (= un producto que da brillo y fija el peinado).
FAM: → *brillo.*

brillar v. intr. **1.** *Las estrellas* ***brillan*** *en el cielo* (= relucen). **2.** *Berta* ***brilla*** *entre sus compañeros por su inteligencia* (= sobresale entre los demás).
SINÓN: **1.** relucir, resplandecer. **2.** destacar, sobresalir. ANTÓN: **1.** apagar. FAM: → *brillo.*

brillo s. m. *Me gusta ver el* ***brillo*** *de las estrellas en las noches de verano* (= la luz que desprenden).
SINÓN: luminosidad, resplandor. FAM: *abrillantador, abrillantar, brillante, brillantina, brillar.*

brincar v. intr. *Mis amigos* ***brincaron*** *de alegría al saber que nos daban vacaciones* (= dieron saltos).
SINÓN: botar, saltar. FAM: *brinco.*

brinco s. m. *Bajé los últimos escalones de un* ***brinco*** (= de un salto).
SINÓN: bote, salto. FAM: *brincar.*

brindar v. intr. **1.** *En el banquete de la boda todos* ***brindamos*** *por la felicidad de los novios* (= alzamos la copa antes de beber). ◆ **brindar** v. tr. **2.** *Me* ***brindó*** *la oportunidad de trabajar con él* (= me ofreció trabajar con él). ◆ **brindarse** v. pron. **3.** ***Me he brindado*** *a ayudar a mi hermano en sus estudios* (= me he ofrecido voluntariamente).
SINÓN: **2.** ofrecer(se). **3.** prestarse. ANTÓN: **2.** negar(se). FAM: *brindis.*

brindis s. m. *Hicimos un **brindis** por la felicidad de los recién casados* (= chocamos las copas).
FAM: *brindar.*

brío s. m. *Mi abuelo anda con tanto **brío** que me deja atrás* (= con mucha energía).
SINÓN: ánimo, empuje, energía. ANTÓN: desgana.

brisa s. f. *Sopla desde el mar una **brisa** agradable* (= un viento suave).

británico, a adj. **1.** *Los coches **británicos** tienen el volante a la derecha* (= de Gran Bretaña). ◆ **británico, a** s. **2.** *Los **británicos** son las personas nacidas en Gran Bretaña.*

broca s. f. *Puse una **broca** fina en el taladro para hacer un agujero* (= una barra de metal que sirve para hacer agujeros).
SINÓN: mecha.

brocado s. m. *Las cortinas de mi casa son de **brocado*** (= un tejido fuerte con dibujos).

brocal s. m. *Desde el **brocal** del pozo veíamos el agua al asomarnos* (= la pared pequeña que rodea la abertura del pozo).

brocha s. f. *Hemos pintado la pared con una **brocha*** (= con un pincel muy grueso).
FAM: *brochazo.*

brochazo s. m. *Aprovecha la pintura que ha sobrado para dar unos **brochazos** a la terraza* (= para pasar la brocha mojada en pintura).
FAM: *brocha.*

broche s. m. **1.** *Se ha roto el **broche** de la tapa del joyero* (= la pieza que sirve para abrir y cerrar un objeto). **2.** *Juan lleva un **broche** de plata en la solapa del abrigo* (= un adorno).
SINÓN: **1.** cierre. FAM: *abrochar, desabrochar.*

brócoli s. m. Amér. *Las ensaladas de papas con **brócolis** cocidos son muy agradables* (= brócol, variedad de la coliflor, de color verde).

broma s. f. **1.** *En la fiesta todos estaban de buen humor y con ganas de **broma*** (= de diversión). **2.** *Mi primo me hace **bromas*** (= se burla de mí sin mala intención).
SINÓN: **1.** bulla, guasa, juerga. **2.** burla. ANTÓN: **1.** aburrimiento. FAM: *bromear, bromista.*

bromear v. intr. *A Raúl le gusta **bromear*** (= decir cosas graciosas para alegrar a los demás).
FAM: → *broma.*

bromista s. *No tomen en serio lo que dice porque es un **bromista*** (= es una persona que suele hablar en broma).
SINÓN: burlón. FAM: → *broma.*

bronca s. f. **1.** *Su padre le ha echado la **bronca** por llegar tarde* (= un fuerte reto). **2.** *Durante el partido se armó una **bronca** entre los seguidores de ambos equipos* (= varias personas se pelearon).
SINÓN: **1.** reto, reprimenda. **2.** pelea, riña.

bronce s. m. El **bronce** es un metal duro hecho con la mezcla de cobre y estaño.
FAM: *bronceado, broncear.*

bronceado, a adj. **1.** *Viene de vacaciones con un bonito color **bronceado*** (= moreno). ◆ **bronceado** s. m. **2.** *El **bronceado** del cuerpo se consigue tomando el sol* (= tener la piel morena).
SINÓN: moreno. FAM: → *bronce.*

bronceador adj. y s. m. Amér. *Antes de exponernos al sol, nos cubrimos la piel con **bronceador*** (=crema cosmética que broncea y protege la piel).

broncear v. tr. **1.** ***Hemos bronceado** una figura de yeso para que parezca bronce* (= la hemos pintado de color bronce). ◆ **broncearse** v. pron. **2.** ***Me he bronceado** en la playa* (= mi piel se ha puesto morena).
FAM: → *bronce.*

bronquio s. m. Los **bronquios** son dos grandes conductos que parten de la tráquea y se ramifican en los pulmones para transportar el aire que respiramos.
FAM: *bronquitis.*

bronquitis s. f. *Juana tose mucho porque tiene **bronquitis*** (= una inflamación de los bronquios).
FAM: *bronquio.*

brotar v. intr. **1.** *En primavera **brotan** las hojas y las flores* (= nacen en la naturaleza). **2.** *En la montaña el agua **brota** entre las rocas* (= surge entre las rocas). **3.** *Cuando me **brotó** el sarampión, me salieron manchas rojas en la piel* (= me apareció el síntoma del sarampión). ◆ **brotar** v. tr. **4.** *Con el agua y el calor del sol, la tierra hace **brotar** la hierba de los prados.*
SINÓN: **1, 2, 3, 4.** salir. **1, 2, 4.** nacer. **2.** fluir, manar. **3.** aparecer. FAM: *brote.*

brote s. m. **1.** *En primavera, los **brotes** de los árboles se desarrollan dando nacimiento a las hojas* (= los capullos). **2.** *Mi amigo tuvo un **brote** de fiebre pero no ha enfermado* (= tuvo un indicio de enfermedad).
SINÓN: **1.** capullo, yema. **2.** comienzo, principio.
ANTÓN: **2.** fin, final. FAM: *brotar.*

bruces *Se le resbaló un pie y se cayó **de bruces** en el suelo* (= se cayó boca abajo).

bruja s. f. *Antiguamente se creía que las **brujas** tenían poderes mágicos.*
SINÓN: hechicera. FAM: *brujería, brujo.*

brujería s. f. *El hombre se curó tan de repente que parece obra de **brujería*** (= fue una cosa tan rara que parece magia).
SINÓN: encantamiento, hechizo, magia. FAM: → *bruja.*

brujo s. m. *En África los **brujos** eran temidos por sus poderes mágicos* (= los hechiceros).
SINÓN: hechicero. FAM: → *bruja.*

brújula s. f. *Los marineros se orientan en el mar con la **brújula*** (= instrumento en el que una aguja imantada indica siempre dónde está el Norte).

bruma s. f. *Hay tanta* ***bruma*** *que no alcanzamos a ver el barco* (= niebla que surge del mar).
SINÓN: niebla.

bruñir v. tr. *El escultor* ***bruñía*** *la escultura de bronce* (= daba brillo).
SINÓN: abrillantar, pulir.

brusco, a adj. **1.** *Es un hombre* ***brusco*** *y poco amable* (= persona que tiene un carácter desagradable). **2.** *Se produjo un cambio* ***brusco*** *de la temperatura* (= el cambio fue muy rápido).
SINÓN: 1. grosero, rudo. **2.** imprevisto, repentino, súbito. **ANTÓN: 1.** apacible, cortés, dulce. **2.** lento, pausado. **FAM:** *brusquedad.*

brusquedad s. f. **1.** *Paró el coche con tanta* ***brusquedad*** *que los pasajeros dieron un brinco* (= sin cuidado). **2.** *Trata a la gente con tanta* ***brusquedad*** *que nadie lo aprecia* (= de una forma desagradable).
SINÓN: 2. dureza, grosería. **ANTÓN: 1, 2.** delicadeza. **2.** amabilidad, cortesía, dulzura. **FAM:** *brusco.*

brutal adj. *La fuerza del viento huracanado fue* ***brutal*** *y destruyó varios edificios* (= fue muy fuerte y violenta).
SINÓN: bestial, tremendo. **ANTÓN:** suave. **FAM:** → *bruto.*

brutalidad s. f. **1.** *El automovilista embistió la pared con salvaje* ***brutalidad*** (= con mucha ferocidad). **2.** *Maltratar a un niño es una* ***brutalidad*** (= es un acto cruel).
SINÓN: 1. ferocidad. **2.** bestialidad. crueldad. **ANTÓN: 1.** mansedumbre. **FAM:** → *bruto.*

bruto, a adj. **1.** *Este chico es muy* ***bruto****: todo lo soluciona por la fuerza* (= es muy rudo). **2.** *El escultor trabaja en madera* ***bruta*** *para hacer una escultura* (= el material sin pulir). **3.** *El peso* ***bruto*** *de un paquete es el de la mercancía y el embalaje.* ◆ **bruto** s. m. **4.** *A los animales irracionales también se les llama* ***brutos****.* ◆ **en bruto 5.** *La materia* ***en bruto*** *es la que no ha sufrido transformaciones.*
SINÓN: 1. bestia, rudo. **2.** tosco. **ANTÓN: 2.** fino, pulido. **3.** neto. **FAM:** *brutal, brutalidad.*

bucal adj. *Tiene una infección* ***bucal*** (= en la boca).
SINÓN: oral. **FAM:** → *boca.*

buceador, a s. *Los buscadores de perlas son grandes* ***buceadores*** (= se mantienen durante mucho tiempo debajo del agua sin respirar).
FAM: → *bucear.*

bucear v. intr. *Me gusta* ***bucear*** *en el mar* (= me gusta nadar bajo el agua).
FAM: *buceador, buceo, buzo.*

buceo s. m. *Marcos practica el* ***buceo*** *para pescar debajo del mar.*
FAM: → *bucear.*

buche s. m. **1.** *Los pájaros almacenan su comida en el* ***buche*** *para luego dar de comer a sus crías* (= una especie de bolsa que tienen en el cuello). **2.** *Voy a beber un* ***buche*** *de agua* (= un trago). **3.** *Cristóbal se ha llenado bien el* ***buche*** *en el banquete* (= el estómago).
SINÓN: 1. molleja. **2.** sorbo, trago. **3.** barriga, estómago.

bucle s. m. *Tenía la melena llena de* ***bucles*** (= con rizos).
SINÓN: rizo, tirabuzón.

budismo s. m. El **budismo** es una religión y una forma de pensamiento, fundada por Buda y muy extendida en Asia.
FAM: *budista.*

budista adj. **1.** *La religión* ***budista*** *sigue la doctrina de Buda.* ◆ **budista** s. m. f. **2.** *En la India, China y Japón hay muchos* ***budistas*** (= personas que practican el budismo).
FAM: *budismo.*

buen adj. m. *Es un* ***buen*** *hombre* (= **buen** es el apócope del adjetivo *bueno*, que se usa delante de sustantivos masculinos).

buenaventura s. f. *Le echó la* ***buenaventura*** *leyendo las líneas de la palma de su mano* (= le predijo qué destino lo aguardaba).

bueno, a adj. **1.** *Este niño es* ***bueno*** *como un ángel* (= muy bondadoso). **2.** *La luz es* ***buena*** *para las plantas* (= es necesaria). **3.** *Este pastel está muy* ***bueno*** (= es rico y apetecible). **4.** *Mi amigo se cayó y se hizo una* ***buena*** *herida en la rodilla* (= una gran herida). **5.** *Ya estoy* ***bueno*** *del resfriado* (= ya estoy curado). **6.** *Recogimos una* ***buena*** *cantidad de almendras* (= recogimos bastantes). **7.** *Lo* ***bueno*** *es que le pusieron un sobresaliente sin haber estudiado* (= lo sorprendente). ◆ **bueno** adv. **8.** *¿Vas a comprarme el pan?* ***Bueno,*** *de acuerdo.*
SINÓN: 1. bondadoso. **2.** beneficioso, necesario, provechoso, útil. **3.** rico, sabroso. **4.** grande. **5.** curado, restablecido, sano. **7.** sorprendente. **ANTÓN: 1.** malvado. **1, 2, 3, 5, 7.** malo. **2.** dañino, perjudicial. **4.** pequeño. **5.** enfermo. **6.** escaso, insuficiente, poco. **FAM:** *bonachón, bondad, bondadoso.*

buey s. m. El **buey** es un animal doméstico parecido al toro que se empleaba para trabajar en el campo.

búfalo s. m. El **búfalo** es un animal salvaje, parecido al toro, que vive en Asia y África. En América del Norte se llama *bisonte.*

bufanda s. f. *Ponte la* ***bufanda*** *alrededor del cuello, que hace frío* (= una prenda de lana que se pone alrededor del cuello para abrigarlo).

bufido s. **1.** *El caballo dio un* ***bufido*** *al salir a la pista* (= dio un resoplido). **2.** *Andrés estaba muy enfadado y se marchó dando* ***bufidos*** (= refunfuñando).
SINÓN: bramido, gruñido.

bufón, ona s. *Mi hermano es el* ***bufón*** *en todas las reuniones* (= es la persona que hace reír a los demás).
SINÓN: gracioso.

buganvilla s. f. *¡Qué hermosa es la **buganvilla**!* (= arbusto trepador sudamericano, con hojas ovales y pequeñas flores de colores).

buhardilla s. f. **1.** *Las ventanas de la **buhardilla** sobresalen en el tejado* (= una habitación con el techo inclinado porque está en el hueco del tejado). **2.** *Mi abuela guarda los trastos viejos en la **buhardilla*** (= en el desván).
SINÓN: **2.** desván.

búho s. m. Los **búhos** son aves nocturnas y rapaces, con grandes ojos y dos mechones de plumas sobre los oídos.
SINÓN: lechuza.

buitre s. m. Los **buitres** son grandes aves rapaces que se alimentan de animales muertos.

bujía s. f. *Tengo que cambiar las **bujías** del coche porque ya no arranca* (= unas piezas del motor que producen chispas para inflamar la gasolina).
SINÓN: cirio, vela.

bulbo s. m. *Hemos plantado **bulbos** de tulipanes en el jardín* (= tallos gruesos del tamaño de una cebolla que se plantan bajo tierra).

bulevar s. m. El **bulevar** es una avenida ancha con ambas aceras arboladas.
SINÓN: avenida.

búlgaro, a adj. **1.** *La capital **búlgara** es Sofía* (= de Bulgaria). ◆ **búlgaro, a** s. **2.** *Los **búlgaros** son las personas nacidas en Bulgaria.* ◆ **búlgaro** s. m. **3.** *El **búlgaro** es el idioma hablado en Bulgaria.*

bulla s. f. *Organizaron tanta **bulla** en la fiesta que algunos vecinos les llamaron la atención* (= tanto ruido).
SINÓN: alboroto, bullicio, jaleo, ruido. ANTÓN: calma, silencio. FAM: → *bullir.*

bullicio s. m. *El fin de semana nos fuimos al campo para huir del **bullicio** de la ciudad* (= del ruido y de la agitación).
SINÓN: ajetreo, ruido, tumulto. ANTÓN: calma, paz, silencio, sosiego, tranquilidad. FAM: → *bullir.*

bullicioso, a adj. **1.** *Vivimos en una calle muy **bulliciosa*** (= muy ruidosa). **2.** *Son unos niños muy **bulliciosos*** (= muy juguetones).
SINÓN: **1.** ruidoso. **2.** juguetón, vivo. ANTÓN: quieto, silencioso, sosegado, tranquilo. FAM: → *bullir.*

bullir v. intr. **1.** *El agua **bulle** a cien grados* (= comienza a hervir). **2.** *La muchedumbre en el estadio **bullía** por el resultado incierto del partido* (= estaba nerviosa).
SINÓN: **1.** burbujear, hervir. FAM: *bulla, bullicio, bullicioso, ebullición, rebullir.*

bulto s. m. **1.** *Tu pañuelo hace mucho **bulto** en el bolsillo* (= ocupa mucho volumen). **2.** *La picadura del mosquito me ha dejado un **bulto** muy grande* (= una hinchazón en la piel). **3.** *Pusimos los **bultos** en el baúl del coche* (= los paquetes). **4.** *A lo lejos veo algunos **bultos** que se mueven* (= algunas formas confusas).
SINÓN: **1.** volumen. **2.** abultamiento, chichón, hinchazón. **3.** equipaje, maleta, paquete. **4.** silueta, sombra. FAM: *abultado, abultamiento, abultar.*

bungalow s. m. *Mis tíos veranean en el **bungalow** que tienen en la montaña* (= en una casa de una sola planta).

buñuelo s. m. *En la feria compramos **buñuelos** recién fritos* (= bolas huecas por dentro, hechas con harina, huevos y leche fritas en aceite).

buque s. m. *En este puerto tan pequeño no pueden atracar los grandes **buques*** (= las embarcaciones de gran tamaño y solidez).
SINÓN: barco, nave, navío.

burbuja s. f. *Agitando con la mano el agua jabonosa se forman **burbujas*** (= pequeños globos de aire o de gas que se forman en un líquido).
SINÓN: pompa. FAM: *burbujeante, burbujear.*

burbujeante adj. *El agua gaseosa es **burbujeante*** (= contiene pequeños globos de gas).
FAM: → *burbuja.*

burbujear v. intr. *El agua **burbujea** al hervir* (= hace burbujas en la superficie).
FAM: → *burbuja.*

burgués, esa adj. **1.** *Juan tiene costumbres **burguesas*** (= le gusta vivir rodeado de comodidades). ◆ **burgués, esa** s. **2.** Los **burgueses** son las personas que pertenecen a la burguesía.
FAM: *burguesía.*

burguesía s. f. La **burguesía** es una clase social a la que pertenecen las personas acomodadas económicamente.
FAM: *burgués.*

buril s. m. El **buril** es un instrumento de acero, que sirve para grabar piedras o metales.

burla s. f. **1.** *María no soporta las **burlas** de sus compañeros* (= palabras o actos que la ponen en ridículo). **2.** *Sus **burlas** han hecho reír a todos* (= sus bromas). **3.** *He sido víctima de una **burla*** (= de un engaño).
SINÓN: **1.** mofa. **2.** broma, chiste. **3.** engaño, mentira. FAM: *burlar, burlón.*

burlar v. tr. **1.** *El ladrón **burló** a la policía y logró escapar* (= la esquivó). ◆ **burlarse** v. pron. **2.** *Todos los niños **se burlaban** de aquel pobre hombre poniéndolo en ridículo* (= se divertían a costa de él). **3.** *María **se burló** de nosotros* (= nos engañó).
SINÓN: **1.** esquivar, evitar. **2.** mofarse, reírse. **3.** engañar, engatusar. FAM: → *burla.*

burlón, ona adj. *Roberto es tan **burlón** que a veces molesta* (= siempre está haciendo bromas).
SINÓN: bromista. ANTÓN: formal, serio.
FAM: → *burla.*

burocracia s. f. La **burocracia** es un conjunto de personas que se encargan de arreglar los asuntos sociales.

burrada s. f. **1.** *Si pensaras un poco no dirías tantas* ***burradas*** (= tantos disparates). **2.** *Este piso cuesta una* ***burrada*** (= cuesta mucho dinero).
SINÓN: **1.** disparate, estupidez, idiotez, tontería. **1, 2.** barbaridad. FAM: *burro.*

burro, a s. **1.** El **burro** es un animal parecido al caballo, pero más pequeño, de orejas largas, que se emplea como animal de carga. **2.** *Es tan* ***burro*** *que no entiende nada* (= es una persona necia e ignorante).
SINÓN: **1.** asno, borrico. **2.** bobo, necio, tonto. ANTÓN: **2.** inteligente, listo. FAM: *burrada.*

burucuyá o **mburucuyá** s. m. R. de la Plata. *En las orillas de los ríos y arroyos crecen los* ***burucuyás*** (= planta enredadera, con tallos ramosos y trepadores, que da flores blancas, olorosas, de cáliz azulado y pistilo en forma de cruz).
SINÓN: pasionaria.

busca *Ha ido* ***en busca del*** *sombrero que perdió ayer* (= a la búsqueda).
SINÓN: búsqueda. FAM: → *buscar.*

buscador, a s. *El protagonista de la novela que estoy leyendo es un* ***buscador*** *de tesoros* (= es una persona que se dedica a buscarlos donde cree que se hallan).
FAM: → *buscar.*

buscar v. tr. *Luis* ***busca*** *su bolígrafo por todas partes* (= trata de encontrarlo).
SINÓN: rebuscar. ANTÓN: encontrar, hallar. FAM: *busca, buscador, búsqueda, rebuscar.*

búsqueda s. f. *La policía inició la* ***búsqueda*** *de los montañistas perdidos* (= inició el reconocimiento de la zona para encontrarlos).
SINÓN: busca, investigación. ANTÓN: encuentro, hallazgo. FAM: → *buscar.*

busto s. m. **1.** El **busto** es la parte del cuerpo humano comprendida entre el cuello y la cintura. **2.** *En el museo he visto un* ***busto*** *de Julio César* (= una escultura que representa su cabeza y la parte superior del tórax).
SINÓN: pecho, tórax, torso.

butaca s. f. *Solía sentarse cómodamente en su* ***butaca*** *para leer* (= un sillón blando con brazos).
SINÓN: sillón.

butano s. m. *Esta cocina funciona con gas* ***butano*** (= gas derivado del petróleo usado como combustible).

butifarra s. f. La **butifarra** es un embutido de carne de cerdo muy sabroso.

buzo s. m. El **buzo** es una persona que trabaja en el fondo del mar.
FAM: → *bucear.*

buzón s. m. **1.** *Eché las cartas en el* ***buzón*** *de la oficina de Correos* (= en la abertura para enviar cartas). **2.** *Al abrir el* ***buzón*** *vi que tenía carta de mi madre* (= la caja donde recibo cartas).

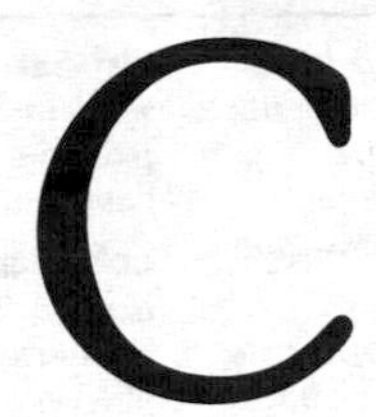

C s. f. **1.** La consonante *c (ce)* es la tercera letra del abecedario español. **2.** En la numeración romana, la **C** mayúscula significa *cien.*

cabal adj. **1.** *Puedes confiar en él porque es un hombre **cabal*** (= honrado, justo y trabajador). ◆ **no estar en sus cabales 2.** *Creo que Juan **no está en sus cabales*** (= está loco).
SINÓN: 1. honrado, íntegro, justo.

cabalgar v. intr.
*Los jinetes **cabalgaron** durante largo tiempo* (= hicieron un largo viaje montados a caballo).
SINÓN: montar. **FAM:** *cabalgata.*

cabalgata s. f. **1.** *Resolvimos divertirnos con una **cabalgata** por la playa* (= un paseo a caballo). **2.** *La **cabalgata** de los Reyes Magos desfiló por el centro de la ciudad* (= un desfile de caballos y carrozas).
FAM: *cabalgar.*

caballa s. f. La **caballa** es un pescado marino que se conserva en aceite.
FAM: → *caballo.*

caballar adj. La raza **caballar** es la raza de los caballos y otros animales que se parecen a él, como la cebra o el burro.
FAM: → *caballo.*

caballeresco, a adj. **1.** *Dejar el asiento a una señora en el autobús es un gesto **caballeresco*** (= propio de un caballero). **2.** *Las costumbres **caballerescas** de la Edad Media eran muy diferentes de las de hoy* (= las costumbres de los caballeros de aquella época).
SINÓN: 1. educado, galante. **ANTÓN: 1.** grosero, malcriado. **FAM:** → *caballo.*

caballería s. f. **1.** *Los mulos, los asnos y los caballos pertenecen a la **caballería*** (= son animales domesticados por el hombre que sirven para cabalgar). **2.** *Mi abuelo prestó el servicio militar en la **caballería*** (= en un cuerpo del ejército de soldados montados a caballo).
FAM: → *caballo.*

caballeriza s. f. *Ya han llevado los caballos a las **caballerizas*** (= a un lugar cubierto donde los caballos pueden comer y dormir).
SINÓN: cuadra, establo. **FAM:** → *caballo.*

caballero s. m. **1.** *Es todo un **caballero*** (= es muy educado). **2.** *¡Damas y **caballeros,** el espectáculo va a empezar!* (= ¡señoras y señores!).
SINÓN: 1. educado. **2.** señor. **ANTÓN: 1.** grosero, vulgar. **FAM:** → *caballo.*

caballete s. m. *El pintor retiró su cuadro del **caballete** cuando lo terminó* (= del armazón de madera con tres patas donde apoya el lienzo en el que pinta).

caballito s. m. El **caballito** de mar es un pez marino que tiene la cabeza y el hocico parecidos a los de un caballo.
FAM: → *caballo.*

caballo s. m. El **caballo** es un mamífero, fácil de domesticar, muy útil al hombre en la agricultura y como animal de montura.
SINÓN: corcel. **FAM:** *caballa, caballar, caballeresco, caballería, caballeriza, caballero, caballito.*

cabaña s. f. *Los pastores se refugian durante la noche en **cabañas*** (= casas rústicas hechas en el campo).
SINÓN: barraca, choza.

cabecear v. intr. **1.** *Después de comer, mi abuelo **cabecea** en su sillón* (= se queda medio dormido). **2.** *Los caballos **cabeceaban** porque estaban nerviosos* (= movían la cabeza). **3.** *La embarcación **cabeceaba** con las olas* (= subía y bajaba en el mar).
SINÓN: 1. adormecerse. **2.** mover. **3.** balancearse. **ANTÓN: 1.** despertar. **FAM:** → *cabeza.*

cabecera s. f. **1.** *La almohada se pone en la **cabecera** de la cama* (= en la parte donde se pone la cabeza). **2.** *En el banquete los novios y padrinos ocuparon la **cabecera** de la mesa* (= la parte principal). **3.** *Las noticias más importantes aparecen en la **cabecera** de los periódicos* (= al principio).
SINÓN: 2. presidencia. **3.** comienzo, encabezamiento, inicio, principio. **ANTÓN: 3.** conclusión, final. **FAM:** → *cabeza.*

cabecilla s. *La policía detuvo a los **cabecillas** de la banda de ladrones* (= a los jefes que la dirigían y planeaban sus acciones).
FAM: → *cabeza.*

cabellera s. f. *Sonia peina su larga **cabellera*** (= sus largos cabellos).
SINÓN: cabello, melena. **FAM:** *cabello.*

cabello s. m. **1.** *Debes poner remedio a la caída del* ***cabello*** (= cada uno de los pelos que nacen en la cabeza de las personas). **2.** *Beatriz se recoge el* ***cabello*** *en una trenza* (= la melena).
SINÓN: 1. pelo. **2.** cabellera, melena. **FAM:** *cabellera.*

caber v. intr. **1.** *En el coche todavía* ***cabe*** *uno más* (= queda sitio para uno más). **2.** *No* ***cabe*** *la menor duda de que es inocente* (= no se puede dudar). **3.** ***Cabe*** *la posibilidad de que llueva* (= a lo mejor llueve). ◆ **no caber en la cabeza 4.** ***No me cabe en la cabeza*** *cómo has podido hacerlo* (= no lo entiendo).

cabestrillo s. m. *Se rompió el brazo y ahora lo lleva en* ***cabestrillo*** (= lo sostiene con una venda que se sujeta alrededor del cuello).

cabestro s. m. **1.** *Aquel caballo está atado al poste con el* ***cabestro*** (= con una correa que se le ata a la cabeza y sirve para sujetarlo o conducirlo). **2.** *El cencerro del* ***cabestro*** *atraía a los toros* (= buey manso que guía a los toros).

cabeza s. f. **1.** *El cuerpo humano se compone de* ***cabeza,*** *tronco y extremidades* (= parte superior). **2.** *Me he dado un golpe en la* ***cabeza*** *y me ha salido un chichón* (= en el cráneo). **3.** *El pastor cuida un rebaño de 500* ***cabezas*** (= de 500 animales). **4.** *El científico suele ser una persona de gran* ***cabeza*** (= de gran inteligencia o talento). **5.** *La* ***cabeza*** *del clavo se torció al golpearlo con el martillo* (= la parte opuesta a la punta). **6.** *El Papa es la* ***cabeza*** *de la Iglesia Católica* (= es la máxima autoridad). **7.** *Este equipo va a la* ***cabeza*** (= va delante). **8.** *Tengo la* ***cabeza*** *ocupada en otros pensamientos* (= la mente). ◆ **cabeza de ajo 9.** *Puse una* ***cabeza de ajo*** *a la comida y quedó demasiado fuerte de sabor* (= un conjunto de dientes de ajo). ◆ **cabeza de chorlito 10.** *Eres un* ***cabeza de chorlito,*** *otra vez has perdido un lápiz mío* (= eres un tonto). ◆ **cabeza de familia 11.** El **cabeza de familia** es la persona que legalmente figura como jefe de una familia. Suele ser el padre. ◆ **metérsele en la cabeza alguna cosa 12.** *Es muy testarudo, cuando* ***se le mete algo en la cabeza*** *no hay quién lo haga cambiar de idea* (= se obsesiona con algo y no para hasta conseguirlo).
SINÓN: 2. cráneo, crisma. **3.** reses. **4.** talento, inteligencia. **6, 11.** jefe. **8.** mente. **ANTÓN: 6, 11.** subordinado. **FAM:** *cabecear, cabecera, cabecilla, cabezada, cabezal, cabezazo, cabezón, cabezota, cabezudo, cabizbajo, encabezamiento, encabezar.*

cabezada s. f. **1.** *Después de comer, mi padre da unas* ***cabezadas*** *en la silla* (= se adormece y mueve la cabeza). **2.** Una ***cabezada*** es un conjunto de cuerdas que sujetan la cabeza de los caballos, del cual sale una cuerda para conducirlos.
FAM: → *cabeza.*

cabezal s. m. *El* ***cabezal*** *de mi cama es de madera blanca* (= la tabla que limita la cama e impide que se caiga la almohada).
FAM: → *cabeza.*

cabezazo s. m. *El defensor del equipo de fútbol despejó la pelota de un* ***cabezazo*** (= de un golpe fuerte dado con la cabeza).
SINÓN: cabezada. **FAM:** → *cabeza.*

cabezón, ona adj. **1.** *Los renacuajos son muy* ***cabezones*** (= tienen una cabeza muy grande). **2.** *Julio es un chico muy* ***cabezón*** *y siempre quiere tener la razón* (= muy terco).
SINÓN: 1. cabezudo. **2.** cabezota, terco, testarudo, tozudo. **ANTÓN: 2.** dócil. **FAM:** → *cabeza.*

cabezudo, a adj. **1.** *El sombrero le queda pequeño porque es muy* ***cabezudo*** (= tiene la cabeza grande). ◆ **cabezudo** s. m. **2.** *Los niños se divierten en la fiesta con los gigantes y* ***cabezudos*** (= personas que se ponen una gran cabeza de cartón).
FAM: → *cabeza.*

cabildo s. m. **1.** *Hemos visitado el* ***cabildo*** *del pueblo* (= el Ayuntamiento con su alcalde y sus concejales). **2.** *El* ***cabildo*** *se reunió en la catedral* (= el conjunto de eclesiásticos de una catedral).
SINÓN: 1. ayuntamiento.

cabina s. f. **1.** *Te oigo muy mal, estoy en una* ***cabina*** *y hay mucho ruido en la calle* (= estoy en una pequeña caseta donde hay un teléfono público). **2.** *En el cine se proyecta la película desde una* ***cabina*** (= una pequeña habitación desde la cual se envía la luz y el sonido a la pantalla). **3.** *En los aviones la* ***cabina*** *está delante* (= es la zona destinada al piloto).

cabizbajo, a adj. *Mi amigo estaba tan apenado que andaba* ***cabizbajo*** (= con la cabeza baja y muy triste).
SINÓN: abatido, afligido, triste. **ANTÓN:** alegre. **FAM:** → *cabeza.*

cable s. m. **1.** *El barco ha sido amarrado al muelle por medio de gruesos* ***cables*** (= cuerdas muy fuertes). ◆ **cable eléctrico 2.** *No juegues con los* ***cables eléctricos****; son peligrosos* (= son hilos metálicos que conducen la electricidad).
SINÓN: 1. cabo, cuerda, soga.

cabo s. m. **1.** *Unimos los* ***cabos*** *de dos cuerdas, para hacer una cuerda más larga* (= los extremos). **2.** *En Geografía, se llama* ***cabo*** *a una porción de tierra que se adentra en el mar.* **3.** *Desde el barco echaron un* ***cabo*** *al náufrago* (= una cuerda). **4.** *Los soldados están bajo las órdenes directas de un* ***cabo*** (= de un soldado que tiene el rango inmediatamente superior al de los soldados rasos). ◆ **al cabo de 5.** ***Al cabo del*** *año tengo vacaciones* (= al final). ◆ **de cabo a rabo 6.** *Me sé la lección* ***de cabo a rabo*** (= me la sé del principio al fin).
SINÓN: 1. extremo, punta. **3.** cable, cuerda, soga. **5.** final. **ANTÓN: 5.** comienzo, inicio, principio.

cabra s. f. **1.** La **cabra** es un mamífero rumiante, esbelto y ágil que tiene los cuernos encorvados hacia atrás. ◆ **cabra montés 2. La cabra montés** es una cabra salvaje que vive en las montañas y salta por las rocas. ◆ **estar como una cabra 3.** *¡Mira que bañarte en la playa en invierno,* ***estás como una cabra****!* (= estás loco).
FAM: *cabrero, cabrío, cabriola, cabrito, cabrón.*

cabrero s. m. *En esta región hay muchos* ***cabreros*** (= pastores de cabras).
SINÓN: pastor. **FAM:** → *cabra.*

cabrío, a adj. **1.** *El ganado* ***cabrío*** *se adapta a cualquier pasto* (= el ganado formado por cabras). **2.** *El macho* ***cabrío*** *y la cabra forman pareja para tener cabritos.*
FAM: → *cabra.*

cabriola s. f. **1.** *Los bailarines hacen bonitas* ***cabriolas*** (= dan brincos cruzando varias veces los pies en el aire). **2.** *Se tropezó y tuvo que hacer* ***cabriolas*** *para no caerse* (= piruetas para recobrar el equilibrio). **3.** *El caballo hace* ***cabriolas*** (= da un par de coces mientras se mantiene en el aire).
SINÓN: 1, 2. brinco, salto, pirueta. **FAM:** → *cabra.*

cabrito s. m. El **cabrito** es la cría de la cabra, hasta que deja de mamar.
SINÓN: chivo. **FAM:** → *cabra.*

caca s. f. *El bebé se ha hecho* ***caca*** *en los pañales* (= ha evacuado allí lo que el cuerpo no aprovecha).
SINÓN: excremento.

cacahuate s. m. Méx. *Luis compró una bolsa de* ***cacahuates*** *tostados* (= frutos comestibles que maduran debajo de la tierra).
SINÓN: maní.

cacao s. m. El **cacao** es un árbol tropical de América que produce unas semillas del mismo nombre empleadas como ingrediente principal para hacer el chocolate.

cacarear v. intr. **1.** *Las gallinas y el gallo* ***cacarean*** (= emiten una serie de sonidos seguidos: ¡quiquiriquí!). **2.** *Lo poco que hace bien, lo* ***cacarea*** *continuamente* (= se lo dice a todo el mundo presumiendo).
SINÓN: 2. publicar, contar.

cacarizo, a adj. Méx. *Alejandro está* ***cacarizo*** (= tiene la cara marcada por cicatrices de viruela o acné).

cacatúa s. f. La **cacatúa** es un ave procedente de Oceanía, de plumaje blanco, con plumas en la cabeza en forma de cresta y que puede aprender a emitir palabras.

cacería s. f. **1.** *Cada cazador participante en la* ***cacería*** *llevaba su escopeta y su perro* (= expedición organizada para ir a cazar). **2.** *Los cazadores han obtenido una buena* ***cacería*** (= han matado muchos animales de caza).
SINÓN: 2. caza. **FAM:** → *cazar.*

cacerola s. f. *Ten cuidado, que está la* ***cacerola*** *en el fuego* (= un recipiente de metal con asas que sirve para cocer o guisar).
SINÓN: cacharro, vasija. **FAM:** *cazuela.*

cachada s. m. R. de la Plata **1.** *Pedro no comprendió que lo que le dijimos era una* ***cachada*** (= broma, burla). Amér. Cent., Col., Ec., Urug. **2.** *Al entrar en el establo, recibió una* ***cachada*** (= cornada de un animal).

cachalote s. m. El **cachalote** es un mamífero marino, de 15 a 20 metros de largo, parecido a la ballena.

cachar v. tr. Amér. **1.** *Lo* ***cacharon*** *robándose el dinero* (lo sorprendieron cometiendo una mala acción). **2.** *Al nuevo alumno lo* ***cacharon*** *varios de sus compañeros* (= lo hicieron objeto de bromas).

cacharro s. m. **1.** *Andrés ha hecho un* ***cacharro*** *de barro* (= una vasija tosca). **2.** *Nuestro televisor está hecho un* ***cacharro*** (= es viejo y siempre tiene averías).
SINÓN: 1. recipiente, utensilio, vasija. **2.** bártulo, cachivache, trasto.

cachaza s. f. Amér. Merid. *En la bodega guardamos una botella de* ***cachaza*** (= aguardiente extraído de los restos del refinado de la caña de azúcar).

cachear v. tr. *Los policías del aeropuerto* ***han cacheado*** *a los pasajeros* (= los han inspeccionado tocándolos, para ver si llevaban armas ocultas).

cachete s. m. *Tenía los* ***cachetes*** *colorados* (= los carrillos de la cara).
SINÓN: mejillas.

cachetear v. tr. Amér. *La madre lo* ***cacheteó*** *delante de todos* (= lo golpeó en la cara con la mano abierta).
FAM: *cachete.*

cachimba s. f. o **cachimbo** s. m. Amér. Merid. *Mi padre fuma* ***cachimbos*** (= tabaco de olor fuerte).

cachivache s. m. *No sé cómo puedes trabajar con tantos* ***cachivaches*** *sobre la mesa* (= con tantos trastos inútiles).
SINÓN: cacharro, trasto.

cacho s. m. Amér. *El pobre hombre sólo pedía un* ***cacho*** *de pan* (= trozo, pedazo).

cachorro s. m. **1.** *Me regalaron un* ***cachorro*** *de pastor alemán* (= una cría de perro). **2.** *También se llaman* ***cachorros*** *las crías de otros mamíferos.*
SINÓN: cría, hijo. **ANTÓN:** adulto, viejo.

cacique s. m. Amér. El **cacique** era el jefe o señor de algunas tribus que habitaron América Central y del Sur.

caco s. m. *Los* ***cacos*** *robaron en la joyería* (= los ladrones).
SINÓN: ladrón, ratero.

cacofonía s. f. *No se puede decir* la alma *porque se produce* ***cacofonía*** (= la repetición desagradable de un mismo sonido).
ANTÓN: armonía, melodía.

cacto o **cactus** s. m. El **cacto** es una planta muy carnosa y cubierta de espinas.

cada adj. **1.** ***Cada*** *uno de nosotros debe tener un libro* (= es un adjetivo indefinido que indica que las personas o cosas son consideradas una a una). **2.** *Viene a mi casa* ***cada*** *lunes* (= todos los lunes). **3.** *¡Mi hermano tiene* ***cada*** *ocurrencia!* (= tiene algunas ocurrencias sorprendentes).
SINÓN: **3.** alguno. ANTÓN: **2.** ningún.

cadáver s. m. *Hemos encontrado el* ***cadáver*** *de mi gato en el jardín* (= su cuerpo sin vida).
SINÓN: difunto, fallecido, muerto. ANTÓN: vivo.
FAM: *cadavérico.*

cadavérico, a adj. *Tiene un aspecto* ***cadavérico*** (= está tan pálido que parece un muerto).
SINÓN: delgado, pálido. FAM: *cadáver.*

cadena s. f. **1.** *El perro está atado con una* ***cadena*** (= atadura que se hace con eslabones unidos unos a otros). **2.** *Los manifestantes formaron una* ***cadena*** *humana* (= se tomaron de las manos). ◆ **cadena de emisoras 3.** *Una* ***cadena de emisoras*** *es un grupo de emisoras de radio o televisión que pertenecen a la misma empresa.* ◆ **cadena montañosa 4.** *Los Andes son una* ***cadena montañosa*** (= conjunto de montañas). ◆ **cadena perpetua 5.** *El juez condenó al ladrón a* ***cadena perpetua*** (= a estar toda su vida en la cárcel).
SINÓN: **3.** canal. **4.** cordillera. **5.** prisión. FAM: *cadeneta, desencadenar, encadenar.*

cadencia s. f. *Los bailarines seguían la* ***cadencia*** *de la música* (= el ritmo de la música).
SINÓN: ritmo, compás.

cadeneta s. f. *Mi abuela me enseñó a hacer* ***cadeneta*** (= una cadenilla con hilo y ganchillo, crochet).
FAM: → *cadena.*

cadera s. f. *Mueve tus* ***caderas*** *al bailar* (= los huesos que sobresalen debajo de la cintura).

caducar v. intr. **1.** *El contrato de alquiler de nuestro piso* ***caduca*** *este año* (= termina). **2.** *El yogur* ***caduca*** *dentro de dos días* (= deja de valer como alimento y no se debe comer después de esa fecha).
SINÓN: **1.** acabar, expirar, finalizar, terminar.
ANTÓN: **1.** comenzar, empezar, iniciar. FAM: *caducidad.*

caducidad s. f. *Los medicamentos y alimentos llevan impresa la fecha de* ***caducidad*** (= el día en que se prevé que dejan de valer para su uso).
ANTÓN: validez. FAM: *caducar.*

caduco, a adj. *Hay plantas que tienen hojas* ***caducas*** (= que se caen en otoño).
ANTÓN: perenne.

caer v. intr. **1.** *La manzana madura* ***cayó*** *del árbol* (= se desprendió de la rama y fue al suelo). **2.** *En la cacería la presa* ***cayó*** *en la red* (= quedó atrapada). **3.** *Mi amigo* ***cayó*** *enfermo ayer* (= enfermó, se puso enfermo). **4.** *El Imperio Romano* ***cayó*** *en el año 467* (= desapareció en esa fecha). **5.** *Muchos soldados* ***cayeron*** *en la guerra* (= murieron). **6.** *No entendí el problema de matemáticas y* ***caí*** *en un error* (= me equivoqué). **7.** *Ahora* ***caigo*** *en lo que me querías decir* (= ahora lo entiendo). **8.** *La alegría de la fiesta* ***cayó*** *cuando recibimos la mala noticia* (= disminuyó). **9.** *Este año la lotería de Navidad* ***cayó*** *en Mendoza* (= allí tocó). **10.** *Este año la Semana Santa* ***cayó*** *en abril* (= se celebró en ese mes). **11.** *Te* ***cae*** *muy bien ese vestido* (= te sienta muy bien). **12.** *Tu hermana me* ***cae*** *bien* (= la encuentro simpática). **13.** *Al* ***caer*** *el sol daremos un paseo* (= al atardecer). **14.** *En cuanto vieron el cuerpo muerto de la vaca, los buitres* ***cayeron*** *sobre ella* (= se abalanzaron sobre ella). **15.** *El verano está al* ***caer*** (= falta poco para que llegue, está próximo). ◆ **caerse** v. pron. **16.** *En otoño* ***se caen*** *las hojas de los árboles* (= se desprenden, van por el aire y llegan al suelo). **17.** *Resbalé y* ***me caí*** *de narices* (= fui a parar con la nariz al suelo).
SINÓN: **1, 16.** desprenderse. **3.** enfermar. **4.** desaparecer. **5.** morir. **6.** cometer. **7.** entender. **8.** decaer, disminuir. **9.** tocar. **10.** coincidir. **11.** sentar. **13.** ponerse. **14.** abalanzarse. **15.** aproximarse. ANTÓN: **2.** escapar. **3.** sanar. **4.** renacer. **8.** aumentar, avivar. **13.** salir. FAM: *caída, caído, decadencia, decaer, paracaídas, paracaidista, recaer.*

café s. m. **1.** *He comprado un paquete de* ***café*** *molido* (= de granos picados que se extraen de una planta del mismo nombre). **2.** *Siempre tomo un* ***café*** *para desayunar y otro después de comer* (= bebida que se obtiene haciendo pasar agua caliente a través del café molido). **3.** *Podríamos ir al* ***café*** *a tomar el aperitivo* (= establecimiento donde se pueden consumir diversas bebidas y algunas comidas). ◆ **café** adj. Amér. **4.** *Me compré unos zapatos* ***cafés*** (= del color de las semillas tostadas del café).
SINÓN: **3.** bar, cafetería. **4.** marrón. FAM: *cafetera, cafetería, cafeto.*

cafeína s. f. *Si estás nervioso no debes tomar café porque tiene* ***cafeína*** (= una sustancia que altera y quita el sueño).

cafetera s. f. *He puesto la* ***cafetera*** *al fuego* (= un utensilio para preparar y servir el café).
FAM: → *café.*

cafetería s. f. *Fuimos a una* ***cafetería*** *a tomar un refresco* (= un local donde se sirven café, bebidas y, a veces, comidas).
SINÓN: bar, café. FAM: → *café.*

cafeto s. m. El café es la semilla del **cafeto,** árbol originario de Etiopía, con hojas en forma de lanza y flores blancas y olorosas parecidas al jazmín.

caída s. f. **1.** *Resbalé y en la* ***caída*** *me lastimé* (= al caer). **2.** *Esta montaña tiene una* ***caída*** *de mil metros desde la cumbre al pie* (= una pendiente). **3.** *Debido a la fuerte tormenta hubo una* ***caída*** *de tensión eléctrica* (= un apagón). **4.** *Tu blusa de seda tiene una bonita* ***caída*** (= forma bonitos pliegues). **5.** *La* ***caída*** *del Imperio Romano fue en el año 467* (= el hundimiento, la desaparición). **6.** *A la* ***caída*** *de la tarde empieza a refrescar* (= al atardecer).
SINÓN: 1. porrazo. **2.** pendiente. **5.** hundimiento. **6.** atardecer. **ANTÓN: 2.** cuesta, subida. **5.** resurgimiento. **FAM:** → *caer.*

caído, a adj. **1.** *Al final de la carrera el corredor estaba* ***caído*** (= desfallecido). **2.** *Andrés es un poco* ***caído*** *de hombros* (= sus hombros no están horizontales).
SINÓN: 1. abatido, debilitado, desfallecido. **ANTÓN: 1.** animado, confortado, excitado. **FAM:** → *caer.*

caimán s. m. El **caimán** es un reptil americano parecido al cocodrilo.

caja s. f. **1.** *En la zapatería guardan los zapatos en* ***cajas*** (= en recipientes de cartón cerrados con una tapa). **2.** *Me han regalado una* ***caja*** *de acuarelas* (= un estuche). **3.** *Las joyerías, los bancos y algunos hoteles suelen tener una* ***caja*** *fuerte* (= un armario blindado donde guardan las joyas o el dinero para que estén seguros). **4.** *En la orquesta, Roberto toca la* ***caja*** (= es una especie de tambor). **5.** *La* ***Caja*** *de Ahorros es un establecimiento bancario* (= donde la gente guarda el dinero).
SINÓN: 1, 2. estuche. **4.** tambor. **5.** banco. **FAM:** *cajero, cajetilla, cajista, cajón, encajar.*

cajero, a s. **1.** *El* ***cajero*** *del supermercado nos dio la cuenta de la compra* (= la persona que cobra en una tienda). **2.** *Mi padre saca dinero del* ***cajero*** *automático del banco* (= una máquina que tienen los bancos de donde se puede sacar dinero cuando la oficina está cerrada).
SINÓN: 1. cobrador. **FAM:** → *caja.*

cajeta s. f. Méx., Amér. Cent., Ant. *Como postre, siempre comemos* ***cajeta*** (= dulce de leche quemada, azúcar y vainilla o canela).
FAM: → *caja.*

cajetilla s. f. *Mi padre me ha mandado a comprar una* ***cajetilla*** *de cigarrillos* (= una caja pequeña).
SINÓN: paquete. **FAM:** → *caja.*

cajista s. m. *Mi abuelo trabajaba como* ***cajista*** *en una imprenta* (= elegía y colocaba las letras para luego imprimirlas).
FAM: → *caja.*

cajón s. m. **1.** *Hemos traído los libros en* ***cajones*** (= cajas grandes de madera). **2.** *Guardo mis cosas en los* ***cajones*** *de mi armario* (= partes del mueble, parecidas a cajas, que se sacan y se meten para guardar objetos).
FAM: → *caja.*

cal s. f. *Las fachadas de muchas casas están blanqueadas con* ***cal*** (= materia mineral blanca).
FAM: *calcáreo, calcinar, calcio, calizo, encalar.*

cala s. f. *En esta costa hay muchas* ***calas*** (= pequeñas entradas de mar en la tierra formando una playa).
SINÓN: ensenada, bahía. **FAM:** → *calar.*

calabacín s. m. El **calabacín** es un fruto comestible parecido a una calabaza pequeña.
FAM: *calabaza.*

calabaza s. f. La **calabaza** es un fruto comestible, muy grande, de color anaranjado, que en el interior tiene muchas pepitas.

calabozo s. m. *Aquel preso estuvo unos días incomunicado en el* ***calabozo*** *de la cárcel* (= encerrado en una celda individual oscura y estrecha).
SINÓN: celda, mazmorra.

calado s. m. **1.** *La bordadora ha hecho unos* ***calados*** *preciosos en la tela* (= ha sacado hilos y ha formado una especie de encaje). **2.** *Ha llegado un barco de gran* ***calado*** (= la parte del barco que queda sumergida en el agua es grande).
SINÓN: 1. bordado, encaje. **FAM:** → *calar.*

calaguala s. f. Bol., Perú, R. de la Plata. *Mi abuela dice que la* ***calaguala*** *es medicinal* (= planta de hojas largas y entrecortadas semejantes a las del helecho).

calamar s. m. El **calamar** es un molusco marino que cuando está vivo, arroja tinta negra para defenderse.

calambre s. m. *Tengo un* ***calambre*** *en la pierna y no puedo moverla* (= se me contrajeron los músculos y tengo mucho dolor).

calamidad s. f. **1.** *Una inundación, un gran incendio, la peste, son* ***calamidades*** (= desgracias que afectan a muchas personas). **2.** *Este chico es una* ***calamidad,*** *siempre llega tarde* (= un chico incapaz de hacer algo bien).
SINÓN: 1. azote, catástrofe, desastre. **ANTÓN: 1.** dicha, fortuna.

calar v. tr. **1.** *Llovía tanto que el agua me* ***caló*** *el abrigo y me pasó hasta el suéter* (= me lo empapó). **2.** *Con un taladro* ***calamos*** *la madera* (= la atravesamos completamente).
SINÓN: 1. empapar(se), impregnar(se), mojar(se). **2.** atravesar, penetrar, perforar. **ANTÓN: 1.** secar(se). **FAM:** *cala, calado.*

calavera s. f. *En el museo de ciencias naturales hay una interesante colección de* ***calaveras*** (= de los huesos de la cabeza).
SINÓN: cráneo.

calcar v. tr. **1.** *Andrés* ***ha calcado*** *el dibujo de un pájaro* (= lo ha dibujado exacto gracias a un papel carbónico). **2.** *Es poco original, se limita a* ***calcar*** *a los demás* (= a imitarlos).
SINÓN: 1. reproducir. **2.** imitar. **FAM:** *calco, calcomanía, recalcar.*

calcáreo, a adj. *Las rocas **calcáreas,** igual que las aguas y los terrenos **calcáreos,** contienen cal.*
FAM: → *cal.*

calcetín s. m. *Tendrás calor en los pies si te pones esos **calcetines** de lana* (= esas medias cortas).

calcinar v. tr. *Aquel bosque está totalmente **calcinado*** (= quemado).
FAM: → *cal.*

calcio s. m. El **calcio** es una sustancia química muy importante para los huesos y los dientes. También es un metal de color blanco con el que se hace la cal.
FAM: → *cal.*

calco s. m. *Juana ha hecho un **calco** del plano de su casa* (= ha hecho un dibujo copiado directamente del original con un papel transparente).
SINÓN: copia, reproducción. ANTÓN: original.
FAM: → *calcar.*

calcomanía s. f. *Me he puesto dos **calcomanías** iguales, una en mi mano y la otra en mi carpeta* (= unos dibujos de colores que vienen pegados a un papel y se aplican a diversos objetos).
FAM: → *calcar.*

calculador, a adj. **1.** *Mi abuelo es muy **calculador** y por eso no suele equivocarse* (= antes de hacer cualquier cosa lo piensa detenidamente). ◆ **calculadora** s. f. **2.** *En mi casa tengo una **calculadora** para hacer las operaciones matemáticas* (= una máquina que hace cálculos automáticamente).
SINÓN: **1.** prudente. **2.** computadora. FAM: → *calcular.*

calcular v. tr. **1.** ***Calculo** que llegaremos dentro de dos horas* (= creo, supongo). **2.** *¿Podrías **calcular** cuántos niños hay en el patio?* (= ¿podrías contarlos o decir cuántos puede haber?).
SINÓN: **1.** creer, pensar, suponer. **2.** contar, evaluar. FAM: *calculador, calculadora, cálculo, incalculable.*

cálculo s. m. **1.** *Hizo el **cálculo** de la suma y le salió correcto* (= hizo la operación matemática). **2.** *Según mis **cálculos** vendrán 25 invitados* (= según mis previsiones). **3.** *Le extrajeron al enfermo un **cálculo** del riñón* (= una piedrita que se forma en el riñón, en la vejiga o en la vesícula).
SINÓN: **1.** cómputo, cuenta, operación. **2.** previsión. FAM: → *calcular.*

caldear v. tr. **1.** *Pon la estufa para **caldear** la habitación* (= para calentarla). ◆ **caldearse** v. pron. **2.** *En la reunión **se caldearon** los ánimos* (= la gente se puso nerviosa y empezó a discutir y reñir).
SINÓN: **1.** calentar. **2.** acalorarse, excitarse.
FAM: → *caldera, caldero.*

caldén s. m. Arg. *Con la madera del **caldén** se hacen tablas para el parqué de los pisos* (= árbol de diez metros de altura, de tronco grueso, madera dura y raíces muy extendidas).

caldera s. f. *La **caldera** del agua para la calefacción central está en el sótano de casa* (= un aparato que calienta el agua y la distribuye a través de tubos por la casa).
FAM: → *caldear.*

caldero s. m. *Antiguamente cocinaban poniendo un **caldero** sobre el fuego de la chimenea* (= un recipiente de metal para cocinar y con una sola asa).
FAM: → *caldear.*

caldo s. m. *Cuando hace frío, sienta muy bien una taza de **caldo*** (= del agua que queda después de haber cocido carne, pescado, verduras, etc.).
FAM: *caldoso.*

calefacción s. f. **1.** *Pon la **calefacción** en marcha, que hace frío* (= el sistema que permite calentar la casa). ◆ **calefacción central 2.** *En mi colegio hay **calefacción central*** (= un único sistema que calienta todo el edificio).
FAM: → *calor.*

calendario s. m. *Si no sabes la fecha en que estamos, mira el **calendario*** (= el almanaque).
SINÓN: almanaque.

calentador s. m. *En el campamento, cocinamos en un **calentador*** (= aparato que sirve para calentar o cocinar a gas o electricidad).
FAM: → *calor.*

calentar v. tr. **1.** ***Calentamos** al máximo el horno para que la carne se asara más rápidamente* (= le dimos más calor). ◆ **calentarse** v. pron. **2.** ***Nos calentamos** sentados alrededor del fuego* (= tomamos calor en el cuerpo). **3.** *La discusión **se calentó** y acabaron todos gritando* (= la gente se puso nerviosa y se enfadó).
SINÓN: **2.** templarse. **3.** acalorarse, animarse. ANTÓN: **1.** enfriar(se), refrigerar(se). **3.** calmarse, sosegarse. FAM: → *calor.*

calesita s. f. R. de la Plata. *En el parque de diversiones han instalado una **calesita*** (= plataforma giratoria con asientos de figura de animales o de vehículos, impulsada a motor o con tracción animal).
SINÓN: caballitos.

calibrar v. tr. **1.** *Antes de hacer algo debes **calibrar** sus consecuencias* (= debes medir su importancia). **2.** *El cazador **calibraba** su escopeta antes de comprar las balas* (= medía el interior de su cañón).
SINÓN: **1.** estudiar, observar. **2.** medir. FAM: *calibre.*

calibre s. m. **1.** *El **calibre** de este revólver es de 8 milímetros* (= el diámetro interior del cañón tiene esa medida). **2.** *Se llama **calibre** al diámetro de tubos y cañerías, y también al grosor de otros objetos no huecos, como el alambre.* **3.** *La noticia alcanzó mucho **calibre** en los medios de comunicación* (= alcanzó mucha importancia).
SINÓN: **1, 2.** diámetro, grosor. **3.** importancia, trascendencia. FAM: *calibrar.*

calidad s. f. **1.** *Estos muebles son de buena **calidad*** (= están muy bien hechos). **2.** *Asistió a la reunión en **calidad** de jefe* (= en función de jefe). **3.** *Cada país tiene una **calidad** de vida diferente* (= una manera de vivir).
SINÓN: 1. clase, categoría, cualidad. **3.** manera, modo.

cálido, a adj. **1.** *Este verano ha sido muy **cálido*** (= muy caluroso, ha hecho mucho calor). **2.** *Me gustan más los colores **cálidos** como el rojo o naranja, que los fríos como el azul* (= vivos). **3.** *Mi amigo me dio una **cálida** bienvenida* (= afectuosa).
SINÓN: 1. caliente, caluroso. **2.** vivo. **3.** caluroso, afectuoso. **ANTÓN: 1.** fresco, frío. **FAM:** → *calor.*

caliente adj. *Sopla un aire muy **caliente*** (= muy caluroso).
SINÓN: abrasador, ardiente, cálido, caluroso. **ANTÓN:** fresco, frío, helado. **FAM:** → *calor.*

calificación s. f. *Susana ha obtenido al final del curso unas buenas **calificaciones*** (= buenas notas).
SINÓN: nota. **FAM:** → *calificar.*

calificar v. tr. **1.** *El alcalde **calificó** de heroica la actuación de los bomberos* (= la consideró buena). **2.** *El profesor **ha calificado** los exámenes con buenas notas* (= ha puntuado).
SINÓN: 1. considerar, definir, juzgar. **2.** puntuar. **FAM:** *calificación, calificativo, descalificar, incalificable.*

calificativo, a adj. **1.** El adjetivo **calificativo** es una palabra que acompaña al nombre añadiéndole una cualidad. ◆ **calificativo** s. m. **2.** Imbécil *es un **calificativo** que indica desprecio* (= un término).
SINÓN: 2. término. **FAM:** → *calificar.*

caligrafía s. f. **1.** *En clase hacemos ejercicios de **caligrafía*** (= prácticas de escritura para escribir con letra correcta y hermosa). **2.** *Tu **caligrafía** es tan mala que no entiendo nada de lo que escribes* (= tu forma de escribir, tu letra).

cáliz s. m. **1.** *En la misa, el sacerdote vierte el vino en el **cáliz*** (= en una copa sagrada). **2.** El **cáliz** de una flor es la envoltura exterior que se rompe al abrirse la flor.
SINÓN: 1. copa.

calizo, a adj. *Este terreno es de roca **caliza*** (= tiene cal).
SINÓN: calcáreo. **FAM:** → *cal.*

callado, a adj. *Mi hermano no suele hablar mucho porque es muy **callado*** (= es muy reservado).
SINÓN: discreto, reservado, silencioso. **ANTÓN:** charlatán, hablador, parlanchín. **FAM:** *callar.*

callar v. tr. **1.** *Yo **callé** lo que sabía* (= no lo dije). ◆ **callar** v. intr. **2.** *Cuando hablen las personas mayores debes **callar*** (= debes estar en silencio). **3.** *Después de hablar largo rato, **calló*** (= dejó de hablar). **4.** *El bebé **calla** cuando le dan el biberón* (= deja de llorar).
SINÓN: 1. ocultar. **2, 3, 4.** enmudecer. **ANTÓN:** hablar. **FAM:** *acallar, callado.*

calle s. f. **1.** *Yo vivo cerca del colegio, en la **calle** de al lado* (= en la vía bordeada de casas). ◆ **hombre de la calle** s. m. **2.** *En este programa de televisión se tratan los problemas del **hombre de la calle*** (= de los ciudadanos).
SINÓN: 1. vía. **2.** gente. **FAM:** *calleja, callejear, callejero, callejón.*

callejear v. intr. *Los domingos me gusta **callejear** por la ciudad* (= me gusta pasear sin prisa por las calles).
SINÓN: deambular, errar, pasear. **FAM:** → *calle.*

callejero, a adj. **1.** *Encontramos un perro **callejero** y nos lo llevamos a casa* (= iba solo por la calle). **2.** *Mi abuelo es muy **callejero*** (= le gusta pasear por las calles).
SINÓN: 1. vagabundo. **2.** caminante. **FAM:** → *calle.*

callejón s. m. *Mi calle se comunica con la plaza a través de un **callejón*** (= calle larga y estrecha).
SINÓN: calleja, travesía. **FAM:** → *calle.*

callo s. m. **1.** *Mi madre tiene un **callo** en un dedo del pie* (= una dureza de la piel que le hace daño). **2.** *Comimos un plato de **callos*** (= trozos guisados del estómago de la vaca, ternera o cordero).

calma s. f. **1.** *Hoy el mar está en **calma** porque no hace mucho viento* (= está en reposo, casi no hay olas). **2.** *Me gusta la **calma** del campo* (= la tranquilidad). **3.** *¡Lo haces todo con tanta **calma**!* (= con mucha lentitud). **4.** *Ten **calma**; enseguida llegamos* (= ten paciencia).
SINÓN: 1. reposo. **2.** paz, quietud, sosiego, tranquilidad. **4.** paciencia. **ANTÓN: 1.** tempestad. **2.** intranquilidad. **3.** agilidad, rapidez. **4.** impaciencia. **FAM:** *calmante, calmar, calmoso.*

calmante adj. **1.** *La música puede tener un efecto **calmante*** (= que relaja y tranquiliza). ◆ **calmante** s. m. **2.** *Si te duele la cabeza toma un **calmante*** (= una pastilla que quita el dolor).
SINÓN: 2. analgésico, sedante. **ANTÓN: 2.** estimulante, excitante. **FAM:** → *calma.*

calmar v. tr. **1.** *Este medicamento **calma** el dolor* (= lo alivia). ◆ **calmar** v. intr. **2.** *¡**Cálmense!** habrá pastel para todos* (= tengan calma, tranquilícense).
SINÓN: 2. serenar, sosegar, tranquilizar. **ANTÓN: 2.** acalorar, excitar, irritar. **FAM:** → *calma.*

calor s. m. **1.** *En verano hace mucho **calor*** (= la temperatura es muy elevada). **2.** *Con este abrigo tengo **calor*** (= siento mi cuerpo muy caliente).
SINÓN: 1. bochorno. **ANTÓN: 1, 2.** frío. **FAM:** *acalorar, calefacción, calentador, calentar, calentura, cálido, caliente, caloría, caluroso.*

caloría s. f. *Para calentar el depósito de agua se consumieron 50.000 **calorías*** (= son las unidades que sirven para medir el calor).
FAM: → *calor.*

calumnia s. f. *No creo lo que dicen de él porque son* ***calumnias*** (= son acusaciones falsas).
SINÓN: difamación, mentira. **ANTÓN:** alabanza. **FAM:** *calumniar.*

calumniar v. tr. *Antonio me* ***ha calumniado*** *delante de todos mis amigos* (= ha dicho cosas falsas de mí).
SINÓN: difamar, mentir. **ANTÓN:** alabar. **FAM:** *calumnia.*

caluroso, a adj. **1.** *Hoy hace un día muy* ***caluroso*** (= hace mucho calor). **2.** *El público recibió a los campeones con* ***calurosos*** *aplausos* (= con muchos aplausos).
SINÓN: 1. cálido, caliente. **2.** apasionado. **ANTÓN: 1.** fresco, frío, helado. **FAM:** → *calor.*

calva s. f. *Mi abuelo se cubre la* ***calva*** *con una boina* (= su cabeza sin pelo).
SINÓN: calvicie. **ANTÓN:** pelo. **FAM:** *calvicie, calvo.*

calvario s. m. *Es un* ***calvario*** *no poder ir a la playa con el calor que hace* (= es muy molesto).
SINÓN: adversidad, suplicio.

calvicie s. f. *El padre de Antonio usa un producto contra la* ***calvicie*** (= contra la caída del pelo de la cabeza).
SINÓN: calva. **FAM:** → *calva.*

calvo, a adj. *A los treinta años, el señor Ruiz ya estaba* ***calvo*** (= ya no tenía pelo en la cabeza).
SINÓN: pelado, pelón. **ANTÓN:** melenudo, peludo. **FAM:** → *calva.*

calzada s. f. *Están haciendo obras en la* ***calzada*** *y han cortado la circulación* (= la parte de la calle por la que pasan los coches).
SINÓN: carretera.

calzado s. m. *Los zapatos, las sandalias, las botas y las zapatillas son diferentes clases de* ***calzado*** (= prenda que cubre los pies).
SINÓN: zapato. **FAM:** *calzador, calzar, descalzar, descalzo.*

calzador s. m. *Mi padre usa un* ***calzador*** *para ponerse los zapatos* (= un utensilio curvo que sirve para ponerse con más facilidad los zapatos).
FAM: → *calzado.*

calzar v. tr. **1.** *Mi padre* ***calzó*** *el coche porque estaba cuesta abajo* (= puso una piedra delante de las ruedas para inmovilizarlo). ◆ **calzarse** v. pron. **2.** *María* ***se está calzando*** (= se está poniendo los zapatos).
SINÓN: 1. afirmar, asegurar. **ANTÓN: 2.** descalzarse. **FAM:** → *calzado.*

calzón s. m. *Los boxeadores se distinguen por el color de los* ***calzones*** (= pantalones cortos).
FAM: *calzoncillos.*

calzoncillos s. m. pl. *Pedro se quitó los pantalones y se quedó en* ***calzoncillos*** (= la prenda interior que llevan los hombres).
FAM: *calzón.*

calzones s. m. pl. Amér.→ **bombacha.**

cama s. f. **1.** *Las sábanas y mantas se ponen sobre el colchón de la* ***cama*** (= el mueble en el que se duerme) ◆ **cama turca** s. f. **2.** *Una* ***cama turca*** *es una cama estrecha, sin cabecera y con las patas plegables.* ◆ **caer en cama 3.** *Mi hermano* ***ha caído en cama*** *y tiene fiebre* (= está enfermo). ◆ **estar en cama 4.** *Esta tarde iremos a visitar a Pedro porque* ***está en cama*** (= porque está enfermo).
SINÓN: lecho, litera. **FAM:** → *camilla, camillero.*

camaleón s. m. Los **camaleones** son pequeños reptiles con cuatro patas que pueden cambiar el color de su piel.

cámara s. f. **1.** *Hemos comprado una* ***cámara*** *automática* (= un aparato para tomar imágenes en fotografía o en película). **2.** *El museo tenía amplias* ***cámaras*** (= amplios salones). **3.** *El Congreso está formado por dos* ***cámaras****, la de diputados y la de senadores* (= dos cuerpos encargados de hacer las leyes). **4.** *Las ruedas del coche llevan en su interior una* ***cámara*** (= un tubo de goma que se infla con aire). ◆ **a cámara lenta 5.** *Es gracioso ver* ***a cámara lenta*** *las imágenes de una película* (= ver los movimientos más lentos de lo normal). ◆ **a cámara rápida 6.** *Pusimos la película* ***a cámara rápida*** (= más rápido de lo normal).
SINÓN: 2. cuarto, sala, salón. **4.** neumático. **FAM:** *camarada, camaradería, camarero, camarote, camerino.*

camalote s. m. *La crecida del río arrastró vaios* ***camalotes*** (= plantas acuáticas de flores azules, tallos largos y huecos y hojas circulares. Suelen enredarse y formar especies de islas flotantes que son arrastradas por las corrientes).

camarada s. m. f. *Luis ha invitado a sus* ***camaradas*** *a la fiesta de su cumpleaños* (= a sus amigos de clase).
SINÓN: amigo, colega, compañero. **ANTÓN:** enemigo, rival. **FAM:** → *cámara.*

camaradería s. f. *Entre Pedro y Manuel existe una buena* ***camaradería*** (= una buena amistad).
SINÓN: amistad, compañerismo. **ANTÓN:** enemistad. **FAM:** → *cámara.*

camarico s. m. Amér. Cent., Merid. **1.** *Este sillón es el* ***camarico*** *de mi padre para ver televisión* (= lugar preferido). **2.** *No te esfuerzes en conquistarla porque ya tiene un* ***camarico*** (= persona amada o preferida).

camarín s. m. *Cuando acabó la obra de teatro, fui a ver a la actriz a su* ***camarín*** (= la habitación del teatro donde se viste y se maquilla).
FAM: → *cámara.*

camarón s. m. El **camarón** es un crustáceo comestible parecido a los langostinos, pero más pequeño.

camarote s. m. *En los barcos los pasajeros duermen en los* ***camarotes*** (= pequeñas habitaciones donde hay camas).
SINÓN: cabina. **FAM:** → *cámara.*

cambiar v. tr. **1.** *Luis* ***cambió*** *su lápiz por un pincel* (= dio una cosa y recibió otra). **2.** *En verano* ***cambian*** *el horario de los trenes* (= lo modifican). ◆ **cambiar** v. intr. **3.** *Con el nuevo peinado, Juana* ***ha cambiado mucho*** (= parece diferente). **4.** *El viento* ***ha cambiado*** *de dirección* (= antes soplaba del norte y ahora del sur). ◆ **cambiarse** v. pron. **5.** *Voy a* ***cambiarme*** *de ropa para ir más cómoda* (= voy a ponerme otra ropa).
SINÓN: 1. canjear, conmutar. **2, 3, 4.** modificar, transformar, variar. **5.** desvestirse. **ANTÓN: 1.** conservar. **2.** mantener. **4.** permanecer. **FAM:** *cambio, intercambiar, intercambio, recambio.*

cambio s. m. **1.** *Hemos hecho un* ***cambio*** *de domicilio* (= nos hemos ido a vivir a otra casa). **2.** *Me tiene que dar el* ***cambio*** *de los cien pesos que le he dado para pagar* (= el dinero que sobra). **3.** *En los bancos hay una oficina destinada al* ***cambio*** *de dinero* (= a dar monedas de otros países). **4.** *Mi padre llevó el coche al mecánico para que le arreglase la caja de* ***cambios*** (= caja de velocidades). ◆ **en cambio 5.** *Yo quiero ir a la playa,* ***en cambio*** *María prefiere ir a la montaña* (= por el contrario).
SINÓN: 1. mudanza. **2.** suelto, vuelto. **FAM:** → *cambiar.*

camelia s. f. *Te regalo esta* ***camelia*** (= flor del arbusto de hojas perennes, muy verdes y lustrosas, originario de la China, con flores blancas, rojas o rosadas).

camellero s. m. *En el desierto los* ***camelleros*** *conducen las caravanas de camellos* (= las personas que guían a los camellos).
FAM: *camello.*

camello s. m. El **camello** es un animal que tiene dos jorobas, un cuello muy largo, y se utiliza en el desierto como medio de transporte.
FAM: *camellero.*

camilla s. f. *Transportaron al herido acostado en una* ***camilla*** (= en una cama estrecha y portátil).
FAM: → *cama.*

camillero s. m. *Los dos* ***camilleros*** *introdujeron al herido en la ambulancia* (= las personas que lo transportaban).
FAM: → *cama.*

caminante s. m. *El* ***caminante*** *llevaba recorridos treinta kilómetros* (= la persona que viaja a pie).
SINÓN: ambulante, andarín, peatón, peregrino, transeúnte, viajero. **FAM:** → *camino.*

caminar v. tr. **1.** *Hoy* ***he caminado*** *cinco kilómetros* (= he recorrido andando cinco kilómetros). ◆ **caminar** v. intr. **2.** *Los peregrinos* ***caminaron*** *hasta Luján* (= hicieron el viaje a pie).
SINÓN: 1. recorrer. **2.** andar, circular, desplazarse, trasladarse, viajar. **ANTÓN:** pararse. **FAM:** → *camino.*

caminata s. f. *Hemos hecho una* ***caminata*** *por el bosque* (= hemos hecho un largo paseo a pie).
SINÓN: marcha, recorrido. **FAM:** → *camino.*

camino s. m. **1.** *Atraviesa el bosque un pequeño* ***camino*** (= un sendero por donde pasa la gente). **2.** *Cada día hago cuatro veces el* ***camino*** *de casa al colegio* (= el recorrido de un lugar a otro). ◆ **de camino 3.** ***De camino*** *a casa compraré el pan* (= al ir hacia casa). ◆ **abrirse camino 4.** *Ya ha acabado sus estudios y ahora debe* ***abrirse camino*** (= debe encontrar un trabajo). ◆ **ponerse en camino 5.** *Nos levantaremos pronto y* ***nos pondremos en camino*** *al amanecer* (= iniciaremos el viaje). ◆ **ir por buen** o **mal camino 6.** *Juan* ***va por mal camino;*** *acabará reprobando el curso porque nunca estudia* (= no cumple sus obligaciones).
SINÓN: 1. atajo, senda, sendero. **2.** ruta, recorrido. **FAM:** *caminante, caminar, caminata, encaminar.*

camión s. m. *En la carretera había muchos* ***camiones*** (= vehículos grandes que transportan mercancías).
FAM: *camionero, camioneta.*

camionero s. m. *Muchos* ***camioneros*** *comían en el bar de la carretera* (= muchos conductores de camiones).
FAM: → *camión.*

camioneta s. f. *Transporté los muebles con una* ***camioneta*** (= con un camión pequeño).
SINÓN: furgoneta. **FAM:** → *camión.*

camisa s. f. **1.** *Debajo de la chaqueta, mi padre lleva una* ***camisa*** (= una prenda de vestir). ◆ **camisa de fuerza 2.** *Los médicos pusieron al loco una* ***camisa de fuerza*** (= una camisa especial que impide mover los brazos).
SINÓN: 1. blusa, blusón. **FAM:** *camisería, camisero, camiseta, camisón.*

camisería s. f. *Mi madre fue a una* ***camisería*** *a comprar una camisa para mi padre* (= a una tienda donde se venden camisas).
FAM: → *camisa.*

camisero, a adj. **1.** *Este vestido tiene un cuello* ***camisero*** (= parecido al de una camisa). ◆ **camisero, a** s. **2.** *El* ***camisero*** *nos aconsejó una bonita camisa para regalársela a mi padre* (= es la persona que hace o vende camisas).
FAM: → *camisa.*

camiseta s. f. **1.** *Cuando hace frío me pongo una* ***camiseta*** *debajo del suéter* (= una prenda de vestir que abriga el cuerpo). **2.** *Los jugadores de baloncesto y los atletas van vestidos con un pantalón corto y una* ***camiseta*** (= una prenda de vestir de manga corta).
FAM: → *camisa.*

camisón s. m. *Marta se ha puesto el* ***camisón*** *para ir a dormir* (= una camisa larga y amplia).
FAM: → *camisa.*

camoatí s. m. Amér. Merid. *Los **camoatíes** pican cuando se los ataca y hacen mucho daño* (= avispas pequeñas y negras).

camote Amér. Merid., Méx.→ **batata.**

campamento s. m. *Pasamos las vacaciones en un **campamento** en la montaña* (= en un lugar con tiendas de campaña).
SINÓN: cámping. FAM: → *campo.*

campana s. f. **1.** *Desde aquí se oye el sonido de las **campanas** de la iglesia* (= de unos instrumentos metálicos que tienen la forma de una copa invertida y suenan al golpearles el badajo). ◆ **echar las campanas al vuelo 2.** *No **eches las campanas al vuelo** hasta que no estés seguro de que has aprobado* (= no te alegres antes de tiempo).
SINÓN: **2.** celebrar, proclamar. FAM: *campanada, campanario, campanero, campanilla, campánula.*

campanada s. f. *Las doce **campanadas** anunciaron que ya era Año Nuevo* (= los doce golpes de campana).
SINÓN: repiqueteo. FAM: → *campana.*

campanario s. m. *Las campanas están en lo alto del **campanario*** (= en lo alto de la torre).
SINÓN: torre. FAM: → *campana.*

campanero, a s. El **campanero** es la persona encargada de tocar las campanas.
FAM: → *campana.*

campanilla s. f. **1.** *El monaguillo en misa hace sonar una **campanilla*** (= una campana pequeña). **2.** *Abrió tanto la boca que le vi la **campanilla*** (= una pequeña masa de carne en medio de la garganta). **3.** *Hice un ramo de **campanillas*** (= de unas flores pequeñas que se parecen a una campana).
SINÓN: **1.** cencerro. **2.** úvula. FAM: → *campana.*

campante adj. **1.** *Su madre lo está regañando y él se queda tan **campante*** (= tan tranquilo). **2.** *Va tan **campante** con su abrigo nuevo* (= tan contento).
SINÓN: **1.** tranquilo, fresco. **2.** satisfecho, orgulloso, feliz.

campaña s. f. **1.** *Mi hermana colabora en una **campaña** contra la droga* (= en los actos que se realizan contra la droga). ◆ **campaña electoral 2.** *Durante la **campaña electoral** el candidato político visita muchas ciudades* (= actos que se realizan para dar a conocer las ideas del partido político y para conseguir que la gente vote por él).
SINÓN: **1.** misión, obra. FAM: → *campo.*

campechano, a adj. *El padre de Ramón es muy simpático y **campechano*** (= es muy sencillo).
SINÓN: natural, afable. ANTÓN: engreído, seco.

campeón, ona s. *Mario fue el **campeón** en las carreras de velocidad del colegio* (= fue el primero en llegar a la meta).
SINÓN: ganador, triunfador, vencedor. ANTÓN: derrotado, perdedor. FAM: *campeonato, subcampeón.*

campeonato s. m. *Esta semana se celebra el **campeonato** de natación* (= las pruebas deportivas).
SINÓN: certamen, competición, concurso. FAM: *campeón.*

campero, a adj. *Me gusta llevar botas **camperas** y pantalón tejano* (= botas para el campo).
SINÓN: campestre. FAM: → *campo.*

campesino, a adj. **1.** *A mi abuelo le gusta la vida **campesina*** (= la que se lleva en el campo). ◆ **campesino, a** s. **2.** *Los **campesinos** viven cuidando de sus cosechas* (= las personas que viven y trabajan en el campo).
SINÓN: **1.** campestre, rural. **2.** agricultor, labrador, labriego. ANTÓN: **1.** urbano. FAM: → *campo.*

campestre adj. *Hemos hecho un ramo con flores **campestres*** (= de campo).
SINÓN: campero, rural. ANTÓN: urbano. FAM: → *campo.*

cámping s. m. *Hemos pasado las vacaciones en un **cámping** cerca de la playa* (= en un terreno preparado para instalar tiendas de campaña).
SINÓN: acampada, campamento. FAM: → *campo.*

campiña s. f. *El agricultor cultiva la **campiña*** (= un terreno amplio y llano donde se siembra).
SINÓN: campo. FAM: → *campo.*

campo s. m. **1.** *Me gusta pasear por el **campo** en primavera* (= por los prados, huertos y terrenos fuera de la ciudad). **2.** *El agricultor trabaja en el **campo*** (= en la tierra que cultiva). **3.** *A causa de la tormenta se han perdido los **campos*** (= los sembrados y los frutos de los árboles). **4.** *Celebramos el partido en el **campo** de fútbol* (= en el terreno destinado a practicar este deporte).
SINÓN: **1, 2, 3.** campaña, campiña, naturaleza. **2.** sembrado, tierra. ANTÓN: **1.** ciudad. FAM: *acampada, acampar, campamento, campaña, campero, campesino, campestre, cámping, campiña, descampado.*

campus s. m. *Para ir al **campus** universitario tomo un autobús* (= a la zona de las universidades).

camuflaje s. m. *Los soldados tienen un traje de **camuflaje** para pasar inadvertidos* (= que disimula su presencia).
FAM: *camuflar.*

camuflar v. tr. *Los soldados **camuflaron** los cañones cubriéndolos con ramas de árbol* (= los cubrieron para que se confundieran con la maleza).
SINÓN: disfrazar, disimular. ANTÓN: descubrir, mostrar. FAM: *camuflaje.*

can s. m. *Los cazadores trajeron las escopetas y los **canes*** (= los perros).
SINÓN: chucho, perro. FAM: *canino, canódromo.*

cana s. f. *Mi padre tiene ya muchas* ***canas*** *en la cabeza* (= muchos cabellos blancos).
FAM: *cano, canoso.*

canadiense adj. **1.** *La bandera* ***canadiense*** *es roja y blanca* (= del Canadá). ◆ **canadiense** s. m. f. **2.** *Los* ***canadienses*** *son las personas nacidas en Canadá.*

canal s. m. **1.** *Pasamos de un mar a otro a través de un* ***canal*** (= de un paso, natural o artificial, que comunica dos mares). **2.** *Cambia el* ***canal,*** *que éste no me gusta* (= cambia la cadena de emisión).
SINÓN: **2.** cadena. **FAM:** *canalización, canalizar, canalón.*

canalización s. f. *Han comenzado las obras de* ***canalización*** *del río* (= las obras necesarias para orientar la corriente del río).
FAM: → *canal.*

canalizar v. tr. **1.** *Han* ***canalizado*** *el huerto para regarlo* (= han abierto canales para que llegue el agua a los campos). **2.** ***Han canalizado*** *el río* (= lo han hecho navegable). **3.** *Nuestro tutor en el colegio* ***canaliza*** *nuestras iniciativas* (= nos orienta para hacerlas bien).
SINÓN: **2.** encauzar. **3.** dirigir, orientar. **FAM:** → *canal.*

canalla s. f. **1.** *La reunión estaba llena de* ***canallas*** (= de mala gente). ◆ **canalla** s. m. f. **2.** *Este hombre es un* ***canalla****; todo lo que hace es malo* (= es una persona despreciable).
SINÓN: **1.** gentuza. **2.** granuja, ruin, sinvergüenza. **ANTÓN:** honrado, noble.

canalón s. m. *Los tejados de casi todas las casas están rodeados de* ***canalones*** (= de conductos que recogen el agua de la lluvia).
FAM: → *canal.*

canapé s. m. *En el aperitivo comimos* ***canapés*** (= unos bocadillos pequeños y sabrosos).
SINÓN: bocadillo.

canario, a s. m. El **canario** es un pájaro amarillo con un canto muy bonito.

canasta s. f. **1.** *Mi madre guarda las papas en una* ***canasta*** (= en una cesta de mimbre con dos asas). **2.** *En el partido de baloncesto metí dos* ***canastas*** (= el balón pasó por el aro y la red dos veces).
SINÓN: **1.** canasto, cesta, cesto. **2.** tanto. **FAM:** → *canasto.*

canastilla s. f. *Mi madre guarda todos los objetos de costura en una* ***canastilla*** (= en una cesta pequeña de mimbre).
SINÓN: canasto, cesta. **FAM:** → *canasto.*

canasto s. m. *Mis vecinos han traído un* ***canasto*** *de flores* (= una cesta grande de mimbre).
SINÓN: canasta, canastilla, cesto. **FAM:** *canasta, canastilla.*

cancelar v. tr. **1.** *Como estaba enfermo,* ***cancelé*** *el viaje* (= lo anulé). **2.** *Mi padre* ***canceló*** *la deuda que tenía en el banco* (= la acabó de pagar).
SINÓN: **1.** anular, suspender. **2.** liquidar.

cáncer s. m. **1.** *Cada vez se descubren nuevas medicinas para curar el* ***cáncer*** (= una enfermedad grave). **2.** **Cáncer** *es el cuarto signo del zodíaco, que comprende desde el 21 de junio hasta el 22 de julio.*

cancha s. f. **1.** *Los jugadores de baloncesto ya están en la* ***cancha*** (= en el campo de juego). R. de la Plata **2.** *José tiene mucha* ***cancha*** *para correr en bicicleta* (= habilidad o destreza).

canciller s. m. En algunos países se llama **canciller** al ministro encargado de las relaciones exteriores.

cancillería s. f. En ciertos países, la **cancillería** es la sede del Ministerio de Relaciones Exteriores.

canción s. f. **1.** *En clase de música hemos aprendido la letra y la música de varias* ***canciones*** (= de varios cantos). ◆ **canción de cuna** **2.** *Cuando era pequeño mi madre me cantaba cada noche* ***canciones de cuna*** (= canciones para que me durmiera).
SINÓN: **1.** cántico, canto. **2.** nana. **FAM:** → *cantar.*

cancionero s. m. *Estoy leyendo un* ***cancionero*** (= una recopilación de canciones y poesías).
FAM: → *cantar.*

candado s. m. *Cerró la puerta con un* ***candado*** *y una cadena* (= con una cerradura suelta para asegurar puertas o cierres).

candelabro s. m. *En el salón había bonitos* ***candelabros*** *de bronce* (= aparatos de luz con un pie y varios brazos donde se ponen velas o luces).
FAM: *candil.*

candente adj. **1.** *El hierro ha de estar* ***candente*** *para poder darle forma* (= ha de estar muy caliente). **2.** *La subida del precio de la gasolina es una cuestión* ***candente*** (= muy problemática).
SINÓN: **1.** incandescente, ardiente. **ANTÓN:** **1.** frío, helado.

candidato, a s. **1.** *Mi profesor es* ***candidato*** *a director del colegio* (= aspira al cargo de director). **2.** *Los partidos políticos proponen* ***candidatos*** *en las elecciones* (= aspirantes a un cargo político).
SINÓN: aspirante, pretendiente. **FAM:** *candidatura.*

candidatura s. f. *En las elecciones políticas, los electores pueden escoger entre distintas* ***candidaturas*** (= entre distintos grupos de políticos que aspiran a gobernar un país).
SINÓN: propuesta. **FAM:** *candidato.*

cándido, a adj. *En mi clase hay un niño tan* ***cándido*** *que todos lo engañan* (= que se lo cree todo).
SINÓN: crédulo, ingenuo, inocente. **ANTÓN:** incrédulo. **FAM:** *candor.*

candil s. m. *Cuando no existía la luz eléctrica, la gente se alumbraba con* ***candiles*** (= con unos recipientes de metal llenos de aceite y con una mecha que se encendía).
SINÓN: farol, lámpara, quinqué. **FAM:** *candelabro.*

candombe s. m. Amér. Merid. *En los carnavales del Uruguay las comparsas de negros bailan* ***candombes*** *al son de sus tamboriles* (= baile de origen africano, muy rítmico y acompañado de canto).

candor s. m. *Beatriz es una chica muy inocente y su mirada está llena de* ***candor*** (= de inocencia y credulidad).
SINÓN: ingenuidad, inocencia, sencillez. **ANTÓN:** astucia, malicia, picardía. **FAM:** *cándido.*

canela s. f. *Mi madre le pone* ***canela*** *al arroz con leche* (= un condimento aromático en polvo o en rama de color castaño claro, extraído de la corteza de un árbol).

canelón s. m. *Los domingos comemos* ***canelones*** (= una pasta cortada en forma rectangular, enrollada sobre sí misma y rellena de carne, verduras o pescado).

cangrejo s. m. El **cangrejo** es un crustáceo que vive en el río y en el mar y tiene unas pinzas en las patas delanteras.

canguro s. m. El **canguro** es un mamífero de Australia que camina dando saltos y la hembra lleva a sus crías en una bolsa que tiene en el vientre.

caníbal adj. **1.** *Existen aún tribus* ***caníbales*** (= que comen carne humana). ◆ **caníbal** s. **2.** *En la película, el explorador luchó contra unos* ***caníbales*** (= personas que comían carne humana).
SINÓN: antropófago. **FAM:** *canibalismo.*

canibalismo s. m. *Algunas tribus practican el* ***canibalismo*** (= comen carne humana).
FAM: *caníbal.*

canilla s. f. Amér. Merid. **1.** *El jugador de fútbol se rompió la* ***canilla*** (= el hueso largo y delgado de la pierna). **2.** *Abrimos la* ***canilla*** *para que saliera el agua* (= la llave).
SINÓN: 1. grifo, llave. **FAM:** → *caña.*

canillita s. m. R. de la Plata. *El escritor Florencio Sánchez inventó la palabra* ***canillita*** *para nombrar a los chicos diarieros.*
FAM: → *diariero.*

canino, a adj. **1.** *En aquella exposición* ***canina*** *había perros de todas las razas* (= exposición de perros). ◆ **canino** s. m. **2.** *Los gatos tienen muy puntiagudos los* ***caninos*** (= los dientes que se encuentran entre los incisivos y las muelas).
SINÓN: 2. colmillo. **FAM:** → *can.*

canjear v. tr. *Pedro* ***ha canjeado*** *sus lápices de colores por monedas antiguas* (= él ha dado una cosa y ha recibido otra a cambio).
SINÓN: cambiar.

cano, a adj. *Mi abuelo tiene el pelo* ***cano*** (= lo tiene casi blanco).
SINÓN: blanquecino, canoso. **ANTÓN:** negro, oscuro. **FAM:** → *cana.*

canoa s. f. *Ángel ha cruzado el río en una* ***canoa*** (= en una barca de remo, muy estrecha).
SINÓN: bote, piragua.

canódromo s. m. *Hemos pasado la tarde en el* ***canódromo*** (= en un recinto donde se efectúan carreras de galgos; también se llama galgódromo).
FAM: → *can.*

canon s. m. *Los escultores reflejan en sus obras un* ***canon*** *de belleza* (= un modelo).
SINÓN: guía, modelo, pauta.

canonizar v. tr. *La Iglesia Católica* ***ha canonizado*** *a muchas personas* (= las ha declarado santas).

canoso, a adj. *Mi abuela tiene el pelo muy* ***canoso*** (= lo tiene casi blanco).
SINÓN: blanquecino, cano. **ANTÓN:** negro, oscuro. **FAM:** → *cana.*

cansancio s. m. *Después de un día de mucho trabajo sientes* ***cansancio*** (= fatiga).
SINÓN: agotamiento, fatiga. **ANTÓN:** energía, fuerza, vigor. **FAM:** → *cansar.*

cansar v. tr. **1.** *El largo paseo* ***ha cansado*** *a los niños* (= los ha dejado sin fuerzas). **2.** *Me* ***cansas*** *con tus continuas preguntas* (= me molestas). ◆ **cansarse** v. pron. **3.** *Juan* ***se cansa*** *pronto de los juguetes que le compran* (= se aburre de ellos).
SINÓN: 1. agotar, fatigar, moler. **2.** enfadar, fastidiar, importunar, molestar. **3.** aburrirse. **ANTÓN: 1.** fortalecer. **2, 3.** distraer(se), divertir(se), entretener(se), recrear(se). **FAM:** *cansancio, cansino, descansar, descanso, incansable.*

cansino, a adj. **1.** *Después de recorrer muchos kilómetros a pie, andábamos con paso* ***cansino*** (= con paso lento). **2.** *El conferenciante nos aburrió con su voz* ***cansina*** (= era pesada y monótona).
SINÓN: 1. calmoso, lento. **2.** monótono, reposado. **ANTÓN:** ágil, agitado, veloz, vivo. **FAM:** → *cansar.*

cantante s. m. f. **1.** *Fuimos al teatro a escuchar las canciones de nuestro* ***cantante*** *favorito* (= persona que tiene por profesión cantar). ◆ **llevar la voz cantante 2.** *A Juan le gusta* ***llevar la voz cantante*** *en las reuniones* (= le gusta mandar y organizarlo todo).
SINÓN: 1. cantor. **FAM:** → *cantar.*

cantar v. tr. **1.** *Los poetas* ***cantan*** *la belleza de las flores* (= componen poesías). ◆ **cantar** v. intr. **2.** *Nuestra hermana pequeña* ***canta*** *en el coro del colegio* (= interpreta canciones).
SINÓN: 1. alabar, elogiar. **2.** interpretar, entonar. **FAM:** *canción, cantante, cantarín, cante, cántico, canto, cantor, canturrear.*

cantarín, ina adj. *Mi hermano es muy* ***cantarín*** (= siempre está tarareando canciones).
FAM: → *cantar.*

cántaro s. m. *En casa de mis abuelos se guardaba el agua de beber en* ***cántaros*** (= en vasijas grandes de barro con un asa y una boca estrecha).

cantera s. f. *El trabajo de la* ***cantera*** *es muy duro* (= del lugar donde se extraen piedras y arena para la construcción).

cantero s. m. R. de la Plata. *El jardín de mi casa tiene cuatro* ***canteros****, con flores de distinto color* (= pequeño sector de tierra labrada).
SINÓN: arriate, cuadro. **FAM:** → *cantera, canto.*

cántico s. m. *En la iglesia se entonan* ***cánticos*** (= cantos religiosos).
SINÓN: canción, himno, villancico. **FAM:** → *cantar.*

cantidad s. f. **1.** *¿Qué* ***cantidad*** *de vino cabe en una botella?* (= ¿cuál es su capacidad?). **2.** *Las cifras representan* ***cantidades*** *de objetos* (= la suma de unidades). **3.** *Mario lee gran* ***cantidad*** *de libros* (= un gran número). **4.** *Por la compra de la casa tuvo que pagar gran* ***cantidad*** *de dinero* (= mucho dinero).
SINÓN: **1.** capacidad, medida. **2.** número. **3.** abundancia. **4.** coste, importe, suma.

cantimplora s. f. *En la excursión llevamos el agua en una* ***cantimplora*** (= en un recipiente portátil de metal o plástico).

cantina s. f. *Desayuné con mi hermano en la* ***cantina*** *del barrio* (= en el bar).

canto s. m. **1.** *Me gusta escuchar el* ***canto*** *de los pájaros* (= su modo de cantar). **2.** *Ricardo aprende* ***canto*** *en el conservatorio de música* (= el arte de cantar). **3.** *Al caer me di un golpe con el* ***canto*** *de la mesa* (= con la esquina). ◆ **canto rodado 4.** *Saqué unos* ***cantos rodados*** *del fondo del río* (= unas piedras redondas y desgastadas).
SINÓN: **1.** cantar. **3.** arista, borde, esquina. **4.** guijarro. **ANTÓN:** **3.** centro. **FAM:** → *cantar.*

cantor, a adj. *Son muy famosos los niños* ***cantores*** *de Viena* (= niños que cantan en un coro).
SINÓN: cantante. **FAM:** → *cantar.*

canturrear v. intr. *Mi hermana escucha la radio y va* ***canturreando*** (= va tarareando la música).
SINÓN: tararear. **FAM:** → *cantar.*

caña s. f. **1.** *Después de la recolección sólo quedan las* ***cañas*** *en los sembrados de trigo* (= las pajas o tallos huecos). Amér. Merid. **2.** *Se tomó una copita de* ***caña*** (= una bebida dulce). ◆ **caña de azúcar 3.** *La* ***caña de azúcar*** *es una planta de la que se extrae el azúcar.* ◆ **caña de pescar 4.** *Mi padre ha comprado anzuelos para la* ***caña de pescar*** (= para el palo que sirve para pescar).
SINÓN: **1.** paja. **FAM:** *canilla, cañamazo, cáñamo, cañaveral, cañería, caño, cañón, cañonazo.*

cañada s. f. Amér. *La casa donde fuimos a pasar las vacaciones estaba cerca de una* ***cañada*** (= terreno bajo, bañado de agua, situado entre otros más altos).
FAM: *caña.*

cañamazo s. m. *María ha hecho un tapiz sobre un* ***cañamazo*** (= una tela con agujeros usada para bordar).
FAM: → *caña.*

cáñamo s. m. El **cáñamo** es una planta de cuyo tallo se extrae una fibra textil que se usa para hacer cuerdas y telas especiales.
FAM: → *caña.*

cañaveral s. m. *En las orillas de los ríos, los patos anidan entre los* ***cañaverales*** (= en los lugares poblados de cañas).
FAM: → *caña.*

cañería s. f. *Hemos cambiado la* ***cañería*** *del cuarto de baño* (= el conjunto de tubos por donde pasa el agua).
SINÓN: conducto, tubería. **FAM:** → *caña.*

cañero s. m. Amér. *Contrataron un nuevo* ***cañero*** (= el que cosecha la caña de azúcar).
FAM: → *caña.*

caño s. m. *El* ***caño*** *de la fuente está atascado* (= el tubo por donde sale el agua). Amér. Merid. **2.** *Lo golpearon con un* ***caño*** (= trozo de hierro redondo).
SINÓN: cañería, tubo. **FAM:** → *caña.*

cañón s. m. **1.** *El soldado limpiaba el* ***cañón*** *de la escopeta* (= el tubo cilíndrico por donde sale la bala). **2.** *Los barcos piratas dispararon sus* ***cañones*** (= sus grandes piezas de artillería). **3.** *Los vaqueros atravesaron las montañas por el* ***cañón*** (= por un paso estrecho que había entre las montañas).
SINÓN: **1.** tubo. **3.** desfiladero, garganta. **FAM:** → *caña.*

cañonazo s. m. *De lejos, se oían los* ***cañonazos*** (= el fuerte ruido producido por los disparos del cañón).
SINÓN: descarga, disparo. **FAM:** → *caña.*

caoba s. f. La **caoba** es la madera de color rojizo que se saca de un árbol del mismo nombre, muy alto y con florecillas blancas.

caos s. m. *A ver si arreglas tu habitación porque es un* ***caos*** (= porque está muy desordenada).
SINÓN: desorden, desorganización. **ANTÓN:** orden, organización.

capa s. f. **1.** *Como hacía frío, mi hermana se puso el abrigo y yo la* ***capa*** (= prenda de abrigo sin mangas). **2.** *Mi madre puso una* ***capa*** *de chocolate a la tarta* (= la cubrió con chocolate). **3.** *En el Polo Norte hay gruesas* ***capas*** *de hielo* (= gruesas placas que están colocadas unas encima de otras).
SINÓN: **1.** capote. **2.** baño, lámina. **3.** placa. **FAM:** *caparazón, caperuza, capota, capote, capucha.*

capacidad s. f. **1.** *La* ***capacidad*** *de esta botella es de un litro* (= en la botella cabe un litro). **2.** *Mi hermana tiene* ***capacidad*** *para la música* (= le es fácil estudiar música).
SINÓN: **1.** contenido. **2.** aptitud, inteligencia, talento. ANTÓN: **2.** incapacidad. FAM: → *capaz.*

capar v. tr. *El veterinario* ***capó*** *al gato* (= le quitó sus órganos genitales).
SINÓN: castrar.

caparazón s. m. *La tortuga lleva encima su* ***caparazón*** (= una concha grande y dura que protege su cuerpo).
SINÓN: concha, coraza. FAM: → *capa.*

capataz s. m. *El* ***capataz*** *de la obra mandó subir los sacos de cemento* (= la persona que dirige un grupo de trabajadores).
SINÓN: encargado, vigilante.

capaz adj. **1.** *María es* ***capaz*** *de resolver el problema* (= puede hacerlo ella sola). **2.** *El juez es un hombre muy* ***capaz*** (= sabe hacer muy bien su trabajo).
SINÓN: **1.** apto, hábil. **2.** competente, experto. ANTÓN: **1.** incapaz, inepto. **2.** ignorante, torpe. FAM: *capacidad, incapacidad, incapacitar, incapaz, recapacitar.*

capellán s. m. *En el convento de monjas hay un* ***capellán*** (= un sacerdote).
SINÓN: cura, sacerdote.

caperuza s. f. *Mi abrigo tiene una* ***caperuza*** (= una especie de gorro sujeto al cuello del abrigo).
SINÓN: capucha. FAM: → *capa.*

capicúa s. m. *El número 1331 es* ***capicúa*** (= porque si lo lees de izquierda a derecha o de derecha a izquierda da el mismo número).

capilar adj. **1.** *La sangre también circula por los vasos* ***capilares***. **2.** *En la peluquería me han puesto una loción* ***capilar*** (= un líquido para el cabello).

capilla s. f. *Hoy hemos ido a rezar a la* ***capilla*** *del colegio* (= a una iglesia pequeña).

capital s. f. **1.** *Caracas es la* ***capital*** *de Venezuela* (= la ciudad donde está el gobierno de un país). ◆ **capital** s. m. **2.** *El padre de María tiene mucho* ***capital*** *en el banco* (= mucho dinero). ◆ **capital** adj. **3.** *El director habló de un problema* ***capital*** (= muy importante).
SINÓN: **1.** ciudad. **2.** caudal, dinero, fortuna, riqueza. **3.** básico, esencial, fundamental. ANTÓN: **1.** aldea, pueblo, villa.

capitán s. m. **1.** *El teniente ha sido ascendido a* ***capitán*** (= un grado militar superior). **2.** *El* ***capitán*** *da las órdenes a los marineros* (= la persona que manda en el barco). **3.** *El* ***capitán*** *de este equipo deportivo es muy conocido* (= la persona que dirige a los jugadores).
SINÓN: **1.** oficial. **2, 3.** jefe. FAM: *capitanear.*

capitanear v. tr. **1.** *El general* ***capitanea*** *el ejército* (= manda en él). **2.** *El guía turístico* ***capitaneaba*** *la excursión* (= la guiaba y conducía).
SINÓN: **1.** mandar. **2.** conducir, dirigir, guiar. ANTÓN: **1.** obedecer, seguir. FAM: *capitán.*

capitel s. m. *El escultor ha decorado el* ***capitel*** *de la columna* (= la parte de arriba).

capítulo s. m. *Este libro tiene quince* ***capítulos*** (= esta dividido en quince partes).
SINÓN: apartado, parte, sección.

capó s. m. *Para arreglar el motor del coche levantó el* ***capó*** (= la chapa exterior que tapa el motor).

capota s. f. *Como hacía mucho sol quitamos la* ***capota*** *del coche* (= el techo plegable).
FAM: → *capa.*

capote s. m. El **capote** es una prenda de abrigo parecida a la capa, pero con mangas.
SINÓN: sobretodo. FAM: → *capa.*

capricho s. m. *A mi hermano pequeño se le consienten todos los* ***caprichos*** (= todo lo que quiere).
SINÓN: antojo, deseo, exigencia, gusto. FAM: *caprichoso, encapricharse.*

caprichoso, a adj. *Marta es una niña muy* ***caprichosa*** (= si no consigue lo que quiere, se enoja).
SINÓN: terco, testarudo. ANTÓN: razonable. FAM: → *capricho.*

capricornio s. m. Es el décimo signo del zodíaco: comprende las personas nacidas entre el 23 de diciembre y el 22 de enero.

cápsula s. f. **1.** *El médico me recetó unas* ***cápsulas*** *contra el resfriado* (= un pequeño tubo que contiene un medicamento en polvo). **2.** *Los astronautas permanecen en la* ***cápsula*** *espacial* (= en la parte del cohete donde pueden vivir).

captar v. tr. *No* ***he captado*** *las palabras del profesor* (= no las he entendido).
SINÓN: comprender, entender, percibir.

captura s. f. *La* ***captura*** *del león fue muy difícil* (= la caza).
SINÓN: caza, detención. FAM: *capturar.*

capturar v. tr. *La policía* ***capturó*** *a los delincuentes* (= los apresó).
SINÓN: apresar, arrestar, detener, prender. ANTÓN: liberar, librar, soltar. FAM: *captura.*

capucha s. f. *Cuando hace frío me tapo la cabeza con la* ***capucha*** (= el gorro que lleva el abrigo).
SINÓN: caperuza. FAM: → *capa.*

capuchina s. f. Las **capuchinas** son plantas trepadoras con flores de color amarillo o anaranjado.

capulín s. m. *Cuando vamos al campo, salimos a recoger* ***capulines*** (= fruto de un árbol mexicano, de flores blancas y parecido a una pequeña cereza).

capullo s. m. **1.** *Los gusanos de las mariposas de seda se rodean de un **capullo*** (= de un envoltorio hecho con hilos de seda y parecido a un huevo pequeño). **2.** *El rosal tiene un nuevo **capullo*** (= una rosa que todavía no se ha abierto).
SINÓN: **1.** envoltorio, envoltura. **2.** botón.

caqui adj. **1.** *El traje de los soldados es de color **caqui*** (= parecido al verde). ◆ **caqui** s. m. **2.** *El **caqui** te sienta muy bien* (= el color caqui). **3.** *El **caqui** es un árbol japonés que da una fruta muy dulce de color anaranjado con el mismo nombre.*

cara s. f. **1.** *Todas las mañanas me lavo la **cara*** (= el rostro). **2.** *En la reunión me recibieron con mala **cara*** (= no les gustó que fuera). **3.** *Hemos pintado la puerta por las dos **caras*** (= por los dos lados). **4.** *Tiramos las monedas: si sale **cara** gano yo, si sale cruz ganas tú* (= uno de los dos lados de la moneda). **5.** *Un dado es un cubo con seis **caras*** (= con seis superficies). ◆ **dar la cara 6.** *Si tú has roto el cristal, tienes que **dar la cara*** (= has de decir que has sido tú). ◆ **de cara 7.** *Si te pones **de cara** al sol, no verás nada* (= si miras hacia el sol). ◆ **echar en cara 8.** *Me **ha echado en cara** que no lo haya ayudado* (= me ha reprochado).
SINÓN: **1.** faz, rostro. **2.** semblante. **3, 5.** lado, superficie. ANTÓN: **4.** reverso. FAM: *careta, descarado, descaro.*

carabela s. f. *Los barcos de Cristóbal Colón eran **carabelas*** (= embarcaciones de vela, largas y estrechas, con tres palos).

carabina s. f. *Santiago sabe tirar con **carabina*** (= con un fusil corto).
SINÓN: fusil.

caracol s. m. Los **caracoles** son unos moluscos que tienen una concha en espiral y que se desplazan con lentitud.

caracola s. f. *Encontramos en la playa varias **caracolas*** (= grandes conchas de moluscos marinos).
FAM: *caracol.*

carácter s. m. **1.** *Pedro habla con todo el mundo porque tiene un **carácter** muy agradable* (= porque su forma de ser es agradable). **2.** *Mi padre es muy serio y tiene mucho **carácter*** (= es enérgico y firme). ◆ **caracteres** s. m. pl. **3.** *Escriban sus nombres en **caracteres** grandes* (= con letras grandes).
SINÓN: **1.** personalidad, temperamento. **2.** energía, firmeza. **3.** letra, signo. FAM: *característico, caracterizarse.*

característico, a adj. **1.** *Los estornudos y la fiebre son signos **característicos** de la gripe* (= son sus síntomas particulares). ◆ **característica** s. f. **2.** *¿Cuáles son las **características** de este aparato?* (= las propiedades).
SINÓN: **1.** especial, particular, propio. **2.** cualidad, propiedad, rasgo. ANTÓN: **1.** común, general. FAM: → *carácter.*

caracterizarse v. pron. **1.** *La gripe **se caracteriza** por la fiebre alta* (= la fiebre es su principal síntoma). **2.** *En el teatro, los actores **se caracterizan** según el personaje que van a interpretar* (= se maquillan la cara y se visten).
SINÓN: **1.** distinguir(se), identificar(se). **2.** maquillar(se), personificar(se). FAM: → *carácter.*

caracú s. m. Qrg., Bol., Chile, Par., Urug. *Muchos gustan del puchero con huesos de **caracú*** (= tuétano de los huesos de vacuno).

caradura s. m. *Pedro es un **caradura,** se ha puesto mi suéter sin pedírmelo* (= es un descarado).
SINÓN: atrevido, desvergonzado, fresco.

¡caramba! interj. *¡**Caramba** con el niño, te he dicho que te estés quieto!* (= indica disgusto, enojo o bien, sorpresa).

carambola s. f. **1.** *Hemos jugado al billar y ha ganado Juan al hacer una **carambola*** (= la bola lanzada tocó a las otras dos). **2.** *Me ha salido bien el problema de **carambola*** (= he acertado por casualidad).
SINÓN: **2.** casualidad, suerte.

caramelo s. m. *Ana chupa un **caramelo*** (= una golosina con azúcar y esencias).
FAM: *acaramelar.*

caravana s. f. **1.** *Los fines de semana, en la entrada de las grandes ciudades se forman largas **caravanas*** (= largas filas de coches). **2.** *La **caravana** de viajeros se internó en el desierto* (= el grupo de personas y vehículos).
SINÓN: **1.** columna, fila. **2.** expedición.

carbón s. m. **1.** *Los antiguos trenes consumían **carbón*** (= un mineral combustible). **2.** *En clase de dibujo pintamos al **carbón*** (= una especie de lápiz hecho con esa materia).
SINÓN: **2.** carboncillo. FAM: *carboncillo, carbonera, carbonería, carbonero, carbonilla, carbonizar, carbono.*

carbonada s. f. Amér. Merid. *Ayer comimos **carbonada*** (= guiso de carne, papa, zapallo, choclo y otros ingredientes).

carboncillo s. m. *He usado un **carboncillo** para hacer este dibujo* (= un lápiz de carbón).
FAM: → *carbón.*

carbonera s. f. *Los edificios antiguos tenían en el sótano una **carbonera*** (= un lugar para guardar el carbón).
FAM: → *carbón.*

carbonería s. f. *Mi abuela compraba el carbón en la **carbonería*** (= en el almacén donde lo vendían).
FAM: → *carbón.*

carbonero, a adj. **1.** *Ha llegado al puerto un barco **carbonero*** (= un barco que transporta carbón). ◆ **carbonero, a** s. **2.** *El **carbonero** nos vendió carbón para la estufa* (= la persona que vende o hace carbón).
FAM: → *carbón.*

carbonilla s. f. *Los mineros salen de las minas con la cara llena de* ***carbonilla*** (= del polvo del carbón).
FAM: → *carbón.*

carbonizar v. tr. *El incendio* ***carbonizó*** *el monte* (= lo quemó completamente).
SINÓN: abrasar, incendiar, quemar. **FAM:** → *carbón.*

carbono s. m. *El diamante está formado por* ***carbono*** (= por una materia sólida sin olor ni sabor).
FAM: → *carbón.*

carburante s. m. *Los motores de los coches pueden funcionar gracias al* ***carburante*** (= al combustible).
SINÓN: combustible.

carcajada s. f. *En el circo, cuando los payasos contaban chistes, todos nos reíamos a* ***carcajadas*** (= con grandes risas ruidosas).
SINÓN: risa. **ANTÓN:** llanto, lloro.

cárcel s. f. *El culpable ha sido condenado por el juez a estar diez años en la* ***cárcel*** (= en un edificio en el que estará encerrado).
SINÓN: penal, presidio, prisión. **FAM:** *carcelero, encarcelar.*

carcelero, a s. *El* ***carcelero*** *vigilaba a los presos* (= la persona que trabaja vigilando en la cárcel).
SINÓN: guardia, guardián. **FAM:** → *cárcel.*

carcoma s. f. *Este mueble está comido por la* ***carcoma*** (= por un pequeño insecto que roe la madera).

cardenal s. m. **1.** *El Papa es elegido por los* ***cardenales*** (= por unos sacerdotes muy importantes de la Iglesia Católica). **2.** *Me di un golpe en el brazo y me salió un* ***cardenal*** (= una mancha morada en la piel). Amér. Merid. **3.** *A lo lejos, se oía el canto sonoro de un* ***cardenal*** (= pájaro de plumaje ceniciento, con un penacho rojo en la cabeza).
SINÓN: **2.** moretón.

cardíaco, a adj. *Llevaron a Pedro al hospital porque tuvo un paro* ***cardíaco*** (= se le paró el corazón).
FAM: *cardiología, cardiólogo.*

cardinal adj. *Norte, Sur, Este y Oeste son los cuatro puntos* ***cardinales*** (= son los puntos que definen la situación de un lugar determinado de la Tierra).

cardiología s. f. *Este médico es especialista en* ***cardiología*** (= es la ciencia que estudia las enfermedades del corazón).
FAM: → *cardíaco.*

cardiólogo, a s. *Mi padre fue a visitar a un* ***cardiólogo*** (= a un médico especialista en las enfermedades del corazón).
FAM: → *cardíaco.*

cardo s. m. El **cardo** es una planta cuyas hojas están llenas de espinas.

carecer v. intr. *Hay personas que* ***carecen*** *de lo más necesario* (= no tienen lo que necesitan).
SINÓN: faltar, necesitar. **ANTÓN:** abundar, sobrar.
FAM: *carencia.*

cardón s. m. Amér. Merid. *Esta región está cubierta de* ***cardones*** (= cactos de gran tamaño y altura, que tienen forma de candelabro).

carencia s. f. *La* ***carencia*** *de vitaminas ocasiona graves enfermedades* (= la falta de alguna cosa).
SINÓN: escasez, falta. **ANTÓN:** abundancia, exceso, riqueza. **FAM:** *carecer.*

careta s. f. *El día de carnaval, la gente se pone* ***caretas*** (= unas máscaras que tapan la cara).
SINÓN: antifaz, máscara. **FAM:** → *cara.*

carey s. m. Amér. Merid. *El* ***carey*** *entierra sus huevos en la arena de la playa* (= tortuga marina de caparazón muy vistoso).

carga s. f. **1.** *El camionero puso la* ***carga*** *en el camión* (= los objetos que iba a transportar). **2.** *El molinero transportaba una* ***carga*** *sobre sus hombros* (= un gran peso). **3.** *Los mineros colocaron una* ***carga*** *explosiva para hacer un agujero en la montaña* (= una gran cantidad de materia explosiva). **4.** *En el puerto hay buques de* ***carga*** (= barcos que transportan mercancías).
SINÓN: **1.** bulto, equipaje, cargamento, mercancía. **2.** peso. **FAM:** *cargado, cargador, cargamento, cargante, cargar, cargo, carguero, descarga, descargador, descargar, encargar, recargar, sobrecarga, sobrecargar.*

cargado, a adj. **1.** *El coche va muy* ***cargado*** (= lleva mucho peso). **2.** *A mi padre le gusta el café bien* ***cargado*** (= muy fuerte).
SINÓN: **1.** lleno. **2.** espeso, fuerte. **ANTÓN:** **1.** vacío. **2.** ligero, suave. **FAM:** → *carga.*

cargador, a adj. **1.** *Los obreros cargan el camión con una pala* ***cargadora*** (= una máquina que sirve para transportar objetos pesados). ◆ **cargador** s. m. **2.** *El* ***cargador*** *de la ametralladora está vacío* (= la pieza metálica que contiene los cartuchos o balas). **3.** *Los* ***cargadores*** *del puerto son hombres fuertes* (= son las personas que transportan la mercancía a los barcos).
FAM: → *carga.*

cargamento s. m. *El buque transporta un* ***cargamento*** *de carbón* (= un conjunto de mercancías).
SINÓN: carga. **FAM:** → *carga.*

cargante adj. *Las moscas son muy* ***cargantes*** (= muy molestas y fastidiosas).
SINÓN: fastidioso, inoportuno, insoportable, molesto, pesado. **ANTÓN:** soportable, tolerable.
FAM: → *carga.*

cargar v. tr. **1.** *Los alpinistas* ***cargaron*** *las mulas* (= pusieron los equipajes sobre ellas). **2.** *Antes de disparar, el cazador* ***carga*** *su arma* (= introduce el cartucho en la escopeta). **3.** ***Cargamos*** *la cesta de ciruelas* (= la llenamos). **4.** *Mi padre* ***cargó*** *la batería de su coche* (= acu-

muló electricidad en ella). **5.** *El Gobierno* ***carga*** *el precio de las bebidas alcohólicas y el tabaco con impuestos* (= aumenta el precio). **6.** ***Cargué*** *las bolsas de la compra* (= las llevé). **7.** *Mi padre hizo* ***cargar*** *los gastos en su cuenta* (= los pagó de su cuenta). **8.** *Le* ***han cargado*** *la culpa de haber roto el jarrón* (= lo han acusado de ello).
SINÓN: 2. introducir, poner. **3.** abarrotar, colmar, llenar. **5.** imponer, tasar. **6.** sostener. **ANTÓN: 1.** aligerar. **1, 2, 3, 4, 6.** descargar. **2, 3.** vaciar. **5.** reducir. **FAM:** → *carga.*

cargo s. m. **1.** *Ser director de un colegio es un* ***cargo*** *de mucha responsabilidad* (= un empleo). **2.** *En el colegio los alumnos estamos bajo el* ***cargo*** *del tutor* (= la dirección). ◆ **hacerse cargo de 3.** *Cuando mi madre está trabajando, yo* ***me hago cargo de*** *mi hermana menor* (= la cuido).
SINÓN: 1. empleo, puesto. **2.** dirección. **3.** cuidar, responsabilizarse. **FAM:** → *carga.*

carguero adj. *Ha llegado al puerto un buque* ***carguero*** (= un barco que sólo transporta mercancías).
FAM: → *carga.*

caricatura s. f. **1.** *Bernardo ha hecho una* ***caricatura*** *de nuestro profesor, dibujándolo con una nariz muy grande* (= un retrato cómico). Méx. **2.** *A mi hermanito le gustan mucho las* ***caricaturas*** (= los dibujos animados).
FAM: *caricaturizar.*

caricaturizar v. tr. *En la obra de teatro los niños* ***caricaturizaron*** *a sus profesores* (= los imitaron de forma cómica).
FAM: *caricatura.*

caricia s. f. *La madre hizo una* ***caricia*** *al bebé* (= rozó suavemente con sus dedos la mejilla de su hijo).
SINÓN: cariño, mimo. **FAM:** *acariciar.*

caridad s. f. **1.** *Practicaba la* ***caridad*** *dando comida a los pobres* (= la generosidad). **2.** *Un mendigo pedía* ***caridad*** *en la calle* (= limosna).
SINÓN: 1. altruismo, bondad, generosidad, piedad. **2.** donativo, limosna. **ANTÓN: 1.** egoísmo, envidia, odio. **FAM:** *caritativo.*

caries s. f. *El dentista me ha curado una* ***caries*** (= una infección que estropea los dientes).

cariño s. m. **1.** *Mi amigo me tiene mucho* ***cariño*** (= me quiere mucho). **2.** *La madre hacía muchos* ***cariños*** *a su bebé* (= lo abrazaba y besaba). **3.** *Trata los libros con mucho* ***cariño*** (= con mucho cuidado).
SINÓN: 1. afecto, amor, ternura. **2.** caricia, mimo, zalamería. **3.** cuidado, esmero. **ANTÓN: 1.** desprecio, odio. **3.** descuido, desinterés. **FAM:** *cariñoso, encariñar.*

cariñoso, a adj. *María es una niña muy* ***cariñosa****; siempre da besos a sus padres* (= es muy afectuosa).
SINÓN: afectuoso, amoroso, tierno. **ANTÓN:** odioso. **FAM:** → *cariño.*

caritativo, a adj. *María es muy* ***caritativa*** *con los pobres* (= los ayuda dándoles dinero y comida).
SINÓN: altruista, compasivo, desprendido, generoso, humano. **ANTÓN:** avaro, tacaño, ruin. **FAM:** *caridad.*

carmesí adj. *Me he comprado una falda* ***carmesí*** (= de color rojo).
SINÓN: rojo, grana.

carnaval s. m. *La gente se disfraza en las fiestas de* ***carnaval*** (= las que se celebran con desfiles, carrozas y máscaras durante los tres días que preceden a la cuaresma).
FAM: → *carne.*

carne s. f. **1.** *En la carnicería se vende* ***carne*** *de vaca, cordero y cerdo* (= la parte que está entre la piel y los huesos). ◆ **carne de gallina 2.** *Cuando hace mucho frío se me pone la* ***carne de gallina*** (= mi piel se parece a la de la gallina). ◆ **en carne viva 3.** *Me caí de la bicicleta y tengo la herida* ***en carne viva*** (= sin piel).
FAM: *carnaval, carnicería, carnicero, carnívoro, carnoso, encarnado.*

carné o **carnet** s. m. *En el* ***carné*** *de identidad constan los datos de una persona* (= el documento que acredita la identidad de una persona).
SINÓN: documento.

carnear v. tr. *En el matadero* ***carnean*** *los animales para venderlos luego* (= cortan y descuartizan las reses).
FAM: *carne.*

carnero s. m. El **carnero** es el macho de la oveja; tiene cuernos en espiral. Cuando es pequeño se llama *cordero*, y *borrego* a los dos años.

carnicería s. f. **1.** *Los domingos están cerradas las* ***carnicerías*** (= los negocios que venden carne). **2.** *La batalla fue una auténtica* ***carnicería*** (= hubo muchos muertos).
SINÓN: 2. matanza. **FAM:** → *carne.*

carnicero, a adj. **1.** *El león es un animal* ***carnicero*** (= come carne de otros animales). ◆ **carnicero, a** s. **2.** *El* ***carnicero*** *cortó la carne en filetes* (= la persona que vende carne).
SINÓN: 1. carnívoro. **FAM:** → *carne.*

carnitas s. f. pl. Méx. *Juan se dedica a vender* ***carnitas*** *en la calle* (= trozos de carne de cerdo condimentados y fritos).
FAM: → *carne.*

carnívoro, a adj. **1.** *El león es un animal* ***carnívoro*** (= sólo come la carne de otros animales). ◆ **carnívoros** s. m. pl. **2.** Los **carnívoros** son el grupo de animales mamíferos que se alimentan de carne.
SINÓN: 1. carnicero. **ANTÓN: 1.** herbívoro. **FAM:** → *carne.*

carnoso, a adj. *La sandía y el melón son frutas muy* ***carnosas*** (= muy jugosas y blandas).
FAM: → *carne.*

caro, a adj. **1.** *No tengo dinero para comprar este vestido tan* ***caro*** (= con un precio muy ele-

vado). ◆ **caro** adv. **2.** *En esta tienda venden muy* ***caro*** (= a un precio muy elevado).
SINÓN: costoso. **ANTÓN:** barato. **FAM:** *carestía, encarecer.*

carozo s. m. Amér. *Ciertas frutas, como el durazno y la ciruela, tienen un* ***carozo*** (= hueso).

carpa s. f. **1.** La **carpa** es un pez comestible de agua dulce, de lomo verdoso y vientre amarillo. **2.** *Los trabajadores del circo estaban montando la* ***carpa*** (= el toldo grande que cubre el recinto donde se realiza el espectáculo). Amér. Merid. **3.** *El domingo fuimos de excursión y tuvimos que quedarnos dentro de la* ***carpa*** *porque llovió* (= tienda de campaña).
SINÓN: 2. toldo.

carpeta s. f. *He guardado todos mis papeles en una* ***carpeta*** (= en una cartera de papel fuerte, cartón o plástico).
SINÓN: archivador, cartera, cubierta.

carpintería s. f. **1.** *He ido a la* ***carpintería*** *a llevar la silla rota* (= a un taller en el que se arreglan y se fabrican muebles). **2.** *A mi hermano le gusta practicar la* ***carpintería*** (= el oficio de arreglar y fabricar muebles).
SINÓN: ebanistería. **FAM:** *carpintero.*

carpintero s. m. *El* ***carpintero*** *ha arreglado el armario* (= la persona que trabaja haciendo y arreglando muebles).
SINÓN: ebanista. **FAM:** *carpintería.*

carpir v. tr. Amér. Cent., Merid. *El campesino* ***carpe*** *la tierra con la azada* (= limpia o escarda la tierra).

carraspera s. f. *En la fiesta estuvimos cantando y ahora tengo* ***carraspera*** (= tengo la voz ronca).
SINÓN: ronquera.

carrera s. f. **1.** *En clase de gimnasia, para ver quién corre más rápido, hacemos* ***carreras*** *en la pista* (= competencias de velocidad). **2.** *He asistido a una* ***carrera*** *de motos* (= a una competencia deportiva de motos). **3.** *Mi primo estudia la* ***carrera*** *de abogado* (= estudia esa profesión).
SINÓN: 1, 2. competición. **3.** empleo, estudio, profesión.

carreta s. f. *El labrador transporta la hierba en su* ***carreta*** (= en un vehículo de madera arrastrado por bueyes o caballerías).
SINÓN: carro, carromato. **FAM:** → *carro.*

carrete s. m. *Mi madre me mandó a comprar un* ***carrete*** *de hilo* (= un pequeño cilindro de madera, cartón o plástico donde viene enrollado el hilo).
SINÓN: bobina.

carretera s. f. *Fuimos de vacaciones por una* ***carretera*** *de montaña* (= por una ruta ancha y larga por donde circulan los vehículos).
SINÓN: pista, ruta, vía.

carretero s. m. *El* ***carretero*** *pegaba a los caballos para que corrieran más* (= la persona que conduce carros).
FAM: → *carro.*

carretilla s. f. *El jardinero transporta la tierra en una* ***carretilla*** (= en un carro pequeño que tiene una rueda delante y se sujeta con las manos).
FAM: → *carro.*

carricoche s. m. *Los niños construyeron un* ***carricoche*** *con unos hierros viejos y unas ruedas* (= un carro que les servía de coche).
FAM: → *carro.*

carril s. m. **1.** *Esta calle tiene tres* ***carriles*** *para que circulen los coches* (= tres vías de circulación). **2.** *Los trenes y tranvías circulan sobre* ***carriles*** (= sobre dos barras de hierro llamadas rieles).
SINÓN: 1. vía. **2.** raíl, riel, vía. **FAM:** *descarrilamiento, descarrilar.*

carrillo s. m. *Mi madre me dio dos fuertes besos en los* ***carrillos*** (= en las mejillas).
SINÓN: mejilla, moflete, pómulo.

carro s. m. **1.** *El labrador usa un* ***carro*** *para transportar la cosecha* (= un vehículo de madera con dos grandes ruedas, tirado por animales). Méx. **2.** *A Juan se le descompuso el* ***carro*** *y tuvo que volver a casa caminando* (= automóvil).
SINÓN: 1. carreta, carromato. **2.** automóvil, coche. **FAM:** *acarrear, carreta, carretero, carretilla, carricoche, carrocería, carromato, carroza, carruaje.*

carrocería s. f. *El golpe abolló la* ***carrocería*** *del coche* (= la parte exterior que protege a los ocupantes).
FAM: → *carro.*

carromato s. m. *Los payasos del circo llegaron al pueblo en su* ***carromato*** (= en un carro grande).
SINÓN: carreta, carro. **FAM:** → *carro.*

carroña s. f. *Los buitres se alimentan de* ***carroña*** (= de carne descompuesta, podrida).

carroza s. f. **1.** *Los reyes se desplazaban en* ***carrozas*** (= en coches lujosos tirados por caballos). **2.** *En el carnaval desfilaron grandes* ***carrozas*** (= unos vehículos adornados especialmente para la fiesta).
FAM: → *carro.*

carruaje s. m. *He visitado un museo de* ***carruajes*** *antiguos* (= de vehículos con ruedas, tirados por caballos).
FAM: → *carro.*

carta s. f. **1.** *He recibido una* ***carta*** *de mi amigo Alejandro contándome sus aventuras del verano* (= un escrito que se envía por correo). **2.** *La* ***carta*** *de navegación ayudó al capitán a llegar a la costa* (= el mapa). **3.** *Ayer jugamos a las* ***cartas*** (= al juego de naipes). **4.** *Consultamos la* ***carta*** *para elegir la comida* (= la lista de platos de un restaurante). ◆ **tomar cartas en un**

asunto 5. *Finalmente tuvo que venir y* ***tomó cartas en el asunto*** *para que dejasen de pelearse* (= tuvo que intervenir en el asunto).
SINÓN: 1. escrito, mensaje. **2.** mapa, plano. **3.** naipe. **4.** menú. **FAM:** *cartearse, cartel, cartelera, cartera, carterista, cartero, cartilla, cartón, cartulina.*

cartabón s. m. *Para dibujar figuras geométricas usamos el* ***cartabón*** (= una regla en forma de triángulo rectángulo).
SINÓN: escuadra, regla.

cartearse v. pron. *Desde el verano* ***me carteo*** *con una niña extranjera* (= nos escribimos cartas).
SINÓN: escribirse. **FAM:** → *carta.*

cartel s. m. *En el cine había un* ***cartel*** *colgado que indicaba que ya no quedaban entradas* (= anuncio).
SINÓN: anuncio, cartelera, letrero. **FAM:** → *carta.*

cartelera s. f. **1.** *En el colegio tenemos una* ***cartelera*** *donde se ponen avisos y noticias* (= un tablón de anuncios). **2.** *He consultado la* ***cartelera*** *del periódico, para escoger una película* (= la sección donde se anuncian los espectáculos).
FAM: → *carta.*

cárter s. m. El **cárter** de un coche es el depósito de aceite del motor.

cartera s. f. **1.** *Juan sacó la* ***cartera*** *del bolsillo para comprobar que el dinero seguía en ella* (= la billetera). **2.** *Para ir al colegio llevo los libros y los cuadernos en una* ***cartera*** (= en una pequeña maleta).
SINÓN: 1. billetera, monedero. **2.** carpeta, maleta. **FAM:** → *carta.*

carterista s. m. *Un* ***carterista*** *me robó la cartera en el autobús* (= un ladrón muy hábil).
SINÓN: caco, ladrón, ratero. **FAM:** → *carta.*

cartero s. m. f. *El* ***cartero*** *me avisó que tenía carta de mi novio* (= la persona que reparte las cartas por las casas).
SINÓN: repartidor. **FAM:** → *carta.*

cartílago s. m. *Algunas articulaciones y partes del cuerpo humano, como las orejas y la nariz, tienen* ***cartílagos*** (= tejidos del organismo, elásticos y resistentes).

cartilla s. f. *En el colegio estamos aprendiendo a leer con la* ***cartilla*** (= con el libro elemental de lectura para niños).
FAM: → *carta.*

cartografía s. f. *Mi hermano quiere estudiar* ***cartografía*** (= la técnica de hacer mapas geográficos).

cartón s. m. **1.** *Las tapas de este libro son de* ***cartón*** (= son de papel grueso y muy duro). Amér. **2.** *En casi todos los periódicos hay un* ***cartón*** (= historieta cómica).◆ **cartón de tabaco 3.** *He ido a comprar un* ***cartón de tabaco*** (= una caja que contiene varios paquetes de tabaco).
FAM: → *carta.*

cartuchera s. f. **1.** *El soldado ha sacado dos balas de su* ***cartuchera*** (= del cinturón donde guarda los cartuchos y las balas). **2.** *Guardé mis lápices y lapiceras en la* ***cartuchera*** (= estuche para guardar los útiles).
FAM: *cartucho.*

cartucho s. m. *El cazador disparó unos* ***cartuchos*** *al aire* (= unos cilindros de cartón que contienen la pólvora y las municiones).
SINÓN: bala, proyectil. **FAM:** *cartuchera.*

cartulina s. f. *En clase de trabajos manuales usamos* ***cartulina*** *para hacer carteles* (= una hoja de cartón muy fino, flexible y liso).
FAM: → *carta.*

casa s. f. **1.** *Elena vive en una* ***casa*** *de tres plantas* (= en un edificio). **2.** *Vamos a jugar a mi* ***casa*** (= donde yo vivo). **3.** *Juan es un buen amigo de la* ***casa*** (= un amigo de la familia). **4.** *Siempre compro mi ropa en esta* ***casa*** *de modas* (= en este establecimiento). ◆ **tirar la casa por la ventana 5.** *Decidió* ***tirar la casa por la ventana*** *y comprarse un coche nuevo* (= decidió gastar mucho dinero).
SINÓN: 1. construcción, edificio, inmueble. **2.** domicilio, hogar, vivienda. **4.** establecimiento. **FAM:** *caserío, casero, caserón, caseta, casilla, casillero, casino.*

casaca s. f. *Los porteros de los grandes hoteles visten* ***casaca*** (= con una chaqueta larga).
SINÓN: chaqueta.

casamiento s. m. *Nuestros amigos nos invitaron a su* ***casamiento*** (= a su boda).
SINÓN: boda, enlace, matrimonio. **FAM:** *casar.*

casar v. tr. **1.** *El sacerdote* ***casó*** *a los novios* (= los unió en matrimonio). ◆ **casarse** v. pron. **2.** ***Se han casado*** *en el juzgado de su ciudad* (= se han unido en matrimonio).
SINÓN: 1, 2. desposar(se), enlazar(se), unir(se). **ANTÓN: 1, 2.** divorciar(se), separar(se). **FAM:** *casamiento.*

cascabel s. m. **1.** *Mi gato lleva un* ***cascabel*** *en el collar* (= una pequeña bola de metal que tintinea cuando se mueve). ◆ **cascabel** s. f. **2.** *A Juan lo picó una* ***cascabel*** (= una serpiente que tiene una especie de sonaja en la cola).
SINÓN: 1. campanilla.

cascada s. f. *El río terminaba en una gran* ***cascada*** (= en un gran salto o caída de agua).
SINÓN: catarata, salto.

cascado, a adj. **1.** *Tiene la voz cascada de tanto cantar en la excursión* (= ronca). **2.** *Este coche está* ***cascado*** (= no funciona bien).
SINÓN: 1. ronco. **2.** roto, viejo. **ANTÓN: 1.** brillante, claro. **2.** nuevo. **FAM:** → *cascar.*

cascanueces s. m. *¡No rompas la cáscara de las nueces con los dientes; hazlo con el* ***cascanueces****!* (= utensilio para romper los frutos secos).
FAM: → *cascar.*

cascar v. tr. **1.** *Mi hermana* **cascó** *el huevo para hacerse una tortilla* (= lo rompió). **2.** *Juan* **cascó** *a su hermano porque le había roto su juguete preferido* (= le pegó).
SINÓN: **1.** partir, rajar, romper. **2.** golpear, pegar, zurrar. ANTÓN: **1.** juntar, pegar, unir. **2.** acariciar, besar, mimar. FAM: *cascado, cascajo, cascanueces, cáscara, cascarrabias, casco, descascarillar.*

cáscara s. f. *La* **cáscara** *de los huevos se rompe fácilmente* (= la corteza externa que cubre algunos alimentos).
SINÓN: corteza, monda, piel. FAM: → *cascar.*

cascarrabias s. m. f. *Mira que eres* **cascarrabias**; *protestas por cualquier cosa* (= es una persona que siempre está de mal humor).
SINÓN: gruñón, quisquilloso. ANTÓN: alegre. FAM: → *cascar.*

casco s. m. **1.** *Los soldados y los bomberos llevan* **casco** (= una pieza de metal duro y resistente que les protege la cabeza). **2.** *Antes de herrar a los caballos se les liman los* **cascos** (= las pezuñas). **3.** *Vimos el* **casco** *abandonado de un buque en el puerto* (= su parte exterior metálica). ◆ **casco urbano 4.** *Nos fuimos a vivir fuera del* **casco urbano** (= fuera de la ciudad). **5.** *Visitamos el* **casco** *de la estancia* (= su casa principal y el parque).
SINÓN: **2.** pezuña, uña. FAM: → *cascar.*

cascote s. m. *Los trabajadores tiraron los* **cascotes** *de la obra en el camión* (= los restos de la obra).

caserío s. m. **1.** *La casa de Pedro estaba en un* **caserío** *cerca del pueblo* (= en un pequeño grupo de casas). **2.** *El* **caserío** *estaba aislado en el campo y en él no vivía nadie* (= la casa rural).
SINÓN: **1.** aldea. ANTÓN: **1.** ciudad. FAM: → *casa.*

casero, a adj. **1.** *La comida* **casera** *es más natural que la de los restaurantes* (= la comida hecha en casa). **2.** *Mi primo es tan* **casero** *que nunca sale con los amigos* (= le gusta mucho estar en casa). ◆ **casero, a** s. **3.** *El* **casero** *de nuestra casa de campo nos saludó al llegar* (= el cuidador).
SINÓN: **1.** doméstico. **2.** familiar. **3.** cuidador. FAM: → *casa.*

caserón s. m. *Mis abuelos viven en un* **caserón** (= en una casa muy grande y antigua).
SINÓN: casona. FAM: → *casa.*

caseta s. f. **1.** *En el fondo del jardín hay una* **caseta** *para guardar las bicicletas* (= una pequeña casa). **2.** *En la playa hay* **casetas** *para cambiarse de ropa* (= pequeña cabina al aire libre).
SINÓN: **2.** garita, cabina. FAM: → *casa.*

casete s. m. *Me he comprado unos* **casetes** *para grabar música* (= unas cintas para grabar sonidos).
FAM: *radiocasete, videocasete.*

casi adv. *Son* **casi** *las diez* (= falta muy poco para esa hora).
SINÓN: aproximadamente, cerca de.

casilla s. f. **1.** *Deberíamos colocar cada recibo en su* **casilla** *correspondiente* (= en su compartimento). **2.** *Escribí mi nombre en la* **casilla** *de la izquierda* (= en el cuadrado vacío dibujado a la izquierda). **3.** *El tablero de ajedrez tiene 64* **casillas** (= 64 cuadrados pequeños). ◆ **sacar a alguien de sus casillas 4.** *Su padre se enojó tanto que lograron* **sacarlo de sus casillas** *y se puso a gritar* (= lograron ponerlo muy nervioso).
SINÓN: **1.** departamento. **2.** cuadrícula. FAM: → *casa.*

casillero s. m. *El conserje pone las llaves de las habitaciones en el* **casillero** (= en un mueble con muchos apartados para tener las cosas ordenadas).
FAM: → *casa.*

casino s. m. **1.** *Perdió su fortuna jugando a la ruleta en el* **casino** (= en una casa de juego). **2.** *Mi tío es socio de un* **casino** *al que va a jugar dominó cada tarde* (= de un club).
SINÓN: **2.** asociación, club. FAM: → *casa.*

caso s. m. **1.** *Nunca había oído antes un* **caso** *tan espectacular* (= un suceso). **2.** *Presentó el* **caso** *al abogado para que lo aconsejara* (= el asunto). **3.** *En mi colegio se ha dado un* **caso** *de viruela* (= una persona tiene esa enfermedad). ◆ **en caso de que 4. En caso de que** *quieras venir, avísame antes* (= si te decides a venir). ◆ **en todo caso 5.** *Aunque te hayan dicho que no,* **en todo caso** *puedes insistir* (= a pesar de ello, por si acaso, insiste). ◆ **no hacer ni caso 6. No me hizo ni caso**; *parecía como si yo no estuviera allí* (= no se fijó en mí). ◆ **no venir al caso 7.** *Esto que dices* **no viene al caso** (= no tiene ninguna relación con lo que se habla).
SINÓN: **1.** acontecimiento, suceso. **2.** asunto, cuestión. FAM: → *casual, casualidad.*

caspa s. f. *Debo lavarme el pelo muy a menudo porque tengo mucha* **caspa** (= trocitos secos de piel).

casta s. f. **1.** *Pedro se siente orgulloso de su* **casta** (= de su familia). **2.** *Los habitantes de la India están divididos en* **castas** (= en diferentes clases sociales).
SINÓN: **1.** ascendiente, familia, generación. **2.** clase.

castaña s. f. **1.** La **castaña** es un fruto comestible con la piel marrón y dura que da el castaño. ◆ **sacar a alguien las castañas del fuego 2.** *Su amigo* **le sacó las castañas del fuego** *dejándolo copiar el examen* (= lo sacó de un apuro).
FAM: → *castaño.*

castañetear v. tr. *Como hacía tanto frío me empezaron a* **castañetear** *los dientes* (= me empezaron a sonar chocando unos contra otros).
FAM: → *castaño.*

castaño adj. **1.** *Margarita tiene el pelo* **castaño** (= de color marrón claro). ◆ **castaño** s. m. **2.** *El* **castaño** es un árbol grande, de copa an-

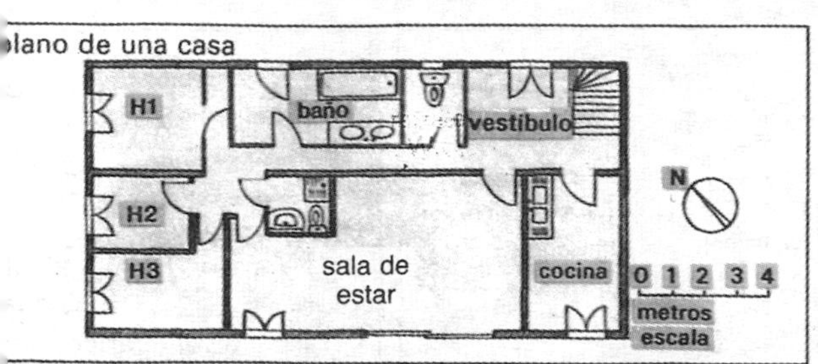
lano de una casa
H1
baño
vestíbulo
H2
H3
sala de
estar
cocina
N
0 1 2 3 4
metros
escala

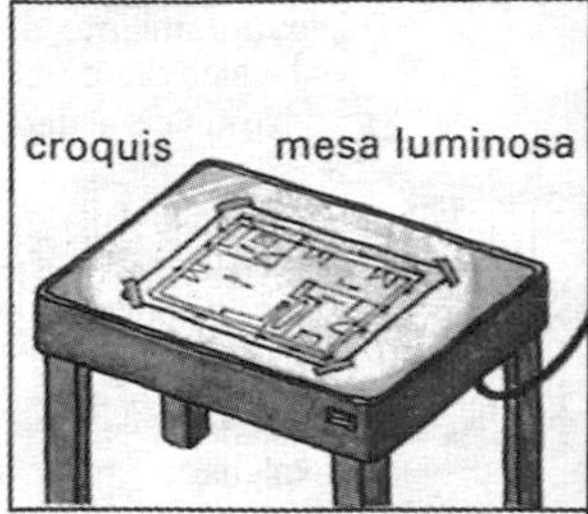
croquis
mesa luminosa

contrapeso
ventanal
lámpara
mesa de dibujo
dibujante

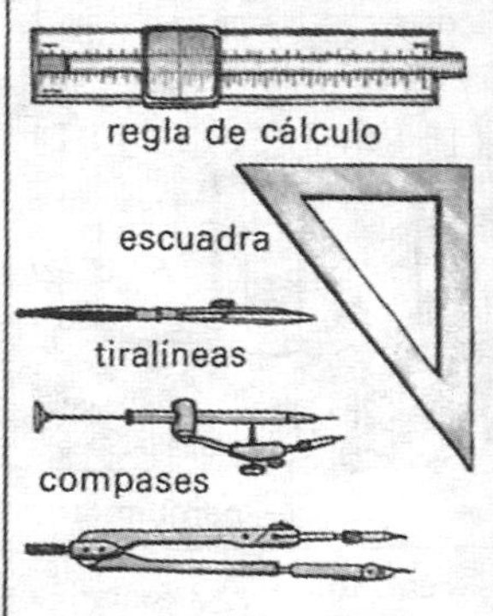
regla de cálculo
escuadra
tiralíneas
compases

plantilla
de curvas
regla
"T"
papel de copia
o de calco
cadena de agrimensor

orte y maqueta de un edificio
4° piso
3er piso
2° piso
1er piso
planta baja
sótano

operación
de agrimensura

ayuntamiento o
alcaldía o
municipalidad
explanada

torre
edificio

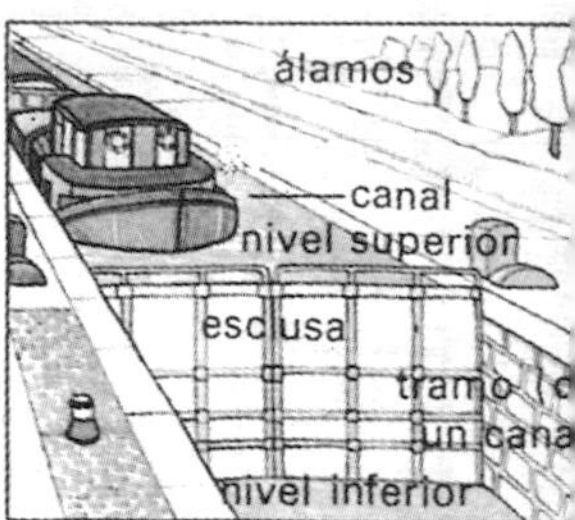
álamos
canal
nivel superior
esclusa
nivel inferior

CAFÉ - BAR
terraza
parquímetro
calzada
alcantarilla

zona industrial
depósito de agua
fábrica
gasómetro
estación
arrabales

CINE
EL LIBRO DE LA SELVA
cola

camión de la
limpieza de calles

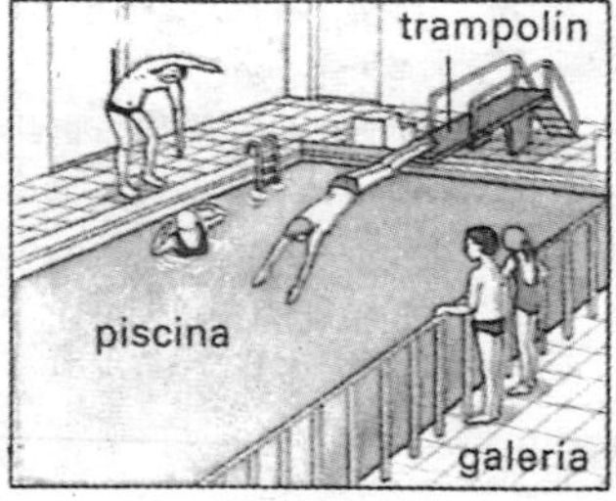
trampolín
piscina
galería

tenis de mesa o
ping-pong

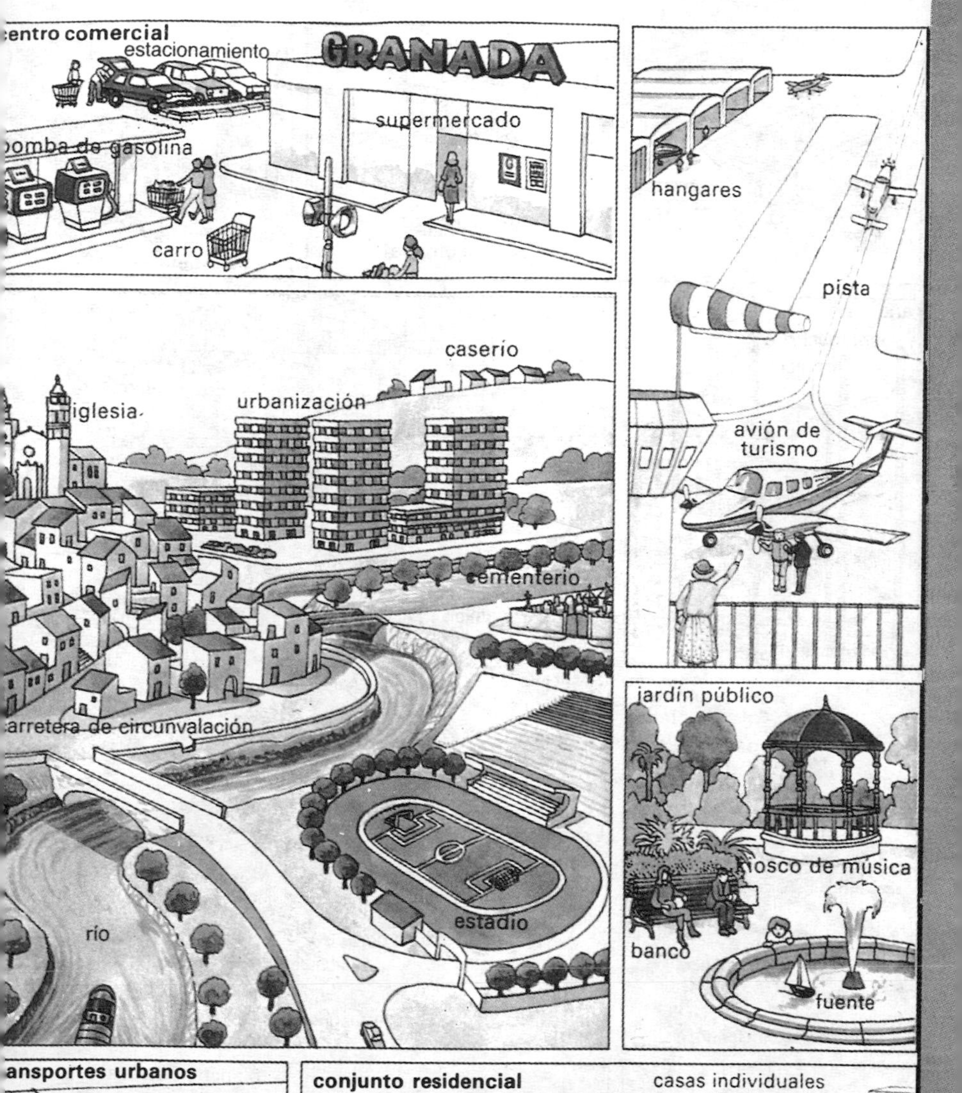
entro comercial
estacionamiento
GRANADA
supermercado
omba de gasolina
carro
hangares
pista
caserío
urbanización
iglesia
avión de turismo
cementerio
arretera de circunvalación
jardín público
iosco de música
banco
fuente
estadio
río
ansportes urbanos
anvía
riel
conjunto residencial
casas individuales

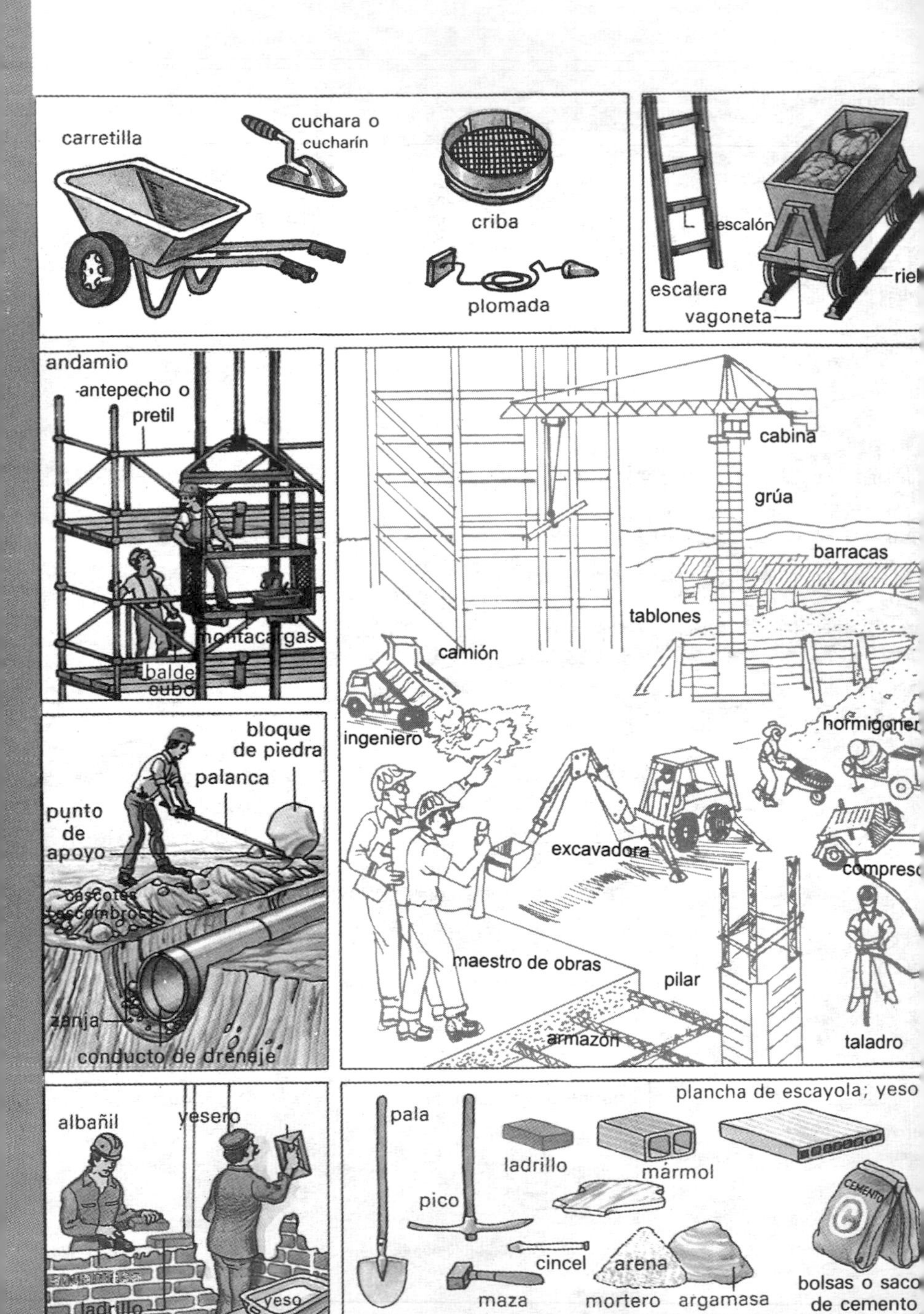
carretilla
cuchara o cucharín
criba
plomada
escalón
escalera
vagoneta
riel
andamio
antepecho o pretil
montacargas
balde cubo
cabina
grúa
barracas
tablones
camión
ingeniero
hormigonera
excavadora
compresor
maestro de obras
pilar
armazón
taladro
bloque de piedra
palanca
punto de apoyo
cascotes escombros
zanja
conducto de drenaje
albañil
yesero
ladrillo
yeso
plancha de escayola; yeso
pala
pico
ladrillo
mármol
cincel
arena
maza
mortero
argamasa
bolsas o sacos de cemento
CEMENTO

cha, que produce castañas. **3.** *El carpintero hizo una mesa de* ***castaño*** (= de la madera que da el castaño). ◆ **pasar de castaño oscuro 4.** *¡Esto ya* ***pasa de castaño oscuro****!* (= esto es demasiado para soportarlo).
SINÓN: 1. marrón, pardo. **ANTÓN: 1.** claro, rubio. **FAM:** *castaña, castañar, castañero, castañetear.*

castañuela s. f. *Las bailarinas españolas tocaban las* ***castañuelas*** *mientras bailaban* (= es un instrumento formado por dos piezas cóncavas unidas por un cordón que se hacen chocar con los dedos de la mano). ◆ **estar hecho unas castañuelas 2.** ***Estaba hecho unas castañuelas*** *por la buena noticia* (= muy alegre).

castellano, a s. m. El idioma oficial de España y de casi toda América es el **castellano.**
SINÓN: español.

castidad s. f. *Los sacerdotes católicos hacen voto de* ***castidad*** (= prometen renunciar a las relaciones sexuales).
FAM: *casto.*

castigar v. tr. **1.** *Mi madre me* ***castigó*** *porque había roto un jarrón* (= me impuso un castigo). **2.** *Las heladas de este invierno* ***han castigado*** *los árboles frutales* (= han dañado).
SINÓN: 1. sancionar. **2.** dañar, estropear. **ANTÓN: 1.** perdonar, premiar. **FAM:** *castigo.*

castigo s. m. *El profesor ha puesto un* ***castigo*** *a toda la clase* (= ha reprendido a los alumnos).
SINÓN: sanción. **ANTÓN:** perdón, premio. **FAM:** *castigar.*

castillo s. m. **1.** *Fuimos a visitar las murallas y el foso del* ***castillo*** (= de la fortaleza). ◆ **hacer castillos en el aire 2.** *Creer que vas a aprobar el examen es* ***hacer castillos en el aire*** (= hacerse falsas ilusiones).
SINÓN: 1. fortaleza.

casto, a adj. *El niño tenía una mirada* ***casta*** *y pura* (= una mirada inocente).
SINÓN: honesto, puro. **FAM:** *castidad.*

castor s. m. El **castor** es un mamífero roedor pequeño que vive en las orillas de algunos ríos.

castrar s. m. *El veterinario* ***castró*** *los cerdos* (= les quitó los órganos de reproducción).
SINÓN: capar.

casual adj. *Nuestro encuentro en la calle fue totalmente* ***casual*** (= no lo habíamos previsto).
SINÓN: imprevisto. **ANTÓN:** previsto. **FAM:** → *caso.*

casualidad s. f. *Ha sido una* ***casualidad*** *encontrarte aquí* (= no lo esperaba).
SINÓN: azar, coincidencia. **FAM:** → *caso.*

cataclismo s. m. **1.** *Los terremotos son* ***cataclismos*** (= son catástrofes naturales). **2.** *La caída del Gobierno produjo un* ***cataclismo*** *en la vida del país* (= un trastorno social).
SINÓN: 1. catástrofe. **2.** conmoción, trastorno.

catacumbas s. f. pl. *Antiguamente se enterraba a los muertos en las* ***catacumbas*** (= en unas galerías subterráneas).

catalejo s. m. *El capitán vio a los piratas por el* ***catalejo*** (= por un instrumento que sirve para ver objetos lejanos).
SINÓN: anteojos, largavistas, prismáticos.

catálogo s. m. *Pedí el* ***catálogo*** *de electrodomésticos para mirar los precios de los televisores* (= la lista de los artículos que venden).
SINÓN: índice, lista.

catar v. tr. *El camarero da a* ***catar*** *el vino antes de servirlo* (= lo da a probar).
SINÓN: paladear, probar, saborear.

catarata s. f. **1.** *Las* ***cataratas*** *del Iguazú son muy impresionantes* (= los saltos de agua de gran altura). **2.** *El enfermo fue operado de* ***cataratas*** *en un ojo* (= una membrana que le impedía la visión).

catarina s. f. Méx. Las **catarinas** son insectos coleópteros pequeños de cuerpo ovalado y de color amarillo o rojo con manchas negras.
SINÓN: mariquita.

catarro s. m. *Si no quieres contraer un* ***catarro*** *abrígate bien antes de salir* (= un resfriado).
SINÓN: constipado, resfriado. **FAM:** *acatarrarse.*

catástrofe s. f. *Fue una* ***catástrofe*** *que se perdiera toda la cosecha a causa de las lluvias* (= fue un desastre).
SINÓN: desastre.

catecismo s. m. *Antes de hacer la primera comunión debes aprender el* ***catecismo*** (= el libro de la doctrina cristiana).

cátedra s. f. *Mi hermano ganó las oposiciones a* ***cátedra*** *de la Universidad* (= pudo ser profesor ordinario).

catedral s. f. *El obispo dio la misa en la* ***catedral*** (= la iglesia principal de la ciudad).

catedrático, a s. *El* ***catedrático*** *de Historia dirigió la reunión de los profesores* (= el profesor de más categoría).
SINÓN: profesor.

categoría s. f. **1.** *Este hotel de cinco estrellas tiene mucha* ***categoría*** (= es muy bueno). **2.** *Este atleta ocupa la primera posición de su* ***categoría*** (= de su grupo).
SINÓN: 2. clase, grupo.

cateto s. m. Cada uno de los lados que forman el ángulo recto en un triángulo rectángulo se llama **cateto.**

catolicismo s. m. El **catolicismo** es una rama del cristianismo.
FAM: *católico.*

católico, a adj. **1.** *El Papa es el sacerdote más importante de la Iglesia* ***Católica*** (= de la iglesia del catolicismo). ◆ **católico, a** s. **2.** *Los* ***católicos*** *son aquellas personas que creen en la doctrina católica.*
FAM: *catolicismo.*

catorce *El día* ***catorce*** *es mi cumpleaños.*

catre s. m. *Como vino mi hermano, me acosté en el catre* (= cama de tela plegadiza).

cauce s. m. **1.** *El **cauce** del río se desbordó a causa de las lluvias* (= el lugar por donde pasan sus aguas). **2.** *Fue admitido en la Universidad a través de los **cauces** reglamentarios* (= a través de los trámites oficiales).
SINÓN: **1.** lecho. **2.** trámite.

caucho s. m. *Las ruedas del coche son de **caucho*** (= de un material resistente y elástico).
SINÓN: goma.

caudal adj. **1.** *El pez movía la aleta **caudal*** (= la que está en la cola). ◆ **caudal** s. m. **2.** *El **caudal** del río aumentó con las fuertes lluvias* (= la cantidad de agua que llevaba).
FAM: *acaudalado, caudaloso, recaudación, recaudar.*

caudaloso, a adj. *Sólo en los ríos muy **caudalosos** los barcos navegan sin problemas* (= en ríos que llevan mucha agua).
SINÓN: abundante. ANTÓN: escaso. FAM: *caudal.*

caudillo s. m. *Las tropas fueron guiadas por el **caudillo*** (= el jefe militar).
SINÓN: jefe.

causa s. f. **1.** *La **causa** de la enfermedad que padecía era un misterio para los médicos* (= el origen). **2.** *La **causa** del accidente fue la neblina* (= el motivo). Amér. **3.** *Nuestros próceres fueron fieles a la misma **causa**: la independencia de América* (= tenían los mismos ideales).
SINÓN: **1.** origen, principio. **2.** motivo, móvil, razón. **3.** ideal. FAM: *causar.*

causar v. tr. **1.** *El incendio **causó** grandes destrozos* (= los produjo). **2.** *Un conductor imprudente **causó** el accidente de coches* (= él lo originó).
SINÓN: motivar, ocasionar, producir, provocar. FAM: *causa.*

cautela s. f. *Mi padre conduce su coche con mucha **cautela*** (= con precaución y cuidado).
SINÓN: cuidado, precaución, prudencia. ANTÓN: imprudencia. FAM: *cauteloso.*

cauteloso, a adj. *Es una persona **cautelosa** que siempre piensa mucho las cosas antes de hacerlas* (= es muy prudente).
SINÓN: cuidadoso, moderado, prudente. ANTÓN: imprudente. FAM: *cautela.*

cautivar v. tr. *El protagonista de la película era tan buen mozo que me **cautivó*** (= me gustó mucho).
SINÓN: atraer, conquistar, encantar, hechizar. ANTÓN: desagradar, repeler. FAM: *cautiverio, cautividad, cautivo.*

cautiverio s. m. *Durante su **cautiverio**, el preso no pudo ver a su familia* (= durante el tiempo que estuvo en prisión).
ANTÓN: libertad. FAM: → *cautivar.*

cautividad s. f. *Los animales del zoológico viven en **cautividad*** (= viven enjaulados, sin su libertad natural).
ANTÓN: libertad. FAM: → *cautivar.*

cautivo, a s. *Todos los **cautivos** fueron liberados* (= todos los prisioneros de guerra).
SINÓN: preso, prisionero. ANTÓN: libre. FAM: → *cautivar.*

cava s. f. *Fuimos a visitar unas **cavas** donde nos explicaron cómo fabrican el vino* (= el lugar donde se hace y se guarda el vino).
FAM: → *cavar.*

cavar v. tr. *El jardinero **cavó** un hoyo para plantar las flores* (= levantó la tierra con una azada).
SINÓN: excavar. ANTÓN: enterrar. FAM: *cava, caverna, cavidad, excavar.*

caverna s. f. *La **caverna** era tan profunda y oscura que no vi al oso que vivía en ella* (= la cueva).
SINÓN: cueva, gruta. FAM: → *cavar.*

caviar s. m. *En este restaurante ruso se puede comer **caviar*** (= las huevas de esturión).

cavidad s. f. *Con el tiempo, la fuerza de las olas ha hecho grandes **cavidades** en las rocas* (= grandes huecos).
SINÓN: agujero, excavación, hueco. FAM: → *cavar.*

cavilar v. tr. *Antes de responder, **cavilé** mucho la respuesta* (= reflexioné y medité la respuesta).
SINÓN: meditar, pensar, reflexionar.

cayado s. m. *El pastor de ovejas se apoya en su **cayado** cuando anda por el monte* (= en un bastón encorvado en su parte superior).
SINÓN: bastón.

caza s. f. *En esta región no puede practicarse la **caza*** (= no pueden matarse animales).
SINÓN: cacería. FAM: → *cazar.*

cazador, a s. **1.** *Los **cazadores** persiguieron a la liebre pero ésta, finalmente, escapó de sus disparos* (= los que se dedican a matar animales). ◆ **cazadora** s. f. **2.** *El motorista vestía una **cazadora** para protegerse del frío* (= una prenda parecida a la chaqueta pero corta).
SINÓN: **2.** americana, chaqueta, gabán. FAM: → *cazar.*

cazar v. tr. **1.** *Actualmente en la mayoría de los bosques no está permitido **cazar** animales* (= capturarlos o matarlos). **2.** *Mi madre me **cazó** comiendo chocolate* (= me sorprendió).
SINÓN: **1.** matar, perseguir. **2.** atrapar, pescar, sorprender. ANTÓN: **1.** liberar, librar, soltar. FAM: *cacería, caza, cazador.*

cazo s. m. **1.** *Se ha roto el asa del **cazo** para calentar leche* (= del utensilio para calentar alimentos). **2.** *La sopa se sirve con un **cazo*** (= con una cuchara grande).
SINÓN: **1.** cacerola, cazuela, olla. **2.** cucharón. FAM: → *cacerola.*

cazón s. m. *Hoy comimos* ***cazón*** (= especie de tiburón, de 2 metros de largo, de carne comestible).

cazuela s. f. *La cocinera puso el bacalao en una* ***cazuela*** *para guisarlo* (= en un utensilio de barro para cocinar).
SINÓN: cacerola. **FAM:** → *cacerola.*

cebada s. f. La **cebada** es un cereal parecido al trigo que sirve para alimentar el ganado y para fabricar la cerveza.

cebar v. tr. **1.** *Los granjeros* ***han cebado*** *los cerdos con pienso para aumentar su peso* (= los han engordado). **2.** *Para pescar peces se* ***ceban*** *los anzuelos con gusanos* (= se pone alimento para atraerlos). Amér. Merid. **3.** *Mi madre* ***ceba*** *mates con mezcla de yerba y café* (= echa agua caliente en el mate que contiene la yerba).
SINÓN: 1. engordar. **FAM:** *cebo.*

cebiche o **ceviche** s. m. Amér. *Cuando fuimos a Perú tuve oportunidad de probar* ***cebiche*** (= comida típica a base de pescado o marisco crudo, macerado en limón muy agrio).

cebo s. m. *El pescador utiliza gusanos como* ***cebo*** *en su anzuelo* (= como alimento para atraer a los peces).
FAM: *cebar.*

cebolla s. f. La **cebolla** es un bulbo blanco, comestible, de olor fuerte y sabor picante, que se utiliza para condimentar la comida.
FAM: *cebolleta.*

cebra s. f. La **cebra** es un animal africano parecido al asno, pero con la piel amarillenta y rayas negras.

cecina s. f. *Con* ***cecina*** *se preparan guisos y hay quienes la comen en filetes como el jamón* (= carne de vacuno o cerdo, salada y seca).
SINÓN: charqui.

ceder v. tr. **1.** *Mi abuelo* ***cedió*** *todos sus bienes a sus hijos* (= se los entregó). ◆ **ceder** v. intr. **2.** *En la pelea mi amigo no* ***cedió*** (= no se rindió). **3.** *Al enfermo le* ***ha cedido*** *la fiebre con el antibiótico* (= le ha bajado). **4.** *De tanto empujar, la puerta* ***cedió*** *y pudimos pasar* (= se movió por la fuerza y se abrió).
SINÓN: 1. donar, entregar, traspasar. **2.** rendirse, someterse. **3.** bajar, disminuir. **4.** aflojar. **ANTÓN: 1.** retener. **2.** resistir. **3.** aumentar. **FAM:** *acceder, anteceder, conceder.*

cedro s. m. El **cedro** es un árbol grueso, de gran altura, de hojas perennes y de madera aromática y resistente.

cegar v. tr. **1.** *Los faros del coche que venía en dirección contraria* ***cegaron*** *momentáneamente al conductor* (= lo dejaron sin visión). **2.** *La ira lo* ***cegó*** *de tal forma que era incapaz de razonar* (= no lo dejaba pensar con claridad).
SINÓN: 1. deslumbrar. **2.** obstinarse. **FAM:** *ceguera, ciego.*

ceguera s. f. *La* ***ceguera*** *le impidió ver el escalón* (= la falta de visión).
ANTÓN: visión, vista. **FAM:** → *cegar.*

ceibo s. m. *En primavera, el* ***ceibo*** *está en flor* (= árbol sudamericano que crece a orilla de los ríos, cuya flor, roja y en forma de racimos, es la flor nacional de la Argentina).

ceja s. f. **1.** *Pablo, sorprendido, levantó las* ***cejas*** (= el grupo de pelos situados encima de los ojos). ◆ **tener a alguien entre ceja y ceja 2.** *Desde que me mintió, la* ***tengo entre ceja y ceja*** (= no puedo soportarla).

celador, a s. *El* ***celador*** *del colegio me explicó dónde tenía que ir a inscribirme* (= la persona que vigila un lugar).
SINÓN: vigilante.

celda s. f. **1.** *Los monjes del monasterio duermen en* ***celdas*** (= en pequeñas habitaciones individuales). **2.** *El prisionero ha sido encerrado en una* ***celda*** *de castigo* (= en una pequeña habitación incomunicada). **3.** *Los panales de las abejas están divididos en* ***celdas*** (= en pequeñas cavidades).
SINÓN: 1. aposento, habitación. **2.** calabozo. **3.** alvéolo, cavidad. **FAM:** *celdilla.*

celdilla s. f. *Los panales de abejas están formados por muchas* ***celdillas*** (= por pequeñas cavidades donde depositan la miel).
FAM: *celda.*

celebración s. f. *El domingo iremos a la* ***celebración*** *del cumpleaños de Marcos* (= a la fiesta).
SINÓN: ceremonia, festejo. **FAM:** → *célebre.*

celebrar v. tr. **1.** *La obra de teatro que hicimos en el colegio fue muy* ***celebrada*** *por todos* (= fue muy aplaudida). **2.** *En mi pueblo* ***celebran*** *cada año la fiesta de San Isidro* (= hacen una fiesta ese día). **3.** *Los vecinos del edificio* ***celebraron*** *una reunión para elegir al presidente de la comunidad* (= la hicieron). **4.** *El sacerdote* ***celebra*** *misa todos los domingos* (= la da).
SINÓN: 1. alabar, aplaudir, elogiar. **2.** conmemorar, festejar. **3.** efectuar, hacer, realizar. **ANTÓN: 1.** criticar. **FAM:** → *célebre.*

célebre adj. *Miguel Angel Asturias es un escritor muy* ***célebre*** (= muy conocido).
SINÓN: conocido, famoso, ilustre. **ANTÓN:** anónimo, desconocido. **FAM:** *celebración, celebrar, celebridad.*

celebridad s. f. **1.** *Sus obras han alcanzado gran* ***celebridad*** *en todo el mundo* (= gran fama). **2.** *Este doctor es una* ***celebridad*** *en medicina* (= es una persona muy importante y conocida).
SINÓN: 1. fama. **2.** autoridad. **FAM:** → *célebre.*

celeste adj. **1.** *Tengo una camisa de color* ***celeste*** (= azul claro). ◆ **celeste** s. m. **2.** *El* ***celeste*** *es un color que te sienta bien.*
FAM: *cielo.*

celo s. m. **1.** *El cajero pone mucho* ***celo*** *en hacer las cuentas para no equivocarse* (= pone mucho cuidado y esmero). **2.** *Mi perra está en* ***celo*** (= está en época de criar). ◆ **celos 3.** *Óscar tiene* ***celos*** *de su hermano* (= cree que sus padres quieren más a su hermano que a él).
SINÓN: 1. amor, cuidado, esmero, interés, preocupación. **3.** envidia, rivalidad. **ANTÓN: 1.** descuido, desinterés, indiferencia. **3.** confianza. **FAM:** *celoso, recelar.*

celofán s. m. *Me trajeron un regalo envuelto en papel de* ***celofán*** (= en un papel transparente y flexible).

celoso, a adj. *Juan es un niño muy* ***celoso*** *de sus hermanos* (= cree que su madre los quiere más a ellos).
SINÓN: sospechoso. **FAM:** *celo.*

celta adj. **1.** Los pueblos **celtas** se establecieron en el s. III a.C. por toda Europa, extendiendo su cultura y sus costumbres. ◆ **celta** s. **2.** *Los* ***celtas*** *eran las personas que pertenecían a esta civilización.* ◆ **celta** s. m. **3.** El **celta** era también su idioma.
SINÓN: céltico. **FAM:** *celtíbero, céltico.*

celtíbero, a adj. **1.** *El arte* ***celtíbero*** *fue conocido gracias a los estudios de arqueología modernos* (= el arte de los celtas de la península Ibérica). ◆ **celtíbero, a** s. **2.** *Los* ***celtíberos*** *eran las personas nacidas en el territorio celta de la península Ibérica.*
FAM: → *celta.*

céltico, a adj. *Los pueblos* ***célticos*** *se instalaron en el noroeste de España y en Portugal* (= los pueblos celtas).
SINÓN: celta. **FAM:** → *celta.*

célula s. f. *La materia viva está formada por* ***células*** (= unidades biológicas microscópicas).

celulosa s. f. *En la fábrica de papel se utiliza la* ***celulosa*** *como materia prima* (= un material que se saca de la madera y que se usa para fabricar papel).

cementerio s. m. *Todos los asistentes al entierro acompañaron a la familia hasta el* ***cementerio*** (= hasta el lugar donde se entierra a los muertos).

cemento s. m. *Hay que esperar que el* ***cemento*** *endurezca para que los ladrillos queden bien sujetos entre sí* (= una pasta hecha con un polvo especial, agua y arcilla).

cena s. f. *No debes comer mucho en la* ***cena*** *si vas a acostarte pronto* (= en la última comida del día).
FAM: *cenador, cenar.*

cenar v. tr. **1.** *Anoche* ***cenamos*** *pescado* (= comimos). ◆ **cenar** v. intr. **2.** *En mi casa* ***cenamos*** *a las nueve de la noche* (= hacemos la última comida del día a esa hora).
FAM: → *cena.*

cencerro s. m. *Todas las vacas del rebaño llevaban un* ***cencerro*** *para que el pastor supiera dónde estaban si se perdían* (= unas campanillas que se sujetan al cuello de los animales con un collar).
SINÓN: campana.

cenicero s. m. *Apaga el cigarrillo en el* ***cenicero*** (= en el recipiente que sirve para tirar la ceniza y las colillas de los cigarrillos y puros).
FAM: *ceniza.*

ceniza s. f. *En la chimenea sólo quedaron las* ***cenizas*** *de la leña* (= un polvo gris que queda cuando algo se ha quemado totalmente).
FAM: *cenicero.*

cenote s. m. Méx. *En los campos de Yucatán abundan los* ***cenotes*** (= pozos naturales de agua dulce alimentados por napas subterráneas).

censo s. m. **1.** *Han hecho el* ***censo*** *de mi ciudad* (= la lista oficial de sus habitantes. ◆ **censo electoral** s. m. **2.** *Juan no pudo votar porque no estaba en el* ***censo electoral*** (= en la lista de las personas mayores de edad con derecho a voto).
SINÓN: 1. padrón, registro.

censura s. f. *Debido a la* ***censura****, han sido eliminadas muchas escenas de la película* (= a la crítica que hicieron las autoridades).
SINÓN: crítica. **FAM:** *censurar.*

censurar v. tr. **1.** ***Censuraron*** *algunos párrafos de la novela porque les parecían escandalosos* (= los eliminaron). **2.** *El director del colegio* ***censuró*** *nuestra mala conducta* (= nos la reprochó).
SINÓN: 1. eliminar, tachar. **2.** criticar, reprochar. **ANTÓN: 1, 2.** aprobar, elogiar. **FAM:** *censura.*

centavo s. m. *Me ha dado 20* ***centavos*** *de menos* (= la moneda fraccionaria de algunos países americanos).
SINÓN: céntimo. **FAM:** → *cien.*

centella s. f. *Corrió como una* ***centella*** *para alcanzar el autobús* (= muy de prisa, como un rayo).
FAM: *centellear.*

centellear v. intr. *El anillo* ***centelleaba*** *cuando le daba el sol* (= desprendía pequeños rayos de luz).
SINÓN: brillar, relucir, relumbrar. **FAM:** *centella.*

centena s. f. *Si multiplicas 10 por 10 obtienes una* ***centena*** (= cien unidades).
FAM: → *cien.*

centenar s. m. **1.** *Recogimos un* ***centenar*** *de manzanas de la huerta* (= unas cien). **2.** *Te he dicho un* ***centenar*** *de veces que no hables con la boca llena* (= muchas veces).
SINÓN: centena, cien. **FAM:** → *cien.*

centenario, a adj. **1.** *En mi pueblo hay un roble* ***centenario*** (= que tiene cien años). ◆ **centenario** s. m. **2.** *Hoy se celebra el* ***centena-***

***rio** de la muerte de este escritor* (= hace cien años que murió).
FAM: → *cien.*

centeno s. m. El **centeno** es un cereal parecido al trigo pero cuya harina es más oscura.

centesimal adj. La numeración **centesimal** incluye los números del 1 al 100 inclusive.
FAM: → *cien.*

centésimo, a adj. *En la carrera, mi amigo llegó a la meta en el **centésimo** lugar* (= después del número 99).
SINÓN: centavo. FAM: → *cien.*

centígrado, a adj. *Una escala **centígrada** está dividida en cien grados* (= una escala que mide la temperatura).

centigramo s. m. Un **centigramo** es una medida de peso que equivale a la centésima parte de un gramo.

centilitro s. m. Un **centilitro** es una medida de capacidad que equivale a la centésima parte de un litro.

centímetro s. m. Un **centímetro** es una medida de longitud que equivale a la centésima parte de un metro.

céntimo s. m. **1.** *Un peso tiene cien **céntimos*** (= tiene cien centavos). ◆ **no tener ni un céntimo 2.** *Gastó tanto dinero que ahora **no tiene ni un céntimo*** (= no tiene dinero).
FAM: → *cien.*

centinela s. m. *En la entrada del cuartel hay siempre un **centinela*** (= un soldado que está de guardia).
SINÓN: guardia, vigía.

centolla s. f. La **centolla** es un crustáceo marino comestible con un caparazón redondo y unas patas largas con pinzas.

central adj. **1.** *La fuente está situada en la parte **central** de la plaza* (= en el centro de ella). **2.** *La oficina **central** del banco controla el trabajo de otras que dependen de ella* (= es la oficina principal). **3.** *La droga fue el tema **central** de la conferencia* (= el tema principal sobre el que trató). **4.** *En nuestro edificio tenemos calefacción **central*** (= los radiadores de todos los pisos se alimentan de una misma caldera). ◆ **central** s. f. **5.** *La **central** eléctrica estaba en una zona desierta por razones de seguridad* (= la industria que producía energía). ◆ **central nuclear 6.** Una **central nuclear** es una industria que produce energía eléctrica a partir de energía nuclear.
SINÓN: **2.** principal. **3.** esencial. ANTÓN: **2.** sucursal. **4.** individual. FAM: → *centro.*

centralita s. f. *La telefonista de la **centralita** pasó la llamada al director* (= del aparato que conecta todas las líneas telefónicas de la empresa).
SINÓN: conmutador. FAM: → *centro.*

centrar v. tr. **1.** *Intenta **centrar** el texto en la hoja* (= ponerlo en el centro). **2.** *Debes **centrar** tu atención en la explicación que da el profesor* (= debes fijar tu atención). ◆ **centrarse** v. pron. **3.** *Es un niño incapaz de **centrarse** en sus estudios* (= de dedicarse a ellos).
SINÓN: **2.** atender, fijar. **3.** concentrarse, dedicarse. FAM: → *centro.*

céntrico, a adj. *Santiago vive en un piso **céntrico*** (= que está en el centro de la ciudad).
ANTÓN: alejado, apartado, distante, retirado.
FAM: → *centro.*

centro s. m. **1.** El **centro** de una circunferencia es el punto que está a igual distancia de todos los puntos que la forman. **2.** *Puso el jarrón en el **centro** de la mesa* (= en el medio). **3.** *Este edificio es el **centro** de los negocios de la ciudad* (= es el lugar donde se realizan la mayor parte de ellos). **4.** *Pedro siempre va a hacer teatro al **centro** cultural de su barrio* (= a un edificio donde se reúnen las personas para realizar una actividad). **5.** *María vive en el **centro** de la ciudad* (= no en las afueras).
SINÓN: **2.** medio. **3.** lugar, sitio. **4.** círculo, club, organismo. **5.** corazón. ANTÓN: **2.** extremo. **5.** afueras. FAM: *central, centralita, centrar, céntrico, concentración, concentrar, concéntrico, excéntrico.*

centroamericano, a adj. **1.** *Varios países **centroamericanos** cultivan caña de azúcar* (= que están en América Central). ◆ **centroamericano, a** s. **2.** *Los **centroamericanos** son las personas que viven en los países de América Central.*

centuria s. f. *Este mueble antiguo tiene casi una **centuria*** (= tiene casi cien años, un siglo).
SINÓN: siglo. FAM: → *cien.*

ceñir v. tr. **1.** *Este cinturón me **ciñe** demasiado la cintura* (= me la aprieta). **2.** *Este traje me queda ancho, debería **ceñirlo*** (= debería estrecharlo y ajustármelo a la medida). ◆ **ceñirse** v. pron. **3.** *En la reunión **me ceñí** a decir lo imprescindible* (= me limité).
SINÓN: **1, 2.** apretar, oprimir. **3.** limitar, reducir.
ANTÓN: **1, 2.** aflojar, soltar. **3.** ampliar, extenderse. FAM: *ceño.*

ceño s. m. *Cuando Pablo está enojado, siempre frunce el **ceño*** (= arruga las cejas juntándolas y le salen arrugas en la frente).
FAM: *ceñir.*

cepa s. f. Las **cepas** son las plantas de la vid, de las que nacen las uvas.

cepillar v. tr. ***Cepilló** tanto los zapatos que brillaban mucho* (= los limpió con un cepillo).
SINÓN: desempolvar, limpiar. ANTÓN: ensuciar, manchar. FAM: → *cepo.*

cepillo s. m. **1.** *No pude peinarme con el **cepillo** porque sus púas estaban rotas* (= instrumento que sirve para desenredar el cabello). **2.** *El carpintero alisó la madera con el **cepillo*** (= con un utensilio de carpintería que tiene una cuchilla en su base).
FAM: → *cepo.*

cepo s. m. *El ratón consiguió escapar del* ***cepo*** (= de la trampa para cazarlo).
SINÓN: trampa. **FAM:** *cepillar, cepillo.*

cera s. f. **1.** *Las abejas fabrican* ***cera*** *en sus panales* (= una sustancia de color amarillo). **2.** *Me cayó* ***cera*** *de la vela en la mano* (= la sustancia con que se hacen las velas). **3.** *El médico me quitó un tapón de* ***cera*** *del oído* (= una sustancia que produce el oído para protegerlo).
SINÓN: 3. cerumen. **FAM:** *cerilla, cirio, cerumen, encerar, encerado.*

cerámica s. f. **1.** *Juan aprendió a hacer jarrones en un curso de* ***cerámica*** (= el arte de fabricar objetos de barro cocido). **2.** *Julia regaló una* ***cerámica*** *a su madre* (= un objeto de loza o porcelana).
SINÓN: 1. alfarería. **2.** loza, porcelana. **FAM:** *ceramista.*

ceramista s. m. f. *El* ***ceramista*** *hizo una exposición de sus últimas piezas* (= es la persona que fabrica objetos de barro cocido).
SINÓN: alfarero. **FAM:** *cerámica.*

cerbatana s. m Amér. *Algunos indios americanos usaban* ***cerbatanas*** *para cazar* (= canuto en el que se introducen piedritas para despedirlas soplando con violencia).

cerca s. f. *La casa está rodeada por una* ***cerca*** *de madera que la protege* (= por una tapia).
SINÓN: cerco, tapia, valla, verja. **FAM:** *acercamiento, acercar, cercado, cercanía, cercano, cercar, cerco.*

cerca adv. *Tu casa está* ***cerca*** *de la mía* (= está al lado).
ANTÓN: lejos.

cercado adj. **1.** *El prado estaba* ***cercado*** *para que las vacas no se escaparan* (= estaba vallado). ◆ **cercado** s. m. **2.** *El* ***cercado*** *del terreno impedía que los animales cayeran al barranco* (= la valla).
FAM: → *cerca.*

cercanía s. f. **1.** *El intenso frío me hizo pensar en la* ***cercanía*** *del invierno* (= en que pronto llegaría). ◆ **cercanías** s. f. pl. **2.** *Mi amigo toma el tren para ir al colegio porque vive en las* ***cercanías*** *de la ciudad* (= en las afueras).
SINÓN: 1. proximidad. **2.** alrededores, contorno. **ANTÓN:** distancia, lejanía. **FAM:** → *cerca.*

cercano, a adj. *Pablo vive en una casa* ***cercana*** *a la mía* (= próxima).
SINÓN: próximo. **ANTÓN:** alejado, distante, lejano, remoto. **FAM:** → *cerca.*

cercar v. tr. **1.** ***Cercaron*** *la casa de campo con una tapia de ladrillos* (= la rodearon). **2.** *El ejército* ***cercó*** *la ciudad antes de conquistarla* (= la rodeó y no dejó que nadie saliera de ella).
SINÓN: 1. tapiar, vallar. **2.** asediar, rodear, sitiar. **ANTÓN: 2.** liberar. **FAM:** → *cerca.*

cerco s. m. **1.** *Hay noches en que la Luna tiene un* ***cerco*** *luminoso* (= un anillo brillante que la rodea). **2.** *Se hizo un* ***cerco*** *de gente alrededor del payaso* (= un círculo).
SINÓN: 1. anillo, aro. **2.** círculo. **FAM:** → *cerca.*

cerda s. f. **1.** *La mayoría de los cepillos están hechos con* ***cerdas*** (= con los pelos de la cola de algunos animales). **2.** La **cerda** es la hembra del cerdo.
SINÓN: 1. crin. **2.** cochina, gorrina, guarra, marrana, puerca. **FAM:** → *cerdo.*

cerdo s. m. El **cerdo** es un mamífero criado en granjas del cual se aprovecha su carne.
SINÓN: marrano, puerco. **FAM:** *cerda.*

cereal s. m. *El trigo, la cebada, el centeno, la avena, el maíz y el arroz son* ***cereales*** (= son plantas cuyas semillas se usan en la alimentación).

cerebelo s. m. El **cerebelo** es el órgano situado en la parte inferior y posterior del cerebro que regula y coordina los movimientos del cuerpo.

cerebral adj. **1.** *Tenía una lesión* ***cerebral*** *que le impedía hablar correctamente* (= en el cerebro). **2.** *Era una persona muy* ***cerebral,*** *parecía no tener sentimientos* (= no se emocionaba fácilmente).
FAM: *cerebro.*

cerebro s. m. **1.** El **cerebro** es el centro del sistema nervioso y está situado en la cabeza, dentro del cráneo. **2.** *Ana es un* ***cerebro,*** *resuelve todos los problemas de matemáticas* (= tiene una gran inteligencia). **3.** *El* ***cerebro*** *de la banda fue quien ideó el plan del robo* (= fue la persona que lo dirigió).
SINÓN: 1. seso. **2.** talento. **3.** líder. **FAM:** *cerebral.*

ceremonia s. f. **1.** *La* ***ceremonia*** *de inauguración de los Juegos Olímpicos tendrá lugar el sábado* (= el acto). **2.** *Nuestros vecinos nos recibieron con muchas* ***ceremonias*** (= con demasiada cortesía).
SINÓN: 1. celebración. **2.** cortesía. **ANTÓN: 2.** naturalidad, sencillez. **FAM:** *ceremonioso.*

ceremonioso, a adj. **1.** *La entrega de los premios fue un acto muy* ***ceremonioso*** (= muy solemne). **2.** *Óscar es tan* ***ceremonioso*** *que parece un príncipe cuando habla* (= es demasiado cortés).
SINÓN: 1. formal, majestuoso, solemne. **2.** cortés. **ANTÓN: 1, 2.** natural, sencillo, simple. **FAM:** *ceremonia.*

cereza s. f. Las **cerezas** son unas frutas rojas que tienen un rabito y un hueso en su interior.
FAM: *cerezo.*

cerezo s. m. **1.** El **cerezo** es el árbol que da cerezas y tiene unas flores blancas. **2.** *Este mueble es de* ***cerezo*** (= de la madera de ese árbol).
FAM: *cereza.*

cerilla s. f. o **cerillo** s. m. *Encendimos las velas con* ***cerillas*** (= con un trocito de madera que al rasparla produce una chispa y luego se enciende).
SINÓN: fósforo. **FAM:** → *cera.*

cernícalo s. m. El **cernícalo** es un ave rapaz, pequeña y con las plumas de color rojizo.

cero s. m. **1.** *Nuestro equipo ha ganado por dos goles a* **cero** (= el equipo contrario no ha marcado ningún gol). ◆ **ser un cero a la izquierda 2.** *Pedro* ***es un cero a la izquierda*** *en su trabajo* (= no lo toman en cuenta porque no sabe hacerlo bien).

cerrado, a adj. **1.** *Siempre estudio con la puerta* ***cerrada*** *para no oír los ruidos de fuera* (= nunca la dejo abierta). **2.** *La* ***i*** *y la* ***u*** *son vocales* ***cerradas*** *porque no abrimos mucho la boca para pronunciarlas.* **3.** *Marta es tan* ***cerrada*** *que no hay quien la haga cambiar de opinión* (= es muy intransigente y terca). **4.** *Tengo un amigo que habla con acento muy* ***cerrado*** (= cuesta entenderlo). **5.** *Amaneció con un cielo totalmente* ***cerrado*** (= estaba muy nublado).
SINÓN: 3. intransigente, rígido, severo. **4.** incomprensible. **5.** cubierto, nuboso. **ANTÓN: 1, 2.** abierto. **4.** claro, comprensible. **5.** claro, despejado. **FAM:** → *cerrar.*

cerradura s. f. *La* ***cerradura*** *se estropeó, y la llave no entraba* (= el mecanismo metálico que permite cerrar o abrir).
SINÓN: cerrojo, pestillo. **FAM:** → *cerrar.*

cerrajero s. m. *Llamó al* ***cerrajero*** *porque el pestillo estaba roto* (= a la persona que hace o repara las cerraduras y las llaves).
FAM: → *cerrar.*

cerrar v. tr. **1.** *Cuando salimos de casa* ***cerramos*** *la puerta con llave* (= encajamos la puerta en el marco). **2.** *El niño* ***cerraba*** *la boca cada vez que su madre le acercaba la cuchara* (= unía los labios). **3.** *Mi hermano* ***cerró*** *el cajón donde estaban sus revistas* (= las guardó en el cajón). **4.** *La policía* ***cerró*** *el paso a los vehículos* (= impidió que pasaran). **5.** ***Cerraron*** *la finca con una valla* (= la rodearon). **6.** *Los albañiles* ***cerraron*** *el hueco de una antigua ventana tapiándola con ladrillos* (= la taparon). **7.** *El plomero* ***cerró*** *la llave de paso del agua* (= impidió que saliera agua). **8.** *Como ya no llovía* ***cerramos*** *el paraguas* (= lo plegamos). **9.** ***Cerró*** *el discurso con unas palabras de agradecimiento* (= lo terminó). **10.** ***Han cerrado*** *el plazo de inscripción en la academia* (= ha terminado). **11.** ***Cerramos*** *el trato de la venta de la casa* (= nos pusimos de acuerdo). **12.** *Mi tío* ***ha cerrado*** *su negocio por falta de dinero* (= ha dejado de funcionar). **13.** *En clase de gimnasia yo* ***cerraba*** *la fila* (= iba en último lugar). **14.** *Jugando al dominó yo* ***cerré*** *el juego* (= no dejé que se pusieran más fichas). ◆ **cerrarse** v. pron. **15.** *Durante la discusión* ***se cerró*** *en sus ideas y no admitió las opiniones contrarias* (= se negó a cambiar sus ideas). **16.** ***Se*** *me* ***ha cerrado*** *la herida que tenía en la rodilla* (= ha cicatrizado).
SINÓN: 1. atrancar, encajar. **2.** unir. **3.** guardar. **4.** bloquear, obstruir. **5, 6.** cercar, tapiar. **8.** plegar, recoger. **9, 10.** acabar, concluir, finalizar, terminar. **12.** clausurar, suspender. **15.** obstinarse. **16.** cicatrizarse, curarse. **ANTÓN:** abrir. **FAM:** *cerrado, cerradura, cerrajero, cerrojo, cierre, encerrar.*

cerro s. m. *Las ovejas pastaban por los* ***cerros*** *de las montañas* (= unas pequeñas colinas).
SINÓN: altozano, colina, loma, montículo. **ANTÓN:** llanura, planicie.

cerrojo s. m. *Por la noche, mi padre corre el* ***cerrojo*** *de la puerta* (= una pieza metálica muy resistente para que no pueda abrirse).
SINÓN: cerradura, pestillo. **FAM:** → *cerrar.*

certamen s. m. *Ángel ha sido elegido el primero en el* ***certamen*** *de redacción* (= en un concurso).
SINÓN: competición, concurso, prueba.

certero, a adj. **1.** *Este cazador es muy* ***certero*** *con la escopeta* (= es muy hábil). **2.** *Dio en el blanco con un tiro* ***certero*** (= con mucha puntería). **3.** *En el juicio, el abogado dio pruebas* ***certeras*** *de que su cliente era inocente* (= unas pruebas verdaderas).
SINÓN: 1. diestro, hábil, seguro. **2.** acertado. **3.** cierto, verdadero. **ANTÓN: 1, 2.** inseguro. **3.** dudoso, falso, incierto. **FAM:** → *cierto.*

certeza s. f. *Tengo la* ***certeza*** *de que mis tíos llegarán hoy* (= estoy seguro de ello).
SINÓN: convencimiento, convicción, seguridad. **ANTÓN:** duda, incertidumbre. **FAM:** → *cierto.*

certificado, a adj. **1.** *He enviado la carta* ***certificada*** *para estar segura de que la reciban* (= registrada por correos). ◆ **certificado** s. m. **2.** *Al terminar el colegio me entregarán un* ***certificado*** *de estudios* (= un título en el que constan los estudios que he realizado).
SINÓN: diploma, título. **FAM:** *certificar.*

certificar v. tr. **1.** ***Certificó*** *que todo lo que dijo en el juicio era verdad* (= lo confirmó). **2.** *Mi padre* ***certificó*** *la carta para asegurarse de que era recibida* (= pagó un suplemento para que se la entregaran personalmente al destinatario).
SINÓN: 1. afirmar, asegurar, confirmar. **2.** registrar. **ANTÓN: 1.** negar. **FAM:** *certificado.*

cerumen s. m. *Tengo los oídos tapados de* ***cerumen*** (= de una sustancia espesa que se forma en los oídos).
FAM: → *cera.*

cerveza s. f. *Hemos tomado* ***cerveza*** *en el aperitivo* (= una bebida espumosa hecha con cebada u otros cereales fermentados).

cervical adj. *He dormido en mala posición y me duelen los músculos* ***cervicales*** (= los que están en el cuello).
FAM: *cerviz.*

cerviz s. f. *No puedo doblar la* ***cerviz*** *por el dolor* (= la parte de atrás del cuello).
FAM: *cervical.*

cesar v. intr. **1.** ***Ha cesado*** *de llover* (= ha dejado de llover). **2.** *El director* ***cesó*** *en su cargo* (= ya no tiene ese cargo).
SINÓN: 1. acabar, parar, dejar. **2.** dimitir, renunciar. **ANTÓN:** comenzar, empezar, iniciar. **FAM:** → *cese, incesante.*

cesárea s. f. *Cuando mi hermana dio a luz tuvieron que hacerle una* ***cesárea*** (= una operación quirúrgica para poder sacar al niño del vientre materno).

cese s. m. *Al trabajador le han dado el* ***cese*** *en el empleo* (= no podrá volver a trabajar en esa empresa).
SINÓN: expulsión. **FAM:** → *cesar.*

césped s. m. *Me gusta tumbarme en el* ***césped*** *del jardín* (= en la hierba corta que lo cubre).
SINÓN: hierba.

cesta s. f. *La señora lleva la compra del mercado en una* ***cesta*** (= en un recipiente generalmente de mimbre con asas).
SINÓN: canasta, cesto. **FAM:** *cesto, encestar.*

cesto s. m. *Los vendimiadores echaban las uvas en* ***cestos*** (= en recipientes grandes generalmente de mimbre).
SINÓN: canasta, cesta. **FAM:** → *cesta.*

cetáceo adj. *La ballena, el cachalote y el delfín son* ***cetáceos*** (= son mamíferos marinos de gran tamaño).

cetro s. m. *El rey tiene en la mano su* ***cetro*** (= el bastón que es el símbolo de su autoridad).

ceviche Amér. Merid. → **cebiche**.

Ch s. f. La doble letra **ch**, llamada *che*, es el sonido de las letras **c** y **h** juntas en palabras como chaleco, cheque, chico, chopo y leche.

chabacanería s. f. **1.** *Decoraron la casa con* ***chabacanería*** (= con poco gusto). **2.** *La* ***chabacanería*** *de su lenguaje es lamentable* (= usa muchas palabras groseras).
SINÓN: grosería, ordinariez, vulgaridad. **ANTÓN:** cortesía, delicadeza, educación. **FAM:** *chabacano.*

chabacano, a adj. **1.** *Nuestros vecinos son muy* ***chabacanos*** (= siempre dicen o hacen cosas de mal gusto y groseras). ◆ **chabacano** s. m. Méx. **2.** *Comimos unos* ***chabacanos*** *frescos* (= fruto esférico, amarillento, carnoso y dulce).
SINÓN: basto, grosero, tosco, vulgar. **2.** albaricoque, damasco. **ANTÓN: 1.** delicado, distinguido, elegante. **FAM:** *chabacanería.*

chabola s. f. *Como eran muy pobres, vivían en unas* ***chabolas*** *que se habían construido ellos mismos* (= en unas casas pobres y toscas que suelen situarse en las afueras de las ciudades).
SINÓN: barraca, caseta, choza. **ANTÓN:** mansión, palacio.

chacal s. m. Los **chacales** son mamíferos salvajes de Asia y África, parecidos a los lobos, pero de menor tamaño; se alimentan de cadáveres.

chacarera s. f. R. de Plata. *Me enseñaron a bailar la* ***chacarera*** (= danza criolla en la que las parejas bailan sueltas).

chacarero, a s. Amér. Merid. *El* ***chacarero*** *contrató a varios braceros para levantar la cosecha* (= dueño de una chacra).
FAM: *chacra.*

cháchara s. f. *Ayer me encontré con Mónica y estuvimos de* ***cháchara*** *toda la tarde* (= estuvimos hablando animadamente).

chaco s. m. Amér. *La región del* ***chaco*** *fue la última en que los aborígenes se mantuvieron aislados de la civilización europea* (= región boscosa del NE. de la Argentina, entre Paraguay y Bolivia).

chacra s. f. Amér. Cent., Merid. *Mis padres compraron una* ***chacra*** (= finca en la que se cultiva la tierra y se crían aves de corral y otros animales).
FAM: *chacarera, chacarero.*

chajá s. m. R. de la Plata. *El* ***chajá*** *avisa con su grito la presencia de seres extraños* (= ave zancuda de gran tamaño, de plumaje gris y cuello largo).

chal s. m. *Cuando tiene frío, mi abuela se pone sobre los hombros un* ***chal*** (= una prenda que suele ser de lana y que cubre los hombros y espalda).
SINÓN: mantón.

chala s. f. Amér. Merid. *Antes de cocer las mazorcas, mi madre les quita la* ***chala*** (= conjunto de hojas que envuelven la mazorca del maíz).

chalado, a adj. *Este niño está* ***chalado****, se pasa el día haciendo tonterías* (= chiflado, loco).
SINÓN: chiflado, loco. **ANTÓN:** cuerdo, juicioso, sensato.

chalana s. f. Amér. *Estuvimos toda la tarde remando en una* ***chalana*** (= embarcación pequeña, plana y sin quilla).
SINÓN: bote, canoa, piragua.

chalé o **chalet** s. m. *Mis tíos tienen un* ***chalé*** *cerca del mar para pasar sus vacaciones* (= una casa de verano).
SINÓN: casa, villa.

chaleco s. m. *Debajo de la chaqueta de su traje, mi abuelo lleva un* ***chaleco*** (= una prenda de vestir sin mangas que suele abotonarse por delante).

chalupa s. f. *Los pasajeros pudieron salvarse gracias a las* ***chalupas*** *que los marineros lanzaron al agua* (= a unas pequeñas barcas).
SINÓN: barca, bote, lancha.

chamaco, a s. Amér. *Los* ***chamacos*** *fueron a jugar a la pelota* (= joven, muchacho o niño).
SINÓN: chaval, chico, crío, muchacho, rapaz.

chamal s. m. Amér. Merid. *Mis padres conservan un antiguo* ***chamal*** (= paño con el que se cubrían los indios araucanos).

chamarra s. f. Amér. Cent., Merid. **1.** *El socio de Enrique cometió una* ***chamarra*** (= fraude). Amér. Cent., Méx. **2.** *Compraremos una* ***chamarra*** *de lana* (= abrigo corto de piel, lana o tela gruesa).

chamarrita s. f. R. de la Plata. *En las provincias de la Mesopotamia argentina, cantan* ***chamarritas*** (= canción de ritmo ágil que se canta con guitarra).

champán s. m. *Para celebrar el nacimiento de mi hermano, mi padre abrió una botella de* ***champán*** (= de un vino blanco y espumoso, de origen francés).

champiñón s. m. Los **champiñones** son setas comestibles que se cultivan artificialmente.
SINÓN: hongo, seta.

champú s. m. *Me lavo el cabello con* ***champú*** (= un jabón especial para el cabello).

champurrado s. m. Méx. **1.** *Después de la merienda, tomaré un* ***champurrado*** (= bebida preparada con atole, chocolate y azúcar). R. de la Plata **2.** *Mi madre hace muy bien el* ***champurrado*** (= fritura con papas, cebollas, jamón y huevos revueltos).

chamuscarse v. pron. *El gato se acercó demasiado al fuego y* ***se chamuscó*** *el bigote* (= se quemó ligeramente el bigote).
SINÓN: quemar.

chance s. m. Amér. Merid. **1.** *Ganaste porque tuviste* ***chance*** (= buena suerte). Méx. **2.** *Mi padre volvió temprano porque le dieron* ***chance*** (= permiso para salir temprano del trabajo).

chancho, a adj. Amér. **1.** *Los vecinos son muy* ***chanchos*** (= viven sucios y desaseados). ◆ **chancho, a** s. R. de la Plata **2.** *Han puesto en la granja un criadero de* ***chanchos*** (= cerdo, puerco, porcino).

chanchería s. f. R. de la Plata. *En la* ***chanchería*** *del mercado venden achuras y carne de cerdo.*

chanchullo s. m. *Ganó mucho dinero porque hizo un* ***chanchullo*** (= una acción ilegal, no correcta).
SINÓN: embrollo, enredo, lío, trampa.

chancleta s. f. *Siempre uso* ***chancletas*** *para ir a la playa* (= unas zapatillas que dejan al descubierto el talón del pie).
SINÓN: babucha, chinela, zapatilla. **FAM:** *chanclo.*

chanclo s. m. *En los pueblos donde se forma mucho barro, la gente se pone* ***chanclos*** *para salir a la calle* (= zapatos de goma o de madera en los que se mete el pie con el zapato puesto para protegerlo del barro o de la lluvia).
SINÓN: zapato. **FAM:** *chancleta.*

chanfle s. m. R. de la Plata. **1.** *Tienes que cortar esa madera en* ***chanfle*** (= en diagonal). Méx. **2.** *Tiró el balón con* ***chanfle*** *y logró hacer un gol* (= dar efecto giratorio a una pelota).

changa s. f. Amér. Merid. *Como su familia es muy humilde, Juan buscó alguna* ***changa*** *para pagarse los estudios* (= trabajo ocasional).
FAM: *changador.*

changador s. m. Amér. Merid. **1.** *El capataz contrató a varios* ***changadores*** (= operarios que realizan trabajos ocasionales). **2.** *En el puerto hay trabajo para los* ***changadores*** (= operarios que cargan bultos).
FAM: *changa.*

chango s. m. Arg., Bol. **1.** *Los* ***changos*** *jugaban con una pelota de trapo* (= chico, niño). Chile **2.** *José es un* ***chango*** *insoportable* (= persona torpe y fastidiosa). Méx. **3.** *En el zoológico vimos varios* ***changos*** (= monos).

chantaje s. m. *Roberto sabía que era Juan el que robó el dinero y ahora le está haciendo* ***chantaje*** (= Roberto lo está amenazando con contárselo a todo el mundo si Juan no hace lo que le ordena).
SINÓN: abuso, amenaza. **FAM:** *chantajista.*

chantajista s. m. f. *El* ***chantajista*** *amenazó al ladrón con contárselo todo a la policía* (= la persona que amenaza a otra para conseguir lo que quiere).
FAM: *chantaje.*

chapa s. f. **1.** *Van a cubrir la mesa con una* ***chapa*** *de madera* (= con una plancha de madera). **2.** *La* ***chapa*** *de este coche está estropeada* (= la parte exterior de metal). R. de la Plata. **3.** *El médico ha colocado una* ***chapa*** *en la puerta de su consultorio* (= placa de metal que tiene grabados el nombre y la profesión de una persona). **4.** *Se cayó la* ***chapa*** *delantera del coche* (= placa con el número de matrícula de un automóvil).
SINÓN: 1, 2. hoja, lámina, lata. **FAM:** *chapista.*

chaparro s. m. Amér. Cent. **1.** *Los chicos se escondieron detrás de unas matas de* ***chaparros*** (= arbusto que crece en lugares llanos y secos; sus ramas son flexibles y resistentes). ◆ **chaparro, a** adj. Méx. **2.** *Juana es muy* ***chaparra*** (= baja de estatura).

chaparrón s. m. *Nos ha sorprendido un* ***chaparrón*** *y nos hemos empapado* (= una lluvia muy fuerte y de poca duración).
SINÓN: aguacero, chubasco.

chapista s. m. *Tras el accidente, mi padre llevó el coche al* ***chapista*** *para que le arreglara la carrocería* (= a la persona que arregla la parte exterior de metal de los coches).
FAM: *chapa.*

chapotear v. intr. *No sabe nadar, pero se pasa mucho tiempo* ***chapoteando*** *dentro del agua* (= moviéndose y agitando el agua).
FAM: *chapoteo.*

chapucero, a adj. **1.** *Javier hizo un trabajo* ***chapucero*** (= lo hizo mal y con prisa). **chapu-**

cero, a s. **2.** *Matías es un* ***chapucero*** (= hace las cosas con poco cuidado).
SINÓN: 1. imperfecto, tosco. **ANTÓN: 2.** cuidadoso, habilidoso. **FAM:** → *chapuza.*

chapurrar o **chapurrear** v. tr. *José* ***chapurrea*** *el inglés* (= lo habla con dificultad y comete errores).

chapuza s. f. **1.** *El arreglo de la avería del coche fue una* ***chapuza*** (= fue un arreglo mal hecho). **2.** *El albañil se gana algún dinero haciendo* ***chapuzas*** (= trabajos pequeños que hace de vez en cuando).
SINÓN: imperfección. **ANTÓN:** perfección. **FAM:** *chapucería, chapucero, chapuzarse, chapuzón.*

chapuzón s. m. *Me di un* ***chapuzón*** *en la piscina porque tenía mucho calor* (= me tiré de cabeza al agua).
SINÓN: remojón, zambullida. **FAM:** → *chapuza.*

chaqué s. m. El **chaqué** es un traje de gala masculino, con chaqueta negra y pantalones de rayas.
SINÓN: frac, levita. **FAM:** *chaqueta.*

chaqueta s. f. *Aunque no hace mucho frío, ponte la* ***chaqueta*** *para salir* (= la prenda exterior de vestir que cubre los brazos y el cuerpo desde los hombros hasta algo debajo de la cintura).
SINÓN: americana, cazadora. **FAM:** *chaqué, chaquetón.*

chaquetón s. m. *Cuando hace frío me pongo el* ***chaquetón*** (= un tipo de abrigo que es más largo que una chaqueta y menos que un abrigo).
FAM: → *chaqueta.*

charango s. m. Amér. *El* ***charango*** *se usa para acompañar el canto de las bagualas* (= instrumento musical formado por un caparazón de armadillo y cinco cuerdas).

charca s. f. *Los patos nadan en la* ***charca*** (= en un charco muy grande).
SINÓN: estanque, laguna. **FAM:** → *charco.*

charco s. m. *El camino estaba lleno de* ***charcos*** *por culpa de la lluvia* (= baches llenos de agua).
FAM: *charca, encharcar.*

charla s. f. **1.** *Mi padre me ha dicho que quería tener una pequeña* ***charla*** *conmigo* (= una conversación). **2.** *Asistí a una* ***charla*** *muy interesante* (= a una conferencia).
SINÓN: 1. conversación. **FAM:** → *charlar.*

charlar v. intr. *Me pasé toda la tarde* ***charlando*** *con Marta* (= estuve hablando con ella de cosas sin importancia).
SINÓN: conversar, dialogar, hablar. **ANTÓN:** callar, silenciar. **FAM:** *charla, charlatán.*

charlatán, ana adj. **1.** *Celia es muy* ***charlatana*** (= habla mucho). **charlatán, ana** s. **2.** *No te fíes de lo que dice porque es un* ***charlatán*** (= porque no todo lo que dice es verdad).
SINÓN: 1. cotorra, hablador, parlanchín. **2.** embustero, mentiroso. **ANTÓN: 1.** callado, reservado. **FAM:** → *charlar.*

charol s. m. *Mi abuelo tiene unos zapatos de* ***charol*** (= de cuero tratado con una capa brillante de barniz negro).

charque o **charqui** s. m. *Los indios pampas comían* ***charqui*** *de carne vacuna* (= carne de res salada y secada al sol).
SINÓN: cecina.

charro, a s. Méx. *En la fiesta del rancho, los* ***charros*** *vestían sus trajes típicos* (= jinete mexicano experto en las tareas ganaderas tradicionales).

chárter s. m. *Mi padre ha conseguido un vuelo* ***chárter*** *para ir con toda la familia a Londres* (= un vuelo especial que organizan las agencias de viajes y que son más baratos que los normales).

chasco s. m. *Me llevé un buen* ***chasco*** *al recibir las notas, pues estaba seguro de que iba a aprobarlo todo* (= una gran decepción).
SINÓN: decepción, desilusión, fracaso. **FAM:** *chasquido.*

chasis s. m. *Tuvimos un accidente de coche y el* ***chasis*** *quedó totalmente deformado* (= la parte metálica que soporta al coche).
SINÓN: armadura.

chasquido s. m. **1.** *En el circo se oyen los* ***chasquidos*** *del látigo* (= los sonidos producidos por el látigo del domador de fieras). **2.** *Cuando se rompe la rama seca de un árbol se oye un* ***chasquido*** (= un ruido seco). **3.** *Llamaba al perro haciendo* ***chasquidos*** *con la lengua* (= con el sonido de su lengua al separarla violentamente del paladar).
SINÓN: 1, 2. crujido, estallido. **1, 2, 3.** ruido, sonido. **FAM:** *chasco.*

chata s. f. R. de la Plata. *Cuando necesitamos transportar mucha carga por tierra o por mar, alquilamos una* ***chata*** (= vehículo terrestre o fluvial de fondo amplio y llano).
FAM: *achatar.*

chatarra s. f. *Delante de la puerta de esta casa abandonada hay un montón de* ***chatarra*** (= de objetos viejos de hierro).
FAM: *chatarrero.*

chatarrero s. m. *El* ***chatarrero*** *me compró la máquina de coser pues ya no me servía para nada* (= la persona que recoge los objetos viejos de hierro para volverlos a vender).
FAM: *chatarra.*

chato, a adj. **1.** *Mi perro tiene la nariz* ***chata*** (= pequeña y plana). **2.** *Los nuevos barcos de vela son más* ***chatos*** *que los antiguos pues así pueden ir más rápidos* (= son más planos, tienen menos altura).
SINÓN: 1, 2. aplastado, plano. **ANTÓN: 1.** agudo, narigudo. **2.** puntiagudo.

¡chau! interj. R. de la Plata. *María se despide de la gente diciendo* ***¡chau!*** (= ¡adiós!).

chaucha s. f. Amér. Merid. **1.** *En la cena, comeremos* ***chauchas*** *guisadas* (= judías verdes tiernas que se comen cocidas con la vaina). Chile **2.** *No cuesta más que una* ***chaucha*** (= moneda de poco valor).
SINÓN: **1.** alubia, judía, habichuela. **2.** chirola.

¡che! interj. R. de la Plata. *No me gusta que grites* ***¡che!*** *para llamarme en la calle* (= palabra usada para llamar a un conocido).

checar v. tr. Amér. Cent., Méx. ***Checamos*** *la nómina para comprobar que no falta nadie* (= controlamos, verificamos).

checoslovaco, a adj. **1.** *Mi tío se ha ido de viaje y me trajo un muñeco* ***checoslovaco*** (= de Checoslovaquia). ◆ **checoslovaco, a** s. **2.** *Los* ***checoslovacos*** *son las personas nacidas en Checoslovaquia.* **3.** *El* ***checoslovaco*** *es la lengua de Checoslovaquia.*

cheque s. m. *Como no tengo aquí dinero voy a firmarles un* ***cheque*** *que tendrán que cobrar en el banco* (= un documento ordenando a mi banco que les pague).

chequear v. tr. R. de la Plata. → **checar**.

chequeo s. m. *Mi padre fue al hospital para hacerse un* ***chequeo*** *pues últimamente no se encontraba muy bien* (= un examen médico general).
SINÓN: control, examen, exploración, revisión.

chequera s. f. Amér. *No traía consigo la* ***chequera*** (= talonario de cheques).

chérif o **shérif** s. m. *El* ***chérif*** *del pueblo metió en la cárcel a los forajidos* (= la persona responsable de mantener la ley y el orden en los pueblos del antiguo oeste americano).

chicano, a s. Los **chicanos** son las personas de ascendencia mexicana que viven en Estados Unidos.

chicha s. f. Amér. *En la fiesta, se bebió* ***chicha*** (= bebida alcohólica elaborada con granos de maíz, raíces o frutos fermentados).

chícharo s. m. Méx. *Hoy comemos guisado de* ***chícharos*** (= guisante).
SINÓN: arvejas, guisantes.

chicharra s. f. Amér. *A las doce suena la* ***chicharra*** *para señalar el final de la clase* (= timbre eléctrico de sonido sordo).
SINÓN: timbre.

chicharrón s. m. **1.** *Mi abuela prepara un pan muy sabroso con* ***chicharrones*** (= lo que queda después de freír la mantequilla de cerdo). Méx. **2.** *Los* ***chicharrones*** *mexicanos se hacen con piel de cerdo frita y dorada.*
FAM: *achicharrarse.*

chiche s. m. Amér. Merid. **1.** *Es agradable ver cómo los niños se entretienen con sus* ***chiches*** (= juguetes). **2.** *Siempre estás comprando* ***chiches*** (= objetos de poco valor). **3.** *Esta joya es un* ***chiche*** (= es pequeña, delicada y bonita).
SINÓN: **2.** baratija, chuchería, trasto.

chichón s. m. *Me caí y me salió un* ***chichón*** *en la cabeza* (= un bulto que sale después de un golpe y que duele).
SINÓN: bulto, hinchazón.

chicle s. m. **1.** El **chicle** es una resina o goma que se extrae de un árbol de América. **2.** *Margarita masca* ***chicle*** *de fresa* (= una goma de mascar).
SINÓN: **1, 2.** goma.

chico, a adj. **1.** *Mi habitación es muy* ***chica*** *y no cabe nada* (= pequeña, reducida). ◆ **chico, a** s. **2.** *En mi clase hay más* ***chicos*** *que* ***chicas*** (= hay más niños que niñas). **3.** *En la discoteca había muchos* ***chicos*** (= jóvenes).
SINÓN: **1.** diminuto, pequeño, reducido. **2.** criatura, crío, niño. **3.** adolescente, chaval, joven, muchacho. ANTÓN: **1.** enorme, extenso, grande.
FAM: *achicar, chiquillada, chiquillería, chiquillo.*

chicote s. m. Amér. **1.** *Para que las fieras le obedezcan, el domador usa un* ***chicote*** (= látigo). Amér. Cent., Merid. **2.** *No tires el* ***chicote*** *al suelo* (= colilla del cigarro).
FAM: *chicotear.*

chicotear v. tr. Amér. *El domador del circo* ***chicoteaba*** *a las fieras* (= las golpeaba con el chicote).

chiflado, a adj. *Félix está un poco* ***chiflado*** (= loco, chalado).
SINÓN: chalado, loco. ANTÓN: cuerdo, juicioso, sensato. FAM: *chifladura, chiflar.*

chifladura s. f. *Mi vecina no hace más que* ***chifladuras*** (= locuras).
SINÓN: capricho, locura, manía. ANTÓN: cordura.
FAM: → *chiflado.*

chiflar v. intr. **1.** *Desde que se compró el silbato se pasa el día* ***chiflando*** (= soplando para hacer que suene el silbato). **2.** *La música de ese grupo me* ***chifla*** (= me gusta mucho). ◆ **chiflarse** v. pron. **3.** *Este anciano* ***se chifló*** *a causa del accidente que sufrió* (= se volvió loco).
SINÓN: **3.** chalarse, enloquecer, trastornarse.
FAM: → *chiflado.*

chifle s. m. R. de la Plata. *Para el viaje, llevamos* ***chifles*** *llenos de agua* (= recipiente hecho con un cuerno de vacuno).

chilaba s. f. *Cuando visité Marruecos me compré una* ***chilaba*** (= una túnica larga y con capucha que usan los árabes).

chilaquiles s. m. pl. Méx. *Prepararé* ***chilaquiles*** *para la cena* (= trozos de tortilla fritos y condimentados con salsa de chile).

chilatole s. m. Méx. *Nadie hace el* ***chilatole*** *como lo hacía mi abuela* (= guisado de carne de cerdo y maíz, que se condimenta con chile).

chile s. m. **1.** *A Silvia no le gusta el* ***chile*** (= ají). Amér. **2.** *Preparó un rico guisado condimentado con* ***chile*** (= pimiento pequeño muy picante).

chileno, a adj. **1.** *El terreno* ***chileno*** *es muy montañoso* (= de Chile). ◆ **chileno, a** s. **2.** *Los* ***chilenos*** *son las personas nacidas en Chile.* ◆ **chilena** s. f. Amér. **3.** *El futbolista hizo una* ***chilena*** *extraordinaria* (= acción de patear la pelota hacia atrás, por encima del propio cuerpo).

chillar v. intr. *¿Quieres dejar de* ***chillar****?* (= de gritar).
SINÓN: escandalizar, gritar, vocear. **ANTÓN:** susurrar. **FAM:** → *chillido, chillón.*

chillido s. m. *He oído un* ***chillido*** *en la terraza* (= un grito agudo y desagradable).
SINÓN: grito. **ANTÓN:** susurro. **FAM:** → *chillar.*

chillón, ona adj. **1.** *Marta es muy* ***chillona*** (= grita mucho). **2.** *Su voz* ***chillona*** *molesta al oído* (= es desagradable porque se parece al sonido de un silbato). **3.** *María tiene un vestido de colores* ***chillones*** (= son demasiado vivos y llamativos).
SINÓN: 2. agudo, fuerte, penetrante. **3.** llamativo. **ANTÓN: 2.** bajo, grave. **FAM:** → *chillar.*

chimenea s. f. **1.** *Desde mi balcón se ve salir el humo de todas las* ***chimeneas*** *del pueblo* (= los tubos de ladrillo por donde sale el humo de las casas). **2.** *Hemos hecho fuego en la* ***chimenea*** *del salón* (= el hogar o sitio donde se hace fuego dentro de la casa).
SINÓN: 2. hogar.

chimpancé s. m. El **chimpancé** es un mono grande de África. Tiene brazos largos, cabeza grande; es muy inteligente y fácil de domesticar.

chimuelo, a adj. *Mi abuelito está* ***chimuelo*** (= sin uno o más dientes).

chinche s. f. *En este hotel sucio, me han picado* ***chinches*** (= insectos parásitos).
FAM: *chinchar, chincheta.*

chincheta s. f. *Raquel clavó el cartel en el tablón de anuncios con* ***chinchetas*** (= con clavos cortos con cabeza muy ancha).
SINÓN: tachuela. **FAM:** → *chinche.*

chinchilla s. f. **1.** La **chinchilla** es un roedor de América, parecido a la ardilla y cuya piel es muy apreciada en peletería. **2.** *En las tiendas de pieles se venden abrigos de* ***chinchilla*** (= hechos con la piel de este animal).

chinchorro s. m. Amér. **1.** *Dormí la siesta en un* ***chinchorro*** (= hamaca tejida en forma de red). **2.** *Capturaron varios peces con un* ***chinchorro*** (= red pequeña usada para pescar).

chinchulín s. m. Bol., Ec., R. de la Plata. *En las parrilladas se incluyen los* ***chinchulines*** *entre otras achuras asadas* (= intestinos de los vacunos y ovinos).

chingar v. intr. R. de la Plata. *Este vestido* ***chinga*** (= cae de manera desigual, cuelga más de un lado que de otro).

chingolo s. m. Amér. Merid. *En el parque hay muchos* ***chingolos*** (= pájaros pequeños de color pardo).

chino, a adj. **1.** *Me gusta mucho la comida* ***china*** (= de China). ◆ **chino, a** s. **2.** *Los* ***chinos*** *son las personas que han nacido en China.* **3.** *El* ***chino*** *es la lengua de China.* Amér. **4.** *Las* ***chinas*** *vendían sus telas en el mercado* (= personas mestizas con rasgos indígenas muy marcados).
SINÓN: achinado, aindiado.

chipriota adj. **1.** *Ese barco lleva una bandera* ***chipriota*** (= de Chipre). ◆ **chipriota** s. m. f. **2.** *Los* ***chipriotas*** *son las personas nacidas en Chipre.*

chiquero s. m. Amér. *El granjero llevó los cerdos al* ***chiquero*** (= lugar donde se tienen encerrados estos animales). **2.** *Tu habitación es un verdadero* ***chiquero*** (= sitio desordenado y sucio).
SINÓN: 1. cuadra, pocilga.

chiquillada s. f. *Deja de hacer* ***chiquilladas****, a tu edad debes ser un poco más serio* (= tonterías o cosas que sólo hacen los niños pequeños).
SINÓN: bobada, bobería, chiquillería, majadería, tontería. **FAM:** → *chico.*

chiquillería s. f. *Al ver al vendedor de helados, la* ***chiquillería*** *se agrupó a su alrededor* (= todos los niños).
FAM: → *chico.*

chiquillo, a s. *En la plaza juegan unos* ***chiquillos*** (= unos niños).
SINÓN: chaval, muchacho, niño. **FAM:** → *chico.*

chirimbolo s. m. *No sé cómo se usa este* ***chirimbolo*** (= este objeto raro y que no sé cómo se llama).
SINÓN: chisme, trasto.

chirimía s. f. *Mi abuelo sabe construir* ***chirimías*** (= flauta de madera, con diez agujeros y boquilla de caña).

chiripa *Juan ha ganado* ***de chiripa****, pues Roberto jugó mucho mejor que él* (= de casualidad, porque ha tenido suerte).
SINÓN: carambola, suerte.

chiripá s. m. Amér. Merid. *Compró un* ***chiripá*** *para llevárselo de recuerdo* (= manto de tela que los gauchos usaban arremangado entre los muslos, sujeto por un cinturón).

chirimoya s. f. La **chirimoya** es una fruta de color verde por fuera, de carne blanca con pepitas negras y de sabor muy agradable.

chirola s. f. Arg. **1.** *Tiene varias* ***chirolas*** *en su colección* (= moneda antigua de níquel). **2.** *No pude ir de excursión porque sólo tenía algunas* ***chirolas*** (= moneda de poco valor).

chirriar v. intr. *Esta puerta está muy vieja y* ***chirría*** *al abrirse* (= hace un ruido desagradable).
SINÓN: crujir, rechinar. **FAM:** *chirrido.*

chirrido s. m. *Al abrir la antigua puerta de hierro se oyó un* ***chirrido*** (= un ruido agudo y desagradable).
SINÓN: chillido, crujido. FAM: *chirriar.*

chisme s. m. **1.** *¡No escuches los1* ***chismes*** *que cuenta la gente!* (= las cosas desagradables que se cuentan sobre la vida de los demás).
SINÓN: cuento, habladuría, murmuración. FAM: *chismorrear, chismoso.*

chismorrear v. intr. *Mi madre se ha enojado con el portero porque siempre está* ***chismorreando*** (= está contando cosas desagradables sobre la vida de los vecinos).
SINÓN: murmurar. FAM: → *chisme.*

chismoso, a adj. *Susana es muy* ***chismosa*** (= siempre está contando cosas de la vida de los demás, siempre está hablando mal de todo el mundo).
SINÓN: cuentista, charlatán. ANTÓN: discreto. FAM: *chisme.*

chispa s. f. **1.** *Cuando se remueve el fuego se producen* ***chispas*** (= saltan pequeños trozos de brasa ardiendo). **2.** *Cuando encendimos la televisión, empezaron a salir* ***chispas*** *del enchufe* (= pequeñas descargas de electricidad). ◆ **echar chispas 3.** *Mi padre estaba tan enojado que* ***echaba chispas*** *por los ojos* (= estaba furioso).
SINÓN: **1.** chispazo, chisporroteo. **2.** pizca. FAM: *chispazo, chispear, chisporrotear, chisporroteo.*

chispazo s. m. *Al tocar el cable con el destornillador se produjo un gran* ***chispazo*** (= saltaron muchas chispas).
SINÓN: chispa. FAM: → *chispa.*

chispear v. intr. **1.** *La leña encendida no dejaba de* ***chispear*** (= de echar chispas). **2.** *Está comenzando a* ***chispear****, así que abre el paraguas* (= a lloviznar, a caer gotas pequeñas de lluvia).
SINÓN: **2.** lloviznar. FAM: → *chispa.*

chisporrotear s. m. *El fuego de la chimenea* ***chisporroteaba*** (= desprendía muchas chispas).
FAM: → *chispa.*

chisporroteo s. m. *No nos podíamos acercar al fuego por el* ***chisporroteo*** *de la leña* (= porque desprendía muchas chispas).
FAM: *chispa.*

¡chist! o **¡chitón!** interj. *Cada vez que el profesor quiere poner silencio en clase, nos dice:* ***¡Chist!*** (= cállense).

chistar v. intr. *A pesar de que no estaba de acuerdo, Juan se marchó sin* ***chistar*** (= sin decir nada).
SINÓN: contestar, protestar, rechistar. ANTÓN: callar.

chiste s. m. *Mario es muy divertido y siempre está contando* ***chistes*** (= historias o cuentos que hacen reír).
SINÓN: cuento, gracia, historieta. FAM: *chistoso.*

chistera s. f. *El mago hizo salir palomas de su* ***chistera*** (= de un sombrero de copa alta).

chistoso, a adj. **1.** *Marcial es un compañero muy* ***chistoso*** (= siempre nos cuenta historietas divertidas).
SINÓN: bromista, divertido, gracioso, humorístico, ingenioso, simpático. ANTÓN: aburrido, soso. FAM: *chiste.*

chivato, a s. Un **chivato** es la cría de la cabra que tiene más de seis meses y menos de un año de edad.
SINÓN: cabrito, chivo. FAM: *chivarse.*

chiva s. f. R. de la Plata. *Mi padre se hizo afeitar la* ***chiva*** (= barba que se deja crecer en el mentón).
SINÓN: barba, barbilla, pera, perilla.

chivo, a s. El **chivo** es la cría de la cabra.
SINÓN: cabrito, chivato.

chocante adj. *Agustín tiene unas costumbres muy* ***chocantes*** (= que sorprenden mucho).
SINÓN: extraño, raro, sorprendente. ANTÓN: corriente, natural, normal. FAM: → *chocar.*

chocar v. intr. **1.** *Dos coches* ***han chocado*** *violentamente en la carretera* (= se dieron un golpe el uno contra el otro). **2.** *Su carácter* ***choca*** *con el mío* (= somos muy diferentes y siempre estamos discutiendo). **3.** *Me* ***chocó*** *mucho tu respuesta* (= me sorprendió).
SINÓN: **1.** estrellarse, topar. **2.** enfrentarse. **3.** admirar, extrañar, sorprender. FAM: *chocante, choque, parachoques.*

chochear v. intr. *Mi abuelo es muy mayor y ya empieza a* ***chochear*** (= a hacer o decir tonterías porque está muy viejo).

choclo s. m. Amér. Merid. *Debes poner a hervir los* ***choclos*** (= mazorca de maíz tierno, que se come hervida o asada).

chocolate s. m. **1.** El **chocolate** es una mezcla de cacao con azúcar con la que se hacen bombones, tabletas, pasteles, etc. **2.** *¿Quieres una taza de* ***chocolate****?* (= una bebida hecha con **chocolate** disuelto y cocido en agua o en leche).
SINÓN: chocolatín. FAM: *chocolatera, chocolatería, chocolatín.*

chocolatería s. f. **1.** *Fuimos a la* ***chocolatería*** *a comprar bombones* (= a una confitería). **2.** *En la* ***chocolatería*** *tomamos un chocolate con churros* (= en un establecimiento donde sirven chocolate hecho, bollos y pasteles).
FAM: → *chocolate.*

chocolatín s. m. *¿Quién quiere este* ***chocolatín****?* (= esta tableta pequeña de chocolate).
SINÓN: chocolate. FAM: → *chocolate.*

chófer o **chofer** s. m. *Cristóbal es* ***chófer*** *de camiones* (= su trabajo es conducir camiones).
SINÓN: automovilista, conductor.

cholo, a s. Amér. *José es un* ***cholo*** (= mestizo de indio y blanco, en el que dominan los rasgos indígenas).

chomba s. f. Arg., Chile. *Tengo varias* ***chombas*** *de mangas cortas para el verano* (= prenda similar a un suéter liviano).

chopo s. m. El **chopo** es un árbol alto y esbelto, de hoja ancha y muy verde, que crece en la orilla de los ríos.
SINÓN: álamo.

choque s. m. *En la carretera se produjo un* ***choque*** *entre dos coches* (= un golpe violento).
SINÓN: colisión, encontronazo, golpe. **FAM:** → *chocar.*

chorizo s. m. *He comido un bocadillo de* ***chorizo*** (= de un embutido de carne de cerdo picada de color rojizo).
SINÓN: longaniza.

chorlito s. m. **1.** El **chorlito** es un pájaro de patas largas y delgadas y con plumas de colores brillantes. **2.** *Juan es un cabeza de* ***chorlito*** (= es distraído y despistado).

chorrear v. intr. **1.** *Marcos se olvidó de cerrar el grifo de la bañera y el agua caía* ***chorreando*** *por los bordes* (= caía mucha agua). **2.** *Esta ropa está* ***chorreando*** *porque la acabo de tender* (= está goteando porque está muy mojada). ◆ **chorrearse** v. pron. Amér. **3.** *Juan* ***se chorreó*** *la camisa con salsa* (= se manchó con un líquido).
SINÓN: 2. gotear, mojar. **3.** ensuciarse. **FAM:** → *chorro.*

chorro s. m. **1.** *En medio del estanque brota un* ***chorro*** *de agua* (= una gran cantidad de agua). ◆ **a chorros 2.** *No puedo cerrar el grifo y el agua está saliendo* ***a chorros*** (= está saliendo mucha agua).
FAM: *chorrear.*

choza s. m. *Los niños han construido una* ***choza*** *en el bosque* (= una pequeña cabaña hecha con ramas de árbol).
SINÓN: barraca, cabaña, caseta, chabola.

chubasco s. m. *En la televisión dijeron que iba a llover todo el día, pero sólo cayó un* ***chubasco*** (= una lluvia repentina que dura poco tiempo).
SINÓN: aguacero, chaparrón. **FAM:** *chubasquero.*

chúcaro, a adj. Amér. Merid. **1.** *El jinete logró domar un caballo* ***chúcaro*** (= arisco). **2.** *Tu hermano es un niño muy* ***chúcaro*** (= muy huraño).

chuchería s. f. *Mi hermana tiene los cajones llenos de* ***chucherías*** (= de cosas que no sirven para nada).
SINÓN: baratija, trasto.

chucho s. m. R. de la Plata. **1.** *Los truenos le produjeron un* ***chucho*** *tremendo* (= temblor provocado por miedo o por frío). Amér. Cent., Merid. **2.** *Estuvo con* ***chuchos*** (= temblor y fiebre producidos por alguna enfermedad).

chueco, a adj. Amér. **1.** *Esta mesa tiene las patas* ***chuecas*** (= torcidas, combadas). **2.** *Ese futbolista tiene las piernas* ***chuecas*** (= torcidas). **3.** *Tu vestido está* ***chueco*** (= tiene un lado más largo que el otro).

chufa s. f. La **chufa** es una planta cuyos tubérculos se utilizan para hacer horchata.

chuleta s. f. *He comido una* ***chuleta*** *de cerdo* (= un trozo de carne de la parte de las costillas).

chumbar v. tr. R. de la Plata. *Vimos cómo el perro* ***chumbó*** *a los gatos* (= los amenazó con ladridos).

chumbera s. f. La **chumbera** es una planta de grandes hojas redondas con muchas púas y que produce los higos chumbos.
FAM: *chumbo.*

chumbo adj. Los higos **chumbos** son los frutos de la chumbera; son ovalados, tienen una corteza rosada y espinosa y una carne dulce y comestible.
FAM: *chumbera.*

chuño s. m. Amér. Merid. *Tendré que usar* ***chuño*** *para espesar la salsa* (= fécula de la papa).

chupado, a adj. **1.** *Este enfermo está* ***chupado*** (= muy flaco y débil). ◆ **chupada** s. f. **2.** *Mi hermano pequeño da varias* ***chupadas*** *al biberón* (= aprieta el chupete entre los labios para sacar la leche).
FAM: *chupar.*

chupar v. tr. **1.** *Después de la carrera, el atleta* ***chupaba*** *un limón* (= le sacaba el zumo con los labios). **2.** *Las raíces de los árboles* ***chupan*** *la humedad del suelo* (= la absorben). **3.** *Hay insectos que* ***chupan*** *las flores* (= les sacan el néctar).◆ **chupar** v. intr. Amér. Merid. **4.** *Me parece que su padre* ***chupa*** *demasiado* (= bebe con exceso).
SINÓN: 1. chupetear, lamer. **2, 3.** absorber, sorber. **FAM:** *chupado, chupete, chupetear.*

chupete s. m. *Los bebés se duermen con el* ***chupete*** *en la boca* (= una pieza de goma parecida a un pezón).
SINÓN: tetilla. **FAM:** → *chupar.*

chupetear v. tr. *Marcos* ***chupetea*** *un helado* (= lo chupa poco y frecuentemente).
SINÓN: chupar, lamer. **FAM:** → *chupar.*

chupín s. m. Amér. Merid. *Ana prepara un* ***chupín*** *riquísimo* (= cazuela de pescados y mariscos).

churrasco s. m. Amér. Merid. *Para la cena, preparó* ***churrascos*** (= trozos de carne vacuna asados).
FAM: *churrasquear.*

churrasquear v. intr. Amér. Merid. *Detuvieron el trabajo para* ***churrasquear*** (= hacer y comer churrascos).
FAM: *churrasco, churrasquería.*

churrasquería s. f. Amér. Merid. *Irán a cenar a una* ***churrasquería*** (= restaurante especializado en carnes asadas).
FAM: *churrasco, churrasquear.*

churrería s. f. *Hemos ido a la **churrería** a comprar buñuelos y churros* (= a la tienda donde se hacen o venden churros).
FAM: → *churro.*

churrero, a s. El **churrero** es la persona que hace o vende churros.
FAM: → *churro.*

churro s. m. *Los domingos desayunamos chocolate con **churros*** (= una masa blanda hecha con harina y azúcar, alargada y estrecha, que se fríe en aceite).
FAM: *churrería, churrero.*

chusma s. f. *No te metas en ese barrio porque ahí hay mucha **chusma** y puedes tener problemas* (= gente mala).

chusmear v. intr. R. de la Plata. *A la nueva vecina le gusta **chusmear*** (= criticar).
SINÓN: censurar. ANTÓN: alabar, elogiar. FAM: *chusma.*

cicatriz s. f. *Después de la operación le quedó una pequeña **cicatriz** en la pierna* (= una señal en la piel).
FAM: *cicatrizar.*

cicatrizar v. intr. *La herida **ha cicatrizado** rápidamente* (= ya se ha curado; sólo queda una señal).
SINÓN: cerrar, curar. ANTÓN: abrir, herir. FAM: *cicatriz.*

cicerone s. m. *Un **cicerone** nos ha enseñado el museo* (= una persona que sirve de guía para enseñar un monumento, museo o ciudad).
SINÓN: acompañante, guía.

ciclismo s. m. *Mi hermano es muy aficionado al **ciclismo** y se va los domingos en bicicleta* (= es aficionado al deporte de la bicicleta).
FAM: → *ciclo.*

ciclista s. m. f. **1.** *En la carretera adelantamos con nuestro coche a unos **ciclistas*** (= a personas que iban en bicicleta). **2.** *Los **ciclistas** llegaron a la meta muy cansados* (= son deportistas profesionales que recorren diariamente muchos kilómetros montados en sus bicicletas).
FAM: → *ciclo.*

ciclo s. m. *El **ciclo** de las estaciones dura un año y se repite sin cesar* (= es una serie de cosas que pasa cada año en el mismo orden).
FAM: *ciclismo, ciclista, bicicleta.*

ciclón s. m. *Esta región ha sido arrasada por un **ciclón*** (= por una tempestad de viento muy fuerte).
SINÓN: huracán. FAM: *anticiclón.*

ciego s. m. *Consultó al médico porque tenía molestias en el **ciego*** (= parte del intestino grueso).

ciego, a adj. **1.** *Ha tenido una enfermedad en la vista que la ha dejado casi **ciega*** (= casi sin visión). **2.** ***Ciego** de ira, se puso a pegarme* (= muy enfadado). **3.** *Esta tubería está **ciega** por la arena que le ha caído* (= está obstruida). ◆ **a ciegas 4.** *Cuando se fue la luz tuve que ir **a ciegas** a buscar unas velas* (= a oscuras, sin ver nada). **5.** *No firmes esos papeles **a ciegas** porque pueden engañarte* (= no lo hagas sin pensar).
SINÓN: **2.** enfadado, ofuscado. **3.** atascado, cegado, obstruido, taponado. ANTÓN: **3.** desatascado.
FAM: → *cegar.*

cielo s. m. **1.** *Hoy hace buen día: el **cielo** está azul* (= el espacio que rodea la Tierra). ◆ **llovido del cielo 2.** *Este dinero extra me viene como **llovido del cielo*** (= me viene en un momento que me hacía falta).
SINÓN: firmamento. FAM: *celeste.*

ciempiés s. m. El **ciempiés** es un insecto que tiene muchas patas.
FAM: → *cien.*

cien *Tengo **cien** libros en la estantería.*
SINÓN: centena, ciento. FAM: *centavo, centena, centenar, centenario, centesimal, centésimo, céntimo, centuria, ciempiés, ciento.*

ciénaga s. f. *Nos llenamos de barro en la **ciénaga*** (= en un terreno pantanoso).
SINÓN: pantano.

ciencia s. f. **1.** *Los avances de la **ciencia** ayudan al hombre a conocer la naturaleza* (= de los conocimientos que tiene el hombre). **2.** *La Biología y la Medicina son **ciencias*** (= describen con precisión lo que estudian). **3.** *El investigador es un hombre de **ciencia*** (= de saber).
SINÓN: **1, 3.** conocimiento, cultura, saber, sabiduría. **2.** disciplina, teoría. ANTÓN: **1, 3.** ignorancia, incultura. FAM: *científico.*

científico, a adj. **1.** *Andrés recibe revistas **científicas*** (= que tratan asuntos de la ciencia). ◆ **científico, a** s. **2.** Un **científico** es una persona que se dedica a la ciencia.
SINÓN: **2.** investigador, sabio. FAM: *ciencia.*

ciento adj. *Debes buscarlo en la página **ciento** dos.* VER CUADRO DE NÚMEROS.
SINÓN: centena, cien. FAM: → *cien.*

cierre s. m. **1.** *Hemos llegado antes del **cierre** del comercio* (= antes de que cerrara). **2.** *El **cierre** del bolso está roto* (= el mecanismo que sirve para cerrarlo).
ANTÓN: **1.** abertura, apertura. FAM: → *cerrar.*

cierto, a adj. **1.** ***Ciertas** personas piensan que tú tienes razón* (= algunas personas). **2.** *Es **cierto** lo que te digo* (= es verdadero). ◆ **por cierto 3.** ***Por cierto,** tengo que decirte algo importante* (= ahora que me acuerdo).
SINÓN: **1.** alguien, alguno. **2.** verdadero, verídico. ANTÓN: **1.** ninguno. **2.** falso. FAM: *certeza, certero, incertidumbre, incierto.*

ciervo, a s. El **ciervo** es un animal mamífero, esbelto, y tiene grandes cuernos.

cifra s. f. **1.** *1, 5, 8 son **cifras** que representan los números* (= son los signos para representar

números). **2.** *La* ***cifra*** *exacta de alumnos matriculados es de 230* (= la cantidad exacta).
SINÓN: 1. número, signo. **2.** cantidad. **FAM:** *descifrar.*

cigala s. f. Las **cigalas** son crustáceos marinos, algo mayores que los langostinos, con las patas terminadas en pinzas.

cigarra s. f. La **cigarra** es un insecto que emite un sonido agudo, parecido al del grillo, en el verano.
SINÓN: chicharra.

cigarrillo s. m. *Mi padre fuma* ***cigarrillos*** *rubios* (= tabaco picado, envuelto en un papel fino).
FAM: *cigarro.*

cigarrería s. f. Amér. *Mi tío piensa abrir una pequeña* ***cigarrería*** (= tienda donde se venden cigarros y cigarrillos).
FAM: *cigarro.*

cigarro s. m. *En el banquete, el novio regaló* ***cigarros*** *habanos a los hombres* (= hojas de tabaco enrolladas en forma de cilindro).
SINÓN: puro. **FAM:** *cigarrillo.*

cigüeña s. f. Las **cigüeñas** son aves grandes de cuerpo blanco y alas negras que tienen el pico y las patas muy largos y migran en invierno hacia las zonas cálidas.

cilíndrico, a adj. *Este lápiz tiene forma* ***cilíndrica*** (= de cilindro).
FAM: *cilindro.*

cilindro s. m. El **cilindro** es un cuerpo geométrico que tiene la forma de un tubo.
FAM: *cilíndrico.*

cima s. f. *Los alpinistas han llegado a la* ***cima*** *de la montaña* (= al punto más alto).
SINÓN: cumbre, cúspide, pico.

cimarrón adj. Amér. **1.** *Después de la conquista española, se dispersaron por el campo los ganados* ***cimarrones*** (= ganado que se hace montaraz). R. de la Plata **2.** *Muchos prefieren tomar el mate* ***cimarrón*** (= amargo o sin azúcar).

cimbrear v. tr. *El viento* ***cimbrea*** *el trigo* (= lo hace vibrar, moverse de un lado a otro).
SINÓN: vibrar.

cimiento s. m. **1.** *Los albañiles ya han construido los* ***cimientos*** *de la nueva casa* (= la base de la casa que queda enterrada y que la sostiene). **2.** *Esta casa tiene buenos* ***cimientos*** (= el terreno es seguro, firme).
SINÓN: 1. base, fundamento. **2.** suelo, terreno.

cinc o **zinc** s. m. *Algunas casas tienen el tejado de* ***cinc*** (= un metal ligero de color blanco o grisáceo muy resistente al agua y al viento).

cincha s. f. *La silla de montar se sujeta con una* ***cincha*** (= una banda de cuero que se ata por debajo del vientre del caballo).

cinchar v. intr. R. de la Plata. **1.** *Debes* ***cinchar*** *bien antes de montar* (= apretar la cincha para ajustar la montura). **2.** ***Cincharon*** *sin descanso para llevar adelante el proyecto* (= trabajaron mucho, se esforzaron).
ANTÓN: 2. descansar, reposar. **FAM:** *circo.*

cinco *Cada mano tiene* ***cinco*** *dedos.*

cincuenta 1. *Mi tío tiene* ***cincuenta*** *años.*

cine s. m. **1.** *Los alumnos de la escuela de* ***cine*** *estudian la técnica y el arte de hacer películas* (= de cinematografía). **2.** *Ayer fuimos al* ***cine*** (= a una sala en la que se proyectan películas en una pantalla muy grande).
SINÓN: 1. cinematografía. **FAM:** → *cinematografía.*

cinematografía s. f. La **cinematografía** es el arte de realizar películas.
SINÓN: cine. **FAM:** *cine, cinematográfico, cinematógrafo.*

cinematográfico, a adj. *La principal industria* ***cinematográfica*** *está en Hollywood* (= de cine).
FAM: → *cinematografía.*

cinematógrafo s. m. *Los hermanos Lumière inventaron el* ***cinematógrafo*** (= es un aparato óptico capaz de filmar y de proyectar en una pantalla las figuras en movimiento).
SINÓN: proyector. **FAM:** → *cinematografía.*

cínico, a adj. *No le importa que descubramos sus mentiras porque es un* ***cínico*** (= es una persona que hace actos vergonzosos y no siente vergüenza por ellos).
SINÓN: descarado, sinvergüenza. **ANTÓN:** cortés, respetuoso. **FAM:** *cinismo.*

cinismo s. m. *Su* ***cinismo*** *me molesta* (= su falta de vergüenza).
SINÓN: descaro. **ANTÓN:** pudor, sinceridad, vergüenza. **FAM:** *cínico.*

cinta s. f. **1.** *Carolina se recoge el pelo con una* ***cinta*** (= una banda estrecha de tela). **2.** *El niño se sorprendió mucho al oír su propia voz en una* ***cinta*** *de casete* (= una tira flexible, enrollada, capaz de grabar sonidos que podemos oír gracias a un pasacasete). **3.** *Pusimos* ***cinta*** *aislante para que no nos pasara la electricidad* (= tira adhesiva que se pone en los cables eléctricos). **4.** *El sastre le tomó las medidas con la* ***cinta*** *métrica* (= con una tira dividida en metros y centímetros).
SINÓN: banda, tira. **FAM:** *cintura, cinturón, precintar, precinto.*

cintura s. f. *En clase de gimnasia hacemos ejercicios de* ***cintura*** (= de la parte del cuerpo que está encima de las caderas, entre el torso y el vientre).
FAM: → *cinta.*

cinturón s. m. **1.** *¡Apriétate el* ***cinturón*** *para que no se te caiga el pantalón!* (= cinta o correa que se pone en la ropa para que no se caiga). ◆ **cinturón de seguridad 2.** *Es obligatorio poner-*

se el **cinturón de seguridad** *cuando se va en coche* (= cinta de tela que sirve para sujetar a las personas al asiento de los vehículos, para protegerlas en caso de accidente).
FAM: → *cinta.*

ciprés s. m. El **ciprés** es un árbol alto, estrecho, acabado en punta y de hoja perenne que suele haber en los cementerios.

circo s. m. **1.** *En el* **circo** *hemos visto payasos, acróbatas y fieras amaestradas* (= recinto cubierto con una carpa con gradas y pistas circulares donde actúan muchos artistas). **2.** *En el* **circo** *romano se celebraban los espectáculos de la antigua Roma* (= era un lugar al aire libre donde se hacían luchas y carreras de carros y caballos). **3.** En geografía, el **circo** es un espacio con forma de arco rodeado de montañas.
SINÓN: **2.** anfiteatro.

circuito s. m. **1.** *Hemos hecho un* **circuito** *en ómnibus* (= un recorrido que nos ha traído al punto de salida). **2.** *La prueba de automovilismo se celebró en el* **circuito** (= en un terreno preparado para hacer carreras de vehículos). **3.** Un **circuito** eléctrico es el conjunto de cables por donde circula la corriente eléctrica.
SINÓN: **1.** viaje, vuelta.

circulación s. f. **1.** *En las grandes ciudades hay mucha* **circulación** (= mucho tránsito, muchos coches). **2.** *La* **circulación** *de la sangre permite que ésta llegue a todas las partes del cuerpo* (= movimiento continuo de la sangre por las venas). **3.** *Han puesto en* **circulación** *una nueva moneda* (= la han sacado o lanzado para que todos la usen).
SINÓN: **1, 2.** movimiento. **1.** tránsito. FAM: → *circular.*

circular adj. **1.** *El patio de juegos era* **circular** (= tenía forma de círculo, era redondo). ◆ **circular** s. f. **2.** *El director del colegio ha enviado una* **circular** *a los padres de alumnos* (= una carta dirigida a varias personas). ◆ **circular** v. intr. **3.** *La sangre* **circula** *por las arterias y las venas* (= se mueve continuamente por ellas). **4.** *Por esta calle* **circulan** *muchos coches* (= pasan muchos). **5.** *La noticia* **ha circulado** *muy de prisa; ya la sabe todo el mundo* (= se ha comentado).
SINÓN: **1.** redondo. **2.** carta, aviso. **3.** correr. **4.** pasar, transitar. **5.** divulgarse, propagar, transmitirse. ANTÓN: **4.** detenerse, pararse. FAM: *circulación, circulatorio, circunferencia, semicircular, semicírculo, semicircunferencia.*

circulatorio, a adj. *El aparato* **circulatorio** *está formado fundamentalmente por el corazón, las arterias y las venas* (= el aparato encargado de la circulación de la sangre).
FAM: → *circular.*

círculo s. m. **1.** Un **círculo** es la superficie comprendida dentro de una circunferencia. **2.** *Traza un* **círculo** *con tu compás* (= una línea redonda y cerrada). **3.** *Pusieron las sillas formando un* **círculo** *alrededor de la estufa* (= rodeándola). **4.** *Su* **círculo** *de amistades es muy reducido* (= las personas con las que tiene amistad).
SINÓN: **2.** circunferencia, redondel. **3.** cerco, corro, rueda. **4.** conjunto, grupo. FAM: → *circular.*

circundar v. tr. → **rodear**.

circunferencia s. f. La **circunferencia** es una línea curva cerrada, completamente redonda, y su parte interior es el círculo.
FAM: → *circular.*

circunstancia s. f. *Hay mucho ruido y en estas* **circunstancias** *no puedo estudiar* (= con estas condiciones).
SINÓN: condición, estado, situación. FAM: → *circunstancial.*

circunstancial adj. **1.** *Que no haya venido es un hecho* **circunstancial,** *porque viene cada día* (= es por algún motivo especial). **2.** Un complemento **circunstancial** indica las circunstancias de tiempo, lugar y modo de la acción verbal.
SINÓN: **1.** accidental, particular. FAM: *circunstancia.*

cirio s. m. *En la iglesia hay varios* **cirios** *encendidos delante de la imagen de la Virgen* (= velas grandes).
SINÓN: vela. FAM: → *cera.*

cirquero, a s. Amér. *Los* **cirqueros** *llevan una vida ambulante* (= artistas de los circos que viven en sus carros).
FAM: *circo.*

ciruela s. f. La **ciruela** es una fruta comestible amarilla, verde o morada, redonda, que produce el ciruelo.
FAM: *ciruelo.*

ciruelo s. m. El **ciruelo** es un árbol pequeño con algunas flores blancas que produce las ciruelas.
FAM: *ciruela.*

cirugía s. f. **1.** *Cuando terminó la carrera de Medicina, se especializó en* **cirugía** (= en la parte de la Medicina que trata de curar las enfermedades mediante operaciones quirúrgicas). **2.** *Mi tía se ha hecho la* **cirugía** *estética en la nariz* (= se ha arreglado la nariz para estar más guapa).
FAM: *cirujano, quirófano, quirúrgico.*

cirujano s. m. *Éste es el* **cirujano** *que me ha operado del apéndice* (= el médico especialista en operar).
SINÓN: operador. FAM: → *cirugía.*

cisne s. m. Los **cisnes** son aves grandes, blancas o negras, muy esbeltas y con un largo cuello.

cisterna s. f. **1.** *Construyeron una* **cisterna** *subterránea para recoger el agua de la lluvia* (= un gran depósito de agua). **2.** *Llamamos al plomero porque la* **cisterna** *del cuarto de baño no descargaba agua* (= el recipiente que guarda el agua para luego soltarla al tirar de la cadena del retrete). **3.** *Los líquidos se transportan en camiones* **cisterna** (= en vehículos provistos de una especie de tanque).
SINÓN: depósito, tanque.

cita s. f. **1.** *Tengo una* ***cita*** *con Isidro a las ocho delante de la estación* (= debo encontrarme con él allí y a esa hora). **2.** *Puse en mi trabajo una* ***cita*** *de Sarmiento* (= una frase que él había escrito).
SINÓN: **1.** encuentro, entrevista, reunión. **2.** nota. FAM: *citar.*

citar v. tr. **1.** ***He citado*** *a Marta para verme con ella* (= le he dicho el lugar, día y hora para vernos). **2.** *En mi trabajo* ***cité*** *a Vargas Llosa* (= escribí una frase suya). **3.** *Ayer te* ***citaron*** *en una reunión* (= mencionaron tu nombre).
SINÓN: **1.** convocar. **3.** aludir, mencionar, nombrar, referir. FAM: → *cita.*

cítrico, a adj. **1.** *El limón es una fruta* ***cítrica*** (= que tiene sabor ácido). ◆ **cítricos** s. m. pl. **2.** *Es muy importante en Paraguay la producción de* ***cítricos*** (= de naranjas, limones y los árboles que los producen).
SINÓN: **2.** agrios.

ciudad s. f. **1.** *Hay gente que prefiere la tranquilidad de un pueblo al gran bullicio de las* ***ciudades*** (= poblaciones importantes con muchos edificios y gente). **2.** *Vivo cerca de la* ***ciudad*** *universitaria* (= conjunto de edificios universitarios y residencias para estudiantes y profesores).
ANTÓN: **1.** aldea, pueblo. FAM: *ciudadano, cívico, civil, civilización, civilizar, civismo.*

ciudadano, a s. **1.** *Los* ***ciudadanos*** *de una ciudad son las personas que viven en ella.* **2.** *Todo* ***ciudadano*** *uruguayo tiene derecho al voto* (= toda persona que pertenece a un estado o país).
FAM: → *ciudad.*

cívico, a adj. **1.** *Han organizado un festival en un centro* ***cívico*** *de mi barrio* (= en el local donde se reúnen las personas que viven en el mismo barrio de una ciudad). **2.** *No tirar papeles a la calle es un acto* ***cívico*** (= de persona educada).
SINÓN: **2.** civilizado, educado. FAM: → *ciudad.*

civil adj. **1.** Los derechos y deberes **civiles** son los derechos y deberes de los ciudadanos. **2.** *Cuando Matías termine el servicio militar, se incorporará de nuevo a la vida* ***civil*** (= a la vida no militar). **3.** *Mis tíos se casaron por* ***civil*** (= no por la Iglesia).
SINÓN: **1.** ciudadano. ANTÓN: **2.** militar. FAM: → *ciudad.*

civilización s. f. **1.** *Todavía quedan zonas en el mundo a donde no ha llegado la* ***civilización*** (= no ha llegado todavía el progreso). **2.** *La* ***civilización*** *occidental es distinta de la oriental* (= la manera de vivir, la cultura y las costumbres de un grupo de personas son distintas de las de otras).
SINÓN: **1.** progreso. **2.** cultura. FAM: → *ciudad.*

civilizar v. tr. **1.** *En el África los misioneros* ***civilizaron*** *a algunos pueblos nativos* (= los educaron). ◆ **civilizarse** v. pron. **2.** ***Nos civilizamos*** *cuando adquirimos cultura e instrucción.*
SINÓN: **2.** cultivar, educar. FAM: → *ciudad.*

civismo s. m. *Ensuciar las calles tirando papeles o escupiendo es una falta de* ***civismo*** (= es una falta de respeto hacia las demás personas).
FAM: → *ciudad.*

cizaña s. f. **1.** La **cizaña** es una hierba que nace entre los cereales, mala para ellos porque no los deja crecer. **2.** *Es una persona que siempre está metiendo* ***cizaña*** *entre los amigos* (= creando enemistad entre unos y otros).
SINÓN: **2.** desconfianza, discordia, enemistad.
ANTÓN: **2.** amistad, confianza.

clamar v. intr. **1.** *El público, entusiasmado,* ***clamaba:*** *¡bravo!* (= gritaba). **2.** *El protagonista de la obra de teatro dijo: ¡esta deshonra* ***clama*** *venganza!* (= ¡necesita ser vengada!).
SINÓN: **1.** exclamar, gritar. **2.** merecer, pedir.
ANTÓN: **1.** callar. FAM: *aclamar, clamar, declamar, exclamación, exclamar, proclamar, reclamar.*

clamor s. m. *La gente interrumpía de vez en cuando el discurso con* ***clamores*** *de entusiasmo* (= con gritos de alegría y aplausos).
SINÓN: griterío. FAM: → *clamar.*

clan s. m. *En Escocia, cada* ***clan*** *lleva el traje escocés de un color* (= cada grupo de personas que pertenecen a la misma familia).

clandestino, a adj. *La policía descubrió un local* ***clandestino*** (= un local ilegal donde la gente se reunía a escondidas).
SINÓN: ilegal, prohibido. ANTÓN: legal.

clara s. f. *Al hacer un huevo frito, la* ***clara*** *se vuelve blanca* (= la sustancia transparente del interior del huevo que rodea la yema, que es amarilla).
FAM: → *claro.*

claraboya s. f. *La escalera del edificio donde vivo tiene una* ***claraboya*** *en el techo para que entre la luz* (= una especie de ventana cerrada por un cristal o material plástico que deja entrar la luz).
SINÓN: tragaluz.

clarear v. tr. **1.** *Esta ventana* ***clarea*** *la habitación* (= le da claridad, luz). ◆ **clarear** v. intr. **2.** *El día está empezando a* ***clarear*** (= está amaneciendo). **3.** *Parece que el cielo* ***clarea*** *poco a poco* (= están desapareciendo las nubes).
SINÓN: **1.** iluminar. **2.** amanecer. **3.** aclarar, escampar. ANTÓN: **1.** oscurecer, **2.** atardecer.
FAM: → *claro.*

claridad s. f. **1.** *Una gran ventana permite que la habitación tenga mucha* ***claridad*** (= mucha luminosidad, mucha luz). **2.** *Se le entiende bien porque habla con* ***claridad*** (= con nitidez, habla claro).
SINÓN: **1.** luminosidad, luz. ANTÓN: **1.** oscuridad.
FAM: → *claro.*

clarificar v. tr. → **aclarar.**

clarín s. m. *El sonido del* ***clarín*** *es más agudo, más alto, que el de la trompeta* (= es un instrumento musical parecido a la trompeta pero más pequeño).

clarinete s. m. *Yo toco el* ***clarinete*** *en una orquesta* (= instrumento musical de viento, compuesto de un tubo con agujeros y llaves y de una boquilla).

claro, a adj. **1.** *Es una habitación muy* ***clara*** (= tiene mucha luz, mucha claridad). **2.** *Es una noche* ***clara*** *y se ven las estrellas* (= el cielo está **claro,** sin nubes). **3.** *El agua de esta fuente es* ***clara*** (= es transparente, no está turbia). **4.** *Esta fotografía es muy* ***clara*** (= es muy precisa, se distinguen bien los objetos). **5.** *Me gusta el café* ***claro*** (= liviano). **6.** *El profesor nos dio una explicación* ***clara*** (= la entendimos muy bien). **7.** *Este alumno tiene un* ***claro*** *entendimiento* (= es agudo e inteligente). **8.** *Está* ***claro*** *que no me quieres ayudar* (= es evidente, es cierto). ◆ **claro** s. m. **9.** *En aquel bosque hay muchos* ***claros*** (= hay zonas sin árboles). **10.** *Nos marchamos en un* ***claro*** *de la lluvia* (= en una interrupción, en un momento que paró de llover). ◆ **¡claro!** interj. **11.** *Está enfadado...* ***¡Claro!,*** *por eso no quiso venir con nosotros* (= expresión que indica reconocimiento de algo, de que se ha entendido algo que nos sorprendía). ◆ **sacar en claro 12.** *En la reunión* ***no sacamos nada en claro*** (= no llegamos a ningún acuerdo o solución).
SINÓN: **1.** luminoso. **2.** despejado. **3.** cristalino, transparente. **4.** nítido, preciso. **6.** comprensible, inteligible. **7.** agudo, perspicaz, **8.** cierto, evidente. **10.** cese, interrupción. ANTÓN: **1.** oscuro. **2.** cubierto, nublado, tapado. **3.** sucio, turbio. **5.** fuerte. **6.** incomprensible, ininteligible. **8.** dudoso, incierto. **9.** espesura, frondosidad. FAM: *aclaración, aclarar, clara, clarear, claridad, claroscuro, declaración, declarar.*

claroscuro s. m. *En los cuadros de aquel pintor domina el* ***claroscuro*** (= la característica de sus cuadros es el contraste entre luces y sombras, no el colorido).
FAM: → *claro.*

clase s. f. **1.** *Los alumnos han adornado la* ***clase*** (= el aula o lugar donde reciben enseñanza). **2.** *El profesor nos ha dado hoy una* ***clase*** *sobre la conquista de América* (= nos ha dado una lección sobre ese tema). **3.** *Cada día tenemos cinco horas de* ***clase*** (= de enseñanza por parte de algún profesor). **4.** *Esta tarde la* ***clase*** *está muy alborotada* (= todo el conjunto de alumnos que estudian en la misma aula). **5.** *La sociedad está dividida en* ***clases*** *sociales diferenciadas económica y culturalmente* (= conjunto de personas que tienen la misma función, condición o intereses en una sociedad). **6.** *Los animales, plantas y objetos también se dividen en* ***clases*** (= en grupos que tienen características comunes). **7.** *Es de esa* ***clase*** *de personas que no se deja engañar* (= de ese tipo, de esa condición, de esa manera de ser). **8.** *Aquel señor tiene mucha* ***clase*** (= es muy distinguido, tiene estilo y elegancia). **9.** *Siempre que viajamos en tren o en avión, lo hacemos en primera* ***clase*** (= en primera categoría, en la parte que ofrece mayores comodidades).
SINÓN: **1.** aula. **2.** lección. **3.** enseñanza. **4.** alumnos. **5.** capa, estrato, jerarquía. **6.** especie, familia, tipo. **7.** condición, tipo. **9.** categoría. FAM: *clásico, clasificación, clasificar.*

clásico, a adj. **1.** *Sófocles es un autor* ***clásico*** (= se lo considera un modelo a imitar). **2.** *El Partenón, en Atenas, es un monumento* ***clásico*** (= perfecto y equilibrado, perteneciente a la época de mayor esplendor artístico). **3.** *Mi padre viste muy* ***clásico*** (= de forma muy tradicional).
SINÓN: **1.** conocido, famoso. **2.** equilibrado, perfecto. **3.** tradicional. ANTÓN: **1.** anónimo, desconocido. **3.** actual, moderno. FAM: → *clase.*

clasificación s. f. **1.** *Hemos realizado una* ***clasificación*** *de los libros de nuestra biblioteca* (= los hemos colocado en grupos teniendo en cuenta los temas que trataban). **2.** *Ya se ha confirmado la* ***clasificación*** *general de fútbol de este año* (= la ordenación de los equipos según sus resultados).
FAM: → *clase.*

clasificar v. tr. **1.** *¿Quieres ayudarme a* ***clasificar*** *estas mariposas?* (= a ponerlas en orden). ◆ **clasificarse** v. pron. **2.** *En la carrera de velocidad, María* ***se clasificó*** *en primer lugar* (= obtuvo el primer puesto). **3.** ***Me he clasificado*** *en el torneo de ajedrez* (= he superado las pruebas eliminatorias y puedo seguir jugando).
SINÓN: **1.** ordenar. ANTÓN: **1.** desordenar. FAM: → *clase.*

claustro s. m. **1.** *Los monjes pasean por el* ***claustro*** *del monasterio* (= por el corredor o galería con columnas que rodea el patio interior). **2.** *El director preside las reuniones del* ***claustro*** *de profesores* (= de la junta).
SINÓN: **1.** corredor, galería. **2.** junta. FAM: → *clausura.*

claustrofobia s. f. *Mi madre no soporta los ascensores porque tiene* ***claustrofobia*** (= siente mucha angustia al estar en un lugar cerrado).

clausura s. f. **1.** *Las monjas de* ***clausura*** *no pueden salir del convento* (= se han impuesto la obligación de no salir al exterior). **2.** *Llegó antes de la* ***clausura*** *del debate* (= antes de su finalización).
SINÓN: **2.** cierre, fin. ANTÓN: **2.** apertura, comienzo, inicio. FAM: *claustro, clausurar.*

clausurar v. tr. **1.** *Las autoridades ya* ***han clausurado*** *la Universidad* (= la han cerrado oficial y solemnemente). **2.** *Organizaron un bonito espectáculo para* ***clausurar*** *la exposición* (= cerrarla, darla por terminada).
SINÓN: acabar, cerrar, concluir, terminar. ANTÓN: abrir, comenzar, inaugurar. FAM: → *clausura.*

clavado o **clavada** s. m. o f. Amér. *Compitieron para ver quién hacía los mejores* ***clavados*** *desde las rocas* (= deporte que consiste en arrojarse al agua desde una gran altura).
FAM: *clavar, clavo.*

clavar v. tr. **1.** ***Clavé*** *un clavo en la pared para poder colgar un cuadro* (= lo puse dándole golpes con un martillo). **2.** ***Clavamos*** *una tabla en la puerta para tapar un agujero* (= fijamos con clavos). ◆ **clavarse** v. pron. **3.** *Comiendo pescado* ***me clavé*** *una espina* (= me lastimé con ella).
SINÓN: **1.** hincar. **2.** asegurar, fijar, sujetar. **3.** pinchar. **ANTÓN:** **1.** desclavar. **FAM:** → *clavo.*

clave s. f. **1.** *Los espías se escriben mensajes secretos en* ***clave*** (= con unos signos que sólo ellos conocen). **2.** *El detective descubrió la* ***clave*** *del misterio* (= su explicación). **3.** *Esta partitura está escrita en* ***clave*** *de sol* (= signo que determina el nombre de las notas).
SINÓN: **1.** signo. **2.** explicación, secreto. **FAM:** *clavícula, clavija.*

clavel s. m. El **clavel** es una flor que tiene muchos pétalos con el borde superior dentado; puede ser de muchos colores.
FAM: *clavelina.*

clavícula s. f. *Se cayó sobre el hombro y se rompió una* ***clavícula*** (= uno de los dos huesos largos de la parte superior del pecho que van desde el cuello hasta los hombros).
FAM: → *clave.*

clavija s. f. **1.** *Los alpinistas pasan las cuerdas por las* ***clavijas*** *clavadas en la roca* (= son piezas de metal parecidas a un clavo que se introducen en un agujero para asegurar algo, como la cuerda). **2.** *Se me ha roto una* ***clavija*** *de la guitarra* (= la pieza de la parte superior que sirve para tensar su cuerda). **3.** *La* ***clavija*** *de un enchufe son las dos barritas metálicas que se introducen en los agujeros* (= son las piezas que establecen contacto con la corriente eléctrica). **4.** *La telefonista introdujo en el agujero la* ***clavija*** (= la pieza metálica que sirve para conectar un teléfono a la red). ◆ **apretarle a uno las clavijas** **5.** *Como es tan despistado he tenido que* ***apretarle las clavijas****, a ver si no vuelve a olvidarse de sus obligaciones* (= he tenido que llamarle la atención para que no se le olvide cumplir con su deber).
SINÓN: **3.** enchufe. **FAM:** → *clave.*

clavo s. m. **1.** *Puse un* ***clavo*** *en la pared para colgar un cuadro* (= una barrita de metal con cabeza y punta). ◆ **dar en el clavo** **2.** *Ahora sí que* ***has dado en el clavo*** (= has acertado).
SINÓN: **1.** punta. **FAM:** *clavar, desclavar.*

claxon s. m. *En algunas ciudades está prohibido tocar el* ***claxon*** (= la bocina de los automóviles).
SINÓN: bocina.

clemencia s. f. *El juez dio pruebas de su gran* ***clemencia*** *perdonando al culpable* (= de piedad).
SINÓN: compasión, misericordia, piedad. **ANTÓN:** crueldad, inclemencia. **FAM:** *inclemencia.*

clérigo s. m. → **sacerdote**.

clero s. m. *Los sacerdotes, los obispos y los monjes forman el* ***clero*** (= forman el conjunto de personas que han dedicado su vida a la religión).

cliente s. m. **1.** *El abogado defendió, en el juicio, a su* ***cliente*** (= a la persona que utiliza los servicios de un profesional). **2.** *Esta tienda tiene muchos* ***clientes*** (= personas que habitualmente compran allí).
SINÓN: **2.** comprador, consumidor. **FAM:** *clientela.*

clientela s. f. *Este médico tiene una abundante* ***clientela*** (= a su consultorio va mucha gente).
FAM: *cliente.*

clima s. m. *Cada país tiene un* ***clima*** *característico* (= reúne un conjunto de condiciones atmosféricas).
FAM: *aclimatación, aclimatar, climatizado.*

climatizado, a adj. *En invierno voy a una piscina* ***climatizada*** (= acondicionada, donde regulan el aire y la temperatura del agua).
SINÓN: acondicionado. **FAM:** *clima.*

clínica s. f. *Ha sido operado en una* ***clínica*** *privada* (= un pequeño sanatorio).
SINÓN: hospital, sanatorio. **FAM:** *clínico.*

clínico, a adj. **1.** *El material* ***clínico*** *debe estar siempre muy limpio* (= el que se utiliza en clínicas y hospitales). **2.** *Mi hermano estudió medicina en el hospital* ***clínico*** (= en un hospital donde hacen la enseñanza práctica los estudiantes de medicina).
FAM: *clínica.*

clítoris s. f. El **clítoris** es una pequeña porción carnosa saliente, situada en la parte superior de la vulva u órgano sexual femenino.

cloaca s. f. **1.** *Huele muy mal porque han abierto la calle para cambiar los tubos de las* ***cloacas*** (= son las tuberías subterráneas que transportan las aguas servidas). **2.** *Los aparatos digestivo y urinario de las aves y reptiles terminan en la* ***cloaca****.*
SINÓN: **1.** alcantarilla, vertedero.

cloro s. m. *Para desinfectar el agua de la piscina han echado* ***cloro*** (= un gas de color verde amarillento que tiene un olor fuerte).
FAM: *cloroformo.*

clorofila s. f. El color verde de los vegetales se debe a una sustancia que contienen llamada **clorofila**.

cloroformo s. m. *Antiguamente se anestesiaba a los pacientes con* ***cloroformo*** (= les hacían inhalar un gas de olor muy penetrante antes de operarlos).
FAM: *cloro.*

clóset s. m. Amér. Cent., Col., Chile, Méx. *En mi recámara hay un gran* ***clóset*** *donde caben toda mi ropa y mis zapatos* (= armario empotrado).
SINÓN: *placard.*

club s. m. *Ismael se ha inscrito en un* ***club*** *deportivo* (= en una asociación a la que acude la gente para hacer deporte).
SINÓN: asociación.

coagularse v. pron. *La sangre* ***se coagula*** *con el aire* (= se vuelve sólida y aparecen grumos).
SINÓN: cuajarse, espesarse.

coartada s. f. *El acusado ha presentado en el juicio una* ***coartada*** (= una prueba que demuestra que él no es culpable).

coatí s. m. Amér. Merid. *El* ***coatí*** *es un animalito muy perjudicial para los sembrados* (= mamífero carnicero de pelaje pardo rojizo, y cola negra con anillos blancos).

cobarde adj. **1.** *Siempre adopta una actitud* ***cobarde*** *ante los peligros* (= siente mucho miedo y huye). ◆ **cobarde** s. m. f. **2.** *¡Eres un* ***cobarde****!, primero nos tiras piedras y luego te escondes* (= eres un miedoso, te falta valor).
SINÓN: miedoso. ANTÓN: decidido, valiente. FAM: *acobardar, cobardía.*

cobardía s. f. *Atacando por la espalda ha demostrado su* ***cobardía*** (= su falta de valor).
SINÓN: miedo, temor. ANTÓN: valentía, valor. FAM: *cobarde.*

cobayo, a s. El **cobayo** es un roedor semejante a un conejo pequeño, muy utilizado en experimentos médicos. También se le llama *conejillo de Indias.*

cobertizo s. m. *El* ***cobertizo*** *nos resguarda del sol y de la lluvia* (= un pequeño tejado delante de la puerta).
SINÓN: alero, porche. FAM: → *cubrir.*

cobija s. f. Amér. *Cuando llega el invierno, ponemos una* ***cobija*** *en la cama* (= manta de abrigo que cubre la cama).
SINÓN: cobertor, colcha. FAM: *cobijar.*

cobijar v. tr. **1.** *Las aves* ***cobijan*** *a sus polluelos* (= los cubren con sus alas). ◆ **cobijarse** v. pron. **2.** *En la montaña* ***nos cobijamos*** *en una cabaña* (= nos refugiamos).
SINÓN: **1.** abrigar, cubrir, tapar. **2.** ampararse, refugiarse. ANTÓN: **1.** desamparar.

cobra s. f. La **cobra** es una gran serpiente venenosa que puede medir hasta dos metros.

cobrador, a s. *Pagué la cuota del televisor al* ***cobrador*** (= a la persona que se encarga de cobrar).
FAM: *cobrar.*

cobrar v. tr. **1.** *Mi padre* ***cobra*** *su sueldo a fin de mes* (= recibe el dinero que gana con su trabajo). **2.** *El panadero me* ***cobró*** *el precio del pan* (= me hizo pagar ese precio). **3.** *¡Si sigues así vas a* ***cobrar****!* (= vas a recibir un castigo).
SINÓN: **1, 2.** percibir, recaudar, recibir. ANTÓN: **1, 2.** pagar. FAM: → *cobrador.*

cobre s. m. *El hilo eléctrico es de* ***cobre*** (= un metal rojizo).

coca s. f. La **coca** es un arbusto de cuyas hojas se extrae la cocaína.

cocaína s. f. La **cocaína** es una droga que se consume en forma de polvillo blanco. Se extrae de las hojas de un arbusto llamado coca.

cocción s. f. *La* ***cocción*** *de las lentejas es de unos veinticinco minutos* (= el tiempo que deben estar en el fuego para que pasen de estar crudas a poderse comer).
FAM: → *cocer.*

cocear v. intr. *¡Cuidado! Ese caballo* ***cocea*** (= da coces, golpea violentamente con sus patas traseras).
FAM: *coz.*

cocer v. tr. **1.** *Las lentejas, las alubias y los garbanzos hay que* ***cocerlos*** *para poderlos comer* (= ponerlos en agua y someterlos a la acción del fuego). **2.** *El alfarero* ***cuece*** *la cerámica para endurecerla* (= la pone en el horno caliente).
SINÓN: **1.** hervir. FAM: → *cocción, cocido, cocina, cocinar, cocinero, escocer, escozor.*

coche s. m. *Había muchos* ***coches*** *en la autopista* (= muchos automóviles).
SINÓN: auto, automóvil, vehículo. FAM: *cochera, cochero.*

cochera s. f. *Aquel autobús no está de servicio, se dirige a las* ***cocheras*** (= al recinto, normalmente descubierto, donde se guardan los coches u otros vehículos).
SINÓN: garaje. FAM: → *coche.*

cochero s. m. *El* ***cochero*** *va en la parte exterior del carruaje* (= es la persona que conduce coches de caballos).
FAM: → *coche.*

cochinilla s. f. Amér. **1.** La **cochinilla** es un insecto de color rojo que vive en forma parásita del nogal y de la tuna. Disecada y reducida a polvo, también se emplea para teñir. **2.** *Debajo de las piedras del parque encontramos varias* ***cochinillas*** (= pequeño crustáceo que vive en los lugares húmedos).
FAM: *cochino.*

cochinillo s. m. *La cerda cuida de sus* ***cochinillos*** (= de sus crías).
FAM: *cochino.*

cochino, a s. **1.** *Matías tiene una granja de* ***cochinos*** (= de cerdos). **2.** *Eres un* ***cochino*** (= siempre estás sucio).
SINÓN: **1.** cerdo, marrano, puerco. **2.** sucio. ANTÓN: **2.** aseado, limpio. FAM: *cochinillo.*

cociente s. m. *El* ***cociente*** *de veinte dividido por cinco es cuatro* (= es el resultado de una división).

cocina s. f. **1.** *Mi madre se pasa gran parte de la mañana en la* ***cocina*** (= en el lugar de la ca-

sa donde prepara la comida). **2.** *La* ***cocina*** *española tiene fama internacional* (= el arte de preparar comidas típicas). **3.** ***cocina*** (= utensilios para cocinar).
FAM: → *cocer.*

cocinar v. intr. *Mi madre* ***cocina*** *muy bien* (= prepara unas comidas muy apetitosas).
FAM: → *cocer.*

cocinero, a s. *Jorge es el* ***cocinero*** *del hotel* (= es el encargado de hacer la comida; es su oficio).
FAM: → *cocer.*

coco s. m. El **coco** es el fruto del cocotero; es redondo y tiene una cáscara muy dura y áspera; su pulpa es muy blanca y perfumada.
FAM: *cocotero.*

cocodrilo s. m. El **cocodrilo** es un reptil de cuatro o cinco metros de largo, cubierto de escamas durísimas que vive en los ríos de países cálidos.

cocol s. m. Amér. Cent., Méx. **1.** *A mi hermanito le gusta comer* ***cocoles*** *con chocolate* (= pan con forma de rombo). **2.** *El vestido está hecho con una tela estampada con* ***cocoles*** (= figuras en forma de rombo).

cocotero s. m. Los **cocoteros** son palmeras de las regiones cálidas que producen los cocos.
FAM: *coco.*

cóctel s. m. **1.** *En la fiesta que ofreció Daniel bebimos un* ***cóctel*** (= una bebida que se obtiene mezclando licores con zumos de frutas). **2.** *He sido invitado a un* ***cóctel*** (= a una reunión o fiesta, donde se ofrecen aperitivos y bebidas). **3.** *Los rebeldes lanzaron* ***cócteles*** *molotov contra la policía* (= botellas explosivas hechas con gasolina).

codazo s. m. *Manolo se abrió paso entre la gente a* ***codazos*** (= dando golpes con sus codos).
FAM: → *codo.*

codearse v. pron. *Mi jefe* ***se codea*** *con la alta sociedad* (= tiene mucho trato con personas ricas).
SINÓN: alternar, tratarse. **FAM:** → *codo.*

codicia s. f. **1.** *Es tanta su* ***codicia*** *que sólo hace favores por dinero* (= su avaricia, su afán de riqueza). **2.** *Aquel hombre miraba con* ***codicia*** *el coche de otro* (= con grandes deseos de que fuera suyo). ◆ **la codicia rompe el saco 3.** *Dejó de trabajar con su padre por ganar más dinero y ahora está sin trabajo, y es que la* ***codicia rompe el saco*** (= muchas veces se pierde una ganancia segura por querer conseguir otra mayor).
SINÓN: **1.** ambición, ansia, avaricia. **2.** deseo, ganas. **ANTÓN:** **1, 2.** desinterés. **FAM:** *codiciar.*

codiciar v. tr. *El atleta se preparó duramente porque* ***codiciaba*** *el primer puesto* (= lo deseaba con fuerza).
SINÓN: ambicionar, anhelar, ansiar, desear. **ANTÓN:** desinteresar, despreciar. **FAM:** *codicia.*

código s. m. **1.** *Los* ***códigos*** *penal, civil y de comercio, recogen todas las leyes de los países democráticos en esas materias.* **2.** *Todos los conductores deben respetar y cumplir el* ***código*** *de circulación* (= el conjunto de normas de circulación). **3.** *Los aviones y los barcos tienen un* ***código*** *de señales* (= un sistema de comunicación por medio de banderas o luces). **4.** *Cada población tiene un* ***código*** *postal* (= un conjunto de cifras que facilitan la clasificación y reparto de la correspondencia).
SINÓN: **1, 2.** reglamento.

codo s. m. **1.** *Me di un golpe en el* ***codo*** (= en la articulación que permite doblar el brazo). **2.** *El plomero desatascó el* ***codo*** *de la tubería del lavabo* (= cualquier trozo de tubería que forma un ángulo). ◆ **alzar o empinar el codo 3.** *Se pasa el día en el bar* ***empinando el codo*** (= bebiendo mucho alcohol). ◆ **hablar por los codos 4.** *Mi vecina* ***habla por los codos*** (= habla mucho, no calla nunca).
SINÓN: **2.** ángulo, curva. **FAM:** *codazo, codearse, codera.*

codorniz s. f. La **codorniz** es un ave pequeña de color pardo.

coeficiente s. m. **1.** *Su* ***coeficiente*** *de inteligencia es muy alto* (= su grado de inteligencia). **2.** El **coeficiente** es el número que se coloca delante de una cantidad para multiplicarla.
SINÓN: **1.** índice, grado. **2.** factor.

coexistir v. intr. *Durante cierto tiempo* ***coexistieron*** *las dos modas: la minifalda y la falda larga* (= existieron a la vez).
FAM: → *existir.*

cofia s. f. **1.** *La* ***cofia*** *de la enfermera es blanca* (= el gorro). **2.** *Mi abuela se pone una* ***cofia*** *para dormir* (= se pone un gorro para cubrirse el pelo).
SINÓN: gorro.

cofre s. m. **1.** *Guardamos las joyas y objetos de valor en un* ***cofre*** *forrado de terciopelo* (= en una caja resistente de metal o madera con cerradura). Méx. **2.** *El coche recibió un golpe en el* ***cofre*** (= en la tapa del motor).
SINÓN: caja.

coger v. tr. **1.** ***He cogido*** *las llaves de encima de la mesa* (= las he tomado en mi mano). **2.** *Mi madre me* ***coge*** *de la mano para cruzar la calle* (= me agarra). ◆ **coger desprevenido 3.** *La noticia* ***me ha cogido desprevenido*** (= me ha sorprendido). ◆ **coger con las manos en la masa 4.** ***Lo cogieron con las manos en la masa*** (= lo pillaron o lo descubrieron haciendo algo malo).
SINÓN: **1.** asir, tomar. **2.** agarrar, sujetar, tomar. **3.** sorprender. **4.** descubrir. **ANTÓN:** **1.** dejar. **2.** soltar. **FAM:** *acogedor, acoger, acogida, encoger, escoger, recoger, sobrecogerse.*

cogollo s. m. **1.** *Me gusta más el* ***cogollo*** *de la lechuga que sus hojas verdes exteriores* (= el

centro y hojas interiores). **2.** *En primavera los **cogollos** de los árboles se abren dando hojas y flores* (= los brotes).
SINÓN: **1.** centro, interior, núcleo. **2.** brote. ANTÓN: **1.** exterior.

cogote s. m. *Pascual ha hecho un mal gesto y le duele el **cogote*** (= la parte posterior del cuello).
SINÓN: nuca.

coherente adj. *Su razonamiento es muy **coherente*** (= todos sus pensamientos son lógicos).
SINÓN: lógico, racional, razonable. FAM: → *incoherencia.*

cohete s. m. **1.** *En la fiesta del pueblo se lanzaron **cohetes** de muchos colores* (= tubos de pólvora con una varita que estallan en el aire). **2.** *Han lanzado un **cohete** espacial para hacer una investigación en el espacio* (= un artefacto que se desplaza por el impulso de los gases que arroja).
SINÓN: **2.** aeronave.

cohibir v. tr. *Le **cohíbe** estar con gente desconocida* (= le incomoda).
SINÓN: contener, incomodar.

coima s. f. Chile, Ec., Perú, R. de la Plata. *Para dar curso al expediente a mi padre le pidieron una **coima*** (= una gratificación con la que se soborna).
SINÓN: cohecho, soborno. FAM: *coimear, coimero.*

coimear v. tr. Chile, Ec., Perú, R. de la Plata. *Al gerente del Banco lo **coimearon** para obtener un préstamo* (= dar o recibir coima).
FAM: *coima, coimero.*

coimero, a s. Chile, Ec., Perú, R. de la Plata. *El gerente de esa empresa es un **coimero*** (= da o recibe coimas).
FAM: *coima, coimear.*

coincidencia s. f. *¿Usted aquí? ¡Qué **coincidencia**!* (= ¡qué casualidad!).
SINÓN: casualidad. FAM: *coincidir.*

coincidir v. intr. **1.** *Mi opinión **coincide** con la tuya* (= es la misma). **2.** *Este año el Domingo de Ramos **coincidió** con mi cumpleaños* (= se celebraron el mismo día). **3.** ***Coincidí** con Andrés en la estación* (= allí nos encontramos).
SINÓN: **1.** concordar. **3.** encontrarse, reunirse.
FAM: *coincidencia.*

cojear v. intr. **1.** *La herida del pie lo hace **cojear*** (= camina inclinándose hacia un lado). **2.** *Esta silla **cojea** porque tiene una pata más corta que las otras* (= se balancea). ◆ **saber de qué pie cojea alguien 3.** *Ya no nos sorprenden los enojos de tu hermano porque todos **sabemos de qué pie cojea*** (= todos conocemos los defectos de su carácter).
FAM: *cojera, cojo.*

cojera s. f. *Don Antonio camina ayudado por un bastón a causa de su **cojera*** (= de su dificultad al caminar).
FAM: → *cojear.*

cojín s. m. *Puso un **cojín** en el respaldo de la silla para sentarse más cómodamente* (= un almohadón, que puede ser cuadrado, redondo, etc., de tela y relleno de lana, espuma o material esponjoso).
SINÓN: almohadón.

cojo, a adj. **1.** *Mi vecino tiene que ir en silla de ruedas porque es **cojo*** (= le falta una pierna). **2.** *Matías anda con una pierna **coja*** (= le duele la pierna y por eso balancea su cuerpo al caminar). **3.** *Esta silla está **coja*** (= tiene una pata más corta que las demás).
FAM: → *cojear.*

col s. f. La **col** es una verdura de hojas anchas y tallo grueso que forman cogollo.
FAM: *coliflor.*

cola s. f. **1.** *El perro daba vueltas alrededor de sí mismo tratando de morderse la **cola*** (= el rabo). **2.** *Las aves vuelan gracias a sus alas y a su **cola*** (= plumas que tienen en la parte de atrás). **3.** *En la cena me tocó la **cola** del pescado* (= su parte trasera). **4.** *Hay una larga **cola** delante del cine* (= una fila de personas que esperan). **5.** *La novia arrastraba la larga **cola** de su vestido* (= trozo de tela que le cuelga por detrás). **6.** *Los cometas tienen una larga **cola*** (= una estela luminosa que podemos ver de noche). **7.** *El carpintero usa la **cola** para pegar los muebles* (= una sustancia que sirve para pegar). ◆ **tener** o **traer cola 8.** *Lo que has hecho **traerá cola,** ya lo verás* (= tendrá consecuencias).
SINÓN: **1.** rabo. **3.** extremo, punta. **4.** fila. **6.** estela. **7.** goma, pegamento. ANTÓN: **3.** cabeza.
FAM: *coleta, coletazo, colilla.*

colaboración s. f. **1.** *Les doy las gracias por su **colaboración*** (= por su ayuda). **2.** *En este congreso contamos también con la **colaboración** de un famoso científico* (= con la participación).
SINÓN: **1.** auxilio, ayuda, cooperación. **2.** participación. FAM: → *colaborar.*

colaborador, a adj. **1.** *Santiago es un compañero muy **colaborador*** (= siempre está dispuesto a ayudar). ◆ **colaborador, ra** s. **2.** *Los **colaboradores** de esta obra forman un equipo* (= las personas que trabajan con otras en una obra común).
FAM: → *colaborar.*

colaborar v. intr. **1.** ***Ha colaborado** con su amigo para hacer este libro* (= han trabajado juntos). **2.** *Ángel **colaboró** con su donativo a la lucha contra el cáncer* (= ayudó, contribuyó con dinero). **3.** ***Colabora** en un periódico escribiendo un artículo todos los domingos* (= participa habitualmente en él pero no es un redactor fijo).
SINÓN: ayudar, contribuir, cooperar, participar.
FAM: *colaboración, colaborador.*

colación s. f. **1.** *En Nochebuena, Juan les dio una variada **colación** a sus criados* (= una porción variada de dulces). ◆ **sacar a colación**

2. *Utiliza cualquier pretexto para* ***sacar a colación*** *sus riquezas* (= para mencionar, sacar a relucir).

colador s. m. *Para colar o filtrar un líquido usamos un* ***colador*** (= un utensilio metálico o de plástico con agujeros).
SINÓN: filtro. **FAM:** *colar.*

colar v. tr. **1.** *Para tomar la leche antes tengo que* ***colarla*** (= pasarla por un colador para que no caiga la nata en el vaso). **2.** ***Colamos*** *a mi hermano sin pagar en el autobús diciendo que era menor* (= lo introdujimos con engaño). ◆ **colarse** v. pron. **3.** ***Nos colamos*** *en el circo sin hacer cola* (= pasamos a escondidas por delante de la gente que estaba primero).
SINÓN: 1. filtrar, pasar. **2.** introducir. **FAM:** *colador.*

colcha s. f. *La* ***colcha*** *de mi cama hace juego con las cortinas* (= el cubrecama o pieza de tela que se pone sobre la cama para adornar o para abrigar).
SINÓN: cubrecama, edredón. **FAM:** *acolchar, colchón, colchonería, colchonero, colchoneta.*

colchón s. m. *Dormimos encima del* ***colchón*** *de la cama* (= una especie de saco plano, cerrado por los cuatro lados, de tela, relleno de lana, plumas u otra materia suave y esponjosa).
FAM: → *colcha.*

colchonería s. f. *Si acumulamos tantos colchones podemos montar una* ***colchonería*** (= un comercio donde se fabrican y se venden colchones, cojines y almohadas).
FAM: → *colcha.*

colchonero, a s. *El* ***colchonero*** *puede cambiar colchones viejos de lana por nuevos de espuma* (= la persona que tiene como oficio hacer, arreglar o vender colchones).
FAM: → *colcha.*

colchoneta s. f. **1.** *Cuando acampamos, dormimos en una* ***colchoneta*** (= en un colchón inflable que también podemos usar para flotar en el agua). **2.** *Algunos ejercicios de gimnasia los hacemos sobre* ***colchonetas*** *para no hacernos daño* (= un colchón delgado que se pone en el suelo).
FAM: → *colcha.*

colección s. f. *Luis tiene una interesante* ***colección*** *de monedas* (= un conjunto ordenado y clasificado).
SINÓN: conjunto, repertorio, serie. **FAM:** *coleccionar, coleccionista, colecta, colectividad, colectivo, recolección, recolectar.*

coleccionar v. tr. *Mi amigo* ***colecciona*** *fotografías en un álbum* (= las reúne y clasifica).
SINÓN: juntar, reunir. **ANTÓN:** separar. **FAM:** → *colección.*

coleccionista s. m. f. *Juan es* ***coleccionista*** *de monedas* (= es aficionado a reunirlas, ordenarlas y clasificarlas).
FAM: → *colección.*

colecta s. f. *Se ha hecho una* ***colecta*** *para los pobres* (= se ha recogido dinero para ayudarlos).
SINÓN: recaudación. **FAM:**→ *colección.*

colectividad s. f. Una **colectividad** es un grupo de personas que tienen intereses comunes.
SINÓN: comunidad, conjunto, sociedad. **FAM:** → *colección.*

colectivo, a adj. **1.** *Este libro es el resultado de un trabajo* ***colectivo*** (= hecho por un grupo de personas). ◆ **colectivo** s. m. **2.** *Como mi madre no podía llevarme en el coche, tomé el* ***colectivo*** *para ir a visitar a mi abuela* (= un autobús).
SINÓN: 1. común, general. **2.** autobús, ómnibus. **ANTÓN: 1.** general, individual. **FAM:** → *colección.*

colega s. m. f. *Margarita y yo somos* ***colegas*** (= trabajamos en el mismo sitio o tenemos el mismo oficio).
SINÓN: camarada, compañero.

colegial, a s. *Andrés es un* ***colegial*** (= es un niño que va al colegio).
SINÓN: alumno, escolar. **FAM:** *colegio.*

colegio s. m. **1.** *El* ***colegio*** *donde estudio es muy nuevo* (= el edificio a donde voy a aprender y a estudiar). **2.** *El* ***Colegio*** *Oficial de Médicos defiende los intereses de éstos* (= es una asociación de personas con la misma profesión). **3.** El **colegio** electoral es el conjunto de los electores de un distrito.
SINÓN: 1. escuela. **FAM:** *colegial.*

cólera s. f. **1.** *Cuando se enteró de que le habían robado el coche, le dio un ataque de* ***cólera*** (= se enfadó muchísimo y empezó a gritar y a mostrarse agresivo). ◆ **cólera** s. m. **2.** *El verano pasado me vacunaron contra el* ***cólera*** (= enfermedad infecciosa que produce vómitos y diarrea).
SINÓN: 1. arrebato, enfado, enojo, furor, ira, irritación, rabia. **ANTÓN: 1.** calma, sosiego, tranquilidad. **FAM:** *colérico.*

colérico, a adj. *Este señor está* ***colérico*** (= se ha dejado llevar por la ira).
SINÓN: airado, arrebatado, furioso, irritado, rabioso. **ANTÓN:** sosegado, tranquilo. **FAM:** *cólera.*

coleta s. f. *Cuando me molesta el pelo me hago una* ***coleta*** (= me lo ato con una cinta y lo dejo caer suelto; también se la llama *cola de caballo*).
FAM: → *cola.*

coletazo s. m. **1.** *La vaca espanta las moscas a* ***coletazos*** (= moviendo y dándose golpes con la cola). **2.** *El pez fuera del agua y ya moribundo daba sus últimos* ***coletazos*** (= sacudidas con su cola).
FAM: → *cola.*

colgante adj. **1.** *Para pasar al otro lado del río atravesamos el puente* ***colgante*** (= suspendido entre las dos orillas). ◆ **colgante** s. m. **2.** *Beatriz lleva un* ***colgante*** *de plata* (= un adorno que cuelga de una cadena, pulsera o collar).
FAM: → *colgar.*

colgar v. tr. **1.** *Yo **cuelgo** la ropa en las perchas del armario* (= la dejo suspendida allí). **2.** ***Ha colgado** sus estudios y se ha puesto a trabajar* (= los ha dejado). ◆ **colgar** v. intr. **3.** *La lámpara **cuelga** del techo* (= está suspendida, pende del techo).
SINÓN: **1, 3.** pender, suspender. **2.** abandonar, dejar. ANTÓN: **1, 3.** descolgar. FAM: *colgante, descolgar.*

colibrí s. m. Un **colibrí** es un pájaro muy pequeño de América, de plumaje muy vistoso y pico muy fino y curvo.

cólico s. m. *Sergio está en cama porque anoche tuvo un **cólico*** (= le dolía mucho el vientre y tuvo diarrea y vómitos).

coliflor s. f. La **coliflor** es una hortaliza, variedad de la col, que tiene una masa blanca en su interior que constituye su parte comestible.
FAM: *col.*

colilla s. f. *Este cenicero está lleno de **colillas*** (= los extremos de los cigarrillos que ya no se fuman).
FAM: → *cola.*

colina s. f. *Hemos subido a una **colina** para ver el paisaje* (= a una pequeña elevación del terreno).
SINÓN: altozano, cerro, loma, montículo.

colirio s. m. *Mi padre me puso **colirio** porque me picaba mucho el ojo* (= un medicamento que se pone en los ojos para curarlos).

coliseo s. m. El **coliseo** era el teatro de los antiguos romanos, donde iban a ver representaciones de dramas y comedias.
SINÓN: teatro.

colisión s. f. *Se ha producido una **colisión** en la autopista* (= un choque de coches).
SINÓN: choque.

colisionar v. intr. *El coche **colisionó*** con un camión (= chocar con violencia).
FAM: *colisión.*

colitis s. f. *La **colitis** le produjo una fuerte diarrea* (= es la inflamación del colon).
ANTÓN: estreñimiento. FAM: *colon.*

collar s. m. **1.** *Mi madre lleva colgado del cuello un **collar** de perlas* (= una joya que se lleva colgada del cuello). **2.** *Este perro vagabundo no tiene **collar*** (= una correa alrededor de su cuello donde llevan una placa con su identificación).
SINÓN: **1.** colgante. FAM: *cuello.*

colmado, a adj. *En el café, ponme una cucharilla bien **colmada** de azúcar* (= llena hasta los bordes).
SINÓN: lleno. ANTÓN: vacío. FAM: *colmar.*

colmar v. tr. **1.** ***Hemos colmado** el cesto de manzanas* (= lo hemos llenado hasta los bordes). **2.** *Estaba orgulloso de su trabajo porque lo **colmaron** de aplausos* (= lo aplaudieron mucho). ◆ **ser la gota que colma el vaso 3.** *Tu decisión **es la gota que colma el vaso,** ya no creo que pueda solucionarse el problema* (= es lo que falta para acabar de estropear la situación).
SINÓN: **1.** abarrotar, llenar, rebosar. ANTÓN: **1.** vaciar. FAM: *colmado.*

colmena s. f. *Las abejas depositan la cera y la miel en las **colmenas*** (= cajas de mimbre o madera, hechas por el hombre).

colmillo s. m. **1.** *El dentista me extrajo un **colmillo*** (= un diente puntiagudo que se encuentra entre los incisivos y las muelas). **2.** Los **colmillos** de los elefantes son de marfil y pueden alcanzar tres metros de largo.

colocación s. f. *Francisco tiene una buena **colocación*** (= un buen empleo).
SINÓN: cargo, empleo, puesto. FAM: → *colocar.*

colocar v. tr. **1.** ***He colocado** los libros en la estantería* (= los he puesto allí). **2.** *Antonio **ha colocado** a su hijo en una oficina* (= le ha buscado un empleo allí). ◆ **colocarse** v. pr. **3.** ***Colócate** en la fila* (= ponte, sitúate ahí).
SINÓN: **1.** poner. **2.** emplear. **3.** ponerse, situarse. ANTÓN: **1.** quitar. FAM: *colocación, descolocado, descolocar.*

colombiano, a adj. **1.** *El café **colombiano** es uno de los mejores del mundo* (= de Colombia). ◆ **colombiano, a** s. **2.** *Los **colombianos** son las personas nacidas en Colombia.*

colon s. m. El **colon** es una parte del intestino grueso de los mamíferos.

colonia s. f. **1.** *Me echo agua de **colonia** para oler bien* (= perfume). **2.** *En la conquista de América se enviaron **colonias** para poblarla* (= grupos de gente). Amér. **3.** *En la época de la **colonia**, los países americanos estaban bajo el dominio de España* (= territorio dominado y administrado por un país extranjero). R. de la Plata **4.** *El gobierno fomentó la instalación de **colonias*** (= grupo de familias que cultivan pequeñas parcelas y viven en ellas). **5.** *La **colonia** china es muy abundante en Lima* (= la gente nacida en un lugar que reside en otra población o país).
SINÓN: **1.** perfume. **3.** dominio, posesión.
FAM: → *colonizar, coloniazción, colono.*

colonial adj. *El té y el chocolate se llamaban productos **coloniales** porque provenían de las colonias.*
FAM: → *colono.*

colonización s. f. *En Hispanoamérica se habla castellano debido a la **colonización** española* (= España la conquistó, la pobló y aprovechó sus recursos).
FAM: → *colono.*

colonizar v. tr. **1.** *España **colonizó** muchos países de América* (= los transformó en colonias, en territorios extranjeros dependientes de ella). **2.** *Los españoles **colonizaron** territorios* (= enviaron colonos que fijaron su residencia en ellos y aprovecharon sus recursos).
FAM: → *colono.*

colono s. m. **1.** *Muchos* ***colonos*** *españoles abandonaron los países conquistados, después de su independencia* (= las personas que conquistaron y poblaron las colonias). **2.** *Manuel trabaja estas tierras como* ***colono,*** *no como propietario* (= las tiene arrendadas y cultiva las tierras de otro mediante un contrato).
FAM: *colonia, colonial, colonización, colonizar.*

coloquio s. m. *Han organizado un* ***coloquio*** *en la televisión para hablar de política* (= un debate, una reunión de personas que discuten sobre un tema).
SINÓN: debate, diálogo, discusión, conversación, charla.

color s. m. **1.** *El violeta, el azul, el verde, el amarillo, el anaranjado, el rojo, el negro y el blanco son nombres de* ***colores*** (= de lo que ven los ojos además de la forma y el tamaño de las cosas). **2.** *El enfermo no tiene buen* ***color*** (= está pálido). **3.** *Aquel es un hombre de* ***color*** (= no es blanco, sino negro o mulato). **4.** *Hicimos muchas fotos en* ***color*** (= no en blanco y negro). **5.** *Mi madre se da* ***color*** *en las mejillas y en los labios* (= se pinta para no estar tan blanca). ◆ **colores** s. m. pl. **6.** *Es muy vergonzoso, siempre se le suben los* ***colores*** (= se ruboriza, se pone rojo).
SINÓN: 2. aspecto, semblante. **FAM:** *bicolor, colorado, colorante, colorear, colorido, colorín, decolorar, descolorido, incoloro, multicolor, tricolor.*

colorado, a adj. *La amapola es una flor* ***colorada*** (= roja).
SINÓN: encarnado, rojo. **FAM:** → *color.*

colorante s. m. *Muchos alimentos llevan* ***colorantes*** *y conservantes* (= sustancias que siven para darles color).
FAM: → *color.*

colorear v. tr. **1.** ***Hemos coloreado*** *una lámina de dibujo* (= le hemos dado color). ◆ **colorear** v. intr. **2.** *Las cerezas comienzan a* ***colorear*** (= a tomar su color rojo).
SINÓN: 1. pintar, teñir. **2.** enrojecer. **ANTÓN: 1.** desteñir. **FAM:** → *color.*

colorido s. m. *Me gusta mucho el* ***colorido*** *de tu camisa* (= los colores que tiene).
SINÓN: coloración, tono. **FAM:** → *color.*

colorín s. m. *Los payasos llevan una ropa de muchos* ***colorines*** (= de colores muy vivos).
FAM: → *color.*

colosal adj. **1.** *Es un edificio* ***colosal*** (= enorme, muy grande). **2.** *Los jugadores de baloncesto hicieron un partido* ***colosal*** (= muy bueno).
SINÓN: 1, 2. enorme, extraordinario, formidable, gigantesco, grandioso, inmenso, magnífico. **3.** estupendo, extraordinario, formidable, magnífico. **ANTÓN:** habitual, mínimo, normal, pequeño.

colote s. m. Méx. *Los campesinos guardan la ropa en un* ***colote*** (= cesto grande).
SINÓN: banasta, canasta, cesta.

columna s. f. **1.** *En el porche de mi colegio hay muchas* ***columnas*** *que sostienen el edificio* (= soportes o pilares verticales). **2.** *Este diccionario tiene dos* ***columnas*** *de texto por página* (= bloques de texto colocados verticalmente). **3.** *Desde el pueblo se veía la* ***columna*** *de humo del incendio* (= la forma más o menos cilíndrica y vertical que toma el humo). **4.** *Por el campo avanzaba una* ***columna*** *de soldados* (= una fila). ◆ **columna vertebral 5.** La **columna vertebral** o espina dorsal es el hueso de la espalda en forma de columna, formado por huesos más pequeños llamados vértebras.
SINÓN: 1. pilar, soporte. **4.** fila, formación. **FAM:** *columnista.*

columnista s. m. f. *Siempre leo los artículos que escribe ese* ***columnista*** *en el periódico de los domingos* (= colaborador de un periódico).
SINÓN: articulista. **FAM:** *columna.*

columpiarse v. pron. *Los niños* ***se columpian*** *en el parque* (= juegan balanceándose en el columpio).
SINÓN: balancearse, mecerse. **FAM:** *columpio.*

columpio s. m. *A los niños les gusta sentarse en el* ***columpio*** *y balancearse con fuerza* (= en el asiento colgado de dos cuerdas o cadenas que sirve para mecerse).
FAM: *columpiarse.*

coma s. f. **1.** *Has olvidado poner las* ***comas*** *en tu redacción* (= signo de puntuación (,) que indica una pausa breve en la lectura). ◆ **entrar en coma 2.** *El enfermo está muy grave;* ***ha entrado en estado de coma*** (= ha perdido sensibilidad, conocimiento y no se puede mover).
FAM: *comilla.*

comadre s. f. **1** *Mi madrina y mi madre son* ***comadres*** *entre sí.* **2.** *Allí hay una reunión de* ***comadres*** (= nombre que se da a las mujeres en tono de humor cuando están charlando y chismorreando).
FAM: → *madre.*

comadreja s. f. La **comadreja** es un mamífero de cuerpo alargado, carnicero, que se alimenta también de los huevos y crías de las aves.
FAM: → *madre.*

comadrona s. f. *La* ***comadrona*** *que ayudó a mi madre a que yo naciera aún se acuerda de mí* (= la enfermera especialista en ayudar a las madres a dar a luz).
FAM: → *madre.*

comal s. m. Amér. Cent., Méx. *Para cocer las tortillas de maíz o tostar el café y el cacao, utilizamos un* ***comal*** (= disco de barro cocido o de metal, con bordes).

comandante s. m. **1.** *El grado militar de* ***comandante*** *está entre el de capitán y el de teniente coronel* (= es el militar que tiene a sus órdenes un batallón). **2.** *El* ***comandante*** *del*

avión deseó a sus pasajeros un feliz viaje (= el piloto que tiene el mando del avión).
FAM: → *mandar.*

comando s. m. *Han hecho un homenaje al* ***comando*** *que cumplió con éxito su peligrosa misión militar* (= al pequeño grupo de soldados escogidos y entrenados para misiones especiales).
FAM: → *mandar.*

comarca s. f. *En este mapa están señaladas las diferentes* ***comarcas*** *de cada región* (= los pequeños territorios en que se dividen algunas regiones, formados por un conjunto de pueblos con características comunes).
FAM: *comarcal.*

comba s. f. *Esta tabla tiene mucha* ***comba*** (= está curvada).
SINÓN: curvatura. FAM: *combar.*

combar v. tr. *El herrero* ***comba*** *el hierro enrojecido por el fuego con el martillo* (= lo tuerce, le da forma curva).
SINÓN: encorvar, ondular, torcer. ANTÓN: enderezar. FAM: *comba.*

combate s. m. **1.** *El ejército realizó un duro* ***combate*** (= una batalla). **2.** *El* ***combate*** *entre los dos boxeadores fue espectacular* (= la lucha, la pelea).
SINÓN: **1.** batalla. **1, 2.** lucha, pelea, riña. ANTÓN: **1.** paz. FAM: → *batir.*

combatiente s. *El ejército perdió muchos* ***combatientes*** *en la batalla* (= muchos soldados que luchaban).
SINÓN: guerrero, soldado. FAM: → *batir.*

combatir v. intr. **1.** *Los soldados* ***han combatido*** *con valentía* (= han luchado). **2.** *Nos pusimos delante del fuego para* ***combatir*** *el frío* (= para que se nos pasara).
SINÓN: **1.** batallar, guerrear, luchar. FAM: → *batir.*

combinación s. f. **1.** *El camarero ha hecho una* ***combinación*** *de licores para obtener un cóctel* (= ha mezclado varios licores). **2.** *El agua es la* ***combinación*** *de hidrógeno y oxígeno* (= la unión de dos elementos que da como resultado otro diferente). **3.** *Esta señora lleva una* ***combinación*** *debajo del vestido* (= una prenda interior femenina que cuelga de los hombros y llega hasta la altura de la falda). **4.** *¿Quieres decirme cuántas* ***combinaciones*** *se pueden hacer con tres números?* (= ¿cuántos grupos distintos se pueden formar?). **5.** *Sólo el dueño conoce la* ***combinación*** *de la caja fuerte* (= la clave, los números y su orden que permiten abrirla).
SINÓN: **1.** mezcla. **2.** unión. **3.** enagua, viso. **4.** grupo. **5.** clave. ANTÓN: **1, 2.** separación. FAM: *combinar.*

combinar v. tr. *Marta* ***ha combinado*** *muy bien los colores de su falda y su blusa para hacerse el traje* (= los ha unido).
SINÓN: juntar, mezclar, reunir, unir. ANTÓN: separar. FAM: *combinación.*

combustible adj. **1.** *La madera seca es muy* ***combustible*** (= arde muy bien). ◆ **combustible** s. m. **2.** *Compramos* ***combustible*** *para la estufa* (= leña, carbón, petróleo y otros productos que arden o queman).
ANTÓN: **1.** incombustible. FAM: *combustión, incombustible.*

combustión s. f. *La* ***combustión*** *de la gasolina es la que hace funcionar el motor de un coche* (= la quema de la gasolina).
FAM: → *combustible.*

comedia s. f. **1.** *Hemos ido al teatro a ver una* ***comedia*** (= una obra de teatro divertida). **2.** *Carolina dice que está enferma, pero yo creo que es* ***comedia*** (= que está fingiendo).
SINÓN: **1.** farsa. **2.** mentira. ANTÓN: **1.** tragedia. **2.** verdad. FAM: *comediante, cómico.*

comediante, a s. **1.** *Si Ramón sigue actuando tan bien, llegará a ser un buen* ***comediante*** (= un actor de teatro, cine o televisión). **2.** *Carlos es un* ***comediante;*** *intenta engañarnos* (= es un farsante, un mentiroso).
SINÓN: **1.** actor, artista. **2.** embustero, mentiroso. ANTÓN: **2.** sincero. FAM: → *comedia.*

comedor s. m. **1.** *El* ***comedor*** *de mi casa es muy amplio* (= el lugar donde comemos). **2.** *Mis tíos han comprado un* ***comedor*** *de madera de roble* (= los muebles que integran el lugar donde comen). **3.** *Muchos niños se quedan a comer en el* ***comedor*** *escolar* (= un local donde sirven la comida).
FAM: → *comer.*

comensal s. m. f. *Todos los* ***comensales*** *se sentaron a la mesa* (= cada una de las personas que comen a la misma mesa).
FAM: → *comer.*

comentar v. tr. **1.** *En clase* ***comentamos*** *las lecturas y las poesías* (= las explicamos para entenderlas mejor). **2.** *Raúl* ***comenta*** *todo lo que yo digo* (= lo divulga).
SINÓN: **1.** explicar, interpretar. **2.** divulgar, repetir. ANTÓN: **2.** callar. FAM: *comentario.*

comentario s. m. **1.** *En clase hacemos* ***comentario*** *de textos* (= explicamos por escrito alguna lectura o poesía mediante observaciones y análisis para entenderlas mejor). **2.** *También hacemos* ***comentarios*** *sobre acontecimientos de la vida ordinaria* (= damos nuestra opinión sobre ellos).
SINÓN: **1.** explicación, interpretación. **2.** juicio, opinión. FAM: *comentar.*

comenzar v. tr. **1.** ***He comenzado*** *mi trabajo* (= lo he empezado). ◆ **comenzar** v. intr. **2.** *El año* ***comienza*** *el primero de enero* (= se inicia ese día).
SINÓN: empezar, iniciar. ANTÓN: acabar, concluir, finalizar, terminar. FAM: *comienzo.*

comer v. tr. **1.** *No es posible vivir sin* ***comer*** *lo necesario* (= sin alimentarse). **2.** *Un bebé no puede* ***comer*** *alimentos sólidos porque no tiene* *dientes* (= masticar y tragar los alimentos que van de la boca al estómago). **3.** *En mi casa los domingos* ***comemos*** *pastas* (= las tenemos como comida). **4.** *La madre* ***comía*** *a besos a su hijo* (= lo llenaba de besos). **5.** *El agua del río* ***ha comido*** *las piedras de la orilla* (= las ha gastado o corroído). **6.** *El sol* ***ha comido*** *la pintura de la puerta* (= le ha quitado el brillo, la ha desgastado). **7.** *Se acabó la partida de ajedrez cuando me* ***comieron*** *el rey* (= cuando me ganaron esa pieza). ◆ **comer** v. intr. **8.** *En mi casa* ***comemos*** *siempre a las dos* (= almorzamos, tomamos la comida principal del mediodía). ◆ **comerse** v. pron. **9.** ***Me he comido*** *las comas en la redacción* (= no las he puesto, las he omitido). **10.** *Gana mucho dinero pero* ***se lo comen*** *los impuestos* (= se lo gastan, lo consumen). ◆ **sin comerla ni beberla 11.** *Se marchó* ***sin comerla ni beberla*** (= de repente, sin saber cómo ni por qué).

SINÓN: **1.** alimentarse. **2.** tragar. **3.** consumir. **5.** corroer, roer. **6.** desgastar. **7.** ganar. **8.** almorzar. **9.** olvidar, omitir. **ANTÓN:** **1.** ayunar. **FAM:** *comedero, comedor, comestible, comida, comilón, comilona.*

comercial adj. **1.** *En un centro* ***comercial*** *encontrarás toda clase de negocios* (= donde hay muchas tiendas y comercios). **2.** *Los barcos de carga de mercancías, no de personas, entran y salen del puerto* ***comercial*** (= mercantil, dedicado al comercio).

SINÓN: mercantil. **FAM:** → *comercio.*

comerciante s. m. f. *Los* ***comerciantes*** *cierran sus negocios los domingos* (= las personas que son propietarias de un comercio).

SINÓN: negociante, vendedor. **ANTÓN:** comprador, consumidor. **FAM:** → *comercio.*

comerciar v. intr. *En aquel local* ***comercian*** *con computadoras* (= compran y venden computadoras; hacen negocio con ellas).

SINÓN: negociar. **FAM:** → *comercio.*

comercio s. m. **1.** *Mi tía tiene un pequeño* ***comercio*** *de tejidos* (= negocio). **2.** *Martín se dedica al* ***comercio*** *exterior* (= compra y vende mercancías que vienen del extranjero).

SINÓN: **1.** bazar, establecimiento, tienda. **2.** negocio. **FAM:** *comercial, comerciante, comerciar.*

comestible adj. **1.** *Estos hongos son* ***comestibles*** (= se pueden comer sin peligro). ◆ **comestible** s. m. **2.** *Andrés tiene una tienda de* ***comestibles*** (= donde vende productos de alimentación).

SINÓN: **2.** alimentación, víveres. **ANTÓN:** **1.** venenoso. **FAM:** → *comer.*

cometa s. m. **1.** Un **cometa** es un astro que deja tras de sí una estela luminosa. ◆ **cometa** s. f. **2.** *Marcos se divierte haciendo volar su* ***cometa*** (= papalote o armazón ligero forrado de papel o de plástico que se lanza al viento sujeto con un hilo).

cometer v. tr. *El alumno* ***ha cometido*** *dos faltas de ortografía en el dictado* (= ha hecho dos errores).

SINÓN: hacer, realizar. **ANTÓN:** impedir. **FAM:** *acometer, cometido.*

cometido s. m. *María tiene el* ***cometido*** *de recibir a los invitados* (= se encarga de hacerlo; es su misión).

SINÓN: encargo, misión, tarea, deber, obligación. **FAM:** → *cometer.*

comicios s. m. pl. → **elección**.

cómico, a adj. **1.** *Si quieres pasar un rato divertido ven al teatro a ver una obra* ***cómica*** (= una comedia, una obra divertida). **2.** *Estuve riendo toda la noche con ese actor* ***cómico*** (= ese humorista). **3.** *La caída de una persona puede resultar* ***cómica*** *si no se hace daño* (= graciosa, divertida). ◆ **cómico** s. **4.** *Los* ***cómicos*** *han llegado al pueblo para representar una comedia* (= los actores de la comedia, los comediantes).

SINÓN: **2, 3.** divertido, gracioso, humorístico. **4.** actor, artista, comediante. **ANTÓN:** **2, 3.** aburrido, dramático, soso, trágico, triste. **FAM:** → *comedia.*

comida s. f. **1.** *Los seres vivos necesitamos la* ***comida*** *para vivir* (= el alimento). **2.** *Estoy acostumbrado a hacer tres* ***comidas*** *al día: desayuno, almuerzo y cena* (= nos sentamos a la mesa para comer tres veces al día). **3.** *Hablaremos de ello durante la* ***comida*** (= el almuerzo, la comida del mediodía).

SINÓN: **1.** alimento. **3.** almuerzo. **FAM:** → *comer.*

comienzo s. m. *El* ***comienzo*** *del curso es en septiembre* (= el curso se inicia en esa fecha).

SINÓN: apertura, inauguración, inicio, principio. **ANTÓN:** conclusión, fin, final, término. **FAM:** *comenzar.*

comilla s. f. Las **comillas** son un signo ortográfico que sirve para recalcar una palabra o frase. **FAM:** *coma.*

comilona s. f. *En la fiesta los invitados se dieron una buena* ***comilona*** (= comieron mucho y cosas muy variadas).

SINÓN: banquete. **FAM:** → *comer.*

comilón, ona adj. *Pablo es un niño muy* ***comilón*** (= come mucho).

SINÓN: glotón, tragón. **FAM:** → *comer.*

comino s. m. **1.** El **comino** es una planta que tiene una semilla muy pequeña del mismo nombre, usada en la cocina como condimento. ◆ **importar un comino 2.** ***Me importa un comino*** *que vengas o no* (= no me importa nada).

comisaría s. f. *Arrestaron al ladrón y lo llevaron a la* ***comisaría*** (= a la seccional de policía).

comisario s. m. *El* ***comisario*** *de policía tomó la declaración al detenido* (= el jefe de policía).

comisión s. f. **1.** *El ayudante cumplió la* ***comisión*** *que le ordenó su jefe* (= el encargo). **2.** *Una* ***comisión*** *de vecinos planteó al alcalde* *los problemas del barrio* (= un conjunto de personas en representación de otras muchas personas). **3.** *Trabaja en una tienda de ropa y cobra* ***comisión*** *por cada prenda que vende* (= cobra un porcentaje, una cantidad de dinero extra, por lo que vende).

SINÓN: 1. encargo, mandato, mensaje, misión, tarea. **2.** asamblea, junta. **3.** porcentaje, sueldo.

comitiva s. f. *El embajador llegó rodeado de su* ***comitiva*** (= de las personas que lo acompañaban).

SINÓN: acompañamiento, escolta, séquito.

como adv. **1.** *Hazlo* ***como*** *te digo* (= de la manera que te digo; *indica el modo*). **2.** *Su pelo es* ***como*** *el oro* (= igual que el oro; *indica comparación*). **3.** *Asiste a la boda* ***como*** *invitado* (= en calidad de invitado; *indica cualidad*). **4.** ***Como*** *vendrá cansado, se dormirá enseguida* (= se dormirá porque vendrá cansado; *indica causa*). ◆ **como** conj. **5.** VER CUADRO DE CONJUNCIONES.

SINÓN: 1. según. **2.** igual. **4.** porque. **5.** si.

cómo pron. **1.** *¿****Cómo*** *está el enfermo?* (= de qué modo; *indica interrogación*). **2.** *¡****Cómo*** *llueve!* (= ¡qué manera de llover!; *indica exclamación*). **3.** *¿****Cómo*** *no viniste ayer?* (= ¿por qué?; *indica la causa*).

cómoda s. f. *Tu ropa está en el cajón de la* ***cómoda*** (= un mueble con cajones).

FAM: → *cómodo.*

comodidad s. f. **1.** *Estás ocupando todo el sofá porque sólo piensas en tu* ***comodidad*** (= en tu bienestar, en estar cómodo). **2.** *Esta casa tiene todas las* ***comodidades*** (= todas las ventajas que hacen que uno se sienta a gusto; es muy confortable).

SINÓN: 1. bienestar. **2.** ventaja. **ANTÓN: 1.** incomodidad. **2.** desventaja. **FAM:** → *cómodo.*

comodín s. m. **1.** *Me faltaba una carta pero, como acaba de salirme un* ***comodín,*** *he ganado* (= una carta que puede sustituir a cualquiera de las demás). **2.** *Pablo es el* ***comodín*** *del equipo de fútbol* (= puede jugar en cualquier puesto).

FAM: → *cómodo.*

cómodo, a adj. **1.** *Este sillón es más* ***cómodo*** *que la silla* (= más confortable, se está más a gusto). **2.** *Mi padre tiene un trabajo muy* ***cómodo*** (= fácil y descansado).

SINÓN: 1. agradable, confortable. **2.** descansado, fácil. **ANTÓN: 1.** incómodo, desagradable. **2.** cansado, difícil. **FAM:** *acomodado, acomodador, acomodar, cómoda, comodidad, comodín, comodón, incomodar, incomodidad, incómodo.*

comodón, ona adj. *Raquel es muy* ***comodona;*** *no se mueve por nada* (= es muy perezosa).

SINÓN: pasivo, perezoso. **ANTÓN:** activo, dinámico, inquieto, nervioso. **FAM:** → *cómodo.*

compacto, a adj. **1.** *El pan es una masa* ***compacta*** (= es una masa apretada, no tiene huecos). **2.** *El libro que nos han mandado tiene un texto* ***compacto*** (= tiene mucha lectura en pocas páginas). **3.** *Me han regalado un equipo* ***compacto*** *de música* (= un aparato que tiene todo junto: radiocasete, tocadiscos y amplificador).

SINÓN: 1. denso, macizo. **2.** denso. **ANTÓN: 1.** inconsistente, líquido.

compadecer v. tr. **1.** ***Compadezco*** *vuestro dolor* (= lo comparto). ◆ **compadecerse** v. pron. **2.** ***Me compadezco*** *de los niños que no tienen comida* (= siento lástima por ellos).

SINÓN: 1. compartir, lamentar, sentir. **2.** apiadarse, conmoverse. **ANTÓN:** alegrarse, burlarse. **FAM:** → *pasión.*

compaginar v. tr. **1.** *Durante el día* ***compagino*** *el colegio con las clases de danza* (= he organizado el horario de manera que puedo hacer las dos cosas). **2.** *Los encuadernadores* ***compaginan*** *los pliegos de los libros* (= ponen en orden las páginas de un texto escrito).

SINÓN: armonizar, combinar.

compañerismo s. m. *Existe un gran* ***compañerismo*** *entre Alejandro y Manuel* (= se ayudan en todo, se entienden muy bien).

SINÓN: amistad, camaradería, confianza. **ANTÓN:** desconfianza, enemistad. **FAM:** → *compañero.*

compañero, a s. *Mi* ***compañero*** *de clase y yo nos hemos hecho muy amigos* (= el que estudia conmigo).

SINÓN: acompañante, pareja. **FAM:** *acompañar, compañerismo, compañía.*

compañía s. f. **1.** *A Raúl le agrada la* ***compañía*** *de María* (= su presencia; le gusta estar con ella). **2.** *Estuvimos en el hospital para hacer* ***compañía*** *al enfermo* (= para estar con él y que no se sintiera solo). **3.** *El señor Suárez trabaja en una* ***compañía*** *de seguros* (= en una sociedad, en una empresa). **4.** *Toda la* ***compañía*** *de teatro recibió el aplauso del público* (= el conjunto de actores). **5.** *Durante la guerra civil, mi abuelo perteneció a la* ***compañía*** *de infantería* (= a una unidad del ejército mandada por un capitán).

SINÓN: 1. presencia. **3.** empresa, sociedad. **ANTÓN: 1.** ausencia. **FAM:** → *compañero.*

comparable adj. *Estos dos oficios no son* ***comparables*** *porque son totalmente diferentes* (= no tienen nada en común).

SINÓN: parecido, semejante, similar. **ANTÓN:** diferente, incomparable. **FAM:** → *comparar.*

comparación s. f. **1.** *Se ha hecho una* ***comparación*** *entre estos dos autores y ha resultado mejor el primero* (= se han comparado). **2.** *Sus cabellos son como el oro: he aquí una* ***comparación*** (= el color rubio de su pelo se parece al dorado del oro).

FAM: → *comparar.*

comparar v. tr. ***Compara*** *estos dos dibujos y dime en qué se diferencian* (= examina sus parecidos y diferencias).

SINÓN: cotejar, equiparar. **FAM:** *comparable, comparación, comparativo, incomparable.*

comparativo, a adj. **1.** *Haz un juicio* ***comparativo*** *de estos dos cuadros* (= dame tu opinión después de haberlos comparado). **2.** *Un adjetivo o una frase* ***comparativa*** *expresan una comparación.*
FAM: → *comparar.*

comparecer v. intr. *En el juicio, el testigo* ***compareció*** *ante el tribunal* (= se presentó porque se lo habían ordenado).
SINÓN: aparecer, presentarse. ANTÓN: ausentarse, desaparecer.

compartimento o **compartimiento** s. m. *Había seis personas en el* ***compartimento*** *del tren* (= en la cabina o departamento).
SINÓN: cabina. FAM: → *parte.*

compartir v. tr. **1.** *Andrea* ***compartió*** *la tarta de su cumpleaños* (= la dividió en partes y la repartió entre todos). **2.** *Yo* ***comparto*** *tu dolor* (= participo de él, también lo siento).
SINÓN: **1.** dividir, distribuir, repartir. **2.** asociar, participar. FAM: → *parte.*

compás s. m. **1.** *Tracen una circunferencia con el* ***compás*** (= con el instrumento de dibujo de dos brazos que se abren y cierran acabados en punta y que sirve para medir y hacer circunferencias). **2.** *En clase de música me dicen que siempre pierdo el* ***compás*** (= el ritmo, la medida del tiempo de los sonidos).
SINÓN: **2.** ritmo. FAM: *acompasar.*

compasión s. f. *Visitaba al enfermo cada día por* ***compasión*** (= por lástima).
SINÓN: lástima, piedad. ANTÓN: burla, desprecio.
FAM: → *pasión.*

compasivo, a adj. *Mi hermana es tan* ***compasiva*** *que recogería a todos los perros vagabundos* (= siente mucha lástima y piedad).
SINÓN: altruista, humanitario, sentimental.
ANTÓN: cruel, inhumano. FAM: → *pasión.*

compatible adj. *El trabajo y el estudio de mi hermano son* ***compatibles*** *porque uno es por la mañana y el otro por la tarde* (= se pueden hacer a la vez).

compatriota s. m. f. *En Francia encontramos a un grupo de* ***compatriotas*** (= de personas de nuestro país).
SINÓN: paisano. ANTÓN: extranjero. FAM: → *patria.*

compendio s. m. *Al final de mi libro de sociales hay un* ***compendio*** (= un resumen o síntesis del libro).
SINÓN: resumen, síntesis.

compenetrarse v. pron. ***Me compenetro*** *muy bien con Alejandro* (= coincido con sus ideas y sus gustos).
SINÓN: entenderse. ANTÓN: diferenciarse. FAM: → *penetrar.*

compensar v. tr. **1.** ***Hemos compensado*** *el peso en la balanza* (= lo hemos nivelado o equilibrado). **2.** *Después del robo, el seguro nos* ***ha compensado*** (= nos ha dado dinero para reparar lo robado).
SINÓN: **1.** equilibrar, igualar, nivelar. **2.** indemnizar. FAM: → *pesar.*

competencia s. f. **1.** *Los comerciantes de esta calle tienen mucha* ***competencia*** (= se disputan la clientela). **2.** *La* ***competencia*** *entre los dos equipos es muy grande* (= la rivalidad). **3.** *Este asunto es* ***competencia*** *de la policía* (= le toca a ella ocuparse de él). **4.** *Andrés no tiene* ***competencia*** *para ese puesto* (= aptitud).
SINÓN: **2.** oposición, rivalidad. **3.** incumbencia. **4.** aptitud, capacidad, habilidad. ANTÓN: **2.** acuerdo. **4.** incompetencia. FAM: → *competer.*

competente adj. *Esta persona es muy* ***competente*** (= capaz de realizar cualquier trabajo con gran eficacia).
SINÓN: apto, capaz. ANTÓN: incapaz, inepto.
FAM: → *competer.*

competer v. intr. *No me* ***compete*** *a mí tomar esa decisión sino a ti* (= no me corresponde a mí).
SINÓN: incumbir. FAM: *competencia, competente.*

competición s. f. *Hemos asistido a una* ***competición*** *deportiva* (= a una prueba que hacen los deportistas que quieren conseguir un premio).
SINÓN: certamen, competencia. FAM: → *competir.*

competidor, a s. *Los* ***competidores*** *en la carrera de atletismo se colocaron en la línea de salida* (= los que participaban en ella).
SINÓN: adversario, contrario, contrincante, rival.
FAM: → *competir.*

competir v. intr. **1.** *Los atletas* ***compiten*** *en el estadio, todos quieren ganar* (= intentan llegar primero a la meta). **2.** *Este producto puede* ***competir*** *con cualquier otro porque tiene iguales o mejores cualidades* (= puede rivalizar y venderse como los otros).
SINÓN: **1.** luchar, pugnar. **1, 2.** igualar, rivalizar.
FAM: *competición, competidor.*

compinche s. **1.** *El ladrón y su* ***compinche*** *fueron a parar a la cárcel* (= la persona que se relaciona con otra para hacer algo malo). **2.** *Mi padre se reúne en el bar para jugar a las cartas con sus* ***compinches*** (= sus amigos).
SINÓN: **1.** socio. **2.** amigo.

complacerse v. pron. *El presidente* ***se complace*** *en invitarlo a la recepción* (= tiene el honor de invitarlo).
FAM: *placer.*

complaciente adj. *Los dependientes de esta tienda son muy* ***complacientes*** *con los clientes* (= muy amables, hacen cosas para agradar a los demás).
SINÓN: benigno, bueno, servicial. ANTÓN: arisco, huraño, severo. FAM: → *placer.*

complejo, a adj. **1.** *Este problema es muy* ***complejo*** (= muy complicado). ◆ **complejo** s. m. **2.** *Van a construir un* ***complejo*** *industrial cerca de mi casa* (= un conjunto de indus-

trias). **3.** *Esta persona está llena de* ***complejos*** (= de manías).
SINÓN: **1.** complicado. **2.** conjunto, reunión, urbanización. **3.** manía, rareza. ANTÓN: **1.** fácil, sencillo, simple.

complemento s. m. **1.** *El* ***complemento*** *de su elegante traje sería un bonito sombrero* (= el detalle que completaría el conjunto). **2.** Los **complementos** gramaticales son los que dan sentido a una oración.
SINÓN: **1.** detalle. **2.** objeto.

completar v. tr. *Pedro quiere* ***completar*** *su colección de caracoles* (= tenerla completa, terminarla).
SINÓN: acabar, terminar. ANTÓN: comenzar, empezar, iniciar. FAM: *completo, incompleto.*

completo, a adj. **1.** *El teatro está* ***completo*** (= ya no hay plazas libres). **2.** *Tu ejercicio no está* ***completo*** (= acabado).
SINÓN: **1.** lleno. **2.** acabado, entero, íntegro. ANTÓN: **1.** vacío. **2.** incompleto. FAM: → *completar.*

complexión s. f. *Los deportistas tienen una* ***complexión*** *fuerte* (= una constitución física fuerte, musculosa).
SINÓN: naturaleza.

complicación s. f. **1.** *No llegué a tiempo porque tuve algunas* ***complicaciones*** (= contratiempos, cosas imprevistas). **2.** *Este problema tiene muchas* ***complicaciones*** (= dificultades, no es fácil de resolver).
SINÓN: **1.** contratiempo, percance. **2.** dificultad, enredo. FAM: → *complicar.*

complicado, a adj. **1.** *Esta historia es muy* ***complicada*** (= muy difícil de entender). **2.** *Este niño tiene un carácter muy* ***complicado*** (= muy difícil, no es fácil entenderlo o conocerlo bien).
SINÓN: **1, 2.** complejo, confuso, difícil. ANTÓN: fácil, sencillo, simple. FAM: → *complicar.*

complicar v. tr. **1.** *No* ***compliques*** *mi trabajo* (= no lo hagas más difícil). ◆ **complicarse** v. pron. **2.** *El asunto* ***se complica*** (= se enreda más).
SINÓN: dificultar, enredar. ANTÓN: facilitar, simplificar. FAM: *complicación, complicado, cómplice.*

cómplice s. *El ladrón ha denunciado a sus* ***cómplices*** (= a los que lo acompañaron y lo ayudaron a robar).
SINÓN: colaborador. FAM: → *complicar.*

complot s. m. *Se ha descubierto un* ***complot*** *contra el Presidente* (= unas maniobras secretas para derribarlo).
SINÓN: conspiración, maniobra, confabulación, maquinación.

componer v. tr. **1.** *Olga* ***ha compuesto*** *un bonito ramo con las flores que cortó* (= las ha reunido para hacer un ramo). **2.** *Estos once niños de la clase* ***componen*** *el equipo de fútbol* (= lo forman). **3.** *Sólo me queda* ***componer*** *la ensalada con aceite, vinagre y sal* (= condimentarla). **4.** *Al televisor descompuesto lo* ***ha compuesto*** *un electricista* (= lo ha arreglado). **5.** *Beethoven* ***compuso*** *nueve sinfonías* (= las escribió). ◆ **componerse** v. pron. **6.** *Este edificio* ***se compone*** *de ocho pisos y un garaje* (= consta, está formado). ◆ **componérselas** **7.** ***Se las compone*** *muy bien para conseguir lo que quiere* (= se las arregla, se maneja, se las ingenia).
SINÓN: **1.** reunir. **2.** formar. **3.** aliñar, condimentar. **4.** arreglar, reparar, restaurar. **5.** escribir, hacer, producir. **6.** constar. ANTÓN: **2, 4, 6.** descomponer. FAM: → *poner.*

comportamiento s. m. *Carlos tiene un excelente* ***comportamiento*** *en el colegio* (= su conducta es muy buena, se porta muy bien).
SINÓN: conducta. FAM: *comportar.*

comportar v. tr. **1.** *La huelga de transportes* ***comportó*** *grandes atascos en la ciudad* (= tuvo como consecuencia grandes embotellamientos). ◆ **comportarse** v. pron. **2.** *Este alumno* ***se comporta*** *mal en clase* (= su conducta no es buena).
SINÓN: **1.** implicar, suponer. **2.** portarse. FAM: *comportamiento.*

composición s. f. **1.** *La profesora nos mandó hacer una* ***composición*** *sobre la primavera* (= una redacción). **2.** *Presentaron al concurso varias* ***composiciones*** *literarias y musicales* (= obras de literatura y de música). **3.** *En el laboratorio estudiamos la* ***composición*** *de los minerales* (= los elementos que los forman).
SINÓN: **1.** redacción. **2.** obra. FAM: → *poner.*

compositor, a s. *Mozart fue un gran* ***compositor*** (= un gran músico).
SINÓN: músico. FAM: → *poner.*

compra s. f. **1.** *Este libro ha sido mi última* ***compra*** (= mi última adquisición). **2.** *Mi madre hace la* ***compra*** *en un supermercado* (= adquiere todo lo necesario para comer a cambio de dinero).
SINÓN: **1.** adquisición. ANTÓN: **1.** venta. FAM: → *comprar.*

comprador, a s. *Hay varios* ***compradores*** *interesados en esta casa* (= hay varias personas que quieren comprarla).
SINÓN: cliente. ANTÓN: vendedor. FAM: → *comprar.*

comprar v. tr. *Hoy* ***he comprado*** *la fruta a buen precio* (= la he adquirido a cambio de poco dinero).
SINÓN: adquirir. ANTÓN: vender. FAM: *compra, comprador.*

comprender v. tr. **1.** *Esta obra* ***comprende*** *cuatro tomos* (= está compuesta de cuatro tomos). **2.** *Yo no* ***comprendo*** *el japonés* (= no lo entiendo).
SINÓN: **1.** contener, incluir. **2.** entender. FAM: *comprensible, comprensión, comprensivo.*

comprensible adj. *¡Habla de manera más* ***comprensible*** *si quieres que te entienda!* (= de forma más clara).
SINÓN: claro, inteligible. **ANTÓN:** incomprensible. **FAM:** → *comprender.*

comprensión s. f. *Este problema es de difícil* ***comprensión*** (= es difícil de entender).
SINÓN: entendimiento. **ANTÓN:** incomprensión. **FAM:** → *comprender.*

comprensivo, a adj. *Su madre es muy* ***comprensiva*** (= le tolera muchas cosas).
SINÓN: tolerante. **ANTÓN:** intransigente. **FAM:** → *comprender.*

compresa s. f. *Al herido le han puesto una* ***compresa*** *en la herida* (= una venda o gasa para cubrirle la herida).
FAM: → *oprimir.*

compresor s. m. *En esta fábrica utilizan* ***compresores*** *de aire* (= máquinas que sirven para disminuir el volumen de los gases o líquidos).
FAM: → *oprimir.*

comprimido s. m. *Tenía tos y el médico me dijo que tomara dos* ***comprimidos*** *al día de aquel medicamento* (= dos pastillas).
SINÓN: gragea, pastilla, píldora. **FAM:** → *oprimir.*

comprimir v. tr. **1.** ***Comprimió*** *el barro en su mano hasta conseguir una pequeña bola* (= lo apretó con fuerza). ◆ **comprimirse** v. pron. **2.** *Tuvieron que* ***comprimirse*** *para caber todos* (= tuvieron que aprovechar más el espacio donde estaban).
SINÓN: 1. apretar, oprimir. **2.** apretarse. **ANTÓN: 1.** dilatar. **2.** ensancharse. **FAM:** → *oprimir.*

comprobable adj. *Todo cuanto te digo es* ***comprobable*** (= se puede demostrar).
FAM: → *probar.*

comprobación s. f. *La policía hizo una* ***comprobación*** *de identidad* (= un control para averiguar la identidad de los presentes).
SINÓN: control. **FAM:** → *probar.*

comprobante s. m. *Necesito un* ***comprobante*** *del médico para entregarlo en el trabajo* (= un papel que demuestre que el médico me ha visitado).
SINÓN: justificativo. **FAM:** → *probar.*

comprobar v. tr. *Haría falta* ***comprobar*** *estas sumas* (= verificar si son exactas).
SINÓN: confirmar, examinar, verificar. **FAM:** → *probar.*

comprometer v. tr. **1.** *Las palabras del presunto ladrón* ***comprometieron*** *al resto de los acusados* (= implicaron en el caso a los demás acusados). ◆ **comprometerse** v. pron. **2.** *Roberto* ***se ha comprometido*** *a hacer este trabajo* (= ha prometido hacerlo).
SINÓN: 1. complicar, implicar, involucrar. **2.** garantizar, prometer. **ANTÓN:** exculpar, librar. **FAM:** → *prometer.*

comprometido, a adj. **1.** *El náufrago estaba en una situación* ***comprometida*** (= arriesgada). **2.** *No puedo darte la entrada que me sobra porque la tengo* ***comprometida*** (= he prometido darla a otra persona).
SINÓN: 1. apurado, arriesgado, difícil, peligroso. **2.** apalabrada. **ANTÓN: 1.** fácil. **FAM:** → *prometer.*

compromiso s. m. **1.** *Tengo que cumplir mi* ***compromiso*** (= lo que he prometido). **2.** *Me vi en un* ***compromiso*** *porque no llevaba suficiente dinero para pagar mis compras* (= en un apuro).
SINÓN: 1. deber, obligación, pacto, promesa, responsabilidad, trato. **2.** aprieto, apuro. **FAM:** → *prometer.*

compuerta s. f. *Las* ***compuertas*** *del pantano estaban cerradas* (= las puertas metálicas que cortan o gradúan el paso del agua).
FAM: → *puerta.*

compuesto, a adj. **1.** Mediodía *es una palabra* ***compuesta*** *por* medio *y* día (= formada por dos palabras). ◆ **compuesto** s. m. **2.** *Dime el* ***compuesto*** *químico de este producto* (= dime los elementos que lo forman).
SINÓN: 1. combinado. **2.** composición. **ANTÓN: 1.** simple.

computadora s. f. *Las* ***computadoras*** *nos ahorran el trabajo de calcular mentalmente muchas operaciones* (= máquinas que realizan los cálculos automáticamente).
SINÓN: calculadora, ordenador. **FAM:** *cómputo.*

cómputo s. m. *El* ***cómputo*** *de siete días nos da una semana* (= la suma).
SINÓN: cálculo, suma. **FAM:** *computador.*

comulgar v. intr. *Mi amigo* ***comulga*** *todos los domingos* (= recibe la comunión).
FAM: *comunión.*

común adj. **1.** *Los soldados duermen en dormitorios* ***comunes*** (= compartidos por varios). **2.** *Dio pruebas de un valor poco* ***común*** (= poco corriente). **3.** Casa *y* perro *son sustantivos* ***comunes***, Ana *y* Montevideo *son sustantivos propios* (= los sustantivos comunes son genéricos y se aplican a toda una clase de cosas o animales: la casa, el perro). **4.** *Los vecinos de este edificio tenemos un patio en* ***común*** (= para todos).
SINÓN: 1. colectivo, general. **2.** corriente, frecuente, habitual, usual. **ANTÓN: 1.** particular. **3.** propio. **FAM:** *comunicación, comunicar, comunidad, comunismo, comunista.*

comunal adj. *Estas son tierras* ***comunales*** (= pertenecientes a toda la comunidad).

comunicación s. f. **1.** *La* ***comunicación*** *de aquella noticia la hice por carta* (= la di a conocer por escrito). **2.** *Recibimos una* ***comunicación*** *del director del colegio* (= un aviso). **3.** *Entre el comedor y la cocina hay una puerta de* ***comunicación*** (= una puerta que une las dos habitaciones). ◆ **comunicaciones** s. pl. **4.** *Las* ***comunicaciones*** *son muy importantes para el*

país (= el conjunto de carreteras, vías, puertos y aeropuertos). ◆ **medios de comunicación** 5. *Los* ***medios de comunicación*** *informaron a todo el país desde el lugar de los hechos* (= la prensa, la radio y la televisión).
SINÓN: 1. difusión. 1, 2. notificación. 2. aviso, escrito. FAM: → *común.*

comunicar v. tr. 1. *Andrés me* ***ha comunicado*** *sus proyectos* (= me los ha dado a conocer). ◆ **comunicar** v. intr. 2. *El prado* ***comunica*** *con el pueblo a través de un camino* (= se puede llegar al prado por un camino). ◆ **comunicarse** v. pron. 3. *Cuando hablamos* ***nos comunicamos*** (= nos relacionamos).
SINÓN: 1. anunciar, decir, informar, manifestar. 2. enlazar. 3. relacionarse, tratarse. ANTÓN: 1. callar, ocultar. FAM: → *común.*

comunidad s. f. 1. *Ayer se reunió la* ***comunidad*** *de vecinos* (= el grupo de vecinos). 2. *Los monjes viven en* ***comunidad*** (= juntos).
SINÓN: asociación, grupo, sociedad. FAM: → *común.*

comunión s. f. 1. *Este año varios niños recibirán la primera* ***comunión*** (= recibirán el pan y el vino que representan el cuerpo y la sangre de Jesucristo).
SINÓN: eucaristía. FAM: *comulgar.*

comunismo s. m. El **comunismo** es una doctrina que propone que todos los bienes de un país sean repartidos de forma igualitaria y administrados por el Estado.
FAM: → *común.*

comunista adj. 1. *Los diputados* ***comunistas*** *han votado en contra de este proyecto de ley* (= los partidarios del comunismo). ◆ **comunista** s. m. f. 2. *Los* ***comunistas*** *piensan que todas las riquezas han de ser comunes* (= los partidarios del comunismo).
FAM: → *común.*

con Es una preposición. VER CUADRO DE PREPOSICIONES.

cóncavo, a adj. *Este espejo es* ***cóncavo*** *porque se curva hacia dentro* (= no es plano).
ANTÓN: convexo, plano.

concebir v. tr. 1. *Mi hermana* ***concibió*** *a los veintidós años su primer hijo* (= quedó embarazada, lo engendró). 2. *Marta* ***ha concebido*** *un proyecto magnífico* (= lo ha ideado). 3. *Mario* ***concibe*** *el amor de una manera muy especial* (= lo entiende).
SINÓN: 1. crear, engendrar, procrear. 2. imaginar, planear. 3. entender. FAM: *concepto.*

conceder v. tr. *A Gabriel García Márquez le* ***concedieron*** *el premio Nobel de literatura en el año 1982* (= le dieron).
SINÓN: adjudicar, asignar, dar, entregar, otorgar. ANTÓN: negar. FAM: → *ceder.*

concejal s. m. f. *El padre de Martín es* ***concejal*** (= es miembro de la Municipalidad).

concejo s. m. 1. *Hoy se han reunido los miembros del* ***concejo*** (= del Ayuntamiento). 2. *El* ***concejo*** *tuvo lugar a las siete de la tarde* (= la sesión formada por el alcalde y el resto de miembros del Ayuntamiento).

concentración s. f. 1. *En la plaza había una gran* ***concentración*** *de gente* (= había muchas personas reunidas). 2. *Este alumno tiene una gran capacidad de* ***concentración*** (= es capaz de pensar profundamente sin distraerse).
SINÓN: 1. aglomeración. FAM: → *centro.*

concentrar v. tr. 1. *El entrenador* ***concentró*** *a sus jugadores en la sierra* (= los reunió). 2. *En esta fábrica* ***concentran*** *la salsa de tomate* (= la hacen más espesa). ◆ **concentrarse** v. pron. 3. *Para resolver el problema debes* ***concentrarte*** (= debes estar muy atento).
SINÓN: 1. agrupar, reunir. 2. espesar. ANTÓN: 1. disolver, separar. 2. aclarar, diluir. 3. distraerse. FAM: → *centro.*

concéntrico, a adj. *Dibujé dos círculos* ***concéntricos*** (= círculos que tienen el mismo centro).
FAM: → *centro.*

concepto s. m. 1. *¿Qué* ***concepto*** *tienes de esta persona?* (= ¿qué opinión tienes de ella?). 2. *Toma este dinero en* ***concepto*** *de adelanto* (= como adelanto).
SINÓN: 1. juicio, opinión. FAM: *concebir.*

concesión s. f. 1. *Para llegar a un acuerdo con ellos tuvo que hacer algunas* ***concesiones*** (= cedió en algunas de sus exigencias). 2. *A este contratista le han dado la* ***concesión*** *de la obra* (= la licencia para poder realizar la obra).
SINÓN: 2. adjudicación, licencia. FAM: → *ceder.*

concha s. f. 1. *Las ostras, los caracoles y las almejas tienen* ***concha*** (= caparazón que protege sus partes más blandas). 2. *El apuntador ayuda a los actores a recordar el texto desde la* ***concha*** (= desde un mueble colocado en la parte delantera del escenario).

conciencia s. f. 1. *Todas las personas tenemos* ***conciencia*** (= conocimiento que tenemos de nosotros mismos y de todo lo que nos rodea). 2. *César no tiene la* ***conciencia*** *tranquila* (= tiene la sensación de haber actuado ◆ **a conciencia** 3. *Esta vez he trabajado* ***a conciencia*** (= he hecho el trabajo tomándolo en serio y con mucho cuidado para que salga bien).
SINÓN: 1. conocimiento, juicio.

concierto s. m. *Los músicos han dado un* ***concierto*** (= un recital de música).
SINÓN: audición, recital.

conciliar v. tr. 1. *Tras grandes disputas lograron* ***conciliar*** *a los dos adversarios* (= consiguieron que se pusieran de acuerdo). ◆ **conciliar el sueño** 2. *No logré* ***conciliar el sueño*** *en toda la noche* (= no pude dormir).
ANTÓN: 1. enemistar, enfrentar, oponer.

concilio s. m. *Los obispos se reunieron en **concilio** para tratar asuntos importantes* (= en una asamblea presidida por el Papa).
SINÓN: asamblea, congreso. FAM: *reconciliarse.*

conciso, a adj. *El alcalde hizo un discurso claro y **conciso*** (= habló con claridad y brevedad).
SINÓN: breve, preciso. ANTÓN: extenso.

concluir v. tr. ***Hemos concluido** nuestro trabajo* (= lo hemos finalizado).
SINÓN: acabar, finalizar, terminar. ANTÓN: comenzar, empezar, iniciar. FAM: *conclusión.*

conclusión s. f. **1.** *La **conclusión** de las obras del estadio fue acogida con alegría* (= la finalización de las obras). **2.** *Se llegó a la **conclusión** de aceptar el presupuesto* (= a la decisión de aceptarlo).
SINÓN: **1.** fin, final. **2.** decisión, determinación. ANTÓN: **1.** comienzo, inicio, principio. FAM: *concluir.*

concordancia s. f. **1.** *No hay **concordancia** entre sus ideas y sus actos* (= no corresponde lo que piensa con lo que hace). **2.** *Entre el sujeto y el verbo hay **concordancia*** (= tienen el mismo número y persona gramaticales).
SINÓN: **1.** coincidencia, correspondencia. FAM: *concordar.*

concordar v. tr. **1.** *Tus datos no **concuerdan** con los míos* (= no coinciden). **2.** *El artículo **concuerda** con el nombre en género y número* (= entre el artículo y el nombre hay una correspondencia gramatical).
SINÓN: **1.** coincidir. FAM: *concordancia.*

concretar v. tr. **1.** ***Concretamos** la fecha del examen* (= la precisamos). **2.** ***Concretó** su conferencia a tres puntos* (= la redujo a tres ideas).
SINÓN: **1.** precisar, puntualizar. **2.** reducir, resumir. ANTÓN: **2.** ampliar, extender. FAM: *concreto.*

concreto, a adj. **1.** *Una silla, una mesa, un libro son objetos **concretos*** (= objetos que pueden verse y tocarse). **2.** *No quiero un libro cualquiera sino uno **concreto*** (= con un título determinado). **3.** *Dame detalles más **concretos** de lo que ocurrió* (= menos generales).
SINÓN: **2.** definido, determinado. **3.** exacto, preciso. ANTÓN: **1.** abstracto. **2.** indefinido, indeterminado. **3.** general, impreciso. FAM: *concretar.*

concurrencia s. f. **1.** *El conferenciante habló delante de una **concurrencia** numerosa* (= delante de mucha gente). **2.** *Debido a la **concurrencia** de varias circunstancias, la reunión fue anulada* (= a la coincidencia de varias circunstancias).
SINÓN: **1.** asistencia. **2.** coincidencia. FAM: *concurrido.*

concurrido, a adj. *Este bar es muy **concurrido*** (= siempre está lleno de gente).
SINÓN: frecuentado. FAM: → *concurrencia.*

concursante s. m. f. *Para la elección de la reina del carnaval se han presentado veinte **concursantes*** (= veinte candidatas que aspiran a ser elegidas).
SINÓN: candidato, competidor, participante. FAM: → *concurso.*

concursar v. intr. *Félix **concursó** en el programa y obtuvo el primer premio* (= participó en una serie de pruebas).
SINÓN: competir, participar. FAM: → *concurso.*

concurso s. m. *Mi hermano mayor se ha presentado a un **concurso** de baile* (= a una competición).
SINÓN: certamen, prueba. FAM: *concursante, concursar.*

condecoración s. f. *Le concedieron al soldado una **condecoración** por los servicios prestados* (= le otorgaron un galardón).
SINÓN: distinción, galardón. FAM: → *decorar.*

condecorar v. tr. ***Han condecorado** a Don Antonio con una cruz de plata* (= lo han galardonado).
SINÓN: distinguir, galardonar. FAM: → *decorar.*

condena s. f. **1.** *El juez ha pronunciado la **condena** impuesta al acusado* (= el castigo que le corresponde por cometer una falta grave). **2.** *El acusado cumplirá una **condena** de tres años* (= permanecerá durante este tiempo en la cárcel).
SINÓN: **1.** fallo, sanción, sentencia, veredicto. **2.** castigo, pena. ANTÓN: **2.** absolución, perdón. FAM: *condenar.*

condenar v. tr. **1.** *El juez **condenó** al acusado* (= pronunció la sentencia imponiéndole una pena). **2.** *Hay que **condenar** toda clase de atentados* (= hay que desaprobarlos).
SINÓN: **1.** castigar, sancionar, sentenciar. **2.** censurar, desaprobar, rechazar. ANTÓN: **1.** absolver, perdonar. **2.** aprobar. FAM: *condena.*

condensar v. tr. *En esta fábrica de productos lácteos **condensan** la leche* (= la hacen más espesa).

condescendiente adj. *Alicia es muy **condescendiente** con el gusto de sus amigos* (= se adapta por bondad a los gustos de los demás).

condición s. f. **1.** *Equivocarse es propio de la **condición** humana* (= del modo de ser de los hombres y mujeres). **2.** *Se casó con una muchacha de **condición** alta* (= de posición social alta). **3.** *Iré a la fiesta con la **condición** de que volvamos pronto a casa* (= iré si no regresamos tarde). **4.** *El contrato exige la **condición** de ser mayor de edad* (= es obligación tener, como mínimo, dieciocho años). ◆ **condiciones** s. pl. **5.** *Esta chica tiene **condiciones** para ser una gran bailarina* (= aptitudes para conseguirlo). **6.** *Los frenos de este coche no están **en condiciones*** (= no están en buen estado).
SINÓN: **1.** naturaleza. **2.** clase, posición. **4.** obligación. **5.** aptitud, capacidad. FAM: *acondicionar, condicionar.*

condicionar v. tr. *El tiempo* ***condicionará*** *el éxito de la feria* (= el éxito dependerá del estado del tiempo).
FAM: *condición.*

condimentar v. tr. *Podemos* ***condimentar*** *el pollo con ajo* (= podemos añadirle alguna sustancia, como el ajo, para que le dé más sabor).
SINÓN: aliñar, sazonar. **FAM:** *condimento.*

condimento s. m. *La sal y la pimienta son* ***condimentos*** (= sustancias que dan más sabor a la comida).
FAM: *condimentar.*

condominio s. m. Méx. *Mis padres tienen un* ***condominio*** *en el centro de la ciudad* (= departamento).

cóndor s. m. El **cóndor** es un ave rapaz de América, semejante al buitre, de color negro azulado y con una especie de collar de plumas blancas en el cuello.

conducción s. f. *La* ***conducción*** *del coche exige reflejos* (= su manejo).
SINÓN: guía, manejo. **FAM:** → *conducir.*

conducir v. tr. **1.** *El autobús nos* ***condujo*** *a la estación* (= nos trasladó). **2.** *A mi padre no le gusta* ***conducir*** *el camión de noche* (= guiar el camión de noche). **3.** ***Conduce*** *su empresa con gran confianza* (= la dirige con seguridad). **4.** *Su esfuerzo lo* ***condujo*** *a la fama* (= con su esfuerzo consiguió la fama).
SINÓN: 1. transportar, trasladar. **3.** dirigir, gobernar. **FAM:** *conducción, conducta, conducto, conductor.*

conducta s. f. *Cristina ha sido felicitada por su buena* ***conducta*** (= por su buen comportamiento).
SINÓN: comportamiento, proceder. **FAM:** → *conducir.*

conducto s. m. **1.** *El* ***conducto*** *del gas pasa por la cocina* (= el tubo por el que circula el gas). **2.** *Este expediente debe seguir el* ***conducto*** *reglamentario* (= el camino fijado por las normas).
SINÓN: 1. cañería, tubería, tubo. **2.** camino, vía.
FAM: → *conducir.*

conductor, a s. *Está prohibido hablar con el* ***conductor*** *del autobús* (= con la persona que lo conduce).
SINÓN: chofer, piloto. **FAM:** → *conducir.*

conectar v. tr. **1.** ***Han conectado*** *el teléfono de mis abuelos con la central* (= lo han puesto en funcionamiento). ◆ **conectar** v. intr. **2.** ***Conectaron*** *con el enviado especial para conocer las últimas noticias del suceso* (= se pusieron en comunicación con el periodista para tener más información).
SINÓN: 1. enchufar. **2.** comunicar, contactar.
FAM: *conexión.*

conejera s. f. *Los conejos de monte viven en* ***conejeras*** (= en cuevas o galerías subterráneas).
SINÓN: madriguera. **FAM:** *conejo.*

conejo, ja s. El **conejo** es un mamífero roedor, de orejas largas y pelo espeso que vive en los bosques o se cría en las granjas.
FAM: *conejera.*

conexión s. f. **1.** *La* ***conexión*** *entre estos dos aparatos ya fue realizada* (= la unión entre los dos circuitos eléctricos). **2.** *No hay* ***conexión*** *alguna entre lo que estudia* (= no hay ninguna relación).
SINÓN: 1. contacto, unión. **2.** relación, vínculo.
ANTÓN: 1. desconexión. **FAM:** *conectar, desconectar.*

confección s. f. *Esta empresa se dedica a la* ***confección*** *de prendas femeninas* (= a la fabricación de ropa de dama).
SINÓN: elaboración, fabricación. **FAM:** *confeccionar.*

confeccionar v. tr. *En esta fábrica* ***confeccionan*** *trajes de caballero* (= hacen ropa de caballero).
SINÓN: elaborar, fabricar, hacer, realizar. **FAM:** *confección.*

conferencia s. f. **1.** *El director del colegio ha dado una* ***conferencia*** *sobre Grecia* (= ha hablado de Grecia en una sala muy grande llena de alumnos que lo escuchaban con gran atención). **2.** *Los ministros de Asuntos Exteriores han celebrado una* ***conferencia*** *para tratar de asuntos importantes* (= han celebrado una reunión). **3.** *Beatriz, que vive en Montevideo, ha tenido una* ***conferencia*** *telefónica con su hermano que reside en París* (= ha llamado por teléfono desde una ciudad a otra).
SINÓN: 1. charla. **2.** asamblea, reunión. **3.** comunicación. **FAM:** *conferenciante.*

conferenciante s. m. f. *El* ***conferenciante*** *pronunció un gran discurso sobre los animales mamíferos* (= la persona que habló de un determinado tema ante el público).
SINÓN: orador. **FAM:** *conferencia.*

confesar v. tr. **1.** *Debo* ***confesar*** *que estoy equivocado* (= debo reconocerlo). **2.** *El sacerdote* ***confesó*** *a los niños antes de que hicieran la primera comunión* (= escuchó la confesión de sus pecados).
SINÓN: 1. admitir, reconocer. **ANTÓN: 1, 2.** callar, negar, ocultar. **FAM:** *confesión, confesionario, confesor.*

confesión s. f. **1.** *El juez escuchó la* ***confesión*** *de los testigos* (= escuchó lo que sabían los testigos). **2.** *En el sacramento de la* ***confesión,*** *el sacerdote perdona los pecados.*
SINÓN: 1, 2. confidencia, declaración. **2.** penitencia. **FAM:** → *confesar.*

confesonario o **confesionario** s. m. *El sacerdote entró en el* ***confesonario*** *para escuchar a los fieles* (= en una especie de cabina donde el sacerdote escucha la confesión).
FAM: → *confesar.*

confesor s. m. *Este sacerdote es mi* ***confesor*** (= es la persona que me confiesa).
FAM: → *confesar.*

confiado, a adj. **1.** *Luisa se cree todo lo que le dicen porque es muy* ***confiada*** (= es muy ingenua). **2.** *Ángel está muy* ***confiado*** *en que conseguirá el empleo* (= está muy seguro).
SINÓN: **1.** cándido, ingenuo. **2.** seguro. FAM: → *fiar.*

confianza s. f. **1.** *Tengo* ***confianza*** *en mi amigo* (= me fío de él, sé que actuará como yo espero y no me fallará). **2.** *Nos tratamos con mucha* ***confianza*** *porque nos conocemos desde niños* (= con mucha familiaridad).
SINÓN: **1.** fe. ANTÓN: **1, 2.** desconfianza. FAM: → *fiar.*

confiar v. intr. **1.** ***Confío*** *en mis amigos porque sé que no me engañarán* (= tengo fe en ellos). ◆ **confiarse** v. pron. **2.** *Pascual* ***se ha confiado*** *a mí* (= me ha contado sus secretos). v. tr. **3.** *Su papá le* ***confió*** *la dirección de su empresa* (= le encargó que se ocupara de ella).
SINÓN: **1.** creer, fiar. **2.** abandonarse. ANTÓN: desconfiar, recelar, sospechar. FAM: → *fiar.*

confidencia s. f. *Mi amigo me cuenta sus* ***confidencias*** (= sus secretos).
SINÓN: revelación, secreto. FAM: → *fiar.*

confidente s. m. f. *Se hicieron tan amigos que se convirtieron en* ***confidentes*** *uno de otro* (= se contaban sus secretos).
FAM: → *fiar.*

confirmar v. tr. **1.** *¿Puedes* ***confirmarme*** *que vendrás a la fiesta?* (= ¿puedes asegurármelo?). ◆ **confirmarse** v. pron. **2.** ***Se confirmó*** *la noticia de ayer* (= se dio por segura).
SINÓN: **1, 2.** asegurar, certificar. FAM: → *firme.*

confiscar v. tr. *La policía* ***confiscó*** *las armas a los terroristas* (= se las quitó).
SINÓN: quitar, retener. ANTÓN: dar, devolver.

confite s. m. Los **confites** son bolitas de golosina azucaradas rellenas de almendra, piñón o anís.
SINÓN: caramelo, dulce, golosina. FAM: *confitería, confitero, confitura.*

confitería s. f. *Fuimos a la* ***confitería*** *a comprar pasteles y caramelos para la fiesta* (= al sitio donde venden dulces).
SINÓN: pastelería. FAM: → *confite.*

confitura s. f. *Me encanta la* ***confitura*** *de fresa* (= la mermelada de fresa).
SINÓN: mermelada. FAM: → *confite.*

conflictivo, a adj. **1.** *Este niño es muy* ***conflictivo*** *porque siempre se está peleando* (= es muy inquieto y problemático). **2.** *Me encuentro en una situación* ***conflictiva*** *sin saber qué hacer* (= en una situación difícil).
SINÓN: **1.** inquieto, intranquilo, nervioso. **2.** difícil, incierto. ANTÓN: **1.** tranquilo. **2.** fácil, seguro. FAM: *conflicto.*

conflicto s. m. **1.** *Me encuentro en un* ***conflicto*** *porque no sé a quién darle la razón* (= en una situación difícil, no sé cómo solucionarla). **2.** *El* ***conflicto*** *entre los dos países provocó la guerra* (= el desacuerdo entre ellos).
SINÓN: **1.** apuro, embrollo. FAM: *conflictivo.*

confluencia s. f. *Mi pueblo se halla en la* ***confluencia*** *de dos ríos* (= en el lugar donde se juntan sus aguas).
SINÓN: desembocadura, reunión. ANTÓN: separación. FAM: → *confluir.*

confluir v. intr. *Las dos autopistas* ***confluyen*** *en Río de Janeiro* (= se juntan).
SINÓN: juntarse, unirse. ANTÓN: separarse, alejarse. FAM: *confluencia.*

conformarse v. pron. ***Se conforma*** *con lo que tiene sin esperar nada más* (= le basta lo que tiene).
SINÓN: acomodarse, adaptarse, resignarse. ANTÓN: sublevarse. FAM: → *forma.*

conforme adj. **1.** *Mi decisión está* ***conforme*** *con el reglamento* (= está de acuerdo con él). **2.** *Estoy* ***conforme*** *contigo en lo que acabas de decir* (= tengo la misma opinión). ◆ **conforme** adv. **3.** *Después de la fiesta, todo quedó* ***conforme*** *estaba* (= de la misma manera). **4.** *Te premiarán* ***conforme*** *a lo que hagas* (= según lo que hagas).
SINÓN: **1, 2.** acorde. **3.** igual. **4.** según. ANTÓN: **1.** distinto. FAM: → *forma.*

conformidad s. f. *El director dio su* ***conformidad*** *al nuevo proyecto* (= dio su aprobación).
SINÓN: acuerdo. ANTÓN: desacuerdo, discordia. FAM: → *forma.*

confort s. m. *Solía ir siempre al mismo hotel por el* ***confort*** *de sus habitaciones* (= por la comodidad).
SINÓN: comodidad. FAM: *confortable.*

confortable adj. *Este sillón es muy* ***confortable*** (= se está muy bien en él).
SINÓN: acogedor, cómodo. ANTÓN: incómodo. FAM: *confort.*

confortar v. tr. *Nos* ***ha confortado*** *que estuvieras a nuestro lado* (= nos ha dado valor).
SINÓN: animar, fortalecer. ANTÓN: desanimar, entristecer. FAM: → *fuerza.*

confrontar v . . *El filólogo* ***confrontó*** *los dos textos y descubrió varias diferencias entre ellos* (= los comparó).
SINÓN: comparar.

confundir v. tr. **1.** ***Confundo*** *a los dos hermanos porque se parecen mucho* (= me equivoco de persona). **2.** ***Confundes*** *lo que pasó en realidad con lo que te han contado* (= mezclas unas cosas con otras). **3.** *Estabas tan seguro de tu teoría que conseguiste* ***confundir*** *a tu adversario* (= que conseguiste desorientarlo). ◆ **confundirse** v. pron. **4.** *Los ladrones* ***se confundieron*** *entre la multitud* (= se mezclaron entre la gente).

5. *El profesor siempre* ***se confunde*** *de nombre al llamarme* (= se equivoca).
SINÓN: 1. equivocar. **2.** mezclar. **3.** convencer, desorientar. **4.** mezclarse. **5.** equivocarse. **ANTÓN: 1, 5.** acertar. **FAM:** → *fundir.*

confusión s. f. **1.** *En mi habitación reina la mayor* ***confusión*** *porque no hay nada en su sitio* (= reina el desorden). **2.** *Disculpa mi* ***confusión*** *porque te he dado una factura que no era la tuya* (= mi equivocación).
SINÓN: 1. desorden, mezcla. **2.** equivocación, error. **ANTÓN: 1.** orden. **2.** acierto. **FAM:** → *fundir.*

confuso, a adj. **1.** *Me ha dado unas explicaciones* ***confusas*** *y sigo sin entender nada* (= poco claras). **2.** *Alejandro estaba* ***confuso*** *por el error que había cometido* (= estaba avergonzado).
SINÓN: 1. oscuro. **2.** avergonzado, turbado. **ANTÓN: 1.** claro, preciso. **FAM:** → *fundir.*

congelación s. f. *La* ***congelación*** *de los alimentos permite conservarlos mucho tiempo* (= ponerlos a muy baja temperatura).
SINÓN: enfriamiento. **FAM:** → *hielo.*

congelador s. m. *El refrigerador tiene un* ***congelador*** *para conservar los alimentos* (= tiene un sector donde hace más frío).
FAM: → *hielo.*

congelar v. tr. **1.** *En esta fábrica* ***congelan*** *las carnes para conservarlas* (= las someten a un frío muy intenso). ◆ **congelarse** v. pron. **2.** ***Se ha congelado*** *el agua* (= se ha vuelto sólida).
SINÓN: enfriar, helar. **ANTÓN:** descongelar, fundir. **FAM:** → *hielo.*

congeniar v. intr. *Yo* ***congenio*** *muy bien con mi hermano porque tenemos el mismo carácter* (= me llevo muy bien con él).
SINÓN: entenderse.

congénito, a adj. *Nunca ha podido ver porque su ceguera es* ***congénita*** (= es de nacimiento).
ANTÓN: adquirido.

congestión s. f. **1.** *Tengo una* ***congestión*** *de nariz que no me deja respirar* (= la tengo cargada). **2.** *A las siete de la tarde suele formarse una gran* ***congestión*** *de tránsito en las ciudades* (= gran acumulación).
SINÓN: 2. acumulación.

congoja s. f. *Sintió una gran* ***congoja*** *al saber la desgracia de su amigo* (= una gran angustia).
SINÓN: angustia, ansiedad. **ANTÓN:** alegría, dicha, placer, satisfacción. **FAM:** *acongojar.*

congoleño, a adj. **1.** *Los bosques* ***congoleños*** *son muy frondosos* (= del Congo). ◆ **congoleño, a** s. **2.** *Los* ***congoleños*** *son las personas nacidas en el Congo.*

congregarse v. pron. *La muchedumbre* ***se congregó*** *en la plaza para escuchar al alcalde* (= se reunió).
SINÓN: juntarse, reunirse. **ANTÓN:** disolverse, separarse. **FAM:** *congreso.*

congresal s. m. Amér. → ***congresista.***

congresista s. *Mi maestra fue* ***congresista*** *en unas jornadas pedagógicas* (= miembro de un congreso científico).

congreso s. m. **1.** *En Veracruz se está celebrando un* ***congreso*** *de Medicina* (= una reunión para hablar de esa ciencia). **2.** *Los diputados se reúnen en el* ***Congreso*** (= en el edificio donde se desarrollan las sesiones parlamentarias).
SINÓN: 1. asamblea, junta, reunión. **FAM:** *congregarse.*

congrio s. m. El **congrio** es un pez marino, comestible, de cuerpo cilíndrico muy largo.

cónico, a adj. *A las brujas siempre las dibujan con un sombrero* ***cónico*** (= que tiene forma de cono).
FAM: → *cono.*

conífero, a adj. El abeto, el pino y el ciprés son árboles **coníferos** porque tienen frutos en forma de cono.
FAM: → *cono.*

conjugación s. f. **1.** *En castellano tenemos tres* ***conjugaciones*** *verbales* (= tres modelos de verbos, según la terminación: ar, er, ir). **2.** *En clase recitamos los tiempos y modos de la* ***conjugación*** *de los verbos* (= todas las formas de un verbo).
FAM: *conjugar.*

conjugar v. tr. *El profesor nos enseña a* ***conjugar*** *los verbos* (= nos enseña a formarlos).
FAM: *conjugación.*

conjunción s. f. Y, pero, pues, *son* ***conjunciones*** (= son palabras invariables que unen palabras u oraciones). VER CUADRO DE CONJUNCIONES.

conjuntivitis s. f. *Me arden los ojos porque tengo* ***conjuntivitis*** (= una inflamación en el ojo).

conjunto s. m. **1.** *En clase de matemáticas hemos estudiado los* ***conjuntos*** (= los grupos de elementos que tienen una característica común). **2.** *Mi amiga Silvia canta en un* ***conjunto*** (= en un grupo musical).
SINÓN: grupo, reunión.

conmigo Es un pronombre personal. VER CUADRO DE PRONOMBRES PERSONALES.

conmemoración s. f. *Celebraron la* ***conmemoración*** *de la independencia* (= recordaron el día que se declaró, con una fiesta solemne).
SINÓN: recordatorio, recuerdo. **ANTÓN:** olvido. **FAM:** *conmemorar.*

conmemorar v. tr. ***Hemos conmemorado*** *el día de la Constitución* (= lo hemos recordado con una ceremonia).
SINÓN: evocar, recordar. **ANTÓN:** olvidar. **FAM:** *conmemoración.*

conmoción s. f. **1.** *La noticia del accidente le ha causado una gran* ***conmoción*** (= un gran trastorno). ◆ **conmoción cerebral 2.** *El golpe que se dio en la cabeza le causó* ***conmoción cerebral*** (= perdió el conocimiento).
SINÓN: 1. emoción, susto, trastorno. **FAM:** → *mover.*

conmovedor, a adj. *El homenaje que rindieron al escritor fue* ***conmovedor*** (= fue muy emocionante).
SINÓN: emocionante, emotivo, sentimental. **FAM:** → *mover.*

conmover v. tr. **1.** *Me* ***conmueve*** *ver a los dos hermanos abrazándose* (= me emociona). **2.** *El terremoto* ***conmovió*** *la tierra* (= la sacudió).
SINÓN: 1. emocionar, impresionar, turbar. **2.** agitar, mover, sacudir. **ANTÓN:** tranquilizar. **FAM:** → *mover.*

conmutador s. m. Amér. *Manuela trabaja como operadora en el* ***conmutador*** *de una oficina* (= centralita telefónica).

conmutar v. tr. *Le* ***conmutaron*** *la pena de cadena perpetua por 20 años de cárcel* (= le cambiaron el castigo).
SINÓN: cambiar.

cono s. m. Un **cono** es un cuerpo geométrico que tiene una base circular plana y termina en punta.
FAM: → *conífero, cónico.*

conocedor, a adj. *Luis es buen* ***conocedor*** *de vinos* (= conoce bien sus características).
SINÓN: entendido, experto. **FAM:** *conocer.*

conocer v. tr. **1.** *Andrea* ***conoce*** *muy bien el francés* (= lo entiende). **2.** *El maestro* ***conoce*** *a sus alumnos* (= los distingue bien y sabe quién es cada uno). **3.** ***Conozco*** *a tu hermana de vista* (= sé quién es, aunque no tengo trato con ella). **4.** *Los pastores* ***conocen*** *el estado del tiempo por la dirección del viento* (= lo saben). ◆ **conocerse** v. pron. **5.** *Mi amigo y yo* ***nos conocemos*** *desde pequeños* (= nos relacionamos).
SINÓN: 1. comprender, entender. **2, 3.** distinguir, reconocer. **4.** saber. **5.** comprenderse, relacionarse. **ANTÓN:** desconocer, ignorar. **FAM:** *conocedor, conocido, conocimiento, desconocer, desconocido, incógnita, reconocer.*

conocido, a adj. **1.** *Juan Rulfo es un escritor muy* ***conocido*** (= es famoso). ◆ **conocido, a** s. **2.** *Han venido a mi casa unos antiguos* ***conocidos*** *de la familia* (= unas personas que conocemos pero que no son amigos).
SINÓN: 1. célebre, famoso, ilustre. **ANTÓN: 1.** anónimo, desconocido. **FAM:** → *conocer.*

conocimiento s. m. **1.** *Sandra tiene un buen* ***conocimiento*** *del inglés* (= lo habla y lo escribe bien). **2.** *Debido al golpe en la cabeza, el conductor perdió el* ***conocimiento*** (= perdió el sentido).
FAM: → *conocer.*

conquista s. f. **1.** *Los astronautas se han lanzado a la* ***conquista*** *del espacio* (= al descubrimiento). **2.** *Napoleón no pudo conservar sus* ***conquistas*** (= los territorios que había dominado).
SINÓN: dominación, invasión, ocupación. **ANTÓN:** pérdida. **FAM:** *conquistador, conquistar, reconquista, reconquistar.*

conquistador, a s. **1.** *María presume de ser guapa y* ***conquistadora*** (= de enamorar a muchos hombres). ◆ **conquistador** s. m. **2.** *Hernán Cortés, Pizarro y Valdivia fueron algunos de los grandes* ***conquistadores*** *de América* (= las personas que conquistaron y ocuparon nuevas tierras).
FAM: *conquista.*

conquistar v. tr. **1.** *En la Antigüedad los romanos* ***conquistaron*** *el mundo conocido* (= lo dominaron por medio de guerras). **2.** *El atleta* ***conquistó*** *el primer puesto* (= lo consiguió). **3.** *El nuevo compañero de curso nos ha* ***conquistado*** *a todos con su simpatía* (= nos ha atraído).
SINÓN: 1. dominar, invadir. **2.** ganar, lograr. **3.** agradar, atraer. **ANTÓN: 1, 2, 3.** perder. **FAM:** → *conquista.*

consabido, a adj. *Antes de empezar a cenar, el director pronunció el* ***consabido*** *discurso navideño* (= hizo lo mismo que cada año).
SINÓN: conocido, normal, sabido. **ANTÓN:** novedoso, nuevo, diferente. **FAM:** → *saber.*

consagrar v. tr. **1.** *El Papa* ***consagró*** *la nueva iglesia* (= la convirtió en un lugar sagrado). **2.** *El profesor* ***consagró*** *su vida a la investigación sobre la vida de las plantas* (= la dedicó a esa labor). **3.** *La novela Cien años de Soledad* ***consagró*** *a García Márquez como un gran escritor* (= le dio mucha fama).
SINÓN: 2. dedicar, emplear. **FAM:** → *sagrado.*

consciente adj. **1.** *Antonio es* ***consciente*** *de sus actos* (= se da cuenta de lo que hace). **2.** *Mi abuelo estuvo* ***consciente*** *hasta poco antes de morir* (= estuvo sin perder el conocimiento, se daba cuenta de todo).
SINÓN: 1. juicioso, responsable, sensato. **ANTÓN: 1.** inconsciente, descuidado, irresponsable. **FAM:** *inconsciente.*

conscripto s. m. Amér. *Mi hermano está cumpliendo el servicio militar, es un* ***conscripto.***

consecuencia s. f. *Si te comportas mal, debes aceptar las* ***consecuencias*** (= los resultados).
SINÓN: efecto, resultado. **ANTÓN:** causa. **FAM:** → *seguir.*

consecutivo, a adj. **1.** *El dos y el tres son números* ***consecutivos*** (= van uno detrás del otro). **2.** Luego, pues, por tanto *son conjunciones* ***consecutivas*** (= expresan que una cosa deriva de otra).
SINÓN: 1. inmediato, posterior, siguiente. **ANTÓN:** anterior. **FAM:** → *seguir.*

conseguir v. tr. *No pude* ***conseguir*** *que me dieran permiso de vacaciones* (= no pude lograrlo).
SINÓN: lograr, obtener. **ANTÓN:** fracasar. **FAM:** → *seguir.*

consejero, a s. **1.** *Mi hermano es mi mejor* ***consejero*** *porque me dice cómo debo actuar* (= es la persona que me aconseja). **2.** *Ha sido nombrado* ***consejero*** *de la Universidad* (= persona que ejerce un cargo académico).
SINÓN: asesor, guía. **FAM:** → *consejo.*

consejo s. m. **1.** *Mi abuelo me da* ***consejos*** *para resolver mis problemas* (= me da su opinión). **2.** *Se ha reunido el* ***consejo*** *de ministros para celebrar una reunión* (= un grupo de personas que deciden sobre cuestiones).
SINÓN: 1. advertencia, aviso, indicación. **FAM:** *aconsejable, aconsejar, consejero, desaconsejar.*

consentimiento s. m. *El director nos ha dado su* ***consentimiento*** *para empezar el proyecto* (= su autorización).
SINÓN: acuerdo, autorización, permiso. **ANTÓN:** negativa, oposición. **FAM:** *consentir.*

consentir v. tr. **1.** *Mis padres* ***consienten*** *que haga el viaje* (= me dejan hacerlo). **2.** *Mis tíos* ***consienten*** *todo a sus hijos* (= les dan demasiados mimos).
SINÓN: 1. acceder, aprobar, permitir. **2.** tolerar, mimar. **ANTÓN:** negar. **FAM:** *consentimiento.*

conserje s. m. *El* ***conserje*** *se encarga de abrir y cerrar las puertas y de cuidar el edificio del colegio* (= el vigilante).
SINÓN: portero. **FAM:** *conserjería.*

conserjería s. f. *Fui a* ***conserjería*** *para entregar los papeles de la matrícula* (= al lugar donde está el portero o conserje).
SINÓN: portería. **FAM:** *conserje.*

conserva s. f. *Hemos comprado atún en* ***conserva*** (= en lata para que se mantenga en buen estado durante mucho tiempo).
FAM: → *conservar.*

conservación s. f. *El frío permite la* ***conservación*** *de los alimentos durante algún tiempo* (= el mantenimiento de los alimentos).
SINÓN: protección. **FAM:** → *conservar.*

conservador, a adj. **1.** *Mi abuelo tiene costumbres* ***conservadoras*** *y no nos deja salir de noche* (= tradicionales). ◆ **conservador, a** s. **2.** *Los* ***conservadores*** *son reacios a los cambios sociales o políticos* (= son personas que piensan que debe mantenerse la tradición política de un país).
FAM: → *conservar.*

conservar v. tr. **1.** *El termo* ***conserva*** *el calor* (= lo mantiene). **2.** *Este pueblo* ***conserva*** *sus costumbres y tradiciones* (= las sigue practicando). **3.** *Mi abuela* ***conserva*** *sus libros escolares* (= los guarda con cuidado).
SINÓN: 1. mantener. **2.** continuar, perdurar. **3.** guardar. **ANTÓN: 1, 2, 3.** abandonar, eliminar, perder. **FAM:** *conserva, conservación, conservatorio, conservador.*

conservatorio s. m. *Voy al* ***conservatorio*** *a aprender música y canto* (= a un centro donde se puede aprender a tocar instrumentos musicales o a cantar).
FAM: → *conservar.*

considerable adj. *Le han ofrecido una cantidad* ***considerable*** *de dinero* (= importante).
SINÓN: enorme, grande, importante. **ANTÓN:** escaso, mínimo, pequeño. **FAM:** → *considerar.*

consideración s. f. **1.** *Tu hermano siempre toma en* ***consideración*** *mis opiniones* (= las tiene en cuenta). **2.** *Goza de gran* ***consideración*** *entre sus superiores* (= goza de respeto).
SINÓN: 2. estima, respeto. **ANTÓN: 2.** desprecio. **FAM:** → *considerar.*

considerado, a adj. **1.** *El problema* ***considerado*** *no tiene solución* (= el problema examinado). **2.** *Luis está muy bien* ***considerado*** *en su empresa* (= es muy apreciado en la empresa).
SINÓN: 2. apreciado, estimado. **ANTÓN: 2.** despreciado, odiado. **FAM:** → *considerar.*

considerar v. tr. **1.** *Mónica* ***consideró*** *las ventajas del traslado* (= las examinó). **2.** *Por su trabajo lo* ***consideran*** *mucho en su oficina* (= lo valoran mucho). **3.** ***Considero*** *a Paco mi mejor amigo* (= lo juzgo así).
SINÓN: 1. meditar, pensar, reflexionar. **2.** estimar, respetar. **3.** juzgar, valorar. **ANTÓN: 2.** despreciar. **FAM:** *considerable, consideración, considerado.*

consigo Es un pronombre personal. VER CUADRO DE PRONOMBRES PERSONALES.

consigna s. f. **1.** *En las estaciones se puede dejar el equipaje en la* ***consigna*** *durante algún tiempo* (= en un depósito). **2.** *El centinela recibe la* ***consigna*** *que le da su superior* (= la orden).
SINÓN: 1. depósito. **2.** instrucción, orden. **FAM:** → *signo.*

consiguiente *Yo ya te avisé;* ***por consiguiente,*** *no tengo la culpa* (= luego no tengo la culpa).

consistencia s. f. **1.** *Esta empresa tiene mucha* ***consistencia*** (= mucha estabilidad). **2.** *La masa de las rosquillas debe tener* ***consistencia*** (= debe estar bastante espesa).
SINÓN: 1. duración, estabilidad. **2.** dureza, solidez. **ANTÓN: 2.** fragilidad, ligereza. **FAM:** → *consistir.*

consistente adj. *Esta pasta ya está muy* ***consistente*** (= ya está casi sólida).
SINÓN: denso, duro, firme, resistente. **ANTÓN:** blando. **FAM:** → *consistir.*

consistir v. intr. *Su trabajo en la oficina* ***consiste*** *en escribir a máquina* (= el trabajo que debe hacer).
FAM: *consistencia, consistente.*

consola s. f. **1.** *En el pasillo de mi casa tenemos una* ***consola*** *llena de marcos con fotografías* (= una mesa de adorno apoyada a la pared).

*2. En la **consola** están los botones para manejar la computadora.*

consolador, a adj. *Fernando me ha dicho palabras **consoladoras** al encontrarme llorando* (= me ha dicho palabras tranquilizadoras).
SINÓN: reconfortante, tranquilizador. **FAM:** → *consolar.*

consolar v. tr. *Susana lloraba y su madre trataba de **consolarla*** (= trataba de calmarla).
SINÓN: animar, calmar, confortar. **ANTÓN:** inquietar. **FAM:** *consolador, consuelo, desconsuelo, inconsolable.*

consolidar v. tr. ***Consolidaron** los cimientos del edificio porque se caía* (= reforzaron los cimientos del edificio).
SINÓN: fortalecer. **ANTÓN:** debilitar.

consomé s. m. *A mediodía, como primer plato, hemos tomado un **consomé*** (= un caldo).
SINÓN: caldo.

consonante s. f. *La palabra* lápiz *tiene tres **consonantes:*** l, p, z *y dos vocales:* a, i.
FAM: → *sonar.*

consorte s. m. f. *Miguel y María están casados: Miguel es el **consorte** de María y María es la **consorte** de Miguel* (= Miguel es el esposo de María y María es la esposa de Miguel).
SINÓN: cónyuge, esposo.

conspiración s. f. *La policía ha descubierto una **conspiración*** (= varias personas se habían aliado para hacer daño a alguien).
SINÓN: complot, intriga, maniobra. **FAM:** *conspirar.*

conspirar v. intr. *Una banda de terroristas **conspiraba** contra el Estado* (= planeaban una acción contra él).
SINÓN: intrigar, tramar. **FAM:** *conspiración.*

constancia s. f. *Alfredo trabaja con **constancia*** (= con firmeza, y continuando siempre lo que ha empezado, sin dejarlo, hasta acabar).
SINÓN: empeño, firmeza, paciencia. **ANTÓN:** ligereza. **FAM:** → *constar.*

constante adj. **1.** *Pilar es muy **constante** en sus estudios* (= es perseverante). **2.** *En esta habitación hay una temperatura **constante*** (= no varía nunca).
SINÓN: 1. infatigable, firme, tenaz. **2.** duradero, inalterable, permanente. **ANTÓN: 2.** breve, corto, fugaz, pasajero. **FAM:** → *constar.*

constar v. intr. **1.** *Me **consta** que no viniste ayer* (= sé que no viniste ayer). **2.** *Esto **consta** en el contrato* (= está escrito).
SINÓN: 1. constatar. **2.** figurar. **FAM:** → *constancia, constante.*

constatar v. tr. *El profesor **constató** que Luis sabía la lección* (= lo comprobó).
SINÓN: verificar, comprobar.

constelación s. f. **1.** *Por la noche al mirar el cielo veo muchas **constelaciones*** (= veo muchos conjuntos de estrellas). **2.** *Carlos tiene una **constelación** de admiradoras* (= tiene muchas admiradoras).

consternación s. f. *La muerte de su hermano le produjo una gran **consternación*** (= le produjo una gran pena).
SINÓN: abatimiento, aflicción, pesadumbre. **ANTÓN:** alegría, ánimo.

constipado s. m. *Toso y estornudo continuamente, tengo un fuerte **constipado*** (= un fuerte catarro).
SINÓN: catarro, resfriado. **FAM:** *constiparse.*

constiparse v. pron. *Abrígate si no quieres **constiparte*** (= si no quieres contraer un catarro).
SINÓN: acatarrarse, resfriarse. **FAM:** *constipado.*

constitución s. f. **1.** *Mi hermana es de **constitución** débil, siempre está enferma* (= es de naturaleza débil). **2.** La **Constitución** de un país es el conjunto de leyes que fijan los derechos y deberes de los ciudadanos y de las instituciones del país.
SINÓN: 1. complexión. **FAM:** → *constituir.*

constitucional adj. **1.** *El derecho a la libertad y a la educación son derechos **constitucionales*** (= porque están inscritos en la Constitución). **2.** *El Tribunal **Constitucional** vigila el cumplimiento de las leyes de un Estado.* **3.** *El pensar es algo **constitucional** de la persona* (= el pensar es algo propio de la persona).
SINÓN: 1. legal, legítimo. **3.** específico, propio. **FAM:** → *constituir.*

constituir v. tr. *La asociación de vecinos la **constituyen** todos los vecinos* (= la forman todos ellos).
SINÓN: componer, formar. **ANTÓN:** disolver. **FAM:** *anticonstitucional, constitucional, constitución, constituyente.*

constituyente adj. **1.** *A la reunión asistieron las personas **constituyentes** de la asociación* (= las personas que la forman). ◆ **constituyentes** s. f. pl. **2.** *Las Cortes **Constituyentes** elaboran o reforman la Constitución de un Estado.*
FAM: *constituir.*

construcción s. f. **1.** *Estos albañiles trabajan en la **construcción** de una casa* (= levantan sus muros). **2.** *Iván no habla bien el castellano porque no domina la **construcción** de frases* (= no domina la disposición o el orden de las palabras en la frase).
SINÓN: 1. fabricación. **2.** sintaxis. **ANTÓN: 1.** destrucción. **FAM:** *construir.*

constructivo, a adj. *He leído un libro muy **constructivo*** (= muy provechoso porque me ha servido para aprender cosas que no sabía).
SINÓN: provechoso, útil. **ANTÓN:** destructivo, inútil. **FAM:** → *construir.*

constructor, a s. *El **constructor** del nuevo edificio de oficinas es un chico muy joven* (= es el que ha hecho el nuevo edificio).
ANTÓN: destructor. **FAM:** → *construir.*

construir v. tr. **1.** *Nuestros amigos han mandado* ***construir*** *una nueva casa* (= han mandado edificar). **2.** *En clase* ***construimos*** *frases* (= ordenamos las palabras para que tengan sentido).
SINÓN: 1. edificar. **2.** crear, ordenar. **ANTÓN: 1.** derribar, derrumbar, destruir. **FAM:** *construcción, constructivo, constructor, destrucción, destructivo, destructor, destruir, indestructible, reconstrucción, reconstruir.*

consuegro, a s. *Mis padres son los* ***consuegros*** *de los padres de mi marido, y viceversa.*

consuelo s. m. *Tus palabras me han servido de* ***consuelo*** (= me han servido de alivio).
SINÓN: alivio. **ANTÓN:** desconsuelo. **FAM:** → *consolar.*

cónsul s. m. El **cónsul** es la persona que representa a su nación en un país extranjero.
FAM: *consulado.*

consulado s. m. **1.** El **consulado** de una nación o ciudad es el territorio o la oficina donde tiene autoridad un cónsul. **2.** *En la antigua Roma, el* ***consulado*** *duraba un año* (= el cargo de un cónsul).
FAM: *cónsul.*

consulta s. f. **1.** *He hecho una* ***consulta*** *en el diccionario para saber el significado de esta palabra* (= he buscado en el diccionario esta palabra). **2.** *Mi padre hizo una* ***consulta*** *a un abogado* (= le pidió su opinión).
FAM: → *consultar.*

consultar v. tr. **1.** *Antes de abrir el negocio* ***consultaron*** *a varios expertos* (= les pidieron su opinión). **2.** *Si no sabes el significado de una palabra,* ***consulta*** *el diccionario* (= búscala en el diccionario).
FAM: *consulta, consultorio.*

consultorio s. m. **1.** *El doctor Martín atiende por las tardes en su* ***consultorio*** *privado* (= en un lugar donde examina a sus enfermos). **2.** *Varias emisoras de radio tienen un espacio reservado a* ***consultorio*** (= a responder las preguntas del público).
FAM: → *consultar.*

consumar v. tr. *El ladrón no* ***consumó*** *el robo porque llegó la policía* (= no lo realizó).
SINÓN: realizar.

consumidor, ora s. *Hay que satisfacer las necesidades de los* ***consumidores*** (= de las personas que compran).
SINÓN: cliente, comprador. **ANTÓN:** vendedor. **FAM:** → *consumir.*

consumir v. tr. *Los chinos* ***consumen*** *mucho arroz* (= lo toman como alimento).
SINÓN: emplear, gastar, usar. **ANTÓN:** producir. **FAM:** *consumidor, consumismo, consumo.*

consumismo s. m. *En la sociedad actual hay mucho* ***consumismo*** (= hay mucha tendencia a comprar cosas).
FAM: → *consumir.*

consumo s. m. *El* ***consumo*** *de energía aumenta en invierno* (= se gasta más energía).
SINÓN: gasto. **ANTÓN:** ahorro, producción. **FAM:** → *consumir.*

contabilidad s. f. *La* ***contabilidad*** *de la empresa la llevarás tú* (= la actividad encargada de controlar los gastos y los ingresos).
FAM: → *contar.*

contable adj. **1.** *Los alumnos que no asisten a mi clase son* ***contables*** (= son pocos, se pueden contar). **2.** *El empleado* ***contable*** *de la tienda ha dicho que este mes se ha ganado mucho dinero* (= la persona que se encarga de llevar los ingresos y los gastos).
SINÓN: 1. enumerable, numerable. **ANTÓN: 1.** incalculable, incontable. **FAM:** → *contar.*

contactar v. intr. *El ladrón se* ***contactó*** *con su abogado* (= estableció comunicación con su abogado).
SINÓN: comunicarse, encontrarse. **ANTÓN:** eludir.

contacto s. m. **1.** *Hay enfermedades que se contagian por un simple* ***contacto*** (= por tocar al enfermo). **2.** *Al poner en* ***contacto*** *estos dos cables, tendremos electricidad* (= al unirlos). **3.** *Durante mis vacaciones tuve* ***contactos*** *con mucha gente* (= tuve trato).
SINÓN: 1. roce, toque. **3.** relación, trato. **ANTÓN: 1, 2.** separación.

contado, a adj. **1.** *Sólo me ha visitado en* ***contadas*** *ocasiones* (= pocas veces). ◆ **pagar al contado 2.** *El coche lo* ***pagamos al contado*** (= lo pagamos todo de una vez).

contador s. m. *El encargado mira el* ***contador*** *del agua* (= un aparato que mide el agua que se ha gastado).
FAM: → *contar.*

contagiar v. tr. *Aislaron al enfermo en una habitación porque podía* ***contagiar*** *a los demás* (= podía transmitirles su enfermedad).
SINÓN: contaminar. **FAM:** *contagio, contagioso.*

contagio s. m. *Para evitar el* ***contagio*** *no hay que acercarse a este enfermo* (= para evitar enfermarse).
SINÓN: contaminación. **FAM:** → *contagiar.*

contagioso, a adj. **1.** *Hay enfermedades* ***contagiosas*** (= que se trasmiten fácilmente cuando se está cerca del enfermo). **2.** *Hablar mal es un vicio* ***contagioso*** (= que se pega hablando con personas que no se expresan con corrección).
FAM: → *contagiar.*

contaminación s. f. *Esta fábrica es la responsable de la* ***contaminación*** *del río* (= de que el agua no esté limpia).
SINÓN: polución, suciedad. **ANTÓN:** limpieza. **FAM:** *contaminar.*

contaminar v. tr. *El humo de los coches* ***contamina*** *el aire de la ciudad* (= lo vuelve sucio y con impurezas).
SINÓN: corromper, ensuciar. **ANTÓN:** limpiar, purificar. **FAM:** → *contaminación.*

contar v. tr. **1.** *María* ***contó*** *las naranjas de la cesta* (= comprobó cuántas había). **2.** *Mi abuelo nos* ***cuenta*** *historietas muy divertidas* (= nos explica historietas). **3.** *¡****Cuenta****, que esto no es todo!* (= ten presente). **4.** *Midieron a los niños de mi clase y me* ***contaron*** *entre los más altos* (= me incluyeron entre los más altos). ◆ **contar** v. intr. **5.** *En clase* ***contamos*** *con los dedos* (= sumamos con los dedos). **6.** *Mi hermano ya sabe* ***contar*** *hasta diez* (= ya sabe decir los números en orden hasta el diez). ◆ **contar con 7.** ***Cuenta con*** *que seremos uno más* (= ten presente que seremos uno más). **8.** ***Cuento con*** *tu discreción* (= confío en tu prudencia). ◆ **¿Qué cuentas? 9.** ***¿Qué te cuentas?*** (= Cómo te va?). ◆ **contante 10.** *Pagué en dinero* ***contante*** *y sonante* (= en efectivo).

SINÓN: **1.** calcular. **2.** narrar, relatar. **3.** advertir. **4.** colocar, incluir. FAM: *contabilidad, contable, contador, cuenta, cuentagotas, cuentakilómetros, cuentista, cuento, descontar, descuento, incontable, recuento.*

contemplación s. f. *Su madre tiene muchas* ***contemplaciones*** *con él, y así está de mimado* (= tiene muchos miramientos).

SINÓN: remilgos.

contemplar v. tr. **1.** *Marta* ***contemplaba*** *el paisaje* (= lo miraba tranquilamente). **2.** ***Contemplo*** *la posibilidad de dejarte salir* (= considero la posibilidad). **3.** *Mi tía* ***contempla*** *demasiado a sus hijos* (= los consiente demasiado).

SINÓN: **1.** examinar, mirar, observar. **2.** considerar, juzgar. **3.** complacer, mimar.

contemporáneo, a adj. **1.** *Tu abuelo y el mío fueron* ***contemporáneos*** (= vivieron en la misma época). **2.** *La televisión es un invento* ***contemporáneo*** (= es un invento de la época actual).

SINÓN: **1.** simultáneo. **2.** actual, presente. ANTÓN: **2.** antiguo, pasado. FAM: → *tiempo.*

contenedor s. m. **1.** *Tiré la basura al* ***contenedor*** *de la esquina* (= al recipiente que hay en las calles para depositar la basura). **2.** *Cuando hay obras en un edificio ponen un* ***contenedor*** *en la calle para tirar los escombros* (= un recipiente metálico que se transporta fácilmente con unos camiones).

FAM: → *tener.*

contener v. tr. **1.** *Esta botella* ***contiene*** *un litro de vino* (= su capacidad es de un litro). ◆ **contenerse** v. pron. **2.** *Tuvo que* ***contenerse*** *para no darle una bofetada a su hijo* (= tuvo que dominarse).

SINÓN: **1.** abarcar, incluir. **2.** aguantarse, dominarse, reprimirse. ANTÓN: **1.** excluir. **2.** explotar, desatar. FAM: → *tener.*

contenido s. m. *El* ***contenido*** *de esta botella es vino* (= lo que está dentro).

FAM: → *tener.*

contentar v. tr. **1.** *Los domingos vamos al parque para* ***contentar*** *a los niños* (= para complacerlos). ◆ **contentarse** v. pron. **2.** *Mis papás* ***se contentan*** *con lo que tienen* (= se conforman).

SINÓN: **1.** alegrar, complacer, divertir. **2.** conformarse. ANTÓN: **1.** apenar, desagradar, disgustar, enfadar, enojar. FAM: → *contento.*

contento, a adj. *Nuestros amigos están muy* ***contentos*** *con su nueva casa* (= están muy satisfechos).

SINÓN: alegre, encantado, gozoso, satisfecho. ANTÓN: descontento, disgustado, triste. FAM: *contentar, descontento.*

contestación s. f. *Les he hecho una pregunta y no me han dado una* ***contestación*** (= no me han dado una respuesta).

SINÓN: respuesta. ANTÓN: pregunta. FAM: *contestar.*

contestar v. tr. *Carlos* ***contestó*** *rápidamente a mi carta* (= me respondió en seguida).

SINÓN: responder. FAM: *contestación, contestatario.*

contestatario, a adj. *Mi primo se opone continuamente a todas las normas, es muy* ***contestatario*** (= es muy rebelde).

SINÓN: crítico, inconformista. ANTÓN: conformista, sumiso. FAM: → *contestar.*

contexto s. m. **1.** *Lee el* ***contexto*** *y entenderás la frase* (= lo que va antes y lo que va después de la frase). **2.** *No se entiende su actitud si la sacas de* ***contexto*** (= de las circunstancias que la rodean).

contienda s. f. **1.** *Aquellos países mantenían una* ***contienda*** *desde hacía años* (= una guerra). **2.** *¿Cuál es el motivo de su* ***contienda****?* (= de su riña).

SINÓN: **1.** batalla, combate, guerra, lucha, pelea. **2.** bronca, discusión, disputa, riña. ANTÓN: amistad, calma, paz, sosiego, tranquilidad.

contigo Es un pronombre personal. VER CUADRO DE PRONOMBRES PERSONALES.

contiguo, a adj. *Somos vecinos, tu casa y la mía están* ***contiguas*** (= están una al lado de la otra).

SINÓN: inmediato, junto, próximo. ANTÓN: alejado, distante, lejano.

continental adj. **1.** *Honduras es un país* ***continental*** *porque forma parte del continente americano.* **2.** *El clima* ***continental*** *tiene inviernos muy fríos y veranos muy calurosos, con pocas lluvias.*

FAM: *continente.*

continente s. m. *Europa, Asia, América, África, Oceanía y la Antártida son los* ***continentes*** *de la Tierra* (= son grandes extensiones de tierra separadas entre sí por los océanos).

FAM: *continental.*

chamarra o
cazadora
manga
saco o chaqueta
solapa
boina
visera
casco
accidente
abrigo
ropa de deporte;
curiosos o
mirones
policía
bata
testigo
camilla
delantal
ambulancia
motociclista
accidentado
enfermero
medias
zapato
bota
guante
bufanda
gorro
flecos
calcetines
pijama
camisón
zapatilla

pan casero
baguette
rosca
bollo de leche
cuerno o media luna
empanada
pastelerías
pasteles
buñuelos
borracho
reloj de pared
reloj de péndulo
despertador
reloj de mesa
reloj de pulsera
Confitería - Heladería
RELOJERÍA - JOYERÍA
rótulo
comercios
cliente
mostrador
despertador
timbre
esfera
carátula
aguja
caja
corona del reloj
segundero
joyas
anillo
broche
diadema
broche o cierre
collar
brazalete
medalla
pendiente
pulsera

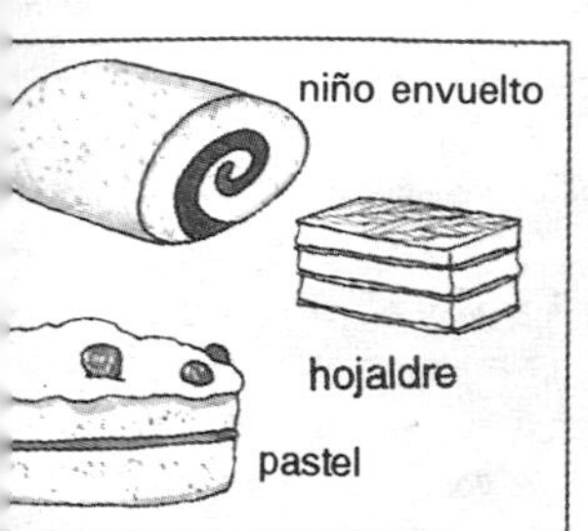
niño envuelto
hojaldre
pastel

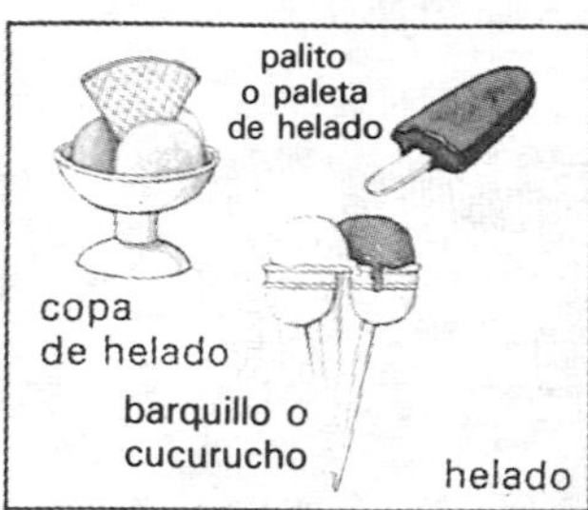
palito
o paleta
de helado
copa
de helado
barquillo o
cucurucho
helado

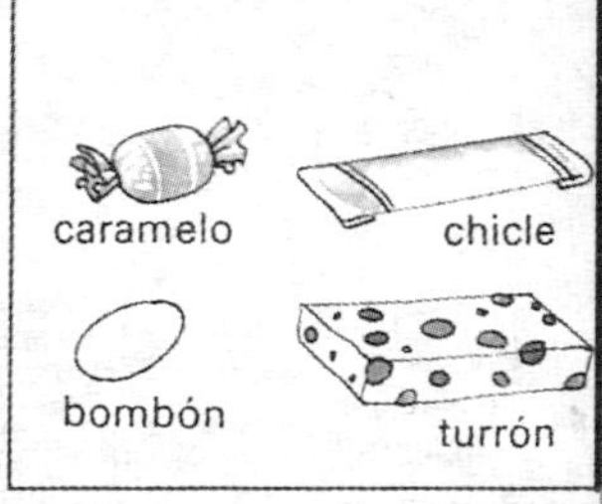
caramelo
chicle
bombón
turrón

FERRETERÍA GENERAL
Panadería ~ Pastelería
escaparate o vidriera
LIBRERÍA ~ PAPELERÍA
expositor
escaparate o
vidriera
empleada o
dependienta

caja registradora
total para pagar
tecla
cajón
billetes
monedas

diccionario
páginas
título
pequeño
Larousse
en color
lomo
tapa o
cubierta

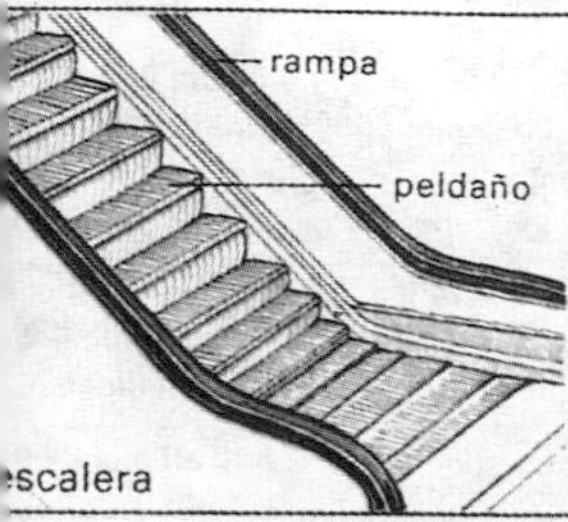
rampa
peldaño
escalera

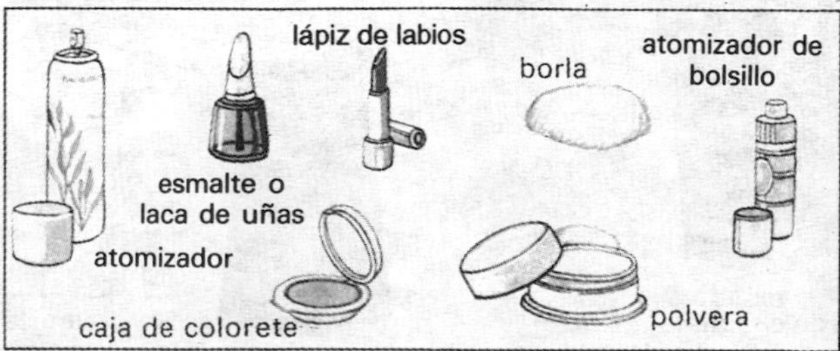
lápiz de labios
borla
atomizador de
bolsillo
esmalte o
laca de uñas
atomizador
caja de colorete
polvera

sombrero
sostén
sandalia
traje (malla)
de baño
pañuelo
camiseta
calzón o bombacha
zapat
tenis
RAMIREZ
116 65
short
camisa
de manga corta
cinturón
camarero
chaleco
bajos
vaqueros o
jeans
pantalón
bolso
overol
falda
vestido
de chaqueta
vestido
camisa
suéter

continuación s. f. **1.** *Mi casa está a* ***continuación*** *de la de Rafael* (= está situada después de la de Rafael). **2.** *Este sendero es la* ***continuación*** *del camino* (= es lo que le sigue).
FAM: → *continuar.*

continuar v. tr. **1.** ***Continué*** *el trabajo durante la noche* (= seguí haciéndolo). ◆ **continuar** v. intr. **2.** *María* ***continúa*** *sin hablar* (= sigue sin hablar).
SINÓN: prolongar, proseguir, seguir. **ANTÓN:** cortar, detener, interrumpir, parar. **FAM:** *continuación, continuidad, continuo.*

continuidad s. f. *Su éxito se debió a la* ***continuidad*** *de sus esfuerzos* (= a que no cesó de hacer esfuerzos).
SINÓN: persistencia. **ANTÓN:** interrupción. **FAM:** → *continuar.*

continuo, a adj. **1.** *Los buenos alumnos trabajan de manera* ***continua*** (= sin interrupción). **2.** *En la carretera no se puede rebasar cuando la línea es* ***continua*** (= cuando es seguida).
SINÓN: **1.** constante, duradero, incesante, tenaz. **2.** seguido. **ANTÓN:** **1.** breve, corto. **2.** discontinuo. **FAM:** → *continuar.*

contornearse v. pron. *Inés se* ***contornea*** *tanto al andar que todo el mundo la mira* (= mueve mucho los hombros y las caderas).
SINÓN: balancearse. **FAM:** → *contorno.*

contorno s. m. **1.** *Me he comprado un lápiz azul para pintarme el* ***contorno*** *de los ojos* (= el borde de los ojos). **2.** *Vendrá gente de los* ***contornos*** (= de los alrededores).
SINÓN: **1.** borde, marco. **2.** afueras, alrededores, cercanía, proximidad. **ANTÓN:** centro, interior, núcleo. **FAM:** *contornearse, contorsión, contorsionista.*

contorsión s. f. *En el circo había un hombre que hacía unas* ***contorsiones*** *muy difíciles con las piernas, parecía de goma* (= hacía unos movimientos forzados con el cuerpo).
FAM: → *contorno.*

contorsionista s. m. f. Los **contorsionistas** son personas que parecen de goma por la facilidad con que fuerzan su cuerpo.
FAM: → *contorno.*

contra Es una preposición. VER CUADRO DE PREPOSICIONES.

contraataque s. m. *Cuando ellos acabaron el ataque nosotros empezamos el* ***contraataque*** (= una ofensiva en respuesta a la suya).

contrabajo s. m. *Miguel toca el* ***contrabajo*** *en la banda del pueblo* (= el instrumento musical de la familia de los violines que se toca apoyándolo en el suelo, con un arco).

contrabandista s. m. f. *La policía detuvo a unos* ***contrabandistas*** (= a unas personas que introducían a escondidas, en el país, mercancías de otro país).
FAM: *contrabando.*

contrabando s. m. **1.** *El* ***contrabando*** *de droga está penalizado por las leyes* (= entrada ilegal en un país). **2.** *La policía descubrió el* ***contrabando*** *de tabaco* (= su importación ilegal).
FAM: *contrabandista.*

contracción s. f. *En los partos, las* ***contracciones*** *del vientre provocan la expulsión del niño* (= los movimientos bruscos de los músculos del vientre).
FAM: → *traer.*

contradecir v. tr. **1.** *Cuando hablo, Lucas me* ***contradice*** *siempre* (= dice lo contrario de lo que yo digo). ◆ **contradecirse** v. pron. **2.** *Luisa siempre* ***se contradice****: un día dice una cosa y al día siguiente dice lo contrario* (= dice lo contrario de lo que ha dicho antes).
SINÓN: negar, objetar, oponer. **ANTÓN:** afirmar, asentir, confirmar. **FAM:** → *decir.*

contradicción s. f. *Este razonamiento tiene* ***contradicciones*** (= en él se afirman cosas que luego se niegan).
FAM: → *decir.*

contraer v. tr. **1.** *La humedad* ***contrae*** *la madera* (= la encoge). **2.** ***Contrajo*** *una grave enfermedad por causa del tabaco* (= se enfermó). **3.** *Pedro y María* ***contrajeron*** *matrimonio ayer* (= se casaron). ◆ **contraerse** v. pron. **4.** *Los metales* ***se contraen*** *con el frío* (= se reducen de tamaño).
SINÓN: **1.** apretar, encoger, estrujar. **2.** adquirir. **4.** achicarse, estrecharse, reducirse. **ANTÓN:** **1, 4.** dilatar, estirar, extender. **FAM:** → *traer.*

contrafuerte s. m. **1.** *Los* ***contrafuertes*** *de una iglesia sirven de refuerzo a sus muros* (= los pilares o arcos que refuerzan los muros). **2.** *He roto los* ***contrafuertes*** *de los zapatos por no desabrochármelos al ponérmelos y quitármelos* (= los trozos de cuero que refuerzan los talones de los zapatos).

contrapartida s. f. *Perdí un anillo y, como* ***contrapartida,*** *mis padres me regalaron otro* (= como compensación por la pérdida).

contrapeso s. m. **1.** *Para compensar el peso del ascensor, se coloca en el otro extremo del cable un* ***contrapeso*** (= un objeto muy pesado). **2.** *Su sonrisa sirvió de* ***contrapeso*** *en la discusión* (= permitió moderarla).
FAM: → *peso.*

contraponer v. tr. *El entrenador* ***contrapuso*** *la velocidad de Juan con la de Pedro* (= las comparó).

contraproducente adj. *Esta medida ha sido* ***contraproducente,*** *pues la situación ha empeorado* (= ha tenido efectos contrarios a los que se pretendía).
SINÓN: contrario, desfavorable, perjudicial, nocivo. **ANTÓN:** positivo, ventajoso. **FAM:** → *producir.*

contrariar v. tr. **1.** *Pedro no* ***contrariaba*** *nunca a su hermano* (= nunca se le oponía).

2. *Al abuelo lo* ***contrariaba*** *que lo desobedeciera* (= le disgustaba).
SINÓN: **1.** contradecir, oponer. **2.** disgustar, enojar, incomodar. ANTÓN: **1.** afirmar, asentir, facilitar. **2.** gustar. FAM: → *contrario.*

contrariedad s. f. **1.** *Fue una* ***contrariedad*** *que nos perdiéramos en el camino* (= fue un contratiempo). **2.** *Es un niño muy bueno: nunca me ha causado la menor* ***contrariedad*** (= nunca me ha dado el menor disgusto).
SINÓN: **1.** contratiempo, dificultad, obstáculo. ANTÓN: **1.** facilidad. FAM: → *contrario.*

contrario, a adj. **1.** *Bonito y feo, son* ***contrarios*** (= son opuestos). **2.** *La nueva ley es* ***contraria*** *a los intereses de los propietarios* (= perjudica los intereses de los propietarios). ◆ **contrario, a** s. **3.** *El tenista ganó fácilmente a su* ***contrario*** (= a su adversario). ◆ **al contrario 4.** ***Al contrario*** *de lo que crees, no voy a salir* (= al revés de lo que crees). ◆ **llevar la contraria 5.** *Luis siempre me* ***lleva la contraria*** (= se opone a todo lo que digo).
SINÓN: **1.** diferente, distinto, opuesto. **2.** dañino, desfavorable, perjudicial, nocivo. **3.** adversario, contrincante, enemigo, rival. ANTÓN: **1.** exacto, igual, similar. **2.** beneficioso, favorable. **3.** aliado, amigo. FAM: *contrariar, contrariedad.*

contraseña s. f. *Tuve que dar la* ***contraseña*** *para que me dejaran pasar* (= la palabra o frase que habíamos convenido).
SINÓN: consigna, seña. FAM: → *seña.*

contrastar v. intr. *Tu calma* ***contrasta*** *con su impaciencia* (= se opone a ella).
SINÓN: oponerse. ANTÓN: identificar, igualar. FAM: *contraste.*

contraste s. m. *Existe un gran* ***contraste*** *entre estos dos colores: uno es muy oscuro y el otro es muy claro* (= una gran diferencia entre ambos).
SINÓN: diferencia, oposición. ANTÓN: identidad, igualdad. FAM: *contrastar.*

contratar v. tr. **1.** *Mi marido* ***ha contratado*** *el alquiler del local* (= podrá disponer del local a cambio de las condiciones que su dueño le pide). **2.** ***Hemos contratado*** *a una señora para que nos haga la limpieza de la casa* (= ella se encargará de la limpieza y, a cambio, nosotros le pagaremos una determinada cantidad de dinero).
SINÓN: **1.** convenir, pactar. **2.** colocar, emplear. FAM: *contratista, contrato.*

contratiempo s. m. *Tuvimos un desperfecto en el coche y este* ***contratiempo*** *nos echó a perder la excursión* (= este suceso inesperado).
SINÓN: contrariedad, dificultad, estorbo, impedimento, percance. ANTÓN: suerte. FAM: → *tiempo.*

contratista s. m. *El señor Sánchez es* ***contratista*** *de obras* (= dirige una empresa de construcción).
FAM: → *contratar.*

contrato s. m. *Los señores Martínez y Rodríguez han firmado un* ***contrato*** *por el cual el señor Martínez compra el coche al señor Rodríguez* (= un pacto en el que los dos se obligan a cumplir determinadas cosas).
SINÓN: acuerdo, compromiso, convenio, pacto. FAM: → *contratar.*

contraventana s. f. *Cuando nos vamos, mi madre cierra las* ***contraventanas*** *y la casa queda oscura* (= cierra una especie de puertas que hay sobre los cristales de ventanas y balcones).

contrayente s. m. f. *Terminada la ceremonia, los* ***contrayentes*** *salieron de viaje* (= los recién casados).
SINÓN: consorte, cónyuge. FAM: → *traer.*

contribución s. f. **1.** *Su* ***contribución*** *ha sido superior a la esperada* (= su participación). **2.** *Mi padre paga cada año la* ***contribución*** *urbana* (= paga una determinada cantidad de dinero al ayuntamiento para ayudar en los gastos de la ciudad).
SINÓN: **1.** ayuda, colaboración. **2.** impuesto. FAM: → *contribuir.*

contribuir v. intr. **1.** *Unos almacenes* ***contribuyeron*** *con dinero al viaje de fin de curso* (= nos ayudaron económicamente). **2.** *Jaime* ***ha contribuido*** *a terminar el trabajo* (= ha ayudado).
SINÓN: auxiliar, ayudar, colaborar, cooperar. ANTÓN: dificultar, entorpecer, estorbar, impedir. FAM: *contribución, contribuyente.*

contribuyente s. m. f. *Yo me considero un pequeño* ***contribuyente*** (= entrego cada año dinero al Estado en proporción al dinero que he ganado).
FAM: → *contribuir.*

contrincante s. m. f. *El atleta venció a sus* ***contrincantes*** (= a los que participaban en la misma carrera).
SINÓN: adversario, contrario, rival. ANTÓN: aliado, amigo.

control s. m. **1.** *Existe un severo* ***control*** *en el aeropuerto* (= una fuerte vigilancia). **2.** *En las autopistas, el* ***control*** *de velocidad es más alto que en las carreteras* (= el límite de velocidad). **3.** *Cuando llega la profesora tiene el* ***control*** *de la clase* (= el dominio de la clase). ◆ **control remoto 4.** *Este televisor funciona con* ***control remoto*** (= con mando a distancia).
SINÓN: **1.** inspección, vigilancia. **2.** contención, límite. **3.** dirección, dominio. FAM: → *controlar.*

controlador, a s. m. f. *En el aeropuerto, los* ***controladores*** *ordenan el tráfico de los aviones.*
SINÓN: vigilante. FAM: → *controlar.*

controlar v. tr. *La policía* ***controla*** *los pasaportes de los pasajeros* (= comprueba la identidad de los pasajeros).
SINÓN: comprobar, examinar, inspeccionar, verificar, vigilar. ANTÓN: descuidar. FAM: *control, controlador, incontrolable.*

contusión s. f. *Me caí por las escaleras y no me hice ninguna herida; sólo tuve* ***contusiones*** (= lesiones producidas por los golpes).
SINÓN: golpe, lesión.

convaleciente adj. *El enfermo está aún* ***convaleciente*** (= ya está sano, pero se siente débil, debe recuperar sus fuerzas).
ANTÓN: sano.

convalidar v. tr. *Margarita ha estudiado en París y le* ***han convalidado*** *sus estudios en Colombia* (= lo que ha estudiado en París se lo han dado como válido en Colombia, no es necesario que vuelva a repetir estos estudios).
SINÓN: confirmar. **ANTÓN:** anular. **FAM:** → *valer.*

convencer v. tr. **1.** *Marisa* ***convenció*** *a Javier para que viniera* (= consiguió que se decidiera a venir). ◆ **convencerse** v. pron. **2.** *Luis* ***se convenció*** *de que debía estudiar* (= se dio cuenta).
SINÓN: **1.** demostrar, persuadir, probar. **FAM:** → *vencer.*

convencimiento s. m. *Tengo el* ***convencimiento*** *de que él vendrá* (= la certeza).
SINÓN: certeza, convicción, seguridad. **ANTÓN:** duda, incertidumbre. **FAM:** → *vencer.*

convención s. f. **1.** *Hoy había una* ***convención*** *de abogados* (= una reunión de abogados). **2.** *Las señales de tráfico son normas creadas por* ***convención*** (= por un acuerdo general).
SINÓN: **1.** reunión, congreso.

convencional adj. *Fue una boda* ***convencional****: la novia iba de blanco y el novio con traje* (= fue una boda tradicional).

conveniencia s. f. **1.** *Marta es muy egoísta, actúa según su* ***conveniencia*** (= actúa para su provecho). **2.** *Hemos encontrado una casa a nuestra* ***conveniencia*** (= a nuestro interés).
SINÓN: **1.** beneficio, provecho, utilidad. **2.** comodidad, gusto. **ANTÓN:** **2.** incomodidad. **FAM:** → *venir.*

conveniente adj. **1.** *Fumar no es* ***conveniente*** *para la salud* (= no es bueno). **2.** *Ya hemos encontrado la casa* ***conveniente*** *a nuestras necesidades* (= apropiada a nuestras necesidades).
SINÓN: **1.** adecuado, bueno, oportuno, provechoso, útil. **2.** conforme. **ANTÓN:** **1.** inconveniente, inútil. **FAM:** → *venir.*

convenio s. m. *Las dos partes han firmado un* ***convenio*** (= un acuerdo).
SINÓN: acuerdo, arreglo, pacto. **ANTÓN:** desacuerdo. **FAM:** → *venir.*

convenir v. intr. **1.** ***Hemos convenido*** *volver a vernos* (= hemos acordado volver a vernos). **2.** ***Conviene*** *salir rápidamente* (= es necesario).
SINÓN: **1.** acordar, decidir. **FAM:** → *venir.*

conventillo s. m. R. de la Plata. *En algunos barrios del viejo Buenos Aires existen* ***conventillos*** (= casa de muchas habitaciones, en la que conviven varias familias).

convento s. m. **1.** *Los monjes y religiosos viven en* ***conventos*** (= en monasterios). **2.** *Todo el* ***convento*** *asistió a la celebración de la misa* (= toda la comunidad de religiosos).
SINÓN: **1.** monasterio.

convergencia s. f. *Al final de la discusión se llegó a una* ***convergencia*** *de opiniones* (= a una coincidencia de opiniones).
SINÓN: confluencia. **ANTÓN:** separación. **FAM:** *converger.*

converger o **convergir** v. intr. *Estas dos calles* ***convergen*** *en la misma avenida* (= se juntan en la misma avenida).
SINÓN: unirse, juntarse. **ANTÓN:** separarse, divergir. **FAM:** *convergencia.*

conversación s. f. *Raúl y Matías han tenido una* ***conversación*** (= han estado hablando).
SINÓN: coloquio, comunicación, charla, diálogo. **ANTÓN:** monólogo, silencio. **FAM:** *conversar.*

conversar v. intr. *Cristina* ***conversa*** *con Olga* (= habla).
SINÓN: charlar, dialogar, hablar. **ANTÓN:** callar. **FAM:** *conversación.*

conversión s. f. *Con el calor se realiza la* ***conversión*** *del hielo en agua* (= el cambio del hielo en agua).
SINÓN: cambio, transformación. **FAM:** → *verter.*

convertir v. tr. **1.** *Mi tío* ***ha convertido*** *el desván de su casa en una sala de billar* (= ha cambiado). ◆ **convertirse** v. pron. **2.** *Tomás era musulmán y* ***se ha convertido*** *al cristianismo* (= ha cambiado de religión).
SINÓN: cambiar, modificar, mudar. **ANTÓN:** conservar. **FAM:** → *verter.*

convexo, a adj. *Las cimas de las colinas tienen forma* ***convexa*** (= forma abombada).
ANTÓN: cóncavo.

convicción s. f. **1.** *Tengo la* ***convicción*** *de que mañana llegará mi amigo* (= la certeza). **2.** *Luis nunca actúa en contra de sus* ***convicciones*** (= en contra de las ideas en las que cree).
SINÓN: **1.** certeza, convencimiento, seguridad. **2.** creencia, ideal. **ANTÓN:** **1.** duda, incertidumbre. **FAM:** → *vencer.*

convidado, a s. *Había cien* ***convidados*** *en el banquete* (= cien invitados).
SINÓN: invitado. **FAM:** → *convidar.*

convidar v. tr. *Carlos nos* ***convidó*** *a cenar en un restaurante* (= nos invitó a cenar, él pagó la cena).
SINÓN: brindar, invitar. **FAM:** *convidado, convite.*

convincente adj. *Nos dieron unas razones* ***convincentes*** *para no ir de excursión* (= unas razones persuasivas).
SINÓN: persuasivo, terminante. **FAM:** → *vencer.*

convite s. m. *Asistió al* ***convite*** *mucha gente* (= asistió al banquete).
SINÓN: ágape, banquete, comida. **FAM:** → *convidar.*

convivencia s. f. *A veces se hace difícil la* ***convivencia*** *en un mismo lugar* (= vivir con otras personas).
FAM: → *vivir.*

convivir v. intr. ***Hemos convivido*** *durante cuatro años* (= hemos vivido juntos).

convocatoria s. f. *No me he presentado a la* ***convocatoria*** *del examen* (= a la cita del examen).
SINÓN: aviso, cita, llamamiento. **FAM:** *convocar.*

convocar v. tr. *El director* ***ha convocado*** *a un alumno para que vaya a su despacho* (= lo ha llamado).
SINÓN: avisar, citar, llamar. **FAM:** *convocatoria.*

convulsión s. f. *Tenía muchas* ***convulsiones*** *a causa de la fiebre* (= tenía muchos movimientos bruscos e involuntarios).

conyugal adj. *Es importante conseguir una buena relación* ***conyugal*** (= la relación que existe entre marido y mujer).
FAM: *cónyuge.*

cónyuge s. m. f. *Viajar con su* ***cónyuge*** *es más barato que ir solo* (= con su esposo).
SINÓN: consorte, esposo. **FAM:** *conyugal.*

coñac s. m. El **coñac** es una bebida alcohólica muy fuerte.

cooperación s. f. *Raúl me ha ofrecido su* ***cooperación*** (= su ayuda).
SINÓN: auxilio, ayuda, colaboración. **FAM:** → *cooperar.*

cooperar v. intr. *Olga y Marta* ***han cooperado*** *en este trabajo* (= han colaborado).
SINÓN: ayudar, colaborar, contribuir. **FAM:** *cooperación, cooperativa.*

cooperativa s. f. **1.** *Mis compañeros de trabajo y yo pertenecemos a una* ***cooperativa*** (= a una sociedad formada por un grupo de personas con los mismos intereses para conseguir algo beneficioso para todos). **2.** *En la* ***cooperativa*** *compro los productos más baratos* (= en el establecimiento donde venden artículos sólo para las personas que pertenecen a esta sociedad).
FAM: → *cooperar.*

coordinador, a adj. *Don Antonio es* ***coordinador*** *en una empresa* (= tiene como cargo organizar todos los trabajos).
SINÓN: organizador. **FAM:** *coordinar.*

coordinar v. tr. *El director* ***coordina*** *todos los trabajos de la empresa* (= los dirige).
SINÓN: ordenar. **ANTÓN:** descoordinar, desordenar. **FAM:** *coordinador.*

copa s. f. **1.** *Se ha roto una* ***copa*** (= un vaso sostenido sobre un pie). **2.** *En la comida bebieron unas* ***copas*** *de vino* (= el contenido que cabe en este recipiente). **3.** *Mira el pájaro, está en la* ***copa*** *de ese árbol* (= está en su parte más alta). **4.** *El equipo de mi clase ganó la* ***copa*** *del campeonato* (= el trofeo). ◆ **ir de copas 5.** *Esta noche nos* ***iremos de copas*** (= a tomar vino u otras bebidas alcohólicas).
SINÓN: **1.** vaso. **4.** galardón, premio, trofeo. **FAM:** *copete.*

copetín s. m. R. de la Plata. *En el bar del hotel sirven buenos* ***copetines*** (= combinación de bebidas alcohólicas y jugos aromáticos).
FAM: *copa.*

copia s. f. **1.** *En clase hacemos* ***copias*** *de un escrito* (= hacemos reproducciones). **2.** *Hay escritores que hacen* ***copia*** *de otros autores* (= imitan su estilo). **3.** *Pedro es una pura* ***copia*** *de su padre* (= se parecen mucho).
SINÓN: **1.** reproducción. **2.** imitación. **ANTÓN:** **1, 2.** original. **FAM:** → *copiar.*

copiar v. tr. **1.** *Tengo que* ***copiar*** *la tabla de multiplicar* (= escribirla en mi cuaderno igual que está en el libro). **2.** *En el museo había pintores que* ***copiaban*** *los cuadros* (= los reproducían). **3.** *Hay pintores que* ***copian*** *la naturaleza* (= la imitan en sus obras). **4.** *María* ***copia*** *el examen de su compañera* (= realiza el examen reproduciendo de forma indebida el de su compañera).
SINÓN: **1.** escribir. **2, 3, 4.** imitar, reproducir. **FAM:** *copia, copioso, multicopista.*

copiloto s. m. *En esta carrera de coches los* ***copilotos*** *llevan el mismo uniforme que los pilotos* (= las personas que se sientan al lado del conductor para ayudarlos durante el trayecto).
FAM: → *piloto.*

copioso, osa adj. *Han recogido una* ***copiosa*** *cosecha de peras* (= han recogido una abundante cosecha).
SINÓN: abundante, considerable, cuantioso. **ANTÓN:** escaso, insuficiente, pobre. **FAM:** → *copiar.*

copla s. f. La **copla** es una composición de cuatro versos muy usada en las canciones populares.

copo s. m. **1.** *La nieve cae en* ***copos*** (= en porciones pequeñas). **2.** Un **copo** es un trozo de lana, lino o algodón sin hilar.

coproducción s. f. *Esta película es una* ***coproducción*** *de Brasil y Argentina* (= ha sido hecha por estos dos países).

copropietario s. m. *Soy* ***copropietario*** *de esta casa* (= soy uno de los dueños).

coqueto, a adj. **1.** *Cristina es muy* ***coqueta*** (= cuida demasiado su aspecto). **2.** *Mis amigos tienen una casa muy* ***coqueta*** (= tienen una casa muy agradable).
SINÓN: **1.** presumido. **2.** acogedor, elegante. **ANTÓN:** **1.** formal. **2.** chabacano. **FAM:** *coquetear, coquetón.*

coquetear v. intr. *María* ***coquetea*** *con todo el mundo* (= trata de atraer a la gente con gestos estudiados).
SINÓN: atraer, cautivar, enamorar, seducir. **ANTÓN:** rechazar. **FAM:** → *coqueto.*

coraje s. m. **1.** *Para practicar alpinismo hay que tener **coraje*** (= no hay que tener miedo al peligro). **2.** *Sus palabras me llenaron de **coraje*** (= de irritación y enojo).
SINÓN: 1. audacia, ímpetu, valor. **2.** cólera, enfado, enojo, furia, ira, irritación, rabia. **ANTÓN: 1.** cobardía, miedo. **2.** mansedumbre, serenidad.

coral adj. **1.** *A veces escucho por la radio cantos **corales*** (= composiciones musicales de ritmo lento a cuatro voces). ◆ **coral** s. m. **2.** Los **corales** son animales que viven en colonias en los mares cálidos y que segregan una sustancia sólida de color rojo o rosado, que se usa en joyería.

coraza s. f. *En la Antigüedad los guerreros llevaban una **coraza** para proteger el cuerpo* (= una armadura de hierro o acero que les cubría el pecho y la espalda).
SINÓN: armadura. **FAM:** *acorazar.*

corazón s. m. **1.** El **corazón** es un órgano que impulsa la sangre a todo el cuerpo. **2.** Nuestras manos tienen cinco dedos; el del medio y más largo se llama **corazón**. **3.** *Marcos vive en el **corazón** de la ciudad* (= en el centro). **4.** *Mi madre lleva colgado en su cuello un **corazón*** (= lleva una especie de medalla de esa forma). **5.** *Duérmete, **corazón*** (= duérmete, cariño). ◆ **encogérsele a uno el corazón 6.** ***Se me encogió el corazón** al oír sus palabras* (= me angustié al oír sus palabras). ◆ **hablar con el corazón en la mano 7.** *Te seré sincero, te voy a **hablar con el corazón en la mano*** (= te voy a ser franco). ◆ **ser uno todo corazón 8.** *Juan es muy bueno, **es todo corazón*** (= es muy generoso). ◆ **tener buen o mal corazón 9.** *No te perdonará, **tiene muy mal corazón*** (= es muy cruel). ◆ **tener el corazón en un puño 10.** *Se ha ido sin decirme nada y ahora **tengo el corazón en un puño*** (= tengo una gran preocupación). ◆ **partir el corazón 11.** *Al verlo en ese estado se me **partió el corazón*** (= sentí mucha pena). ◆ **romper corazones 12.** *Luisa es una **rompecorazones*** (= Luisa enamora a todo el mundo).
SINÓN: 3. centro, interior, núcleo. **ANTÓN: 3.** exterior. **FAM:** *acorazonado, corazonada, cordial.*

corazonada s. f. *Tengo la **corazonada** de que hoy vendrá mi amigo* (= tengo el presentimiento).
SINÓN: intuición, presagio, presentimiento, sospecha. **ANTÓN:** certeza. **FAM:** → *corazón.*

corbata s. f. *Mi tío, cuando lleva traje, siempre se pone **corbata*** (= una banda de tela que se anuda alrededor del cuello de la camisa dejando los extremos sobre el pecho).

corbeta s. f. *Hundieron tres **corbetas** en la última batalla* (= tres barcos ligeros de guerra).

corcel s. m. *Cabalgaba sobre un bello **corcel*** (= sobre un caballo ligero y veloz).
SINÓN: caballo.

corchete s. m. *He puesto una palabra entre **corchetes*** (= signo parecido al paréntesis [ ]).

corcho s. m. **1.** *El **corcho** se extrae de la corteza del alcornoque.* **2.** *Estas botellas están tapadas con **corchos*** (= están cerradas con tapones hechos con corteza de alcornoque). **3.** *En clase tenemos una pared con un **corcho** donde están colgados nuestros dibujos* (= tenemos una lámina hecha de este material).
SINÓN: 2. tapón. **FAM:** *descorchar.*

corcova s. f. Bol., Ec., Perú. *Alberto y Rosa celebraron su boda con una **corcova*** (= fiesta que dura varios días).
FAM: *corcovear, corcoveo.*

cordel s. m. *Martín ató el paquete con un **cordel*** (= con una cuerda delgada).
SINÓN: cuerda. **FAM:** → *cuerda.*

cordero s. m. El **cordero** es la cría de la oveja.

cordial adj. *Nuestros amigos nos dieron un recibimiento **cordial*** (= un recibimiento cariñoso).
SINÓN: afectuoso, amable, cariñoso. **ANTÓN:** desagradable, huraño. **FAM:** → *corazón.*

cordillera s. f. *La **cordillera** andina separa Chile de Argentina* (= conjunto de montañas enlazadas entre sí).
SINÓN: sierra.

cordón s. m. **1.** *Se cierra la cortina del salón tirando de un **cordón*** (= de una cuerda fina hecha con hilos). **2.** *La policía formó un **cordón** para impedir el paso a los curiosos* (= formó una barrera). **3.** *El niño nació con dos vueltas del **cordón** umbilical* (= del cordón que alimenta al bebé y lo une a su madre).
SINÓN: cuerda. **FAM:** → *cuerda.*

cordura s. f. *Lo encerraron en un manicomio porque había perdido la **cordura*** (= porque había perdido la razón).
SINÓN: juicio, razón. **ANTÓN:** locura. **FAM:** *cuerdo.*

corear v. tr. *El público **coreaba** las canciones del cantante* (= el público repetía las canciones).
FAM: → *coro.*

coreografía s. f. *Isabel realizó la **coreografía** de este número musical* (= realizó la composición del baile).
FAM: → *coro.*

corista s. f. *Se cree una gran artista porque baila en un espectáculo y sólo es una **corista*** (= sólo forma parte del coro).
FAM: → *coro.*

cornada s. f. **1.** *Las cabras luchaban dándose **cornadas*** (= dándose fuertes golpes con sus cuernos). **2.** *El peón de campo sufrió una **cornada*** (= una herida producida por los cuernos del toro).
FAM: → *cuerno.*

cornamenta s. f. *Los venados y los ciervos tienen una gran **cornamenta*** (= sus cuernos son de gran tamaño).
FAM: → *cuerno.*

córnea s. f. La **córnea** es una membrana dura y transparente del globo del ojo.

córner s. m. *El futbolista hizo un saque de* ***córner*** (= un saque de esquina).

cornisa s. f. La **cornisa** de un edificio es la parte que sobresale del tejado.
SINÓN: remate, saliente.

cornudo, a adj. *La cabra es un animal* ***cornudo*** (= es un animal con cuernos).

coro s. m. **1.** *Un grupo de personas que cantan juntas forman un* **coro**. **2.** *Las catedrales suelen tener un* **coro** *muy bonito* (= el lugar donde está el órgano y donde cantan los monjes). ◆ **a coro 3.** *Los alumnos respondieron* ***a coro*** *al profesor* (= respondieron al mismo tiempo, a la vez). ◆ **hacer coro 4.** *El empleado* ***hacía coro*** *a su jefe* (= compartía sus opiniones para adularlo).
FAM: *corear, coreografía, corista.*

corola s. f. Los pétalos de una flor forman su **corola**.

corona s. f. *Pusieron una* ***corona*** *a la reina de la fiesta* (= un adorno hecho con flores y hojas o una joya de metal precioso en la cabeza en señal de distinción).
SINÓN: diadema. FAM: *coronación, coronar, coronilla.*

coronación s. f. *Este cuadro representa la* ***coronación*** *del rey* (= el instante en que le ponen la corona y lo declaran rey).
FAM: → *corona.*

coronar v. tr. *Antiguamente los emperadores* ***eran coronados*** (= recibían una corona como símbolo de su cargo).
FAM: → *corona.*

coronel s. m. *El* ***coronel*** *dio órdenes muy estrictas* (= el jefe militar que manda un regimiento).

coronilla s. f. **1.** La **coronilla** es la parte más alta de la cabeza. ◆ **estar hasta la coronilla 2.** ***Estoy hasta la coronilla*** *de oírte* (= estoy harto).
FAM: → *corona.*

corporación s. f. *El colegio de médicos es una* ***corporación*** *porque agrupa a todos los médicos.*
FAM: → *cuerpo.*

corporal adj. *Con los ejercicios* ***corporales*** *me mantengo en forma* (= con los movimientos del cuerpo).
FAM: → *cuerpo.*

corpulento, a adj. *Luis parece un boxeador, es un hombre* ***corpulento*** (= es un hombre alto y fuerte).
SINÓN: alto, enorme, gigante, gordo, grueso, robusto. ANTÓN: delgado, enjuto, fino, pequeño.
FAM: → *cuerpo.*

corral s. m. *Las gallinas y los patos se crían en el* ***corral*** (= en un sitio cerrado y descubierto, situado en la proximidad de la casa o en el campo).
FAM: *acorralar.*

correa s. f. *Ató su maleta con una* ***correa*** (= con una tira de cuero).

corrección s. f. **1.** *El profesor hace la* ***corrección*** *de los exámenes* (= hace la rectificación de lo que no está bien). **2.** *El trabajo presentado tenía una* ***corrección*** *extraordinaria* (= no tenía defectos ni errores). **3.** *Pedro actúa con gran* ***corrección*** (= es muy educado).
SINÓN: **1.** enmienda, modificación. **2.** perfección. **3.** cortesía, educación. ANTÓN: **2.** error. **3.** incorrección. FAM: → *corregir.*

correccional s. f. *En lugar de llevarlo a la cárcel, como era menor, lo llevaron a la* ***correccional*** (= a un reformatorio para menores).
FAM: → *corregir.*

correcto, a adj. **1.** *Este texto no es* ***correcto*** *porque tiene muchas faltas* (= no es perfecto). **2.** *Su comportamiento fue* ***correcto*** (= se comportó con educación).
SINÓN: **1.** conforme, exacto, justo. **2.** cortés, educado. ANTÓN: **1.** incorrecto, inexacto. **2.** grosero. FAM: → *corregir.*

corredor, a s. **1.** *Ocho* ***corredores*** *ya han llegado a la meta* (= ocho atletas). ◆ **corredor** s. m. **2.** *Todas las puertas de la casa dan al* ***corredor*** (= al pasillo). **3.** *Roberto es* ***corredor*** *de seguros* (= vende seguros).
SINÓN: **2.** galería, pasillo. FAM: → *correr.*

corregir v. tr. *Antes de entregar la redacción,* ***corregí*** *algunas palabras* (= modifiqué algunas palabras).
SINÓN: cambiar, enmendar, modificar. ANTÓN: mantener. FAM: *corrección, correcto, incorrección, incorrecto, incorregible.*

correlación s. f. *Existe* ***correlación*** *entre lo que estudias y las notas que sacas* (= existe una relación mutua).
SINÓN: conexión, unión. ANTÓN: desconexión.
FAM: → *relación.*

correo s. m. **1.** El **Correo** es un servicio público que se encarga del transporte y de la entrega de las cartas y paquetes. **2.** *El edificio de* ***Correos*** *de mi ciudad es muy antiguo.* **3.** *La secretaria ordena el* ***correo*** (= las cartas que se han recibido y las que deben enviarse).
SINÓN: **3.** correspondencia.

correr v. intr. **1.** ***Corría*** *para no perder el autobús* (= iba deprisa). **2.** *Hice los deberes* ***corriendo*** (= hice los deberes muy rápido). **3.** *El agua* ***corría*** *por el barranco* (= fluía). **4.** *El tiempo* ***corre*** (= el tiempo pasa muy deprisa). **5.** ***Corrió*** *la noticia de que nos había tocado la lotería* (= se divulgó entre la gente). **6.** *Eso* ***corre*** *por mi cuenta* (= yo me hago cargo de eso). ◆ **correr** v. tr. **7.** *Santiago* ***corrió*** *el florero de la mesa para poder escribir* (= lo cambió de sitio). **8.** *Antes de acostarnos, mi papá* ***corre*** *el cerrojo de la puerta* (= lo echa). **9.** *Para que no nos molestara el sol,* ***corrimos*** *las cortinas* (= cerramos). **10.** ***Corres*** *peligro si te asomas al pozo*

(= estás expuesto a peligro si te asomas). **11.** *Adolfo* ***ha corrido*** *medio mundo* (= lo ha recorrido). ◆ **correrse** v. pron. **12.** *¡**Córrase** un poco a la izquierda!* (= ¡póngase allí!). **13.** *El papel estaba húmedo y la tinta* ***se corrió*** (= se extendió). **14.** *Alfredo* ***se corrió*** *una juerga* (= se divirtió). ◆ **a todo correr 15.** *Tuve que ir* ***a todo correr*** *para no llegar tarde* (= tuve que ir lo más rápido posible). ◆ **correr con 16.** *Siempre soy yo quien tiene que* ***correr con*** *todos los gastos* (= yo soy quien tiene que hacerse cargo). ◆ **el que no corre, vuela 17.** *En cuanto oyó la palabra trabajo se presentó al momento, porque* ***el que no corre, vuela*** (= actuó con rapidez para no perder la oportunidad). ◆ **dejar correr 18.** *No pienses más en ello y* ***déjalo correr*** (= y olvídalo).

SINÓN: 1. apresurarse, precipitarse. **3.** fluir, pasar. **4.** transcurrir. **5.** propagar. **7.** desplazar. **8, 9.** cerrar. **10.** exponerse. **11.** recorrer, viajar. **12.** moverse. **13.** extenderse. **ANTÓN: 1, 2, 3, 4, 5, 7, 12.** detenerse, pararse. **8, 9.** abrir. **FAM:** *corredor, corretear, corrida, corriente, recorrer, recorrido.*

correspondencia s. f. **1.** *Sus ideas están en* ***correspondencia*** *con sus actos* (= existe una relación perfecta entre ideas y actos). **2.** *Lucas recibe mucha* ***correspondencia*** (= muchas cartas).

SINÓN: 1. conexión, relación. **2.** correo. **ANTÓN: 1.** contradicción. **FAM:** → *responder.*

corresponder v. intr. **1.** ***Correspondimos*** *a nuestros amigos yendo a su casa* (= les devolvimos su visita). **2.** *Me* ***corresponde*** *la mitad del dinero* (= me pertenece). **3.** *Cada pupitre de mi clase* ***corresponde*** *a un alumno* (= cada alumno tiene el suyo). ◆ **corresponderse** v. pron. **4.** *Mis padres* ***se corresponden*** *en su cariño* (= se quieren el uno al otro).

SINÓN: 1. agradecer, devolver. **2, 3.** pertenecer, tocar. **4.** apreciarse, quererse. **FAM:** → *responder.*

correspondiente adj. *Mi madre partió la tarta y dio a cada uno su parte* ***correspondiente*** (= dio a cada uno la parte que le tocaba).
FAM: → *responder.*

corresponsal s. m. f. *Don Antonio es el* ***corresponsal*** *de un periódico en Francia* (= es la persona destinada a un país que desde allí envía sus crónicas periodísticas).
FAM: → *responder.*

corretear v. intr. *Los gatitos* ***corretean*** *por la alfombra* (= saltan y juegan).
FAM: → *correr.*

correveidile s. m. f. *No te fíes de Leonor; es una* ***correveidile*** (= es una chismosa).
SINÓN: lioso. **ANTÓN:** discreto.

corrida s. f. **1.** *Fue muy emocionante la* ***corrida*** *de toros del domingo* (= lidia de toros). ◆ **de corrida 2.** *Dijo la lección* ***de corrida*** (= la dijo de memoria).
FAM: → *correr.*

corriente adj. **1.** *El agua de un río es agua* ***corriente*** *porque corre.* **2.** *Mi padre tiene su dinero en una cuenta* ***corriente*** (= en una cuenta de donde puede sacarlo cuando quiera). **3.** *Este coche es un modelo* ***corriente*** (= es un modelo común). ◆ **corriente** s. f. **4.** *Se ha cortado la* ***corriente*** (= se ha cortado la luz). **5.** *Cierra la ventana, que hay mucha* ***corriente*** (= hay mucho aire). **6.** *Del cráter del volcán bajaba una* ***corriente*** *de lava* (= bajaba un líquido espeso). ◆ **estar al corriente 7.** ***Estoy al corriente*** *de lo que ocurrió* (= me he enterado). ◆ **contra corriente 8.** *Ahora que hace frío quiere irse a bañar, siempre va* ***contra corriente*** (= siempre va al revés de todo el mundo). ◆ **seguir la corriente 9.** *Hay que* ***seguirle la corriente*** *para que no se enoje* (= hay que estar de acuerdo con él). ◆ **común y corriente 10.** *Se cree que ha comprado una gran mesa, y es una mesa* ***común y corriente*** (= es una mesa ordinaria).

SINÓN: 3. común, habitual, usual. **ANTÓN: 1.** inmóvil, quieto. **3.** raro. **FAM:** → *correr.*

corrillo s. m. *En cuanto salió se hizo un* ***corrillo*** *a su alrededor* (= se hizo un círculo de gente).
FAM: → *corro.*

corroborar v. tr. *Dos testigos* ***corroboraron*** *la explicación de la víctima* (= confirmaron la explicación).

corroer v. tr. **1.** *Las preocupaciones lo* ***corroen*** (= lo atormentan). **2.** *La humedad* ***corroe*** *los metales* (= los desgasta y oxida).
SINÓN: 1. atormentar. **2.** gastar. **FAM:** → *roer.*

corromper v. tr. **1.** *El calor* ***corrompió*** *el pescado* (= lo estropeó pudriéndolo). **2.** *Lo* ***corrompió*** *a base de regalos* (= lo sobornó). **3.** *No deberíamos* ***corromper*** *nuestra lengua* (= no deberíamos hablar mal).

SINÓN: 1. pudrir. **1, 3.** alterar, dañar, estropear. **2.** sobornar. **ANTÓN: 1.** conservar. **3.** mejorar, proteger. **FAM:** → *romper.*

corrosivo, a adj. *No la trates mucho porque es una persona* ***corrosiva*** (= es una persona hiriente).
SINÓN: destructivo.

corrupción s. f. *La* ***corrupción*** *es un delito* (= el soborno).
SINÓN: soborno. **FAM:** → *romper.*

corsario s. m. *Los* ***corsarios*** *atacaban los barcos y los saqueaban* (= los piratas).

cortado s. m. **1.** *Después de comer siempre tomo un* ***cortado*** (= siempre tomo un café con un poco de leche). ◆ **estar cortado por el mismo patrón 2.** *Esos dos chicos* ***están cortados por el mismo patrón****, coinciden en todo* (= son muy parecidos).
FAM: → *cortar.*

cortante adj. *Esta cuchilla tiene el filo muy* ***cortante*** (= corta mucho).
SINÓN: afilado, agudo. **FAM:** → *cortar.*

cortapapeles s. m. *Dame el* **cortapapeles** *para cortar las hojas de este libro* (= el instrumento parecido al cuchillo, pero poco afilado).
FAM: → *cortar.*

cortar v. tr. **1.** *Luis* **ha cortado** *el pan con un cuchillo* (= lo ha dividido en trozos). **2.** *La barricada* **cortó** *el paso de los vehículos* (= impidió el paso de los vehículos). **3.** *El profesor* **cortó** *la discusión* (= la interrumpió).
SINÓN: 1. dividir, partir. **2.** impedir. **3.** detener, interrumpir, suspender. **ANTÓN: 1.** juntar, pegar, unir. **FAM:** *acortar, cortado, cortante, cortapapeles, cortauñas, corte, corto, recortar.*

cortauñas s. m. Un **cortauñas** es un instrumento parecido a un alicate y que sirve para cortarse las uñas.
FAM: → *cortar.*

corte s. m. **1.** *Esta navaja tiene un* **corte** *muy agudo* (= tiene un filo muy agudo). **2.** *Jaime se ha hecho varios* **cortes** *en la mano* (= se ha hecho varias heridas). ◆ **darse corte 3.** ***Se da corte*** *porque sabe que es muy buen mozo* (= se envanece). ◆ **hacer la corte 4.** *El novio de mi hermana le* **hizo la corte** *mucho tiempo* (= la cortejó).
SINÓN: 1. filo. **2.** tajo. **FAM:** → *cortar.*

cortejo s. m. *Miss Universo partió con un* **cortejo** (= la acompañaba un conjunto de personas).
SINÓN: comitiva, escolta, séquito.

cortés adj. *Martín es un hombre muy* **cortés** (= muy amable).
SINÓN: amable, atento, cordial, correcto, educado, fino. **ANTÓN:** desagradable, grosero, huraño, ordinario. **FAM:** *cortesía.*

cortesano, a s. *Antiguamente los* **cortesanos** *servían al rey y a su familia.*

cortesía s. f. **1.** *Me ha respondido con* **cortesía** (= me ha respondido con educación). **2.** *Las copas son* **cortesía** *del restaurante* (= regalo del restaurante).
SINÓN: amabilidad, atención, cordialidad. **ANTÓN:** frialdad, grosería. **FAM:** *cortés, descortés.*

corteza s. f. **1.** *Grabamos nuestros nombres en la* **corteza** *de un árbol* (= los grabamos en la parte exterior de su tronco). **2.** *Este pan tiene la* **corteza** *quemada* (= su parte exterior más dura).
SINÓN: cáscara, costra. **ANTÓN: 1.** interior, núcleo. **2.** miga. **FAM:** *descortezar.*

cortina s. f. *¿Puedes cerrar la* **cortina** *para que no entre el sol?* (= la tela que cubre la ventana).
SINÓN: visillo. **FAM:** *cortinaje.*

corto, a adj. **1.** *Llevo pantalones* **cortos** (= pantalones que no me llegan a la rodilla). **2.** *El partido de tenis fue muy* **corto** (= duró poco tiempo). **3.** *La ración resultó* **corta** *y nos quedamos con hambre* (= la comida resultó escasa). **4.** *Mi compañero es muy* **corto** *de inteligencia* (= no tiene mucho talento). **5.** *María es muy* **corta** *en palabras* (= no se explica muy bien). **6.** *Cuando voy en el coche llevo las luces* **cortas** (= llevo las luces de menor intensidad). ◆ **ni corto ni perezoso 7.** ***Ni corto ni perezoso*** *se sirvió otra porción de postre* (= con decisión y rapidez). ◆ **quedarse corto 8.** *No tuve bastante dinero,* **me quedé corto** *al calcular* (= no calculé bien).
SINÓN: 2. breve, fugaz, momentáneo. **3.** escaso, insuficiente. **ANTÓN: 1.** largo. **2.** extenso, largo. **3.** abundante. **4.** agudo, listo. **FAM:** → *cortar.*

cortocircuito s. m. *A causa de un* **cortocircuito** *se fue la luz de toda la calle* (= por una avería que se produjo en los circuitos de la electricidad).

cortometraje s. m. *A veces en los cines dan un* **cortometraje** *antes de la película* (= dan una película de muy corta duración).

corzo s. m. El **corzo** es un animal parecido al ciervo, de cuerpo rojizo, sin rabo, de cuernos cortos.

cosa s. f. **1.** *¡Hay tantas* **cosas** *en esta mesa!* (= tantos objetos). **2.** *Tengo muchas* **cosas** *que hacer* (= tengo muchas ocupaciones). **3.** *¡Qué* **cosas** *tienes!* (= ¡qué ocurrencias tienes!). ◆ **como si tal cosa 4.** *Después de lo que le pasó, y se quedó* **como si tal cosa** (= se quedó como si no hubiera pasado nada). ◆ **como quien no quiere la cosa 5.** *Se fue de la reunión* **como quien no quiere la cosa** (= se fue con disimulo).

cosaco, a s. **1.** *Los* **cosacos** *luchaban a las órdenes del zar* (= los habitantes de las estepas rusas). ◆ **beber como un cosaco 2.** *A Juan le gusta mucho el vino,* **bebe como un cosaco** (= bebe mucho).

coscorrón s. m. *Me di un* **coscorrón** *en la cabeza* (= un golpe muy fuerte).
SINÓN: cabezada, chichón, golpe.

cosecha s. f. *Este año la* **cosecha** *de trigo ha sido abundante* (= se ha recogido mucho trigo).
SINÓN: colecta, recolección, siega. **FAM:** → *cosechar.*

cosechadora s. f. Una **cosechadora** es una máquina que siega y limpia automáticamente los cereales.
SINÓN: segadora. **FAM:** → *cosechar.*

cosechar v. tr. **1.** *Han invertido muchas horas en* **cosechar** *este campo de trigo* (= en segarlo y recogerlo). **2.** *El artista* **ha cosechado** *grandes aplausos* (= ha obtenido grandes aplausos).
SINÓN: obtener, recoger, recolectar. **ANTÓN: 1.** sembrar. **FAM:** *cosecha, cosechadora.*

coser v. tr. **1.** *María* **ha cosido** *su falda* (= ha unido la tela con aguja e hilo). **2.** *Mi mamá* **ha cosido** *el bajo de mi pantalón* (= le ha hecho un dobladillo). **3.** ***He cosido*** *las hojas de mi trabajo* (= las he unido con grapas).
SINÓN: 1, 2. juntar, pegar, unir, zurcir. **3.** grapar. **ANTÓN:** descoser, desunir. **FAM:** *costura, costurera, costurero, descoser, descosido.*

cosmético s. m. *No me gusta ponerme* ***cosméticos*** *en la cara* (= no me gusta ponerme productos que embellecen o cuidan la piel).
SINÓN: crema, potingue.

cosmología s. f. Es el estudio del universo.

cosmonauta s. m. f. → **astronauta**.

cosmopolita adj. *Jaime es muy* ***cosmopolita,*** *ha viajado por todo el mundo* (= conoce costumbres muy distintas, lugares y gentes).

cosmos s. m. *El* ***cosmos*** *es el espacio infinito* (= es el universo).
SINÓN: mundo, universo.

cosquillas s. f. pl. *María tiene muchas* ***cosquillas*** *en la planta de los pies* (= se ríe involuntariamente cuando se las tocan suavemente).
FAM: *cosquilleo.*

cosquilleo s. m. *Siento un* ***cosquilleo*** *en ciertas partes de mi cuerpo cuando me las tocan y me hace reír.*
FAM: *cosquillas.*

costa s. f. *Soy de un pueblo de la* ***costa*** (= de un pueblo que está cerca del mar). ◆ **a toda costa 2.** *Iré* ***a toda costa*** (= iré sea como sea). ◆ **a costa de 3.** *Juan vive* ***a costa de*** *sus padres* (= a expensas de ellos).
SINÓN: 1. litoral, orilla, ribera. **ANTÓN: 1.** interior. **FAM:** → *costero.*

costado s. m. **1.** *Me duele el* ***costado*** *izquierdo* (= el lado izquierdo del pecho). ◆ **por los cuatro costados 2.** *Salía agua* ***por los cuatro costados*** (= salía agua por todas partes).
SINÓN: lado. **ANTÓN:** centro. **FAM:** *costilla, costillar.*

costalada s. f. Amér. *José resbaló y se dio una* ***costalada*** (= golpe que uno se da al caer de espaldas o de costado).

costar v. intr. **1.** *Este libro me* ***costó*** *200 pesos* (= tuve que pagar por él ese precio). **2.** *Este trabajo me* ***cuesta*** *mucho esfuerzo* (= me exige mucho esfuerzo). ◆ **costar caro 3.** *Si no lo haces te* ***costará caro*** (= te perjudicarás).
SINÓN: 1. valer. **2.** exigir, suponer. **FAM:** *coste, costear, costo, costoso.*

costarricense o **costarriqueño, a** adj. **1.** *San Juan es una ciudad* ***costarricense*** *o* ***costarriqueña*** (= de Costa Rica). ◆ **costarricense** o **costarriqueño, a** s. **2.** *Los* ***costarricenses*** *o* ***costarriqueños*** *son las personas nacidas en Costa Rica.*

costear v. tr. **1.** *Mi madrina* ***costea*** *mis estudios* (= me los paga). **2.** *Las pequeñas embarcaciones* ***costean*** *la playa* (= navegan bordeando la costa). ◆ **costearse** v. pron. **3.** *Mi amigo* ***se costeó*** *un viaje* (= lo ha pagado él mismo).
SINÓN: 1. abonar, pagar, subvencionar. **2.** bordear. **FAM:** → *costar.*

costero, a adj. *La navegación* ***costera*** *se hace cerca del litoral* (= se hace cerca de la costa).
FAM: *costa.*

costilla s. f. *Juan Luis se cayó de la bicicleta y se rompió una* ***costilla*** (= se rompió uno de los huesos del pecho).
FAM: *costado.*

costo s. m. *El* ***costo*** *de la vida ha aumentado* (= el precio de las cosas).
SINÓN: coste, importe, precio. **FAM:** → *costar.*

costoso, a adj. *Esta joya es muy* ***costosa,*** *no tengo dinero para pagarla* (= cuesta mucho, es muy cara).
SINÓN: caro. **ANTÓN:** barato. **FAM:** → *costar.*

costra s. f. **1.** *No comas la* ***costra*** *del queso* (= la corteza, su parte externa y dura). **2.** *Roberto tiene* ***costras*** *en la cara* (= unas placas duras que se forman sobre las heridas cuando se secan).
SINÓN: 1. corteza. **ANTÓN: 1.** interior.

costumbre s. f. **1.** *Tengo la* ***costumbre*** *de no cenar* (= tengo el hábito). **2.** *Cada país tiene sus* ***costumbres*** (= su carácter y forma de ser tradicionales). ◆ **de costumbre 3.** *Me acosté como* ***de costumbre*** (= como siempre).
SINÓN: 1. hábito, manía, rutina, uso. **2.** carácter, estilo, tradición. **FAM:** *acostumbrar.*

costura s. f. **1.** *María aprende* ***costura*** (= aprende a coser). **2.** *Mi mamá deja en una cesta la* ***costura*** (= deja lo que está cosiendo).
SINÓN: 1. coser. **2.** labor. **FAM:** → *coser.*

costurera s. f. *Quiere aprender el oficio de* ***costurera*** (= el oficio de coser).
SINÓN: modista, sastra. **FAM:** → *coser.*

costurero s. m. *Mi madre guarda los hilos y las agujas en su* ***costurero*** (= en una caja o mesita con cajones que sirven para guardar los útiles de costura).
FAM: → *coser.*

cotejar v. tr. ***Cotejó*** *los dos trabajos y decidió que el primero era mejor* (= comparó los dos trabajos).

cotidiano, a adj. *Es conveniente hacer el aseo* ***cotidiano*** (= el que se hace todos los días).
SINÓN: diario, habitual, usual. **FAM:** → *día.*

cotizar v. tr. **1.** *En el puerto se* ***cotizó*** *barato el pescado* (= se puso un precio muy bajo). ◆ **cotizarse** v. pron. **2.** *Este futbolista* ***se cotiza*** *por su técnica* (= se valora por su técnica).
SINÓN: 1. evaluar, tasar. **2.** estimar, valorar.

coto s. m. **1.** *Los cazadores sólo pueden cazar dentro de su* ***coto*** (= dentro de un terreno limitado). ◆ **poner coto 2.** *Voy a* ***poner coto*** *a este desorden* (= voy a impedir que continúe).

cotorra s. f. **1.** La **cotorra** es un pájaro parecido al papagayo. **2.** *Marta es una* ***cotorra*** (= es muy habladora).
SINÓN: 1. papagayo. **2.** charlatán, hablador, parlanchín. **ANTÓN: 2.** callado, silencioso. **FAM:** *cotorrear.*

coxis s. m. *Pedro se ha caído y se ha roto el* ***coxis*** (= se ha roto la parte final de la columna vertebral).

coyote s. m. *En el bosque se siente el aullido de los* ***coyotes*** (= especie de lobo, de piel grisácea, que vive en México y América Central).

crac s. m. **1.** *Me senté en una silla, hizo* ***crac*** *y se rompió* (= hizo el sonido que hace algo al romperse). **2.** *Con el* ***crac*** *de 1929, mucha gente se arruinó* (= con el desastre económico de 1929).

cráneo s. m. *Los huesos del* ***cráneo*** *protegen el cerebro* (= los huesos de la cabeza).
SINÓN: cabeza, calavera.

cráter s. m. El **cráter** de un volcán es la boca por donde arroja lava, cenizas y humo.

creación s. f. **1.** *La Biblia nos cuenta la* ***creación*** *del mundo* (= dice que Dios lo hizo de la nada). **2.** *El agua, el viento, la tierra, los animales y el hombre forman parte de la* ***creación*** (= forman parte del mundo natural). **3.** *La* ***creación*** *de este club es reciente* (= la fundación de este club).
SINÓN: **2.** cosmos, mundo, naturaleza, universo. **3.** fundación, institución. **FAM:** → *crear.*

creador, a s. **1.** *Dios es el* ***Creador*** *de todas las cosas* (= Dios las ha hecho de la nada). **2.** *¿Quién es el* ***creador*** *de esta obra?* (= ¿quién es el autor?).
SINÓN: **1.** Dios. **2.** autor. **FAM:** → *crear.*

crear v. tr. **1.** *Dios* ***creó*** *el mundo* (= lo hizo de la nada). **2.** ***Crearon*** *un nuevo ministerio* (= hicieron un nuevo ministerio).
SINÓN: **1.** hacer. **2.** instituir. **ANTÓN:** destruir, exterminar. **FAM:** *creación, creador, creativo, procrear, recrear, recreativo, recreo.*

creativo, a adj. *Mi trabajo es muy* ***creativo*** (= muy original; me permite desarrollar mi imaginación).
SINÓN: original, imaginativo. **ANTÓN:** común, ordinario. **FAM:** → *crear.*

crecer v. intr. **1.** *Mi hermano* ***ha crecido*** *tanto que podría ser jugador de básquet* (= está mucho más alto). **2.** *Debido a las lluvias, el río* ***ha crecido*** (= ha aumentado su caudal).
SINÓN: **1.** alargar, desarrollar. **2.** aumentar, elevar, subir. **ANTÓN:** disminuir, menguar. **FAM:** *crecida, crecimiento, decrecer.*

creces s. f. pl. *Ha recuperado con* ***creces*** *el dinero que perdió* (= ha ganado mucho más dinero del que perdió).

crecida s. f. *Con las lluvias, este río ha experimentado una gran* ***crecida*** (= ha aumentado su caudal).
SINÓN: desbordamiento, inundación. **ANTÓN:** descenso. **FAM:** → *crecer.*

creciente adj. **1.** *Hemos observado el espectáculo con curiosidad* ***creciente*** (= con una curiosidad cada vez mayor). **2.** *Cuando la luna está en cuarto* ***creciente*** *parece una C al revés.*
ANTÓN: menguante. **FAM:** → *crecer.*

crecimiento s. m. *A los diez años, un niño está en pleno* ***crecimiento*** (= en pleno desarrollo).
SINÓN: aumento, desarrollo. **ANTÓN:** disminución. **FAM:** → *crecer.*

credencial s. f. *El embajador mostró sus* ***credenciales*** *al presidente* (= le mostró los documentos que demostraban su cargo).

crédito s. m. **1.** *Mi marido pidió un* ***crédito*** (= pidió dinero prestado). **2.** *No doy* ***crédito*** *a mis ojos* (= no puedo creer lo que estoy viendo).
SINÓN: **1.** adelanto, anticipo, préstamo. **FAM:** *acreditado, acreditar, acreedor.*

credo s. m. **1.** El **credo**, en la religión católica, es una oración que recoge las principales creencias de la fe. **2.** *Todas las personas tienen su* ***credo*** (= conjunto de verdades en las que creen).
SINÓN: creencia, doctrina. **FAM:** → *creer.*

crédulo, a adj. *Matías es muy* ***crédulo*** (= cree todo lo que le dicen).
SINÓN: cándido, confiado, ingenuo. **ANTÓN:** desconfiado, incrédulo. **FAM** → *creer.*

creencia s. f. *Debemos respetar las* ***creencias*** *de los demás* (= las ideas de los demás).
SINÓN: doctrina, religión. **FAM:** → *creer.*

creer v. tr. **1.** *Como nunca miento, Marta me* ***ha creído*** (= piensa que digo la verdad). **2.** ***Creo*** *que Martín es una buena persona* (= lo supongo).
SINÓN: **1.** confiar, aceptar, admitir. **2.** juzgar, opinar, pensar. **ANTÓN:** **1, 2.** desconfiar, rechazar. **FAM:** *credo, crédulo, creencia, creíble, creyente, incrédulo, increíble.*

creíble adj. *Esta historia podría ser verdad, es* ***creíble*** (= es posible).
SINÓN: posible, probable. **ANTÓN:** imposible, improbable, increíble. **FAM:** → *creer.*

crema s. f. **1.** *La* ***crema*** *sirve para rellenar pasteles* (= la pasta hecha con leche, huevos y azúcar). **2.** *A Mario no le gusta la leche con* ***crema*** (= con la nata). **3.** *Ana compró una* ***crema*** *de belleza* (= un producto para cuidar su piel).
SINÓN: **2.** nata. **3.** cosmético. **FAM:** *cremoso.*

cremallera s. f. *Se ha roto la* ***cremallera*** *del bolso* (= una tira con una especie de dientes pequeños que encajan entre sí y que sirve para cerrarlo).
SINÓN: cierre.

crepitar v. intr. *Miraba el fuego y oía* ***crepitar*** *la leña* (= oía el ruido que hace la leña al arder).
SINÓN: chisporrotear.

crepúsculo s. m. *En el* ***crepúsculo*** *hay poca luz* (= momento del día comprendido entre el amanecer y la salida del sol y desde la puesta del sol hasta el anochecer).

cresta s. f. **1.** *El gallo eleva orgulloso su* ***cresta*** (= levanta la parte carnosa y roja que tiene en lo alto de su cabeza). **2.** *El Sol desaparecía detrás*

*de las **crestas*** (= desaparecía detrás de las cimas de las montañas).
SINÓN: 2. cima, cumbre. **ANTÓN: 2.** bajo, pie.

creyente adj. *Ángel es **creyente*** (= cree en una determinada fe religiosa).
SINÓN: fiel. **ANTÓN:** ateo, incrédulo. **FAM:** → *creer.*

cría s. f. **1.** *Marcial se dedica a la **cría** de conejos* (= los cuida y alimenta). **2.** *La oveja da de mamar a sus **crías*** (= a sus hijos recién nacidos).
FAM: → *criar.*

criadero s. m. **1.** *Pascual tiene un **criadero** de cerdos* (= un lugar donde los cuida y alimenta). **2.** *Tengo un **criadero** de árboles* (= un lugar donde se cultivan y se trasplantan).
SINÓN: 1. granja. **2.** semillero, vivero. **FAM:** → *criar.*

criado, a s. *Tenemos en casa una **criada** que no sabe cocinar* (= tenemos una señora que se encarga de hacer los trabajos de la casa).
SINÓN: asistente, chico, empleado, mozo, servidor, sirviente. **ANTÓN:** amo, dueño, patrón, señor. **FAM:** → *criar.*

criar v. tr. **1.** *La madre **cría** a su hijo* (= lo alimenta). **2.** *El señor Pérez **cría** codornices para venderlas* (= las alimenta).
SINÓN: 1. amamantar. **2.** alimentar, nutrir. **FAM:** *cría, criadero, criado, criatura, crío, malcriado, malcriar.*

criatura s. f. **1.** *Los exploradores han caminado durante tres días sin ver una sola **criatura** humana* (= sin ver un ser humano). **2.** *Las **criaturas** necesitan el cuidado de sus padres* (= los niños pequeños lo necesitan).
SINÓN: 1. hombre, ser. **2.** crío, chico, chiquillo, niño, pequeño. **ANTÓN: 2.** adulto, mayor. **FAM:** → *criar.*

criba s. f. *Los albañiles usan la **criba** para separar las piedrecitas de la arena* (= usan un utensilio redondo con una tela metálica).
SINÓN: tamiz.

crimen s. m. *El acusado ha sido condenado por haber cometido un **crimen*** (= un delito grave que puede consistir en matar o causar daños importantes a otra persona).
SINÓN: asesinato, atentado, delito. **FAM:** *criminal.*

criminal adj. **1.** *Los terroristas han cometido un atentado **criminal*** (= han cometido un asesinato). **2.** *Las leyes **criminales** tratan de perseguir y castigar los asesinatos.* ◆ **criminal** s. **3.** *El **criminal** fue detenido* (= la persona que cometió el crimen).
SINÓN: 3. asesino. **ANTÓN: 3.** inocente. **FAM:** *crimen.*

crin s. f. Las **crines** son los pelos largos que algunos animales, como los caballos, tienen en el cuello o en la cola.

crío s. m. *La madre pasea a su **crío*** (= a su hijo pequeño).
SINÓN: criatura, chiquillo, hijo, niño. **ANTÓN:** adulto, mayor. **FAM:** → *criar.*

criollo, a s. *En Hispanoamérica hay muchos **criollos*** (= descendientes de padres europeos).

crisis s. f. **1.** *El enfermo ha entrado en una **crisis*** (= en una situación muy delicada: está más grave). **2.** *Hay **crisis** de gobierno porque han dimitido varios ministros* (= hay incertidumbre acerca de lo que va a ocurrir a partir de ahora).
SINÓN: 1. cambio, modificación. **2.** aprieto, dificultad, problema. **ANTÓN:** estabilidad, seguridad.

crisma s. f. *Si te caes de ahí te vas a romper la **crisma*** (= te vas a romper la cabeza).

crispar v. tr. *Isabel me **crispa** los nervios* (= me altera los nervios).
SINÓN: enfurecer, enfadar. **ANTÓN:** tranquilizar, sosegar.

cristal s. m. *Santiago rompió el **cristal** de la ventana* (= el vidrio transparente de la ventana).
SINÓN: luna, vidrio. **FAM:** *acristalar, cristalera, cristalería, cristalino, cristalizar.*

cristalera s. f. *Se entra en el salón por una **cristalera*** (= por una puerta de cristales).
FAM: → *cristal.*

cristalería s. f. **1.** *En la **cristalería** me han cortado un cristal a medida* (= donde se venden objetos de cristal). **2.** *Esta tienda vende una fina **cristalería*** (= objetos de cristal). **3.** *Los vasos, copas y jarras de una vajilla componen la **cristalería** para el servicio de mesa.*
SINÓN: 3. servicio. **FAM:** → *cristal.*

cristalino, a adj. **1.** *El granito es una roca **cristalina*** (= está formado por cristales). **2.** *El agua de este río es **cristalina*** (= es transparente). ◆ **cristalino** s. m. **3.** El **cristalino** es la parte transparente del ojo que se encuentra detrás de la pupila.
SINÓN: 2. claro, limpio, transparente. **ANTÓN: 2.** opaco, sucio, turbio. **FAM:** → *cristal.*

cristalizar v. intr. **1.** *El azúcar **cristaliza*** (= toma la forma de cristal). **2.** *La promesa del alcalde **cristalizó** en la construcción de un campo de deportes* (= su promesa se concretó).
SINÓN: 2. concretarse, manifestarse. **FAM:** → *cristal.*

cristiandad s. f. *El Papa se dirigió a toda la **cristiandad*** (= se dirigió a los países y pueblos que creen en Cristo).
FAM: → *Cristo.*

cristianismo s. m. El **cristianismo** es la religión de quienes creen en las enseñanzas de Cristo.
FAM: → *Cristo.*

cristiano, a adj. **1.** *Los católicos y los protestantes son **cristianos*** (= su religión es la que predicó Jesucristo). ◆ **hablar en cristiano 2.** *Si no me **hablas en cristiano** no te entiendo* (= si no me hablas en mi misma lengua).
FAM: → *Cristo.*

Cristo s. m. **1.** *Para los creyentes,* ***Cristo*** *es el hijo de Dios.* **2.** *Encima de la mesa del médico había un* ***Cristo*** (= había un crucifijo).
SINÓN: **1.** Jesucristo. **2.** crucifijo. **FAM:** *cristiandad, cristianismo, cristiano.*

criterio s. m. **1.** *Según mi* ***criterio,*** *este cuadro es horrible* (= según mi opinión). **2.** *El* ***criterio*** *del juez ha sido muy severo* (= la decisión del juez). **3.** *La estatura es uno de los* ***criterios*** *para seleccionar a los jugadores de baloncesto* (= es una de las normas para elegir).
SINÓN: **2.** decisión, juicio. **3.** norma, regla. **FAM:** *crítica, criticar, crítico, criticón.*

crítica s. f. **1.** *Es difícil hacer la* ***crítica*** *de las obras de arte* (= hacer el análisis y el juicio). **2.** *El director del colegio ha hecho una severa* ***crítica*** *a mi conducta* (= la ha censurado). **3.** *En clase hicimos la* ***crítica*** *de la película* (= cada uno de nosotros dio su opinión).
SINÓN: **1, 3.** análisis, examen, juicio. **2.** censura, reproche. **ANTÓN:** **2.** alabanza, elogio. **FAM:** → *criterio.*

criticar v. tr. **1.** *Los expertos de teatro* ***criticaron*** *la obra y les pareció buena* (= la analizaron con detenimiento). **2.** *La oposición* ***ha criticado*** *duramente al Gobierno* (= lo ha censurado).
SINÓN: **1.** analizar, examinar, juzgar. **2.** censurar, reprochar. **ANTÓN:** **2.** alabar, aprobar, elogiar. **FAM:** → *criterio.*

crítico, a adj. **1.** *Samuel está en una situación* ***crítica*** (= en una situación difícil). **2.** *El momento* ***crítico*** *del curso son los exámenes* (= es una situación más importante). **3.** *El enfermo está en un momento* ***crítico*** (= está en un momento decisivo). ◆ **crítico** s. **4.** *El señor Rodríguez es un* ***crítico*** *de cine* (= escribe artículos en los que analiza las películas).
SINÓN: **1.** difícil, grave. **2, 3.** delicado, difícil, importante, fundamental. **4.** cronista. **ANTÓN:** **2, 3.** favorable. **FAM:** → *criterio.*

criticón, ona adj. *Mi hermano es muy* ***criticón*** (= encuentra faltas a todo y a todos).
FAM: → *criterio.*

croar v. intr. *En las charcas, las ranas* ***croan*** (= emiten su sonido característico).

cromo s. m. *He cambiado unos* ***cromos*** *que tenía repetidos* (= estampas de bonitos colores).
SINÓN: estampa.

crónica s. f. *Manuel lee en el periódico la* ***crónica*** *deportiva* (= los artículos sobre acontecimientos deportivos).
SINÓN: artículo, comentario. **FAM:** *cronista.*

crónico, a adj. *Su enfermedad es* ***crónica*** (= dura largo tiempo).
SINÓN: permanente. **ANTÓN:** fugaz, momentáneo.

cronista s. *El* ***cronista*** *de un periódico escribe artículos* (= escribe sobre temas determinados).
SINÓN: periodista. **FAM:** → *crónica.*

cronológico, a adj. *700, 1800, 1900, son tres fechas en orden* ***cronológico*** (= son tres fechas ordenadas según el tiempo).

cronometrar v. tr. *Los jueces de la carrera* ***cronometran*** *el tiempo que invierten los corredores en llegar a la meta* (= miden el tiempo).
FAM: *cronómetro.*

cronómetro s. m. Un **cronómetro** es un reloj de gran precisión para medir períodos cortos de tiempo.
SINÓN: reloj. **FAM:** *cronometrar.*

croqueta s. f. *Comimos* ***croquetas*** *de bacalao* (= comimos una masa ovalada preparada con harina, leche, carne o pescado, rebozada en huevo y pan rallado, y frita).

croquis s. m. *Pablo ha hecho un* ***croquis*** (= ha hecho un dibujo rápido).
SINÓN: boceto, diseño.

cruce s. m. *Hay un semáforo en ese* ***cruce*** (= en el lugar donde se cruzan dos carreteras o dos calles).
SINÓN: confluencia, encuentro. **FAM:** → *cruz.*

crucero s. m. *Nuestros amigos han hecho un* ***crucero*** *por el Mediterráneo* (= han hecho un viaje en barco).
SINÓN: travesía. **FAM:** → *cruz.*

crucial adj. *Este examen es* ***crucial*** *para aprobar la asignatura* (= es decisivo).
SINÓN: esencial, fundamental. **ANTÓN:** accidental, trivial.

crucificar v. tr. *Antiguamente,* ***crucificaban*** *a algunas personas por creer que habían cometido graves delitos* (= los clavaban en una cruz para torturarlos y matarlos).
FAM: → *cruz.*

crucifijo s. m. *Todavía hoy, se ven* ***crucifijos*** *en las habitaciones de algún hospital* (= la imagen de Jesucristo clavado en la cruz).
SINÓN: cruz. **FAM:** → *cruz.*

crucifixión s. f. *La* ***crucifixión*** *de Jesucristo ha sido pintada y esculpida por muchos artistas* (= su sufrimiento y muerte en la cruz).
SINÓN: sacrificio, sufrimiento. **FAM:** → *cruz.*

crucigrama s. m. *Me encanta hacer* ***crucigramas*** (= pasatiempo que consiste en descubrir ciertas palabras a partir de definiciones y escribir cada letra en su casillero correspondiente).
FAM: → *cruz.*

crudo, a adj. **1.** *Me gusta la carne casi* ***cruda*** (= muy poco cocida). **2.** *Me han respondido en términos muy* ***crudos*** (= con palabras excesivamente duras). **3.** *En esta región el invierno es muy* ***crudo*** (= hace mucho frío). ◆ **crudo** s. m. **4.** *Los países árabes son ricos en* ***crudo*** (= son ricos en petróleo sin refinar).
SINÓN: **2.** áspero, cruel, grosero. **3.** duro, severo. **4.** petróleo. **ANTÓN:** **1.** cocido, pasado. **2.** amable, cortés, educado. **3.** apacible, suave.

cruel adj. **1.** *Pedro es **cruel*** (= le gusta verlos sufrir o hacerles daño). **2.** *La guerra es siempre **cruel*** (= es siempre sangrienta).
SINÓN: 1. brutal, bárbaro, feroz, inhumano, sádico. **2.** duro, sangriento, violento. **ANTÓN: 1.** compasivo. **2.** humanitario. **FAM:** *crueldad.*

crueldad s. f. *Maltratar a los niños es una **crueldad*** (= es una atrocidad).
SINÓN: atrocidad, barbaridad, ferocidad, maldad, violencia. **ANTÓN:** bondad, compasión, piedad. **FAM:** *cruel.*

crujido s. m. *En la casa vieja se oyen los **crujidos** que producen las maderas del suelo al pisarlas* (= se oyen ruidos secos).
SINÓN: chasquido, chirrido, ruido. **FAM:** → *crujir.*

crujiente adj. *Al sacarlo del horno, el pan está **crujiente*** (= hace un ruido característico cuando se parte).
FAM: → *crujir.*

crujir v. intr. *La rama del árbol al romperse **ha crujido*** (= ha hecho un ruido seco).
SINÓN: rechinar, chirriar. **FAM:** *crujido, crujiente.*

crustáceo s. m. *El camarón, el langostino y el cangrejo son **crustáceos*** (= son animales recubiertos por un caparazón duro).

cruz s. f. **1.** *Luis hace **cruces** en su cuaderno* (= hace figuras de dos líneas que se cortan en ángulo recto: +). **2.** *Jesucristo murió en la **cruz*** (= en dos maderos cruzados por el centro). **3.** *En el altar de la iglesia se ve una **cruz*** (= se ve un crucifijo). **4.** *Margarita comienza sus oraciones haciendo la señal de la **cruz*** (= haciendo un movimiento con la mano derecha desde la frente al pecho y a ambos hombros, santiguándose). **5.** *Nos hemos jugado el libro a cara o **cruz*** (= lo jugamos al lado de la cara o al lado opuesto a la cara de una moneda). **6.** *Cada uno puede llevar su **cruz*** (= debe llevar su sufrimiento). ◆ **hacerse cruces 7.** *Cuando vi de lo que era capaz **me hice cruces*** (= me quedé asombrada, admirada).
SINÓN: 1. aspa. **2.** crucifijo. **6.** carga, peso, sufrimiento. **ANTÓN: 5.** cara. **FAM:** *cruce, crucero, crucificar, crucifijo, crucifixión, crucigrama, cruzar.*

cruzada s. f. Las ***cruzadas*** eran expediciones militares enviadas a Palestina por los cristianos contra los musulmanes.
FAM: → *cruz.*

cruzado, a adj. **1.** *Elena tiene una chaqueta **cruzada*** (= con una solapa que se coloca encima de la otra). **2.** *Pusieron en las vías del tren un tronco **cruzado** que no lo dejaba pasar* (= pusieron un tronco atravesado).
FAM: → *cruz.*

cruzar v. tr. **1.** *Pedro **ha cruzado** los brazos* (= los ha puesto uno sobre otro entrelazados). **2.** *Este barco **cruza** el lago* (= pasa de un lado a otro). ◆ **cruzarse** v. pron. **3.** ***Me he cruzado** con Pedro en la escalera* (= él subía y yo bajaba). ◆ **cruzarse de brazos 4.** *Ha decidido **cruzarse de brazos*** (= ha decidido no hacer nada).
SINÓN: 2. atravesar, pasar. **FAM:** → *cruz.*

cuaderno s. m. *Federico hace los deberes en su **cuaderno*** (= en su libreta).
FAM: *encuadernación, encuadernador, encuadernar, desencuadernar.*

cuadra s. f. **1.** *Los caballos descansan en la **cuadra*** (= descansan en la caballeriza). Amér. **2.** *En la **cuadra** donde vivo abrieron un nuevo comercio* (= espacio de una calle comprendido entre dos esquinas).
SINÓN: caballeriza, establo. **FAM:** → *cuadro.*

cuadrado, a adj. **1.** *Esta mesa es **cuadrada*** (= tiene sus cuatro lados iguales). ◆ **cuadrado** s. m. **2.** El **cuadrado** es una figura geométrica que tiene cuatro lados iguales y cuatro ángulos rectos.
SINÓN: cuadro. **FAM:** → *cuadro.*

cuadragésimo, a *El atleta entró en la meta en **cuadragésimo** lugar* (= en el número 40).
FAM: → *cuarenta.*

cuadrar v. tr. **1.** *Al contador no le **cuadran** las cuentas* (= no le coinciden las cuentas). ◆ **cuadrar** v. intr. **2.** *Ese viaje no me **cuadra*** (= no me parece apropiado). ◆ **cuadrarse** v. pron. **3.** *Para saludar, los soldados **se cuadran*** (= se quedan quietos, erguidos y con los pies juntos).
FAM: → *cuadro.*

cuadrícula s. f. *Las hojas de mi cuaderno son de **cuadrícula*** (= están divididas en pequeños cuadros).
SINÓN: cuadrado. **FAM:** → *cuadro.*

cuadricular v. tr. ***Hemos cuadriculado** una hoja de papel para jugar a barcos* (= hemos trazado líneas verticales y horizontales formando cuadros).
FAM: → *cuadro.*

cuadrilátero s. m. El cuadrado, el rombo, el trapecio y el rectángulo son **cuadriláteros** (= son polígonos que tienen cuatro lados).
FAM: → *cuadro.*

cuadrilla s. f. *Arregló la carretera una **cuadrilla** de albañiles* (= la arregló un grupo de albañiles).
SINÓN: banda, grupo, pandilla.

cuadro s. m. **1.** *Mi camisa tiene **cuadros** azules* (= dibujos formados por cuatro líneas iguales que se cortan perpendicularmente). **2.** *En este museo hay muchos **cuadros*** (= pinturas sobre papel o tela y puestas en un marco).
SINÓN: 2. lienzo, pintura, tela. **FAM:** *cuadra, cuadrado, cuadrar, cuadrícula, cuadricular, cuadrilátero, cuadrúpedo, cuádruple, recuadro.*

cuadrúpedo adj. *El perro, el caballo, el león, son animales **cuadrúpedos*** (= porque tienen cuatro patas).
FAM: → *cuadro.*

cuádruple o **cuádruplo, a** adj. *Doce es **cuádruple** de tres* (= porque vale cuatro veces más).
FAM: → *cuadro.*

cuajar v. tr. *El lechero **cuaja** la leche para conseguir el queso* (= deja que se vuelva sólida).
SINÓN: espesar.

cual pron. rel. *He visto al chico del **cual** me hablaste* (= equivale a **que** y siempre le acompaña un artículo).

¿cuál? pron. inter. *¿**Cuál** de estos dos libros te gusta más?*

cualidad s. f. *La inteligencia es una **cualidad** humana* (= es una característica).
SINÓN: característica, propiedad, virtud. **ANTÓN:** defecto. **FAM:** *cualitativo.*

cualitativo, a adj. *Notarán un cambio **cualitativo** en la comida, ahora es mejor* (= notarán un cambio en la calidad de la comida).
FAM: *cualidad.*

cualquier adj. *Podemos llevarle **cualquier** cosa de regalo* (= podemos llevarle una cosa indeterminada). Es apócope de **cualquiera**.

cualquiera adj. **1.** *Un alumno **cualquiera** que ordene los libros* (= un alumno indeterminado). ◆ **cualquiera** pron. ind. **2.** ***Cualquiera** puede llegar a ser culto si se lo propone* (= quien lo quiera). ◆ **cualquiera** s. m. **3.** *Esa persona es un **cualquiera*** (= es alguien sin importancia).
SINÓN: uno. **ANTÓN:** **2.** nadie, ninguno.

cuando adv. **1.** *Marta llegó a mi casa **cuando** estaba durmiendo* (= llegó mientras estaba durmiendo). ◆ **de cuando en cuando 3.** *Estudia **de cuando en cuando*** (= estudia a veces).
SINÓN: **1.** mientras.

cuándo adv. inter. **1.** *¿**Cuándo** vendrás?* (= en qué momento). **Cuándo** es un adverbio. ◆ **cuándo** s. m. Amér. Merid. **2.** *En aquella fiesta bailamos un **cuándo*** (= danza de parejas, con zapateado y en la cual se alternan ritmos rápidos y lentos).

cuantía s. f. *Ni él conoce la **cuantía** de su fortuna* (= la cantidad de su fortuna).

cuantioso, a adj. *Los labradores recogieron una cosecha **cuantiosa*** (= abundante).
SINÓN: abundante, considerable, copioso, numeroso. **ANTÓN:** escaso, pequeño, pobre. **FAM:** → *cuanto.*

cuantitativo, a adj. *Se hacen estudios **cuantitativos** de la producción agrícola* (= se hacen estudios sobre las cantidades de cada producto agrícola).
FAM: → *cuanto.*

cuanto adj. **1.** *Fueron inútiles **cuantos** consejos le dimos* (= todos los consejos que le dimos). ◆ **cuanto** pron. rel. **2.** ***Cuantos** lo oían lo admiraban* (= todos los que lo oían). **3.** *La camisa más bonita de **cuantas** poseo es la de color azul* (= la camisa más bonita de todas las que tengo). ◆ **cuanto** adv. **4.** ***Cuanto** más come, más engorda* (= a medida que come más). ◆ **cuánto** adv. inter. **5.** *¿**Cuánto** tiempo duró la clase?* (= ¿qué cantidad de tiempo?). ◆ **¿a cuánto? 7.** *¿**A cuánto** están las naranjas?* (= ¿qué precio tienen?).
FAM: *cuantioso, cuantitativo.*

cuarenta *Hay **cuarenta** alumnos en la clase* (= cuatro veces diez).
FAM: *cuadragésimo, cuarentena.*

cuarentena s. f. **1.** *Había una **cuarentena** de personas* (= había cuatro veces diez personas). **2.** *Como tenía el sarampión tuvo que guardar **cuarentena*** (= tuvo que permanecer aislado cuarenta días). ◆ **poner en cuarentena algo 3.** *Como esta noticia es dudosa la **pondremos en cuarentena*** (= no la daremos inmediatamente por buena).
FAM: → *cuarenta.*

cuaresma s. f. *Antes de la Pascua, los católicos celebran la **cuaresma*** (= celebran el período de 46 días que precede a la Pascua).

cuartel s. m. *El **cuartel** está en las afueras de la ciudad* (= el lugar donde se alojan los soldados).

cuartilla s. f. *Hice el trabajo en **cuartillas*** (= en hojas de papel del tamaño de la cuarta parte de un pliego).
FAM: *cuarto.*

cuarto, a adj. **1.** *Vivo en el **cuarto** piso* (= después del tercero). **2.** *Partieron el pastel en cuatro partes y tomé un **cuarto*** (= tomé una de las cuatro partes). ◆ **cuarto** s. m. **3.** *Mi **cuarto** es muy confortable* (= mi habitación).
SINÓN: dependencia, estancia, habitación. **FAM:** *cuartilla.*

cuarzo s. m. El **cuarzo** es un mineral tan duro que raya el acero.

cuate, a s. Méx. **1.** *Pablo y yo somos **cuates*** (= hermanos mellizos). **2.** *Luis es mi mejor **cuate** porque nos contamos todos nuestros secretos* (= amigo íntimo).
SINÓN: **2.** camarada, compañero. **ANTÓN:** **2.** *enemigo, rival.*

cuatrero s. m. Arg. *En las estancias de la pampa es difícil luchar contra los **cuatreros*** (= ladrón de ganado).

cuatro *El año tiene **cuatro** estaciones.*
FAM: *cuatrocientos.*

cuatrocientos, as *Recorrimos **cuatrocientos** kilómetros en el auto de papá.*
FAM: *cuatro.*

cuba s. f. **1.** Una **cuba** es un gran recipiente donde se hace fermentar el mosto para obtener el vino. ◆ **estar como una cuba 2.** ***Está como una cuba*** (= está muy borracho).
SINÓN: **1.** barrica, tonel. **FAM:** → *cubo.*

cubano, a adj. **1.** *La Habana es una ciudad **cubana*** (= de Cuba). ◆ **cubano, a** s. **2.** Los **cubanos** son las personas nacidas en Cuba.

cubeta s. f. *Puse el líquido en la **cubeta*** (= recipiente rectangular usado en operaciones químicas, y en especial las fotográficas o la pintura).

cubierta s. f. **1.** *La **cubierta** de este libro está rota* (= la tapa de este libro). **2.** *Los viajeros tomaban el sol en la **cubierta** del barco* (= en la parte superior).
SINÓN: **1.** envoltorio, funda, tapa. FAM: → *cubrir.*

cubierto, a adj. **1.** *En invierno nos bañamos en una piscina **cubierta*** (= nos bañamos en una piscina interior, que no está al aire libre). ◆ **cubierto** s. m. **2.** *El plato, cuchillo, tenedor, cuchara y servilleta forman el **cubierto** en una mesa de comedor.* **3.** *Llevé a la excursión mi **cubierto*** (= llevé mi tenedor, cuchara y cuchillo). ◆ **a cubierto 4.** *Nos pusimos **a cubierto** para no mojarnos* (= nos pusimos bajo techo).
SINÓN: **1.** techado. **2.** servicio. FAM: → *cubrir.*

cubilete s. m. *Antes de lanzar los dados se agitan en un **cubilete*** (= en un vaso de cuero, madera o metal).
SINÓN: vaso. FAM: → *cubo.*

cúbito s. m. El **cúbito** es el hueso más largo y grueso de los dos que tenemos en el antebrazo.

cubo s. m. **1.** *Ángel transporta agua en un **cubo*** (= un recipiente con un asa). **2.** *Tiramos los desperdicios al **cubo** de la basura* (= a un recipiente destinado a los desperdicios y objetos inútiles). **3.** *La maestra de geometría nos enseña a realizar un **cubo** de cartulina* (= cuerpo geométrico).
SINÓN: **1.** balde, caldero. FAM: *cuba, cubeta, cubilete.*

cubrir v. tr. **1.** *Cuando vamos de vacaciones **cubrimos** el televisor con una tela* (= lo tapamos). **2.** *Con lo que gano sólo tengo para **cubrir** gastos* (= el dinero sólo me alcanza para pagar lo más imprescindible). ◆ **cubrirse** v. pron. **3.** *En verano **nos cubrimos** la cabeza para protegernos del sol* (= nos la tapamos con un sombrero o una gorra). **4.** *Los soldados **se cubrieron** frente al enemigo* (= se defendieron).
SINÓN: **1, 3.** esconder, forrar, ocultar, recubrir, resguardar, tapar. ANTÓN: **1, 3.** descubrir, destapar. FAM: *cobertizo, cubierta, cubierto, encubrir, recubrir.*

cucaracha s. f. Las **cucarachas** son pequeños insectos rojizos o negros de forma aplanada y con largas antenas.

cuchara s. f. *Tomamos la sopa con la **cuchara*** (= un utensilio que sirve para llevar a la boca las cosas líquidas o blandas).
FAM: *cucharada, cucharilla, cucharón.*

cucharilla s. f. *Para remover el azúcar del café se usa una **cucharilla*** (= se usa una cuchara pequeña).
FAM: → *cuchara.*

cucharón s. m. *Se sirve la sopa con un **cucharón*** (= con un cacillo con mango).
SINÓN: cazo. FAM: → *cuchara.*

cuchichear v. intr. *Luis me **ha cuchicheado** al oído unas palabras* (= me ha dicho al oído unas palabras en voz baja para que nadie las oiga).
SINÓN: murmurar, susurrar. ANTÓN: gritar, vocear.

cuchilla s. f. **1.** *El carnicero corta la carne con una **cuchilla*** (= con un cuchillo grande). **2.** *Esta navaja tiene una **cuchilla** muy fina y afilada* (= una hoja de acero para cortar). **3.** *Mi hermano se afeita con **cuchillas*** (= con unas láminas finas de acero). Amér. Merid. **4.** *Los caballos salvajes trotan por la **cuchilla*** (= cadena montañosa alargada, formada por cerros bajos).
SINÓN: **1.** cuchillo. **2.** hoja. FAM: *cuchillo.*

cuchillo s. m. *Pablo corta la carne con un **cuchillo*** (= un utensilio con una hoja cortante de acero y un mango).
FAM: → *cuchilla.*

cuchitril s. m. **1.** *Ordena tu cuarto porque está hecho un **cuchitril*** (= está sucio y desordenado). **2.** *La casa de Juan es un **cuchitril*** (= es pequeña y de mal aspecto).
SINÓN: **2.** cuartucho.

cuclillas s. *Los chinos, en lugar de sentarse en el suelo, se ponen en **cuclillas*** (= sentados sobre sus talones).

cucurucho s. m. **1.** *La vendedora de castañas las pone en **cucuruchos** de papel* (= en una hoja de papel enrollada en forma de cono). **2.** *Me gustan mucho los **cucuruchos** de chocolate* (= los helados puestos en un vasito en forma de cono).

cuello s. m. **1.** El **cuello** es la parte del cuerpo que une la cabeza al tronco. **2.** *Esta botella se ha roto por el **cuello*** (= la parte superior más estrecha). **3.** *El **cuello** de esta camisa está sucio* (= la parte de la camisa que rodea el pescuezo está sucia). **4.** *Llevaba encima del abrigo un **cuello** de piel* (= una piel que le tapaba la garganta y la nuca).
SINÓN: **1.** pescuezo. FAM: *collar.*

cuenca s. f. **1.** *Las **cuencas** de sus ojos son muy profundas* (= los agujeros donde están los ojos). **2.** *Todas las aguas de esta **cuenca** van al río Orinoco* (= de este lugar que envía sus aguas al río).
SINÓN: **1.** cavidad, órbita. **2.** valle.

cuenco s. m. *Antes de inventarse el vidrio, la gente bebía en **cuencos*** (= en vasos de barro).

cuenta s. f. **1.** *El comerciante hace sus **cuentas** para ver cuánto dinero ha ganado* (= suma, resta, multiplica y divide). **2.** *Ya sé la **cuenta** de multiplicar* (= la operación matemática). **3.** *Después de comer, el camarero nos trajo la **cuenta*** (= la nota que indicaba lo que teníamos que pagar). **4.** *María se ha hecho un collar con **cuentas** de cristal* (= bolitas con un agujero por donde se pasa el hilo).
SINÓN: **1.** balance, cálculo, recuento. **2.** operación. **3.** factura, importe, nota, total. FAM: → *contar.*

cuentagotas s. m. *El médico me ha recetado un jarabe que lleva un* ***cuentagotas*** (= un objeto que sirve para contar las gotas de un líquido).
FAM: → *contar.*

cuentakilómetros s. m. Un **cuentakilómetros** es un aparato que llevan los coches y que indica el número de kilómetros recorridos.
SINÓN: velocímetro. FAM: → *contar.*

cuentista s. **1.** *No creo que le duela tanto la cabeza porque es un* ***cuentista*** (= es un exagerado). **2.** *Mario sólo piensa en contar chismes; es un* ***cuentista*** (= es una persona chismosa).
SINÓN: **1.** falso, mentiroso. **2.** chismoso, soplón.
FAM: → *contar.*

cuento s. m. **1.** *Hoy la maestra nos contó un* ***cuento*** (= una historia inventada que se caracteriza por ser breve). **2.** *No te creas lo que dice Juan, pues es un* ***cuento*** (= un embuste). **3.** *Esta señora va a todo el mundo con* ***cuentos*** (= chismes para enemistar a las personas).
SINÓN: **1.** historia, historieta, narración, relato. **3.** chisme, habladuría, rumor. FAM: → *contar.*

cuerda s. f. **1.** *Antonio ató el paquete con una* ***cuerda*** (= con un hilo grueso). **2.** *Las guitarras tienen seis* ***cuerdas*** *que suenan al tocarlas* (= hilos). **3.** *Tengo un muñeco que cuando le doy* ***cuerda*** *se pone a caminar* (= cuando le doy vueltas a una llave para hacer que funcione). Amér. **4.** *Cuando terminan sus tareas escolares, las niñas saltan a la* ***cuerda*** (= juegan tomando la cuerda por sus extremos, haciéndola dar vueltas en el aire y saltando sobre ella cuando llega al suelo).
SINÓN: **1.** cordel, cordón, soga. **2.** hilo. **4.** comba. FAM: → *acordar, cordel, cordón.*

cuerdo, a adj. *Para hacer un testamento hay que estar* ***cuerdo*** (= no se puede estar loco).
SINÓN: juicioso, prudente, razonable, sensato.
ANTÓN: imprudente, insensato, irracional, loco.
FAM: *cordura.*

cuerno s. m. *Las cabras, los toros y otros animales tienen* ***cuernos*** *en la cabeza* (= huesos en forma de punta que utilizan los animales para atacar).
SINÓN: asta. FAM: *cornada, cornamenta.*

cuero s. m. *Ana tiene un bolso de* ***cuero*** (= hecho con la piel de un animal).
SINÓN: piel.

cuerpo s. m. **1.** *Juan se cayó y tiene todo el* ***cuerpo*** *lleno de rasguños* (= los brazos, las piernas, la barriga, la espalda, la cabeza). **2.** *Es un armario de tres* ***cuerpos*** (= está dividido en tres partes). **3.** *El* ***cuerpo*** *de bomberos está formado por hombres fuertes y valientes* (= todos los bomberos del país).
SINÓN: **1.** organismo, tronco. ANTÓN: **1.** espíritu.
FAM: *corporación, corporal, corpulento, incorporar.*

cuervo s. m. El **cuervo** es un pájaro grande, negro y carnívoro.

cuesta s. f. **1.** *Para llegar al pueblo hay que subir una* ***cuesta*** (= un camino que hace subida). ◆ **a cuestas 2.** *Cuando me torcí el tobillo, mi padre me tuvo que llevar* ***a cuestas*** *hasta el coche* (= me llevó sobre sus hombros).
SINÓN: **1.** pendiente, rampa, subida. ANTÓN: **1.** bajada.

cuestión s. f. *Se ha dejado de hablar de esa* ***cuestión*** (= de ese tema).
SINÓN: interrogación, pregunta, asunto, tema.
FAM: *cuestionario.*

cuestionario s. f. *Pude responder a todas las preguntas del* ***cuestionario*** (= lista de preguntas).
FAM: *cuestión.*

cueva s. f. *Algunos hombres de la prehistoria vivían en* ***cuevas*** (= en cavidades o agujeros de las montañas).
SINÓN: caverna, cavidad, gruta.

cuidado s. m. **1.** *Mónica hizo su trabajo con mucho* ***cuidado*** *para sacar una buena nota* (= prestando mucha atención a lo que hacía). **2.** *¡Ten* ***cuidado,*** *pues te puedes caer!* (= vigila lo que haces). **3.** *Ella se ocupa del* ***cuidado*** *de los niños* (= de la vigilancia).
SINÓN: atención, vigilancia. ANTÓN: descuido, desinterés, negligencia. FAM: *cuidadoso, cuidar, descuidado, descuidar, descuido.*

cuidadoso, a adj. *Marta es muy* ***cuidadosa*** *en su trabajo* (= se preocupa mucho por los detalles para que esté todo bien).
SINÓN: atento, ordenado. ANTÓN: descuidado, desordenado. FAM: → *cuidado.*

cuidar v. tr. **1.** *Vendrá una señora a* ***cuidar*** *a los niños* (= a vigilarlos). **2.** *Los niños* ***cuidaban*** *a su padre enfermo* (= le daban todo lo que necesitaba). **3.** *Bernardo* ***cuida*** *mucho la presentación de sus trabajos* (= se esfuerza en hacerlo bien). ◆ **cuidarse** v. pron. **4.** *Debes* ***cuidarte,*** *pues si sigues así vas a enfermar* (= debes llevar una vida más sana).
SINÓN: **1, 2.** asistir, atender. **3.** esmerarse.
ANTÓN: **1.** despreocuparse. FAM: → *cuidado.*

culata s. f. *Antes de disparar, apoyó bien la* ***culata*** *del fusil en el hombro* (= la parte de atrás del fusil).

culebra s. f. Una **culebra** es una serpiente inofensiva.

culinario, a adj. *Con este libro de recetas* ***culinarias*** *aprenderé a cocinar* (= de recetas para cocinar).

culo s. m. **1.** *Pedro se cayó de* ***culo*** (= sobre su trasero).
SINÓN: **1.** nalga, trasero.

culpa s. f. *Si has llegado tarde, es* ***culpa*** *tuya* (= tú eres el responsable).
SINÓN: falta, responsabilidad. FAM: *culpable, culpar, disculpa, disculpar.*

culpable adj. **1.** *El juez declaró al ladrón **culpable*** (= decidió que él fue el que lo hizo). **2.** *El conductor que pasó el semáforo en rojo fue **culpable** del accidente* (= él fue el que lo provocó).
SINÓN: **1.** autor, delincuente. **2.** responsable. ANTÓN: inocente. FAM: → *culpa.*

culpar v. tr. *El juez **culpó** a los ladrones* (= dijo que fueron ellos los que lo hicieron).
SINÓN: acusar, condenar. ANTÓN: excusar. FAM: → *culpa.*

cultivar v. tr. **1.** *Los agricultores **cultivan** la tierra* (= la trabajan para que dé abundantes frutos). **2.** *Luis **cultiva** la amistad de sus antiguos compañeros y aún la conserva* (= la cuida).
SINÓN: **2.** conservar, cuidar, estrechar, mantener. ANTÓN: **2.** descuidar.

cultivo s. m. *Mi tío se dedica al **cultivo** de cereales* (= trabaja la tierra para plantar y recoger cereales).
SINÓN: labor, sembrado.

culto, a adj. *Hemos tenido una interesante conversación con una persona muy **culta*** (= que sabe de todo).
SINÓN: ilustrado, instruido, sabio. ANTÓN: ignorante, inculto. FAM: → *cultura.*

cultura s. f. *Para conocer un país, hay que estudiar su **cultura*** (= los elementos que constituyen su desarrollo científico e industrial, su modo de vida, su arte).
SINÓN: civilización. ANTÓN: incultura. FAM: *culto, cultural, inculto, incultura.*

cultural adj. *¿Cuáles son tus actividades **culturales**?* (= me interesa saber si lees, escuchas música, si vas al cine o al teatro).
SINÓN: intelectual. FAM: → *cultura.*

cumbre s. f. **1.** *Los alpinistas han llegado a la **cumbre** de la montaña* (= a su punto más alto). **2.** *Este jugador está en la **cumbre** de su vida deportiva* (= en su mejor momento).
SINÓN: **1.** cima, cúspide, pico. **2.** apogeo, auge. ANTÓN: **1.** pie. **2.** decadencia.

cumpleaños s. m. *Hoy es mi **cumpleaños*** (= hoy celebro la fecha de mi nacimiento).
SINÓN: aniversario. FAM: → *cumplir.*

cumplidor, a adj. *Santiago es un chico muy **cumplidor** porque hace todo lo que promete* (= muy responsable).
SINÓN: diligente, formal, responsable, serio. ANTÓN: informal, irresponsable. FAM: → *cumplir.*

cumplir v. tr. **1.** *El tres de marzo es mi cumpleaños y **cumpliré** diez años* (= tendré). **2.** ***Cumplió** mi encargo tal y como yo se lo ordené* (= hizo). **3.** *Salió de la cárcel antes de **cumplir** la condena* (= antes de tiempo). ◆ **cumplir** v. intr. **4.** *Fui a la boda para **cumplir** con la familia* (= para quedar bien). ◆ **cumplirse** v. pron. **5.** ***Se cumplió** lo que queríamos* (= se realizó).
SINÓN: **1.** tener. **2.** efectuar, ejecutar. **3.** acabar, finalizar, terminar, vencer. **5.** realizarse, verificarse. ANTÓN: **3.** comenzar, empezar. FAM: *cumpleaños, cumplidor.*

cúmulo s. m. **1.** *Se desanimó mucho al encontrar tal **cúmulo** de problemas* (= tantos). **2.** Los **cúmulos** son unas nubes blancas de aspecto algodonoso y con forma de semi-círculo.
SINÓN: **1.** acumulación, montón, pila. FAM: → *acumular.*

cuna s. f. *El bebé está dormido en su **cuna*** (= en una cama pequeña en la que se lo puede mecer o balancear).
FAM: *acunar.*

cuneiforme adj. La escritura **cuneiforme** era una escritura en forma de cuñas o clavos usada por los asirios, medos y persas.
FAM: → *cuña.*

cuneta s. f. *El coche se ha caído en la **cuneta*** (= en los canales que hay a uno y otro lado de una carretera).
SINÓN: zanja.

cuña s. f. *Para que no se mueva la mesa, pon una **cuña** debajo de la pata más corta* (= una pieza que sirva para igualar las cuatro patas).
SINÓN: taco, tarugo. FAM: *acuñar, cuneiforme.*

cuñado, a s. *El marido de mi hermana es mi **cuñado**.*

cuota s. f. *Todos los meses pagamos una **cuota** por ser socios de este club deportivo* (= una cantidad fija de dinero).
SINÓN: contribución.

cupón s. m. **1.** *Si adjunta este **cupón** le haremos un descuento en la próxima compra* (= un vale que aparece en el paquete y que demuestra que se realizó la compra de ese producto). **2.** *Mi abuela compró un **cupón** de la lotería de los ciegos* (= un billete que da opción a un premio).
SINÓN: **1.** bono, vale. **2.** billete, participación.

cúpula s. f. *Esta iglesia tiene una bella **cúpula*** (= su techo tiene forma de semicírculo).
SINÓN: bóveda.

cura s. m. **1.** *Cuando entré en la iglesia, el **cura** estaba encendiendo las velas* (= la persona que dice la misa). ◆ **cura** s. f. **2.** Antes de llevar al accidentado al hospital, el médico le hizo las primeras ***curas*** (= le limpió la herida y se la vendó).
SINÓN: **1.** capellán, párroco, sacerdote. **2.** curación. FAM: → *curar.*

curación s. f. *La **curación** de este enfermo ha sido muy lenta* (= ha tardado mucho en ponerse sano).
SINÓN: cura. ANTÓN: enfermedad. FAM: → *curar.*

curandero, a s. *Al ver que los médicos no sabían lo que tenía, Pedro ha ido a ver a un **curandero*** (= a una persona que intenta sanar a los enfermos por medios naturales, y que no tiene título profesional).
FAM: → *curar.*

curar v. tr. **1.** *Este médico te* ***curará*** (= hará que desaparezca tu enfermedad). **2.** *Le* ***curan*** *la infección con penicilina* (= le tratan). **3.** *Mi abuela* ***cura*** *los jamones* (= les pone sal para que se conserven). **4.** *Los cazadores* ***curaron*** *las pieles* (= las secaron para conservarlas). ◆ **curarse** v. pron. **5.** ***Me he curado*** *de la enfermedad que tuve el mes pasado* (= ya no estoy enfermo).
SINÓN: 1, 5. mejorar, restablecer, sanar. **3.** ahumar, salar. **4.** conservar, curtir, secar. **ANTÓN: 1, 5.** enfermar, recaer. **3, 4.** estropear. **FAM:** *cura, curable, curación, curandero, incurable.*

curiosear v. intr. *Mi vecina* ***curiosea*** *desde su balcón* (= se preocupa en ver lo que hacen los demás).
SINÓN: fisgar, fisgonear, husmear. **FAM:** → *curioso.*

curiosidad s. f. *Tengo mucha* ***curiosidad*** *por saber cómo termina esta novela* (= tengo mucho interés).
SINÓN: afición, indiscreción, interés. **ANTÓN:** indiferencia, discreción. **FAM:** → *curioso.*

curioso, a adj. **1.** *Ana siempre está haciendo preguntas porque es muy* ***curiosa*** (= es una persona que siempre quiere saberlo todo). **2.** *Me ha ocurrido algo muy* ***curioso*** (= una cosa extraña).
SINÓN: 1. fisgón. **2.** extraño, insólito, raro. **ANTÓN: 1.** discreto. **2.** habitual, normal. **FAM:** *curiosidad, curiosear.*

cursar v. tr. *Mi hermano va a* ***cursar*** *la carrera de Medicina en La Paz* (= va a estudiar).
SINÓN: estudiar, seguir. **FAM:** *cursillo, curso.*

cursi adj. *Claudia es muy* ***cursi*** (= hace o dice cosas ridículas, pues intenta ser elegante sin serlo).
SINÓN: afectado, amanerado, ridículo. **ANTÓN:** elegante, natural, sencillo.

cursillo s. m. *Hemos asistido a un* ***cursillo*** *de vela* (= a un curso que dura poco tiempo).
FAM: → *cursar.*

curso s. m. **1.** *El* ***curso*** *escolar dura nueve meses* (= tiempo del año en que se va a la escuela). **2.** *Quiero asistir a un* ***curso*** *de inglés* (= quiero ir a clases de inglés en una academia). **3.** *Esta carretera sigue el* ***curso*** *del río* (= recorrido).
SINÓN: 3. itinerario, recorrido, trayectoria. **FAM:** → *cursar.*

curtiembre o **curtiduría** s. f. *Pedro y sus hermanos trabajan en una* ***curtiembre*** (= taller donde se curten y trabajan las pieles o los cueros).
SINÓN: tenería. **FAM:** *curtir.*

curtir v. tr. **1.** *Los que trabajan las pieles las* ***curten*** *para obtener el cuero* (= las someten a un tratamiento especial). **2.** *El sol* ***curte*** *la piel de los labradores* (= los pone tan morenos que parecen tostados). ◆ **curtirse** v. pron. **3.** *Esta persona* ***se curtió*** *con las dificultades que tuvo que superar* (= se endureció).
SINÓN: 1. preparar. **2.** broncear, tostar. **3.** acostumbrarse, endurecerse. **ANTÓN: 3.** ablandar.

curva s. f. *En esa carretera hay muchas* ***curvas*** (= carretera en forma de S).
ANTÓN: recta. **FAM:** *corva, corvejón, curvado, curvarse, curvo, encorvar.*

curvado, a adj. *Esta tabla está* ***curvada*** (= no está recta, tiene la forma de una curva).
SINÓN: curvo, encorvado. **ANTÓN:** recto. **FAM:** → *curva.*

curvarse v. pron. *Los estantes del armario* ***se han curvado*** *porque tenían mucho peso* (= están doblados).
SINÓN: doblar, encorvar, ondular, torcer. **ANTÓN:** enderezar. **FAM:** → *curvar.*

cúspide s. f. **1.** *Los alpinistas colocaron una bandera en la* ***cúspide*** *de la montaña* (= en su lugar más alto). **2.** *Ese artista está en la* ***cúspide*** *de la fama* (= en el momento de más fama).
SINÓN: 1. cima, cumbre, pico, vértice. **2.** apogeo, apoteosis, culminación. **ANTÓN: 1.** base. **2.** decadencia.

custodiar v. tr. *Un grupo de policías* ***custodiaba*** *al embajador* (= lo protegía).
SINÓN: cuidar, proteger, vigilar. **ANTÓN:** abandonar, descuidar.

cutáneo, a adj. *Juan tiene una enfermedad* ***cutánea*** *y no puede tomar el sol* (= una enfermedad de la piel).
FAM: *cutis.*

cutis s. m. *Verónica tiene el* ***cutis*** *muy fino* (= la piel de la cara).
FAM: *cutáneo.*

cuyo, a pron. rel. *El empleado* ***cuyo*** *nombre no recuerdo, trajo este libro* (= de quien no recuerdo el nombre).

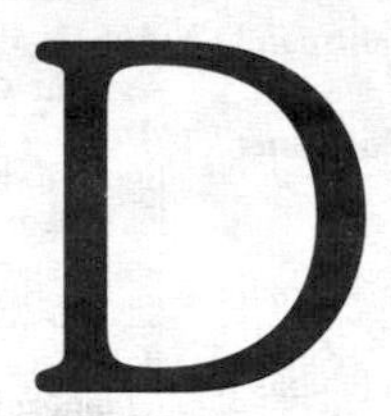

D s. f. **1.** La **d** *(de)* es la cuarta letra del abecedario español. **2.** En la numeración romana, la letra **d** mayúscula (**D**) significa 500. **3. D** es la abreviatura de Don.

dactilar adj. *La policía tomó a los sospechosos las huellas **dactilares*** (= las huellas de sus dedos para poder identificarlos).
SINÓN: digital. **FAM:** → *dedo.*

dado s. m. *Pablo y Andrés juegan a los **dados*** (= unos cubos pequeños con números en cada cara representados por unos puntos que van del uno al seis).

dalia s. f. *Planté **dalias** en mi jardín* (= flores de botón central amarillo y muchos pétalos de colores dispuestos con regularidad).

daltonismo s. m. El **daltonismo** es un defecto de la vista que impide distinguir los colores o que los confunde; sobre todo el rojo y el verde.
FAM: *daltónico.*

dama s. f. **1.** *¿Quién es la **dama** que habla con aquel caballero?* (= la señora). **2.** *A mi hermana y a mí nos gusta mucho jugar a las **damas*** (= a un juego con un tablero y con unas fichas redondas blancas y negras).
SINÓN: 1. señora.

damajuana s. f. *Compré una **damajuana** de vino* (= recipiente voluminoso y de cuello corto, para contener líquidos).

damasco s. m. **1.** *En su oficina tenía un gran cortinado de **damasco*** (= tela con dibujos tramados en el tejido). Amér. **2.** *El **damasco** es una fruta de verano* (= fruto semejante al albaricoque). **3.** *Al comenzar la primavera los **damascos** se cubren de flores* (= árbol que es una variedad del albaricoquero).

damnificado, a adj. *El gobierno ayudó a las personas **damnificadas** en el terremoto* (= a las personas que sufrieron graves daños después del terremoto).
SINÓN: perjudicado. **ANTÓN:** beneficiado. **FAM:** → *daño.*

danés, esa adj. **1.** *Me han traído unos bombones **daneses** muy ricos* (= de Dinamarca). ◆ **danés, esa** s. **2.** *Los **daneses** son las personas nacidas en Dinamarca.* **3.** *El **danés** es la lengua hablada en Dinamarca.*

danza s. f. *Fuimos al teatro a ver un espectáculo de **danza*** (= varios artistas bailaban al son de la música).
SINÓN: baile, ballet. **FAM:** → *danzar.*

danzar v. intr. *Cuando está en casa, siempre está **danzando*** (= siempre se está moviendo).
SINÓN: bailar. **FAM:** *danza, danzarín.*

dañar v. tr. **1.** *No le contó la verdad porque no lo quería **dañar*** (= no quería causarle dolor). **2.** *El frío intenso **dañó** la fruta* (= la estropeó).
SINÓN: 1. herir. **1, 2.** perjudicar. **2.** estropear. **ANTÓN: 1, 2.** beneficiar, favorecer. **FAM:** → *daño.*

dañino, a adj. *La plaga de langostas fue muy **dañina** para las cosechas* (= hizo que se arruinaran muchas cosechas).
SINÓN: nocivo, perjudicial. **ANTÓN:** beneficioso, bueno. **FAM:** → *daño.*

daño s. m. **1.** *El incendio ha causado graves **daños*** (= ha quemado muchas cosas). **2.** *Luis me ha pegado y me ha hecho **daño** en el brazo* (= me duele el brazo).
SINÓN: 1. perjuicio. **ANTÓN: 1.** beneficio, bien. **FAM:** *damnificado, dañar, dañino.*

dar v. tr. **1.** *Mi tío **dio** un cuadro de mucho valor al museo* (= lo regaló). **2.** *Víctor me **dio** el libro que recogió en la librería* (= me entregó el libro). **3.** *Mi madre me **dio** permiso para ir a una fiesta* (= me dejó ir). **4.** *Tu trabajo lo **doy** por hecho* (= me imagino que ya está hecho). **5.** *Este árbol **ha dado** mucha fruta este año* (= la ha producido). **6.** *Nos **diste** un buen susto con tu caída* (= nos asustamos mucho). **7.** *Les **dio** las buenas noches y se fue a la cama* (= les dijo buenas noches). ◆ **darse** v. pron. **8.** *Pedro **se ha dado** a la buena vida* (= se dedica a vivir bien). ◆ **dar a entender 9.** *No me lo dijo claramente, pero me **dio a entender** que no lo iba a hacer* (= me hizo entender). ◆ **dar pie 10.** *La puesta de sol le **dio pie** para escribir una poesía* (= le permitió, lo inspiró).
SINÓN: 1. ceder, donar. **2.** entregar, pasar. **3.** conceder. **4.** suponer. **5.** producir. **6.** causar. **8.** dedicarse. **ANTÓN: 1, 2.** quitar. **3.** negar. **6.** evitar. **FAM:** *dato.*

dardista s. Amér. *Ayer vimos entrenar a los **dardistas*** (= deportistas que lanzan el dardo).
FAM: *dardo.*

dardo s. m. *He lanzado un* **dardo** *al centro del blanco* (= una flecha pequeña y delgada).

dársena s. f. *El buque atracó en la* **dársena** (= parte resguardada en aguas navegables, generalmente para la carga o descarga).

datar v. tr. **1.** *Hay que* **datar** *siempre las cartas* (= escribir la fecha). ◆ **datar** v. intr. **2.** *Estas ruinas* **datan** *de la época de los mayas* (= existen desde la época de los mayas).
SINÓN: 1. fechar.

dátil s. m. El **dátil** es el fruto de la palmera datilera.
FAM: *datilera.*

dato s. m. *No tengo* **datos** *suficientes para realizar este trabajo.* (= me falta información, necesito saber más cosas).
SINÓN: información, informe, nota, referencia, testimonio. **FAM:** *dar.*

de es una preposición. VER CUADRO DE PREPOSICIONES.

deambular v. intr. *Los turistas* **deambulaban** por la ciudad (= paseaban sin una dirección determinada).
SINÓN: andar, callejear, caminar, pasear. **FAM:** → *ambulante, ambular.*

debajo adv. *Se ha escondido* **debajo** *de la mesa.*
SINÓN: abajo.

debate s. m. *¿De qué trata el* **debate** *que están dando por la tele?* (= la discusión en la que varias personas dan su opinión acerca de un tema).
SINÓN: discusión, disputa, polémica. **ANTÓN:** acuerdo. **FAM:** → *batir.*

debatir v. tr. *Hoy vamos a* **debatir** *en clase las nuevas normas de la escuela* (= vamos a decir lo que pensamos y a discutir sobre sus ventajas e inconvenientes).
SINÓN: discutir, disputar, tratar. **ANTÓN:** acordar. **FAM:** → *batir.*

deber s. m. **1.** *Al prestar ayuda al herido he cumplido con mi* **deber** (= hice lo que tenía que hacer). ◆ **deber** v. tr. **2.** **Debo** *obedecer a mis padres* (= estoy obligado a ello). **3.** *Pablo me* **debe** *50 pesos porque hoy le pagué yo el cine* (= tiene que devolverme ese dinero). ◆ **deber** v. intr. **4.** *Hoy* **debe** *de hacer frío* (= me imagino que hace frío). ◆ **deberse** v. pron. **5.** *Su fracaso* **se debe** *a que no estudió* (= fracasó porque no estudió).
SINÓN: 1. obligación, responsabilidad. **4.** adeudar. **ANTÓN: 1.** derecho. **FAM:** *debidamente, debido, indebido.*

debido adj. **1.** *Debes hablar con tu padre con el* **debido** *respeto* (= con el respeto que se merece). ◆ **debido a 2.** *Se aplazó el partido* **debido a** *la lluvia* (= porque llovía). ◆ **como es debido 3.** *Debes comportarte* **como es debido** (= correctamente).
FAM: → *deber.*

débil adj. **1.** *Mario es un niño muy* **débil** *y en seguida se cansa* (= tiene poca fuerza). **2.** *Doña Antonia es muy* **débil** *con sus hijos* (= les deja hacer todo lo que quieren porque no sabe decirles que no). **3.** *He oído un ruido* **débil** (= que apenas se oye).
SINÓN: 1. flaco, flojo. **2.** blando, complaciente. **3.** ligero, pequeño. **ANTÓN: 1.** robusto. **2, 3.** duro, enérgico, fuerte. **FAM:** → *debilidad, debilitar, endeble.*

debilidad s. f. **1.** *La* **debilidad** *del enfermo es cada vez mayor* (= cada vez tiene menos fuerza). **2.** *Por su* **debilidad** *mi tía cede ante todos los caprichos de sus hijos* (= por su incapacidad para negarles nada).
SINÓN: 1. fragilidad. **ANTÓN: 1.** energía, fortaleza, fuerza, vigor. **2.** firmeza. **FAM:** → *débil.*

debilitar v. tr. *La fiebre* **debilitó** *mucho al enfermo* (= lo dejó sin fuerzas).
SINÓN: agotar, cansar. **ANTÓN:** fortalecer. **FAM:** → *débil.*

debut s. m. *La pianista hizo su* **debut** *en un teatro muy importante* (= su primera actuación en público).
FAM: *debutar.*

debutar v. intr. *Hoy mi hermano* **ha debutado** *como pianista en el teatro* (= ha hecho su primera actuación).
FAM: *debut.*

década s. f. *La primera* **década** *de este siglo fue muy floreciente* (= sus primeros diez años).
FAM: → *diez.*

decadencia s. f. *Estamos estudiando la* **decadencia** *y caída del imperio romano* (= la época en que el imperio romano empezó a perder su poder político y militar).
SINÓN: ocaso. **ANTÓN:** auge. **FAM:** → *caer.*

decaer v. intr. *Este futbolista* **ha decaído** *mucho en su juego* (= antes era muy bueno pero ahora ya no tiene la misma fuerza y técnica).
SINÓN: descender, empeorar. **ANTÓN:** ascender, mejorar, progresar. **FAM:** → *caer.*

decalitro s. m. *Son necesarios diez litros para hacer un* **decalitro**.
FAM: → *diez.*

decámetro s. m. Un **decámetro** equivale a diez metros.
FAM: → *diez*

decapitar v. tr. *Durante la revolución francesa,* **decapitaron** *al rey* (= le cortaron la cabeza).
SINÓN: degollar, guillotinar.

decena s. f. *El cazador mató una* **decena** *de conejos* (= diez conejos).
FAM: → *diez.*

decenio s. m. Un **decenio** es un período de diez años.
FAM: → *diez.*

decente adj. **1.** *Puedes fiarte de él porque es una persona* **decente** (= es honrado y buena persona). **2.** *Mi amigo tiene un sueldo* **decente** (= puede vivir con él bastante bien). **3.** *Nos sirvieron en el restaurante una comida* **decente** (= de buena calidad y suficiente).

SINÓN: **1.** honesto, honrado. **2.** apropiado, justo. **2, 3.** bueno. ANTÓN: **1.** indecente, inmoral. **2, 3.** escaso, insuficiente, malo. FAM: *indecente.*

decepción s. f. *Como esperaba tu saludo, este olvido me ha causado una gran* **decepción** (= una gran tristeza y desilusión).

SINÓN: chasco, desengaño, desilusión. ANTÓN: alegría, ilusión, satisfacción. FAM: *decepcionar.*

decepcionar v. tr. *Margarita me* **ha decepcionado** *pues no ha cumplido su promesa* (= me entristeció mucho ver que no siempre hace lo que promete).

SINÓN: desengañar, desilusionar, frustrar. ANTÓN: alegrar, ilusionar, satisfacer. FAM: *decepción.*

decidido, a adj. *La maestra entró en la clase con paso* **decidido** (= con mucha seguridad en sí misma).

SINÓN: firme, seguro. FAM: → *decidir.*

decidir v. tr. **1.** *No sabíamos qué íbamos a hacer y al final* **hemos decidido** *salir mañana de viaje* (= lo pensamos y al final elegimos salir mañana). ◆ **decidirse** v. pron. **2.** *Jaime no sabía qué hacer pero al fin* **se decidió** *a salir con nosotros* (= se animó).

SINÓN: **1.** acordar, determinar, resolver. **2.** animarse. ANTÓN: dudar, vacilar. FAM: *decidido, decisión, decisivo, indecisión, indeciso.*

decigramo s. m. Un **decigramo** es la décima parte de un gramo.

FAM: → *diez.*

decilitro s. m. Un **decilitro** es la décima parte de un litro.

FAM: → *diez.*

decimal adj. **1.** Se llama **decimal** a cada una de las diez partes en que se divide una cantidad. **2.** En el sistema **decimal**, cada unidad vale diez veces más que la anterior. **3.** Nuestro sistema métrico es **decimal** porque se dividen las medidas de diez en diez.

FAM: → *diez.*

decímetro s. m. Un **decímetro** mide diez veces menos que un metro.

FAM: → *diez.*

décimo, a adj. **1.** *Vivo en el piso* **décimo** *de mi edificio* (= el que está después del noveno). **2.** *A cada uno de nosotros le tocó una* **décima** *parte del postre* (= cada una de las partes que quedan al dividir una cosa en diez). ◆ **décimo** s. m. **3.** *Tomé un* **décimo** *de la tarta* (= uno de los diez trozos en que estaba dividida). **4.** *Mi padre compró un* **décimo** *de lotería* (= un billete).

FAM: → *diez.*

decimoctavo, a adj. *El atleta entró en la meta en el lugar* **decimoctavo***.*

decimocuarto, a adj. *Luis ocupa el* **decimocuarto** *lugar de la lista* (= el que va después del número 13).

decimonoveno, a adj. *De cincuenta corredores que participaban, Ramiro llegó en el lugar* **decimonoveno***.*

decimoquinto, a adj. *Para sacar la entrada del cine ocupaba el lugar* **decimoquinto** *en la cola.*

decimoséptimo, a adj. *Es la* **decimoséptima** *vez que me subo a un tren.*

decimosexto, a adj. *Este edificio tiene veinte pisos y mis amigos viven en el piso* **decimosexto***.*

decimotercero, a adj. *Esta niña ocupa el lugar* **decimotercero***.*

decir v. tr. **1.** *Luisa* **dice** *lo que piensa* (= lo cuenta). **2.** *Santiago* **ha dicho** *que vendrá mañana* (= nos comunicó). ◆ **decir por decir** **3.** *No quiero que me* **digas** *las cosas* **por decirlas***, quiero que las pienses de verdad* (= no quiero que hables sin ningún motivo especial). ◆ **el qué dirán** **4.** *No debes preocuparte por* **el qué dirán** (= por la opinión de la gente sobre lo que haces). ◆ **es decir** **5.** *Ha venido el hermano de mi madre,* **es decir***, mi tío* (= en otras palabras).

SINÓN: **1.** contar, expresar, manifestar. **2.** asegurar, comunicar. ANTÓN: callar, ocultar. FAM: → *bendecir, bendición, bendito, contradecir, contradicción, desdecirse, dicho, maldecir, predecir, predicción.*

decisión s. f. **1.** *¿Qué* **decisión** *has tomado?* (= ¿qué posibilidad has escogido?). **2.** *Juan actúa con mucha* **decisión** (= con mucha seguridad en sí mismo).

SINÓN: **1.** determinación, resolución. **2.** energía, firmeza, seguridad. ANTÓN: **2.** indecisión, inseguridad. FAM: → *decidir.*

decisivo, a adj. *La visita al barco fue* **decisiva** *para que se hiciera marino* (= fue muy importante).

SINÓN: determinante. FAM: → *decidir.*

declamar v. tr. *A Elena le encanta la poesía y siempre está* **declamando** *versos* (= está recitando en voz alta).

SINÓN: recitar. FAM: → *clamar.*

declaración s. f. **1.** *El futbolista hizo unas* **declaraciones** *a los periodistas después del partido* (= les explicó lo que pensaba). **2.** *Los testigos hicieron su* **declaración** *ante el juez* (= dijeron lo que sabían acerca del delito).

SINÓN: **1.** manifestación. **2.** testimonio. FAM: → *claro.*

declarar v. tr. **1.** *El señor Ramos* **ha declarado** *que saldrá mañana de viaje* (= nos lo ha dicho). **2.** *El juez* **declaró** *culpable al detenido* (= decidió que era culpable). ◆ **declarar** v. intr. **3.** *Los testigos* **declararon** *en el juicio* (= dijeron lo que sabían). ◆ **declararse** v. pron. **4.** *Los trabajadores* **se declararon** *en contra de las*

medidas (= expresaron su opinión). **5.** ***Se ha declarado*** *una epidemia de gripe* (= se ha producido). **6.** *Mario* ***se ha declarado*** *a Cristina* (= le ha dicho que la quiere).
SINÓN: 1, 4. decir, manifestar(se), revelar. **3.** testificar. **5.** aparecer, desencadenarse. **ANTÓN: 1.** callar, ocultar. **FAM:** → *claro.*

declinar v. tr. **1.** *Tuve que* **declinar** *la invitación porque tenía que ir al dentista* (= tuve que decir que no podía ir). **declinar** v. intr. **2.** *La tarde empezaba a* ***declinar*** (= a llegar a su fin).
SINÓN: 1. rechazar, rehusar. **2.** acabarse. **ANTÓN: 1.** aceptar. **2.** empezar.

decoración s. f. *¿Te gusta la* **decoración** *de mi habitación?* (= el modo en que está arreglada y las cosas que tiene).
FAM: → *decorar.*

decorado s. m. *Estamos preparando el* ***decorado*** *para ambientar la obra de teatro* (= los muebles y objetos de adorno que están en el escenario).
SINÓN: escenografía, decoración. **FAM:** → *decorar.*

decorador, a s. *Nuestra casa la ha adornado un* ***decorador*** (= una persona que se dedica a escoger los muebles y adornos de una casa para embellecerla).
FAM: → *decorar.*

decorar v. tr. *En Navidad* **hemos decorado** *el comedor con un árbol de Navidad* (= hemos puesto adornos para que tenga un ambiente navideño).
SINÓN: adornar. **FAM:** *condecoración, condecorar, decoración, decorado, decorador.*

decrecer v. intr. *El principio de la película es muy bueno pero al final* ***decrece*** *su interés* (= disminuye).
SINÓN: aminorar, descender, disminuir. **ANTÓN:** aumentar, crecer. **FAM:** → *crecer.*

decretar v. tr. *El Ministerio* **decretó** *el cierre del hospital* (= lo ordenó).
SINÓN: dictar, ordenar, resolver. **FAM:** *decreto.*

decreto s. m. *Un* **decreto** *podría cambiar los programas escolares* (= una decisión del Gobierno).
SINÓN: disposición, orden. **FAM:** *decretar.*

dedal s. m. *Cuando cose, mi madre usa un* ***dedal*** (= un objeto pequeño que se pone en el dedo y que sirve para no pincharse al empujar la aguja).
FAM: → *dedo.*

dedicar v. tr. **1.** *El cantante* **dedicó** *la canción a todos los niños del mundo* (= la cantó para ellos). **2.** *Juan ha decidido* **dedicar** *una hora al día a pasear* (= emplear). ◆ **dedicarse** v. pron. **3.** *Pedro* ***se dedica*** *a la pintura* (= trabaja como pintor).
SINÓN: 1. ofrecer. **2.** destinar, emplear. **FAM:** *dedicatoria.*

dedicatoria s. f. *En muchos libros hay* ***dedicatorias*** (= frases escritas en la primera hoja en las que el autor menciona a la persona a la que ofrece su obra).
FAM: *dedicar.*

dedo s. m. **1.** *El hombre tiene cinco* **dedos** *en cada mano: pulgar, índice, corazón, anular y meñique.* ◆ **a dedo 2.** *Como no se ofreció nadie, la maestra escogió a un alumno* ***a dedo*** (= eligió al primero que vio). ◆ **no tener dos dedos de frente 3.** *Clara no aprueba nunca porque* ***no tiene dos dedos de frente*** (= es tonta).
FAM: *dactilar, dedal.*

deducir v. tr. **1.** *Nadie respondió a mi llamada telefónica por lo que* **deduje** *que no había nadie en casa* (= lo supuse). **2.** *Compré varios libros y me* ***dedujeron*** *una cantidad* (= me la descontaron).
SINÓN: 1. suponer. **2.** descontar, rebajar. **ANTÓN: 2.** aumentar.

defecto s. m. **1.** *Este trabajo está lleno de* ***defectos*** (= no es perfecto, hay cosas que están mal). **2.** *Mi amigo tiene un pequeño* **defecto** *en la vista y por eso lleva anteojos* (= tiene un problema en la vista y no ve del todo bien).
SINÓN: 1. falta, imperfección. **2.** carencia, deficiencia. **ANTÓN: 1.** cualidad, perfección. **FAM:** *defectuoso.*

defectuoso, a adj. *Este trabajo es* ***defectuoso****, está lleno de errores* (= no está bien).
SINÓN: deficiente, imperfecto, incompleto. **ANTÓN:** perfecto. **FAM:** *defecto.*

defender v. tr. **1.** *Cuando Susana empezó a hablar mal de Ana, Rosa la* **defendió** *pues es su mejor amiga* (= le dijo que no la criticara). ◆ **defenderse** v.pron. **2.** *Muchos animales sólo atacan para* **defenderse** *de un agresor* (= para protegerse).
SINÓN: 2. protegerse, resguardarse. **ANTÓN: 1, 2.** acometer, atacar. **2.** embestir. **FAM:** *defensa, defensivo, defensor, indefenso.*

defensa s. f. **1.** *Los soldados organizaron la* ***defensa*** *del castillo* (= la manera de protegerlo). **2.** *Este abogado se encargará de la* **defensa** *del caso* (= será el que intentará demostrar que el acusado es inocente). **3.** *La* **defensa** *supo hacer frente a los ataques del equipo contrario* (= los jugadores que intentaban impedir que les metieran un gol). Amér. **4.** *Gracias a la* **defensa** *de mi coche, el camión no me rompió los faros en el choque* (= pieza que llevan los coches delante y detrás de la carrocería para protección de ésta).
SINÓN: 1. protección. **ANTÓN: 1.** acometida, asalto, ataque. **2.** acusación. **4.** parachoques.
FAM: → *defender.*

defensivo, a adj. **1.** *Todo lo que sirve para defender es* ***defensivo****, por ejemplo, un arma.* ◆ **salir a la defensiva 2.** *El equipo de fútbol* ***salió a la defensiva*** (= reforzó su defensa y renunció al ataque). ◆ **estar** o **ponerse a la de-**

fensiva 3. *Siempre que Mario le dice algo* ***se pone a la defensiva*** (= actúa como si Mario la fuera a atacar).
ANTÓN: atacante. **FAM:** → *defender.*

defensor, a s. **1.** *Juan es un* ***defensor*** *de los débiles* (= siempre intenta protegerlos). **2.** *El* ***defensor*** *ayudó mucho al acusado en el juicio* (= el abogado que se encarga de defenderlo en el juicio).
SINÓN: **1.** protector. **ANTÓN:** **1.** agresor. **FAM:** → *defender.*

deferencia s. f. *María le ofreció su asiento a la anciana por* ***deferencia*** *a su edad* (= por respeto).
SINÓN: atención, consideración, respeto. **FAM:** *deferente.*

deficiencia s. f. *Hemos encontrado en el servicio del hotel graves* ***deficiencias*** (= grandes defectos).
SINÓN: defecto, falta, imperfección. **ANTÓN:** perfección. **FAM:** *deficiente.*

deficiente adj. *El trabajo de Adela era bastante* ***deficiente*** (= tenía muchos defectos).
SINÓN: defectuoso, imperfecto, incompleto, insuficiente. **ANTÓN:** completo, perfecto. **FAM:** *deficiencia.*

déficit s. m. *Este comerciante tiene un* ***déficit*** *en su negocio porque sus gastos son mayores que sus ingresos* (= tiene pérdidas de dinero).
SINÓN: pérdida. **ANTÓN:** beneficio.

definición s. f. **1.** *Jaime me dio una clara* ***definición*** *de su amigo* (= me dio una buena descripción de cómo es). **2.** *Si no sabes el significado de una palabra, búscala en el diccionario; allí está su* ***definición*** (= la explicación de su significado).
SINÓN: **1.** descripción. **2.** explicación. **FAM:** → *fin.*

definir v. tr. **1.** *Bernardo no llegó a* ***definir*** *bien lo que sentía* (= a describirlo con las palabras adecuadas). **2.** *Andrés sigue sin* ***definir*** *su actitud en este asunto* (= sin explicar claramente). ◆ **definirse** v. pron. **3.** *Al final Ramón* ***se definió*** *y todos supimos cómo iba a actuar* (= explicó claramente lo que pensaba).
SINÓN: **1.** describir, explicar. **1, 2.** precisar. **FAM:** → *fin.*

definitivo, a adj. *Mi decisión es* ***definitiva*** (= no pienso cambiarla).
SINÓN: final, indiscutible, tajante, terminante. **ANTÓN:** provisional. **FAM:** → *fin.*

deformar v. tr. *Por su manera de andar* ***deforma*** *todos los zapatos* (= les cambia la forma).
FAM: → *forma.*

deforme adj. *En los espejos del parque de atracciones vimos nuestra imagen* ***deforme****: muy larga y delgada o pequeña y gorda* (= la vemos de un modo distinto a como es en realidad).
FAM: → *forma.*

degollado s. m. Amér. Merid. *Nos quedamos mirando una bandada de* ***degollados*** (= aves migratorias de plumaje negro y blanco; reciben este nombre por la franja sin plumas que tienen en el cuello).
FAM: → *degollar.*

degollar v. tr. *El carnicero* ***ha degollado*** *un cordero* (= lo ha matado cortándole la garganta).
SINÓN: decapitar.

degustar v. tr. *En la feria pudimos* ***degustar*** *varios tipos de vinos* (= pudimos probarlos).
SINÓN: catar, probar, tomar. **FAM:** → *gusto.*

dehesa s. f. *El ganado pasta en la* ***dehesa*** (= en un terreno grande y cerrado).
SINÓN: prado.

dejar v. tr. **1.** *Marta* ***dejó*** *los libros sobre la mesa* (= los puso). **2.** *Margarita me* ***dejó*** *un libro* (= me lo prestó). **3.** *Pedro* ***ha dejado*** *su empleo en el banco* (= ya no trabaja allí). **4.** *Este negocio le* ***dejó*** *mucho dinero al dueño* (= le produjo ganancias). **5.** ***Dejamos*** *libre al perro por la noche* (= lo soltamos). ◆ **dejarse** v. pron. **6.** *Bernardo* ***se dejó*** *las llaves en casa* (= se las olvidó). **7.** *Juan* ***se dejó*** *mucho* (= no cuidó su aseo personal). ◆ **dejarse ver 8.** *Hace tiempo que no* ***te dejas ver*** *por aquí* (= que no vienes).
SINÓN: **1.** colocar, poner. **2.** prestar. **3.** irse, marcharse. **4.** proporcionar. **5.** soltar. **6.** olvidarse. **7.** descuidarse. **ANTÓN:** **1.** retener, sujetar. **3.** quedarse. **5.** atar. **7.** cuidarse.

delantal s. m. *Cuando está en la cocina, mi madre se pone un* ***delantal*** *para no mancharse la ropa* (= una prenda que cubre la ropa por delante y que se ata a la cintura).
FAM: → *delante.*

delante adv. **1.** *El coche que nos rebasó se puso* ***delante*** *de nosotros* (= en el sitio anterior al nuestro). **2.** *Hay un parque* ***delante*** *de mi casa* (= está enfrente). **3.** *No me gusta decir nada* ***delante*** *de tu hermano porque es muy chismoso* (= cuando él está presente).
ANTÓN: detrás. **FAM:** *adelantado, adelantamiento, adelantar, adelanto, delantal, delantera, delantero.*

delantera s. f. **1.** *En el accidente se estropeó la* ***delantera*** *del coche* (= la parte de adelante). ◆ **tomar la delantera 2.** *El atleta francés* ***tomó la delantera*** *desde el inicio de la carrera* (= corría el primero).
FAM: → *delante.*

delantero, a adj. *Mi abuela siempre va en el asiento* ***delantero*** *del coche* (= el que está al lado del conductor).
SINÓN: anterior. **ANTÓN:** posterior, trasero. **FAM:** → *delante.*

delatar v. tr. *El ladrón* ***delató*** *a sus cómplices* (= dio sus nombres a la policía).
SINÓN: acusar, chivarse, denunciar, descubrir. **ANTÓN:** encubrir.

delegado, a s. *Alejandro es el* ***delegado*** *de la clase* (= es el representante de la clase).
SINÓN: encargado, representante. **FAM:** *delegar.*

delegar v. tr. *El Presidente del Gobierno no podía asistir a la reunión y* ***delegó*** *su presencia en el ministro* (= el ministro representó el cargo del Presidente).
FAM: *delegado.*

deleitarse v. pron. *Mi padre* ***se deleita*** *oyendo música clásica* (= la pasa muy bien).
SINÓN: disfrutar, recrearse. **ANTÓN:** disgustarse, molestar.

deletrear v. tr. *¿Puedes* ***deletrear*** *tu apellido para que yo escriba todas sus letras?* (= ¿puedes pronunciar por separado cada letra?).
FAM: → *letra.*

delfín s. m. Los **delfines** son unos mamíferos marinos que tienen la boca en forma de pico y son muy inteligentes.

delgadez s. f. *El doctor le ha dicho que coma más porque su* ***delgadez*** *era exagerada* (= estaba demasiado flaco).
ANTÓN: gordura, obesidad. **FAM:** → *delgado.*

delgado, a adj. *José Luis come poco y está muy* ***delgado*** (= está muy flaco).
SINÓN: flaco. **ANTÓN:** gordo, grueso, obeso. **FAM:** *adelgazar, delgadez.*

deliberar v. intr. *El tribunal se reunió para* ***deliberar*** *sobre la inocencia o culpabilidad del acusado* (= para discutir y decidir si era inocente o culpable).
SINÓN: discutir, meditar, reflexionar.

delicadeza s. f. **1.** *Levanta el jarrón con mucha* ***delicadeza*** *porque se puede romper* (= levántalo con mucho cuidado). **2.** *Mi profesora me habla siempre con gran* ***delicadeza*** (= con educación y ternura).
SINÓN: **1.** atención, cuidado. **2.** cortesía, educación, ternura. **ANTÓN:** **1.** brutalidad, descuido. **2.** grosería. **FAM:** *delicado.*

delicado, a adj. **1.** *María no ha venido porque está algo* ***delicada*** (= no se encuentra bien). **2.** *Tienes que actuar con cuidado porque la situación es muy* ***delicada*** (= muy complicada). **3.** *Este niño es tan* ***delicado*** *que se enfada por cualquier cosa* (= tan sensible). **4.** *Mi hermano es muy* ***delicado*** *para comer* (= es muy exigente). **5.** *Cuidado con las copas de cristal porque son muy* ***delicadas*** (= se rompen fácilmente).
SINÓN: **1.** débil. **2.** complicado, difícil. **4.** escrupuloso, exigente. **5.** frágil. **ANTÓN:** **1.** robusto, sano. **2.** corriente. **5.** duro, resistente. **FAM:** *delicadeza.*

delicioso, a adj. *Hemos comido un flan* ***delicioso*** (= que estaba muy bueno).
SINÓN: bueno, exquisito, sabroso. **ANTÓN:** asqueroso, desabrido, malo, repugnante. **FAM:** *delicia.*

delimitar v. tr. *El ganadero* ***delimitó*** *su finca con una verja* (= señaló dónde terminaba).
FAM: → *límite.*

delincuencia s. f. *La policía intenta eliminar la* ***delincuencia*** *de las calles de la ciudad* (= los robos, atracos y crímenes).
FAM: → *delito.*

delincuente s. *La policía detuvo a los* ***delincuentes*** *que habían robado en la tienda* (= a las personas que habían cometido el robo).
FAM: → *delito.*

delirar v. intr. *Debido a la fiebre el enfermo* ***deliraba*** (= decía cosas sin sentido).
SINÓN: desvariar. **ANTÓN:** razonar.

delito s. m. *Este* ***delito*** *merece un castigo de dos años de prisión* (= esta falta contra la ley).
SINÓN: crimen, infracción. **FAM:** → *delincuencia, delincuente.*

delta s. m. *El río Nilo desemboca en el mar formando un gran* ***delta*** (= una isla triangular entre los brazos de agua).

demandar v. tr. ***Han demandado*** *a la fábrica por no pagar sus deudas* (= la han denunciado).
SINÓN: denunciar.

demás adj. ind. *Felipe y los* ***demás*** *amigos llegaron tarde* (= y los otros amigos).
FAM: → *más.*

demasiado, a adj. **1.** *Has puesto* ***demasiada*** *sal en la ensalada* (= más de la necesaria). ◆ **demasiado** adv. **2.** *No comas* ***demasiado*** (= mucho).
SINÓN: **1.** excesivo. **1, 2.** mucho. **ANTÓN:** **1.** escaso, insuficiente. **1, 2.** poco. **FAM:** → *más.*

demencia s. f. *Hubo que llevar a mi vecino al psiquiatra porque su* ***demencia*** *se acentuó* (= su locura).
SINÓN: chifladura, locura. **ANTÓN:** cordura. **FAM:** *demente.*

demente adj. *Sólo un* ***demente*** *es capaz de conducir un coche a 200 kilómetros por hora* (= sólo un loco).
SINÓN: chiflado, loco. **ANTÓN:** cuerdo, sensato. **FAM:** *demencia.*

democracia s. f. *En este país hay una* ***democracia*** (= la forma de gobierno en la que los ciudadanos eligen a sus gobernantes mediante una votación).
ANTÓN: dictadura. **FAM:** *demócrata, democrático.*

demócrata adj. *Martín ha ido a votar porque es* ***demócrata*** (= es partidario de la democracia como forma de gobierno).
FAM: → *democracia.*

democrático, a adj. *El gobierno de este país es* ***democrático*** (= porque lo ha elegido el pueblo).
FAM: → *democracia.*

demografía s. f. La **demografía** es la parte de la Geografía que estudia el número de personas que viven en un lugar, las que se desplazan y cuántas nacen y mueren.
FAM: *demográfico.*

demográfico, a adj. *El crecimiento* ***demográfico*** *de esta ciudad ha sido muy elevado* (= el crecimiento del número de personas que viven en ella).
FAM: *demografía.*

demoler v. tr. ***Han demolido*** *el viejo edificio de la esquina* (= lo han derribado).
SINÓN: derribar, tirar. **ANTÓN:** construir, edificar. **FAM:** *demolición.*

demonio s. m. *Para los cristianos el* ***demonio*** *está en el infierno* (= es el espíritu del mal y se opone a Dios).
SINÓN: diablo, satán.

demostración s. f. **1.** *Me has convencido con las* ***demostraciones*** *que me has hecho* (= con las pruebas). **2.** *El ejército desfiló para hacer* ***demostración*** *de su fuerza* (= para exhibir su potencia). **3.** *Mis amigos me recibieron con* ***demostraciones*** *de alegría* (= manifestaron su alegría).
SINÓN: 1. prueba, razonamiento. **2.** exhibición, ostentación. **3.** muestra. **FAM:** → *mostrar.*

demostrar v. tr. **1.** *Bernardo me* ***ha demostrado*** *que él tenía razón* (= me lo ha probado de manera clara). **2.** *El vendedor nos* ***demostró*** *cómo funcionaba el aparato* (= nos enseñó).
SINÓN: 1. probar. **2.** enseñar, mostrar. **FAM:** → *mostrar.*

demostrativo, a adj. *La actuación de Pedro ha sido* ***demostrativa*** *de su valor* (= nos ha permitido ver su valor). **2.** Los pronombres y adjetivos **demostrativos** sirven para señalar una persona o una cosa; por ejemplo: *este* niño, *esas* mesas. VER CUADRO DE DEMOSTRATIVOS.
FAM: → *mostrar.*

denegar v. tr. *El estado me* ***ha denegado*** *la beca* (= no me la ha concedido).
SINÓN: negar, rechazar. **ANTÓN:** conceder, dar, otorgar. **FAM:** → *negar.*

denominación s. f. *He aprendido la* ***denominación*** *de los metales* (= la forma exacta de llamarlos).
FAM: → *denominar.*

denominador s. m. *En la fracción 3/5, el número 5 es el* ***denominador*** (= son las partes iguales en las que la unidad está dividida).
SINÓN: divisor. **FAM:** → *denominar.*

denominar v. tr. *Sor Juana Inés de la Cruz* ***fue denominada*** *la décima Musa* (= le dieron ese nombre).
SINÓN: llamar, nombrar. **FAM:** *denominación, denominador.*

densidad s. f. **1.** *La* ***densidad*** *del humo impedía ver el paisaje* (= la concentración del humo). **2.** *La* ***densidad*** *del aluminio es menor que la del hierro* (= el peso en relación al volumen).
SINÓN: 1. concentración, espesor. **FAM:** *denso.*

denso, a adj. **1.** *El plomo es más* ***denso*** *que el hierro* (= con el mismo volumen es más pesado). **2.** *Este bosque es muy* ***denso*** (= los árboles están muy próximos unos de otros). **3.** *No entiendo tu razonamiento porque es muy* ***denso*** (= confuso).
SINÓN: 1. pesado. **2.** espeso, tupido. **3.** confuso, oscuro. **ANTÓN: 2, 3.** claro. **3.** evidente, sencillo. **FAM:** *densidad.*

dentado, a adj. **1.** *La cadena de la bicicleta pasa por dos ruedas* ***dentadas*** (= con salientes en forma puntiaguda). **2.** *La hoja del castaño es una hoja* ***dentada*** (= porque tiene unas puntas que parecen dientes).
FAM: → *diente.*

dentadura s. f. *Masticamos la comida con la* ***dentadura*** (= con el conjunto de dientes, muelas y colmillos que tenemos en la boca).
FAM: → *diente.*

dentellada s. f. *Salvador tiene la cicatriz de la* ***dentellada*** *de un perro* (= de la herida que le produjo con los dientes al morderlo).
SINÓN: mordedura, mordisco. **FAM:** → *diente.*

dentífrico s. m. *Andrés pone en su cepillo de dientes* ***dentífrico*** (= una pasta para limpiar los dientes).
FAM: → *diente.*

dentista s. *Cuando me duelen los dientes voy a ver al* ***dentista*** (= el médico especialista en curarlos).
SINÓN: odontólogo. **FAM:** → *diente.*

dentro adv. **1.** *He puesto los discos* ***dentro*** *de su funda* (= en la parte interior). **2.** *Ahora no está pero llegará* ***dentro*** *de un momento* (= llegará enseguida).
SINÓN: 1. adentro. **ANTÓN: 1.** afuera, fuera. **FAM:** *adentrarse, adentro.*

denuncia s. f. *A este comerciante le han hecho una* ***denuncia*** *por vender más caro de lo que permite la ley* (= lo han acusado).
FAM: → *anunciar.*

denunciar v. tr. *Mis vecinos* ***denunciaron*** *el robo de su coche* (= lo comunicaron a la policía).
SINÓN: acusar, delatar. **FAM:** → *anunciar.*

departamento s. m. **1.** *Mis primos viven en un amplio* ***departamento*** (= apartamento). **2.** *Mi tío trabaja en el* ***departamento*** *de ventas* (= en la sección).
SINÓN: 1. casa, piso. **2.** sección, sector. **FAM:** → *parte.*

dependencia s. f. **1.** *América estuvo bajo la* ***dependencia*** *de España* (= bajo su dominio). **2.** *El señor Martínez trabaja en una* ***dependencia*** *de Correos* (= en una oficina que no es la principal). **3.** *Este edificio tiene amplias* ***dependencias*** (= amplias habitaciones).
SINÓN: sujeción. **2.** delegación, sucursal. **3.** habitación. **ANTÓN: 1.** independencia. **FAM:** → *depender.*

depender v. intr. **1.** *El caudal del río* ***depende*** *de que llueva o no llueva* (= tiene relación con la cantidad de lluvia caída). **2.** *Mi padre*

***depende** de su sueldo porque no tiene otra fuente de recursos* (= necesita su sueldo).
FAM: *dependencia, dependiente, independencia, independiente, independizar.*

dependiente adj. **1.** *El bebé vive **dependiente** de su madre* (= la necesita para comer). ◆ **dependiente** s. **2.** *El señor Pérez es **dependiente** en una tienda* (= su oficio consiste en atender a los clientes).
SINÓN: **2.** vendedor. FAM: → *depender.*

depilarse v. pron. *Mi hermana **se depila** las cejas* (= se arranca los pelos con una pinza).
FAM: → *pelo.*

deponer v. tr. **1.** *Si no **depones** tu actitud violenta, acabaremos peleándonos de verdad* (= si no dejas esa actitud). **2.** *Después de la revolución **fue depuesto** el presidente* (= fue destituido de su cargo).
SINÓN: **1.** abandonar, dejar. **2.** sacar. FAM: → *poner.*

deportar v. tr. *El gobierno **ha deportado** al ladrón* (= lo ha echado del país).
SINÓN: desterrar, exiliar, expulsar. ANTÓN: acoger, repatriar. FAM: *deportación.*

deporte s. m. **1.** *Salimos al campo e hicimos **deporte*** (= jugamos e hicimos ejercicios físicos). **2.** *Las carreras, el fútbol, la natación, el baloncesto son **deportes*** (= son juegos que exigen un esfuerzo físico y en los que hay que respetar ciertas reglas y, en ocasiones, vencer a un adversario).
SINÓN: **1.** ejercicio. FAM: *deportista, deportividad, deportivo, polideportivo.*

deportista adj. **1.** *Mi amigo está al día en los resultados de todos los juegos porque es **deportista*** (= practica deportes). ◆ **deportista** s. **2.** *Este **deportista** superó su propia marca* (= la persona que practica un deporte).
SINÓN: **2.** atleta, jugador. FAM: → *deporte.*

deportivo, a adj. **1.** *Compré varios periódicos **deportivos*** (= los que publican exclusivamente noticias sobre los deportes). **2.** *La conducta de Raúl, cuando juega al fútbol, es muy **deportiva*** (= es muy correcta porque respeta las reglas del juego).
FAM: → *deporte.*

depositar v. tr. **1.** ***Han depositado** las mercancías en el almacén* (= las han dejado). **2.** *Este señor **ha depositado** su dinero en el banco* (= lo ha dejado en el banco para que se lo guarden). **3.** *Roberto **ha depositado** en mí su confianza* (= ha confiado en mí). ◆ **depositarse** v. pron. **4.** ***Se han depositado** en el fondo de la botella las impurezas del líquido* (= se han acumulado allí).
SINÓN: **1.** dejar. **1, 2.** poner. **3.** confiar. ANTÓN: **1, 2.** retirar, sacar. **3.** desconfiar. FAM: *depósito.*

depósito s. m. **1.** *Mi padre hizo un **depósito** en el banco* (= entregó una suma de dinero). **2.** *Antes de salir de vacaciones, guardamos las mercaderías en el **depósito*** (= almacén).
FAM: → *depositar.*

depresión s. f. **1.** *Las malas calificaciones le produjeron una gran **depresión** a mi amigo* (= una gran tristeza). **2.** *Antonio ha tenido una **depresión** nerviosa* (= una enfermedad que se caracteriza por una profunda tristeza). **3.** *Este pueblo se halla situado en una **depresión** del terreno* (= en un lugar hondo y profundo). **4.** *Aquel país está pasando una profunda **depresión*** (= un período en el que la economía va mal).
SINÓN: **1.** abatimiento, desánimo, melancolía, tristeza. ANTÓN: **1.** animación, alegría, euforia. **3.** elevación. **4.** prosperidad. FAM: *deprimir.*

deprimir v. tr. **1.** *Los días de lluvia me **deprimen*** (= me ponen triste). ◆ **deprimirse** v. pron. **2.** ***Se deprime** por cualquier problema* (= se desanima).
SINÓN: desanimar(se), desmoralizar(se), entristecer(se). ANTÓN: alegrar(se), animar(se), contentar(se). FAM: *depresión.*

deprisa adv. *Vas demasiado **deprisa** andando y no puedo seguirte* (= vas muy rápido).
ANTÓN: despacio. FAM: → *prisa.*

derecho, a adj. **1.** *Los árboles del paseo están **derechos*** (= están rectos). **2.** *Yo escribo con la mano **derecha** porque soy diestro* (= no con la izquierda). ◆ **derecho** adv. **3.** *Este borracho no camina **derecho*** (= en línea recta). ◆ **derecho** s. m. **4.** *Tengo **derecho** a pensar lo que quiera porque soy libre* (= puedo pensar lo que quiera). **5.** *No tienes **derecho** para entrar aquí* (= permiso). **6.** *Todas las leyes de un país constituyen el **derecho*** (= el conjunto de leyes que deben cumplirse). **7.** *Como quiere ser abogado, Juan estudiará **Derecho*** (= abogacía). **8.** *Cuando compra una tela mi madre mira su revés y después su **derecho*** (= la parte de adelante). **9.** *Para importar este producto hay que pagar los **derechos** de aduana* (= los impuestos).
SINÓN: **1.** recto. **5.** autorización, permiso. **7.** abogacía. **8.** anverso. ANTÓN: **1.** torcido. **2.** izquierdo. **8.** reverso.

deriva s. f. *El capitán perdió el control y el barco iba a la **deriva*** (= sin rumbo)

derivado, a s. *La gasolina es un **derivado** del petróleo* (= porque se obtiene a partir de él).
FAM: *derivar.*

derivar v. intr. *La enemistad de Pedro con Juan **deriva** de un malentendido* (= procede).
SINÓN: nacer, proceder. FAM: *derivado.*

dermis s. f. *Los granitos que te han salido no son debidos a una enfermedad sino a un problema en la **dermis*** (= en la capa de piel que está debajo de la epidermis).
FAM: *dermatología, dermatólogo.*

derramar v. tr. *María **derramó** el agua encima de la mesa* (= tiró).
SINÓN: esparcir, tirar, verter.

derrapar v. intr. *Con la nieve el coche **derrapó** y se quedó atravesado en la carretera* (= resbaló).
SINÓN: deslizarse, patinar, resbalar.

derretirse v. pron. *El hielo **se derrite** con el sol* (= se vuelve líquido).
SINÓN: fundir.

derribar v. tr. *Los albañiles **han derribado** la vieja casa* (= la han derrumbado).
SINÓN: derruir, derrumbar, tirar. **ANTÓN:** construir, edificar, levantar. **FAM:** *derribo.*

derrocar v. tr. *El ejército **ha derrocado** al presidente* (= como no lo querían lo echaron).
SINÓN: destituir, destronar.

derrochar v. tr. **1.** *Esta persona **derrocha** su dinero comprando cosas innecesarias* (= lo malgasta). **2.** *El atleta **derrochó** energías en la carrera* (= corrió con todas sus fuerzas).
SINÓN: 1. despilfarrar, malgastar. **ANTÓN: 1.** ahorrar, economizar. **FAM:** *derroche.*

derrota s. f. *El ejército ha sufrido una gran **derrota*** (= fue vencido por el ejército enemigo).
SINÓN: fracaso. **ANTÓN:** victoria. **FAM:** *derrotar.*

derrotar v. tr. *Los franceses **derrotaron** varias veces a los alemanes* (= les ganaron).
SINÓN: ganar, vencer. **ANTÓN:** perder. **FAM:** *derrota.*

derrumbamiento s. m. *El terremoto provocó el **derrumbamiento** del puente* (= la caída al suelo).
SINÓN: destrucción, hundimiento. **ANTÓN:** construcción, levantamiento. **FAM:** *derrumbar.*

derrumbar v. tr. *El huracán **derrumbó** muchas casas* (= derribó).
SINÓN: derribar, tirar. **ANTÓN:** construir, levantar. **FAM:** *derrumbamiento.*

desabrido, a adj. *La ensalada está **desabrida*** (= no tiene sabor, está falta de sazón).

desabrigado, a adj. *Con el frío que hace, no salgas a la calle tan **desabrigado*** (= con tan poca ropa).
SINÓN: destapado. **ANTÓN:** abrigado, tapado.

desabrochar v. tr. *Los niños pequeños no saben **desabrochar** sus prendas de vestir* (= no saben sacar los botones de sus ojales).
SINÓN: abrir, desabotonar. **ANTÓN:** abotonar, abrochar. **FAM:** → *broche.*

desacatar v. tr. *Si un soldado **desacata** las órdenes irá al calabozo* (= si no hace lo que le han ordenado).
SINÓN: desobedecer. **ANTÓN:** acatar, obedecer. **FAM:** *acatar.*

desacierto s. m. *Ha sido un **desacierto** ir al parque con este día tan nublado* (= una equivocación).
SINÓN: equivocación, error. **ANTÓN:** acierto. **FAM:** → *acertar.*

desaconsejar v. tr. *Te **desaconsejo** que vayas a la playa con este día tan nublado* (= no creo que sea bueno).
SINÓN: disuadir. **FAM:** → *consejo.*

desacuerdo s. m. *Marta y yo estamos en **desacuerdo** sobre quién es el mejor cantante* (= no tenemos la misma opinión).
SINÓN: desavenencia, discordia, discrepancia. **ANTÓN:** acuerdo, concordia. **FAM:** → *acordar.*

desafiante adj. *Samuel me habló con un tono **desafiante** que me molestó* (= con un tono provocador).
SINÓN: provocador. **FAM:** → *fiar.*

desafiar v. tr. **1.** *En la película el héroe **desafía** a su rival* (= quiere que luche contra él). **2.** *Los exploradores atravesaron la selva **desafiando** todos los peligros* (= enfrentándose a todos los peligros).
SINÓN: 1. provocar, retar. **2.** afrontar, enfrentarse. **FAM:** → *fiar.*

desafinar v. intr. *En la orquesta había un violín que **desafinaba*** (= que desentonaba y su sonido era desagradable).
SINÓN: desentonar. **ANTÓN:** afinar. **FAM:** → *fino.*

desafío s. m. *Mi amigo me ha hecho un **desafío** para ver quién saca mejor nota en el examen* (= un reto).
SINÓN: reto. **FAM:** → *fiar.*

desafortunado, a adj. *María es **desafortunada** en el juego* (= no tiene suerte).
ANTÓN: afortunado. **FAM:** → *fortuna.*

desagradable adj. *Este tiempo tan húmedo es muy **desagradable*** (= es muy molesto).
SINÓN: fastidioso, incómodo, molesto. **ANTÓN:** agradable, atractivo, grato, placentero. **FAM:** → *agrado.*

desagradar v. intr. *Su carácter orgulloso me **desagrada*** (= no me gusta).
SINÓN: disgustar, fastidiar, molestar. **ANTÓN:** agradar, atraer, complacer, gustar. **FAM:** → *agrado.*

desagradecer v. tr. *María **desagradece** todos los favores que se le han hecho* (= ni los reconoce ni los agradece).
ANTÓN: agradecer. **FAM:** → *agradecer.*

desagradecido, a adj. *Juan es tan **desagradecido**, que lo ayudé a encontrar trabajo y todavía no me ha dado las gracias* (= es muy ingrato).
SINÓN: ingrato. **ANTÓN:** agradecido. **FAM:** → *agradecer.*

desagrado s. m. *Pedro hace lo que le mandan con **desagrado*** (= con fastidio).
SINÓN: disgusto, enojo, fastidio. **ANTÓN:** agrado, gusto, interés. **FAM:** → *agrado.*

desagüe s. m. **1.** *El **desagüe** de la piscina duró una hora* (= hacer salir el agua que contenía). **2.** *El **desagüe** pluvial está obstruido* (= el agujero por donde escurre el agua de la lluvia).
FAM: → *agua.*

desahogarse v. pron. *Estaba muy triste y* ***se desahogó*** *contándome sus problemas* (= se quedó más tranquilo).
SINÓN: desfogarse, serenarse. FAM: → *ahogar.*

desahogo s. m. *Para mí ha sido un* ***desahogo*** *no tener que trabajar hoy* (= un alivio).
SINÓN: alivio. ANTÓN: apuro. FAM: → *ahogar.*

desahuciar v. tr. **1.** *Como mis vecinos no pagaban el alquiler del departamento, los* ***han desahuciado*** (= los han obligado a abandonar el lugar). **2.** *El médico* ***desahució*** *al enfermo* (= le diagnosticó una enfermedad mortal).
SINÓN: **1.** echar, expulsar.

desalentar v. tr. **1.** *La mala noticia* ***desalentó*** *a los obreros* (= los desanimó). ◆ **desalentarse** v. pron. *¡No* ***te desalientes*** *con este fracaso y continúa con tu propósito!* (= ¡no te desanimes!).
SINÓN: desanimar(se), desmoralizar(se). ANTÓN: **1.** alentar. **1, 2.** animar(se). FAM: → *aliento.*

desaliento s. m. *Pablo se ha dejado llevar por el* ***desaliento*** *y ha abandonado los estudios* (= por el desinterés y la falta de ánimo).
SINÓN: abatimiento, desánimo. ANTÓN: aliento, ánimo. FAM: → *aliento.*

desalojar v. tr. *Se incendió el piso de mis vecinos y los bomberos mandaron* ***desalojar*** *todo el edificio* (= hicieron salir de sus casas a todas las personas).
SINÓN: desocupar, evacuar. ANTÓN: ocupar. FAM: → *alojar.*

desamparado, a adj. *El anciano que vive enfrente está* ***desamparado*** *porque ninguno de sus familiares quiere ayudarlo* (= está solo sin que nadie lo cuide).
FAM: → *amparar.*

desandar v. tr. *Tuve que* ***desandar*** *el camino porque me olvidé en casa los libros* (= tuve que volver a casa).
SINÓN: retroceder, volver. ANTÓN: andar, avanzar. FAM: → *andar.*

desangrarse v. pron. *El herido casi* ***se desangró*** *debido a las profundas heridas* (= perdió mucha sangre).
SINÓN: sangrar. FAM: → *sangre.*

desanimarse v. pron. *Aunque no lo consigas de primera intención, no* ***te desanimes*** (= no pierdas la ilusión).
SINÓN: abatirse, desalentarse, desmoralizarse. ANTÓN: animarse. FAM: → *animar.*

desaparecer v. tr. **1.** *El prestidigitador hizo* ***desaparecer*** *un conejo* (= lo ocultó). ◆ **desaparecer** v. intr. **2.** ***Desapareció*** *de la fiesta sin que nos diéramos cuenta* (= se fue).
SINÓN: **2.** irse, largarse, marcharse. ANTÓN: aparecer. FAM: → *parecer.*

desaparición s. f. *Los periódicos anunciaron la* ***desaparición*** *de un niño* (= nadie sabe dónde está).
ANTÓN: aparición. FAM: → *parecer.*

desarmador s. m. Méx. *No tenemos un* ***desarmador*** *para ajustar los tornillos* (= herramienta que sirve para ajustar o aflojar tornillos).
SINÓN: destornillador.

desarmar v. tr. **1.** *El vigilante* ***desarmó*** *al ladrón* (= le quitó la pistola). **2.** *El relojero* ***desarmó*** *el reloj para arreglarlo* (= separó las piezas).
SINÓN: **2.** desmontar. ANTÓN: **1.** armar. **2.** montar. FAM: → *arma.*

desarme s. m. **1.** *El* ***desarme*** *del ladrón fue fácil* (= la policía le quitó el arma fácilmente). **2.** *La conferencia ha tratado del* ***desarme*** *mundial* (= de la reducción o supresión de armas militares).
FAM: → *arma.*

desarreglar v. tr. *El escritorio está* ***desarreglado*** (= desordenado).

desarrollar v. tr. **1.** *La gimnasia* ***desarrolla*** *los músculos* (= los vuelve más fuertes). **2.** *Pablo ha* ***desarrollado*** *sus argumentos* (= los ha explicado detalladamente). **3.** ***Desarrollamos*** *este problema en clase de matemáticas* (= hicimos todas las operaciones necesarias). ◆ **desarrollarse** v. pron. **4.** *El bebé* ***se desarrolla*** *muy fuerte* (= crece). **5.** *La fiesta* ***se desarrolló*** *con normalidad* (= todo sucedió con normalidad).
SINÓN: **1.** aumentar. **5.** transcurrir. ANTÓN: **1.** disminuir. FAM: *desarrollo.*

desarrollo s. m. **1.** *Este país ha experimentado un gran* ***desarrollo*** *económico* (= su economía ha aumentado mucho). **2.** *Es un niño que está en pleno* ***desarrollo*** (= está en la época de crecer).
SINÓN: **1.** progreso. **1, 2.** crecimiento. ANTÓN: retroceso. FAM: *desarrollar.*

desarroparse v. pron. *No es bueno que* ***te desarropes*** *porque vienes sudando* (= que te quites la ropa).
SINÓN: desabrigarse, destaparse. ANTÓN: abrigarse, taparse. FAM: → *ropa.*

desarticular v. tr. *La policía* ***ha desarticulado*** *la banda de ladrones* (= ha desbaratado la banda).
SINÓN: desorganizar, eliminar.

desastre s. m. **1.** *Esta sequía es un* ***desastre*** *para los agricultores* (= una catástrofe). **2.** *Esta habitación está hecha un* ***desastre*** (= está desordenada y sucia).
SINÓN: **1.** calamidad, catástrofe, desgracia, ruina. **2.** caos. ANTÓN: **1.** éxito. FAM: *desastroso.*

desastroso, a adj. *Hice un examen* ***desastroso*** (= muy malo).
SINÓN: horrible. ANTÓN: inmejorable. FAM: *desastre.*

desatar v. tr. **1.** *Voy a* ***desatar*** *el paquete* (= voy a quitarle el cordel con el que está atado). ◆ **desatarse** v. pron. **2.** *Al fin Mónica* ***se desató*** *y empezó a hablar con nosotros* (= al fin perdió su vergüenza y miedo). **3.** ***Se desató*** *una*

tormenta en el mar que hizo peligrar las pequeñas embarcaciones (= se desencadenó).
SINÓN: 1. desanudar. **3.** desencadenarse. **ANTÓN: 1.** atar, ligar. **FAM:** *atar.*

desatascar v. tr. *El plomero* ***desatascó*** *la tubería obstruida* (= quitó la suciedad que impedía el paso del agua).
SINÓN: desatrancar, desembozar. **ANTÓN:** atascar, embozar, obstruir. **FAM:** → *atascar.*

desatornillar o **destornillar** v. tr. ***Desatornillamos*** *los tornillos de la cama* (= los quitamos dándoles vueltas).
ANTÓN: atornillar. **FAM:** → *tornillo.*

desavenencia s. f. *Los políticos tuvieron fuertes* ***desavenencias*** *durante la discusión* (= no se pusieron de acuerdo).
SINÓN: discrepancia.

desayunar v. tr. **1.** *Hoy* ***he desayunado*** *churros con chocolate* (= he tomado churros con chocolate en el desayuno). ◆ **desayunarse** v. pron. **2.** *Esta mañana* ***me he desayunado*** *un café con leche* (= sólo he tomado un café con leche).
FAM: → *ayunar.*

desayuno s. m. *Bernardo toma el* ***desayuno*** *antes de ir al colegio* (= la primera comida del día).
FAM: → *ayunar.*

desbarajuste s. m. *La profesora se enojó con sus alumnos porque la clase era un auténtico* ***desbarajuste*** (= había mucho desorden).
SINÓN: confusión, desorden. **ANTÓN:** orden.

desbocarse v. pron. **1.** *El jinete cayó al suelo cuando el caballo* ***se desbocó*** (= no hizo caso al freno y corrió sin control). **2.** *En la discusión, Luis* ***se desbocó*** *y comenzó a decir insultos* (= se enojó mucho).
SINÓN: 1. espantarse. **ANTÓN: 1.** amansar, tranquilizar. **FAM:** → *boca.*

desbordante adj. *En el circo, los niños manifestaban una alegría* ***desbordante*** (= mucha alegría).
SINÓN: abundante. **FAM:** → *borde.*

desbordar v. intr. **1.** *El agua* ***desborda*** *del estanque* (= se sale del estanque). ◆ **desbordarse** v. pron. **2.** *Ante el buen juego de su equipo, el público* ***se desbordó*** *en aplausos* (= se puso muy contento).
SINÓN: 1. rebosar, salirse. **ANTÓN: 2.** contenerse. **FAM:** → *borde.*

desborde s. m. *Las lluvias abundantes han provocado el* ***desborde*** *del río* (= el agua se ha salido del cauce).
SINÓN: crecida. **FAM:** → *borde.*

descabellado, a adj. *Ir con este frío a la playa, me parece una idea* ***descabellada*** (= un disparate).
SINÓN: absurdo, insensato. **ANTÓN:** sensato.

descalificar v. tr. ***Han descalificado*** *a David de la carrera por empujar a un corredor* (= lo han eliminado de la prueba).
SINÓN: eliminar, excluir. **FAM:** → *calificar.*

descalzar v. tr. *¡****Descálzate*** *antes de entrar en casa!* (= quítate el calzado).
ANTÓN: calzar. **FAM:** → *calzado.*

descalzo, a adj. *Me gusta correr* ***descalzo*** *por la playa* (= sin calcetines ni zapatillas de deporte).
ANTÓN: calzado. **FAM:** → *calzado.*

descampado s. m. *Montamos la tienda de campaña en un* ***descampado*** (= en un terreno sin vegetación).
FAM: → *campo.*

descansar v. intr. **1.** *Cuando termino mi trabajo* ***descanso*** *un poco* (= reposo y me relajo). **2.** *El enfermo* ***ha descansado*** *dos horas* (= ha dormido). **3.** *Este puente* ***descansa*** *sobre dos pilares* (= se apoya). **4.** *Este terreno* ***descansa*** *este año* (= no se cultiva). ◆ **descansar** v. tr. **5.** *Dejaré de leer para* ***descansar*** *la vista* (= para no forzar la vista).
SINÓN: 1, 2, 5. reposar. **2.** dormir. **3.** apoyarse. **ANTÓN: 1, 5.** cansarse, fatigarse. **FAM:** → *cansar.*

descanso s. m. **1.** *He tomado unos días de* ***descanso*** *en mi trabajo y me iré de vacaciones* (= de reposo). Amér. **2.** *Nos detuvimos en el* ***descanso*** *de la escalera* (= descansillo, parte sin escalones en la escalera de un edificio).
SINÓN: 1. reposo, respiro. **ANTÓN:** fatiga, trabajo. **FAM:** → *cansar.*

descapotable adj. *Oscar ha comprado un coche* ***descapotable*** (= con una capota en el techo que se puede quitar y poner).
SINÓN: convertible.

descarado, a adj. *Sonia es muy* ***descarada,*** *siempre se mete en las conversaciones de las otras personas* (= muy desvergonzada).
SINÓN: atrevido, desvergonzado. **ANTÓN:** tímido, vergonzoso. **FAM:** → *cara.*

descarga s. f. *En el puerto las grúas realizan la* ***descarga*** *de los buques* (= ponen la mercancía en tierra).
ANTÓN: carga. **FAM:** → *carga.*

descargador s. m. *Los* ***descargadores*** *del puerto vaciaron todo el barco* (= las personas que tienen por oficio cargar o descargar los barcos y los trenes).
FAM: → *carga.*

descargar v. tr. **1.** *Los marineros* ***han descargado*** *el barco* (= han colocado la mercancía en tierra). **2.** *Cuando terminó la cacería, los cazadores* ***descargaron*** *las armas* (= sacaron los cartuchos de las escopetas). **3.** *El frío y la humedad* ***descargaron*** *la batería del coche* (= la dejaron sin electricidad). **4.** *Mi jefe me* ***ha descargado*** *de este trabajo* (= me lo ha quitado). ◆ **descargar** v. intr. **5.** *La tormenta* ***ha descargado*** *con fuerza* (= ha llovido con mucha intensidad). ◆

descargarse v. pron. **6.** *Jorge* ***se descargó*** *de sus obligaciones en un compañero* (= se libró de ellas). **7.** *Venía muy nervioso del trabajo y* ***se descargó*** *conmigo aunque no había hecho nada* (= se quitó los nervios que tenía regañándome).
SINÓN: 4. liberar, quitar. **5.** caer. **6.** librarse. **7.** desahogarse. **FAM:** → *carga.*

descaro s. m. *A Raúl lo castigaron por su* ***descaro*** (= por su falta de respeto).
SINÓN: atrevimiento, insolencia, osadía. **ANTÓN:** corrección, cortesía, educación. **FAM:** → *cara.*

descarriarse v. pron. *Mi amigo* ***se descarrió*** *cuando empezó a ir con malas compañías* (= empezó a no portarse bien).

descarrilamiento s. m. *No hubo heridos en el* ***descarrilamiento*** *del tren* (= cuando el tren se salió de la vía).
FAM: → *carril.*

descarrilar v. intr. *Un tren* ***ha descarrilado*** (= se ha salido de la vía).
FAM: → *carril.*

descartar v. tr. *Tenemos que* ***descartar*** *esa idea y pensar en otra mejor* (= hemos de rechazarla).
SINÓN: desechar, rechazar. **ANTÓN:** aceptar.

descendencia s. f. *Mi abuelo tiene mucha* ***descendencia*** (= tiene mucha familia: sus hijos, nietos y bisnietos).
ANTÓN: ascendencia. **FAM:** → *descender.*

descender v. intr. **1.** *El alpinista* ***descendió*** *por el lado sur de la montaña* (= bajó). **2.** *El río* ***descendía*** *formando pequeñas cataratas* (= corría). **3.** *Mario* ***desciende*** *de inmigrantes italianos* (= su familia era italiana).
SINÓN: 1. bajar. **2.** caer, fluir. **3.** proceder, provenir. **ANTÓN: 1.** ascender, subir. **FAM:** *descendencia, descendiente, descenso.*

descendiente s. *Los* ***descendientes*** *se han repartido la herencia* (= los hijos).
SINÓN: hijo, sucesor. **ANTÓN:** ascendiente. **FAM:** → *descender.*

descenso s. m. **1.** *El avión va perdiendo altura en el* ***descenso*** (= cuando va a aterrizar). **2.** *Después de esta curva hay un* ***descenso*** *en la carretera* (= una pendiente).
SINÓN: bajada. **ANTÓN:** ascenso, subida. **FAM:** → *descender.*

deschavetado, a adj. Amér. **1.** *Trata de serenarte; no actúes como un* ***deschavetado*** (= como un demente). **2.** *Este niño está hecho un* ***deschavetado*** (= actúa sin reflexionar).
SINÓN: 1. anormal, chiflado, demente, loco. **2.** atolondrado, aturdido, imprudente, precipitado. **ANTÓN: 1.** cuerdo. **2.** juicioso, prudente, sensato, sereno.

descifrar v. tr. **1.** *Un historiador francés* ***descifró*** *la escritura egipcia* (= llegó a comprender el significado de sus signos). **2.** *Después de mucho esfuerzo,* ***descifré*** *lo que me quería decir* (= lo entendí).
SINÓN: 2. comprender, entender, interpretar. **FAM:** *cifra.*

desclavar v. tr. *Para abrir esta caja hay que* ***desclavarla*** (= hay que quitarle los clavos).
SINÓN: arrancar, desprender, extraer. **ANTÓN:** clavar. **FAM:** → *clavo.*

descolgar v. tr. **1.** ***Descuelga*** *el mapa porque en su lugar pondremos un cuadro* (= bájalo de donde está colgado). **2.** *Al cambiar de casa sacamos los muebles y* ***descolgamos*** *las cortinas* (= las quitamos). **3.** ***Descolgó*** *el teléfono para ver quién llamaba* (= atendió). ◆ **descolgarse** v. pron. **4.** *El alpinista* ***se descolgó*** *por la pared de la montaña* (= bajó ayudándose de una cuerda). **5.** *Pedro* ***se descolgó*** *con la noticia de que iría solo a Rusia* (= nos lo dijo cuando menos lo esperábamos).
SINÓN: 3. atender. **4.** descender. **5.** sorprender. **ANTÓN: 1, 2.** colgar. **4.** ascender. **FAM:** → *colgar.*

descolocado, a adj. *El arquero estaba* ***descolocado*** *y le metieron un gol* (= no estaba en su sitio).
SINÓN: desplazado. **ANTÓN:** colocado. **FAM:** → *colocar.*

descolorido, a adj. *He lavado muchas veces esta camisa y ahora ya está* ***descolorida*** (= ha perdido el color).
SINÓN: desteñido, pálido. **FAM:** → *color.*

descomponer v. tr. **1.** ***Descompusimos*** *el mecano para guardar las piezas en una caja* (= lo desmontamos). **2.** *He preferido* ***descomponer*** *el tema en varios apartados para que me sea más fácil estudiar* (= lo he dividido en partes). Méx., Amér. Merid. **3.** *Tanto jugaron con el reloj que lo* ***descompusieron*** (= lo averiaron, lo estropearon). ◆ **descomponerse** v. pron. **4.** *La carne* ***se descompone*** *con el calor* (= se estropea). **5.** *Margarita* ***se descompuso*** *al ver la sangre de su herida* (= se afectó mucho). **6.** *El refrigerador de mis vecinos* ***se descompuso*** (= no funciona).
SINÓN: 1. desmontar. **2.** dividir. **3.** averiar. **4.** estropearse, pudrirse. **5.** alterarse. **ANTÓN: 1.** componer. **5.** sosegarse, tranquilizarse. **FAM:** → *poner.*

descomunal adj. *Su madre se enojó mucho y le dio un reto* ***descomunal*** (= lo regañó mucho).
SINÓN: enorme, gigantesco.

desconcertar v. tr. *Su respuesta nos* ***ha desconcertado*** *porque no sabíamos a qué se refería* (= nos ha sorprendido).
SINÓN: confundir, desorientar, extrañar, sorprender. **ANTÓN:** orientar.

desconectar v. tr. *Si ya has acabado de planchar,* ***desconecta*** *la plancha* (= desenchúfala).
SINÓN: desenchufar. **ANTÓN:** conectar, enchufar. **FAM:** → *conexión.*

desconexión s. f. *Se produjo una **desconexión** en la red eléctrica* (= corte en una comunicación por cable eléctrico).

desconfiado, a adj. *Juana no se ha creído lo que le has dicho porque es muy **desconfiada*** (= no se fía de nadie).
SINÓN: incrédulo. ANTÓN: confiado, crédulo, ingenuo. FAM: → *fiar.*

desconfianza s. f. *No creo lo que Juan dice porque él me inspira **desconfianza*** (= no confío en él).
ANTÓN: confianza. FAM: → *fiar.*

desconfiar v. intr. *Hay que **desconfiar** de ese hombre porque a menudo dice mentiras* (= no se puede tener confianza en él).
SINÓN: recelar, sospechar. ANTÓN: confiar, fiarse. FAM: → *fiar.*

descongelar v. tr. *Mi madre **descongela** el refrigerador* (= le quita el hielo).
SINÓN: deshelar. ANTÓN: congelar. FAM: → *hielo.*

desconocer v. tr. ***Desconozco** a la persona de la que me hablas* (= no sé quién es).
SINÓN: ignorar. ANTÓN: conocer. FAM: → *conocer.*

desconocido, a s. **1.** *Un **desconocido** me ha hablado en la calle* (= una persona que nunca había visto). ◆ **desconocido, a** adj. **2.** *El libro premiado es de un autor **desconocido*** (= no se sabe quién es).
SINÓN: **1.** extraño. **2.** anónimo. ANTÓN: conocido. FAM: → *conocer.*

desconsuelo s. m. *María tiene un gran **desconsuelo** porque no puede ir a la fiesta* (= está muy triste).
SINÓN: pena, pesar, tristeza. ANTÓN: alegría, consuelo, dicha. FAM: → *consolar.*

descontar v. tr. **1.** *El vendedor no ha podido **descontar** ni un peso de la compra* (= quitar una cantidad de dinero para que yo pagara menos). **2.** *El árbitro del partido **descontó** el tiempo perdido y prolongó el juego* (= lo tuvo en cuenta al final).
SINÓN: **1.** rebajar. **2.** restar. ANTÓN: añadir. FAM: → *contar.*

descontento, a adj. **1.** *María está **descontenta** de su examen* (= no está satisfecha de cómo lo ha hecho). ◆ **descontento** s. m. **2.** *El **descontento** de toda la clase fue grande cuando el maestro dijo que no iríamos de excursión* (= el disgusto).
SINÓN: **1.** disgustado. **2.** decepción, disgusto, enfado, enojo. ANTÓN: **1, 2.** contento. **1.** satisfecho. **2.** alegría, dicha, júbilo, satisfacción. FAM: → *contento.*

descorchar v. tr. *En la fiesta **descorcharon** varias botellas de champán* (= les quitaron el tapón que las cerraba).
SINÓN: abrir, destapar. ANTÓN: tapar, taponar. FAM: *corcho.*

descortés adj. *No seas **descortés** y da las gracias a tus amigos por los regalos que te han hecho* (= no seas maleducado).
SINÓN: grosero, maleducado. ANTÓN: atento, cortés, educado. FAM: → *cortesía.*

descoser v. tr. *Mi madre **ha descosido** el dobladillo de mi pantalón* (= ha quitado los hilos que lo sujetaban).
ANTÓN: coser, zurcir. FAM: → *coser.*

descosido, a adj. **1.** *Tengo **descosida** mi falda* (= una parte sin coser). ◆ **como un descosido 2.** *Le hizo mucha gracia el chiste y se rió **como un descosido*** (= se rió mucho).
FAM: → *coser.*

describir v. tr. **1.** *El profesor nos **ha descrito** tan bien el paisaje, que lo conocemos como si lo hubiéramos visto.* (= nos ha dicho cómo es). **2.** *La Tierra al dar la vuelta alrededor del Sol **describe** una órbita* (= dibuja).
SINÓN: **1.** detallar. **2.** dibujar. FAM: → *escribir.*

descripción s. f. *El maestro hizo la **descripción** de las estrellas* (= nos explicó cómo son).
FAM: → *escribir.*

descuartizar v. tr. *El carnicero **descuartiza** una ternera* (= divide su cuerpo en cuatro partes).
SINÓN: despedazar, trocear.

descubridor, a s. **1.** *Los habitantes de este pueblo fueron los **descubridores** de una cueva muy importante* (= fueron los primeros en conocerla). **2.** *Se llama a Cristóbal Colón **descubridor** de América porque fue quien dio a conocer este continente a los europeos.*
FAM: → *descubrir.*

descubrimiento s. m. **1.** *Este sabio ha hecho un gran **descubrimiento** científico* (= un hallazgo importante). **2.** *El **descubrimiento** de América se debe a los españoles* (= fueron los primeros europeos en llegar aquí).
FAM: → *descubrir.*

descubrir v. tr. **1.** *Fleming **descubrió** la penicilina* (= él fue su inventor). **2.** *En la ceremonia de inauguración del nuevo edificio **descubrieron** una placa en la que aparecía el nombre del arquitecto* (= destaparon). **3.** *Cristóbal Colón **descubrió** América* (= fue el primer europeo en llegar aquí y conocer su existencia). **4.** ***He descubierto** en el cajón de mi armario unas viejas fotografías* (= las he encontrado). **5.** *Con ayuda de mi profesor **he descubierto** muchas cosas* (= gracias a él las he conocido). ◆ **descubrirse** v. pron. **6.** *Cuando entran en la iglesia, los señores de mi pueblo **se descubren*** (= se quitan la gorra o el sombrero).
SINÓN: **1.** crear, inventar, investigar. **2.** destapar. **4.** encontrar, hallar. **5.** conocer. ANTÓN: **2.** cubrir, ocultar, tapar. FAM: *descubridor, descubrimiento.*

descuento s. m. *Me han hecho un 20 por ciento de **descuento** al comprar los libros* (= me han rebajado dinero).
SINÓN: rebaja. ANTÓN: aumento. FAM: → *contar.*

descuidado, a adj. **1.** *Pablo es un alumno muy* ***descuidado*** (= no pone atención en lo que hace). **2.** *Rubén es muy* ***descuidado****, siempre lleva los pantalones rotos* (= no cuida su aspecto ni su ropa).
SINÓN: 1. despistado. **2.** sucio. **ANTÓN: 1.** cuidadoso. **2.** aseado, limpio. **FAM:** → *cuidado.*

descuidar v. tr. **1.** *Juan es muy trabajador y nunca* ***descuida*** *sus obligaciones* (= jamás las abandona). ◆ **descuidar** v. intr. **2.** ***Descuida****, que ya iré a comprar el pan* (= no te preocupes). ◆ **descuidarse** v. pron. **3.** *Parece fea porque* ***se descuida*** *mucho* (= no cuida su aspecto ni su ropa).
SINÓN: 1. abandonar, dejar, olvidar. **ANTÓN: 1.** atender. **1, 3.** cuidar(se). **FAM:** → *cuidado.*

descuido s. m. **1.** *En un* ***descuido*** *me quitaron el lápiz* (= en un momento de distracción). **2.** *No hice los deberes por* ***descuido*** (= porque me olvidé).
SINÓN: 1. distracción. **2.** negligencia. **FAM:** → *cuidado.*

desde Es una preposición. VER CUADRO DE PREPOSICIONES.

desdecirse v. pron. *Si ahora me prometes que vendrás a la fiesta, luego no* ***te desdigas*** (= no digas lo contrario).
SINÓN: negar. **FAM:** → *decir.*

desdentado, a adj. *El anciano tiene la boca* ***desdentada*** (= ha perdido todos sus dientes).
FAM: → *diente.*

desdicha s. f. *La grave enfermedad de mi abuelo ha sido causa de* ***desdicha*** *para toda la familia* (= nos ha causado dolor).
SINÓN: desgracia, tristeza. **ANTÓN:** alegría, dicha, felicidad. **FAM:** → *dicha.*

desdichado, a adj. *Juan se siente muy* ***desdichado*** *por la pérdida de su abuelo* (= muy triste).
SINÓN: desafortunado, desgraciado, infeliz, triste. **ANTÓN:** dichoso, feliz. **FAM:** → *dicha.*

desdoblar v. tr. **1.** *Mi madre* ***desdobla*** *el mantel para ponerlo encima de la mesa* (= lo extiende). **2.** *Desde que la clase* ***ha sido desdoblada*** *tenemos más espacio* (= se han repartido sus alumnos en dos divisiones).
SINÓN: 1. desplegar, extender. **2.** dividir. **ANTÓN: 1.** doblar, plegar. **2.** juntar. **FAM:** → *doblar.*

desear v. tr. **1.** ***Deseo*** *que lleguen pronto las vacaciones* (= quiero). **2.** *Les* ***deseo*** *un feliz año* (= me gustaría que fuera así).
SINÓN: 1. ambicionar, anhelar, ansiar, querer. **FAM:** *deseo, indeseable.*

desechar v. tr. **1.** *Mi hermano, el pequeño,* ***desechó*** *el regalo que le compré* (= no le hizo ningún caso). **2.** ***Hemos desechado*** *los trastos viejos* (= los hemos tirado). **3.** *Tuve que* ***desechar*** *uno de los trabajos que me habían ofrecido porque no tenía tiempo para hacerlo* (= tuve que rechazarlo).
SINÓN: 1. despreciar. **2.** tirar. **3.** rechazar. **ANTÓN: 1, 3.** aceptar. **2.** aprovechar. **FAM:** *echar.*

desembarazar v. tr. *Tienes que* ***desembarazar*** *esta sala porque ahora traerán los muebles nuevos* (= tienes que quitar las cosas que hay en el medio).
SINÓN: desocupar, despejar. **ANTÓN:** ocupar.

desembarcar v. tr. **1.** *En el puerto, las grúas* ***desembarcan*** *las mercancías de los buques y las ponen en el muelle* (= las bajan del barco). ◆ **desembarcar** v. intr. **2.** *Los pasajeros* ***desembarcaron*** *al llegar al puerto* (= abandonaron el barco).
SINÓN: 1. descargar. **ANTÓN:** embarcar. **FAM:** → *barco.*

desembarco s. m. **1.** *Después del* ***desembarco*** *la policía revisó nuestras maletas* (= después de bajar del barco). **2.** *Es famoso en la historia el* ***desembarco*** *de Normandía* (= una operación militar que consiste en bajar las tropas de los buques).
FAM: → *barco.*

desembocadura s. f. **1.** *La* ***desembocadura*** *del Orinoco se encuentra en el Océano Atlántico* (= el río vierte sus aguas en ese mar). **2.** *Mi casa está en la* ***desembocadura*** *de esa calle* (= al final).
FAM: → *boca.*

desembocar v. intr. **1.** *El río Amazonas* ***desemboca*** *en el Océano Atlántico* (= vierte sus aguas en este mar). **2.** *Esta calle* ***desemboca*** *en una bonita plaza* (= acaba allí).
SINÓN: 1. afluir. **2.** salir. **FAM:** → *boca.*

desembolsar v. tr. **1.** *Ayúdame a* ***desembolsar*** *todo lo que he comprado* (= a sacarlo de las bolsas). **2.** *Para comprar este coche* ***ha desembolsado*** *mucho dinero* (= ha pagado).
SINÓN: 2. pagar. **FAM:** → *bolsa.*

desempatar v. tr. *Con el gol, Miguel* ***desempató*** *el partido y ganamos tres a dos* (= el resultado ya no estaba igualado).
ANTÓN: empatar, igualar. **FAM:** → *empate.*

desempate s. m. *El próximo domingo jugaremos el partido de* ***desempate*** (= un nuevo partido para saber quién es el vencedor).
ANTÓN: empate, igualdad. **FAM:** → *empate.*

desempeñar v. tr. *La actriz* ***desempeñó*** *muy bien el papel de ladrona* (= lo representó).
SINÓN: interpretar, realizar, representar. **FAM:** → *empeño.*

desempleo s. m. *Al quedarse sin trabajo Isidro acudió a la oficina de* ***desempleo*** (= a la oficina que atiende a las personas con problemas laborales).
SINÓN: paro. **ANTÓN:** empleo. **FAM:** → *emplear.*

desencadenar v. tr. **1.** ***Desencadenamos*** *el perro durante la noche* (= le quitamos la cadena a la que está atado). **2.** *El viento* ***desencadenó*** *un fuerte oleaje* (= produjo). **3.** *Los chistes*

del payaso ***desencadenaron*** *la risa del público* (= provocaron).
SINÓN: **1.** liberar, soltar. **2, 3.** desatar, producir, provocar. ANTÓN: **1.** encadenar. FAM: → *cadena.*

desenchufar v. tr. *Mi madre* ***desenchufa*** *la plancha cuando acaba de planchar* (= quita el enchufe de la toma de corriente eléctrica).
SINÓN: desconectar. ANTÓN: conectar, enchufar. FAM: → *enchufe.*

desencuadernar v. tr. *Iván, de tanto usar su libro, lo* ***desencuadernó*** (= le rompió las tapas y se salían las hojas).
ANTÓN: encuadernar. FAM: → *cuaderno.*

desenfundar v. tr. *En la película, el pistolero* ***desenfundó*** *su pistola* (= la sacó de la funda).
ANTÓN: enfundar. FAM: → *funda.*

desenganchar v. tr. **1.** ***Desenganché*** *mi suéter de una zarza* (= lo solté). **2.** *Los agricultores* ***desengancharon*** *a los bueyes del carro* (= los separaron).
SINÓN: desprender, separar, soltar. ANTÓN: enganchar. FAM: → *gancho.*

desengañar v. tr. **1.** *Está convencido de que ganará el concurso y no podemos* ***desengañarlo*** (= no podemos quitarle la ilusión). **2.** *Mi amigo me* ***desengañó*** *porque no cumplió su promesa* (= me decepcionó).
SINÓN: **1.** desilusionar. **2.** decepcionar, defraudar. ANTÓN: **1.** ilusionar. FAM: → *engaño.*

desengaño s. m. **1.** *Al conocer la verdad sufrí un fuerte* ***desengaño*** (= una gran desilusión). **2.** *Roberto ha sufrido muchos* ***desengaños*** *en la vida* (= muchas experiencias tristes).
SINÓN: decepción, desilusión. ANTÓN: ilusión. FAM: → *engaño.*

desenlace s. m. *Esta novela tiene un* ***desenlace*** *feliz* (= al final los problemas se solucionan y todo termina bien).
SINÓN: fin, final. ANTÓN: comienzo, inicio.

desenmascarar v. tr. **1.** *Cuando terminó la fiesta de carnaval, la gente* ***desenmascaró*** *su rostro* (= se quitó la máscara). **2.** *Nos costó mucho tiempo conocer las ideas y propósitos de Rubén pero al fin lo* ***desenmascaramos*** (= supimos qué pensaba).
SINÓN: descubrir. ANTÓN: enmascarar. FAM: → *máscara.*

desenredar v. tr. *Ayúdame a* ***desenredar*** *este montón de lana* (= a quitar los nudos y líos que se han formado).
ANTÓN: enredar. FAM: → *enredar.*

desenrollar v. tr. *El gato* ***ha desenrollado*** *el ovillo de lana* (= lo ha deshecho).
ANTÓN: enrollar. FAM: → *rollo.*

desenroscar v. tr. ***Desenrosqué*** *el tapón de esta botella para abrirla* (= lo saqué dándole vueltas).
ANTÓN enroscar. FAM: → *rosca.*

desentenderse v. pron. **1.** *Cuando pedí a Carlos que me diera explicaciones, él* ***se desentendió*** (= fingió no saber nada). **2.** *Manuel* ***se desentendió*** *del trabajo que teníamos que hacer juntos* (= no participó en él).
SINÓN: **2.** abandonar, despreocuparse. ANTÓN: **2.** preocuparse. FAM: → *tender.*

desenterrar v. tr. *En la excavación* ***han desenterrado*** *vasijas antiguas de gran valor* (= las han sacado de debajo de la tierra).
ANTÓN: enterrar. FAM: → *tierra.*

desentonar v. intr. **1.** *Tu corbata* ***desentona*** *con tu camisa* (= los colores no quedan bien). **2.** *Ramón* ***desentonaba*** *en el coro* (= desafinaba al cantar).
SINÓN: **2.** desafinar. ANTÓN: entonar. FAM: → *tono.*

desenvainar v. tr. *En la película el protagonista* ***desenvainó*** *su espada para luchar* (= sacó la espada de su funda).
SINÓN: desenfundar, sacar. ANTÓN: enfundar, envainar. FAM: → *vaina.*

desenvoltura s. f. *Para ser la primera vez que hace teatro, ha interpretado su papel con mucha* ***desenvoltura*** (= con mucha facilidad).
SINÓN: facilidad, habilidad, naturalidad, soltura. ANTÓN: torpeza.

desenvolver v. tr. **1.** *En el día de mi cumpleaños* ***desenvolví*** *los paquetes de los regalos* (= les quité el papel que los cubría). ◆ **desenvolverse** v. pron. **2.** *Francisco* ***se desenvuelve*** *bien en su trabajo* (= lo hace muy bien).
SINÓN: **1.** abrir, desempaquetar. ANTÓN: **1.** empaquetar, envolver. FAM: → *volver.*

deseo s. m. **1.** *Su abuela satisface todos sus* ***deseos*** (= todo lo que quiere). **2.** *Mi mayor* ***deseo*** *es sacar buenas notas en los exámenes* (= lo que más quiero).
SINÓN: aspiración, sueño. ANTÓN: indiferencia. FAM: → *desear.*

desertar v. intr. *La policía busca a cinco soldados que* ***han desertado*** *del ejército* (= que han abandonado el ejército sin poder hacerlo).
FAM: *desertor.*

desértico, a adj. **1.** *El Sáhara es una región* ***desértica*** (= sin agua ni vegetación). **2.** *Cuando se fueron todos los alumnos, la clase quedó* ***desértica*** (= completamente vacía).
SINÓN: **1.** árido, estéril. **2.** vacía. ANTÓN: **1.** fecundo, fértil. **2.** lleno, poblado. FAM: *desierto.*

desertor, a s. *La policía busca a los* ***desertores*** (= a los soldados que han abandonado el ejército).
FAM: *desertar.*

desesperación s. f. **1.** *A pesar de las malas noticias no caigas en la* ***desesperación*** (= no pierdas la ilusión). **2.** *Mi* ***desesperación*** *ante la injusticia me hace gritar* (= irritación y enfado).
SINÓN: **1.** abatimiento, desaliento, desconfianza, pesimismo. **2.** enojo, irritación. ANTÓN: **1.** con-

fianza, esperanza. **2.** calma, sosiego, tranquilidad. **FAM:** → *esperar.*

desesperado, a adj. *Marcelino se ha quedado sin trabajo y está* ***desesperado*** (= está muy nervioso y preocupado).
SINÓN: atormentado. **ANTÓN:** optimista, sosegado, tranquilo. **FAM:** → *esperar.*

desesperar v. intr. **1.** *Al profesor le* ***desespera*** *ver que algunos alumnos no estudian sus lecciones* (= le molesta mucho). ◆ **desesperarse** v. pron. **2.** ***Me desesperé*** *porque tuve que esperar una hora* (= me puse muy nervioso).
SINÓN: 1. enojar, irritar. **2.** impacientarse. **ANTÓN: 1, 2.** tranquilizar(se). **FAM:** → *esperar.*

desfachatez s. f. *Ha sido una* ***desfachatez*** *usar mi coche sin haberme pedido permiso* (= un descaro).
SINÓN: descaro, frescura, insolencia. **ANTÓN:** respeto.

desfallecer v. intr. **1.** *Si nos hemos propuesto hacerlo llegaremos hasta el final sin* ***desfallecer*** (= sin perder los ánimos). **2.** *Pablo* ***desfalleció*** *cuando le anunciaron la mala noticia* (= se desmayó).
SINÓN: 1. desanimarse. **2.** desmayarse. **ANTÓN: 1.** animarse. **2.** reanimarse, recobrarse. **FAM:** → *fallecer.*

desfavorable adj. *Ahora es un momento* ***desfavorable*** *para hablarle porque está enojado* (= no es bueno).
SINÓN: malo. **ANTÓN:** bueno, favorable. **FAM:** → *favor.*

desfiladero s. m. *El río atraviesa la montaña por un* ***desfiladero*** (= por un paso estrecho entre dos montañas).
SINÓN: cañón, garganta, puerto. **FAM:** → *fila.*

desfilar v. intr. **1.** *El día de fiesta nacional el ejército* ***desfila*** *ante el presidente* (= pasa en grupos por delante de él). **2.** *Las modelos* ***desfilaron*** *para presentar los vestidos de verano* (= anduvieron por la pasarela).
FAM: → *fila.*

desfile s. m. *Hemos asistido a un* ***desfile*** *militar* (= los soldados marchaban en formación).
FAM: → *fila.*

desgano s. m. **1.** *Después de la enfermedad, a Raúl le ha quedado un gran* ***desgano*** (= no tiene ganas de comer). **2.** *Pedro estudia con* ***desgano*** (= sin interés).
SINÓN: 2. apatía, fastidio, hastío. **ANTÓN: 1.** apetito, gana, hambre. **2.** afán, interés. **FAM:** → *gana.*

desgarrar v. tr. *Marta* ***ha desgarrado*** *el sobre para leer la carta* (= lo ha roto).
SINÓN: rasgar, romper. **FAM:** → *garra.*

desgarrón s. m. *Ángel se ha hecho un* ***desgarrón*** *en su pantalón al engancharselo con un clavo* (= una rotura).
SINÓN: rasgón, rotura. **FAM:** → *garra.*

desgastar v. tr. ***He desgastado*** *la suela de mis zapatos de tanto usarlos* (= se ha ido estropeando poco a poco).
SINÓN: gastar. **FAM:** → *gastar.*

desgaste s. m. *El* ***desgaste*** *de la alfombra se debe a su mucho uso* (= se ha gastado con el tiempo).
ANTÓN: resistencia. **FAM:** → *gastar.*

desgracia s. f. **1.** *¡Qué* ***desgracia****, por un número no le tocó la lotería a Juan!* (= ¡qué mala suerte!). **2.** *El terremoto fue una* ***desgracia*** *para los habitantes de la zona* (= una catástrofe). **3.** *La muerte de la abuela fue una* ***desgracia*** *que llenó de tristeza a la familia* (= fue un hecho muy triste).
SINÓN: 2. calamidad, catástrofe, desastre. **3.** adversidad, desdicha. **ANTÓN: 1.** fortuna, suerte. **3.** dicha. **FAM:** → *gracia.*

desgraciado, a adj. **1.** *Esta familia es muy* ***desgraciada*** (= le han pasado muchas cosas malas). **2.** *Martín es muy* ***desgraciado*** *en el juego* (= no tiene suerte). **3.** *Este borracho es un hombre* ***desgraciado*** (= nos da lástima).
SINÓN: 1, 3. desdichado, infeliz. **2.** desafortunado. **ANTÓN: 1, 3.** feliz. **2.** afortunado. **FAM:** → *gracia.*

deshabitado, a adj. *Esta casa está* ***deshabitada*** (= no vive nadie en ella).
SINÓN: abandonado, desierto, vacío. **ANTÓN:** habitado. **FAM:** → *habitar.*

deshabitar v. tr. **1.** *Nadie vive en esa casa, desde que la* ***deshabitaron*** *los vecinos* (= desde que dejaron de vivir allí). **2.** *La guerra* ***deshabitó*** *muchos pueblos* (= los dejó sin habitantes).
SINÓN: 2. despoblar. **ANTÓN: 1.** habitar. **2.** poblar. **FAM:** → *habitar.*

deshacer v. tr. **1.** ***Deshice*** *el rompecabezas* (= lo desmonté). **2.** *Nuestros cañones* ***deshicieron*** *al ejército enemigo* (= lo derrotaron). **3.** *El calor* ***deshizo*** *el helado* (= lo derritió). **4.** *El carnicero* ***deshizo*** *el cerdo* (= lo dividió en partes). **5.** *Estas naciones* ***han deshecho*** *el pacto que firmaron* (= lo han roto). ◆ **deshacerse** v. pron. **6.** *Se me* ***ha deshecho*** *el peinado* (= se me ha estropeado). **7.** *Mi abuela* ***se deshace*** *por verme* (= tiene muchas ganas de verme). **8.** ***Se deshicieron*** *las nubes de la tormenta* (= desaparecieron). **9.** *Este alumno* ***se deshace*** *trabajando* (= trabaja muchísimo). **10.** *Ya no tengo aquella bicicleta vieja porque* ***me deshice*** *de ella* (= la tiré).
SINÓN: 1. desmontar. **2.** anular, derrotar. **3.** derretir, desleír, disolver. **4.** despedazar, dividir. **5.** quebrantar, romper. **6.** estropearse. **7.** impacientarse. **8.** desaparecer. **9.** desvivirse. **ANTÓN: 1.** componer, montar. **5.** elaborar. **8.** aparecer.
FAM: → *hacer.*

desheredar v. tr. *Su tío lo ha amenazado con* ***desheredarlo*** *si no se porta bien* (= con no dejarle el dinero de la herencia).
FAM: → *heredar.*

deshidratar v. tr. *La dura carrera* ***deshidrató*** *al corredor y llegó a la meta muy débil* (= le hizo perder el agua contenida en su cuerpo).
ANTÓN: hidratar. **FAM:** *hidratar.*

deshielo s. m. *Con el calor de la primavera comienza el* ***deshielo*** (= la nieve y el hielo de las montañas se convierten en agua).
FAM: → *hielo.*

deshilar v. tr. *Mi madre* ***deshiló*** *el bajo del pantalón para hacerle flecos* (= le quitó los hilos).
ANTÓN: hilar. **FAM:** → *hilo.*

deshinchar v. tr. **1.** *Con unas bolsas de hielo ha conseguido* ***deshinchar*** *mi chichón* (= ha conseguido quitar la inflamación). ◆ **deshincharse** v. pron. **2.** *Me caí y se me inflamó la rodilla pero ya* ***se ha deshinchado*** (= ha vuelto a estar normal).
SINÓN: desinflamar(se). **ANTÓN:** hinchar(se), inflamar(se). **FAM:** → *hinchar.*

deshojar v. tr. **1.** *En otoño el viento* ***deshoja*** *los árboles* (= les arranca las hojas). **2.** *Fue* ***deshojando*** *la margarita hasta que no le quedó ni un pétalo* (= arrancándole los pétalos).
FAM: → *hoja.*

deshollinador, a s. **1.** *En la novela Mary Poppins sale un* ***deshollinador*** (= una persona que se dedica a quitar el hollín de las chimeneas). ◆ **deshollinador** s. m. **2.** *Las chimeneas se limpian con un* ***deshollinador*** (= con un utensilio que sirve para quitar el hollín).
FAM: *hollín.*

deshonra s. f. **1.** *No es ninguna* ***deshonra*** *reconocer que no sabes una cosa* (= no hay por qué tener vergüenza). **2.** *Su mala conducta ha sido una* ***deshonra*** *para toda la familia* (= una ofensa).
SINÓN: **1.** vergüenza. **2.** ofensa. **ANTÓN:** honor, honra. **FAM:** → *honra.*

deshora *Siempre viene a comer* ***a deshora,*** *cuando ya hemos terminado todos* (= siempre llega tarde).

deshuesar v. tr. *El cocinero* ***ha deshuesado*** *el pollo antes de cocinarlo* (= le ha quitado los huesos).
FAM: → *hueso.*

desierto, a adj. **1.** *Durante las vacaciones el colegio queda* ***desierto*** (= vacío). ◆ **desierto** s. m. **2.** *El Sáhara es un* ***desierto*** (= es una zona con arena y piedras, pero sin vegetación).
SINÓN: **1.** desértico, despoblado, vacío. **ANTÓN:** **1.** poblado. **FAM:** *desértico.*

designar v. tr. **1.** ***Hemos designado*** *el último día del mes para hacer el examen* (= lo hemos fijado). **2.** ***Han designado*** *al señor Martínez para este trabajo* (= le han encargado que lo haga).
SINÓN: **1.** fijar, señalar. **2.** elegir, escoger.

desigual adj. **1.** *Partimos la torta de manera* ***desigual*** (= unos trozos eran más grandes que otros). **2.** *El viaje fue muy pesado porque la carretera era muy* ***desigual*** (= llena de subidas y bajadas). **3.** *Juan unas veces está contento y otras, enojado, tiene un carácter muy* ***desigual*** (= muy variable).
SINÓN: **2.** abrupto. **3.** variable. **ANTÓN:** **1.** igual. **2.** llano. **3.** constante. **FAM:** → *igual.*

desigualdad s. f. *Seguro que ganará nuestro equipo porque existe mucha* ***desigualdad*** *con el equipo contrario* (= mucha diferencia).
SINÓN: desproporción, diferencia. **ANTÓN:** igualdad. **FAM:** → *igual.*

desilusión s. f. **1.** *Su fracaso ha sido para él una gran* ***desilusión*** (= una gran decepción). **2.** *Al conocer cómo era su compañero, sufrió una gran* ***desilusión*** (= un gran desengaño).
SINÓN: chasco, decepción, desengaño. **ANTÓN:** ilusión. **FAM:** → *ilusión.*

desilusionar v. tr. **1.** *Tu negativa* ***desilusionó*** *a mi amigo* (= le hizo perder el ánimo). ◆ **desilusionarse** v. pron. **2.** *Oscar* ***se ha desilusionado*** *de ese juego* (= ya no le gusta). **3.** *Mónica* ***se desilusionó*** *cuando sus padres no cumplieron su promesa* (= se desengañó).
SINÓN: **1, 3.** decepcionar(se), desengañar(se). **ANTÓN:** **1, 3.** alegrar(se). **2.** ilusionar(se). **FAM:** → *ilusión.*

desinfectante s. m. *El médico me puso alcohol en la herida porque es un buen* ***desinfectante*** (= una sustancia que mata los microbios).
FAM: → *infectar.*

desinfectar v. tr. *El médico ha mandado* ***desinfectar*** *la habitación del enfermo* (= ha mandado limpiarla para matar los microbios).
ANTÓN: infectar. **FAM:** → *infectar.*

desinflamar v. tr. *Esta pomada me* ***desinflamó*** *la hinchazón de la rodilla* (= me bajó la inflamación).
SINÓN: deshinchar. **ANTÓN:** hinchar, inflamar. **FAM:** → *inflamar.*

desinflar v. tr. **1.** ***Hemos desinflado*** *un poco el balón porque estaba muy duro* (= le hemos sacado un poco de aire). ◆ **desinflarse** v. pron. **2.** *Fernando comenzó el curso con muchas ganas pero pronto* ***se desinfló*** (= fue perdiendo interés).
SINÓN: **1.** deshinchar. **2.** desanimarse, desilusionarse. **ANTÓN:** **1.** hinchar, inflar. **2.** animarse, ilusionarse. **FAM:** → *inflar.*

desinterés s. m. **1.** *Mi abuela siempre actúa con* ***desinterés*** (= con generosidad). **2.** *Reprobó el curso por su gran* ***desinterés*** (= porque no se esforzaba en estudiar).
SINÓN: **1.** altruismo, desprendimiento, generosidad. **2.** apatía, dejadez, descuido. **ANTÓN:** **1.** avaricia, egoísmo. **1, 2.** interés. **2.** empeño. **FAM:** → *interés.*

desinteresado, a adj. *Diana te hace favores sin esperar que tú se los devuelvas, es muy* ***desinteresada*** (= es muy generosa).
SINÓN: altruista, generoso. **ANTÓN:** interesado. **FAM:** → *interés.*

desinteresarse v. pron. *Pablo* ***se desinteresa*** *de su trabajo* (= no le presta atención).
SINÓN: desentenderse. ANTÓN: interesarse. FAM: → *interés.*

desistir v. intr. **1.** *Héctor* ***ha desistido*** *de todos sus proyectos* (= los ha abandonado). **2.** *Mi padre* ***desistió*** *de cobrar el dinero que le debían* (= renunció a cobrarlo).
SINÓN: **1.** abandonar. **1, 2.** renunciar. ANTÓN: **1.** continuar, seguir. **2.** insistir.

deslenguado, a adj. *Su madre lo ha retado porque es un niño muy* ***deslenguado*** (= porque dice muchas palabrotas).
SINÓN: grosero, maleducado, malhablado. FAM: → *lengua.*

deslizamiento s. m. *Anoche se produjo un* ***deslizamiento*** *de nieve en la montaña* (= la nieve se desprendió y cayó).
FAM: → *deslizarse.*

deslizante adj. *Cuando nieva la carretera está* ***deslizante*** (= está resbaladiza y es peligrosa).
SINÓN: resbaladizo. FAM: → *deslizarse.*

deslizarse v. pron. *Los patinadores* ***se deslizan*** *sobre el hielo* (= se desplazan con un movimiento continuo).
SINÓN: patinar. FAM: *deslizamiento, deslizante.*

deslomarse v. pron. ***Me he deslomado*** *pintando la casa y nadie me ha ayudado* (= he trabajado mucho).
SINÓN: agotar, cansar. ANTÓN: descansar, reposar.

deslumbrante adj. **1.** *María estaba* ***deslumbrante*** *con aquel vestido* (= muy bella). **2.** *La luz de estas farolas es* ***deslumbrante*** (= muy fuerte).
SINÓN: **1.** maravilloso. **2.** cegador. ANTÓN: **1.** feo, horrible. FAM: → *lumbre.*

deslumbrar v. tr. **1.** *Los faros del coche* ***deslumbraron*** *al conductor del vehículo que venía de frente* (= le impidieron ver por un momento). **2.** *La belleza de la catedral* ***deslumbró*** *a los visitantes* (= los impresionó).
SINÓN: **1.** cegar, ofuscar. **2.** admirar, cautivar, entusiasmar, impresionar. ANTÓN: **2.** desilusionar. FAM: → *lumbre.*

desmayarse v. pron. *Después de la carrera, el atleta se mareó y* ***se desmayó*** (= perdió el conocimiento y cayó al suelo).
SINÓN: desfallecer. ANTÓN: reanimarse, recobrarse. FAM: *desmayo.*

desmayo s. m. *A consecuencia del esfuerzo, el ciclista sufrió un* ***desmayo*** (= sintió un mareo y cayó al suelo).
SINÓN: desfallecimiento. FAM: *desmayarse.*

desmejorar v. tr. **1.** *La lluvia y el viento* ***han desmejorado*** *la estatua del parque* (= la han estropeado). ◆ **desmejorarse** v. pron. **2.** *Mi abuela, al envejecer,* ***se ha desmejorado*** *mucho* (= ha ido perdiendo su salud).
SINÓN: **1.** deteriorar. **2.** debilitarse, decaer, empeorar. ANTÓN: **2.** fortalecerse, mejorar. FAM: → *mejor.*

desmemoriado, a adj. *Soy tan* ***desmemoriado*** *que me olvidé de felicitarte en el día de tu cumpleaños* (= tan distraído).
SINÓN: despistado, distraído, olvidadizo. ANTÓN: atento. FAM: → *memoria.*

desmentir v. tr. *El cantante* ***ha desmentido*** *la noticia que publicó la revista* (= ha dicho que no era verdad).
SINÓN: negar. ANTÓN: confirmar. FAM: → *mentir.*

desmenuzar v. tr. *En el parque* ***desmenuzamos*** *el pan con los dedos para dárselo a las palomas* (= lo partimos en trozos pequeños).
SINÓN: desmigar, triturar.

desmoronar v. tr. *Los albañiles* ***desmoronaron*** *la tapia del jardín* (= la tiraron al suelo).
SINÓN: derribar, derrumbar. ANTÓN: construir, edificar, levantar.

desnutrición s. f. *El veterinario dijo que el perro que encontramos en la calle estaba tan delgado porque sufría* ***desnutrición*** (= porque hacía muchos días que no comía).
FAM: → *nutrir.*

desocupación s. f. Amér. *En las épocas de crisis económica, aumenta la* ***desocupación*** (= el desempleo).

desocupar v. tr. ***Desocupé*** *el cajón del armario para que tú pusieras tu ropa* (= saqué todo lo que tenía dentro).
SINÓN: desalojar, sacar, vaciar. ANTÓN: llenar, ocupar. FAM: → *ocupar.*

desodorante s. m. *Lucas usa un* ***desodorante*** *que huele muy bien* (= un producto que quita el olor desagradable del sudor).

desolación s. f. *Esta mala noticia lo ha llenado de* ***desolación*** (= de una gran tristeza).
SINÓN: dolor, pena, pesar, tormento, tristeza. ANTÓN: alegría, dicha, gozo.

desorden s. m. **1.** *En la clase había un gran* ***desorden*** *cuando no estaba el profesor* (= todos hacíamos lo que queríamos). **2.** *He guardado los juguetes porque en la habitación había mucho* ***desorden*** (= todo estaba por el suelo).
SINÓN: caos, desorganización. ANTÓN: **1.** disciplina. **1, 2.** orden. FAM: → *orden.*

desordenar v. tr. *¿Quién* ***ha desordenado*** *mi armario?* (= ¿quién ha cambiado mis cosas de sitio?).
SINÓN: revolver. ANTÓN: ordenar. FAM: → *orden.*

desorejado, a adj. Amér. Merid. **1.** *Mi abuela es muy* ***desorejada*** (= oye mal). **2.** *Tomás es un* ***desorejado*** (= hace las cosas de manera alocada y sin interés).
SINÓN: **1.** sordo. FAM: → *oreja.*

desorganización s. f. *La fiesta ha salido mal por la* **desorganización** *que había* (= por la falta de orden).
SINÓN: caos, desorden. ANTÓN: disciplina, orden, organización. FAM: → *organizar.*

desorganizar v. tr. *La visita de Inés me* **desorganizó** *el trabajo* (= me cambió los planes que yo tenía).
SINÓN: trastornar. ANTÓN: organizar. FAM: → *organizar.*

desorientar v. tr. **1.** *Francisco me* **ha desorientado** *con sus palabras* (= me ha confundido y ahora no sé qué hacer). ◆ **desorientarse** v. pron. **2.** *Como no conocía la ciudad* **me desorienté** (= no sabía en qué lugar estaba).
SINÓN: **1.** confundir, desconcertar, despistar. **2.** extraviarse. ANTÓN: orientar(se). FAM: → *oriente.*

despabilarse v. pron. **1.** *Mi hermano, el pequeño,* **se ha despabilado** *mucho* (= se comporta como un niño de más edad). **2.** *Luis se* **despabiló** *muy temprano* (= se despertó).
SINÓN: **1.** avivarse. **1, 2.** espabilar(se). **2.** despertarse. ANTÓN: **1.** atontarse. **2.** adormecerse, amodorrarse, dormirse.

despachar v. tr. **1.** *El camarero* **despacha** *a los clientes del bar* (= les sirve lo que le piden). **2.** **Han despachado** *a cinco obreros de la fábrica* (= los han echado). **3.** *La directora* **ha despachado** *la correspondencia* (= ha leído y contestado las cartas).
SINÓN: **1.** servir. **2.** despedir, echar. FAM: *despacho.*

despacho s. m. *Este abogado tiene su* **despacho** *en la primera planta* (= la oficina donde trabaja).
SINÓN: estudio, oficina. FAM: *despachar.*

despacio adv. **1.** *Cuando paseo me gusta caminar* **despacio** (= lentamente). **2.** *Cuando vuelva a casa esta noche hablaremos más* **despacio** *de tus notas* (= hablaremos con más tiempo para aclarar las cosas).
ANTÓN: aprisa, deprisa.

despampanante adj. *Todos la miraban porque llevaba un sombrero* **despampanante** (= muy grande y original).
SINÓN: llamativo, vistoso. ANTÓN: corriente, normal.

desparpajo s. m. *Juan habla a los profesores con* **desparpajo** (= con mucho descaro).
SINÓN: descaro, soltura.

desparramo s. m. Amér. Merid. **1.** *Los periódicos se encargarán del* **desparramo** *de esa noticia* (= de su divulgación). **2.** *En la habitación había un gran* **desparramo** (= falta de orden). **3.** *La manifestación acabó en un* **desparramo** *de gente* (= todos corrieron para escapar de algo).
SINÓN: **2.** caos, desorden. ANTÓN: **2.** orden. FAM: *desparramar.*

despectivo, a adj. *Oscar es un antipático, me ha hablado en un tono muy* **despectivo** (= con desprecio).
SINÓN: altivo, despreciativo. ANTÓN: afectuoso.

despedazar v. tr. **1.** *Juan* **despedazó** *la vieja camisa para hacer con ella unos trapos* (= la destrozó). **2.** *La noticia de su muerte me* **ha despedazado** *el corazón* (= me produjo una profunda tristeza).
SINÓN: destrozar, romper. FAM: *pedazo.*

despedida s. f. *Le hicimos una gran* **despedida** *porque se iba a vivir al extranjero* (= fuimos a decirle adiós).
ANTÓN: acogida, recibimiento. FAM: → *despedir.*

despedir v. tr. **1.** *Fuimos a* **despedir** *a mis amigos a la estación* (= fuimos a decirles adiós). **2.** **Han despedido** *a este obrero de la fábrica* (= lo han echado del trabajo). **3.** *Las moras* **despiden** *un perfume agradable* (= tienen un olor muy agradable). ◆ **despedirse** v. pron. **4.** *Mi madre* **se despidió** *de nosotros con un beso muy fuerte* (= nos dijo adiós).
SINÓN: **2.** echar, expulsar. **3.** desprender, esparcir. ANTÓN: **1, 4.** recibir. **2.** admitir, contratar. FAM: *despedida, despido.*

despegar v. tr. **1.** **Despegué** *el sobre para sacar la carta* (= lo abrí con cuidado). ◆ **despegar** v. intr. **2.** *El avión para París* **despegará** *a las cuatro* (= saldrá del aeropuerto a esa hora).
SINÓN: **1.** arrancar, desprender. **2.** elevarse. ANTÓN: **1.** pegar. **2.** aterrizar. FAM: → *pegar.*

despegue s. m. *Hay que abrocharse el cinturón durante el* **despegue** *del avión* (= en el momento en que se separa del suelo y se eleva en el aire).
ANTÓN: aterrizaje. FAM: → *pegar.*

despeinar v. tr. **1.** *El fuerte viento me* **despeinó** (= me alborotó el pelo). ◆ **despeinarse** v. pron. **2.** *Elena* **se despeinó** *de tanto mover la cabeza al bailar* (= se le deshizo el peinado que se había hecho).
ANTÓN: peinar(se). FAM: → *peinar.*

despejar v. tr. **1.** *Los pintores* **despejaron** *la habitación para pintarla* (= le quitaron los muebles). ◆ **despejarse** v. pron. **2.** *Después de tantas horas de niebla,* **se ha despejado** *el día* (= se ha aclarado).
SINÓN: **1.** desocupar. **2.** abrirse, aclararse, escampar. ANTÓN: **1.** ocupar. **2.** cubrirse, nublarse.

despellejar v. tr. **1.** *El cocinero* **despellejó** *un conejo* (= le quitó la piel). ◆ **despellejarse** v. pron. Amér. **2.** *En los primeros días de playa nos* **despellejamos** (= se nos levantó la capa superficial de la piel por la acción del sol).
FAM: *pellejo.*

despensa s. f. *Mi madre guarda los alimentos en la* **despensa** (= una pequeña habitación destinada a ese uso).

despeñadero s. m. *Las cabras saltaban por entre las rocas del* ***despeñadero*** (= por el barranco).
SINÓN: barranco, precipicio. FAM: → *peña.*

despeñar v. tr. **1.** *Como no podían romper la roca, la* ***despeñaron*** *por el precipicio* (= la arrojaron). ◆ **despeñarse** v.pron. **2.** *El coche resbaló y* ***se despeñó*** (= se cayó por el barranco).
SINÓN: **1.** arrojar, lanzar. **2.** precipitarse. FAM: → *peña.*

desperdiciar v. tr. **1.** *Juan es muy ahorrativo, no* ***desperdicia*** *el dinero en cosas inútiles* (= no lo gasta en cosas inútiles). **2.** *¡No* ***desperdicies*** *esta oportunidad, jamás tendrás otra igual!* (= ¡no la pierdas!).
SINÓN: **1.** derrochar, malgastar. **2.** desaprovechar, perder. ANTÓN: **2.** aprovechar. FAM: *desperdicio.*

desperdicio s. m. *Los* ***desperdicios*** *de la cena debes tirarlos a la basura* (= los restos de comida).
SINÓN: residuo, resto. FAM: *desperdiciar.*

desperdigar v. tr. **1.** *Carlos ha ido* ***desperdigando*** *todos los juguetes por la casa* (= los ha dejado por todos lados). ◆ **desperdigarse** v.pron. **2.** *El arroz* ***se desperdigó*** *por el suelo* (= se desparramó).
SINÓN: desparramar(se), dispersar(se). ANTÓN: reunir.

desperezarse v. pron. *Después de dormir, mi hermano siempre* ***se despereza*** (= estira su cuerpo).
SINÓN: estirarse. ANTÓN: encogerse. FAM: → *pereza.*

desperfecto s. m. **1.** *La crecida ha producido* ***desperfectos*** *en el puente* (= le ha causado algunos daños). **2.** *Este edificio tiene algunos* ***desperfectos*** *que deberían arreglarse* (= tiene algunos defectos desde que lo construyeron).
SINÓN: **1.** daño. **2.** defecto, imperfección. FAM: → *perfección.*

despertador s. m. *El* ***despertador*** *estuvo sonando hasta que me levanté* (= el reloj que suena a la hora en que me quiero despertar).
FAM: → *despertar.*

despertar v. tr. **1.** *Tengo que* ***despertar*** *a mi hermano a las siete de la mañana* (= tengo que llamarlo para que se levante). ◆ **despertarse** v.pron. **2.** *Todas las mañanas* ***me despierto*** *a las ocho* (= dejo de dormir a esa hora).
SINÓN: espabilar(se). ANTÓN: dormir(se). FAM: *despertador, despierto.*

despido s. m. *Los compañeros de la oficina han protestado contra el* ***despido*** *de Juan* (= contra su expulsión del trabajo).
SINÓN: cese, expulsión. ANTÓN: admisión. FAM: → *despedir.*

despierto, a adj. **1.** *Estuvo* ***despierta*** *hasta la una de la madrugada* (= no se durmió hasta entonces). **2.** *Antonia es tan* ***despierta*** *que estoy seguro que encontrará la solución rápidamente* (= es muy espabilada).
SINÓN: **2.** listo, vivo. ANTÓN: **1.** dormido. **2.** tonto, torpe. FAM: → *despertar.*

despilfarro s. m. *Es un* ***despilfarro*** *que gastes tanto en ropa* (= es un gasto inútil de dinero).
SINÓN: derroche. ANTÓN: ahorro. FAM: *despilfarrar.*

despistado, a adj. *Ana es tan* ***despistada*** *que seguro que no se acuerda de venir* (= es muy distraída).
SINÓN: distraído. ANTÓN: atento. FAM: → *pista.*

despistar v. tr. **1.** *El ladrón* ***despistó*** *a la policía* (= consiguió perder a la policía y escapar). ◆ **despistarse** v.pron. **2.** *Los niños* ***se despistaron*** *y acabaron perdiéndose en el bosque* (= se desorientaron y no sabían dónde estaban). **3.** *Andrea siempre* ***se despista*** *cuando el profesor explica la lección* (= se distrae y no atiende).
SINÓN: **1, 2.** desorientar(se). **3.** distraerse. ANTÓN: **1, 2.** orientar(se). **3.** atender. FAM: → *pista.*

despiste s. m. *El accidente fue debido a un* ***despiste*** *del conductor* (= a una distracción).
SINÓN: descuido, distracción. ANTÓN: acierto, precaución. FAM: → *pista.*

desplazar v. tr. ***Desplazaron*** *la tienda de campaña a un lugar más fresco* (= la trasladaron).
SINÓN: trasladar. ANTÓN: inmovilizar. FAM: → *plaza.*

desplegar v. tr. *Al dejar el puerto, el barco* ***desplegó*** *sus velas* (= las extendió).
SINÓN: extender. ANTÓN: plegar. FAM: → *plegar.*

desplomarse v. pron. *El techo* ***se desplomó*** *a causa de la explosión* (= se cayó).
SINÓN: derrumbarse, desmoronarse.

desplumar v. tr. **1.** *El cocinero* ***desplumó*** *dos pollos* (= les quitó las plumas). **2.** *Al señor Martínez lo* ***desplumaron*** *al salir del banco* (= le robaron todo su dinero).
SINÓN: **1.** pelar. **2.** robar. FAM: → *pluma.*

despoblado adj. *La ciudad se queda* ***despoblada*** *durante las vacaciones* (= se queda sin habitantes).
SINÓN: desértico, deshabitado, vacío. ANTÓN: poblado. FAM: → *pueblo.*

despoblar v. tr. **1.** *Los obreros* ***despoblaron*** *el monte para hacer una casa* (= cortaron sus árboles). ◆ **despoblarse** v. pron. **2.** *Debido a que los jóvenes se marchan a la ciudad, los pueblos se están* ***despoblando*** (= se quedan sin gente).
SINÓN: **2.** deshabitar. ANTÓN: **2.** habitar, poblar. FAM: → *pueblo.*

despojar v. tr. **1.** *Los ladrones* ***han despojado*** *la casa de nuestros vecinos y se lo han llevado todo* (= les han robado). ◆ **despojarse** v. pron. **2.** *Carlos* ***se despojó*** *de su ropa y se*

zambulló en el mar (= se desnudó). **3.** *Ana* ***se despojó*** *de sus ahorros para dárselos a los pobres* (= se los dio voluntariamente).
SINÓN: 1. desplumar, robar, saquear. **2.** desnudarse, desvestirse. **3.** desprenderse. **ANTÓN: 2.** vestirse. **3.** apoderarse.

desposar v. tr. **1.** *El sacerdote* ***desposó*** *a los novios* (= los unió en matrimonio). ◆ **desposarse** v. pron. **2.** *María y Pablo* ***se han desposado*** *después de 3 años de noviazgo* (= se han casado).
SINÓN: casar(se). **ANTÓN:** divorciar(se). **FAM:** → *esposo.*

despreciar v. tr. **1.** *Todo el mundo* ***desprecia*** *a los terroristas* (= todo el mundo los odia). **2.** *Ernesto* ***despreció*** *el regalo que le llevé* (= no le hizo caso).
SINÓN: 1. menospreciar. **2.** desdeñar. **ANTÓN: 1.** apreciar, respetar. **2.** aceptar. **FAM:** → *precio.*

desprecio s. m. **1.** *Siento mucho* ***desprecio*** *por la gente que se aprovecha de los demás* (= siento mucho odio). **2.** *Álvaro me ha tratado con* ***desprecio*** (= con muy poco respeto).
SINÓN: 1. menosprecio. **2.** grosería, orgullo. **ANTÓN: 1.** aprecio, estimación. **2.** cortesía, educación, respeto. **FAM:** → *precio.*

desprender v. tr. **1.** *Voy a* ***desprender*** *la etiqueta del precio porque es para un regalo* (= voy a quitarla). **2.** *Esta flor* ***desprende*** *un olor muy agradable* (= huele muy bien). ◆ **desprenderse** v. pron. **3.** *Mi tía tuvo que* ***desprenderse*** *de sus joyas* (= tuvo que venderlas). **4.** *De todo lo que has dicho,* ***se desprende*** *que no quieres realizar este trabajo* (= se deduce).
SINÓN: 1. despegar. **2.** despedir. **3.** privarse, renunciar, separarse. **4.** deducir, derivarse. **ANTÓN: 1.** pegar, prender. **3.** conservar. **FAM:** → *prender.*

desprendimiento s. m. *Las fuertes lluvias han provocado* ***desprendimientos*** *de rocas en la montaña* (= han provocado que cayeran rocas de la montaña).
SINÓN: derrumbamiento. **FAM:** → *prender.*

despreocuparse v. pron. **1.** *Lo mejor que puedes hacer para* ***despreocuparte*** *es salir con los amigos* (= para olvidar tus problemas). **2.** *Carlos* ***se ha despreocupado*** *de sus obligaciones* (= se ha desentendido de ellas).
SINÓN: 2. descuidarse, desentenderse. **ANTÓN: 1.** inquietarse, preocuparse. **2.** atender. **FAM:** → *ocupar.*

desprovisto, a adj. *Algunas casas de pueblo todavía están* ***desprovistas*** *de electricidad* (= no la tienen).
SINÓN: privado. **ANTÓN:** provisto.

después adv. **1.** ***Después*** *de comer, saldremos a dar un paseo* (= cuando terminemos de comer). **2.** *El dos es el número que va* ***después*** *del uno* (= es el siguiente, el que va detrás). **3.** *Primero llegó Esther a la reunión y* ***después*** *Carmen* (= más tarde).
SINÓN: 2. detrás. **ANTÓN:** antes. **2.** delante.

despuntar v. tr. **1.** *Aprieta tanto el lápiz que lo* ***despunta*** (= que le rompe la punta). ◆ **despuntar** v. intr. **2.** *En primavera las hojas de los árboles empiezan a* ***despuntar*** (= comienzan a brotar). **3.** *Este niño* ***despunta*** *entre sus compañeros por su facilidad para aprender* (= demuestra tener cualidades). **4.** *Está* ***despuntando*** *el día* (= ya empieza a amanecer).
SINÓN: 2. brotar, florecer. **3.** destacar, sobresalir. **4.** comenzar, empezar. **ANTÓN: 1.** afilar. **FAM:** → *punta.*

desquitarse v. pron. *Antonio* ***se desquitó*** *de su compañero haciéndole sufrir lo mismo que sufrió él* (= se vengó).
SINÓN: vengarse. **FAM:** → *quitar.*

destacado, a adj. *Rubén ha quedado en un lugar* ***destacado*** *en la carrera* (= en un lugar importante).
SINÓN: importante, notable. **ANTÓN:** mediocre. **FAM:** → *destacar.*

destacamento s. m. *El general guió al* ***destacamento*** *hasta el frente enemigo* (= al grupo de soldados).
FAM: → *destacar.*

destacar v. tr. *El director* ***destacó*** *la buena conducta de mi clase* (= la resaltó).
SINÓN: resaltar, subrayar. **FAM:** *destacado, destacamento.*

destapar v. tr. **1.** ***Destapé*** *la cazuela para ver cómo estaba la comida* (= levanté la tapa). **2.** *No* ***destapes*** *al niño que va a tomar frío* (= no le quites la ropa).
SINÓN: 1. abrir. **2.** desabrigar, desarropar. **ANTÓN: 1, 2.** tapar. **2.** abrigar, arropar. **FAM:** → *tapar.*

destartalado, a adj. *La vieja y* ***destartalada*** *mansión parecía derrumbarse con la tormenta* (= estaba muy deteriorada).
SINÓN: ruinoso.

destellar v. tr. *Las estrellas* ***destellan*** *en la noche* (= resplandecen, brillan).
SINÓN: brillar, centellear, resplandecer. **ANTÓN:** apagarse. **FAM:** *destello.*

destello s. m. *El diamante brillaba tanto que sus* ***destellos*** *parecían rayos* (= parecían resplandores de luz muy viva).
FAM: *destellar.*

desteñir v. intr. *Esta camisa* ***ha desteñido*** *al lavarla* (= ha perdido su colorido).
ANTÓN: teñir. **FAM:** → *tinta.*

desterrado, a adj. *Aquel hombre llegó a la ciudad* ***desterrado*** *del pueblo donde nació* (= tuvo que vivir allí contra su voluntad porque lo habían echado de su tierra).
FAM: → *tierra.*

desterrar v. tr. *A mi amigo lo* ***desterraron*** *de su ciudad* (= lo expulsaron de ella).
FAM: → *tierra.*

destiempo adv. *Tu carta llegó* ***a destiempo*** *porque tú ya habías vuelto* (= llegó fuera del tiempo normal).
FAM: → *tiempo.*

destierro s. m. **1.** *Muchos escritores y artistas han vivido en el* ***destierro*** (= fuera de su patria). **2.** *Mi amigo sufrió* ***destierro*** (= la expulsión de su patria). **3.** *Estados Unidos fue el* ***destierro*** *de mi primo* (= fue el lugar donde residió durante su exilio).
SINÓN: **1.** exilio. **3.** retiro. FAM: → *tierra.*

destinar v. tr. **1.** *Esta habitación la* ***destinaremos*** *para hacer una biblioteca* (= será utilizada para este fin). **2.** *A mi profesor lo* ***han destinado*** *a otro colegio* (= lo han mandado). **3.** *A Don Antonio lo* ***han destinado*** *como médico de mi pueblo* (= lo han nombrado).
SINÓN: **1.** dedicar. FAM: → *destino.*

destinatario, a s. *Debes escribir con letra clara el nombre del* ***destinatario*** *en el sobre* (= la persona a la que diriges la carta).
ANTÓN: remitente. FAM: → *destino.*

destino s. m. **1.** *El* ***destino*** *hizo que se encontraran por casualidad* (= lo que nos ha de suceder en la vida). **2.** *El* ***destino*** *de estos terrenos es la construcción de un parque* (= la finalidad de éstos). **3.** *Su* ***destino*** *es ser presidente de la fábrica* (= su profesión). **4.** *El* ***destino*** *de este tren es París* (= el lugar a donde se dirige).
SINÓN: **1.** azar, suerte. FAM: *destinar, destinatario.*

destituir v. tr. ***Han destituido*** *al presidente de la fábrica* (= lo han echado).
SINÓN: cesar, despedir, echar.

destornillador s. m. *Necesito el* ***destornillador*** *para quitar estos tornillos* (= el instrumento que sirve para apretarlos o aflojarlos).
FAM: → *tornillo.*

destornillar v. tr. → **desatornillar**.

destreza s. f. *Luisa tiene mucha* ***destreza*** *para coser* (= cose muy bien).
SINÓN: habilidad, maña, pericia. ANTÓN: torpeza. FAM: → *diestro.*

destripar v. tr. **1.** *El carnicero* ***destripó*** *el cerdo* (= le sacó las tripas). **2.** *Mi gato* ***destripó*** *el muñeco de peluche* (= lo destrozó).
SINÓN: **2.** destrozar, reventar. FAM: *tripa.*

destronar v. tr. **1.** *El ejército* ***destronó*** *al presidente* (= impidió que continuara gobernando). **2.** *El nuevo jugador* ***destronó*** *al que había sido líder hasta entonces* (= lo sustituyó).
SINÓN: **1.** derrocar, destituir. **2.** desbancar. FAM: *trono.*

destrozar v. tr. **1.** *Juan fue castigado por* ***destrozar*** *los juguetes de su hermana* (= por haberlos roto). **2.** *La noticia del accidente lo ha* ***destrozado*** (= lo ha dejado muy triste).
SINÓN: **1.** estropear, maltratar, romper. ANTÓN: **1.** arreglar, componer. FAM: → *trozo.*

destrozo s. m. *El temporal causó un gran* ***destrozo*** *en las embarcaciones* (= las ha dejado muy estropeadas).
SINÓN: destrucción, rotura. ANTÓN: arreglo. FAM: → *trozo.*

destrozón, ona adj. *Cada mes tengo que comprarle unos zapatos nuevos porque es muy* ***destrozón*** (= los estropea mucho).
ANTÓN: cuidadoso. FAM: → *trozo.*

destrucción s. f. *Trajeron unas grandes grúas para realizar la* ***destrucción*** *del edificio* (= para convertirlo en ruinas).
SINÓN: desolación, ruina. ANTÓN: construcción. FAM: → *construir.*

destructivo, a adj. *Las bombas son armas muy* ***destructivas*** (= lo destruyen todo).
SINÓN: destructor. ANTÓN: constructiva. FAM: → *construir.*

destructor, a adj. **1.** *La acción* ***destructora*** *del fuego dejó el bosque sin árboles* (= causó un gran daño). ◆ **destructor** s. m. **2.** *La marina hundió varios* ***destructores*** *enemigos* (= varios barcos de guerra).
SINÓN: **1.** destructivo. ANTÓN: **1.** constructor. FAM: → *construir.*

destruir v. tr. *El rayo* ***destruyó*** *la torre de la iglesia* (= la tiró al suelo).
SINÓN: derribar, derrumbar, tirar. ANTÓN: construir. FAM: → *construir.*

desunir v. tr. **1.** *José* ***desunió*** *las hojas del libro que estaban pegadas* (= las separó). **2.** *Las constantes peleas* ***desunieron*** *a los miembros del equipo* (= se enemistaron).
SINÓN: **1.** despegar, separar. **2.** enemistar, indisponer. ANTÓN: **1.** juntar, pegar. **1, 2.** unir. **2.** conciliar. FAM: → *unir.*

desuso s. m. *Los viejos trenes de vapor están en* ***desuso*** (= ya no se utilizan).
SINÓN: olvido. ANTÓN: uso. FAM: → *usar.*

desvalido, a adj. *Cerca de mi casa hay una residencia que acoge a las personas* ***desvalidas*** (= que ayuda a las personas que están solas).
SINÓN: desamparado, indefenso. ANTÓN: protegido. FAM: → *valer.*

desvalijar v. tr. *Los ladrones* ***desvalijaron*** *la casa* (= robaron todo lo que había).
SINÓN: atracar, saltear, saquear. FAM: *valija.*

desván s. m. *Mi padre subió al* ***desván*** *para guardar los trastos viejos* (= a la habitación más alta de la casa, la que se encuentra bajo el tejado).
SINÓN: buhardilla.

desvanecer v. tr. **1.** *Los continuos lavados* ***desvanecieron*** *los colores del pantalón* (= los aclararon). **2.** *El viento* ***desvaneció*** *las nubes y salió el sol* (= las hizo desaparecer). ◆ **desvanecerse** v. pron. **3.** *Marta* ***se desvaneció*** *y tuvimos que reanimarla con el abanico* (= se desmayó).
SINÓN: **1.** difuminar. **2.** dispersar, esfumar. **3.** desmayarse, marearse. ANTÓN: **1, 2.** intensificar.

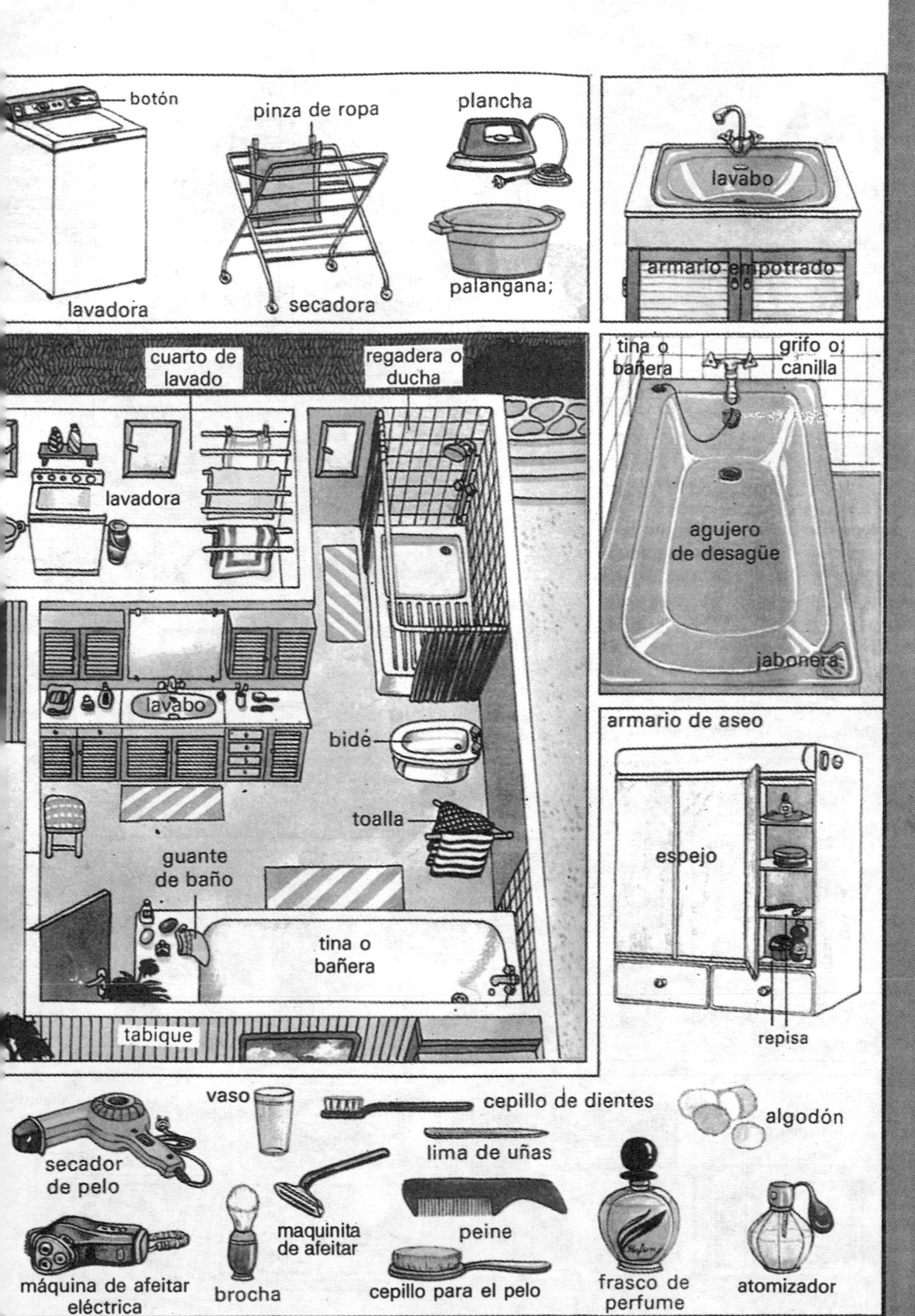
botón
lavadora
pinza de ropa
secadora
plancha
palangana;
lavabo
armario empotrado
cuarto de lavado
regadera o ducha
lavadora
lavabo
bidé
toalla
guante de baño
tina o bañera
tabique
tina o bañera
grifo o canilla
agujero de desagüe
jabonera
armario de aseo
espejo
repisa
vaso
cepillo de dientes
algodón
secador de pelo
lima de uñas
maquinita de afeitar
peine
máquina de afeitar eléctrica
brocha
cepillo para el pelo
frasco de perfume
atomizador

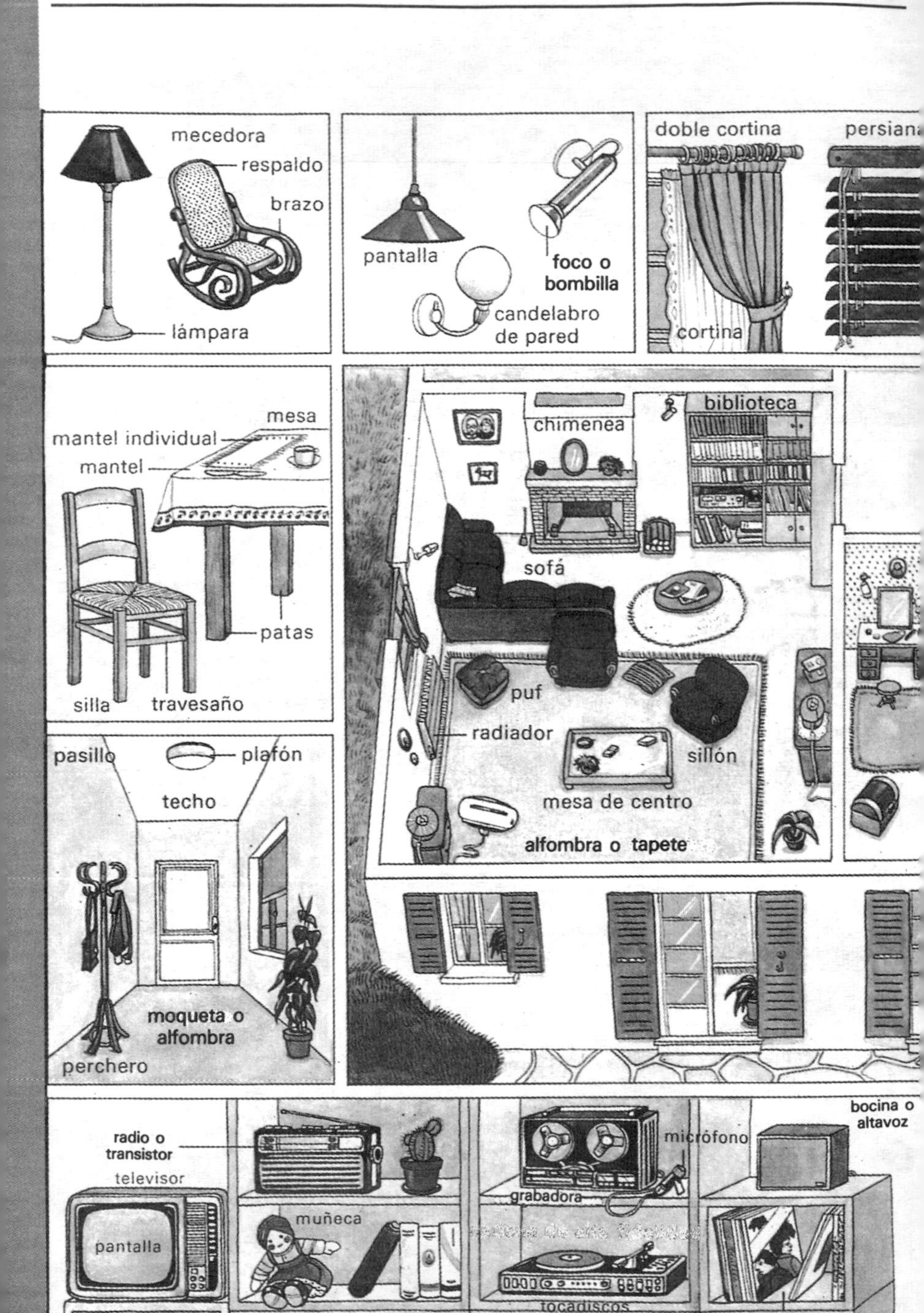
mecedora
respaldo
brazo
lámpara
pantalla
foco o
bombilla
candelabro
de pared
doble cortina
persiana
cortina
mesa
mantel individual
mantel
patas
silla
travesaño
biblioteca
chimenea
sofá
puf
radiador
sillón
mesa de centro
alfombra o tapete
pasillo
plafón
techo
moqueta o
alfombra
perchero
radio o
transistor
televisor
pantalla
muñeca
grabadora
micrófono
bocina o
altavoz
tocadiscos
discoteca

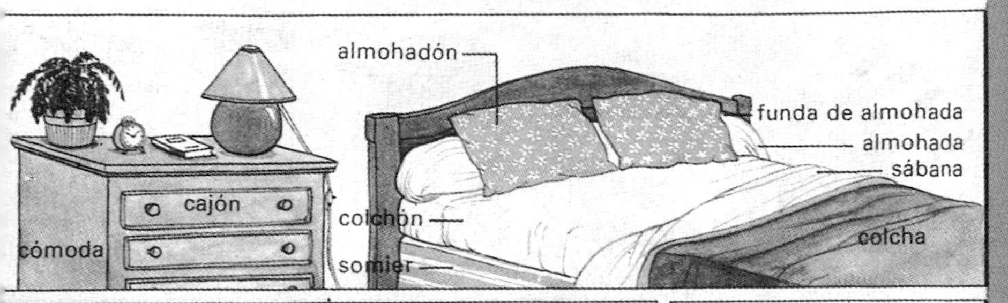
almohadón
funda de almohada
almohada
sábana
cajón
cómoda
colchón
somier
colcha

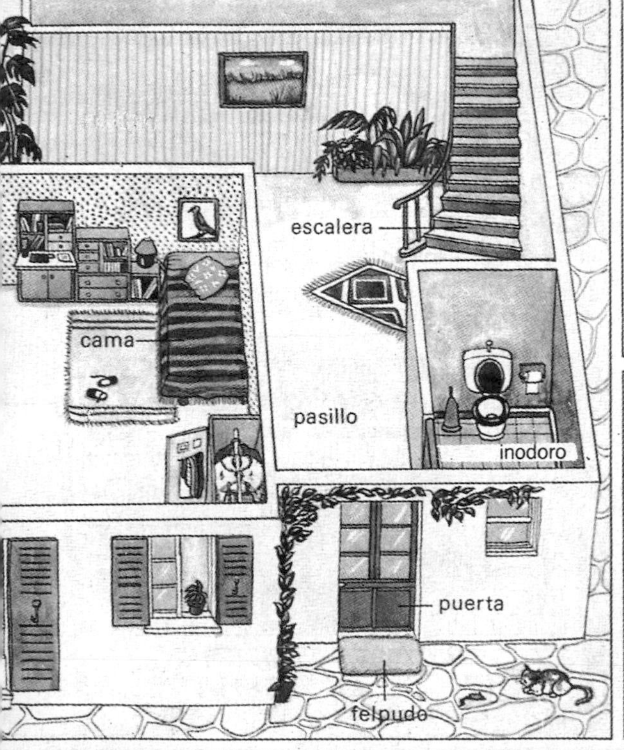
escalera
cama
pasillo
inodoro
puerta
felpudo

armario
estante
guardarropa con perchas

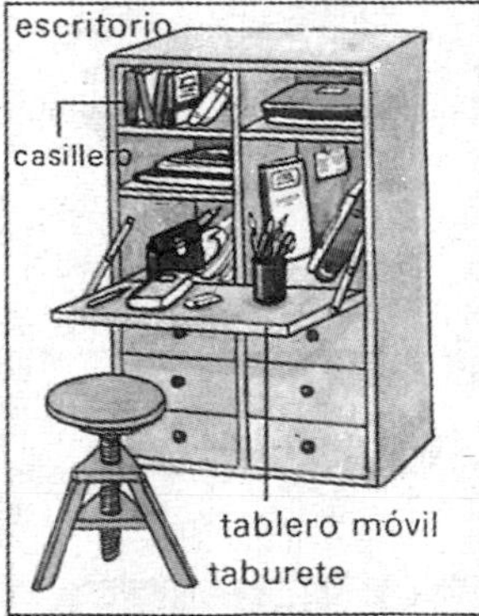
escritorio
casillero
tablero móvil
taburete

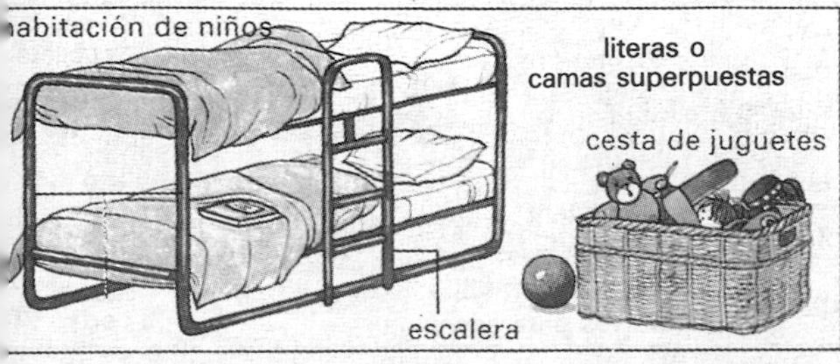
abitación de niños
literas o
camas superpuestas
cesta de juguetes
escalera

tocador
espejo

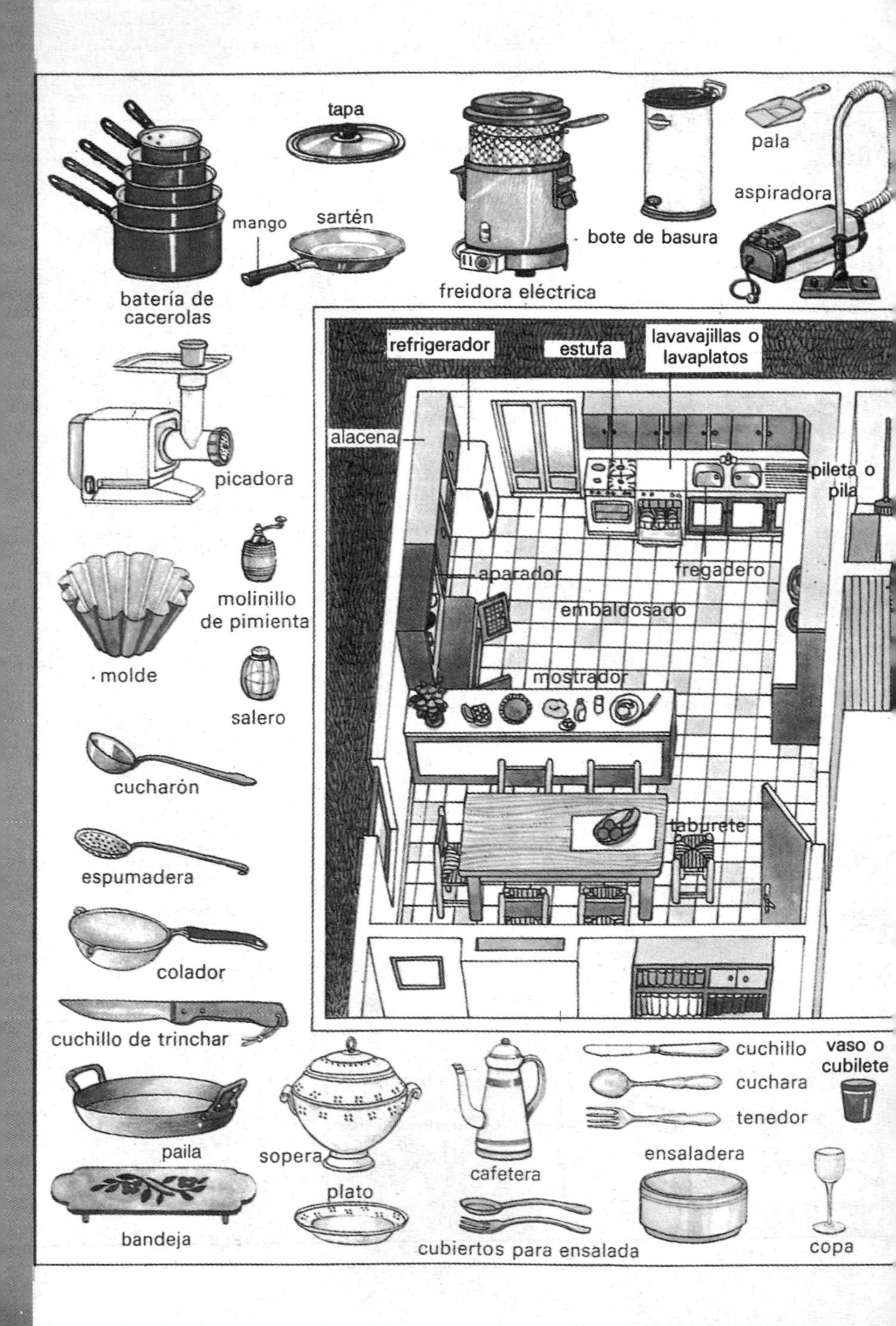
tapa
pala
aspiradora
mango
sartén
bote de basura
batería de cacerolas
freidora eléctrica
refrigerador
estufa
lavavajillas o lavaplatos
alacena
pileta o pila
picadora
aparador
fregadero
embaldosado
molinillo de pimienta
molde
mostrador
salero
cucharón
taburete
espumadera
colador
cuchillo de trinchar
cuchillo
cuchara
tenedor
vaso o cubilete
paila
sopera
cafetera
ensaladera
plato
bandeja
cubiertos para ensalada
copa

desvelar v. tr. *No pudo dormirse hasta muy tarde porque el café que tomó lo* ***desveló*** (= le quitó el sueño).
SINÓN: despabilar, espabilar. ANTÓN: adormecer. FAM: → *vela.*

desventaja s. f. *Este departamento es más grande, pero tiene la* ***desventaja*** *de que no tiene terraza* (= el inconveniente).
SINÓN: inconveniente. ANTÓN: ventaja. FAM: → *ventaja.*

desvergonzado, a adj. *Si nos tuviera más respeto nos hablaría en un tono menos* ***desvergonzado*** (= menos descarado).
SINÓN: descarado, insolente, grosero. ANTÓN: respetuoso. FAM: → *vergüenza.*

desvestir v. tr. ***Desvistió*** *a su hija para bañarla* (= le quitó la ropa).
SINÓN: desnudar. ANTÓN: vestir. FAM: → *vestir.*

desviación s. f. **1.** *Sufrió una* ***desviación*** *en la columna a causa del accidente* (= se le torció). **2.** *La* ***desviación*** *del tránsito durará hasta que acaben las obras de la carretera* (= se ha de circular por un camino provisional).
SINÓN: **1.** desplazamiento. **2.** desvío. FAM: → *vía.*

desviar v. tr. **1.** *El avión* ***desvió*** *su ruta a causa de la niebla* (= cambió su camino). ◆ **desviarse** v. pron. **2.** *El camino* ***se desvía*** *al llegar al bosque* (= se separa).
FAM: → *vía.*

desvío s. m. *El conductor tomó un* ***desvío*** *a la derecha de la carretera para ahorrarse el embotellamiento* (= tomó un camino que no era el principal).
SINÓN: desviación. FAM: → *vía.*

desvivirse v. pron. *Juan* ***se desvive*** *para que su novia sea feliz con él* (= hace todo lo posible para que así sea).
SINÓN: preocuparse. ANTÓN: despreocuparse. FAM: → *vivir.*

detalle s. m. **1.** *El profesor narró la historia con toda clase de* ***detalles*** (= describió hasta el más mínimo hecho). **2.** *Mamá tuvo un* ***detalle*** *conmigo el día de mi cumpleaños* (= me hizo un pequeño regalo).
SINÓN: **1.** precisión. **2.** atención, delicadeza. ANTÓN: **1.** generalidad. **2.** grosería. FAM: *detallista.*

detallista adj. *Antonio es un chico muy* ***detallista****, siempre se fija en todo* (= es muy atento).
SINÓN: atento. FAM: *detalle.*

detectar v. tr. *La computadora* ***detectó*** *que había un error en la suma* (= lo descubrió).
SINÓN: captar, encontrar, descubrir.

detective s. m. *El* ***detective*** *descubrió con sus preguntas al autor del robo* (= una persona que se dedica a investigar).
SINÓN: investigador.

detención s. f. **1.** *La* ***detención*** *de las obras fue producida por falta de dinero* (= se suspendieron por un tiempo). **2.** *Tras su* ***detención****, el ladrón fue encarcelado* (= su arresto).
SINÓN: **1.** paralización. **2.** arresto. ANTÓN: **1.** continuación. **2.** liberación. FAM: → *detener.*

detener v. tr. **1.** *El semáforo en rojo* ***detiene*** *el paso de los coches* (= los hace parar). **2.** *La policía* ***detuvo*** *al delincuente* (= lo arrestó). ◆ **detenerse** v. pron. **3.** *Juan* ***se detuvo*** *a mirar los escaparates* (= se paró).
SINÓN: **1.** frenar. **1, 3.** parar(se). **2.** apresar, arrestar, capturar. **3.** entretenerse. ANTÓN: **1.** impulsar. **2.** liberar. FAM: *detención, detenido, detenimiento.*

detenido, a s. *Los* ***detenidos*** *fueron llevados a la cárcel* (= las personas que había arrestado la policía).
FAM: → *detener.*

detenimiento s. m. *El profesor corrigió los exámenes con* ***detenimiento*** (= con mucho cuidado).
SINÓN: atención, cuidado, esmero. ANTÓN: precipitación. FAM: → *detener.*

detergente s. m. *Mi madre quitó todas las manchas con* ***detergente*** (= con jabón para lavar la ropa).
SINÓN: jabón.

deteriorarse v. pron. *La mesa* ***se va a deteriorar*** *si la dejas en el jardín todo el invierno* (= se va a estropear).
SINÓN: estropearse. FAM: *deterioro.*

determinación s. f. **1.** *Antes de tomar una* ***determinación****, debes pensarlo mucho* (= antes de tomar una decisión). **2.** *Salvó a su amiga con gran* ***determinación*** (= con mucha decisión y valentía).
SINÓN: **1.** decisión. **2.** audacia, decisión, valor. ANTÓN: **1, 2.** indecisión. FAM: → *término.*

determinar v. tr. **1.** *Necesitas una regla para* ***determinar*** *su medida exacta* (= para señalarla con precisión). **2.** *El profesor* ***determinó*** *la fecha del examen* (= decidió el día y la hora). **3.** *No puedo* ***determinar*** *exactamente si esto es lo que te conviene* (= no puedo saberlo).
SINÓN: **1, 2.** establecer, fijar, precisar, señalar. FAM: → *término.*

detestar v. tr. ***Detesto*** *las ratas* (= no puedo soportarlas).
SINÓN: aborrecer, odiar. ANTÓN: admirar.

detrás adv. **1.** *Primero saldré yo y ustedes* ***detrás*** (= después de mí). **2.** *El cuadro lleva la firma* ***detrás*** (= en la parte posterior). ◆ **por detrás 3.** *Cuando están juntas parecen muy amigas pero* ***por detrás*** *se critican* (= en su ausencia).
SINÓN: **2.** atrás. ANTÓN: delante.

deuda s. f. *Ana finalmente pudo devolverle el dinero y así pagó su* ***deuda*** (= lo que le habían prestado).
FAM: *adeudar.*

devaluarse v. pron. *El peso* ***se ha devaluado*** *respecto del dólar* (= ha perdido valor).
SINÓN: desvalorizarse. **ANTÓN:** revalorizarse.

devastar v. tr. *La fuerte lluvia* ***devastó*** *los campos* (= los destruyó).
SINÓN: arrasar, destrozar, destruir.

devoción s. f. **1.** *Marta le tiene tanta* ***devoción*** *a la Virgen que va a rezarle cada día* (= cree mucho en ella). **2.** *Luis tiene una gran* ***devoción*** *por la pintura* (= le gusta mucho pintar).
SINÓN: 1. amor, fervor. **2.** inclinación, interés. **ANTÓN: 2.** desinterés. **FAM:** *devoto.*

devolución s. f. *La* ***devolución*** *de la carta impidió que ésta llegara a su destino* (= se la llevaron de nuevo al que la mandó).
FAM: → *volver.*

devolver v. tr. **1.** *Cuando terminé de leer el libro que me habían prestado, lo* ***devolví*** (= se lo entregué a su dueño). **2.** *Le* ***devolví*** *el favor que me había hecho prestándole mi bicicleta* (= le correspondí). **3.** *El barco se movía mucho y por eso* ***devolví*** *lo que había comido* (= vomité).
SINÓN: 1. retornar. **2.** corresponder, responder. **3.** arrojar, vomitar. **ANTÓN: 1.** conservar, guardar, retener. **FAM:** → *volver.*

devorador, a adj. *Juan se comió el bocadillo con un hambre* ***devoradora*** (= se lo comió con mucha rapidez).
FAM: *devorar.*

devorar v. tr. **1.** *El gato* ***devoraba*** *las sardinas que caían al suelo* (= se las comía rápidamente). **2.** *El fuego* ***devoró*** *la biblioteca* (= la destruyó completamente). **3.** *Elena* ***devora*** *cualquier libro que cae en sus manos* (= los lee muy deprisa).
SINÓN: 1. comer, tragar. **2.** arrasar, destruir. **FAM:** *devorador.*

devoto, a adj. **1.** *María es muy* ***devota*** *de la Virgen de Guadalupe, siempre va a rezarle* (= cree mucho en ella). **2.** *Juan es un* ***devoto*** *oyente de música clásica* (= le gusta mucho).
SINÓN: 1. ferviente. **2.** admirador, entusiasta. **FAM:** *devoción.*

día s. m. **1.** El **día** dura veinticuatro horas, que es el tiempo que tarda la Tierra en dar una vuelta sobre sí misma. **2.** *Durante el* ***día****, no necesito encender las luces para estudiar, pero por la noche sí* (= cuando hay luz solar). **3.** *Con este* ***día*** *que hace, no podremos ir a la playa* (= el cielo está muy nublado). **4.** *Te haré un regalo el* ***día*** *que traigas buenas notas* (= cuando apruebes). ◆ **día laborable 5.** *Aunque era un* ***día laborable*** *no fue a trabajar* (= los días que se trabaja). ◆ **el día de mañana 6.** *Debes estudiar mucho ahora para que* ***el día de mañana*** *encuentres un buen trabajo* (= en el futuro). ◆ **dar los buenos días 7.** *Elena nunca* ***da los buenos días*** *hasta que no ha desayunado* (= nos desea que tengamos un buen día). ◆ **estar al día 8.** *Carlos siempre* ***está al día*** *de las últimas novedades deportivas* (= está muy enterado).
SINÓN: 1. jornada. **3.** tiempo. **ANTÓN: 2.** noche. **FAM:** *cotidiano, diario, diurno.*

diábolo s. m. *Me regalaron un* ***diábolo*** (= un juguete compuesto de dos conos unidos por sus vértices que giran sobre una cuerda atada a dos palillos).

diablo s. m. **1.** En la religión cristiana, el **diablo** es un personaje que representa el mal. **2.** *¡El* ***diablo*** *de tu hermano me ha puesto una rana en la cama!* (= el muy travieso). **3.** *El padre de mi amiga Teresa es un* ***diablo*** *para los negocios* (= es muy astuto e inteligente).
SINÓN: 1. demonio, satanás. **2.** travieso. **FAM:** *diablura.*

diablura s. f. *Intentó convencerme para que la ayudara a hacer* ***diabluras*** *de las suyas y poner sal en el café de mi hermana* (= una de sus travesuras).
SINÓN: chiquillada, travesura. **FAM:** *diablo.*

diadema s. f. **1.** *La reina de belleza llevaba una* ***diadema*** *en su cabeza* (= una corona). **2.** *Para sujetarse el pelo mi hermana utiliza una* ***diadema*** (= un adorno).
SINÓN: 1. corona.

diafragma s. m. El **diafragma** es el músculo que separa el tórax del abdomen.

diagnosticar v. tr. *El médico le* ***diagnosticó*** *anginas y tuvo que quedarse en la cama toda la semana* (= le dijo que tenía esa enfermedad).
FAM: *diagnóstico.*

diagnóstico s. m. *El médico hizo su* ***diagnóstico*** *después de observar las radiografías* (= dijo cuál era la enfermedad que tenía).
SINÓN: conclusión, valoración. **FAM:** *diagnosticar.*

diagonal adj. Una **diagonal** es una línea recta que une los dos extremos separados de un polígono.

diagrama s. m. *Dibujamos un* ***diagrama*** *para estudiar las clases de plantas que hay* (= un gráfico).

dial s. m. *La emisora se escuchaba en el punto 95 del* ***dial*** (= de la placa que indica las diferentes emisoras de una radio o televisión).

dialecto s. m. *El aragonés es un* ***dialecto*** *del castellano* (= es una lengua con ciertas variaciones respecto al castellano y que se habla en esa región).

dialogar v. intr. *Los políticos estuvieron* ***dialogando*** *para llegar a un acuerdo* (= hicieron un debate).
SINÓN: conversar, hablar. **ANTÓN:** callar. **FAM:** *diálogo.*

diálogo s. m. *Todos los alumnos dieron su opinión durante el* ***diálogo*** (= durante la charla).
SINÓN: coloquio, conversación, charla. **FAM:** *dialogar.*

diamante s. m. *En las minas de Sudáfrica se extraen **diamantes*** (= unas piedras preciosas transparentes y muy brillantes que se usan en joyería).

diámetro s. m. El **diámetro** es la línea recta que une dos puntos de una circunferencia pasando por su centro.

diana s. f. *Los soldados se levantan al toque de **diana*** (= toque de clarín al amanecer).

diapasón s. m. *El músico afinaba su instrumento con un **diapasón*** (= una varilla de acero, en forma de U, que al vibrar produce un tono determinado).

diapositiva s. f. *Vimos las **diapositivas** de su último viaje con el proyector* (= fotografías que se proyectan en una pantalla).

diario, a adj. **1.** *Manuel tiene cinco horas **diarias** de clase* (= cada día). ◆ **diario** s. m. **2.** *Elena escribe cada noche en su **diario*** (= libro donde relata lo que le ha sucedido durante el día). **3.** *Mi padre lee todas las noticias del **diario** para estar bien informado* (= del periódico).
SINÓN: **1.** cotidiano. **3.** periódico. FAM: → *día.*

diarrea s. f. *Comió unos hongos que le produjeron **diarrea**, y cada cinco minutos tenía que ir al baño* (= un trastorno intestinal que obliga a evacuar el intestino con mucha frecuencia).

dibujante s. *El **dibujante** le hizo un retrato a María con lápices de colores* (= la persona que se dedica al dibujo).
FAM: → *dibujo.*

dibujar v. tr. *Ana sacó lápiz y papel y empezó a **dibujar** un plano de la ciudad* (= a trazarlo).
SINÓN: pintar, trazar. FAM: → *dibujo.*

dibujo s. m. **1.** *Le hizo un **dibujo** de la cara para explicarle cómo era* (= un esquema de cómo era). **2.** *Mi hermano ha aprendido a hacer retratos en clase de **dibujo*** (= en la asignatura donde aprendes a trazar imágenes).
SINÓN: **1.** boceto, croquis, esquema. FAM: *dibujante, dibujar.*

dicción s. f. *Cuando lees en voz alta, debes cuidar tu **dicción*** (= la manera de pronunciar las palabras).
SINÓN: pronunciación. FAM: *diccionario.*

diccionario s. m. *Cuando no sabemos el significado de una palabra la buscamos en el **diccionario*** (= un libro en el que las palabras de un idioma están alfabéticamente explicadas, o bien traducidas a otro idioma).
SINÓN: enciclopedia. FAM: *dicción.*

dicha s. f. **1.** *Sentía una gran **dicha** por tener tan buenos amigos* (= felicidad). **2.** *Tuvo la **dicha** de conocer a su bisabuela* (= la suerte).
SINÓN: **1.** alegría, felicidad. **2.** fortuna, suerte. ANTÓN: **1.** tristeza. **1, 2.** desdicha, desgracia. FAM: *dichoso, desdicha, desdichado.*

dicho s. m. *Mi abuelo sabe muchos **dichos*** (= muchas frases hechas que encierran un consejo).
SINÓN: máxima, refrán, sentencia. FAM: → *decir.*

dichoso, a adj. **1.** *El nacimiento de su hijo los hizo muy **dichosos*** (= muy felices). **2.** *No he podido dormir por culpa del **dichoso** mosquito* (= pesado).
SINÓN: **1.** afortunado, feliz. **2.** fastidioso, maldito, molesto, pesado. ANTÓN: **1.** desdichado, infeliz. **2.** encantador. FAM: → *dicha.*

diciembre s. m. *La Navidad se celebra en **diciembre*** (= en el último mes del año).

dictado s. m. *En clase de redacción hacemos **dictados** para aprender ortografía* (= escribimos lo que el profesor dice o lee).
FAM: → *dictar.*

dictador s. m. *El **dictador** tomó el poder del país contra la voluntad del pueblo* (= persona que toma el poder por la fuerza).
SINÓN: tirano. ANTÓN: demócrata. FAM: → *dictar.*

dictadura s. f. *Durante la **dictadura** las personas no podían votar* (= sistema político que no respeta la democracia).
SINÓN: tiranía. ANTÓN: democracia. FAM: → *dictar.*

dictar v. tr. *Los alumnos escribían en sus cuadernos las frases que la maestra les **dictaba*** (= las que les leía lentamente).
FAM: *dictado, dictador, dictadura.*

diecinueve *Fueron **diecinueve** los asistentes al acto.*

diecinueveavo, a adj. *De la torta de cumpleaños me dieron la **diecinueveava** parte* (= una de las diecinueve partes en que se dividió).

dieciocho *A los **dieciocho** años se consigue la mayoría de edad.*

dieciochoavo, a adj. La parte **dieciochoava** es una de las dieciocho partes en que se divide algo.

dieciséis *Es un edificio muy alto que tiene **dieciséis** pisos.*

dieciseisavo, a adj. Cada una de las dieciséis partes iguales en que se divide algo es la parte **dieciseisava**.

diecisiete *Con **diecisiete** años todavía no puedes conducir un automóvil.*

diecisieteavo, a adj. *Compramos un pastel con diecisiete partes iguales y a cada invitado le dimos una **diecisieteava** parte* (= una de las diecisiete partes en que se dividió).

diente s. m. **1.** *El dentista me ha arreglado el **diente** que me rompí comiendo nueces* (= cada una de las piezas duras y de color blanco que tenemos en la boca y que sirven para masticar). **2.** *Los **dientes** de la sierra estaban gastados* (= las puntas cortantes). ◆ **diente de ajo 3.** *Tiró un **diente de ajo** al guiso para darle sabor* (= un ajo). ◆ **diente de leche 4.** *Los **dientes de leche** se me cayeron cuando era pequeña* (= los primeros dientes que salen y luego se cambian). ◆ **a regañadientes 5.** *Juan siempre va **a regañadientes** al dentista* (= va quejándose). ◆

enseñar los dientes 6. *Elena es una chica muy tranquila y obediente pero cuando* ***enseña los dientes*** *es terrible* (= cuando se enoja). ◆ **hablar entre dientes 7.** *Cuando está nervioso le da por* ***hablar entre dientes****, y no se entiende lo que dice* (= le da por murmurar).
FAM: *dentado, dentadura, dental, dentellada, dentífrico, dentista, desdentado, odontología, odontólogo.*

diéresis s. f. *Se llama* ***diéresis*** *a los dos puntitos sobre la* u *que hay en la palabra* vergüenza.

diestro, a adj. **1.** *Aunque era* ***diestro****, intentó escribir con la mano izquierda* (= escribe con la mano derecha). **2.** *El padre de Cristina es muy* ***diestro*** *arreglando juguetes* (= muy hábil). ◆ **diestra** f. **3.** *La primera dama se sentó* ***a la diestra*** *del presidente* (= a su derecha).
SINÓN: 2. experto, hábil, mañoso. **ANTÓN: 1.** zurdo. **2.** torpe. **FAM:** *adiestrar, destreza.*

dieta s. f. **1.** *El doctor le ha indicado a mi abuelo una* ***dieta*** *a base de verduras y pescado* (= un régimen de comidas). **2.** *Antes de hacerme el análisis me obligaron a hacer una* ***dieta*** *absoluta* (= no pude comer nada).
SINÓN: 1. régimen. **2.** ayuno.

diez *El sorteo será el próximo día* ***diez****.*
FAM: *década, decalitro, decámetro, decena, decenio, decigramo, decilitro, decimal, decímetro, décimo.*

difamar v. tr. *El alcalde fue a quejarse al director del periódico porque lo* ***difamaban*** *en un artículo* (= contaban cosas de él que no eran ciertas).
SINÓN: calumniar. **ANTÓN:** alabar, elogiar.

diferencia s. f. **1.** *La única* ***diferencia*** *entre estas dos bicicletas es el color, por lo demás, son iguales* (= lo que las hace distintas). **2.** *Se pasan el día peleándose porque entre ellos hay demasiadas* ***diferencias*** (= no opinan lo mismo).
SINÓN: 1. distinción. **2.** desacuerdo. **ANTÓN: 1.** igualdad. **2.** coincidencia. **FAM:** → *diferenciar.*

diferenciar v. tr. **1.** *No me fue difícil* ***diferenciar*** *el café con azúcar del que no lo tenía* (= distinguir). ◆ **diferenciarse** v. pron. **2.** *Los hermanos gemelos no suelen* ***diferenciarse*** *físicamente* (= son idénticos).
SINÓN: 1. distinguir. **ANTÓN: 1.** confundir. **2.** parecerse. **FAM:** *diferencia, diferente, indiferencia, indiferente.*

diferente adj. *Podíamos elegir entre diez tipos de pasteles* ***diferentes*** (= no había ninguno que fuese igual a otro).
SINÓN: distinto. **ANTÓN:** idéntico, igual, semejante. **FAM:** → *diferenciar.*

diferido, a adj. *Dieron el partido de fútbol* ***diferido*** *porque se había jugado a las 3 de la mañana* (= lo dieron por televisión un tiempo después de jugarse).

difícil adj. **1.** *El examen de matemáticas fue tan* ***difícil*** *que no pude aprobarlo* (= fue muy complicado). **2.** *Tenía un carácter tan* ***difícil*** *que siempre lo castigaban* (= era muy rebelde).
SINÓN: 1. dificultoso, complejo. **1, 2.** complicado. **2.** rebelde. **ANTÓN: 1.** fácil. **FAM:** *dificultad, dificultar, dificultoso.*

dificultad s. f. *Entender el funcionamiento de un motor le representó una gran* ***dificultad*** (= le resultó muy complicado).
SINÓN: complicación. **ANTÓN:** facilidad, sencillez. **FAM:** → *difícil.*

dificultar v. tr. *La lluvia caída en el campo de fútbol* ***dificultaba*** *el juego* (= lo entorpecía).
SINÓN: complicar, entorpecer. **ANTÓN:** facilitar, favorecer, simplificar. **FAM:** → *difícil.*

dificultoso, a adj. *El camino hasta la cumbre de la montaña fue muy* ***dificultoso*** (= nos costó mucho llegar hasta ella).
SINÓN: complicado, difícil. **ANTÓN:** fácil. **FAM:** → *difícil.*

difundir v. tr. **1.** *Los periodistas* ***difundieron*** *la noticia de su victoria* (= informaron de ella a todo el mundo). ◆ **difundirse** v. pron. **2.** *La noticia* ***se difundió*** *por todo el país* (= se extendió).
SINÓN: divulgar(se), extender(se). **ANTÓN:** ocultar(se). **FAM:** *difusión.*

difunto, a adj. **1.** *En el ataúd había un hombre* ***difunto*** (= muerto). ◆ **difunto** s. **2.** *Le hicieron una misa al* ***difunto*** *que reunió a todo el pueblo* (= a la persona que había muerto).
SINÓN: fallecido, muerto. **ANTÓN:** vivo.

difusión s. f. **1.** *Los periódicos, la radio y la televisión son medios de* ***difusión*** (= de información). **2.** *La noticia del accidente tuvo una gran* ***difusión*** *por toda la ciudad* (= todo el mundo se enteró).
SINÓN: divulgación, expansión. **FAM:** *difundir.*

digerir v. tr. *Por culpa del ajo le costó mucho* ***digerir*** *la comida* (= asimilarla).
FAM: *digestión, digestivo, indigestarse, indigestión, indigesto.*

digestión s. f. *Si te bañas después de comer, se te puede cortar la* ***digestión*** (= se te puede cortar el proceso de absorción de los alimentos).
FAM: → *digerir.*

digestivo, a adj. *Mi abuelo fue operado de una úlcera en el aparato* ***digestivo*** (= en el que se encarga de la digestión de los alimentos).
FAM: → *digerir.*

digital adj. **1.** *Prefiero los relojes sin agujas, los que son* ***digitales*** (= los que dan la hora con números). **2.** *Todas las personas poseemos diferentes huellas* ***digitales*** (= las marcas en la piel de los dedos, que nos identifican).
SINÓN: 2. dactilar.

dignarse v. pron. *El diputado* ***se dignó*** *venir a la inauguración del restaurante* (= nos hizo ese honor).
SINÓN: consentir. **ANTÓN:** negarse. **FAM:** → *digno.*

dignidad s. f. **1.** *Incluso en los momentos más difíciles se comporta con gran* ***dignidad*** (= con gran seriedad y honestidad). **2.** *Si le ofreces dinero no aceptará por* ***dignidad****, aunque lo necesite* (= por su honor).
SINÓN: **1.** honestidad, honradez, seriedad. **2.** honor. FAM: → *digno.*

digno, a adj. **1.** *Es una mujer muy* ***digna****, y se merece nuestro respeto* (= muy honrada). **2.** *Un hombre tan inteligente es* ***digno*** *de ser presidente de la fábrica* (= lo merece).
SINÓN: **1.** honesto, honrado. **2.** merecedor. ANTÓN: **1, 2.** indigno. **1.** indecente. FAM: *dignarse, dignidad, indignación, indignante, indignar, indigno.*

dilatación s. f. *El calor produce la* ***dilatación*** *de los cuerpos* (= hace que su tamaño aumente).
SINÓN: ampliación. ANTÓN: contracción. FAM: *dilatar.*

dilatar v. tr. **1.** *El calor* ***dilata*** *los cuerpos* (= los aumenta de tamaño). ◆ **dilatarse** v. pron. **2.** *La reunión* ***se fue dilatando****, y parecía no terminarse nunca* (= se fue alargando). **3.** *Los cuerpos* ***se dilatan*** *con el calor* (= se hacen más grandes).
SINÓN: **1, 3.** aumentar. **2.** alargarse, prolongarse. ANTÓN: **1, 3.** contraer(se). **2.** abreviarse. FAM: *dilatación.*

dilema s. f. *Fue un* ***dilema*** *decidir qué libro regalarle: todos eran buenos* (= tuvo muchas dudas a la hora de escoger).
SINÓN: alternativa.

diligencia s. f. **1.** *Es un empleado que trabaja con gran* ***diligencia*** (= con mucho cuidado e interés). **2.** *Hizo el recado de su madre con* ***diligencia*** (= con mucha rapidez). **3.** *Antiguamente las personas viajaban en las* ***diligencias*** (= carruaje tirado por caballos).
SINÓN: **1.** afán, atención, cuidado, dedicación. **2.** prontitud, rapidez. **3.** carruaje. ANTÓN: **1.** negligencia. **2.** lentitud, pereza. FAM: *diligente.*

diligente adj. **1.** *Siempre trata de hacer las cosas lo mejor que sabe, es muy* ***diligente*** (= muy cuidadoso). **2.** *Marta camina* ***diligente*** *para llegar a tiempo a clase* (= camina deprisa).
SINÓN: **1.** aplicado, cuidadoso. **2.** activo, dinámico. ANTÓN: **1.** negligente. **2.** perezoso. FAM: *diligencia.*

diluir v. tr. **1.** *Juan usó agua para* ***diluir*** *la pintura* (= para hacerla líquida). ◆ **diluirse** v. pron. **2.** *El azúcar* ***se diluyó*** *en el café removiéndolo con una cucharilla* (= se disolvió).
SINÓN: **2.** disolverse. ANTÓN: **1.** concentrar, espesar. FAM: *diluyente.*

diluviar v. intr. ***Diluviaba*** *de tal forma que ni el paraguas evitó que me mojara* (= llovía muchísimo).
FAM: *diluvio.*

diluvio s. m. *El sótano de casa se inundó a causa del* ***diluvio*** *que cayó* (= de la abundante lluvia).
FAM: *diluviar.*

dimensión s. f. **1.** *El cubo tiene tres* ***dimensiones****: largo, ancho y alto, mientras que el rectángulo sólo tiene dos: largo y ancho.* **2.** *Las grandes* ***dimensiones*** *del parque hicieron que me perdiera* (= era muy grande). **3.** *El huracán produjo una catástrofe de grandes* ***dimensiones*** (= de mucha importancia).
SINÓN: **3.** alcance.

diminutivo, a adj. Gatito *y* chiquillo *son* ***diminutivos*** *de* gato *y* chico (= utilizamos diminutivos para indicar menor tamaño de las cosas o cuando queremos añadir a la palabra valores afectivos).
ANTÓN: aumentativo. FAM: *diminuto.*

diminuto, a adj. *Al reloj se le ha caído una pieza* ***diminuta*** (= muy pequeña).
SINÓN: microscópico, minúsculo, pequeño. ANTÓN: enorme, gigantesco, grande. FAM: *diminutivo.*

dimisión s. f. *El director presentó su* ***dimisión*** (= su renuncia al cargo).
SINÓN: renuncia. FAM: *dimitir.*

dimitir v. tr. *El escándalo producido lo obligó a* ***dimitir*** *de su trabajo* (= tuvo que abandonarlo).
SINÓN: renunciar. FAM: *dimisión.*

dinámico, a adj. *El vendedor que nos atendió era tan* ***dinámico*** *que nos trajo el encargo enseguida* (= era muy activo).
SINÓN: activo, diligente. ANTÓN: inactivo, perezoso.

dinamita s. f. *Abrieron un túnel utilizando* ***dinamita*** (= una mezcla explosiva de gran potencia).

dinastía s. f. Una **dinastía** es una serie de reyes o de personas influyentes que pertenecen a una misma familia.
SINÓN: linaje.

dineral s. m. *La bicicleta que quería costaba un* ***dineral*** *y tuvo que ahorrar todo el año para comprársela* (= costaba mucho dinero).
SINÓN: fortuna. FAM: → *dinero.*

dinero s. m. **1.** *No iré al cine porque no tengo* ***dinero*** *para comprar la entrada* (= monedas o billetes). **2.** *Mi padre guarda todo su* ***dinero*** *en el banco* (= su fortuna).
SINÓN: **2.** capital, fortuna. FAM: *adinerado, dineral.*

dinosaurio s. m. El **dinosaurio** es un reptil de la época prehistórica considerado como el más grande que ha existido.

dintel s. m. *Era tan alto que golpeó con la cabeza en el* ***dintel*** *de la puerta* (= en la parte superior de ésta).
ANTÓN: umbral.

diócesis s. f. *El nuevo obispo recorrió toda su* ***diócesis*** (= el territorio donde ejerce su autoridad espiritual).

dioptría s. f. *El oculista me recomendó que usara anteojos porque en el ojo derecho tengo cinco* ***dioptrías*** (= medida para determinar el grado de miopía en los ojos).

dios, a s. **1.** *Según la religión cristiana, el mundo fue creado por* ***Dios*** (= el ser más poderoso). **2.** *Afrodita fue una de las* ***diosas*** *romanas más populares* (= uno de los seres que se creía que regían el mundo). ◆ **a la buena de Dios 3.** *Es tan poco cuidadoso que siempre hace las cosas* ***a la buena de Dios*** (= de cualquier manera). ◆ **como Dios manda 4.** *Es un niño muy aplicado, hace las cosas* ***como Dios manda*** (= muy bien).
SINÓN: 1. Creador, Señor, Todopoderoso. **2.** divinidad. **FAM:** *adiós, adivino, divino.*

diploma s. m. *Por participar en el campeonato me dieron un* ***diploma*** (= un certificado en el que consta que he participado). **2.** *Cuando terminó sus estudios en la Universidad, recibió un* ***diploma*** (= certificado que acredita el fin de sus estudios).
FAM: *diplomacia, diplomático.*

diplomacia s. f. **1.** *La* ***diplomacia*** *internacional se reunió para decidir si se crearía una fuerza de paz* (= los servicios de relaciones internacionales). **2.** *Le comunicó que iba a ser expulsado con mucha* ***diplomacia*** (= con mucho tacto).
SINÓN: 2. habilidad, tacto. **ANTÓN: 2.** torpeza. **FAM:** → *diploma.*

diplomático, a adj. **1.** *José es muy* ***diplomático****, siempre habla con mucho cuidado* (= tiene mucho tacto). ◆ **diplomático** s. **2.** *Asisten a la reunión* ***diplomáticos*** *de varios países para firmar el tratado* (= representantes internacionales de cada país).
FAM: → *diploma.*

diptongo s. m. *Las letras* ai *en la palabra* aire *forman un* ***diptongo*** (= se pronuncian en una sola sílaba).

diputado s. Los **diputados** son elegidos por el pueblo para representarlo en el gobierno del país.

dique s. m. **1.** *La inundación de las tierras se produjo al romperse el* ***dique*** (= un muro artificial construido para contener el agua). **2.** *El barco fue reparado en el* ***dique*** (= en el lugar donde se limpian y se reparan los barcos fuera del agua).

dirección s. f. **1.** *La fábrica fue cerrada por la* ***dirección*** (= por sus jefes). **2.** *En la carta puse la* ***dirección*** *del lugar donde trabaja* (= sus señas). **3.** *Ante la señal de peligro, el coche cambió de* ***dirección*** (= tomó otro sentido).
SINÓN: 2. domicilio, señas. **3.** rumbo, sentido. **FAM:** → *dirigir.*

direccional s. f. Méx. *Puso la* ***direccional*** *del coche antes de llegar a la esquina* (=luz intermitente del automóvil que sirve para indicar que se va a dar vuelta).

directivo, a s. *Los* ***directivos*** *de la empresa decidieron comprar otra fábrica* (= los que son responsables de ella).
SINÓN: director, jefe. **FAM:** → *dirigir.*

directo adv. **1.** *Después de cenar me fui* ***directo*** *a la cama* (= me fui derecho). ◆ **directo, a** adj. **2.** *Deberíamos abordar un tren* ***directo*** *para llegar antes* (= que no haga paradas). **3.** *El alumno le hizo una pregunta* ***directa*** *al profesor* (= concreta, sin rodeos). ◆ **en directo 4.** *Este programa se transmite* ***en directo*** (= lo transmiten al mismo tiempo que se realiza).
SINÓN: 1. derecho. **2.** continuo, seguido. **3.** concreta. **ANTÓN: 3.** indirecto.

director, a s. **1.** *El* ***director*** *de la escuela decidió darnos las vacaciones una semana antes* (= la persona que manda en el colegio). **2.** *El* ***director*** *decidió que la película se rodaría en China* (= el responsable de la película, la persona que toma las decisiones).
FAM: → *dirigir.*

dirigible adj. **1.** *El avión era* ***dirigible*** *desde tierra gracias a una computadora* (= sus movimientos se podían controlar). ◆ **dirigible** s. m. **2.** Un **dirigible** es un globo grande de forma alargada, semejante a una gran sandía con una cesta en su parte inferior para que la gente pueda subir en él y pueda volar.
SINÓN: 2. globo, zepelín. **FAM:** → *dirigir.*

dirigir v. tr. **1.** *El taxista nos* ***dirigió*** *hasta el museo* (= nos llevó hasta él). **2.** *Mi hermano* ***dirige*** *la sección de deportes del periódico* (= es responsable de las noticias deportivas). **3.** ***Dirigí*** *una carta al doctor, pidiéndole que me visitara* (= se la envié). ◆ **dirigirse** v. pron. **4.** *Después de clase* ***me dirigí*** *a casa* (= me fui directamente).
SINÓN: 1. conducir, encaminar, guiar. **2.** mandar. **3.** enviar. **FAM:** *dirección, directivo, director, dirigible, subdirector.*

disciplina s. f. *En el colegio hay mucha* ***disciplina*** (= se respetan mucho las normas).
SINÓN: obediencia, orden. **ANTÓN:** desobediencia, desorden, indisciplina. **FAM:** *disciplinado, indisciplinado.*

disciplinado, a adj. *Ana es una niña muy* ***disciplinada****, siempre hace sus deberes* (= es muy obediente).
SINÓN: cumplidor, obediente, ordenado. **ANTÓN:** desobediente, indisciplinado, rebelde. **FAM:** → *disciplina.*

discípulo, a s. **1.** *El maestro explica la lección a sus* ***discípulos*** (= a sus alumnos). **2.** *El conferenciante era* ***discípulo*** *de los grandes filósofos de la Antigüedad* (= seguidor de sus teorías).
SINÓN: 1. alumno. **2.** seguidor.

disco s. m. **1.** *El atleta era campeón de lanzamiento de* ***disco*** (= un pequeño plato de forma circular). **2.** *El cantante grabó su primer* ***disco*** *hace 2 años* (= placa circular de material plástico en la que se graban sonidos que luego se reproducen en el tocadiscos). **3.** *Grábalo en el* ***disco*** *o* ***disquete*** (= disco magnético que se introduce en el ordenador para su grabación o lectura).
FAM: *discoteca, tocadiscos.*

discordia s. f. *Juan ha intentado eliminar la* ***discordia*** *que existe entre sus hermanos* (= sus diferencias de opinión).
SINÓN: desacuerdo, desavenencia. **ANTÓN:** armonía, concordia.

discoteca s. f. **1.** *El sábado por la noche estuvimos bailando en una* ***discoteca*** (= en un local donde se baila). **2.** *En el colegio tenemos una buena* ***discoteca*** *de música clásica* (= una buena colección de discos).
FAM: → *disco.*

discreción s. f. **1.** *Se marchó de la conferencia con mucha* ***discreción*** (= con prudencia). ◆ **a discreción 2.** *En la fiesta de mis primos se sirvió champán* ***a discreción*** (= abundantemente).
SINÓN: 1. prudencia, sensatez. **ANTÓN: 1.** imprudencia, indiscreción. **FAM:** *discreto, indiscreción.*

discrepar v. intr. *Los políticos* ***discreparon*** *en todo y no llegaron a ningún acuerdo* (= tenían diferentes opiniones).
ANTÓN: coincidir. **FAM:** *discrepancia.*

discreto, a adj. **1.** *Puedes contarle tu secreto ya que es una persona muy* ***discreta*** (= actúa siempre con prudencia). **2.** *Juana siempre mantiene una conducta* ***discreta*** (= no llama la atención).
SINÓN: 1. prudente, reservado, sensato. **ANTÓN: 1.** imprudente, indiscreto. **FAM:** → *discreción.*

discriminar v. tr. *No se debe* ***discriminar*** *a nadie por el color de su piel* (= tratarlo como si fuera inferior).
SINÓN: marginar. **FAM:** *discriminación.*

disculpa s. f. *Al tropezar con la señora le ofrecí* ***disculpas*** (= le rogué que me perdonara).
SINÓN: perdón. **FAM:** → *culpa.*

disculpar v. tr. **1.** *Considerando que no lo hizo con mala intención lo* ***disculpé*** (= lo perdoné). ◆ **disculparse** v. pron. **2.** ***Me disculpé*** *por haber llegado tarde a clase* (= expliqué el motivo del retraso al profesor).
SINÓN: 1. perdonar. **2.** excusarse, justificarse. **ANTÓN: 1.** acusar, culpar. **FAM:** → *culpa.*

discurrir v. intr. **1.** *El tiempo* ***discurre*** *sin darnos cuenta* (= el tiempo pasa). **2.** *Llovió tanto que el agua* ***discurría*** *por el río con mucha rapidez* (= bajaba). **3.** *Llegamos a la solución del problema después de* ***discurrir*** *mucho* (= de pensar durante mucho tiempo).
SINÓN: 1. correr, transcurrir. **2.** fluir. **3.** cavilar, pensar, razonar.

discurso s. m. *El* ***discurso*** *que dijo el gobernador fue muy aplaudido* (= las palabras que dirigió al público).
SINÓN: conferencia.

discusión s. f. *Durante la* ***discusión*** *mi hermano lo insultó* (= durante la riña).
SINÓN: disputa. **FAM:** → *discutir.*

discutible adj. *La solución dada por mi amigo era muy* ***discutible*** (= se podía poner en duda).
SINÓN: dudoso. **ANTÓN:** cierto, evidente, indiscutible. **FAM:** → *discutir.*

discutir v. tr. *Los comerciantes* ***discutían*** *qué precios debían poner a sus productos* (= cada uno defendía su punto de vista sin ponerse de acuerdo).
SINÓN: debatir. **FAM:** *discusión, discutible, indiscutible.*

disecar v. tr. *Después de seleccionar las plantas más interesantes las* ***disecamos*** (= las preparamos para conservarlas y estudiarlas).

diseñador, a s. *La* ***diseñadora*** *trabaja para una casa de modas* (= se dedica a dibujar modelos de vestidos).
FAM: → *diseñar.*

diseñar v. tr. *El arquitecto que nos* ***diseñó*** *la casa se olvidó de la chimenea* (= el que nos hizo los planos).
SINÓN: dibujar, proyectar. **FAM:** *diseñador, diseño.*

diseño s. m. *El arquitecto hizo un* ***diseño*** *muy moderno de la casa que tenía pensado construir* (= hizo un dibujo).
SINÓN: boceto, dibujo. **FAM:** → *diseñar.*

disfraz s. m. *Para ir a la fiesta me he puesto un* ***disfraz*** *de pantera rosa* (= un vestido).
FAM: *disfrazar.*

disfrazar v. tr. **1.** *Cuando* ***disfracé*** *a mi primo, le puse barba y un traje de Drácula* (= cuando lo vestí de Drácula para que nadie pudiera reconocerlo). **2.** ***Disfrazaron*** *la verdad, diciendo que el culpable había sido otro* (= la disimularon).
SINÓN: 2. disimular, simular. **FAM:** *disfraz.*

disfrutar v. intr. **1.** ***Hemos disfrutado*** *mucho con el nuevo juego* (= la hemos pasado muy bien). **2.** *Este actor* ***disfruta*** *de mucha fama* (= es muy famoso). **3.** *El departamento donde vivimos es de mi tío, pero lo* ***disfrutamos*** *nosotros* (= lo utilizamos nosotros).
SINÓN: 1. divertirse. **1, 2.** gozar. **2.** poseer, tener. **3.** aprovechar, utilizar. **ANTÓN: 1.** aburrirse, cansarse, fastidiarse. **2.** carecer.

disgustado, a adj. *Estaba muy* ***disgustado*** *a causa de sus malas notas* (= muy triste).
SINÓN: apenado, triste. **ANTÓN:** alegre. **FAM:** → *gusto.*

disgustar v. tr. **1.** *Mis malas notas* ***han disgustado*** *a mi padre* (= lo han hecho enojar). ◆ **disgustarse** v. pron. **2.** *Mis padres* ***se disgus-***

taron *mucho cuando vieron las malas notas que traía* (= se enfadaron).
SINÓN: 1. desagradar. **2.** enojarse. **ANTÓN: 1.** agradar, complacer, gustar. **2.** alegrarse. **FAM:** → *gusto.*

disgusto s. m. **1.** *Cuando me enteré del accidente tuve un gran* ***disgusto*** (= me puse muy triste). **2.** *Le he dado un* ***disgusto*** *diciéndole que no podría ir al baile* (= lo he fastidiado). ◆ **a disgusto 3.** *Hicimos la limpieza de la casa* ***a disgusto*** (= de mala gana).
SINÓN: 1. pesar. **ANTÓN: 1, 2.** alegría. **2.** satisfacción. **FAM:** → *gusto.*

disimular v. tr. **1.** *Estaba muy triste pero lo* ***disimulaba*** *sonriendo* (= lo ocultaba). **2.** *Cuando le preguntaron quién había roto el cristal,* ***disimuló*** *aparentando no saberlo* (= fingió no saberlo). **3.** *Intentaba* ***disimular*** *la mancha tapándola con un pañuelo* (= intentaba camuflarla).
SINÓN: 1, 2. ocultar. **2.** aparentar, fingir, simular. **3.** camuflar. **FAM:** → *simular.*

disimulo s. m. *Actuó con tanto* ***disimulo*** *que pocas personas se enteraron de lo que hacía* (= actuó con tanta discreción).
SINÓN: discreción. **ANTÓN:** franqueza. **FAM:** → *simular.*

dislocarse v. pron. *Mi hermano* ***se dislocó*** *el hombro jugando al baloncesto* (= se le salieron los huesos de sitio).

disminución s. f. *La* ***disminución*** *de los precios hizo que la gente comprara mucho más* (= bajaron los precios).
SINÓN: baja, descenso. **ANTÓN:** aumento, crecimiento. **FAM:** *disminuir.*

disminuir v. tr. *Han dicho por televisión que van a* ***disminuir*** *las temperaturas* (= que van a bajar).
SINÓN: bajar. **ANTÓN:** aumentar. **FAM:** *disminución.*

disolvente s. m. *El* ***disolvente*** *nos permitió hacer más líquida la pintura* (= es una sustancia que mezclándola con otra se consigue que ambas queden iguales).
FAM: *disolver.*

disolver v. tr. **1.** ***Disolví*** *la aspirina en un vaso de agua* (= la deshice para tomarla más fácilmente). **2.** *La policía* ***disolvió*** *la manifestación* (= obligó a las personas a marcharse). ◆ **disolverse** v. pron. **3.** *Cuando dieron las doce, la reunión* ***se disolvió*** (= se terminó).
SINÓN: 1. diluir. **3.** acabarse, finalizar, terminarse. **ANTÓN: 1.** concentrar. **3.** comenzar, empezar. **FAM:** *disolvente.*

disparar v. tr. **1.** *El soldado* ***disparó*** *tres tiros al aire para avisar a sus compañeros* (= usó su arma). **2.** *Le dejamos la cámara fotográfica a mi hermano para que* ***disparara*** *cuando estuviésemos preparados* (= para que nos sacara una foto). ◆ **dispararse** v. pron **3.** *Al oír los gritos* ***se disparó*** *hacia la casa* (= corrió hacia ella). **4.** *La escopeta* ***se*** *le* ***disparó*** *mientras la estaba limpiando* (= se activó su mecanismo).
SINÓN: 1. lanzar, tirar. **3.** correr. **FAM:** *disparo.*

disparatado, a adj. *Pasar la noche en el bosque es una solución* ***disparatada*** (= absurda, no es normal).
SINÓN: absurdo. **ANTÓN:** razonable, sensato. **FAM:** *disparate.*

disparate s. m. **1.** *Regar las plantas con gasolina es un* ***disparate*** (= es una locura). **2.** *Volver a salir a estas horas de la noche es un* ***disparate*** (= una exageración).
SINÓN: 1. absurdo, barbaridad, locura. **2.** exageración. **ANTÓN: 1.** acierto. **FAM:** *disparatado.*

disparo s. m. *Durante la noche se oyó un* ***disparo*** *de escopeta* (= un tiro).
SINÓN: tiro. **FAM:** *disparar.*

dispensar v. tr. **1.** *El farmacéutico* ***dispensó*** *los medicamentos a sus clientes* (= se los dio). **2.** *El maestro* ***dispensó*** *a mi amigo de asistir a clase* (= le permitió no asistir). **3.** ***Dispense*** *que lo interrumpa* (= discúlpeme).
SINÓN: 1. dar, entregar. **3.** disculpar, perdonar. **ANTÓN: 2.** obligar. **FAM:** *dispensario, indispensable.*

dispensario s. m. *Condujeron al enfermo al* ***dispensario*** *para curarlo* (= a la casa donde se realizan las primeras curas).
SINÓN: ambulatorio. **FAM:** → *dispensar.*

dispersar v. tr. **1.** *La policía* ***dispersó*** *a los manifestantes* (= los separó para que se alejaran). **2.** *Ana* ***dispersó*** *todos sus apuntes por la mesa* (= los esparció).
SINÓN: 2. diseminar, esparcir. **ANTÓN: 1.** concentrar. **1, 2.** reunir.

disponer v. tr. **1.** *El profesor* ***dispuso*** *las mesas en círculo* (= las colocó en círculo). **2.** *El médico* ***ha dispuesto*** *que guarde reposo* (= ha ordenado). **3.** *Cuando llegó el invierno lo* ***dispusimos*** *todo para soportar mejor el frío y el mal tiempo* (= lo preparamos).
SINÓN: 1. colocar. **2.** mandar, ordenar. **3.** preparar. **FAM:** → *poner.*

disponible adj. *Tuvimos que ir caminando porque el coche no estaba* ***disponible*** (= no podía ser utilizado).
FAM: → *poner.*

disposición s. f. **1.** *La* ***disposición*** *de los muebles la decidió un decorador* (= su colocación). **2.** *Según las* ***disposiciones*** *del médico, deberás permanecer en cama* (= las órdenes). **3.** *Juan tiene mucha* ***disposición*** *para la música* (= vale mucho para este arte). **4.** *Por fin lo encontramos en* ***disposición*** *de disculparse* (= con esa actitud). ◆ **estar a la disposición 5.** ***Estoy a su disposición*** *para ayudarlos en todo* (= me ofrezco para lo que haga falta).
SINÓN: 1. colocación, distribución. **2.** orden. **3.** aptitud, capacidad, habilidad, talento. **4.** condiciones. **ANTÓN: 3.** incapacidad. **FAM:** → *poner.*

dispositivo s. m. *El **dispositivo** que permite apagar la alarma se ha descompuesto* (= el mecanismo).
SINÓN: aparato, artilugio.

dispuesto, a adj. **1.** *Mis padres parece que están **dispuestos** a comprarme una bicicleta* (= están decididos). **2.** *Seguro que Eva te ayudará a hacer los deberes, es una chica muy **dispuesta*** (= es capaz).
SINÓN: **1.** decidido. **2.** capaz, hábil. ANTÓN: **2.** inepto, nulo. FAM: → *poner.*

disputa s. f. **1.** *Durante la **disputa**, Alberto lo insultó varias veces* (= en la pelea). ◆ **sin disputa 2.** *Alberto es **sin disputa** el mejor jugador del equipo* (= sin duda alguna).
SINÓN: **1.** discusión, riña. FAM: *disputar.*

disputar v. tr. **1.** *Los atletas se **disputaban** la victoria* (= luchaban para obtenerla). ◆ **disputar** v. intr. **2.** *Los mayores **disputaban** sobre política* (= discutían).
SINÓN: **1.** competir. **2.** debatir, discutir. FAM: *disputa.*

distancia s. f. **1.** *La **distancia** que hay entre mi casa y el colegio es tan grande, que debo tomar el autobús* (= el espacio que los separa). ◆ **a distancia 2.** *Los ladrones se mantuvieron **a distancia** de los policías* (= alejados de ellos).
SINÓN: trecho. FAM: → *distar.*

distante adj. **1.** *Juan estuvo tan **distante** con nosotros que ni nos saludó* (= estuvo muy antipático). **2.** *Las estrellas son astros que están muy **distantes** de la tierra* (= están muy lejos).
SINÓN: **1.** altivo. **2.** alejado, lejano. ANTÓN: **1.** cordial. **2.** cercano, próximo. FAM: → *distar.*

distar v. intr. *Tuvimos que tomar el autobús porque el campo de fútbol **distaba** mucho de nuestra casa* (= estaba muy lejos).
FAM: *distancia, distante.*

distinción s. f. **1.** *No debes hacer ninguna **distinción** entre personas blancas y negras, deben tratarse igual* (= no hay que hacer diferencias). **2.** *Trató a su invitado con mucha **distinción*** (= con gran cortesía).
SINÓN: **1.** diferencia. **2.** consideración, cortesía. FAM: → *distinguir.*

distinguido, a adj. *Un **distinguido** escritor inglés ha sido nombrado presidente del jurado* (= muy ilustre).
SINÓN: eminente, ilustre. ANTÓN: vulgar. FAM: → *distinguir.*

distinguir v. tr. **1.** *Sólo puedo **distinguir** a los gemelos por la voz* (= puedo reconocerlos por esa característica). **2.** *Aunque estaba muy oscuro pude **distinguir** una persona que se movía entre los árboles* (= pude ver). ◆ **distinguirse** v. pron. **3.** *El pantalón estaba tan sucio que no **se distinguía** de qué color era* (= no se podía apreciar).
SINÓN: **1.** reconocer. **2.** percibir, ver, vislumbrar. ANTÓN: **1, 3.** confundir(se). FAM: *distinción, distinguido, distintivo, distinto.*

distintivo, a adj. **1.** *El color del pelo era el único elemento **distintivo** entre los dos hermanos* (= era lo único que los diferenciaba). **2.** *El tener mamas es una característica **distintiva** de los mamíferos* (= es algo propio de ellos). ◆ **distintivo** s. m. **3.** *Colocamos nuestro **distintivo** en la bandera del campamento* (= nuestra insignia).
SINÓN: **1.** diferenciador. **3.** emblema, insignia. FAM: → *distinguir.*

distinto, a adj. **1.** *El libro que me devolvieron era **distinto** del que presté* (= no era el mismo). **2.** *Puedes hacer el pastel de **distintos** modos cambiando algunos ingredientes* (= puedes hacerlo de varias maneras).
SINÓN: **1, 2.** diferente. **2.** diverso. ANTÓN: **1.** igual, semejante. FAM: → *distinguir.*

distorsionar v. tr. *Los periodistas **distorsionaron** mis palabras, y ahora todos creen que yo dije eso* (= las interpretaron como quisieron).
SINÓN: deformar, torcer.

distracción s. f. **1.** *El pájaro se me escapó a causa de una **distracción*** (= a causa de un despiste). **2.** *Ir al fútbol es una **distracción** que me permite olvidar los problemas* (= es una diversión).
SINÓN: **1.** despiste. **2.** diversión, recreo. ANTÓN: **1.** atención. **2.** aburrimiento. FAM: → *distraer.*

distraer v. tr. **1.** *Para entrar en la finca tuvimos que **distraer** al perro con un hueso* (= desviar su atención). ◆ **distraerse** v. pron. **2.** *Mi abuelo **se distrae** leyendo* (= la pasa muy bien). **3.** *No debo **distraerme** en clase si quiero aprobar* (= tengo que prestar atención).
SINÓN: **1.** despistar. **2.** entretenerse. **3.** descuidarse. ANTÓN: **1.** atraer. **2.** aburrirse. **3.** atender. FAM: *distracción, distraído.*

distraído, a adj. *Este niño es tan **distraído** que se olvida siempre de traer el libro de lectura* (= es muy despistado).
SINÓN: despistado, olvidadizo. ANTÓN: atento. FAM: → *distraer.*

distribución s. f. *Cada mañana el repartidor hace la **distribución** de los periódicos por las casas* (= se encarga de repartirlos de forma adecuada).
SINÓN: reparto. FAM: *distribuir.*

distribuir v. tr. **1.** *El día de mi cumpleaños **distribuí** caramelos entre mis amigos* (= los repartí). **2.** *El profesor **distribuyó** a cada alumno su boletín de calificaciones* (= se lo entregó).
SINÓN: repartir. ANTÓN: recoger. FAM: *distribución.*

distrito s. m. *Vivo en el **distrito** más céntrico de la ciudad* (= en la zona más céntrica).

disturbio s. m. *No pude dormir a causa de los **disturbios** que hubo entre policías y ladrones* (= a causa del alboroto que hacían).
SINÓN: altercado. FAM: → *turbar.*

disuadir v. tr. ***Disuadí** a Pedro de que fuera a ver esa película tan mala* (= lo hice cambiar de opinión).
SINÓN: convencer, desaconsejar, desanimar. **ANTÓN:** animar. **FAM:** *disuasión.*

diurno, a adj. *Este año voy a ir a los cursos **diurnos** del instituto, porque por las noches debo trabajar* (= los cursos que se dictan durante el día).
ANTÓN: nocturno. **FAM:** → *día.*

divagar v. intr. **1.** *El vagabundo **divagaba** por las calles sin saber a dónde ir* (= iba caminando sin rumbo). **2.** *Estuvo **divagando** un buen rato antes de explicarnos concretamente lo que sucedió* (= habló sin precisar).
SINÓN: 1. vagar. **2.** desviarse.

diversidad s. f. **1.** *Entre mi hermano y yo existe una gran **diversidad** de carácter: él es dócil y yo soy rebelde* (= somos muy distintos). **2.** *En la frutería había una gran **diversidad** de frutas: manzanas, naranjas, plátanos, fresas, uvas* (= había una gran variedad).
SINÓN: 1. diferencia. **2.** variedad. **ANTÓN: 1.** coincidencia, igualdad. **FAM:** *diverso.*

diversión s. f. **1.** *Antiguamente el cine era la única **diversión** que tenían los jóvenes* (= la única distracción). **2.** *La lectura es una buena forma de **diversión*** (= de entretenimiento).
SINÓN: distracción, entretenimiento. **FAM:** → *divertir.*

diverso, a adj. **1.** *Tengo **diversos** libros que pueden interesarte* (= varios). **2.** *En casa de mis primos jugamos con juguetes muy **diversos*** (= todos eran diferentes).
SINÓN: 1. algunos, varios. **1, 2.** diferente(s), distinto(s). **ANTÓN:** idéntico, igual, semejante. **FAM:** *diversidad.*

divertido, a adj. **1.** *Mi padre es una persona **divertida:** no para de hacer bromas* (= siempre está alegre). **2.** *El circo es un espectáculo **divertido*** (= tanto los niños como los mayores la pasan muy bien).
SINÓN: 1. alegre, gracioso, ocurrente. **2.** ameno, entretenido, festivo. **ANTÓN: 1.** triste. **2.** aburrido. **FAM:** → *divertir.*

divertir v. tr. *Con sus gracias los payasos **divierten** a los niños* (= hacen que la pasen muy bien).
SINÓN: alegrar, distraer, entretener. **ANTÓN:** aburrir, cansar, fastidiar. **FAM:** *diversión, divertido.*

dividendo s. m. *Si dividimos 6 entre 2, el **dividendo** es 6 y el divisor 2* (= es el número que se divide por otro).
FAM: → *dividir.*

dividir v. tr. **1.** *El día de mi cumpleaños mi padre **dividió** la tarta en partes iguales* (= la partió en trozos). **2.** *Las diferentes opiniones **dividieron** a los miembros del jurado* (= los separaron).
SINÓN: 1. cortar, fraccionar, partir. **2.** enemistar, desunir. **ANTÓN: 1.** juntar. **1, 2.** unir. **FAM:** *dividendo, división, divisor, indivisible.*

divino, a adj. **1.** *Asistió con gran interés a los oficios **divinos*** (= a los oficios sagrados, que se ofrecen a Dios). **2.** *He visto una película **divina**, seguro que la vuelvo a ver* (= extraordinariamente buena).
SINÓN: 2. extraordinario, maravilloso. **ANTÓN:** horrible. **FAM:** → *dios.*

divisar v. tr. *Desde la cima de la montaña **divisamos** el barco* (= a una gran distancia pudimos verlo).
SINÓN: distinguir, ver.

divisible adj. *Todos los números pares son **divisibles** por dos, pues el resto de su división siempre es cero* (= se pueden dividir).
FAM: → *dividir.*

división s. f. **1.** *Para repartir los bombones hicimos una **división**, distribuyéndolos en partes iguales entre los cuatro amigos.* **2.** *El maestro nos mandó realizar dos operaciones, una suma y una **división*** (= una operación que consiste en repartir un número en tantas partes iguales como unidades tiene otro).
SINÓN: 1. reparto. **ANTÓN: 1.** multiplicación, unión. **FAM:** → *dividir.*

divisor adj. **1.** *El dos es un número **divisor** del seis* (= al dividirlos el resto es cero). ◆ **divisor** s. m. **2.** *Si dividimos 6 entre 2, el **divisor** es 2 y el dividendo es 6* (= es el número por el que se divide otro).
FAM: → *dividir.*

divorciarse v. pron. *Los padres de Enrique **se divorciaron** porque ya no querían vivir juntos* (= ya no están casados, viven separados).
SINÓN: separarse. **ANTÓN:** casarse. **FAM:** *divorcio.*

divorcio s. m. *A los padres de Juan les concedieron el **divorcio*** (= su matrimonio ya no tiene validez legal, ahora pueden volver a casarse si lo desean).
ANTÓN: boda, casamiento. **FAM:** *divorciarse.*

divulgar v. tr. *El periódico **divulgó** la noticia para que la gente se enterara del suceso* (= informó de ella a la gente).
SINÓN: difundir, pregonar, propagar. **ANTÓN:** callar, esconder, ocultar. **FAM:** *divulgación.*

do s. m. *El piano está deteriorado, no suena la nota **do*** (= la primera nota de la escala musical).

dobladillo s. m. *Al ponerme los pantalones rompí **el dobladillo** con los zapatos* (= el pliegue que se hace en los bordes para que no se deshilache).
SINÓN: ruedo. **FAM:** → *doblar.*

doblaje s. m. *Realizaron el **doblaje** de la película para que pudiera entenderse* (= la traducción de los diálogos originales a nuestro idioma).
FAM: → *doblar.*

doblar v. tr. **1.** *Jugando a las cartas mi padre* ***dobló*** *el dinero que se había jugado* (= lo multiplicó por dos). **2.** *Después de escribir la carta, la* ***dobló*** *y la metió en un sobre* (= la plegó). **3.** *Mi tío es tan fuerte que* ***dobla*** *barras de hierro con las manos* (= las tuerce). **4.** *Mi primo tiene una voz tan bonita que lo contratan para* ***doblar*** *películas* (= para sustituir la voz de los artistas de una película por la suya). ◆ **doblar** v. intr. **5.** *Para que no me siguieran,* ***doblé*** *por la primera calle que encontré* (= cambié de dirección).
SINÓN: 1. duplicar. **2.** plegar. **3.** arquear, curvar, torcer. **5.** girar. **ANTÓN: 1.** dividir. **2.** desdoblar. **3.** enderezar. **FAM:** *desdoblar, dobladillo, doblaje, doble, redoblar.*

doble adj. **1.** *El número* ***doble*** *de 2 es 4* (= es dos veces ese número). **2.** *En su cuarto tiene* ***doble*** *cortina para que no entre la luz* (= dos cortinas). ◆ **doble** s. m. f. **3.** *El actor fue sustituido por un* ***doble*** *en las escenas más peligrosas* (= por una persona especialista en hacer escenas peligrosas). **4.** *¡Mira, es el* ***doble*** *de Carlos!* (= una persona con un gran parecido a otra).
SINÓN: 1. duplo. **2.** dos, par. **ANTÓN: 1.** mitad. **FAM:** → *doblar.*

doce *Un año tiene* ***doce*** *meses.*
FAM: *docena.*

docena s. f. *Me regalaron una* ***docena*** *de rosas* (= doce rosas).
FAM: *doce.*

docente adj. *Los diferentes centros* ***docentes*** *de la ciudad anunciaron el comienzo de las clases* (= los centros de enseñanza).
SINÓN: educativo, formativo.

dócil adj. *Es un niño muy* ***dócil,*** *siempre hace lo que se le dice* (= muy obediente).
SINÓN: obediente. **ANTÓN:** indisciplinado, rebelde.

doctor, a s. **1.** *Como tenía mucha fiebre, mi padre llamó al* ***doctor*** *para que me curase* (= al médico). **2.** *Para obtener el título de* ***doctor*** *se debe hacer un trabajo científico llamado tesis.*
SINÓN: 1. médico. **FAM:** *doctorado, doctrina.*

doctorado s. m. *Mi hermano, que ya es licenciado en Historia, está realizando el* ***doctorado*** (= los estudios necesarios para obtener el grado de doctor).

doctrina s. f. **1.** *El profesor expuso su* ***doctrina*** *sobre la sociedad actual* (= sus conocimientos). **2.** *Según la* ***doctrina*** *de la Iglesia Católica sólo hay un Dios* (= según esa creencia).
FAM: → *doctor.*

documental s. m. *En clase nos proyectaron un* ***documental*** *sobre la vida de los animales* (= una película sobre un tema).
FAM: → *documento.*

documento s. m. **1.** *En la biblioteca encontramos un* ***documento*** *histórico muy antiguo* (= un escrito). **2.** *El abogado presentó varios* ***documentos*** *que demostraban la inocencia del acusado* (= varias pruebas).
SINÓN: 1. escrito, pliego. **2.** prueba. **FAM:** *documental, indocumentado.*

dogma s. m. *Los Diez Mandamientos son un* ***dogma*** *del cristianismo* (= es una idea indiscutible para la persona que cree en una doctrina).

dólar s. m. *Cambiamos nuestra moneda en* ***dólares*** *para ir a los Estados Unidos* (= la moneda norteamericana).

doler v. intr. **1.** *No pude estudiar porque me* ***dolía*** *la cabeza* (= tenía un fuerte dolor). **2.** *Me* ***duele*** *haberte hablado tan duramente* (= siento haberlo hecho). ◆ **dolerse** v.pron. **3.** *Fueron tan mal tratados que todavía* ***se duelen*** *del trato recibido* (= se lamentan).
SINÓN: 1. padecer, soportar, sufrir. **2, 3.** lamentarse. **3.** quejarse. **ANTÓN: 2.** alegrar. **FAM:** → *dolor.*

dolmen s. m. Un **dolmen** es un monumento prehistórico formado por dos grandes piedras verticales que sostienen una horizontal.

dolor s. m. **1.** *Un* ***dolor*** *de muelas me impidió ir a la excursión* (= una fuerte molestia). **2.** *Sentí un gran* ***dolor*** *cuando se fueron mis primos* (= me quedé muy triste).
SINÓN: 1. malestar, molestia, sufrimiento. **2.** pena, pesar, tristeza. **ANTÓN: 1.** bienestar. **2.** alegría, gozo, júbilo. **FAM:** *doler, dolorido, doloroso, duelo.*

dolorido, a adj. **1.** *Me caí en la escalera y tengo el cuerpo* ***dolorido*** (= me duele por todas partes). **2.** *Está muy* ***dolorido*** *por la muerte de su perro* (= muy apenado).
SINÓN: 1. lastimado, resentido. **2.** apenado, entristecido. **ANTÓN: 2.** alegre, contento, gozoso. **FAM:** → *dolor.*

doloroso, a adj. **1.** *Jugando al fútbol me di un golpe muy* ***doloroso*** (= me dolió mucho). **2.** *La noticia de la muerte de mi abuelo fue muy* ***dolorosa*** *para mí* (= me causó mucha pena).
SINÓN: 1. molesto. **2.** lamentable, lastimoso, penoso. **ANTÓN: 2.** alegre, gozoso. **FAM:** → *dolor.*

doma s. f. R. de la Plata. *Los aborígenes de la pampa eran muy hábiles para la* ***doma*** *de potros* (= amansaban a los animales para montarlos). **2.** *El domingo iremos a una* ***doma*** (= espectáculo campestre ofrecido por jinetes muy diestros).
FAM: → *domar.*

domable adj. *El caballo es un animal fácilmente* ***domable*** (= puede ser adiestrado o domado).
SINÓN: domesticable. **ANTÓN:** indomable. **FAM:** → *domar.*

domador, a s. *En el circo vimos una* ***domadora*** *de fieras* (= una persona que amansa a los animales y consigue que la obedezcan).
FAM: → *domar.*

domar v. tr. *El domador consiguió* ***domar*** *al tigre* (= consiguió amansarlo y que le obedeciera).
SINÓN: adiestrar, amaestrar, amansar. **FAM:** *domable, domador, indomable, indómito.*

domesticable adj. *El gato es un animal* ***domesticable*** (= se le puede acostumbrar a vivir entre las personas).
FAM: → *domesticar.*

domesticar v. tr. *Mi abuelo* ***domesticó*** *al perro* (= le enseñó a quedarse quieto con una orden).
FAM: *domesticable, doméstico.*

doméstico, a adj. **1.** *El perro y el gato son animales* ***domésticos*** (= viven en compañía del hombre). **2.** *Mi padre y yo ayudamos a mi madre en las tareas* ***domésticas*** (= en los trabajos de la casa).
SINÓN: **2.** casero. ANTÓN: **1.** salvaje. FAM: → *domesticar.*

domicilio s. m. **1.** *El cumpleaños lo celebré en mi* ***domicilio*** (= en mi casa). ◆ **a domicilio** **2.** *Las cartas se reparten* ***a domicilio*** (= las dejan en las casas de cada uno).
SINÓN: **1.** casa, hogar, morada.

dominación s. f. *Antiguamente los esclavos estaban bajo la* ***dominación*** *de sus amos* (= bajo el poder).
SINÓN: control, dominio, poder. FAM: → *dueño.*

dominante adj. **1.** *Mi abuela es una persona* ***dominante*** *y quiere que la obedezcan* (= está siempre dando órdenes). **2.** *El color* ***dominante*** *en mis dibujos es el azul* (= el que más se ve).
SINÓN: **1.** exigente. ANTÓN: **1.** liberal. FAM: → *dueño.*

dominar v. tr. **1.** *Ana* ***domina*** *a todos sus amigos y siempre hacen lo que ella quiere* (= impone su voluntad). **2.** *El jinete consiguió* ***dominar*** *al caballo* (= lo sujetó para que no se moviera). **3.** *Mi profesora* ***domina*** *el inglés* (= lo habla perfectamente). **4.** *Desde mi ventana* ***domino*** *lo que pasa en la calle* (= lo veo desde allí). ◆ **dominar** v. intr. **5.** *La palmera* ***dominaba*** *entre los otros árboles del parque* (= sobresalía). ◆ **dominarse** v. pron. **6.** *Ante la mala noticia mi padre estaba muy nervioso, pero consiguió* ***dominarse*** (= consiguió tranquilizarse).
SINÓN: **1.** someter. **2.** retener, sujetar. **4.** percibir, ver. **5.** destacar, distinguirse, sobresalir. **6.** contenerse, controlarse, tranquilizarse. ANTÓN: **1.** obedecer. **3.** desconocer, ignorar. FAM: → *dueño.*

domingo s. m. *El* ***domingo*** *suele ser el día de descanso del trabajo* (= el primer día de la semana).
FAM: *dominical.*

dominical adj. *Mi padre suele comprar el periódico* ***dominical*** (= el que sale el domingo).
FAM: *domingo.*

dominicano, a adj. **1.** *Me trajeron un jarrón* ***dominicano*** (= de la isla de Santo Domingo). ◆ **dominicano, a** s. **2.** *Los* ***dominicanos*** *son las personas nacidas en Santo Domingo.*

dominio s. m. **1.** *Las aguas de los ríos son de* ***dominio*** *público* (= pertenecen a todas las personas). **2.** *El capitán tiene un gran* ***dominio*** *sobre los soldados* (= tiene poder sobre ellos). **3.** *El* ***dominio*** *de las matemáticas comprende el cálculo y la geometría* (= todo lo que pertenece a una ciencia). ◆ **ser algo del dominio público** **4.** *Tu noviazgo ya* ***es del dominio público*** (= ya es algo que sabe todo el mundo). ◆ **dominios** s. m.pl. **5.** *El Estado ejerce poder sobre sus* ***dominios*** (= sobre sus territorios).
SINÓN: **1.** pertenencia, propiedad. **2.** autoridad, poder, potestad. **3.** ámbito, campo. **5.** territorios, tierras. FAM: → *dueño.*

dominó s. m. *En casa de mi primo estuvimos jugando al* ***dominó*** (= juego de mesa de 28 fichas rectangulares con unos puntos marcados).

don s. m. **1.** *A mi abuelo lo llaman* ***don*** *Andrés en señal de respeto.* **2.** *El hada madrina concedió tres* ***dones*** *a la princesa* (= tres regalos). **3.** *La simpatía es un* ***don*** *natural* (= una gracia natural). **4.** *Mi hermana tiene un* ***don*** *especial para la guitarra* (= es muy hábil para tocarla).
SINÓN: **2.** favor, presente, regalo. **3.** característica, gracia. **4.** destreza, habilidad. ANTÓN: **4.** incapacidad, torpeza.

dona s. f. Méx. *Tengo muchas ganas de comer una* ***dona*** (= pan esponjoso en forma de anillo, horneado y frito en aceite, y cubierto de azúcar, canela o chocolate).

donación s. f. *Con el dinero reunido entre los compañeros hicimos una* ***donación*** *al asilo* (= dimos dinero a personas que lo necesitan).
SINÓN: donativo. FAM: → *donar.*

donante s. m. *Me gustaría ser* ***donante*** *de sangre* (= dar sangre cuando otro la necesite).
FAM: → *donar.*

donar v. tr. *Mi padre* ***donó*** *dos de sus cuadros al museo* (= los regaló).
SINÓN: conceder, dar, regalar. ANTÓN: quitar, tomar. FAM: *donación, donante, donativo.*

donativo s. m. *Entregué un* ***donativo*** *para los niños pobres* (= di dinero para ayudarlos).
SINÓN: donación, limosna. FAM: → *donar.*

donde adv. **1.** *La casa* ***donde*** *nací era muy bonita* (= en la cual nací). **¿dónde?** adv. inter. **2.** ***¿Dónde*** *estuviste ayer?* (= ¿en qué lugar estuviste?). ◆ **dondequiera** adv. **3.** *Mi perro me sigue* ***dondequiera*** *que vaya* (= a todas partes).
FAM: *adonde.*

donjuán s. m. *Tu hermano se las da de* ***donjuán*** *pero yo nunca lo he visto con una chica* (= de conquistador).
SINÓN: conquistador, ligón.

doña s. f. *A mi abuela la llaman* ***doña*** *Teresa en señal de respeto.*
FAM: → *dueño.*

doparse v. pron. *Algunos atletas* ***se dopan*** *con sustancias que los estimulan para correr más* (= se drogan con estimulantes).
SINÓN: estimularse.

dorado, a adj. **1.** *Han puesto marcos* ***dorados*** *a los cuadros* (= que parecen de oro). **2.** *Los años sesenta fueron la edad* ***dorada*** *de la música* (= en ese momento tuvo mucho éxito). ◆ **dorado** s. m. **3.** *El mueble que he comprado tiene muchos* ***dorados*** (= adornos metálicos de ese color). **4.** El **dorado** es un pez de agua salada, de dorso azulado y vientre blanco, con una mancha dorada en la cabeza.
SINÓN: **2.** esplendoroso, glorioso. FAM: *dorar.*

dorar v. tr. **1.** *El joyero* ***doró*** *el anillo* (= lo cubrió de oro). ◆ **dorarse** v. pron. **2.** *Su cuerpo* ***se doraba*** *tumbado al sol* (= se ponía moreno). **3.** *Metimos el pollo en el horno para que se* ***dorara*** (= para que se asara).
SINÓN:: **3.** asar. FAM: *dorado.*

dormilón, ona adj. *En mi casa tenemos un gato muy* ***dormilón*** (= se pasa el día durmiendo).
SINÓN: gandul, perezoso. ANTÓN: activo. FAM: → *dormir.*

dormir v. intr. **1.** *Los domingos suelo* ***dormir*** *hasta las 10* (= descansar el cuerpo). ◆ **dormirse** v. pron. **2.** *Mi abuelo suele* ***dormirse*** *viendo la televisión* (= se queda dormido). **3.** ***Se me durmió*** *el pie de estar mucho tiempo sentado* (= no lo podía mover).
SINÓN: **3.** entumecerse. ANTÓN: **1, 2.** despertar(se). FAM: *adormecer, adormilarse, dormilón, dormitar, dormitorio.*

dormitar v. intr. *Cuando terminó la película mi hermana* ***dormitaba*** *en el sofá* (= estaba medio dormida).
SINÓN: adormecerse. ANTÓN: espabilarse. FAM: → *dormir.*

dormitorio s. m. *Hemos preparado esta habitación como* ***dormitorio*** (= será el lugar donde dormiremos).
SINÓN: alcoba, aposento. FAM: → *dormir.*

dorsal adj. *He sufrido un golpe en la espina* ***dorsal*** *que me duele mucho* (= en la espalda).
FAM: *dorso.*

dorso s. m. **1.** *Algunos animales llevan a sus crías en el* ***dorso*** (= en la espalda). **2.** *Puso la fecha de las vacaciones en el* ***dorso*** *de las fotografías* (= en la parte de atrás).
SINÓN: **2.** reverso. ANTÓN: **2.** anverso, cara.
FAM: *dorsal.*

dos *Tomó el plato con las* ***dos*** manos.
FAM: *dúo.*

doscientos, as ***Doscientos*** *años son dos siglos.*

dosificar v. tr. **1.** *El doctor me* ***dosificó*** *la medicina* (= me dijo qué cantidad y cada cuánto tiempo tenía que tomarla). **2.** *El atleta* ***dosificó*** *sus esfuerzos para poder llegar a la meta* (= fue esforzándose poco a poco).
SINÓN: **2.** graduar, regular. FAM: *dosis.*

dosis s. f. **1.** *Todos los días, mi abuelo toma su* ***dosis*** *del medicamento contra la tos* (= toma una parte del medicamento). **2.** *Para aprobar todo el curso se necesita una buena* ***dosis*** *de esfuerzo* (= una cantidad de trabajo).
SINÓN: **1, 2.** cantidad. FAM: *dosificar.*

dote s. f. **1.** *Todavía en algunos pueblos la novia al casarse lleva una* ***dote*** (= bienes que aporta al matrimonio). **2.** *Mi hermana tiene grandes* ***dotes*** *para el atletismo* (= tiene muchas cualidades).
SINÓN: **2.** aptitud, cualidad, don.

dragón s. m. *En este cuento, el protagonista consigue vencer al* ***dragón*** (= un animal fantástico con forma de serpiente con alas que echa fuego por la boca).

drama s. m. **1.** *Fuimos al teatro a ver un* ***drama*** (= una obra de teatro). **2.** *Cuando llegamos al lugar del accidente contemplamos un* ***drama*** (= un suceso impresionante).
SINÓN: **2.** tragedia. FAM: *dramático, dramatizar.*

dramático, a adj. **1.** *Ruiz de Alarcón fue un autor* ***dramático*** (= de obras de teatro). **2.** *Hasta que llegó la ambulancia, el accidentado pasó momentos* ***dramáticos*** (= momentos de ansiedad).
SINÓN: **1.** teatral. **2.** trágico. ANTÓN: **2.** alegre, divertido, gracioso. FAM: → *drama.*

dramatizar v. tr. **1.** *Una compañía de teatro* ***dramatizó*** *una novela de García Márquez* (= la representó en teatro). **2.** ***Dramatizó*** *la caída haciéndonos creer que se había hecho daño* (= la exageró excesivamente).
SINÓN: **1.** teatralizar. **2.** exagerar. FAM: → *drama.*

drenar v. tr. **1.** *La sangre* ***drenaba*** *por la herida* (= saltaba de una cavidad o lugar del cuerpo). **2.** *Las aguas estancadas en la azotea* ***drenaron*** *por los desagües* (= se escurrió el agua de un lugar).

drenaje s. m. Amér. *Las aguas de lluvia se desagotan por el* ***drenaje*** *de las calles* (= por el sistema para desalojar las aguas estancadas y las de lluvia).
SINÓN: alcantarillado.

droga s. f. **1.** *El consumo de* ***drogas*** *es muy perjudicial para la salud* (= tomar estimulantes). **2.** *El médico le recetó un medicamento a base de una* ***droga*** *recientemente descubierta* (= compuesto químico). Méx. **3.** *Tengo muchas* ***drogas*** (= deudas).
SINÓN: **1.** estimulante. **3.** deuda. FAM: *drogadicto, drogar, droguería.*

drogadicto, a s. *Muchos* ***drogadictos*** *asisten a centros especiales para curarse de su dependencia* (= personas que están enfermas porque toman drogas).
SINÓN: toxicómano. FAM: → *droga.*

drogar v. tr. **1.** *Los ladrones* ***drogaron*** *al perro* (= le inyectaron un narcótico). ◆ **drogarse** v. pron. **2.** *Desde que* ***se droga****, se encuentra mal de salud* (= desde que se inyecta o toma droga).
FAM: → *droga.*

droguería s. f. *Mi padre me mandó a la* ***droguería*** *a buscar disolvente para la pintura* (= tienda donde venden productos químicos).
FAM: → *droga.*

dromedario s. m. El **dromedario** es un animal semejante al camello pero con una sola joroba.

ducha s. f. **1.** *Cuando volvimos de la excursión nos dimos una* ***ducha*** (= el chorro de agua nos limpió y refrescó). **2.** *La* ***ducha*** *se ha estropeado y ahora no sale agua* (= el aparato por donde sale el agua).
SINÓN: regadera. FAM: *ducharse.*

ducharse v. pron. *Todas las mañanas* ***me ducho*** *para despejarme* (= me baño).
FAM: *ducha.*

duda s. f. **1.** *Cuando salí de casa me entró la* ***duda*** *de si había cerrado o no la puerta* (= no estaba seguro de haberlo hecho). **2.** *Le pregunté todas mis* ***dudas*** *al profesor* (= todo lo que no comprendía). ◆ **sin duda 3.** ***Sin duda*** *fue tu hermana quien se lo dijo* (= seguro que fue ella).
SINÓN: **1.** indecisión, inseguridad, titubeo, vacilación. **2.** dificultad, problema. ANTÓN: **1.** certeza, seguridad. **2.** solución. FAM: *dudar, dudoso, indudable.*

dudar v. intr. **1.** ***Dudamos*** *antes de salir porque hacía mucho frío* (= no sabíamos si salir o no). ◆ **dudar** v. tr. **2.** ***Dudo*** *mucho que llegue a tiempo a la estación* (= me extraña).
SINÓN: **1.** titubear, vacilar. **2.** extrañarse. ANTÓN: **1.** decidir, determinar, resolver. **2.** confiar.
FAM: → *duda.*

dudoso, a adj. **1.** *Cuando nos fuimos del partido el resultado era* ***dudoso*** (= no se sabía quién iba a ganar). **2.** *Mi tío estaba* ***dudoso*** *sin decidirse a comprar el coche* (= estaba indeciso entre hacerlo o no). **3.** *Con el resfrío que tenía, era* ***dudoso*** *que asistiera a clase* (= poco probable).
SINÓN: **1.** incierto. **2.** indeciso, inseguro, vacilante. **3.** improbable. ANTÓN: **1.** cierto. **2.** decidido, determinado, resuelto. FAM: → *duda.*

duelo s. m. **1.** *Llevamos una cinta negra en señal de* ***duelo*** *por la muerte de nuestro compañero* (= de dolor). **2.** *El protagonista de la novela desafió a* ***duelo*** *a su enemigo* (= le propuso pelear).
SINÓN: **1.** dolor, pena, sentimiento. ANTÓN: **1.** alegría, felicidad. FAM: → *dolor.*

duende s. m. *En el cuento aparecía el* ***duende*** *de un castillo* (= un ser fantástico que daba muchos sustos con sus travesuras).

dueño, a s. **1.** *Le pedimos permiso al* ***dueño*** *de la finca para acampar allí* (= a su propietario). ◆ **ser dueño de sí mismo 2.** *Aunque la discusión fue dura, él demostró* ***ser dueño de sí mismo*** *y no se alteró* (= demostró controlar su enfado).
SINÓN: **1.** amo, propietario. FAM: *adueñar, dominación, dominante, dominar, dominio, doña, predominar, predominio.*

dulce adj. **1.** *La bebida que nos ofrecieron estaba muy* ***dulce*** (= le habían puesto mucha azúcar). **2.** *Ana tiene una voz muy* ***dulce*** (= muy suave y agradable). ◆ **dulce** s. m. **3.** *Hoy he comido de postre un* ***dulce*** *hecho con huevo, azúcar y harina* (= una comida con azúcar).
SINÓN: **1.** azucarado. **2.** agradable, delicado, suave. **3.** caramelo, golosina. ANTÓN: **1.** ácido, amargo. **2.** desagradable. FAM: *dulcificar, dulzor, dulzura, endulzar.*

dulcificar v. tr. ***Dulcificamos*** *el café con azúcar* (= le dimos un sabor más dulce).
SINÓN: azucarar, endulzar. FAM: → *dulce.*

dulzor s. m. *La fruta me dejó un gran* ***dulzor*** *en la boca* (= un sabor dulce muy intenso).
SINÓN: dulzura. FAM: → *dulce.*

dulzura s. f. **1.** *La* ***dulzura*** *de aquella fruta me hizo pensar que era de origen tropical* (= su sabor dulce). **2.** *La* ***dulzura*** *de su carácter agradó a todos* (= su suavidad y bondad).
SINÓN: **1.** dulzor. **2.** suavidad, bondad. FAM: → *dulce.*

duna s. f. *El viento forma* ***dunas*** *con la arena de la playa* (= pequeñas montañas de arena).

dúo s. m. *Mi hermano y yo cantamos una canción a* ***dúo*** (= los dos juntos).
FAM: *dos.*

duodécimo, a adj. *El día* ***duodécimo*** *del mes es aquel que sigue en orden al día once o undécimo* (= es el día 12 del mes).

duodeno s. m. *La úlcera que tenía en el* ***duodeno*** *le causaba mucho dolor* (= en la primera parte del intestino).

duplicar v. tr. *En el presente año la empresa ha* ***duplicado*** *sus ventas* (= vende el doble).
SINÓN: doblar.

duración s. f. **1.** *La maleta que me han comprado es cara, pero de mucha* ***duración*** (= tardará mucho en estropearse). **2.** *La canción tiene una* ***duración*** *de 15 minutos* (= es muy larga).
FAM: → *durar.*

duradero, a adj. *Los zapatos nuevos parecen bastante* ***duraderos*** (= durarán bastante).
FAM: → *durar.*

durante adv. ***Durante*** *la película mi hermano salió de la sala tres veces* (= en el tiempo que duró).
FAM: → *durar.*

durar v. intr. **1.** *La fiesta* ***duró*** *hasta la medianoche* (= se prolongó). **2.** *La cartera que me regalaste hace tres años* ***ha durado*** *mucho* (= no se ha estropeado).
SINÓN: **1.** prolongarse. **2.** resistir. FAM: *duración, duradero, durante, perdurar.*

duraznero s. m. Amér. Merid. *Desde el camino se ven las grandes plantaciones de* ***duraznero****s* (= variedad sudamericana del melocotonero).
FAM: → *durazno.*

durazno s. m. Amér. Merid. **1.** *En los* ***duraznos*** *priscos la pulpa se separa del carozo* (= fruto comestible del duraznero). **2.** *Las flores del* ***durazno*** *tienen un agradable perfume* (= del duraznero o melocotonero).
FAM: → *duraznero.*

dureza s. f. **1.** *El diamante es el mineral de mayor* ***dureza*** *porque ningún otro puede rayarlo.* **2.** *Tiene* ***durezas*** *en la planta del pie* (= tiene callos).
SINÓN: **1.** consistencia, resistencia, solidez. **2.** callo. ANTÓN: blandura. FAM: → *duro.*

duro, a adj. **1.** *La figura de barro que había hecho quedó muy* ***dura*** *después de secarla en el horno* (= muy compacta). **2.** *El trabajo de los mineros es muy* ***duro*** (= muy difícil y trabajoso). **3.** *Juan es un futbolista muy* ***duro*** (= resiste muy bien la fatiga). **4.** *El profesor estuvo muy* ***duro*** *con los alumnos* (= muy severo). **5.** *El volante del coche está muy* ***duro*** (= muy rígido). ◆ **ser duro de cabeza 6.** *Mi hermano* ***es tan duro de cabeza*** *que no lo convencerás* (= es muy terco). ◆ **duro** adv. **7.** *Trabajó muy* ***duro*** *para conseguir ese puesto* (= muy esforzadamente).
SINÓN: **1.** compacto, consistente, sólido. **2.** penoso, trabajoso. **3.** fuerte, infatigable. **4.** exigente, severo. **5.** rígido. ANTÓN: **1.** blando. **3.** endeble, frágil. **4.** comprensivo, tolerante. FAM: *dureza, endurecer.*

E s. f. **1.** La vocal **e** es la quinta letra del alfabeto español. **2.** También es una conjunción. VER CUADRO DE CONJUNCIONES.

ebanista s. m. *Mi padre encargó la mesa de su despacho a un* ***ebanista*** (= a un carpintero que fabrica muebles con maderas de calidad).
FAM: → *ébano.*

ebanistería s. f. *Fuimos a la* ***ebanistería*** *para recoger el mueble que nos habían hecho* (= al taller del ebanista).
FAM: → *ébano.*

ébano s. m. El **ébano** es un árbol de madera muy dura y pesada, de color negro en el centro y muy apreciada en ebanistería.
FAM: *ebanista, ebanistería.*

ebrio, a adj. *El accidente se produjo porque uno de los conductores estaba* ***ebrio*** (= había bebido demasiado).
SINÓN: alegre, borracho. **ANTÓN:** sereno, sobrio.

ebullición s. f. *Cuando el agua estuvo en* ***ebullición*** *apagamos el fuego* (= hirviendo).
ANTÓN: congelación. **FAM:** *bullir.*

eccema s. f. *He ido al médico de la piel porque me ha salido una* ***eccema*** *en las piernas* (= unas manchas rojas que salen en la piel).

echar v. tr. **1.** *Los desperdicios de la comida los* ***echamos*** *a la basura* (= los tiramos). **2.** *Cuando recogimos a mi hermano del suelo* ***echaba*** *sangre por la nariz* (= le salía sangre). **3.** *Mi padre me mandó* ***echar*** *una carta en el buzón* (= depositarla en él). **4.** *El encargado* ***echó*** *del cine al borracho que estaba molestando a los demás* (= lo expulsó del local). **5.** *En primavera las plantas* ***echan*** *flores* (= las producen). **6.** *Para que no entrara nadie,* ***echamos*** *el cerrojo* (= lo corrimos). **7.** *Como nadie quería quedarse lo* ***echamos*** *a suerte* (= lo sorteamos). **8.** *No lo alcanzó la pelota porque* ***echó*** *la cabeza atrás* (= la movió hacia atrás). **9.** *Cuando* ***eché*** *cálculos, me di cuenta de que no podía comprarme la bicicleta* (= los hice). **10.** *El profesor nos* ***echó*** *una bronca por estropear las tizas* (= nos retó). ◆ **echar a 11.** ◆ **Echamos a andar** *para subir a la cima de la montaña* (= nos pusimos a hacerlo). ◆ **echar de menos 12.** *Como el niño* ***echaba de menos*** *a su madre, se puso a llorar* (= tenía ganas de verla). ◆ **echarse** v. pron. **13.** *La policía encerró al ladrón y* ***se echó*** *sobre él* (= se lanzó). **14.** *Estaba cansada y* ***me eché*** *un rato sobre la cama* (= me tumbé). ◆ **echarse a perder 15.** *Como hacía días que había comprado la fruta,* ***se echó a perder*** *por el calor* (= se estropeó). **16.** *A Juan lo* ***echaron a perder*** *las malas compañías* (= ejercieron una influencia negativa sobre él).
SINÓN: 1. arrojar, lanzar, tirar. **2.** brotar, salir. **3.** depositar, poner. **4.** despedir, expulsar. **6.** afianzar, correr. **9.** calcular. **11.** ir. **12.** extrañar. **13.** abalanzarse. **15, 16.** estropearse. **FAM:** → *desechar.*

eclesiástico, a adj. **1.** *El Papa es la máxima dignidad* ***eclesiástica*** (= de la iglesia). ◆ **eclesiástico** s. m. **2.** *Varios* ***eclesiásticos*** *han elegido un nuevo obispo* (= sacerdotes).
SINÓN: 2. abad, cura, sacerdote. **FAM:** → *iglesia.*

eclipsar v. tr. **1.** *La Luna* ***eclipsó*** *al Sol durante el eclipse* (= lo tapó). **2.** *Juan tiene tanta personalidad que* ***eclipsa*** *a sus compañeros* (= sobresale entre los demás).
SINÓN: 1. oscurecer, tapar. **2.** sobresalir. **FAM:** *eclipse.*

eclipse s. m. *Esta mañana se ha oscurecido el día a causa de un* ***eclipse*** *de sol* (= porque la Luna se ha interpuesto entre el Sol y la Tierra).
SINÓN: oscurecimiento. **FAM:** *eclipsar.*

eco s. m. **1.** *Gritábamos desde la colina para comprobar si había* ***eco*** (= si se repetía el sonido de nuestro grito). ◆ **tener eco 2.** *Las palabras del presidente* ***tuvieron eco*** *en todos los periódicos* (= tuvieron mucha difusión).

ecología s. f. *Mi prima estudia* ***Ecología*** (= las relaciones entre los seres vivos y el medio ambiente).
FAM: *ecológico, ecologista.*

ecológico, a adj. *La contaminación está provocando el desequilibrio del sistema* ***ecológico*** (= de las relaciones del medio ambiente).
FAM: → *ecología.*

ecologista s. m. f. *Las* ***ecologistas*** *investigaron la causa de la contaminación del río* (= las personas que estudian la ecología).
FAM: → *ecología.*

economía s. f. **1.** *El administrador lleva la* ***economía*** *de la empresa controlando los in-*

gresos y gastos (= una administración de los bienes). **2.** *La* ***economía*** *de los países puede indicar la calidad de vida de sus habitantes* (= su riqueza). **3.** *Como está empeorando mi* ***economía****, no me podré ir de vacaciones* (= el dinero que tengo). **4.** *Habla con tanta* ***economía*** *de palabras que no siempre entiendo lo que dice* (= con pocas palabras).
SINÓN: 1. administración. **2.** bienes, riqueza. **FAM:** *economato, económico, economizar.*

económico, a adj. **1.** *La empresa tuvo que cerrar al empeorar su situación* ***económica*** (= la situación de sus bienes). **2.** *Viajar en tren es más* ***económico*** *que viajar en avión* (= es más barato).
SINÓN: 2. asequible, barato. **ANTÓN: 2.** caro. **FAM:** → *economía.*

economizar v. tr. **1.** *Pedro* ***economiza*** *luz corriendo las cortinas* (= gasta menos luz). ◆ **economizar** v. intr. **2.** *Mi padre* ***economizó*** *durante un año para comprar un piso nuevo* (= ahorró dinero).
SINÓN: 1. ahorrar. **ANTÓN: 1, 2.** derrochar, gastar. **FAM:** → *economía.*

ecosistema s. m. *La contaminación atmosférica está dañando el* ***ecosistema*** *de la zona* (= el conjunto de seres vivos que viven en equilibrio y relacionados en un mismo ambiente).

ecuador s. m. El **ecuador** es una línea circular imaginaria, perpendicular al eje de la Tierra, que se encuentra a igual distancia de ambos polos y que la divide en dos partes iguales.
FAM: *ecuatorial, ecuatoriano.*

ecuatorial adj. *El clima* ***ecuatorial*** *tiene temperaturas elevadas* (= el clima de la zona que está situada a ambos lados del ecuador).
FAM: → *ecuador.*

ecuatoriano, a adj. **1.** *Del suelo* ***ecuatoriano*** *se extraen grandes cantidades de petróleo* (= del Ecuador). **ecuatoriano, a** s. **2.** *Los* ***ecuatorianos*** *son las personas nacidas en Ecuador.*
FAM: → *ecuador.*

ecuestre adj. *La estatua* ***ecuestre*** *que hay en el parque es de mármol* (= es una estatua con una figura a caballo).

edad s. f. **1.** *Juan tiene doce años de* ***edad*** (= nació hace doce años). **2.** *Los niños están en la* ***edad*** *de jugar* (= en el momento). **3.** *La* ***Edad*** *Moderna es uno de los grandes períodos en que se divide la Historia.* ◆ **de edad 4.** *Ayudó a cruzar la calle a un hombre* ***de edad*** (= a una persona mayor). ◆ **mayor de edad 5.** *Cuando cumpla 18 años seré* ***mayor de edad****.* ◆ **menor de edad 6.** *En muchos locales está prohibida la entrada a los* ***menores de edad*** (= a las personas que tienen menos de 18 años).
SINÓN: 1. existencia, vida. **2.** etapa, momento, tiempo. **3.** época, era, período.

edén s. m. *Estuvimos en un valle tan fértil que parecía el* ***edén*** (= un lugar agradable y delicioso).
SINÓN: paraíso.

edición s. f. **1.** *El catedrático dirigió la* ***edición*** *del diccionario* (= el modo de hacerlo). **2.** *Como se vendieron todos los ejemplares, tuvimos que hacer una segunda* ***edición*** *del diccionario* (= tuvimos que imprimirlo de nuevo). **3.** *Visitamos la feria del libro en su sexta* ***edición*** (= era la sexta vez que se celebraba).
SINÓN: 2. impresión, tirada. **3.** celebración. **FAM:** *editar, editorial.*

edicto s. m. *En la puerta del banco hay un* ***edicto*** *anunciando las fechas de pagos* (= un papel en el que se anuncia un aviso importante para todos).

edificar v. tr. *Mientras los obreros* ***edificaban*** *la nueva casa, nosotros vivíamos en la de mis abuelos* (= mientras la construían).
SINÓN: construir, levantar. **ANTÓN:** derribar, destruir. **FAM:** *edificio.*

edificio s. m. *El* ***edificio*** *más grande del pueblo tiene ocho pisos* (= la construcción).
SINÓN: construcción, obra. **FAM:** *edificar.*

editar v. tr. *La escritora* ***editó*** *una colección de cuentos para niños* (= los publicó para que los leyera más gente).
SINÓN: imprimir, publicar. **FAM:** → *edición.*

editorial adj. **1.** *Los buenos libros hacen que se desarrolle la industria* ***editorial*** (= la que se dedica a publicar libros). ◆ **editorial** s. f. **2.** *Trabajo en una* ***editorial*** *especializada en libros de medicina* (= en una casa editora).
FAM: → *edición.*

edredón s. m. *Como hacía mucho frío tuvimos que poner el* ***edredón*** *en la cama* (= una especie de colcha rellena de plumas u otro material).

educación s. f. **1.** *Mi padre dice que la* ***educación*** *es la base para desarrollar la personalidad* (= la enseñanza que se recibe). **2.** *Mi abuelo trata a todas las personas con* ***educación*** (= con cortesía).
SINÓN: 1. enseñanza, formación, instrucción. **2.** cortesía, urbanidad. **ANTÓN: 1.** ignorancia. **FAM:** → *educar.*

educado, a adj. *Da gusto hablar con tu padre porque es una persona muy* ***educada*** (= siempre se comporta con respeto y buenos modales hacia los demás).
FAM: → *educar.*

educador, a s. *La formación de los niños depende de los padres y los* ***educadores*** (= de las personas que enseñan en la escuela).
SINÓN: maestro. **FAM:** → *educar.*

educar v. tr. **1.** *Los padres y maestros deben* ***educar*** *la inteligencia y el carácter de los niños* (= deben ayudarlos a desarrollar sus capaci-

dades). **2.** *Asiste a clases de música para* ***educar*** *su oído* (= para perfeccionarlo).
SINÓN: **1.** cultivar, dirigir, encaminar, enseñar, formar. **2.** desarrollar, entrenar, perfeccionar. FAM: *educación, educado, educador.*

efectivo, a adj. **1.** *El buen descanso es un remedio* ***efectivo*** *para calmar los nervios* (= consigue calmarlos). ◆ **en efectivo 2.** *¿Quiere pagar con la tarjeta de crédito o* ***en efectivo****?* (= con billetes). ◆ **hacer efectivo 3.** *Tuve que* ***hacer efectivo*** *el importe de la multa* (= tuve que pagar la multa).
FAM: → *efectuar.*

efecto s. m. **1.** *El agua del mar se evapora por* ***efecto*** *del Sol* (= como consecuencia de la acción del calor). **2.** *La propaganda causó el* ***efecto*** *que se esperaba: aumentar la venta del producto anunciado* (= consiguió el resultado que buscaba). **3.** *Ver el accidente de tránsito me causó mucho* ***efecto*** (= mucha impresión). **4.** *Lanzó la pelota con tanto* ***efecto*** *que despistó al arquero* (= con un movimiento curvo). ◆ **efectos** s. m. pl. **5.** *Para ir de viaje puso sus* ***efectos*** *en la maleta* (= sus cosas personales). ◆ **en efecto 6.** ***En efecto****, el libro está donde tú decías* (= es cierto, así es).
SINÓN: **1.** causa, consecuencia. **2.** fin, resultado. **3.** impresión, sensación. **5.** pertenencias. FAM: → *efectuar.*

efectuar v. tr. *El guardia* ***efectuó*** *un disparo al aire* (= realizó un disparo).
SINÓN: hacer, realizar. FAM: *efectivo, efecto.*

efemérides s. f. *El 12 de octubre se celebra la* ***efemérides*** *del descubrimiento de América* (= el día en que sucedió un hecho importante).
SINÓN: conmemoración.

efervescente adj. *El médico me ha mandado unas pastillas* ***efervescentes*** *que desprenden burbujas cuando las pongo en agua.*

eficacia s. f. *Trabaja con tanta* ***eficacia*** *que hace su trabajo antes que los demás* (= con rapidez).
FAM: *eficaz, eficiencia.*

eficaz adj. **1.** *La lejía es un producto* ***eficaz*** *para la limpieza* (= es muy bueno para quitar la suciedad). **2.** *La oficina marcha muy bien porque los empleados son muy* ***eficaces*** (= porque hacen muy bien su trabajo).
SINÓN: **1.** apropiado. **1, 2.** activo, apto, bueno, válido. **2.** competente. ANTÓN: **2.** incompetente. FAM: → *eficacia.*

eficiencia s. f. *La* ***eficiencia*** *de la secretaria ha sorprendido a los directores* (= su rapidez).
FAM: → *eficacia.*

efímero, a adj. *La vida de las flores es* ***efímera*** (= es muy corta).
SINÓN: breve, corto. ANTÓN: extenso, largo.

egipcio, a adj. **1.** *El verano pasado visitamos las pirámides* ***egipcias*** (= las que están en Egipto). ◆ **egipcio, a** s. **2.** *Los* ***egipcios*** *son las personas nacidas en Egipto.*

egoísmo s. m. *Su* ***egoísmo*** *lo lleva a no dejar que nadie toque sus cosas* (= quiere las cosas sólo para él).
SINÓN: interés. ANTÓN: desinterés, humildad. FAM: *egoísta.*

egoísta adj. *Juan es una persona tan* ***egoísta*** *que todo lo quiere para él y nunca colabora con los demás.*
SINÓN: interesado. ANTÓN: altruista, desinteresado. FAM: *egoísmo.*

egresado, a s. Amér. *Este año hubo un mayor número de* ***egresados*** *en la Facultad de Medicina* (= personas que han completado sus estudios en una escuela o universidad).
FAM: *egresar.*

egresar v. intr. Amér. *El año próximo, mi hermano mayor* ***egresa*** *de la Universidad* (= termina sus estudios en un establecimiento de enseñanza superior).
SINÓN: **2.** graduarse. ANTÓN: **2.** entrar, ingresar. FAM: *egresado.*

eje s. m. **1.** *Las ruedas giran mal porque está descompuesto el* ***eje*** *del coche* (= la barra metálica que hace girar las ruedas). **2.** *La crisis económica ha sido el* ***eje*** *de las conversaciones* (= el tema central). ◆ **eje de la Tierra 3.** *El* ***eje de la Tierra*** *va desde el Polo Norte al Polo Sur* (= la línea imaginaria que atraviesa la Tierra por su centro).

ejecución s. f. **1.** *La* ***ejecución*** *del trabajo nos llevó tres días completos* (= su realización). **2.** *El violinista hizo una* ***ejecución*** *perfecta de la obra* (= interpretó muy bien la partitura). **3.** *La* ***ejecución*** *del condenado a muerte se llevará a cabo la próxima semana* (= su ajusticiamiento).
SINÓN: **1.** realización. **2.** interpretación. **3.** ajusticiamiento. FAM: *ejecutar.*

ejecutar v. tr. **1.** *Revisó el proyecto antes de* ***ejecutarlo*** (= antes de hacerlo). **2.** *El juez mandó* ***ejecutar*** *la sentencia* (= mandó que se cumpliera). **3.** *El pianista* ***ejecuta*** *una obra de Mozart* (= la interpreta). **4.** *El verdugo deberá* ***ejecutar*** *al condenado a muerte* (= ajusticiarlo).
SINÓN: **1.** efectuar, hacer, realizar. **2.** cumplir. **3.** interpretar. **4.** ajusticiar. FAM: *ejecución.*

ejecutivo, a s. **1.** *Los* ***ejecutivos*** *se han reunido para comentar el funcionamiento de la empresa* (= las personas que dirigen una empresa). ◆ **ejecutivo, a** adj. **poder ejecutivo 2.** En los regímenes democráticos, el **poder ejecutivo** es el que tiene a su cargo el gobierno y vela por el cumplimiento de las leyes.

ejemplar adj. **1.** *Este jugador tiene un comportamiento* ***ejemplar*** *en el campo* (= puede servir de ejemplo para que los demás lo imiten). ◆ **ejemplar** s. m. **2.** *Tengo un solo* ***ejemplar*** *de este libro* (= una sola copia). **3.** *En el zoológico*

hemos visto un ***ejemplar*** *de oso blanco* (= sólo un animal de esa especie).
SINÓN: 1. modelo, perfecto. **2.** copia, reproducción. **FAM:** *ejemplo.*

ejemplo s. m. **1.** *El profesor nos puso un* ***ejemplo*** *para que comprendiéramos mejor el tema que explicaba* (= un hecho concreto para comprobar lo que decía). **2.** *Luis sirve de* ***ejemplo*** *a los demás por su buena conducta* (= de modelo a imitar).
SINÓN: 1. demostración. **2.** modelo, patrón, pauta. **FAM:** *ejemplar.*

ejercer v. tr. *Mi hermano es médico y* ***ejerce*** *su profesión en un hospital.*
SINÓN: desempeñar, practicar. **FAM:** *ejercicio, ejercitar, ejército.*

ejercicio s. m. **1.** *Hace mucho* ***ejercicio*** *para no engordar* (= hace gimnasia). **2.** *El maestro tiene mucha responsabilidad en el* ***ejercicio*** *de su profesión* (= en la práctica diaria). **3.** *En la prueba de Matemáticas debimos resolver 5* ***ejercicios*** (= puntos a desarrollar).
SINÓN: 1. deporte, entrenamiento, gimnasia, movimiento. **2.** ocupación, práctica. **FAM:** → *ejercer.*

ejercitar v. tr. *En la escuela* ***ejercitan*** *a los niños en los trabajos manuales* (= les enseñan a hacer cosas con las manos).
SINÓN: adiestrar, ejercer, practicar. **FAM:** → *ejercer.*

ejército s. m. **1.** *El* ***ejército*** *se entrena para aprender a manejar armas* (= el conjunto de soldados). **2.** *Por el tronco del árbol subía un* ***ejército*** *de hormigas* (= subían muchísimas).
SINÓN: 1. milicia, tropas. **FAM:** → *ejercer.*

ejido s. m. Méx. Los **ejidos** son los terrenos que el gobierno da en concesión a los campesinos para que los exploten.

ejote s. m. Amér. Cent., Méx. *Me dieron una nueva receta para preparar* ***ejotes*** (= vainas verdes y tiernas del frijol).

el Es un artículo. VER CUADRO DE ARTÍCULOS.

él Es un pronombre personal. VER CUADRO DE PRONOMBRES PERSONALES.

elaborar v. tr. *Hemos* ***elaborado*** *un trabajo sobre los insectos para la clase de ciencias naturales* (= lo hemos preparado con mucho cuidado).
SINÓN: confeccionar, fabricar, hacer, preparar, producir. **ANTÓN:** deshacer.

elástico, a adj. **1.** *Los resortes del colchón son* ***elásticos*** (= recuperan su forma normal cuando dejamos de apretarlos). **2.** *Suele estar de acuerdo con todo porque es una persona muy* ***elástica*** (= que se adapta a las situaciones). ◆ **elástico** s. m. **3.** *Se me caen los calcetines porque se ha roto el* ***elástico*** (= un cordón que se estira para sujetar las prendas).
SINÓN: 1. flexible. **2.** adaptable. **ANTÓN: 1.** rígido. **2.** inflexible.

elección s. f. **1.** *La* ***elección*** *del libro fue difícil porque todos me gustaban* (= la selección de uno entre varios). **2.** *Hicimos una votación para la* ***elección*** *del representante del curso* (= escogimos a una persona con nuestros votos). ◆ **elecciones** s. f. pl. **3.** *A las* ***elecciones*** *provinciales se han presentado cinco partidos políticos* (= a la votación de las personas que queremos que gobiernen).
SINÓN: 1. opción, selección. **2.** votación. **FAM:** → *elegir.*

elector, a adj. *En las últimas elecciones la oposición consiguió el 80 por ciento de los* ***electores*** (= de las personas que elegirán a los gobernantes).
FAM: → *elegir.*

electoral adj. *En la campaña* ***electoral*** *los partidos políticos explican sus propuestas de gobierno* (= los discursos que se hacen para ganar las elecciones).
FAM: → *elegir.*

electricidad s. f. *Tuvimos que encender una vela porque no había* ***electricidad*** (= la energía que permite iluminar las bombillas y hace funcionar los aparatos mecánicos).
SINÓN: corriente. **FAM:** *electricista, eléctrico, electrodoméstico, electrónica, electrónico.*

electricista adj. **1.** *Llamamos al técnico* ***electricista*** *porque se estropeó el calentador del agua* (= un experto en el uso y aplicaciones de la electricidad). ◆ **electricista** s. m. f. **2.** *El* ***electricista*** *nos instaló el aire acondicionado.*
FAM: → *electricidad.*

eléctrico, a adj. *La batidora y la plancha son aparatos* ***eléctricos*** (= que funcionan con electricidad).
FAM: → *electricidad.*

electrodoméstico s. m. *Fuimos a la casa de* ***electrodomésticos*** *a comprar una plancha* (= aparatos eléctricos que se utilizan en las casas).
FAM: → *electricidad.*

electrónica s. f. *Pedro quiere estudiar* ***Electrónica*** (= la ciencia que enseña las aplicaciones de la electricidad a la industria).
FAM: → *electricidad.*

electrónico, a adj. Todo lo que tiene que ver con la electrónica se califica de **electrónico**.
FAM: → *electricidad.*

elefante s. m. El **elefante** es un animal mamífero muy grande, de piel dura y rugosa, con las orejas grandes y la nariz en forma de trompa.

elegancia s. f. *Ana camina con mucha* ***elegancia*** (= de un modo muy correcto y gracioso).
SINÓN: distinción, gracia, gusto. **ANTÓN:** vulgaridad. **FAM:** *elegante.*

elegante adj. **1.** *El caballo es un animal* ***elegante*** (= sus movimientos son airosos). **2.** *El embajador es una persona* ***elegante*** *y cuidadosa*

con todos los detalles de su persona (= es una persona que cuida mucho de su imagen).
SINÓN: 1. airoso, armonioso, noble. **2.** distinguido. **ANTÓN:** tosco, vulgar. **FAM:** *elegancia.*

elegir v. tr. **1.** *El jurado* ***eligió*** *el mejor dibujo del concurso* (= lo seleccionó porque era el mejor). **2.** *Mi hermana* ***eligió*** *unos pantalones que a mí no me gustaron* (= los prefirió según su gusto).
SINÓN: 1. escoger, seleccionar. **2.** preferir. **ANTÓN:** desechar, excluir. **FAM:** *elección, elector, electoral.*

elemental adj. **1.** *Tan sólo tengo nociones* ***elementales*** *de inglés* (= sólo sé lo más básico). **2.** *El conferenciante dio unas explicaciones tan* ***elementales*** *que todos entendimos su teoría* (= muy fáciles de comprender).
SINÓN: 1. básico, fundamental, necesario. **2.** evidente, simple. **ANTÓN: 2.** complejo, complicado. **FAM:** *elemento.*

elemento s. m. **1.** *El oxígeno y el hidrógeno son los* ***elementos*** *de que se compone el agua* (= son las sustancias que forman el agua). **2.** *No puedo hacer el pastel porque no tengo los* ***elementos*** *necesarios* (= los medios para hacerlo). **3.** *No te fíes de él, es un* ***elemento*** *de mucho cuidado* (= es una persona de poca confianza).
SINÓN: 1. parte, sustancia. **2.** componente. **FAM:** *elemental.*

elevación s. f. *Desde una* ***elevación*** *se ve mejor la llegada de los barcos* (= desde un lugar más alto que los otros).
SINÓN: altura. **ANTÓN:** bajada, depresión. **FAM:** → *elevar.*

elevado, a adj. **1.** *Colocamos la bandera en la parte más* ***elevada*** *del edificio* (= en la parte más alta). **2.** *El precio de los coches es tan* ***elevado*** *que no puedo comprar uno nuevo* (= son muy caros).
SINÓN: 1. alto. **2.** caro. **ANTÓN: 1.** bajo. **2.** barato. **FAM:** → *elevar.*

elevar v. tr. **1.** *Con la ayuda de una polea conseguimos* ***elevar*** *la piedra hasta el segundo piso* (= levantarla del suelo). **2.** *Ha conseguido que lo* ***elevaran*** *de puesto por sus méritos en el trabajo* (= que lo ascendieran de cargo). ◆ **elevarse** v. pron. **3.** *El globo* ***se elevaba*** *hacia las nubes.*
SINÓN: 1, 3. alzar, levantar, subir. **2.** ascender. **ANTÓN: 1, 3.** bajar, derribar, descender. **FAM:** *elevación, elevado.*

eliminar v. tr. **1.** *El médico mandó a mi padre* ***eliminar*** *el pan de su dieta* (= suprimirlo). **2.** *El entrenador* ***eliminó*** *a dos jugadores por ser indisciplinados* (= los excluyó del equipo).
SINÓN: 1. suprimir. **2.** anular, echar, excluir. **ANTÓN: 1.** incluir. **2.** aceptar, incluir. **FAM:** *eliminatorio.*

eliminatorio, a adj. **1.** *No pudo presentarse al segundo examen porque fue reprobado en la primera prueba* ***eliminatoria*** (= un examen que si es reprobado impide presentarse al siguiente). ◆ **eliminatoria** s. f. **2.** *En el campeonato de ajedrez perdimos en la primera* ***eliminatoria*** (= en la primera selección para la final).
SINÓN: 2. selección. **FAM:** *eliminar.*

elipse s. f. *Los astros describen una* ***elipse*** *alrededor del Sol* (= su trayectoria es como una circunferencia aplastada).

ella Es un pronombre personal. VER CUADRO DE PRONOMBRES PERSONALES.

ellos, as Es un pronombre personal. VER CUADRO DE PRONOMBRES.

elogiar v. tr. *El periodista* ***elogió*** *la actuación del jefe de bomberos* (= alabó).
SINÓN: alabar, celebrar. **ANTÓN:** criticar. **FAM:** *elogio.*

elogio s. m. *El alcalde dirigió* ***elogios*** *al atleta por su brillante actuación en la carrera* (= le dedicó alabanzas).
SINÓN: alabanza. **ANTÓN:** crítica. **FAM:** *elogiar.*

elote s. m. Amér. Cent., Méx. *Cuando comemos carne asada, la acompañamos con pimientos y* ***elotes*** (= mazorcas tiernas de maíz que se comen hervidas o asadas).

eludir v. tr. *No he podido* ***eludir*** *el compromiso de la cena* (= no he podido evitarlo).
SINÓN: evitar, impedir.

embajada s. f. **1.** *El presidente mandó una* ***embajada*** *solicitando la paz entre los pueblos* (= un mensaje). **2.** *Asistimos a una fiesta en la* ***embajada*** *de Francia* (= en la residencia del embajador de ese país). **3.** *Cuando llegó el ministro inglés lo recibió la* ***embajada*** *de su país* (= las personas que representan a su país).
SINÓN: 1. encargo, mensaje, misión. **3.** representación. **FAM:** *embajador.*

embajador, a s. *Han nombrado un nuevo* ***embajador*** *peruano en Venezuela* (= la persona que representa el gobierno de otro país).
SINÓN: enviado, representante. **FAM:** *embajada.*

embalar v. tr. **1.** *Cuando nos mudamos, mi padre* ***embaló*** *los libros* (= los metió en cajas). ◆ **embalarse** v. pron. **2.** *El coche* ***se embaló*** *en la pendiente y no pude frenarlo* (= se lanzó a gran velocidad). **3.** *No* ***te embales*** *y piensa las cosas antes de hacerlas* (= no quieras hacer las cosas tan rápidamente).
SINÓN: 1. empaquetar, envolver. **2, 3.** correr, precipitarse. **ANTÓN: 2.** detenerse, pararse. **FAM:** → *bala.*

embaldosado s. m. *La cocina de mi casa tiene un* ***embaldosado*** *de color blanco* (= el suelo está cubierto de baldosas blancas).
FAM: → *baldosa.*

embalsamar v. tr. *Los egipcios* ***embalsamaban*** *a sus muertos* (= les ponían bálsamos y otras sustancias para que no se corrompieran).
FAM: → *bálsamo.*

embalse s. m. *El* ***embalse*** *tiene poca agua porque este año apenas ha llovido* (= una construcción hecha para acumular agua de lluvia).
SINÓN: dique, pantano, presa.

embarazada adj. *Mi hermana está* ***embarazada*** (= está esperando un hijo).
SINÓN: preñada. **FAM:** *embarazo.*

embarazo s. m. *El médico le dijo a mi tía que llevaba muy bien su* ***embarazo*** (= su estado de gestación).
FAM: *embarazada.*

embarazoso, a adj. *Se mostró tan violento que nos puso en una situación* ***embarazosa*** (= difícil).

embarcación s. f. *Fuimos a pescar en la* ***embarcación*** *de mi tío* (= en el barco).
SINÓN: barco. **FAM:** → *barco.*

embarcadero s. m. *Fuimos al* ***embarcadero*** *para subir al barco* (= al lugar desde donde se suben las personas al barco).
SINÓN: muelle. **FAM:** → *barco.*

embarcar v. tr. *Primero* ***embarcamos*** *el equipaje y luego subimos nosotros* (= primero metimos el equipaje en el barco).
ANTÓN: desembarcar. **FAM:** → *barco.*

embargo s. m. **1.** *El juez trabó un* ***embargo*** *sobre algunos de sus bienes* (= pueden venderse para pagar una deuda). ◆ **sin embargo** adv. **2.** *Estos zapatos me gustan,* ***sin embargo*** *quiero mirar más modelos* (= pero prefiero mirar más).

embarrarse v. pron. *Estuvo jugando con la tierra y* ***se embarró*** *entero* (= se llenó de barro).

embarullar v. tr. **1.** *Juan* ***embarulló*** *todo el armario buscando una camisa* (= lo desordenó). ◆ **embarullarse** v. pron. **2.** *Quiere decir tantas cosas que* ***se embarulla*** *hablando y no entiendo nada* (= se confunde).
SINÓN: **1.** desordenar, enredar, revolver. **2.** confundirse. **ANTÓN:** **1.** desenredar, ordenar. **2.** aclarar, orientar. **FAM:** *barullo.*

embellecer v. tr. *Los adornos que tiene el coche lo* ***embellecen*** *mucho* (= lo hacen más bonito).
SINÓN: adornar. **ANTÓN:** afear, deformar. **FAM:** → *belleza.*

embestir v. tr. *El toro* ***embistió*** *al caballo* (= se lanzó con ímpetu hacia él).
SINÓN: abalanzarse, acometer, agredir, atacar. **ANTÓN:** esquivar, evitar, huir.

emblema s. m. *Se ha comprado una placa con el* ***emblema*** *de su equipo de fútbol* (= con el símbolo).

embobar v. tr. **1.** *El trapecista* ***embobó*** *al público con sus piruetas* (= dejó asombrados a todos). ◆ **embobarse** v. pron. **2.** *Mi padre* ***se emboba*** *viendo partidos de fútbol* (= no atiende a nada más).
SINÓN: **1.** asombrar, sorprender. **FAM:** → *bobo.*

embocadura s. f. *El barco llegó a la* ***embocadura*** *del puerto* (= al sitio donde el mar se estrecha y empieza el puerto).

embolsar v. tr. **1.** *El dependiente* ***embolsaba*** *la fruta por kilos* (= la ponía en bolsas). ◆ **embolsarse** v. pron. **2.** ***Se embolsó*** *un buen premio de la lotería* (= lo ganó).
FAM: → *bolsa.*

emborrachar v. tr. **1.** *Se fue de fiesta con unos amigos y lo* ***emborracharon*** (= lo pusieron borracho). ◆ **emborracharse** v. pron. **2.** *Ese hombre* ***se ha emborrachado*** (= ha bebido mucho alcohol).
FAM: → *borrachera.*

emboscada s. f. *Los soldados prepararon una* ***emboscada*** *para sorprender al enemigo* (= se ocultaron en un lugar).
SINÓN: trampa. **FAM:** → *bosque.*

embotellamiento s. m. **1.** *En la entrada de la ciudad había un gran* ***embotellamiento*** *y por eso nos hemos retrasado* (= un atascamiento de vehículos que impedía circular). **2.** *Mi tío limpió las botellas antes de proceder al* ***embotellamiento*** *del vino* (= a llenar las botellas).
SINÓN: **1.** atasco, caravana. **FAM:** → *botella.*

embotellar v. tr. **1.** *En verano ayudo a mi abuelo a* ***embotellar*** *el vino* (= a llenar de vino las botellas). ◆ **embotellarse** v. pron. Amér. **2.** *A la entrada de la autopista, los vehículos* ***se embotellaron*** (= se detuvieron y amontonaron los vehículos en una carretera).
SINÓN: **1.** envasar, llenar. **2.** atascarse. **FAM:** → *botella.*

embrague s. m. *El cambio de marchas del coche no funciona porque se ha roto el* ***embrague*** (= el pedal que acciona el mecanismo para cambiar la velocidad).

embretar v. tr. Amér. Merid. *Al ver que se acercaba una tormenta, los peones* ***embretaron*** *a los animales* (= los encerraron en el corral).

embriagarse v. pron. *Como no está acostumbrado a beber,* ***se embriagó*** *en la fiesta* (= bebió demasiado).
SINÓN: emborracharse.

embrión s. m. *En la clase de ciencias, vimos fotografías de varios* ***embriones*** *de animales* (= el estado en que los seres vivos están desarrollándose desde su fecundación).

embrollo s. m. *No sabe cómo salir del* ***embrollo*** *en que se ha metido* (= del problema).
SINÓN: confusión, problema. **ANTÓN:** orden.

embromado, a adj. Amér. Merid. **1.** *Desde que se quedó sin empleo, está muy* ***embromado*** (= atraviesa una situación económica difícil). **2.** *María está muy preocupada porque su padre está* ***embromado*** (= enfermo de cuidado).
FAM: *broma.*

embromar v. tr. Amér. Merid. **1.** *La maestra lo reprendió porque no dejaba de* ***embromar*** *a*

sus compañeros (= les causaba molestia o fastidio). **2.** *Juan no pierde ocasión de* ***embromar*** *a los demás* (= causarles daño moral o material).
SINÓN: 1. fastidiar, molestar. **2.** perjudicar. **FAM:** *broma.*

embudo s. m. *Llenamos la botella de vino con un* ***embudo*** *para que no se derramara* (= con un utensilio en forma de cono invertido, con la boca más ancha y con el vértice prolongado por un tubo).

embuste s. m. *Ya nadie le cree porque siempre cuenta* ***embustes*** (= engaños).
SINÓN: cuento, engaño, mentira. **ANTÓN:** verdad. **FAM:** *embustero.*

embustero, a adj. *Es tan* ***embustero*** *que nadie le cree* (= es una persona que dice muchas mentiras).
SINÓN: mentiroso. **FAM:** *embuste.*

embutido s. m. *Fui a la tienda de* ***embutidos*** *a comprar mortadela y salchichón para los bocadillos* (= preparados de carne picada de cerdo y sazonada).

emergencia s. f. *El incendio de la sala nos obligó a utilizar la salida de* ***emergencia*** (= de urgencia).
SINÓN: urgencia.

emerger v. intr. *A las pocas horas del naufragio, los restos del barco* ***emergieron*** *a la superficie* (= subieron).

emigración s. f. **1.** *La* ***emigración*** *de las golondrinas se da durante el otoño* (= su viaje hacia lugares más calurosos). **2.** *La* ***emigración*** *de personas a otros países obedece, a menudo, a causas económicas o políticas.*
SINÓN: 1. migración. **2.** exilio. **FAM:** → *emigrar.*

emigrante adj. **1.** *La población* ***emigrante*** *ha descendido en los últimos años* (= las personas que se iban a otros países). ◆ **emigrante** s. m. f. **2.** *Estos* ***emigrantes*** *han ido a vivir a otro país porque en el suyo no había trabajo.*
FAM: → *emigrar.*

emigrar v. intr. **1.** *Muchas personas* ***emigran*** *a otro país porque en el suyo no tienen trabajo* (= se marchan en busca de trabajo y se quedan a vivir allí). **2.** *Las golondrinas* ***emigran*** *a zonas más cálidas durante el otoño* (= se trasladan).
SINÓN: 1, 2. marcharse, partir, trasladarse. **ANTÓN:** regresar, volver. **FAM:** *emigración, emigrante, inmigración, inmigrante, inmigrar, migración.*

emisario, a s. *Como no quería que nadie se enterara, le envió un* ***emisario*** (= la persona que da los mensajes secretos).
SINÓN: mensajero.

emisión s. f. **1.** *Ayer se suspendió la* ***emisión*** *del programa de televisión* (= la difusión). **2.** *Han hecho una* ***emisión*** *de estampillas para conmemorar las olimpíadas* (= han editado un conjunto de estampillas con un mismo motivo).
SINÓN: 1. difusión, retransmisión. **2.** edición, lanzamiento, producción. **FAM:** → *meter.*

emisor, a adj. **1.** *El aparato* ***emisor*** *del teléfono está descompuesto y no me escuchan* (= el que manda la voz). ◆ **emisora** s. f. **2.** *Siempre escucho la misma* ***emisora*** *de radio* (= el lugar desde donde se emiten las ondas de la radio o la televisión).

emitir v. tr. **1.** *Cuando están encendidos los focos* ***emiten*** *calor* (= lo desprenden). **2.** *Han decidido* ***emitir*** *billetes de mil pesos* (= ponerlos en circulación). **3.** *El juez* ***ha emitido*** *la sentencia del juicio* (= la ha dictado). **4.** *La radio* ***emite*** *música y programas muy variados* (= los lanza al aire).
SINÓN: 1. despedir, desprender, lanzar. **2.** producir. **3.** decir, manifestar. **4.** difundir. **ANTÓN: 1.** absorber, recibir. **2.** retirar. **FAM:** → *meter.*

emoción s. f. *Cuando me dieron el premio sentí una* ***emoción*** *tan grande que no pude hablar* (= una gran alegría).
SINÓN: agitación, conmoción. **ANTÓN:** sosiego, tranquilidad. **FAM:** → *emocionar.*

emocionante adj. *La entrega de premios fue muy* ***emocionante*** (= causó gran emoción y todos estaban impresionados).
SINÓN: emotivo, impresionante. **ANTÓN:** aburrido, indiferente. **FAM:** → *emocionar.*

emocionar v. tr. *Los aplausos del público* ***emocionaron*** *al profesor homenajeado* (= lo conmovieron).
SINÓN: alterar, conmover, turbar. **ANTÓN:** calmar, sosegar, tranquilizar. **FAM:** *emoción, emocionante, emotivo.*

emotivo, a adj. **1.** *El encuentro con mi viejo amigo fue muy* ***emotivo*** *para mí* (= me produjo una gran emoción). **2.** *Mi prima es tan* ***emotiva*** *que llora con mucha facilidad* (= es muy sensible).
SINÓN: 2. sensible. **ANTÓN: 2.** insensible. **FAM:** → *emocionar.*

empacarse v. pron. Amér. Merid. *La mula* ***se empacó*** *en medio del camino* (= se plantó, se resistió a andar).

empacharse v. pron. *Comimos tanto chocolate que* ***nos empachamos*** (= nos produjo una indigestión).
SINÓN: hartarse, indigestarse. **FAM:** *empacho.*

empacho s. m. *Me dolía la cabeza por el* ***empacho*** *que tuve en la fiesta* (= de tanto comer).
SINÓN: indigestión. **FAM:** *empachar.*

empadronarse v. pron. *Como me he cambiado de domicilio, tendré que* ***empadronarme*** *en el registro de la nueva localidad* (= inscribirme en la lista de vecinos de una ciudad).
FAM: → *padrón.*

empalagar v. tr. **1.** *Comer muchos dulces me* ***empalaga*** (= me cansa). **2.** *Es tan cursi hablando que me* ***empalaga*** (= me resulta molesto).
SINÓN: cansar, molestar. **ANTÓN:** agradar, gustar.

empalmar v. tr. **1.** *El electricista* ***empalmó*** *dos cables de la luz* (= los unió uno con otro para que pasara la electricidad). ◆ **empalmar** v. intr. **2.** *Bajé de un tren y* ***empalmé*** *con otro* (= dejé uno y tomé otro). **3.** *Después de la cena* ***empalmamos*** *con el cine y nos acostamos muy tarde* (= unimos una cosa con la otra, a continuación).

SINÓN: 1. ligar, unir. **1, 2.** conectar, enlazar. **3.** continuar, proseguir, seguir. **ANTÓN: 1.** cortar, dividir, separar, soltar. **FAM:** *empalme.*

empalme s. m. *La cuerda se rompió porque el* ***empalme*** *no estaba bien hecho* (= la unión de dos partes).

SINÓN: conexión, enlace, unión. **ANTÓN:** corte, división, separación. **FAM:** *empalmar.*

empanada s. f. *Mi abuela nos trajo una* ***empanada*** *de carne* (= una masa de pan rellena y cocida al horno).

FAM: → *pan.*

empañarse v. pron. *Con el vapor* ***se me empañaron*** *los cristales de los anteojos* (= perdieron el brillo y transparencia).

SINÓN: ensuciar, enturbiar, manchar, oscurecer. **ANTÓN:** limpiar, pulir. **FAM:** → *paño.*

empapar v. tr. **1.** *Cuando llueve el agua* ***empapa*** *la tierra* (= penetra en ella humedeciéndola completamente). ◆ **empaparse.** v. pron. **2.** *Al caminar bajo la lluvia* ***me empapé*** (= me mojé completamente).

SINÓN: 1. impregnar, remojar. **2.** mojarse. **ANTÓN:** secar(se).

empapelado s. m. *Han pintado mi habitación porque el* ***empapelado*** *estaba muy deteriorado* (= el papel pintado que tenían las paredes).

FAM: → *papel.*

empapelar v. tr. *Mi padre ha mandado* ***empapelar*** *su habitación* (= cubrir las paredes de papel decorado).

FAM: → *papel.*

empaquetar v. tr. ***Empaqueté*** *los libros en cajas para enviárselos a mi amigo* (= hice varios paquetes con ellos).

SINÓN: embalar, envolver. **ANTÓN:** desenvolver. **FAM:** → *paquete.*

emparejar v. tr. *Mi cuñado* ***emparejó*** *el cerco de su quinta porque había crecido en forma desigual* (= lo dejó de la misma altura).

FAM: → *pareja.*

emparejarse v. pron. *Los atletas* ***se emparejaron*** *al llegar a la meta* (= se alcanzaron).

FAM: → *pareja.*

emparentar v. intr. *Pretendía* ***emparentar*** *con una familia rica* (= formar parte de una familia por casamiento).

empastar v. tr. *El dentista me* ***empastó*** *muy bien las muelas* (= rellenó los huecos producidos por las caries con una pasta especial).

FAM: → *pasta.*

empatar v. tr. *El delantero marcó un gol y* ***empató*** *el partido, que terminó 1-1* (= igualó los puntos).

SINÓN: igualar. **ANTÓN:** desempatar. **FAM:** → *empate.*

empate s. m. *El partido de fútbol terminó en* ***empate*** (= los dos equipos hicieron el mismo número de goles).

ANTÓN: desempate. **FAM:** *desempatar, desempate, empatar.*

empedrado, a adj. **1.** *Las calles de mi barrio son* ***empedradas*** (= están cubiertas de piedras). ◆ **empedrado** s. m. **2.** *Caminamos por el* ***empedrado*** (= por un camino de piedras).

FAM: → *piedra.*

empedrar v. tr. *Mi padre* ***empedró*** *el suelo del patio* (= lo cubrió de piedras unidas unas con otras para que no se muevan).

SINÓN: adoquinar, pavimentar. **FAM:** → *piedra.*

empeine s. m. *Tengo una herida en el* ***empeine*** *que me molesta con el roce del zapato* (= en la parte superior del pie).

empeñarse v. pron. **1.** ***Se empeñó*** *en comprarse otro coche y no paró hasta conseguirlo* (= se encaprichó). **2.** *El piso que compró era tan caro que tuvo que* ***empeñarse*** *durante varios años para pagarlo* (= se endeudó).

SINÓN: 1. encapricharse, insistir. **2.** endeudarse. **FAM:** *empeño.*

empeño s. m. **1.** *Tenía mucho* ***empeño*** *en regalar a mi madre un reloj* (= tenía muchas ganas de hacerlo). **2.** *Puso todo su* ***empeño*** *para hacer su trabajo lo mejor posible* (= su interés).

SINÓN: 1. capricho, deseos, ganas. **2.** constancia, interés, voluntad. **ANTÓN:** desinterés, indiferencia. **FAM:** *desempeñar, empeñarse.*

empeoramiento s. m. *El* ***empeoramiento*** *del enfermo hizo que lo trasladaran a la clínica* (= se puso peor de su enfermedad).

SINÓN: agravamiento. **ANTÓN:** mejoría. **FAM:** → *peor.*

empeorar v. tr. **1.** *No es un buen momento para decir nada porque* ***empeorarás*** *la situación* (= será peor). ◆ **empeorar** v. intr. **2.** *El tiempo* ***está empeorando*** (= están apareciendo muchas nubes y hace frío).

SINÓN: 1. agravar, decaer, desmejorar. **2.** estropear. **ANTÓN: 1.** curar, sanar. **1, 2.** mejorar. **FAM:** → *peor.*

empequeñecer v. tr. *Debes aprender a* ***empequeñecer*** *los problemas y seguro que los solucionarás* (= a quitarles importancia).

FAM: → *pequeño.*

emperador, triz s. *En la historia ha habido varios* ***emperadores****, como Julio César* (= persona que reina en un imperio).

FAM: → *imperio.*

emperifollarse v. pron. ***Se emperifolló*** *para asistir al teatro* (= se arregló mucho).

SINÓN: adornarse, arreglarse.

empezar v. tr. **1.** *Mañana* ***empezarán*** *las vacaciones* (= comenzarán). **2.** *Mi padre* ***empezó*** *un jamón para que lo comiéramos* (= lo cortó para consumirlo). ◆ **empezar** v. intr. **3.** *Para terminar el trabajo de hoy debemos* ***empezar*** *temprano.*
SINÓN: 1, 2, 3. comenzar, emprender, iniciar. **ANTÓN:** acabar, finalizar, terminar.

empilchar v. intr. R. de la Plata. *Pedro* ***empilcha*** *muy bien* (= usa ropa de muy buena calidad).
FAM: *pilcha.*

empinado, a adj. *En la excursión subimos por un camino muy* ***empinado*** (= muy cuesta arriba).
SINÓN: elevado. **FAM:** *empinar.*

empinar v. tr. **1.** *Entre unos amigos y yo* ***empinamos*** *el árbol que se había caído* (= lo enderezamos). **2.** *Para beber con la bota hay que* ***empinarla*** (= levantarla en alto). ◆ **empinarse** v. pron. **3.** *Para ver mejor el desfile, los niños* ***se empinaban*** (= se ponían de puntillas).
SINÓN: 1. enderezar. **2.** alzar, elevar, levantar. **ANTÓN: 2.** bajar. **FAM:** *empinado.*

emperrarse v. pron. *Aunque le dolía la cabeza,* ***se emperró*** *en salir a bailar* (= insistió en ir).
ANTÓN: encapricharse, insistir.

empleado, a s. *Cuando fui a comprar a la tienda, me atendió uno de los* ***empleados*** (= una persona que trabaja allí).
SINÓN: dependiente. **FAM:** → *emplear.*

emplear v. tr. **1.** *En el puerto* ***empleaban*** *a personas para cargar los barcos* (= les daban trabajo). **2.** *Tuve que* ***emplear*** *todos mis ahorros para comprarme el equipo de música* (= gastarlos). **3.** *Cuando se queda mi hermano a dormir,* ***empleo*** *el estudio como dormitorio* (= lo uso con otra finalidad).
SINÓN: 1. colocar, contratar, ocupar. **2.** consumir, gastar. **3.** usar. **ANTÓN: 1.** despedir, echar, expulsar. **2.** ahorrar, guardar. **FAM:** *desempleo, empleado, empleo.*

empleo s. m. *En el nuevo* ***empleo****, empiezo a trabajar a las 9 de la mañana* (= trabajo).
SINÓN: cargo, colocación, ocupación, puesto, trabajo. **ANTÓN:** desempleo. **FAM:** → *emplear.*

empobrecer v. tr. **1.** *Las pocas ventas* ***empobrecieron*** *a la empresa* (= la hicieron más pobre). ◆ **empobrecerse** v. pron. **2.** *La tierra* ***se empobreció*** *por la falta de lluvia* (= se quedó en mal estado).
SINÓN: arruinar. **ANTÓN:** enriquecer. **FAM:** → *pobre.*

empollar v. tr. *La gallina* ***empolla*** *los huevos durante veintiún días* (= los calienta poniéndose sobre ellos para que nazcan los pollos).
SINÓN: incubar.

empolvarse v. pron. **1.** *Como las ventanas están abiertas, el suelo* ***se empolva*** *mucho* (= se llena de polvo). **2.** *La chica* ***se empolvó*** *la cara antes de salir* (= se puso maquillaje en polvo).
FAM: → *polvo.*

emponcharse v. pron. R. de la Plata. *Habrá que* ***emponcharse*** *para salir con tanto frío* (= cubrirse con abrigos como con un poncho).

empotrar v. tr. *Hemos dejado un hueco en la pared para* ***empotrar*** *un armario* (= para encajarlo allí).
SINÓN: encajar. **ANTÓN:** sacar.

emprender v. tr. *Los montañeros* ***emprendieron*** *el ascenso hacia la cima al amanecer* (= empezaron a andar).
SINÓN: comenzar, empezar, iniciar. **ANTÓN:** acabar, finalizar, terminar. **FAM:** *empresa, empresario.*

empresa s. f. *Ayer fuimos a visitar una* ***empresa*** *textil* (= una fábrica que se dedica a un trabajo concreto).
SINÓN: compañía, firma. **FAM:** → *emprender.*

empresario, a s. *Los obreros pidieron más salario al* ***empresario*** (= al propietario de la empresa).
SINÓN: dueño, patrono, propietario. **FAM:** → *emprender.*

empujar v. tr. ***Empujé*** *la puerta para cerrarla* (= hice fuerza para moverla).
SINÓN: forzar, impulsar. **ANTÓN:** contener, dominar, sujetar. **FAM:** *empuje, empujón.*

empuje s. m. **1.** *Tuvieron que hacer un nuevo dique para contener el* ***empuje*** *del agua* (= la presión). **2.** *Mi primo Antonio tiene tanto* ***empuje*** *que siempre está dispuesto a realizar cualquier actividad* (= tiene mucho ánimo para hacer cosas).
SINÓN: 1. fuerza, impulso. **2.** ánimo, decisión, osadía. **FAM:** → *empujar.*

empujón s. m. *Cuando estaba en el patio, mi amigo me dio un* ***empujón*** *y me caí al suelo* (= me dio un golpe brusco).
FAM: → *empujar.*

empuñadura s. f. *Tu paraguas tiene la* ***empuñadura*** *de marfil* (= el sitio por donde se lo toma).
SINÓN: puño. **FAM:** → *puño.*

empuñar v. tr. *El anciano* ***empuñó*** *su bastón para defenderse* (= lo tomó por el puño).
SINÓN: agarrar, coger. **ANTÓN:** liberar, soltar. **FAM:** → *puño.*

en Es una preposición. VER CUADRO DE LAS PREPOSICIONES.

enaguas s. f. pl. *Mi madre suele usar* ***enaguas*** *debajo del vestido* (= una prenda interior femenina).

enamorado, a adj. *Mi madre está* ***enamorada*** *de mi padre* (= siente mucho amor por él).
FAM: → *amor.*

enamorar v. tr. **1.** *Es un chico tan dulce y amable que* ***enamora*** *a todos* (= consigue que lo quieran). ◆ **enamorarse** v. pron. **2.** ***Se ena-***

moraron *desde que se vieron* (= comenzaron a amarse). **3.** *Con el tiempo* ***me he enamorado*** *de la pintura* (= me gusta mucho).
SINÓN: 1. conquistar, querer. **2.** encariñarse, prendarse. **3.** aficionarse. **ANTÓN:** olvidar. **FAM:** → *amor.*

enano, a adj. **1.** *Los chinos cultivan unos árboles* ***enanos*** (= muy pequeños). ◆ **enano, a** s. **2.** *Mi compañera de clase es* ***enana*** (= su estatura es más pequeña de lo normal).
SINÓN: 1. diminuto.

encabezamiento s. m. *Las cartas suelen tener un* ***encabezamiento*** *al principio* (= palabras que sirven de presentación o saludo).
SINÓN: comienzo, principio. **ANTÓN:** final. **FAM:** → *cabeza.*

encabezar v. tr. *El periodista* ***encabezó*** *la noticia con una frase de la Biblia* (= la empezó).
SINÓN: comenzar, iniciar. **ANTÓN:** acabar, terminar. **FAM:** → *cabeza.*

encabritarse v. pron. *Sufrí una caída cuando el caballo* ***se encabritó*** (= cuando levantó las patas delanteras quedando apoyado en las traseras).
SINÓN: alzarse, empinarse. **ANTÓN:** bajarse. **FAM:** → *cabrito.*

encadenar v. tr. **1.** ***Encadenaron*** *al perro para que no se escapara* (= lo ataron a una cadena). **2.** *El conferenciante* ***encadenó*** *muy bien unos temas con los otros* (= los explicó relacionándolos).
SINÓN: 1. amarrar, sujetar. **2.** conectar, relacionar. **ANTÓN: 1.** liberar, soltar. **FAM:** → *cadena.*

encajar v. tr. **1.** *Entre mi padre y yo* ***encajamos*** *el ropero en el hueco de la pared* (= lo metimos ajustadamente). ◆ **encajar** v. intr. **2.** *La puerta no* ***encaja*** *en el marco por unos milímetros* (= no entra bien).
SINÓN: 1. incrustar, introducir. **2.** ajustar, coincidir. **FAM:** → *caja.*

encaje s. m. *La madre de María le hizo una falda con* ***encajes*** (= con tejido de adorno que lleva caladas flores y figuras).
SINÓN: bordado, puntilla. **FAM:** → *caja.*

encallar v. intr. *El barco* ***encalló*** *a pocas millas de la playa por la acumulación de arena* (= se paró porque algo le impedía continuar).

encaminar v. tr. **1.** *Me había perdido pero el guardia me* ***encaminó*** *hacia mi casa* (= me indicó la dirección). **2.** *Los consejos de los padres* ***encaminan*** *a los hijos hacia el buen camino* (= los orientan). ◆ **encaminarse** v. pron. **3.** *Salieron del cine y* ***se encaminaron*** *hacia tu casa* (= fueron hacia allí).
SINÓN: 1, 3. conducir, dirigir, guiar. **2.** aconsejar, orientar. **ANTÓN:** confundir, desorientar. **FAM:** → *camino.*

encandilar v. tr. **1.** *Tiene un modo de hablar tan agradable que* ***encandila*** *a quien la escucha* (= que gusta mucho). ◆ **encandilarse** v. pron. **2.** *Desde que la vio* ***se encandiló*** *con ella y ya no piensa en nada más* (= se enamoró).

encantado, a adj. **1.** *Cuando fuimos al circo mi hermano pequeño estaba* ***encantado*** *con las actuaciones* (= le gustaron mucho). **2.** *En el cuento, la princesa se perdió en un bosque* ***encantado*** (= en un lugar fantástico).
SINÓN: 1. alegre, contento, embobado. **2.** mágico, misterioso. **ANTÓN: 1.** disgustado, triste. **FAM:** → *encantar.*

encantador, a adj. **1.** *Estoy muy bien con él porque es un chico* ***encantador*** (= muy agradable). ◆ **encantador, a** s. **2.** *En el circo actuó un* ***encantador*** *de serpientes* (= una persona que hace encantamientos).
SINÓN: 1. atrayente, maravilloso. **2.** hechicero, mago. **ANTÓN: 1.** repugnante, repelente. **FAM:** → *encantar.*

encantamiento s. m. *El mago consiguió hacer desaparecer la paloma con un* ***encantamiento*** (= con magia).
SINÓN: encanto, hechizo, magia. **FAM:** → *encantar.*

encantar v. tr. **1.** *Me* ***encanta*** *la forma en que el profesor explica las lecciones* (= me gusta). **2.** *El hada* ***encantó*** *al príncipe convirtiéndolo en una rana* (= lo hechizó).
SINÓN: 1. agradar, gustar. **2.** hechizar. **ANTÓN: 1.** desagradar, repeler. **FAM:** → *encantado, encantador, encantamiento, encanto.*

encanto s. m. **1.** *Su carácter era su mejor* ***encanto*** (= su mejor cualidad). **2.** *Esta actriz sigue teniendo muchos* ***encantos*** *a pesar de su edad* (= atractivos físicos).
SINÓN: 1. gracia. **2.** atractivo. **FAM:** → *encantar.*

encañonar v. tr. *El ladrón sacó su pistola y* ***encañonó*** *al cajero del banco* (= le apuntó con un arma de fuego).
SINÓN: apuntar. **FAM:** → *cañón.*

encapotar v. tr. **1.** *Tuvimos que* ***encapotar*** *el coche porque se puso a llover* (= tapar el techo descubierto). ◆ **encapotarse** v. pron. **2.** *El cielo* ***se ha encapotado*** *y amenaza tormenta* (= se ha oscurecido con nubes).

encapricharse v. pron. *Mi hermano* ***se ha encaprichado*** *con una moto* (= se ha empeñado en conseguirla).
SINÓN: empeñarse. **FAM:** → *capricho.*

encarcelar v. tr. *La policía* ***encarceló*** *al ladrón* (= lo metió en la cárcel).
SINÓN: aprisionar, encerrar. **ANTÓN:** liberar, soltar. **FAM:** → *cárcel.*

encarecer v. tr. *La mala cosecha de este año* ***ha encarecido*** *el precio de la fruta* (= su precio ha subido, se ha puesto más cara).
SINÓN: alzar, elevar, subir. **ANTÓN:** abaratar, bajar, disminuir, rebajar. **FAM:** → *caro.*

encargado, a adj. **1.** *Mi compañero de clase es el alumno* ***encargado*** *de borrar el pizarrón*

(= es el que se ocupa de borrarlo). ◆ **encargado, a** s. **2.** *Para visitar la fábrica pedimos permiso al* ***encargado*** (= al responsable).
SINÓN: **2.** jefe, responsable. FAM: → *cargo.*

encargar v. tr. **1.** *Mi padre me* ***encargó*** *que diera de comer al perro* (= me confió ese trabajo). **2.** ***He encargado*** *comida por teléfono y dentro de un rato la traerán* (= la he pedido). ◆ **encargarse** v. pron. **3.** *Él* ***se encargó*** *de arreglar los trámites de la boda* (= se ocupó de hacerlo).
SINÓN: **1.** confiar, encomendar. **2.** ordenar, pedir, solicitar. **3.** cuidarse, responsabilizarse. FAM: → *cargo.*

encargo s. m. **1.** *Mi madre me dio el* ***encargo*** *de regar las plantas* (= la tarea). **2.** *Por fin he recibido el* ***encargo*** *que había hecho en la florería* (= el pedido).
SINÓN: **1.** cometido, misión, tarea. **2.** pedido, petición. FAM: → *cargo.*

encariñarse v. pron. *Los niños* ***se encariñaron*** *con la nueva profesora* (= le tomaron cariño y aprecio).
SINÓN: aficionarse, enamorarse. ANTÓN: desinteresarse. FAM: → *cariño.*

encarnado, a adj. *Con el frío se le puso la nariz* ***encarnada*** (= se le puso roja).
SINÓN: colorado, rojo. FAM: → *carne.*

encarnar v. tr. *Este es el actor que* ***encarna*** *el papel del malo* (= que lo representa, que lo personifica).
SINÓN: personificar, representar.

encarrilar v. tr. **1.** *Ya* ***han encarrilado*** *el nuevo tren* (= lo han puesto en sus carriles o vías). **2.** *Los padres quieren* ***encarrilar*** *a sus hijos para que tengan un buen futuro* (= dirigirlos y guiarlos por el buen camino).
SINÓN: dirigir, encaminar, guiar. ANTÓN: descarrilar.

encauzar v. tr. **1.** ***Encauzaron*** *las aguas del río para evitar inundaciones* (= hicieron un cauce, un camino para que corra el agua sin que pueda salirse). **2.** *Ya no es tan desordenado,* ***ha encauzado*** *su vida* (= va por el buen camino).
SINÓN: dirigir, encaminar, guiar.

encendedor s. m. *Mi padre enciende los cigarrillos con el* ***encendedor*** *que le regalé* (= utensilio que sirve para encender o dar fuego y funciona con gas o gasolina).
SINÓN: mechero. FAM: → *encender.*

encender v. tr. **1.** *Como estaba muy oscuro, tuvo que* ***encender*** *la luz* (= tuvo que conectarla). **2.** *Cuando vamos de campamento* ***encendemos*** *una hoguera por la noche* (= hacemos fuego). ◆ **encenderse** v. pr. **3.** *Aquel hombre* ***se encendió*** *de rabia* (= estaba tan enfadado y furioso que se puso muy colorado).
SINÓN: **1.** conectar. **2.** inflamar, prender, quemar. **3.** excitarse. ANTÓN: **1, 2.** apagar. **1.** desenchufar. **3.** calmarse, tranquilizarse. FAM: *encendedor, encendido, incendio.*

encendido, a adj. **1.** *Después de tanto ejercicio llegó sofocada y con la cara* ***encendida*** (= colorada). ◆ **encendido** s. m. **2.** *Mi padre llevó el coche al mecánico para revisar el* ***encendido*** (= el mecanismo que permite poner en marcha el coche).
SINÓN: **1.** colorado, rojo. ANTÓN: **1.** apagado, pálido. FAM: → *encender.*

encerar v. tr. *Desde que lo* ***han encerado***, *el suelo del salón está mucho más brillante* (= le han puesto cera).
FAM: → *cera.*

encerrar v. tr. **1.** *Para que no moleste,* ***encerramos*** *el gato en la cocina* (= lo metemos allí). **2.** *El baúl de mi abuela* ***encerraba*** *muchos juguetes antiguos* (= contenía). ◆ **encerrarse en sí mismo** **3.** *Es tan tímido que* ***se encierra en sí mismo*** *y no habla con nadie* (= se apartade la gente).
SINÓN: **1.** encarcelar, enjaular, internar. **2.** contener, incluir, tener. ANTÓN: **1.** liberar, sacar, soltar. FAM: → *cerrar.*

encestar v. tr. *Aquel jugador de básquet* ***encesta*** *el balón con mucha facilidad* (= lo mete en la cesta).
FAM: → *cesta.*

encharcar v. tr. *El agua de la lluvia* ***encharcó*** *el suelo* (= lo dejó cubierto de agua, formando charcos).
SINÓN: inundar. ANTÓN: secar. FAM: → *charca.*

enchilada s. f. Amér. Cent., Méx. *Si te quedas a comer, probarás unas* ***enchiladas*** *deliciosas* (= tortillas de maíz rellenas de queso, cebolla, o carne de pollo, res o cerdo, y cubiertas con salsa de chile).
FAM: *chile.*

enchilar v. tr. Amér. Cent., Méx. **1.** *Mi padre sólo come carne si mi madre la* ***enchila*** (= la condimenta con chile). ◆ **enchilarse** v. pron. **2.** ***Me enchilé*** *con la sopa* (= sentí irritación en la boca y en el estómago causada por el exceso de picante).
FAM: *chile.*

enchufar v. tr. *Al* ***enchufar*** *la televisión se ilumina la pantalla* (= al conectarla a la corriente eléctrica).
SINÓN: conectar, encender. ANTÓN: perjudicar. FAM: *enchufe.*

enchufe s. m. **1.** *Nunca metas los dedos en un* ***enchufe*** *porque te puede pasar la corriente* (= en los agujeros fijos que hay en la pared para que entre corriente eléctrica a los aparatos que conectamos en ellos). **2.** *No puedo encender la radio porque el cable del* ***enchufe*** *es muy corto* (= la pieza que hay al final del cable de un aparato eléctrico, que tiene dos clavijas y que se introduce en los agujeros de la pared para tomar la corriente).
FAM: *desenchufar, enchufar.*

encía s. f. *El dentista me puso una inyección en la **encía*** (= en la carne que cubre la raíz de los dientes).

enciclopedia s. f. **1.** *Al conjunto de todas las ciencias se le llama **enciclopedia**.* **2.** *En el colegio tenemos una **enciclopedia** en la que podemos consultar dudas sobre cualquier tema* (= diccionario que recoge de manera ordenada y resumida todo el conocimiento humano).

encierro s. m. *El **encierro** de las monjas en los conventos es voluntario y muy duro porque no pueden salir* (= la reclusión, el retiro).
SINÓN: clausura, reclusión, retiro. **ANTÓN:** libertad. **FAM:** → *cerrar.*

encima adv. **1.** *En el departamento de **encima** vive un pintor* (= en el de arriba). **2.** *He dejado los libros **encima** de la mesa* (= sobre la mesa). **3.** *Lo insultaron y **encima** le pegaron* (= y además, por si fuera poco). ◆ **hacer algo por encima 4.** *He leído el libro muy **por encima*** (= superficialmente, sin fijarme). ◆ **estar por encima de todo 5.** *Para mí, la familia **está por encima de todo*** (= es lo más importante).
SINÓN: 1. arriba. **2.** sobre. **3.** además. **ANTÓN: 1, 2.** debajo.

encina s. f. La **encina** es un árbol alto de hojas pequeñas con los bordes en punta y madera muy dura cuyo fruto es la bellota.
SINÓN: alcornoque. **FAM:** *encinar.*

encinar s. m. *En el **encinar** las bellotas estaban esparcidas por el suelo* (= en un lugar poblado de encinas).
FAM: *encina.*

encinta adj. *Voy a tener un hermano porque mi madre está **encinta*** (= está embarazada).
SINÓN: embarazada, preñada.

enclenque adj. *Este chico está tan **enclenque** que parece que se va a romper* (= está débil).
SINÓN: débil, enfermizo. **ANTÓN:** fuerte, sano.

encocorarse v. pron. Amér. Merid. *Mi padre **se encocoró** porque le rompí su pipa* (= sintió mucho enojo).
SINÓN: enfadarse, enojarse.

encoger v. tr. **1.** *Como no cabía en la cama tuve que **encoger** las piernas* (= tuve que doblarlas). ◆ **encoger** v. intr. **2.** *Las telas de lana, cuando se lavan, generalmente **encogen*** (= disminuyen de tamaño). ◆ **encogerse** v. pron. **3.** *Aquel niño **se encoge** en cuanto lo regañan* (= se acobarda). ◆ **encogerse de hombros. 4.** *Si alguien tiene un problema, él **se encoge de hombros** y no hace nada para solucionarlo* (= los levanta como señal de que no le importa lo que pasa).
SINÓN: 1. contraer, plegar, recoger. **2.** acortar, achicar, disminuir, estrechar. **3.** acobardarse, achicarse. **ANTÓN: 1, 2.** estirar, extender. **FAM:** → *coger.*

encolar v. tr. *Se ha roto el jarrón, habrá que **encolarlo*** (= pegarlo con pegamento).
SINÓN: pegar. **ANTÓN:** desencolar, despegar.

encolerizarse v. pron. *Mi padre **se encolerizó** cuando vio que unos asaltantes le habían destrozado el coche* (= se enojó muchísimo).
SINÓN: enfadarse, enfurecerse. **ANTÓN:** alegrarse, calmarse, sosegarse.

encomendar v. tr. **1.** *El maestro **encomendó** a Alfredo el cuidado de las plantas durante las vacaciones* (= le encargó). ◆ **encomendarse** v. pron. **2.** *Ante su enfermedad, **se encomendó** a Dios con la esperanza de curarse* (= confió en su bondad para que lo cuidara y protegiera).
SINÓN: 1. delegar, encargar. **1, 2.** confiar. **ANTÓN: 2.** desconfiar. **FAM:** → *mandar.*

encomienda s. f. **1.** *Durante la colonización de América, se estableció el sistema de **encomiendas*** (= favor que se otorgaba a un colono, y que consistía en asignarle un grupo de indios para que los hiciera trabajar en sus tierras, a cambio de protegerlos y de instruirlos en la religión católica). Amér. **2.** *El cartero ha traído una **encomienda*** (= un paquete postal).

encontrar v. tr. **1.** *Después de mucho buscar, **encontramos** el libro que se nos había perdido* (= lo hallamos). **2.** *Caminando por la playa **encontré** una moneda de oro* (= la descubrí). ◆ **encontrarse** v. pron. **3.** *Los compañeros de la clase **nos encontramos** en la puerta del colegio para ir de excursión* (= nos reunimos). **4.** *Mi padre dice que al final de mes **se encuentra** sin dinero* (= está).
SINÓN: 1. conseguir, hallar. **2.** descubrir, topar, tropezar. **3.** congregarse, juntarse, reunirse. **4.** estar. **ANTÓN: 1, 2.** extraviar, perder. **3.** alejarse, distanciarse. **FAM:** *encontronazo, encuentro.*

encontronazo s. m. *Cuando salía corriendo de clase tuve un **encontronazo** con Beatriz* (= choqué con ella).
SINÓN: colisión, choque. **FAM:** → *encontrar.*

encorvar v. tr. **1.** *El peso de los libros **ha encorvado** la madera de la repisa* (= la ha doblado). ◆ **encorvarse** v. pron. **2.** *Mi abuelo **se encorva** al andar* (= se inclina doblando la espalda).
SINÓN: 1. combar, curvar, doblar. **2.** inclinarse. **ANTÓN: 1.** enderezar. **FAM:** → *curva.*

encrespar v. tr. **1.** *Aquel fuerte viento **encrespaba** el mar* (= hacía que se agitaran mucho las olas). **2.** *Las opiniones de aquel hombre **encresparon** a sus oyentes* (= los enfadaron y empezaron a discutir).
SINÓN: agitar, excitar. **ANTÓN:** calmar, sosegar.

encrucijada s. f. **1.** *Se ve una señal de alto en aquella **encrucijada** de carreteras* (= en el cruce donde se encuentran dos o más caminos). **2.** *Con este problema nos encontramos en una complicada **encrucijada*** (= en una situación difícil en la que no sabemos qué solución tomar).
SINÓN: 1. cruce.

encuadernación s. f. *La* ***encuadernación*** *de este diccionario está muy cuidada, tiene la tapa dura y las hojas cosidas* (= la unión de las hojas con las tapas).
FAM: → *cuaderno.*

encuadernador s. m. *He llevado las hojas sueltas del libro al* ***encuadernador*** *para que las encuaderne* (= a la persona que se dedica a unir las hojas sueltas, para formar un libro).
FAM: → *cuaderno.*

encuadernar v. tr. *En clase nos enseñan a* ***encuadernar*** *libros* (= a unir las hojas, coserlas y ponerles una tapa).
FAM: → *cuaderno.*

encuadre s. m. *Esta fotografía sólo recoge una parte del grupo por un error en el* ***encuadre*** (= lo que se enfoca cuando se hace una fotografía).

encubrir v. tr. *Se hizo cómplice al* ***encubrir*** *el delito que había cometido el delincuente* (= al ocultarlo ayudando así al que lo hizo).
SINÓN: callar, esconder. ANTÓN: delatar, descubrir. FAM: → *cubrir.*

encuentro s. m. **1.** *El* ***encuentro*** *con mis primos fue una agradable casualidad* (= el hecho de que coincidiéramos en el mismo sitio). **2.** *El* ***encuentro*** *de los dos trenes que iban por la misma vía produjo un gran accidente* (= el choque). **3.** *Esta tarde iré con mi padre a ver el* ***encuentro*** *entre los dos mejores equipos* (= el partido). ◆ **ir** o **salir al encuentro de alguien 4.** *Vi a mi amigo acercarse a lo lejos y* ***fui a su encuentro*** (= fui hacia él hasta estar a su lado).
SINÓN: **1.** coincidencia, reunión. **2.** colisión, choque. **3.** competencia, partido. FAM: → *encontrar.*

encuesta s. f. *Han hecho una* ***encuesta*** *en el colegio para saber lo que opinamos de las drogas* (= una serie de preguntas sobre algún tema a muchas personas para saber cuál es la opinión general).
SINÓN: investigación, sondeo.

endeble adj. *La casa se cayó porque tenía unos cimientos muy* ***endebles*** (= muy débiles).
SINÓN: débil, flojo. ANTÓN: firme, fuerte, resistente. FAM: → *débil.*

enderezar v. tr. **1.** ***Enderezamos*** *el hierro torcido* (= lo pusimos recto a golpes de martillo). **2.** *Entre un grupo de amigos* ***enderezamos*** *un árbol que había tirado el viento* (= lo pusimos de pie).
SINÓN: **2.** alzar, levantar. ANTÓN: **2.** bajar, tirar.

endeudarse v. pron. *Perdió todo su dinero y empezó a* ***endeudarse*** *con todo el mundo* (= empezó a deber dinero).
SINÓN: empeñarse, entramparse.

endibia o **endivia** f. m. *Comí ensalada de* ***endibia*** (= variedad de escarola de hojas tiernas y pálidas).

endulzar v. tr. **1.** *Mi madre* ***endulza*** *el té con azúcar o miel* (= lo pone dulce). **2.** *La compañía de un buen amigo* ***endulza*** *los momentos malos* (= los suaviza, los alegra).
SINÓN: **1.** azucarar, dulcificar. **2.** alegrar, suavizar. ANTÓN: amargar. FAM: → *dulce.*

endurecer v. tr. **1.** *El frío* ***endurece*** *la manteca* (= la pone dura). **2.** *Hago ejercicio para* ***endurecer*** *los músculos* (= para fortalecerlos). **3.** *Tantas desgracias en su vida* ***han endurecido*** *su carácter* (= se ha vuelto una persona dura e insensible). ◆ **endurecerse** v. pron. **4.** *El pan* ***se endurece*** *de un día para otro* (= se pone duro).
SINÓN: **1.** cuajar. **2, 3.** curtir, fortalecer. ANTÓN: **1.** ablandar. **2, 3.** suavizar. FAM: → *duro.*

enemigo, a adj. **1.** *El ejército* ***enemigo*** *atacó la ciudad* (= del bando contrario). **2.** *Mi padre es* ***enemigo*** *de los medicamentos* (= no le gustan nada). ◆ **enemigo, a** s. **3.** *Como es muy mala persona no tiene amigos sino* ***enemigos*** (= personas que no lo quieren). **4.** *Los soldados fueron rodeados por el* ***enemigo*** (= por los adversarios).
SINÓN: **1, 2.** contrario, hostil. **2.** reacio. **3, 4.** adversario, contrario. **4.** contrincante, rival. ANTÓN: **2.** partidario, amigo. FAM: → *amigo.*

enemistad s. f. *No sólo no se hablan sino que hay entre ellos una profunda* ***enemistad*** (= hay odio entre ellos).
SINÓN: odio, rivalidad. ANTÓN: amistad, camaradería. FAM: → *amigo.*

enemistar v. tr. *Eran buenos amigos pero la rivalidad los* ***ha enemistado*** (= ha hecho que perdieran su amistad).
ANTÓN: reconciliar. FAM: → *amigo.*

energético, a adj. *Los recursos* ***energéticos*** *del país son limitados* (= los relacionados con la producción de energía).

energía s. f. **1.** *Los niños bien alimentados crecen con* ***energía*** *y vitalidad* (= con fuerza). **2.** *Gracias a la* ***energía*** *que produce la electricidad, el viento u otros elementos, muchas máquinas pueden funcionar* (= fuerza).
SINÓN: **1.** fuerza, vigor. **2.** potencia. FAM: *enérgico.*

enérgico, a adj. *Las personas* ***enérgicas*** *y seguras de sí mismas suelen triunfar en la vida* (= las personas que no se rinden ante los problemas).
SINÓN: decidido, firme, seguro. ANTÓN: débil, frágil, inseguro. FAM: *energía.*

enero s. m. *En* ***enero*** *puedo tomarme unos días de vacaciones* (= es el primer mes del año y tiene treinta y un días).

enfadarse v. pron. *Si le quitas sus lápices* ***se enfadará*** *contigo* (= se molestará contigo).
SINÓN: disgustarse, enojarse, irritarse, molestarse. ANTÓN: apaciguarse, tranquilizarse. FAM: *enfado.*

enfado s. m. *No hablará contigo hasta que se le pase el* ***enfado*** (= el disgusto).
SINÓN: disgusto, enojo, fastidio, irritación. ANTÓN: agrado, satisfacción. FAM: *enfadarse.*

enfardar v. tr. *La máquina cosechadora también sirve para **enfardar*** (= hacer fardos, especialmente de pasto).

énfasis s. m. *Pronunció su discurso con mucho **énfasis*** (= dando importancia a lo que decía).
SINÓN: grandilocuencia.

enfermar v. tr. **1.** *La gran cantidad de golosinas que comió, **enfermaron** a mi hermano* (= le causaron la enfermedad). ◆ **enfermar** v. intr. **2.** *No pude asistir a clase la semana pasada porque **enfermé** del estómago* (= contraje una enfermedad, me puse mal del estómago). ◆ **enfermarse** v. pron. **3.** *La maestra estuvo faltando a clases porque **se enfermó** su hijito y tuvo que cuidarlo* (= estaba mal de salud).
SINÓN: indisponer. ANTÓN: curar, mejorar, sanar. FAM: → *enfermedad.*

enfermedad s. f. **1.** *El médico ha dicho que la **enfermedad** de mi abuelo no es grave* (= su problema de salud). **2.** *Los árboles del parque tienen una **enfermedad** que hace que se les caigan las hojas* (= un mal).
SINÓN: **1, 2.** mal. ANTÓN: salud. FAM: *enfermar, enfermería, enfermero, enfermo.*

enfermería s. f. *Cuando me caí en el patio me llevaron a la **enfermería** del colegio* (= a un lugar destinado a cuidar a los enfermos y curar heridas).
SINÓN: ambulatorio, dispensario. FAM: → *enfermedad.*

enfermero, a s. *Mi hermana quiere ser **enfermera** y dedicarse a cuidar enfermos* (= persona que atiende a los enfermos y ayuda a los médicos).
FAM: → *enfermedad.*

enfermo, a adj. **1.** *No ha venido a clase porque está **enfermo*** (= tiene alguna enfermedad). ◆ **enfermo, a** s. **2.** *En el hospital hay muchos **enfermos*** (= personas que padecen enfermedades).
SINÓN: **1.** indispuesto, malo. **2.** paciente. ANTÓN: **1.** sano. FAM: → *enfermedad.*

enfilar v. tr. *Debemos **enfilar** el camino hacia aquellas montañas* (= dirigirnos).
SINÓN: dirigirse, ir. FAM: → *fila.*

enfocar v. tr. **1.** *El ladrón **enfocó** la caja fuerte con la linterna* (= dirigió la luz hacia ella). **2.** *Ha **enfocado** mal el proyector y la película se ve muy borrosa* (= ha puesto mal la película). **3.** *¡Sonríe! te estoy **enfocando** con mi cámara* (= estoy centrando tu imagen para sacarte la fotografía). **4.** *Tenemos que **enfocar** el problema desde un punto de vista práctico* (= tenemos que estudiarlo para resolverlo).
SINÓN: **1, 3.** apuntar. **3.** centrar, encuadrar. **4.** centrar, dirigir, orientar. ANTÓN: **2, 3.** desenfocar. FAM: → *foco.*

enfoque s. m. **1.** *En esta fotografía, el **enfoque** de la imagen es perfecto* (= la imagen se ve clara y nítida). **2.** *Deberás variar tu **enfoque** en esta cuestión* (= tu punto de vista).
ANTÓN: **1.** desenfoque. FAM: → *foco.*

enfrentamiento s. m. *El **enfrentamiento** entre los dos ejércitos duró varios días* (= la lucha entre ellos).
SINÓN: combate, lucha, pelea.

enfrentar v. tr. **1.** *Debes **enfrentar** el peligro, no echar a correr* (= debes afrontarlo). **2.** *La discusión consiguió **enfrentar** a los dos amigos* (= consiguió que se enojaran). ◆ **enfrentarse** v. pron. **3.** *David, a pesar de ser más pequeño, **se enfrentó** a todos para defenderse* (= se opuso a todos).
SINÓN: **1.** afrontar. **2, 3.** competir, desafiar, discutir, reñir. FAM: → *frente.*

enfrente adv. *Mi padre me esperaba **enfrente** del cine* (= delante, en el lado opuesto).
SINÓN: delante, frente. ANTÓN: detrás. FAM: → *frente.*

enfriamiento s. m. **1.** *Se anuncia un **enfriamiento** de la temperatura* (= va a bajar la temperatura). **2.** *Por no abrigarme tuve un **enfriamiento*** (= un resfrío).
SINÓN: **1.** descenso. **2.** catarro, constipado, resfrío. FAM: → *frío.*

enfriar v. tr. **1.** *El refrigerador **enfría** las bebidas* (= las pone frías). ◆ **enfriarse** v. pron. **2.** *Tu intervención en aquella discusión hizo que **se enfriaran** los ánimos* (= que se calmaran).
SINÓN: **1.** refrescar, refrigerar. **2.** apaciguarse, calmarse, moderarse, suavizarse. ANTÓN: **1.** calentar. **2.** activarse, avivarse. FAM: → *frío.*

enfundar v. tr. *Cuando terminamos de cantar **enfundé** mi guitarra* (= la metí en la funda).
SINÓN: guardar. ANTÓN: desenfundar, sacar. FAM: → *funda.*

enfurecer v. tr. **1.** *Sus insultos lo **enfurecieron*** (= lo pusieron muy enojado). ◆ **enfurecerse** v. pron. **2.** *El mar **se enfureció** tanto por el viento, que el barco iba de un lado a otro* (= se agitó y se formaron grandes olas).
SINÓN: **1.** enfadar, enojar, irritar. **2.** agitarse. ANTÓN: sosegar, tranquilizar, calmar. FAM: → *furia.*

enfurecimiento s. m. *No se le pasó el **enfurecimiento** hasta que le pidieron perdón* (= el enojo).
SINÓN: agitación, enfado, irritación. ANTÓN: sosiego, tranquilidad. FAM: → *furia.*

enfurruñarse v. pron. *Los niños pequeños **se enfurruñan** cuando no les hacen caso* (= ponen mala cara y se molestan).
SINÓN: enfadarse, molestarse. ANTÓN: calmarse, tranquilizarse.

engalanar v. tr. *Para celebrar la Navidad, **engalanamos** nuestra casa* (= adornamos).
SINÓN: adornar, embellecer. ANTÓN: afear.

enganchar v. tr. **1.** ***Han enganchado*** *todos los vagones del tren* (= los han unido entre sí). **2.** *En el matadero* ***enganchan*** *la carne para partirla mejor* (= la cuelgan de un gancho). **3.** *En cuanto te descuides te* ***engancharán*** *para que ayudes a limpiar el coche* (= conseguirán atraerte para que lo hagas tú).
SINÓN: 1. enlazar, unir. **2.** colgar, sujetar. **3.** atraer. **ANTÓN:** liberar, soltar. **FAM:** → *gancho.*

enganche s. m. **1.** *A causa de un mal* ***enganche*** *cayó la lona del circo* (= por no estar bien sujeta). **2.** *Amarraron la cuerda de la grúa en el* ***enganche*** *del coche para remolcarlo* (= en la pieza que sirve para enganchar). **3.** *Dejé 20 pesos de* ***enganche*** *para comprar un televisor* (= pago inicial).
SINÓN: 1. amarre, sujeción. **2.** gancho. **3.** adelanto, seña. **FAM:** → *gancho.*

engañar v. tr. **1.** *Me* ***engañó*** *con sus promesas* (= me hizo creer algo que no era verdad). **2.** *La* ***engañaron*** *con un collar falso que compró creyendo que era auténtico* (= la estafaron). **3.** *El niño no paraba de llorar y lo* ***engañé*** *con un caramelo* (= lo distraje, le hice olvidar lo que lo hacía llorar). ◆ **engañarse** v. pron. **4.** *A veces los enfermos* ***se engañan*** *a sí mismos, prefieren pensar que no es grave su enfermedad* (= no quieren creer una verdad desagradable).
SINÓN: 1. mentir. **2.** estafar. **3.** distraer, entretener. **FAM:** → *engaño.*

engaño s. m. *Todo lo que me prometiste fue un* ***engaño*** *porque nunca lo has cumplido* (= fue una mentira).
SINÓN: artimaña, farsa, mentira, trampa. **ANTÓN:** verdad. **FAM:** *desengañar, desengaño, engañar, engañoso.*

engañoso, a adj. *El brillo del anillo es* ***engañoso****, parece que es oro y no lo es* (= es ilusorio, aparente).
SINÓN: falso, mentiroso. **ANTÓN:** real, verídico. **FAM:** → *engaño.*

engatusar v. tr. *La* ***engatusó*** *para que hiciera la parte más difícil del trabajo* (= la convenció con falsas promesas).
SINÓN: engañar.

englobar v. tr. *El reglamento del colegio* ***engloba*** *los derechos y deberes de los alumnos* (= abarca varias cosas en un conjunto).
SINÓN: abarcar, comprender, encerrar, incluir, reunir. **ANTÓN:** excluir.

engordar v. tr. **1.** *En esa granja* ***engordan*** *cerdos para venderlos* (= los ceban). ◆ **engordar** v. intr. **2.** *Durante las vacaciones mi tío siempre* ***engorda*** *mucho* (= se pone más gordo).
SINÓN: 1. cebar. **ANTÓN:** adelgazar. **FAM:** → *gordo.*

engorre s. m. → **engorro.**

engorro s. m. *Es un* ***engorro*** *subir a un autobús lleno de gente, cargado de bolsas* (= es un estorbo).
SINÓN: dificultad, embarazo, estorbo, molestia. **ANTÓN:** facilidad.

engrandecer v. tr. → **agrandar**.

engrapar v. tr. ***Engrapamos*** *las hojas de estos apuntes* (= unimos las hojas con grapas).
SINÓN: grapar.

engrasar v. tr. *Tienes que* ***engrasar*** *la cadena de la bicicleta para que no se atasque* (= ponerle grasa).
SINÓN: lubricar. **FAM:** → *grasa.*

engrase s. m. *Mi padre ha llevado el coche al taller para que le hagan un* ***engrase*** *de motor* (= para que le pongan grasa y funcione más suavemente).
FAM: → *grasa.*

engrosar v. tr. **1.** *Los voluntarios* ***engrosaron*** *las filas del ejército* (= aumentaron su número). ◆ **engrosar** v. intr. **2.** ***Ha engrosado*** *de tanto comer* (= se ha puesto más grueso, ha engordado).
SINÓN: 1. aumentar. **2.** engordar. **ANTÓN: 1.** disminuir. **2.** adelgazar.

engullir v. tr. *Los patos* ***engullen*** *los alimentos* (= los tragan sin masticar).
SINÓN: devorar, tragar.

enhebrar v. tr. **1.** *Lo primero que hay que hacer para coser es* ***enhebrar*** *la aguja* (= pasar el hilo por el agujero de la aguja). **2.** ***Enhebramos*** *las perlas para hacer un collar* (= las unimos atravesándolas con un hilo).
SINÓN: 1. enfilar. **2.** ensartar, unir. **ANTÓN: 2.** desunir, separar.

enhorabuena s. f. *El profesor me dio la* ***enhorabuena*** *por mis buenas notas* (= me felicitó).
SINÓN: felicitación. **FAM:** → *hora.*

enigma s. m. *El origen de la vida es un* ***enigma*** (= es un misterio).
SINÓN: incógnita, misterio.

enjabonado, a adj. *La ropa ya está* ***enjabonada****, sólo falta enjuagarla* (= ya está impregnada de jabón).
FAM: → *jabón.*

enjabonar v. tr. *Las lavadoras* ***enjabonan*** *y enjuagan la ropa* (= le ponen jabón).
SINÓN: jabonar. **ANTÓN:** enjuagar. **FAM:** → *jabón.*

enjambre s. m. **1.** Un **enjambre** es un conjunto de abejas con una reina, que salen de la colmena para formar otra colonia. **2.** *En la puerta del cine había un* ***enjambre*** *de personas* (= había mucha gente).
SINÓN: 2. muchedumbre, multitud.

enjaular v. tr. *Los cazadores* ***enjaularon*** *al león* (= lo metieron en una jaula).
SINÓN: aprisionar, encerrar. **ANTÓN:** liberar, soltar. **FAM:** → *jaula.*

enjuagar v. tr. **1.** *Después de enjabonar la ropa, mi madre la* ***enjuaga*** (= le quita el jabón con agua limpia). ◆ **enjuagarse** v. pron. **2.** *Des-*

pués de cepillarme los dientes ***me enjuago*** *la boca* (= me pongo agua en la boca y la muevo de un lado a otro para limpiármela).
SINÓN: aclarar, lavar, limpiar. **ANTÓN:** ensuciar.

enjugar v. tr. ***Enjuga*** *tus lágrimas, no quiero verte llorar* (= sécalas).
SINÓN: secar. **ANTÓN:** humedecer, mojar.

enjuiciar v. tr. **1.** *La crítica* ***enjuició*** *muy positivamente este libro* (= valoró). **2.** ***Enjuiciaron*** *al atracador* (= lo sometieron a juicio).
SINÓN: 1. evaluar, valorar. **2.** juzgar. **FAM:** → *juez.*

enjuto, a adj. *Este hombre está tan* ***enjuto*** *que parece un esqueleto* (= está muy delgado).
SINÓN: delgado, flaco, frágil, seco. **ANTÓN:** gordo.

enlace s. m. **1.** *El puente sirve de* ***enlace*** *entre las dos orillas del río* (= de unión). **2.** *Las palabras de una frase tienen un* ***enlace*** *lógico* (= una relación). **3.** *Esta estación sirve de* ***enlace*** *entre las dos líneas de trenes* (= de empalme). **4.** *Asistimos al* ***enlace*** *matrimonial de Pedro y María* (= al casamiento).
SINÓN: 1. conexión, unión. **2.** relación. **3.** empalme. **4.** casamiento. **ANTÓN: 1, 4.** desunión, separación. **FAM:** → *lazo.*

enlatar v. tr. *En la fábrica* ***enlatan*** *sardinas* (= las meten en recipientes de hojalata).
FAM: → *lata.*

enlazar v. tr. **1.** *Mi hermana* ***enlaza*** *las cartas con una cinta* (= las une con un lazo). **2.** *En el examen oral no conseguía* ***enlazar*** *mis ideas* (= coordinar). **3.** *La próxima estación de trenes* ***enlaza*** *dos líneas* (= empalma dos líneas).
SINÓN: 1. atar, sujetar, unir. **2.** coordinar, relacionar. **3.** empalmar, combinar. **ANTÓN: 1.** desenlazar, desunir. **2.** desordenar. **FAM:** → *lazo.*

enloquecer v. tr. **1.** *La muerte de su hijo lo afectó tanto que lo* ***enloqueció*** (= lo volvió loco). ◆ **enloquecer** v. intr. **2.** *Me* ***enloquecen*** *las carreras de caballos* (= me gustan muchísimo). ◆ **enloquecerse** v. pron. **3.** *Al verse solo en la isla, el náufrago* ***se enloqueció*** (= perdió la razón).
SINÓN: 1, 3. perturbar, trastornar. **2.** entusiasmar. **FAM:** → *loco.*

enlozar v. tr. Amér. *Hice* ***enlozar*** *este jarrón, y quedó precioso* (= lo hice cubrir con un baño de loza o de esmalte brillante).
FAM: *loza.*

enmarañar v. tr. **1.** *El gato* ***enmarañó*** *la madeja de hilo* (= la enredó). **2.** *La desaparición de las pruebas* ***enmarañó*** *el juicio* (= lo complicó). ◆ **enmarañarse** v. pron. **3.** *El pelo* ***se me enmaraña*** *con el viento* (= se me enreda).
SINÓN: 1, 3. enredar, revolver. **2.** complicar, confundir. **ANTÓN: 1, 3.** desenredar. **2.** aclarar.

enmarcar v. tr. *Mi madre* ***enmarca*** *las mejores fotografías de la familia* (= las pone dentro de un marco).
FAM: *marco.*

enmascarado, a s. *Al final de la película se descubre quién es el* ***enmascarado*** *que salva a la chica* (= la persona que tenía cubierto el rostro con una máscara).
FAM: → *máscara.*

enmendar v. tr. **1.** ***He enmendado*** *los errores del ejercicio* (= los he corregido). **2.** *Tuve que* ***enmendar*** *la rotura del jarrón* (= compensarla comprando otro). **3.** *El tribunal* ***enmendó*** *su injusta sentencia* (= la rectificó).
SINÓN: 1. arreglar, corregir. **2.** compensar, remediar. **3.** modificar, rectificar. **FAM:** *enmienda.*

enmienda s. f. **1.** *El sacerdote dice que debemos tener propósito de* ***enmienda*** (= intención de corregir todos nuestros errores). **2.** *Fueron aceptadas todas las* ***enmiendas*** *al documento* (= todas las propuestas de modificación).
SINÓN: arreglo, corrección, remiendo, retoque.
FAM: *enmendar.*

enmohecerse v. pron. **1.** *La fruta* ***se enmohece*** *por la humedad* (= se cubre de moho). **2.** *De tanto tiempo sin utilizarse, la máquina* ***se ha enmohecido*** (= se ha cubierto de óxido, se ha oxidado).
SINÓN: 1. pudrirse. **2.** oxidarse. **FAM:** → *moho.*

enmudecer v. tr. **1.** *El grito de la mujer hizo* ***enmudecer*** *al auditorio* (= hizo que todos se callaran). ◆ **enmudecer** v. intr. **2.** *Debido a una enfermedad en la garganta mi tía* ***enmudeció*** (= perdió la voz).
SINÓN: 1. callar. **ANTÓN: 1.** hablar. **FAM:** → *mudo.*

ennegrecer v. tr. **1.** *El humo del incendio* ***ennegreció*** *las paredes* (= las puso negras). ◆ **ennegrecerse** v. pron. **2.** *Las casas* ***se ennegrecen*** *con el tiempo y hay que blanquearlas* (= se ensucian).
SINÓN: oscurecer(se). **ANTÓN:** blanquear. **FAM:** → *negro.*

ennoblecer v. tr. *La bondad* ***ennoblece*** *a las personas* (= las hace dignas).
SINÓN: dignificar.

enojar v. tr. **1.** *La falta de educación* ***enoja*** *a mucha gente* (= molesta). ◆ **enojarse** v. pron. **2.** *Ana* ***se enojó*** *mucho porque Luis no acudió a la cita* (= se enfadó).
SINÓN: enfadar(se), enfurecer(se), irritar(se), molestar(se). **ANTÓN:** apaciguar(se), complacer(se), satisfacer(se). **FAM:** *enojo.*

enojo s. m. *A mi padre le causaron* ***enojo*** *mis malas notas* (= enfado).
SINÓN: disgusto, enfado, irritación. **ANTÓN:** alegría, contento, satisfacción. **FAM:** *enojar.*

enorgullecer v. tr. **1.** *La obtención del premio* ***enorgulleció*** *a mi hermano* (= lo llenó de orgullo). ◆ **enorgullecerse** v. pron. **2.** *Antonia* ***se enorgullece*** *de todo lo que hace su hija* (= se siente orgullosa).
SINÓN: alegrar(se). **ANTÓN:** avergonzar(se).
FAM: → *orgullo.*

enorme adj. *En el puerto hay un barco* ***enorme*** (= muy grande).
SINÓN: colosal, gigantesco, grande, inmenso. **ANTÓN:** diminuto, pequeño, reducido. **FAM:** *enormidad.*

enormidad s. f. *El nuevo aeropuerto es una* ***enormidad*** (= tiene un tamaño muy grande).
SINÓN: grandiosidad. **ANTÓN:** pequeñez. **FAM:** *enorme.*

enraizar v. intr. *Es difícil que ese árbol pueda* ***enraizar*** *en este terreno con tantas piedras* (= es difícil que pueda echar raíces).
SINÓN: arraigar. **FAM:** → *raíz.*

enrarecer v. tr. **1.** *El humo* ***ha enrarecido*** *el ambiente* (= lo ha contaminado). ◆ **enrarecerse** v. pron. **2.** *El ambiente de las grandes ciudades* ***se enrarece*** *mucho más cuando hay humedad* (= se contamina).
SINÓN: contaminar(se). **ANTÓN:** limpiar(se).

enredadera s. f. La **enredadera** es una planta de tallo muy largo que trepa y se enreda a lo que encuentra con unas flores con forma de campanillas azules.
FAM: → *enredar.*

enredar v. tr. **1.** *Quiero saber quién* ***ha enredado*** *mis cosas* (= quién las ha desordenado). **2.** *Tuvo problemas porque lo* ***enredaron*** *en un asunto peligroso* (= lo comprometieron). ◆ **enredarse** v. pron. **3.** ***Se me enreda*** *mucho el pelo y no hay manera de peinarlo* (= se me enmaraña).
SINÓN: **1.** desordenar, revolver. **2.** complicar, comprometer. **3.** enmarañarse, liarse. **ANTÓN:** **1.** ordenar. **3.** desenmarañarse, desenredarse. **FAM:** → *desenredo, enredadera, enredo, enredoso.*

enredo s. m. **1.** *Era imposible deshacer el* ***enredo*** *de hilos que hizo el gato* (= los hilos revueltos desordenadamente). **2.** *Siempre se mete en* ***enredos*** (= en líos).
SINÓN: **1, 2.** lío. **FAM:** → *enredar.*

enredoso, a adj. → **complicado**.

enrejado s. m. *Están colocando un* ***enrejado*** *en las ventanas* (= unas rejas).
SINÓN: reja. **FAM:** → *reja.*

enrejar v. tr. ***Están enrejando*** *la fuente que hay en el jardín* (= la están cercando con rejas).
FAM: → *reja.*

enriquecedor, a adj. **1.** *Los buenos libros son muy* ***enriquecedores*** (= aumentan la cultura de las personas que los leen). **2.** *Este negocio puede ser muy* ***enriquecedor*** (= puede dar dinero).
FAM: → *rico.*

enriquecer v. tr. **1.** *La industria* ***ha enriquecido*** *a este pueblo* (= lo ha hecho rico). **2.** *La nueva estatua* ***ha enriquecido*** *el parque* (= lo ha embellecido). ◆ **enriquecerse** v. pron. **3.** *El científico* ***se enriqueció*** *con sus investigaciones* (= progresó).
SINÓN: **2.** adornar, embellecer. **3.** progresar, prosperar. **ANTÓN:** **2.** afear. **3.** arruinar, empobrecer. **FAM:** → *rico.*

enrojecer v. tr. **1.** *El fuego* ***enrojece*** *los metales* (= los pone de color rojo). ◆ **enrojecerse** v. pron. **2.** *Es muy vergonzosa y* ***se enrojece*** *cuando le dicen piropos* (= se pone colorada).
SINÓN: **2.** avergonzarse, ruborizarse, sonrojarse. **FAM:** → *rojo.*

enrojecimiento s. m. *El* ***enrojecimiento*** *de la piel se debe a que ha estado tomando el sol* (= su color rojo).
FAM: → *rojo.*

enrollar v. tr. *La empleada* ***enrolló*** *el póster cuando me lo vendió* (= lo dobló en forma de rollo).
SINÓN: envolver. **ANTÓN:** desenrollar. **FAM:** → *rollo.*

enronquecer v. intr. *Estuve gritando todo el día y* ***enronquecí*** (= mi voz se puso ronca y muy grave).
FAM: → *ronco.*

enroscar v. tr. **1.** *Con un destornillador* ***enroscamos*** *un tornillo* (= lo introducimos a vuelta de rosca). ◆ **enroscarse** v. pron. **2.** *La serpiente* ***se enroscó*** *en la rama de un árbol* (= empezó a dar vueltas alrededor de la rama y se quedó en forma de espiral).
SINÓN: **1.** atornillar. **2.** enrollarse. **ANTÓN:** **1, 2.** desenroscar. **1.** desatornillar. **FAM:** → *rosca.*

enrular v. tr. Amér. Merid. *Mañana iré a la peluquería para que me* ***enrulen*** *el pelo* (= para que me hagan rizos).

ensaimada s. f. *La* ***ensaimada*** *que comí tenía mucho azúcar en polvo por encima* (= es un bollo de hojaldre, enrollado en forma de espiral).

ensalada s. f. *Comimos una* ***ensalada*** *de lechuga y tomate* (= un plato frío preparado con vegetales, aceite, vinagre y sal).
FAM: → *sal.*

ensaladera s. f. *Sirvieron la ensalada en una* ***ensaladera*** *de cristal* (= es una fuente honda en la que se sirve la ensalada).
SINÓN: fuente. **FAM:** → *sal.*

ensalzar v. tr. *El profesor* ***ensalzó*** *las dotes musicales del joven pianista* (= las alabó).
SINÓN: alabar, celebrar. **ANTÓN:** despreciar, rebajar.

ensanchamiento s. m. *Cuando terminen las obras de* ***ensanchamiento*** *de la carretera podrán pasar más de dos coches a la vez* (= de ampliación de la carretera).
SINÓN: ampliación, ensanche. **ANTÓN:** estrechamiento. **FAM:** → *ancho.*

ensanchar v. tr. *Mi madre me* ***ensanchó*** *el pantalón porque no me cabía* (= me lo hizo más grande).
SINÓN: agrandar, ampliar. **ANTÓN:** encoger, estrechar, reducir. **FAM:** → *ancho.*

ensanche s. m. *Gracias al* ***ensanche*** *de la calle los coches y los peatones circulan mejor* (= la ampliación).
SINÓN: ampliación, amplitud, dilatación. **ANTÓN:** estrechamiento. **FAM:** → *ancho.*

ensangrentar v. tr. *La herida de la ceja me* ***ensangrentó*** *la cara* (= me la manchó de sangre).
FAM: → *sangre.*

ensayar v. tr. *El grupo de teatro* ***ensayó*** *varias veces la obra antes de representarla en público* (= la repitió una y otra vez para prepararla y aprendérsela bien).
SINÓN: entrenarse, repetir. **FAM:** *ensayo.*

ensayo s. m. **1.** *El* ***ensayo*** *del avión fue un éxito* (= la prueba de funcionamiento). **2.** *Alejo Carpentier escribió muchos* ***ensayos*** (= son reflexiones del autor sobre temas importantes).
SINÓN: 1. intento, prueba. **FAM:** *ensayar.*

enseguida o **en seguida** adv. *Haré este trabajo* ***enseguida*** (= inmediatamente).
SINÓN: ahora mismo, inmediatamente.

ensenada s. f. *Las embarcaciones buscan protección en la* ***ensenada*** (= un entrante del mar en la tierra).
SINÓN: bahía, golfo.

enseñanza s. f. **1.** *Desde que se dedica a la* ***enseñanza****, sólo se preocupa de que sus alumnos aprendan más* (= a la instrucción y difusión de conocimientos). **2.** *Los apóstoles predicaban las* ***enseñanzas*** *de Jesucristo* (= sus ideas, ejemplos, y consejos). ◆ **enseñanza preescolar 3.** La **enseñanza preescolar** es la que se da a los niños de 4 a 5 años. ◆ **enseñanza primaria 4.** La **enseñanza primaria** es la que se da a los niños de 6 a 13 años en el colegio. ◆ **enseñanza secundaria 5.** La **enseñanza secundaria** es la que se da a los chicos de 14 a 18 años en el colegio secundario. ◆ **enseñanza superior 6.** La **enseñanza superior** es la que se da en la Universidad.
SINÓN: 1. educación. **2.** consejo, doctrina, ejemplo. **FAM:** *enseñar.*

enseñar v. tr. **1.** *Mi primera maestra me* ***enseñó*** *a leer y escribir* (= me ayudó para que aprendiera a hacerlo). **2.** *Mi madre* ***enseña*** *latín en la Universidad* (= da clases de latín). **3.** *Cuando vengas a mi casa te* ***enseñaré*** *el regalo que me han hecho* (= te lo mostraré). **4.** *Me he perdido, ¿podría usted* ***enseñarme*** *el camino a la estación?* (= ¿podría indicármelo?).
SINÓN: 1, 2. educar, instruir. **3, 4.** indicar, mostrar, señalar. **ANTÓN: 3.** ocultar. **FAM:** *enseñanza.*

enseres s. m. pl. *El dueño vendió el restaurante con todos sus* ***enseres*** (= con todas las cosas que tenía: muebles, utensilios, etc.)
SINÓN: cosas, pertenencias.

ensillar v. tr. *El jinete* ***ensilla*** *su caballo para poder montar en él* (= le pone la silla).
FAM: → *silla.*

ensimismarse v. pron. ***Se ensimisma*** *tanto leyendo, que no se entera de lo que pasa a su alrededor* (= está muy atento a lo que hace).
SINÓN: concentrarse. **ANTÓN:** despistarse.

ensombrecer v. tr. **1.** *El pintor* ***ensombreció*** *el cuadro con colores oscuros* (= lo oscureció). ◆ **ensombrecerse** v. pron. **2.** *El sol se ocultó y el día* ***se ensombreció*** (= se quedó en sombra).
SINÓN: oscurecer(se). **ANTÓN:** iluminar(se). **FAM:** → *sombra.*

ensordecer v. tr. **1.** *El ruido de los cohetes me* ***ensordeció*** *por unos momentos* (= no podía oír nada mientras duraban). ◆ **ensordecer** v. intr. **2.** *Mi abuelo* ***ensordeció*** *hace ya unos años* (= se quedó sordo, no puede oír).
SINÓN: 1. aturdir. **FAM:** → *sordo.*

ensuciar v. tr. **1.** ***He ensuciado*** *los zapatos al caminar por el barro* (= los he manchado). ◆ **ensuciarse** v. pron. **2.** ***Me he ensuciado*** *las manos con la tinta del bolígrafo* (= me las he manchado de tinta).
SINÓN: manchar(se), pringar(se). **ANTÓN:** limpiar(se). **FAM:** → *sucio.*

entablar v. tr. **1.** ***Han entablado*** *el suelo del viejo desván porque no era seguro* (= lo han cubierto y asegurado con tablas). **2.** ***Entablamos*** *una interesante conversación para poder tomar una decisión* (= mantuvimos una conversación).
SINÓN: 2. mantener. **ANTÓN: 2.** acabar, finalizar.

entender v. tr. **1.** *Nunca* ***entenderé*** *el funcionamiento de una computadora* (= comprenderé). **2.** *Lo ha estudiado y ahora* ***entiende*** *el alemán* (= sabe alemán). **3.** *Por lo que me dices,* ***entiendo*** *que no quieres venir* (= deduzco, interpreto). **4.** *Es buena persona pero hay que saber* ***entenderla*** (= hay que saber cómo tratarla). ◆ **entender** v. intr. **5.** *Mi padre* ***entiende*** *de arte* (= tiene conocimientos de arte). ◆ **entenderse** v. pron. **6.** *Mi hermana y yo* ***nos entendemos*** *muy bien* (= nos llevamos muy bien). **7.** *Después de mucho discutir, al final* ***se entendieron*** (= se pusieron de acuerdo). ◆ **dar a entender 8.** *No me lo dijo pero me* ***dio a entender*** *que necesitaba dinero* (= me insinuó). ◆ **a mi entender 9.** ***A mi entender*** *es más seguro viajar en barco que en avión* (= en mi opinión).
SINÓN: 1. comprender. **2.** saber. **3.** deducir, interpretar. **4.** conocer. **5.** saber. **6.** avenirse. **7.** acordar. **8.** insinuar. **9.** opinión, juicio. **ANTÓN: 2.** desconocer. **5.** ignorar. **6.** desavenirse. **FAM:** → *tender.*

entendido, a adj. *El nuevo profesor es* ***entendido*** *en minerales* (= sabe mucho sobre ellos).
SINÓN: diestro, experto, sabio. **FAM:** → *tender.*

entendimiento s. m. **1.** *La Naturaleza ha dotado a los seres humanos de* ***entendimiento*** (= de inteligencia). **2.** *Nunca discuten, hay entre*

ellos buen ***entendimiento*** (= siempre están de acuerdo).
SINÓN: **1.** inteligencia, talento. **2.** acuerdo, armonía, avenencia, concordia. ANTÓN: **2.** desacuerdo, desavenencia. FAM: → *tender.*

enterarse v. pron. **1.** *Como está distraído no* ***se entera*** *de lo que le dices* (= no se da cuenta). **2.** *No* ***me había enterado*** *de lo que había ocurrido, hasta que tú me lo contaste* (= no lo sabía).
SINÓN: **1.** darse cuenta. **2.** conocer. FAM: *entero.*

entereza s. f. *La* ***entereza*** *de su carácter lo ayudó a superar la desgracia* (= la serenidad para soportar los malos ratos).
SINÓN: fortaleza, serenidad. ANTÓN: debilidad, inseguridad.

enternecerse v. pron. *El llanto de aquel niño logró* ***enternecerlo*** *a pesar de su duro carácter* (= le hizo sentir compasión y ternura).
SINÓN: ablandarse, conmoverse, emocionarse. ANTÓN: endurecerse.

entero, a adj. **1.** *Aunque llegamos tarde al teatro, vimos la obra* ***entera*** (= del principio al fin). ◆ **por entero 2.** *Este artista está dedicado* ***por entero*** *al arte* (= no hace otra cosa).
SINÓN: **1.** completo, íntegro, total. **2.** completamente. ANTÓN: incompleto, parcial.

enterrador s. m. *El* ***enterrador*** *depositó, con cuidado, el ataúd en la sepultura* (= la persona que se dedica a enterrar a los muertos en el cementerio).
SINÓN: sepulturero. FAM: → *tierra.*

enterrar v. tr. **1.** *El perro* ***enterró*** *un hueso en el jardín* (= lo escondió bajo tierra). **2.** *Lo* ***enterraron*** *en el cementerio del pueblo* (= le dieron sepultura). **3.** *El anciano dijo que* ***enterraría*** *a sus amigos* (= que viviría más que ellos). Amér. **4.** *El héroe de la película mató a Drácula* ***enterrándole*** *una estaca en el corazón* (= clavándosela).
SINÓN: **2.** sepultar. **4.** clavar. ANTÓN: **1, 2.** desenterrar. FAM: → *tierra.*

entidad s. f. *Me he inscrito en una* ***entidad*** *deportiva* (= en una asociación).
SINÓN: asociación, colectividad, sociedad.

entierro s. m. **1.** *Esta tarde se celebrará el* ***entierro*** *del artista que murió ayer* (= el funeral). **2.** *Todo el mundo observaba con respeto el paso del* ***entierro*** (= el grupo de personas que acompaña al cadáver hasta el cementerio).
SINÓN: **1.** sepultura. FAM: → *tierra.*

entonación s. f. **1.** *Tienes que leer este poema con una* ***entonación*** *más marcada* (= marcando los altos y bajos que se hacen al hablar). **2.** *El coro de la iglesia cantó el himno con muy buena* ***entonación*** (= con un tono de voz muy bello).
SINÓN: **2.** tono. FAM: → *tono.*

entonar v. tr. **1.** *Una cantante de ópera puede* ***entonar*** *muy alta su voz* (= puede darle un tono muy alto o agudo a la voz). **2.** *La niña* ***entonaba*** *una bonita canción mientras jugaba* (= la cantaba). **3.** *Llegó cansado y con frío, pero una taza de caldo lo* ***entonó*** *enseguida* (= lo hizo sentirse bien). ◆ **entonar** v. intr. **4.** *El color de las cortinas* ***entona*** *con el de la habitación* (= armoniza, forma un conjunto agradable).
SINÓN: **1.** afinar. **2.** cantar. **3.** fortalecer, rehacer. ANTÓN: **1.** desafinar, desentonar. **3.** debilitar, destemplar. FAM: → *tono.*

entonces adv. **1.** *Lo llamé y* ***entonces*** *vino hacia mí* (= en aquel momento). **2.** *Tengo que trabajar,* ***entonces****, ¿no vendrás conmigo?* (= en ese caso, así pues). ◆ **en aquel entonces 3.** ***En aquel entonces*** *todos eran felices* (= en aquel tiempo).

entornar v. tr. **1.** *No cierres la puerta, sólo* ***entórnala*** *porque vuelvo ahora mismo* (= déjala entreabierta). **2.** *Como le molestaba la luz,* ***entornó*** *los ojos* (= los cerró, pero no completamente).
SINÓN: **1.** entreabrir. FAM: → *torno.*

entorno s. m. **1.** *Se dice que el* ***entorno*** *influye en el carácter de la persona* (= el conjunto de todo lo que la rodea). **2.** *Debemos cuidar el* ***entorno*** *y no contaminarlo* (= el medio ambiente).
SINÓN: **1.** ambiente. **2.** medio ambiente, naturaleza.

entorpecer v. tr. **1.** *El frío intenso* ***entorpece*** *el movimiento de los dedos* (= hace que los movamos torpemente). **2.** *Quítate de ahí, estás* ***entorpeciendo*** *el paso* (= estás estorbando y no dejas pasar a la gente).
SINÓN: **1.** entumecer. **2.** dificultar, estorbar, impedir. ANTÓN: **1.** agilizar. **2.** ayudar, colaborar. FAM: → *torpe.*

entrada s. f. **1.** *Te espero en la* ***entrada*** *del cine* (= en el sitio por donde se entra). **2.** *La* ***entrada*** *en el estadio fue muy lenta* (= tardé mucho tiempo en llegar dentro). **3.** *Fui al circo pero no tenía dinero para la* ***entrada*** (= para el boleto que sirve para entrar). **4.** *Mi padre tiene unas* ***entradas*** *muy grandes en el pelo* (= la frente parece más grande porque se le ha caído el pelo). ◆ **de entrada 5.** *Ya* ***de entrada*** *lo insultó y luego le pegó* (= al principio).
SINÓN: **1.** puerta. **2.** acceso. **3.** billete, localidad. ANTÓN: **1, 2.** salida. FAM: → *entrar.*

entraña s. f. **1.** *A los animales muertos les quitan las* ***entrañas*** *antes de trozar su carne* (= los órganos interiores). **2.** *Los mineros sacan el carbón de las* ***entrañas*** *de la tierra* (= del interior de la Tierra). **3.** *Tenemos que llegar a las* ***entrañas*** *del problema para poder buscar una solución* (= al núcleo del problema). **4.** *Es un hombre sin* ***entrañas*** *que no siente compasión por nadie* (= sin sentimientos).
SINÓN: **1.** órganos, tripas. **2.** centro, interior, profundidad. **3.** centro, núcleo. **4.** alma, corazón, sentimientos. ANTÓN: **2.** exterior. FAM: → *entrar.*

entrañable adj. *Siempre me ayuda en todo, es para mí un amigo* ***entrañable*** (= es un amigo muy querido, hacia el que siento gran cariño).
SINÓN: íntimo, querido. ANTÓN: falso, hipócrita.
FAM: → *entrar.*

entrar v. intr. **1.** *No se podía* ***entrar*** *en la habitación porque la puerta estaba cerrada* (= pasar al interior). **2.** *Este pantalón no me* ***entra****, me ha quedado chico* (= no me cabe). **3.** *Hay que utilizar un martillo para que el clavo* ***entre*** *en la pared* (= penetre). **4.** *Me gustaría* ***entrar*** *en el club de fútbol* (= ser admitido como jugador). **5.** *A las doce de la noche me* ***entró*** *el sueño* (= me dieron ganas de dormir). **6.** *La lección de hoy también* ***entra*** *en el examen* (= se incluye). **7.** *No me* ***entran*** *las matemáticas, siempre me reprueban* (= me cuesta entenderlas). **8.** *No* ***entres*** *en tantos detalles y cuéntame lo que pasó* (= no los expliques).
SINÓN: **1.** pasar. **2.** caber, encajar. **3.** penetrar. **4.** afiliarse, ingresar. **5.** acometer, asaltar. **6.** incluir, tocar. **7.** entender, asimilar. **8.** tratar.
ANTÓN: **1.** salir. **3.** sacar. **4.** rechazar. **6.** excluir.
FAM: *entrada, entraña, entrañable.*

entre Es una preposición. VER CUADRO DE PREPOSICIONES.

entreabrir v. tr. ***Entreabrí*** *la puerta para dejar pasar al gato que se había quedado fuera* (= la abrí un poco, no del todo).
SINÓN: abrir, entornar.

entreacto s. m. *Fuimos a beber un refresco durante el* ***entreacto*** *de la función* (= durante el intermedio de una obra de teatro).

entrecejo s. m. *Me hice una lastimadura en el* ***entrecejo*** (= espacio que hay entre ceja y ceja).
SINÓN: ceño.

entrecomillar v. tr. *El autor* ***entrecomilla*** *las frases de sus obras y las frases de otros autores* (= las pone entre comillas [" "]).

entrecortarse v. pron. *Estaba tan nerviosa que* ***se entrecortaba*** *al hablar* (= hablaba cortando las palabras, tartamudeando).
SINÓN: tartamudear, titubear. FAM: → *corte.*

entrega s. f. **1.** *La* ***entrega*** *de premios se realizó en el salón de actos del colegio* (= la ceremonia en la cual fueron entregados). **2.** *Ya está a la venta la primera* ***entrega*** *de la colección que quiero comprar* (= la primera parte de una colección que se vende dividida).
SINÓN: **1.** distribución, reparto. FAM: *entregar.*

entregar v. tr. **1.** *Ya me* ***han entregado*** *las notas de la última evaluación* (= ya me las han dado). ◆ **entregarse** v. pron. **2.** *El asesino* ***se entregó*** *a la policía* (= reconoció su culpa voluntariamente). **3.** ***Se ha entregado*** *por completo al cuidado de los ancianos* (= les dedica todo su interés y atención).
SINÓN: **1.** dar. **2.** rendirse. **3.** dedicarse, volcarse. ANTÓN: **1.** quitar. **2.** escaparse, resistirse.
FAM: *entrega.*

entremés s. m. **1.** *Mientras esperábamos que nos sirvieran la cena nos comimos unos* ***entremeses*** (= unos platos ligeros y variados que se toman como aperitivo). **2.** *Fuimos al teatro a ver un* ***entremés*** (= una obra corta de carácter humorístico).
SINÓN: **2.** comedia.

entremeter o **entrometer** v. tr. **1.** *No me* ***entrometas*** *en esto, no quiero saber nada de este asunto* (= no me metas en este asunto). ◆ **entremeterse** o **entrometerse** v. pron. **2.** *Es un chismoso, siempre* ***se entromete*** *en asuntos que no le interesan* (= se mete en asuntos que no tienen que ver con él).
SINÓN: **1.** liar, meter. **2.** inmiscuirse.

entremetido o **entrometido** adj. *Este chico es muy* ***entrometido****, siempre quiere enterarse de todo lo que hacemos* (= es un chismoso, quiere enterarse de todo).
SINÓN: curioso. ANTÓN: discreto.

entrenador, a s. *Nuestro* ***entrenador*** *de fútbol fue un famoso jugador* (= la persona que nos enseña las técnicas del juego).
FAM: → *entrenar.*

entrenamiento s. m. *Durante el* ***entrenamiento*** *hacemos ejercicios de gimnasia, corremos y ensayamos jugadas* (= durante el tiempo que aprendemos un deporte).
SINÓN: ensayo. FAM: → *entrenar.*

entrenar v. tr. **1.** *Mi padre* ***entrena*** *a un equipo de rugby* (= lo prepara físicamente con ejercicios y le enseña las técnicas de ese deporte). ◆ **entrenarse** v. pron. **2.** *Es necesario* ***entrenarse*** *mucho para llegar a ser un buen deportista* (= hacer ejercicios).
SINÓN: **1.** preparar. **2.** adiestrarse, ejercitarse, practicar. FAM: *entrenador, entrenamiento.*

entresuelo s. m. *Sólo subo un tramo de escaleras para llegar a mi casa porque vivo en un* ***entresuelo*** (= en la planta entre la entrada al edificio y el primer piso).
SINÓN: entrepiso. FAM: → *suelo.*

entretener v. tr. **1.** *Me estás* ***entreteniendo*** *con tu conversación y tengo mucha prisa* (= me estás retrasando). **2.** *La música* ***entretiene*** *a los pasajeros del avión* (= hace que el viaje sea más ameno). **3.** *Los payasos del circo* ***entretienen*** *a los niños* (= divierten). ◆ **entretenerse** v. pron. **4.** *Juana no estudia las lecciones porque* ***se entretiene*** *con cualquier cosa* (= se distrae).
SINÓN: **1.** demorar, retardar, retrasar. **2, 3.** distraer, divertir, recrear. **4.** despistarse, distraerse.
ANTÓN: **1.** agilizar. **2, 3.** aburrir. FAM: *entretenido, entretenimiento.*

entretenido, a adj. *Mi abuelo es una persona tan* ***entretenida*** *que con él el tiempo se me pasa volando* (= es una persona muy divertida y tiene muy buen humor).
SINÓN: chistoso, divertido, gracioso. ANTÓN: aburrido. FAM: → *entretener.*

entretenimiento s. m. *La lectura es un buen* ***entretenimiento*** *porque además de distraer, enseña* (= es una buena distracción).
FAM: → *entretener.*

entrever v. tr. *Entre la multitud* ***entreveo*** *a Marta* (= me parece que la veo).
SINÓN: vislumbrar. **FAM:** → *ver.*

entreverarse v. pron. Arg., Perú. *Las hojas de mi carpeta* ***se entreveraron*** *al caerse* (= se mezclaron desordenadamente).

entrevista s. f. **1.** *Cuando el ministro llegó al aeropuerto los periodistas le hicieron una* ***entrevista*** (= le hicieron una serie de preguntas para informar después al público). **2.** *Mañana tengo una* ***entrevista*** *de trabajo con el jefe* (= una cita para hablar de trabajo).
SINÓN: **1.** interrogatorio. **2.** cita, encuentro.
FAM: → *ver.*

entrevistar v. tr. **1.** *Un grupo de alumnos* ***entrevistamos*** *al escritor* (= le hicimos unas preguntas para después publicarlas en nuestro periódico). ◆ **entrevistarse** v. pron. **2.** *Esta tarde tengo que* ***entrevistarme*** *con el profesor de matemáticas* (= debo reunirme con él).
SINÓN: **1.** interrogar. **2.** reunirse. **FAM:** → *ver.*

entristecer v. tr. **1.** *Su desgracia* ***entristeció*** *a todos sus amigos* (= los apenó, los puso muy tristes). ◆ **entristecerse** v. pron. **2.** *Cuando veo una película dramática* ***me entristezco*** (= me pongo triste).
SINÓN: afligir, apenar. **ANTÓN:** alegrar. **FAM:** → *triste.*

entrometer v. tr. → **entremeter**.

entrometido adj. → **entremetido**.

enturbiar v. tr. *El barro que cayó en el depósito* ***enturbió*** *el agua* (= la ensució, la puso turbia).
SINÓN: ensuciar, oscurecer. **ANTÓN:** clarificar.
FAM: → *turbio.*

entusiasmar v. tr. *La actuación de aquel cantante* ***entusiasmó*** *tanto al público que no paró de aplaudirlo* (= les gustó mucho).
SINÓN: apasionar, encantar. **ANTÓN:** decepcionar.
FAM: → *entusiasmo, entusiasta.*

entusiasmo s. m. *Habla con* ***entusiasmo*** *de sus planes futuros* (= con animación y alegría).
SINÓN: exaltación, interés. **ANTÓN:** desencanto, indiferencia. **FAM:** → *entusiasmar.*

entusiasta adj. **1.** *Es tan* ***entusiasta*** *de la música clásica que asiste a todos los conciertos* (= es muy aficionado a ella). ◆ **entusiasta** s. m. f. **2.** *Mi madre es una gran* ***entusiasta*** *de la pintura de Dalí* (= le gusta mucho, es una gran admiradora suya).
SINÓN: admirador, aficionado. **FAM:** → *entusiasmar.*

enumeración s. f. *A principio de curso, el profesor nos dio una* ***enumeración*** *de los libros que necesitábamos* (= una lista).
SINÓN: detalle, lista. **FAM:** → *número.*

enumerar v. tr. **1.** *Antes de subir al autobús el profesor nos* ***enumeró*** *para ver si estábamos todos* (= nos contó uno a uno). **2.** *El vendedor* ***enumeró*** *las ventajas y desventajas de su nuevo producto* (= las explicó una a una).
SINÓN: **1.** contar. **2.** exponer. **FAM:** → *número.*

enunciado s. m. *El profesor de matemáticas nos dicta el* ***enunciado*** *de los problemas* (= el conjunto de datos que se utilizan para plantearlo).
SINÓN: exposición, formulación. **FAM:** → *anunciar.*

enunciar v. tr. *El científico* ***enunciaba*** *su teoría con ejemplos* (= la formulaba).
SINÓN: exponer, formular, plantear. **FAM:** → *anunciar.*

envasar v. tr. *En esta fábrica* ***envasan*** *jugo de frutas en botellas de vidrio* (= lo guardan en botellas para transportarlo y venderlo).
SINÓN: embotellar. **ANTÓN:** extraer, sacar, vaciar.
FAM: → *vaso.*

envasado s. m. *El* ***envasado*** *de la leche se realiza con máquinas especiales* (= la operación de llenar un recipiente con un alimento).
SINÓN: embotellado. **FAM:** → *vaso.*

envase s. m. *Los* ***envases*** *de plástico de las bebidas son muy económicos y cómodos* (= los recipientes).
FAM: → *vaso.*

envejecer v. tr. **1.** *El frío y el calor intenso* ***envejecen*** *la piel* (= la maltratan). ◆ **envejecer** v. intr. **2.** *De tanto usarla, esa camisa que llevas* ***ha envejecido*** (= se ha vuelto vieja).
SINÓN: estropearse. **ANTÓN:** rejuvenecer. **FAM:** → *viejo.*

envejecimiento s. m. *La enfermedad que tenía mi tío le causó un* ***envejecimiento*** *prematuro* (= se hizo viejo antes de tiempo).
FAM: → *viejo.*

envenenamiento s. m. *La autopsia reveló que la señora había muerto por* ***envenenamiento*** (= a causa de un veneno).
SINÓN: intoxicación. **FAM:** → *veneno.*

envenenar v. tr. *El asesino mató a su víctima* ***envenenándola*** (= haciéndole tomar veneno).
SINÓN: intoxicar. **FAM:** → *veneno.*

envergadura s. f. *Ha montado un negocio de gran* ***envergadura*** (= de gran importancia).
SINÓN: importancia.

enviado, a s. *Este periodista es el* ***enviado*** *especial para informar desde el lugar de los hechos* (= ha ido allí con ese fin).
SINÓN: corresponsal, delegado, embajador, mensajero. **FAM:** → *vía.*

enviar v. tr. **1.** *Me gusta* ***enviar*** *cartas y felicitaciones en Navidad* (= mandarlas por correo). **2.** *Mi madre me* ***envió*** *a la confitería a comprar chocolate* (= me mandó ir allí).
SINÓN: **1.** mandar, remitir. **2.** mandar. **ANTÓN:** **1.** recibir. **FAM:** → *vía.*

enviciarse v. pron. *Mi hermano* ***se ha enviciado*** *con el tabaco* (= ha tomado costumbre de fumar).
SINÓN: acostumbrarse, aficionarse, viciarse.

envidia s. f. *La belleza de Blancanieves despertó la* ***envidia*** *de su madrastra* (= los celos de la madrastra porque le gustaría ser igual de bonita).
SINÓN: celos, rivalidad. **ANTÓN:** caridad. **FAM:** *envidiar, envidioso.*

envidiar v. tr. *Luis* ***envidiaba*** *las buenas notas de Juan* (= le hubiera gustado tenerlas).
SINÓN: apetecer, codiciar, desear. **FAM:** → *envidia.*

envidioso, a adj. **1.** *Es muy* ***envidioso****, siempre quiere tener las cosas de los demás* (= siente celos de las cosas de los demás). ◆ **envidioso** Méx. **2.** *Carmen es muy* ***envidiosa****; nunca nos presta sus juguetes* (= egoísta).
SINÓN: ambicioso, celoso, egoísta. **ANTÓN:** noble. **FAM:** → *envidia.*

envío s. m. *He recibido por correo tu* ***envío*** *de libros* (= el paquete que me mandaste).
SINÓN: bulto, carga, mercancía, paquete. **FAM:** → *vía.*

enviudar v. intr. *Desde que* ***enviudó****, el padre de Luisa se hace cargo de todo* (= desde que murió su mujer).
FAM: → *viudo.*

envoltorio s. m. *Dentro del* ***envoltorio*** *había una figura de barro* (= dentro del paquete).
SINÓN: bulto, paquete. **FAM:** → *volver.*

envoltura s. f. *La* ***envoltura*** *de los caramelos suele ser de papel brillante* (= lo que los cubre).
SINÓN: cubierta. **FAM:** → *volver.*

envolver v. tr. **1.** *La vendedora* ***envolvió*** *los libros que compré* (= los cubrió con un papel). **2.** *Fue descubierto el misterio que* ***envolvía*** *aquel asunto* (= que lo rodeaba). ◆ **envolverse** v. pron. **3.** *Como hacía mucho frío,* ***me envolví*** *en una manta* (= me cubrí con ella).
SINÓN: **1.** cubrir, empaquetar. **2.** rodear. **3.** abrigarse, cubrirse, taparse. **ANTÓN:** **1.** desenvolver. **FAM:** → *volver.*

enyesar v. tr. *Cuando me rompí la pierna, me la* ***enyesaron*** *en la clínica* (= me la vendaron para que no pudiera moverla).
SINÓN: escayolar. **FAM:** → *yeso.*

épico, a adj. *Leer un poema* ***épico*** *es como ver una película de aventuras* (= un poema que relata las hazañas de antiguos héroes).
SINÓN: heroico.

epidemia s. f. *Este año se ha registrado una* ***epidemia*** *de gripe* (= muchas personas han tenido la enfermedad al mismo tiempo).

epidermis s. f. *Tomar mucho sol es malo para la* ***epidermis*** (= para la capa exterior de la piel).

epílogo s. m. *No entendí muy bien la novela hasta que leí su* ***epílogo*** (= la parte añadida al final que explica lo que no había quedado claro).
SINÓN: conclusión, desenlace, final. **ANTÓN:** principio, prólogo.

episodio s. m. **1.** *Cada* ***episodio*** *de la novela relataba una aventura distinta* (= cada parte de la novela que explica un hecho concreto). **2.** *Mi abuelo dice que la guerra ha sido el* ***episodio*** *más desagradable de su vida* (= el suceso).
SINÓN: **1.** pasaje. **2.** anécdota, incidente, suceso.

época s. f. **1.** *Todavía se conservan puentes de la* ***época*** *de los romanos* (= de aquel período). **2.** *Tengo mucho que estudiar porque estamos en* ***época*** *de exámenes* (= en temporada de exámenes).
SINÓN: **1.** era, tiempo. **2.** período, temporada.

epopeya s. f. **1.** Una **epopeya** es un poema extenso que relata hechos heroicos, históricos o legendarios. **2.** *Aquella excursión fue una verdadera* ***epopeya****, todo fue muy complicado* (= una aventura llena de dificultades).
SINÓN: **2.** aventura.

equilátero, a adj. *Un triángulo* ***equilátero*** *es el que tiene sus tres lados iguales* (= cualquier polígono que tiene todos los lados iguales).

equilibrado, a adj. *Es una persona muy* ***equilibrada****, nunca pierde la serenidad* (= es muy tranquila).
SINÓN: prudente, sensato, sereno, tranquilo. **ANTÓN:** insensato. **FAM:** → *equilibrio.*

equilibrar v. tr. *Para* ***equilibrar*** *una balanza hay que poner el mismo peso en cada platillo* (= para nivelarla).
SINÓN: compensar, igualar, nivelar. **FAM:** → *equilibrio.*

equilibrio s. m. **1.** *Cuando la balanza está en* ***equilibrio****, los dos platillos se quedan quietos y exactamente a la misma altura* (= está quieta porque el peso de los dos platillos es el mismo). **2.** *No te subas a esa baranda, puedes perder el* ***equilibrio*** *y caerte* (= puedes perder la estabilidad del cuerpo). **3.** *En el equipo había* ***equilibrio*** *entre la defensa y la delantera* (= las dos eran igualmente buenas). **4.** *Todo lo resuelve con su acostumbrado* ***equilibrio*** *y no suele equivocarse* (= con su sensatez y justicia).
SINÓN: **1.** igualdad. **1, 2.** estabilidad. **3.** armonía, proporción. **4.** sensatez. **FAM:** *equilibrado, equilibrar, equilibrista.*

equilibrista s. *En el circo vimos a un* ***equilibrista*** *que caminaba por un alambre con los ojos vendados* (= una persona que hace juegos de equilibrio).
SINÓN: acróbata, trapecista. **FAM:** → *equilibrio.*

equinoccio s. m. *Sólo se producen dos* ***equinoccios*** *al año, el de primavera y el de otoño* (= es cuando el día y la noche tienen la misma duración).

equipaje s. m. *Cuando vamos de vacaciones llevamos mucho* ***equipaje*** (= los bultos y las maletas).
SINÓN: bultos, maletas. **FAM:** → *equipar.*

equipar v. tr. *Mi padre nos* ***ha equipado*** *con ropa de abrigo y unos esquíes para ir a la nieve* (= nos ha dado todo lo necesario).
SINÓN: adquirir, proveer. **FAM:** *equipaje, equipo.*

equipo s. m. **1.** *Me han comprado un* ***equipo*** *completo de tenis, con raqueta y todo* (= la ropa y todo lo necesario para practicar una actividad). **2.** *Las operaciones complicadas de un hospital, las hace un* ***equipo*** *médico* (= un grupo coordinado de médicos). **3.** *Un* ***equipo*** *de fútbol tiene once jugadores* (= grupo de jugadores que compiten siempre juntos contra otros).
SINÓN: 1. enseres, indumentaria, utensilios. **2, 3.** conjunto, grupo. **FAM:** → *equipar.*

equitación s. f. **1.** *Desde que le regalaron el caballo, mi hermana asiste a clases de* ***equitación*** (= aprende a montar a caballo). **2.** *Alfredo tuvo un accidente de* ***equitación*** (= mientras montaba a caballo).

equivalente adj. *Un kilómetro es* ***equivalente*** *a mil metros* (= es igual a mil metros).
SINÓN: igual. **ANTÓN:** diferente, distinto. **FAM:** → *valer.*

equivocación s. f. *Me llevé tu paraguas por* ***equivocación****, y no me di cuenta hasta abrirlo* (= por error, lo confundí con el mío).
SINÓN: confusión, error. **ANTÓN:** acierto.

equivocarse v. pron. ***Me he equivocado*** *de calle y me he perdido* (= fui por una calle diferente a la que debía tomar).
SINÓN: confundirse. **ANTÓN:** acertar.

equívoco, a adj. *Este problema tiene un enunciado* ***equívoco*** *y no sé cómo resolverlo* (= tiene dos significados).
SINÓN: ambiguo, dudoso, oscuro. **ANTÓN:** claro, preciso.

era s. f. **1.** *El agricultor lleva el trigo desde el campo a la* ***era*** *para trillarlo* (= espacio de tierra limpia preparado para este trabajo). **2.** *La* ***era*** *cristiana empieza a partir del nacimiento de Jesucristo* (= el período de tiempo que empieza a contarse a partir de un suceso muy importante). **3.** *Actualmente, estamos en la* ***era*** *atómica, llamada así por el descubrimiento de la energía atómica* (= un período que se caracteriza por ese descubrimiento).
SINÓN: 2, 3. edad, época, período.

erguir v. tr. *El caballo* ***erguía*** *la cabeza cuando le tiraba de las riendas* (= la levantaba).
SINÓN: levantar. **ANTÓN:** agachar.

erigir v. tr. ***Han erigido*** *un monumento en memoria de aquel gran escritor* (= lo han construido).
SINÓN: construir, levantar. **ANTÓN:** tirar.

erizarse v. pron. *Al gato* ***se le erizó*** *el pelo cuando vio al perro corriendo hacia él* (= se le puso de punta por el susto).
FAM: *erizo.*

erizo s. m. **1.** El **erizo** es un animal mamífero pequeño que tiene el cuerpo cubierto de púas. ◆ **erizo de mar** o **erizo marino 2.** *Me fui a bañar a la playa y me lastimé con un* ***erizo de mar*** (= es un animal marino con forma de esfera aplanada y concha cubierta de púas).
FAM: *erizarse.*

ermita s. f. *A la salida del pueblo hay una* ***ermita*** (= iglesia pequeña).
SINÓN: capilla, santuario. **FAM:** *ermitaño.*

ermitaño s. m. *Mi padre me contó una historia sobre un* ***ermitaño*** (= una persona que vivía en soledad, sin trato con otras).
FAM: *ermita.*

erosión s. f. *El viento, el mar y los ríos provocan la* ***erosión*** *de la superficie de la Tierra* (= el desgaste producido por un rozamiento continuo).
SINÓN: desgaste, deterioro, roce.

erradicar v. tr. *El presidente ha dicho que hay que* ***erradicar*** *la violencia en este país* (= hay que eliminarla totalmente).
SINÓN: arrancar, extirpar, suprimir.

errante adj. *No le gusta vivir siempre en el mismo sitio y anda* ***errante*** *de un lado para otro* (= persona que no vive en un sitio fijo).
SINÓN: ambulante, nómada, vagabundo. **FAM:** → *errar.*

errar v. tr. **1.** *Mi tío era tan mal cazador que siempre* ***erraba*** *el tiro* (= nunca acertaba). ◆ **errar** v. intr. **2.** *Estaba tan triste que estuvo toda la tarde* ***errando*** *por las calles* (= estuvo andando sin rumbo fijo).
SINÓN: 1. fallar, fracasar. **2.** deambular. **ANTÓN: 1.** acertar. **2.** establecerse. **FAM:** *errante, errata, erróneo, error.*

errata s. f. *El libro que me prestaste tenía dos* ***erratas*** (= dos errores de escritura o composición).
SINÓN: equivocación, error. **FAM:** → *errar.*

erróneo, a adj. *El resultado de esta operación es* ***erróneo*** (= está equivocado).
SINÓN: desacertado, equivocado, inexacto. **ANTÓN:** acertado, correcto, exacto. **FAM:** → *errar.*

error s. m. **1.** *En el ejercicio de matemáticas tuve tres* ***errores*** (= tres respuestas equivocadas). **2.** *Cometiste un* ***error*** *al salir a pescar con esta tormenta, te podía haber pasado algo* (= una imprudencia que pudo ser peligrosa).
SINÓN: 1. equivocación, falta. **2.** desacierto, imprudencia, torpeza. **ANTÓN:** acierto. **FAM:** → *errar.*

eructar v. intr. *Es de mala educación* ***eructar*** *en público* (= expulsar por la boca los gases que hay en el estómago).
FAM: *eructo.*

eructo s. m. Un **eructo** es la acción ruidosa producida por la boca al expulsar el aire del estómago.
FAM: *eructar.*

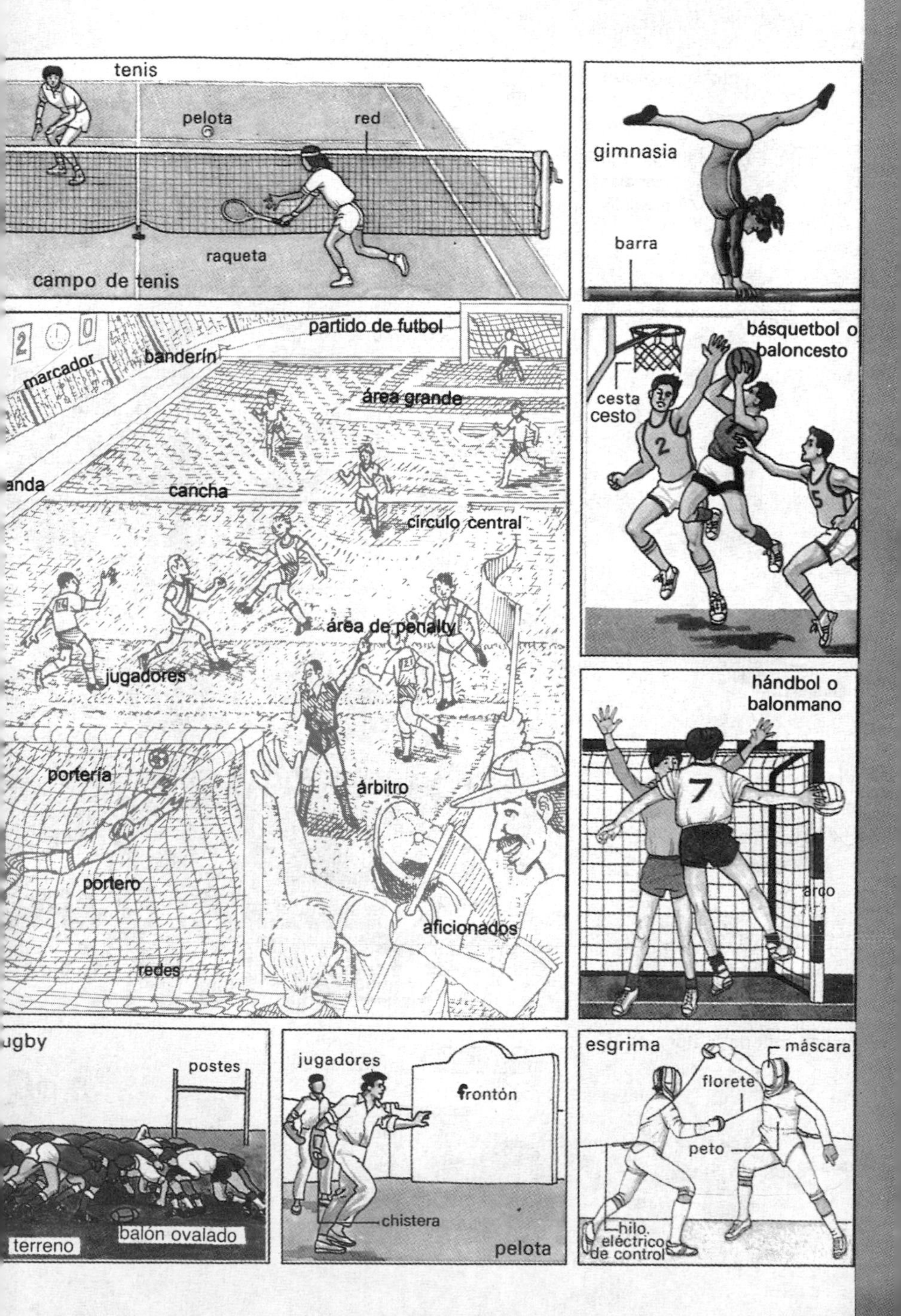

tenis
pelota
red
raqueta
campo de tenis
gimnasia
barra
partido de futbol
marcador
banderín
área grande
anda
cancha
círculo central
área de penalty
jugadores
portería
árbitro
portero
aficionados
redes
básquetbol o baloncesto
cesta
cesto
hándbol o balonmano
arco
ugby
postes
terreno
balón ovalado
jugadores
frontón
chistera
pelota
esgrima
máscara
florete
peto
hilo eléctrico de control

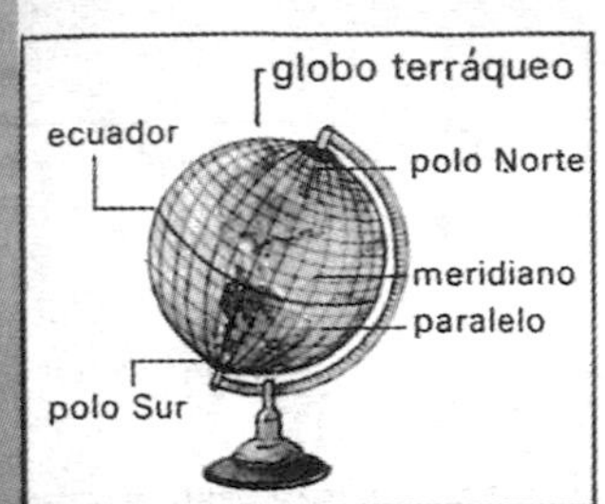
globo terráqueo
ecuador
polo Norte
meridiano
paralelo
polo Sur

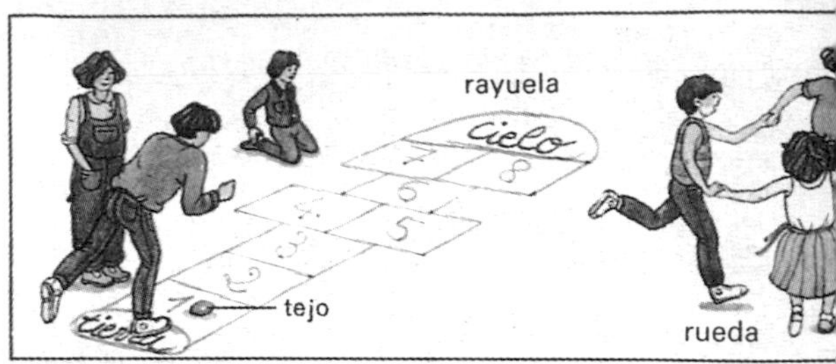
rayuela
cielo
tejo
tierra
rueda

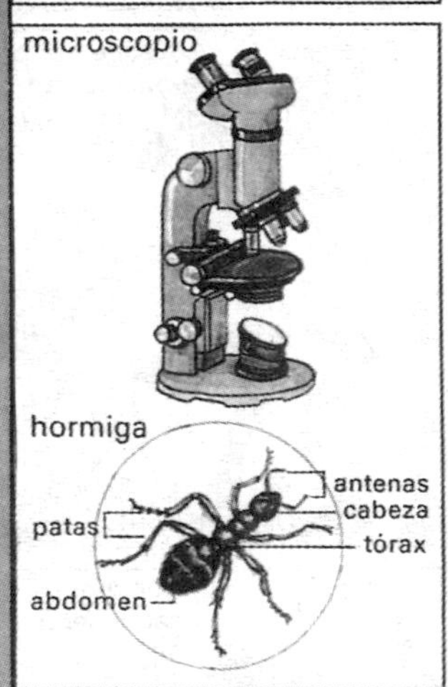
microscopio
hormiga
antenas
cabeza
patas
tórax
abdomen

globo luminoso
armario
clase
mesa
alumno
página

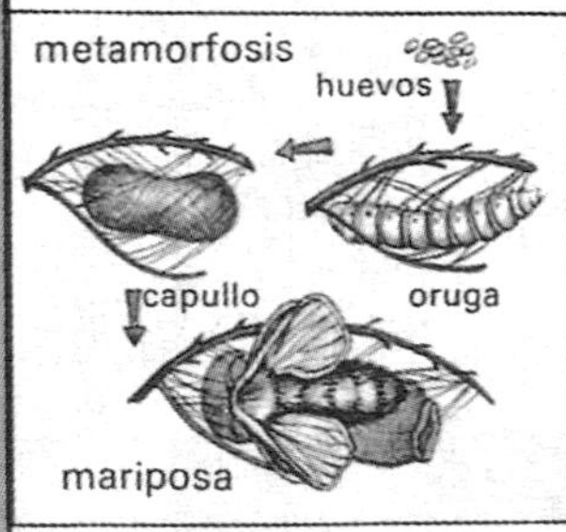
metamorfosis
huevos
capullo
oruga
mariposa

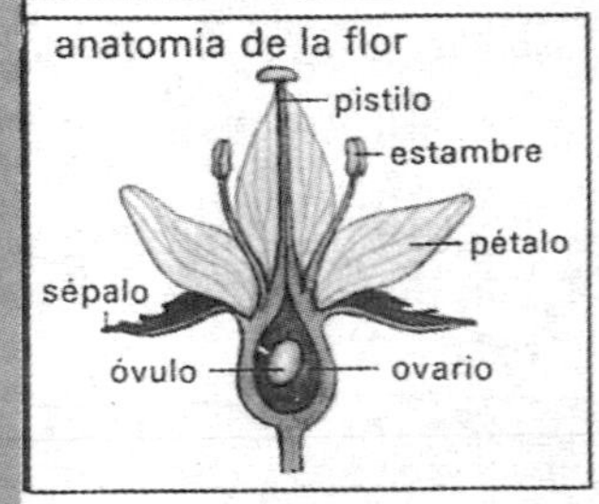
anatomía de la flor
pistilo
estambre
pétalo
sépalo
óvulo
ovario

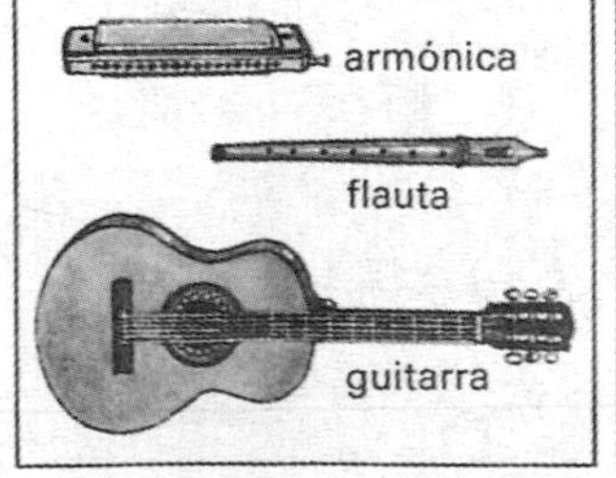
armónica
flauta
guitarra

coro
armonio

recreo
cuerda
canicas

cartera
bolsa

Cristóbal Colón
pizarrón
baños o urinarios
patio de recreo
maestro
perchas
primera fila
tarima

estuche
goma
sacapuntas
chinches o tachuelas
regla graduada
escuadra

cuaderno
cuaderno
libreta
lenguaje 2
libro de texto

dibujo
hoja

pinceles
salserilla o pote
caja de acuarelas

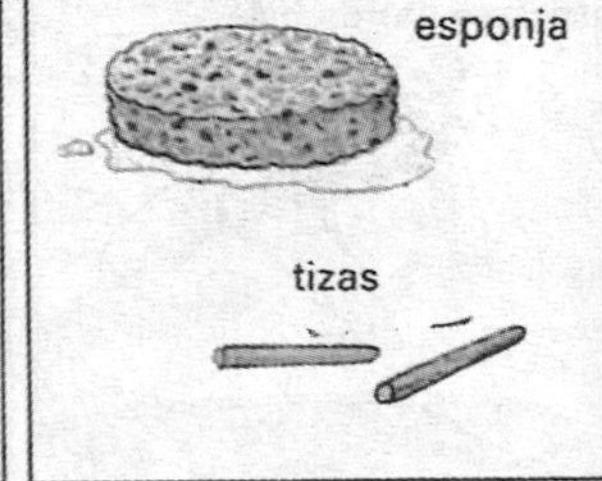
esponja
tizas

carrera de
velocidad
salida
pista

atletismo
vallas

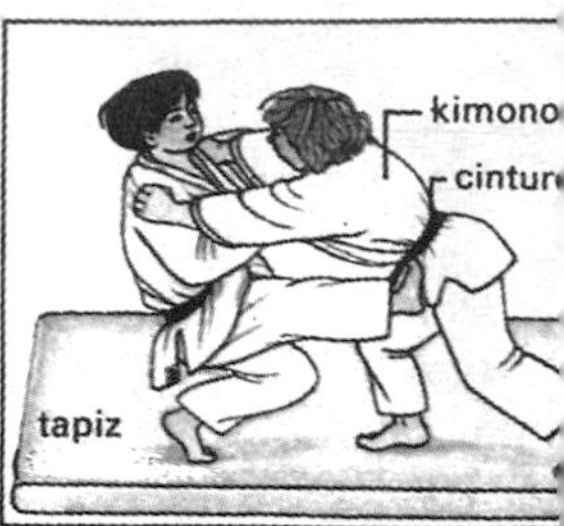
kimono
cintur
tapiz

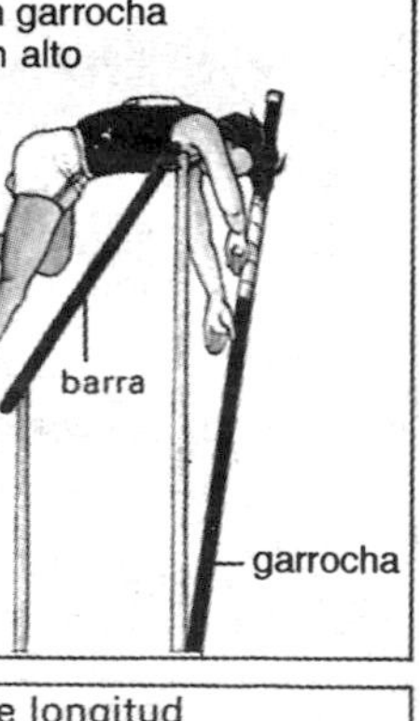
salto en garrocha
salto en alto
barra
garrocha

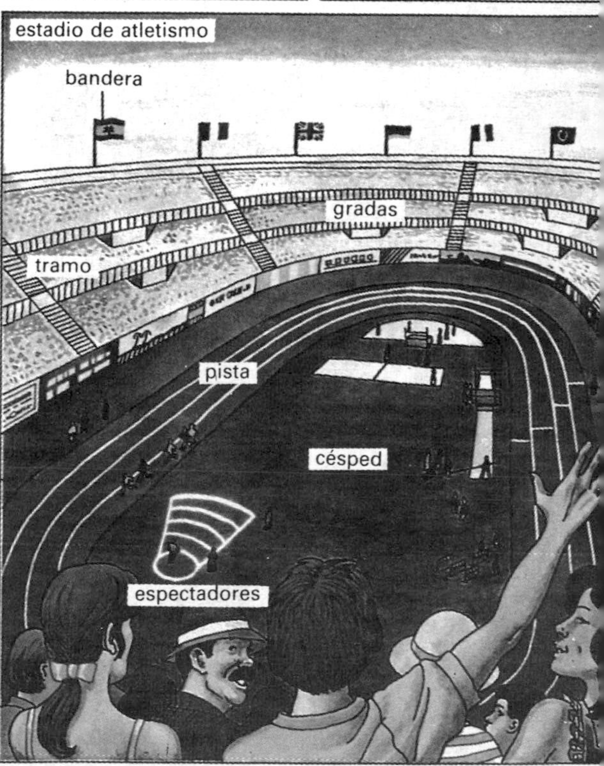
estadio de atletismo
bandera
gradas
tramo
pista
césped
espectadores

salto de longitud

lanzamiento de bala

lanzamiento de disco

levantamien
de pesas

erupción s. f. **1.** *Cuando tuve el sarampión, me apareció en la piel una* ***erupción*** (= unas manchas rojas). **2.** *Tras la* ***erupción*** *del volcán, la lava se extendió por la ladera de la montaña* (= la expulsión de lava y gases).

esbelto, a adj. *Aquella modelo es muy* ***esbelta*** *y elegante* (= es alta y delgada).
SINÓN: gallardo.

esbozar v. tr. **1.** *El pintor* ***esbozó*** *a lápiz lo que luego iba a pintar con todo detalle* (= hizo un dibujo rápido y sin detalles). **2.** *A pesar de su tristeza* ***esbozó*** *una sonrisa* (= insinuó una sonrisa).
SINÓN: **1.** bosquejar. **2.** insinuar, simular.

escabeche s. m. *Me gusta más el pescado en* ***escabeche*** *que en aceite* (= en salsa hecha con vinagre, aceite y sal que sirve para conservar carnes o pescados).

escabroso, a adj. **1.** *No pudimos continuar la marcha porque el terreno era muy* ***escabroso*** (= tenía muchas rocas que hacían muy difícil el paso). **2.** *No quiero entrar en ese asunto tan* ***escabroso*** *y delicado* (= tan difícil de resolver y que puede disgustar a algunos).
SINÓN: **1.** abrupto, áspero, desigual, escarpado. **2.** delicado, dificultoso.

escabullirse v. pron. **1.** *El gato consiguió* ***escabullírseme*** *de entre las manos* (= lo tenía agarrado pero se me escapó). **2.** *El ladrón consiguió* ***escabullirse*** *de la policía* (= consiguió que no lo apresaran).
SINÓN: desaparecer, escaparse, escurrirse, esfumarse, huir.

escafandra s. f. *Para bajar al fondo del mar el buzo utiliza una* ***escafandra*** (= un traje impermeable especial con un casco de bronce y con tubos y orificios para respirar).

escala s. f. **1.** *Para subir a la caseta que teníamos en el árbol utilizamos una* ***escala*** (= una escalera hecha de cuerda y madera). **2.** *El arco iris contiene sus siete colores en* ***escala*** (= siguiendo una serie ordenada de colores según su intensidad). **3.** *Los planos de mi casa están realizados a* ***escala*** (= a tamaño pequeño pero proporcional a las medidas reales). **4.** *No es un vuelo directo, sino que hace varias* ***escalas*** (= paradas que hacen los aviones o los barcos). **5.** *Con el piano es muy sencillo hacer la* ***escala*** *musical* (= la sucesión de las siete notas musicales por orden de tono). **6.** *Es un problema que se plantea a* ***escala*** *internacional* (= afecta a todo el mundo).
SINÓN: **1.** escalerilla. **2, 5.** sucesión. **3.** proporción. **4.** parada. FAM: *escalada, escalador, escalar, escalera, escalerilla, escalinata, escalón.*

escalada s. f. *La* ***escalada*** *del Aconcagua es difícil y peligrosa para los escaladores* (= su ascensión).
SINÓN: ascenso, subida. ANTÓN: bajada, descenso. FAM: → *escala.*

escalador, a adj. *El buen* ***escalador*** *revisa sus cuerdas y todo su equipo antes de intentar subir a la cima de una montaña* (= el que sube a la cima de las montañas).
FAM: → *escala.*

escalar v. tr. *Los alpinistas* ***escalaron*** *el Everest y colocaron una bandera en su cima* (= subieron a él con instrumentos especiales como cuerdas y botas).
SINÓN: ascender, subir, trepar. ANTÓN: bajar, descender. FAM: → *escala.*

escaleno, a adj. El triángulo **escaleno** es aquel que tiene sus tres lados desiguales.

escalera s. f. **1.** *He subido cinco pisos por una* ***escalera*** *que tiene sesenta escalones* (= conjunto de escalones que sirven para subir o bajar de un nivel a otro). **2.** *Me subí a la* ***escalera*** *de mano para alcanzar ese libro que estaba tan alto* (= utensilio formado por dos barras unidas por travesaños y que sirve para llegar a los sitios altos). **3.** *Mi hermano me hizo una* ***escalera*** *al cortarme el pelo* (= me lo cortó de forma desigual).
SINÓN: **1.** escalinata. FAM: → *escala.*

escalerilla s. f. *Las azafatas bajaron la* ***escalerilla*** *del avión* (= una escalera con pocos escalones).
SINÓN: escalera. FAM: → *escala.*

escalinata s. f. *Delante de la catedral hay una gran* ***escalinata*** (= escalera muy amplia que está en la parte exterior de un edificio).
SINÓN: escalera. FAM: → *escala.*

escalofriante adj. *Las imágenes de la catástrofe eran* ***escalofriantes*** (= impresionaban porque eran terribles).
SINÓN: espeluznante, terrible. ANTÓN: agradable, reconfortante. FAM: *escalofrío.*

escalofrío s. m. **1.** *Cuando tengo fiebre siento* ***escalofríos*** (= sensaciones repentinas de frío). **2.** *También me producen* ***escalofríos*** *las películas de terror* (= me dan miedo).
FAM: *escalofriante.*

escalón s. m. *Esta escalera tiene doce* ***escalones*** (= cada uno de los niveles de la escalera donde se apoya el pie para subir o bajar).
SINÓN: grada, peldaño. FAM: → *escala.*

escalopa s. f. → **escalope.**

escalope s. m. *Mi madre hace los* ***escalopes*** *de ternera rebozados con huevo y pan rallado* (= filetes delgados de carne de ternera o de vaca).

escama s. f. *Los peces y reptiles tienen* ***escamas*** *en la piel* (= pequeñas láminas duras y transparentes, que cubren y protegen sus cuerpos).
FAM: *escamoso.*

escamoso, a adj. *La piel de los reptiles y los peces es* ***escamosa*** (= tiene escamas).
FAM: *escama.*

escampar v. intr. *Llovía tanto que tuvimos que meternos en un portal hasta que* ***escampara*** (= hasta que dejara de llover).
SINÓN: despejar. ANTÓN: llover, nublarse.

escándalo s. m. **1.** *En el recreo siempre se forma un gran* ***escándalo*** (= un gran alboroto). **2.** *El descubrimiento de aquel negocio ilegal en el que estaba implicado un político fue un* ***escándalo*** (= un suceso que no respeta las normas sociales y que da mucho que hablar).
SINÓN: 1. alboroto, bullicio, ruido. **ANTÓN: 1.** calma, orden, silencio, tranquilidad. **FAM:** *escandaloso.*

escandaloso, a adj. **1.** *Tiene una risa tan* ***escandalosa*** *que todo el mundo la mira cuando ríe* (= arma mucho alboroto). **2.** *La subida de los precios ha sido* ***escandalosa*** (= ha sido un abuso).
SINÓN: 1. alborotador, inquieto, revoltoso, ruidoso. **2.** exagerado. **ANTÓN: 1.** silencioso, tranquilo. **2.** moderado. **FAM:** *escándalo.*

escandinavo, a adj. **1.** *Noruega, Suecia y Dinamarca son países* ***escandinavos*** (= de Escandinavia). ◆ **escandinavo, a** s. **2.** *Los* ***escandinavos*** *son las personas nacidas en Escandinavia: Noruega, Suecia y Dinamarca.*

escaño s. m. *Cuando terminó la sesión, los diputados se levantaron de sus* ***escaños*** (= de sus asientos en el Parlamento).
SINÓN: asiento.

escapada s. f. *Iré de una* ***escapada*** *a llevarte lo que me pediste* (= aprovechando un momento libre para no perder mucho tiempo).
FAM: → *escapar.*

escapar v. intr. **1.** *El prisionero* ***escapó*** *de la cárcel* (= huyó). **2.** *Tuvo un gravísimo accidente,* ***escapó*** *de la muerte de milagro* (= se salvó de milagro). ◆ **escaparse** v. pron. **3.** *Tengo que llamar a un plomero porque el agua* ***se escapa*** *por la llave de paso* (= se sale). **4.** *He llegado tarde porque* ***se me ha escapado*** *el autobús* (= lo he perdido).
SINÓN: 1. evadirse, fugarse, huir, irse, marcharse. **2.** librarse, salirse. **4.** perder. **ANTÓN: 1.** permanecer, quedarse. **4.** alcanzar. **FAM:** *escapada, escape.*

escaparate s. m. *Siempre miro los juguetes que ponen en el* ***escaparate*** *de la juguetería* (= aparador de una tienda cerrado por cristales que dan a la calle, donde se expone lo que se vende).
SINÓN: aparador, vitrina.

escape s. m. **1.** *La explosión se produjo por un* ***escape*** *de gas* (= una fuga). **2.** *El tubo de* ***escape*** *del coche hace mucho ruido* (= el tubo por donde salen los gases).
SINÓN: 1. fuga. **FAM:** → *escapar.*

escapulario s. m. *Los religiosos suelen llevar colgado un* ***escapulario*** (= dos trozos de tela con una imagen unidos a dos cintas largas, que cuelgan sobre el pecho y la espalda).

escarabajo s. m. El **escarabajo** es un insecto pequeño de cuerpo ovalado y negro que tiene sus patas y alas en forma de caparazón y que se alimenta de estiércol.

escarbar v. tr. *El perro* ***escarbó*** *la tierra con sus patas para sacar el hueso que había enterrado* (= removió la tierra para buscarlo).
SINÓN: hurgar, remover.

escarcha s. f. *En las mañanas de invierno, los prados suelen amanecer con* ***escarcha*** (= con trocitos de hielo porque se congela el rocío durante la noche).

escardar v. tr. *Hay una época del año en que los campesinos* ***escardan*** *los campos cultivados* (= les quitan las malas hierbas).

escarlatina s. f. La **escarlatina** es una enfermedad en la que aparecen manchas en la piel, fiebre y que puede contagiarse.

escarmentar v. tr. **1.** *Aquel niño se escapó de clase y el profesor lo* ***escarmentó*** *obligándolo a quedarse una hora más toda la semana* (= lo castigó para que no lo volviera a hacer). ◆ **escarmentar** v. intr. **2.** *Después de la herida que me hice en el pie,* ***escarmenté*** *y ya no he vuelto a andar descalzo* (= me di cuenta de que no debía volver a hacerlo).
SINÓN: 1. castigar, corregir. **2.** aprender. **ANTÓN: 1.** perdonar. **FAM:** *escarmiento.*

escarmiento s. m. **1.** *Tuvo que darle un* ***escarmiento*** *por su mal comportamiento* (= un castigo para que no lo volviera a hacer). **2.** *El catarro que tengo me ha servido de* ***escarmiento*** *para no salir más a la calle sin abrigarme* (= me ha servido de lección).
SINÓN: 1. castigo. **2.** lección. **ANTÓN: 1.** perdón. **FAM:** *escarmentar.*

escarola s. f. La **escarola** es un vegetal verde parecido a la lechuga, pero de hojas rizadas y recortadas, que se come en las ensaladas.

escarpado, a adj. *Esta montaña es muy* ***escarpada****, no la podremos subir* (= tiene mucha pendiente y rocas).
SINÓN: abrupto, áspero, escabroso. **ANTÓN:** llano.

escasear v. intr. *Debido a las pocas lluvias, el agua* ***escasea*** (= hay muy poca).
SINÓN: carecer, faltar. **ANTÓN:** abundar. **FAM:** → *escaso.*

escasez s. f. **1.** *Este año habrá* ***escasez*** *de agua porque ha llovido muy poco* (= habrá poca agua). **2.** *Gana tan poco dinero que vive en la* ***escasez*** (= vive sin tener lo necesario).
SINÓN: 1. falta, necesidad. **2.** miseria, pobreza. **ANTÓN: 1, 2.** abundancia. **2.** riqueza. **FAM:** → *escaso.*

escaso, a adj. **1.** *La comida que has traído es* ***escasa*** *para una semana, habrá que comprar más* (= es insuficiente para ese tiempo). **2.** *Desde mi casa al colegio hay seis kilómetros* ***escasos*** (= la distancia no llega a seis kilómetros).
SINÓN: 1. insuficiente, poco. **ANTÓN: 1.** abundante, mucho. **FAM:** *escasear, escasez.*

escayola s. f. **1.** *Muchas estatuas se hacen con un molde que se rellena de* ***escayola*** (= de yeso

blanco). **2.** *Pedro se fracturó el brazo y el médico le hizo un vendaje con* ***escayola*** (= con yeso para que no lo pueda mover).
SINÓN: yeso. **FAM:** *escayolar.*

escena s. f. **1.** *Cuando el actor apareció en* ***escena*** *el público se levantó y empezó a aplaudirlo* (= en el escenario). **2.** *Después del descanso hubo un cambio de* ***escena*** (= cambiaron el decorado para representar otro lugar). **3.** *Me divertí mucho en aquella* ***escena*** *en que los actores rodaron por el suelo* (= en aquella parte de la obra). **4.** *Van a poner en* ***escena*** *la obra de aquel escritor* (= la van a representar en teatro). **5.** *Me hizo una* ***escena*** *cuando le dije que tenía que quedarse para ayudarme* (= se enojó mucho sin motivo).
SINÓN: 1. escenario. **2.** decorado, escenografía. **3.** acto, cuadro, parte. **4.** representación, teatro. **FAM:** *escenario, escenografía.*

escenario s. m. **1.** *El* ***escenario*** *tenía un bonito decorado* (= la parte del teatro donde se representan las obras). **2.** *La película tiene por* ***escenario*** *las calles de la ciudad* (= es el lugar donde se rueda la película).
SINÓN: 1. decorado. **FAM:** → *escena.*

escenografía s. f. *Lo mejor de la obra fue su* ***escenografía*** (= los decorados que representan el lugar donde sucede la obra).
SINÓN: decorado. **FAM:** → *escena.*

esclavitud s. f. **1.** *Desde que se suprimió la* ***esclavitud*** *todos los hombres son libres, ya no hay esclavos* (= la falta de libertad). **2.** *El hombre de nuestros días está sometido a la* ***esclavitud*** *de la prisa* (= a la opresión).
SINÓN: 2. opresión. **ANTÓN:** libertad. **FAM:** → *esclavo.*

esclavizar v. tr. *Los antiguos romanos* ***esclavizaban*** *a los soldados que capturaban en la guerra* (= les quitaban la libertad).
SINÓN: oprimir. **ANTÓN:** libertar. **FAM:** → *esclavo.*

esclavo, a s. **1.** *En la antigua Roma existieron mercados de* ***esclavos*** (= personas sin libertad que podían ser vendidas y compradas como si fueran cosas). **2.** *Luis se ha convertido en un* ***esclavo*** *de su trabajo* (= está dominado por su trabajo y sólo piensa en él).
SINÓN: 1. siervo. **FAM:** *esclavitud, esclavizar.*

esclusa s. f. *Para atravesar el canal es necesario abrir las compuertas de la* ***esclusa*** (= del recinto cuyas puertas abiertas o cerradas permiten aumentar o disminuir el nivel del agua).

escoba s. f. *Toma la* ***escoba*** *y barre el comedor que yo lavaré los platos* (= el utensilio que sirve para barrer).
SINÓN: escobón. **FAM:** *escobilla, escobón.*

escobilla s. f. *Ana utiliza una* ***escobilla*** *para limpiar el baño* (= una escoba pequeña).
FAM: → *escoba.*

escocer v. intr. *Cuando le pusieron alcohol en la herida se quejó porque le* ***escocía*** *mucho* (= sintió una sensación dolorosa parecida a la de una quemadura).
SINÓN: irritar, picar, quemar. **ANTÓN:** suavizar. **FAM:** → *cocer.*

escocés, esa adj. **1.** *Edimburgo es una ciudad* ***escocesa*** (= de Escocia). **2.** *Mi madre me ha hecho una falda con una tela* ***escocesa*** (= una tela a cuadros de varios colores). ◆ **escocés, esa** s. **3.** *Los* ***escoceses*** *son las personas nacidas en Escocia.* ◆ **escocés** s. m. **4.** El **escocés** es la lengua que se habla en Escocia.

escoger v. tr. *Entre todas las bicicletas que había* ***escogí*** *la que más me gustaba* (= elegí la que me pareció más bonita).
SINÓN: elegir, optar, preferir, seleccionar. **FAM:** → *coger.*

escolar adj. **1.** *El verano no es época* ***escolar*** (= no hay actividad en las escuelas). ◆ **escolar** s. m. **2.** *Los* ***escolares*** *deben llegar puntualmente a sus clases* (= los alumnos que acuden a la escuela).
SINÓN: 2. alumno, colegial. **FAM:** → *escuela.*

escolaridad s. f. *El próximo año terminaré mi etapa de* ***escolaridad*** (= el período de tiempo durante el cual debo asistir a la escuela).
FAM: → *escuela.*

escollera s. f. *La* ***escollera*** *protege el puerto de las fuertes olas* (= obra hecha con grandes piedras o bloques de cemento que impide que el agua del mar entre en el puerto con violencia).
SINÓN: dique. **FAM:** *escollo.*

escollo s. m. **1.** *Navegar por los arrecifes es peligroso por los* ***escollos*** *que hay* (= por las rocas que apenas se ven). **2.** *Superado el primer* ***escollo****, el concursante logró pasar a la siguiente prueba* (= el primer obstáculo).
SINÓN: 2. dificultad, obstáculo. **FAM:** *escollera.*

escolta s. f. **1.** *El abanderado siempre desfila con sus* ***escoltas*** (= personas que lo acompañan). **2.** *El entierro del general fue con* ***escolta*** (= con acompañamiento de soldados en señal de reverencia).
SINÓN: 1, 2. acompañamiento, séquito. **FAM:** *escoltar.*

escoltar v. tr. **1.** *Los policías que* ***escoltaban*** *al jefe del Estado evitaron el atentado* (= los policías que lo protegían impidieron la agresión). **2.** *Los compañeros del soldado muerto lo* ***escoltaron*** *hasta su sepultura* (= lo acompañaron en señal de honra y reverencia).
SINÓN: 1. custodiar, proteger, vigilar. **2.** acompañar. **FAM:** *escolta.*

escombro s. m. *Los albañiles derribaron la pared y retiraron los* ***escombros*** (= los trozos de la pared derribada).
SINÓN: desechos, restos.

esconder v. tr. **1.** *El perro* ***escondió*** *un hueso en un agujero* (= lo metió en un lugar donde era difícil encontrarlo). ◆ **esconderse** v. pron.

2. ***Me escondí*** *para que no me vieran* (= me oculté).
SINÓN: ocultar(se). ANTÓN: **1.** enseñar, mostrar. **2.** descubrirse, mostrarse. FAM: *escondidas, escondite, escondrijo.*

escondidas s. f. pl. Amér. **1.** *Cuando era muy pequeño, me gustaba mucho jugar a las* ***escondidas*** (= juego en el cual un grupo de niños se esconde, y uno debe encontrarlos). ◆ **a escondidas 2.** *Le dio los caramelos* ***a escondidas*** (= sin que los demás niños lo vieran).
SINÓN: escondite. FAM: → *esconder.*

escondite s. m. **1.** *He encontrado un buen* ***escondite*** *para guardar nuestras cartas secretas* (= un buen lugar para ocultarlas). **2.** *Ayer por la tarde jugamos al* ***escondite*** (= al juego de esconderse y buscarse).
SINÓN: **1.** escondrijo. FAM: → *esconder.*

escondrijo s. m. *Los ladrones hallaron el* ***escondrijo*** *donde estaban guardadas las joyas* (= encontraron el lugar donde estaban ocultas).
SINÓN: escondite. FAM: → *esconder.*

escopeta s. f. *Mi padre suele ir de caza con una* ***escopeta*** *de dos cañones* (= con un arma de fuego portátil).
SINÓN: fusil.

escoria s. f. **1.** *Los volcanes en erupción expulsan* ***escorias*** (= materiales líquidos y espesos, muy calientes). **2.** *Los criminales son la* ***escoria*** *del país* (= lo más despreciable del país).
SINÓN: **1.** lava.

escorpión s. m. **1.** El **escorpión** es un animal de la misma familia que la araña, con dos pinzas delanteras y una uña venenosa al final del abdomen. Su picadura es muy dolorosa e incluso puede ser mortal. **2. Escorpión** es el octavo signo del zodíaco que comprende las personas nacidas entre el 23 de octubre y el 22 de noviembre.
SINÓN: **1.** alacrán.

escote s. m. *Elena llevaba un traje con un* ***escote*** *en la espalda que le llegaba hasta la cintura* (= con una abertura alrededor del cuello que le dejaba al descubierto la espalda).

escotilla s. f. *El marinero salió a la cubierta del barco por la* ***escotilla*** *de proa* (= por una de las aberturas de acceso a la cubierta del barco).

escozor s. m. *Me ha entrado jabón en los ojos y siento un* ***escozor*** *muy fuerte* (= noto una sensación muy dolorosa).
SINÓN: quemazón. FAM: → *cocer.*

escriba s. m. *Los* ***escribas*** *egipcios escribían textos religiosos y jurídicos* (= personas que escribían o copiaban libros).
FAM: → *escribir.*

escribano, a s. → **escribiente.**

escribiente s. m. *Empezó como* ***escribiente*** *y acabó siendo el director del banco* (= comenzó pasando en limpio los escritos de los demás empleados).
FAM: → *escribir.*

escribir v. tr. **1.** *Los alumnos* ***escriben*** *en sus cuadernos lo que les dicta el maestro* (= representan con letras y signos lo que el profesor les dicta). **2.** *Horacio Quiroga* ***escribió*** *Cuentos de la selva* (= compuso una obra con ese nombre). **3.** *Por Navidad suelo* ***escribir*** *a mis amigos para desearles felices fiestas* (= les comunico mis deseos de felicidad).
SINÓN: **1.** anotar, apuntar, copiar. **2.** componer, redactar. FAM: *describir, descripción, escriba, escribiente, escrito, escritor, escritorio, escritura, inscribir, suscribir, suscripción.*

escrito s. m. **1.** *Hemos mandado al director un* ***escrito*** *firmado por todos* (= una carta). **2.** *El poeta nos legó su último* ***escrito*** (= su última obra).
SINÓN: **1.** carta, documento, informe, nota. **2.** libro, obra, texto. FAM: → *escribir.*

escritor, a s. *Gabriel García Márquez es un* ***escritor*** *contemporáneo* (= una persona que escribió muchas obras literarias).
SINÓN: autor, literato. FAM: → *escribir.*

escritorio s. m. **1.** *Encontrarás la carta que buscas en el tercer cajón de mi* ***escritorio*** (= en el mueble que utilizo para escribir y guardar papeles). **2.** *Estuvimos en el* ***escritorio*** *hablando de negocios* (= en el despacho).
SINÓN: **2.** despacho, estudio. FAM: → *escribir.*

escritura s. f. **1.** *Los chinos tienen una* ***escritura*** *muy distinta a la nuestra* (= una manera de escribir muy diferente). **2.** *Mi padre ha firmado la* ***escritura*** *de compra de la casa* (= el documento que le sirve para demostrar que la ha comprado).
SINÓN: **1.** caligrafía. FAM: → *escribir.*

escrúpulo s. m. **1.** *No tuvo ningún* ***escrúpulo*** *en darle una bofetada* (= no dudó un instante en pegarle). **2.** *Cuando viaja, siempre lleva consigo sus propias sábanas pues tiene* ***escrúpulos*** *de usar otras que no sean las suyas* (= siente asco a usar algo por temor a la suciedad o al contagio).
SINÓN: **1.** duda, recelo, reparo, temor. **2.** asco, repugnancia. ANTÓN: **1.** certeza, seguridad. FAM: *escrupuloso.*

escrupuloso, a adj. **1.** *Juan es tan* ***escrupuloso*** *que no se atrevió a castigar a su hijo* (= no quiso castigarlo por temor a actuar incorrectamente). **2.** *María es tan* ***escrupulosa*** *que no quiere beber de mi vaso* (= es muy maniática). **3.** *Esta secretaria es muy* ***escrupulosa*** *en su trabajo* (= es muy cuidadosa).
SINÓN: **1.** delicado, temeroso. **2.** maniático. **3.** cuidadoso. ANTÓN: **1.** confiado, seguro. FAM: *escrúpulo.*

escrutar v. tr. **1.** *El general* ***escrutaba*** *con prismáticos el campo de batalla* (= lo examinaba

con atención). **2.** *Concluida la jornada electoral, **escrutaban** los votos para conocer el resultado* (= los contaban).
SINÓN: 1. explorar.

escuálido, a adj. *A pesar de que ahora come más sigue estando débil y **escuálido*** (= muy delgado).
SINÓN: delgado, esquelético, flaco. **ANTÓN:** gordo, grueso, obeso.

escuadra s. f. **1.** *Para trazar ángulos rectos utilizamos una **escuadra*** (= un instrumento en forma de triángulo rectángulo). **2.** *La **escuadra** navegaba hacia la zona de combate* (= un grupo de barcos de guerra).

escuchar v. tr. **1.** *Los alumnos **escuchaban** atentamente las explicaciones del profesor* (= prestaban atención). ◆ **escuchar** v. intr. **2.** *Se puso a **escuchar** detrás de la puerta* (= puso el oído en la puerta para ver si oía algo). ◆ **escucharse** v. pron. *Le encanta **escucharse*** (= se gusta a sí mismo cuando habla).
SINÓN: 1, 2. atender.

escudero s. m. Antiguamente el **escudero** era el criado que acompañaba y asistía al caballero.

escudriñar v. tr. → **escrutar**.

escudo s. m. **1.** *Los romanos luchaban con una espada y se protegían de los ataques enemigos con un **escudo*** (= con un arma defensiva que servía para proteger el cuerpo). **2.** *En la fachada del palacio se podía observar el **escudo** de la familia* (= el símbolo de la familia). **3.** *En Chile pagamos nuestras compras con **escudos*** (= con la moneda chilena).

escuela s. f. **1.** *Todos los niños deben ir a la **escuela** para aprender* (= al colegio). **2.** *De mayor, Luis piensa estudiar en la **escuela** de Bellas Artes* (= en un centro donde aprenderá técnicas artísticas). **3.** *Este profesor ha creado **escuela*** (= otros siguen su método y estilo de enseñanza).
SINÓN: 1. colegio. **2.** academia. **3.** estilo, método. **FAM:** *escolar, escolaridad.*

escueto, a adj. *La respuesta del presidente fue clara y **escueta*** (= fue breve y sin rodeos).
SINÓN: breve, corto, preciso. **ANTÓN:** extenso, largo.

escuincle s. Méx. *¡Ya me tienen harta estos **escuincles**!* (= niños molestos).

esculpir v. tr. *En el taller de escultura vimos cómo **esculpían** en mármol la figura de una virgen* (= cómo trabajaban el mármol dándole la forma deseada).
SINÓN: labrar, modelar, tallar. **FAM:** → *escultura.*

escultor, a s. *Miguel Ángel fue un gran **escultor** italiano* (= un artista que esculpió obras muy importantes).
FAM: → *escultura.*

escultura s. f. **1.** *Me gustaría anotarme en clases de **escultura*** (= el arte de modelar, tallar y esculpir en barro, madera, mármol, piedra o metal). **2.** *Compramos una **escultura** de mármol blanco* (= una figura esculpida en mármol).
SINÓN: 2. estatua, figura, talla. **FAM:** *esculpir, escultor.*

escupidera s. f. *El dentista pidió al paciente que escupiera en la **escupidera*** (= en un recipiente pequeño que sirve para arrojar la saliva en él).
FAM: *escupir.*

escupir v. tr. **1.** *La lava que **escupe** el volcán sale del interior de la tierra* (= la lava que el volcán expulsa con violencia). ◆ **escupir** v. intr. **2.** *Es de muy mala educación **escupir** en el suelo* (= arrojar saliva por la boca).
SINÓN: arrojar, echar, expulsar. **ANTÓN:** retener. **FAM:** *escupidera.*

escurridizo, a adj. *Es muy difícil sujetar con las manos una anguila pues es un pez muy **escurridizo*** (= se escapa con facilidad de entre las manos).
SINÓN: resbaladizo. **FAM:** → *escurrir.*

escurridor s. m. **1.** *La verdura una vez cocida se pone en un **escurridor*** (= en un colador de agujeros grandes que sirve para que la verdura pierda el agua que pueda tener). **2.** *La mucama retiró completamente secos los platos del **escurridor**.*
SINÓN: 1. colador. **2.** secaplatos. **FAM:** → *escurrir.*

escurrir v. tr. **1.** *Después de lavar hay que dejar **escurrir** los platos* (= dejar que pierdan el agua). **2.** *Después que mi madre **escurrió** la ropa, la tendí al sol* (= todavía goteaba). ◆ **escurrirse** v. pron. **3.** *Se me **escurrió** el vaso de las manos y cayó al suelo* (= se me resbaló de las manos).
SINÓN: 1. secar. **3.** resbalarse. **FAM:** *escurreplatos, escurridizo, escurridor.*

esdrújulo, a adj. *La palabra "estética" es **esdrújula*** (= su acentuación recae en la antepenúltima sílaba).

ese, esa, eso Son demostrativos. VER CUADRO DE DEMOSTRATIVOS.

esencia s. f. **1.** *Por su propia **esencia** el hombre es un animal racional* (= por sus características naturales). **2.** *Me han regalado un frasco de **esencia*** (= de perfume).
SINÓN: 1. naturaleza. **2.** perfume. **FAM:** *esencial.*

esencial adj. *Lavarse los dientes todos los días es **esencial** para conseguir una buena higiene bucal* (= es fundamental para tener un boca sana).
SINÓN: básico, fundamental, necesario, principal. **ANTÓN:** secundario. **FAM:** *esencia.*

esfera s. f. **1.** *En una **esfera** todos los puntos de la superficie están a la misma distancia del centro* (= una **esfera** es un cuerpo geométrico limitado por una superficie curva). **2.** *Me ha entrado agua en la **esfera** del reloj* (= el círculo donde giran las agujas). ◆ **esfera terrestre 3.** *En es-*

te mapa aparece dibujada la ***esfera terrestre*** (= la Tierra en forma de globo, con sus océanos y continentes).
SINÓN: 3. globo terráqueo. **FAM:** *esférico.*

esférico, a adj. *Un balón tiene forma* ***esférica*** (= forma circular).
FAM: *esfera.*

esforzarse v. pron. *El atleta lucha y* ***se esfuerza*** *por ganar la carrera* (= pone todas sus fuerzas en conseguirlo).
SINÓN: afanarse. **FAM:** → *fuerza.*

esfuerzo s. m. **1.** *Para levantar esa piedra es necesario un gran* ***esfuerzo*** (= mucha fuerza física). **2.** *A pesar de todos los* ***esfuerzos*** *que hizo por mantenerse despierto, se durmió* (= a pesar de su fuerza de voluntad y su empeño).
SINÓN: 1. fuerza. **2.** empeño, voluntad. **FAM:** → *fuerza.*

esfumarse v. pron. *La nube* ***se esfumó*** (= desapareció poco a poco).
SINÓN: desvanecerse, disiparse, evaporarse, marcharse.

esgrima s. f. *A Pedro le gusta practicar la* ***esgrima*** (= el arte de utilizar la espada, el sable o el florete).

esguince s. m. *Sara se cayó por la escalera y se hizo un* ***esguince*** *en el pie* (= se hizo una rotura de los ligamentos del pie).

eslabón s. m. *Las cadenas están formadas por* ***eslabones*** (= por piezas que se enlazan unas con otras).

eslalon s. m. *Fueron ocho los esquiadores que participaron en el gran* ***eslalon*** (= en una modalidad de esquí que consiste en descender sorteando obstáculos).

esmaltar v. tr. ***Esmaltamos*** *las figuras de porcelana para darles más brillo* (= las cubrimos con un barniz especial).
FAM: *esmalte.*

esmalte s. m. **1.** *María decora con* ***esmalte*** *objetos de cerámica o de metal* (= con un barniz especial fuerte y brillante). **2.** *Si no lo evitamos se nos ennegrece el* ***esmalte*** *de los dientes* (= la sustancia blanca que los cubre y protege).
FAM: *esmaltar.*

esmeralda s. f. *El anillo que nos mostró el joyero llevaba incrustada una* ***esmeralda*** (= una piedra preciosa de color verde intenso).

esmerarse v. pron. ***Me esmero*** *en hacer las cosas bien* (= procuro hacerlo todo lo mejor posible).
SINÓN: afanarse. **ANTÓN:** descuidarse. **FAM:** *esmero.*

esmero s. m. *Pongo mucho* ***esmero*** *en hacer los deberes* (= mucha atención).
SINÓN: atención, celo, cuidado, interés. **ANTÓN:** descuido. **FAM:** *esmerarse.*

esmoquin s. m. *Los asistentes a la gran gala musical vestían* ***esmoquin*** (= traje de etiqueta masculino con las solapas de seda).

esófago s. m. *Los alimentos que ingerimos pasan por el* ***esófago*** *antes de llegar al estómago* (= por la parte del aparato digestivo comprendida entre la faringe y el estómago).

espabilar v. tr. **1.** *Antonio* ***espabiló*** *a Juan, que estaba dormido* (= lo despertó). ◆ **espabilarse** v. pron. **2.** *Si no* ***te espabilas*** *llegaremos tarde* (= si no te das prisa).
SINÓN: despertar.

espacial adj. *Los astronautas realizan viajes* ***espaciales*** (= por el espacio).
FAM: → *espacio.*

espaciar v. tr. *Si* ***espaciamos*** *un poco las sillas no estaremos tan apretados* (= si dejamos más sitio entre ellas).
SINÓN: alejar, distanciar, separar. **ANTÓN:** apretar, juntar, reunir. **FAM:** → *espacio.*

espacio s. m. **1.** *En el* ***espacio*** *hay millones de estrellas* (= lugar sin límites donde se encuentran todos los astros y planetas). **2.** *El mueble era muy grande y ocupaba mucho* ***espacio*** (= mucho lugar). **3.** *Entre la mesa del profesor y el pizarrón hay poco* ***espacio*** (= poca distancia). **4.** *En el* ***espacio*** *de una hora me ha llamado cinco veces* (= en el lapso de una hora).
SINÓN: 1, 3. lugar, sitio. **2.** cosmos, universo. **3.** distancia. **4.** intervalo, lapso, plazo. **FAM:** *espacial, espaciar, espacioso.*

espacioso, a adj. *Mi casa tiene un salón muy* ***espacioso*** (= muy amplio).
SINÓN: amplio, grande. **ANTÓN:** limitado, pequeño, reducido. **FAM:** → *espacio.*

espada s. f. **1.** *Los romanos utilizaban la* ***espada*** *para luchar contra sus enemigos* (= un arma de acero larga y cortante). ◆ **espadas** s. f. pl. **2.** *La baraja española tiene cuatro clases de cartas: los oros, las* ***espadas****, los bastos y las copas.* ◆ **entre la espada y la pared 3.** *Pusieron a Ana* ***entre la espada y la pared****: o se tiraba desde lo alto de la roca o la tiraban* (= la pusieron en una situación difícil).

espagueti s. m. El **espagueti** es un tipo de pasta alimenticia hecha con huevo y harina, de forma cilíndrica y alargada.

espalda s. f. **1.** *No sé quién es porque no le veo la cara, sólo la* ***espalda*** (= la parte posterior del cuerpo, que va desde los hombros hasta la cintura). **2.** *Empezó a tejer la* ***espalda*** *del suéter* (= la parte posterior del suéter). ◆ **dar la espalda 3.** *Le pedí un favor a Juan pero incomprensiblemente me* ***dio la espalda*** (= se negó a hacerme el favor).
SINÓN: 1. dorso. **ANTÓN: 1.** pecho. **FAM:** → *respaldo.*

espantapájaros s. m. *Entre los cerezos vimos un* ***espantapájaros*** (= un muñeco que sirve

para evitar que los pájaros se acerquen y picoteen los frutos).
FAM: → *espantar.*

espantar v. tr. **1.** *La película de terror* ***espantó*** *a mi hermano* (= lo asustó y sintió miedo). **2.** *Con la mano* ***espantaba*** *las moscas* (= las intentaba alejar). ◆ **espantarse** v. pron. **3.** ***Me espanté*** *con el ruido* (= me llevé un gran susto).
SINÓN: 1, 3. acobardar(se), asustar(se), atemorizar(se). **2.** alejar, apartar, echar. **ANTÓN: 1, 3.** calmar(se), sosegar(se), tranquilizar(se). **2.** atraer.
FAM: *espantapájaros, espanto, espantoso.*

espanto s. m. *La explosión causó tal* ***espanto*** *que todos salieron corriendo atemorizados* (= causó gran terror).
SINÓN: horror, miedo, susto, temor. **ANTÓN:** calma, tranquilidad. **FAM:** → *espantar.*

espantoso, a adj. **1.** *El incendio fue* ***espantoso*** (= fue terrible). **2.** *Tengo un frío* ***espantoso*** (= tengo mucho frío).
SINÓN: 1, 2. horrible, horroroso, terrible. **FAM:** → *espantar.*

español, a adj. **1.** *La peseta es la moneda* ***española*** (= de España). ◆ **español, a** s. **2.** *Los* ***españoles*** *son las personas nacidas en España.* ◆ **español** s. m. **3.** El **español** es el idioma que se habla en España y en Hispanoamérica.
SINÓN: 3. castellano.

esparadrapo s. m. *La enfermera sujetó la venda con* ***esparadrapo*** (= con una tira de tela que se pega y que se utiliza para sujetar el algodón, las gasas o las vendas que cubren una herida).
SINÓN: tela adhesiva.

esparcir v. tr. **1.** *El labrador* ***esparcía*** *las semillas por el campo* (= las arrojaba en distintas direcciones). **2.** *La radio* ***esparció*** *rápidamente la noticia* (= la noticia llegó a oídos de muchas personas). ◆ **esparcirse** v. pron. **3.** *Se derramó el aceite y* ***se esparció*** *por el suelo* (= se cayó el aceite y se extendió por el suelo).
SINÓN: 1. dispersar. **1, 2, 3.** extender(se). **2.** difundir, divulgar, propagar, publicar. **ANTÓN: 1.** concentrar, juntar, reunir. **2.** ocultar, silenciar.

espárrago s. m. El **espárrago** es la parte comestible de una planta llamada esparraguera. Crece bajo el suelo y su forma es alargada.
FAM: *esparraguera.*

esparraguera s. f. La **esparraguera** es una planta de tallo subterráneo de la que nacen unos brotes comestibles que se llaman espárragos.
FAM: *espárrago.*

esparto s. m. El **esparto** es una planta cuyas hojas duras y largas se utilizan para hacer sogas, cestos y pasta de papel.

espasmo s. m. *Miguel acudió al masajista porque tenía continuos* ***espasmos*** *en las piernas* (= contracciones involuntarias de los músculos).
SINÓN: calambre.

espátula s. f. *El pintor mezcla las pinturas con una* ***espátula*** (= con una paleta pequeña).

especia s. f. *La pimienta, la canela y el azafrán son* ***especias*** (= sustancias que añadimos a las comidas para que tengan más sabor).

especial adj. **1.** *Hoy te prepararé una comida* ***especial*** *por ser tu cumpleaños* (= diferente a la de todos los días). **2.** *Los aviones necesitan un combustible* ***especial*** (= que sea adecuado). ◆ **en especial 3.** *Me gustan los pasteles y* ***en especial*** *los de chocolate* (= y sobre todo).
SINÓN: 1. distinto, singular. **2.** adecuado, apropiado, característico. **ANTÓN: 1.** común, corriente, normal, usual. **2.** inadecuado, inapropiado. **FAM:** → *especie.*

especialidad s. f. **1.** *Todas las cocinas regionales tienen una* ***especialidad*** (= un plato de comida que destaca entre los demás). **2.** *La cirugía es la* ***especialidad*** *de este médico* (= es la rama de la Medicina que más conoce).
FAM: → *especie.*

especialista adj. *Esta tarde iré al médico* ***especialista*** *del oído* (= al médico que se dedica únicamente a esa rama de la Medicina).
FAM: → *especie.*

especializarse v. pron. *Nuestro profesor de idiomas* ***se especializó*** *en el estudio de la lengua inglesa* (= se dedicó sobre todo al estudio del inglés).
FAM: → *especie.*

especie s. f. **1.** *Todos los hombres pertenecemos a la* ***especie*** *humana* (= formamos parte de un grupo con las mismas características). **2.** *El banjo es una* ***especie*** *de guitarra pero más pequeña* (= es parecido a la guitarra). ◆ **en especies 3.** *Me pagaron* ***en especies*** *dándome toda clase de frutas y verduras* (= no me pagaron con dinero sino con productos).
FAM: *especial, especialidad, especialista, especializarse.*

especificar v. tr. *Al rellenar el impreso, teníamos que* ***especificar*** *la fecha de nacimiento de nuestros padres* (= dar la fecha exacta).
SINÓN: detallar, precisar. **FAM:** *específico.*

específico, a adj. *La trompa muy larga es* ***específica*** *de los elefantes* (= es característica de los elefantes y no de otros animales).
SINÓN: especial, propio. **ANTÓN:** común, general.
FAM: *especificar.*

espécimen s. m. *El ganadero nos mostró un* ***espécimen*** *de toro salvaje* (= nos mostró un ejemplar).

espectacular adj. *El estreno de la obra será* ***espectacular*** (= llamará mucho la atención).
SINÓN: asombroso, impresionante, llamativo.
ANTÓN: normal, sencillo. **FAM:** → *espectáculo.*

espectáculo s. m. **1.** *El circo es el* ***espectáculo*** *que más gusta a los niños* (= es la representación que más les divierte). **2.** *Ver una pues-*

*ta de sol es un **espectáculo** único* (= es una escena única).

SINÓN: **1.** distracción, exhibición, función. **2.** panorama, visión. FAM: *espectacular, espectador.*

espectador, a adj. **1.** *María fue **espectadora** del accidente* (= lo vio). ◆ **espectador, a** s. **2.** *Los **espectadores** del partido gritaron al marcar su equipo un gol* (= los asistentes al partido).

SINÓN: **2.** asistente, concurrente. FAM: → *espectáculo.*

espectro s. m. **1.** *Tuve una pesadilla en la que creí ver el **espectro** de un ser horrible* (= creí ver un fantasma). **2.** *El arco iris forma un **espectro** de siete colores* (= una banda luminosa de siete colores).

SINÓN: **1.** aparición, fantasma.

espejismo s. m. *En los desiertos se suelen ver **espejismos*** (= imágenes que parecen reales pero que sólo son una imaginación debida a la luz).

FAM: *espejo.*

espejo s. m. *Para peinarme me miro en un **espejo*** (= en una superficie lisa donde se reflejan las imágenes).

FAM: *espejismo.*

espeleología s. f. *Explorando cuevas y cavernas se aficionó a la **espeleología*** (= a la práctica del deporte y a la ciencia que consiste en explorar las cavidades naturales de la tierra).

espeluznante adj. *La película era tan **espeluznante** que se nos pusieron los pelos de punta* (= tan escalofriante).

SINÓN: aterrador, escalofriante, horrible, horroroso, terrorífico.

espera s. f. **1.** *La **espera** me pareció interminable* (= el tiempo que estuve esperando se me hizo larguísimo). ◆ **sala de espera 2.** *Nos pasaron a la **sala de espera** hasta que llegó nuestro turno* (= a la sala donde los pacientes aguardan su turno).

FAM: → *esperar.*

esperanza s. f. *Tengo **esperanza** de aprobar todas las materias del curso* (= tengo confianza en que se cumpla lo que deseo).

SINÓN: confianza, fe, ilusión. FAM: → *esperar.*

esperar v. tr. **1.** *Te **esperaré** en la puerta del cine* (= me quedaré allí hasta que llegues). **2.** ***Espero** ir de viaje este verano* (= confío en poder hacerlo). **3.** *Mi hermana **espera** un hijo* (= está embarazada). ◆ **esperarse** v. pron. **4.** *Dile que **se espere** que no tardaré* (= que no se vaya).

SINÓN: **1.** aguardar. **2.** confiar, desear. ANTÓN: **2.** desconfiar. FAM: *desesperación, desesperado, desesperar, espera, esperanza, inesperado.*

espesar v. tr. **1.** ***Espesamos** la salsa con un poco de harina* (= la hicimos menos líquida). ◆ **espesarse** v. pron. **2.** *El bosque **se fue espesando** y cada vez nos costaba más avanzar por él* (= los árboles estaban cada vez más juntos).

SINÓN: **1, 2.** concentrar. **2.** apretar, comprimir. ANTÓN: **1.** aclarar, diluir. **2.** despejar. FAM: → *espeso.*

espeso, a adj. **1.** *Añade agua a la pintura que está demasiado **espesa*** (= poco líquida). **2.** *No pudimos entrar en el bosque porque era muy **espeso*** (= muy tupido).

SINÓN: **1.** denso, pastoso. ANTÓN: **1.** claro, fluido líquido. **2.** despejado. FAM: *espesar, espesor.*

espesor s. m. *Esta pared tiene tres metros de altura y veinte centímetros de **espesor*** (= de grosor).

SINÓN: grosor, grueso. FAM: → *espeso.*

espía s. *El gobierno de aquel país contrató a un **espía** para que obtuviera información secreta del enemigo* (= contrató a una persona para que observara en secreto al enemigo).

SINÓN: agente. FAM: → *espiar.*

espiar v. tr. ***Espiábamos** a Juan para saber todo lo que hacía* (= seguíamos con atención y a escondidas todos sus pasos).

SINÓN: acechar, vigilar. FAM: *espía, espionaje.*

espiga s. f. *El agricultor recolectó el trigo y separó la **espiga** del tallo* (= separó el conjunto de granos situados al final del tallo).

espina s. f. **1.** *Los cactus, las zarzas y los rosales tienen **espinas*** (= puntas duras y agudas que pinchan si las tocas). **2.** *Cortando la madera me clavé una **espina*** (= un trozo puntiagudo de madera). **3.** *Este pescado tiene muchas **espinas*** (= huesos largos y puntiagudos que forman su esqueleto). **4.** *Desde que ocurrió la tragedia, tiene clavada una **espina** en el corazón* (= no se ha sacado la pena de encima). ◆ **espina dorsal 5.** *La **espina dorsal** de los vertebrados está formada por huesos pequeños llamados vértebras* (= columna vertebral). ◆ **darle a uno mala espina una cosa 6.** *Aquel silencio repentino **me dio** muy **mala espina*** (= me hizo pensar que algo malo ocurriría).

SINÓN: **1.** pincho, púa. **2.** astilla. **5.** espinazo. FAM: *espinilla, espinoso.*

espinaca s. f. La **espinaca** es una planta comestible de hojas anchas y verdes y de tallo rojizo.

espinilla s. f. **1.** *Me han dado un puntapié en la **espinilla*** (= en la parte anterior de la pierna). **2.** *A mi hermano le han salido **espinillas** en la cara* (= pequeños granos que salen en la piel).

FAM: → *espina.*

espinillo s. m. *Me he pinchado con las ramas de un **espinillo*** (= árbol sudamericano de madera dura, con ramas cubiertas de espinas, y flores amarillas; crece en regiones áridas).

FAM: *espina.*

espino s. m. El **espino** es una planta de flores blancas y olorosas que crece en zonas montañosas.

espinoso, a adj. **1.** *Tenía las piernas llenas de heridas porque tuvo que pasar por unas zarzas muy* ***espinosas*** (= por unas plantas llenas de puntas duras y agudas). **2.** *La policía tardó en esclarecer el caso por tratarse de un asunto muy* ***espinoso*** (= difícil y problemático).
FAM: → *espina.*

espionaje s. m. *Tuvo que recurrir al* ***espionaje*** *para conocer los planes secretos de su rival* (= a una actividad que consiste en obtener información del rival sin que éste se entere).
FAM: → *espiar.*

espiral s. f. *Los resortes del sofá tienen la forma de una* ***espiral*** (= una **espiral** es una curva que va dando vueltas alrededor de un punto del que se aleja cada vez más).

espirar v. intr. *En la respiración, primero inspiramos y luego* ***espiramos*** (= primero tomamos aire y luego lo expulsamos).
FAM: → *respirar.*

espíritu s. m. **1.** *El hombre está compuesto de cuerpo y* ***espíritu*** (= de cuerpo y alma). **2.** *Mi abuelo, a pesar de sus años, conserva un* ***espíritu*** *joven* (= tiene una actitud joven).
SINÓN: **1.** alma, esencia. **2.** actitud. **ANTÓN:** **1.** cuerpo, materia. **FAM:** *espiritual.*

espiritual adj. *No le interesan las cosas materiales, como el dinero, sino las* ***espirituales***, *como la religión* (= demuestra más interés por los sentimientos).
ANTÓN: corporal, material. **FAM:** *espíritu.*

espléndido, a adj. **1.** *Lucas es muy* ***espléndido***: *siempre nos regala cuentos* (= es muy generoso). **2.** *La actuación de la actriz fue* ***espléndida*** (= fue magnífica).
SINÓN: **1.** generoso. **2.** magnífico, maravilloso, soberbio. **ANTÓN:** **1.** avaro, egoísta, tacaño. **2.** insignificante, modesto. **FAM:** *esplendor.*

esplendor s. m. **1.** *El* ***esplendor*** *del palacio, con todo su lujo y riqueza, nos impresionó enormemente* (= su grandiosidad y belleza nos fascinó). **2.** *El sol brillaba en su máximo* ***esplendor*** (= con toda su luminosidad). **3.** *Con tantos éxitos debes estar en tu momento de mayor* ***esplendor*** (= debes estar en tu mejor momento).
SINÓN: **2.** brillo, resplandor. **3.** apogeo, auge.
FAM: → *espléndido.*

espolvorear v. tr. ***Espolvoreamos*** *azúcar en polvo sobre el pastel* (= la esparcimos).
SINÓN: esparcir. **FAM:** → *polvo.*

esponja s. f. **1.** La **esponja** es un animal marino de esqueleto elástico y lleno de pequeños agujeros llamados poros. **2.** *Cuando te bañes frótate bien con la* ***esponja*** (= objeto suave que absorbe el agua y sirve para la limpieza de las personas o de las cosas).
FAM: *esponjoso.*

esponjoso, a adj. *La lana de las ovejas es muy* ***esponjosa*** (= es suave y blanda).
SINÓN: blando, mullido. **ANTÓN:** duro, macizo.
FAM: *esponja.*

espontaneidad s. f. *Se mostró tal como era, hablando y actuando con absoluta* ***espontaneidad*** (= con naturalidad).
SINÓN: naturalidad, sencillez. **FAM:** *espontáneo.*

espontáneo, a adj. **1.** *Nadie los obligó a hacerlo; fue un acto totalmente* ***espontáneo*** (= lo hicieron voluntariamente). **2.** *Las amapolas son flores que crecen de manera* ***espontánea*** (= crecen sin que nadie las plante).
SINÓN: **1.** libre, voluntario. **2.** silvestre. **ANTÓN:** **1.** obligado. **2.** cultivado. **FAM:** *espontaneidad.*

esporádico, a adj. *Trabaja de forma* ***esporádica*** *en un negocio de iluminación* (= trabaja de vez en cuando).

esposar v. tr. *Tras detenerlo, la policía* ***esposó*** *al ladrón* (= le puso unos aros de hierro alrededor de las muñecas para sujetarle las manos).
FAM: → *esposo.*

esposas s. f. pl. *El preso llevaba puestas las* ***esposas*** *durante el juicio* (= unos aros de hierro que se utilizan para sujetar las manos de los detenidos).
FAM: → *esposo.*

esposo, a s. *Las invitadas acudían acompañadas de sus respectivos* ***esposos*** (= de sus maridos).
SINÓN: consorte, cónyuge, marido. **FAM:** *desposar, esposar, esposas.*

espuela s. f. *El caballo aceleró la marcha cuando el jinete lo picó con las* ***espuelas*** (= con una pieza de metal acabada en una ruedita que, ajustada al talón de la bota, sirve para picar a los caballos).

espuma s. f. **1.** *Las olas formaban* ***espuma*** *al chocar contra las rocas* (= muchas burbujas). **2.** *Con una cuchara el cocinero quita la* ***espuma*** *del caldo* (= la parte del jugo que desprenden ciertas sustancias al cocerse).
FAM: *espumadera, espumoso.*

espumadera s. f. *El cocinero utilizaba la* ***espumadera*** *para sacar el lomo frito de la sartén* (= una cuchara grande y plana con agujeros).
FAM: → *espuma.*

espumoso, a adj. *La sidra es una bebida* ***espumosa*** (= con burbujas).
SINÓN: burbujeante. **FAM:** → *espuma.*

esquela s. f. *Nos enteramos de su muerte al leer la* ***esquela*** (= la nota con recuadro negro que se publica en los periódicos para comunicar un fallecimiento).

esquelético, a adj. *Como apenas come se está quedando* ***esquelético*** (= muy flaco).
SINÓN: delgado, escuálido, flaco. **ANTÓN:** gordo, grueso, obeso. **FAM:** *esqueleto.*

esqueleto s. m. *En clase utilizamos un* ***esqueleto*** *humano para estudiar los huesos y sus*

nombres (= el conjunto de huesos que sostienen el cuerpo humano o el de un animal).
FAM: *esquelético.*

esquema s. m. **1.** *Como no sabía llegar hasta el colegio le hice un **esquema** del camino* (= un dibujo del camino). **2.** *Hice un **esquema** de la lección apuntando los puntos principales* (= hice un resumen de lo más importante).
SINÓN: **1.** boceto, croquis. **2.** guión, resumen, síntesis. **FAM:** *esquemático, esquematizar.*

esquemático, a adj. *Para explicarnos cómo era su casa nos hizo un dibujo **esquemático*** (= poco detallado).
FAM: → *esquema.*

esquematizar v. tr. *Para estudiar mejor la lección, la **esquematizamos** señalando los puntos más importantes* (= la resumimos).
SINÓN: resumir, sintetizar. **ANTÓN:** ampliar, complicar. **FAM:** → *esquema.*

esquí s. m. **1.** *Laura se ajustó a las botas los **esquíes** antes de bajar por la pista de nieve* (= se ajustó las tablas largas y estrechas que se ponen en cada pie para deslizarse sobre la nieve o el agua). **2.** *En invierno, el único deporte que practico es el **esquí*** (= un deporte que se practica sobre la nieve). ◆ **esquí acuático 3.** *Celebraron la segunda exhibición de **esquí acuático** en aguas marítimas* (= deporte que consiste en deslizarse en el agua con esquíes a gran velocidad).
FAM: *esquiador, esquiar.*

esquiador, a s. *Los **esquiadores** disfrutaban bajando sobre sus esquíes las montañas nevadas* (= las personas que practican el deporte del esquíes).
FAM: → *esquí.*

esquiar v. intr. *Como no había suficiente nieve no pudimos **esquiar*** (= practicar el deporte que consiste en deslizarse en la nieve sobre unos esquís).
FAM: → *esquí.*

esquilador s. m. *Al terminar su trabajo, los **esquiladores** pesaron la lana que habían cortado a las ovejas* (= personas que cortan la lana al ganado).
FAM: *esquilar.*

esquilar v. tr. *En verano es necesario **esquilar** las ovejas* (= cortarles la lana).
SINÓN: trasquilar. **FAM:** *esquilador.*

esquimal adj. **1.** *Las viviendas **esquimales** se construyen con bloques de hielo* (= de los esquimales). ◆ **esquimal** s. m. f. **2.** *Los **esquimales** son las personas nacidas en las regiones más frías del norte de América y de Groenlandia.* ◆ **esquimal** s. m. **3.** El **esquimal** es la lengua de los esquimales.

esquina s. f. **1.** *Colocamos la biblioteca en una **esquina** de la clase* (= en el lugar donde se unen dos paredes). Amér. **2.** *Mi casa es la segunda de la cuadra a partir de la **esquina*** (= cruce de dos calles o caminos).
SINÓN: **1.** ángulo, arista, canto.

esquivar v. tr. *Con un movimiento de cabeza **esquivó** el puñetazo* (= lo evitó).
SINÓN: evitar, rehuir. **ANTÓN:** afrontar, enfrentar. **FAM:** *esquivo.*

esquivo, a adj. *Nunca me saluda, siempre se muestra **esquivo*** (= no le gustan las muestras de afecto).
SINÓN: hostil, huraño. **FAM:** *esquivar.*

estabilidad s. f. *Este edificio no se caerá pues tiene mucha **estabilidad*** (= está bien fijado).
SINÓN: equilibrio, firmeza. **ANTÓN:** debilidad, fragilidad. **FAM:** → *estable.*

estabilizador s. m. *El avión se movía mucho porque tenía roto el **estabilizador*** (= mecanismo que sirve para mantener o recuperar el equilibrio del avión).
FAM: → *estable.*

estabilizar v. tr. **1.** *Hay que **estabilizar** los precios para que no suban demasiado.* ◆ **estabilizarse** v. pron. **2.** *El avión despegará cuando **se estabilice** el tiempo* (= cuando el tiempo deje de variar).
SINÓN: **1, 2.** afianzar. **1.** asegurar, fijar. **ANTÓN:** **1, 2.** desestabilizar(se). **FAM:** → *estable.*

estable adj. *El tiempo permanecerá **estable** durante toda la semana* (= no cambiará).
SINÓN: invariable, seguro. **ANTÓN:** inestable, variable. **FAM:** *estabilidad, estabilizador, estabilizar, establecer, establecimiento.*

establecer v. tr. **1.** *El colegio **ha establecido** un premio para el mejor estudiante* (= ha creado un premio). **2.** *El Gobierno **establecerá** que se protejan todos los monumentos antiguos* (= ordenará su protección). ◆ **establecerse** v. pron. **3.** *Mi familia pronto **se establecerá** en Europa* (= se instalará en ese continente). **4.** *Mi hermano **se ha establecido** por su cuenta* (= ha abierto un negocio).
SINÓN: **1.** fundar, instituir. **2.** mandar, ordenar. **3.** instalarse. **ANTÓN:** **3.** mudarse, trasladarse. **FAM:** → *estable.*

establecimiento s. m. *En mi barrio han abierto un **establecimiento** de prendas deportivas* (= una tienda).
SINÓN: comercio, tienda. **FAM:** → *estable.*

establo s. m. *El pastor metió a los animales en el **establo*** (= en un lugar cubierto donde se encierra el ganado).
SINÓN: caballeriza, cuadra.

estaca s. f. **1.** *Cercamos el corral con **estacas** y alambres* (= con palos acabados en punta para clavarlos en el suelo). **2.** *El anciano tomó una **estaca** para apoyarse al caminar* (= un palo grueso y fuerte).
SINÓN: **1, 2.** palo. **FAM:** *estacazo.*

estacazo s. m. *El pastor dio un* ***estacazo*** *al lobo que atacaba a las ovejas* (= le dio un golpe con un palo grueso y fuerte).
SINÓN: bastonazo, garrotazo. **FAM:** *estaca.*

estación s. f. **1.** *Las* ***estaciones*** *del año son cuatro: primavera, verano, otoño e invierno* (= períodos de tiempo en que se divide el año). **2.** *Yo me quedaré en la próxima* ***estación*** (= en la próxima parada). **3.** *Lo acompañó a la* ***estación*** *y esperó a que saliera el tren* (= al lugar de donde salen los trenes y adonde llegan). ◆ **estación de servicio 4.** *Paramos en una* ***estación de servicio*** *para cargar gasolina* (= en una de las instalaciones que hay cerca de las carreteras para atender a los automovilistas).
SINÓN: 2. parada. **FAM:** *estacionamiento, estacionar, estacionario.*

estacionamiento s. m. *En esta ciudad existen pocos* ***estacionamientos*** (= pocos lugares para dejar los coches).
FAM: → *estación.*

estacionar v. tr. *En este parque está prohibido* ***estacionar*** (= detener los coches).
FAM: → *estación.*

estacionario, a adj. *Juan sigue en estado* ***estacionario*** *pero el médico dice que pronto habrá un cambio* (= sigue en el mismo estado).
SINÓN: fijo, invariable. **ANTÓN:** variable. **FAM:** → *estación.*

estadía s. f. Amér. *Cuando se viaja al exterior, en la aduana preguntan de cuánto tiempo será la* ***estadía*** (= permanencia en un país extranjero).
SINÓN: estancia. **FAM:** *estar.*

estadio s. m. **1.** *Durante el partido el público abandonó el* ***estadio*** (= abandonó el lugar con gradas donde se celebran competiciones deportivas). **2.** *Podemos dividir el proceso de aprendizaje en tres* ***estadios*** (= podemos dividirlo en tres fases).

estadística s. f. **1.** *Para saber cuántas personas había en el pueblo consultamos la* ***estadística*** (= un censo o recuento de población). **2.** *Mi hermana ha estudiado* ***Estadística*** *y recoge y ordena datos numéricos para una empresa* (= ha estudiado la ciencia que, basándose en números, estudia los hechos sociales, económicos y científicos).
SINÓN: 1. censo.

estado s. m. **1.** *La fruta estaba en mal* ***estado*** (= estaba echada a perder). **2.** *La materia puede presentarse en tres* ***estados*** (= puede presentarse en tres formas: sólido, líquido o gaseoso). **3.** *Como no me he casado mi* ***estado*** *civil es soltero* (= mi condición civil).
SINÓN: 2. forma, situación. **3.** condición, situación.

estadounidense adj. **1.** *La Estatua de la Libertad es* ***estadounidense*** (= es de Estados Unidos). ◆ **estadounidense** s. m. f. **2.** *Los* ***estadounidenses*** *son las personas nacidas en los Estados Unidos de América.*
SINÓN: 2. norteamericano, yanqui.

estafador, a s. *Como vendió una cosa que no era suya lo han encarcelado por* ***estafador*** (= lo han encarcelado por tramposo).
SINÓN: ladrón, timador, tramposo. **FAM:** *estafar.*

estafar v. tr. *El comerciante* ***estafó*** *a Nicolás al cobrarle más de la cuenta* (= le pidió más dinero del que debía mediante una mentira).
SINÓN: engañar, robar, timar. **FAM:** *estafador.*

estafeta s. f. *Fui a la* ***estafeta*** *de Correos para recoger un paquete que me enviaban desde Madrid* (= fui a la oficina de correos).

estalactita s. f. *En la cueva hay* ***estalactitas*** *que casi tocan el suelo* (= formaciones que cuelgan del techo originadas por la cal y el agua filtrada).

estalagmita s. f. Las **estalagmitas** se forman en el suelo por las gotas de agua que caen de las estalactitas.

estallar v. intr. **1.** *La tubería del agua* ***ha estallado*** *y el agua sale con fuerza por el agujero* (= se ha reventado). **2.** *Cuando* ***estalló*** *la tormenta, acabábamos de entrar en casa* (= cuando empezó). **3.** *Cuando le dieron las notas,* ***estalló*** *de alegría al ver que eran mejores de lo que esperaba* (= expresó mucha alegría de repente).
SINÓN: 1. explotar, reventar. **2.** desencadenar, iniciar. **FAM:** *estallido.*

estallido s. m. *El* ***estallido*** *del cohete anunció el inicio de las fiestas* (= la explosión).
SINÓN: explosión. **FAM:** *estallar.*

estambre s. m. Los **estambres** son los filamentos que hay en el interior del cáliz de las flores; son sus órganos reproductores masculinos y contienen el polen.

estampa s. f. *El día de mi comunión repartí* ***estampas*** *de la Virgen* (= repartí láminas con su imagen).
SINÓN: grabado, lámina. **FAM:** *estampado.*

estampado, a adj. *Mi hermana tiene un traje* ***estampado*** *en verde y azul* (= tiene un traje hecho con una tela de color verde y azul).
SINÓN: coloreado, dibujado. **FAM:** *estampa.*

estampido s. m. *La bomba dio un* ***estampido*** *tan grande que se oyó desde muy lejos* (= hizo un gran ruido).
SINÓN: estallido, estruendo.

estampilla s. f. Amér. *Para que las cartas lleguen a destino, deben llevar una* ***estampilla*** (= sello de correos).
SINÓN: timbre. **FAM:** *estampa.*

estampillar v. tr. Amér. *Antes de enviar una carta por correo, hay que* ***estampillar*** *el sobre* (= pegar la estampilla en el ángulo superior derecho).
FAM: *estampa, estampilla.*

estancarse v. pron. *Al llegar al llano el agua **se estancó** y formó un gran lago* (= el agua se detuvo).
FAM: *estanco, estanque, estanquero.*

estancia s. f. **1.** *En el restaurante nos llevaron a una **estancia** muy grande y muy bonita y allí nos sirvieron la comida* (= nos llevaron a una sala). **2.** *Durante la **estancia** de mi tío en el extranjero cuidé de su gato* (= durante el tiempo que permaneció fuera). **3.** *A mi primo le salió gratis la **estancia** en Río de Janeiro* (= la permanencia allí). **4.** *Pasamos las fiestas de fin de año en la **estancia** de mis tíos* (= establecimiento de campo destinado fundamentalmente a la ganadería).
SINÓN: **1.** aposento, cuarto, habitación. **2.** estadía. **3.** permanencia. **4.** hacienda, rancho.
FAM: → *estar.*

estanciero s. Amér. Merid. *El **estanciero** contrató a un nuevo capataz* (= propietario de una estancia).
FAM: *estar.*

estanque s. m. *En el parque hay un **estanque** con peces de colores* (= hay un pequeño lago artificial).
SINÓN: alberca. FAM: → *estancar.*

estante s. m. *Siempre coloco mis libros en un **estante** de la biblioteca del despacho de mi padre* (= en una de las tablas horizontales de la biblioteca).
SINÓN: repisa. FAM: *estantería.*

estantería s. f. *En mi habitación tengo una **estantería** con dos repisas llenas de libros y tres repisas llenas de juguetes* (= tengo un mueble con repisas).
SINÓN: biblioteca. FAM: *estante.*

estaño s. m. *Para soldar metales se utiliza el **estaño*** (= un metal blanco y brillante).

estar v. cop. **1.** *Mi habitación **está** llena de juguetes* (= se halla llena de juguetes). **2.** *Mañana **estaremos** de mudanza* (= mañana nos dedicaremos a mudarnos). **3.** *Esta tarde **estaré** en mi casa* (= permaneceré en mi casa). **4.** *Mañana **estaremos** a 5 de julio* (= mañana será esa fecha). **5.** *Las papas **están** a un precio muy alto* (= las papas cuestan muy caras). **6.** ***Estoy** con mis padres* (= vivo con ellos). ◆ **estar** v. intr. **7.** *Después del golpe, mi hermano no **estaba** para bromas* (= no tenía humor). **8.** *No sé qué traje elegir, aunque **estoy** por quedarme con el blanco* (= creo que lo prefiero). ◆ **estar de más 9.** *Como no había sitio para mí y **estaba de más** me marché* (= sobraba). ◆ **estar en todo 10.** *No sé cómo mi madre puede **estar en todo**: trabajar fuera y en casa, hacer las compras...* (= no sé cómo puede atender todo). ◆ **estar algo por ver 11.** *Que vayamos a ir de viaje aún **está por ver*** (= aún no es seguro).
SINÓN: **1.** encontrarse, hallarse. **3.** permanecer. **4.** ser. **5.** costar. **6.** vivir. FAM: → *estancia, estático, estatua, estatura.*

estatal adj. *Algunos institutos son centros de enseñanza **estatal*** (= son centros públicos, no privados).

estático, a adj. *Ante la noticia el hombre se quedó **estático*** (= se quedó asombrado, sin poderse mover.).
SINÓN: inmóvil, parado, quieto. ANTÓN: dinámico. FAM: → *estar.*

estatua s. f. *En la entrada del jardín hay una **estatua** que representa una figura animal* (= hay una escultura que representa una figura animal).
SINÓN: escultura. FAM: → *estar.*

estatura s. f. *Los jugadores de baloncesto son de **estatura** muy alta* (= son de gran altura).
SINÓN: altura, talla. FAM: → *estar.*

estatuto s. m. *Uno de los **estatutos** de la empresa dice que no se puede fumar durante el trabajo* (= uno de los reglamentos de la empresa).
SINÓN: ley, reglamento.

este, esta, esto 1. Son demostrativos. VER CUADRO DE DEMOSTRATIVOS. ◆ **este** s. m. **2.** *El Sol siempre sale por el **Este*** (= sale por ese punto cardinal). **3.** *El Océano Atlántico está al **Este** de América.*
SINÓN: levante. ANTÓN: oeste, poniente.

estela s. f. *La embarcación dejaba tras de sí una **estela** de color blanco* (= dejaba a su paso una señal de color blanco).
SINÓN: huella, surco.

estelar adj. *Mi prima era la figura **estelar** de la representación* (= era la figura principal).
SINÓN: principal, sobresaliente. FAM: → *estrella.*

estepa s. f. *En las **estepas** pocos animales sobreviven* (= en los terrenos secos con poca vegetación).

estéril adj. **1.** *En el desierto no se puede cultivar la tierra porque es **estéril*** (= no produce nada). **2.** *Como mi tía es **estéril** ha adoptado un niño* (= no puede tener hijos). **3.** *Las heridas se tapan con gasas **estériles** y tela adhesiva* (= con gasas desinfectadas).
SINÓN: **1.** árido. **3.** aséptica. ANTÓN: **1.** fecundo, productivo. **3.** infectado. FAM: *esterilizador, esterilizar.*

esterilizador s. m. El **esterilizador** es un aparato utilizado para desinfectar objetos a altas temperaturas.
FAM: → *estéril.*

esterilizar v. tr. **1.** Como no quería más perros hice ***esterilizar** a los que tenía para que no procrearan* (= los hice castrar). **2.** *Antes de operar, las enfermeras **esterilizan** el instrumental del médico* (= desinfectan el instrumento).
FAM: → *estéril.*

esternón s. m. El **esternón** es un hueso plano que está en el pecho y al que se unen las costillas.

estético, a adj. *El adorno que llevaba era tan poco* ***estético*** *que estropeaba la belleza del vestido* (= era poco bello).
SINÓN: artístico, bello, bonito, hermoso. **ANTÓN:** feo, horrible. **FAM:** *antiestético.*

estetoscopio s. m. *El médico ausculta a los pacientes con un* ***estetoscopio*** (= los examina con un aparato que amplifica los sonidos del corazón).

estiércol s. m. **1.** *A la tierra de cultivo se le pone* ***estiércol*** *para que sea más rica* (= abono hecho con materias orgánicas). **2.** *El agricultor aprovecha el* ***estiércol*** *de las vacas y de los caballos como abono* (= aprovecha los excrementos de estos animales como abono).
SINÓN: 1. abono. **2.** excremento.

estigma s. m. El **estigma** es la parte superior del pistilo de la flor donde está el polen.

estilo s. m. **1.** *Llevaba un vestido al* ***estilo*** *de la época* (= lo llevaba a la moda de la época). **2.** *El* ***estilo*** *de los cuadros de Murillo era muy realista* (= su forma de pintar). ◆ **por el estilo 3.** *Tu abrigo y el mío no son iguales pero son* ***por el estilo*** (= son parecidos).
SINÓN: 1. costumbre moda, uso. **2.** carácter, forma, manera, modo.

estima s. f. *A este reloj le tengo mucha* ***estima****, sentiría perderlo* (= le tengo mucho aprecio).
SINÓN: aprecio, consideración, estimación. **ANTÓN:** desprecio, menosprecio. **FAM:** → *estimar.*

estimación s. f. **1.** *Sentíamos por aquel profesor una gran* ***estimación*** (= sentíamos un gran aprecio). **2.** *La* ***estimación*** *que se ha hecho de la próxima cosecha es muy negativa* (= la valoración que se ha hecho).
SINÓN: 1. afecto, aprecio, cariño, consideración, estima. **2.** evaluación, valoración. **ANTÓN: 1.** desprecio, menosprecio. **FAM:** → *estimar.*

estimar v. tr. **1.** *El comerciante* ***estimó*** *la mercancía en un precio muy alto* (= la valoró). **2.** *Juan* ***estima*** *tanto a Isabel que está dispuesto a ayudarla en lo que fuera* (= la aprecia).
SINÓN: 1. apreciar, evaluar, valorar. **2.** amar, apreciar, querer. **FAM:** → *estima, estimación, inestimable, subestimar.*

estimular v. tr. *El jinete* ***estimulaba*** *a su caballo con las espuelas para que fuera más rápido* (= lo hacía correr más).
SINÓN: animar, picar. **ANTÓN:** contener, frenar, parar. **FAM:** *estímulo.*

estímulo s. m. *Las buenas notas fueron un* ***estímulo*** *para seguir estudiando* (= fueron un aliciente).
SINÓN: aliciente, impulso. **ANTÓN:** freno. **FAM:** *estimular.*

estío s. m. *Los poetas llaman* ***estío*** *al verano.*
FAM: *estival.*

estirar v. tr. **1.** ***Estiramos*** *la cuerda para colgar la ropa* (= la extendimos). **2.** *Cobraba poco, pero* ***estiraba*** *mucho el dinero y le llegaba hasta fin de mes* (= hacía que le durara más tiempo). ◆ **estirarse** v. pron. **3.** *Mi primo* ***se ha estirado*** *mucho este verano* (= ha crecido mucho). **4.** *Cada mañana cuando me levanto me* ***estiro*** *para despertarme* (= me desperezo). ◆ **estirar las piernas 5.** *Cuando estoy mucho rato sentado me levanto* ***para estirar las piernas*** (= para relajar los músculos).
SINÓN: 1. alargar, desplegar, extender. **3.** crecer. **ANTÓN: 1.** acortar, encoger, estrechar, disminuir. **FAM:** → *tirar.*

estival adj. *En las vacaciones* ***estivales*** *voy a la playa* (= en vacaciones de verano).
FAM: *estío.*

estirón s. m. **1.** *De un* ***estirón*** *me arrancaron la tela adhesiva que tapaba la herida* (= de un tirón me la arrancaron). **2.** *Luis ha dado un* ***estirón*** *tan grande que está más alto que yo* (= ha crecido mucho de repente).
SINÓN: 1. tirón. **FAM:** → *tirar.*

estofado s. m. *Mi madre hace muy bien los* ***estofados*** (= hace muy bien los guisos consistentes en carne o pescado con aceite, cebolla, vino y especias, todo cocido a fuego lento).

estomacal adj. *Las comidas fuertes me producen dolores* ***estomacales*** (= me producen dolores de estómago).
SINÓN: gástrico. **FAM:** *estómago.*

estómago s. m. *A veces tengo tanta hambre que me duele el* ***estómago*** (= me duele la parte del tubo digestivo situada entre el esófago y el intestino, donde se transforman los alimentos).
FAM: *estomacal.*

estoque s. m. *El torero mata al toro con el* ***estoque*** (= lo mata con una espada muy estrecha).
SINÓN: espada.

estorbar v. tr. **1.** *El humo* ***estorbaba*** *la visión de la casa* (= impedía ver la casa). **2.** *La música muy alta* ***estorba*** *a las personas que estudian* (= molesta a las personas que estudian).
SINÓN: 1. dificultar, entorpecer, impedir. **2.** incomodar, molestar. **FAM:** → *turbar.*

estorbo s. m. *La lluvia es un* ***estorbo*** *para conducir* (= es una dificultad para conducir).
SINÓN: dificultad, impedimiento, molestia. **ANTÓN:** asistencia, auxilio, cooperación. **FAM:** → *turbar.*

estornudar v. intr. *Cuando me resfrío* ***estornudo*** *mucho* (= expulso aire con fuerza por la nariz y la boca).
FAM: *estornudo.*

estornudo s. m. *Cuando se oye un* ***estornudo*** *la gente dice ¡Salud!* (= cuando se oyen fuertes expulsiones de aire por la nariz y la boca).
FAM: *estornudar.*

estrafalario, a adj. *El pintor del parque llamaba la atención porque iba vestido de una forma* ***estrafalaria*** (= iba vestido de una forma muy rara).
SINÓN: excéntrico, original, raro. **ANTÓN:** habitual, natural, normal.

estrago s. m. **1.** *El terremoto causó* ***estragos*** *en la ciudad* (= causó destrozos). ◆ **hacer estragos. 2.** *El niño* ***hizo estragos*** *en la vajilla* (= hizo muchos destrozos).
SINÓN: 1. destrucción, devastación, ruina.

estragón s. m. *María condimenta la ensalada con* ***estragón*** (= la aliña con una hierba olorosa).

estrambótico, a adj. *Su forma de vestir es tan* ***estrambótica*** *que todos se quedan mirándola* (= es muy estrafalaria).
SINÓN: raro. **ANTÓN:** normal.

estrangular v. tr. *Las serpientes* ***estrangulan*** *a sus víctimas enrollándose alrededor del cuello y apretando* (= ahogan cortando la respiración).
SINÓN: ahogar.

estratagema s. f. **1.** *El general ideó una* ***estratagema*** *para vencer al enemigo* (= ideó una trampa). **2.** *A Marta no le sirvió la* ***estratagema*** *de hacerse la enferma para no ir al colegio* (= no le sirvió el engaño).
SINÓN: 2. astucia, engaño, trampa, treta. **FAM:** *estrategia.*

estrategia s. f. *La* ***estrategia*** *del capitán permitió coordinar las operaciones militares y ganar la batalla* (= la táctica del capitán).
SINÓN: maniobra, táctica. **FAM:** *estratagema.*

estratósfera s. f. La **estratósfera** es la zona superior de la atmósfera, situada entre los doce y los cien kilómetros de altura.

estrechamiento s. m. *Por el* ***estrechamiento*** *de la carretera no pudimos rebasar al camión* (= por la falta de anchura de la carretera).
FAM: → *estrechar.*

estrechar v. tr. **1.** *La modista* ***me ha estrechado*** *el vestido pues me quedaba ancho* (= me lo ha ajustado). ◆ **estrecharse** v. pron. **2.** *Tuvimos que* ***estrecharnos*** *para caber todos en el coche* (= tuvimos que apretarnos). **3.** *Cuando se vieron* ***se estrecharon*** *las manos* (= se apretaron las manos).
SINÓN: 1, 3. ajustar(se), apretar(se) ceñir(se). **ANTÓN: 1.** aflojar, estirar. **FAM:** *estrechamiento, estrechez, estrecho.*

estrechez s. f. **1.** *Los barrios antiguos se caracterizan por la* ***estrechez*** *de sus calles* (= se caracterizan porque sus calles no son anchas). **2.** *Pedro desde que está sin trabajo tiene poco dinero y vive con* ***estrecheces*** (= vive con apuros).
SINÓN: 2. aprieto, apuro, dificultad, escasez, miseria, pobreza. **ANTÓN: 1.** anchura. **2.** comodidad. **FAM:** → *estrechar.*

estrecho, a adj. **1.** *Por esta carretera sólo puede pasar un coche porque es* ***estrecha*** (= tiene poca anchura). **2.** *Estos pantalones me quedan* ***estrechos*** *y me aprietan* (= me quedan pequeños). **3.** *Nos une una* ***estrecha*** *amistad* (= una íntima amistad). ◆ **estrecho** s. m. **4.** El **estrecho** de Magallanes es una porción de mar que comunica el Océano Atlántico con el Pacífico al sur de Argentina y Chile.
SINÓN: 1. pequeño, reducido. **2.** ajustado, apretado, ceñido. **4.** canal, paso. **ANTÓN: 1.** abierto, ancho, grande, holgado. **FAM:** → *estrechar.*

estrella s. f. **1.** *En las noches de verano se ven muchas* ***estrellas*** *en el cielo si no hay nubes* (= se ven cuerpos celestes luminosos en el cielo). **2.** *Cuando fuimos de viaje estuvimos en un hotel de cinco* ***estrellas*** (= estuvimos en un hotel de lujo). **3.** *Mi padre cree en su buena* ***estrella*** (= cree en su buena suerte). **4.** *Esa* ***estrella*** *de cine siempre actúa bien* (= esa actriz siempre trabaja bien). ◆ **estrella de mar 5.** La **estrella de mar** es un animal marino invertebrado con forma de estrella. ◆ **estrella fugaz 6.** *Una noche vi que atravesaba el cielo una* ***estrella fugaz*** (= vi un cuerpo celeste que atravesaba el cielo y desaparecía rápidamente). ◆ **ver las estrellas 7.** *Me di un golpe tan fuerte que* ***vi las estrellas*** (= sentí un dolor muy intenso).
SINÓN: 1. astro, lucero. **3.** destino, suerte. **4.** figura, protagonista. **FAM:** *estelar, estrellar.*

estrellar v. tr. **1.** ***Estrellé*** *el jarrón contra el piso y lo rompí* (= lo tiré contra el suelo y lo hice pedazos). ◆ **estrellarse** v. pron. **2.** *El padre de mi amigo* ***se estrelló*** *contra un camión y quedó herido* (= chocó contra un camión).
SINÓN: 1. despedazar, romper. **2.** chocar. **FAM:** → *estrella.*

estremecer v. tr. **1.** *El trueno fue tan fuerte que* ***estremeció*** *la casa* (= la hizo temblar). **2.** *El salto tan peligroso que dieron los trapecistas* ***estremeció*** *a los espectadores* (= conmovió a los espectadores). ◆ **estremecerse** v. pron. **3.** *Cuando salgo de la ducha en invierno* ***me estremezco*** *de frío* (= tiemblo de frío).
SINÓN: 1. sacudir. **1, 2.** agitar, conmover. **3.** tiritar.

estrenar v. tr. **1.** *En mi cumpleaños* ***estrené*** *unos zapatos que me había comprado el día anterior* (= me los puse por primera vez). **2.** *La compañía de teatro* ***estrenó*** *una comedia después de haber ensayado mucho* (= la representó por primera vez). ◆ **estrenarse** v. pron. **3.** *Con su primera exposición el pintor* ***se estrenó*** *ante el público* (= se dio a conocer).
SINÓN: 1. comenzar, empezar, iniciar. **2.** debutar. **FAM:** → *estreno.*

estreno s. m. *Al* ***estreno*** *de la película asistieron muchos espectadores* (= primera proyección de la película).
SINÓN: apertura, inauguración. **ANTÓN:** clausura. **FAM:** *estrenar.*

estreñimiento s. m. *A causa de su* ***estreñimiento*** *se le hinchaba el vientre* (= a causa de su dificultad para evacuar).
FAM: *estreñir.*

estreñir v. tr. *Como arroz cuando tengo diarrea porque* ***estriñe*** (= dificulta la evacuación del vientre).
FAM: *estreñido, estreñimiento.*

estrépito s. m. *El cristal se rompió y se oyó un gran* ***estrépito*** (= se oyó un gran ruido).
SINÓN: estruendo, ruido. ANTÓN: silencio. FAM: *estrepitoso.*

estrepitoso, a adj. *Aquella moto era tan* ***estrepitosa*** *que todos se tapaban los oídos cuando se acercaba* (= era muy ruidosa).
SINÓN: ruidoso. ANTÓN: silencioso. FAM: *estrépito.*

estribillo s. m. *Como se repetía varias veces, me aprendí el* ***estribillo*** *de la canción* (= me aprendí una estrofa que se repetía).

estribo s. m. **1.** *El jinete puso los pies en el* ***estribo*** *para subir al caballo* (= puso el pie en cada una de las piezas que cuelgan a ambos lados de la silla de montar). ◆ **perder los estribos 2.** *Cuando sé que me mientes no me puedo aguantar y* ***pierdo los estribos*** (= pierdo la paciencia y me enfado).

estribor s. m. Los marinos llaman **estribor** al lado derecho de una embarcación mirando hacia delante.

estricto, a adj. *Este centro de estudios es muy* ***estricto,*** *todo el mundo sigue las normas* (= es muy rígido).
SINÓN: riguroso, severo.

estridente adj. *La música era tan* ***estridente*** *que me dio dolor de cabeza* (= era tan penetrante).
SINÓN: chillón. ANTÓN: armonioso, suave.

estrofa s. f. *Las canciones con dos o tres* ***estrofas*** *me las aprendo enseguida* (= con dos o tres combinaciones de versos).
SINÓN: copla.

estropajo s. m. *No laves los vasos con el* ***estropajo*** *porque se rayan* (= con el material de esparto que sirve para fregar).

estropear v. tr. **1.** *La lluvia* ***estropeó*** *el libro que quedó en el jardín* (= dañó el libro). **2.** *Esa corbata tan horrible le* ***estropea*** *el traje* (= le afea el traje). **3.** *Al ver el regalo me has* ***estropeado*** *la sorpresa* (= me has arruinado la sorpresa).
SINÓN: **1.** averiar, dañar. ANTÓN: **1.** arreglar, componer, reparar. **2.** mejorar.

estructura s. f. **1.** *La* ***estructura*** *del edificio impidió que el huracán lo derribara* (= las columnas que lo sujetan). **2.** *Estamos estudiando la* ***estructura*** *del cuerpo humano y hemos empezado por la cabeza* (= estamos estudiando la organización del cuerpo humano).
SINÓN: **2.** composición, organización.

estruendo s. m. *El* ***estruendo*** *de las sirenas de los bomberos despertó a la ciudad* (= el ruido de las sirenas).
SINÓN: estrépito, ruido. ANTÓN: silencio.

estrujar v. tr. **1.** *Al saludarme me* ***estrujó*** *la mano haciéndome daño* (= me la apretó fuertemente). **2.** *Cuando lo vio lo* ***estrujó*** *entre sus brazos y casi no podía respirar* (= lo abrazó con fuerza). ◆ **estrujarse** v. pron. **3.** *Como el autobús iba tan lleno la gente* ***se estrujaba*** (= se apretujaba). **4.** ***Me estrujaba*** *la cabeza para encontrar una solución al problema* (= me rompía la cabeza).
SINÓN: **1, 2.** apretar, comprimir. ANTÓN: **2.** aflojar, soltar.

estuario s. m. Los **estuarios** son los terrenos donde desembocan los ríos.

estuche s. m. **1.** *El* ***estuche*** *de la máquina de afeitar era de color negro* (= la caja donde iba protegida la máquina de afeitar). **2.** *En mi cumpleaños me regalaron un* ***estuche*** *con rotuladores y lápices de colores* (= me regalaron una caja conteniendo útiles).
SINÓN: **1.** caja, cofre, envase.

estudiante s. m. f. **1.** Un **estudiante** es una persona que estudia. **2.** *Los* ***estudiantes*** *salen de clase a las cinco* (= los alumnos).
FAM: → *estudiar.*

estudiar v. tr. **1.** *Tengo que* ***estudiar*** *la lección de geografía para mañana* (= tengo que aprenderla). **2.** *Mi primo* ***estudia*** *Medicina* (= cursa esos estudios en la Universidad). **3.** *Mi hermano* ***estudiaba*** *el comportamiento de algunos animales* (= observaba su comportamiento).
SINÓN: **1.** aprender, memorizar. **2.** cursar. **3.** comprender, examinar, investigar. FAM: *estudiante, estudio, estudioso.*

estudio s. m. **1.** *En época de exámenes dedico más horas al* ***estudio*** (= dedico más horas al aprendizaje). **2.** *El pintor nos citó en su* ***estudio*** *para enseñarnos sus cuadros* (= nos citó en su taller de pintura). **3.** *Fuimos a ver los* ***estudios*** *de televisión y presenciamos la grabación de un programa* (= fuimos a ver las salas destinadas a la grabación de películas o programas).
SINÓN: **1.** educación, instrucción. FAM: → *estudiar.*

estudioso, a adj. *Héctor es un alumno* ***estudioso*** *y aprobará el curso* (= es un alumno aplicado).
SINÓN: aplicado, trabajador. ANTÓN: gandul, holgazán, perezoso. FAM: → *estudiar.*

estufa s. f. **1.** Amér. Merid. *Como hacía mucho frío encendimos la* ***estufa*** *para calentarnos* (= encendimos un aparato eléctrico o de gas que desprende calor). Amér. Cent., Méx. **2.** *Cocinamos el pescado en la* ***estufa*** (= cocina).
SINÓN: **1.** brasero, radiador. **2.** cocina.

estupefacto, a adj. *La noticia me dejó tan* ***estupefacto*** *que no supe reaccionar* (= me dejó muy sorprendido).
SINÓN: maravillado, suspenso. **ANTÓN:** impasible, indiferente, sereno, tranquilo.

estupendo, a adj. *Me ha gustado mucho la película, era* ***estupenda*** (= era muy buena).
SINÓN: admirable, fabuloso, sorprendente. **ANTÓN:** horrendo, horrible.

estupidez s. f. *No aprovechaba las lecciones por su* ***estupidez*** (= por su torpeza para comprender).
SINÓN: torpeza. **ANTÓN:** agudeza, capacidad, destreza, habilidad, inteligencia. **FAM:** *estúpido.*

estúpido, a adj. *Resulta* ***estúpido*** *ir a la nieve en manga corta* (= resulta tonto).
SINÓN: necio, tonto, torpe. **ANTÓN:** despierto, listo. **FAM:** *estupidez.*

esturión s. m. El **esturión** es un pez marino muy largo y comestible; con sus huevas se elabora el caviar.

etapa s. f. *En la carrera ciclista se dividía el recorrido en tres* ***etapas*** (= se dividía en tres fases).
SINÓN: fase, período.

etcétera s. m. *El hierro sirve para fabricar coches, aviones, barcos,* ***etc.*** (= y muchas cosas más que no se ponen porque sería muy largo). Se abrevia: **etc.**

éter s. m. *Antes de operarlo, lo durmieron con* ***éter*** *para que no sintiera dolor* (= lo durmieron con una anestesia).

eternidad s. f. **1.** La **eternidad** es lo que no tiene principio ni fin. **2.** *El tiempo que pasé en la sala de espera se me hizo una* ***eternidad*** (= se me hizo larguísimo).
SINÓN: infinito, interminable. **FAM:** *eterno.*

eterno, a adj. **1.** *La religión dice que Dios no ha nacido ni puede morir, es* ***eterno*** (= no tiene principio ni fin). **2.** *Este sofá es* ***eterno****, era de mi abuelo y lo heredarán mis hijos* (= este sofá dura mucho tiempo).
SINÓN: 1. inmortal. **FAM:** *eternidad.*

ética s. f. *En la asignatura de* ***ética*** *el profesor nos habla de la moral* (= en la asignatura donde se estudia una parte de la filosofía que trata de la moral y de las obligaciones del hombre).

etiqueta s. f. **1.** *Mi padre colocó una* ***etiqueta*** *en mi maleta para identificarla* (= colocó un letrero pequeño con mi nombre). **2.** *La* ***etiqueta*** *obliga a servir primero a las señoras* (= el conjunto de reglas que se deben seguir en sociedad). **3.** *En aquella fiesta se exigía traje de* ***etiqueta*** (= se exigía traje de gala).
SINÓN: 1. rótulo. **2.** ceremonial. **3.** gala.

eucalipto s. m. El **eucalipto** es un árbol de gran altura con propiedades medicinales; se usa para calmar los males de garganta.

eucaristía s. f. *En la* ***Eucaristía*** *el sacerdote recuerda el sacrificio hecho por Jesús al morir en la cruz* (= en el sacramento instituido por Jesucristo por el cual el pan y el vino se convierten en el cuerpo y sangre de Cristo).
SINÓN: comunión.

europeo, a adj. **1.** *Italia es un país* ***europeo*** (= está en Europa). ◆ **europeo, a** s. **2.** *Los* ***europeos*** *son las personas nacidas en cualquier país de Europa.*

evasiva s. f. *Cada vez que le preguntaba siempre me contestaba con* ***evasivas*** (= cambiaba de tema para no decirme la verdad).
SINÓN: excusa, rodeo.

evacuación s. f. *En cuanto llegó la ambulancia se produjo la* ***evacuación*** *de los heridos* (= se llevaron a los heridos al hospital).

evacuar v. tr. **1.** *Como había amenaza de bomba la policía* ***evacuó*** *el cine* (= obligó a salir a todos los que se encontraban dentro). **2.** *Como tenía diarrea tenía que* ***evacuar*** *con frecuencia* (= tenía que ir al retrete).
SINÓN: 1. abandonar, dejar, desocupar. **ANTÓN: 1.** colmar, llenar, ocupar.

evadir v. tr. **1.** *El detenido* ***evadía*** *las preguntas que le hacían* (= las evitaba). ◆ **evadirse** v. pron. **2.** *El detenido* ***se ha evadido*** *de la cárcel y la policía lo está buscando* (= se ha escapado).
SINÓN: 1. esquivar, evitar. **2.** escaparse, fugarse. **ANTÓN: 1.** afrontar, desafiar, oponerse. **FAM:** *evasión.*

evaluación s. f. *En la* ***evaluación*** *final se decidirá si paso o no de curso* (= en la valoración que se hace al final de curso).
SINÓN: estimación, valoración. **FAM:** → *valer.*

evaluar v. tr. *Era muy difícil* ***evaluar*** *los daños que había producido el terremoto* (= era muy difícil calcular los daños).
SINÓN: apreciar, calcular, estimar, valorar. **FAM:** → *valer.*

evangelio s. m. *En el* ***Evangelio****, Jesús dice que debemos amarnos los unos a los otros* (= en la historia de la vida, doctrina y milagros de Jesucristo).
FAM: *evangelista.*

evangelista s. m. *Se llaman* ***evangelistas*** *los cuatro autores del Evangelio: Mateo, Marcos, Lucas y Juan.*
FAM: *evangelio.*

evaporación s. f. *Las nubes se producen por la* ***evaporación*** *del agua debido al calor* (= se producen por el paso del agua de líquido a gas o vapor).
FAM: → *vapor.*

evaporar v. tr. **1.** *El Sol* ***evapora*** *el agua del mar formando las nubes* (= convierte el agua en vapor). ◆ **evaporarse** v. pron. **2.** *Cuando preguntaron por Bartolo no lo encontraron porque*

se había evaporado (= porque había desaparecido).
SINÓN: **2.** desaparecer, esfumarse, huir. ANTÓN: **2.** aparecer, asomar, mostrarse, salir. FAM: → *vapor.*

evasión s. f. *Sonó la alarma de la cárcel por la* ***evasión*** *de un prisionero* (= porque se escapó un prisionero).
SINÓN: fuga, huida. FAM: *evadir.*

eventual adj. *Luis es un trabajador* ***eventual*** *pues su contrato sólo dura dos meses* (= es un trabajador temporal).
SINÓN: ocasional, temporal.

evidente adj. *No hacía falta que dijera nada, era* ***evidente*** *que había llorado* (= se veía claramente).
SINÓN: claro, obvio, patente. ANTÓN: dudoso, incierto. FAM: → *ver.*

evitar v. tr. **1.** *El conductor no ha podido* ***evitar*** *el accidente* (= no ha podido impedirlo). **2.** *Debes* ***evitar*** *comer chocolate porque te sienta mal* (= debes hacer todo lo posible para no comerlo).
SINÓN: **1.** impedir, prevenir. **2.** esquivar, rehuir. ANTÓN: **1.** causar, favorecer, ocasionar, producir, provocar. FAM: → *inevitable.*

evocar v. tr. *Ahora que soy mayor a veces* ***evoco*** *mi infancia y la comento con mis amigos* (= a veces me acuerdo de mi infancia).
SINÓN: acordarse, recordar.

evolución s. f. **1.** *La* ***evolución*** *de la Medicina ha sido muy grande en los últimos años ya que se han descubierto muchos remedios para muchas enfermedades* (= su avance). **2.** *El mono se convirtió en hombre en una lenta* ***evolución*** (= fue cambiando sus características a lo largo de muchos siglos).
SINÓN: **1.** adelanto, avance, desarrollo, progreso. **2.** cambio, transformación. ANTÓN: **1.** retroceso. FAM: *evolucionar.*

evolucionar v. intr. *Pedro* ***ha ido evolucionando*** *con los años y ya no piensa como antes* (= ha ido cambiando con los años).
SINÓN: adelantar, desarrollarse, desenvolverse, progresar. FAM: *evolución.*

exactitud s. f. **1.** *Isabel copia cuadros con gran* ***exactitud*** *pues no se distingue la copia del original* (= copia cuadros con gran fidelidad). **2.** *No lo sé con* ***exactitud*** *pero creo que son máso menos las ocho de la tarde* (= no sé con precisión la hora).
SINÓN: **1.** fidelidad, precisión. **2.** precisión, seguridad. FAM: *exacto, inexacto.*

exacto, a adj. *Me gusta llegar a mis citas a la hora* ***exacta,*** *ni antes ni después* (= me gusta llegar a la hora justa).
SINÓN: justo, preciso. ANTÓN: impreciso, inexacto. FAM: → *exactitud.*

exageración s. f. *Es una* ***exageración*** *tomarse las cosas tan a pecho* (= darles más importancia de la que tienen).
SINÓN: exceso. FAM: → *exagerar.*

exagerado, a adj. **1.** *No seas* ***exagerado*** *en tus alabanzas pues no soy tan bueno como dices* (= me alabas demasiado). **2.** *No compro pescado porque su precio es* ***exagerado*** (= es demasiado alto).
SINÓN: **2.** excesivo. FAM: → *exagerar.*

exagerar v. tr. *El periodista* ***exageró*** *la noticia y la gente pensó que el asunto era grave pero en realidad no tenía importancia* (= le dio más importancia de la que tenía).
SINÓN: abultar, hinchar. ANTÓN: disminuir. FAM: *exageración, exagerado.*

exaltar v. tr. **1.** *Luis* ***exaltaba*** *continuamente la belleza de su mujer* (= alababa continuamente). ◆ **exaltarse** v. pron. **2.** *Al oír las palabras injustas con que me acusaba me* ***exalté*** *mucho* (= me acaloré, me excité).

examen s. m. **1.** *He aprobado el* ***examen*** *de matemáticas* (= la prueba para demostrar que he comprendido la materia). **2.** *Han hecho un* ***examen*** *del coche de mi padre para ver si funciona perfectamente* (= le han hecho una revisión para ver si funciona bien).
SINÓN: **1.** evaluación, prueba. **2.** análisis, estudio, observación. FAM: → *examinar.*

examinador, a s. *El* ***examinador*** *me reprobó la prueba que realicé* (= la persona que corregía las pruebas).
FAM: → *examinar.*

examinar v. tr. **1.** *Mañana el profesor nos* ***examinará*** *en matemáticas* (= comprobará si hemos aprendido la materia). **2.** *La policía* ***examinó*** *el lugar donde se cometió el robo* (= exploró el lugar).
SINÓN: **2.** analizar, considerar, estudiar, observar. FAM: *examen, examinador.*

exasperarse v. pron. *Este niño* ***me exaspera*** *cuando llega la hora de comer y no quiere probar bocado* (= me hace perder la paciencia).
SINÓN: enfadarse, enfurecerse. ANTÓN: tranquilizarse.

excavación s. f. *En la* ***excavación,*** *a cinco metros de profundidad, encontraron objetos antiguos* (= en el hoyo que hicieron para buscar objetos antiguos).
SINÓN: hoyo, hueco. FAM: → *cavar.*

excavador, a s. f. *Para poner los cimientos de una casa primero se usa la* ***excavadora*** (= se usa una máquina para sacar y desplazar tierras de un lugar a otro).
FAM: → *cavar.*

excavar v. tr. *Para sacar las raíces del árbol fue necesario* ***excavar*** *la tierra mucho* (= fue necesario sacar mucha tierra).
SINÓN: ahondar, cavar. ANTÓN: rellenar. FAM: → *cavar.*

excederse v. pron. ***Te has excedido*** *sirviéndome tanta comida, quítame un poco* (= te has pasado).
SINÓN: pasarse, propasarse.

excremento s. m. *Los* ***excrementos*** *de los caballos se usan como abono para las plantas* (= las heces de los caballos).

excelente adj. *Este ejercicio no tiene ninguna falla pues es* ***excelente*** (= es muy bueno).
SINÓN: admirable, estupendo, extraordinario, notable, superior. **ANTÓN:** malo, pésimo.

excéntrico, a adj. *Como es tan* ***excéntrico*** *nunca se sabe lo que va a hacer* (= como es tan raro).
SINÓN: estrafalario, original, raro. **ANTÓN:** habitual, natural, normal. **FAM:** → *centro.*

excepción s. f. *Este tiempo tan malo es una* ***excepción*** *en este mes, lo normal es que haga buen tiempo* (= es raro).
SINÓN: rareza. **ANTÓN:** normalidad. **FAM:** → *excepto.*

excepcional adj. **1.** *Como después de estar una semana lloviendo hizo un día* ***excepcional*** *nos fuimos a la playa* (= extraordinario). **2.** *El día del cumpleaños de mi padre hicimos una comida* ***excepcional*** (= fuera de lo común).
SINÓN: 1. excelente. **1, 2.** extraordinario. **ANTÓN: 1, 2.** habitual, normal. **FAM:** → *excepto.*

excepto adv. *Los comercios abren todos los días* ***excepto*** *los domingos* (= abren todos los días menos los domingos).
SINÓN: aparte, menos, salvo. **ANTÓN:** además. **FAM:** *excepción, excepcional, exceptuar.*

exceptuar v. tr. *Si* ***exceptuamos*** *al arquero, todos los jugadores de un equipo llevan la misma camiseta* (= menos el arquero).
SINÓN: excluir. **ANTÓN:** implicar, incluir. **FAM:** → *excepto.*

excesivo, a adj. *El precio de esa bicicleta es* ***excesivo*** *así que no me la puedo comprar* (= es demasiado alto).
SINÓN: enorme, exagerado. **FAM:** *exceso.*

exceso s. m. **1.** *Como iba demasiado rápido, le han puesto una multa por* ***exceso*** *de velocidad* (= por haber pasado la velocidad permitida). **2.** *Desde que se empachó no comete* ***excesos*** *en la comida ni en la bebida* (= no come ni bebe demasiado).
SINÓN: 2. abuso, exageración. **FAM:** *excesivo.*

excitación s. f. *La noticia del viaje que vamos a realizar me produjo una* ***excitación*** *tan grande que no pude dormir* (= me produjo mucho nerviosismo).
SINÓN: nerviosismo. **ANTÓN:** calma, reposo, tranquilidad. **FAM:** *excitar.*

excitar v. tr. **1.** *No* ***excites*** *al niño ahora porque lo voy a acostar* (= no lo animes a seguir jugando). ◆ **excitarse** v. pron. **2.** *¡No* ***te excites*** *tanto, conserva la calma!* (= ¡No te animes tanto!)
SINÓN: 1. estimular, provocar. **2.** acalorarse. **ANTÓN:** calmar(se), tranquilizar(se). **FAM:** *excitación.*

exclamación s. f. *Cuando me tocó el premio no pude contener una* ***exclamación*** *de alegría* (= un grito de alegría).
SINÓN: grito. **FAM:** → *clamar.*

exclamar v. intr. *El náufrago desde el agua* ***exclamaba****: ¡Socorro!* (= gritaba).
SINÓN: gritar. **FAM:** → *clamar.*

excluir v. tr. **1.** ***Excluyendo*** *a los enfermos todos los alumnos deberán ir a la fiesta* (= menos los enfermos). **2.** *Lo* ***han excluido*** *del equipo por no estar en forma* (= lo han eliminado).
SINÓN: eliminar, suprimir. **ANTÓN:** incluir. **FAM:** *exclusivo.*

exclusivo, a adj. *Para no ver a nadie con un traje igual me he comprado uno* ***exclusivo*** (= me he comprado uno único).
SINÓN: especial, único. **FAM:** *excluir.*

excursión s. f. *Hemos hecho una* ***excursión*** *por el bosque* (= hemos dado un largo paseo).
SINÓN: paseo, viaje. **FAM:** *excursionismo, excursionista.*

excursionista s. m. f. *Los* ***excursionistas*** *merendaron en el parque del pueblo y desde allí siguieron su camino* (= los que hacen una excursión).
FAM: → *excursión.*

excusa s. f. **1.** *No me convence tu* ***excusa*** *de que llegaste tarde porque había un embotellamiento* (= no me convence lo que has dicho para disculparte). **2.** *Para no asistir a clase dio la* ***excusa*** *de que estaba enfermo* (= dijo algo que no era cierto para poder hacer lo que él quería).
SINÓN: disculpa, pretexto. **FAM:** → *acusar.*

excusar v. tr. **1.** *Aunque no había hecho los deberes, mi padre me* ***excusó*** *ante el profesor* (= me disculpó). ◆ **excusarse** v. pron. **2.** ***Se excusó*** *por haberle pegado* (= le pidió perdón).
SINÓN: defender, justificar. **ANTÓN:** acusar, culpar, denunciar. **FAM:** → *acusar.*

exhibición s. f. *Fuimos a ver una* ***exhibición*** *de patinaje sobre hielo* (= fuimos a ver un espectáculo).
SINÓN: exposición. **FAM:** *exhibir.*

exhibir v. tr. **1.** *Hicieron una exposición para* ***exhibir*** *los cuadros de Juan* (= para mostrar los cuadros). **2.** *Paco siempre* ***está exhibiendo*** *sus músculos* (= siempre está enseñándolos a todo el mundo). ◆ **exhibirse** v. pron. **3.** *Eva siempre* ***se está exhibiendo*** (= siempre está llamando la atención).
SINÓN: enseñar, exponer, mostrar, presentar. **ANTÓN:** esconder, ocultar. **FAM:** *exhibición, prohibir.*

exigencia s. f. *Las* ***exigencias*** *del jefe en el trabajo le ganaron muchos enemigos* (= exigía o pedía demasiado).
FAM: → *exigir.*

exigente adj. *Nuestro profesor es muy* ***exigente*** *y no nos perdona si no hacemos los deberes* (= nos hace trabajar mucho).
SINÓN: duro, severo. **ANTÓN:** bueno, indulgente, paciente. **FAM:** → *exigir.*

exigir v. tr. **1.** *Mi padre se enojó conmigo porque le* ***exigí*** *que me comprara una bicicleta* (= le dije que me la tenía que comprar). **2.** *Los trabajadores* ***exigían*** *dos días de descanso a la semana* (= creían que tenían el derecho de pedirlos).
SINÓN: 1, 2. ordenar, pedir, reclamar, reivindicar. **ANTÓN:** renunciar. **FAM:** *exigir, exigente.*

exiliado, a adj. *Fue a vivir a México un poeta* ***exiliado*** *de Cuba* (= un poeta que tuvo que abandonar su país por motivos políticos).
FAM: → *exiliar.*

exiliar v. tr. **1.** *En la Antigüedad los reyes* ***exiliaban*** *a sus enemigos a tierras lejanas* (= los echaban de su país). ◆ **exiliarse** v. pron. **2.** *En algunos países las personas con ideas diferentes a las de los gobernantes tienen que* ***exiliarse*** *a otro lugar* (= tienen que irse a vivir a otro país).
SINÓN: 1. desterrar. **2.** emigrar. **FAM:** *exiliado, exilio.*

exilio s. m. *Después de veinte años de* ***exilio****, ha vuelto a su patria* (= tras veinte años sin poder vivir en su país).
SINÓN: destierro. **FAM:** → *exiliar.*

eximir v. tr. *Como tenía la pierna rota, el profesor me* ***eximió*** *de hacer gimnasia* (= me excusó de hacer gimnasia).
SINÓN: librar. **ANTÓN:** obligar.

existencia s. f. **1.** *La gente cree en la* ***existencia*** *de tesoros en el fondo del mar* (= cree que los hay). **2.** *El hombre aprende durante toda su* ***existencia*** (= aprende durante toda su vida). **3.** *Como los juguetes están rebajados en esta juguetería quedan pocas* ***existencias*** (= quedan pocos juguetes).
SINÓN: 2. vida. **3.** reservas. **ANTÓN: 2.** muerte. **FAM:** → *existir.*

existir v. intr. **1.** *Dicen algunos científicos que en el espacio* ***existen*** *otros seres* (= viven). **2.** *¿Tú crees que* ***existe*** *algún lugar donde los hombres no trabajan?* (= ¿tú crees que hay un lugar?).
SINÓN: 1. vivir. **2.** haber. **ANTÓN: 1.** morir. **FAM:** *existencia, inexistente.*

éxito s. m. *La obra resultó un* ***éxito*** *y la gente no dejaba de aplaudir* (= gustó mucho a la gente).
SINÓN: triunfo. **ANTÓN:** fracaso, ruina.

éxodo s. m. *A principios de siglo hubo un gran* ***éxodo*** *del campo a la ciudad* (= hubo mucha gente que abandonó el campo para irse a vivir a la ciudad).
SINÓN: huida, marcha.

exorbitante adj. *El precio de los camarones era tan* ***exorbitante*** *que nadie los compraba* (= era tan alto).
SINÓN: exagerado. **ANTÓN:** comedido, moderado.

exótico, a adj. *Fui a conocer países* ***exóticos*** *y estuve varios días de viaje* (= fui a conocer países lejanos).
SINÓN: extranjero, extraño, insólito, lejano, raro. **ANTÓN:** aborigen, indígena, nativo.

expandirse v. pron. *La noticia de la boda* ***se expandió*** *por todas partes* (= se contó por todas partes).
SINÓN: difundir(se), divulgar(se). **FAM:** *expansión.*

expansión s. f. **1.** *Esta empresa ha contratado más empleados porque está en plena* ***expansión*** (= está creciendo). **2.** *Después de tantas horas trabajando necesito un momento de* ***expansión*** (= necesito un momento de distracción y descanso).
SINÓN: 1. desarrollo, extensión. **2.** distracción, recreo. **FAM:** *expandirse.*

expedición s. f. **1.** *Un grupo de científicos ha ido en* ***expedición*** *al Polo Norte para estudiar la vida de los animales polares* (= ha ido de viaje con fines científicos). **2.** *Este servicio está encargado de la* ***expedición*** *de paquetes* (= está encargado del envío de paquetes).
SINÓN: 1. excursión, viaje. **2.** envío.

expendio s. m. Amér. Merid., Méx. **1.** *Papá fue al* ***expendio*** *pero lo encontró cerrado* (= tienda minorista en la que se venden mercancías determinadas, por lo común, cigarrillos, tabaco y bebidas). **2.** *Está prohibido el* ***expendio*** *de bebidas alcohólicas a los menores* (= la venta).

experiencia s. f. **1.** *Mi hermano ha terminado los estudios de Medicina pero aún no ha trabajado como médico, y le falta* ***experiencia*** (= le falta práctica). **2.** *Ha sido una* ***experiencia*** *muy desagradable para mí presenciar esa pelea* (= ha sido algo que yo he vivido directamente).
SINÓN: 1. práctica. **ANTÓN: 1.** inexperiencia. **FAM:** *experimental, experimentar, experimento, experto, inexperiencia, inexperto.*

experimental adj. **1.** *La Medicina es una ciencia* ***experimental*** *porque su conocimiento es práctico* (= es una ciencia que se basa en la práctica). **2.** *Hay un nuevo medicamento contra el resfrío que está en fase* ***experimental*** *y todavía no se vende* (= lo están probando para ver si funciona).
SINÓN: 1. práctico. **ANTÓN: 1.** teórico. **FAM:** → *experiencia.*

experimentar v. tr. **1.** *Los científicos* ***experimentan*** *las medicinas en animales antes de usarlas en el hombre* (= prueban las medicinas para ver si funcionan). **2.** *Cuando te vi en el aeropuerto* ***experimenté*** *una gran alegría* (= sentí una gran alegría). **3.** *Con el nuevo director el colegio* ***experimentó*** *un gran cambio porque mejoró mucho* (= se produjo un gran cambio).
SINÓN: 1. ensayar, probar. **2.** notar, sentir. **3.** sufrir. **FAM:** → *experiencia.*

experimento s. m. *Hicimos un* ***experimento*** *en el laboratorio para ver cómo se forma el va-*

por (= una prueba para ver cómo y por qué se produce el vapor).
SINÓN: ensayo, prueba. FAM: → *experiencia.*

experto, a adj. **1.** *Para conducir autobuses se necesitan conductores* ***expertos*** (= con mucha experiencia). ◆ **experto, a** s. **2.** *Según la opinión de los* ***expertos*** *este año habrá muy pocas lluvias* (= según la opinión de los que conocen el tema).
SINÓN: **1.** conocedor, entendido, hábil, práctico. **2.** especialista, perito. FAM: → *experiencia.*

expirar v. intr. **1.** *Después de una larga enfermedad, el abuelo de Juan* ***expiró*** (= murió). **2.** *El próximo mes* ***expira*** *el plazo que me han dado en el club para hacerme socio* (= termina el plazo).
SINÓN: **1.** fallecer, morir. **2.** acabar, terminar. ANTÓN: **1.** nacer. **2.** comenzar, empezar.

explanada s. f. *Montamos el campamento en una* ***explanada*** *que había en la montaña* (= la montamos en un terreno llano).
SINÓN: llano, llanura.

explicación s. f. *Un profesor nos ha dado una* ***explicación*** *sobre cómo se produce la lluvia* (= nos ha contado qué pasa cuando llueve).
SINÓN: clase, conferencia, exposición, lección. FAM: → *explicar.*

explicar v. tr. **1.** *El profesor nos* ***explica*** *cómo funciona un motor* (= nos cuenta cómo funciona). ◆ **explicarse** v. pron. **2.** *Todavía no* ***me explico*** *por qué me han sancionado* (= no lo comprendo).
SINÓN: **1.** aclarar, enseñar, justificar. **2.** comprender, entender. FAM: *explicación, inexplicable.*

explícito, a adj. *Su respuesta fue tan* ***explícita*** *que no dejó ninguna duda* (= la expresó claramente).
SINÓN: claro, expreso. ANTÓN: implícito. FAM: → *expresar.*

exploración s. f. *Con la* ***exploración*** *se han descubierto nuevas islas* (= con la investigación del planeta).
SINÓN: investigación. FAM: → *explorar.*

explorador, a s. *Antonio fue el* ***explorador*** *que encontró el manantial* (= fue el descubridor).
SINÓN: descubridor, investigador, viajero. FAM: → *explorar.*

explorar v. tr. *Los buzos* ***han explorado*** *el fondo del mar y han encontrado un barco hundido* (= lo han recorrido para conocerlo muy bien).
SINÓN: examinar, investigar, reconocer. FAM: *exploración, explorador.*

explosión s. f. **1.** *La* ***explosión*** *de la bomba produjo un ruido muy grande* (= el estallido de la bomba). **2.** *La buena noticia causó una* ***explosión*** *de alegría* (= causó una gran alegría).
SINÓN: **1.** estallido. **2.** desbordamiento. FAM: → *explotar.*

explosivo, a adj. *Donde hay sustancias* ***explosivas*** *no se puede encender fuego* (= donde hay sustancias que pueden estallar).
FAM: → *explotar.*

explotación s. f. *En mi pueblo han instalado una* ***explotación*** *ganadera* (= han instalado una industria ganadera).
SINÓN: industria. FAM: → *explotar.*

explotar v. tr. **1.** *Los mineros* ***explotan*** *la mina desde hace años y queda poco carbón* (= extraen el carbón que contiene). **2.** *Algunos patrones* ***explotan*** *a los obreros* (= abusan y se aprovechan de su trabajo). ◆ **explotar** v. intr. **3.** *El día de la fiesta* ***explotaron*** *muchos cohetes* (= estallaron muchos cohetes).
SINÓN: **1.** extraer. **2.** abusar. **3.** estallar, explosionar. FAM: *explosión, explosionar, explosivo, explotación.*

exponer v. tr. **1.** *El pintor* ***ha expuesto*** *sus cuadros en una galería de arte* (= los ha mostrado en público). **2.** *El profesor me ha mandado* ***exponer*** *la lección* (= me ha mandado explicarla). **3.** *Mi hermano* ***ha expuesto*** *mucho dinero en ese negocio y tiene miedo de perderlo* (= ha arriesgado mucho dinero). ◆ **exponerse** v. pron. **4.** *Si molesto a las abejas* ***me expongo*** *a que me piquen* (= me arriesgo a que me piquen).
SINÓN: **1.** exhibir, mostrar, presentar. **2.** declarar, explicar, expresar. **3, 4.** arriesgar. ANTÓN: **1.** disimular, ocultar, tapar. **2.** callar, omitir, silenciar. **3, 4.** asegurar. FAM: → *poner.*

exportación s. f. **1.** *Para la* ***exportación*** *de flores a Francia son necesarios envases especiales* (= para el envío de flores a otro país). **2.** *Este año la* ***exportación*** *de naranjas a Alemania ha sido muy grande* (= la cantidad de naranjas enviadas).
SINÓN: envío, expedición, venta. ANTÓN: importación. FAM: *exportar.*

exportar v. tr. *Argentina* ***exporta*** *mucha fruta a Brasil* (= la vende a Brasil).
SINÓN: enviar, vender. ANTÓN: importar. FAM: *exportación.*

exposición s. f. **1.** *Ayer fuimos a ver una* ***exposición*** *de un pintor amigo nuestro* (= fuimos a ver las obras que había hecho). **2.** *Las autoridades no aceptaron mi* ***exposición*** *sobre lo que había sucedido* (= no aceptaron mi explicación sobre lo que pasó).
SINÓN: **1.** exhibición, feria, presentación. **2.** declaración, explicación. FAM: → *poner.*

expositor s. m. *En el* ***expositor*** *de la joyería había unos relojes muy bonitos* (= en un mueble cerrado con cristales donde se ponen objetos para que los vea el público).

expresar v. tr. **1.** *Al ver el regalo su cara* ***expresó*** *una gran alegría* (= su cara mostró una gran alegría). ◆ **expresarse** v. pron. **2.** ***Se ex-***

***presa** tan bien en castellano que no parece que sea alemana* (= habla muy bien en castellano).
SINÓN: **1.** exteriorizar, mostrar, reflejar. **2.** hablar.
FAM: *explícito, expresión, expresivo, expreso, inexpresivo.*

expresión s. f. **1.** *La risa es generalmente una **expresión** de alegría* (= es una manifestación de alegría). **2.** *Cuando hablamos debemos aprender a no utilizar **expresiones** incorrectas* (= a no usar frases incorrectas). **3.** *La **expresión** de su cara cuando recibió la noticia fue de sorpresa* (= puso una cara que mostraba su sorpresa).
SINÓN: **1.** declaración, manifestación. **2.** dicho, locución, palabra. **3.** gesto. FAM: → *expresar.*

expresivo, a adj. *María tiene una mirada muy **expresiva*** (= que demuestra sus sentimientos).
SINÓN: significativo, vivo. ANTÓN: inexpresivo.
FAM: → *expresar.*

expreso, a adj. **1.** *Hay una prohibición **expresa** de fumar en este local* (= hay una prohibición clara). ◆ **expreso** s. m. **2.** *Vine de Mendoza en el **expreso** y sólo tardé seis horas* (= vine en un tren que va a mucha velocidad).
SINÓN: **1.** claro, explícito patente. ANTÓN: **1.** implícito. FAM: → *expresar.*

exprimidor s. m. *Preparo los jugos de naranja con un **exprimidor*** (= un aparato que saca el zumo de las frutas).
FAM: *exprimir.*

exprimir v. tr. **1.** ***Exprimió** limones para preparar un zumo* (= les sacó el jugo). **2.** *Los mineros **exprimieron** el filón de oro* (= agotaron el filón).
SINÓN: **1.** estrujar. **2.** agotar. FAM: *exprimidor.*

expropiar v. tr. *A mi tío le **han expropiado** un terreno las autoridades para hacer una carretera* (= se lo han comprado contra su voluntad).
SINÓN: privar. FAM: → *propio*

expuesto, a adj. *El alpinismo es un deporte muy **expuesto** si no se usan los utensilios necesarios para practicarlo* (= es muy peligroso).
SINÓN: arriesgado, peligroso. ANTÓN: seguro.

expulsar v. tr. ***Expulsaron** del cine al borracho porque molestaba a la gente* (= lo pusieron en la calle).
SINÓN: despedir, echar. ANTÓN: aceptar, acoger, admitir, recibir. FAM: *expulsión.*

expulsión s. f. *Con la **expulsión** de Carlos el equipo perdió a su mejor jugador* (= con el despido de Carlos).
FAM: *expulsar.*

exquisito, a adj. *Me gusta esta comida, tiene un sabor **exquisito*** (= muy bueno).
SINÓN: delicado, excelente, selecto. ANTÓN: ordinario.

extender v. tr. **1.** *El fuerte viento **extendió** el fuego por toda la montaña* (=hizo que se quemara más bosque). **2.** *Mi madre sacó el mantel doblado y lo **extendió** sobre la mesa* (= lo desdobló). ◆ **extenderse** v. pron. **3.** *El profesor me ha aconsejado que no **me extienda** mucho en el trabajo* (= que no lo haga muy amplio).
SINÓN: **1.** esparcir. **2.** desdoblar, desplegar, tender. **3.** alargarse, dilatarse. ANTÓN: **2.** doblar, plegar. FAM: → *tender.*

extensión s. f. *La **extensión** de esta huerta es de seis hectáreas* (= la superficie que ocupa).
SINÓN: superficie. FAM: → *tender.*

extenso, a adj. *El trabajo de geografía me ha salido muy **extenso** ya que me ha ocupado demasiadas hojas* (= me ha salido muy largo).
SINÓN: amplio, espacioso. ANTÓN: escaso, limitado, pequeño, reducido. FAM: → *tender.*

exterior adj. **1.** *Entró por la puerta **exterior** del jardín* (= por la que está fuera de la casa). ◆ **exterior** s. m. **2.** *¡No se quede en el **exterior** que se va a mojar, entre!* (= no se quede fuera).
SINÓN: **1.** externo. ANTÓN: **1.** interno. **2.** interior. FAM: *exteriorizar, externo.*

exteriorizar v. tr. *Isabel **exterioriza** mucho sus sentimientos y siempre se sabe lo que piensa o lo que siente* (= manifiesta mucho sus sentimientos).
SINÓN: descubrir, revelar. ANTÓN: disimular, ocultar. FAM: → *exterior.*

exterminar v. tr. *Para acabar con los insectos hemos comprado un producto que los **extermina*** (= un producto que los elimina).
SINÓN: destruir, eliminar, extinguir, matar, suprimir. ANTÓN: crear, proteger. FAM: *exterminio.*

exterminio s. m. *Algunas especies animales casi han desaparecido porque la caza sin control produce su **exterminio*** (= produce su desaparición).
SINÓN: desaparición, destrucción. ANTÓN: aparición, protección. FAM: *exterminar.*

externo, a adj. *Para limpiar la parte **externa** de este edificio pusieron unos andamios en la calle* (= para limpiar la parte exterior).
FAM: → *exterior.*

extinguir v. tr. **1.** *La lluvia ayudó a **extinguir** el incendio* (= ayudó a apagarlo). ◆ **extinguirse** v. pron. **2.** *Su vida **se extinguió** poco a poco por una larga enfermedad* (= se acabó).
SINÓN: **1.** apagar. **2.** morir. ANTÓN: **1.** encender, prender. FAM: *extintor.*

extintor s. m. *En los locales públicos es obligatoria la existencia de **extintores** para usarlos en caso de incendio* (= de aparatos para apagar incendios).
FAM: *extinguir.*

extirpar v. tr. *Me **extirparon** un bulto que me salió en la mano* (= me lo quitaron).
SINÓN: extraer. ANTÓN: implantar, poner.

extra adj. **1.** *Por Navidad en casa siempre tenemos gastos **extras*** (= tenemos gastos fuera de lo normal). **2.** *Este café es **extra** y no se encuentra en cualquier tienda* (= es de calidad superior). **3.** *Hoy salgo más tarde del trabajo porque tengo*

que trabajar horas ***extras*** (= trabajo más horas de lo normal). ◆ **extra** s. m. **4.** *Mi padre cobra además del suelo dos* ***extras*** *al año* (= cobra dos pagas extraordinarias).
SINÓN: **2.** excelente, extraordinario, óptimo, superior. ANTÓN: **2.** bajo, inferior, malo.

extraer v. tr. **1.** *Del fondo del mar* ***extrajeron*** *los restos de un naufragio* (= los sacaron). **2.** *El profesor de matemáticas nos ha mandado* ***extraer*** *la raíz cuadrada de varios números* (= nos ha mandado calcularla). ◆ **extraerse** v. pron. **3.** *De las uvas se* ***extrae*** *el vino* (= se saca de ellas).
SINÓN: **1.** sacar. **2.** averiguar, calcular. **3.** sacar. ANTÓN: **1.** encajar, hundir, introducir, meter. FAM: → *traer.*

extranjero, a adj. **1.** *María sabe dos lenguas* ***extranjeras*** *además del castellano* (= sabe dos idiomas de otros países). ◆ **extranjero** s. m. **2.** *Todos los veranos mi padre va al* ***extranjero*** *para practicar el inglés* (= va a un país que no es el suyo). ◆ **extranjero, a** s. **3.** *En esta casa viven dos* ***extranjeros*** *que han venido a aprender nuestra lengua* (= viven dos ciudadanos de otros países).
SINÓN: **1, 3.** forastero. ANTÓN: aborigen, indígena, nativo.

extrañar v. tr. **1.** *No he podido dormir en el hotel porque* ***extrañaba*** *la cama* (= porque la encontraba rara). ◆ **extrañarse** v. pron. **2.** ***Me extrañó*** *verte en el aeropuerto ya que dijiste que no vendrías* (= me sorprendió). **3.** ***Te extrañé*** *mucho cuando estuve fuera* (= te eché de menos).
SINÓN: **2.** admirarse, asombrarse, sorprenderse. FAM: *extrañeza, extraño.*

extrañeza s. f. *Mi hermano pequeño miraba con* ***extrañeza*** *a los trapecistas* (= los miraba muy asombrado).
SINÓN: admiración, asombro, sorpresa. ANTÓN: naturalidad, normalidad. FAM: → *extrañar.*

extraño, a adj. **1.** *Es* ***extraño*** *que nieve en abril en América del Sur* (= no es normal). ◆ **extraño, a** s. **2.** *Con los conocidos habla mucho pero delante de* ***extraños*** *no dice nada* (= delante de desconocidos).
SINÓN: **1.** insólito, raro. **2.** ajeno, desconocido. ANTÓN: **1.** habitual, natural, normal. FAM: → *extrañar.*

extraordinario, a adj. **1.** *La actuación de Juan fue buena pero la de María fue* ***extraordinaria*** (= fue excelente). **2.** *Con motivo de las fiestas ha salido un número* ***extraordinario*** *del periódico* (= ha salido un número especial).
SINÓN: **1.** excepcional, insólito, notable. **2.** especial. ANTÓN: **1.** habitual, natural, ordinario, vulgar. **1, 2.** normal. FAM: *ordinario.*

extravagante adj. *Llevaba una corbata amarilla muy* ***extravagante*** (= muy llamativa).
SINÓN: estrambótico, raro. ANTÓN: corriente.

extravertido, a o **extrovertido, a** adj. *Julián habla con todo el mundo porque es muy* ***extrovertido*** (= le gusta comentar lo que piensa).
SINÓN: abierto, comunicativo. ANTÓN: introvertido.

extraviarse v. pron. ***Me he extraviado*** *y no sé cómo ir a mi casa* (= me he perdido).
SINÓN: perderse. ANTÓN: encontrarse, hallarse. FAM: → *vía.*

extremidad s. f. *El cuerpo humano se compone de cabeza, tronco y* ***extremidades*** (= los brazos y las piernas).
FAM: *extremo.*

extremo, a adj. **1.** *En el desierto durante el día hace un calor* ***extremo*** (= hace un calor excesivo). ◆ **extremo** s. m. **2.** *Tú te sentarás en un* ***extremo*** *de la mesa y yo en el otro* (= tú te sentarás en una punta). **3.** *Está tan enfadado conmigo que ha llegado al* ***extremo*** *de no hablarme* (= ha llegado a la actitud tan exagerada de no hablarme). ◆ **en último extremo 4.** *Si no conseguimos que vaya él solo,* ***en último extremo*** *lo llevaremos nosotros* (= en último caso). ◆ **ir** o **pasar de un extremo a otro 5.** *Isabel siempre* ***va de un extremo a otro****: o no sale o se pasa el día en la calle.*
SINÓN: **1.** exagerado, excesivo. **2.** límite, punta. ANTÓN: **1.** moderado, normal. **2.** centro. FAM: *extremidad.*

F s. f. La **f** *(efe)* es la sexta letra del abecedario español.

fa s. m. **Fa** es la cuarta nota de la escala musical.

fábrica s. f. **1.** *Martín trabaja en una **fábrica** de paraguas* (= trabaja en un establecimiento donde se fabrican paraguas). **2.** *Las **fábricas** suelen estar instaladas en las afueras de las ciudades* (= los edificios donde se fabrican productos industriales).
SINÓN: factoría, industria. **FAM:** *fabricación, fabricante, fabricar, prefabricado.*

fabricación s. f. *La gente ahora compra más coches, por eso su **fabricación** ha aumentado en los últimos años* (= por eso su producción ha aumentado).
SINÓN: producción. **FAM:** → *fábrica.*

fabricante s. m. f. *Como en la tienda no tenían los repuestos del televisor, tuvimos que acudir al **fabricante*** (= tuvimos que ir al que hace los aparatos de TV).
SINÓN: industrial, productor. **FAM:** → *fábrica.*

fabricar v. tr. *En esa industria **fabrican** muebles de oficina* (= hacen muebles de oficina).
SINÓN: elaborar, hacer, producir. **ANTÓN:** destruir. **FAM:** → *fábrica.*

fábula s. f. **1.** *No conozco la **fábula** de la liebre y la tortuga* (= la narración cuyos personajes son animales que hablan y obran como personas y de la que se deduce una enseñanza moral). ◆ **ser de fábula 2.** *El viaje que hizo mi hermano este verano **fue de fábula,** estuvo en la India y en Japón* (= fue maravilloso).
SINÓN: 1. ficción. **ANTÓN: 1.** realidad. **FAM:** *fabulista, fabuloso.*

fabuloso, a adj. **1.** *Leímos un cuento **fabuloso** sobre una bruja* (= leímos un cuento imaginado). **2.** *Hemos visto una película que nos ha gustado mucho, es **fabulosa*** (= es extraordinaria).
SINÓN: 1. fantástico, imaginado, inventado, irreal. **2.** extraordinario, maravilloso, sensacional. **ANTÓN: 1.** real, verdadero. **2.** común, habitual, normal. **FAM:** → *fábula.*

faceta s. f. *No conocía esa **faceta** suya de despistada* (= no conocía ese aspecto de su personalidad).
SINÓN: aspecto. **FAM:** → *faz.*

facha s. f. *Con este traje tan bonito tienes muy buena **facha*** (= tienes muy buen aspecto).
SINÓN: apariencia, aspecto. **FAM:** *fachada.*

fachada s. f. **1.** *La **fachada** de mi casa da a la playa* (= la parte anterior donde se encuentra la entrada principal). **2.** *Nos creímos que era rico pero luego vimos que todo era **fachada*** (= que todo era apariencia).
SINÓN: 1. frente. **FAM:** *facha.*

fachoso, a adj. Méx. → **fachudo.**

fachudo, a adj. R. de la Plata, Méx. *Rubén es muy **fachudo*** (= no cuida ni su aspecto ni la ropa que usa).
SINÓN: desaliñado, descuidado, fachoso. **ANTÓN:** aseado, cuidadoso. **FAM:** *facha.*

facial adj. *Este señor no puede sonreír porque tiene una parálisis **facial*** (= tiene una parte de su cara paralizada).
FAM: → *faz.*

fácil adj. **1.** *Cualquiera sabe la respuesta a una pregunta tan **fácil*** (= tan sencilla). **2.** *Es **fácil** que llueva hoy* (= es probable).
SINÓN: 1. elemental, sencillo. **2.** posible, probable. **ANTÓN: 1.** difícil, laborioso, penoso. **2.** imposible, improbable. **FAM:** *facilidad, facilitar.*

facilidad s. f. **1.** *Ricardo sorprendió al profesor por la **facilidad** con que contestaba a sus preguntas* (= las contestaba muy rápido y seguro). ◆ **dar facilidades 2.** *Compramos un departamento y nos **dieron facilidades** de pago* (= nos permitieron pagar en cuotas).
SINÓN: 1. rapidez, seguridad. **ANTÓN: 1.** torpeza. **2.** complicación, dificultad, obstáculo. **FAM:** → *fácil.*

facilitar v. tr. **1.** *Ayudándome, me **has facilitado** el trabajo* (= me lo has hecho más sencillo). **2.** *Marta me **ha facilitado** unos libros que necesitaba* (= me los ha proporcionado).
SINÓN: 1. favorecer, simplificar. **2.** entregar, procurar, proporcionar, suministrar. **ANTÓN: 1.** dificultar, impedir. **2.** quitar. **FAM:** → *fácil.*

facón s. m. R. de la Plata. *El gaucho guardó el **facón** en la vaina* (= cuchillo grande, de hoja recta, que se usa como arma de defensa y como herramienta de trabajo).

factible adj. *Es mejor que pienses en ideas **factibles** y no en proyectos imposibles* (= en cosas posibles).
SINÓN: posible. ANTÓN: imposible.

factor s. m. *Su falta de decisión fue el **factor** que arruinó a la empresa* (= fue la causa).

factura s. f. *El plomero nos ha enviado la **factura** que tenemos que pagar por el trabajo realizado* (= nos ha enviado la cuenta de su trabajo).
SINÓN: cargo, cuenta, nota. FAM: → *facturar*.

facultad s. f. **1.** *Los animales no tienen la **facultad** de hablar* (= no tienen la capacidad de hablar). **2.** *Hay una reunión en la **Facultad** de Derecho* (= hay una reunión en el edificio donde dan clase los profesores de las asignaturas de Derecho).
SINÓN: **1.** aptitud, capacidad. ANTÓN: **1.** impotencia, incapacidad.

faena s. f. *El agricultor sale por la mañana para hacer su **faena** en el campo* (= para hacer su trabajo).
SINÓN: labor, ocupación, quehacer, tarea, trabajo.

fagot s. m. *Mi hermano toca el **fagot** en la banda municipal* (= toca un instrumento de viento).

fainá s. f. R. de la Plata. *Comimos pizza con trozos de **fainá*** (= masa fina de harina de garbanzos cocida al horno).

faisán s. m. El **faisán** es un ave grande parecida al gallo con plumaje rojo y verde muy brillante; su carne es comestible y muy apreciada.

faja s. f. *A los bebés se les pone una **faja** para proteger los riñones y el ombligo* (= se les pone una tira de tela que les rodea el vientre).
SINÓN: banda, tira.

fajo s. m. *Eduardo llevaba un **fajo** de billetes de mil* (= llevaba un montón de billetes de mil).

falange s. f. La **falange** es el primero de los tres huesos de los dedos de la mano.
FAM: *falangeta, falangina*.

falda s. f. **1.** *María ha estrenado una **falda** escocesa y una blusa* (= ha estrenado una prenda de vestir femenina que cubre desde la cintura hacia abajo). **2.** *La **falda** de esta montaña está llena de pinos* (= la ladera de esta montaña).
SINÓN: **1.** pollera. **2.** ladera, pendiente. FAM: *faldón*.

faldón s. m. *A los recién nacidos se les ponen **faldones** para que no se enfríen* (= se les ponen faldas largas encima de otras prendas).
FAM: *falda*.

falla s. f. *Por un movimiento de tierras se ha producido una **falla** en aquella roca* (= se ha producido una fractura en la roca).

fallecer v. intr. *El abuelo de Carlos **falleció** a los 80 años* (= murió a esa edad).
SINÓN: morir. ANTÓN: nacer, vivir. FAM: *desfallecer, fallecimiento*.

fallecimiento s. m. *El fa**ecimiento** del escritor ha estristecido a sus a gos* (= su muerte).
SINÓN: muerte. ANTÓN: nacin nto, vida. FAM: → *fallecer*.

fallo s. m. **1.** *La suma salió mal porque tenía un **fallo*** (= tenía un er r). **2.** *El **fallo** del juez dejó en libertad a los so echosos* (= el veredicto).
SINÓN: **1.** error. **2.** veredicto entencia. ANTÓN: **1.** acierto.

falsear v. tr. *Para que su adres no la riñeran Irene **falseó** el modo co habían ocurrido los hechos* (= alteró el modo).
SINÓN: deformar.

falsedad s. f. *Como me h nentido en varias ocasiones, ahora creo que to lo que dice son **falsedades*** (= son mentira
SINÓN: embuste, engaño, me ira. ANTÓN: certeza, verdad. FAM: → *falso*.

falsificación s. f. *La f sificación de la firma de otra persona está stigada por la ley* (= la imitación de la firma).
SINÓN: copia, imitación. FAM → *falso*.

falsificar v. tr. *En el cole castigaron a un alumno por **falsificar** la ma de sus padres* (= por imitar la firma de sus dres).
SINÓN: copiar, imitar. FAM: → *also*.

falso, a adj. **1.** *Esta joya **falsa** pero parece auténtica* (= es una imitación **2.** *Lo que dices es **falso** y nadie te va a creer* (lo que dices no es verdad). ◆ **en falso** **3.** *Me npí la pierna porque pisé **en falso** y me caí* (isé sin apoyarme bien).
SINÓN: **1, 2.** engañoso. **2.** orrecto, inexacto. ANTÓN: **1, 2.** auténtico, v adero. **2.** cierto. FAM: *falsedad, falsificación, lsificador, falsificar*.

falta s. f. **1.** *No he podido rminar el trabajo por **falta** de tiempo* (= no podido terminar por no tener tiempo). **2.** *Si cribes* sabio *con* v *cometerás una **falta** de orto afía* (= cometerás un error ortográfico). **3.** *No i ayer a clase y me pusieron **falta*** (= anotaron i ausencia). **4.** *El jugador cometió una **falta** mpujar a otro del equipo contrario* (= no cum ió con las reglas del juego de un deporte). **echar en falta** **5.** *Cuanto te fuiste a París **echamos** mucho **en falta*** (= te echamos de m os). ◆ **hacer falta** **6.** *Me **hizo falta** much voluntad para seguir estudiando* (= me fue esaria mucha voluntad).
SINÓN: **1.** carencia, escase **2.** equivocación, error. ANTÓN: **1.** exceso, so . FAM: *faltar*.

faltar v. intr. **1.** *Devolví libro a la librería porque le **faltaban** varias jas* (= porque no tenía varias hojas). **2.** *Las as empezaron a ir mal cuando su padre **faltó** se quedó solo con su madre* (= cuando su padre urió). **3.** *Todavía **faltan** varios meses para q lleguen las vacaciones* (= todavía quedan va s meses). **4.** *Mi*

compañero ***ha faltado*** *a clase* (= no ha asistido a clase). ◆ **faltar poco 5.** ***Faltó poco*** *para que cayera* (= estuve a punto de caerme).
SINÓN: 1. carecer. **2.** morir, fallecer. **4.** ausentarse. **ANTÓN: 1.** tener. **4.** asistir. **FAM:** *falta.*

fama s. f. **1.** *Mi profesor tiene muy buena* ***fama*** *en la escuela* (= todo el mundo tiene buena opinión de él). ◆ **de fama 2.** *José Luis Rodríguez es un cantante* ***de fama*** (= es un cantante famoso).
FAM: *famoso.*

famélico, a adj. *Este perro está* ***famélico,*** *se le ven las costillas* (= está esquelético).
SINÓN: esmirriado, hambriento. **ANTÓN:** gordo, harto, robusto.

familia s. f. **1.** *La* ***familia*** *Sánchez es muy simpática* (= el grupo formado por el padre, la madre y sus hijos). **2.** *Yo tengo* ***familia*** *en Europa* (= tengo parientes allá). **3.** *La ballena y el delfín pertenecen a la* ***familia*** *de los mamíferos* (= pertenecen al grupo de los mamíferos). **4.** ***Familia,*** *familiar y familiaridad pertenecen a la misma* ***familia*** *de palabras pues tienen el mismo origen.* ◆ **en familia 5.** *Celebraron el bautizo* ***en familia*** (= lo celebraron sólo con los parientes).
SINÓN: 2. parientes. **FAM:** *familiar, familiaridad.*

familiar adj. **1.** *Los domingos mi padre, mi madre, mi hermano y yo hacemos un almuerzo* ***familiar*** (= hacemos un almuerzo juntos). **2.** *Creo que he estado aquí alguna vez porque este paisaje me resulta* ***familiar*** (= me resulta conocido). **3.** *Me gusta tener un trato* ***familiar*** *con todo el mundo* (= me gusta tener un trato sencillo). ◆ **familiar** s. m. **4.** *Mañana llega un* ***familiar*** *mío que no conozco* (= llega una persona que pertenece a mi familia).
SINÓN: 2. conocido. **3.** corriente, llano, natural, sencillo. **4.** pariente. **ANTÓN: 2.** desconocido. **3.** artificial. **4.** extraño. **FAM:** → *familia.*

familiaridad s. f. *Entre mis amigos nos tratamos con* ***familiaridad*** (= con confianza).
SINÓN: confianza, franqueza, intimidad. **ANTÓN:** desconfianza, reserva. **FAM:** → *familia.*

famoso, a adj. *Nicolás Guillén es un poeta muy* ***famoso*** (= muy conocido).
SINÓN: célebre, conocido. **ANTÓN:** desconocido. **FAM:** *fama.*

fanático, a adj. **1.** *No me gustan las personas* ***fanáticas*** *porque no hacen caso de las explicaciones* (= las personas que sostienen sus creencias de forma exagerada y no aceptan críticas). ◆ **fanático, a** s. **2.** *Soy un* ***fanático*** *de la música clásica* (= me gusta mucho).
SINÓN: 1. intransigente. **2.** aficionado. **ANTÓN: 1.** razonable. **FAM:** *fanatismo.*

fanatismo s. m. *Los* ***fanatismos*** *causaron muchas guerras* (= las actitudes radicales).
FAM: *fanático.*

fandango s. m. Méx., R. de la Plata. *Esta noche hay un* ***fandango*** *en el pueblo* (= baile popular organizado en un entoldado o cobertizo).

fanfarrón, ona adj. *El hermano de David es muy* ***fanfarrón*** *y se cree el más fuerte de todos* (= le gusta aparentar que es más valiente de lo que es en realidad).
SINÓN: orgulloso, presumido, farolero. **ANTÓN:** humilde, modesto. **FAM:** *fanfarronear.*

fanfarronear v. intr. *Cuando apareció el peligro, César dejó de* ***fanfarronear*** (= dejó de hacerse el valiente).
FAM: *fanfarrón.*

fango s. m. *En el fondo de la charca había mucho* ***fango*** (= mucho lodo).
SINÓN: barro, lodo.

fantasía s. f. **1.** *Sofía nunca inventa cuentos porque no tiene* ***fantasía*** (= no tiene imaginación). **2.** *Los fantasmas son personajes que pertenecen a la* ***fantasía*** (= a la ficción).
SINÓN: 1. imaginación. **2.** ficción. **ANTÓN: 1.** realidad. **FAM:** *fantástico.*

fantasma s. m. *En la película, el dueño del castillo se disfrazaba de* ***fantasma*** *para asustar a los visitantes* (= de un personaje que lleva una sábana blanca que le cubre el cuerpo).
SINÓN: aparición, espíritu, visión. **FAM:** *fantasmal.*

fantasmal adj. *La luna daba a las rocas un aspecto* ***fantasmal*** (= un aspecto misterioso y muy inquietante).
SINÓN: fantástico, misterioso. **ANTÓN:** real. **FAM:** *fantasma.*

fantástico, a adj. **1.** *Me gustan las películas* ***fantásticas*** (= las que cuentan historias imaginarias alejadas de la realidad). **2.** *Tu idea de organizar una fiesta para el cumpleaños de Silvia me parece* ***fantástica*** (= me parece muy buena).
SINÓN: 1. fabuloso, imaginario. **2.** bueno, genial. **ANTÓN: 1.** cierto, real. **2.** horrible, malo. **FAM:** *fantasía.*

fantoche s. m. **1.** *Me gusta mucho el teatro de* ***fantoches*** (= de marionetas). **2.** *Vestido con este abrigo de tu padre pareces un* ***fantoche*** (= una persona de aspecto ridículo). **3.** *Pedro es un* ***fantoche,*** *siempre hace lo que los demás quieren* (= no tiene autoridad).
SINÓN: 1. marioneta, muñeco, títere. **2.** mamarracho.

faraón s. m. *Los* ***faraones*** *construyeron las pirámides* (= los antiguos reyes de Egipto).

fardo s. m. *Hemos llevado a la tintorería dos* ***fardos*** *de ropa sucia* (= dos grandes paquetes).
SINÓN: bulto.

faringe s. f. *Tengo mucha tos y me duele la* ***faringe*** (= el conducto del aparato digestivo que se encuentra entre la boca y el esófago).
FAM: *faringitis.*

faringitis s. f. *Hoy no he ido a clase porque estoy muy resfriado y tengo* ***faringitis*** (= tengo inflamación en la faringe).
FAM: *faringe.*

fariña s. f. Amér. Merid. *Prepararon una deliciosa* ***fariña*** (= comida hecha con harina gruesa de mandioca, cebolla y aceite).

farmacéutico, a adj. **1.** *La aspirina es un producto* ***farmacéutico*** (= es un medicamento). ◆ **farmacéutico, a** s. **2.** *Mi hermano conoce todos los medicamentos porque es* ***farmacéutico*** (= ha estudiado la carrera de Farmacia).
SINÓN: 2. boticario. **FAM:** *farmacia.*

farmacia s. f. **1.** *Mi madre me ha mandado a la* ***farmacia*** *para comprar un jarabe* (= al establecimiento donde se venden los medicamentos). **2.** *Pedro conoce muchos medicamentos porque estudia* ***Farmacia*** (= la ciencia que estudia los medicamentos).
SINÓN: 1. botica. **FAM:** → *farmacéutico.*

faro s. m. **1.** *Hay un* ***faro*** *en la entrada del puerto* (= una torre con una luz en su parte superior que guía a los navegantes). **2.** *Por la noche, los* ***faros*** *del coche son necesarios para iluminar el camino y poder circular* (= las luces que están en la parte delantera).
FAM: *farol, farola, farolero.*

farol s. m. *Antiguamente se usaban* ***faroles*** *para iluminar las calles* (= cajas de cristal en cuyo interior se colocaban luces).
FAM: → *faro.*

farola s. f. *En la parte antigua de la ciudad hay muchas* ***farolas*** (= grandes lámparas con brazos).
SINÓN: farol, lámpara. **FAM:** → *faro.*

farolero, a adj. **1.** *Tu amigo Guillermo es muy* ***farolero*** *por eso nunca me creo lo que dice* (= es muy mentiroso). ◆ **farolero, a** s. **2.** *Antiguamente, cuando se hacía de noche, pasaban por las calles los* ***faroleros*** (= las personas que se encargaban de encender y apagar los faroles de las ciudades).
SINÓN: 1. fanfarrón, mentiroso. **FAM:** → *faro.*

farra s. f. Amér. *A mi hermano mayor le gusta mucho irse de* ***farra*** *con sus amigos* (= salir por la noche).
SINÓN: juerga.

farsa s. f. **1.** *En el teatro vimos una* ***farsa*** *muy divertida* (= una obra cómica y grotesca). **2.** *Carolina dice que está enferma pero yo creo que es una* ***farsa*** (= una mentira).
SINÓN: 1. comedia. **2.** engaño, mentira. **ANTÓN: 2.** realidad, verdad. **FAM:** *farsante.*

farsante s. m. f. *No le creas porque es un* ***farsante*** (= es un mentiroso).
SINÓN: embustero, mentiroso, tramposo. **ANTÓN:** honrado, íntegro. **FAM:** *farsa.*

fascículo s. m. *Estoy comprando los* ***fascículos*** *semanales de una enciclopedia de animales* (= las partes en que han dividido la enciclopedia para venderla poco a poco).

fascinar v. tr. *Me* ***fascinan*** *los libros de aventuras* (= me gustan mucho).
SINÓN: atraer, gustar.

fascismo s. m. El **fascismo** fue un movimiento político y social que se caracterizó por ser un régimen autoritario y que surgió en Italia después de la Primera Guerra Mundial.
FAM: *fascista.*

fascista adj. **1.** *Existen todavía países con un régimen* ***fascista*** (= con un gobierno autoritario). ◆ **fascista** s. m. f. **2.** Los **fascistas** son las personas partidarias de ese régimen político autoritario llamado fascismo.
FAM: *fascismo.*

fase s. f. **1.** *La Luna llena es una de las* ***fases*** *de la Luna* (= uno de los estados). **2.** *Debes comer porque estás en la* ***fase*** *de crecimiento* (= en la etapa).
SINÓN: estado, etapa, período.

fastidiar v. tr. *La música muy alta* ***fastidiaba*** *a los estudiantes que preparaban sus lecciones* (= les molestaba).
SINÓN: molestar. **ANTÓN:** agradar. **FAM:** *fastidio, fastidioso.*

fastidio s. m. *Es un* ***fastidio*** *tener que trabajar cuando mis hermanos están de vacaciones* (= un aburrimiento).
SINÓN: aburrimiento, molestia. **ANTÓN:** agrado. **FAM:** → *fastidiar.*

fatal adj. *Hoy ha sido un día* ***fatal,*** *todo me ha salido al revés* (= ha sido un día muy malo).
SINÓN: desgraciado, infeliz, malo, pésimo. **ANTÓN:** afortunado, bueno, óptimo.

fatiga s. f. *El trabajo en el campo y bajo el sol causa mucha* ***fatiga*** (= mucho cansancio).
SINÓN: agotamiento, cansancio. **ANTÓN:** descanso, reposo. **FAM:** *fatigar, infatigable.*

fatigar v. tr. **1.** *El nadar largas distancias me* ***fatiga*** (= me cansa muchísimo). **2.** *Me* ***fatigas*** *con tus preguntas* (= me molestas).
SINÓN: 1. agotar, cansar. **2.** aburrir, molestar. **ANTÓN: 1.** descansar, reposar. **FAM:** → *fatiga.*

fauces s. f. pl. *Cada vez que se enfadaba, el león rugía y mostraba sus* ***fauces*** (= la parte posterior de la boca).

fauna s. f. *Hay que proteger la* ***fauna*** *de esta región* (= los animales que viven en ella).

favor s. m. **1.** *El padre de Juan es muy amable, hace todos los* ***favores*** *que se le piden* (= presta ayuda a todo el mundo). **2.** *En la Antigüedad había personas que recibían* ***favores*** *de los reyes* (= beneficios).
SINÓN: 1. auxilio, ayuda, protección, socorro. **2.** beneficio, gracia. **ANTÓN: 1.** fechoría. **FAM:** *desfavorable, favorable, favorecer, favorito.*

favorable adj. *Dejar de vivir en aquel barrio tan peligroso fue* ***favorable*** *para los niños* (= fue bueno).
SINÓN: bueno, conveniente. **ANTÓN:** malo, desfavorable. **FAM:** → *favor.*

favorecer v. tr. **1.** *La justicia* ***favorece*** *a quien tiene la razón* (= protege). **2.** *El viento* ***favoreció*** *la travesía del barco velero* (= ayudó). **3.** *El color azul te* ***favorece*** *mucho* (= te queda muy bien).
SINÓN: 1. amparar, auxiliar, proteger, socorrer. **2.** ayudar. **3.** embellecer. **ANTÓN: 1.** dañar, perjudicar. **2.** entorpecer, impedir. **3.** afear. **FAM:** → *favor.*

favorito, a adj. *El blanco es mi color* ***favorito*** (= es el que más me gusta).
SINÓN: predilecto, preferido. **FAM:** → *favor.*

faz s. f. *Esa estatua tiene una* ***faz*** *muy bella* (= una cara).
SINÓN: cara, rostro. **FAM:** *antifaz, faceta, facial.*

fe s. f. **1.** *Muchos principios religiosos se aceptan a través de la* ***fe*** (= de una virtud por la cual se cree que algo es verdadero sin tener la necesidad de comprobarlo). ◆ **fe de bautismo 3.** *Para casarse por la Iglesia es necesaria la* ***fe de bautismo*** (= un documento que acredita que haz sido bautizado). ◆ **fe de erratas 4.** *Al final del libro está la* ***fe de erratas*** (= la lista en la que aparecen los errores que hay en el libro). ◆ **buena o mala fe 5.** *No te enfades con Juan porque él lo ha hecho de* ***buena fe*** (= con buena intención). ◆ **dar fe 6.** *La firma de un secretario* ***da fe*** *del documento* (= asegura que lo que está escrito es cierto).
SINÓN: 2. confianza. **4.** certeza, seguridad. **ANTÓN: 2.** desconfianza, duda.

fealdad s. f. *Este cuadro no se vende por su* ***fealdad*** (= por su falta de belleza).
ANTÓN: belleza, hermosura. **FAM:** → *feo.*

febrero s. m. **Febrero** es el segundo mes del año.

fecha s. f. **1.** *Nunca me olvido de la* ***fecha*** *de mi cumpleaños* (= el día en que cumplo años). **2.** *Hasta la* ***fecha*** *no he recibido ninguna noticia de ella* (= hasta hoy).
SINÓN: 1. día. **FAM:** *fechar.*

fechar v. tr. **1.** *No olvides* ***fechar*** *la carta* (= poner el día, el mes y el año). **2.** *Los científicos intentan* ***fechar*** *la aparición del hombre sobre la Tierra* (= intentan determinar la fecha en que apareció).
SINÓN: 1, 2. datar. **FAM:** *fecha.*

fechoría s. f. *Los ladrones fueron detenidos por su* ***fechoría*** (= por la mala acción cometida).
SINÓN: faena, trastada. **FAM:** *hacer.*

fécula s. f. *Si quieres adelgazar no debes comer pan porque tiene mucha* ***fécula*** (= tiene el almidón que se extrae de algunos vegetales como el trigo o la papa).

fecundación s. f. La **fecundación** es el proceso por el cual una célula masculina y una femenina se unen y así se forma una nueva vida.
FAM: → *fecundar.*

fecundar v. tr. **1.** *El macho* ***ha fecundado*** *a la hembra* (= se ha unido a ella para tener crías). **2.** *El agua* ***fecunda*** *los campos* (= los hace productivos).
FAM: *fecundación, fecundidad, fecundo.*

fecundidad s. f. *Los conejos tienen una gran* ***fecundidad*** (= pueden tener muchas crías).
SINÓN: reproducción. **FAM:** → *fecundar.*

fecundo, a adj. *Las ratas son animales muy* ***fecundos*** (= pueden tener muchas crías).
SINÓN: fértil, productivo, rico. **ANTÓN:** estéril. **FAM:** → *fecundar.*

federación s. f. *Todos los equipos de fútbol dependen de una* ***federación*** *deportiva* (= de una asociación). **2.** Los Estados soberanos que se unen bajo un gobierno único constituyen una **federación.**
SINÓN: asociación, grupo, liga, unión.

federal adj. **1.** *Argentina, Brasil, México y Venezuela son repúblicas* ***federales*** (= son Estados que forman una federación). **2.** *En una federación, existen dependencias* ***federales****, a diferencia de las estatales o provinciales* (= que son administradas por la Nación o la Federación).

feldespato s. m. El **feldespato** es un mineral que está formado por láminas y forma parte de muchas rocas.

felicidad s. f. *El nacimiento de su hijo le dio mucha* ***felicidad*** (= mucha alegría).
SINÓN: alegría, dicha, fortuna, goce, júbilo. **ANTÓN:** melancolía, pena, tristeza. **FAM:** → *feliz.*

felicitación s. f. *Cuando aprobé el curso recibí la* ***felicitación*** *de mis padres* (= la enhorabuena).
SINÓN: congratulación. **ANTÓN:** crítica. **FAM:** → *feliz.*

felicitar v. tr. *Para Navidad siempre* ***felicito*** *a mis amigos* (= les deseo felicidad).
ANTÓN: compadecer. **FAM:** → *feliz.*

felino, a adj. **1.** *Cazar ratones es una costumbre* ***felina*** (= es propia de los gatos). **2.** *El tigre y el leopardo son animales* ***felinos*** (= pertenecen a la misma familia que el gato).

feliz adj. **1.** *Desde que encontró trabajo se convirtió en un hombre* ***feliz*** (= muy contento y alegre). **2.** *Diste una* ***feliz*** *respuesta* (= tus palabras fueron muy acertadas y oportunas).
SINÓN: 1. afortunado, alegre, contento, dichoso, radiante. **2.** acertado, eficaz, oportuno. **ANTÓN: 1.** desgraciado, infeliz. **2.** inoportuno. **FAM:** *felicidad, felicitación, felicitar, infeliz.*

felpa s. f. *Esta toalla es tan suave porque es de* ***felpa*** (= de un tejido esponjoso parecido al terciopelo).

felpudo s. m. *Delante de la puerta de la entrada hay un* ***felpudo*** *para limpiarse las suelas de los zapatos* (= una alfombrilla de pelos duros y cortos).
SINÓN: alfombra.

femenino, a adj. **1.** *Pintarse los ojos es una costumbre* ***femenina*** (= propia de las mujeres). **2.** *Las palabras* cama *y* gata *son de género* ***femenino*** (= porque pueden llevar los artículos *la* o *una*).
ANTÓN: masculino. **FAM:** *afeminado, feminidad, feminista.*

feminidad s. f. *Su* ***feminidad*** *se refleja en su manera de vestir* (= el hecho de ser mujer).
FAM: → *femenino.*

feminista adj. **1.** *Ayer hubo una asamblea* ***feminista*** (= de personas partidarias de la igualdad de derechos entre hombres y mujeres). ◆ **feminista** s. m. f. **2.** *Las* ***feministas*** *han creado un partido político* (= las personas que defienden la igualdad de derechos de ambos sexos).
FAM: → *femenino.*

fémur s. m. *Mi primo no puede andar porque se rompió el* ***fémur*** (= el hueso del muslo).

fenicio, a adj. **1.** *En clase de historia hemos estudiado el arte* ***fenicio*** (= de la antigua Fenicia). ◆ **fenicio, a** s. **2.** *Los* ***fenicios*** *eran las personas nacidas en Fenicia.*

fenomenal adj. *Me parece una idea* ***fenomenal*** *ir al cine* (= muy buena).
SINÓN: bueno, estupendo, genial, tremendo. **ANTÓN:** horrible, malo. **FAM:** *fenómeno.*

fenómeno s. m. **1.** *Un terremoto es un* ***fenómeno*** *extraordinario y sorprendente* (= un acontecimiento). **2.** *Beethoven fue un* ***fenómeno*** *porque escribió obras musicales extraordinarias* (= un prodigio). **3.** *La lluvia, la nieve y el granizo son* ***fenómenos*** *atmosféricos* (= actos de la Naturaleza que no dependen del hombre).
SINÓN: **1.** hecho, acontecimiento. **2.** maravilla, prodigio, rareza. **FAM:** *fenomenal.*

feo, a adj. **1.** *En el cuento se hablaba de una bruja muy* ***fea*** (= su cara era horrible). **2.** *Pegarle al niño fue una acción* ***fea*** *que me causó disgusto* (= mal hecha). **3.** *Cuando regresábamos, el tiempo se puso* ***feo*** (= nublado y a punto de llover).
SINÓN: **1.** desagradable, horrible. **2.** vergonzoso. **3.** desfavorable. **ANTÓN:** **1.** agradable, bello, bonito, guapo, hermoso. **3.** favorable. **FAM:** *afear, fealdad.*

féretro s. m. *El* ***féretro*** *del soldado que murió en la batalla estaba cubierto con una bandera* (= el ataúd).
SINÓN: ataúd.

feria s. f. **1.** *Los agricultores venden sus productos en la* ***feria*** (= en un gran mercado). **2.** *Fuimos a la* ***feria*** *y nos encontramos con unos amigos* (= a la fiesta de un pueblo).
SINÓN: **1.** mercado. **2.** festejo, fiesta.

fermentar v. intr. **1.** *La cerveza necesita* ***fermentar*** (= descomponerse a través de un proceso químico). ◆ **fermentar** v. tr. **2.** *La levadura* ***fermenta*** *la harina de la masa del pan* (= produce gases que la hacen aumentar de volumen).

ferocidad s. f. *El león es un animal de gran* ***ferocidad*** (= es muy salvaje).
SINÓN: brutalidad, crueldad, violencia. **FAM:** *feroz.*

feroz adj. *En el cuento Caperucita Roja aparece el lobo* ***feroz*** (= un lobo fiero).
SINÓN: cruel, fiero, violento. **ANTÓN:** afectuoso, apacible, tranquilo. **FAM:** *ferocidad.*

férreo, a adj. **1.** *La pared tenía componentes* ***férreos*** (= de hierro). **2.** *Mi hermano tenía una voluntad muy* ***férrea*** *para ponerse a estudiar mientras nosotros jugábamos en la playa* (= tenía una voluntad muy fuerte).
SINÓN: **2.** fuerte. **ANTÓN:** **2.** flojo, débil. **FAM:** → *hierro.*

ferretería s. f. *Mi padre me mandó a la* ***ferretería*** *a comprar unos tornillos* (= al comercio donde venden herramientas, clavos, alambres y otros objetos de hierro o metal).
FAM: → *hierro.*

ferrocarril s. m. *Hemos hecho un viaje en* ***ferrocarril*** (= en tren).
SINÓN: tren. **FAM:** *ferroviario.*

ferroviario, a adj. **1.** *La catástrofe* ***ferroviaria*** *ocasionó varios muertos* (= un accidente de trenes). ◆ **ferroviario** s. m. **2.** *Mi vecino arregla los trenes porque es* ***ferroviario*** (= empleado del ferrocarril).
FAM: *ferrocarril.*

fértil adj. *La tierra de la finca de mi abuelo es muy* ***fértil*** (= produce muy buenas cosechas).
SINÓN: fecundo, productivo. **ANTÓN:** estéril. **FAM:** *fertilidad, fertilizante, fertilizar.*

fertilidad s. f. *La* ***fertilidad*** *de esta tierra es muy buena* (= su capacidad para producir frutos).
SINÓN: abundancia, producción. **ANTÓN:** esterilidad. **FAM:** → *fértil.*

fertilizante s. m. *Esta tierra necesita* ***fertilizantes*** *para producir buenas cosechas* (= necesita abonos).
SINÓN: abono. **FAM:** → *fértil.*

fertilizar v. tr. *Compramos abono para* ***fertilizar*** *la tierra* (= para que diera buenas cosechas).
SINÓN: abonar. **FAM:** → *fértil.*

festejar v. tr. *Todos* ***festejaron*** *la victoria del equipo de fútbol* (= organizaron una fiesta).
SINÓN: celebrar. **FAM:** → *fiesta.*

festejo s. m. **1.** *El* ***festejo*** *en honor del vencedor fue extraordinario* (= la celebración). ◆ **festejos** s. m. pl. **2.** *Los* ***festejos*** *de mi pueblo son en el mes de agosto* (= las fiestas).
SINÓN: **1.** celebración, obsequio. **2.** fiesta. **FAM:** → *fiesta.*

festín s. m. *Con las cerezas maduras nos hicimos un* ***festín*** (= un banquete).
SINÓN: banquete, convite. FAM: → *fiesta.*

festival s. m. *El domingo iremos a un* ***festival*** *de música* (= a un conjunto de fiestas y de espectáculos musicales).
SINÓN: concurso, fiesta. FAM: → *fiesta.*

festividad s. f. *En la* ***festividad*** *del día del Mar, nos llevaron de paseo por la bahía* (= el día que se celebra esta fiesta).
SINÓN: celebración, fiesta. FAM: → *fiesta.*

festivo, a adj. **1.** *Me río mucho con Pedro porque siempre explica las cosas en un tono* ***festivo*** (= muy alegre). **2.** *El día 1 de mayo es* ***festivo*** (= no se trabaja).
SINÓN: **1.** agudo, chistoso, divertido. ANTÓN: **2.** laborable. FAM: → *fiesta.*

feto s. m. *Mi hermana está embarazada y hoy el médico le ha dicho que el* ***feto*** *está muy bien* (= el niño).

feudalismo s. m. El **feudalismo** fue un sistema económico, político y social de la Edad Media.

fiambre s. m. *En el recreo suelo comer bocadillos de* ***fiambre*** (= de carnes preparadas para ser comidas frías).
FAM: *fiambrera.*

fiambrera s. f. R. de la Plata. *Guardé el queso en la* ***fiambrera*** (= armario de tela metálica, que permite la ventilación de los alimentos y los protege de las moscas).
FAM: *fiambre.*

fiambrería s. f. R. de la Plata. *El padre de Juan instaló una* ***fiambrería*** *y le va muy bien* (= un comercio donde se venden quesos, fiambres y gaseosas).
FAM: *fiambre.*

fiar v. tr. **1.** *En esta tienda me* ***fían*** (= puedo comprar y pagar otro día). ◆ **fiarse** v. pron. **2.** *Puedes darle el dinero a Pedro pues yo* ***me fío*** *de él* (= le tengo confianza).
SINÓN: **2.** confiar. ANTÓN: **2.** desconfiar. FAM: *confiado, confianza, confiar, confidencia, confidente, desafiante, desafiar, desafío, desconfiado, desconfianza, desconfiar.*

fibra s. f. *Los músculos de los animales y los del hombre están formados por un conjunto de* ***fibras*** (= una especie de hebras alargadas).

ficción s. f. *Lo que sucede en la película no es real sino una* ***ficción*** (= es un hecho fantástico e inventado por el autor).
SINÓN: fábula, fantasía, imaginación. ANTÓN: realidad.

ficha s. f. **1.** *Las* ***fichas*** *del dominó son blancas y negras* (= las piezas). **2.** *En clase anotamos en* ***fichas*** *las características de cada país* (= en pequeñas cartulinas).
SINÓN: **1.** pieza. FAM: *fichaje, fichar, fichero.*

fichar v. tr. *Los policías* ***ficharon*** *a los ladrones* (= hicieron una ficha en la que anotaron todos los datos personales de cada uno).
SINÓN: anotar. FAM: → *ficha.*

fichero s. m. *Guardo las fichas de mis resúmenes en un* ***fichero*** (= en una caja donde las coloco ordenadamente).
SINÓN: archivador. FAM: → *ficha.*

fidelidad s. f. *Juan nunca me engañará porque entre nosotros existe* ***fidelidad*** (= confianza y sinceridad).
SINÓN: lealtad. FAM: → *fiel.*

fideo s. m. *Me gusta mucho la sopa de* ***fideos*** (= un tipo de pasta alimenticia fina como hilos).

fiebre s. f. *Cuando tuve anginas, me subió la* ***fiebre*** (= me aumentó la temperatura normal del cuerpo).
SINÓN: calentura.

fiel adj. **1.** *Es bueno tener el apoyo de un amigo* ***fiel*** *que confíe en ti* (= de un buen amigo). **2.** *El texto grabado en un casete es un testimonio* ***fiel*** *de lo que se dice en una conversación* (= exacto).
SINÓN: **1.** leal. **2.** exacto, verdadero. ANTÓN: **1.** infiel. **2.** inexacto. FAM: *fidelidad, infiel.*

fieltro s. m. *Tengo una muñeca de trapo que lleva un sombrero de* ***fieltro*** (= de una tela dura y áspera).

fiero, a adj. **1.** *El leopardo es un animal* ***fiero*** (= salvaje y agresivo). ◆ **fiera** s. f. **2.** *En la selva hay* ***fieras*** *como el león o el tigre* (= animales salvajes).
SINÓN: **1.** brutal, cruel, salvaje, violento. **2.** bestia. ANTÓN: **1.** manso.

fierro s. m. Amér. **1.** *Estas vacas tienen el* ***fierro*** *de Ordóñez* (= la marca de propiedad que se hace al ganado con un hierro al rojo). **2.** *Tengo los bolsillos llenos de* ***fierros*** (= monedas de escaso valor). **3.** *Esta reja es de* ***fierro*** (= hierro).

fiesta s. f. **1.** *Cuando llegaron los regalos la casa se convirtió en una* ***fiesta*** (= todos estábamos contentos). **2.** *El día 1 de mayo es* ***fiesta*** (= no se trabaja). **3.** *En la* ***fiesta*** *de San Juan se hacen hogueras* (= el día que se celebra San Juan). **4.** *Cuando terminan las clases en mi colegio se hacen las* ***fiestas*** *de fin de curso* (= actos para que todas las personas se diviertan). **5.** *Mientras el señor leía, el perro le hacía* ***fiestas*** (= le daba muestras de cariño). ◆ **aguarse la fiesta 6.** *Al descomponerse el tocadiscos* ***se aguó la fiesta*** *porque ya no pudimos bailar* (= se acabó la diversión).
SINÓN: **1.** alegría, diversión. **2.** celebración, conmemoración, descanso, festividad. **4.** feria. ANTÓN: **1.** pena, tristeza. FAM: *festejar, festejo, festín, festival, festividad, festivo.*

figura s. f. **1.** *Esta chica tiene una bonita* ***figura*** (= tiene bonita la forma de su cuerpo). **2.** *Encima de la mesa tengo una* ***figura*** *de porcelana* (= una escultura). **3.** *Las* ***figuras*** *del dibujo apa-*

recían sentadas en el suelo (= sus personajes). **4.** *Los escritores suelen utilizar* ***figuras*** *retóricas para hacer más viva y enérgica la narración* (= expresiones del lenguaje). **5.** *Borges es una gran* ***figura*** *de la literatura hispanoamericana* (= es una persona muy importante).
SINÓN: **1.** apariencia, aspecto, forma. **2.** escultura, estatua, imagen. **3, 5.** persona, personaje. **FAM:** *figuración, figurar.*

figuración s. f. *Sus* ***figuraciones*** *le hacían tener un miedo terrible* (= sus imaginaciones).
SINÓN: imaginación. **FAM:** → *figura.*

figurar v. intr. **1.** *Juan* ***figura*** *en la lista de los principales actores de la película* (= forma parte). ◆ **figurarse** v. pron. **2.** ***Me figuro*** *que sabes dónde vivo* (= me imagino).
SINÓN: **1.** estar, constar. **2.** imaginarse, suponer. **FAM:** → *figura.*

fijar v. tr. **1.** *Con un clavo* ***fijé*** *el cuadro a la pared* (= lo sujeté). **2.** *Con pegamento se puede* ***fijar*** *el papel o la cartulina* (= se puede pegar). **3.** *El albañil* ***fija*** *las piedras poniendo una mezcla de cemento y arena* (= las asegura). **4.** *El insecto era tan pequeño que había que* ***fijar*** *la mirada para poderlo ver* (= observarlo muy bien). **5.** *Entre todos los que estábamos allí* ***fijamos*** *la fecha de la próxima reunión* (= determinamos). ◆ **fijarse** v. pron. **6.** *Desde pequeño* ***me fijé*** *la meta de ser médico* (= lo decidí). **7.** *Es conveniente* ***fijarse*** *en lo que se hace para no equivocarse* (= prestar atención).
SINÓN: **1, 3.** asegurar, sujetar. **2.** adherir, pegar. **5.** determinar, precisar. **6.** proponerse. **7.** atender, reparar. **ANTÓN:** **1, 2, 3.** aflojar, separar, soltar. **4.** desviar, distraer. **7.** distraerse. **FAM:** → *fijo.*

fijo, a adj. **1.** *No puedes desmontar el armario porque los estantes están* ***fijos*** (= no se pueden mover). **2.** *Mi padre tiene un empleo* ***fijo*** (= seguro).
SINÓN: **1.** inmóvil. **2.** firme, permanente, seguro. **ANTÓN:** **1.** móvil. **2.** inseguro. **FAM:** *fijar, prefijo, sufijo.*

fila s. f. *Para entrar en clase nos ponemos en* ***fila*** (= uno detrás del otro).
SINÓN: hilera. **FAM:** *desfiladero, desfilar, desfile, enfilar.*

filamento s. m. *El foco se ha apagado porque se ha roto el* ***filamento*** (= el hilo que conduce la electricidad).

filatelia s. f. *Mi abuelo compra sellos de todos los países que visita porque es aficionado a la* ***filatelia*** (= a coleccionar sellos de correos).
FAM: *filatélico.*

filatélico, a adj. **1.** *Cerca de mi casa hay un club* ***filatélico*** (= un club donde se reúnen personas aficionadas a la filatelia). ◆ **filatélico, a** s. **2.** *El próximo domingo habrá una reunión de* ***filatélicos*** (= de coleccionistas de sellos o timbres).
FAM: *filatelia.*

filete s. m. *Después de la sopa comí un* ***filete*** *de ternera* (= un trozo delgado de carne).
SINÓN: bistec, solomillo.

filial adj. **1.** *Los hijos demostraron su amor* ***filial*** *cuidando a sus padres enfermos* (= el que tienen los hijos hacia los padres). ◆ **filial** s. f. **2.** *Hemos ido a la* ***filial*** *que la fábrica tiene en nuestra ciudad* (= a una fábrica que depende de otra).

filipino, a adj. **1.** *En este restaurante preparan comida* ***filipina*** (= de Filipinas). ◆ **filipino, a** s. **2.** *Los* ***filipinos*** *son las personas nacidas en Filipinas.*

filmar v. tr. *En el parque he visto* ***filmar*** *un programa de televisión* (= grabar con la cámara).
FAM: *filme.*

filme s. m. *He visto en el cine un* ***filme*** *muy interesante* (= una película).
SINÓN: film, película. **FAM:** *filmar.*

filo s. m. *Este cuchillo es muy peligroso porque tiene mucho* ***filo*** (= su borde es muy cortante).
SINÓN: arista, borde, corte. **FAM:** *afilador, afilar.*

filología s. f. *Me gustaría estudiar* ***Filología*** *española* (= la ciencia que estudia la lengua y la literatura).
FAM: *filólogo.*

filólogo, a s. *Este diccionario lo han hecho varios* ***filólogos*** (= varias personas que se dedican al estudio de la lengua).
FAM: *filología.*

filón s. m. *Los buscadores de oro encontraron un* ***filón*** *en el terreno* (= una grieta llena de oro).
SINÓN: grieta.

filoso, a adj. *Para cortar carne hace falta un cuchillo* ***filoso*** (= que tenga buen filo).
SINÓN: afilado.

filosofía s. f. La **Filosofía** es la ciencia que estudia el pensamiento del hombre.

filtrar v. tr. **1.** *Con una tela* ***filtramos*** *el agua de la botella porque tenía un bicho dentro* (= la colamos). ◆ **filtrarse** v. pron. **2.** *Cuando llueve el agua* ***se filtra*** *por esta pared* (= penetra).
SINÓN: **1.** colar. **FAM:** *filtro.*

filtro s. m. *Si no pones un* ***filtro*** *en la cafetera, no podrás preparar el café* (= un papel poroso que sólo deja pasar el líquido y retiene los granos pequeños).
SINÓN: colador, tamiz. **FAM:** *filtrar.*

fin s. m. **1.** *La película era tan larga y aburrida que parecía no tener* ***fin*** (= parecía que nunca iba a terminar). **2.** *Como vamos a ir al teatro he traído dinero para ese* ***fin*** (= para ese objetivo). ◆ **a fin de** **3.** ***A fin de*** *aclarar los hechos la policía inició una investigación* (= para aclarar el asunto). ◆ **dar** o **poner fin** **4.** *La actuación del cantante* ***puso fin*** *al festival* (= lo concluyó). ◆ **por fin** **5.** *Te he esperado duran-*

te mucho rato pero ***por fin*** *has llegado* (= finalmente).
SINÓN: 1. conclusión, desenlace, final, término. **2.** finalidad, meta, objetivo, propósito. **ANTÓN: 1.** comienzo, principio. **FAM:** *definición, definir, definitivo, final, finalidad, finalista, finalizar, infinidad, infinito, semifinal.*

final adj. **1.** *Pronto tendremos el examen* ***final*** *de matemáticas* (= el último examen del curso). ◆ **final** s. m. **2.** *Al* ***final*** *de la cuerda atamos la bandera* (= en su terminación). **3.** *No me gustó el* ***final*** *de la película* (= cómo acabó). ◆ **final** s. f. **4.** *El próximo miércoles será la* ***final*** *del campeonato* (= el último partido).
SINÓN: 1. definitivo, último. **2, 3.** fin, terminación, término. **ANTÓN: 1.** inicial. **2, 3.** comienzo, inicio, principio. **FAM:** → *fin.*

finalidad s. f. *La* ***finalidad*** *de esta reunión es elegir un nuevo presidente* (= el objetivo)
SINÓN: fin, intención, motivo, objetivo, propósito. **FAM:** → *fin.*

finalista s. m. f. **1.** *A la prueba final llegaron seis* ***finalistas*** (= seis corredores que habían ganado las pruebas anteriores). ◆ **finalista** adj. **2.** *En el concurso literario había tres novelas* ***finalistas*** (= tres novelas que llegaron a la final).
FAM: → *fin.*

finalizar v. tr. **1.** *En algunos países las clases* ***finalizan*** *en el mes de junio* (= se terminan). ◆ **finalizar** v. intr. **2.** *Faltan pocos minutos para que* ***finalice*** *la película* (= para que acabe).
SINÓN: acabar, concluir, terminar. **ANTÓN:** comenzar, empezar, iniciar. **FAM:** → *fin.*

financiar v. tr. *El gobierno* ***ha financiado*** *la construcción del puente* (= ha pagado los gastos).
SINÓN: subvencionar.

finca s. f. *Mi padre posee una* ***finca*** *con muchos árboles frutales* (= una casa con un gran terreno).
SINÓN: propiedad. **FAM:** *afincar.*

fingir v. tr. *Para no ir a clase,* ***fingí*** *estar enfermo* (= aparenté que estaba enfermo).
SINÓN: aparentar, disimular.

finlandés, esa adj. **1.** *Este cuadro representa un paisaje* ***finlandés*** (= de Finlandia). ◆ **finlandés, esa** s. **2.** *Los* ***finlandeses*** *son las personas nacidas en Finlandia.*

fino, a adj. **1.** *Necesito un hilo* ***fino*** *para coser esta tela tan delicada* (= un hilo delgado). **2.** *Gracias al régimen le ha quedado una cintura muy* ***fina*** (= muy delgada). **3.** *La merluza es un pescado de sabor* ***fino*** (= muy suave). **4.** *La señorita que nos atendió era muy* ***fina*** (= muy educada).
SINÓN: 1, 2. delgado. **2.** esbelto. **3.** delicado, exquisito, sabroso. **4.** atento, cortés, educado. **ANTÓN: 1, 2.** gordo, grueso. **3.** normal, ordinario. **4.** basto, grosero. **FAM:** *afinar, desafinar, finura, refinado, refinar.*

finura s. f. **1.** *Las blusas de seda son muy cómodas por su* ***finura*** (= por su delicadeza). **2.** *En casa de Juan siempre nos trataron con* ***finura*** (= con amabilidad).
SINÓN: 1. delicadeza, elegancia. **2.** amabilidad, atención, cortesía, educación. **ANTÓN: 2.** grosería. **FAM:** → *fino.*

fiordo s. m. *Los barcos no pueden adentrarse navegando por los* ***fiordos*** *noruegos* (= por los golfos estrechos y profundos rodeados de laderas abruptas).

firma s. f. **1.** *Al final del documento los compradores pusieron su* ***firma*** (= su nombre). **2.** *Es una* ***firma*** *muy importante* (= una empresa).
SINÓN: 1. autógrafo, rúbrica. **2.** compañía, empresa, sociedad. **FAM:** *firmar.*

firmamento s. m. *En las noches de verano, el* ***firmamento*** *se llena de estrellas* (= el cielo).
SINÓN: cielo.

firmar v. tr. *Pablo* ***ha firmado*** *su carta* (= ha puesto su nombre).
FAM: *firma.*

firme adj. **1.** *El escenario era muy* ***firme;*** *por eso aguantó todo el peso* (= muy seguro). **2.** *Mi padre es un hombre de carácter* ***firme,*** *no cambia de opinión* (= constante).
SINÓN: 1. estable, fijo, fuerte, seguro, sólido. **2.** constante, entero. **ANTÓN: 1.** inseguro. **2.** variable. **FAM:** *afirmación, afirmar, afirmativo, confirmar, firmeza.*

firmeza s. f. *Por su* ***firmeza*** *de carácter consiguió lo que pretendía* (= por su gran voluntad).
SINÓN: seguridad. **FAM:** → *firme.*

fiscal s. m. *El* ***fiscal*** *acusa a los detenidos y pide la pena correspondiente* (= el representante de la sociedad en los tribunales).
SINÓN: acusador. **ANTÓN:** defensor.

fisgar v. tr. *A mi vecina le gusta* ***fisgar*** *tras las ventanas* (= mirar lo que hace la gente).
SINÓN: curiosear, fisgonear, husmear. **FAM:** *fisgón, fisgonear.*

fisgonear v. tr. ***Fisgonear*** *a los demás es de mala educación* (= curiosear lo que hacen).
SINÓN: curiosear, fisgar, husmear. **FAM:** → *fisgar.*

física s. f. *En clase de* ***física*** *hemos estudiado las propiedades del calor* (= la ciencia que estudia las propiedades de la materia y de la energía).
FAM: *físico.*

físico, a adj. **1.** *El sonido, la electricidad y la luz son fenómenos* ***físicos*** (= estudiados por la Física). **2.** *Manuel tiene un defecto* ***físico*** *y por eso no camina bien* (= en el cuerpo). ◆ **físico, a** s. **3.** *Los* ***físicos*** *han hecho experimentos sobre la energía* (= las personas que estudian la materia). ◆ **físico** s. m. **4.** *Los atletas hacen mucho deporte para tener un buen* ***físico*** (= un cuerpo ágil y fuerte).
SINÓN: 1. natural. **2.** corporal. **FAM:** *física.*

fisonomía s. f. *No se me olvida fácilmente la* ***fisonomía*** *de las personas que me presentan* (= la cara y el aspecto exterior).
SINÓN: cara, faz, rostro, semblante.

fisura s. f. *En aquella* ***fisura*** *de la montaña ha crecido un árbol* (= en aquella grieta).

flaco, a adj. *Si no comes lo suficiente te quedarás muy* ***flaco*** (= muy delgado).
SINÓN: delgado, fino. ANTÓN: gordo, grueso, obeso.

flamante adj. *Mi tía nos invitó a ver su* ***flamante*** *coche* (= su coche nuevo, recién estrenado).
SINÓN: nuevo, reciente. ANTÓN: viejo.

flamenco, a adj. **1.** *El baile* ***flamenco*** *es tradicional de algunas regiones españolas.* ◆ **flamenco** s. m. **2.** Los **flamencos** son aves que miden aproximadamente un metro de altura con patas y pico de color rojo que se destacan sobre su plumaje blanco.
SINÓN: **2.** flamingo.

flan s. m. *Para el postre mi madre hizo un* ***flan*** (= un dulce a base de yemas de huevos, leche y azúcar).

flaquear v. intr. *Estoy tan cansada que me* ***flaquean*** *las piernas* (= las siento débiles).
SINÓN: fallar.

flash s. m. *Si haces las fotografías de noche has de usar el* ***flash*** (= el aparato que produce una luz breve y muy intensa).

flauta s. f. *José está aprendiendo a tocar la* ***flauta*** (= un instrumento musical de viento en forma de tubo con agujeros).
FAM: *flautista.*

flautista s. m. f. *Cuando era pequeño me contaron el cuento del* ***flautista*** *de Hamelin* (= de un muchacho que tocaba la flauta).
FAM: *flauta.*

flecha s. f. *En muchas películas aparecen los indios disparando* ***flechas*** *con sus arcos* (= armas finas y delgadas terminadas en punta).
SINÓN: dardo, saeta. FAM: *flechazo.*

flechazo s. m. *Lo de María y Juan ha sido un* ***flechazo****: se conocieron y se enamoraron* (= con sólo verse ya se enamoraron).
FAM: *flecha.*

fleco s. m. *El mantel de la mesa tiene en el borde un* ***fleco*** (= un adorno de hilos o cordones que cuelgan).
FAM: *flequillo.*

flemón s. m. *Fui al dentista para que me curara este* ***flemón*** (= esta inflamación de la encía).

flequillo s. m. *Con unas tijeras la peluquera me cortó el* ***flequillo*** (= el pelo que me caía sobre la frente).
FAM: *fleco.*

fletar v. tr. Amér. Merid. *A Pedro lo* ***han fletado*** *de su empleo* (= lo han despedido).
SINÓN: echar, expulsar. ANTÓN: admitir, contratar.
FAM: *flete.*

flexible adj. **1.** *La goma es un material muy* ***flexible*** (= muy elástico). **2.** *El director del colegio acabará aceptándolo porque es una persona* ***flexible*** (= fácil de convencer).
SINÓN: **1.** elástico. **2.** blando. ANTÓN: **1.** duro, rígido. **2.** inflexible, intransigente. FAM: → *flexión.*

flexión s. f. *En la clase de gimnasia hacemos* ***flexiones*** *de brazos* (= los doblamos y los extendemos).
FAM: *flexible, inflexible, reflexión, reflexionar.*

flojear v. intr. *El profesor me llamó la atención porque estaba* ***flojeando*** *en los estudios* (= no iba muy bien).
FAM: → *flojo.*

flojo, a adj. **1.** *Llevaba el nudo de la corbata* ***flojo*** *porque hacía mucho calor* (= lo llevaba suelto). **2.** *Si no puedes levantar este peso es que estás muy* ***flojo*** (= muy débil). **3.** *Hoy no hemos ganado mucho dinero porque las ventas han sido* ***flojas*** (= escasas).
SINÓN: **1.** libre, suelto. **2.** débil. **3.** escaso. ANTÓN: **1.** fijo, firme. **2.** fuerte. **3.** abundante.
FAM: *aflojar, flojear.*

flor s. f. La **flor** es la parte de la planta donde se encuentran los órganos de la reproducción; suelen ser de vivos colores y olorosas.
FAM: *flora, florecer, floreciente, florero, florido, florista, floristería.*

flora s. f. *En este libro se describen todas las especies que forman la* ***flora*** *de América* (= todos los tipos de plantas que crecen aquí).
FAM: → *flor.*

florecer v. intr. *Los rosales* ***florecen*** *en verano* (= sus flores salen).
FAM: → *flor.*

floreciente adj. *La venta de computadoras es hoy en día un negocio* ***floreciente*** (= un negocio que está en pleno desarrollo).
SINÓN: próspero. FAM: → *flor.*

florería s. f. *Mi tía tiene una* ***florería*** (= comercio donde se venden flores y arreglos florales).

florero s. m. *Los claveles que me regalaste los he puesto en un* ***florero*** (= en un jarrón para poner flores).
SINÓN: jarrón. FAM: → *flor.*

florete s. m. *Aprendió a manejar el* ***florete*** *en las clases de esgrima* (= una espada pequeña).

florido, a adj. *El rosal está todo* ***florido*** (= lleno de flores).
FAM: → *flor.*

florista s. m. f. *Mi madre compra las flores al* ***florista*** (= al vendedor de flores).
FAM: → *flor.*

flota s. f. *La* ***flota*** *pesquera estaba en el muelle* (= el conjunto de los barcos de pesca).
FAM: → *flotar.*

flotador s. m. *Cuando era pequeño usaba un* ***flotador*** *porque no sabía nadar* (= un salvavidas).
FAM: → *flotar.*

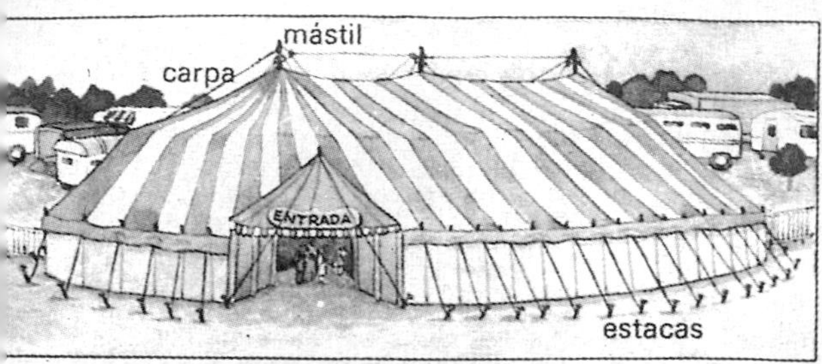
mástil
carpa
ENTRADA
estacas

maza
malabarista

balancín
equilibrista o
funámbulo
acróbata
CIRCO
graderías
pista
mazona
foca

payaso

trapecio
ejercicios
de trapecio
trapecista
escalera de cuerda
red

rromato

exhibición de fieras
jaula de fieras

tigre
domador

hipopótamo
tigre
onza
o jaguar
pantera
o leopardo
fieras
peces de acuario
rinoceronte
leones marinos
oso polar
rana
sapo
renacuajo
salamandra
tritón
batracios
boa
caimán
iguana
reptiles y serpientes

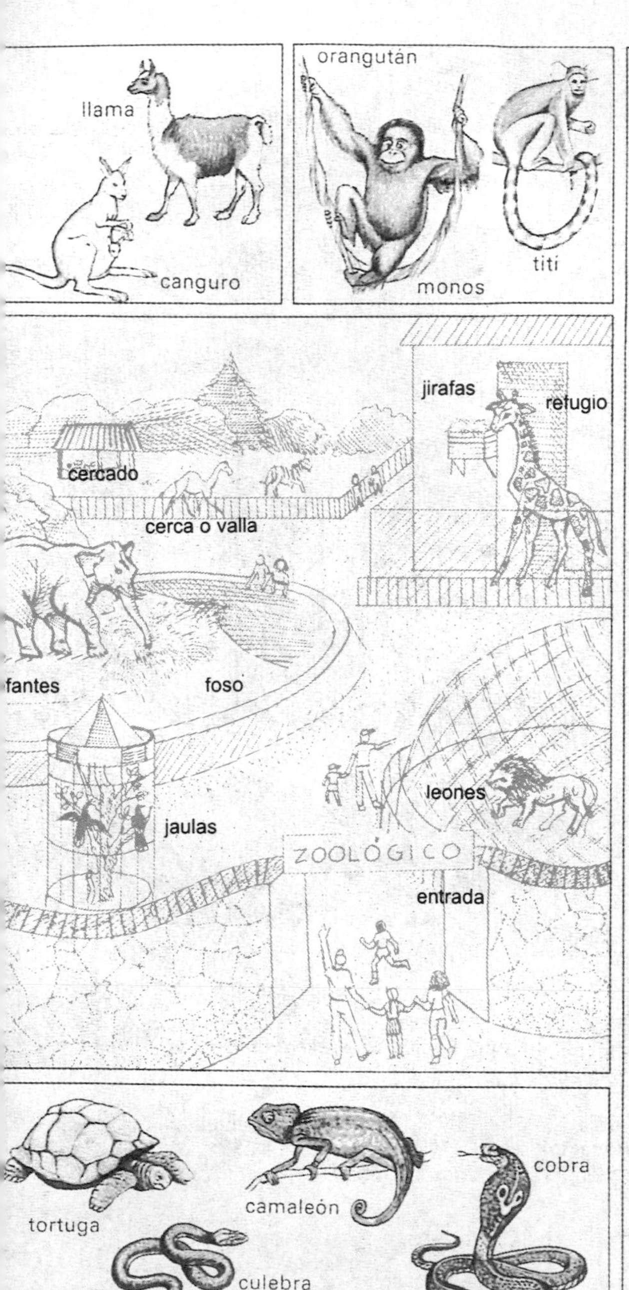
llama
canguro
orangután
monos
tití
jirafas
refugio
cercado
cerca o valla
fantes
foso
jaulas
leones
ZOOLÓGICO
entrada
tortuga
camaleón
culebra
cobra

aves
chorlito real
colibrí
pavo
pingüino
pelícano
cóndor
tucán
cigüeña
pavo real

Representación de una tragedia clásica
coraza
espada
peplo
toga
comediantes
espectadores

gallinero
piso principal
palcos
escenario
platea

teatro de marionetas
títere

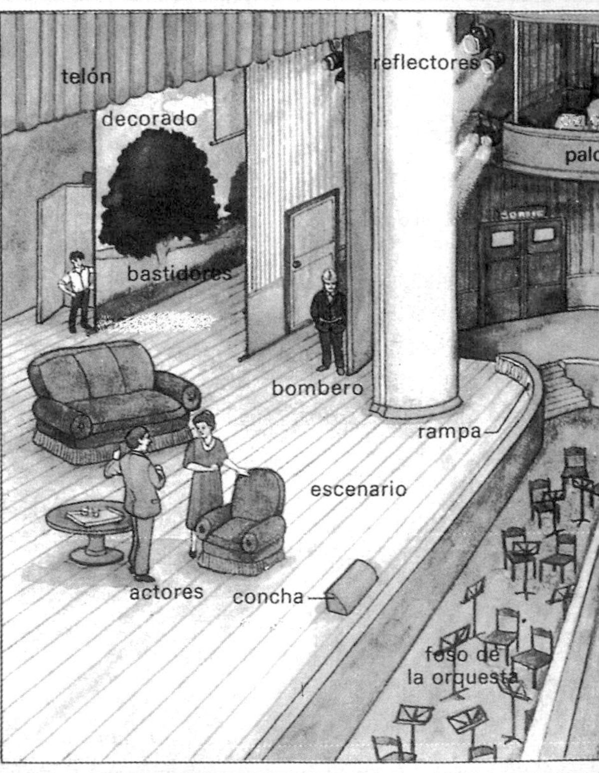
telón
decorado
reflectores
bastidores
bombero
rampa
escenario
actores
concha
foso de la orquesta

cabina de proyección
proyector
sala de cine
pantalla
haz luminoso
bobinas de películas

flotante adj. *El corcho es un material **flotante*** (= se mantiene en la superficie del agua).
FAM: → *flotar.*

flotar v. intr. *La madera y el corcho **flotan** en el agua* (= se mantienen en la superficie del agua).
ANTÓN: hundir, sumergir. FAM: *flota, flotador, flotante, flote.*

flote s. m. **1.** *Con la gran tormenta el barco no se mantuvo **a flote*** (= sobre el agua). **2.** *A pesar de todos los problemas he conseguido salir **a flote*** (= he conseguido solucionarlos).
FAM: → *flotar.*

fluido, a adj. **1.** *El agua y el gas son elementos **fluidos*** (= son líquidos). **2.** *El conferenciante tiene un lenguaje **fluido*** (= se expresa con facilidad).
SINÓN: **1.** gas, líquido. **2.** ágil, fácil, sencillo.
FAM: → *fluir.*

fluir v. intr. *El agua de la fuente **fluye** de un manantial que hay en la montaña* (= sale de allí).
SINÓN: correr, manar. FAM: *afluente, afluir, fluido, influencia, influir.*

flúor s. m. *Para no tener caries en los dientes has de usar una pasta dental con **flúor*** (= con un elemento químico para evitar las caries).

fluorescente adj. **1.** *Las señales de tránsito son **fluorescentes*** (= emiten una luz brillante al ser iluminadas). **2.** *Hay que cambiar el tubo **fluorescente** de la cocina que ya da poca luz* (= el tubo de vidrio que da una luz muy blanca).

fluvial adj. *La navegación **fluvial** no es posible en los ríos poco profundos* (= la que se hace en los ríos).

fobia s. f. *Susana le tiene **fobia** a las serpientes* (= no le gustan, le dan asco).
SINÓN: antipatía, asco, miedo, odio, repugnancia, terror. ANTÓN: afecto, afición, cariño, simpatía.

foca s. f. Las **focas** son animales mamíferos nadadores con el cuerpo cubierto de un pelo espeso y brillante.

foco s. m. **1.** *La plaza del pueblo es el **foco** de reunión de todos los amigos* (= el centro). **2.** *En el jardín instalaron unos **focos** para poder cenar allí* (= lámparas que emiten luz).
SINÓN: **1.** centro, núcleo. **2.** farol, lámpara. FAM: *enfocar, enfoque.*

fofo, a adj. *Los cojines de plumas son **fofos*** (= demasiado blandos).
SINÓN: blando, esponjoso. ANTÓN: consistente, duro.

fogata s. f. *Con las hojas y las ramas secas hicimos una **fogata** para calentarnos* (= un fuego).
SINÓN: hoguera. FAM: → *fuego.*

fogón s. m. **1.** *Puse la olla en el **fogón** para preparar una sopa* (= en el fuego de la cocina). R. de la Plata **2.** *En el campo, después del trabajo diario, los peones hacen un **fogón**, para matear y churrasquear* (= fuego al aire libre).
SINÓN: fogata, hoguera. FAM: → *fuego.*

folclore o **folklore** s. m. *José conoce muy bien los bailes típicos de Argentina porque estudia el **folclore** de ese país* (= el conjunto de tradiciones, costumbres, creencias, leyendas y artesanía).

folio s. m. *En clase hacemos los dibujos en **folios*** (= en hojas de papel de un determinado tamaño).
SINÓN: hoja, página. FAM: → *hoja.*

follaje s. m. *El **follaje** de los árboles se vuelve amarillo en otoño* (= el conjunto de hojas).
FAM: → *hoja.*

folleto s. m. *Para saber el funcionamiento de los aparatos eléctricos deberás leer los **folletos*** (= los libros de pocas páginas que vienen con cada aparato).
FAM: → *hoja.*

fomentar v. tr. *Han montado una nueva biblioteca en el colegio para **fomentar** la lectura* (= para conseguir que se lea más).
SINÓN: activar, desarrollar, estimular, impulsar, provocar. ANTÓN: impedir, obstaculizar.

fonda s. f. *Comimos en una **fonda** del pueblo* (= en un restaurante pequeño y barato).
SINÓN: hostal, mesón, parador, posada.

fondo s. m. **1.** *En el **fondo** de la cacerola quedaron restos de la comida* (= en su base). **2.** *Los buzos encontraron el barco en el **fondo** del mar* (= en el suelo). **3.** *Este pozo tiene mucho **fondo*** (= mucha profundidad). **4.** *Dibujamos las flores sobre un **fondo** amarillo* (= sobre una superficie amarilla). **5.** *El **fondo** de la película no era interesante* (= el tema). **6.** *Para comprar el regalo hicimos un **fondo** común* (= pusimos dinero entre todos). ◆ **fondos** s. m. pl. **7.** *El cheque que me firmaste me lo rechazaron porque no tenías **fondos*** (= no tenías dinero en la cuenta). ◆ **en el fondo 8.** ***En el fondo** el señor López es muy buena persona* (= en su interior). ◆ **a fondo 9.** *Yo a Sonia la conozco **a fondo** y sé muy bien cómo es* (= la conozco mucho).
SINÓN: **1.** base. **2.** lecho. **3.** hondura, profundidad. **4.** superficie. **7.** dinero. **8.** esencia, interior.
ANTÓN: **1, 2.** superficie. **8.** exterior.

foque s. m. *El viento rompió el **foque** del velero* (= la vela triangular que está en la proa).
SINÓN: vela.

forajido, a s. *En la película, unos **forajidos** atacaron la caravana de viajeros* (= unos bandidos).
SINÓN: bandido.

forastero, a adj. **1.** *Todas estas personas deben ser **forasteras** porque la gente del pueblo no las conoce* (= deben ser extranjeros). ◆ **forastero, a** s. **2.** *En este país viven muchos **forasteros*** (= muchas personas venidas de distintos lugares).
SINÓN: extranjero, extraño. ANTÓN: nativo.

forcejear v. tr. **1.** *En una película el ladrón **forcejeaba** para soltarse de los policías que lo sujetaban* (= luchaba). **2.** *Carlos **forcejea** para que sus opiniones sean aceptadas* (= discute).
SINÓN: **1.** forzar, luchar. **2.** contradecir, discutir. ANTÓN: **1, 2.** someterse. FAM: → *fuerza.*

forense adj. *El médico **forense** dijo que Mario había muerto envenenado* (= el médico relacionado con la justicia que examina los cadáveres para conocer las causas de la muerte).

forestal adj. *El guardia **forestal** multó a los cazadores* (= la persona que cuida los bosques).

forjar v. tr. *El herrero **forjó** una campana en su taller* (= le dio forma al hierro caliente a golpes de martillo).

forma s. f. **1.** *Me gusta la **forma** de esta construcción* (= el aspecto exterior). **2.** *Mi profesora me enseñó la **forma** de hacer una mariposa de papel* (= la manera). **3.** *María tiene una **forma** de caminar muy especial* (= un modo). **4.** *La **forma** de esta obra literaria es muy interesante* (= la estructura). ◆ **estar en forma 5.** *Para **estar en forma** deberás hacer deporte* (= para estar ágil).
SINÓN: **1.** diseño, figura, silueta. **2, 3.** manera, modo. FAM: *conformarse, conforme, conformidad, deformar, deforme, deformidad, formación, formal, formalidad, formar, formato, formidable, fórmula, formular, formulario, información, informal, informar, informática, informativo, informe, malformación, reforma, reformar, transformación, transformar.*

formación s. f. **1.** *En esta escuela recibió muy buena **formación*** (= buena educación). **2.** *El entrenador se encargó de la **formación** del equipo* (= de reunir a los jugadores).
SINÓN: **1.** educación, preparación. **2.** creación, organización. FAM: → *forma.*

formal adj. *El padre de Antonio es muy **formal** porque siempre cumple lo que promete* (= muy serio y responsable).
SINÓN: responsable, serio. ANTÓN: informal. FAM: → *forma.*

formalidad s. f. **1.** *Puedes confiar en Juan, tiene mucha **formalidad*** (= hará lo que te ha prometido). **2.** *Si quieres abrir una tienda tendrás que cumplir toda una serie de **formalidades*** (= de trámites).
SINÓN: **1.** seriedad. **2.** requisitos, obligaciones. ANTÓN: **1.** ligereza. FAM: → *forma.*

formar v. tr. **1.** *Con cuatro segmentos iguales se puede **formar** un cuadrado* (= se puede construir). **2.** *Con un trozo de arcilla **formé** una figura humana* (= le di la forma de una persona). ◆ **formar** v. intr. **3.** *Una de las funciones de los padres es **formar** a los hijos* (= educarlos). ◆ **formarse** v. pron. **4.** *En el ejército los soldados **se forman** en el patio del cuartel* (= se ponen en fila). **5.** *Los pilotos **se forman** en escuelas especiales* (= se preparan). **6.** *Al atardecer **se formaron** nubes sobre el mar* (= se crearon). ◆ **formar parte 7.** *Marcos **forma parte** del equipo de básquet* (= pertenece al equipo).
SINÓN: **1, 2.** construir, fabricar, hacer. **3.** criar, educar, instruir. **5.** educarse, prepararse. ANTÓN: **1, 2.** deformar, destruir, romper. FAM: → *forma.*

formato s. m. *Este libro tiene un **formato** de bolsillo muy cómodo para llevarlo en el portafolios* (= tiene un tamaño cómodo).
FAM: → *forma.*

formidable adj. *He sacado unas notas **formidables** en los exámenes* (= muy buenas).
SINÓN: extraordinario, magnífico. ANTÓN: horrible, malo. FAM: → *forma.*

fórmula s. f. **1.** *No encuentro la **fórmula** para convencerte* (= la manera). **2.** *El farmacéutico prepara las **fórmulas** de los medicamentos* (= las recetas). **3.** *Para resolver los problemas de matemáticas aplico **fórmulas*** (= expresiones matemáticas).
SINÓN: **1.** manera, medio, proceder. **2.** receta. **3.** expresión, representación. FAM: → *forma.*

formular v. tr. *El periodista le **formuló** una pregunta al presidente* (= le hizo una pregunta).
FAM: → *forma.*

formulario s. m. *Para ingresar en la Universidad, primero llenamos un **formulario** en el que se nos preguntaba nuestro nombre, la dirección y otros datos* (= un impreso).
FAM: → *forma.*

forrar v. tr. **1.** *A principio de curso **forro** mis libros para que no se estropeen* (= los cubro con un papel). ◆ **forrarse** v. pron. **2.** *A Juan le ha tocado la lotería y **se ha forrado** de dinero* (= se ha hecho rico).
SINÓN: **1.** cubrir, proteger, recubrir. FAM: *forro.*

forro s. m. **1.** *Mi madre le ha puesto un **forro** a su abrigo de piel* (= lo ha cubierto por el interior con una tela suave). **2.** *El **forro** del libro de matemáticas está roto* (= la envoltura que lo cubre).
SINÓN: **2.** envoltura, funda, protección. FAM: *forrar.*

fortalecer v. tr. *El ejercicio físico **fortalece** los músculos* (= les da fuerza).
SINÓN: reforzar. ANTÓN: debilitar. FAM: → *fuerza.*

fortaleza s. f. **1.** *Gracias a su **fortaleza** el atleta ganó la carrera* (= gracias a su fuerza física). **2.** *Los soldados se refugiaron en la **fortaleza** para defenderse del enemigo* (= en un recinto rodeado de murallas).
SINÓN: **1.** firmeza, fuerza, potencia, resistencia, vigor. **2.** castillo, fuerte. ANTÓN: **1.** debilidad. FAM: → *fuerza.*

fortuna s. f. **1.** *Cuando mi tío volvió del extranjero, trajo una **fortuna*** (= mucho dinero). **2.** *Mi hermana tiene tanta **fortuna** que siempre gana premios* (= tanta suerte).
SINÓN: **1.** bienes, capital, dinero. **2.** éxito, suerte. FAM: *afortunado, desafortunado.*

forzar v. tr. **1.** *Como la puerta estaba cerrada y no teníamos la llave, tuvimos que* ***forzarla*** (= abrirla con violencia). **2.** *Mi madre me* ***fuerza*** *a comer carne porque es necesaria para crecer* (= me obliga).
FAM: → *fuerza.*

forzoso, a adj. *Es* ***forzoso*** *que pases por mi casa para ir al colegio porque no hay otro camino* (= es inevitable).
SINÓN: inevitable, necesario, obligatorio. **ANTÓN:** voluntario. **FAM:** → *fuerza.*

forzudo, a adj. *Mi primo es tan* ***forzudo*** *que no necesita ayuda para levantar cien kilos* (= tiene mucha fuerza).
SINÓN: fortachón, fuerte, robusto. **ANTÓN:** débil, flojo. **FAM:** → *fuerza.*

fosa s. f. **1.** *Los piratas cavaron una* ***fosa*** *para esconder el cofre del tesoro* (= hicieron un gran agujero en el suelo). **2.** *Van a operar a Diego de las* ***fosas*** *nasales porque le cuesta respirar* (= de las cavidades que hay en la nariz).
SINÓN: **1.** excavación, foso. **2.** cavidad. **FAM:** *foso.*

fósforo s. m. **1.** *En una excavación los mineros han encontrado* ***fósforo*** (= una sustancia combustible y fluorescente). **2.** *Con un* ***fósforo*** *encendimos la hoguera* (= con una cerilla).
SINÓN: **2.** cerilla, cerillo.

fósil s. m. *En el museo de* ***fósiles*** *se pueden ver esqueletos de animales que vivieron hace muchísimos años* (= en el museo en que hay restos de seres vivos que fueron conservados bajo tierra).

foso s. m. **1.** *En el teatro los músicos se sientan en el* ***foso*** (= en la parte inferior del escenario). **2.** *El mecánico repara la parte de abajo del coche desde el* ***foso*** (= desde un hoyo que hay en el suelo del taller). **3.** *Las fortalezas tienen alrededor de sus muros un* ***foso*** (= una zanja profunda llena de agua).
SINÓN: hoyo, fosa, excavación, zanja. **FAM:** *fosa.*

foto s. f. *Para hacerme socio del club necesito una* ***foto*** (= una fotografía). **Foto** es el apócope de fotografía.
SINÓN: fotografía, retrato. **FAM:** → *fotografía.*

fotocopia s. f. *Tengo que hacer una* ***fotocopia*** *de este documento* (= una reproducción fotográfica instantánea obtenida en papel normal).
SINÓN: reproducción. **FAM:** → *fotografía.*

fotocopiadora s. f. La **fotocopiadora** es una máquina que sirve para hacer fotocopias.
FAM: → *fotografía.*

fotocopiar v. tr. ***He fotocopiado*** *tus apuntes porque están más ordenados que los míos* (= he hecho una fotocopia de ellos).
SINÓN: reproducir. **FAM:** → *fotografía.*

fotografía s. f. **1.** *Durante la excursión hemos sacado muchas* ***fotografías*** (= muchas fotos). **2.** *Tiene varias cámaras porque se dedica a la* ***fotografía*** (= al arte de fijar en un papel las imágenes tomadas con una cámara).
SINÓN: **1.** foto. **FAM:** *foto, fotocopia, fotocopiadora, fotocopiar, fotografiar, fotográfico, fotógrafo.*

fotografiar v. intr. *El domingo pasado* ***fotografiamos*** *los animales del zoológico* (= les tomamos muchas fotos).
FAM: → *fotografía.*

fotográfico, a adj. *Tengo un álbum* ***fotográfico*** *con las fotografías del viaje* (= un libro donde coloco en orden mis fotos).
FAM: → *fotografía.*

fotógrafo, a s. *El padre de mi compañero trabaja de* ***fotógrafo*** *en un periódico* (= su oficio es sacar fotografías).
FAM: → *fotografía.*

fotosíntesis s. f. La **fotosíntesis** es un proceso en el que las plantas, por la acción de la luz del sol, producen oxígeno.

frac s. m. *En los actos solemnes los invitados visten de* ***frac*** (= traje de gala masculino de color negro).

fracasar v. intr. *El negocio de mi tío* ***ha fracasado*** *y ha tenido que cerrar la fábrica* (= no ha obtenido buenos resultados).
SINÓN: frustrar. **ANTÓN:** triunfar. **FAM:** *fracaso.*

fracaso s. m. *La fiesta fue un* ***fracaso*** *porque vino muy poca gente* (= salió mal).
SINÓN: decepción, falla. **ANTÓN:** acierto, éxito, triunfo. **FAM:** *fracasar.*

fracción s. f. **1.** *La* ***fracción*** *de los terrenos se realizó en el despacho del juez* (= la división). **2.** *Me ha tocado la* ***fracción*** *más grande del postre* (= el trozo). **3.** *Una* ***fracción*** *del ejército quería continuar la guerra, el resto no* (= un grupo). **4.** *3/4 es una* ***fracción*** (= una expresión numérica compuesta de un numerador y un denominador).
SINÓN: **1.** división. **2.** fragmento, parte, pedazo, porción, trozo. **3.** grupo. **4.** quebrado. **ANTÓN:** **2.** conjunto. **FAM:** *fraccionar, infracción.*

fraccionamiento s. m. Méx. *Vivimos en un* ***fraccionamiento*** (= zona urbanizada y dividida en lotes en las afueras de la ciudad).

fraccionar v. tr. *El metro está* ***fraccionado*** *en centímetros* (= está dividido).
SINÓN: dividir, separar. **ANTÓN:** juntar, reunir.
FAM: → *fracción.*

fractura s. f. *Jugando a la pelota me hice una* ***fractura*** *en el pie* (= me lo rompí).
SINÓN: rotura, ruptura. **FAM:** *fracturar.*

fracturar v. tr. **1.** *Con un martillo los mineros* ***fracturan*** *el mármol* (= lo rompen).◆ **fracturarse** v. pron. **2.** *Al caerse* ***se fracturó*** *la muñeca* (= se le rompió el hueso).
SINÓN: partir, quebrar, romper. **ANTÓN:** juntar, reunir, unir. **FAM:** *fractura.*

fragancia s. f. *Me gusta oler la* ***fragancia*** *de esta flor* (= su olor agradable y suave).
SINÓN: aroma, olor, perfume. **ANTÓN:** peste.
FAM: *fragante.*

fragata s. f. *En el museo del puerto vimos una **fragata*** (= un navío antiguo de guerra movido a vela y con tres palos).

frágil adj. *Ten cuidado al lavar los vasos de cristal pues son muy **frágiles*** (= se rompen con facilidad).
SINÓN: delicado. ANTÓN: duro, fuerte, resistente.
FAM: *fragilidad.*

fragilidad s. f. *El cristal de la mesa se rompió debido a su **fragilidad*** (= a su poca resistencia).
SINÓN: delicadeza. ANTÓN: dureza, resistencia.
FAM: *frágil.*

fragmento s. m. **1.** *El suelo del taller del escultor estaba lleno de **fragmentos** de mármol* (= lleno de restos). **2.** *El profesor de música nos permitió escuchar un **fragmento** de una obra musical* (= una parte).
SINÓN: **1, 2.** pedazo, trozo, residuo, resto. **2.** parte. ANTÓN: totalidad.

fraile s. m. *Los **frailes** del convento estaban rezando* (= los monjes que pertenecen a determinadas órdenes religiosas).
SINÓN: fray, hermano, monje, religioso. FAM: *fray.*

frambuesa s. f. Las **frambuesas** son unas frutas pequeñas de color rojo similares a las zarzamoras.

francés, esa adj. **1.** *Los quesos **franceses** son muy buenos y sabrosos* (= de Francia). ◆ **francés, esa** s. **2.** *Los **franceses** son las personas nacidas en Francia.* ◆ **francés** s. m. **3.** *El idioma que estudio en el colegio es el **francés*** (= el idioma hablado en Francia y en algunos otros países).
SINÓN: franco, galo.

franco, a adj. **1.** *Mis amigas son muy **francas** y se puede confiar plenamente en ellas* (= son muy sinceras). **2.** *A lo largo de la Historia ha habido varios acuerdos **franco**-hispanos* (= acuerdos entre Francia y España). **3.** *Es más barato comprar en los países en que tienen puertos **francos*** (= puertos donde el Estado no cobra impuestos por las mercancías que entran). ◆ **franco** s. m. **4.** *He ido al banco a comprar **francos** para viajar a París* (= la moneda de Francia, Bélgica y Suiza). **5.** *En el siglo VI los **francos** invadieron Francia* (= un pueblo que habitaba en Alemania).
SINÓN: **1.** espontáneo, leal, sincero. **3.** abierto, libre. ANTÓN: **1.** falso, mentiroso. FAM: *franquear, franqueo, franqueza.*

franela s. f. *Mi abuelo en invierno lleva unos pantalones de **franela*** (= de un tejido fino de lana).

franja s. f. *La camiseta de aquel jugador tiene **franjas** blancas y rojas* (= tiene rayas anchas).
SINÓN: lista, raya, tira.

franquear v. tr. **1.** *Cuando llegamos al hotel el portero nos **franqueó** el paso* (= nos abrió la puerta). **2.** *Antes de enviar la carta la **franqueamos*** (= le pusimos un sello o timbre).
SINÓN: **1.** abrir. ANTÓN: **1.** cerrar. FAM: → *franco.*

franqueo s. m. *Me devolvieron una carta porque el **franqueo** era insuficiente* (= le faltaban timbres o estampillas).
FAM: → *franco.*

franqueza s. f. *Puedes fiarte de este amigo porque siempre actúa con **franqueza*** (= con sinceridad).
SINÓN: naturalidad, sinceridad. ANTÓN: hipocresía. FAM: → *franco.*

frasco s. m. *Ana colecciona **frascos** de perfume* (= envases de cristal con cuello y boca estrechos).

frase s. f. *Al hablar y al escribir utilizamos **frases*** (= conjuntos de palabras que expresan ideas y que tienen sentido).
SINÓN: oración.

fraternal adj. *Aunque no era de mi familia sentía por él un amor **fraternal*** (= lo quería como si fuera mi hermano).
SINÓN: fraterno. FAM: → *fraterno.*

fraternidad s. f. *Si hubiera **fraternidad** entre los pueblos no habría guerras* (= si nos quisiéramos como hermanos).
SINÓN: armonía, solidaridad, unión. ANTÓN: enemistad. FAM: → *fraterno.*

fraterno, a adj. *Es agradable tener buenas relaciones **fraternas*** (= relaciones afectuosas entre los hermanos).
SINÓN: fraternal. FAM: *fraternal, fraternidad.*

fraude s. m. *El empleado del banco cometió un **fraude** al llevarse dinero de la caja* (= una estafa).
SINÓN: engaño, estafa, falsificación, trampa.

fray s. m. *El superior del convento era **fray** Antonio* (= un fraile que se llamaba Antonio). **Fray** es el apócope de fraile.
SINÓN: fraile. FAM: *fraile.*

frecuencia s. f. **1.** *Suelo ir al teatro con **frecuencia*** (= varias veces al mes). **2.** *Esta emisora de radio está en la **frecuencia** número cien* (= en el canal número cien).
FAM: *frecuentar.*

frecuentar v. tr. *Nosotros **frecuentamos** mucho la casa de Alfredo* (= vamos a menudo).
SINÓN: acudir, visitar. FAM: *frecuencia.*

fregar v. tr. *Mi hermano ayuda a mi madre a **fregar** el suelo* (= a limpiar).
SINÓN: lavar, limpiar. ANTÓN: ensuciar.

freidora s. f. *Las papas se pelan antes de colocarlas en la **freidora*** (= en un electrodoméstico que sirve para freír).
FAM: → *freír.*

freír v. tr. *Mi madre **fríe** papas en la sartén* (= las cocina en aceite hirviendo).
FAM: *freidora, frito.*

frenar v. tr. *El conductor **frenó** el autobús al ponerse el semáforo en rojo* (= lo paró).
SINÓN: detener, parar. ANTÓN: acelerar. FAM: *freno.*

freno s. m. *No podía parar la bici porque tenía los* ***frenos*** *rotos* (= el mecanismo que permite disminuir la velocidad o parar un vehículo).
FAM: *frenar.*

frente s. f. **1.** *Me he hecho una herida en la* ***frente*** (= en la parte superior de la cara situada encima de los ojos). ◆ **frente** s. m. **2.** *En el* ***frente*** *de la casa había dos faroles* (= en la fachada). **3.** *Los soldados van hacia el* ***frente*** (= hacia el lugar donde se encontrarán con el enemigo). ◆ **frente** adv. **4.** *La iglesia está* ***frente*** *a nuestra casa* (= en la acera opuesta). ◆ **frente a frente 5.** *Los jugadores de ajedrez se sentaron* ***frente a frente*** (= uno a cada lado de la mesa). ◆ **hacer frente a 6.** *Debes* ***hacer frente a*** *los problemas y procurar solucionarlos* (= debes luchar contra los problemas). ◆ **ponerse al frente de 7.** *El capitán* ***se puso al frente de*** *los soldados* (= los guió).
SINÓN: **2.** delantera, fachada. **4.** enfrente. ANTÓN: **2.** detrás, reverso. **3.** retaguardia. **4.** detrás. FAM: *afrontar, enfrentamiento, enfrentar, enfrente, frontal, frontera, frontón.*

fresa s. f. Las **fresas** son unas frutas de color rojo, muy dulces y sabrosas.
FAM: *fresón.*

fresadora s. f. *El dentista elimina las caries con la* ***fresadora*** (= con un aparato que sirve para limar los dientes y otros materiales).
SINÓN: torno.

fresco, a adj. **1.** *Me gusta beber agua* ***fresca*** *en verano* (= ligeramente fría). **2.** *Todas las mañanas voy a la panadería a buscar pan* ***fresco*** (= recién hecho). **3.** *El periódico de hoy trae noticias* ***frescas*** (= de hechos que acaban de suceder). **4.** *Después de correr veinte kilómetros el campeón llegó* ***fresco*** (= no parecía cansado). **5.** *Luis es tan* ***fresco*** *que se ha puesto mi abrigo sin pedirme permiso* (= tan desvergonzado). **6.** *La gasa es una tela* ***fresca,*** *con ella no se pasa calor* (= delgada). ◆ **fresco** s. m. **7.** *Por las noches, en la montaña, suele hacer* ***fresco*** (= suele hacer un poco de frío). **8.** *En el interior de esa iglesia hay un* ***fresco*** (= una pintura hecha en la pared sobre yeso húmedo).
SINÓN: **1.** frío, helado. **2, 3.** nuevo, reciente. **4.** descansado. **5.** descarado, desvergonzado. **7.** frío. ANTÓN: **1.** caliente, templado. **2, 3.** pasado, viejo. **4.** cansado. **5.** tímido, vergonzoso. **7.** calor. FAM: *frescor, frescura, refrescante, refrescar, refresco.*

frescor s. m. *Anoche en el parque hacía mucho* ***frescor*** (= hacía frío).
SINÓN: fresco, frescura. ANTÓN: calor. FAM: → *fresco.*

fresno s. m. El **fresno** es un árbol con una madera blanca amarillenta muy apreciada en ebanistería.

frialdad s. f. **1.** *El mármol se caracteriza por su* ***frialdad*** (= siempre está frío). **2.** *Nuestros amigos nos han recibido con* ***frialdad*** (= estaban muy serios).
SINÓN: **1.** frío. **2.** indiferencia. ANTÓN: **1.** calor. FAM: → *frío.*

fricción s. f. *Para desinflamar la hinchazón de la pierna, date una* ***fricción*** *con la pomada* (= frótate con la mano la zona hinchada).

frigorífico s. m. *El carnicero recibe los productos directamente del* ***frigorífico*** (= establecimiento donde se guardan las carnes en cámaras frías).

frijol s. m. Amér. **1.** *Desayunamos huevos revueltos con* ***frijoles*** (= semilla que se encuentra en la vaina de la legumbre del mismo nombre). **2.** *En el terreno hay una gran plantación de* ***frijoles*** (= planta herbácea anual, de 3 a 4 metros de longitud, cuyo fruto en vaina contiene semillas comestibles con forma de riñón).
SINÓN: judía, poroto.

frío, a adj. **1.** *La nieve es* ***fría*** *porque es agua helada* (= su temperatura es muy baja). **2.** *Nos recibieron con un saludo muy* ***frío*** (= muy poco amistoso). ◆ **frío** s. m. **3.** *Los esquiadores iban muy abrigados porque hacía mucho* ***frío*** (= la temperatura era muy baja).
SINÓN: **1.** fresco, helado. **2.** indiferente. **3.** frescor. ANTÓN: **1.** cálido, caliente. **2.** entusiasta. **3.** calor. FAM: *enfriamiento, enfriar, frialdad, refrigerador, refrigerar, resfriado, resfriarse.*

friolento, a adj. *Mi padre siempre se sienta junto al hogar porque es muy* ***friolento*** (= siempre tiene frío).
FAM: → *frío.*

frito, a adj. *Me gustan mucho los huevos* ***fritos*** (= los huevos cocinados en aceite hirviendo).
FAM: → *freír.*

frívolo, a adj. *Nunca puedo hablar con Antonio de un tema serio porque es una persona muy* ***frívola*** (= una persona a la que sólo le interesan las tonterías).
SINÓN: ligero, superficial. ANTÓN: serio.

frondoso, a adj. **1.** *Los árboles* ***frondosos*** *dan mucha sombra* (= los que tienen muchas hojas). **2.** *El helicóptero que buscaba a los excursionistas no los veía porque el bosque era muy* ***frondoso*** (= los árboles estaban tan juntos que no se veía el suelo).
SINÓN: cerrado, denso, tupido. ANTÓN: calvo, claro.

frontal adj. *Las cejas están en el final del hueso* ***frontal*** (= del hueso de la frente).
FAM: → *frente.*

frontera s. f. *En la* ***frontera*** *entre Argentina y Chile están los Andes* (= en la línea que separa los dos países).
SINÓN: límite. FAM: → *frente.*

frontón s. m. *Me he roto un dedo jugando al* ***frontón*** (= a un juego que consiste en lanzar una pelota contra la pared).
FAM: → *frente.*

frotar v. tr. *Para sacar brillo al jarrón de plata lo* ***frotamos*** *con un paño* (= lo restregamos).
SINÓN: restregar.

fructífero, a adj. *Mi esfuerzo al estudiar fue* ***fructífero*** *porque aprobé todos los exámenes* (= me sirvió para conseguir lo que quería).
SINÓN: fértil, productivo. ANTÓN: estéril, improductivo, inútil. FAM: → *fruto.*

fructificar v. intr. *La mayor parte de los árboles* ***fructifican*** *en verano* (= dan el fruto).
FAM: → *fruto.*

fruncido, a adj. Amér. Merid. *El jefe de mi padre es un hombre muy* ***fruncido*** (= que mantiene una actitud afectada).
SINÓN: afectado, altivo, arrogante, orgulloso, pedante, soberbio, vanidoso. ANTÓN: humilde, modesto, sencillo, simple.

fruncir v. tr. *Como me quedaban grandes los pantalones mi madre me los* ***ha fruncido*** (= me los ha hecho más estrechos recogiendo la tela con un elástico).

frustración s. f. *Para mí fue una* ***frustración*** *no recibir ningún regalo el día de mi cumpleaños* (= fue un desengaño).
SINÓN: desengaño. FAM: *frustrarse.*

frustrarse v. pron. *Juan* ***se frustró*** *al ver que su amigo no lo felicitó en el día de su cumpleaños* (= se desilusionó).
FAM: *frustración.*

fruta s. f. *Mis* ***frutas*** *preferidas son la pera y la manzana* (= el alimento que dan algunos árboles y plantas donde se encuentran las semillas).
SINÓN: fruto. FAM: → *fruto.*

frutal adj. *Mi abuelo tiene una huerta de árboles* ***frutales*** (= de árboles que producen fruta).
FAM: → *fruto.*

frutería s. f. *He ido a la* ***frutería*** *a comprar manzanas y naranjas* (= a una tienda donde venden frutas).
FAM: → *fruto.*

frutero, a adj. **1.** *Esta mañana llegó un barco* ***frutero*** *de las Antillas* (= un barco que transporta fruta). ◆ **frutero** s. m. **2.** *En el* ***frutero*** *que está encima de la mesa hay manzanas y naranjas* (= en el recipiente destinado a poner la fruta). ◆ **frutero, a** s. **3.** *El* ***frutero*** *me ha dicho que hoy las cerezas son muy dulces* (= la persona que vende fruta en la frutería).
FAM: → *fruto.*

frutilla s. f. Amér. Merid. *Hoy comí unas sabrosas* ***frutillas*** *con crema* (= fresas grandes).
SINÓN: fresón. FAM: *fruto.*

fruto s. m. **1.** *En verano, los árboles frutales están cargados de* ***frutos*** (= de la parte de la planta en que se hallan las semillas). **2.** *Estos ahorros son el* ***fruto*** *de muchos años de trabajo* (= el resultado).
FAM: *fructífero, fructificar, fruta, frutal, frutería, frutero.*

fucsia s. f. Amér. Merid. *En los jardines se cultivan* ***fucsias*** *por el bello color de sus flores* (= arbusto con flores colgantes de color rojo oscuro).

fuego s. m. **1.** *Con una cerilla encendimos el* ***fuego*** (= quemamos la leña). **2.** *En el bosque se declaró un* ***fuego*** (= un incendio). ◆ **fuegos artificiales 3.** *Las fiestas de fin de año se acabaron con unos bonitos* ***fuegos artificiales*** (= con un conjunto de cohetes luminosos).
SINÓN: **1.** brasa, llama. **2.** hoguera, incendio.
FAM: *fogata, fogón.*

fuelle s. m. **1.** *Con el* ***fuelle*** *avivamos el fuego* (= con el instrumento que acumula aire y lo lanza). **2.** *Es peligroso estar en el* ***fuelle*** *cuando el tren ya está en marcha* (= en el pasillo flexible que comunica dos vagones).

fuente s. f. **1.** *En la montaña bebimos agua fresca de una* ***fuente*** (= de un manantial). **2.** *En el parque había una gran* ***fuente*** (= una construcción que deja salir agua por unos tubos). **3.** *Encima de la mesa mi madre puso una* ***fuente*** *con carne y otra con pescado* (= un plato grande en el que se sirve la comida).
SINÓN: **1.** manantial, pozo. **2.** surtidor.

fuera adv. **1.** *El perro está* ***fuera*** *de la casa* (= en la parte exterior). ◆ **fuera de 2.** ***Fuera de*** *esto no tengo nada más que decir* (= además de lo que he dicho).
SINÓN: **1.** afuera. FAM: *afuera.*

fuerte adj. **1.** *Atamos el paquete con una cuerda* ***fuerte*** *para que no se rompiera* (= muy resistente). **2.** *Un hombre muy* ***fuerte*** *quitó el árbol que se había caído en la carretera* (= muy forzudo). ◆ **fuerte** s. m. **3.** *Los soldados rodearon el* ***fuerte*** *donde estaba el enemigo* (= la fortaleza).
SINÓN: **1.** firme, resistente, sólido. **2.** corpulento, forzudo. **3.** castillo, fortaleza. ANTÓN: **1, 2.** débil, flojo. FAM: → *fuerza.*

fuerza s. f. **1.** *Para mover un camión se necesita mucha* ***fuerza*** *ya que pesa mucho* (= mucha potencia). ◆ **fuerzas** s. f. pl. **2.** *Todas las* ***fuerzas*** *del ejército participaron en el desfile* (= el conjunto de personas y armamento del ejército).
SINÓN: **1.** potencia, vigor. ANTÓN: **1.** debilidad. FAM: *confortar, esforzarse, esfuerzo, forcejear, fortachón, fortalecer, fortaleza, forzar, forzoso, forzudo, fuerte, reconfortar, reforzar, refuerzo.*

fuga s. f. **1.** *En la cárcel se produjo una* ***fuga*** *de presos* (= algunos presos se escaparon). **2.** *En el calentador se produjo una* ***fuga*** *de gas* (= un escape).
SINÓN: **1.** evasión, huida. **2.** escape. FAM: *fugarse, fugaz, fugitivo.*

fugarse v. pron. ***Se ha fugado*** *un león del zoológico y todo el mundo lo está buscando* (= se ha escapado).
SINÓN: escaparse, huir. ANTÓN: acudir, presentarse. FAM: → *fuga.*

fugaz adj. *La belleza de una puesta de sol es **fugaz*** (= dura poco tiempo).
SINÓN: breve, momentáneo. **ANTÓN:** constante, estable, permanente. **FAM:** → *fuga.*

fugitivo, a s. *La policía encontró a los **fugitivos*** (= a las personas que huían).
SINÓN: prófugo. **FAM:** → *fuga.*

fulano, a s. *Elisa siempre llega tarde porque se encuentra con **fulano** o mengano y se entretiene hablando* (= con cualquier persona).

fulminante adj. **1.** *Mi abuelo tuvo una enfermedad **fulminante** y se murió enseguida* (= muy grave). **2.** *Le lanzó una mirada **fulminante** a Marcos porque metió la pata* (= llena de odio).

fumador, a s. *Los grandes **fumadores** perjudican su salud* (= las personas que fuman mucho).
FAM: *fumar.*

fumar v. tr. *Pablo **fuma** un cigarrillo* (= aspira y expulsa el humo del tabaco).
FAM: *fumador.*

fumigar v. tr. **1.** *A principio de curso **fumigan** el colegio* (= lo desinfectan). **2.** *Mi abuelo alquiló una avioneta para **fumigar** el campo* (= para rociarlo con gases que sirven para matar insectos).
SINÓN: desinfectar.

función s. f. **1.** *En este cine hay dos **funciones** por las tardes* (= se proyecta la película dos veces). **2.** *La **función** de un médico es curar a la gente* (= su misión).
SINÓN: 1. espectáculo, representación. **2.** cometido, finalidad, misión. **FAM:** *funcionamiento, funcionar, funcionario.*

funcionamiento s. m. *El **funcionamiento** de este motor es excelente* (= el modo de andar).
SINÓN: marcha, movimiento. **FAM:** → *función.*

funcionar v. intr. *La máquina de escribir **funciona** bien* (= escribe bien).
SINÓN: andar, marchar, moverse, trabajar. **ANTÓN:** descomponerse. **FAM:** → *función.*

funcionario, a s. *En el Ministerio, me atendió un **funcionario*** (= una persona que trabaja para el Estado).
SINÓN: empleado, oficinista. **FAM:** → *función.*

funda s. f. *El soldado guardó su espada en la **funda*** (= en la envoltura que la protege).
SINÓN: cubierta, envoltura, forro, vaina. **FAM:** *desenfundar, enfundar.*

fundación s. f. **1.** *La **fundación** del club para ancianos fue bien acogida en el pueblo* (= la creación). **2.** *Existen muchas **fundaciones** que se dedican a realizar obras benéficas o culturales* (= muchas organizaciones).
SINÓN: 1. construcción, creación, establecimiento. **2.** institución. **FAM:** → *fundar.*

fundador, a s. *Los cuatro amigos nos convertimos en socios **fundadores** del club* (= entre los cuatro lo creamos).
SINÓN: creador. **ANTÓN:** destructor. **FAM:** → *fundar.*

fundamental adj. *La harina es un elemento **fundamental** para hacer el pan* (= sin ella no se puede preparar).
SINÓN: básico, esencial, principal. **ANTÓN:** accesorio, secundario. **FAM:** → *fundamento.*

fundamento s. m. **1.** *Los **fundamentos** de este edificio son de piedra* (= está construido sobre piedras). **2.** *Pedimos al profesor que nos explicara los **fundamentos** de la revolución industrial* (= las causas que la motivaron).
SINÓN: 1. apoyo, base, cimiento. **2.** causa, motivo. **FAM:** *fundamental, infundado.*

fundar v. tr. **1.** *Este hospital lo **fundó** un extranjero en señal de agradecimiento* (= lo creó). **2.** *No sé en qué te **fundas** para quejarte* (= no sé las razones por las que te quejas).
SINÓN: 1. construir, crear, establecer, instituir. **2.** basar, fundamentar. **FAM:** *fundación, fundador.*

fundición s. f. **1.** *Necesitamos una temperatura elevada para la **fundición** del hierro* (= para convertirlo en líquido). **2.** *Ayer visitamos una **fundición*** (= una fábrica donde se funden los metales).
FAM: → *fundir.*

fundir v. tr. **1.** *El joyero **funde** el oro para fabricar las joyas* (= lo calienta hasta que se vuelve líquido). **2.** *En la fundición **fundieron** la campana* (= metieron el hierro derretido en un molde para darle la forma de una campana). ◆ **fundirse** v. pron. **3.** *Con el sol, la nieve **se funde*** (= se derrite). **4.** *Debido a sus gastos sin control, mi hermana **se fundió*** (= se quedó sin dinero en absoluto).
SINÓN: 1, 3. derretir. **FAM:** *confundir, confusión, confuso, fundición, inconfundible, infusión.*

fúnebre adj. **1.** *Desde la ventana vimos pasar el coche **fúnebre*** (= el coche que llevaba a la persona que se murió). **2.** *En aquella casa se respira un aire **fúnebre*** (= muy triste).
SINÓN: 2. sombrío, triste. **ANTÓN: 2.** alegre, divertido. **FAM:** *funeral, funeraria.*

funeral s. m. *Mi padre fue al **funeral** de un amigo* (= a una ceremonia que se celebra antes de un entierro).
FAM: → *fúnebre.*

funeraria s. f. *Al morir mi abuelo llamamos a una **funeraria*** (= a la empresa que se dedica a todo lo relacionado con los entierros).
FAM: → *fúnebre.*

funesto, a adj. *La influencia de esas malas compañías es **funesta** para su educación* (= muy mala).
SINÓN: malo, nefasto. **ANTÓN:** afortunado, dichoso, positivo.

funicular s. m. *Subimos a la cima de la montaña en un **funicular*** (= un vehículo para transportar personas, tirado por una cadena o un cable).

furgón s. m. **1.** *Los trenes llevan un **furgón** para transportar el correo o los equipajes* (= un vagón). **2.** *Cuando nos cambiamos de casa, vino un **furgón** de mudanzas para trasladar los muebles* (= un camión).
SINÓN: camioneta. **FAM:** *furgoneta.*

furgoneta s. f. *Para llevar los muebles alquilamos una **furgoneta*** (= un vehículo más pequeño que un camión).
FAM: *furgón, camioneta.*

furia s. f. **1.** *Aquel hombre arrojó el jarrón contra la pared con **furia** porque estaba muy enojado* (= con violencia). **2.** *La **furia** del viento derribó varios árboles del bosque* (= su fuerza).
SINÓN: **1.** enfado, furor, ira. **2.** violencia. **ANTÓN:** **1, 2.** calma, serenidad, sosiego, tranquilidad. **FAM:** *enfurecer, enfurecimiento, furibundo, furioso, furor.*

furibundo, a adj. *La maestra le lanzó una mirada **furibunda** cuando oyó lo que dijo* (= una mirada que mostraba su enojo).
FAM: → *furia.*

furioso, a adj. *Cuando me rompieron la bicicleta me puse **furioso*** (= me enojé mucho).
SINÓN: colérico, enfadado, violento. **ANTÓN:** apacible, sereno, tranquilo. **FAM:** → *furia.*

furor s. m. **1.** *Deberías haber visto su **furor** cuando se dio cuenta del engaño* (= su gran ira). **2.** *Podíamos oír el **furor** de las olas y el viento durante la tormenta* (= su violencia).
SINÓN: **2.** fuerza, violencia, arrebato, cólera. **ANTÓN:** **2.** calma, sosiego, tranquilidad. **FAM:** → *furia.*

furtivo, a adj. **1.** *Juan echó una mirada **furtiva** a su reloj* (= lo hizo de forma que nadie lo viera). **2.** *Han detenido a un cazador **furtivo*** (= a una persona que cazaba a escondidas en un lugar prohibido).
SINÓN: cauteloso, escondido, oculto. **ANTÓN:** claro, evidente, patente.

fusa s. f. La **fusa** es un signo musical que expresa la duración de un sonido.

fuselaje s. m. *La bala atravesó el **fuselaje** del avión* (= la parte metálica que cubre el avión).

fusible s. m. Los **fusibles** son hilos de metal que se colocan en las instalaciones eléctricas para impedir que pase por ellas demasiada corriente.
SINÓN: plomo.

fusil s. m. *El soldado disparó el **fusil*** (= el arma de fuego semejante a una escopeta pero con un solo cañón).
SINÓN: arma. **FAM:** *fusilamiento, fusilar.*

fusilamiento s. m. *El general ordenó el **fusilamiento** de los prisioneros* (= que los pusieran delante de una pared con los ojos vendados y que les dispararan varios soldados).
SINÓN: ejecución. **FAM:** → *fusil.*

fusilar v. tr. *Se **ha fusilado** al espía* (= se lo puso delante de una pared con los ojos vendados y varios soldados le dispararon).
SINÓN: ejecutar. **FAM:** → *fusil.*

fusión s. f. *Gracias a la **fusión** de las dos empresas no tuvieron que cerrarlas* (= a la unión).
FAM: *fusionar.*

fusionar v. tr. *Se tuvieron que **fusionar** las dos empresas* (= tuvieron que unirse).
SINÓN: reunir, unir. **ANTÓN:** dividir, separar. **FAM:** *fusión.*

fútbol s. m. *Mañana jugaremos un partido de **fútbol*** (= deporte que consiste en que los once jugadores de cada equipo lanzan con los pies un balón, tratando de introducirlo en el arco del equipo contrario).
FAM: *futbolista.*

futbolista s. m. *Ayer vimos entrenar a los **futbolistas*** (= a los jugadores de fútbol).
FAM: → *fútbol.*

futuro, a adj. **1.** *Todo nuestro esfuerzo servirá a las generaciones **futuras*** (= a las que han de venir). ◆ **futuro** s. m. **2.** *No se puede conocer el **futuro*** (= lo que pasará mañana). **3.** *En la frase* vendré mañana, vendré *está en **futuro*** (= en el tiempo del verbo que expresa una acción que va a ocurrir).
SINÓN: **1.** próximo, venidero. **ANTÓN:** pasado.

G

G s. f. **1.** La **g** *(ge)* es la séptima letra del abecedario español. ◆ s. m. **2.** *He comprado 100* ***g*** *de jamón* (= es la manera corta de escribir gramo o gramos).

gabán s. m. *Cuando hace frío mi padre se pone un* ***gabán*** (= un abrigo parecido a un sobretodo).

gabardina s. f. *En los días de lluvia me pongo la* ***gabardina*** *para no mojarme* (= un abrigo fino y de tela impermeable).
SINÓN: impermeable.

gabinete s. m. **1.** *El conde hizo pasar a sus amigos al* ***gabinete*** (= a la habitación pequeña donde se recibe a los amigos de confianza). **2.** *El médico me examinó en su* ***gabinete*** (= en su despacho). **3.** *El* ***Gabinete*** *se reúne esta tarde* (= todos los ministros del gobierno de un país).
SINÓN: 1. sala. **2.** consulta. **3.** Gobierno, Ministerio.

gacela s. f. La **gacela** es un animal mamífero muy ágil, con el dorso color café y el vientre blanco, patas finas y largas y cuernos curvados.

gacho, a adj. *Después de regañarlo la maestra, Juan salió con la cabeza* ***gacha*** (= inclinada hacia abajo y escondiendo la cara).
SINÓN: inclinado. **ANTÓN:** erguido, levantado, recto.

gachumbo s. m. Amér. Merid. *Esta vasija está hecha con* ***gachumbo*** (= corteza leñosa de ciertos frutos).

gafas s. f. pl. *Mi hermano utiliza* ***gafas*** *porque no ve bien* (= un par de cristales que se sostienen delante de los ojos por medio de una montura).
SINÓN: anteojos, lentes.

gajo s. m. *Te daré un* ***gajo*** *de naranja* (= uno de los trozos en que está dividida la naranja).

gala s. f. **1.** *En la fiesta se exigía traje de* ***gala*** (= traje muy elegante). **2.** *Mis padres van a ir a una* ***gala*** *que se organiza para reunir dinero para los pobres* (= a una fiesta especial). ◆ **hacer gala de 3.** *Pregúntaselo a Juan pues siempre* ***está haciendo gala de*** *sus conocimientos* (= siempre está intentando que los demás se den cuenta de lo mucho que sabe).
SINÓN: 1, 2. ceremonia, fiesta. **FAM:** *galán, galante, galantería.*

galán s. m. *En la obra de teatro haré el papel de* ***galán*** (= de un joven guapo y enamorado).
FAM: → *gala.*

galante adj. *Juan es tan* ***galante*** *que siempre cede su asiento a las mujeres* (= es muy atento y educado con las mujeres).
SINÓN: amable, atento, caballero, cortés. **ANTÓN:** grosero. **FAM:** → *gala.*

galantería s. f. *Por* ***galantería*** *el caballero le cedió su asiento a la señora* (= por educación).
SINÓN: atención, cortesía, delicadeza, gentileza. **ANTÓN:** grosería, ordinariez. **FAM:** → *gala.*

galápago s. m. *En la playa encontramos un* ***galápago*** (= una tortuga de mar).

galardón s. m. *Por haber terminado los estudios con calificaciones sobresalientes recibí un* ***galardón*** *en el colegio* (= un premio).
SINÓN: distinción, premio, recompensa. **FAM:** *galardonar.*

galardonar v. tr. *Pablo Neruda es un escritor que fue* ***galardonado*** *con el premio Nobel de Literatura* (= recibió el premio).
SINÓN: distinguir, premiar, recompensar. **FAM:** *galardón.*

galaxia s. f. *La tierra está en una* ***galaxia*** *que se llama Vía Láctea* (= pertenece a un conjunto de estrellas y planetas).

galera s. f. **1.** *En la película, la* ***galera*** *era atacada por un barco de piratas* (= un barco de vela y remos, que se utilizaba antiguamente). Amér. Cent., Méx. **2.** *Almacenan las mercancías en una* ***galera*** (= cuarto de grandes dimensiones) R. de la Plata. **3**. *El mago sacó un conejo de la* ***galera*** (= sombrero de copa alta).
SINÓN: 2. alero, cornisa. **3.** chistera.

galería s. f. **1.** *Mis abuelos tienen una casa con una bonita* ***galería*** (= un pasillo largo con grandes ventanas). **2.** *Fui con mi padre a visitar una* ***galería*** *de arte para ver unos cuadros* (= a un lugar donde se hacen exposiciones). **3.** *Las entradas de teatro más baratas son las de* ***galería*** (= las que corresponden a los asientos del piso más alto del teatro). **4.** *Han abierto muchas* ***galerías*** *para explotar esta mina* (= muchos túneles). **5.** *Seguro que encuentras lo que buscas en una de las tiendas de estas*

galerías (= en un lugar cubierto donde hay muchos comercios juntos).
SINÓN: 1. mirador. **2.** exposición, museo, pinacoteca. **3.** gallinero, general. **4.** pasadizo, túnel. **5.** centro comercial.

galgo, a s. Los **galgos** son perros grandes de cuerpo delgado y patas largas, que corren a gran velocidad y se utilizan para la caza y en las carreras.

galicismo s. m. *Las palabras "chance" y "garaje" son* ***galicismos*** (= son palabras francesas usadas en nuestra lengua).
FAM: *galo.*

galimatías s. m. *La maestra me dijo que mi redacción era un* ***galimatías*** *y me obligó a rehacerla* (= un escrito confuso, difícil de entender).

gallardo, a adj. **1.** *Un caballero* ***gallardo*** *entró en la sala y llamó la atención de todos* (= muy elegante). **2.** *Murió como un guerrero* ***gallardo*** (= como una persona valiente).
SINÓN: 1. elegante, guapo. **2.** valeroso. **ANTÓN: 2.** cobarde, miedoso.

galleta s. f. **1.** *En la merienda nos han dado un vaso de leche con* ***galletas*** (= con unas pastas delgadas de harina, azúcar y huevo; son secas y crujientes). Amér. Merid. **2.** *Voy a cebar el mate con esta* ***galleta*** (= calabaza hueca de forma redonda y plana).

gallina s. f. **1.** Las **gallinas** son aves de corral que ponen huevos; el macho es el gallo. ◆ **tener** o **ponerse la piel de gallina. 2.** *Cuando tengo mucho miedo o mucho frío* ***se me pone la piel de gallina*** (= igual que la piel de una gallina pelada).
FAM: *gallo.*

gallinero s. m. **1.** *La granjera encierra sus gallinas en el* ***gallinero*** (= en el lugar donde duermen). **2.** *El patio del colegio parecía un* ***gallinero*** *por el ruido que hacíamos* (= había mucho barullo porque todos gritaban a la vez). **3.** *En el teatro estábamos sentados en el* ***gallinero*** (= en la parte más alta y alejada del escenario).
SINÓN: 1. corral. **3.** galería. **FAM:** → *gallo.*

gallineta s. f. Amér. Merid. *Siempre que salimos a caminar por el campo, vemos alguna* ***gallineta*** (= gallina pequeña, salvaje, de plumaje negro azulado con manchas blancas).
FAM: → *gallo.*

gallo s. m. **1.** *Por la mañana me despierta el canto del* ***gallo*** (= el macho de la gallina). **2.** *Mi padre ha pescado un* ***gallo*** (= un pez marino parecido al lenguado). **3.** *A la cantante se le escapó un* ***gallo*** (= una nota aguda y desagradable). ◆ **en menos que canta un gallo 4.** *Ricardo tiene mucha prisa así que tendremos que hacerlo* ***en menos que canta un gallo*** (= rápidamente).
FAM: → *gallina, gallinero.*

galo, a adj. **1.** *Me han regalado un cuento de Asterix que trata de los habitantes del pueblo* ***galo*** (= de la antigua Galia). ◆ **galo** s. **2.** *Los* ***galos*** *eran las personas nacidas en la antigua Galia.* ◆ **galo** s. m. **3.** *También se le llamaba* ***galo*** *a la lengua que se hablaba en la antigua Galia.*
FAM: *galicismo.*

galón s. m. *En los hombros de su uniforme, el sargento llevaba cosidos los* ***galones*** (= unas cintas que indican su grado en el ejército).

galopar v. intr. *El caballo* ***galopaba*** *por el campo* (= corría).
SINÓN: cabalgar, correr. **FAM:** *galope.*

galope s. m. *En las carreras los caballos van al* ***galope*** (= corren muy deprisa).
FAM: *galopar*

galpón s. m. Amér. Merid. *Para proteger los frutos de la lluvia y el sol, los metemos en el* ***galpón*** (= cobertizo grande, con paredes o sin ellas).

gama s. f. *En este paisaje del campo se ve toda la* ***gama*** *de verdes* (= todos los distintos tonos del color verde).

gamo s. m. El **gamo** es un mamífero parecido al ciervo, pero con el cuerpo cubierto de manchas y los cuernos terminados en palas.

gamuza s. f. **1.** La **gamuza** es un animal salvaje y muy ágil, parecido a una cabra grande; sus cuernos son negros y lisos. **2.** *Mi madre limpia el polvo con una* ***gamuza*** (= con una tela usada para limpiar). **3.** *Estrenaré mis nuevos zapatos de* ***gamuza*** (= del cuero de este animal).

gana o **ganas** s. f. *Tengo* ***ganas*** *de irme de vacaciones* (= lo deseo mucho).
SINÓN: afán, ansia, avidez, deseo, voluntad. **ANTÓN:** desgana. **FAM:** *desgana.*

ganadería s. f. **1.** *Argentina y Holanda son famosas por sus* ***ganaderías*** (= poseen muchos rebaños de animales que se crían en una granja como las vacas o los caballos). **2.** *Tengo un tío que se dedica a la* ***ganadería*** *en su finca* (= a criar animales como las ovejas, las vacas o los caballos).
SINÓN: 1. rebaño. **FAM:** → *ganado.*

ganadero, a s. *En el valle se han reunido muchos* ***ganaderos*** (= los dueños de ganado).
FAM: → *ganado.*

ganado s. m. *El* ***ganado*** *pasta en el prado* (= los animales, como las vacas, caballos, ovejas, etc., que se crían en una granja).
SINÓN: rebaño. **FAM:** *ganadería, ganadero.*

ganador, a adj. **1.** *Juan tiene el billete* ***ganador*** (= el que ha ganado el premio). ◆ **ganador, a** s. **2.** *El público aplaudió a los* ***ganadores*** *de la carrera* (= a los vencedores).
SINÓN: 2. triunfador, vencedor. **ANTÓN:** perdedor. **FAM:** → *ganar.*

ganancia s. f. *No sé si podrás obtener muchas **ganancias** con la venta de esos libros viejos* (= si se puede ganar mucho dinero).
SINÓN: beneficio, ingreso. **ANTÓN:** pérdida. **FAM:** → *ganar.*

ganar v. tr. **1.** *Quiero trabajar y **ganar** dinero* (= conseguir dinero). **2.** ***Gané** la carrera de cien metros* (= fui el primero en llegar a la meta). **3.** *Juan me **gana** en rapidez* (= es más rápido que yo). **4.** *Los soldados **ganaron** el castillo del enemigo* (= lo conquistaron). **5.** *El náufrago **ganó** la orilla* (= logró llegar a ella). ◆ **ganar** v. intr. **6.** *Con el nuevo delantero, el equipo **ganó** mucho* (= mejoró su juego). ◆ **ganarse** v. pron. **7.** *Se ha **ganado** la simpatía de todos por su bondad* (= la ha obtenido). **8.** ***Te has ganado** el premio por presentar un trabajo tan bien hecho* (= te lo has merecido).
SINÓN: **1, 7.** adquirir, lograr, obtener, percibir. **2.** triunfar, vencer. **4.** conquistar. **6.** mejorar, prosperar. **ANTÓN:** **1, 2, 3, 5.** perder. **6.** empeorar. **FAM:** *ganador, ganancia.*

gancho s. m. **1.** *El carnicero cuelga los trozos grandes de carne de un **gancho*** (= de un trozo de metal en forma de curva y terminado en punta). Amér. Merid. **2.** *Se sujetó el cabello con dos **ganchos*** (= horquillas). Amér. **3.** *Marta hace labores de punto con **gancho*** (= instrumento para hacer tejidos de ganchillo).
SINÓN: garfio, horquilla. **FAM:** *enganchar, enganche, desenganchar, ganchillo.*

gandul adj. *Mi primo es muy **gandul** y se pasa todo el día en la cama* (= es muy vago y no le gusta trabajar).
SINÓN: holgazán, perezoso, vago. **ANTÓN:** activo, laborioso, trabajador.

ganga s. f. *En esta tienda se encuentran muchas **gangas*** (= cosas que en los demás sitios cuestan mucho más dinero que aquí).

gangrena s. f. *Al enfermo le cortaron el pie porque tenía **gangrena*** (= al dejar de circular la sangre por la pierna, ésta se infectó).

gansada s. f. *Si no paras de hacer **gansadas** me enojaré* (= tonterías).
SINÓN: payasada, tontería. **FAM:** *ganso.*

ganso s. m. *En el corral hay muchos **gansos*** (= aves grandes parecidas a los patos pero de plumaje gris y pardo, y pico anaranjado).

ganzúa s. f. *El ladrón tenía un juego de **ganzúas** que utilizaba para abrir todo tipo de puertas* (= alambres doblados para abrir las cerraduras).

garabatear v. intr. **1.** *El niño **garabateaba** en la libreta* (= hacía dibujos incomprensibles). ◆ **garabatear** v. tr. **2.** *Andrés me **ha garabateado** su dirección en un trozo de papel y ahora ya no la entiendo* (= me la ha escrito muy rápidamente).
FAM: *garabato.*

garabato s. m. *No sé cómo puedes leer esos **garabatos*** (= esa escritura tan difícil de entender).
FAM: *garabatear.*

garaje s. m. *Mi padre guarda el coche en un **garaje*** (= en un lugar cubierto y cerrado, que se utiliza para guardar los coches).
SINÓN: cochera.

garantía s. f. **1.** *El mecánico pretendía que nos lleváramos el coche sin darnos ninguna **garantía** de que no se iba a volver a averiar* (= sin asegurarnos). **2.** *Me han prestado una bicicleta y en **garantía**, he dejado mi reloj* (= para asegurar que la devolveré). **3.** *Este televisor tiene una **garantía** de dos años* (= el fabricante asegura que funcionará durante ese tiempo y, de lo contrario, se compromete a cambiarlo o arreglarlo).
SINÓN: **1.** seguridad. **2.** prenda. **3.** protección. **FAM:** *garantizar.*

garantizar v. tr. *El vendedor nos **garantizó** el televisor durante un año* (= él lo reparará gratuitamente durante este tiempo si se descompone).
FAM: *garantía.*

garapiña s. f. Ant. *Entramos en el bar y pedimos una **garapiña*** (= refresco hecho con corteza fermentada de piña, agua y azúcar).
FAM: *piña.*

garbanzo s. m. *Hoy comimos de primer plato **garbanzos*** (= unas legumbres redondas, secas y amarillas).

garbo s. m. *El bailarín se movía en el escenario con **garbo*** (= sus movimientos eran elegantes y bellos).
SINÓN: elegancia, gentileza, gracia. **FAM:** *garboso.*

garboso, a adj. *Con su nuevo vestido María está muy **garbosa*** (= muy elegante).
SINÓN: airoso, elegante, gallardo, guapo. **ANTÓN:** feo, vulgar. **FAM:** *garbo.*

gardenia s. f. La **gardenia** es una flor blanca y olorosa.

garfio s. m. *El capitán pirata tenía un **garfio** en lugar de una mano pues se la había comido un tiburón* (= un gancho).
SINÓN: gancho, horquilla.

garganta s. f. **1.** *Me hice una herida en la **garganta*** (= debajo de la barbilla). **2.** *El médico me hizo abrir la boca para mirarme la **garganta*** (= lo que está en el fondo de la boca a nivel del cuello). **3.** *El río corre por una **garganta** entre dos montañas* (= por un paso estrecho).
SINÓN: **3**. desfiladero. **FAM:** *gargantilla.*

gargantilla s. f. *Mi madre le ha regalado a mi hermana una **gargantilla*** (= un collar corto).
SINÓN: collar. **FAM:** *garganta.*

gárgaras s. f. pl. *Para curar sus anginas Marta hace **gárgaras** con un medicamento* (= inclina la cabeza hacia atrás y se enjuaga la garganta con el medicamento).

garita s. f. *El soldado estaba en la **garita** vigilando la entrada del cuartel* (= en una torre pequeña o caseta donde están los centinelas).

garra s. f. **1.** *El león atrapó a la presa con sus **garras*** (= con sus uñas fuertes, curvas y agudas). ◆ **tener garra 2.** *Esa chica no es guapa pero **tiene** mucha **garra*** (= tiene mucha personalidad y eso la hace atractiva).
SINÓN: 1. mano, zarpa. **FAM:** *agarradera, agarrar, desgarrar, desgarrón.*

garrafa s. f. *Mi abuelo guarda el vino en una **garrafa*** (= en una botella de vidrio que contiene diez litros de vino).
SINÓN: garrafón. **FAM:** *garrafón.*

garrafal adj. *En el examen cometí un error **garrafal*** (= muy grande).
SINÓN: enorme, tremendo. **ANTÓN:** mínimo, pequeño.

garrafón s. m. *Las aceitunas estaban en un **garrafón*** (= en una garrafa grande).
SINÓN: garrafa. **FAM:** *garrafa.*

garrapata s. f. *El perro tenía **garrapatas** pegadas en el cuello* (= unos animales parecidos a las arañas que viven como parásitos sobre la piel de algunos mamíferos).

garrote s. m. *Nos amenazaron con **garrotes*** (= con unos palos gruesos y fuertes).
SINÓN: bastón, cayado, estaca. **FAM:** *agarrotar.*

garúa s. f. Amér. Cent., Merid. *Cuando salí a la calle, caía una leve **garúa*** (= lluvia fina y continua).
SINÓN: llovizna. **FAM:** *garuar.*

garuar v. intr. Amér. Cent., Merid. *No pudieron ir a la playa porque **garuaba*** (= caía una lluvia fina y continua).
SINÓN: lloviznar. **FAM:** *garúa.*

gas s. m. **1.** *El aire es un **gas*** (= es una sustancia que no es ni líquida ni sólida). **2.** *Antiguamente las calles estaban iluminadas por faroles que funcionaban con **gas*** (= con un elemento que sirve para mantener el fuego encendido). **3.** *Me gusta beber agua con **gas*** (= con burbujas).
SINÓN: 1. fluido. **FAM:** *antigás, gaseoso, gasómetro.*

gasa s. f. **1.** *Me han tapado la herida con una **gasa*** (= con una tela muy fina de algodón que se utiliza para los vendajes). **2.** *En la India se usan mucho los vestidos de **gasa*** (= de tela muy fina y fresca).

gaseoso, a adj. **1.** *El butano es un elemento **gaseoso*** (= no es ni sólido ni líquido). ◆ **gaseosa** s. f. **2.** *En un bar me he tomado una **gaseosa*** (= una bebida dulce y con gas).
SINÓN: 2. refresco. **FAM:** → *gas.*

gasolina s. f. *El coche se paró porque se quedó sin **gasolina*** (= el combustible que se pone en los coches para que funcionen).
SINÓN: nafta. **FAM:** → *gasolinera.*

gasolinera s. f. *Mi padre fue a una **gasolinera** a poner gasolina al coche* (= al lugar donde se vende gasolina y otros productos para los coches).
FAM: → *gasolina.*

gasómetro s. m. El **gasómetro** es un aparato que sirve para medir el gas o para almacenarlo.
FAM: → *gas.*

gastador, a adj. *Óscar se arruinó porque era muy **gastador*** (= gastó más dinero del que tenía).
ANTÓN: avaro, tacaño. **FAM:** → *gastar.*

gastado, a adj. *De tanto caminar, las suelas de los zapatos están **gastadas*** (= están viejas y usadas).
SINÓN: estropeado. **ANTÓN:** nuevo, reciente.
FAM: → *gastar.*

gastar v. tr. **1.** *Mi hermano **gasta** mucho dinero en libros* (= usa mucho dinero para comprar libros). **2.** *En mi casa **gastamos** mucha agua porque tenemos que regar el jardín* (= utilizamos). **3.** *Yo **gasto** mucho los zapatos* (= los rompo con facilidad). **4.** *Con Jaime nos reímos mucho porque siempre **está gastando** bromas* (= está haciendo bromas).
SINÓN: 1. derrochar, invertir, pagar. **2.** consumir. **3.** estropear, deteriorar. **ANTÓN: 1.** ahorrar, guardar. **3.** conservar, cuidar, mantener. **FAM:** *desgastar, desgaste, gastado, gastador, gasto, malgastar.*

gasto s. m. **1.** *No sé si pedirle el dinero a mi padre porque siempre se queja de que tiene demasiados **gastos*** (= de que tiene que pagar muchas cosas). **2.** *El **gasto** de electricidad es cada vez mayor porque tenemos muchos aparatos eléctricos* (= el consumo).
SINÓN: 2. consumo. **ANTÓN: 2.** ahorro, economía. **FAM:** → *gastar.*

gástrico, a adj. *Este medicamento calma los dolores **gástricos*** (= los dolores del estómago).
FAM: *gastritis.*

gastritis s. f. *Mi padre padece de **gastritis*** (= una enfermedad que consiste en la inflamación de la pared interna del estómago).
FAM: *gástrico.*

gastronomía s. f. **1.** *Para ser un buen cocinero debes estudiar **gastronomía*** (= el arte de preparar buenas comidas). **2.** *Al señor López le gusta la **gastronomía*** (= le gusta comer bien).
SINÓN: 1. cocina.

gatas *Alcanzamos el tren **a gatas*** (= apenas, con el tiempo justo).

gatear v. intr. *Antes de aprender a caminar, los niños empiezan a **gatear*** (= a arrastrarse apoyando las rodillas y las manos en el suelo).
FAM: *gatas.*

gatillo s. m. *El cazador apretó el **gatillo** de la escopeta para disparar* (= una palanca pequeña que permite disparar).

gato, a s. **1.** *Me han regalado un* ***gato*** (= un felino doméstico que caza ratones). **2.** *Levantamos el coche con el* ***gato*** *para cambiarle la rueda* (= con un instrumento mecánico que sirve para levantar el coche). R. de la Plata. **3.** *Prometió enseñarme a bailar el* ***gato*** (= danza de pareja, con zapateo rápido, y en la que el hombre y la mujer intercambian relaciones). ◆ **dar gato por liebre 4.** *Debes fijarte bien en lo que te venden pues a veces intentan* ***darte gato por liebre*** (= intentan venderte una cosa que no es tan buena como te dicen). ◆ **haber cuatro gatos 5.** *Creíamos que iba a venir mucha gente a la fiesta y al final sólo* ***había cuatro gatos*** (= muy poca gente). ◆**haber gato encerrado 6.** *La explicación de María no nos convenció y nos hizo pensar que allí* ***había gato encerrado*** (= que María nos ocultaba algo).
FAM: → *gatear, gatillo.*

gauchada s. f. Amér. Merid. *Cuando me prestaste ese dinero, me hiciste una* ***gauchada*** (= favor hecho con nobleza y desinterés).
SINÓN: ayuda, servicio. **ANTÓN:** daño, perjuicio. **FAM:** → *gaucho.*

gauchaje s. m. R. de la Plata. *El* ***gauchaje*** *cabalgaba por la llanura junto al ganado* (= conjunto de gauchos).
FAM: → *gaucho.*

gauchesco, a adj. R. de la Plata. *En las noches de verano, el abuelo nos relataba cuentos* ***gauchescos*** (= propios de los gauchos).
FAM: *gaucho.*

gaucho s. m. Amér. *Siempre admiré mucho a los* ***gauchos*** (= hombre de campo que vivía en las llanuras del Río de la Plata y se caracterizaba por ser un excelente jinete y hábil en los trabajos ganaderos).
FAM: *gauchada, gauchaje, gauchesco.*

gavilán s. m. El **gavilán** es un ave rapaz, similar al halcón, que tiene el plumaje azulado en la parte superior y la cola parda.

gaviota s. f. Las **gaviotas** son aves de plumaje gris y blanco; viven en las costas y se alimentan de peces y de los desperdicios que arrojan los barcos.

géiser s. m. *Cerca del volcán hay un* ***géiser*** (= una fuente natural que suelta unos chorros de agua caliente que alcanzan gran altura).

gelatina s. f. *Al cocer los huesos de ternera se obtiene* ***gelatina*** (= una sustancia sólida, blanda y transparente).

gemelo, a adj. **1.** *Mi madre está embarazada y está esperando* ***gemelos*** (= está esperando dos bebés que nacerán juntos). ◆ **gemelos** s. m. pl. **2.** *Con unos* ***gemelos*** *pudimos ver las águilas que volaban muy alto* (= con un instrumento que permite ver los objetos que están muy lejos).
SINÓN: 1. mellizo, idéntico, igual. **2.** anteojos, binoculares, prismáticos.

gemido s. m. *Sé que mi hermano se encuentra mal porque oigo sus* ***gemidos*** (= oigo unos sonidos muy parecidos al llanto, que expresan dolor).
SINÓN: lamento, queja, sollozo. **FAM:** *gemir.*

géminis s. m. **Géminis** es el tercer signo del zodíaco, va desde el 21 de mayo hasta el 21 de junio.

gemir v. intr. *Cuando el niño se hirió,* ***gemía*** *porque le dolía mucho* (= emitía unos sonidos, muy parecidos al llanto, que expresaban dolor).
SINÓN: llorar, sollozar. **FAM:** *gemido.*

genealogía s. f. *Los chinos se interesan mucho por la* ***genealogía*** *de las personas* (= por saber quiénes fueron sus antepasados).
FAM: *genealógico.*

genealógico, a adj. *Mi abuela está haciendo un árbol* ***genealógico*** *de la familia* (= está haciendo un cuadro en forma de árbol y en el que figuran todos nuestros antepasados).
FAM: *genealogía.*

generación s. f. **1.** *La* ***generación*** *de calor puede ser natural o artificial* (= la producción). **2.** *Es la segunda* ***generación*** *que vive en esta casa* (= antes vivieron mis abuelos con sus hijos y ahora vivimos mis padres y nosotros). **3.** *Mi amigo y yo pertenecemos a la misma* ***generación*** (= hemos nacido aproximadamente en la misma época).
SINÓN: 1. creación, producción. **2.** descendencia. **FAM:** → *generar.*

generador s. m. *En los hospitales utilizan* ***generadores*** *de luz cuando hay un desperfecto eléctrico* (= un aparato que produce electricidad).
FAM: → *generar.*

general s. **1.** *El* ***general*** *del ejército pasó revista a las tropas* (= la persona que manda en el ejército). ◆ **general** adj. **2.** *Fui al doctor de medicina* ***general*** (= al que atiende todo tipo de enfermedades). **3.** *Éste es un asunto de interés* ***general****; así que escuchen todos* (= les interesa a todos). ◆ **en general** o **por lo general 4.** ***En general****, su trabajo está bien* (= en su conjunto, sin entrar en detalles).
SINÓN: 1. jefe. **3.** colectivo, común. **ANTÓN: 2.** especial, particular. **3.** singular, único. **FAM:** *generalidad, generalizar.*

generalidad s. f. **1.** *La* ***generalidad*** *de las personas sabe leer y escribir* (= la mayoría). **2.** *Era un escrito lleno de* ***generalidades*** (= cosas superficiales, que todo el mundo conoce).
SINÓN: 1. mayoría. **2.** imprecisión. **ANTÓN: 1.** minoría. **2.** precisión. **FAM:** → *general.*

generalizar v. tr. **1.** *No se debe decir que todas las personas de un lugar son de una manera determinada porque no es bueno* ***generalizar*** (= no es bueno decir que todo el mundo es igual sin considerar a cada persona por separado). ◆ **generalizarse** v. pron. **2.** ***Se han generali-***

zado *las clases de inglés en las escuelas* (= en casi todas las escuelas se dan clases de inglés).
SINÓN: 2. ampliar, extender. **ANTÓN:** reducir. **FAM:** → *general.*

generar v. tr. *Este aparato* ***genera*** *energía* (= produce).
SINÓN: engendrar, procrear, producir, provocar. **FAM:** *generación, generador, género.*

género s. m. **1.** *Nosotros pertenecemos al* ***género*** *humano* (= al conjunto de todos los seres humanos). **2.** *La maestra se enoja cuando le haces ese* ***género*** *de preguntas* (= ese tipo). **3.** *Mi madre ha ido a una tienda a comprar género para hacernos unos vestidos* (= tela). **4.** *La mesa pertenece al* ***género*** *femenino, el lápiz al masculino.*
SINÓN: 1. clase, grupo. **3.** tejido, tela. **FAM:** → *generar.*

generosidad s. f. *Gracias a la* ***generosidad*** *de esta señora, esos niños pueden comer y vestir* (= a su bondad, pues siempre está dispuesta a ayudar a los que lo necesitan).
SINÓN: desinterés, desprendimiento. **ANTÓN:** avaricia. **FAM:** *generoso.*

generoso, a adj. *Mi compañero es muy* ***generoso*** *porque siempre nos presta sus cosas* (= le gusta compartir sus cosas con los demás).
SINÓN: desinteresado, desprendido. **ANTÓN:** avaro, mezquino. **FAM:** *generosidad.*

genial adj. *El futbolista hizo una jugada* ***genial*** (= muy buena y que no todo el mundo habría podido hacer).
SINÓN: excelente, sobresaliente. **ANTÓN:** común, habitual, normal. **FAM:** → *genio.*

genialidad s. f. *La* ***genialidad*** *de ese pintor es indiscutible* (= su originalidad y su talento).
SINÓN: talento. **FAM:** → *genio.*

genio s. m. **1.** *El guarda tiene muy mal* ***genio*** *y siempre nos reprende* (= está siempre de mal humor y se enoja por cualquier cosa). **2.** *Mozart fue un genio de la música* (= era muy bueno y ha habido pocos como él). **3.** *Newton fue un* ***genio*** *porque descubrió la gravedad* (= una persona de inteligencia y talento superiores). **4.** *El* ***genio*** *de la lámpara de Aladino aparecía cuando alguien la frotaba* (= el ser con poderes mágicos).
SINÓN: 1. carácter, temperamento. **2.** aptitud, talento. **4.** duende. **FAM:** *genial, genialidad, ingenio, ingenioso.*

genital adj. *El pene y los testículos son los órganos* ***genitales*** *masculinos, y la vulva, el femenino* (= los órganos que sirven para la reproducción sexual).

gente s. f. *Hay mucha* ***gente*** *en la calle* (= muchas personas).
FAM: *gentilicio, gentío.*

gentil adj. *En el cuento se hablaba de un caballero* ***gentil*** *que siempre ayudaba a todo el mundo* (= de un hombre amable).
SINÓN: amable, atento, educado. **ANTÓN:** desagradable, grosero, maleducado. **FAM:** *gentileza.*

gentileza s. f. *Ha tenido la* ***gentileza*** *de invitarme a comer* (= ha sido muy amable).
SINÓN: cortesía, educación, finura. **ANTÓN:** grosería, rudeza. **FAM:** *gentil.*

gentilicio, a adj. Uruguayo *es un adjetivo* ***gentilicio*** (= porque hace referencia a lugares o personas de Uruguay).
FAM: → *gente.*

gentío s. m. *Hubo un gran* ***gentío*** *en la manifestación* (= asistió mucha gente).
SINÓN: aglomeración, muchedumbre, multitud. **FAM:** → *gente.*

genuino, a adj. *Ésta es una* ***genuina*** *obra de Picasso* (= es auténtica).

geografía s. f. *En el examen de* ***Geografía*** *nos preguntaron los montes y ríos más importantes de México* (= de la asignatura que trata de la descripción de la Tierra).
FAM: *geográfico, geógrafo.*

geográfico, a s. *Me han regalado un atlas* ***geográfico*** (= un libro con mapas en los que se señalan los países, los ríos y las montañas).
FAM: → *geografía.*

geógrafo, a adj. *Hoy vino a la escuela una* ***geógrafa*** *y nos habló de las principales montañas de América* (= una profesional especialista en Geografía).
FAM: → *geografía.*

geología s. f. *Hoy nos vamos de excursión con la profesora, pues vamos a estudiar* ***Geología*** *y nos enseñará distintos tipos de rocas* (= la ciencia que estudia la historia de la formación de la Tierra y su estructura actual).
FAM: *geólogo.*

geólogo, a s. *Unos* ***geólogos*** *van a hacer un estudio del terreno para ver si hay petróleo* (= unos especialistas en Geología).
FAM: *geología.*

geometría s. f. La **Geometría** es la parte de las Matemáticas que estudia las líneas, las superficies y los volúmenes.
FAM: *geométrico.*

geométrico, a adj. *El cuadrado, el círculo, el triángulo son figuras* ***geométricas*** (= son formas que estudia la Geometría).
FAM: *geometría.*

geranio s. m. Los **geranios** son unas plantas con unas flores de colores muy vivos y suelen colocarse en los balcones de las casas.

gerente s. *Mi padre es el* ***gerente*** *de esa empresa* (= es el que la dirige).
SINÓN: administrador, director.

germánico, a adj. **1.** *Los pueblos* ***germánicos*** *provocaron la caída del Imperio Romano* (= de la antigua Germania). ◆ **germánico, a**

s. **2.** *Los* ***germánicos*** *eran las personas nacidas en la antigua Germania.*

germen s. m. **1.** *Todos los seres vivos provienen de un* ***germen*** (= una célula o grupo de células que los origina). **2.** *Al plantar una semilla, primero sale el* ***germen****, que luego crece para convertirse en una planta* (= la parte de la semilla que brota cuando empieza a crecer). **3.** *En las aguas estancadas hay muchos* ***gérmenes*** (= muchos seres vivos de tamaño minúsculo que provocan enfermedades). **4.** *El* ***germen*** *de la discusión fue el desacuerdo entre los dos amigos* (= lo que provocó la discusión).
SINÓN: **1.** huevo, semilla. **4.** causa, fuente, origen, principio. ANTÓN: **4.** final, término. FAM: *germinar.*

germinar v. intr. *Si pones las semillas sobre un algodón húmedo, podrás ver cómo empiezan a* ***germinar*** (= a crecer).
SINÓN: brotar, crecer, desarrollarse, nacer. ANTÓN: morir. FAM: *germen.*

gerundio s. m. *Cantando y temiendo son los* ***gerundios*** *de los verbos cantar y temer* (= son formas no personales del verbo y expresan una acción que se está efectuando).

gesta s. f. **1.** Los cantares de **gesta** son poemas medievales que cuentan las hazañas de los héroes. **2.** *El cruce de los Andes por San Martín fue una* ***gesta*** *memorable* (= una hazaña).
SINÓN: hazaña, heroicidad.

gestación s. f. **1.** *El período de* ***gestación*** *del ser humano es de nueve meses* (= el tiempo que tarda el hijo en formarse en el útero de la madre). **2.** *La* ***gestación*** *del plan se efectuó en mi casa* (= la preparación).
SINÓN: **1.** embarazo. **2.** maduración, organización, preparación.

gesticulación s. f. *Los turistas hacían* ***gesticulaciones*** *para que los entendieran* (= movían las manos para expresar lo que querían decir).
FAM: → *gesto.*

gesticular v. intr. *Aquel señor* ***gesticulaba*** *mucho mientras hablaba* (= hacía muchos gestos con las manos para expresar lo que estaba diciendo).
FAM: → *gesto.*

gestionar v. tr. *Mi padre se encargó de* ***gestionar*** *nuestros pasaportes* (= de dar todos los pasos necesarios para conseguirlos).
SINÓN: resolver, tratar. FAM: *gestoría.*

gesto s. m. **1.** *El payaso del circo hace* ***gestos*** *divertidos con sus manos y su cara* (= las mueve para expresar alegría o tristeza). **2.** *El profesor tuvo un* ***gesto*** *generoso al quitarnos el castigo* (= realizó una acción en la que demostró su generosidad).
SINÓN: **1.** expresión, guiño, mueca. FAM: *gesticular, gesticulación.*

gestoría s. f. *Como Juan no sabía qué documentos necesitaba para abrir un comercio, tuvo que acudir a una* ***gestoría*** (= a una empresa que se dedica a arreglar y proporcionar documentos a las personas que lo necesitan).
FAM: *gestionar.*

giba s. f. *Los camellos tienen una* ***giba*** *en el lomo* (= un bulto grande que les sirve para almacenar el agua).
SINÓN: joroba.

gigante adj. **1.** *Nueva York es una ciudad* ***gigante*** (= enorme). ◆ **gigante** s. m. **2.** *En el cuento, había un* ***gigante*** *que tenía las manos más grandes que un árbol* (= un hombre enorme). **3.** *Vi un desfile de* ***gigantes*** *y cabezudos* (= unas figuras que representan a personas de gran estatura).
SINÓN: **1, 2.** enorme, gigantesco, grande. ANTÓN: **1, 2.** chico, diminuto, enano, pequeño. FAM: *gigantesco, gigantón.*

gigantesco, a adj. *Este árbol es* ***gigantesco*** (= es enorme).
SINÓN: colosal, enorme. ANTÓN: enano, insignificante. FAM: → *gigante.*

gimnasia s. f. *Para estar en forma hay que hacer* ***gimnasia*** (= hay que hacer ejercicios físicos).
SINÓN: ejercicio, práctica. FAM: → *gimnasio.*

gimnasio s. m. *Mi madre va a un* ***gimnasio*** *porque quiere mantenerse en forma* (= a un local destinado a hacer ejercicios físicos).
FAM: *gimnasia, gimnasta.*

gimnasta s. m. f. *Vimos el entrenamiento de un equipo de* ***gimnastas*** (= de deportistas que practican ejercicios físicos para desarrollar y fortalecer sus músculos).
FAM: → *gimnasio.*

gimotear v. intr. *El niño* ***gimoteaba*** *porque su madre no le compraba golosinas* (= lloriqueaba).
SINÓN: gemir, lloriquear, sollozar.

ginebra s. f. *A mi padre no le gusta beber* ***ginebra*** *porque es muy fuerte* (= una bebida alcohólica).

ginecología s. f. *Cuando sea mayor quiero estudiar* ***Ginecología*** (= la rama de la medicina que estudia las enfermedades propias de la mujer).
FAM: *ginecólogo.*

ginecólogo, a s. *Acompañé a mi madre al* ***ginecólogo*** (= al médico especialista en enfermedades propias de la mujer).
FAM: *ginecología.*

gira s. f. *La compañía de teatro terminó su* ***gira*** *por Europa y volvió a Costa Rica* (= sus actuaciones en ciudades diferentes).
SINÓN: excursión, viaje. FAM: → *giro.*

girar v. intr. **1.** *La Tierra* ***gira*** *alrededor del Sol* (= da vueltas a su alrededor). **2.** *La conversación* ***giró*** *en torno a las vacaciones* (= se habló de las

vacaciones). **3.** *El conductor* ***giró*** *a la izquierda* (= cambió de sentido, torció).
SINÓN: 1. rodear. **2.** tratar. **3.** torcer, virar.
FAM: → *giro.*

girasol s. m. Los **girasoles** son plantas con grandes flores amarillas y abundantes semillas comestibles, de las que se obtiene el aceite.
FAM: → *giro.*

giratorio, a adj. *El hotel tenía una puerta* ***giratoria*** (= una puerta que daba vueltas sobre un eje).
FAM: → *giro.*

giro s. m. **1.** *Di tantos* ***giros*** *que me mareé* (= di tantas vueltas). **2.** *El conductor hizo un* ***giro*** *de volante para no atropellar a una señora* (= cambió la dirección del coche). **3.** *Me fui de la reunión porque la conversación empezaba a tomar un* ***giro*** *que no me gustaba* (= empezaban a hablar de cosas desagradables). **4.** *Se nota que no eres de aquí pues cuando hablas utilizas muchos* ***giros*** *de tu tierra* (= muchas expresiones). ◆ **giro postal 5.** *He ido a la oficina de correos a mandar un* ***giro postal*** *de cinco mil pesos* (= un sistema que permite mandar dinero sin correr el riesgo de que se pierda).
SINÓN: 1. vuelta. **FAM:** *gira, girar, girasol, giratorio.*

gis s. m. Méx. *La maestra anota las palabras con* ***gis*** *en el pizarrón* (= barrita de arcilla blanca).
SINÓN: tiza.

gitano, a s. Los **gitanos** pertenecen a una raza, generalmente nómada, que procede de la India y que se estableció en distintas partes del mundo.

glacial adj. *En el Polo Norte sopla un viento* ***glacial*** (= muy frío).
SINÓN: helado, frío, gélido. **ANTÓN:** cálido, caliente, caluroso. **FAM:** *glaciar.*

glaciar s. m. *Los alpinistas atravesaron un* ***glaciar*** (= un río de hielo).
FAM: glacial.

gladiolo s. m. *Corté unos* ***gladiolos*** *para mamá* (= planta de flores en espigas, de diversos colores).

glándula s. f. Las **glándulas** son unos órganos del cuerpo que producen unas sustancias muy necesarias para el organismo.

global adj. *La suma* ***global*** *de la compra asciende a mil pesos* (= la suma total).
SINÓN: completo, total. **ANTÓN:** parcial, relativo.
FAM: → *globo.*

globos s. m. **1.** *El niño se puso a llorar porque se le reventó el* ***globo*** *con el que jugaba* (= la esfera de goma flexible que se puede inflar con aire). **2.** *Unos aventureros cruzaron el país en* ***globo*** (= en una gran bolsa de material ligero, llena de un gas menos pesado que el aire, y que sirve como medio de transporte). **3.** *Para que no nos molestara la luz del foco, le pusimos un* ***globo*** (= una protección de cristal redonda que quita brillo a la luz). **4.** *Mis vecinos han dado la vuelta al* ***globo*** (= a la Tierra). ◆ **globo terráqueo 5.** *Localicé todos los continentes en el* ***globo terráqueo*** (= en la esfera que representa la Tierra y en la cual están dibujados todos los países, mares, ríos y montañas).
SINÓN: 4. mundo, Tierra. **FAM:** *global, glóbulo.*

glóbulo s. m. La sangre contiene unas células microscópicas llamadas **glóbulos** rojos y blancos.
FAM: → *globo.*

gloria s. f. **1.** *Los cristianos dicen que los buenos alcanzan la* ***gloria*** *después de la muerte* (= se van al cielo). **2.** *Alejandro Magno alcanzó la* ***gloria*** *por sus conquistas* (= su fama se mantiene en el tiempo). **3**. *Cervantes es una* ***gloria*** *nacional para los españoles* (= un orgullo).
SINÓN: 1. cielo, paraíso. **2.** brillo, celebridad, fama, honor. **3.** orgullo.
ANTÓN: 1. infierno. **FAM:** *glorieta, glorioso.*

glorieta s. f. **1.** *Estuvimos charlando en la* ***glorieta*** *del jardín* (= en un espacio redondo y cerrado). **2.** *En esta* ***glorieta*** *confluyen varias calles* (= en esta plaza).
SINÓN: 2. plaza, plazoleta. **FAM:** → *gloria.*

glorioso, a adj. *Los hechos* ***gloriosos*** *del héroe lo elevaron a la fama* (= dignos de gloria).
FAM: → *gloria.*

glosa s. f. *El profesor nos hizo una* ***glosa*** *de aquel texto para explicar los puntos más difíciles de entender* (= unos comentarios acerca de lo que decía el texto).
SINÓN: comentario, explicación, nota. **FAM:** *glosario.*

glosario s. m. *No te preocupes si ves que este libro contiene palabras que no entiendes porque tiene un* ***glosario*** (= una lista de las palabras más difíciles con la explicación de su significado).
FAM: *glosa.*

glotonería s. f. *Su* ***glotonería*** *le ha costado una indigestión* (= su deseo de comer en exceso).
SINÓN: apetito, avidez. **ANTÓN:** moderación. **FAM:** *glotón.*

glotón, ona adj. *Juan es un niño tan* ***glotón*** *que puede comer un pollo él solo* (= le gusta mucho comer).
SINÓN: comilón. **FAM:** *glotonería.*

glucosa s. f. *La uva tiene mucha* ***glucosa*** (= mucho azúcar).

glúteo, a adj. *Le pondremos la inyección en la región* ***glútea*** (= en las nalgas).

gobernador, a s. *El* ***gobernador*** *suele presidir las ceremonias oficiales* (= el jefe superior de una provincia o estado).
FAM: → *gobernar.*

gobernante s. m. *Los* ***gobernantes*** *de los países europeos se reunieron ayer en Bruselas*

(= las personas que dirigen cada uno de los países europeos).
FAM: → *gobernar.*

gobernar v. tr. **1.** *En las elecciones votamos por las personas que queremos que* ***gobiernen*** *nuestro país* (= que lo dirijan). **2.** *A pesar de la tempestad, el capitán pudo* ***gobernar*** *el barco y llegar al puerto* (= pudo conducir).
SINÓN: **1.** dirigir, mandar. **2.** conducir, guiar, manejar, maniobrar. FAM: *gobernador, gobernante, gobierno, gubernamental.*

gobierno s. m. **1.** *Para resolver los problemas del país se ha reunido el* ***Gobierno*** (= el conjunto de personas que dirigen el país). **2.** *El entrenador es el responsable del* ***gobierno*** *del equipo de fútbol* (= de la dirección).
SINÓN: **2.** administración, dirección, mando.
FAM: → *gobernar.*

goce s. m. *Fue un* ***goce*** *asistir a aquella fiesta* (= un gran placer).
SINÓN: delicia, placer. ANTÓN: pena, sufrimiento.
FAM: → *gozo.*

gol s. m. *Mi equipo de fútbol marcó tres* ***goles*** (= introdujo la pelota en el arco tres veces).
SINÓN: punto, tanto. FAM: *goleada, goleador, golear.*

goleada s. f. *En el partido de fútbol el equipo contrario nos metió una* ***goleada*** (= un número considerable de goles).
FAM: *gol.*

goleador s. m. *Nuestro equipo de fútbol tiene un buen* ***goleador*** (= un jugador hábil en marcar goles).
FAM: *gol.*

golear v. tr. *Este equipo de fútbol sabe* ***golear*** (= sabe marcar muchos goles).
FAM: *gol.*

golf s. m. El **golf** es un deporte que se juega en un campo muy grande y consiste en meter una pelota en una serie de hoyos golpeándola con unos palos especiales.

golfo s. m. *El barco se internó en el* ***golfo*** *para resguardarse de la tormenta* (= en una amplia entrada del mar en la tierra).
SINÓN: bahía, cala, ensenada.

golondrina s. f. La **golondrina** es un pájaro pequeño con plumas negras por encima y blancas por debajo, tiene el pico corto y las alas puntiagudas.

golosina s. f. *A María le gustan las* ***golosinas*** (= los bombones, caramelos y otros dulces).
SINÓN: chuchería, dulce. FAM: *goloso.*

goloso, a adj. *Mi hermano es muy* ***goloso*** (= le gustan mucho los dulces).
FAM: *golosina.*

golpe s. m. **1.** *Está tan sordo que no oye los* ***golpes*** *en la puerta* (= el ruido producido por alguien que llama a la puerta). **2.** *He recibido un* ***golpe*** *en el codo* (= algo chocó contra mi codo y me hizo daño). **3.** *La muerte de su padre ha sido un duro* ***golpe*** (= ha sido una desgracia). **4.** *A pesar de que los atracadores planearon todos los detalles del* ***golpe****, al final los atrapó la policía* (planearon un atraco). ◆ **de golpe 5.** *Nos estábamos contando cuentos de miedo cuando,* ***de golpe****, se fue la luz* (= de repente, sin que nadie lo esperara). ◆ **golpe de Estado 6.** *Tras el* ***golpe de Estado****, los rebeldes formaron un nuevo gobierno* (= tras la eliminación del gobierno anterior por la fuerza).
SINÓN: **1.** colisión, choque. **2.** cardenal, contusión. **3.** desgracia, revés. ANTÓN: **3.** alegría.
FAM: *agolpar, golpear, golpista.*

golpear v. tr. *El niño se puso a* ***golpear*** *la puerta para que le abrieran* (= a dar golpes).
SINÓN: azotar, herir, pegar. FAM: → *golpe.*

golpista adj. *El general* ***golpista*** *fue detenido y encarcelado* (= el que intentó dar un golpe de Estado).
FAM: → *golpe.*

goma s. f. **1.** *Mi madre se recoge el pelo con una* ***goma*** (= una tira o cinta elástica). **2.** *Mis zapatos tienen la suela de* ***goma*** (= un material flexible e impermeable). **3.** *Con* ***goma*** *pego las fotos en una cartulina* (= con pegamento). Argent. **4.** *En el camino pincharon dos* ***gomas*** (= neumático de los coches). ◆ **goma de borrar 5.** *Tengo una* ***goma de borrar*** *que huele a fresa* (= un trozo de caucho que sirve para borrar lo escrito a lápiz).
SINÓN: **1.** elástico. **2.** caucho. **3.** adhesivo, cola, pegamento. **4.** neumático.

gomero s. m. Amér. Merid. **1.** *Su padre explota una plantación de* ***gomeros*** (= árboles que producen caucho). **2.** *Juan es* ***gomero*** (= recolecta el caucho). **3.** *En el jardín de mi casa hay un* ***gomero*** (= cierta planta ornamental).
FAM: *goma.*

góndola s. f. *En Venecia dimos un paseo por los canales en* ***góndola*** (= en una embarcación típica de esa ciudad italiana, con la proa y la popa puntiagudas y salientes).
FAM: *gondolero.*

gondolero s. m. *De pie en la popa, el* ***gondolero*** *conducía la góndola con un remo* (= la persona que conduce una góndola).
FAM: *góndola.*

gong s. m. *El jefe del campamento golpeó el* ***gong*** *con un palo para llamarnos a comer* (= un disco grande de metal suspendido que vibra al golpearlo con el palo).

gordinflón, ona adj. *Joaquín es tan* ***gordinflón*** *que no pasa por la puerta* (= es tan gordo).
SINÓN: gordo. ANTÓN: delgado, flaco. FAM: → *gordo.*

gordo, a adj. **1.** *De tanto comer se puso muy* ***gordo*** (= aumentó muchos kilos). **2.** *No sé*

si podré leer un libro tan ***gordo*** (= de tantas páginas). ◆ **premio gordo 3.** *Si te toca el* ***premio gordo*** *de la lotería puedes ganar mucho dinero* (= el primer premio).
SINÓN: 1. obeso, regordete. **2.** grande, grueso. **3.** más importante. **ANTÓN: 1.** delgado, flaco. **2.** fino. **3.** pequeño. **FAM:** *engordar, engorde, gordinflón, gordura, regordete.*

gordura s.f. **1.** *Ese niño tiene que vigilar lo que come porque su* ***gordura*** *es excesiva* (= tiene demasiada carne y grasa en el cuerpo). Ant., R. de la Plata **2.** *Con la* ***gordura*** *que se obtiene de la leche, se hacen queso y mantequilla* (= nata).
SINÓN: 1. obesidad. **2.** crema. **ANTÓN: 1.** delgadez. **FAM:** → *gordo.*

gorgojo s. m. Los **gorgojos** son insectos pequeños que roen los cereales y legumbres.

gorila s. m. El **gorila** es un mono de estatura y aspecto parecido al hombre, que vive en África ecuatorial.

gorra s. f. *Para ir a pescar, mi padre se pone una* ***gorra*** *para protegerse del sol* (= una prenda para cubrir la cabeza sin ala y sin visera).
SINÓN: boina, gorro. **FAM:** *gorro, gorrón.*

gorrino, a s. El **gorrino** es el cerdo que tiene menos de cuatro meses.
SINÓN: lechón, marrano, puerco.

gorrión, ona s. Los **gorriones** son pájaros pequeños y pardos que se alimentan de granos y también de insectos.

gorro s. m. **1.** *Cuando voy a la nieve siempre llevo un* ***gorro*** (= una prenda redonda de tela o de lana para proteger la cabeza del frío). **2.** *En el parque había un bebé con un* ***gorro*** (= una prenda de lana que le cubría la cabeza y sujeta con cintas).
SINÓN: 1. boina, gorra. **FAM:** → *gorra.*

gota s. f. **1.** *El cielo se cubrió de nubes y cayeron las primeras* ***gotas*** *de lluvia* (= cantidades de agua muy pequeñas). ◆ **ni (una) gota 2.** *A Juan no le hizo gracia nuestra broma porque no tiene* ***ni gota*** *de sentido del humor* (= absolutamente nada).
FAM: *agotador, agotamiento, agotar, gotear, goteo, gotera, inagotable.*

gotear v. intr. **1.** *La camisa recién lavada que había tendido mi hermana* ***goteaba*** (= desprendía agua gota a gota). **2.** *Tuve que abrir el paraguas porque empezó a* ***gotear*** (= a caer un poco de lluvia).
SINÓN: 2. chispear, garuar, lloviznar. **FAM:** → *gota.*

gotera s. f. *Cuando empezó a llover, pusimos un recipiente en el suelo porque había una* ***gotera*** *en el techo* (= el agua goteaba en el interior de la habitación).
FAM: → *gota.*

gotero s. m. Amér. *El remedio viene en un envase con* ***gotero*** (= utensilio que sirve para verter su contenido gota a gota).
SINÓN: cuentagotas.

gótico, a adj. *Algunas iglesias europeas son monumentos de arte* ***gótico*** (= del arte de finales de la Edad Media hasta el Renacimiento).

gozar v. intr. **1.** ***Gocé*** *mucho durante las vacaciones* (= la pasé muy bien). **2.** ***Goza*** *de buena salud* (= tiene buena salud).
SINÓN: 1. disfrutar, divertirse. **ANTÓN: 1.** padecer, sufrir. **FAM:** → *gozo.*

gozo s. m. **1.** *Cuando voy con mis padres de paseo en barco siento verdadero* ***gozo*** (= placer). **2.** *Contemplar este paisaje es un* ***gozo*** (= es un disfrute).
SINÓN: alegría, felicidad, gusto, placer. **ANTÓN:** disgusto, tristeza. **FAM:** *goce, gozar, gozoso, regocijar, regocijo.*

gozoso, a adj. *La madre está* ***gozosa*** *de ver a su hijo recién nacido* (= feliz).
SINÓN: alegre, feliz. **ANTÓN:** aburrido, amargo, triste. **FAM:** → *gozo.*

grabación s. f. *Hay que repetir la* ***grabación*** *de la canción, porque la voz del cantante no se oye bien* (= hay que volver a copiar la canción en una cinta magnetofónica).
SINÓN: registro. **FAM:** → *grabar.*

grabado s. m. **1.** *No me gusta el* ***grabado*** *que hicieron de mi nombre en la medalla* (= la manera en que se marcó mi nombre en la medalla). **2.** *Mi habitación está adornada con* ***grabados*** (= con cuadros que el artista imprimió tras hacer el dibujo sobre unas planchas).
SINÓN: 2. dibujo, ilustración, lámina. **FAM:** → *grabar.*

grabador o **grabadora** s. m. o f. Amér. *Los periodistas usan* ***grabadores*** *portátiles* (= aparatos electrónicos para grabar y reproducir el sonido).
SINÓN: magnetófono.

grabar v. tr. **1.** *Con un cuchillo* ***grabé*** *mi nombre en una madera* (= escribí mi nombre sobre una superficie dura). **2.** *Esta tarde* ***grabaremos*** *la canción para poder escucharla en casa* (= copiaremos el sonido en una cinta magnetofónica). **3.** *Aquella escena me quedó* ***grabada*** *en la memoria* (= no la podré olvidar).
SINÓN: 1. esculpir, imprimir, labrar, tallar. **2.** registrar, reproducir. **3.** impresionar, fijar. **ANTÓN: 1, 2.** borrar. **3.** olvidar. **FAM:** *grabación, grabado.*

gracia s. f. **1.** *Aunque no era muy guapo, su cara tenía cierta* ***gracia*** (= cierto atractivo). **2.** *En los cuentos, las hadas conceden* ***gracias*** *fantásticas a los protagonistas* (= favores). **3.** *La modelo caminaba por la pasarela con* ***gracia*** (= con armonía). **4.** *Todos reíamos con las* ***gracias*** *del payaso* (= con los chistes). **5.** *A cinco presos se les ha concedido la* ***gracia*** *y podrán salir de la cárcel* (= se les ha perdonado su condena). ◆ **gracias** s. f. pl. **6.** *Di las* ***gracias*** *a la persona que me ayudó a levantarme* (= agradecí). **7.** *Cuando mis compañeros me dieron el regalo*

dije: "**¡Gracias!**" (= utilicé una expresión para mostrar mi agradecimiento). ◆ **gracias a** **8.** ***Gracias a*** *tu ayuda pude hacer el trabajo* (= pude hacerlo porque tú me ayudaste).
SINÓN: 1. atractivo, encanto, hechizo. **2.** beneficio, don, favor. **3.** garbo. **4.** agudeza, chiste, dicho. **5.** indulto, perdón. **FAM:** *agraciado, desgracia, desgraciado, gracioso.*

gracioso, a adj. *Me río mucho con Antonio porque siempre cuenta unos chistes muy* ***graciosos*** (= muy divertidos).
SINÓN: ameno, divertido. **ANTÓN:** aburrido, soso. **FAM:** → *gracia.*

grada s. f. **1.** *Para ver el partido de cerca nos sentamos en la primera* ***grada*** (= en unos bancos en forma de escalón muy largos). **2.** *Se llega a la puerta del palacio por unas* ***gradas*** (= por unos escalones).
SINÓN: escalón, gradería, peldaño. **FAM:** *gradería, graderío.*

graderío, a s. *Durante el recital el público se ubicó en el* ***graderío*** (= las gradas).
SINÓN: grada. **FAM:** → *grada.*

grado s. m. **1.** *Empezamos siendo sólo vecinos pero ahora tenemos un* ***grado*** *muy alto de amistad* (= somos muy amigos). **2.** *Los alumnos que están en el primer* ***grado*** *no tienen tarea* (= que están en el primer curso de la escuela). **3.** *Un círculo tiene 360* ***grados*** (= es una unidad que se utiliza para medir una circunferencia). **4.** *En Amér. Central, en verano, la temperatura no baja de los treinta* ***grados*** (= es la unidad que sirve para medir la temperatura). ◆ **de buen o mal grado 5.** *Siempre que su madre le pide que la ayude, él lo hace pero* ***de mal grado*** (= sin ganas, pues no le gusta ayudarla).
SINÓN: 2. curso, nivel. **FAM:** *graduado, gradual, graduar.*

graduado, a adj. **1.** *Tengo que llevar anteojos* ***graduados*** *porque no veo bien* (= con cristales correctores de la vista). ◆ **graduado, a** s. **2.** *Al acabar la carrera de Derecho, los* ***graduados*** *hicieron una gran fiesta* (= las personas que ya terminaron la carrera).
SINÓN: 2. licenciados, titulados. **FAM:** → *grado.*

gradual adj. *Hasta el mediodía la temperatura asciende de forma* ***gradual*** (= poco a poco).
SINÓN: progresivo. **FAM:** → *grado.*

graduar v. tr. ***Gradué*** *la salida del agua para no salpicarme* (= regulé la salida para que no saliera demasiada).
SINÓN: ajustar, nivelar, regular. **FAM:** → *grado.*

grafía s. f. *La* ***grafía*** *china es muy distinta de la nuestra* (= el tipo de signos que utilizan para representar los sonidos al escribir).
FAM: *gráfico.*

gráfico, a adj. **1.** *Cada letra del abecedario es un signo* ***gráfico*** (= un signo de la escritura). **2.** *Para indicarle el camino le hice una representación* ***gráfica*** (= un dibujo que lo explica). **3.** *El profesor tiene una forma de explicar muy* ***gráfica*** (= muy clara). ◆ **gráfica** s. f. **4.** *Hemos dibujado una* ***gráfica*** *para representar las variaciones de temperatura durante el año* (= un esquema en forma de L, en el cual uno de los lados representa la temperatura y el otro los días).
SINÓN: 3. claro, expresivo. **FAM:** *grafía.*

gragea s. f. *El médico me ha recetado unas* ***grageas*** *para la tos* (= unas pastillas).
SINÓN: pastilla, píldora.

grajo, a s. El **grajo** es un ave parecida al cuervo, de color oscuro, con el pico y las patas rojas y las uñas largas y negras.

gramática s. f. *Hoy en la clase de* ***Gramática*** *nos han enseñado la conjugación de unos verbos muy raros* (= ciencia que estudia los elementos del lenguaje y sus relaciones).
FAM: *gramatical, gramático.*

gramatical adj. *Si dices que el verbo correr es un adverbio, cometes un error* ***gramatical*** (= un error que no se ajusta a las reglas de la Gramática).
FAM: → *gramática.*

gramático, a s. *Un* ***gramático*** *nos explicó el significado y las funciones del pronombre* (= un especialista en Gramática).
FAM: → *gramática.*

gramilla s. f. *La* ***gramilla*** *del jardín está muy bien cuidada* (= césped).

gramo s. m. *Si esta moneda pesa diez* ***gramos,*** *cien monedas iguales pesarán un kilo* (= es una medida que sirve para medir el peso de las cosas).
FAM: *centigramo, decigramo, hectogramo, kilogramo, miligramo.*

gramófono s. m. *Mi abuelo escucha música con un* ***gramófono*** (= con un aparato antiguo que reproduce los sonidos grabados en un disco).

grampa s. f. Amér. Merid. *Sujeté los dos listones con una* ***grampa*** (= pieza de hierro con los extremos doblados, que se clava para unir dos cosas).
SINÓN: gancho, grapa.

gran adj. **Gran** es apócope de grande y se utiliza delante de los sustantivos en singular.
SINÓN: enorme, grande, inmenso. **ANTÓN:** chico, pequeño. **FAM:** → *grande.*

granada s. f. **1.** La **granada** es un fruto de color rojo y piel dura en cuyo interior se encuentran las semillas que son comestibles. **2.** *Los militares se entrenan lanzando* ***granadas*** (= bombas de mano).
SINÓN: 2. bomba, obús, proyectil. **FAM:** *granado.*

granado s. m. El **granado** es un árbol frutal con flores de color rojo, propio de los países mediterráneos y cuyo fruto es la granada.
FAM: *granada.*

granate adj. *He comprado una camisa* ***granate*** (= de color rojo oscuro).

grande adj. *Hay espacio para todos porque la casa es muy* ***grande*** (= sus dimensiones son mayores a las normales).
SINÓN: enorme, gran, inmenso. **ANTÓN:** chico, diminuto, pequeño. **FAM:** *agrandar, engrandecer, gran, grandioso.*

grandioso, a adj. *La película obtuvo un éxito* ***grandioso*** (= importantísimo).
SINÓN: excelente, magnífico, sobresaliente. **ANTÓN:** malo, pésimo, ruin. **FAM:** → *grande.*

granel *Hay establecimientos donde se pueden comprar productos* ***a granel*** *y así tienen mejor precio* (= que no están envasados ni empaquetados).

granero s. m. *El campesino guarda el trigo en el* ***granero*** (= en el lugar destinado a conservar los cereales).
FAM: → *grano.*

granito s. m. *Esta iglesia es de* ***granito*** (= de una roca muy dura, de color gris).
FAM: → *grano.*

granizada s. f. *En la madrugada cayó una* ***granizada*** *tan fuerte que estropeó las verduras de las huertas* (= una gran cantidad de granizo).
FAM: → *grano.*

granizar v. intr. *Cuando* ***graniza*** *el suelo se pone blanco durante unos minutos* (= cae granizo).
FAM: → *grano.*

granizo s. m. *Una tormenta de* ***granizo*** *estropeó la cosecha* (= lluvia que cae en forma de bolitas de hielo).
FAM: → *grano.*

granja s. f. *Santiago ha pasado sus vacaciones en una* ***granja*** (= en una casa en el campo donde se crían animales y se cultiva la tierra).
FAM: *granjero.*

granjero, a s. *El* ***granjero*** *nos enseñó su granja* (= la persona que cuida la granja).
FAM: *granja.*

grano s. m. **1.** *Actualmente existen máquinas para recoger el* ***grano*** *del trigo* (= el fruto con el cual se hace la harina). **2.** *Me gusta el pan con* ***granos*** *de anís en su interior* (= con semillas). **3.** *Nos comimos un racimo de uvas* ***grano*** *a* ***grano*** (= uva a uva). **4.** *Se me ha metido un* ***grano*** *de arena en el ojo* (= una partícula de arena). **5.** *Me ha salido un* ***grano*** *en la frente* (= un bulto pequeño en la piel). ◆ **ir al grano** **6.** *Voy a* ***ir al grano*** *y así no perderemos más tiempo* (= no voy a dar rodeos y voy a decirte directamente lo que quiero que sepas).
SINÓN: **1, 2.** semilla. **4.** fragmento, partícula. **5.** bulto, hinchazón, inflamación. **FAM:** *granero, granito, granizada, granizar, granizo, granulado.*

granulado, a adj. *Al moler el azúcar* ***granulado*** *se obtiene azúcar en polvo* (= el azúcar formado por pequeñas bolas).
FAM: → *grano.*

grapa s. f. 1. *Unimos las hojas del trabajo con una* ***grapa*** (= con una pieza de metal que se clava y cuyos extremos doblados permiten unir las hojas de papel). R. de la Plata **2.** *María compró una botella de* ***grapa*** (= aguardiente de uva).
FAM: *grapadora, grapar.*

grasa s. f. *Este filete de cerdo ha soltado mucha* ***grasa*** *al freírlo* (= una sustancia amarillenta que se derrite con el calor).
SINÓN: manteca, tocino. **ANTÓN:** magro. **FAM:** *engrasar, engrase, grasiento, graso.*

grasiento, a adj. *Límpiate la boca; la tienes* ***grasienta*** (= llena de grasa).
SINÓN: graso. **FAM:** → *grasa.*

graso, a adj. *La mantequilla y el aceite son sustancias* ***grasas*** (formadas por grasa o que la contienen).
SINÓN: grasiento, mantecoso. **FAM:** → *grasa.*

gratificación s. f. *La señora me dio una* ***gratificación*** *por ayudarla a llevar los paquetes* (= una recompensa).
SINÓN: propina, recompensa. **FAM:** → *gratis.*

gratificar v. tr. *Mi padre* ***gratificará*** *a quien encuentre nuestro perro* (= le dará una recompensa).
SINÓN: recompensar. **FAM:** → *gratis.*

gratis adv. *Los niños pequeños viajan* ***gratis*** *en el autobús* (= no tienen que pagar).
FAM: *gratificación, gratificar, gratuito.*

gratitud s. f. *En señal de* ***gratitud*** *por el favor que le había hecho, me invitó a comer un helado.* (= en señal de agradecimiento).
SINÓN: agradecimiento, reconocimiento. **ANTÓN:** ingratitud. **FAM:** → *grato.*

grato, a adj. *Me es muy* ***grato*** *que vengas a trabajar conmigo* (= me es muy agradable).
SINÓN: agradable, gustoso. **ANTÓN:** desagradable, ingrato. **FAM:** *gratitud, ingratitud, ingrato.*

gratuito, a adj. *La entrada al museo es* ***gratuita*** (= no se paga).
SINÓN: gratis. **ANTÓN:** pago. **FAM:** → *gratis.*

grava s. f. *Para rellenar los baches de la carretera han traído un camión de* ***grava*** (= de piedras machacadas).

grave adj. **1.** *El cáncer es una enfermedad* ***grave*** *porque pone en peligro la vida* (= muy seria y muy difícil de curar). **2.** *El bajo cantaba con voz* ***grave*** *mientras su compañera lo hacía con voz aguda* (= con un tono de la escala musical bajo). **3.** *La palabra* árbol *es* ***grave*** (= lleva el acento en la penúltima sílaba). **4.** *El director siempre tiene una expresión* ***grave*** (= se ríe en pocas ocasiones). **5.** *Estoy ante un problema* ***grave*** (= de difícil solución).
SINÓN: **1.** considerable, delicado, grande, importante, malo, peligroso, serio. **2.** bajo. **3.** llana. **4.** formal, reservado, serio. **5.** difícil, espinoso. **ANTÓN:** **1.** frívolo, sano, superficial. **2.** agudo. **4.** alegre, contento. **5.** fácil, sencillo. **FAM:** *agravamiento, agravante, agravar, gravedad, gravitación.*

gravedad s. f. **1.** *El médico comunicó la* ***gravedad*** *de la enfermedad a los familiares* (= su importancia porque es muy difícil de curar). **2.** *Las manzanas se caen de los árboles al suelo debido a la fuerza de la* ***gravedad*** (= debido a la fuerza que ejerce la tierra para atraer a los cuerpos físicos). **3.** *Me miraba con* ***gravedad*** *y yo no me atreví a reírme* (= con seriedad).
SINÓN: **1.** importancia. **2.** gravitación. **3.** seriedad. FAM: → *grave.*

gravitación s. f. *Los astronautas flotan en el espacio debido a la falta de* ***gravitación*** (= la fuerza de la gravedad, que es la que hace que las cosas caigan al suelo por su propio peso).
FAM: → *grave.*

graznar v. intr. *Los perros ladran y los cuervos* ***graznan*** (= así es como emiten su voz).
SINÓN: graznar. FAM: *graznido.*

graznido s. m. *El* ***graznido*** *es el sonido que emiten el cuervo, el grajo, el pato y el ganso.*
SINÓN: chillido. FAM: *graznar.*

gremio s. m. *El* ***gremio*** *de panaderos ha decidido subir el precio del pan* (= el conjunto o asociación de personas que se dedican al mismo oficio o profesión).
SINÓN: asociación.

greña s. f. *¡Vete a la peluquería a cortarte esas* ***greñas,*** *que pareces una bruja!* (= ese cabello largo y mal peinado).

gresca s. f. *Aquellos dos armaron una* ***gresca*** *por una tontería* (= una discusión).
SINÓN: discusión, riña. ANTÓN: silencio, tranquilidad.

griego, a adj. **1.** *Atenas es la capital griega* (= de Grecia). ◆ **griego, a** s. **2.** *Los* ***griegos*** *son las personas nacidas en Grecia.* ◆ **griego** s. m. **3.** *Mi hermana estudia* ***griego*** *en el instituto* (= la lengua que se habla en Grecia).

grieta s. f. *La pared tenía una* ***grieta*** *por la que entraba agua* (= una abertura pequeña).
SINÓN: abertura, hendidura. FAM: *agrietarse.*

grifo s. m. *Han dejado el* ***grifo*** *de la pileta mal cerrado pues está cayendo un chorrito de agua* (= la llave que permite el paso del agua).
SINÓN: canilla, llave.

grillo s. m. Los **grillos** son unos insectos de color negro que producen un sonido agudo y monótono.

gringo, a adj. y s. Amér. **1.** *Los inmigrantes* ***gringos*** *llegaron a todos los países americanos* (= extranjero, especialmente europeo). Méx. **2.** *Muchos* ***gringos*** *prefieren veranear en Acapulco* (= estadounidenses).

gripal adj. *Los síntomas* ***gripales*** *son dolor de cabeza y escalofríos* (= de la gripe).
FAM: *gripe.*

gripe s. f. *No ha venido a clase porque está en casa con* ***gripe*** (= con una enfermedad caracterizada por fiebre y catarro).
SINÓN: catarro, resfrío. FAM: *gripal.*

gris adj. **1.** *La ceniza es de color* ***gris*** (= de un color que resulta de la mezcla del blanco y el negro). **2.** *El día está muy* ***gris,*** *es posible que llueva* (= está nublado, oscuro).
SINÓN: **1.** grisáceo. **2.** nublado, tapado, oscuro. ANTÓN: **2.** claro, soleado. FAM: *grisáceo.*

grisáceo, a adj. *Este vestido tiene un color verde* ***grisáceo*** (= tirando a gris).
SINÓN: gris. FAM: *gris.*

gritar v. intr. *¿Quieres dejar de* ***gritar,*** *de una vez?* (= de dar gritos, de chillar).
SINÓN: chillar, vocear. ANTÓN: callar, susurrar. FAM: → *grito.*

griterío s. m. *Como había mucho* ***griterío*** *no oí lo que me decías* (= confusión de voces fuertes).
SINÓN: alboroto, bulla, bullicio, escándalo. ANTÓN: calma, silencio. FAM: → *grito.*

grito s. m. **1.** *Solté un* ***grito*** *cuando vi que mi perro iba a ser atropellado* (= emití un sonido fuerte y violento). ◆ **a grito pelado 2.** *Siempre habla* ***a grito pelado*** (= habla muy alto). ◆ **poner el grito en el cielo 3.** ***Puso el grito en el cielo*** *cuando le dijeron que no contaban con ella* (= mostró violentamente su indignación). ◆ **el último grito 4.** *Los pantalones a cuadros son* ***el último grito*** (= la última moda).
SINÓN: **1.** alarido, chillido. FAM: *gritar, griterío.*

grosella s. f. *He comido un pastel de* ***grosella*** (= de una fruta de granos pequeños de color rojo y sabor agridulce).

grosería s. f. 1. *Tu respuesta a la señora fue una* ***grosería*** (= una falta de cortesía). **2.** *No digas* ***groserías*** (= malas palabras).
SINÓN: incorrección, ordinariez, vulgaridad. ANTÓN: corrección, cortesía, delicadeza, respeto. FAM: *grosero.*

grosero, a adj. *Aquel señor es un* ***grosero*** *porque nunca contesta a los saludos* (= es un maleducado).
SINÓN: basto, descortés, incorrecto, mal educado, ordinario. ANTÓN: correcto, cortés, delicado, educado. FAM: *grosería.*

grosor s. m. *Este tabique tiene poco* ***grosor*** *y se oye hablar a los vecinos* (= tiene poca anchura).
SINÓN: anchura, espesor, grueso, volumen. ANTÓN: delgadez. FAM: *grueso.*

grotesco, a adj. *Con aquella ropa tenía un aspecto* ***grotesco*** (= ridículo).
SINÓN: chocante, extravagante, raro, ridículo. ANTÓN: digno, fino, grave, respetable.

grúa s. f. *Para descargar los barcos y construir casas se utilizan* ***grúas*** (= máquinas que levantan, desplazan y depositan grandes pesos).

grueso, a adj. **1.** *Está tan* ***grueso*** *porque come muchos pasteles* (= tan gordo). ◆ **grueso** s. m. **2.** *El* ***grueso*** *de este alambre es de tres milímetros* (= su grosor). **3.** *Ya ha pasado el* ***grueso*** *de la manifestación* (= la mayor parte).

◆ **gruesa** s. f. Amér. **4.** *En el colegio compraron una **gruesa** de lápices* (= doce docenas).
SINÓN: 1. gordinflón, gordo, obeso. **2.** ancho, grosor, volumen. **3.** conjunto, grupo. **ANTÓN: 1.** delgado, flaco. **FAM:** *grosor.*

grulla s. f. La **grulla** es un ave zancuda, con cuello largo y plumas grises.

grumete s. m. *La cubierta del barco la limpia este **grumete*** (= un muchacho que aprende el oficio de marinero).

grumo s. m. *Si no revuelves bien el chocolate deshecho saldrán **grumos*** (= pequeñas bolas que no se han disuelto).
FAM: *grumoso.*

grumoso, a adj. *Si la leche en polvo no se bate bien, se queda **grumosa*** (= queda llena de grumos).
FAM: *grumo.*

gruñido s. m. **1.** *Cuando mi perro ve un gato le lanza **gruñidos** y luego le ladra* (= sonidos roncos que expresan su enfado). **2.** *En la granja se oían los **gruñidos** de los cerdos* (= voces).
FAM: → *gruñir.*

gruñir v. intr. **1.** *El perro **gruñe** y ladra cuando se enoja* (= emite sonidos roncos). **2.** *Luis siempre **gruñe** cuando se le manda hacer algo que no quiere* (= murmura entre dientes palabras de enojo).
SINÓN: 2. murmurar, refunfuñar. **FAM:** *gruñido, gruñón.*

gruñón, ona adj. *Francisco es muy **gruñón**, siempre está de mal humor* (= siempre está refunfuñando).
SINÓN: malhumorado. **FAM:** → *gruñir.*

grupo s. m. **1.** *El guía del museo está rodeado por un **grupo** de turistas* (= un conjunto de turistas). ◆ **grupo sanguíneo 2.** *Me han hecho unos análisis de sangre para conocer mi **grupo sanguíneo*** (= el tipo o clase de sangre que tengo).
SINÓN: 1. conjunto. **2.** tipo, clase. **ANTÓN: 1.** individuo, unidad. **FAM:** *agrupación, agrupamiento, agrupar.*

gruta s. f. *Los hombres primitivos vivían en **grutas*** (= en unas cuevas en las rocas).
SINÓN: caverna, cueva.

guabina s. f. *Mañana iré a pescar **guabinas*** (= peces de río sin escamas, de carne sabrosa).

guabirá s. m. R. de la Plata. *Los niños se subieron al **guabirá** para arrancar sus frutos* (= árbol grande, de tronco liso y blanco, de fruto comestible parecido a la fresa).

guabiyú s. m. *El **guabiyú** ya dio frutos* (= árbol sudamericano de propiedades medicinales y fruto comestible parecido a la aceituna).

guacamayo o **guacamaya** s. m. o f. *Me han regalado un **guacamayo*** (= ave americana semejante al papagayo, de plumaje rojo, azul y amarillo, y cola muy larga).

guacamole s. m. Amér. *En el restaurante pedimos un **guacamole*** (= salsa de aguacate, ajo y cebolla, condimentada con sal y chile).

guaco s. m. **1.** *Vimos una bandada de **guacos*** (= aves americanas de gran tamaño, de plumaje blanco y negro, alas cortas y cola larga; tienen un copete de plumas negras). **2.** *El médico le aplicó en la herida una sustancia extraída del **guaco*** (= planta de hojas puntiagudas y flores blancas, que tienen propiedades medicinales).

guadaña s. f. *El campesino corta la hierba con la **guadaña*** (= con un utensilio con una hoja de acero curva y afilada y un mango largo).

guagua s. f. Amér. Merid. *La **guagua** de mi hermana es muy traviesa* (= niño pequeño).
SINÓN: bebé, crío, nene. **ANTÓN:** adulto.

guaje s. m. Hond., Méx. *Con los frutos secos del **guaje** se hacen recipientes para llevar líquidos* (= variedad de acacia cuyo fruto es una calabaza del mismo nombre).

guajiro, a s. Amér. Cent., Cuba, Amér. Merid. *Los **guajiros** llegaron a la ciudad cantando sus canciones típicas* (= campesino rústico).

guajolote s. m. Méx. *En Navidad, es tradicional comer **guajolote** al horno* (= pavo).

gualicho s. m. Amér. Merid. 1. *Los indígenas hicieron una ceremonia para alejar al **gualicho*** (= espíritu del mal). **2.** *Las personas supersticiosas, cuando tienen una racha de mala suerte, creen que alguien les ha hecho un **gualicho*** (= un maleficio).
SINÓN: 1. demonio, diablo. **2.** brujería, encantamiento, hechicería.

guampa s. f. Amér. Merid. *Con las **guampas** se hacen diversos objetos de artesanía* (= cuernos de los vacunos).
SINÓN: asta.

guanábana s. f. *Hoy, de postre, comeremos **guanábanas*** (= fruto del guanábano; es acorazonado, de gran tamaño, pulpa blanca de sabor agradable y muy dulce).
SINÓN: chirimoya. **FAM:** *guanábano.*

guanábano s. m. *En las Antillas crecen los **guanábanos*** (=árbol de 6 a 8 metros de altura, de bella copa, flores grandes y amarillentas; su fruto es la guanábana).

guanaco s. m. *De los **guanacos** los indios aprovechaban la piel y la carne* (= mamíferos rumiantes parecidos a las llamas; tienen cabeza pequeña, cuello largo y cola corta. Se domestican fácilmente).

guano s. m. Amér. *Las costas del Perú y del norte de Chile están llenas de **guano*** (= excremento de aves marinas que se encuentra acumulado en grandes cantidades en los peñascos, y constituye un excelente abono natural).

guante s. m. **1.** *Cuando hace frío me pongo los **guantes** de lana* (= prendas para abrigar las manos). **2.** *Los boxeadores usan **guantes** de*

boxeo para golpear más fuerte y para proteger sus manos de los golpes (= son muy duros, de piel, no tienen dedos y se atan a las muñecas con cordones). ♦ **echar el guante a alguien 3.** *Tras la persecución la policía logró* ***echar el guante*** *al ladrón* (= apresarlo, detenerlo).
FAM: *guantazo, guantera.*

guantera s. f. *Mi padre siempre lleva un mapa de carreteras en la* ***guantera*** *del coche* (= una especie de cajón que hay en la parte delantera del coche para guardar cosas).
FAM: → *guante.*

guapo, a adj. **1.** *Casi todas las actrices que salen en las películas son muy* ***guapas*** (= tienen una cara muy bonita). **2.** *Enfrentó al ladrón desarmado porque era muy* ***guapo*** (= muy valiente).
SINÓN: **1.** agraciado, atractivo, bello, bonito, hermoso, lindo. **2.** decidido, valiente. ANTÓN: **1.** feo, horrible. **2.** cobarde. FAM: *guapeza, guapear.*

guaracha s. f. Amér. *Durante las fiestas del pueblo, se bailan y se cantan* ***guarachas*** (= canciones y danzas festivas que se acompañan con guitarra, trompeta y maracas).

guaraná s. f. Amér. Cent. y Merid. **1.** *En el Brasil se cultiva el* ***guaraná*** (= arbusto de largos tallos y frutos muy apreciados porque de sus semillas se extrae una sustancia con propiedades tónicas y excitantes). **2.** *Elena nos ofreció un vaso de* ***guaraná*** (= refresco que se prepara con la pasta obtenida de las semillas de esos frutos).

guarango, a adj. R. de la Plata. *Ese empleado se comportó como un guarango* (= mal educado).
SINÓN: grosero. ANTÓN: amable, educado. FAM: → *guaranguería.*

guaranguería s. f. R. de la Plata. *Los vecinos se pelearon e hicieron* ***guaranguerías*** (= groserías, actitudes agresivas).
FAM: → *guarango.*

guarda s. m. **1.** *Para entrar en la finca pedimos permiso al* ***guarda*** (= a la persona que la cuida). R. de la Plata **2.** *Juan ha encontrado trabajo como* ***guarda*** (= cobrador de los transportes colectivos). ♦ **guarda** s. f. **3.** Inés se hizo una blusa muy *bonita, con una* ***guarda*** *de encaje* (= franja de adorno que se coloca en los vestidos o en las cortinas).
SINÓN: **3.** lista, tira. FAM: → *guardar.*

guardabarros s. m. *Las bicicletas de carreras no tienen* ***guardabarros*** (= piezas de metal que cubren las ruedas y que impiden las salpicaduras del barro).
FAM: → *guardar.*

guardabosque o **guardabosques** s. m. *El niño que se perdió en el bosque fue encontrado por el* ***guardabosques*** (= por la persona que vigila los bosques).
FAM: → *guardar.*

guardacostas s. m. *Los contrabandistas fueron capturados por el* ***guardacostas*** (= por un barco que se encarga de la persecución del contrabando).
FAM: → *guardar.*

guardaespaldas s. m. *Los ministros y funcionarios van acompañados de sus* ***guardaespaldas*** (= de personas con la misión de protegerlos en caso de agresión).
FAM: → *guardar.*

guardagujas s. m. *Por medio de señales, el* ***guardagujas*** *comunica al maquinista por qué vía debe conducir el tren* (= la persona encargada de las agujas de los trenes, que se ocupa de que cada uno vaya por su vía).
FAM: → *guardar.*

guardameta s. m. *Yo juego de* ***guardameta*** *en mi equipo de fútbol* (= de arquero).
SINÓN: portero. FAM: → *guardar.*

guardamuebles s. m. *Mientras arreglábamos la casa, mi papá dejó nuestros muebles en un* ***guardamuebles*** (= en el local donde se guardan durante cierto tiempo).
FAM: → *guardar.*

guardar v. tr. **1.** *Mi madre siempre me dice que* ***guarde*** *mis cosas en el armario* (= que las meta allí para tenerlas ordenadas). **2.** *Mis padres* ***guardan*** *el dinero y las joyas en la caja fuerte del banco* (= los meten allí para que estén seguros). **3.** *El perro* ***guarda*** *la casa contra los ladrones* (= la protege, la cuida y la defiende). **4.***No te* ***guardo*** *rencor a pesar del mal que me hiciste* (= no tengo ese sentimiento hacia ti). **5.** *Cuando llegues a clase,* ***guárdame*** *un sitio a tu lado* (= resérvalo para mí). **6.** *Cuando tuve gripe debí* ***guardar*** *cama una semana* (= permanecer allí). ♦ **guardarse** v. pron. **7.** ***Te guardarás*** *muy bien de pegar a mi hermano pequeño* (= pobre de ti si lo haces). 8. *Puedes* ***guardarte*** *tus consejos, yo no los quiero* (= puedes ahorrártelos).
SINÓN: **1.** meter. **2.** asegurar, depositar. **3.** cuidar, custodiar, defender, proteger, vigilar. **4.** tener. **5.** reservar. **6.** permanecer. **7.** abstenerse. **8.** ahorrarse, quedarse. ANTÓN: **3.** abandonar. **8.** dar, ofrecer. FAM: *aguardar, guarda, guardabarros, guardabosque, guardacostas, guardaespaldas, guardagujas, guardameta, guardamuebles, guardarropa, guardería, guardia, guardián, resguardar, resguardo, retaguardia, vanguardia.*

guardarropa s. m. *Muchos locales públicos tienen* ***guardarropa*** *para que la gente no tenga que llevar encima abrigos o bolsas que podrían molestarles* (= un cuarto donde la gente deja la ropa que no necesita).
FAM: → *guardar.*

guardería s. f. *Mi madre trabaja y, como no puede cuidar de mi hermano pequeño, lo lleva a*

la ***guardería*** (= a un lugar donde cuidan a los niños pequeños que aún no pueden ir al colegio).
FAM: → *guardar.*

guardia s. **1.** *La* ***guardia*** *presidencial acompañó al mandatario durante todo el recorrido* (= el conjunto de soldados que lo protegen). **2.** *En la puerta de los cuarteles hay un* ***guardia*** (= un soldado que vigila y protege la entrada). ◆ **de guardia 3.** *Una farmacia* ***de guardia*** *es la que está abierta toda la noche para atender cualquier emergencia.* ◆ **ponerse en guardia 4.** *Los luchadores de esgrima* ***se pusieron en guardia*** (= listos para el ataque o la defensa).
SINÓN: **1.** custodia, escolta. **2.** centinela, vigía. **3.** emergencia. **4.** alerta. **FAM:** → *guardar.*

guardián, ana s. *El* ***guardián*** *del edificio avisó a la policía y atraparon a los ladrones* (= la persona que lo vigila).
SINÓN: guarda, guardia, vigilante. **FAM:** *guardar.*

guarecer v. tr. *Las cuevas de la montaña nos* ***guarecieron*** *durante la tormenta* (= nos protegieron).
SINÓN: abrigar, acoger, cobijar, proteger. **ANTÓN:** exponer, desamparar. **FAM:** *guarida.*

guarida s. f. **1.** *Las liebres se escondieron en su* ***guarida*** (= en el lugar donde se refugian los animales). **2.** *La policía sorprendió a los bandidos en su* ***guarida*** (= en su escondite).
SINÓN: **1.** cueva, madriguera. **2.** escondite, refugio. **FAM:** *guarecer.*

guarnición s. f. **1.** *He pedido un pescado con* ***guarnición*** (= lo que se sirve como acompañamiento a carnes y pescados, normalmente es algo de verdura). **2.** *Después de la victoria, la* ***guarnición*** *se retiró triunfante* (= las tropas que defendían un puesto).
SINÓN: **1.** acompañamiento. **2.** refuerzo.

guasca s. f. Amér. Merid., Ant. *Los jinetes usan* ***guascas*** *para construir los arreos* (= tiras de cuero crudo que se emplean como riendas o látigos y para trenzar).

guaso, a adj. Amér. Merid., Ant. *Hay que ir a la escuela para no ser una persona* ***guasa*** (= inculta).
SINÓN: grosero, rudo. **ANTÓN:** cortés, culto, educado, fino.

guatemalteco, a adj. **1.** *La república* ***guatemalteca*** *está en América Central* (= de Guatemala). ◆ **guatemalteco, a** s. **2.** *Los* ***guatemaltecos*** *son las personas nacidas en Guatemala.*

guayaba s. f. Amér. *Mi hermana prepara un riquísimo dulce de* ***guayaba*** (= fruto del guayabo, de pulpa muy dulce).
FAM: → *guayaba.*

guayabo s. m. *Este año, el* ***guayabo*** *dio muchos frutos* (árbol americano muy frondoso, de fruto comestible).
FAM: → *guayaba.*

guayacán o **guayaco** s. m. *Piensa comprar muebles de* ***guayacán*** (= árbol tropical americano de madera negruzca, dura y fragante, muy apreciada en ebanistería).

gubernamental adj. *Mucha gente está de acuerdo con la política* ***gubernamental*** (= del Gobierno).
SINÓN: estatal, ministerial. **FAM:** → *gobernar.*

güero, a adj. Méx. *Mariana es* ***güera*** (= tiene cabellos rubios).

guerra s. f. **1.** *Se ha declarado la* ***guerra*** *entre esos dos países* (= la lucha armada entre los ejércitos de dos o más países). ◆ **guerra civil 2.** *En la* ***guerra civil*** *española murió muchísima gente* (= en la lucha armada entre personas del mismo país). ◆ **dar guerra 3.** *Aquel niño es muy revoltoso, no para de* ***dar guerra*** (= de molestar).
SINÓN: **1, 2.** batalla, combate, conflicto, hostilidad, lucha. **3.** fastidiar, molestar. **ANTÓN:** cordialidad, paz. **FAM:** *guerrear, guerrera, guerrero, guerrilla, guerrillero, posguerra.*

guerrear v. intr. *En la Edad Media muchos señores* ***guerreaban*** *contra sus vecinos* (= luchaban, hacían la guerra).
SINÓN: batallar, combatir, luchar, pelear. **FAM:** → *guerra.*

guerrera s. f. *El capitán tiene una medalla en su* ***guerrera*** (= en la chaqueta de su uniforme militar).
SINÓN: casaca, chaqueta. **FAM:** → *guerra.*

guerrero, a adj. **1.** *Han existido a lo largo de la historia pueblos* ***guerreros*** *y pueblos pacíficos* (= que hacían la guerra). ◆ **guerrero** s. **2.** *Los* ***guerreros*** *griegos se protegían con un escudo* (= los combatientes, los que hacen la guerra).
SINÓN: **1.** bélico, belicoso, marcial. **2.** combatiente, militar, soldado. **ANTÓN:** pacífico.
FAM: → *guerra.*

guerrilla s. f. *Los revolucionarios organizaron* ***guerrillas*** *para luchar contra el gobierno de su país* (= grupos de civiles organizados como ejército que hace la guerra a base de pequeños ataques por sorpresa, trampas y emboscadas).
FAM: → *guerra.*

guerrillero, a s. Los **guerrilleros** son los combatientes que hacen la guerrilla.
FAM: → *guerra.*

guía s. **1.** *Los turistas seguían a un* ***guía*** *que les enseñaba la ciudad* (= a una persona que les mostraba el camino y les explicaba lo más interesante). **2.** *Antes de salir de viaje compramos una* ***guía*** *de carreteras y una* ***guía*** *de la ciudad que íbamos a visitar* (= plano o manual que da la información que necesitamos). **3.** *No sabía tu teléfono y lo busqué en la* ***guía*** *telefónica* (= en un manual en el que figuran todas las direcciones y teléfonos de las personas de una población).
SINÓN: **1.** conductor, experto. **2.** plano, manual. **3.** directorio. **FAM:** → *guía.*

guiar v. tr. **1.** *María nos* ***ha guiado*** *a través de Acapulco* (= nos ha acompañado para orientarnos). **2.** *El jinete sabe cómo* ***guiar*** *a su caballo* (= cómo conducirlo). **3.** *Los padres* ***guían*** *a sus hijos en la vida* (= los aconsejan). ◆ **guiarse** v. pron. **4.** *No es bueno* ***guiarse*** *por los malos consejos* (= dejarse llevar).
SINÓN: 1. dirigir, indicar, mostrar, orientar. **2.** conducir, llevar. **4.** aconsejar, adiestrar, instruir. **ANTÓN: 1, 4.** confundir, desorientar. **FAM:** *guía, guión, guionista.*

guijarro s. m. *Santiago se divierte tirando* ***guijarros*** *al agua* (= piedras pequeñas, lisas y redondas).
SINÓN: piedra.

guillotina s. f. **1.** *Antiguamente decapitaban a los condenados a muerte con la* ***guillotina*** (= con una máquina que cortaba la cabeza al dejar caer una gran cuchilla). **2.** *En la imprenta, hay una* ***guillotina*** (= una máquina para cortar papel).
FAM: *guillotinar.*

guillotinar v. tr. **1.** *Luis XVI fue* ***guillotinado*** *en Francia durante la revolución francesa* (= le cortaron la cabeza con una guillotina). **2.** *En la imprenta* ***guillotinan*** *las hojas de los libros para que no sobresalga ninguna* (= cortan).
SINÓN: 1. decapitar, degollar. **2.** cortar. **FAM:** *guillotina.*

guinda s. f. **1.** La **guinda** es un fruto parecido a la cereza, pero su sabor es más ácido y se usa mucho en pastelería. ◆ **guinda** adj. **2.** *Mi hermana estrenó un vestido color* ***guinda*** (= rojo muy oscuro).
FAM: *guindilla, guindo.*

guindo s. m. El **guindo** es un árbol parecido al cerezo cuyo fruto es la guinda.
FAM: → *guinda.*

guineano, a adj. **1.** *Las danzas* ***guineanas*** *son muy vistosas y tienen movimientos violentos* (= de Guinea). ◆ **guineano, a** o **guineo, a** s. **2.** *Los* ***guineanos*** *son las personas nacidas en Guinea.*

guiñar v. tr. *En cuanto me vio me* ***guiñó*** *un ojo en señal de simpatía* (= cerró y abrió rápidamente un ojo, dejando el otro abierto).
FAM: *guiño.*

guiño s. m. *María me hizo un* ***guiño*** (= un gesto rápido con el ojo).
SINÓN: gesto, señal. **FAM:** *guiñar.*

guión s. m. **1.** *Como no cabía la palabra en el renglón la corté con un* ***guión*** (-) (= con un signo ortográfico). **2.** *El actor no sabía el* ***guión*** *de la película y se equivocaba a cada rato* (= lo que tenía que decir).
SINÓN: 2. apunte, libreto. **FAM:** → *guiar.*

guionista s. El **guionista** es la persona que elabora el guión de una película o de un programa de radio o televisión.
FAM: → *guiar.*

guirnalda s. f. *Para la inauguración del festival, adornaron el techo con* ***guirnaldas*** (= con un adorno de flores u hojas que se unen formando una especie de cordón).

guisante s. m. Los **guisantes** son las semillas verdes, redondas y pequeñas que se comen y que salen de una planta del mismo nombre.
SINÓN: chícharo, guisante.

guisar v. tr. *Mi papá se pasa horas en la cocina porque le encanta* ***guisar*** (= cocinar).
SINÓN: cocer, cocinar, estofar. **FAM:** *guisado, guiso.*

guiso s. m. *La salsa del* ***guiso*** *de ternera estaba muy rica* (= del plato de carne cocida con salsa).
SINÓN: comida, guisado, plato. **FAM:** → *guisar.*

guitarra s. f. *Estoy aprendiendo a tocar la* ***gutarra*** (= un instrumento de música formado por una caja de madera en forma de pera, con un agujero en el centro y seis cuerdas).
FAM: *guitarrista.*

guitarrista s. *Para poder tocar bien, los* ***guitarristas*** *se dejan las uñas de la mano derecha más largas que las de la izquierda* (= los músicos que tocan la guitarra).
FAM: *guitarra.*

guitarrón s. m. Amér. Cent., Méx. *El conjunto musical estaba formado por cinco guitarras y un* ***guitarrón*** (= instrumento similar a una guitarra de gran tamaño).

gula s. f. *Come mucho, pero no por hambre sino por* ***gula*** (= por el vicio de comer y beber demasiado).

gurí s. m. R. de la Plata. *Nuestros vecinos tienen tres* ***gurises*** (= niños, chicos).

gurisa s. f. R. de la Plata. *Mi hermana está embarazada, y le gustaría tener una* ***gurisa*** (= niña).

gusano s. m. Los **gusanos** son animales invertebrados, de cuerpo blando formado por anillos, que se mueven arrastrándose por el suelo porque no tienen extremidades.
SINÓN: lombriz, oruga.

gustar v. tr. **1.** *Para mi cumpleaños me* ***gustaría*** *un libro de cuentos* (= desearía que me lo regalaran). **2.** *En la pastelería* ***gustamos*** *varios tipos de pasteles* (= los probamos para ver qué sabor tenían). ◆ **gustar** v. intr. **3.** *Me* ***gustan*** *las películas de dibujos* (= me agradan).
SINÓN: 1. ambicionar, apetecer, desear, querer. **2.** paladear, probar, saborear, degustar. **3.** agradar, complacer, placer, satisfacer. **ANTÓN: 3.** desagradar, disgustar, molestar. **FAM:** → *gusto.*

gusto s. m. **1.** *Este pastel no me agrada porque tiene un* ***gusto*** *raro* (= un sabor). **2.** *Tengo el* ***gusto*** *de invitarlo a comer en mi casa* (= el placer). **3.** *Aunque no tenía que ir a clase fui por* ***gusto*** (= fui porque quise). **4.** *Mi hermana tiene buen* ***gusto*** *para decorar la casa* (= tiene mucha sensibilidad). **5.** *Las personas tienen* ***gustos*** *diferentes* (= preferencias). **6.** *Mi hermano me rompió el libro por* ***gusto*** (= sin motivo, sólo por el capricho de hacerlo). ◆ **a gusto 7.** *Me siento tan* ***a gusto*** *con ustedes que no me iría nunca* (= me encuentro tan bien). ◆ **tomar el gusto 8.** *Le* ***ha tomado el gusto*** *a la lectura y ahora se pasa el día leyendo* (= se ha aficionado a ella).

SINÓN: 1. sabor. **2.** agrado, placer. **4**. delicadeza, distinción, sensibilidad. **5.** afición, preferencia. **6.** antojo, capricho. **ANTÓN: 2.** desagrado, disgusto. **3, 6.** obligación. **FAM:** *degustar, disgustado, disgustar, disgusto, gustar, gustoso.*

gustoso, a adj. **1.** *Mi madre hace unas tartas muy* ***gustosas*** (= muy sabrosas). **2.** *Lo acompañaré a usted muy* ***gustoso*** (= lo haré encantado).

SINÓN: 1. apetitoso, sabroso. **2.** complacido, encantado. **ANTÓN: 1.** insípido, desabrido. **FAM** → *gusto.*

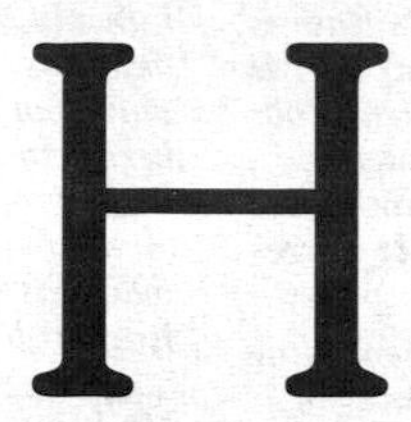

H s. f. La **h** *(hache)* es la octava letra del abecedario español.

haba s. f. El **haba** es una planta de huerta que da un fruto comestible del mismo nombre, formado por una vaina verde que contiene semillas verdes y grandes con forma de riñón.

habano, a adj. **1.** *En el mundo entero tiene fama el tabaco* ***habano*** (= de la Habana, capital de Cuba). **2.** *María ha comprado una falda de color* ***habano*** (= de color castaño claro). ◆ **habano** s. m. **3.** *En la boda, el padrino ofreció a los invitados un* ***habano*** (= un cigarro puro).
SINÓN: 2. ocre. **3.** cigarro, puro.

haber v. aux. **1.** ***Haber*** *es un verbo auxiliar con el que se forman los tiempos compuestos de los verbos.* ◆ **haber** v. impers. **2.** *En Colombia* ***hubo*** *un terremoto muy intenso* (= se produjo). **3.** *Esta mañana* ***ha habido*** *una reunión* (= se ha celebrado). **4.** ***Hay*** *que estudiar para saber* (= es necesario hacerlo). **5.** ***Había*** *veinte personas en la asamblea* (= se hallaban veinte personas). **6.** *Entre tu casa y la mía* ***hay*** *mucha distancia* (= existe).
SINÓN: 2. ocurrir, suceder. **3.** celebrar, realizar. **5.** estar, hallarse. **6.** existir.

hábil adj. *Antonio es un chico muy* ***hábil*** *para los trabajos manuales* (= los sabe hacer muy bien).
SINÓN: capaz, competente, diestro, habilidoso, mañoso. **ANTÓN:** incapaz, torpe. **FAM:** *habilidad, habilidoso, habilitar.*

habilidad s. f. **1.** *Su* ***habilidad*** *en el manejo del caballo le hizo ganar el premio* (= su destreza). **2.** *El niño tuvo que lucir sus* ***habilidades*** *delante de las visitas* (= demostrar lo que sabía hacer).
SINÓN: 1. arte, capacidad, destreza, ingenio, maestría, maña. **2.** gracias. **ANTÓN:** incapacidad, torpeza. **FAM:** → *hábil.*

habilidoso, a adj. *Mi padre es tan* ***habilidoso*** *que arregla todo lo que se descompone en casa* (= sabe arreglar las cosas).
SINÓN: capaz, competente, diestro, hábil, mañoso. **ANTÓN:** incapaz, torpe. **FAM:** → *hábil.*

habilitar v. tr. ***Han habilitado*** *la vieja fábrica para hacer un estacionamiento* (= la han arreglado para ello).
SINÓN: acomodar, acondicionar. **FAM:** → *hábil.*

habitable adj. *La casa todavía no está* ***habitable*** *porque está en obras* (= no se puede vivir en ella).
ANTÓN: inhabitable. **FAM:** → *habitar.*

habitación s. f. *Mi casa tiene tres* ***habitaciones*** (= tres cuartos).
SINÓN: aposento, cuarto, estancia. **FAM:** → *habitar.*

habitante s. *Este pueblo tiene mil* ***habitantes*** (= viven en él mil personas).
SINÓN: ciudadano, residente. **FAM:** → *habitar.*

habitar v. tr. **1.** *Mi familia* ***habita*** *una casa de dos plantas* (= ocupa). ◆ **habitar** v. intr. **2.** *Los leones* ***habitan*** *en la selva* (= viven allí).
SINÓN: 1. ocupar, residir. **1, 2.** vivir. **ANTÓN:** deshabitar. **FAM:** *deshabitado, deshabitar, habitable, habitación, habitante, hábitat, inhabitable.*

hábitat s. m. **1.** *El Parlamento ha votado una ley para la mejora del* ***hábitat*** (= de la vivienda y de las condiciones de vida de los ciudadanos). **2.** *Muchos animales se mueren si los sacan de su* ***hábitat*** (= del medio ambiente en el que viven).
SINÓN: 1. vivienda. **2.** medio. **FAM:** → *habitar.*

hábito s. m. **1.** *Los religiosos usan como traje un* ***hábito*** (= una prenda característica de su condición religiosa). **2.** *Tengo el* ***hábito*** *de acostarme temprano* (= la costumbre).
SINÓN: 1. traje, vestimenta. **2.** costumbre, práctica, rutina, uso. **FAM:** *habitual, habituar.*

habitual adj. *Un vaso de leche y unas galletas es mi desayuno* ***habitual*** (= de cada día).
SINÓN: corriente, frecuente, usual. **ANTÓN:** extraordinario, insólito. **FAM:** → *hábito.*

habituar v. tr. ***He habituado*** *a mi gato a ser limpio* (= lo he acostumbrado).
SINÓN: acostumbrar, enseñar. **FAM:** → *hábito.*

habla s. f. **1.** *Los animales no están dotados de* ***habla*** (= de la facultad de hablar). **2.** *Ante aquellas preguntas, Luis se quedó sin* ***habla*** (= se quedó en silencio sin saber qué decir). **3.** *Casi 400 millones de personas en el mundo son de* ***habla*** *española* (= de lengua española). ◆ **estar** o **ponerse al habla 4.** ***Ponte al habla*** *con él para decidir la fecha del viaje* (= ponte en comunicación con él).
SINÓN: 3. idioma, lengua. **4.** comunicar, contactar. **FAM:** → *hablar.*

hablador, a adj. **1.** *Mi compañero de clase es muy* ***hablador*** (= le gusta mucho hablar). **2.** *Mi vecina es muy* ***habladora****, siempre cuenta por ahí todo lo que ve y oye* (= es muy chismosa).
SINÓN: 1. charlatán, parlanchín. **2.** chismoso, indiscreto. **ANTÓN: 1.** callado, silencioso. **2.** discreto, reservado. **FAM:** → *hablar.*

habladuría s. f. *No te creas lo que cuentan de su amigo porque son sólo* ***habladurías*** (= son mentiras dichas con mala intención).
SINÓN: cuento, chisme, rumor. **FAM:** → *hablar.*

hablar v. intr. **1.** *Los animales no* ***hablan*** (= no pronuncian palabras para comunicarse). **2.** *Yo* ***hablo*** *mucho con mis padres* (= charlo con ellos). **3.** *Tiene dificultades para* ***hablar*** *en inglés aunque lo lee muy bien* (= para expresarse). **4.** *En la reunión* ***hablamos*** *de varios asuntos* (= tratamos). **5.** *El director* ***habló*** *a todos los alumnos* (= se dirigió a ellos). **6.** *No se puede* ***hablar*** *contigo porque enseguida empiezas a discutir* (= no se puede conversar). **7.** *Este libro* ***habla*** *de economía* (= trata). **8.** *Ese asunto dio mucho que* ***hablar*** (= hizo que la gente murmurara sobre él). **9.** *Me* ***han hablado*** *tanto de ti que es como si ya te conociera* (= me han dado referencias sobre ti). **10.** *Los mudos* ***hablan*** *por señas* (= se comunican así). ◆ **hablar hasta por los codos 11.** *No se calla un momento,* ***habla hasta por los codos*** (= habla muchísimo). ◆ **hablar** v. tr. **12.** *Yo sé* ***hablar*** *francés* (= sé comunicar e intercambiar ideas en ese idioma). ◆ **hablarse** v. pron. **13.** *Margarita y Manolo no* ***se hablan*** *porque están enojados* (= no se dirigen la palabra).
SINÓN: 1. articular, pronunciar. **2.** comunicar, conversar, charlar. **3.** expresarse. **4.** tratar. **5.** dirigirse. **6.** conversar, dialogar. **7.** tratar. **9.** informar. **10.** comunicarse. **12.** dominar, expresarse. **13.** comunicarse, tratarse. **ANTÓN:** callar. **FAM:** → *habla, hablador, habladuría, hablante, malhablado.*

hacendado, a s. **1.** *Le presentaron a un rico* ***hacendado*** (= dueño de varias fincas y mucho ganado). R. de la Plata. **2.** *En la zona pampeana hay muchos* ***hacendados*** (= propietarios de estancias dedicadas a la cría de ganado). Ant. **3.** *Los* ***hacendados*** *están preocupados porque peligra la cosecha* (= propietarios de ingenios de azúcar).
FAM: → *hacienda.*

hacendoso, a adj. *Mi madre es muy* ***hacendosa****, siempre tiene la casa limpia y arreglada* (= cuida mucho los trabajos domésticos).
SINÓN: diligente, trabajador. **ANTÓN:** perezoso. **FAM:** → *hacer.*

hacer v. tr. **1.** *Dice la Biblia que Dios* ***hizo*** *el mundo en seis días* (= lo creó). **2.** *Las abejas* ***hacen*** *la miel* (= la elaboran). **3.** *No sé qué* ***hacer*** *esta noche, ir al cine o al teatro* (= no sé qué decisión tomar). **4.** *Los poetas* ***hacen*** *versos* (= los crean). **5.** *Esta leña verde* ***hace*** *mucho humo* (= lo provoca). **6.** *El atleta* ***hace*** *deporte todos los días* (= lo practica). **7.** ***He hecho*** *un viaje por Francia* (= lo he realizado). **8.** *Mi hermano* ***hizo*** *pedazos el jarrón* (= lo rompió). **9.** *El profesor nos* ***ha hecho*** *estudiar la lección* (= nos ha obligado a ello). **10.** ***Hago*** *la cama todas las mañanas* (= la arreglo). **11.** *Tengo que* ***hacer*** *las maletas para el viaje* (= tengo que prepararlas). **12.** *Tengo el cuerpo* ***hecho*** *al frío* (= acostumbrado). **13.** *En la obra de teatro, yo* ***hacía*** *del rey* (= representaba ese papel). **14.** *Aunque escuché la conversación* ***hice*** *como si no la hubiera oído* (= disimulé). ◆ **hacer** v. impers. **15.** *Hoy* ***hace*** *buen día* (= hay buen tiempo). **16.** ***Hace*** *tiempo que no te veo* (= ha pasado tiempo). ◆ **hacerse** v. pron. **17.** *María* ***se ha hecho*** *una mujer, ya no es una niña* (= ha crecido mucho). **18.** *Me costó mucho* ***hacerme*** *a la idea de que tenía que marcharme* (= acostumbrarme). **19.** ***Se hace*** *el valiente pero en realidad es un cobarde* (= aparenta). **20.** *El ladrón* ***se hizo*** *con todas las joyas* (= se apoderó de ellas).
SINÓN: 1, 4. crear, producir. **2.** elaborar, fabricar. **5.** provocar. **6.** practicar. **7.** realizar. **8.** romper. **9.** obligar. **10.** arreglar, disponer. **11.** preparar. **12.** acostumbrar, habituar. **13.** representar. **14.** disimular. **19.** aparentar. **ANTÓN:** deshacer. **FAM:** *deshacer, fechoría, hacendoso, hacienda, haz, hazaña, hazmerreír, hecho, malhechor, quehacer, rehacer.*

hacha s. f. *El leñador corta los árboles con un* ***hacha*** (= con una herramienta que tiene una hoja muy cortante y un mango).

hachís s. m. *En algunos países orientales se fuma mucho* ***hachís*** (= es una droga que se saca de una planta).

hacia Es una preposición. VER CUADRO DE PREPOSICIONES.

hacienda s. f. **1.** *En la* ***hacienda*** *de mis tíos hay muchos animales* (= en su finca agrícola y ganadera). **2.** *Aquel señor posee una gran* ***hacienda*** (= tiene mucho dinero y propiedades). ◆ **hacienda pública 3.** *Todo buen ciudadano debe pagar sus impuestos a la* ***hacienda pública*** (= a los bienes del Estado, para que éste pueda pagar hospitales, colegios, carreteras, etc.).
SINÓN: 1. finca, granja, rancho. **2.** capital, caudal, dinero, fortuna, propiedad. **ANTÓN: 2.** pobreza. **FAM:** → *hacer.*

hada s. f. *En muchos cuentos aparece un* ***hada*** *que ayuda a los personajes buenos* (= una mujer muy bella que tiene poderes mágicos).

hado s. m. → **destino**

haitiano, a adj. **1.** *Las playas* ***haitianas*** *son famosas por su belleza* (= de Haití). ◆ **haitiano, a** s. **2.** Los **haitianos** son las personas nacidas en Haití.

halagar v. tr. **1.** *Aquel hombre siempre* ***halaga*** *a su jefe* (= le da muestras de estimación por

interés). **2.** *Me **halaga** que hayan pensado en mí* (= me agrada).
SINÓN: **1.** adular, lisonjear. **2.** agradar, alegrar, gustar. ANTÓN: **1.** criticar. **2.** desagradar, disgustar. FAM: → *halago.*

halagador, a adj. **1.** *Aquel hombre es muy **halagador** con las mujeres* (= siempre les dice piropos y les muestra admiración). **2.** *Tus palabras son muy **halagadoras*** (= me gustan mucho).
SINÓN: **1.** adulador. FAM: → *halago.*

halago s. m. *Tus muestras de confianza hacia mí son un **halago*** (= una alabanza).
SINÓN: alabanza, lisonja. ANTÓN: insulto, desprecio. FAM: *halagar, halagador.*

halcón s. m. El **halcón** es un ave rapaz fácilmente domesticable, más pequeña que el águila.

hallar v. tr. **1.** ***Han hallado** los restos del barco que se hundió* (= los han encontrado). **2.** *Los científicos intentan **hallar** un medicamento contra el cáncer* (= inventar, descubrir). **3.** ***Halla** la raíz cuadrada de 625* (= calcula). ◆ **hallarse** v. pron. **4.** *Ayer en el estadio **se hallaban** más de 10.000 personas* (= estaban allí).
SINÓN: **1.** encontrar. **2.** descubrir, inventar. **3.** calcular. **4.** haber. ANTÓN: **1.** perder. FAM: *hallazgo.*

hallazgo s. m. *José hizo unos **hallazgos** interesantes en el desván de su casa* (= encontró unos objetos interesantes).
SINÓN: descubrimiento, encuentro. ANTÓN: pérdida. FAM: *hallar.*

halo s. m. **1.** *En las noches claras se puede ver bien un **halo** alrededor de la luna* (= una aureola o cerco luminoso que rodea a los astros). **2.** *Las imágenes de los santos llevan un **halo** sobre la cabeza* (= un círculo sobre sus cabezas).
SINÓN: aureola.

hamaca s. f. **1.** *Cuando vamos al campo mi padre duerme la siesta en una **hamaca*** (= en una red colgada por sus extremos). Amér. Cent., R. de la Plata. **2.** *Ana tiene una **hamaca** en el jardín de su casa* (= columpio).
FAM: *hamacar.*

hamacar v. tr. Amér. Cent., R. de la Plata. **1.** *La madre **hamaca** la cuna del bebé* (= la mece). ◆ **hamacarse** v. pron. **2.** *A los niños les gusta **hamacarse*** (= columpiarse).
FAM: *hamaca.*

hambre s. f. **1.** *Me voy a comer un bocadillo porque tengo mucha **hambre*** (= muchas ganas de comer). **2.** *Muchos niños se mueren de **hambre** en el mundo* (= por falta de alimento). ◆ **matar el hambre 3.** *He picado unas cuantas papas fritas para **matar el hambre*** (= he comido un poco para que se me pase el apetito).
SINÓN: **1.** apetito, gana. ANTÓN: **1.** desgana. FAM: *hambriento.*

hambriento, a adj. **1.** *Después de tanto ejercicio estoy **hambriento*** (= tengo mucha hambre). **2.** *Los veraneantes, después de varios días nublados, estaban **hambrientos** de sol* (= estaban ansiosos).
SINÓN: **1.** necesitado. **2.** ansioso, ávido. ANTÓN: **1.** harto, saciado. **2.** aburrido. FAM: *hambre.*

hamburguesa s. f. *Cuando salgo a comer con mis amigos, siempre pido una **hamburguesa** con queso y cebolla* (= filete redondo de carne picada y sazonada, servida normalmente en forma de sándwich).

hámster s. m. *Tengo en una jaula un **hámster** blanco con los ojos rojos* (= un pequeño roedor, parecido al ratón pero más pequeño).

hangar s. m. *Han entrado los aviones en el **hangar*** (= en un cobertizo grande donde se guardan los aviones).
SINÓN: cobertizo.

haragán, ana adj. → **holgazán**.

harapiento, a adj. *Deberías tirar a la basura ese abrigo tan **harapiento*** (= tan viejo y roto).
SINÓN: andrajoso, haraposo.

harapo s. m. *La camisa está tan usada que ya parece un **harapo*** (= parece un trozo de tela vieja).
SINÓN: andrajo.

harén s. m. *Las mujeres del sultán vivían en el **harén*** (= en un lugar de la casa reservado para ellas).

harina s. f. La **harina** es el polvo que resulta de moler los cereales y algunas legumbres y tubérculos.
FAM: *harinero, harinoso.*

harinero, a adj. **1.** *Un molino **harinero** se dedica a producir harina.* ◆ **harinero, a** s. **2.** *Este panadero compra la harina a un **harinero*** (= al hombre que la produce o vende).
FAM: → *harina.*

harinoso, a adj. **1.** *Este pan está muy **harinoso*** (= tiene mucha harina). **2.** *La comida del bebé, antes de echarle la leche, es **harinosa*** (= parece harina).
FAM: → *harina.*

harmonía s. f. → **armonía**.

hartar v. tr. **1.** *Mi abuela me **harta** de pasteles* (= me hace comer muchos, hasta que no puedo más). **2.** *Me **hartan** tus travesuras* (= me cansan). ◆ **hartarse** v. pron. **3.** *En el banquete **nos hartamos** de comida* (= comimos en exceso). **4.** *Este fin de semana **me harté** de dormir* (= dormí demasiado).
SINÓN: **1, 3.** atiborrar(se), llenar(se), saciar(se). **2.** aburrir, cansar, fastidiar, molestar. **4.** cansar, hastiar. ANTÓN: **2.** agradar, gustar.

harto, a adj. **1.** *Ya he comido bastante, estoy **harto*** (= ya no quiero más). **2.** *Estoy **harta** de tus tonterías* (= estoy cansada de ellas).
SINÓN: **1.** lleno, saciado, satisfecho. **2.** aburrido, cansado, molesto. ANTÓN: **1.** insatisfecho. **2.** contento.

hasta Es una preposición. VER CUADRO DE PREPOSICIONES.

hastío s. m. *Aquella conferencia me produjo tal* ***hastío*** *que tuve que marcharme* (= me produjo aburrimiento).
SINÓN: aburrimiento, cansancio, disgusto. **ANTÓN:** goce, satisfacción.

hato s. m. Amér. Merid., Ant. *Pasaban el verano en el* ***hato*** *familiar* (= propiedad rural destinada a la cría de ganado).
SINÓN: estancia, finca, hacienda.

haya s. m. El **haya** es un árbol grande de corteza gris y de madera dura y resistente que se emplea mucho para hacer muebles.

hayo s. m. Amér. Merid. *Los indígenas de la costa del Caribe mascaban hojas de* ***hayo***, *que les servían como estimulante* (= cierta variedad de coca).

haz s. m. **1.** *El trigo segado se ata en* ***haces*** (= en manojos). **2.** *El* ***haz*** *de luz de la linterna me daba en la cara* (= el conjunto de rayos luminosos que salen de un foco de luz).
SINÓN: 1. manojo. **FAM:** → *hacer.*

hazaña s. f. *Ganar la medalla de oro en los juegos olímpicos fue una verdadera* ***hazaña*** *para él* (= acción heroica).
SINÓN: gesta, heroicidad, proeza, valentía. **ANTÓN:** cobardía. **FAM:** → *hacer.*

hazmerreír s. m. *Este niño es el* ***hazmerreír*** *de la clase porque siempre está haciéndose el tonto* (= todos se ríen de él).
SINÓN: bufón, mamarracho. **FAM:** → *hacer.*

he adv. **1.** ***He*** *aquí lo que buscabas* (= aquí lo tienes). **2.** ***Heme*** *ahora sin saber qué hacer* (= así estoy yo).

hebilla s. f. *La mayoría de los cinturones se sujetan con una* ***hebilla*** (= con una anilla que une los dos extremos de una correa).

hebra s. f. **1.** *Mi madre cosió el botón de mi camisa con una* ***hebra*** (= con un trozo de hilo). **2.** *Los tejidos están formados por* ***hebras*** (= por hilos delgados). **3.** *Esta carne es muy dura porque tiene mucha* ***hebra*** (= está llena de fibras largas y duras).
SINÓN: 1, 2. hilo. **3.** fibra.

hebreo, a adj. **1.** *El pueblo* ***hebreo*** *es el que conquistó y habitó Palestina* (= el pueblo de Israel). ◆ **hebreo, a** s. **2.** *Los* ***hebreos*** *o israelitas son los seguidores de la ley de Moisés.* **3.** *El* ***hebreo*** *es la lengua que hablan los judíos.*
SINÓN: 1, 2. israelí, israelita, judío.

hecatombe s. f. *El terremoto ocasionó una* ***hecatombe*** (= una terrible desgracia).
SINÓN: catástrofe, desastre, desgracia.

hechicería s. f. *Las brujas de los cuentos se dedicaban a la* ***hechicería*** (= hacían hechizos y encantamientos).
SINÓN: brujería, encantamiento, encanto, hechizo, magia. **FAM:** → *hechizo.*

hechicero, a s. *En algunos pueblos de África, los enfermos acuden al* ***hechicero*** *para que los cure, porque creen en sus poderes mágicos* (= persona que dice tener poderes sobre los demás).
SINÓN: brujo, mago. **FAM:** → *hechizo.*

hechizar v. tr. **1.** *El brujo* ***hechizó*** *al enfermo con un amuleto y unos ungüentos muy extraños* (= ejerció sus poderes sobre el enfermo). **2.** *El profesor de literatura nos* ***hechizó*** *con su lectura poética* (= nos encantó).
SINÓN: 2. atraer, cautivar, encantar, entusiasmar, maravillar, seducir. **ANTÓN: 2.** rechazar, repeler. **FAM:** → *hechizo.*

hechizo s. m. *Dice el cuento que la bruja le hizo un* ***hechizo*** *al príncipe y lo convirtió en rana* (= un encantamiento).
SINÓN: encantamiento, hechicería. **FAM:** *hechicería, hechicero, hechizar.*

hecho, a adj. **1.** *Ya tengo* ***hecha*** *la tarea* (= he terminado de hacerla). **2.** *Cuando le dimos la noticia se puso* ***hecho*** *una fiera* (= se puso muy enojado). **3.** *Nunca voy al sastre porque me compro la ropa* ***hecha*** (= ya confeccionada). ◆ **hecho** s. m. **4.** *Lo ponía muy nervioso el* ***hecho*** *de hablar en público* (= la acción). **5.** *El testigo le contó a la policía los* ***hechos*** *con todo detalle* (= los sucesos). ◆ **a lo hecho, pecho 6.** *Ahora te arrepientes pero* ***a lo hecho, pecho*** (= tienes que sufrir las consecuencias de lo que hiciste). ◆ **de hecho 7.** ***De hecho*** *el libro no es caro teniendo en cuenta lo bueno que es* (= en realidad).
SINÓN: 1, 3. acabado, terminado **4.** acción. **5.** suceso, acontecimiento, acto. **7.** en realidad, realmente. **ANTÓN: 1, 3.** imperfecto, inacabado. **FAM:** → *hacer.*

hechura s. f. *La* ***hechura*** *de este vestido es perfecta* (= la confección).
SINÓN: confección, ejecución. **FAM:** → *hacer.*

hectárea s. f. *Este campo tiene una superficie de una* ***hectárea*** (= es una medida de superficie que equivale a 10.000 metros cuadrados).

hectogramo s. m. *Un* ***hectogramo*** *es igual a cien gramos.*
FAM: → *gramo.*

hectolitro s. m. *Un* ***hectolitro*** *es igual a cien litros.*
FAM: → *litro.*

hectómetro s. m. *Un* ***hectómetro*** *es igual a cien metros.*
FAM: → *metro.*

heder v. intr. → **apestar.**

hedor s. m. *Después de la lluvia las alcantarillas despedían un* ***hedor*** *insoportable* (= mal olor).
SINÓN: fetidez, peste, pestilencia. **ANTÓN:** aroma.

helada s. f. *En marzo hubo una fuerte* ***helada*** *que arruinó las cosechas* (= el frío lo heló todo).
SINÓN: congelación, escarcha. **ANTÓN:** deshielo. **FAM:** → *hielo.*

heladería s. f. *Entramos en la **heladería** para comprar un helado* (= en el establecimiento donde se venden helados).
FAM: → *hielo.*

heladero, a s. m. **1.** *El **heladero** me preguntó de qué quería el helado* (= la persona que hace y vende helados). R. de la Plata. **2.** *En la cocina hay lugar para ubicar la **heladera*** (= armario con refrigeración).
SINÓN: **2.** refrigerador. FAM: → *hielo.*

helado, a adj. **1.** *¡Qué frío hace!, estoy **helado*** (= tengo mucho frío). **2.** *María se quedó **helada** ante la noticia* (= sorprendida). ◆ **helado** s. m. **3.** *En verano siempre como un **helado** de postre* (= una crema congelada).
SINÓN: **1.** frío. **2.** estupefacto, sorprendido. ANTÓN: **1.** caliente, tibio. **2.** indiferente. FAM: → *hielo.*

helar v. tr. **1.** *El fuerte frío **ha helado** el agua de la charca* (= la ha transformado en hielo). **2.** *La valentía de Luis **heló** a los presentes* (= los dejó muy sorprendidos). ◆ **helarse** v. pron. **3.** *Hacía mucho frío, no me puse el abrigo y **me helé*** (= pasé mucho frío). **4.** *Esta salsa **se ha helado** porque ha estado demasiado tiempo en el congelador* (= se ha vuelto sólida). **5.** *La cosecha **se heló*** (= se secó por el fuerte frío).
SINÓN: **1.** congelar. **2.** paralizar. **5.** estropearse, secarse. ANTÓN: **1.** calentar. FAM: → *hielo.*

helecho s. m. El **helecho** es una planta de hojas verdes, muy largas y recortadas, que crece en lugares húmedos y sombríos.

hélice s. f. *Los barcos de motor avanzan gracias a su **hélice*** (= a la pieza de metal con aspas que da vueltas).

helicóptero s. m. El **helicóptero** es un avión pequeño sin alas que se eleva y desplaza gracias a una hélice que gira alrededor de un eje vertical.

hematoma s. m. *Me di un fuerte golpe en el brazo y me salió un **hematoma*** (= una mancha morada producida por un derrame de sangre interno).
SINÓN: moretón.

hembra s. f. **1.** *La gata es la **hembra** del gato* (= es el animal de sexo femenino). **2.** *Mis tíos tienen tres hijos: dos **hembras** y un varón* (= dos niñas y un niño).
SINÓN: **2.** chica, mujer, niña. ANTÓN: **1.** macho. **2.** chico, hombre, niño.

hemeroteca s. f. *Para saber las noticias que ocurrieron en un pasado, vamos a la **hemeroteca*** (= a la biblioteca donde se guardan diarios y revistas, clasificados y ordenados, al servicio del público).

hemiciclo s. m. **1.** Un ***hemiciclo*** es la mitad de un círculo. **2.** *Los diputados ocuparon su lugar en el **hemiciclo*** (= en la sala central de sesiones del Parlamento, que tiene asientos semicirculares).
SINÓN: **1.** semicírculo.

hemisferio s. m. *México se encuentra en el **hemisferio** Norte* (= en la mitad norte de la Tierra).

hemorragia s. f. *Debido al accidente, tuvo una fuerte **hemorragia*** (= perdió mucha sangre).

hender o **hendir** v. tr. *Con el cuchillo **hendimos** el melón* (= lo rajamos dando un golpe con el cuchillo).
SINÓN: abrir, cortar, partir, rajar. ANTÓN: cerrar, unir. FAM: *hendidura.*

hendidura s. f. **1.** *Cayó un rayo y abrió una **hendidura** en el árbol* (= una grieta o abertura alargada). **2.** *La rueda de la polea tiene una **hendidura** por donde pasan los cables* (= una ranura o parte hundida estrecha y alargada).
SINÓN: abertura, grieta, raja, ranura. FAM: *hender.*

heno s. m. *Una vez segado y seco, el **heno** sirve de alimento para el ganado* (= la hierba de los prados).

heptagonal adj. *Esta caja es **heptagonal** porque tiene siete lados.*
FAM: *heptágono.*

heptágono s. m. *Un **heptágono** es una figura geométrica que tiene siete lados.*
FAM: *heptagonal.*

herbáceo, a adj. *En estos prados crecen muchos tipos de plantas **herbáceas*** (= que son hierbas).
FAM: → *hierba.*

herbívoro, a adj. *La vaca y la cabra son animales **herbívoros** porque se alimentan de hierba.*
FAM: → *hierba.*

heredar v. tr. **1.** *Mi padre **heredó** los bienes de mi abuelo cuando éste murió* (= todos sus bienes pasaron a mi padre). **2.** *Cristina **ha heredado** los ojos de su madre* (= sus ojos tienen el mismo color y forma que los de su madre).
SINÓN: **1.** beneficiarse, obtener, recibir. **2.** parecerse. FAM: *desheredar, heredero, herencia.*

heredero, a s. *Cuando murió aquel señor, repartieron sus bienes entre todos los **herederos*** (= las personas que recibieron sus bienes en herencia).
SINÓN: beneficiario, sucesor. FAM: → *heredar.*

herejía s. f. Una **herejía** es una opinión que la iglesia católica considera contraria a la fe católica.

herencia s. f. **1.** *Los hijos del difunto recibieron en **herencia** todas sus propiedades* (= según el derecho que tenían de recibir los bienes de su padre al morir). **2.** *Matías ha recibido una **herencia** importante de una tía suya* (= ha recibido numerosos bienes y riquezas de su tía, al morir ésta). **3.** *En castellano hay muchas palabras que son **herencia** de los árabes* (= que las ha recibido de ellos debido a su influencia).
SINÓN: **1, 2.** sucesión. FAM: → *heredar.*

herida s. f. *Al caerme, me hice una **herida** en la rodilla y me manché de sangre* (= una lesión).
SINÓN: lesión. FAM: → *herir.*

herido, a s. *Hubo un accidente grave con un muerto y dos **heridos*** (= dos personas con lesiones).
ANTÓN: ileso, sano. FAM: → *herir.*

herir v. tr. **1.** *El león **hirió** al domador con sus garras rasgándole la carne* (= le hizo daño). **2.** *No le dije la verdad para no **herir** sus sentimientos* (= para no ofenderlo).
SINÓN: **1.** lastimar, lesionar. **2.** lastimar, ofender.
FAM: *herida, herido, hiriente, malherir.*

hermanastro, a s. Un **hermanastro** es un hermano nacido del mismo padre y distinta madre, o viceversa.
FAM: → *hermano.*

hermandad s. f. **1.** *Entre estos dos países hay una gran **hermandad*** (= hay una relación amistosa). **2.** *La **hermandad** de pescadores se reunió ayer en el puerto* (= la asociación o conjunto de personas que tienen los mismos intereses y que se unen para ayudarse).
SINÓN: **1.** amistad, fraternidad. **2.** agrupación, asociación. ANTÓN: **1.** enemistad, hostilidad. **2.** individualidad. FAM: → *hermano.*

hermano, a s. **1.** *Carlos es **hermano** de Cristina porque los dos son hijos de los mismos padres.* **2.** *Las religiosas de ese convento son **hermanas** de la Caridad* (= son monjas de una orden religiosa). ◆ **hermano gemelo 3.** *Estos dos niños son iguales porque son **hermanos gemelos*** (= hermanos que nacieron al mismo tiempo).
SINÓN: **2.** religioso. **3.** mellizo. FAM: *hermanastro, hermandad.*

hermético, a adj. **1.** *Este frasco de conserva tiene una tapa **hermética*** (= no deja pasar el aire). **2.** *Tiene un carácter muy **hermético** y es muy difícil saber lo que piensa* (= es muy reservado en el trato).
SINÓN: **1.** cerrado. **2.** incomprensible, reservado.
ANTÓN: **1.** abierto. **2.** claro, comprensible, extrovertido.

hermoso, a adj. **1.** *Nicolás hizo un **hermoso** dibujo* (= muy bonito). **2.** *Hemos gozado de un día **hermoso*** (= un día sereno, apacible). **3.** *¡Qué bebé **hermoso**!, será un chico fuerte* (= es un niño muy guapo).
SINÓN: **1.** bello, bonito, lindo. **2.** apacible, espléndido, magnífico, sereno, soberbio. **3.** guapo, robusto, saludable. ANTÓN: **1.** feo, horrible. **2.** cubierto, nublado. **3.** débil, delgado, enfermizo. FAM: *hermosura.*

hermosura s. f. *Aquella mujer es de una gran **hermosura*** (= es muy bella).
SINÓN: belleza. ANTÓN: fealdad. FAM: *hermoso.*

hernia s. f. *¡No cargues con tanto peso, te va a salir una **hernia**!,* (= un bulto doloroso).

héroe s. m. **1.** *Este bombero se ha comportado como un **héroe*** (= demostró tener una valentía excepcional). **2.** *El **héroe** de la película es un niño de siete años* (= el personaje central).
SINÓN: **1.** audaz, valiente. **2.** protagonista.
ANTÓN: **1.** cobarde. FAM: *heroicidad, heroico, heroína, heroísmo.*

heroicidad s. f. *Exponer su vida para salvar la de los demás es una **heroicidad*** (= demuestra tener mucha valentía).
SINÓN: gesta, hazaña, heroísmo, proeza, valentía.
ANTÓN: cobardía. FAM: → *héroe.*

heroico, a adj. *Se ha condecorado a este militar por sus actos **heroicos*** (= valientes y arriesgados).
SINÓN: arriesgado, audaz, valiente. ANTÓN: cobarde. FAM: → *héroe.*

heroína s. f. **1.** *Juana Azurduy es considerada una **heroína** nacional porque luchó valientemente en las Guerras de la Independencia* de América (= mujer que se distingue por su valor y valentía). **2.** *La **heroína** de esta novela es huérfana* (= el personaje principal). **3.** La **heroína** es una droga muy fuerte y peligrosa que se inyecta.
SINÓN: **1.** audaz, valiente. **2.** protagonista.
ANTÓN: **1.** cobarde. FAM: → *héroe.*

heroísmo s. m. Estos soldados han dado prueba de su ***heroísmo** al defender su país arriesgando sus vidas* (= se han portado con mucha valentía).
SINÓN: audacia, valentía. ANTÓN: cobardía.
FAM: → *héroe.*

herradura s. f. *Los caballos llevan **herraduras** clavadas en sus pezuñas* (= unos semicírculos de hierro, para que no se dañen al andar).
FAM: → *hierro.*

herraje s. m. *Los **herrajes** de las puertas son de metal dorado* (= conjuntos de piezas de metal que adornan cofres o puertas).
FAM: → *hierro.*

herramienta s. f. **1.** *El martillo, el pico y la pala son **herramientas*** (= son utensilios que sirven para trabajar). **2.** *Se dedica a la informática y su **herramienta** de trabajo en una computadora* (= lo que utiliza para trabajar).
SINÓN: instrumento, utensilio, útil. FAM: → *hierro.*

herrar v. tr. *Tuvieron que volver a **herrar** el caballo porque se le habían caído dos de sus herraduras* (= tuvieron que volver a clavarle las herraduras).
FAM: → *hierro.*

herrería s. f. *Mi vecino trabaja en la **herrería** haciendo verjas para ventanas* (= en el taller del herrero en el que se trabaja el hierro).
FAM: → *hierro.*

herrero s. m. *El **herrero** trabaja golpeando y moldeando el hierro caliente sobre el yunque* (= es

la persona que trabaja con el hierro para hacer cosas).
FAM: → *hierro.*

hervir v. intr. **1.** *El agua* ***hierve*** *a los 100° C* (= se forman burbujas en la superficie, debido al aumento de la temperatura). **2.** *Mi madre* ***hierve*** *las legumbres antes de comerlas* (= las cuece en agua hirviendo). **3.** *Le hace* ***hervir*** *la sangre sólo el pensar que tiene que subir al avión* (= lo pone muy nervioso).
SINÓN: **1.** burbujear. **2.** cocer. FAM: *hirviente.*

heterogéneo, a adj. *Tienen gustos tan* ***heterogéneos*** *que nunca se ponen de acuerdo* (= piensan cosas distintas).
ANTÓN: homogéneo, unificado.

heterosexual adj. **1.** Una persona **heterosexual** es la que se siente atraída por personas del sexo opuesto. **2.** *La relación entre un hombre y una mujer es una relación* ***heterosexual*** (= porque es entre personas de distinto sexo).

hexagonal adj. *Los agujeros de los panales de abejas son* ***hexagonales*** (= tienen seis lados).
FAM: *hexágono.*

hexágono s. m. *Un* ***hexágono*** *es un polígono con seis lados.*
FAM: *hexagonal.*

hez s. f. **1.** *Este vino ha dejado* ***hez*** *en el fondo de la botella* (= hay partículas sólidas). ◆ **heces** s. f. pl. **2.** *Los alimentos que comemos y que el cuerpo no aprovecha, se transforman en* ***heces*** *que luego expulsamos* (= en residuos o excrementos).
SINÓN: **1.** poso, sedimento. **2.** excremento, deshecho.

hiato s. m. *En las palabras* había, heroísmo *o* herrería, *hay* ***hiato*** *porque tienen dos vocales seguidas que se pronuncian en sílabas distintas.*

hibernación s. f. *Los reptiles pasan el invierno en estado de* ***hibernación*** (= duermen durante los meses de invierno).
SINÓN: letargo. FAM: → *invierno.*

hidalgo, a s. *Antiguamente a los nobles se los llamaba* ***hidalgos.***

hidratar v. tr. *Esta crema* ***hidrata*** *la piel al proporcionarle el agua que necesita para no resecarse* (= le aporta agua y la vuelve más suave).
ANTÓN: deshidratar. FAM: *deshidratar.*

hidráulico, a adj. **1.** *La fuerza* ***hidráulica*** *es la energía que procede del movimiento del agua.* ◆ **hidráulica** s. f. **2.** La **hidráulica** es la parte de la mecánica que estudia el movimiento y aprovechamiento del agua.

hidroavión s. m. Un **hidroavión** es un avión que lleva flotadores y puede posarse en el agua y despegar desde ella.

hidroeléctrico, a adj. *En aquel embalse hay una central* ***hidroeléctrica*** (= una central donde aprovechan la fuerza del agua para obtener electricidad)

hidrógeno s. m. El **hidrógeno** es el gas más ligero de todos y, unido al oxígeno, forma el agua.

hidrografía s. f. La **Hidrografía** es la parte de la Geografía que estudia las corrientes de agua y los mares del globo terrestre.

hiedra s. f. La **hiedra** es una planta trepadora de hojas muy verdes y lustrosas.

hiel s. f. La **hiel** o bilis es una sustancia muy amarga que se halla en el hígado.

hielo s. m. **1.** *Metí en el congelador un vaso de agua y después de un rato se convirtió en* ***hielo*** (= agua sólida, a causa del frío). **2.** *El* ***hielo,*** *la escarcha, la lluvia, el granizo y la nieve son fenómenos atmosféricos.* **3.** *Este hombre es de* ***hielo,*** *nunca he visto un gesto de cariño por su parte* (= es muy frío y nunca muestra afecto por nadie).
SINÓN: **1, 2.** escarcha. **3.** frío, indiferente.
ANTÓN: **2.** deshielo. FAM: *anticongelante, congelación, congelador, congelar, deshelar, deshielo, helada, heladería, heladero, helado, helar.*

hiena s. f. La **hiena** es un animal mamífero y salvaje de África y Asia que se alimenta, sobre todo, de animales muertos.

hierba 1. Las **hierbas** son plantas pequeñas, de tallo tierno que, generalmente, brotan y mueren en el mismo año. **2.** *Estas ovejas pastan la* ***hierba*** *del prado* (= el pasto).
SINÓN: **1.** césped. **2.** pasto. FAM: *herbáceo, herbívoro, hierbabuena.*

hierbabuena s. f. La **hierbabuena** es una planta muy olorosa con la que se hacen infusiones, jarabes y caramelos.
FAM: → *hierba.*

hierra s. f. Amér. *El domingo asistiremos a una* ***hierra*** (= operación de marcar al ganado con un hierro al rojo).
SINÓN: yerra. FAM: *hierro.*

hierro s. m. **1.** *La verja de esta ventana es de* ***hierro*** (= de un metal muy resistente, que al calentarlo mucho se ablanda y puede recibir cualquier forma). **2.** *Mi abuelo tiene una salud de* ***hierro*** (= tiene una salud muy fuerte).
SINÓN: **2.** bueno, fuerte, saludable. ANTÓN: **2.** débil. FAM: *férreo, ferretería, ferretero, herradura, herramienta, herrar, herrería, herrero.*

hígado s. m. *Este enfermo fue operado del* ***hígado*** (= del órgano situado en la parte superior derecha del abdomen que segrega la bilis).

higiene s. f. **1.** *Lavarse y vigilar la alimentación forman parte de los principios de la* ***higiene*** (= cuidados necesarios para tener y conservar una buena salud). **2.** *Para evitar contagios e infecciones, en los hospitales se preocupan mucho de la* ***higiene*** (= de la limpieza).
SINÓN: **1.** sanidad. **2.** aseo, limpieza. ANTÓN: **2.** suciedad. FAM: *higiénico.*

higiénico, a adj. *Lavarse los dientes después de cada comida es una costumbre muy* ***higiénica*** (= es limpia y saludable).
SINÓN: aseado, limpio. ANTÓN: sucio. FAM: *higiene.*

higo s. m. **1.** El **higo** es el fruto de la higuera, su piel es fina y su carne, que es muy dulce, está llena de pequeñas semillas. ◆ **higo chumbo 2.** El **higo chumbo** es el fruto de la chumbera.
SINÓN: **2.** tuna. FAM: *higuera.*

higuera s. f. La **higuera** es un árbol de hojas grandes y verdes, que da dos cosechas de frutos: los higos y las brevas o higos grandes, y crece en lugares cálidos.
FAM: *higo.*

higuerilla s. f. R. de la Plata. *Se sentaron a tomar mate a la sombra de una* ***higuerilla*** (= árbol de poca altura, muy frondoso, con hojas acorazonadas).
FAM: *higuera.*

hijastro, a s. *Luis se ha casado con una mujer viuda que tenía dos hijos y ahora éstos son* ***hijastros*** *de Luis* (= hijos de uno solo de los esposos).
FAM: → *hijo.*

hijo, a s. **1.** *Mis hermanos y yo somos los* ***hijos*** *de mis padres* (= sus descendientes). **2.** *Para mi madre, la mujer de mi hermano y el marido de mi hermana son sus* ***hijos*** *políticos.* **3.** *Mi profesor nos dice cariñosamente: ¡vamos* ***hijos****, a trabajar!* (= es una expresión cariñosa). **4.** *Hay que podar este rosal porque tiene muchos* ***hijos*** (= muchas ramas nuevas).
SINÓN: **1.** descendiente, niño. **2.** nuera, yerno. ANTÓN: **1.** ascendiente, padre. **2.** suegro. FAM: *ahijado, hijastro.*

hilachas o **hilachos** s. pl. Amér. Merid. *El mendigo andaba cubierto de* ***hilachas*** (= ropas pobres y muy gastadas).
SINÓN: andrajos. FAM: *hilo.*

hilar v. tr. **1.** *Para poder hacer un suéter tenemos que* ***hilar*** *la lana* (= transformarla en hilo). **2.** *El gusano de seda* ***hila*** *una hebra de seda para hacer el capullo* (= elabora el hilo). **3.** *Con muy pocas palabras oídas pude* ***hilar*** *la conversación y saber de qué estaban hablando* (= pude comprenderla).
SINÓN: **1.** tejer. **3.** deducir, reconstruir. ANTÓN: **1.** deshilar. FAM: → *hilo.*

hilera s. f. *En mi clase hay varias* ***hileras*** *de mesas* (= las mesas están colocadas unas detrás de otras en varias filas).
SINÓN: fila, línea. FAM: → *hilo.*

hilo s. m. **1.** *Los botones de mi camisa están cosidos con un* ***hilo*** *azul* (= con una hebra larga y delgada). **2.** *Tenemos que llamar al plomero porque de esta llave cae un* ***hilo*** *de agua* (= un chorro muy fino). **3.** *Mi madre ha comprado unas sábanas de* ***hilo*** (= tejido blanco). **4.** *Este cable eléctrico está formado por muchos* ***hilos*** (= por alambres muy finos). ◆ **perder el hilo de la conversación 5.** *Me he despistado un momento y* ***he perdido el hilo de la conversación*** (= el argumento).
SINÓN: **1.** hebra. **4.** alambre. **5.** argumento, desarrollo. FAM: *deshilar, hilar, hilera.*

hilvanar v. tr. **1.** *Antes de coserme la falda, mi madre la* ***hilvanó*** *para que me la probara* (= la cosió provisionalmente, con puntadas grandes que se quitan con facilidad). **2.** *El conferenciante, aunque hablaba de cosas diferentes,* ***hilvanaba*** *sus frases con gran lógica y naturalidad* (= las enlazaba).
SINÓN: **1.** embastar. **2.** coordinar, enlazar. ANTÓN: **1.** deshilvanar. **2.** descoordinar.

himno s. m. *A la llegada del Presidente se interpretó el* ***himno*** *nacional* (= la composición musical representativa de cada país).

hincapié s. m. *El profesor hizo mucho* ***hincapié*** *en un punto de su explicación* (= insistió mucho en ello).
SINÓN: importancia. FAM: *hincar.*

hincar v. tr. **1.** *Cuando los alpinistas llegaron a la cima de la montaña* ***hincaron*** *allí su bandera* (= la clavaron en el suelo). ◆ **hincar el diente 2.** *Tengo ganas de* ***hincar el diente*** *a esa manzana* (= de comérmela). ◆ **hincarse** v. pr. **3.** *En la iglesia, todos* ***se hincaron*** *de rodillas ante la imagen de la Virgen* (= se pusieron de rodillas).
SINÓN: **1.** clavar, introducir, meter. **2.** comer. FAM: *hincapié.*

hincha s. m. f. *Los* ***hinchas*** *del equipo lo estuvieron animando durante todo el partido* (= los seguidores de un equipo deportivo).
SINÓN: aficionado, partidario, seguidor. ANTÓN: contrario, oponente. FAM: → *hinchar.*

hinchada s. f. Amér. Cent., Merid. *La* ***hinchada*** *asiste a todos los partidos para alentar a su equipo* (=conjunto de partidarios entusiastas).
FAM: → *hinchar.*

hinchar v. tr. **1.** *Cuando paseamos por las montañas nos* ***hinchamos*** *de aire los pulmones* (= los llenamos de aire). ◆ **hincharse** v. pron. **2.** *Jugando al fútbol, me caí y* ***se me hinchó*** *la rodilla* (= se me inflamó, me aumentó de volumen). **3.** *En la fiesta de cumpleaños de Roberto* ***me hinché*** *de sándwiches* (= comí muchos).
SINÓN: **1.** inflar, llenar. **2.** inflamarse. **3.** hartarse, llenarse, saciarse. ANTÓN: **1.** desinflar. **1, 2.** deshinchar. FAM: *deshinchar, hinchar, hinchazón.*

hinchazón s. f. *Le han dado una pomada para disminuir la* ***hinchazón*** *del tobillo* (= la inflamación).
SINÓN: abultamiento, bulto, chichón, inflamación. FAM: → *hinchar.*

hindú adj. **1.** *Las vacas* ***hindúes*** *son sagradas* (= de la India). ◆ **hindú** s. m. f. **2.** *Los* ***hindúes*** *son las personas nacidas en la India.*
SINÓN: **2.** indio.

hípico, a adj. *Me gustan los deportes* ***hípicos*** *porque me encantan los caballos* (= los que se realizan con caballos).
SINÓN: caballar. **FAM:** *hipódromo.*

hipnotismo s. m. El **hipnotismo** es un sueño provocado artificialmente durante el cual la persona obedece las órdenes del hipnotizador.

hipnotizador, ra s. *El* ***hipnotizador*** *consiguió dormir a un niño y luego éste no recordaba lo que había pasado* (= la persona que hace dormir a otra de forma artificial).

hipnotizar v. tr. *Una técnica para* ***hipnotizar*** *a alguien, muy usada por los hipnotizadores, es obligarlo a fijar la mirada en un punto brillante* (= dormir artificialmente).
SINÓN: adormecer, dormir. **ANTÓN:** despertar.

hipo s. m. *Cuando me río mucho tengo* ***hipo*** (= movimiento involuntario que altera la respiración y ocasiona un pequeño sonido).

hipocresía s. f. *No le creas, porque habla con* ***hipocresía*** *cuando dice que te quiere mucho* (= con falta de sinceridad).
SINÓN: engaño, falsedad. **ANTÓN:** franqueza, naturalidad, sinceridad. **FAM:** *hipócrita.*

hipócrita adj. *Es muy* ***hipócrita*** *porque delante de ti se muestra muy amigo, pero cuando no estás te critica* (= es una persona que aparenta lo que no es).
SINÓN: falso, farsante, impostor. **ANTÓN:** franco, sincero. **FAM:** *hipocresía.*

hipódromo s. m. *Fuimos al* ***hipódromo*** *a ver una carrera de caballos* (= al lugar donde se hacen carreras de caballos).
FAM: *hípico.*

hipopótamo s. m. El **hipopótamo** es un animal muy grande de patas cortas, de piel gruesa y de color oscuro que vive en los ríos de África y sale a las orillas para pastar.

hipoteca s. f. **1.** *Vamos muy justos de dinero porque estamos pagando la* ***hipoteca*** *de la casa* (= el préstamo que nos hizo el banco para comprar la casa). **2.** *Andrés pidió al banco un préstamo para montar su negocio, dejando su finca en* ***hipoteca*** (= la dejó como garantía del pago de la deuda y si no devuelve ese dinero el banco se quedará con su finca).
SINÓN: empeño, garantía. **FAM:** *hipotecario.*

hipotecario, a adj. *Mi padre ha pedido al banco un crédito* ***hipotecario*** (= un préstamo garantizado por una finca que responde de la deuda).
FAM: *hipoteca.*

hipotenusa s. f. La **hipotenusa** es el lado opuesto al ángulo recto en un triángulo rectángulo.

hipótesis s. f. *Todavía no se ha confirmado la* ***hipótesis*** *de que el accidente se produjo a causa de la lluvia* (= se supone que ha pasado aunque no se sabe con seguridad).
SINÓN: posibilidad, suposición, supuesto. **ANTÓN:** comprobación, verdad. **FAM:** *hipotético.*

hipotético, a adj. *Han detenido al* ***hipotético*** *autor del crimen, aunque todavía no hay pruebas seguras de que haya sido él* (= al que se supone que cometió el delito).
SINÓN: presunto, supuesto. **FAM:** *hipótesis.*

hiriente adj. *Me siento muy mal porque Manuel me ha hablado con palabras* ***hirientes*** (= que me han hecho daño).
FAM: → *herir.*

hirviente adj. *La lava que expulsa el volcán es una materia* ***hirviente*** (= está en ebullición, hirviendo).
SINÓN: humeante. **ANTÓN:** apagado, frío. **FAM:** *hervir.*

hisopo s. m. Amér. **1.** *El médico le aplicó el medicamento con un* ***hisopo*** (= palillo con un trocito de algodón fijo en uno de sus extremos). Amér. Merid. **2.** *El pintor usaba un* ***hisopo*** *para pintar las paredes* (= brocha).

hispánico, a adj. **1.** *La literatura* ***hispánica*** *es el conjunto de todas las obras escritas en lengua española* (= de España). **2.** *Los iberos y los celtas fueron pueblos* ***hispánicos*** (= pertenecientes a Hispania, que es como se llamaba antiguamente a España).
SINÓN: español, hispano. **FAM:** → *hispano.*

hispano, a adj. **1.** *Existen 400 millones de hablantes de lengua* ***hispana*** (= de lengua castellana). ◆ **hispano, a** s. **2.** *Los* ***hispanos*** *son las personas nacidas en España o en Hispanoamérica cuya lengua es el español.*
SINÓN: 1, 2. español, hispánico, hispanoamericano. **FAM:** *hispánico, hispanidad, hispanoamericano, hispanohablante.*

hispanoamericano, a adj. **1.** *Los países* ***hispanoamericanos*** *son los países de América en que se habla el español* (= de Hispanoamérica). ◆ **hispanoamericano, a** s. **2.** *Los* ***hispanoamericanos*** *son las personas nacidas en Hispanoamérica.*
SINÓN: hispano. **FAM:** → *hispano.*

hispanohablante adj. *En el mundo existen 400 millones de personas* ***hispanohablantes*** (= que hablan español).
FAM: → *hispano.*

histeria s. f. *La* ***histeria*** *de las personas que sufrieron la catástrofe dificultó las tareas de rescate* (= el estado de fuerte nerviosismo que tenían).
ANTÓN: calma, sosiego, tranquilidad. **FAM:** *histérico.*

histérico, a adj. *Se puso* ***histérica*** *al ver esa enorme araña que le subía por la mano* (= se puso muy nerviosa y empezó a gritar).
ANTÓN: calmoso, tranquilo, sosegado. **FAM:** *histeria.*

historia s. f. **1.** *A Santiago le interesa mucho la* ***Historia*** (= el relato de los sucesos ocurridos, a lo largo de los siglos, a las naciones y a los pueblos). **2.** *Voy a contarte la* ***historia*** *de mi vida* (= la narración de los hechos y sucesos de mi vida). **3.** *¡Abuelo, cuéntanos una* ***historia****!* (= un cuento, una historieta). ◆ **historias** s. f. pl. **4.** *Marisa siempre me viene con* ***historias*** (= siempre me cuenta cosas que no son ciertas). ◆ **dejarse uno de historias 5.** ***Déjate de historias*** *y trabaja ya de una vez* (= no pongas excusas).
SINÓN: **1.** crónica, suceso. **2.** hecho, incidente, narración, relato. **3.** cuento, fábula, historieta. **4.** chisme, enredo, mentira. ANTÓN: **4.** verdad. FAM: *historiador, histórico, historieta, prehistoria.*

historiador, a s. *Este famoso* ***historiador*** *ha escrito muchos libros sobre la historia de América* (= la persona que se dedica al estudio de la Historia).
SINÓN: cronista. FAM: → *historia.*

historial s. m. *La enfermera dio al médico mi* ***historial*** *médico antes de que me visitara* (= el informe detallado del estado físico, de las enfermedades y dolencias de una persona).
SINÓN: informe, reseña.

histórico, a adj. **1.** *Esta iglesia es un monumento* ***histórico*** (= tiene interés para la Historia). **2.** *Simón Bolívar fue un personaje* ***histórico*** (= que existió realmente). **3.** *La llegada del hombre a la Luna fue un hecho* ***histórico*** (= muy importante).
SINÓN: **2.** auténtico, cierto, real, verdadero. **3.** importante. ANTÓN: **2.** fabuloso, falso, incierto. FAM: → *historia.*

historieta s. f. *Mi abuelo me regaló una colección de revistas de* ***historietas*** (= serie de dibujos con o sin texto que contiene un relato).
SINÓN: comics, tebeos. FAM: *historia.*

hito s. m. *Cada kilómetro de carretera está marcado por un* ***hito*** (= por un bloque de piedra o de cemento en que están escritos los kilómetros).

hocico s. m. *El perro levantó el* ***hocico*** *y me lamió la mano* (= la parte que rodea su boca).
SINÓN: morro.

hockey s. m. El **hockey** es un deporte que se juega entre dos equipos, que consiste en golpear una pequeña pelota con un palo especial o stick e intentar meterla en un pequeño arco; se puede jugar sobre hierba y sobre patines.

hogar s. m. **1.** *En la casa del pueblo, mi abuela nos cuenta historias sentados alrededor del* ***hogar*** (= del sitio donde arde la lumbre). **2.** *Después de su trabajo mi padre vuelve al* ***hogar*** (= a casa).
SINÓN: **1.** chimenea. **2.** casa. FAM: *hoguera.*

hoguera s. f. *Durante la noche hicimos una gran* ***hoguera*** *en medio del campamento* (= reunimos leña y la hicimos arder).
SINÓN: fogata, fuego. FAM: *hogar.*

hoja s. f. **1.** *En otoño se caen las* ***hojas*** *de los árboles* (= las partes verdes de los árboles y de las plantas, que se vuelven marrones en otoño). **2.** *La margarita tiene muchas* ***hojas*** *blancas* (= muchos pétalos). **3.** *Escriban sus nombres en la* ***hoja*** *de examen* (= en el papel). **4.** *Este diccionario tiene muchas* ***hojas*** (= muchas páginas). **5.** *Hay que afilar la* ***hoja*** *del cuchillo* (= su parte cortante). **6.** *La ventana de mi habitación tiene dos* ***hojas*** (= dos partes que se abren y se cierran). ◆ **hoja de afeitar 7.** *Esta maquinilla tiene dos* ***hojas de afeitar*** (= son las láminas finas que cortan el pelo).
SINÓN: **2.** pétalo. **3.** papel. **4.** página. **5.** filo. **7.** cuchilla. FAM: *deshojar, folio, follaje, folleto, hojalata, hojaldre, hojarasca, hojear.*

hojalata s. f. *Los envases de conserva se hacen con* ***hojalata*** (= que es una lámina de hierro cubierta de estaño).
SINÓN: lata. FAM: → *hoja.*

hojaldre s. m. *Hemos comido un pastel de* ***hojaldre*** (= hecho con masa que al cocerse forma hojas superpuestas).
FAM: → *hoja.*

hojarasca s. f. **1.** *En otoño, el bosque se cubre de* ***hojarasca*** (= de hojas caídas de los árboles). **2.** *Por no haberlos podado, los árboles están cubiertos de* ***hojarasca*** (= de ramas y de hojas inútiles).
SINÓN: **2.** follaje, maleza. FAM: → *hoja.*

hojear v. tr. *No he leído el libro detenidamente, sólo lo* ***he hojeado*** *para saber de qué se trataba* (= he pasado rápidamente las hojas leyendo sólo algunos párrafos).
SINÓN: mirar, repasar. FAM: → *hoja.*

hojuela s. f. Ant., Méx. *Me gustan las* ***hojuelas*** *de maíz* (= cereal compuesto por pequeñas laminitas de maíz que se sirven con leche y azúcar en el desayuno).

¡hola! interj. ***¡Hola!*** *Luis, ¿qué tal estás?* (= palabra que sirve para saludar).

holandés, esa adj. **1.** *El queso* ***holandés*** *es muy bueno* (= de Holanda). ◆ **holandés, esa** s. **2.** *Los* ***holandeses*** *son las personas nacidas en Holanda.* **3.** *El* ***holandés*** *es el idioma que se habla en Holanda.*

holgado, a adj. *Cuando está en casa, Marisa usa un vestido* ***holgado*** *para estar más cómoda* (= amplio).
SINÓN: amplio, cómodo. ANTÓN: estrecho.

holgazán, ana adj. *David es un niño muy* ***holgazán****, no le gusta trabajar* (= es perezoso).
SINÓN: gandul, haragán, ocioso, perezoso, vago. ANTÓN: activo, diligente, trabajador. FAM: → *holgazanear.*

holgazanear v. intr. *Es tan vago que es capaz de estar todo el día* ***holgazaneando*** (= sin hacer nada).
SINÓN: vaguear. ANTÓN: trabajar. FAM: *holgazán, holgazanería.*

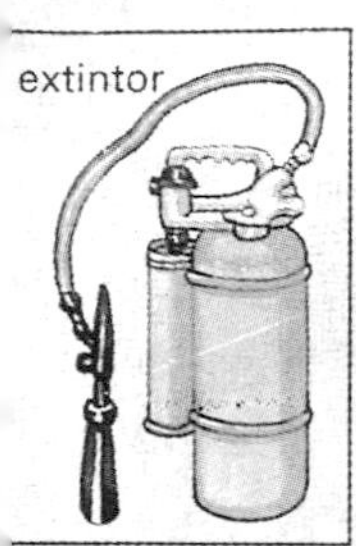
extintor

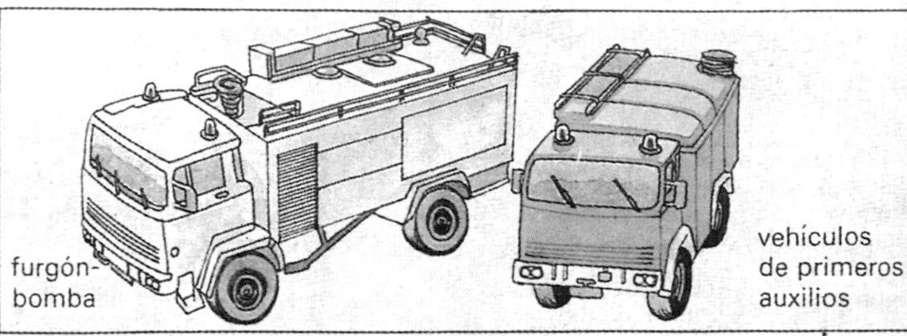
furgón-
bomba
vehículos
de primeros
auxilios

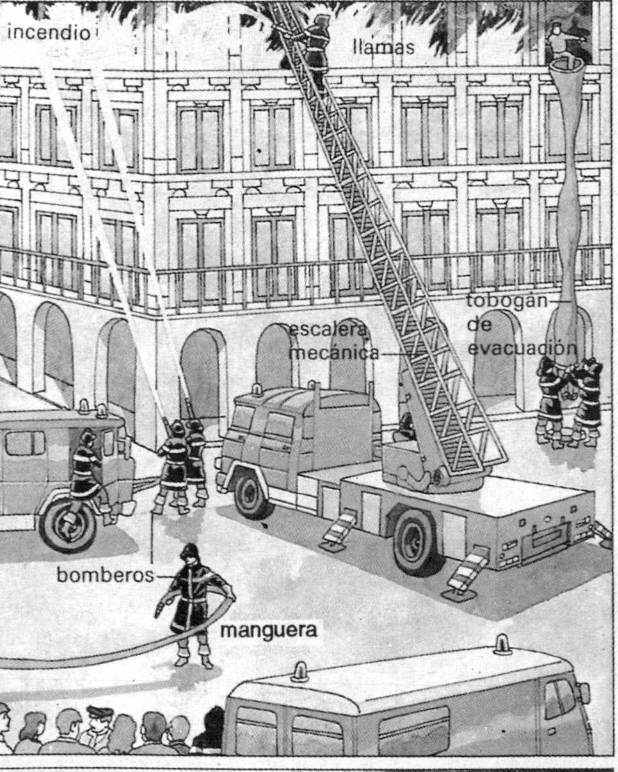
incendio
llamas
tobogán
de
evacuación
escalera
mecánica
bomberos
manguera

trajes de intervención
máscara
respiratoria
chaqueta
de cuero
casco
cinturón
hacha
linterna

hoguera
escombros
empalme
manguera

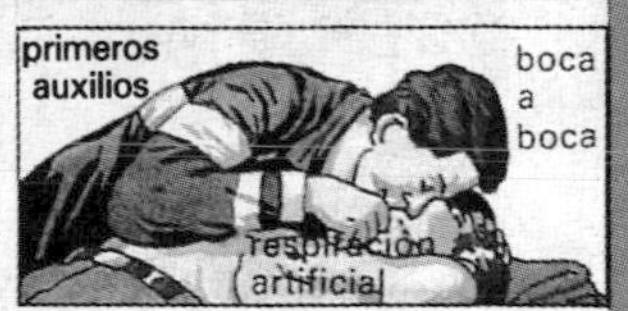
primeros
auxilios
boca
a
boca
respiración
artificial

humo
bomberos-marinos
barco-bomba
incendio de un navío

toma
de agua

cabina de mando
piloto
parabrisas
copiloto
tablero de mandos
asiento
mecánico de vuelo

personal de vuelo
comandante de vuelo
auxiliar de vuelo
mecánico de vuelo
copiloto
azafata

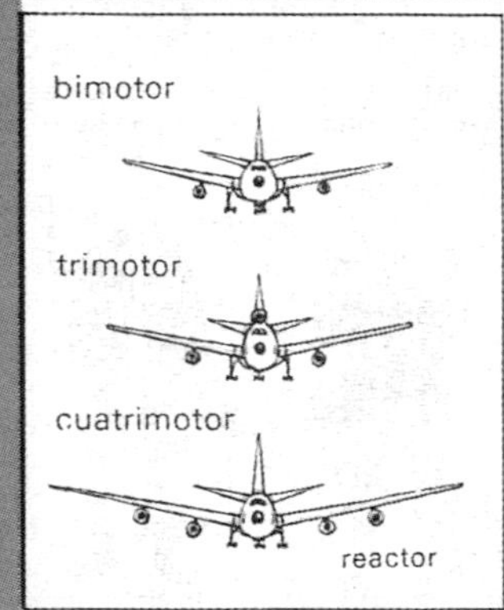
bimotor
trimotor
cuatrimotor
reactor

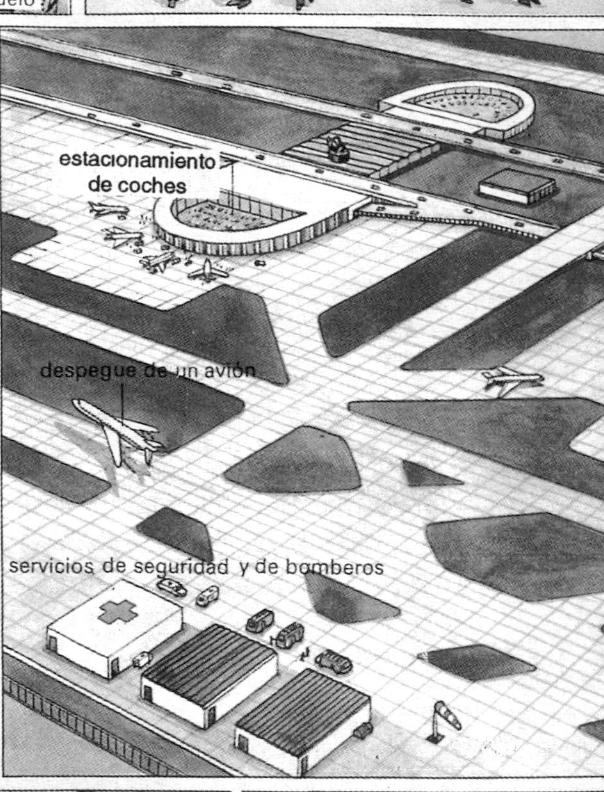
estacionamiento de coches
despegue de un avión
servicios de seguridad y de bomberos

terminal
horario de vuelos
registro de equipaje

avión de línea
asiento
pasillo
luces
pasajeros
ventanilla
azafata

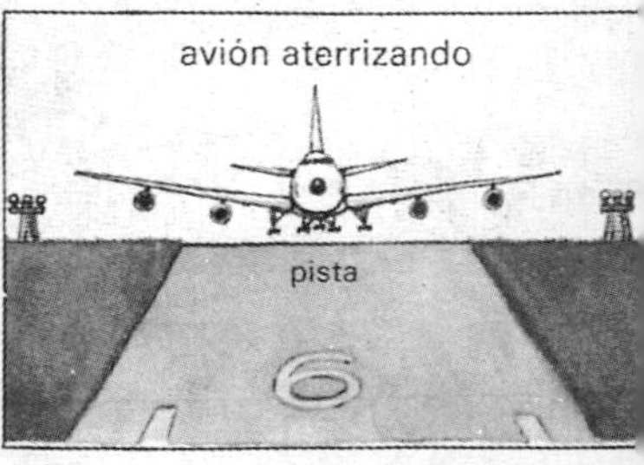
avión aterrizando
pista

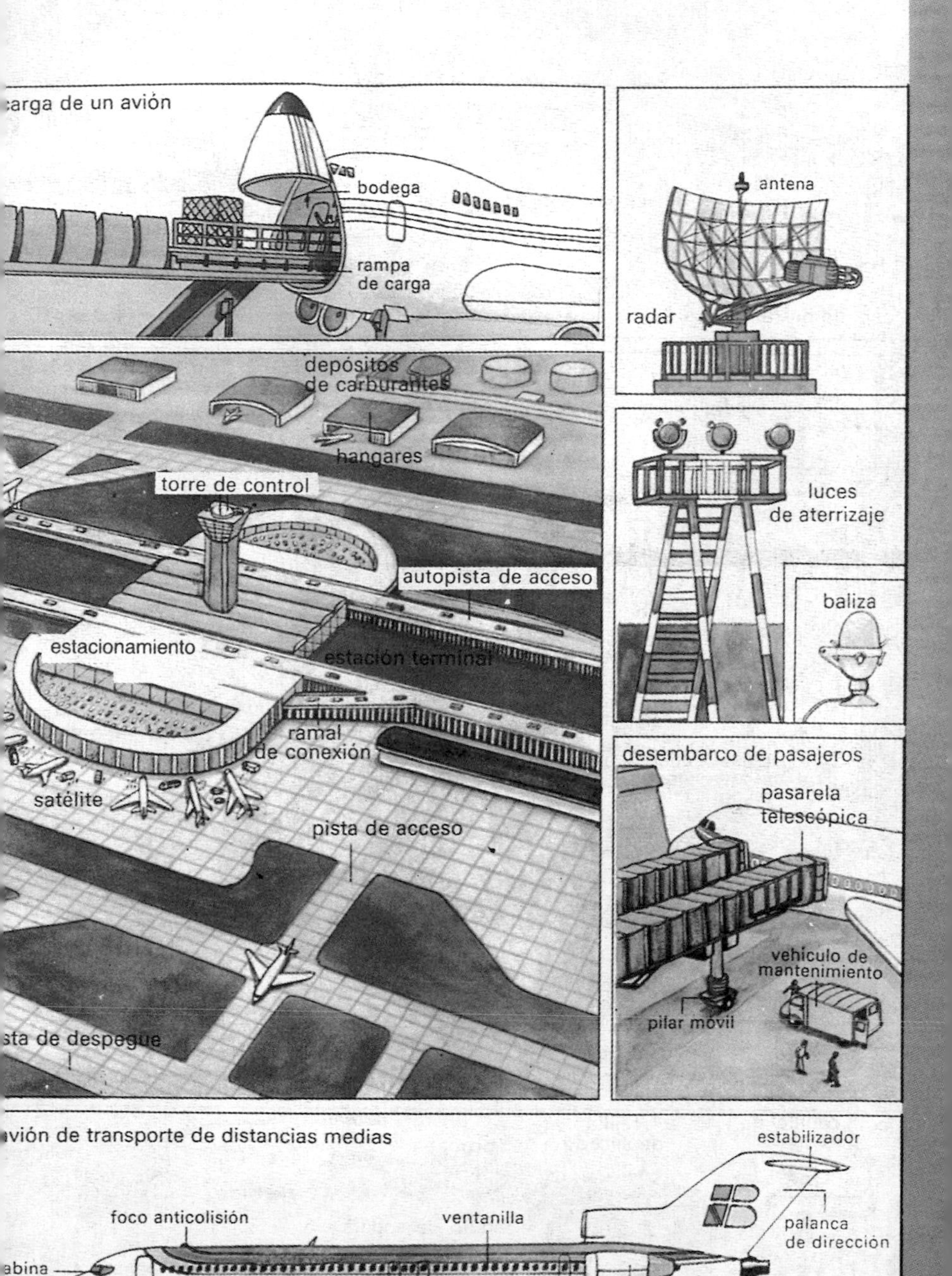

carga de un avión
bodega
rampa
de carga
antena
radar
depósitos
de carburantes
hangares
torre de control
autopista de acceso
estacionamiento
estación terminal
ramal
de conexión
satélite
pista de acceso
sta de despegue
luces
de aterrizaje
baliza
desembarco de pasajeros
pasarela
telescópica
vehículo de
mantenimiento
pilar móvil
vión de transporte de distancias medias
estabilizador
foco anticolisión
ventanilla
palanca
de dirección
abina
norro
ala
fuselaje
personal
de tierra
tren de aterrizaje
alerón
reactor

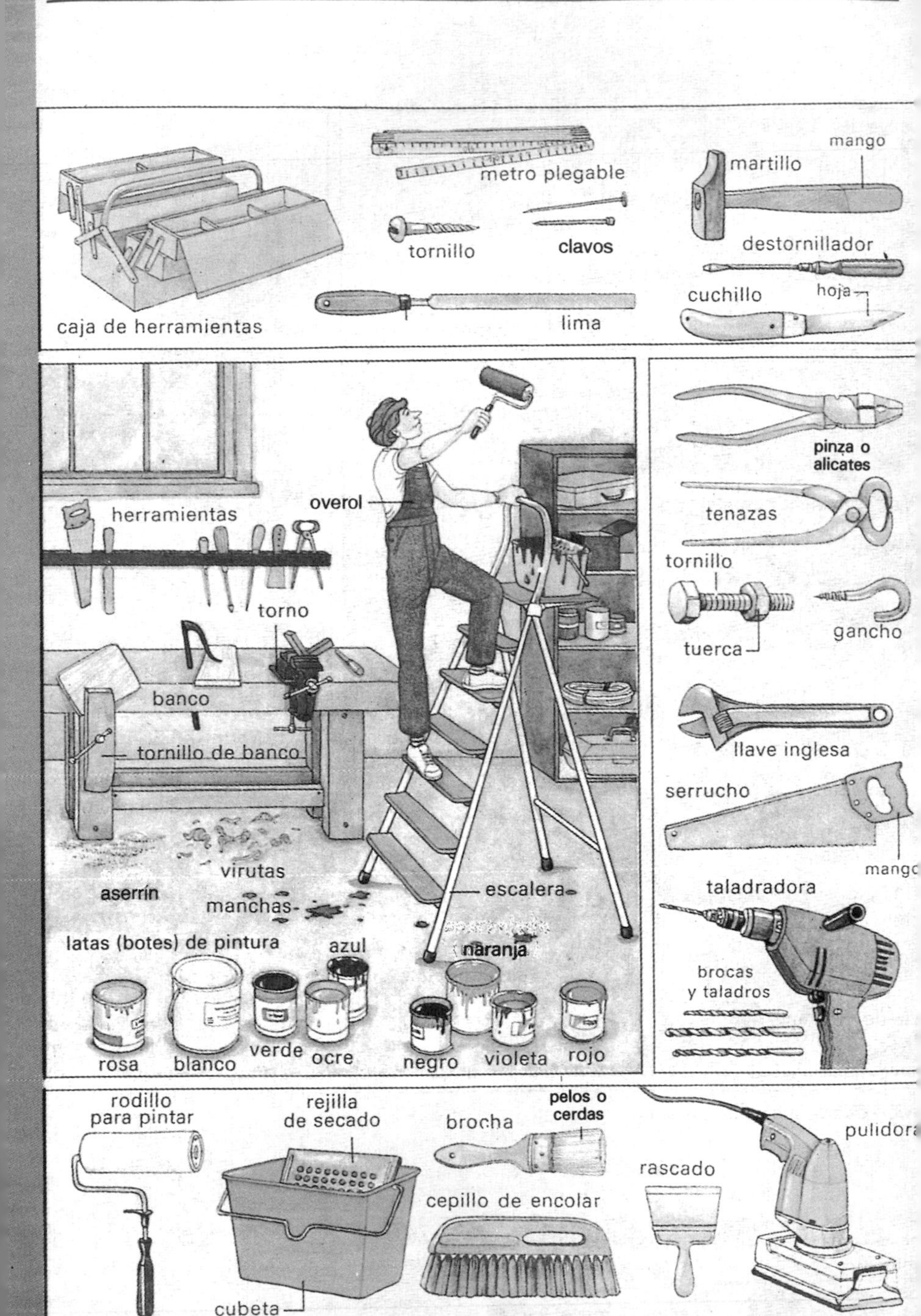

caja de herramientas
metro plegable
tornillo
clavos
lima
mango
martillo
destornillador
cuchillo
hoja
herramientas
overol
torno
banco
tornillo de banco
virutas
aserrín
manchas
escalera
latas (botes) de pintura
azul
naranja
rosa
blanco
verde
ocre
negro
violeta
rojo
pinza o alicates
tenazas
tornillo
tuerca
gancho
llave inglesa
serrucho
mango
taladradora
brocas y taladros
rodillo para pintar
rejilla de secado
cubeta
brocha
pelos o cerdas
cepillo de encolar
rascado
pulidora

holgazanería s. f. *Lo echaron del trabajo por su* ***holgazanería*** (= porque no cumplía con su trabajo por ser vago).
SINÓN: haraganería, pereza. **FAM:** → *holgazanear.*

hollejo s. m. Amér. Cent. **1.** *A este bananero le quitaron el* ***hollejo*** (= parte fibrosa que recubre su tronco). **2.** *Cuelan el jugo de uvas para quitarle los* ***hollejos*** (= pellejo que recubre algunas frutas).

hollín s. m. *La chimenea está llena de* ***hollín*** (= de materia negra acumulada por el paso continuo del humo).
FAM: *deshollinador.*

hombre s. m. **1.** *Los* ***hombres*** *se diferencian de los animales por su capacidad de razonar y hablar* (= los seres humanos, tanto hombres como mujeres). **2.** *En mi familia hay más* ***hombres*** *que mujeres* (= hay personas de sexo masculino). **3.** *Mi hermano Carlos ya es un* ***hombre*** (= un adulto).
SINÓN: 1. humanidad, individuo, persona. **2.** macho, varón. **3.** adulto. **ANTÓN: 2.** hembra, mujer. **3.** niño.

hombrera s. f. **1.** *Las chaquetas de los militares llevan* ***hombreras*** (= tiras de tela colocadas en el hombro). **2.** *Este vestido lleva* ***hombreras*** *para realzar los hombros* (= unas piezas de tela o de espumas para que no se vean los hombros caídos).
FAM: *hombro.*

hombro s. m. **1.** *El albañil lleva un saco de cemento al* ***hombro*** (= la parte superior del tronco, donde nace el brazo). ◆ **arrimar el hombro 2.** *Desde que lo despidieron, toda la familia tuvo que* ***arrimar el hombro*** (= tuvieron que ponerse a trabajar). ◆ **encogerse de hombros 3.** *Cuando le pregunté si le parecía una buena idea, lo único que hizo fue* ***encogerse de hombros*** (= se mostró indiferente). ◆ **mirar a alguien por encima del hombro 4.** *Es tan creído, que siempre* ***mira a todo el mundo por encima del hombro*** (= se cree superior).
FAM: *hombrera.*

homenaje s. m. *La empresa ha hecho un* ***homenaje*** *a los jubilados* (= ha celebrado una serie de actos en su honor).
SINÓN: celebración. **FAM:** *homenajear.*

homenajear v. tr. *Hicimos una gran fiesta para* ***homenajear*** *al ganador de la carrera* (= para celebrar su triunfo).
SINÓN: celebrar, festejar. **ANTÓN:** olvidar. **FAM:** *homenaje.*

homicidio s. m. *El acusado que había cometido el* ***homicidio*** *fue encarcelado* (= que había matado a otra persona).
SINÓN: asesinato, crimen.

homófono, a adj. *Las palabras* tubo *y* tuvo *son* ***homófonas*** (= se pronuncian igual pero se escriben distinto).

homogéneo, a adj. *Nos gustan las mismas películas porque tenemos gustos* ***homogéneos*** (= semejantes).
SINÓN: parecido, semejante, similar, uniforme. **ANTÓN:** diferente, distinto, heterogéneo.

homónimo, a adj. *La palabra* bota, *de calzado, y la palabra* bota, *de vino, son palabras* ***homónimas*** (= se escriben igual pero significan cosas diferentes).

homosexual adj. Una persona **homosexual** es la que tiene relaciones sexuales con personas de su mismo sexo.

hondo, a adj. **1.** *El buque sólo podía navegar donde el mar era muy* ***hondo*** (= muy profundo). **2.** *Servimos la sopa en platos* ***hondos*** (= no llanos). **3.** *Este valle es tan* ***hondo*** *que parece llegar al centro de la tierra* (= está muy abajo). **4.** *Sintió una* ***honda*** *tristeza cuando se enteró de la noticia del accidente* (= una intensa tristeza).
SINÓN: 1. profundo. **3.** bajo. **4.** intenso. **ANTÓN: 2.** llano, playo. **3.** elevado. **FAM:** *ahondar, hondura.*

hondura s. f. *Midieron la* ***hondura*** *del pozo con un largo cable* (= la profundidad que tiene desde la superficie hasta el fondo).
SINÓN: profundidad. **ANTÓN:** altura. **FAM:** → *hondo.*

hondureño, a adj. **1.** *El plátano frito es un plato típico* ***hondureño*** (= típico de Honduras). ◆ **hondureño, a** s. **2.** Los **hondureños** son las personas nacidas en Honduras.

honestidad s. f. *Su* ***honestidad*** *le hizo confesar la verdad* (= la calidad que hace que una persona no engañe a nadie).
SINÓN: honra, honradez, virtud. **ANTÓN:** deshonra. **FAM:** *honesto.*

honesto, a adj. *Juan es tan* ***honesto*** *que es incapaz de mentirle a nadie* (= es una persona de fiar).
SINÓN: decente, honrado, justo. **ANTÓN:** injusto, inmoral. **FAM:** *honestidad.*

hongo s. m. **1.** *Los* ***hongos*** *son vegetales comestibles pero debes tener cuidado pues algunos son muy venenosos* (= las setas). **2.** *Recordamos a Charlot con su bastón y su* ***hongo*** (= un sombrero redondo y abombado).
SINÓN: 1. seta. **2.** sombrero.

honor s. m. **1.** *José es un hombre de* ***honor****, siempre cumple con su deber* (= tiene mucha dignidad). **2.** *Fue un* ***honor*** *para los estudiantes que viniera a darles la clase un premio Nobel* (= fue un gran acontecimiento). **3.** *Recibieron al presidente con todos los* ***honores*** (= con mucha solemnidad).
SINÓN: 1. dignidad, honradez, respeto. **2.** honra, prestigio. **3.** distinción. **ANTÓN: 2.** deshonor, deshonra. **FAM:** *honorable, honorario.*

honorable adj. *Es una persona con una conducta muy* ***honorable*** (= merece todo nuestro respeto).
SINÓN: distinguido, estimable, noble, respetable. **ANTÓN:** indigno, miserable, ruin. **FAM:** → *honor.*

honorario, a adj. **1.** *Como era un personaje tan importante lo hicieron miembro* ***honorario*** *del club* (= miembro de honor por sus méritos). ◆ **honorarios** s. m. pl. **2.** *Después de haber trabajado sin descanso le pagaron los* ***honorarios*** (= le pagaron con dinero por su trabajo).
SINÓN: 2. paga, sueldo. **FAM:** → *honor.*

honra s. f. **1.** *Antiguamente los caballeros defendían su* ***honra*** *en los duelos* (= el sentimiento de la propia dignidad). **2.** *Es una gran* ***honra*** *para la ciudad organizar los juegos olímpicos* (= es un gran honor). **3.** *La* ***honra*** *de que gozaba el médico era bien merecida, había salvado muchas vidas* (= la fama). ◆ **honras** s. f. pl. **5.** *Después de su muerte celebraron las* ***honras*** *fúnebres* (= celebraron los funerales).
SINÓN: 1. dignidad. **2.** honor, reconocimiento. **3.** celebridad, fama. **4.** funeral. **ANTÓN: 1, 2.** deshonor, deshonra. **FAM:** *deshonra, honrar, honradez, honrado.*

honradez s. f. *Su* ***honradez*** *le impide hacer trampas en el juego* (= se puede confiar en él).
SINÓN: honestidad, justicia, lealtad, rectitud. **ANTÓN:** injusticia. **FAM:** → *honra.*

honrado, a adj. *David es un compañero* ***honrado****, nunca hace trampas* (= todos confían en él).
SINÓN: honesto, justo, leal. **ANTÓN:** inmoral. **FAM:** → *honra.*

honrar v. tr. **1.** ***Honraron*** *a sus invitados con una gran comida* (= demostraron que los apreciaban de esta forma). ◆ **honrarse** v. pron. **2.** *Nuestro colegio* ***se honra*** *de tener un profesor tan famoso* (= se siente muy orgulloso de eso).
SINÓN: 1. respetar. **2.** enorgullecerse. **ANTÓN: 1.** ofender. **2.** avergonzarse. **FAM:** → *honra.*

hora s. f. **1.** *Un día tiene 24* ***horas*** *y una* ***hora****, 60 minutos.* **2.** *Es la* ***hora*** *de ir a dormir* (= el momento). ◆ **a buenas horas 3.** *¡A* ***buenas horas*** *llegas!, ya hemos terminado de comer* (= has llegado muy tarde). ◆ **a última hora 4.** *Aunque llegó* ***a última hora*** *todavía pudo conseguir una entrada para ver la película* (= llegó en el último momento). ◆ **a estas horas 5.** ***A estas horas*** *ya debe haber llegado a su casa, llámala* (= en estos momentos). ◆ **dar hora 6.** *El médico* ***me ha dado hora*** *para el jueves a las 5* (= podré visitarlo entonces).
SINÓN: 2. momento, tiempo. **5.** ahora. **FAM:** *enhorabuena, horario.*

horario, a s. m. *Según el* ***horario*** *de clase a las once nos toca matemáticas* (= el cuadro que indica qué materia nos toca cada hora).
FAM: → *hora.*

horca s. f. *Antiguamente, los condenados a muerte eran enviados a la* ***horca*** (= se los colgaba del cuello).
SINÓN: patíbulo. **FAM:** *ahorcar, horquilla.*

horcadura s. f. *Las ramas de los árboles empezaron a crecer por la* ***horcadura*** (= la parte superior del tronco).

horchata s. f. *Bebimos un vaso de* ***horchata*** (= refresco con arroz o almendras, azúcar y agua).

horizontal adj. *El suelo de las casas es* ***horizontal*** (= no tiene pendiente).
SINÓN: plano. **ANTÓN:** vertical. **FAM:** *horizonte.*

horizonte s. m. *El Sol desaparece por el* ***horizonte*** (= por la línea que separa el cielo y la tierra).
SINÓN: límite. **FAM:** *horizontal.*

horma s. f. *Para fabricar los zapatos el zapatero utiliza una* ***horma*** (= un molde).
SINÓN: molde.

hormiga s. f. Las **hormigas** son pequeños insectos que viven en comunidad, generalmente en galerías bajo el suelo.
FAM: *hormiguero.*

hormigón s. m. *Este muro es de* ***hormigón*** (= de una mezcla de grava, cemento, arena y agua).
FAM: *hormigonera.*

hormigonera s. f. La **hormigonera** es un gran recipiente de hierro que da vueltas y que sirve para hacer el hormigón.
FAM: *hormigón.*

hormiguero s. m. *Las hormigas pasan el invierno en el* ***hormiguero*** (= en el lugar donde se crían y viven).
FAM: *hormiga.*

hormona s. f. *El crecimiento y el desarrollo son debidos a las* ***hormonas*** (= sustancias producidas por ciertos órganos que regulan las actividades del organismo).

hornada s. f. **1.** *El pastelero hizo varias* ***hornadas*** *de pastas en su nuevo horno* (= coció unas cuantas y luego otras cuantas). **2.** *Varias* ***hornadas*** *de estudiantes tuvieron el mismo profesor* (= varias generaciones).
SINÓN: 2. generación, promoción. **FAM:** → *horno.*

hornero s. m. *Los* ***horneros*** *construyen sus nidos con barro y paja* (= pájaro de plumaje pardo, con el pecho blanco y la cola rojiza).
FAM: → *horno.*

hornillo s. m. *Cuando nos fuimos de excursión nos llevamos un* ***hornillo*** *para cocinar* (= un elemento para cocinar pequeño y transportable).
SINÓN: infiernillo. **FAM:** → *horno.*

horno s. m. *Mi madre está haciendo el asado en el* ***horno*** *de la cocina* (= en el aparato que sirve para asar).
FAM: → *hornada, hornillo.*

horóscopo s. m. *El* ***horóscopo*** *de hoy me aconseja que no viaje* (= la previsión que hacen los especialistas de la Astrología sobre el porvenir de las personas).

horquilla s. f. **1.** *Mi abuela sujeta su moño con* ***horquillas*** (= con unas pequeñas pinzas de alambre). **2.** *El tendero engancha las cajas de la parte superior de la estantería con una* ***horquilla*** (= con un largo palo terminado en dos puntas).
FAM: → *horca.*

horrendo, a adj. *El monstruo de la película era* ***horrendo*** (= causaba terror).
SINÓN: espantoso, espeluznante, feo, horrible, horroroso, monstruoso. ANTÓN: agradable, atractivo, guapo, hermoso, lindo. FAM: → *horror.*

horrible adj. *Vimos un accidente de tránsito* ***horrible*** (= espantoso).
SINÓN: espantoso, espeluznante, feo, horroroso, monstruoso. ANTÓN: agradable, atractivo, hermoso, lindo. FAM: → *horror.*

horripilar v. tr. *El cuento sobre monstruos nos* ***horripiló*** (= nos puso los pelos de punta).
SINÓN: asustar, horrorizar. ANTÓN: agradar, gustar. FAM: → *horror.*

horror s. m. **1.** *Las películas de* ***horror*** *no me dejan dormir por la noche* (= me causan espanto y miedo). **2.** *La guerra es un* ***horror*** (= una atrocidad). **3.** *Siento* ***horror*** *al pensar en el examen* (= temor).
SINÓN: **1.** espanto, miedo, pánico, susto, temor, terror. **2.** atrocidad, crueldad. ANTÓN: **1.** agrado, atracción, simpatía. FAM: *horrendo, horrible, horripilar, horrorizar, horroroso.*

horrorizar v. tr. **1.** *La visita al lugar de la catástrofe* ***horrorizó*** *a todos* (= les causó espanto). ◆ **horrorizarse** v. pron. **2.** ***Me horroriza*** *subir a la montaña rusa* (= me da mucho miedo).
SINÓN: asustar, horripilar. ANTÓN: agradar, gustar. FAM: → *horror.*

horroroso, a adj. **1.** *Contemplar los desastres del incendio era algo* ***horroroso*** (= fue espantoso). **2.** *Este vestido es* ***horroroso,*** *nunca me lo compraría* (= es muy feo).
SINÓN: **1.** espantoso, espeluznante, horrendo, siniestro. **2.** feo. ANTÓN: **1.** admirable, agradable, espléndido. **2.** bonito, lindo. FAM: → *horror.*

hortaliza s. f. *Las zanahorias, las acelgas, los tomates y los espárragos son* ***hortalizas*** (= son productos vegetales que se cultivan en las huertas).
FAM: → *huerto.*

hortelano, a s. *El* ***hortelano*** *regaba la huerta sin descanso* (= la persona que trabaja en una huerta).
FAM: → *huerto.*

hortensia s. f. Las **hortensias** son plantas de grandes flores blancas, rosadas o azules.

hospedaje s. m. **1.** *Cuando llegamos a la ciudad, mis tíos nos dieron* ***hospedaje*** (= nos alojaron en su casa). **2.** *Al dejar el hotel pagamos el* ***hospedaje*** (= el dinero que debíamos por haber estado allí alojados).
SINÓN: **1.** albergue, alojamiento. **2.** cuenta, nota. FAM: → *huésped.*

hospedar v. tr. ***Hemos hospedado*** *en nuestra casa a unos niños franceses* (= están viviendo en nuestra casa por un tiempo).
SINÓN: acoger, albergar, alojar. FAM: → *huésped.*

hospicio s. m. *Los niños del* ***hospicio*** *parecían tristes* (= de la casa donde se recogen niños huérfanos o abandonados).
SINÓN: asilo. FAM: → *huésped.*

hospital s. m. *Trasladaron al herido al* ***hospital*** (= al establecimiento donde se cura a los enfermos).
SINÓN: ambulatorio, clínica, dispensario. FAM: → *huésped.*

hospitalidad s. f. *Su* ***hospitalidad*** *nos ha hecho sentir como en casa* (= su buena acogida).
SINÓN: acogida. FAM: → *huésped.*

hospitalizar v. tr. ***Han hospitalizado*** *al enfermo para que lo atiendan los médicos* (= lo han internado en el hospital).
SINÓN: internar. FAM: → *huésped.*

hostal s. m. *Pasamos la noche en un* ***hostal*** (= en un pequeño hotel donde se puede comer y dormir).
SINÓN: hotel, mesón. FAM: → *huésped.*

hostia s. f. *Durante la misa, el sacerdote consagra las* ***hostias*** (= los trozos de pan en forma de láminas circulares que se toman en la comunión).

hostil adj. *Muchos animales tienen una actitud* ***hostil*** *ante los desconocidos* (= enemiga y de rechazo).
SINÓN: adverso, contrario, enemigo, opuesto. ANTÓN: amistoso, benigno. FAM: *hostilidad.*

hostilidad s. f. **1.** *El perro recibió a los visitantes con* ***hostilidad*** (= con muestras de enemistad). **2.** *Las* ***hostilidades*** *entre estos dos países han comenzado en la frontera* (= los enfrentamientos).
SINÓN: **1.** agresividad, enemistad, odio. **2.** acometida, agresión, ataque, combate, contienda. ANTÓN: **1.** amistad. **2.** paz. FAM: *hostil.*

hotel s. m. *Hemos pasado la noche en un* ***hotel*** *de la ciudad* (= en un establecimiento para albergar a sus visitantes).
FAM: *hotelero.*

hotelero, a adj. **1.** *La industria* ***hotelera*** *atiende a los turistas que nos visitan* (= de los hoteles). ◆ **hotelero, a** s. **2.** *El* ***hotelero*** *nos guardó una bonita habitación* (= el dueño o director del hotel).
FAM: *hotel.*

hoy adv. **1.** ***Hoy*** *iré al cine, pues ayer no pude ir* (= el día en que estamos). **2.** *El hombre* ***hoy*** *es capaz de ir a la Luna* (= actualmente).
SINÓN: 2. actualmente, ahora.

hoya s. f. Amér. Merid. *Este río corre por una* ***hoya*** (= cuenca muy profunda).
FAM: *hoyo.*

hoyo s. m. *El jardinero cavó un* ***hoyo*** *en el jardín para plantar un árbol* (= un agujero).
SINÓN: agujero, cavidad, pozo. **FAM:** *hoyuelo.*

hoyuelo s. m. *Cuando ríe se le hacen unos* ***hoyuelos*** *muy graciosos en las mejillas* (= unos pequeños agujeros).
FAM: *hoyo.*

hoz s. f. *El agricultor corta la hierba con una* ***hoz*** (= un utensilio con una hoja cortante de acero, con forma de media luna).

huacal s. m. Méx. *Las frutas se transportan en* ***huacales*** (= cajas hechas con tiras de madera o carrizo).

huarache s. m. Méx. *En verano, uso* ***huaraches****, como los indígenas* (= sandalias hechas con tiras de cuero).

hueco, a adj. **1.** *El agua pasaba por dentro de un tubo* ***hueco*** (= que no tenía nada dentro). **2.** *El conferenciante no dijo más que palabras* ***huecas*** (= sin ningún interés). ◆ **hueco** s. m. **3.** *En el estadio me hicieron un* ***hueco*** *y pude sentarme* (= me hicieron un espacio). **4.** *Raúl siempre encuentra un* ***hueco*** *para jugar al tenis* (= tiempo libre). **5.** *En este* ***hueco*** *de la pared pondrán una ventana* (= en esta abertura).
SINÓN: 1. vacío. **2.** insignificante, superficial. **3.** espacio, lugar. **4.** tiempo. **5.** abertura, oquedad. **ANTÓN: 1.** lleno, macizo. **2.** importante, trascendental. **FAM:** *ahuecar.*

huelga s. f. *Los obreros de la fábrica están en* ***huelga*** *para obtener un aumento de salario* (= han parado el trabajo).
SINÓN: paro. **ANTÓN:** actividad, trabajo. **FAM:** *huelguista.*

huelguista s. *Los* ***huelguistas*** *se manifestaron delante de la fábrica para pedir un aumento de salario* (= los trabajadores que estaban en la huelga).
FAM: *huelga.*

huella s. f. **1.** *Se ven unas* ***huellas*** *muy profundas en la nieve* (= las marcas de unas pisadas). Chile, Perú, R. de la Plata. **2.** *Los automóviles no pudieron llegar porque las* ***huellas*** *eran muy profundas* (= marcas dejadas por el paso de vehículos en los caminos de tierra). R. de la Plata **3.** *En la escuela hemos aprendido a bailar y cantar la* ***huella*** (= canción y danza popular de pareja suelta). ◆ **huella dactilar 4.** *Pudieron descubrir al ladrón por las* ***huellas dactilares*** *que había dejado al tocar un vaso* (= las marcas de sus dedos). ◆ **seguir las huellas** de alguien **5.** *El policía* ***siguió las huellas*** *del ladrón hasta que lo atrapó* (= estuvo siguiéndolo). ◆ **perder las huellas** de alguien **6.** ***Perdí sus huellas*** *cuando se casó* (= no sé nada de él desde entonces).
SINÓN: 1. marca, pisada. **4.** huella digital.

huemul s. m. Amér. Merid. *Cuando fuimos de excusión, vimos muchos* ***huemules*** (= ciervos que viven en la zona cordillerana de Chile y del sur de la Argentina).

huérfano, a adj. *Como se ha quedado* ***huérfano*** *irá a vivir con sus tíos* (= sus padres han muerto).

huerta s. f. *La* ***huerta*** *de Tomás tiene una abundante cosecha de garbanzos* (= el terreno destinado a cultivar legumbres, frutas y hortalizas).
SINÓN: campo, vega. **FAM:** → *huerto.*

huerto s. m. *Matías plantó papas en su* ***huerto*** (= en una pequeña extensión de terreno donde las cultiva).
FAM: *hortaliza, hortelano, huerta.*

hueso s. m. **1.** *Llevaba muletas porque se había roto el* ***hueso*** *de la pierna* (= una de las partes duras que forman el esqueleto). **2.** *La ciruela, el durazno, la cereza y otras frutas tienen* ***hueso*** (= una parte dura en su interior).
SINÓN: 2. carozo. **FAM:** *deshuesar, huesudo, óseo.*

huésped s. *Los* ***huéspedes*** *del hotel pagaron la cuenta y recogieron las maletas* (= las personas que se habían alojado en él).
FAM: → *hospedaje, hospedar, hospicio, hospital, hospitalidad, hospitalizar, hostal, inhóspito.*

huesudo, a adj. *Carmen tiene unas manos muy* ***huesudas*** *y grandes* (= se le notan mucho los huesos).
SINÓN: óseo. **FAM:** → *hueso.*

hueva s. f. *El caviar se hace con* ***huevas*** *de esturión* (= el conjunto de huevecillos depositados por algunos peces).

huevería s. f. *Pascual recoge cada mañana los huevos y los lleva a la* ***huevería*** (= un comercio donde se venden huevos).
FAM: → *huevo.*

huevero, a s. **1.** *El* ***huevero*** *puso todos los huevos en cajas para venderlos* (= es la persona que vende huevos). ◆ **huevera** s. f. **2.** *Servimos los huevos cocidos en una* ***huevera*** (= en una copa donde se ponen los huevos para comerlos). **3.** *Mi madre trae los huevos en una* ***huevera*** *para que no se rompan* (= en una caja de cartón o plástico con un hueco para cada huevo).
FAM: → *huevo.*

huevo s. m. *Felipe agregó a la comida los* ***huevos*** *que habían puesto sus gallinas* (= cuerpos que ponen las aves de donde nacen sus polluelos).
FAM: *huevería, huevero.*

huida s. f. *Los ladrones emprendieron la* ***huida*** *cuando oyeron ladrar al perro* (= se alejaron corriendo).
SINÓN: escape, evasión, fuga. **FAM:** → *huir.*

huir v. intr. **1.** *Los ladrones* ***huyeron*** *cuando oyeron la sirena de la policía* (= escaparon a toda prisa). **2.** *Las barcas* ***huían*** *veloces con la fuerza del viento* (= se alejaban rápidamente). **3.** *Debemos* ***huir*** *de las malas compañías* (= apartarnos de ellas).
SINÓN: **1.** escapar, fugarse. **2.** alejarse. **3.** apartarse, esquivar, evitar, rehuir, separarse. ANTÓN: permanecer. FAM: *ahuyentar, huida, rehuir.*

huitlacoche s. m. Méx. *Mi madre le agregó* ***huitlacoche*** *a la salsa* (= hongo comestible de color negro, que parasita las mazorcas del maíz).

hule s. m. **1.** *El caucho o goma elástica se extrae de varias especies de* ***hule*** (= árbol americano del que se extrae caucho). Méx. **2.** *Las llantas de los vehículos modernos se construyen con una trama metálica cubierta de* ***hule*** (= caucho o goma).

hulla s. f. *Muchas calefacciones industriales todavía usan la* ***hulla*** *como combustible* (= el mineral fósil, sólido, que proviene de vegetales y es parecido al carbón).

humanidad s. f. **1.** *La aspirina ha sido un descubrimiento muy beneficioso para la* ***humanidad*** (= para todos los hombres). **2.** *Los médicos se portaron con mucha* ***humanidad*** *ayudando al asaltante herido* (= tuvieron gran compasión de él). ◆ **humanidades** s. f. pl. **3.** *Dedicó su vida al estudio de las* ***humanidades*** (= de las ciencias como la literatura y la filosofía).
SINÓN: **2.** caridad, compasión, misericordia, piedad. FAM: → *humano.*

humanismo s. m. *Leonardo da Vinci fue uno de los personajes más importantes del* ***Humanismo*** *italiano* (= el movimiento cultural del Renacimiento que se preocupó, sobre todo, por el estudio del hombre y de la cultura griega y latina).
FAM: → *humano.*

humanitario, a adj. **1.** *Un asilo es un organismo con fines* ***humanitarios*** (= de ayuda a las personas). **2.** *José es muy* ***humanitario:*** *siempre ayuda a cualquiera que tenga problemas* (= es muy caritativo).
SINÓN: **1.** altruista, benéfico. **2.** benigno, bondadoso, caritativo, compasivo. ANTÓN: inhumano, malo. FAM: → *humano.*

humano, a adj. **1.** *En clase de ciencias estudiamos el cuerpo* ***humano*** (= el del hombre). **2.** *El juez ha sido muy* ***humano*** *teniendo en cuenta que el ladrón no tenía ni para comer* (= muy comprensivo).
SINÓN: **2.** comprensivo, generoso. ANTÓN: **2.** duro, inflexible. FAM: *humanidad, humanidades, humanismo, humanitario, inhumano.*

humareda s. f. *El incendio del bosque produjo una enorme* ***humareda*** (= un humo espeso y abundante).
FAM: → *humo.*

humeante adj. *Después del incendio los árboles permanecieron* ***humeantes*** (= seguían desprendiendo humo).
ANTÓN: apagado. FAM: → *humo.*

humear v. intr. *La chimenea de esta fábrica* ***humea*** *mucho* (= echa mucho humo).
SINÓN: ahumar. FAM: → *humo.*

humedad s. f. **1.** *El hierro se oxida con la* ***humedad*** (= cuando está en un lugar que no es seco). **2.** *Además de hacer frío hay mucha* ***humedad*** (= hay vapor de agua en el aire).
ANTÓN: sequedad. FAM: → *húmedo.*

humedecer v. tr. *Mi madre* ***humedece*** *un poco la ropa antes de plancharla* (= la moja un poco).
SINÓN: mojar. ANTÓN: secar. FAM: → *húmedo.*

húmedo, a adj. **1.** *Ha llovido un poco y la carretera está* ***húmeda*** (= está mojada). **2.** *Buenos Aires es una ciudad* ***húmeda*** (= llueve mucho).
SINÓN: mojado. ANTÓN: seco. FAM: *humedad, humedecer.*

húmero s. m. El **húmero** es el hueso del brazo situado entre el hombro y el codo.

humildad s. f. **1.** *María aceptó el castigo con* ***humildad*** (= con obediencia y docilidad). **2.** *La* ***humildad*** *de la familia en que nació no le impidió llegar a ser rico* (= era una familia pobre).
SINÓN: **1.** modestia, reserva, timidez. **2.** pobreza. ANTÓN: **1.** orgullo, soberbia. **2.** nobleza. FAM: *humilde, humillación, humillar.*

humilde adj. **1.** *Se portó de forma* ***humilde*** *cuando la regañaron* (= obediente, dócil). **2.** *Le dieron la beca para estudiar en el extranjero porque su familia era muy* ***humilde*** (= muy pobre). **3.** *El señor García es un* ***humilde*** *empleado de la fábrica* (= es un empleado más).
SINÓN: **1.** dócil, modesto, obediente, respetuoso, sencillo. **2.** pobre. ANTÓN: **1.** orgulloso, vanidoso. **2.** adinerado, noble, rico. FAM: → *humildad.*

humillación s. f. *Pablo ha enrojecido de* ***humillación*** *cuando lo descubrieron copiando* (= estaba avergonzado).
SINÓN: vergüenza. ANTÓN: orgullo, vanidad. FAM: → *humildad.*

humillar v. tr. **1.** *Lo* ***humillaron*** *burlándose de él por ser bajo* (= lo hicieron sentirse inferior). **2.** *Su fracaso lo* ***humilló*** *y ya no presume de hacerlo todo bien* (= se siente avergonzado).
SINÓN: **2.** abochornar, avergonzar, rebajar. FAM: → *humildad.*

humita s. f. Amér. Merid. *En el NO. argentino comen la* ***humita*** *envuelta en chala* (= pasta hecha con granos de choclo triturados guisados con una salsa de cebolla, tomate y ají colorado).

humo s. m. **1.** *No enciendas un cigarrillo que me molesta mucho el* ***humo*** (= el gas que desprenden las sustancias que se queman). ◆ **humos** s. m. pl. **2.** *Tiene unos* ***humos,*** *que no hay*

quien pueda soportarlo (= es muy creído). ◆ **bajarle** a alguien **los humos 3.** *Si continúa haciéndose el sabio vamos a tener que* ***bajarle los humos*** (= vamos a tener que llamarle la atención para que no se comporte así).
FAM: *ahumado, ahumar, humareda, humeante, humear.*

humor s. m. **1.** *Está de tan buen* ***humor*** *que nos ha prometido llevarnos al cine* (= tiene muchos ánimos). **2.** *No estoy de* ***humor*** *para hacer ese trabajo* (= no tengo ganas). **3.** *En el programa de* ***humor*** *contaron muchos chistes* (= para divertirse).
SINÓN: **1.** carácter, genio, temperamento. **2.** ganas, voluntad. **3.** gracia, humorismo, ingenio, ironía. FAM: *humorismo, humorista, humorístico, malhumorado.*

humorismo s. m. *Este artista es muy famoso en el mundo del* ***humorismo*** (= en el mundo del humor).
SINÓN: gracia, humor. ANTÓN: gravedad, seriedad. FAM: → *humor.*

humorista adj. **1.** *Luis es un chico muy* ***humorista****, siempre nos cuenta chistes* (= es muy gracioso). ◆ **humorista** s. m. f. **2.** *En el teatro actúa hoy un* ***humorista*** *muy divertido* (= que hace reír a todo el mundo con sus chistes).
SINÓN: **1.** burlón. **2.** cómico. ANTÓN: **2.** formal, grave, serio. FAM: → *humor.*

humorístico, a adj. *Este libro contiene dibujos* ***humorísticos*** *muy divertidos* (= que hacen reír).
SINÓN: divertido, gracioso. ANTÓN: formal, grave, serio. FAM: → *humor.*

humus s. m. El **humus** es la materia orgánica podrida que se hace en la tierra.

hundimiento s. m. **1.** *El* ***hundimiento*** *del barco fue a causa de un choque con unas rocas* (= ahora está en el fondo del mar). **2.** *El exceso de nieve en el tejado provocó su* ***hundimiento*** (= hizo que se derrumbara).
SINÓN: **1.** naufragio. **2.** caída. ANTÓN: **1.** ascenso. **2.** subida. FAM: *hundir.*

hundir v. tr. **1.** *Martín* ***hundió*** *la cabeza en el agua* (= la metió dentro de ella). **2.** *Juan* ***hundió*** *la puerta del coche con un golpe* (= la abolló). **3.** *Los altos precios* ***hundieron*** *el negocio* (= lo arruinaron). ◆ **hundirse** v. pron. **4.** *Este edificio tenía malos cimientos y por eso* ***se hundió*** (= se derrumbó).
SINÓN: **1.** clavar, penetrar. **2.** abollar, ceder. **4.** caerse, derrumbarse. ANTÓN: **1.** extraer, sacar. **4.** construir, edificar, levantar. FAM: *hundimiento.*

húngaro, a adj. **1.** *Fuimos a ver los bailes* ***húngaros*** (= típicos de Hungría). ◆ **húngaro, a** s. **2.** *Los* ***húngaros*** *son las personas nacidas en Hungría.* **3.** *El* ***húngaro*** *es también el idioma hablado en Hungría.*

huracán s. m. *La fuerza del* ***huracán*** *levantó los tejados de las casas* (= del intenso viento).
SINÓN: ciclón, vendaval.

huraño, a adj. *Es una persona muy* ***huraña*** *y no le gusta hablar con los demás* (= es muy arisca).
SINÓN: arisco, intratable. ANTÓN: simpático, sociable.

¡hurra! interj. *Recibieron al equipo ganador gritándole:* ***¡hurra!*** (= expresando su alegría y entusiasmo).

hurtadillas *Andrés sacó* ***a hurtadillas*** *un trozo de pastel del refrigerador* (= sin que nadie lo viera).
FAM: *hurtar.*

hurtar v. tr. **1.** *Los vecinos nos* ***han hurtado*** *algunas manzanas del huerto* (= las han tomado sin permiso). **2.** *El tendero* ***hurtaba*** *unos gramos en cada kilogramo de jamón que vendía* (= daba menos gramos de jamón).
SINÓN: **1, 2.** quitar, robar, timar. ANTÓN: **1.** devolver. **2.** regalar. FAM: *hurtadillas.*

husmear v. tr. **1.** *Los cazadores llevan los perros para* ***husmear*** *la caza* (= para que sigan su rastro). **2.** *Le encanta* ***husmear*** (= le gusta enterarse de la vida de los demás).
SINÓN: **1.** oler, olfatear. **2.** curiosear, fisgar, fisgonear.

I

I s. f. **1.** La **i** es la novena letra del abecedario español. **2.** En la numeración romana, la letra **I** mayúscula significa uno.

ibérico, a adj. **1.** *Han dicho que lloverá en toda la península **Ibérica*** (= en España y Portugal). ◆ **ibérico, a** s. **2.** *Los **ibéricos** fueron los antiguos habitantes de Iberia y que hoy es España y Portugal.*
SINÓN: ibero. FAM: *ibero.*

íbero, a o **ibero**, a adj. **1.** *Los antiguos pueblos **íberos** nos han dejado su arte y sus costumbres* (= los que vivieron en lo que hoy es España y Portugal). ◆ **ibero, a** s. **2.** *Los **iberos** fueron los antiguos habitantes de Iberia.*
SINÓN: ibérico. FAM: *ibérico.*

ibirapitá s. m. *Los soportes del techo están hechos de **ibirapitá*** (= árbol tropical sudamericano de tronco grueso y muy alto, cuya madera, dura y rojiza, es muy apreciada).

iceberg s. m. *El barco chocó contra un **iceberg** en el Polo Norte* (= contra una masa de hielo grande y flotante).

idea s. f. **1.** *Se le ocurrió la **idea** de llevar el paraguas por si llovía* (= pensó en ello). **2.** *Se han formado una **idea** equivocada sobre el tema* (= piensan que es de una forma, y es de otra). **3.** *Mi primo tiene la **idea** de casarse* (= la intención). **4.** *Mi padre tiene alguna **idea** sobre decoración* (= sabe un poco de decoración). **5.** *Solo persigue la **idea** de hacerse rico* (= tiene esa obsesión). **6.** *Luis y Andrés no tienen las mismas **ideas** políticas* (= creencias).
SINÓN: **1, 2.** concepto, imagen, juicio, opinión, pensamiento. **3.** intención, plan, proyecto. **4.** conocimiento. **5.** manía, obsesión. **6.** convicción, creencia. FAM: *ideal, idealismo, idealista, idealizar, idear, ideología.*

ideal adj. **1.** *La solución **ideal** es que estudies antes de ir al cine y no al contrario* (= es la mejor solución). **2.** *La bondad, la hermosura y la felicidad son conceptos **ideales*** (= sólo existen en nuestro pensamiento). ◆ **ideal** s. m. **3.** *El **ideal** de la Organización de las Naciones Unidas es conseguir la paz entre todos los hombres* (= esta idea guía sus acciones).
SINÓN: **1.** excelente, ejemplar, mejor, perfecto. **2.** absoluto, puro. **3.** aspiración, deseo, ilusión, sueño. ANTÓN: **1.** peor. **2.** físico, real. FAM: → *idea.*

idealismo s. m. *No trabaja por interés personal, sino por puro **idealismo*** (= por fidelidad a una idea en la que él cree).
SINÓN: altruismo, desinterés, generosidad, ilusión. ANTÓN: interés, materialismo. FAM: → *idea.*

idealista s. *El profesor era tan **idealista** que creía que podía conseguir todo lo que deseaba* (= era una persona que vivía para sus ideas).
ANTÓN: materialista. FAM: → *idea.*

idealizar v. tr. *Juan **idealizó** al profesor pero luego se dio cuenta de que era una persona igual que las demás* (= creía que era perfecto).
SINÓN: embellecer. ANTÓN: afear. FAM: → *idea.*

idear v. tr. **1.** ***Ha ideado** un plan para llegar antes a la cima* (= ha pensado). **2.** *Esta máquina **ha sido ideada** por un ingeniero* (= inventada).
SINÓN: **1.** concebir, imaginar, pensar. **2.** imaginar, inventar, proyectar. FAM: → *idea.*

ídem pron. *Yo soy muy estudioso; y mi hermano, **ídem*** (= mi hermano es tan estudioso como yo).
SINÓN: idéntico, lo mismo. ANTÓN: distinto. FAM: *idéntico.*

idéntico, a adj. *Siempre confundo estas dos llaves porque son **idénticas*** (= no hay ninguna diferencia entre ellas).
SINÓN: igual, semejante. ANTÓN: diferente, distinto. FAM: *ídem, identidad, identificar.*

identidad s. f. **1.** *Tenemos **identidad** de gustos, por eso nunca nos peleamos* (= tenemos los mismos gustos). **2.** *El policía le pidió el documento de **identidad** para tomar sus datos* (= el carné que lo identifica).
SINÓN: **1.** igualdad. **2.** cédula. ANTÓN: **1.** diversidad. FAM: → *idéntico.*

identificar v. tr. **1.** *La policía **ha identificado** a los ladrones* (= ha descubierto quiénes eran). ◆ **identificarse** v. pron. **2.** *Pedro **se identifica** con los partidos ecologistas* (= cree en ellos y en sus ideas).
SINÓN: reconocer. FAM: → *idéntico.*

ideología s. f. *Su **ideología** política se basa en filósofos como Marx* (= sus ideas políticas).
SINÓN: creencia, doctrina. FAM: → *idea.*

idilio s. m. *María y Paco mantuvieron su* ***idilio*** *hasta que se pelearon* (= sus relaciones amorosas).
SINÓN: noviazgo.

idioma s. m. *Mi profesor habla dos* ***idiomas:*** *el francés y el inglés* (= habla dos lenguas).
SINÓN: lengua.

idiota s. **1.** *Internaron al* ***idiota*** *en el sanatorio para enfermos mentales* (= a una persona con graves atrasos mentales). **2. Idiota** es una palabra que también se usa como insulto.
SINÓN: 1. débil mental. **2.** estúpido, imbécil, necio, tonto. **ANTÓN:** cuerdo, inteligente.

ido, a adj. **1.** *Desde que perdió todo su dinero se ha quedado medio* ***ido*** (= medio loco). **2.** *Este chico siempre está* ***ido,*** *nunca atiende en clase* (= siempre está despistado). ◆ **ida** s. f. **3.** *Sacamos un boleto sólo de* ***ida,*** *pues nos pensábamos quedar muchos días* (= sólo para ir).
SINÓN: 1. loco. **2.** despistado, distraído. **ANTÓN: 1.** cuerdo. **2.** atento. **3.** vuelta. **FAM:** *ir.*

ídolo s. m. **1.** *En la antigüedad la gente adoraba a sus* ***ídolos*** (= a figuras u objetos que representan a los dioses). **2.** *El público se entusiasmó al ver a su* ***ídolo*** *cantando en el escenario* (= a la persona que todos admiraban).
SINÓN: 1. estatua, imagen.

idóneo, a adj. *La persona* ***idónea*** *para cuidar tu salud es el médico* (= la persona realmente adecuada).
SINÓN: adecuado, capacitado, ideal. **ANTÓN:** inadecuado, incapacitado, inepto.

igarapé s. m. Amér. Merid. *Fuimos a navegar por el* ***igarapé*** (= canal estrecho, de gran extensión, que atraviesa la selva amazónica).

iglesia s. f. **1.** *En esta ciudad hay* ***iglesias*** *con unos campanarios altísimos* (= los templos en que se celebra misa). **2.** *El Papa es el jefe de la* ***Iglesia*** *Católica* (= de la comunidad de todos los católicos).
SINÓN: 1. templo.

iglú s. m. *Los esquimales construyen* ***iglús*** *para resguardarse del frío* (= pequeños refugios hechos con bloques de hielo).

ignorancia s. f. *Su* ***ignorancia*** *le impide hablar sobre cualquier tema* (= su falta de cultura).
SINÓN: analfabetismo, incultura. **ANTÓN:** cultura, instrucción. **FAM:** → *ignorar.*

ignorante adj. *Santiago es un* ***ignorante*** *en temas de historia* (= no sabe nada sobre ella).
SINÓN: bobo, simple, torpe. **ANTÓN:** culto, instruido, sabio. **FAM:** → *ignorar.*

ignorar v. tr. ***Ignoro*** *si vendrá hoy o mañana* (= no lo sé).
SINÓN: desconocer. **ANTÓN:** conocer, saber. **FAM:** *ignorancia, ignorante.*

igual adj. **1.** *Mi madre partió la pizza en partes* ***iguales*** (= del mismo tamaño). **2.** *Los gemelos eran* ***iguales,*** *y todos los confundían* (= eran idénticos). **3.** *Juan es* ***igual*** *a su padre* (= es muy parecido). **4.** *El terreno era todo muy* ***igual,*** *podíamos pasear sin cansancio* (= era muy liso). **5.** *El estado del paciente se mantuvo* ***igual*** *toda la noche* (= no sufrió cambios). **6.** *Lo importante es que hagas tu trabajo, me da* ***igual*** *cuándo* (= no me importa cuándo). ◆ **de igual a igual 7.** *El director trató* ***de igual a igual*** *al empleado* (= lo trató como si no hubiera diferencias entre ellos). ◆ **sin igual 8.** *Siempre ha sido una mujer* ***sin igual,*** *todos la quieren mucho* (= extraordinaria).
SINÓN: 1, 2. equivalente, exacto, idéntico. **3.** parecido. **4.** liso, llano, plano, raso. **5.** constante, invariable, regular. **ANTÓN: 1, 2, 3, 4.** desigual, diferente, distinto. **5.** variable. **FAM:** *desigual, desigualdad, igualar, igualdad.*

igualar v. tr. **1.** *El director* ***igualó*** *las horas de trabajo de sus empleados* (= hizo que todos trabajaran el mismo número de horas). **2.** *Las excavadoras* ***igualaron*** *el terreno para construir una pista de tenis* (= lo alisaron). **3.** *Los equipos* ***igualaron*** *los puntos en la clasificación* (= quedaron en la misma posición). ◆ **igualarse** v. pron. **4.** *Marta y Juana* ***se igualaron*** *en su estatura a los 12 años* (= alcanzaron la misma altura a esa edad).
SINÓN: 1. ajustar, equilibrar, nivelar. **FAM:** → *igual.*

igualdad s. f. **1.** *La* ***igualdad*** *de nuestras opiniones hizo que nos entendiéramos muy bien* (= tenemos las mismas opiniones). **2.** *Una persona democrática cree en la* ***igualdad*** *entre los hombres* (= cree que todos los hombres son iguales).
SINÓN: conformidad, correspondencia, exactitud, identidad. **FAM:** → *igual.*

iguana s. f. La **iguana** es un reptil muy grande que vive en regiones cálidas de América y del Pacífico semejante al lagarto.

ilegal adj. *El ladrón fue condenado por haber actuado de forma* ***ilegal*** (= contraria a la ley).
SINÓN: injusto. **ANTÓN:** legal. **FAM:** → *ley.*

ilegible adj. *No reconocieron su firma porque era* ***ilegible*** (= era imposible de leer).
SINÓN: incomprensible. **ANTÓN:** legible. **FAM:** → *leer.*

ileso, a adj. *Salió* ***ileso*** *del accidente y pudo llegar a su casa andando* (= no se hizo daño).
SINÓN: intacto, salvo, sano. **ANTÓN:** herido. **FAM:** → *lesión.*

ilícito, a adj. *Lo acusaron de tráfico* ***ilícito*** *de armas* (= que no es legal).
SINÓN: ilegal. **ANTÓN:** legal.

ilimitado, a adj. *Tengo una confianza* ***ilimitada*** *en mi amigo y sé que nunca me traicionará* (= absoluta).
SINÓN: absoluto, infinito, total. **ANTÓN:** limitado. **FAM:** → *límite.*

iluminación s. f. **1.** *La **iluminación** de este cuarto es insuficiente, no se ve nada* (= la luz que hay en él). **2.** *En Navidad adornan las calles con **iluminaciones** de muchos colores* (= con bombillas y luces).
SINÓN: alumbrado, luz. **ANTÓN: 1.** oscuridad. **FAM:** → *luminoso.*

iluminar v. tr. **1.** *En Navidad, **iluminan** las calles para adornarlas* (= ponen luces). **2.** *El Sol **ilumina** la Tierra* (= le da luz y calor).
SINÓN: 1, 2. alumbrar. **FAM:** → *luminoso.*

ilusión s. f. **1.** *Los espejismos del desierto son **ilusiones** ópticas* (= son imágenes que no existen). **2.** *David se hace **ilusiones** si cree que ganará esta partida* (= tiene falsas esperanzas). **3.** *Me hace mucha **ilusión** ir al circo esta tarde* (= tengo muchas ganas).
SINÓN: 1. engaño, ficción. **2.** deseo, esperanza. **FAM:** *desilusión, desilusionar, ilusionar, ilusionismo, ilusionista, iluso.*

ilusionar v. tr. **1.** *Me **ilusiona** pensar en la fiesta de esta noche* (= me llena de alegría). **2.** *La apertura de una nueva fábrica **ilusionó** a los que no tenían trabajo* (= los llenó de esperanza ante la posibilidad de poder trabajar). ◆ **ilusionarse** v. pron. **3.** *No hay que **ilusionarse** con algo que es imposible* (= no hay que confiar en eso).
SINÓN: 1. alegrar, atraer, deslumbrar. **2, 3.** anhelar, confiar, desear, esperar. **ANTÓN:** decepcionar, desanimar, desengañar, desilusionar. **FAM:** → *ilusión.*

ilusionismo s. m. *Aprendió este truco de magia en sus clases de **ilusionismo*** (= de magia).
FAM: → *ilusión.*

ilusionista s. m. *El **ilusionista** hizo salir un conejo de su sombrero* (= el mago).
SINÓN: mago, prestidigitador. **FAM:** → *ilusión.*

iluso, a adj. *Javier es una persona **ilusa:** se cree todo lo que le cuentan* (= es muy inocente).
SINÓN: ingenuo, inocente. **ANTÓN:** realista. **FAM:** → *ilusión.*

ilustración s. f. **1.** *Este libro tiene muchas **ilustraciones*** (= dibujos, fotos). **2.** *En sus viajes ha adquirido una notable **ilustración*** (= mucha cultura). **3.** La **Ilustración** fue un movimiento cultural del siglo XVIII que daba gran importancia a la razón humana.
SINÓN: 1. dibujo, estampa, figura, foto, grabado, imagen. **2.** cultura, instrucción, saber. **ANTÓN: 2.** ignorancia, incultura. **FAM:** → *ilustre.*

ilustrar v. tr. **1.** *Las clases en la universidad me **han ilustrado** sobre muy diversos temas* (= me han enseñado sobre ellos). **2.** *El profesor nos **ilustra** con ejemplos las cosas difíciles* (= nos las explica con ejemplos). **3.** ***Ilustraron** el libro con dibujos y fotografías* (= lo adornaron).
SINÓN: 1. educar, enseñar, instruir. **2.** aclarar, explicar. **3.** adornar, dibujar, iluminar, pintar. **FAM:** → *ilustre.*

ilustre adj. *Asistimos a una conferencia donde hablaron los personajes más **ilustres** de la cultura del país* (= los más distinguidos y famosos).
SINÓN: célebre, famoso. **ANTÓN:** anónimo, desconocido. **FAM:** *ilustración, ilustrar.*

imagen s. f. **1.** *Su **imagen** se reflejó en el espejo* (= su figura). **2.** *Esta iglesia tiene muchas **imágenes** de santos* (= muchos cuadros y estatuas).
SINÓN: 1. figura, retrato. **2.** estatua. **FAM:** *imaginable, imaginación, imaginar, imaginario, imaginativo.*

imaginable adj. *Intentamos resolver este problema por todos los medios **imaginables*** (= por todos los medios que se puedan pensar).
SINÓN: posible. **FAM:** → *imagen.*

imaginación s. f. **1.** *Deben usar la **imaginación** e intentar inventar un cuento* (= la capacidad de crear). **2.** *Todo lo que dices son **imaginaciones** tuyas, nadie te persigue* (= son cosas que no existen en la realidad).
SINÓN: 1. fantasía. **2.** ficción. **ANTÓN: 2.** realidad. **FAM:** → *imagen.*

imaginar v. tr. **1.** *En mi redacción, **imaginé** un mundo sin odios ni guerras* (= inventé). **2.** ***Imagino** que vendrás a la fiesta* (= lo supongo). ◆ **imaginarse** v. pron. **3.** *No **te imaginas** la ilusión que me hace ir al cine* (= no lo sabes).
SINÓN: 1. crear, idear, inventar. **2.** pensar, sospechar, suponer. **ANTÓN:** afirmar, asegurar. **FAM:** → *imagen.*

imaginario, a adj. *Los monstruos, las hadas y los fantasmas son seres **imaginarios*** (= que no existen en la realidad).
SINÓN: fantástico, irreal. **ANTÓN:** real, verdadero. **FAM:** → *imagen.*

imaginativo, a adj. *Juan es muy **imaginativo**; le encanta contar historias increíbles* (= tiene una gran capacidad de inventar cosas).
SINÓN: fantástico. **FAM:** → *imagen.*

imán s. m. *Los clavos se quedaron pegados al **imán*** (= a un objeto que tiene la propiedad de atraer a otros objetos de hierro).
FAM: *imantar.*

imantar v. tr. *En el laboratorio **hemos imantado** un trozo de hierro para fabricar un imán* (= lo hemos convertido en un imán).
FAM: *imán.*

imbécil adj. *¡No seas **imbécil**!* (= ¡no seas tonto!). Esta palabra se usa como insulto.
SINÓN: bobo, estúpido, idiota, necio, tonto. **ANTÓN:** inteligente, sabio, vivo.

imberbe adj. *Todavía era un muchacho **imberbe** e ignorante* (= todavía no le había salido la barba).

imborrable adj. **1.** *Tengo un recuerdo **imborrable** de nuestro viaje al extranjero* (= nunca lo olvidaré). **2.** *Como utilizamos tinta **imborrable***

tenemos que tener mucho cuidado de no equivocarnos (= que no se puede borrar).
SINÓN: **1.** duradero, inolvidable, perenne, permanente. ANTÓN: **1.** breve, fugaz, pasajero. FAM: → *borrar.*

imitación s. f. *Este cuadro es falso, es una **imitación*** (= es una copia del original).
SINÓN: copia, falsificación, reproducción. ANTÓN: original. FAM: → *imitar.*

imitador, a s. *Ángel es un buen **imitador** de las voces y los gestos de los demás* (= los reproduce muy bien).
FAM: → *imitar.*

imitar v. tr. *Ramón sabe **imitar** un maullido tan bien, que parece un gato* (= maúlla como un gato).
SINÓN: reproducir. FAM: → *imitación, imitador.*

impaciencia s. f. *La **impaciencia** le hizo abrir el regalo sin esperar a que llegaran todos* (= sus deseos de saber lo que había dentro).
SINÓN: excitación, inquietud, intranquilidad, nerviosismo. ANTÓN: paciencia, quietud, serenidad, sosiego, tranquilidad. FAM: → *paz.*

impacientar v. tr. **1.** *Su lentitud **impacienta** a todos* (= los pone nerviosos). ◆ **impacientarse** v. pron. **2.** *La gente empezó a **impacientarse** al ver que la película no empezaba* (= se puso nerviosa de tanto esperar).
SINÓN: desesperar(se), enfadar(se), irritar(se). ANTÓN: calmar(se), serenar(se), tranquilizar(se). FAM: → *paz.*

impaciente adj. *Estoy **impaciente** por verte, quiero que vengas lo antes posible* (= me apetece mucho verte).
SINÓN: ansioso, inquieto, intranquilo, nervioso. ANTÓN: impasible, sereno, sosegado, tranquilo. FAM: → *paz.*

impacto s. m. **1.** *A causa de los disparos la pared quedó llena de **impactos** de bala* (= de señales de bala). **2.** *El **impacto** de los trenes causó graves daños* (= el choque). **3.** *La noticia del accidente aéreo produjo un gran **impacto** en la ciudad* (= todos sufrieron una fuerte impresión).
SINÓN: **1.** huella, señal. **1, 2.** colisión, choque. **3.** efecto, impresión.

impar adj. *El uno, el tres y el cinco son números **impares*** (= son números que no se pueden dividir entre 2).
ANTÓN: par. FAM: *par.*

imparcial adj. *Las decisiones de los jueces deben ser **imparciales** si quieren ser justos* (= no deben permitir que nadie ni nada influya sobre ellos).
SINÓN: honesto, justo, neutral, recto, objetivo. ANTÓN: injusto, parcial, dependiente. FAM: → *parte.*

imparcialidad s. f. *La **imparcialidad** del juez fue absoluta al decidir su condena* (= no se dejó influir por nada ni nadie).
SINÓN: justicia, rectitud. ANTÓN: injusticia. FAM: → *parte.*

impartir v. tr. *El profesor **impartía** las clases en un colegio* (= daba clases allí).

impasible adj. *Todos gritaban y pateaban, pero Luis permaneció **impasible*** (= permaneció tranquilo).
SINÓN: inalterable, indiferente, sereno, sosegado, tranquilo. ANTÓN: inquieto, tranquilo, nervioso. FAM: → *pasión.*

impecable adj. *Marta presenta los trabajos de la escuela **impecables*** (= sin errores y muy bien hechos).
SINÓN: correcto, limpio, perfecto. ANTÓN: asqueroso, sucio.

impedido, a adj. *Después del accidente ha quedado **impedido*** (= sin poder moverse).
SINÓN: inválido, paralítico. FAM: → *impedir.*

impedimento s. m. **1.** *No pudo seguir el viaje con su coche porque encontró varios **impedimentos** en la carretera* (= varios obstáculos). **2.** *Ser hermanos es un **impedimento** para poder casarse* (= es una circunstancia que lo hace imposible).
SINÓN: **1.** atasco. **1, 2.** dificultad, estorbo, obstáculo. ANTÓN: facilidad. FAM: → *impedir.*

impedir v. tr. *Una valla **impedía** el paso a la finca* (= no permitía pasar).
SINÓN: dificultar, entorpecer, estorbar, obstruir. ANTÓN: facilitar. FAM: *impedido, impedimento.*

impenetrable adj. *Los exploradores tuvieron problemas para andar por la **impenetrable** selva* (= su espesura les impedía avanzar).
SINÓN: cerrado, espeso. ANTÓN: abierto, accesible, claro. FAM: → *penetrar.*

impensable adj. *Es **impensable** que haya vida en Mercurio* (= es difícil o imposible de creer).
SINÓN: absurdo, imposible, increíble. ANTÓN: creíble, posible. FAM: → *pensar.*

imperar v. tr. *En todas las guerras **impera** el odio y la violencia* (= domina).
SINÓN: dominar, reinar.

imperativo s. m. Vete *es el **imperativo** del verbo* ir (= es la forma verbal que utilizamos para expresar una orden).

imperceptible adj. *Hay una diferencia **imperceptible** entre estos dos colores* (= una diferencia tan pequeña que casi no se ve).
SINÓN: inapreciable, insensible, mínimo. ANTÓN: grande, visible. FAM: *percibir.*

imperdonable adj. *Traicionar a una persona es un acto **imperdonable*** (= que no se puede disculpar).
SINÓN: grave, vergonzoso. ANTÓN: leve. FAM: → *perdón.*

imperfección s. f. *No se puede calificar de bueno un trabajo con tantas **imperfecciones*** (= con tantos errores).
SINÓN: defecto, descuido, error. ANTÓN: acierto, cualidad, perfección. FAM: → *perfección.*

imperfecto, a adj. *No se fijó en los detalles y presentó un trabajo* ***imperfecto*** (= con errores e incompleto).
SINÓN: defectuoso, incompleto. ANTÓN: completo, perfecto. FAM: → *perfección.*

imperial adj. *La corte vivía en el palacio* ***imperial*** (= del emperador).
FAM: → *imperio.*

imperialismo s. m. *El país siempre estaba en guerra por su afán de* ***imperialismo*** (= por querer dominar a otros países).
SINÓN: dominio. ANTÓN: liberación. FAM: → *imperio.*

imperialista adj. *Las intenciones* ***imperialistas*** *del país lo llevaron a conquistar otros países* (= sus intenciones de dominar otros países).
FAM: → *imperio.*

imperio s. m. *En tiempo de Felipe II el* ***imperio*** *español se extendía por todo el mundo* (= los países dominados por esa nación).
SINÓN: autoridad, dominio, poder, potencia, reinado. ANTÓN: debilidad. FAM: *imperial, imperialismo, imperialista, imperioso.*

imperioso, a adj. **1.** *El jefe lo dijo en un tono tan* ***imperioso*** *que nadie se atrevió a preguntarle nada* (= con mucha autoridad). **2.** *Después de la guerra el país tenía la* ***imperiosa*** *necesidad de alimentos y medicinas* (= la urgente necesidad).
SINÓN: **1.** arrogante, autoritario, dominante. **2.** imprescindible, indispensable, necesario, urgente. ANTÓN: **1.** humilde. **2.** superfluo. FAM: → *imperio.*

impermeable adj. **1.** *Gracias a que el portafolios era de un material* ***impermeable*** *los documentos no se mojaron* (= que no dejaba pasar el agua). ◆ **impermeable** s. m. **2.** *Cuando llueve uso mi* ***impermeable*** *para no mojarme* (= una especie de gabardina que protege de la lluvia).
SINÓN: **2.** gabardina, piloto. ANTÓN: **1.** permeable. FAM: *permeable.*

impersonal adj. **1.** *El estilo que tiene para vestir es totalmente* ***impersonal*** (= sin personalidad). **2.** Llover *es un verbo* ***impersonal*** (= sólo se conjuga en 3ª persona).

impertinente adj. *Mi compañero hizo una pregunta* ***impertinente*** *al profesor* (= una pregunta con mala intención).
SINÓN: descarado, molesto.

imperturbable adj. *José es* ***imperturbable****, pierde su dinero y no le afecta* (= se queda tan tranquilo ante una situación desagradable).
SINÓN: impasible, tranquilo.

ímpetu s. m. **1.** *El atleta lanzó la pelota con tanto* ***ímpetu*** *que se salió del campo* (= con mucha fuerza). **2.** *Los defensores han retrocedido ante el* ***ímpetu*** *del ataque* (= ante la violencia).
SINÓN: **1.** energía, fuerza. **2.** furia, violencia. ANTÓN: quietud, tranquilidad. FAM: *impetuoso.*

impetuoso, a adj. *Por culpa de su* ***impetuoso*** *carácter hace las cosas sin pensar en ellas* (= es muy impulsivo).
SINÓN: brusco, enérgico, fuerte, impulsivo, vehemente, violento, vivo. ANTÓN: suave, tranquilo. FAM: *ímpetu.*

implantar v. tr. *El gobierno* ***implantó*** *varias leyes que fueron muy criticadas* (= las puso en funcionamiento).
SINÓN: establecer, introducir. ANTÓN: abolir, eliminar.

implicar v. tr. **1.** *Aunque yo quería mantenerme fuera del asunto, su insistencia me* ***ha implicado*** *en él* (= me hizo participar en el asunto). **2.** *Si quiero llegar puntual eso* ***implica*** *que debo salir temprano* (= eso significa).
SINÓN: **1.** enredar, envolver, meter. **2.** significar, suponer. FAM: *implícito.*

implícito, a adj. *El hecho de matricularse en este colegio lleva* ***implícita*** *la aceptación de sus normas* (= supone).
SINÓN: supuesto. ANTÓN: explícito. FAM: *implicar.*

implorar v. tr. *El condenado* ***imploraba*** *que lo dejaran libre* (= lo suplicaba).
SINÓN: clamar, pedir, rogar, suplicar. ANTÓN: exigir.

imponente adj. *Las catedrales son edificios* ***imponentes*** (= son tan grandes que impresionan mucho).
SINÓN: considerable, formidable, grandioso, impresionante, inmenso. ANTÓN: mínimo, miserable, pequeño. FAM: → *poner.*

imponer v. tr. **1.** *El profesor me* ***ha impuesto*** *un castigo muy pesado* (= me obligó a hacerlo). **2.** *Mi padre me* ***impone*** *mucho respeto cuando se enoja* (= me asusta). **3.** *El profesor no sabe* ***imponerse*** *a los alumnos y todos le toman el pelo* (= no sabe hacer uso de su autoridad). ◆ **imponerse** v. pron. **4.** *El equipo favorito* ***se impuso*** *por dos goles a cero* (= demostró que era superior).
SINÓN: **1.** encargar, encomendar, exigir, obligar. **2.** acobardar, asustar. **3.** depositar. ANTÓN: **2.** tranquilizar. FAM: → *poner.*

impopular adj. *Carlos es un chico* ***impopular*** *en la escuela porque es muy antipático* (= es una persona que no cae bien).
SINÓN: antipático, odiado. ANTÓN: popular.

importación s. f. *La empresa de* ***importación*** *traía varios productos de América para venderlos en España* (= que se dedicaba a comprar productos en el extranjero para venderlos en España).
SINÓN: entrada, introducción. ANTÓN: exportación, salida. FAM: → *importar.*

importador, a adj. *España es un país* ***importador*** *de petróleo* (= lo compra en otros países).
ANTÓN: exportador. **FAM:** → *importar.*

importancia s. f. **1.** *El descubrimiento de la electricidad ha tenido una gran* ***importancia*** *para la humanidad* (= ha sido de gran utilidad). **2.** *La persona con más* ***importancia*** *de la empresa es el director* (= el que manda más). ◆ **darse importancia 3.** *Juan* ***se dio importancia*** *diciendo que su puesto en la fábrica era el mejor* (= presumió de ello).
SINÓN: **1.** interés, trascendencia. **2.** autoridad, dignidad. **3.** presunción. **FAM:** *importante.*

importante adj. *El director del banco tiene un papel* ***importante*** *en la economía del país* (= muy destacado).
SINÓN: considerable, destacado, fundamental, interesante, notable, significativo. **ANTÓN:** accesorio, insignificante, secundario. **FAM:** *importancia.*

importar v. tr. **1.** *Ecuador* ***importa*** *algunos productos que no existen en el país* (= los compra en el extranjero). ◆ **importar** v. intr. **2.** *Al médico lo que más le* ***importa*** *es curar al enfermo* (= es lo que más le preocupa).
SINÓN: **1.** entrar, introducir. **2.** interesar. **ANTÓN:** **1.** exportar, sacar. **FAM:** *importación, importador, importe.*

importe s. m. *El* ***importe*** *de este libro es de dos mil pesos* (= el precio).
SINÓN: coste, costo, precio, valor. **FAM:** → *importar.*

importunar v. tr. *Mientras estudiaba, mi hermanito me* ***importunaba*** *con sus gritos* (= me molestaba).
SINÓN: fastidiar, incomodar, molestar. **ANTÓN:** agradar, complacer, contentar, gustar. **FAM:** → *oportuno.*

imposibilidad s. f. *Estoy en la* ***imposibilidad*** *de acompañarte porque tengo que estudiar* (= no me es posible hacerlo).
SINÓN: dificultad, oposición. **ANTÓN:** posibilidad. **FAM:** → *poder.*

imposible adj. **1.** *Es* ***imposible*** *jugar y estudiar a la vez* (= no puede hacerse). **2.** *Encontrar un sitio para estacionar el auto resulta casi* ***imposible*** (= es muy difícil encontrarlo). **3.** *Cuando mi tío discute, se pone* ***imposible*** (= se pone inaguantable).
SINÓN: **1.** absurdo, improbable, utópico. **2.** dudoso, difícil. **3.** inaguantable, insoportable, intratable. **ANTÓN:** **1, 2.** posible, probable, razonable. **FAM:** → *poder.*

imposición s. f. *Era una* ***imposición*** *de la fiesta llevar vestido largo* (= era obligatorio).
SINÓN: exigencia, obligación. **FAM:** → *poner.*

impostor, a s. *La persona que nos visitó era un* ***impostor*** *pues en realidad no era médico* (= era una persona que se hacía pasar por otra).
SINÓN: farsante, mentiroso. **ANTÓN:** auténtico, honrado, legítimo, verdadero.

impotencia s. f. *Los bomberos sentían una gran* ***impotencia*** *al ver que el fuego se iba extendiendo rápidamente* (= sentían que no podían hacer nada para evitarlo).
SINÓN: imposibilidad, incapacidad. **ANTÓN:** aptitud, capacidad. **FAM:** → *poder.*

impotente adj. *Con la pierna rota se veía* ***impotente*** *para caminar* (= era incapaz de hacerlo).
SINÓN: débil, incapaz, ineficaz, inútil. **ANTÓN:** capaz, eficaz, fuerte, potente, útil. **FAM:** → *poder.*

impreciso, a adj. *Tengo un recuerdo* ***impreciso*** *de aquel viaje* (= no me acuerdo muy bien).
SINÓN: borroso, confuso, indeciso, vago. **ANTÓN:** preciso. **FAM:** → *precisar.*

impregnar v. tr. *La enfermera* ***impregnó*** *de alcohol el algodón* (= lo mojó).
SINÓN: calar, mojar, pringar. **ANTÓN:** exprimir, secar.

imprenta s. f. **1.** *La invención de la* ***imprenta*** *permitió hacer muchas copias de libros* (= el sistema para imprimir libros). **2.** *Mi hermano trabaja en una* ***imprenta****, por eso le regalan tantos libros y revistas* (= en el taller donde los imprimen).
FAM: → *imprimir.*

imprescindible adj. *El agua es* ***imprescindible*** *para la vida* (= sin ella no se puede vivir).
SINÓN: necesario, obligatorio, preciso, vital. **ANTÓN:** superfluo. **FAM:** *prescindir.*

impresión s. f. **1.** *Su discurso produjo una* ***impresión*** *tan grande, que el público no paraba de aplaudir* (= tuvo un gran impacto). **2.** *Tengo la* ***impresión*** *de que ya no vendrá, es muy tarde* (= tengo esa sensación). **3.** *Esta revista tiene muchos defectos de* ***impresión*** (= de errores cometidos en la imprenta). **4.** *El excursionista había dejado la* ***impresión*** *de sus huellas en la nieve* (= las marcas). ◆ **cambiar impresiones 5.** *Los profesores estuvieron* ***cambiando impresiones*** *para decidir si lo aprobaban o no* (= estuvieron dando sus opiniones).
SINÓN: **1.** efecto, impacto. **2.** sensación. **4.** marca, señal. **FAM:** → *imprimir.*

impresionable adj. *Este espectáculo es muy violento para la gente* ***impresionable*** (= para la que se asusta fácilmente).
SINÓN: emotivo, nervioso, sensible. **ANTÓN:** indiferente. **FAM:** → *imprimir.*

impresionar v. tr. *El actor* ***impresionó*** *al público con su actuación* (= lo sorprendió).
SINÓN: alterar, conmover, emocionar, excitar, turbar. **ANTÓN:** borrar, tachar, tranquilizar. **FAM:** → *imprimir.*

impreso s. m. *En el ayuntamiento me han dado un* ***impreso*** *para llenarlo con mis datos* (= un papel donde se piden esos datos).
SINÓN: escrito, folleto. **FAM:** → *imprimir.*

impresor, a s. **1.** *El* ***impresor*** *decidía qué libros debían imprimirse* (= la persona que es due-

ña de una imprenta). ◆ **impresora** s. f. **2.** *Las páginas escritas salieron por la **impresora** de la computadora* (= una máquina que imprime en papel).
FAM: → *imprimir.*

imprevisible adj. **1.** *Una lluvia **imprevisible** impidió que fueran de excursión* (= que no se podía prever). **2.** *Marta es una chica **imprevisible**, siempre cambia sus planes a última hora* (= nunca se puede saber lo que hará).
SINÓN: inesperado, imprevisto. **ANTÓN:** previsible.

imprevisto, a adj. *Elisa se presentó en casa de forma **imprevista*** (= no la esperábamos).
SINÓN: casual, inesperado, repentino. **ANTÓN:** conocido, supuesto.

imprimir v. tr. *Después de entregar el texto escrito a mano, lo llevaron a **imprimir*** (= a que lo reprodujeran con unas máquinas especiales).
FAM: → *imprenta, impresión, impresionable, impresionar, impreso, impresor.*

improbable adj. *Es **improbable** que hoy llueva, hay mucho sol* (= es muy difícil que llueva).
SINÓN: raro, sorprendente. **ANTÓN:** probable. **FAM:** → *probar.*

improductivo, a adj. *Este terreno es **improductivo**, no puede cultivarse nada en él* (= no produce nada).
SINÓN: estéril, inútil. **ANTÓN:** fecundo, fértil. **FAM:** → *producir.*

impropio, a adj. **1.** *Tu conducta en la fiesta fue **impropia** de un caballero* (= no era la que corresponde a un caballero). **2.** *Ha sido una contestación **impropia** de él* (= él no suele contestar de esa forma).
SINÓN: 1. incorrecto. **2.** chocante, extraño, inoportuno. **ANTÓN: 1.** adecuado, correcto. **2.** característico, natural, propio. **FAM:** → *propio.*

improvisar v. tr. **1.** *El político **improvisó** un discurso en medio de la calle* (= lo pronunció sin haberlo preparado). **2.** *Como no me acordaba del final del cuento tuve que **improvisarlo*** (= tuve que inventarlo).
SINÓN: componer, inventar.

improviso *Se presentó en casa **de improviso*** (= sin avisar).
SINÓN: de repente.

imprudencia s. f. *Muchos accidentes de tránsito son debido a **imprudencias** de los conductores* (= como no van con cuidado hacen cosas peligrosas).
SINÓN: atrevimiento, descuido, ligereza. **ANTÓN:** discreción, prudencia, reflexión, sensatez. **FAM:** → *prudencia.*

imprudente adj. *Mi hermano es muy **imprudente** cuando conduce* (= no tiene cuidado).
SINÓN: atolondrado. **ANTÓN:** prudente, sensato. **FAM:** → *prudencia.*

impuesto s. m. *Mi padre pagó los **impuestos** al Estado* (= la suma de dinero que debe pagar todo ciudadano para contribuir a los gastos públicos).
SINÓN: contribución. **FAM:** → *poner.*

impulsar v. tr. **1.** *El motor **impulsó** al coche para que empezara a andar* (= lo empujó para que se moviera). **2.** *Un gran premio **impulsó** al escritor a presentarse al concurso* (= lo animó).
SINÓN: 1. arrojar, empujar, lanzar. **2.** estimular, fomentar. **ANTÓN: 1.** detener, frenar, parar, reprimir, sujetar. **2.** desanimar. **FAM:** → *pulso.*

impulsivo, a adj. *Como es tan **impulsivo** decidió visitarlo sin avisar* (= hace las cosas sin reflexionar).
SINÓN: ardiente, impetuoso, vehemente. **ANTÓN:** lento, sereno, tranquilo. **FAM:** → *pulso.*

impulso s. m. **1.** *El coche llevaba tanto **impulso** que no pudo frenar a tiempo* (= tanta fuerza). **2.** *Necesitaba algún **impulso** para empezar a estudiar* (= alguna razón que lo animara a estudiar).
SINÓN: empuje, ímpetu. **FAM:** → *pulso.*

impureza s. f. *El oro tiene muchas **impurezas** antes de ser refinado* (= muchas partículas extrañas que aparecen mezcladas con él).
SINÓN: mezcla, suciedad. **ANTÓN:** pureza. **FAM:** → *puro.*

impuro, a adj. *El aire de la ciudad es **impuro** a causa de la contaminación* (= está sucio).
SINÓN: contaminado, sucio. **ANTÓN:** limpio, depurado. **FAM:** → *puro.*

inacabable adj. *Hizo un **inacabable** discurso de 3 horas* (= parecía que nunca iba a terminar).
SINÓN: interminable. **ANTÓN:** finito. **FAM:** → *acabar.*

inaccesible adj. **1.** *La cumbre de la montaña era **inaccesible** para los escaladores* (= era imposible llegar a ella). **2.** *El gerente del banco es una persona **inaccesible**, nunca puedo hablar con él* (= es muy difícil verlo).
SINÓN: inalcanzable.

inaceptable adj. *Es **inaceptable** que trates tan mal a tu amigo* (= no se puede tolerar).
SINÓN: inadmisible. **ANTÓN:** aceptable. **FAM:** → *aceptar.*

inactivo, a adj. *¡Haz algo; no te quedes **inactivo**!* (= no te quedes sin hacer nada).
SINÓN: parado, quieto. **ANTÓN:** activo, dinámico, enérgico. **FAM:** → *acto.*

inadecuado, a adj. *Un zapato de tacón alto es un calzado **inadecuado** para andar por la nieve* (= poco apropiado).
SINÓN: inapropiado. **ANTÓN:** adecuado, apropiado.

inadmisible adj. *Es **inadmisible** que me engañes de esta manera* (= no lo puedo permitir).
SINÓN: inaceptable. **ANTÓN:** aceptable.

inagotable adj. **1.** *El agua del mar es* ***inagotable*** (= no se puede acabar). **2.** *Juan es* ***inagotable****; por más que andamos no se cansa* (= no se cansa nunca).
SINÓN: 1. interminable, inacabable. **2.** incansable, infatigable. **FAM:** → *gota.*

inaguantable adj. *Le pusieron un calmante porque el dolor era* ***inaguantable*** (= no lo podía soportar).
SINÓN: insoportable. **FAM:** → *aguantar.*

inalcanzable adj. *Viajar a la Luna es para mí un sueño* ***inalcanzable*** (= que nunca podré conseguir).
FAM: *alcanzar.*

inalterable adj. **1.** *El oro es un metal* ***inalterable*** (= no cambia nunca). **2.** *Todos estaban nerviosos menos Julia que permanecía* ***inalterable*** (= no se ponía nerviosa).
SINÓN: 1. invariable, permanente. **2.** impasible, sereno, tranquilo. **ANTÓN:** inquieto, nervioso. **FAM:** → *alterar.*

inanimado, a *Las piedras no se mueven porque son seres* ***inanimados*** (= sin vida).
ANTÓN: vivo. **FAM:** → *animar.*

inapreciable adj. **1.** *A simple vista, la diferencia entre estas dos fotografías es* ***inapreciable*** (= es tan pequeña que casi no se ve). **2.** *Siempre te agradeceré la* ***inapreciable*** *ayuda que me has prestado* (= tu valiosa ayuda).
SINÓN: 2. inestimable, precioso, valioso. **FAM:** → *precio.*

inauguración s. f. *Mi padre asistió como invitado a la* ***inauguración*** *del hotel* (= al acto que se hizo para celebrar su apertura).
SINÓN: abertura, apertura, comienzo, estreno, principio. **ANTÓN:** clausura, cierre. **FAM:** → *inaugurar.*

inaugural adj. *Asistimos a la ceremonia* ***inaugural*** *de los Juegos Olímpicos* (= el acto en el que se daba inicio a los Juegos).
FAM: → *inaugurar.*

inaugurar v. tr. *En el colegio* ***hemos inaugurado*** *una exposición de pintura* (= la hemos abierto al público).
SINÓN: abrir, comenzar, empezar, estrenar. **ANTÓN:** cerrar, clausurar. **FAM:** *inauguración, inaugural.*

inca s. m. *El Imperio de los* ***incas*** *se extendía hasta el centro de Chile y la Argentina* (= nombre de los monarcas de un reino prehispánico de América del Sur, cuya capital era el Cuzco).
FAM: *incaico.*

incaico, a adj. *En la excavación hallaron varios objetos* ***incaicos*** (= pertenecientes a la civilización inca).
FAM: *inca.*

incalculable adj. *Este señor tiene una fortuna* ***incalculable*** (= tiene tal cantidad de dinero que no se puede contar).
SINÓN: enorme, inestimable, inmenso. **FAM:** → *calcular.*

incalificable adj. *La acción de los terroristas fue* ***incalificable*** (= fue despreciable).
SINÓN: despreciable, vergonzoso. **FAM:** → *calificar.*

incandescente adj. *El hierro se puso* ***incandescente*** *en contacto con el fuego* (= se puso de color rojo por la acción del calor).

incansable adj. *Es un corredor* ***incansable*** (= puede correr mucho tiempo sin cansarse).
SINÓN: inagotable, infatigable, resistente. **FAM:** → *cansar.*

incapacidad s. f. **1.** *Su* ***incapacidad*** *para las matemáticas le hará sacar malas calificaciones en esa materia* (= su falta de preparación y de aptitudes para entenderla). **2.** *La* ***incapacidad*** *laboral de Juan es debida al accidente que sufrió* (= las lesiones que sufrió en el accidente le imposibilitan trabajar).
SINÓN: 1. ineptitud. **ANTÓN: 1, 2.** capacidad. **2.** aptitud, competencia, habilidad. **FAM:** → *capaz.*

incapacitar v. tr. *Sufre una lesión en la rodilla que lo* ***incapacita*** *para el fútbol* (= ya no podrá practicarlo).
SINÓN: impedir, imposibilitar. **ANTÓN:** capacitar. **FAM:** → *capaz.*

incapaz adj. *Es tan buena persona que es* ***incapaz*** *de hacer daño a nadie* (= no está dispuesto a hacerlo).
SINÓN: inepto. **ANTÓN:** capaz. **FAM:** → *capaz.*

incendiar v. tr. ***Han incendiado*** *el bosque* (= han quemado los árboles del bosque).
SINÓN: encender, inflamar, quemar. **ANTÓN:** apagar, extinguir, sofocar. **FAM:** *incendio.*

incendio s. m. *Los bomberos apagaron el* ***incendio*** (= el fuego).
SINÓN: fuego. **FAM:** → *incendiar.*

incertidumbre s. f. *La* ***incertidumbre*** *del resultado mantenía a los espectadores intranquilos* (= la duda sobre el resultado final del partido).
SINÓN: duda. **ANTÓN:** certeza, seguridad. **FAM:** → *cierto.*

incesante adj. *La lluvia ha sido* ***incesante*** *durante todo el día* (= no ha dejado de llover ni un solo instante).
SINÓN: constante, continuo. **ANTÓN:** fugaz, pasajero. **FAM:** → *cesar.*

incidente s. m. **1.** *Un* ***incidente*** *provocó la ruptura de las negociaciones* (= un hecho imprevisto). **2.** *La manifestación se desarrolló con total normalidad, sin* ***incidente*** *alguno* (= sin alteraciones del orden público).
SINÓN: 1. contratiempo, percance. **2.** discusión, disputa, riña.

incienso s. m. *Al entrar en la catedral sentí un fuerte olor a* ***incienso*** (= a una resina que perfuma el ambiente cuando se quema).

incierto, a adj. **1.** *Denunciaron al periódico por publicar una información **incierta*** (= lo acusaron de dar una información falsa). **2.** *El resultado del partido es todavía **incierto*** (= se ignora cuál será el resultado).
SINÓN: **1.** falso. **2.** confuso, dudoso, vacilante, variable. ANTÓN: **1.** cierto. **2.** evidente, seguro. FAM: → *cierto.*

incisivo, a adj. **1.** *Juan me respondió con un tono **incisivo** que me dejó sin palabra* (= con un tono cortante). ◆ **incisivo** s. m. **2.** *Utilizamos los **incisivos** para cortar los alimentos* (= los dientes delanteros).
SINÓN: **1.** agudo, duro, cortante.

incitar v. tr. *No debes **incitar** a tu hermano a que desobedezca* (= animarlo a no obedecer).

inclemencia s. f. *El partido fue aplazado por las **inclemencias** del tiempo* (= por el mal tiempo).
SINÓN: rigor. ANTÓN: clemencia. FAM: *clemencia.*

inclinación s. f. **1.** *El embajador saludó al Presidente con una **inclinación** de cabeza* (= con un gesto de cortesía). **2.** *La **inclinación** del terreno hace que sea difícil subir por él* (= la pendiente del terreno). **3.** *Mozart mostró desde muy joven una gran **inclinación** por la música* (= una gran afición).
SINÓN: **1.** reverencia, saludo. **2.** pendiente. **3.** afición. FAM: *inclinar.*

inclinar v. tr. **1.** *El viento **inclina** los árboles* (= los tuerce hacia un lado). ◆ **inclinarse** v. pron. **2.** *Mario **se inclinó** para desatarse el nudo de sus zapatos* (= se agachó). **3.** *Por los rasgos de la cara, **se inclina** más a su padre que a su madre* (= se parece más a su padre). **4.** ***Me inclino** a pensar que tú tenías razón y que Juan estaba equivocado* (= estoy más de acuerdo contigo que con Juan).
SINÓN: **1.** desviar, ladear, torcer. **2.** agacharse, doblarse. **3.** parecerse. ANTÓN: **1, 2.** enderezar(se). FAM: *inclinación.*

incluir v. tr. **1.** *La señorita me **incluyó** en la lista de la excursión* (= me anotó en ella). **2.** *El precio del juguete **incluye** el valor de las pilas* (= entran en el precio).
SINÓN: **2.** comprender, contener. ANTÓN: excluir. FAM: *inclusive, incluso.*

inclusive adv. *Estará ausente hasta el lunes **inclusive*** (= el lunes también estará ausente).
SINÓN: incluso. FAM: → *incluir.*

incluso ad. **1.** *Siempre duermo con las ventanas abiertas, **incluso** en invierno* (= hasta en invierno). **2.** *Todos, **incluso** Carmen, me saludaron por mi cumpleaños* (= también Carmen).
SINÓN: **1.** inclusive. **2.** aun, hasta. ANTÓN: excepto. FAM: → *incluir.*

incógnita s. f. *Hasta que no lo haga público el jurado, el nombre del ganador es una **incógnita*** (= es un misterio).
SINÓN: enigma, misterio. FAM: → *conocer.*

incoherencia s. f. *Sus palabras tienen la **incoherencia** del discurso de un borracho* (= no tienen ningún sentido).
SINÓN: absurdo. FAM: *coherente.*

incoloro, a adj. *El agua es un líquido **incoloro*** (= no tiene color).
SINÓN: transparente. FAM: → *color.*

incombustible adj. *Los trajes de los bomberos son de un material **incombustible*** (= que no se quema con el fuego).
ANTÓN: combustible. FAM: *combustible.*

incomodar v. tr. *Tengo ganas de que pase este calor que tanto me **incomoda*** (= que tanto me molesta).
SINÓN: fastidiar, molestar. FAM: → *cómodo.*

incomodidad s. f. *No se habituó a sufrir las **incomodidades** de vivir tan lejos del lugar de trabajo* (= no se acostumbró a las molestias que ello supone).
SINÓN: fastidio, molestia. ANTÓN: comodidad. FAM: → *cómodo.*

incómodo, a adj. *Tendré que cambiarme de sillón porque éste es muy **incómodo*** (= no se está a gusto en él).
SINÓN: molesto. ANTÓN: cómodo. FAM: → *cómodo.*

incomparable adj. *La obra de teatro fue un espectáculo **incomparable*** (= un espectáculo tan bueno que no se puede comparar con ningún otro).
SINÓN: extraordinario, maravilloso. ANTÓN: comparable. FAM: → *comparar.*

incompleto, a adj. *Me han dado un libro **incompleto**, al que le faltan páginas* (= que no está entero).
SINÓN: inacabado, defectuoso, deficiente. ANTÓN: acabado, completo, entero, perfecto. FAM: → *completar.*

incomprendido, a adj. **1.** *Algunos pintores se quejan de ser **incomprendidos*** (= de que su obra no es suficientemente entendida y apreciada). **2.** *El maestro tuvo que volver a explicar todas las fórmulas **incomprendidas*** (= que no habían sido entendidas).
FAM: → *incomprensible.*

incomprensible adj. *Es **incomprensible** que sea tan imprudente después del accidente que sufrió* (= no se puede comprender).
SINÓN: inaccesible, inexplicable. FAM: *incomprendido, incomprensión.*

incomprensión s. f. *Se siente muy triste por la **incomprensión** de sus amigos* (= por la falta de comprensión de sus amigos).
ANTÓN: comprensión. FAM: → *incomprensible.*

incomunicación s. f. *Al no hablarse ni tratarse, la **incomunicación** entre ellos es total* (= la falta de diálogo).
FAM: → *incomunicar.*

incomunicado, a adj. *Debido al fuerte temporal de nieve el pueblo quedó* ***incomunicado*** (= quedó aislado de las demás poblaciones).
SINÓN: aislado, apartado. FAM: → *incomunicar.*

incomunicar v. tr. ***Incomunicaron*** *al preso en una celda aparte* (= lo aislaron de los demás).
SINÓN: aislar, apartar, separar. ANTÓN: comunicar, relacionar. FAM: *incomunicación, incomunicado.*

inconcebible adj. *Es* ***inconcebible*** *que lo trates tan mal después de todo lo que ha hecho por ti* (= es imperdonable).
SINÓN: imperdonable, incomprensible, inexplicable.

inconfundible adj. *La casa de color verde claro era* ***inconfundible*** *pues se destacaba entre las demás* (= era imposible confundirla con otras).
SINÓN: característico, distinto, personal. ANTÓN: común, normal. FAM: → *fundir.*

inconsciente adj. **1.** *El golpe en la cabeza lo dejó* ***inconsciente*** (= sin conocimiento). **2.** *Fuiste un* ***inconsciente*** *al salir enfermo de casa* (= fuiste un irresponsable).
SINÓN: **1.** desmayado. **2.** irresponsable. ANTÓN: **2.** prudente, responsable, sensato. **1, 2.** consciente. FAM: *consciente.*

inconsolable adj. *Mario está* ***inconsolable*** *desde que se murió su padre* (= está muy triste).
SINÓN: triste. ANTÓN: alegre, contento. FAM: → *consolar.*

incontable adj. *Son* ***incontables*** *las muestras de apoyo que he recibido desde que me operaron* (= son tan numerosas que no se pueden contar).
SINÓN: incalculable, infinito, innumerable. ANTÓN: contable, escaso. FAM: → *contar.*

incontrolable adj. *El coche se hizo* ***incontrolable*** *en el momento en que empezaron a fallar los frenos* (= no se podía controlar).
FAM: → *control.*

inconveniente adj. **1.** *Las comidas picantes son* ***inconvenientes*** *para su salud* (= no son buenas). ◆ **inconveniente** s. m. **2.** *Pudimos entrar a pesar de los muchos* ***inconvenientes*** *que nos pusieron* (= a pesar de las muchas dificultades).
SINÓN: **1.** desacertado, inoportuno, perjudicial. **2.** complicación, dificultad, estorbo, impedimento. ANTÓN: **1.** acertado, beneficioso, conveniente, oportuno. **2.** comodidad, facilidad, ventaja. FAM: → *venir.*

incordiar v. tr. *Mi compañero de mesa me estuvo* ***incordiando*** *toda la tarde* (= me estuvo molestando).
SINÓN: fastidiar, importunar, molestar. ANTÓN: complacer, satisfacer. FAM: *discordia.*

incorporar v. tr. **1.** ***Incorporaron*** *a dos nuevos jugadores al equipo* (= los unieron al resto del equipo). ◆ **incorporarse** v. pron. **2.** *El enfermo, que estaba echado en la cama,* ***se incorporó*** *para tomar las medicinas* (= se sentó en la cama). **3.** *Mi hermano* ***se incorporó*** *a las filas* (= entró en el ejército).
SINÓN: **1.** agregar, añadir. **2.** levantar, reclinar, sentar. **3.** alistarse. ANTÓN: **1.** aislar, apartar, retirar, separar. **2.** acostar(se), echar(se), tender(se), tumbar(se). FAM: → *cuerpo.*

incorrección s. f. **1.** *Hemos de rectificar este escrito porque está lleno de* ***incorrecciones*** (= de errores). **2.** *Fue una* ***incorrección*** *por tu parte no ceder el asiento al anciano* (= una grosería).
SINÓN: **1.** defecto, error, falta, falla. **2.** descaro, grosería. ANTÓN: **1.** corrección. **2.** cortesía, urbanidad. FAM: → *corregir.*

incorrecto, a adj. **1.** *Este número de teléfono es* ***incorrecto*** *pues no corresponde a la persona que dices* (= está equivocado). **2.** *No me gusta que me respondas en un tono tan* ***incorrecto*** (= tan grosero).
SINÓN: **1.** defectuoso, equivocado. **2.** grosero, maleducado. ANTÓN: **1.** acertado, correcto. **2.** cortés, educado. FAM: → *corregir.*

incorregible adj. **1.** *Laura tendrá que llevar siempre anteojos pues su miopía es* ***incorregible*** (= no se puede corregir). **2.** *Luis es* ***incorregible*** *y ni los mayores castigos lo harán cambiar* (= no quiere corregir su comportamiento).
SINÓN: **2.** irremediable, terco, testarudo. ANTÓN: **2.** apacible, obediente, sumiso. FAM: → *corregir.*

incrédulo, a adj. **1.** *Mi hermano es tan* ***incrédulo*** *que tiene que ver las cosas para creerlas* (= no se cree nunca nada). **2.** *Las personas que no tienen creencias religiosas son* ***incrédulas*** (= no creen en Dios).
SINÓN: **1.** desconfiado, malicioso. ANTÓN: **1.** cándido, confiado, crédulo, ingenuo. FAM: → *creer.*

increíble adj. **1.** *Siendo tan buen estudiante como es, resulta* ***increíble*** *que lo hayan reprobado en todas las materias* (= resulta imposible de creer). **2.** *En la cima de la montaña hacía un viento* ***increíble*** (= hacía mucho viento).
SINÓN: **1.** asombroso, extraño, raro. **2.** enorme, extraordinario, tremendo. ANTÓN: **1.** creíble. FAM: → *creer.*

incrustar v. tr. *El joyero* ***incrustó*** *un diamante en el anillo* (= lo introdujo en su superficie para decorarlo).

incubadora s. f. **1.** *Instalaron una* ***incubadora*** *en la granja para aumentar el nacimiento de pollitos* (= un aparato que sirve para mantener calientes los huevos de cuyo interior nacerán los pollitos). **2.** *La enfermera puso al recién nacido en una* ***incubadora*** (= en un aparato que sirve para proteger a los niños que nacen antes de tiempo).
FAM: *incubar.*

incubar v. tr. *La gallina* ***incubó*** *los huevos* (= se puso encima de ellos para darles calor y que nacieran los pollitos de su interior).
SINÓN: empollar. **FAM:** *incubadora.*

inculcar v. tr. *Mis padres me* ***inculcaron*** *el amor por los animales* (= me enseñaron a amar a los animales).

inculto, a adj. **1.** *Desde que los abandonaron sus propietarios, aquellos campos permanecen* ***incultos*** (= sin cultivar). **2.** *Su poco interés por la lectura y el estudio ha hecho de él un hombre* ***inculto*** (= ignorante).
SINÓN: 2. analfabeto, ignorante. **ANTÓN: 1.** cultivado. **2.** culto, educado, instruido. **FAM:** → *cultura.*

incultura s. f. *El ayuntamiento ha abierto nuevas bibliotecas para remediar la* ***incultura*** *de sus ciudadanos* (= la falta de conocimientos generales).
SINÓN: analfabetismo, ignorancia. **ANTÓN:** cultura, educación, ilustración, saber. **FAM:** → *cultura.*

incumbir v. intr. *Es un asunto personal que sólo me* ***incumbe*** *a mí y no a los demás* (= sólo me afecta a mí).

incurable adj. *Desgraciadamente, la enfermedad que padecía era* ***incurable*** (= sufría una enfermedad que no se podía curar).
SINÓN: grave, irremediable. **ANTÓN:** curable. **FAM:** → *curar.*

incurrir v. intr. *El delincuente fue encarcelado por* ***incurrir*** *en un delito grave* (= por cometer un delito).

indagar v. intr. *La policía* ***indagó*** *sobre el robo y descubrió a los ladrones* (= hizo averiguaciones).
SINÓN: analizar, averiguar, estudiar.

indebido, a adj. *El camionero hizo un adelantamiento* ***indebido*** *y provocó un accidente* (= hizo una maniobra que no debía hacer).
SINÓN: incorrecto. **ANTÓN:** acertado, correcto. **FAM:** *deber.*

indecente adj. **1.** *Le molestó muchísimo tener que contemplar aquel espectáculo tan* ***indecente*** (= tan grosero). **2.** *Hemos de pintar las paredes del comedor porque están* ***indecentes*** (= muy sucias).
SINÓN: 1. indigno, inmoral, grosero. **2.** sucio, asqueroso. **ANTÓN: 1.** decente, honesto. **2.** limpio, aseado. **FAM:** *decente.*

indecisión s. f. *A causa de su* ***indecisión*** *mi tío perdió la oportunidad de hacer un buen negocio* (= a causa de las dudas que tenía sobre la decisión que debía tomar).
SINÓN: duda, titubeo, vacilación. **ANTÓN:** certeza, determinación, seguridad. **FAM:** → *decidir.*

indeciso, a adj. *Le gustan los dos libros, pero está* ***indeciso*** *acerca de cuál de los dos elegir* (= está dudoso).
SINÓN: confuso, dudoso. **ANTÓN:** decidido, resuelto. **FAM:** → *decidir.*

indefenso, a adj. *Mi amiga se siente tan* ***indefensa*** *que siempre está pidiendo ayuda* (= que no puede defenderse por sí misma).
SINÓN: débil, desvalido. **ANTÓN:** protegido. **FAM:** → *defender.*

indefinido, a adj. **1.** *Sus ojos eran de un color* ***indefinido****, entre verde y azul* (= poco preciso). **2.** *Marta me ha prestado este libro por tiempo* ***indefinido****, pero yo se lo devolveré el martes próximo* (= no me ha puesto fecha para devolverlo).
SINÓN: 1. impreciso, indeterminado, vago. **2.** ilimitado. **ANTÓN: 1, 2.** determinado. **1.** preciso. **2.** concreto, fijo, limitado.

indemnizar v. tr. ***Indemnizaron*** *a los afectados por la intoxicación con una suma importante de dinero* (= les dieron dinero por haberles causado un daño).

independencia s. f. **1.** *Hace pocos años, algunos países africanos alcanzaron su* ***independencia*** (= ahora tienen su propio gobierno pues dejaron de ser colonias de otros países). **2.** *Desde que trabaja, goza de* ***independencia*** *económica* (= no depende de nadie económicamente).
SINÓN: 1, 2. autonomía. **1.** libertad. **ANTÓN: 1, 2.** dependencia. **1.** dominación. **FAM:** → *depender.*

independiente adj. **1.** *Antes era una nación dominada por otra, pero ahora es* ***independiente*** (= ahora es una nación libre pues no depende de otro país). **2.** *Mi padre quiere que seamos personas* ***independientes*** *y capaces de valernos solos* (= que seamos capaces de solucionar nuestros problemas y de actuar sin necesidad de los demás).
SINÓN: autónomo, libre. **ANTÓN:** dependiente, sujeto. **FAM:** → *depender.*

independizarse v. pron. *Desde que* ***se independizó*** *de la familia, vive solo* (= desde que no depende de su familia para poder vivir).
FAM: → *depender.*

indeseable adj. *El ladrón que detuvieron anoche era una persona* ***indeseable*** (= era una persona muy desagradable).
SINÓN: indigno, peligroso. **ANTÓN:** digno. **FAM:** → *desear.*

indestructible adj. *Están convencidos de que su amistad será* ***indestructible*** (= que nadie ni nada podrá destruirla).
SINÓN: fuerte, irrompible, permanente, resistente. **ANTÓN:** débil, frágil. **FAM:** → *construir.*

indeterminado, a adj. **1.** *La expedición regresará esta tarde a una hora* ***indeterminada*** (= que no se conoce con exactitud). **2. un, una, unos, unas** son artículos **indeterminados**. VER CUADRO DE ARTÍCULOS.
SINÓN: 1. impreciso, incierto, indefinido, vago. **ANTÓN: 1.** preciso, concreto, determinado.

indicación s. f. **1.** *El técnico me dio algunas* ***indicaciones*** *sobre la manera de utilizar el aparato* (= algunas instrucciones). **2.** *Si sigues las*

indicaciones *del camino, no te perderás* (= las señales que hay en el camino).
SINÓN: 1. advertencia, consejo, instrucción, observación. **2.** letrero, señal, signo. **FAM:** → *índice.*

indicador, a adj. *En la carretera, los letreros* ***indicadores*** *señalan el camino que hay que seguir* (= los letreros que sirven para informar, avisar o comunicar algo).
FAM: → *índice.*

indicar v. tr. *¿Puedes* ***indicarme*** *en el mapa el camino a seguir?* (= ¿puedes señalarme por dónde se va?).
SINÓN: mostrar, señalar. **ANTÓN:** ocultar. **FAM:** → *índice.*

indicativo s. m. Yo soy *es el presente de* ***indicativo*** *del verbo* ser (= modo verbal que sirve para formar oraciones que expresen hechos reales).
FAM: → *índice.*

índice adj. **1.** *Con el dedo* ***índice****, el portero nos indicó la salida* (= con el segundo dedo de la mano, situado entre el pulgar y el corazón). ◆ **índice** s. m. **2.** *Buscamos el tema en el* ***índice*** *del libro* (= en la página donde hay una lista de los títulos de los capítulos o de los temas).
SINÓN: 2. lista. **FAM:** *indicación, indicador, indicar, indicativo.*

indicio s. m. *El policía entró en la casa y no encontró* ***indicio*** *de que ahí hubiera estado alguien* (= no encontró ninguna señal).

indiferencia s. f. *No le debía interesar el tema pues lo escuchaba con total* ***indiferencia*** (= sin ningún interés).
SINÓN: apatía, distancia, frialdad. **ANTÓN:** afecto, interés. **FAM:** → *diferenciar.*

indiferente adj. **1.** *Me es* ***indiferente*** *que vengas a mi casa hoy o mañana* (= me da igual). **2.** *Mi tío no pertenece a ningún partido político porque es* ***indiferente*** *a la política* (= no se interesa por la política).
SINÓN: 1. igual, indistinto. **ANTÓN: 1.** preferible. **2.** entusiasta, fanático. **FAM:** → *diferenciar.*

indígena adj. *Un guía* ***indígena*** *acompañó a los cazadores por la espesura de la selva* (= una persona que es descendiente de los pobladores originarios del país en que vive).
SINÓN: aborigen, nativo, natural. **ANTÓN:** extranjero, forastero.

indigenismo s. m. *La palabra* quechua *es un* ***indigenismo*** (= voz española que proviene de una lengua indígena americana).

indigente adj. *En las grandes ciudades crece el número de personas* ***indigentes*** *que duermen en las calles* (= de personas que no tienen lo necesario para vivir).
SINÓN: necesitado, pobre. **ANTÓN:** poderoso, pudiente, rico.

indigestarse v. pron. *Comí tantos pasteles que* ***me indigesté*** (= me hicieron daño y me dolió el estómago).
SINÓN: empacharse, hartarse. **FAM:** → *digerir.*

indigestión s. f. *Un alimento en malas condiciones o en cantidad excesiva puede producir* ***indigestión*** (= molestias en el estómago).
SINÓN: empacho. **FAM:** → *digerir.*

indigesto, a adj. *La comida que tomamos era muy* ***indigesta*** *y no me siento bien* (= era difícil de digerir).
SINÓN: pesado. **ANTÓN:** digestivo, ligero. **FAM:** → *digerir.*

indignación s. f. *Respondió con* ***indignación*** *que él no era culpable* (= con gran enojo).
SINÓN: enfado, ira, irritación. **ANTÓN:** agrado, placer, satisfacción. **FAM:** → *digno.*

indignante adj. *Es* ***indignante*** *que me mientas de esa manera* (= es causa de enojo).
FAM: → *digno.*

indignar v. tr. *Este error judicial nos* ***ha indignado*** (= nos ha llenado de cólera).
SINÓN: enfurecer, enojar, irritar. **ANTÓN:** agradar, complacer, contentar, gustar, satisfacer. **FAM:** → *digno.*

indigno, a adj. **1.** *Fue un* ***indigno*** *ganador pues hizo trampas en el juego* (= no fue merecedor de la victoria). **2.** *Mi profesor me dijo que el examen era* ***indigno*** *de mí y que lo podía haber hecho mucho mejor* (= que era impropio de mí). **3.** *Con tus groserías, actuaste de forma* ***indigna*** (= de manera vergonzosa).
SINÓN: 2. impropio. **3.** bajo, ruin, vergonzoso. **ANTÓN: 1.** merecedor. **1, 2, 3.** digno. **2.** propio. **3.** honrado, noble. **FAM:** → *digno.*

indio, a s. **1.** *Para los* ***indios*** *la vaca es un animal sagrado y prefieren morir de hambre que comer su carne* (= las personas nacidas en la India, también llamadas hindúes). ◆ **indio, a** adj. **2.** *En las junglas* ***indias*** *viven elefantes, tigres y enormes serpientes* (= de la India). ◆ **indio, a** s. **3.** *Los* ***indios*** *vivían en cabañas de pieles y se alimentaban de carne de búfalo* (= los antiguos pobladores de Estados Unidos y Canadá). ◆ **indio, a** adj. **4.** *Hubo un tiempo en que América estaba solamente poblada por tribus* ***indias*** (= de indios).
SINÓN: 1, 2. hindú.

indirecta s. f. *Con una* ***indirecta*** *le indiqué que era la hora de irse a su casa* (= sin expresarlo claramente le di a entender que era la hora de marcharse).
SINÓN: insinuación. **FAM:** → *recto.*

indirecto, a adj. *No nos lo contó él personalmente sino que nos enteramos de forma* ***indirecta*** (= a través de otras personas).
ANTÓN: directo. **FAM:** → *recto.*

indisciplinado, a adj. *El capitán arrestó a los soldados* ***indisciplinados*** (= a los que no obedecían las normas).
SINÓN: desobediente, rebelde. **ANTÓN:** disciplinado, dócil, obediente. **FAM:** → *disciplina.*

indiscreción s. f. *Fue una* ***indiscreción*** *preguntarle la edad a aquella señora* (= una pregunta que no debe hacerse).
SINÓN: imprudencia, inconveniencia. **ANTÓN:** delicadeza, discreción, sensatez. **FAM:** → *discreción.*

indiscutible adj. *Que el Sol aparece por el Este es una cuestión* ***indiscutible*** (= fuera de toda duda).
SINÓN: incuestionable, indudable, innegable. **ANTÓN:** discutible, dudoso. **FAM:** → *discutir.*

indispensable adj. *El agua es* ***indispensable*** *para la vida* (= sin ella no se puede vivir).
SINÓN: fundamental, imprescindible, necesario. **ANTÓN:** innecesario, accesorio, secundario, superfluo. **FAM:** *dispensar.*

indispuesto, a adj. *Ayer por la tarde no fui al colegio porque me encontraba* ***indispuesto*** *pero hoy ya estoy mejor* (= por no encontrarme bien).
FAM: → *poner.*

indistinto, a adj. *Me es* ***indistinto*** *viajar en coche que en tren* (= me da igual).
SINÓN: indiferente. **ANTÓN:** preferible. **FAM:** → *distinguir.*

individual adj. *Cada uno de los niños dispone de una habitación* ***individual*** (= una habitación para cada uno).
SINÓN: particular, personal, propio. **ANTÓN:** colectivo, común, general. **FAM:** *individuo.*

individuo s. m. **1.** *Los diferentes* ***individuos*** *de cada especie tienen características propias además de las comunes* (= los diferentes seres de una especie). **2.** *Unos* ***individuos*** *me robaron la cartera* (= unos hombres cuyo nombre no conozco).
SINÓN: 1. ejemplar, espécimen, miembro. **1, 2.** sujeto. **2.** tipo. **ANTÓN: 1.** colectividad, grupo. **FAM:** *individual.*

indivisible adj. *El átomo es una partícula* ***indivisible*** (= que no se puede dividir).
SINÓN: inseparable. **ANTÓN:** divisible. **FAM:** → *dividir.*

indomable adj. *Esta pantera es* ***indomable*** (= no se puede domar).
SINÓN: indomesticable, indómito. **ANTÓN:** domesticable. **FAM:** → *domar.*

indómito, a adj. **1.** *El domador montó un caballo* ***indómito*** (= que aún no había sido domado). **2.** *Con un carácter tan* ***indómito*** *como el suyo, será difícil que te obedezca* (= tan rebelde).
SINÓN: 1. indomado, salvaje. **2.** rebelde. **ANTÓN: 1.** domesticado. **2.** apacible, dócil. **FAM:** → *domar.*

indudable adj. *Que la Tierra es redonda es algo* ***indudable*** (= que no se puede poner en duda).
SINÓN: indiscutible, innegable. **ANTÓN:** discutible, dudoso. **FAM:** → *duda.*

indultar v. tr. *Los jueces* ***han indultado*** *al acusado y no será encarcelado* (= le han perdonado la pena).
SINÓN: absolver, perdonar. **ANTÓN:** castigar, condenar, sancionar. **FAM:** *indulto.*

indulto s. m. *El condenado ha solicitado el* ***indulto*** *de la pena que le habían impuesto los jueces* (= el perdón).
SINÓN: absolución, amnistía, gracia, perdón. **ANTÓN:** castigo, condena, sanción. **FAM:** *indultar.*

indumentaria s. f. *Para asistir a la fiesta se cambió de* ***indumentaria*** (= de ropa).
SINÓN: vestido, vestuario, ropa.

industria s. f. **1.** *La* ***industria*** *transforma las materias primas en productos útiles* (= el conjunto de actividades destinadas a transformar los productos con la ayuda de máquinas). **2.** *Dirige una pequeña* ***industria*** *textil* (= una empresa que fabrica telas y tejidos).
SINÓN: 1. manufactura. **2.** empresa, fábrica. **FAM:** *industrial.*

industrial adj. **1.** *Es esta una región muy* ***industrial*** *en la que cada año se construyen nuevas fábricas* (= una región que tiene muchas fábricas). ◆ **industrial** s. **2.** *Mi tío es un* ***industrial*** *que dirige las actividades de su fábrica* (= tiene una industria y vive de ella).
SINÓN: 2. empresario, fabricante. **FAM:** *industria.*

inepto, a adj. *Como arquero es muy bueno pero como delantero centro es* ***inepto*** (= no sirve para ser delantero).
SINÓN: inútil, incapaz, incompetente. **ANTÓN:** apto, capaz, competente. **FAM:** → *apto.*

inercia s. f. **1.** *Nada podía hacerlo salir de su* ***inercia*** (= de su falta de interés por las cosas). **2.** *Aunque habían parado el motor, el ventilador se movía por* ***inercia*** (= por su incapacidad para modificar su estado de movimiento).
SINÓN: 1. apatía, desgana, indiferencia, pasividad. **ANTÓN: 1.** actividad, empuje.

inesperado, a adj. *Llegó de forma* ***inesperada*** (= sin que lo esperáramos).
SINÓN: imprevisto, repentino, súbito. **ANTÓN:** previsto. **FAM:** → *esperar.*

inestimable adj. *Han encontrado un tesoro de un valor* ***inestimable*** (= de un valor incalculable).
SINÓN: inapreciable, incalculable. **ANTÓN:** insignificante. **FAM:** → *estimar.*

inevitable adj. *Al romperse los frenos en plena bajada, el accidente fue* ***inevitable*** (= no se pudo evitar).
SINÓN: irremediable. **FAM:** *evitar.*

inexacto, a adj. *La información que publicaron los periódicos era incorrecta pues se basaba en datos* ***inexactos*** (= aproximados y no exactos).
SINÓN: impreciso. **ANTÓN:** exacto, fiel, preciso. **FAM:** → *exactitud.*

inexistente adj. *Las sirenas y los duendes son personajes* ***inexistentes*** *en la realidad* (= que no existen sino que son imaginarios).
SINÓN: imaginario, irreal. ANTÓN: existente, real. FAM: → *existir.*

inexperiencia s. f. *La obra de teatro no salió del todo bien por la* ***inexperiencia*** *del director* (= por su falta de práctica).
ANTÓN: experiencia. FAM: → *experiencia.*

inexperto, a adj. *Este joven bombero es aún* ***inexperto*** (= le falta experiencia).
SINÓN: novato, principiante. ANTÓN: experto. FAM: → *experiencia.*

inexplicable adj. *La caída de la lámpara fue un fenómeno* ***inexplicable*** (= nadie se explica cómo sucedió).
SINÓN: extraño, incomprensible, inconcebible. ANTÓN: explicable, lógico. FAM: → *explicar.*

inexpresivo, a adj. *Su cara es tan* ***inexpresiva*** *que nunca sabemos lo que piensa o siente* (= es una cara que no refleja ningún sentimiento).
SINÓN: inalterable. ANTÓN: expresivo. FAM: → *expresar.*

infalible adj. *Aquí tienes un medicamento* ***infalible*** *contra la gripe* (= un remedio seguro que siempre cura la gripe).
SINÓN: seguro. ANTÓN: inseguro.

infancia s. f. **1.** *José pasó su* ***infancia*** *en Aruba* (= los primeros años de su vida hasta la adolescencia). **2.** *Los adultos deben respetar los derechos de la* ***infancia*** (= de todos los niños).
SINÓN: **1.** niñez. FAM: *infantil.*

infantería s. f. *En el desfile, los soldados de* ***infantería*** *iban a pie, mientras que los de caballería lo hacían a caballo* (= el conjunto de soldados que desfilan y luchan de pie).

infantil adj. *Mi hermana pequeña lee libros y cuentos* ***infantiles*** (= propios de niños).
FAM: *infancia.*

infarto s. m. *Mi abuelo se recupera muy lentamente del* ***infarto*** *que sufrió* (= de su lesión en el corazón).

infatigable adj. *Es un trabajador* ***infatigable*** *que puede trabajar durante horas sin descansar* (= que no se cansa nunca).
SINÓN: incansable. FAM: → *fatiga.*

infección s. f. Una **infección** es producida por la aparición de microbios, virus o bacterias en el organismo y suele provocar fiebre.
FAM: → *infectar.*

infeccioso, a adj. *El sarampión es una enfermedad* ***infecciosa*** (= que se puede contagiar).
SINÓN: contagioso. FAM: → *infectar.*

infectar v. tr. *No se limpió la herida y ahora* ***está infectada*** (= le han entrado microbios).
SINÓN: contaminar. ANTÓN: desinfectar. FAM: *desinfectante, desinfectar, infección, infeccioso.*

infeliz adj. *Andrés se siente muy* ***infeliz*** *por la muerte de su padre* (= muy desgraciado).
SINÓN: desdichado, desgraciado, triste. ANTÓN: dichoso, feliz, venturoso. FAM: → *feliz.*

inferior adj. **1.** *Alquiló el piso* ***inferior*** *para no tener que subir escaleras* (= el piso que está más abajo). **2.** *Este pan no es malo, pero es de calidad* ***inferior*** *al de la otra panadería* (= es de peor calidad). ◆ **inferior** s. **3.** *El general daba órdenes a sus* ***inferiores*** (= a sus subordinados).
SINÓN: **2.** peor. **3.** subordinado. ANTÓN: **1, 2, 3.** superior. **2.** mejor. FAM: *inferioridad.*

inferioridad s. f. *A pesar de jugar en* ***inferioridad*** *de condiciones, ganamos el partido* (= con desventaja).
SINÓN: desventaja. ANTÓN: superioridad, ventaja. FAM: *inferior.*

infernal adj. *Hace un tiempo* ***infernal,*** *no se puede salir a la calle* (= hace un tiempo muy malo).
FAM: → *infierno.*

infiel adj. *Me has sido* ***infiel*** *y no confiaré más en ti* (= me has traicionado).
SINÓN: desleal, traidor. ANTÓN: fiel, leal. FAM: → *fiel.*

infierno s. m. **1.** El **infierno**, según algunas religiones, es el lugar de castigo eterno para las personas que mueren en pecado. **2.** *Con tanto ruido, esta casa es un* ***infierno*** (= es un lugar muy desagradable y molesto).
ANTÓN: **1.** cielo, paraíso. FAM: *infernal.*

infinidad s. f. *En el cielo hay* ***infinidad*** *de estrellas* (= hay tal cantidad que no se pueden contar).
SINÓN: multitud. ANTÓN: escasez, falta. FAM: → *fin.*

infinitivo s. m. Amar, temer, salir *son* ***infinitivos*** (= son formas impersonales del verbo).
FAM: → *fin.*

infinito, a adj. **1.** *El espacio celeste es* ***infinito*** (= no tiene límites). **2.** *Ha repetido las mismas palabras* ***infinitas*** *veces* (= innumerables veces). **3.** *Marta tiene una paciencia* ***infinita*** (= una paciencia enorme). ◆ **infinito** s. m. **4.** *Mi abuelo se pasaba horas enteras mirando al* ***infinito*** (= a un punto inconcreto y lejano).
SINÓN: **1.** ilimitado. **2.** incalculable, incontable, innumerable. **3.** enorme, inmenso, **4.** horizonte. FAM: → *fin.*

inflamable adj. *La gasolina es una sustancia* ***inflamable*** (= que arde con facilidad).
FAM: → *inflamar.*

inflamación s. f. *No he podido dormir porque tengo una* ***inflamación*** *en la rodilla que me causa gran dolor* (= una hinchazón).
SINÓN: hinchazón, irritación. FAM: → *inflamar.*

inflamar v. tr. **1.** *Con sus palabras* ***inflamó*** *los ánimos de los asistentes* (= los entusiasmó). **2.** *La picadura de una abeja me* ***inflamó*** *el brazo* (= me lo hinchó). ◆ **inflamarse** v. pron.

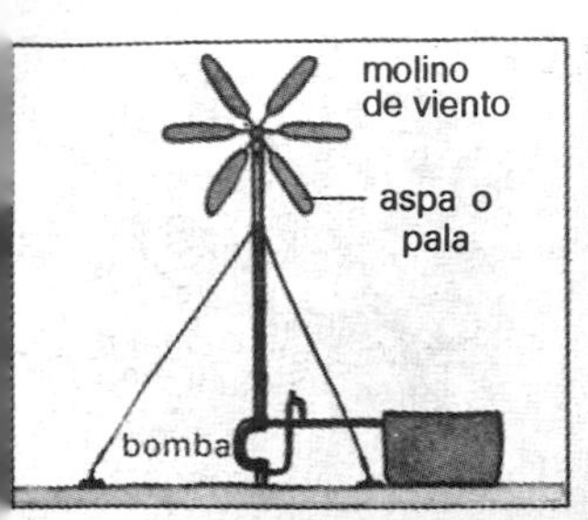
molino
de viento
aspa o
pala
bomba

caravana
fardos
camellero

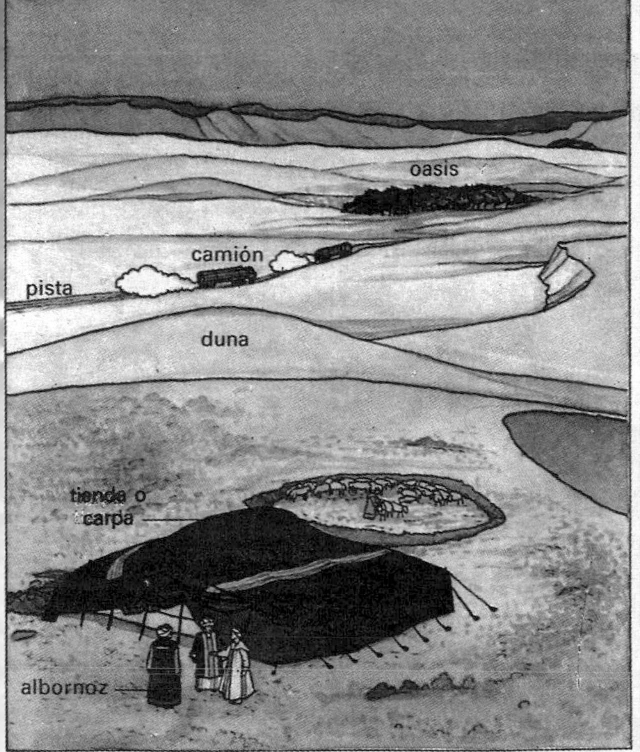
oasis
camión
pista
duna
tienda o
carpa
albornoz

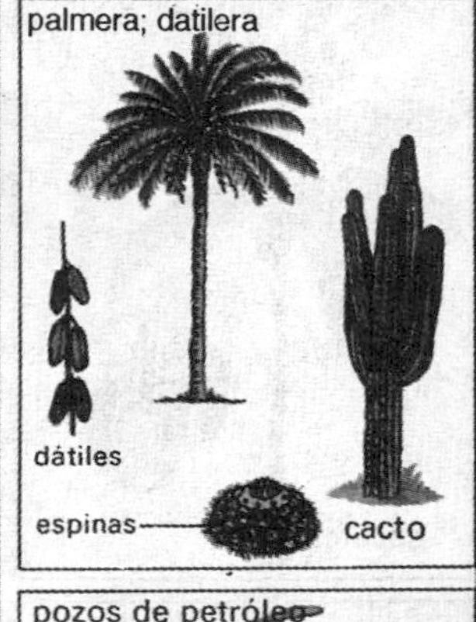
palmera; datilera
dátiles
espinas
cacto

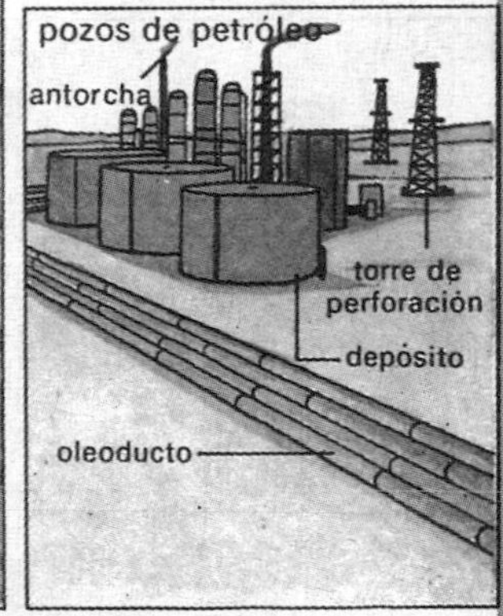
pozos de petróleo
antorcha
torre de
perforación
depósito
oleoducto

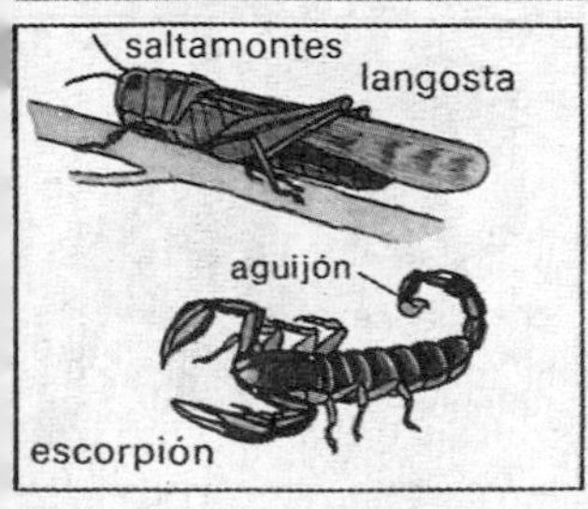
saltamontes
langosta
aguijón
escorpión

víbora de
las arenas
zorro de Sahára

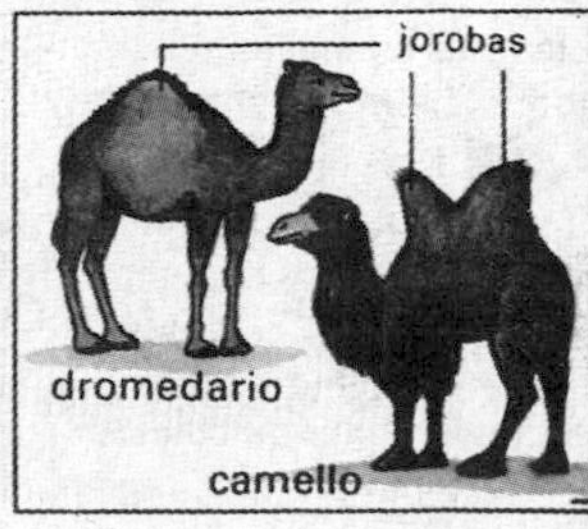
jorobas
dromedario
camello

racimo de plátanos
banana o plátano
bananero

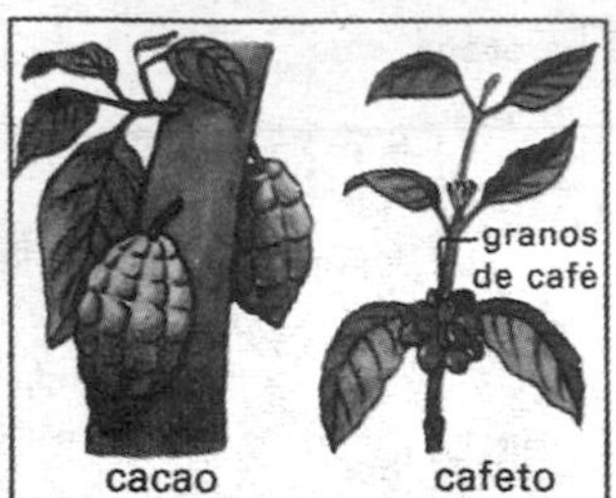
granos de café
cacao
cafeto

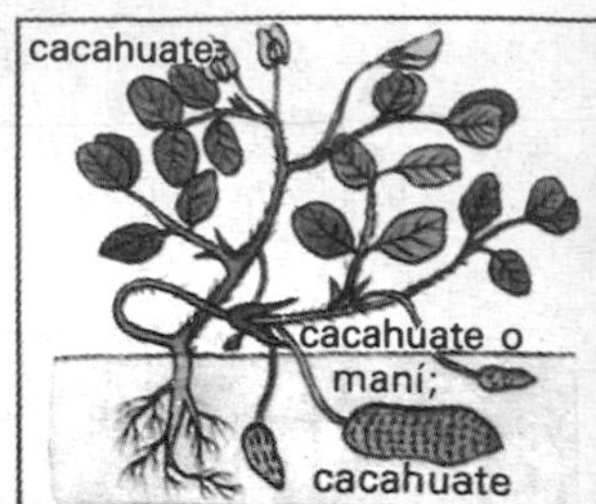
cacahuate
cacahuate o maní;
cacahuate

cocotero
coco

selva ecuatorial
lianas
jirafa
cebra
antílope

baobab

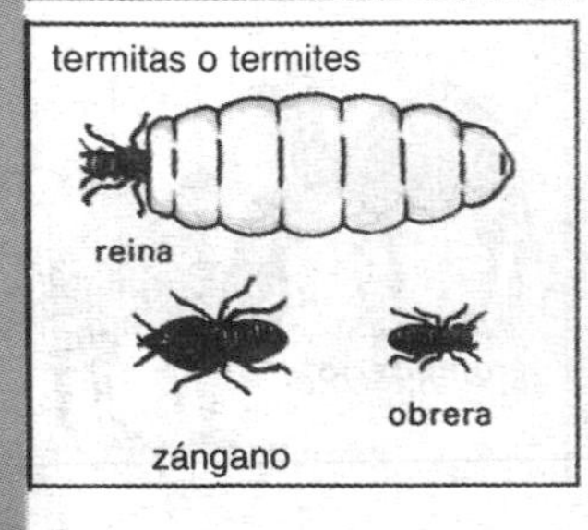
termitas o termites
reina
zángano
obrera

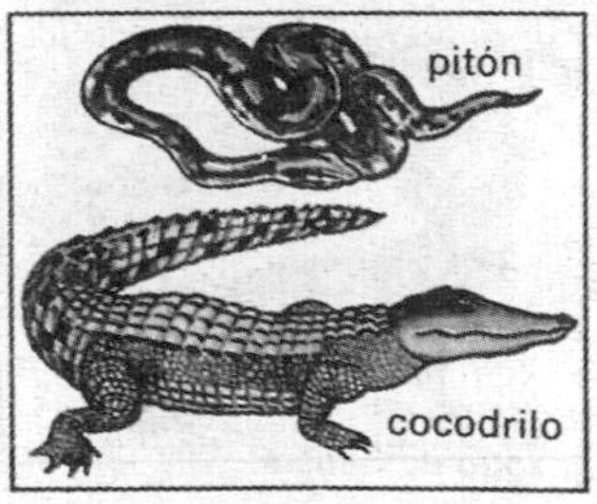
pitón
cocodrilo

gorila
chimpancé

rebaño
de búfalos
pastor

granero o
almacén lacustre
pilotes

piragua

erupción
corriente de lava
volcán
sabana
fuego
elefantes
rinoceronte
búfalos
león
hiena
chacal
leona
gacela

explotación forestal
tronco
ruedas gemelas

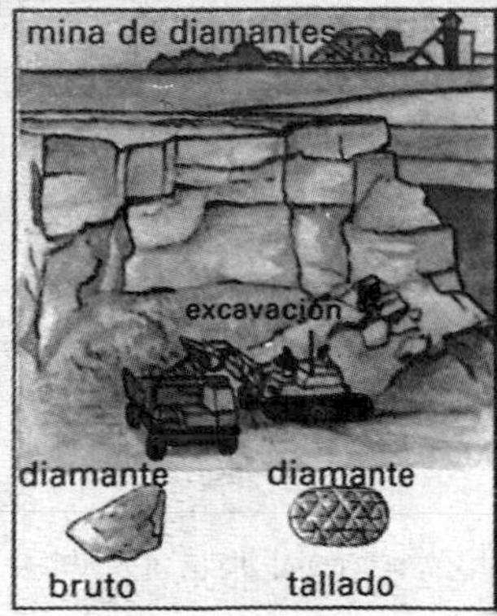
mina de diamantes
excavación
diamante
bruto
diamante
tallado

avestruz
ibis

loro
mariposa

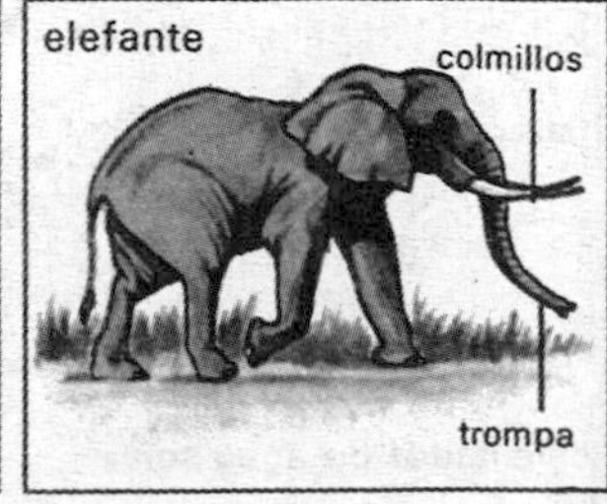
elefante
colmillos
trompa

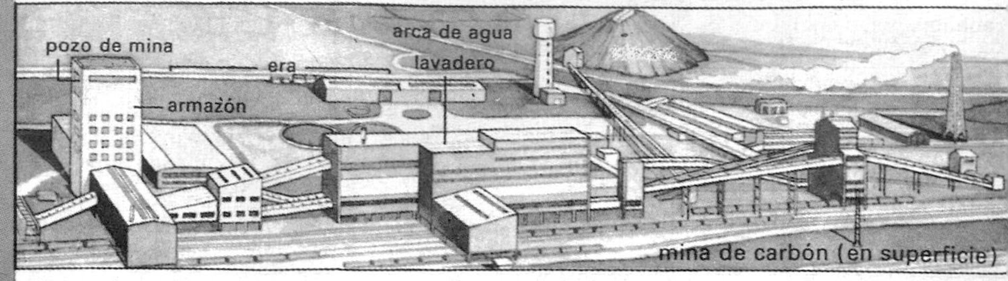
pozo de mina
arca de agua
era
lavadero
armazón
mina de carbón (en superficie)

montañas
central hidroeléctrica
embalse
salida
de líneas eléctricas
represa o presa
de hormigón
fábrica

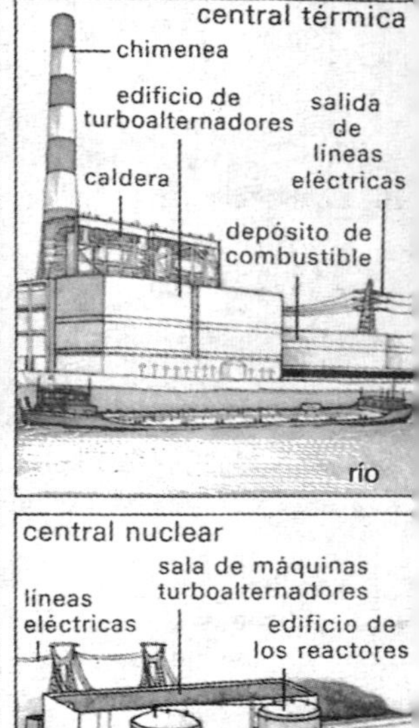
central térmica
chimenea
edificio de
turboalternadores
salida
de
líneas
eléctricas
caldera
depósito de
combustible
río
central nuclear
sala de máquinas
turboalternadores
líneas
eléctricas
edificio de
los reactores
estación de bombeo
del agua de refrigeración
edificio
de protección del
combustible
(uranio)
canal o río

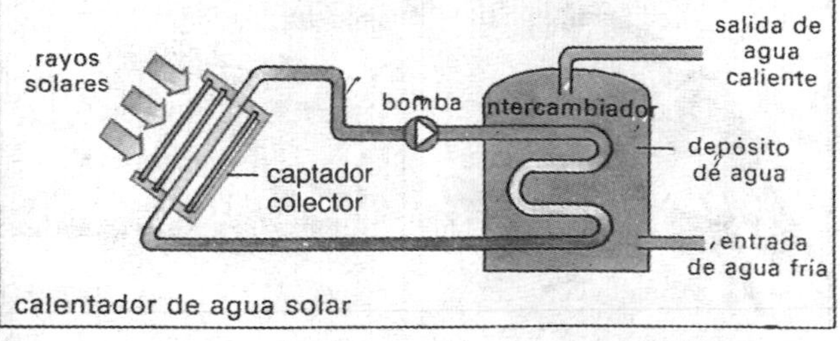
rayos
solares
bomba
intercambiador
salida de
agua
caliente
depósito
de agua
captador
colector
entrada
de agua fría
calentador de agua solar

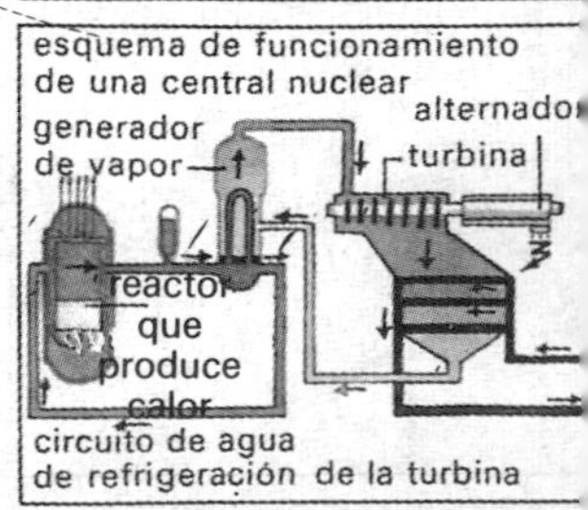
esquema de funcionamiento
de una central nuclear
alternador
generador
de vapor
turbina
reactor
que
produce
calor
circuito de agua
de refrigeración de la turbina

3. *En un descuido* ***se inflamó*** *el aceite de la sartén* (= se incendió).
SINÓN: 1, 3. encender(se). **1.** avivar, excitar. **2.** hinchar, irritar. **3.** incendiarse, prenderse, quemarse. **ANTÓN: 1, 3.** apagar(se). **1.** calmar. **2.** deshinchar. **FAM:** *desinflamar, inflamable, inflamación.*

inflar v. tr. *Es inútil que* ***infles*** *la rueda porque está cortada* (= que la hinches).
SINÓN: hinchar. **ANTÓN:** deshinchar, desinflar. **FAM:** *desinflar.*

inflexible adj. **1.** *El hierro es un material* ***inflexible*** (= que no se puede doblar). **2.** *No cambiaré de opinión sino que seré* ***inflexible*** *hasta el final* (= me mantendré firme).
SINÓN: 2. duro, firme, rígido. **ANTÓN: 1, 2.** flexible. **FAM:** → *flexión.*

influencia s. f. **1.** *La luz del sol ejerce una* ***influencia*** *muy importante en el crecimiento de las plantas* (= un efecto en su crecimiento). **2.** *El profesor ejerce tal* ***influencia*** *sobre Miguel que éste no hace nada sin consultárselo* (= Miguel hace mucho caso a todos los consejos del profesor).
SINÓN: 1. acción, efecto. **2.** autoridad, poder. **FAM:** → *fluir.*

influir v. tr. **1.** *La alimentación* ***influye*** *en la salud de las personas* (= tiene un efecto en su salud). **2.** *Juan se deja* ***influir*** *fácilmente por sus amigos* (= se deja dominar por ellos).
SINÓN: 2. dominar. **FAM:** → *fluir.*

información s. f. **1.** *Por la* ***información*** *que tengo sé que el presidente llegará mañana* (= por los datos y noticias que tengo). **2.** *Leí toda la* ***información*** *del caso en los periódicos* (= todas las noticias referentes al caso).
FAM: → *forma.*

informal adj. **1.** *Estoy convencido de que llegará tarde pues es una persona muy* ***informal*** (= que no cumple con sus obligaciones). **2.** *Puedes ir sin corbata porque es una cena* ***informal*** (= no es una cena seria o importante).
ANTÓN: 1. cumplidor. **1, 2.** formal. **FAM:** → *forma.*

informar v. tr. *Los periódicos* ***informan*** *de cuanto sucede en el mundo* (= dan a conocer todo lo que ocurre en el mundo).
SINÓN: comunicar, contar. **ANTÓN:** callar, omitir, silenciar. **FAM:** → *forma.*

informática s. f. La **Informática** es la ciencia que estudia los sistemas de tratamiento de la información a través de las computadoras.
FAM: → *forma.*

informativo, a adj. *Siempre escucho los programas* ***informativos*** *para enterarme de lo que ocurre en el mundo* (= los que informan y dan noticias).
FAM: → *forma.*

informe s. m. **1.** *El ministro ha hecho un* ***informe*** *sobre la reforma educativa* (= un escrito en el que explica todo lo referente a la reforma). **2.** *Lo contrató porque le habían dado buenos* ***informes*** *de él* (= le habían dado información sobre su trabajo).
SINÓN: 1. escrito, exposición. **2.** referencia. **FAM:** → *forma.*

infracción s. f. *Avanzar cuando el semáforo está en rojo es una* ***infracción*** *de tránsito* (= una falta grave).
SINÓN: falta. **FAM:** → *fracción.*

infundado, a adj. *Luisa se tranquilizó mucho cuando le dijimos que sus temores eran* ***infundados*** (= que no tenía motivos para temer nada).
SINÓN: falso, injustificado. **ANTÓN:** cierto, verdadero. **FAM:** → *fundamento.*

infusión s. f. *Hervimos agua para preparar una* ***infusión*** *de té* (= una bebida que se prepara con hierbas y agua muy caliente).
FAM: → *fundir.*

ingeniero, a s. *Conozco al* ***ingeniero*** *que diseñó el trazado de la carretera entre estos dos pueblos* (= a la persona que organizó, dirigió, e hizo los planos de la carretera).
FAM: → *genio.*

ingenio s. m. **1.** *El* ***ingenio*** *de Juan lo ha llevado a crear un coche que funciona con electricidad* (= su capacidad de inventar objetos). **2.** *Gracias a su* ***ingenio*** *las historias que cuenta son divertidísimas* (= a su sentido del humor). Amér. **3.** *Pasaré el verano trabajando en un* ***ingenio*** (= hacienda donde se cultiva y muele la caña para obtener azúcar).
SINÓN: 1. inteligencia, inventiva, talento. **2.** agudeza, gracia. **ANTÓN: 1.** torpeza. **FAM:** → *genio.*

ingenioso, a adj. *Juan es tan* ***ingenioso*** *que siempre nos sorprende con una respuesta rápida y oportuna* (= tiene un talento especial para decir las cosas con gracia y agudeza).
SINÓN: agudo, ocurrente. **ANTÓN:** torpe. **FAM:** → *genio.*

ingenuidad s. f. *María me hace preguntas sin malicia, llenas de* ***ingenuidad*** (= de inocencia).
SINÓN: candor, inocencia, naturalidad. **ANTÓN:** astucia, malicia, picardía. **FAM:** *ingenuo.*

ingenuo, a adj. *María es muy* ***ingenua*** *y se cree todo lo que le dicen los demás* (= no tiene malicia).
SINÓN: cándido, inocente. **ANTÓN:** astuto, malicioso, pícaro. **FAM:** *ingenuidad.*

ingerir v. tr. *Se intoxicaron por* ***ingerir*** *alimentos en mal estado* (= por tomarlos).
SINÓN: engullir, tomar.

ingle s. f. La **ingle** es la parte del cuerpo en que se une el muslo al abdomen.

inglés, esa adj. **1.** *A diferencia del resto del mundo, los coches* ***ingleses*** *tienen el volante en el lado derecho* (= de Inglaterra). ◆ **inglés, esa** s. **2.** Los **ingleses** son las personas nacidas en Inglaterra. **3.** *El* ***inglés*** *es, después del chino, la lengua más hablada en el mundo* (= lengua que se habla en Inglaterra, Estados Unidos, Australia, parte de Canadá y en otros territorios del mundo).

ingratitud s. f. *Le he reprochado su **ingratitud** tras el favor que le hice* (= su falta de agradecimiento).
SINÓN: desagradecimiento, egoísmo. ANTÓN: agradecimiento, gratitud, reconocimiento. FAM: → *grato.*

ingrato, a adj. **1.** *¡Qué **ingrato** ha sido conmigo al no reconocer todo lo que hice por él!* (= ¡Qué desagradecido!). **2.** *Era un trabajo demasiado **ingrato** pues nadie se daba cuenta de todo lo que hacía* (= era un trabajo que requería un esfuerzo que nadie valoraba).
SINÓN: **1.** desagradecido. **2.** desagradable, duro, sacrificado. ANTÓN: **1.** agradecido. **2.** agradable, grato. FAM: → *grato.*

ingrediente s. m. *El pan se hace con cuatro **ingredientes**: agua, harina, sal y levadura* (= con cuatro elementos).
SINÓN: componente, elemento.

ingresar v. intr. **1.** *El herido **ingresó** en el hospital a primera hora de la mañana* (= entró en el hospital). ◆ **ingresar** v. tr. **2.** ***He ingresado** mil pesos en mi libreta de ahorros* (= los he depositado en el banco).
SINÓN: **1.** internar. **2.** depositar. ANTÓN: **1.** abandonar, salir. **2.** retirar. FAM: *ingreso.*

ingreso s. m. **1.** *Pedro aprobó el examen de **ingreso** en la universidad* (= el examen de entrada). **2.** *Mi primo ha hecho un **ingreso** de mil pesos en su libreta de ahorros* (= ha depositado dinero en el banco para que se lo guarden).
SINÓN: **1.** admisión, entrada. **2.** depósito. FAM: *ingresar.*

inhabitable adj. *Esta casa en ruinas es **inhabitable*** (= no se puede vivir en ella).
ANTÓN: habitable. FAM: → *habitar.*

inhalar v. tr. *Para combatir su resfrío Ana debe **inhalar** los vapores del medicamento que le recetaron* (= debe aspirarlos por la nariz).
SINÓN: aspirar, exhalar. ANTÓN: espirar, soplar.

inhóspito, a adj. *Esta región desértica es demasiado **inhóspita** para vivir en ella* (= demasiado desagradable y nada acogedora).
ANTÓN: acogedor. FAM: → *huésped.*

inhumano, a adj. *Es **inhumano** dejar a ese herido sin socorro* (= es cruel).
SINÓN: bárbaro, brutal, cruel, despiadado. ANTÓN: humano. FAM: → *humano.*

iniciación s. f. *Antes de empezar el curso, el profesor nos recomendó un libro de **iniciación** a las matemáticas* (= un libro para empezar a aprender).
SINÓN: aprendizaje, introducción, preparación. ANTÓN: perfeccionamiento. FAM: → *inicio.*

inicial adj. **1.** *Juan ha renunciado a su proyecto **inicial** porque no puede realizarlo* (= al que tenía al principio). ◆ **inicial** s. f. **2.** *Tus **iniciales** son V.M. porque te llamas Virginia Martínez* (= la primera letra de tu nombre y la de tu apellido).
SINÓN: **1.** inaugural, primero. ANTÓN: **1.** final, último. FAM: → *inicio.*

iniciar v. tr. *El tren **inició** la marcha* (= empezó a andar).
SINÓN: comenzar, empezar, emprender. ANTÓN: acabar, concluir, finalizar, terminar. FAM: → *inicio.*

iniciativa s. f. **1.** *Mi hermano tiene mucha **iniciativa** para hacer cosas* (= sabe tomar decisiones él solo). **2.** *Pedro tuvo la **iniciativa** de hacer la fiesta* (= se le ocurrió a él).
SINÓN: **1.** decisión. **1, 2.** idea. FAM: → *inicio.*

inicio s. m. *A las 8 será el **inicio** del partido* (= será el comienzo).
SINÓN: comienzo, principio. ANTÓN: fin, final, término. FAM: *iniciación, inicial, iniciar, iniciativa.*

injertar v. tr. **1.** ***Injertamos** un rosal para obtener una nueva variedad* (= le pusimos un injerto). **2.** *El cirujano **ha injertado** piel en la zona quemada* (= le ha puesto un trozo de piel de otra parte del cuerpo para que se regenere).
FAM: *injerto.*

injerto s. m. **1.** *El jardinero ha puesto un **injerto** en el rosal* (= le ha fijado un trozo de rama de otro rosal). **2.** *El cirujano ha hecho un **injerto** de piel* (= colocó piel nueva para curar la zona herida).
FAM: *injertar.*

injusticia s. f. *Se ha cometido una **injusticia** al castigarlo sin motivo* (= un castigo que no se merecía).
SINÓN: abuso, atropello. ANTÓN: justicia. FAM: → *justo.*

injustificado, a adj. *Me han despedido por un motivo **injustificado*** (= era un motivo que no merecía el despido).
FAM: → *justo.*

injusto, a adj. *Este castigo es **injusto*** (= no se lo merecía).
SINÓN: inmerecido. ANTÓN: justo, merecido. FAM: → *justo.*

inmaterial adj. El pensamiento es **inmaterial** porque no tiene forma ni materia.
FAM: → *materia.*

inmediato, a adj. *El efecto de las pastillas ha sido **inmediato*** (= se produjo en seguida).
SINÓN: rápido. ANTÓN: lento. FAM: → *medio.*

inmejorable adj. *Fue una fiesta **inmejorable*** (= no pudo ser mejor).
SINÓN: excelente, insuperable, perfecto. FAM: → *mejor.*

inmenso, a adj. **1.** *El cielo es **inmenso*** (= muy grande). **2.** *Este cantante ha tenido un éxito **inmenso*** (= extraordinario).
SINÓN: **1.** enorme. **2.** colosal, extraordinario. ANTÓN: limitado, pequeño, reducido. FAM: *inmensidad.*

inmersión s. f. *El submarino procedió a la **inmersión*** (= se metió debajo del agua).
ANTÓN: emersión.

inmigración s. f. *El Estado controla la **inmigración** de extranjeros* (= la entrada en el país de personas que vienen a trabajar).
ANTÓN: emigración. FAM: → *emigrar.*

inmigrante adj. *En este país hay muchos trabajadores **inmigrantes*** (= muchas personas venidas del extranjero).
ANTÓN: emigrante. FAM: → *emigrar.*

inmigrar v. intr. *Cada vez **inmigran** más personas que vienen buscando trabajo* (= vienen a vivir a este país).
ANTÓN: emigrar. FAM: → *emigrar*

inmobiliaria s. f. *Fuimos a una **inmobiliaria** para buscar un departamento en alquiler* (= a una empresa que hace y vende pisos o casas).
FAM: *inmueble.*

inmoral adj. *Tiene un comportamiento **inmoral** que disgusta a su familia* (= un comportamiento que no se ajusta a las buenas costumbres).
SINÓN: deshonesto, escandaloso, indecente. ANTÓN: decente, digno, honesto, moral. FAM: → *moral.*

inmortal adj. *La religión católica piensa que el alma del hombre es **inmortal*** (= que no muere nunca).
SINÓN: eterno. ANTÓN: mortal. FAM: → *morir.*

inmortalizar v. tr. *El Quijote fue una obra que **inmortalizó** a su autor* (= que hizo que su autor siga recordándose después de muerto).
FAM: → *morir.*

inmóvil adj. *El perro se quedó **inmóvil** cuando oyó el ruido* (= no se movió).
SINÓN: estático, parado, quieto. ANTÓN: móvil. FAM: → *mover.*

inmueble s. m. *Virginia vive en un departamento de un **inmueble** nuevo* (= de un edificio que tiene varias plantas).
SINÓN: edificio. FAM: *inmobiliaria.*

inmunidad s. f. *Gracias a la vacuna ahora tengo **inmunidad** contra esa enfermedad* (= estoy protegido contra esa enfermedad).

innecesario, a adj. *Es **innecesario** que me des tantas explicaciones porque no estoy enojado* (= no hace falta que me las des).
ANTÓN: necesario. FAM: → *necesitar.*

innegable adj. *Que la Tierra es redonda es un hecho **innegable*** (= no se puede negar).
SINÓN: indiscutible, indudable. ANTÓN: discutible, dudoso. FAM: → *negar.*

innovación s. f. *Han hecho **innovaciones** en la tienda para mejorarla* (= han introducido cosas nuevas).
FAM: → *nuevo.*

innumerable adj. *Las estrellas son **innumerables*** (= son tan numerosas que no se pueden contar).
SINÓN: incontable. ANTÓN: escaso. FAM: → *número.*

inocencia s. f. **1.** *La **inocencia** del acusado ha sido finalmente reconocida* (= se reconoció que él no era culpable). **2.** *Lo dijo con toda **inocencia**, sin darse cuenta de que sus palabras podían herirlo* (= sin mala intención).
SINÓN: **2.** candor, ingenuidad. ANTÓN: **1.** culpa, culpabilidad. **2.** maldad, malicia. FAM: *inocente.*

inocente adj. **1.** *El acusado repetía que él era **inocente*** (= que no había hecho nada malo). **2.** *Este niño es muy **inocente**: se lo cree todo* (= no tiene malicia).
SINÓN: **2.** cándido, ingenuo. ANTÓN: **1.** culpable. **2.** astuto, desconfiado, malicioso. FAM: *inocencia.*

inodoro, a adj. **1.** *El agua es **inodora*** (= no tiene olor). ◆ **inodoro** s. **2.** *He comprado un producto para desinfectar el **inodoro*** (= el excusado).
SINÓN: **2.** retrete, excusado. FAM: → *oler.*

inofensivo, a adj. *No tengas miedo, este perro es **inofensivo*** (= no hace daño).
SINÓN: pacífico, tranquilo. ANTÓN: peligroso. FAM: → *ofender.*

inolvidable adj. *Hemos pasado un día **inolvidable*** (= lo recordaremos siempre).
SINÓN: imborrable. FAM: → *olvidar.*

inoportuno, a adj. *Has llegado en un momento **inoportuno** porque tengo mucho trabajo* (= en un mal momento).
SINÓN: inconveniente. ANTÓN: conveniente, oportuno. FAM: → *oportuno.*

inoxidable adj. *Este cuchillo es de acero **inoxidable*** (= no se puede oxidar).
FAM: → *oxígeno.*

inquietar v. tr. *Tu salud me **inquieta** cada día más: debes ir al médico* (= me preocupa).
SINÓN: alarmar, intranquilizar, preocupar. ANTÓN: sosegar, tranquilizar. FAM: → *quieto.*

inquieto, a adj. **1.** *Este niño es tan **inquieto** que no para un momento* (= está siempre moviéndose). **2.** *Estoy **inquieto** porque todavía no he recibido noticias suyas* (= estoy preocupado).
SINÓN: **1.** nervioso. **2.** alarmado, preocupado, intranquilo. ANTÓN: **1.** quieto, sosegado. **1, 2.** tranquilo. FAM: → *quieto.*

inquietud s. f. **1.** *Cuando el médico le dijo que no era nada grave, se calmó su **inquietud*** (= su intranquilidad). **2.** *María tiene **inquietudes** artísticas* (= se interesa por el arte).
SINÓN: **1.** alarma, ansiedad, intranquilidad. **2.** interés. ANTÓN: **1.** tranquilidad. FAM: → *quieto.*

inquilino, a s. *Mi tío no es el dueño sino el **inquilino** de la casa* (= paga al dueño un alquiler por vivir en ella).

insaciable adj. *Este perro tiene un hambre **insaciable*** (= a pesar de que no para de comer siempre tiene hambre).
ANTÓN: satisfecho. FAM: *saciar.*

inscribir v. tr. ***Inscribiré*** *a mi hermana en nuestro club y así formará parte de él* (= la anotaré).
SINÓN: apuntar, matricular. **ANTÓN:** borrar. **FAM:** → *escribir.*

insecticida s. m. *He comprado un* ***insecticida*** *porque aquí hay muchos mosquitos* (= un producto químico para matar insectos).
FAM: → *insecto.*

insectívoros s. m. pl. Los **insectívoros** son los animales que se alimentan de insectos, como algunos pájaros, o la araña.
FAM: → *insecto.*

insecto s. m. *Las moscas, las abejas y las hormigas son* ***insectos*** (= son animales pequeños con 6 patas, antenas, y algunos con alas).
FAM: *insecticida, insectívoros.*

inseguridad s. f. *Me presenté al examen con bastante* ***inseguridad*** *porque no había podido estudiar* (= tenía bastante miedo porque no estaba seguro de aprobar).
ANTÓN: seguridad. **FAM:** → *seguro.*

inseguro, a adj. *El puente está tan ruinoso que es muy* ***inseguro*** (= es peligroso porque puede romperse en cualquier momento).
SINÓN: inestable, peligroso. **ANTÓN:** firme, seguro. **FAM:** → *seguro.*

insensato, a adj. *Mi hermano es tan* ***insensato*** *que es capaz de cruzar el río por el sitio más peligroso* (= hace cosas que no son razonables).
SINÓN: imprudente, irresponsable. **ANTÓN:** prudente, responsable, sensato. **FAM:** → *sensato.*

insensibilidad s. f. **1.** *Su* ***insensibilidad*** *es tan grande que no le importa ver sufrir a los demás* (= su incapacidad de tener sentimientos hacia los demás). **2.** *Su* ***insensibilidad*** *al calor es muy grande* (= no siente calor).
SINÓN: **1.** frialdad. **ANTÓN:** sensibilidad. **FAM:** → *sentir.*

insensible adj. **1.** *Esta inyección te dejará* ***insensible*** *el diente* (= no sentirás dolor). **2.** *Martín es una persona* ***insensible*** *y no le da pena ver sufrir a la gente* (= es incapaz de tener sentimientos hacia los demás).
SINÓN: **2.** frío, indiferente. **ANTÓN:** sensible. **FAM:** → *sentir.*

inseparable adj. *Estos dos amigos son* ***inseparables****: siempre están juntos* (= están muy unidos).
FAM: → *separar.*

inservible adj. *Este bolígrafo está* ***inservible****: tendré que comprar otro* (= ya no sirve para escribir).
SINÓN: inútil. **ANTÓN:** provechoso, útil. **FAM:** → *servir.*

insignia s. f. **1.** *Mi padre lleva en la solapa de la chaqueta la* ***insignia*** *del club* (= el distintivo). **2.** *La bandera es la* ***insignia*** *del país* (= lo simboliza).
SINÓN: **1.** distintivo. **1, 2.** símbolo. **FAM:** → *seña.*

insignificante adj. **1.** *Después de trabajar tanto obtuvo unos beneficios* ***insignificantes*** (= muy pequeños). **2.** *No te preocupes, ése es un detalle* ***insignificante*** (= no tiene importancia).
SINÓN: inapreciable, ridículo. **ANTÓN:** importante, notable, significativo, valioso. **FAM:** → *significar.*

insinuar v. tr. *Juan me* ***insinuó*** *algo, pero aún no sé exactamente de qué se trata* (= me dijo algo aunque no de una forma muy clara).
SINÓN: sugerir. **FAM:** *insinuación.*

insípido, a adj. **1.** *Esta comida está* ***insípida*** (= le falta sabor). **2.** *Es tan* ***insípido*** *que nadie quiere salir con él* (= es aburrido y triste).
SINÓN: soso. **ANTÓN:** **1.** sabroso. **2.** alegre, gracioso.

insistente adj. *Me molesta que toques el timbre de forma tan* ***insistente.*** (= que lo toques tanto rato).
FAM: *insistir.*

insistir v. intr. ***Has insistido*** *tanto que iré a tu casa.* (= me lo has pedido tantas veces).
SINÓN: repetir. **ANTÓN:** desistir, renunciar. **FAM:** *insistente.*

insolación s. f. *Si te pones tanto tiempo al sol, sufrirás una* ***insolación*** (= sufrirás dolor de cabeza y malestar).
FAM: → *sol.*

insolencia s. f. *La maestra castigó a Juan por hablarle con* ***insolencia*** (= porque le habló de forma irrespetuosa).
SINÓN: impertinencia. **ANTÓN:** respeto. **FAM:** → *soler.*

insólito, a adj. *¡Qué raro!, nieva en primavera; ¡esto es* ***insólito****!* (= es muy raro porque no sucede nunca).
SINÓN: asombroso, extraño, extraordinario, raro. **ANTÓN:** común, corriente, frecuente, habitual, normal. **FAM:** *soler.*

insomnio s. m. *Lleva varias noches sin dormir a causa del* ***insomnio*** *que padece* (= no puede dormir).
ANTÓN: sueño. **FAM:** → *sueño.*

insoportable adj. **1.** *Mi compañero es tan* ***insoportable*** *que me he cambiado de sitio* (= es una persona muy molesta). **2.** *Tengo un dolor de muelas* ***insoportable*** (= no lo puedo soportar).
SINÓN: inaguantable. **ANTÓN:** agradable, soportable. **FAM:** → *portar.*

inspeccionar v. tr. *La policía* ***inspeccionó*** *el lugar del crimen.* (= lo examinó).
SINÓN: examinar, investigar, registrar, revisar. **FAM:** *inspector.*

inspector, a s. *El* ***inspector*** *visitó el centro para comprobar que todo estaba en regla* (= es la persona que inspecciona, vigila y controla los servicios públicos para ver si funcionan bien).
FAM: *inspeccionar.*

inspiración s. f. **1.** *La* ***inspiración*** *y la espiración se suceden y constituyen la respiración.*

(= es cuando llenamos de aire los pulmones). **2.** *Pintó este cuadro tan bonito en un momento de **inspiración*** (= en un momento en que tuvo una idea muy buena).
SINÓN: 1. aspiración. **ANTÓN: 1.** espiración. **FAM:** → *respirar.*

inspirar v. tr. **1.** ***Inspira** el aire lentamente y verás cómo te relajas* (= haz entrar el aire en tus pulmones lentamente). **2.** *Juan me **inspira** confianza* (= me hace sentir confianza). **3.** *El otoño **inspira** a los poetas* (= hace nacer en ellos ideas y sentimientos para escribir poesías). ◆ **inspirarse** v. pron. **4.** *Esta película **se inspira** en una novela* (= se basa).
SINÓN: 1. aspirar. **4.** basarse. **ANTÓN: 1.** espirar. **FAM:** → *respirar.*

instalación s. f. *La **instalación** eléctrica de mi casa está terminada* (= el conjunto de cables para que funcione la electricidad).
FAM: *instalar.*

instalar v. tr. **1.** *Le **han instalado** el teléfono* (= se lo han colocado). ◆ **instalarse** v. pron. **2.** *La familia García **se ha instalado** en Bogotá* (= se ha ido a vivir allí). **3.** *Juan **se instaló** en el sofá porque estaba agotado* (= se sentó en él).
SINÓN: 1. colocar. **2.** establecerse. **3.** acomodarse, sentarse. **ANTÓN: 1.** quitar, sacar. **FAM:** *instalación.*

instantáneo, a adj. *El dolor fue **instantáneo** y al momento se me pasó* (= duró un instante).
SINÓN: fugaz, momentáneo. **ANTÓN:** constante, duradero, permanente. **FAM:** *instante.*

instante s. m. **1.** *El profesor sólo pudo atendernos unos **instantes** porque tenía otra clase* (= muy poco rato). **2.** *A cada **instante** pasa por mi casa una señora vendiendo flores* (= pasa con mucha frecuencia). ◆ **al instante 3.** *Cuando supe lo ocurrido, llamé **al instante** a mi familia* (= rápidamente).
SINÓN: momento. **FAM:** *instantáneo.*

instintivo, a adj. *Si no hubiera hecho el movimiento **instintivo** de apartarse, el coche lo hubiera atropellado* (= reaccionó sin pensar en lo que hacía).
SINÓN: automático, inconsciente. **ANTÓN:** consciente. **FAM:** *instinto.*

instinto s. m. *Los animales se guían por su **instinto*** (= por una fuerza interior que los hace actuar o reaccionar sin tener necesidad de un aprendizaje o de un razonamiento previos).
FAM: *instintivo.*

institución s. f. **1.** *El colegio es una **institución** escolar* (= es un establecimiento de enseñanza). **2.** *Esta semana estudiaremos las **instituciones*** (= los organismos que forman el Estado).
SINÓN: 1. centro, establecimiento. **2.** organismo. **FAM:** → *instituir.*

instituir v. tr. *Alfred Nobel **instituyó** los premios Nobel* (= fue la persona que los fundó).
SINÓN: constituir, establecer, fundar. **ANTÓN:** abolir, anular, suprimir. **FAM:** *institución, instituto.*

instituto s. m. **1.** *Mi hermano estudia el bachillerato en un **instituto*** (= en un centro de enseñanza media). **2.** *Numerosos científicos trabajan en este **instituto** de investigación médica* (= en esta organización científica).
SINÓN: 2. institución, organismo. **FAM:** → *instituir.*

instrucción s. f. **1.** *Durante los años de estudio recibimos cada vez más **instrucción*** (= más enseñanzas y cultura). **2.** *Me han dado **instrucciones** precisas sobre lo que tengo que hacer con el paquete* (= me han dicho claramente lo que tengo que hacer).
SINÓN: 1. educación, enseñanza, formación. **2.** norma. **FAM:** → *instruir.*

instructivo, a adj. *El profesor nos dio una charla muy **instructiva** sobre el libro* (= muy interesante porque nos enseñó mucho).
SINÓN: educativo. **ANTÓN:** destructivo. **FAM:** → *instruir.*

instruido, a adj. *El señor Martínez es muy **instruido** porque ha realizado muchos estudios* (= tiene muchos conocimientos).
SINÓN: culto, sabio. **ANTÓN:** ignorante, inculto, profano. **FAM:** → *instruir.*

instruir v. tr. *El maestro **instruye** a sus alumnos* (= les enseña muchas cosas).
SINÓN: enseñar, formar. **FAM:** *instrucción, instructivo, instruido.*

instrumental adj. **1.** *Asistí a un concierto de música **instrumental*** (= sólo con instrumentos musicales y sin cantante). ◆ **instrumental** s. m. **2.** *El **instrumental** médico está en la sala de operaciones del hospital* (= el conjunto de aparatos que necesita el médico).
FAM: *instrumento.*

instrumento s. m. **1.** *El rastrillo y la azada son **instrumentos** de jardinería* (= son los objetos que utiliza el jardinero). **2.** *El violín y la guitarra son **instrumentos** musicales de cuerda y la trompeta y la flauta son de aire* (= son objetos utilizados para hacer música).
SINÓN: 1. herramienta, utensilio. **FAM:** *instrumental.*

insuficiencia s. f. *La **insuficiencia** de luces impidió que se viera bien la función* (= la falta de la luz necesaria).
SINÓN: escasez, falta. **ANTÓN:** suficiencia. **FAM:** → *suficiente.*

insuficiente adj. **1.** *Como eran demasiados invitados, la comida resultó **insuficiente*** (= no había para todos). ◆ **insuficiente** s. m. **2.** *He sa-*

cado ***insuficiente*** *en matemáticas* (= he reprobado la materia).
SINÓN: **1.** escaso. **2.** aplazo. ANTÓN: **1.** abundante, copioso. **2.** aprobado, suficiente. FAM: → *suficiente.*

insultar v. tr. *Pedro se enfadó mucho conmigo y me* ***insultó*** (= me dijo palabras para ofenderme).
SINÓN: ofender. ANTÓN: alabar, elogiar. FAM: *insulto.*

insulto s. m. *Llamar* idiota *a un compañero es un* ***insulto*** (= es decir algo que ofende).
SINÓN: ofensa. ANTÓN: elogio. FAM: *insultar.*

insulso, a adj. *La comida ha quedado* ***insulsa*** (= le falta sabor).
SINÓN: soso. ANTÓN: sabroso.

intacto, a adj. **1.** *No ha venido a comer porque la comida está* ***intacta*** *en la mesa de la cocina* (= está igual que cuando la dejé). **2.** *El reloj se me cayó al suelo, pero quedó* ***intacto*** (= no se rompió).
SINÓN: **1.** completo, entero, íntegro. ANTÓN: **1.** incompleto. **2.** dañado, estropeado.

insuperable adj. *El corredor consiguió una marca* ***insuperable*** (= que es difícil que se haga mejor).
SINÓN: inmejorable. FAM: → *superar.*

integrar v. tr. **1.** *Los jugadores que* ***integran*** *el equipo son diez* (= que lo forman. ◆ **integrarse** v. pron. **2.** *Es una persona que* ***se integra*** *fácilmente en los nuevos ambientes* (= que se adapta a ellos).
SINÓN: **1.** componer, formar. **2.** acomodarse, adaptarse. FAM: → *íntegro.*

íntegro, a adj. **1.** *Aunque la película era muy larga, la exhibieron* ***íntegra*** (= entera). **2.** *Fue injusto acusar a un hombre* ***íntegro*** *como él* (= una persona honrada).
SINÓN: **1.** completo, entero. **2.** honesto, honrado, recto, justo. ANTÓN: **1.** incompleto. **2.** deshonesto. FAM: *integrar.*

intelectual adj. **1.** *El estudio es un trabajo* ***intelectual*** (= que se hace con la inteligencia). ◆ **intelectual** s. **2.** *Ortega y Gasset era un* ***intelectual*** (= un hombre dedicado al estudio de las ciencias o de las letras).
FAM: → *inteligencia.*

inteligencia s. f. **1.** *Los seres humanos se caracterizan por la* ***inteligencia*** (= por la capacidad para pensar las cosas). **2.** *Actúa con* ***inteligencia*** *para no equivocarte* (= con reflexión).
SINÓN: **1.** razón. **1, 2.** juicio. **2.** reflexión. ANTÓN: torpeza. FAM: *intelectual, inteligente, inteligible.*

inteligente adj. *Pedro es un niño tan* ***inteligente*** *que no es necesario explicarle las cosas dos veces* (= lo comprende todo enseguida).
SINÓN: listo, sagaz. ANTÓN: tonto, torpe. FAM: → *inteligencia.*

inteligible adj. *El tema era difícil pero el conferenciante consiguió explicarlo de modo* ***inteligible*** (= se le entendía perfectamente).
SINÓN: claro, comprensible. ANTÓN: confuso, incomprensible. FAM: → *inteligencia.*

intemperie *Tuvimos que dormir* ***a la intemperie*** *porque no pudimos montar la tienda de campaña* (= al aire libre).

intención s. f. *Tengo la* ***intención*** *de salir mañana de viaje* (= es lo que me propongo hacer).
SINÓN: propósito, proyecto. FAM: *intencionado, malintencionado.*

intencionado, a adj. *Aunque te haga bromas, es un niño bien* ***intencionado*** (= es un niño que no pretende molestar).
FAM: → *intención.*

intensidad s. f. *Íbamos a salir pero llovía con tanta* ***intensidad*** *que regresamos* (= llovía con mucha fuerza).
SINÓN: energía, fuerza. FAM: → *intensificar, intensivo, intenso.*

intensificar v. tr. *La policía* ***intensificó*** *la vigilancia en las carreteras* (= la aumentó).
SINÓN: aumentar. ANTÓN: disminuir. FAM: → *intensidad.*

intensivo, a adj. *En el mes de julio hice un curso* ***intensivo*** *de francés* (= un curso en el que se estudia más y dura poco tiempo).
FAM: → *intensidad.*

intenso, a adj. *El ruido de las motos es muy* ***intenso*** (= es muy fuerte).
SINÓN: fuerte, potente. ANTÓN: débil, suave. FAM: → *intensidad.*

intentar v. tr. *Esta tarde* ***intentaré*** *ir a tu casa, si tengo un rato libre* (= haré lo posible).
SINÓN: procurar. ANTÓN: desistir, renunciar. FAM: *intento.*

intento s. m. **1.** *La lluvia nos impidió llevar a cabo nuestro* ***intento*** *de subir la montaña* (= nuestro propósito). **2.** *El atleta consiguió el salto después de tres* ***intentos*** (= después de probar tres veces).
SINÓN: tentativa. ANTÓN: renuncia. FAM: *intentar.*

intercalar v. tr. ***He intercalado*** *un párrafo en el texto para dejarlo más completo* (= lo he puesto en medio del texto).
SINÓN: insertar, introducir.

intercambiar v. tr. *Los capitanes de los dos equipos* ***intercambiaron*** *los regalos* (= los cambiaron mutuamente).
SINÓN: cambiar, canjear. FAM: → *cambiar.*

intercambio s. m. *Los dos equipos realizaron un* ***intercambio*** *de camisetas* (= se las cambiaron entre ellos).
SINÓN: cambio. FAM: → *cambiar.*

interceder v. intr. *Mi hermano* ***intercedió*** *por mí para que me dieran el puesto* (= intervino para que me lo dieran).
SINÓN: abogar. FAM: → *ceder.*

interceptar v. tr. *Mi padre nos ha pedido que quitemos los juguetes del pasillo porque* ***interceptan*** *la entrada* (= no dejan pasar a la gente).
SINÓN: obstaculizar.

interés s. m. **1.** *Tengo* ***interés*** *en ver esa película porque trata de un tema que me gusta* (= creo que esa película puede aportarme algo). **2.** *Si no pones* ***interés*** *en tu trabajo te echarán del empleo* (= si no te esfuerzas para hacerlo bien). **3.** *Tiene que pagar* ***intereses*** *muy altos al banco por el préstamo que pidió* (= cantidad de dinero que se paga de más cuando te prestan dinero). **4.** *Pedro actuó en su propio* ***interés*** (= para su beneficio).
SINÓN: **1.** curiosidad, ganas. **4.** conveniencia, provecho. ANTÓN: **1, 2, 4.** desinterés. FAM: *desinterés, desinteresado, desinteresarse, interesado, interesante, interesar.*

interesado, a adj. **1.** *Estoy* ***interesado*** *en hacer ese trabajo* (= quiero hacerlo porque creo que puede aportarme algo). **2.** *Es tan* ***interesado*** *que sólo te ayudará si ve que puede conseguir algo a cambio* (= es una persona que sólo actúa si puede sacar algún provecho).
SINÓN: **2.** egoísta. ANTÓN: **2.** desinteresado, generoso. FAM: → *interés.*

interesante adj. *El libro es muy* ***interesante*** *por el tema que trata* (= creo que me puede dar a conocer cosas que me gustarán).
SINÓN: atractivo, atrayente. ANTÓN: indiferente. FAM: → *interés.*

interesar v. tr. **1.** *Esta ley* ***interesa*** *a los campesinos* (= tiene importancia para ellos). **2.** *A Juan le* ***interesa*** *saber si vamos a ir con él* (= quiere saber). ◆ **interesarse** v. pron. **3.** *Han venido tus amigos a* ***interesarse*** *por tu salud* (= para averiguar cómo estabas).
SINÓN: **1, 2.** afectar, importar. **3.** preocuparse. ANTÓN: **3.** despreocuparse. FAM: → *interés.*

interinato s. m. Perú, R. de la Plata, Méx. **1.** *Ocurrió durante el* ***interinato*** *del vicedirector* (= tiempo que dura el desempeño de un cargo por ausencia del titular). Amér. Merid. **2.** *Lo designaron para ejercer un* ***interinato*** (= cargo o empleo provisional).

interior adj. **1.** *El hueso de las frutas está en la parte* ***interior*** (= está dentro de ellas). **2.** *Estudio en un cuarto* ***interior*** *y así no me molesta el ruido de la calle* (= en un cuarto que no tiene ventanas a la calle). ◆ **interior** s. m. *El* ***interior*** *del coche está tapizado de azul* (= la parte de adentro).
SINÓN: **1, 2.** interno. ANTÓN: **1, 2.** exterior, externo.

interjección s. f. !Oh!, ¡Ah!, ¡Caramba! *son* ***interjecciones*** (= son expresiones para indicar una impresión, un estado de ánimo, una orden o un aviso).

interlocutor, a s. *Uno de los* ***interlocutores*** *de la conversación se molestó porque el otro lo interrumpía constantemente* (= una de las personas que estaba hablando).
FAM: *locutor.*

intermediario, a adj. **1.** *Mi hermana fue la persona* ***intermediaria*** *entre ellos para que se pusieran de acuerdo* (= sirvió de lazo de unión). ◆ **intermediario** s. m. **2.** *Un* ***intermediario*** *entre la empresa y nosotros me vendió el producto* (= es la persona que compra a una fábrica para luego vender a otras personas).
SINÓN: **2.** proveedor. FAM: → *medio.*

intermedio, a adj. **1.** *El naranja es un color* ***intermedio*** *entre el amarillo y el rojo* (= está entre los dos). ◆ **intermedio** s. m. **2.** *En el* ***intermedio*** *de la película hemos tomado un refresco* (= en el descanso).
FAM: → *medio.*

interminable adj. *El conferenciante pronunció un discurso* ***interminable*** *que parecía que no iba a terminar nunca* (= muy largo).
SINÓN: eterno, inacabable. ANTÓN: breve. FAM: → *término.*

intermitente adj. *Los coches indican hacia dónde van a girar con las luces* ***intermitentes*** (= con las luces que se encienden y se apagan).

internacional adj. *La O.N.U. es una organización* ***internacional*** *porque en ella están representadas todas las naciones del mundo* (= está compuesta por varios países).
SINÓN: mundial, universal. ANTÓN: local, nacional. FAM: *nación.*

internado, a adj. **1.** *El enfermo estará* ***internado*** *en el hospital durante dos días* (= se quedará en el hospital). ◆ **internado** s. m. **2.** *Pedro es alumno de un* ***internado*** (= va a un colegio donde se queda a dormir).
FAM: → *interno.*

internar v. intr. **1.** *El enfermo* ***fue internado*** *en el hospital* (= lo ingresaron). ◆ **internarse** v. pron. **2.** *Es muy peligroso* ***internarse*** *en la selva sin guía* (= meterse adentro).
SINÓN: **1.** hospitalizar, ingresar. **2.** adentrarse, penetrar. ANTÓN: **2.** salir. FAM: → *interno.*

interno, a adj. **1.** *El corazón es un órgano* ***interno*** (= está dentro del cuerpo). **2.** *Los alumnos* ***internos*** *comen y duermen en el colegio* (= los que viven en el colegio).
SINÓN: **1.** interior. ANTÓN: **1.** exterior, externo. FAM: *internado, internar.*

interponer v. tr. **1.** *Han tenido que* ***interponer*** *vallas en el campo de fútbol para que los espectadores no saltaran al campo* (= poner en medio de dos sitios). ◆ **interponerse** v. pron. **2.** *El policía tuvo que* ***interponerse*** *entre los dos chi-*

cos que se peleaban para separarlos (= tuvo que ponerse entre ellos).
FAM: → *poner.*

interpretación s. f. **1.** *Cada uno daba una* ***interpretación*** *diferente del accidente* (= cada uno explicaba lo que había visto de un modo distinto). **2.** *Este actor ha obtenido el premio a la mejor* ***interpretación*** (= a la mejor actuación).
SINÓN: 1. explicación. **2.** actuación, representación. **FAM:** → *interpretar.*

interpretar v. tr. **1.** *El investigador* ***interpretó*** *los símbolos del texto* (= dijo lo que significaban). **2.** *La compañía de teatro* ***interpreta*** *una obra de Vargas Llosa* (= representa). **3.** *La orquesta* ***interpreta*** *obras de Chopin* (= las toca con sus instrumentos).
SINÓN: 1. descifrar. **2.** actuar, representar. **3.** tocar. **FAM:** *interpretación, intérprete.*

intérprete s. **1.** *Los* ***intérpretes*** *de la obra fueron muy aplaudidos* (= los actores). **2.** *El señor Deschamps no sabe español y necesita un* ***intérprete*** (= una persona que le traduzca a su idioma lo que le dicen en castellano).
SINÓN: 2. traductor. **FAM:** → *interpretar.*

interrogación s. f. **1.** *Una* ***interrogación*** *es una frase en la que se pregunta algo, por ejemplo* ¿Cuándo vendrás? **2.** *Los signos ¿ ? son de* ***interrogación.***
ANTÓN: contestación, respuesta. **FAM:** → *rogar.*

interrogar v. tr. *La policía* ***interrogó*** *a los ladrones para averiguar la verdad* (= les hizo muchas preguntas).
SINÓN: preguntar. **ANTÓN:** contestar, replicar, responder. **FAM:** → *rogar.*

interrogativo, a adj. ¿Cuándo vienes? *es una frase* ***interrogativa*** (= porque contiene una pregunta).
FAM: → *rogar.*

interrogatorio s. m. *En el* ***interrogatorio,*** *el detenido acabó por confesarlo todo* (= en la serie de preguntas que le hizo la policía).
FAM: → *rogar.*

interrumpir v. tr. **1.** *El señor Martínez* ***interrumpió*** *su viaje porque se le descompuso el coche* (= no pudo continuarlo). **2.** *Es muy molesto que alguien* ***interrumpa*** lo que dices (= que te corten la palabra para decir algo).
SINÓN: 1. detener. **ANTÓN:** continuar, proseguir, seguir. **FAM:** *interrupción, interruptor.*

interrupción s. f. *Ha hablado sin* ***interrupción*** *durante una hora* (= sin parar).
SINÓN: corte, detención. **ANTÓN:** continuación. **FAM:** → *interrumpir.*

interruptor s. m. *Está tan oscuro que no encuentro el* ***interruptor*** *para encender la luz* (= el dispositivo que sirve para encender o apagar la luz).
FAM: → *interrumpir.*

intervalo s. m. **1.** *Para cercar el jardín pusieron estacas a* ***intervalos*** *de dos metros* (= a la distancia de dos metros). **2.** *Hay un* ***intervalo*** *de una hora entre la llegada y la salida del tren* (= es el tiempo que pasa desde que llega hasta que sale).

intervención s. f. **1.** *La* ***intervención*** *de los bomberos impidió que se extendiera el fuego* (= su participación en el incendio). **2.** *Para quitarle las amígdalas fue necesaria una* ***intervención*** *quirúrgica* (= tuvieron que operarla).
SINÓN: 1. actuación, mediación, participación. **2.** operación. **FAM:** → *venir.*

intervenir v. intr. **1.** *Yo no* ***intervine*** *en la decisión* (= no participé). **2.** *Juan* ***intervino*** *para defenderme en la discusión* (= habló por mí). ◆ **intervenir** v. tr. **3.** *La policía* ***intervino*** *el teléfono del espía* (= escuchó las conversaciones telefónicas del espía).
SINÓN: 1. participar. **2.** interceder, interponerse. **3.** interceptar. **ANTÓN: 1, 2.** abstenerse. **FAM:** → *venir.*

interventor s. m. *El* ***interventor*** *del tren me ha pedido el boleto* (= la persona encargada del control).
SINÓN: revisor. **FAM:** → *venir.*

intestino s. m. *La digestión de los alimentos termina en el* ***intestino*** (= en el órgano en forma de tubo que está en el vientre).
SINÓN: tripa.

intimidad s. f. **1.** *Entre María y yo hay una gran* ***intimidad*** (= somos muy amigos). **2.** *Han celebrado la boda en la* ***intimidad*** (= sólo asistieron los familiares más cercanos). **3.** *No sé por qué me cuenta sus* ***intimidades*** *si no soy su amiga* (= sus asuntos personales).
SINÓN: 1. amistad, confianza. **ANTÓN: 1.** desconfianza, reserva. **FAM:** *íntimo.*

íntimo, a adj. **1.** *Mi vida* ***íntima*** *no le interesa a nadie* (= mis asuntos personales). **2.** *Marcos es mi amigo* ***íntimo*** (= un buen amigo).
SINÓN: 1. personal, privado. **FAM:** *intimidad.*

intoxicación s. f. *Como comió alimentos en mal estado, Pedro tiene una* ***intoxicación*** (= está enfermo del estómago).
FAM: *intoxicar.*

intoxicarse v. pron. ***Se intoxicaron*** *con unas plantas venenosas* (= se han envenenado).
SINÓN: envenenarse. **ANTÓN:** desintoxicarse. **FAM:** *intoxicación.*

intranquilidad s. f. *La tardanza de su hijo le causó mucha* ***intranquilidad*** (= la preocupó mucho).
SINÓN: agitación, alarma, ansiedad. **ANTÓN:** serenidad, sosiego, tranquilidad. **FAM:** → *tranquilo.*

intranquilo, a adj. *Está muy* ***intranquilo*** *porque no tiene noticias de sus padres* (= está preocupado).
SINÓN: inquieto, preocupado. **ANTÓN:** sereno, tranquilo. **FAM:** → *tranquilo.*

intransigente adj. *Es muy* ***intransigente*** *y no admite que le lleven la contraria* (= es una persona que no cede en nada).
SINÓN: intolerante.

intransitable adj. *El camino ha quedado* ***intransitable*** *por el barro* (= no se puede andar por él).
FAM: → *transitar.*

intransitivo adj. Andar *es un verbo* ***intransitivo*** *porque no puede llevar un objeto directo.*

intratable adj. *Aunque parezca muy serio, no es* ***intratable*** (= no es arisco).
SINÓN: arisco, insociable, huraño. ANTÓN: abierto, amable, sociable. FAM: → *tratar.*

intriga s. f. *Le gustan las novelas de* ***intriga*** *y las de detectives* (= las de asuntos muy enredados).
FAM: *intrigar.*

intrigar v. intr. **1.** *El espía fue acusado de* ***intrigar*** *para averiguar información secreta* (= de tramar para conseguir algo). **2.** *Me* ***intriga*** *mucho conocer el final de esa novela* (= siento mucha curiosidad).
SINÓN: **1.** conspirar. FAM: *intriga.*

introducción s. f. *El autor explica en la* ***introducción*** *del libro que todo lo que cuenta sucedió de verdad* (= en la primera parte donde el autor explica la intención del libro).
SINÓN: prólogo. ANTÓN: conclusión, epílogo. FAM: *introducir.*

introducir v. tr. **1.** *El domador* ***introdujo*** *la cabeza en la boca del león* (= la metió dentro). **2.** ***Introduciré*** *el tema hablando de una anécdota que me sucedió* (= empezaré). **3.** *Mi tía está* ***introduciendo*** *en el mercado un nuevo perfume* (= intenta darlo a conocer). ◆ **introducirse** v. pron. **4.** *El ladrón* ***se introdujo*** *por la ventana* (= entró en la casa).
SINÓN: **1.** meter. **2.** presentar. **4.** penetrar. ANTÓN: **1.** sacar. **4.** salir. FAM: *introducción.*

intromisión s. f. *La* ***intromisión*** *de tu hermana en la conversación me molestó porque a ella no le importa* (= el que se metiera en la conversación).
FAM: → *meter.*

introvertido, a adj. *Es una niña* ***introvertida*** *que no suele expresar sus sentimientos* (= es una persona que tiende a encerrarse en sí misma sin explicar lo que piensa).
ANTÓN: extravertido.

intruso, a s. *Todos lo miraban como a un* ***intruso*** *porque no lo habían reconocido* (= como a un extraño).
SINÓN: extraño.

intuición s. f. *Tengo la* ***intuición*** *de que triunfarás en la vida* (= tengo el presentimiento).
SINÓN: presentimiento. FAM: *intuir.*

intuir v. tr. ***Intuyo*** *que algo malo va a suceder* (= lo creo, aunque no tengo ninguna razón para ello).
SINÓN: presentir, sospechar. FAM: *intuición.*

inundación s. f. *La* ***inundación*** *fue provocada por las fuertes lluvias* (= la crecida del agua).
FAM: *inundar.*

inundar v. tr. *Ha crecido el río y* ***ha inundado*** *los campos* (= los ha llenado de agua).
FAM: *inundación.*

inútil adj. *Es* ***inútil*** *insistir pues no conseguirás nada* (= de nada vale insistir).
SINÓN: nulo, vano. FAM: → *útil.*

inutilizar v. tr. ***Inutilizó*** *el teléfono porque necesitaba descansar* (= hizo que no funcionara).
FAM: → *útil.*

invadir v. tr. *Las tropas* ***invadieron*** *el pueblo* (= entraron a la fuerza y lo ocuparon).
SINÓN: asaltar, ocupar. ANTÓN: abandonar, retroceder. FAM: *invasión, invasor.*

inválido, a adj. *Desde que ese accidente lo dejó* ***inválido*** *va en una silla de ruedas* (= desde que tiene una deficiencia física que no le permite moverse o andar).
SINÓN: impedido, minusválido. FAM: → *valer.*

invariable adj. **1.** *Durante todo el verano el tiempo ha permanecido* ***invariable*** (= sin cambios). **2.** *Los adverbios, las preposiciones y las conjunciones son palabras* ***invariables*** (= no cambian de género ni de número).
SINÓN: **1.** estable, inalterable. ANTÓN: **1.** variable. FAM: → *variar.*

invasión s. f. *Las tropas no han podido evitar la* ***invasión*** *de los soldados enemigos en aquella ciudad* (= la entrada de los soldados y la ocupación del territorio).
SINÓN: asalto, conquista, ocupación. ANTÓN: retirada, retroceso. FAM: → *invadir.*

invasor, a adj. *Los romanos fueron un pueblo* ***invasor*** *que se lanzó a la conquista de muchos territorios* (= que atacaban, conquistaban y ocupaban muchos territorios).
SINÓN: conquistador. FAM: → *invadir.*

invencible adj. *Este boxeador se creía* ***invencible,*** *pero fue derrotado en el último momento* (= nadie le podía ganar).
SINÓN: imbatible, insuperable. ANTÓN: superable, vencible. FAM: → *vencer.*

inventar v. tr. **1.** *Thomas Edison* ***inventó*** *el gramófono* (= descubrió la manera de hacer algo nuevo o desconocido). **2.** *Mi abuelo sentado en su sillón* ***inventaba*** *historias que parecían reales* (= las imaginaba y nos las contaba). **3.** *No* ***inventes*** *excusas* para justificar tu ausencia (= no mientas, no finjas).
SINÓN: **1.** descubrir, idear. **2.** imaginar. FAM: *inventario, invento, inventor.*

inventario s. m. *Antes de vender la tienda, el dueño ha hecho un* ***inventario*** *de todo lo que*

tiene (= una descripción o lista de todo lo que tiene valor: muebles, objetos, mercancías, etc.).
FAM: → *inventar.*

invento s. m. *La electricidad fue un gran* ***invento*** (= un descubrimiento muy importante).
SINÓN: descubrimiento. FAM: → *inventar.*

inventor, a s. *El* ***inventor*** *de la imprenta fue Gutenberg* (= el descubridor, la persona que la creó).
SINÓN: creador. FAM: → *inventar.*

invernadero s. m. *En invierno, el agricultor pone las plantas delicadas en el* ***invernadero*** (= en un lugar cerrado para protegerlas del frío).
FAM: → *invierno.*

invernal adj. *Aunque estamos en otoño hace un frío* ***invernal*** (= propio del invierno).
ANTÓN: veraniego. FAM: → *invierno.*

invernar v. intr. *Hay gente que se va a Brasil para* ***invernar*** *porque allí no hace tanto frío en invierno* (= pasar el invierno).
FAM: → *invierno.*

inverosímil adj. *Es una historia* ***inverosímil,*** *no puede ser cierta* (= difícil de creer).
SINÓN: increíble, inconcebible. ANTÓN: creíble, posible, verosímil.

inversión s. f. **1.** *En algunos casos, no siempre, puedes hacer una* ***inversión*** *de palabras sin cambiar el significado: casa bonita, bonita casa* (= puedes cambiar el orden). **2.** *Según los expertos, poner el dinero en esa empresa es una buena* ***inversión*** (= un buen empleo de ese dinero para obtener ganancias).
SINÓN: **1.** alteración, cambio. FAM: → *verter.*

inverso, a adj. **1.** *Esta rueda gira en sentido* ***inverso*** *al de las agujas del reloj* (= en sentido contrario). ◆ **a la inversa 2.** *Tienes que hacerlo* ***a la inversa*** *de como lo has hecho* (= al revés).
SINÓN: contrario, opuesto. FAM: → *verter.*

invertebrado, a adj. *Los animales* ***invertebrados*** *son los que no tienen columna vertebral.*
ANTÓN: vertebrado. FAM: → *vértebra.*

invertido, a adj. *Si miras un libro reflejado en un espejo, verás las letras* ***invertidas*** (= al revés).
FAM: → *verter.*

invertir v. tr. **1.** ***Invertimos*** *el orden de los números del uno al diez y contamos al revés, desde el diez hasta el uno* (= lo cambiamos). **2.** *Mi padre está muy interesado en* ***invertir*** *dinero en ese negocio* (= en colocar dinero en un negocio para que dé un beneficio). **3.** *El atleta* ***invirtió*** *dos horas en recorrer la distancia señalada* (= tardó).
SINÓN: **1.** alterar, cambiar. **3.** destinar, emplear.
FAM: → *verter.*

investigación s. f. *La policía está haciendo una* ***investigación*** *para descubrir al asesino* (= está haciendo averiguaciones).
SINÓN: averiguación, indagación. FAM: → *investigar.*

investigador, a s. *Aquel* ***investigador*** *está estudiando un caso muy extraño y desconocido hasta ahora* (= la persona que trabaja y estudia para descubrir o conocer algo nuevo).
FAM: → *investigar.*

investigar v. tr. *La policía* ***investigó*** *la causa del accidente* (= buscó).
SINÓN: averiguar, buscar, indagar, inspeccionar.
FAM: *investigación, investigador.*

invierno s. m. *En* ***invierno*** *los días son muy cortos* (= la estación más fría del año).
FAM: *hibernación, invernadero, invernal, invernar.*

invisible adj. *Los microbios son* ***invisibles*** *sin un microscopio* (= no se los puede ver a simple vista).
ANTÓN: visible. FAM: → *ver.*

invitación s. f. **1.** *Me han hecho una* ***invitación*** *para asistir a un cumpleaños* (= me han preguntado si quería ir). **2.** *Me enviaron unas* ***invitaciones*** *para ir al circo* (= unas entradas gratuitas).
SINÓN: **1.** convite. FAM: → *invitar.*

invitado, a s. *La fiesta empezó cuando llegaron todos los* ***invitados*** (= las personas a las que se les ha dicho que podían asistir).
SINÓN: convidado. FAM: → *invitar.*

invitar v. tr. **1.** *Juan* ***ha invitado*** *a sus amigos al cumpleaños* (= les ha preguntado si querían asistir a la fiesta). **2.** *La tarde* ***invitaba*** *a pasear con aquel tiempo tan agradable* (= animaba a hacerlo).
SINÓN: **1, 2.** convidar. **2.** animar, incitar. FAM: *invitación, invitado.*

invocar v. tr. ***Invocó*** *a Dios para curarse de su enfermedad* (= pidió ayuda a Dios).
SINÓN: pedir, rogar, suplicar.

involuntario, a adj. *El hipo o el estornudo son movimientos* ***involuntarios*** (= espontáneos, que no controlamos y no podemos evitar).
SINÓN: automático, espontáneo. ANTÓN: voluntario. FAM: → *voluntad.*

inyección s. f. *La enfermera le puso una* ***inyección*** de penicilina con una jeringa (= un medicamento líquido que se introduce en el organismo mediante una aguja o jeringa).
FAM: *inyectar.*

inyectar v. tr. *Tuvieron que* ***inyectarle*** *unos antibióticos para combatir la infección* (= introducirle un medicamento con una jeringa).
FAM: *inyección.*

ir v. intr. **1.** *Siempre* ***voy*** *al colegio en autobús* (= me dirijo). **2.** *Te* ***iría*** *bien una temporada en el campo* (= te convendría). **3.** *Sus tierras* ***van*** *desde aquel poste hasta la verja* (= se extienden). **4.** *Sé prudente,* ***ve*** *con cuidado* (= ten cuidado). **5.** *Por ahora mis estudios* ***van*** *bien* (= marchan bien). **6.** *No es una broma, lo que digo* ***va*** *en serio* (= es en serio). **7.** *Ya* ***va*** *anocheciendo* (= es-

tá comenzando a anochecer). **8.** ***Iba** a escribirte una carta justo cuando me llamaste por teléfono* (= estaba a punto de escribir). **9.** *Lo que dices **va** contra mis ideas* (= se opone). **10.** *Estoy terminando de comer, ya **voy** por el postre* (= ya he llegado al postre). ◆ **ir demasiado lejos 11.** *Ya está bien, ya **has ido demasiado lejos** en este asunto* (= te has pasado). ◆ **no irle ni venirle a uno una cosa 12.** *¡No te metas, **esto ni te va ni te viene**!* (= a ti no te afecta). ◆ **irse** v. pron. **13.** ***Me voy** de aquí a las diez en punto* (= me marcho). **14.** *Está muy salado, **se te ha ido** la mano con la sal* (= se te ha escapado, te has pasado con la sal). ◆ **irse abajo 15.** *El viejo edificio **se fue abajo*** (= se derrumbó).
SINÓN: 1. desplazarse, dirigirse. **2.** convenir. **3.** abarcar, extenderse. **4.** tener. **5.** marchar. **8.** disponerse. **13.** marcharse. **14.** escaparse. **ANTÓN: 1.** volver. **13.** quedarse. **FAM:** *ida.*

ira s. f. *En un ataque de **ira** tiró el jarrón al suelo y rompió todo lo que tenía a mano* (= de cólera).
SINÓN: cólera, furia, rabia. **ANTÓN:** calma. **FAM:** → *airado, irascible.*

iraní adj. **1.** *El caviar **iraní** se considera el mejor del mundo* (= de Irán). ◆ **iraní** s. **2.** *Los **iraníes** son las personas nacidas en Irán.*

iraquí adj. **1.** *Bagdad es la capital **iraquí*** (= de Irak o Iraq). ◆ **iraquí** s. **2.** *Los **iraquíes** son las personas nacidas en Irak o Iraq.*

irascible adj. *Es muy **irascible**, por nada se pone hecho una fiera* (= se enfurece mucho).
SINÓN: colérico, irritable, violento. **ANTÓN:** apacible, tranquilo. **FAM:** → *ira.*

iris s. m. **1.** *Dejó de llover y salió el arco **iris** adornando el paisaje con sus siete colores* (= arco de colores que aparece en el cielo cuando el sol atraviesa alguna gota de agua). **2.** *La pupila está situada en el centro del **iris*** (= círculo coloreado del ojo).

irlandés, esa adj. **1.** *Dublín es la capital **irlandesa*** (= de Irlanda). ◆ **irlandés, esa** s. **2.** *Los **irlandeses** son las personas nacidas en Irlanda.*

ironía s. f. *No sé nada de cocina, por eso mi madre me dice con **ironía*** ¡Buen cocinero estás hecho! (= hace una broma dando a entender lo contrario de lo que dice).
SINÓN: broma, burla. **FAM:** *irónico.*

irónico, a adj. *Me molestó el tono **irónico** con que me contestó* (= el tono burlón).
SINÓN: burlón. **FAM:** *ironía.*

irracional adj. **1.** *La inteligencia es lo que diferencia al hombre de los animales **irracionales*** (= de los que carecen de capacidad para pensar). **2.** *Sus actos son **irracionales**, no tienen explicación* (= no son lógicos).
SINÓN: 2. absurdo, ilógico, insensato. **ANTÓN: 1.** racional. **2.** lógico, razonable, sensato). **FAM:** → *razón.*

irradiar v. tr. *Esta estufa **irradia** calor en toda la habitación* (= despide calor).
SINÓN: despedir, difundir, esparcir. **FAM:** *irradiación.*

irreal adj. *Todas las historias de fantasmas son **irreales*** (= son un producto de la imaginación).
SINÓN: fastástico, ficticio, imaginario. **ANTÓN:** real. **FAM:** → *real.*

irregular adj. **1.** *La carretera tenía un pavimento **irregular*** (= no era liso). **2.** *El detenido era un hombre de conducta **irregular*** (= poco honesta). **3.** *Un polígono **irregular** es el que tiene sus lados desiguales.* **4.** *El verbo ir es **irregular*** (= su conjugación no sigue la norma general).
SINÓN: 1. desigual. **ANTÓN: 1, 3, 4.** regular. **2.** honesto. **FAM:** *regular.*

irremediable adj. *El incendio causó un mal **irremediable** en el bosque* (= no se pudieron reparar los daños).
SINÓN: irreparable. **ANTÓN:** remediable, reparable. **FAM:** → *reparar.*

irreparable adj. *Ya podemos tirar el televisor porque nos han dicho que su desperfecto es **irreparable*** (= que no se puede arreglar).
SINÓN: irremediable. **ANTÓN:** remediable, reparable. **FAM:** → *reparar.*

irresistible adj. **1.** *El puente se hundió ante la fuerza **irresistible** del agua* (= el puente no pudo oponer resistencia). **2.** *Tengo unas ganas **irresistibles** de bañarme* (= tengo muchas ganas).
SINÓN: 1, 2. irrefrenable. **FAM:** → *resistir.*

irrespetuoso, a adj. *Le habló a su padre de forma **irrespetuosa*** (= sin respeto).
SINÓN: descarado, desconsiderado, insolente. **ANTÓN:** respetuoso. **FAM:** → *respeto.*

irrespirable adj. *Este gas es muy peligroso, es **irrespirable*** (= no se puede respirar).
SINÓN: asfixiante. **ANTÓN:** respirable. **FAM:** → *respirar.*

irresponsable adj. *Juan actuó de forma **irresponsable** al no avisar a sus padres que vendría tarde* (= no se le ocurrió pensar en las consecuencias de lo que hizo).
SINÓN: imprudente, insensato. **ANTÓN:** prudente, responsable. **FAM:** → *responsabilidad.*

irreverencia s. f. *Fue una **irreverencia** entrar en la iglesia dando gritos* (= una falta de respeto con las cosas sagradas).
FAM: → *reverencia.*

irrevocable adj. *La decisión del juez es **irrevocable*** (= no se puede cambiar).
SINÓN: definitivo, indiscutible. **ANTÓN:** discutible, revocable.

irrigar v. tr. *Las venas y arterias **irrigan** todo el cuerpo* (= llevan la sangre a todos los órganos).
FAM: → *regar.*

irrisorio, a adj. **1.** *Lleva un traje horrible, es **irrisorio*** (= hace reír). **2.** *A fin de temporada*

puedes encontrar cosas buenas a precios ***irrisorios*** (= muy bajos).
SINÓN: **1.** ridículo. **2.** insignificante, mínimo. ANTÓN: **1.** serio. FAM: → *reír.*

irritación s. f. **1.** *Me causó* ***irritación*** *tu falta de interés por todo* (= enojo). **2.** Juan tiene una ***irritación*** *de garganta y habla con voz ronca* (= se le ha inflamado).
SINÓN: **1.** enfado, enojo. **2.** inflamación. ANTÓN: **1.** agrado, satisfacción. FAM: *irritar.*

irritar v. tr. **1.** *La actuación injusta del árbitro* ***irritó*** *al público* (= lo enfureció). **2.** *El humo me* ***irritó*** *los ojos* (= me produjo escozor).
SINÓN: **1.** enfadar, enfurecer, enojar, indignar. **2.** escocer. ANTÓN: **1.** calmar, serenar, suavizar, tranquilizar. FAM: *irritación.*

irrompible adj. *Me han regalado un reloj* ***irrompible*** (= aunque se caiga no se rompe).
SINÓN: indestructible. FAM: → *romper.*

irrumpir v. intr. *Aquel hombre* ***irrumpió*** *de repente en la sala dando un portazo* (= entró violentamente).
SINÓN: entrar. FAM: *irrupción.*

irrupción s. f. *Su* ***irrupción*** *en la clase asustó incluso al profesor* (= su violenta entrada).
SINÓN: entrada. FAM: *irrumpir.*

isla s. f. *Cuba es una* ***isla*** *americana que está en el Mar Caribe* (= una porción de tierra rodeada de agua).
FAM: *aislado, aislar, isleño, islote.*

islamismo s. m. *El* ***islamismo*** *es la religión de Mahoma y sus principios están en el Corán.*
SINÓN: islam, mahometismo.

islandés, esa adj. **1.** *La nación* ***islandesa,*** *cuya capital es Reykiavik, es una pequeña isla* (= de Islandia). ◆ **islandés, esa** s. **2.** *Los* ***islandeses*** *son las personas nacidas en Islandia.* **3.** *El* ***islandés*** *es el idioma que se habla en Islandia.*

isleño, a adj. **1.** *Antiguamente los habitantes* ***isleños*** *estaban incomunicados* (= de una isla). ◆ **isleño, a** s. **2.** *Los* ***isleños*** *son las personas nacidas en una isla.*
FAM: → *isla.*

islote s. m. *El barco echó el ancla frente a un* ***islote*** (= frente a una isla pequeña).
FAM: → *isla.*

isoca s. f. R. de la Plata. *Los maizales fueron atacados por una* ***isoca*** (= larva que devora los cultivos).

isósceles adj. *El triángulo* ***isósceles*** *es el que tiene dos lados iguales.*

israelí adj. **1.** *La cultura* ***israelí*** *es la cultura judía* (= de Israel). ◆ **israelí** s. **2.** *Los* ***israelíes*** *son las personas nacidas en Israel.*

istmo s. m. *América del Norte se une con América del Sur a través del* ***istmo*** *de Panamá* (= porción estrecha de tierra, rodeada de agua, que une dos continentes o una península).

italiano, a adj. **1.** *La pasta* ***italiana*** *se come en todo el mundo* (= de Italia). ◆ **italiano, a** s. **2.** *Los* ***italianos*** *son las personas nacidas en Italia.* **3.** *El* ***italiano*** *es el idioma que se habla en Italia.*

itinerario, a s. m. *Cada día, para ir al colegio hago el mismo* ***itinerario*** (= voy por el mismo camino).
SINÓN: camino, recorrido, ruta.

izar v. tr. *El capitán mandó* ***izar*** *las velas del barco* (= levantarlas).
SINÓN: alzar. ANTÓN: arriar.

izote s. m. Amér. Cent., Méx. *Plantaron varios* ***izotes*** *en el parque público* (= palmera de cuyas hojas se extrae una fibra con la que se hacen esteras).

izquierdo, a adj. **1.** *Levanta el brazo* ***izquierdo*** *y baja el derecho.* ◆ **izquierdo, a** s. **2.** *Toma el libro que está a tu* ***izquierda*** (= al lado de tu brazo izquierdo). **3.** *Un partido político de* ***izquierda*** *tiene ideas progresistas* (= al contrario de uno de derecha, que tiene ideas conservadoras). ◆ **ser alguien un cero a la izquierda. 4.** *No sabe hacer nada bien,* ***es un cero a la izquierda*** (= es un inútil).
SINÓN: **1, 2.** siniestro. ANTÓN: **1, 2.** derecho, diestro.

J

J s. f. La **j** *(jota)* es la décima letra del abecedario español.

jabalí s. m. El **jabalí** es una especie de cerdo salvaje, de hocico alargado y colmillos grandes, que vive en los bosques.
FAM: *jabalina, jabato.*

jabalina s. f. **1.** *Aquel atleta ha conseguido lanzar la* ***jabalina*** *a noventa metros* (= una especie de lanza utilizada en ciertas pruebas deportivas). **2.** La **jabalina** es la hembra del jabalí.
FAM: → *jabalí.*

jabato s. m. El **jabato** es la cría del jabalí.
FAM: → *jabalí.*

jabón s. m. **1.** *Me gusta lavarme con este* ***jabón*** *porque hace mucha espuma* (= este producto que limpia). Ant., R. de la Plata. **2.** *Al verte disfrazado de Drácula, me llevé un gran* ***jabón*** (= un gran susto).
SINÓN: gel. **FAM:** *enjabonado, enjabonar, jabonada, jabonar, jabonera, jabonoso.*

jabonada s. f. *Tenía el cuerpo sucio de barro y me di una buena* ***jabonada*** (= me lavé con mucho jabón).
FAM: → *jabón.*

jabonar v. tr. → **enjabonar**.

jaboncillo s. m. Amér. *Algunos indígenas aún conservan la costumbre de lavar la ropa con el fruto del* ***jaboncillo*** (= árbol frondoso de flores amarillas, cuyos frutos se emplean como jabón).
SINÓN: quillay.

jabonera s. f. *Después de usar el jabón de las manos debes colocarlo en la* ***jabonera*** (= en su recipiente).
FAM: → *jabón.*

jabonoso, a adj. *El agua* ***jabonosa*** *contiene jabón disuelto.*
SINÓN: espumoso. **FAM:** → *jabón.*

jabutí o **yabutí** s. m. Amér. Merid. *De entre las malezas, apareció un* ***jabutí*** (= tortuga terrestre, de tamaño mayor que el de la tortuga común).

jaca s. f. **1.** La **jaca** es un caballo de poca altura. **2.** La **jaca** es también la hembra del caballo.
SINÓN: **2.** yegua.

jacal s. m. Amér. *Ese pastor vive en un* ***jacal*** (= casa humilde hecha con materiales toscos).
SINÓN: barraca, cabaña, chabola, choza, rancho.

jacarandá o **jacaranda** s. m. *En el parque de mi ciudad han plantado varios* ***jacarandáes*** (= árbol tropical de hermoso follaje y flores azules; su madera se usa en ebanistería).

jacinto s. m. El **jacinto** es una planta en forma de racimo vertical, con muchas flores agrupadas alrededor, en forma de campanillas de varios colores y muy olorosas.

jactarse v. pron. ***Se jacta*** *de ser el más fuerte de todos* (= se enorgullece y presume de ello).
SINÓN: alardear, enorgullecerse, presumir. **ANTÓN:** avergonzarse.

jade s. m. *A mi madre le han regalado un anillo de* ***jade*** (= una piedra preciosa de color blanquecino o verdoso muy apreciada en joyería).

jadear v. intr. *Después de una larga carrera, el perro llegó* ***jadeando*** (= respirando con dificultad).
FAM: *jadeo.*

jaez s. m. Las cintas entrelazadas que se ponen en las crines de los caballos se llaman **jaeces**.
SINÓN: adorno, arreo.

jaguar o **yaguar** s. m. El **jaguar** es un animal felino parecido al leopardo y a la pantera que habita la selvas de América Central y del Sur.

jagüel o **jahuel** s. m. Amér. Merid., Méx. *El ganado va a beber al* ***jagüel*** (= depósito de agua alargado y de grandes dimensiones).

jagüey o **jahuey** s. m. Amér. Merid., Méx. ***jagüel.***

jaiba s. f. Amér. *Ayer fuimos a pescar* ***jaibas*** (= cangrejos de río o de mar).

jalar v. tr. Amér. *Para abrir la puerta del coche hay que* ***jalarla*** (= tomarla de la perilla y atraerla hacia sí).

jalea s. f. **1.** La **jalea** es un dulce gelatinoso y transparente de frutas. ◆ **jalea real 2.** *El médico me ha recomendado* ***jalea real*** *porque tiene muchas vitaminas* (= un medicamento azucarado y gelatinoso).

jamaica s. f. Méx. *Hemos preparado agua de* ***jamaica*** *para beber como refresco* (= planta de flores rojas, que se hierven para preparar una bebida).

jamás adv. ***Jamás*** *haré trampas, te lo prometo* (= nunca, en ningún momento).
SINÓN: nunca. **ANTÓN:** siempre.

jambarse v. pron. Amér. Cent. **1.** *Tenía tanta hambre, que* ***me jambé*** *la sopa en un minuto* (= me la comí vorazmente). **2.** *A Pedro le duele la barriga porque* ***se jambó*** *de camarones* (= comió en exceso).
SINÓN: 1. devorar, tragar. **2.** empacharse, hartarse, llenarse, saciarse.

jamelgo s. m. El **jamelgo** es un caballo flaco, viejo y débil que ya no sirve para trabajar.

jamón s. m. *Compramos un* ***jamón*** *entero en la charcutería* (= carne bien curada de las patas del cerdo).

jangada s. f. Amér. Merid. *Este verano, bajaremos el río en una* ***jangada*** (= embarcación hecha con troncos unidos entre sí, que navega impulsada por la corriente).
SINÓN: balsa.

japonés, esa adj. **1.** *Han abierto un nuevo restaurante de comida* ***japonesa*** (= de comida típica de Japón). ◆ **japonés, esa** s. **2.** *Los* ***japoneses*** *son las personas nacidas en Japón.* **3.** El **japonés** es el idioma que se habla en Japón.

jaque s. m. **1.** *En el juego de ajedrez te advierten el ataque al rey o a la reina diciendo:* ***jaque.*** ◆ **jaque mate 2.** *Acabó la partida de ajedrez cuando me hizo un* ***jaque mate*** (= me mató el rey, con lo que terminó la partida y yo perdí).

jaqueca s. f. *Cuando tengo* ***jaqueca****, ni siquiera puedo dormir* (= dolor intenso que afecta a una parte de la cabeza).
SINÓN: migraña.

jarabe s. m. **1.** *El médico me recomendó que tomara un* ***jarabe*** *contra la tos* (= un medicamento líquido y azucarado). Méx. **2.** *En Jalisco cantan y bailan el* ***jarabe*** *con zapateado* (= danza popular de pareja suelta, en la que la mujer zapatea alrededor del sombrero que su compañero ha tirado al suelo).

jardín s. m. **1.** *Delante de la casa hay un* ***jardín*** *precioso* (= terreno con hierba, árboles y flores). ◆ **jardines** s. m. pl. **2.** *En mi ciudad hay muchos* ***jardines*** (= parques con estatuas y fuentes). ◆ **jardín botánico 3.** *Hemos visitado el* ***jardín botánico*** (= lugar donde se cultivan plantas curiosas o exóticas). ◆ **jardín de infantes 4.** *Mi hermana pequeña aún no puede ir al colegio y la llevamos al* ***jardín de infantes*** (= a la guardería o jardín de niños).
FAM: *jardinería, jardinero.*

jardinería s. f. *Pedro se dedica a la* ***jardinería*** (= a cuidar jardines y cultivar plantas de adorno).
FAM: → *jardín.*

jardinero, a s. **1.** El **jardinero** es la persona que cuida y limpia los jardines. R. de la Plata. **2.** *Los vendedores ambulantes llevan sus mercancías en una* ***jardinera*** (= carro descubierto, de dos ruedas).
SINÓN: 2. carreta. **FAM:** → *jardín.*

jarra s. f. **1.** *Trajeron el vino en una* ***jarra*** (= vasija de barro, cristal, cerámica o plástico que tiene un asa y un pico en el borde para echar el líquido). ◆ **en jarra 2.** *Puso los brazos* ***en jarra*** *mientras me esperaba* (= con las manos apoyadas en las caderas).
SINÓN: 1. jarro. **FAM:** *jarro, jarrón.*

jarro s. m. **1.** *Tengo mucha sed, tráeme un* ***jarro*** *de agua* (= un recipiente más grande que una taza, con asa). ◆ **echar a alguien un jarro de agua fría 2.** *Llegó muy contento pero al darle la mala noticia* ***le echaron un jarro de agua fría*** (= lo desilusionaron, le quitaron de golpe la alegría).
SINÓN: 1. jarra. **FAM:** → *jarra.*

jarrón s. m. *Colocó las flores en un* ***jarrón*** *de cristal* (= en un recipiente semejante a una jarra pero que sirve para decorar).
SINÓN: florero. **FAM:** → *jarra.*

jaspe s. m. El **jaspe** es un cuarzo o piedra muy dura, de colores muy variados y que tiene listas irregulares; se utiliza mucho en joyería.
FAM: *jaspeado.*

jaspeado, a adj. *Me compré una chaqueta* ***jaspeada*** (= de fondo gris y llena de listas irregulares).
FAM: *jaspe.*

jaula s. f. *Tengo un loro en una* ***jaula*** (= en una caja hecha con barrotes que sirve para encerrar a los animales).
FAM: *enjaular.*

jauría s. f. *Se oyen los ladridos de la* ***jauría*** (= del grupo de perros que cazan juntos).

jazmín s. m. El **jazmín** es una planta de flores blancas o amarillas muy olorosas.

jazz s. m. *Un piano, un saxo, un bajo y una batería forman el cuarteto de* ***jazz*** *que actuará esta noche* (= música que procede de Estados Unidos y que se caracteriza por su improvisación y por sus continuos cambios de ritmo).

jebe s. m. Amér. Merid. *En Brasil se explotan plantaciones de* ***jebes*** (=nombre de las plantas que producen caucho).

jeep s. m. *Fuimos de excursión por la montaña en un* ***jeep*** (= en un coche especial, muy resistente, que puede ir por toda clase de terrenos).

jefatura s. f. *La* ***jefatura*** *de la empresa la lleva el jefe* (= la dirección).
SINÓN: dirección. **FAM:** → *jefe.*

jefe s. m. *El* ***jefe*** *llamó la atención a los empleados que no cumplían sus órdenes* (= es la persona que manda, dirige, o es responsable de una empresa o de un grupo).
SINÓN: director, líder, patrón. **ANTÓN:** subordinado. **FAM:** *jefatura, subjefe.*

jején s. m. Amér. *Algunas islas del litoral están plagadas de* ***jejenes*** (= mosquitos muy pequeños que se desplazan en enjambres y cuya picadura es dolorosa).

jengibre s. m. El **jengibre** es una planta procedente de la India, de flores rojizas, que tiene un tallo subterráneo muy aromático que se emplea en farmacia y como especia.

jerarquía s. f. **1.** *Empezó de botones y terminó de director del hotel, así recorrió todos los pasos de la* ***jerarquía*** (= organización dividida en grados o categorías). **2.** *Al acto oficial han asistido todas las altas* ***jerarquías*** (= todas las autoridades).
SINÓN: **2.** autoridad.

jeremiquear v. intr. Amér. Cent., Merid. *Los niños pequeños* ***jeremiquean*** *por cualquier motivo* (= lloriquean fácilmente).
SINÓN: gimotear, lloriquear. ANTÓN: alegrarse, reír.

jerez s. m. *Mi padre toma una copa de* ***jerez*** *como aperitivo* (= vino blanco que se produce en Jerez de la Frontera, una ciudad de Andalucía).

jerga s. f. **1.** *Los jóvenes, a veces, utilizan una* ***jerga*** *que los mayores no entienden* (= unas expresiones que utilizan informalmente cuando hablan entre ellos). **2.** *Aquel médico habló con una* ***jerga*** *tan técnica que no entendí nada* (= con un lenguaje complicado y difícil de entender).
SINÓN: **1, 2.** argot.

jeringuilla s. f. *El líquido de la inyección estaba en la* ***jeringuilla*** (= tubo pequeño al que se le acopla una aguja para poner inyecciones).
SINÓN: jeringa.

jeroglífico, a adj. **1.** *Antiguamente los egipcios usaban la escritura* ***jeroglífica*** (= escribían utilizando dibujos en lugar de letras). ◆ **jeroglífico** s. m. **2.** *Juan acierta todos los* ***jeroglíficos*** *que salen en las revistas de pasatiempos* (= adivina la palabra o la frase que está representada mediante dibujos).
SINÓN: **2.** acertijo.

jersey s. m. *Mi madre me compró un vestido de* ***jersey*** (= tejido de punto o de lana).

jesuita s. m. Un **jesuita** es un sacerdote que pertenece a la Compañía de Jesús, que es una orden religiosa.
FAM: → *Jesús.*

jícama s. f. Amér. Cent., Ant., Méx. *Me gusta ir a recoger* ***jícamas*** (= tubérculos de ciertas plantas, del tamaño de una cebolla, comestibles y de sabor dulce).

jícaro s. m. *Cerca del pueblo hay un monte de* ***jícaros*** (= árboles de México y América Central, de tronco torcido, ramas escasas y flores blancas de olor desagradable; su fruto es la jícara).

jilguero s. m. El **jilguero** es un pájaro cantor que tiene el lomo de color pardo, la cabeza blanca con manchas rojas y las alas y cola negras con manchas amarillas y blancas.

jinete s. m. *Los* ***jinetes*** *salen a dar largos paseos montados en sus caballos* (= las personas que van a caballo).

jipijapa s. f. Amér. Merid. *Para protegerse del sol, se puso un sombrero de* ***jipijapa*** (= fibra fina y resistente que se extrae de las hojas de una variedad de palmera).

jirafa s. f. La **jirafa** es un animal mamífero que tiene un cuello muy largo, que le permite comer las hojas de los árboles, y unas patas muy largas y delgadas que le permiten correr mucho; vive en la sabana africana.

jirón s. m. **1.** *Se me ha quedado un* ***jirón*** *de la camisa enganchado en una rama* (= un trozo de tela arrancado o desgarrado violentamente). **2.** *Después del accidente quedó con su ropa hecha* ***jirones*** (= desgarrada).
SINÓN: **1, 2.** andrajo.

jitomate s. m. Méx. *Me gusta mucho la ensalada de* ***jitomate*** (= variedad de tomate de color rojo).

jitomatera s. f. Méx. *El horticultor ha plantado muchas* ***jitomateras*** (= planta que produce el jitomate).

jobo s. f. Amér. *Este año, el* ***jobo*** *ha dado muchos frutos* (= árbol de gran follaje y flores blancas en racimos; su fruto, parecido a la ciruela, es comestible y de sabor agridulce).

jockey s. m. *El* ***jockey*** *que montaba el caballo ganador estaba muy delgado* (= la persona que monta caballos de carreras).

jocoso, a adj. *Este libro es muy divertido, está escrito en tono* ***jocoso*** (= en tono burlesco, humorístico).
SINÓN: burlesco, chistoso, festivo, humorístico. ANTÓN: aburrido, serio, trágico, triste.

jolgorio s. m. *Hemos estado toda la noche de* ***jolgorio*** (= de fiesta).
SINÓN: juerga.

jornada s. f. **1.** *Su* ***jornada*** *de trabajo es de ocho horas diarias* (= el tiempo que trabaja cada día). **2.** *Hicimos el viaje en cuatro* ***jornadas*** (= en cuatro etapas). **3.** *Estuvimos caminando durante toda la* ***jornada*** (= un día completo).
SINÓN: **2.** etapa. **3.** día. FAM: *jornal, jornalero.*

jornal s. m. *¿Cuánto te han pagado de* ***jornal*** *por cada día de trabajo?* (= de sueldo, el dinero que cobras por cada día de trabajo).
SINÓN: paga, salario, sueldo. FAM: → *jornada.*

jornalero, a s. *Los* ***jornaleros*** *reclaman un aumento de sueldo* (= los trabajadores de la tierra que reciben un jornal, que cobran por cada día trabajado).
FAM: → *jornada.*

joroba s. f. **1.** *El camello tiene dos* ***jorobas*** *y el dromedario sólo una.* **2.** *Aquel anciano anda con bastón debido a su* ***joroba*** (= al bulto de la espalda que se le ha formado por la curvatura de la columna vertebral).
SINÓN: **1, 2.** giba. FAM: *jorobado, jorobar.*

jorobado, a adj. *Este hombre es* ***jorobado*** *de nacimiento* (= tiene un abultamiento en la espalda).
FAM: → *joroba.*

jorobar v. tr. *Tengo un compañero que siempre está* ***jorobando*** *a toda la clase* (= no hace más que molestar y fastidiar a los demás).
SINÓN: fastidiar, molestar. **ANTÓN:** complacer, contentar, satisfacer. **FAM:** → *joroba.*

jorongo s. m. Méx. *En invierno, los campesinos se cubren con un* ***jorongo*** (= abrigo de lana, semejante al capote o al poncho).

joropo s. m. Amér. Merid. *Un grupo de jóvenes salió a bailar un* ***joropo*** (= baile de ritmo alegre, que incluye zapateado).

jota s. f. **1.** La **jota** es el nombre de la undécima letra del abecedario castellano (j). **2.** La **jota** es el baile y música popular de algunas regiones españolas. ◆ **no entender** o **no saber uno ni jota 3. No entiendo ni jota** *de alemán* (= no entiendo nada).

joven adj. **1.** *Alicia, que tiene doce años, es más* ***joven*** *que Elena, que tiene quince* (= más pequeña). **2.** *Hay ciertas músicas que agradan a la gente* ***joven*** (= a los chicos y a las chicas, pero no a los adultos). ◆ **joven** s. **3.** *Esta discoteca está llena de* ***jóvenes*** (= de personas entre los 18 y los 25 años aproximadamente).
SINÓN: **2, 3.** adolescente. **3.** chico, muchacho. **ANTÓN:** **1.** viejo. **FAM:** *juvenil, juventud, rejuvenecer.*

jovial adj. *Tiene un carácter tan* ***jovial*** *que es imposible estar triste a su lado* (= alegre y festivo).
SINÓN: alegre, animado, festivo. **ANTÓN:** aburrido, amargado, serio, triste.

joya s. f. **1.** *A esta mujer le gusta llevar* ***joyas****: collares, anillos, pulseras, broches* (= objetos de valor, hechos con metales, como el oro y la plata, y con piedras preciosas). **2.** *Este mueble es una auténtica* ***joya*** (= es muy valioso).
SINÓN: **1, 2.** alhaja. **2.** maravilla, tesoro. **ANTÓN:** baratija. **FAM:** *joyería, joyero.*

joyería s. f. **1.** *En el escaparate de la* ***joyería*** *había unos collares preciosos* (= en la tienda o taller donde hacen, venden y arreglan joyas). **2.** *Desde que se dedica a la* ***joyería*** *sabe distinguir en seguida una joya auténtica de una falsa* (= desde que se dedica al arte de hacer y vender joyas).
FAM: → *joya.*

joyero, a s. **1.** *Aquél es el* ***joyero*** *que me hizo y me vendió el anillo* (= persona que hace y vende joyas). **2.** *María guarda todas sus joyas en un* ***joyero*** (= en un estuche para las joyas).
FAM: → *joya.*

juanete s. m. *Cuando hay mucha humedad, a mi abuelo le duelen los* ***juanetes*** (= los huesos sobresalientes del dedo gordo del pie).

jubilación s. f. **1.** *Cuando cumplió los 65 años le dieron la* ***jubilación****, desde entonces no trabaja* (= el retiro al llegar a cierta edad en que se considera que una persona ya no puede trabajar). **2.** *Mi abuelo cobra su* ***jubilación*** (= el dinero que le corresponde por estar jubilado).
SINÓN: **1, 2.** retiro. **2.** pensión. **FAM:** *jubilar.*

jubilar v. tr. **1.** *Después de cuarenta años de servicio* ***jubilaron*** *a mi tío* (= lo retiraron del trabajo, por llegar a la edad fijada por la ley o por enfermedad). ◆ **jubilarse** v. pron. **2.** *A José Luis le queda poco tiempo para* ***jubilarse*** (= para tener derecho a la jubilación).
FAM: *jubilación.*

júbilo s. m. *Salté de* ***júbilo*** *al saber que había tenido un hermanito* (= salté de alegría).
SINÓN: alegría, felicidad, regocijo, satisfacción. **ANTÓN:** melancolía, pena, tristeza.

judaísmo s. m. El **judaísmo** es la religión del pueblo judío, que respeta la ley de Moisés.
FAM: *judío.*

judicial adj. *Los policías se presentaron con una orden* ***judicial****, para detener al sospechoso* (= una orden del juez o de la administración de justicia).
FAM: → *juez.*

judío, a adj. **1.** *A los habitantes de la antigua Judea, hoy una región de Palestina, se los llamaba* ***judíos*** (= de Judea). **2.** *El pueblo* ***judío*** *conquistó y habitó Palestina* (= hebreo o israelita, de Israel). **3.** *La religión* ***judía*** *es seguida por millones de personas en el mundo* (= el Judaísmo o religión de Moisés). ◆ **judío, a** s. **4.** *Los* ***judíos*** *eran las personas nacidas en la antigua Judea.* **5.** *Los* ***judíos*** *son las personas nacidas en Israel* (= israelitas o hebreos). **6.** *Los* ***judíos*** *fueron perseguidos por los alemanes durante la 2ª Guerra Mundial* (= las personas que practican la religión del Judaísmo).
SINÓN: **2, 5.** hebreo, israelita. **FAM:** *judaísmo.*

judo s. m.→ **yudo.**

juego s. m. **1.** *El* ***juego*** *es la actividad preferida de los niños* (= la diversión). **2.** *El ajedrez, las cartas, el billar son* ***juegos*** (= entretenimientos que se basan en unas reglas). **3.** *Ha perdido mucho dinero en el* ***juego*** (= en distracciones donde se gana o se pierde la apuesta). **4.** *Se cayó y ahora le duele al hacer el* ***juego*** *de la rodilla* (= el movimiento). **5.** *Me regalaron un* ***juego*** *de café de seis tazas, una cafetera, una azucarera y una jarrita para la leche* (= un conjunto de cosas que sirven para un mismo fin). **6.** *El* ***juego*** *de luces del espectáculo fue muy vistoso* (= la variedad y combinación de luces de todos los colores). ◆ **juego de azar 7.** *Nunca me han gustado los* ***juegos de azar*** *porque no tengo suerte* (= juegos que dependen de la suerte). ◆ **juego de manos 8.** *El mago hizo aparecer toda una baraja de cartas con un simple* ***juego de manos*** (= ejercicio que precisa mucha agilidad en las manos para hacer aparecer y desa-

parecer cosas). ◆ **juego de niños 9.** *Después de tanto estudiar, aprobar el examen fue un* ***juego de niños*** (= algo muy sencillo). ◆ **juego de palabras 10.** *Muchas adivinanzas se basan en* ***juegos de palabras*** (= en el uso y combinación ingeniosa de las palabras con doble sentido). ◆ **Juegos Olímpicos** s. m. pl. **11.** *La celebración de los* ***Juegos Olímpicos*** *siempre es un gran acontecimiento* (= conjunto de competiciones deportivas que se celebran cada cuatro años en una ciudad elegida para ello). ◆ **entrar en juego 12.** *Para solucionar el problema* ***entró en juego*** *con gran inteligencia* (= intervino). ◆ **estar en juego 13.** *Ten mucho cuidado, tu vida* ***está en juego*** (= depende de eso). ◆ **hacer juego 14.** *Esta corbata* ***hace juego*** *con la camisa* (= combina muy bien).
SINÓN: 1. distracción, diversión, entretenimiento, pasatiempo. **4.** movilidad. **6.** combinación. **FAM:** *jugada, jugador, jugar, jugarreta, juguete, juguetear, juguetería, juguetón.*

juerga s. f. *Me pasé la noche de* ***juerga*** *bailando y riendo* (= de diversión).
SINÓN: jolgorio. **ANTÓN:** aburrimiento. **FAM:** *juerguista.*

juerguista s. *Eres un* ***juerguista,*** *siempre vas de fiesta en fiesta* (= te gusta la juerga).
FAM: *juerga.*

jueves s. m. *Si no puedes venir el miércoles, ven al día siguiente, el* ***jueves*** (= cuarto día de la semana, entre el miércoles y el viernes).

juez s. m. **1.** *Al final del juicio, el* ***juez*** *sentenció y condenó al culpable* (= persona encargada de juzgar y sentenciar en un juicio). **2.** *Se han reunido los* ***jueces*** *para otorgar el premio* (= los miembros del jurado). **3.** *Durante el partido de tenis el* ***juez*** *vigiló atentamente las jugadas de los tenistas* (= la persona encargada de hacer cumplir el reglamento).
SINÓN: 1. magistrado. **3.** árbitro. **FAM:** *enjuiciar, judicial, juicio, juicioso, juzgado, juzgar, prejuzgar.*

jugada s. f. **1.** *La* ***jugada*** *del gol fue espectacular* (= los pases y lanzamientos del equipo que hicieron posible el gol). **2.** *Me hiciste una mala* ***jugada*** *dejándome solo en medio de aquel problema* (= una jugarreta).
SINÓN: 2. jugarreta, trastada. **FAM:** → *juego.*

jugador, a adj. **1.** *Mi hermano es buen* ***jugador*** *de ajedrez* (= sabe jugar). **2.** *Si no fuera tan* ***jugador*** *no tendría problemas de dinero* (= se toma el juego y las apuestas como un vicio). ◆ **jugador, a** s. **3.** *Un* ***jugador*** *de baloncesto se lesionó durante el partido* (= un miembro del equipo).
SINÓN: 1, competidor. **3.** participante. **FAM:** → *juego.*

jugar v. intr. **1.** *¡Niños, vayan a* ***jugar!*** (= a divertirse). **2.** *Juan* ***juega*** *en un equipo de rugby* (= forma parte de él). **3.** *El señor García* ***juega*** *a la lotería* (= compra números y espera a ver si gana). **4.** *Ayer* ***jugamos*** *un partido de fútbol* (= hicimos). **5.** *Cuídate, no* ***juegues*** *con tu salud* (= no te la tomes a broma). ◆ **jugar limpio 6.** *Puedes fiarte de él, siempre* ***juega limpio*** (= actúa con honradez y sinceridad). ◆ **jugar sucio 7.** *Nadie quiere estar con él porque siempre* ***juega sucio*** (= hace trampas, actúa con engaño).
SINÓN: 1. distraerse, divertirse, entretenerse. **2.** competir. **3.** apostar. **4.** hacer, realizar. **5.** bromear. **ANTÓN: 1.** aburrirse. **FAM:** → *juego.*

jugarreta s. f. *Me has hecho una* ***jugarreta*** *al dejarme solo* (= una mala jugada, una mala pasada).
SINÓN: trastada. **FAM:** → *juego.*

jugo s. m. **1.** *Me gusta el* ***jugo*** *de tomate* (= el zumo o líquido extraído de ese fruto). **2.** *Hoy he comido ternera en su* ***jugo*** (= acompañada del líquido que desprende la carne). ◆ **jugo gástrico 3.** *El líquido que segrega o produce el estómago se llama* ***jugo gástrico.*** ◆ **sacar jugo de algo 4.** *Siempre intenta* ***sacar jugo*** *de todo y de todos* (= sacar provecho y utilidad).
SINÓN: 1. néctar, zumo. **2.** salsa. **FAM:** *jugoso.*

jugoso, a adj. **1.** *Esta pera está* ***jugosa*** (= tiene mucho jugo). **2.** *Me han regalado un libro muy* ***jugoso,*** *se puede aprender mucho en él* (= muy provechoso y útil).
SINÓN: 2. provechoso, útil. **FAM:** *jugo.*

juguete s. m. *¿Qué* ***juguetes*** *vas a pedir a los Reyes Magos?* (= objetos que sirven para que jueguen los niños).
FAM: → *juego.*

juguetear v. intr. *Mientras los demás estudiaban, él* ***jugueteaba*** *con los lápices encima de la mesa* (= se entretenía).
SINÓN: distraerse, enredar, entretenerse. **FAM:** → *juego.*

juguetería s. f. *Mi hermano señala en el escaparate de la* ***juguetería*** *los juguetes que quiere* (= del comercio donde venden juguetes).
FAM: → *juego.*

juguetón, ona adj. *¡Qué* ***juguetón*** *es mi hermano pequeño, está todo el día jugando y haciendo travesuras!* (= le gusta enredar y jugar con todo).
SINÓN: revoltoso, travieso. **FAM:** → *juego.*

juicio s. m. **1.** *El* ***juicio*** *se celebrará la próxima semana y veremos si lo condenan o no* (= procedimiento por el que un juez o un tribunal, después de conocer los hechos, puede dictar sentencia). **2.** *Espero que tu buen* ***juicio*** *te hará elegir lo que más te conviene* (= tu sensatez, la capacidad para conocer y valorar las cosas o las personas). **3.** *Mi padre se ha hecho muy buen* ***juicio*** *de mi amiga, dice que es estupenda* (= tiene buena idea u opinión de ella). ◆ **perder el juicio 4.** *¡No te tires al agua vestido!, ¿es que* ***has perdido el juicio?*** (= has perdido la razón, te has

vuelto loco). ◆ **poner algo en tela de juicio 5.** *Tu idea* ***ha sido puesta en tela de juicio*** (= ha sido puesta en duda, la van a discutir).
SINÓN: **1.** causa, pleito, proceso. **2.** cordura, prudencia, sensatez. **3.** criterio, opinión, parecer. **4.** entendimiento, razón. ANTÓN: **2.** imprudencia, insensatez. FAM: → *juez.*

juicioso, a adj. *Todo el mundo le pide consejo porque es un hombre muy* ***juicioso*** (= de mucho sentido común, muy sensato y consecuente).
SINÓN: consecuente, sensato. ANTÓN: alocado, atolondrado. FAM: → *juez.*

julepe s. m. Amér. Merid., P. Rico. *Se pusieron una careta de monstruo para darles un* ***julepe*** (= susto, miedo).

julepear v. tr. Ant. **1.** *Si llegas tarde a casa, tu padre te* ***julepeará*** (= te reprenderá). ◆ **julepearse** v. pron. R. de la Plata. **2.** *Los chicos* ***se julepearon*** *cuando la casa quedó a oscuras* (= tuvieron miedo).
SINÓN: **1.** amonestar, castigar. ANTÓN: **2.** asustarse.

julio s. m. *Jaime celebra su cumpleaños en el mes de* ***julio*** (= es el séptimo mes del año, tiene 31 días y está entre junio y agosto).

jumento s. m. → **asno.**

junco s. m. El **junco** es una planta de tallos finos, lisos y muy flexibles que tiene como hojas unas vainas muy delgadas; crece en sitios húmedos.

jungla s. f. *Tuvieron grandes dificultades para atravesar la* ***jungla****, debido a su abundante vegetación y a la presencia de animales salvajes* (= bosque tropical o selva).
SINÓN: selva.

junio s. m. *El 21 de* ***junio*** *de cada año comienza el verano en el hemisferio norte y el invierno en el hemisferio sur* (= es el sexto mes del año, tiene 30 días y está entre mayo y julio).

júnior s. m. **1.** *Me llaman Juan Carlos* ***júnior*** *(jr.) para diferenciarme de mi padre, que también se llama Juan Carlos* (= nombre que se añade al del hijo cuando es el mismo que el de su padre, para diferenciarlos). **2.** *Este atleta corre en la categoría* ***júnior*** (= en la categoría de los deportistas jóvenes).
SINÓN: **2.** juvenil. ANTÓN: sénior.

junta s. f. **1.** *En la* ***junta*** *de vecinos se tomaron decisiones muy importantes* (= en la reunión). **2.** *La* ***junta*** *directiva del club deportivo ha decidido ampliar las instalaciones* (= el conjunto de personas que lo dirigen y gobiernan). **3.** *Se ha roto la* ***junta*** *de las cañerías y hay un escape de agua* (= la soldadura que une dos caños o partes de un aparato).
SINÓN: **1.** asamblea, reunión. **2.** directiva. **3.** empalme, juntura, soldadura. FAM: → *junto.*

juntar v. tr. **1.** *¡No* ***juntes*** *tanto las sillas a la mesa!* (= no las acerques tanto). **2.** ***He juntado*** *mucho dinero en la alcancía* (= he reunido una cantidad de dinero). ◆ **juntarse** v. pron. **3.** ***Nos juntaremos*** *en tu casa* (= nos reuniremos). **4.** *¡No* ***te juntes*** *con malas compañías!* (= no vayas, no trates con ese tipo de gente).
SINÓN: **1.** acercar, aproximar, arrimar, unir. **2.** acumular. **2, 3.** reunir(se). **4.** ir, tratar. ANTÓN: **1, 3.** separar(se). **4.** alejarse, apartarse. FAM: → *junto.*

junto, a adj. **1.** *¡Pon los pies* ***juntos****!* (= uno al lado del otro). **2.** *Mi amigo y yo vivimos* ***juntos*** (= en la misma casa). **3.** *Han terminado* ***juntos*** *sus estudios* (= al mismo tiempo). ◆ **junto** adv. **4.** *Vivo* ***junto*** *al supermercado* (= al lado, muy cerca de él).
FAM: *adjunto, conjunto, junta, juntar.*

jura s. f. *Fuimos a ver la* ***jura*** *de la bandera de los soldados* (= la ceremonia en que prometen fidelidad a la patria).
FAM: → *jurar.*

jurado s. m. *Obtuvo el voto favorable de la mayoría de los miembros del* ***jurado*** (= de las personas encargadas de juzgar o valorar algo o alguien).
SINÓN: tribunal. FAM: → *jurar.*

juramento s. m. *Hizo el* ***juramento*** *de no fumar más* (= hizo la promesa, lo juró).
SINÓN: compromiso, promesa, voto. FAM: → *jurar.*

jurar v. tr. **1.** *Te* ***juro*** *que eso es verdad* (= te lo aseguro). **2.** *El presidente* ***ha jurado*** *su cargo* (= ha prometido que cumplirá con su deber). ◆ **tenérsela jurada a alguien 3.** ***Se la tengo jurada*** *por el daño que me hizo* (= prometo que me vengaré). ◆ **jurar por 4.** *Te* ***juro por*** *Dios que no lo volveré a hacer* (= te lo prometo, poniendo a Dios o a cosas o personas muy queridas por testigo).
SINÓN: **1.** afirmar, asegurar. **1, 2.** prometer. FAM: *jura, jurado, juramento.*

jurel s. m. El **jurel** es un pez marino comestible de unos 20 cm. que tiene la aleta de la cola en forma de horquilla y las aletas pectorales estrechas.

jurídico, a adj. *La Constitución es un documento* ***jurídico*** *que recoge los derechos y deberes de los ciudadanos según la ley* (= de las leyes o relacionado con ellas).
SINÓN: judicial, legal. FAM: *jurisdicción.*

jurisdicción s. f. **1.** *El juez es quien tiene la* ***jurisdicción*** *en el juicio* (= el poder para gobernar y aplicar las leyes). **2.** *El alcalde recorrió todos los terrenos de su* ***jurisdicción*** (= los territorios sobre los que ejerce su alcaldía).
SINÓN: **1.** competencia. **2.** circunscripción, demarcación. FAM: *jurídico.*

justicia s. f. **1.** *Le concedieron el premio que había ganado con* ***justicia*** (= le correspondía por sus méritos). **2.** *Aquel país pide* ***justicia*** *por igual para todos sus ciudadanos* (= piden el cumplimiento de la ley y el Derecho para todos y por todos). **3.** *El criminal está perseguido por la **justicia** de su país* (= por el organismo que castiga los delitos y aplica las leyes).

SINÓN: 1. merecimiento, rectitud. **ANTÓN: 1.** injusticia. **FAM:** → *justo.*

justiciero, a adj. **1.** *Aquel policía es muy **justiciero*** (= hace respetar la justicia, la ley). **2.** *El héroe **justiciero** de aquella película persiguió al criminal y lo castigó duramente para vengarse* (= era muy duro y riguroso en los castigos).

SINÓN: 1. justo. **2.** severo. **ANTÓN: 1.** injusto. **2.** tolerante. **FAM:** → *justo.*

justificación s. f. *Tuve que presentar una **justificación** por escrito de mi falta de asistencia a clase* (= una explicación dando mis motivos o las razones de mi ausencia).

FAM: → *justo.*

justificar v. tr. *No intentes **justificar** tu mal comportamiento porque no tenías ningún motivo para hacer lo que has hecho* (= no intentes demostrar que tenías motivos o razones).

SINÓN: disculpar, excusar. **FAM:** → *justo.*

justo, a adj. **1.** *Un juez debe ser un hombre **justo*** (= que actúa con justicia, castigando a los malos y premiando a los buenos). **2.** *El castigo que nos puso no fue **justo** porque no teníamos ninguna culpa* (= no fue razonable). **3.** *No me ha devuelto el cambio porque le he dado el dinero **justo*** (= exacto, ni más ni menos). **4.** *No podemos entretenernos porque vamos con el tiempo **justo*** (= tenemos poco tiempo). **5.** *Este pantalón me queda muy **justo*** (= muy apretado). ◆ **justo** adv. **6.** ***Justo** cuando me iba sonó el teléfono* (= justamente, en aquel mismo momento).

SINÓN: 1. imparcial, neutral, objetivo, recto. **2.** merecido. **3.** exacto. **4.** escaso, insuficiente. **5.** apretado, estrecho. **ANTÓN: 1, 2.** injusto. **2.** inmerecido. **3.** inexacto. **4.** sobrado, suficiente. **5.** amplio, ancho, holgado. **FAM:** *ajustar, ajusticiar, justicia, justiciero, justificación, justificante, justificar, injusticia, injustificado, injusto.*

juvenil adj. *Este actor, a pesar de ser muy mayor, conserva un rostro **juvenil*** (= su aspecto es joven).

SINÓN: joven. **ANTÓN:** viejo. **FAM:** → *joven.*

juventud s. f. **1.** *A sus veinte años se encuentra en plena **juventud*** (= es la etapa de la vida que está entre la niñez y la madurez). **2.** *En televisión hay un programa dedicado a la **juventud*** (= a los jóvenes).

SINÓN: 1. adolescencia, pubertad. **ANTÓN: 1.** vejez. **FAM:** → *joven.*

juzgado s. m. **1.** *El asesino compareció ante el **juzgado** para declarar sus delitos* (= ante el tribunal que tenía que juzgarlo). **2.** *Los periodistas esperaban a las puertas del **juzgado** las últimas noticias sobre el juicio* (= local donde se hacen los juicios).

SINÓN: 1. tribunal. **FAM:** → *juez.*

juzgar v. tr. **1.** *El juez y el tribunal **juzgarán** al acusado* (= decidirán si es culpable o no). **2.** *El cirujano no **juzga** conveniente operar al enfermo* (= no lo cree conveniente).

SINÓN: 2. considerar, creer, estimar. **FAM:** → *juez.*

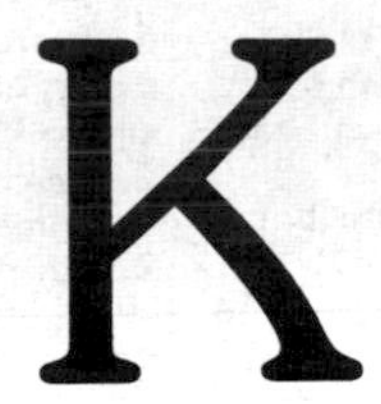

K s. f. La **k** *(ka)* es la decimoprimera letra del abecedario español.

kaki o **caqui** s. m. *El* ***kaki*** *es el color de los uniformes militares* (= es un color entre verde y gris).

karate s. m. *Partió un ladrillo de un golpe de* ***karate*** (= es un sistema de defensa o arte marcial inventado por los japoneses).
FAM: *karateca.*

karateca s. m. *Los* ***karatecas****, para dar esos golpes y no hacerse daño, concentran toda su fuerza en un sitio determinado* (= las personas que practican el karate).
FAM: *karate.*

kayack s. m. *Han descendido el río en* ***kayack*** (= en una canoa recubierta de lona impermeable).
SINÓN: canoa.

kerosén o **kerosene** s. m. Amér. → **queroseno.**

kilo o **quilo** s. m. **Kilo** es el apócope de kilogramo.

kilogramo s. m. El **kilogramo** (kg) es una medida de peso que equivale a mil gramos.

kilométrico, a adj. *Entre Argentina y México hay una distancia* ***kilométrica*** (= muy larga).
FAM: *kilómetro.*

kilómetro s. m. *El río Amazonas mide 6.500 kilómetros de longitud* (= medida de longitud que equivale a mil metros).
FAM: *kilómetro.*

kilovatio s. m. El **kilovatio** es la unidad de medida de la potencia eléctrica y equivale a mil vatios.

kimono o **quimono** s. m. El **kimono** es un vestido japonés de mangas amplias, semejante a una túnica.

kiosco o **quiosco** s. m. *En el* ***kiosco*** *compro periódicos y revistas* (= es un puesto de venta de periódicos y revistas, en la calle).

kiwi s. m. El **kiwi** es un fruto comestible de piel rugosa y pulpa de color verde que tiene un sabor ácido y que sale de una planta de flores blancas y amarillas del mismo nombre.

K.O. s. m. *El boxeador ganó el combate en el primer asalto al dejar* ***k.o.*** *a su contrincante* (= al dejarlo sin conocimiento por un knock out).

koala s. m. El **koala** es un mamífero que lleva sus crías en una bolsa como el canguro, de hocico corto, orejas grandes, pelo grisáceo y cola pequeña, que se alimenta de hojas de eucalipto.

L s. f. **1.** La **l** *(ele)* es la decimosegunda letra del abecedario español. **2.** En la numeración romana, la letra **L** mayúscula significa cincuenta.

la Es un artículo. VER CUADRO DE ARTÍCULOS.

la Es un pronombre personal. VER CUADRO DE PRONOMBRES PERSONALES.

la s. m. **La** es la sexta nota de la escala musical.

laberinto s. m. **1.** *Nos metimos en el **laberinto** del parque de atracciones y no sabíamos salir* (= en un lugar lleno de caminos que se cruzan, puestos de manera que es muy difícil encontrar la salida). **2.** *La parte interna del oído se llama **laberinto*** (= el conjunto de órganos del oído interno).

labia s. f. *Este vendedor tiene tanta **labia** que consigue venderte cosas que no pensabas comprar* (= tiene mucha facilidad de palabra para agradar o convencer).
FAM: → *labio.*

labial adj. *Cuando se maquilla utiliza un lápiz **labial** de color rosa* (= de labios).
FAM: → *labio.*

labio s. m. *Mi hermana se pinta de rojo los **labios*** (= cada uno de los bordes carnosos de la boca).
FAM: *labia, labial.*

labor s. f. **1.** *La **labor** investigadora de aquellos científicos es importantísima* (= su tarea, su dedicación). **2.** *La costurera hace su **labor** a mano o con máquina de coser* (= sus trabajos de costura). ◆ **labores** s. f. pl. **3.** *Las amas de casa se dedican a sus **labores*** (= se dedican a las tareas domésticas de su casa).
SINÓN: **1.** actividad, faena, quehacer, tarea, trabajo. **2.** bordado, costura. **3.** quehacer. **ANTÓN:** **1.** ocio. **FAM:** *laborable, laboral, laboratorio, laborioso.*

laborable adj. *Los grandes almacenes están abiertos al público los días **laborables*** (= los días de trabajo).
FAM: → *labor.*

laboral adj. *El albañil tuvo un accidente **laboral** al caerse del andamio* (= de trabajo).
FAM: → *labor.*

laboratorio s. m. **1.** *Hemos hecho experimentos químicos y físicos en el **laboratorio*** (= en una sala que tiene los aparatos, instrumentos y todo lo necesario para hacer investigaciones científicas, análisis clínicos, medicamentos, etc.). ◆ **laboratorio fotográfico** **2.** *Llevaron a revelar las fotos a un **laboratorio fotográfico*** (= local donde se hacen trabajos, montajes y revelados fotográficos). ◆ **laboratorio de idiomas** o **de lenguas** **3.** *Estoy estudiando inglés sin profesor en un **laboratorio de idiomas*** (= una sala con cabinas donde el alumno practica el idioma con un grabador o video con las lecciones grabadas).
FAM: → *labor.*

laborioso, a adj. *La investigación de la policía fue muy **laboriosa*** (= difícil).
SINÓN: complicado, difícil, minucioso, trabajoso. **ANTÓN:** elemental, fácil, sencillo. **FAM:** → *labor.*

labrador, a s. *Aquel **labrador** utiliza un tractor para cultivar sus tierras* (= persona que trabaja y cultiva la tierra).
SINÓN: agricultor, campesino, labriego. **FAM:** → *labrar.*

labranza s. f. *El agricultor se dedica a la **labranza*** (= al cultivo de los campos).
FAM: → *labrar.*

labrar v. tr. **1.** Los campesinos ***labran** la tierra* (= la aran y la cultivan). Amér. **2.** *Los operarios **labraron** parte del bosque en un mes* (= derribaron los árboles y limpiaron los troncos para utilizar la madera).
SINÓN: arar, cultivar. **FAM:** *labrador, labranza, labriego.*

labriego, a s. *Este **labriego** cultiva el trigo* (= esta persona que trabaja en el campo y se dedica a las labores agrícolas).
SINÓN: agricultor, campesino, labrador. **FAM:** → *labrar.*

laca s. f. **1.** *Recubrieron la mesa con una capa de **laca*** (= con barniz transparente y brillante). **2.** *El peluquero me echa **laca** en el pelo para que no se me alborote* (= un líquido a presión que se pone en el cabello para fijar el peinado). ◆ **laca de uñas** **3.** *Mi madre se pinta las uñas con una **laca de uñas** de color rojo* (= un esmalte que da color y brillo a las uñas).

lacayo s. m. *Los **lacayos** eran criados que acompañaban a caballo a sus señores.*
SINÓN: criado, servidor, sirviente.

lacio, a adj. *Susana tiene el pelo **lacio*** (= no tiene rizos ni ondas).
SINÓN: liso. ANTÓN: ondulado, rizado.

lacrimal s. m. → **lagrimal**.

lacrimógeno, a adj. *La policía lanzó gases **lacrimógenos** para disolver a la multitud rebelde* (= que irritan los ojos y producen lágrimas).
FAM: → *lágrima.*

lactancia s. f. *Los bebés tienen un período de **lactancia** durante el cual se alimentan de la leche de sus madres.*
FAM: → *leche.*

lactar v. intr. → **mamar**.

lácteo, a adj. *El queso, la mantequilla y el yogur son productos **lácteos*** (= elaborados con leche).
SINÓN: láctico. FAM: → *leche.*

lacustre adj. *Los patos y los cisnes son animales **lacustres*** (= que viven en los lagos).
FAM: → *lago.*

ladear v. tr. *Juan **ladeó** la cabeza hasta tocar el hombro con su oreja* (= la inclinó hacia un lado).
SINÓN: inclinar, torcer. ANTÓN: enderezar. FAM: → *lado.*

ladera s. f. *Hicimos una bola de nieve y la echamos a rodar por la **ladera** de la montaña* (= por la pendiente).
SINÓN: falda, pendiente, vertiente. FAM: → *lado.*

ladino, a adj. Amér. **1.** *Ese amigo de Andrés es muy **ladino*** (= usa artimañas para lograr sus fines). Amér. Cent. **2.** *En mi barrio hay varios jóvenes **ladinos*** (= mestizos de padre español y madre india). **3.** *Muchos indígenas americanos se convirtieron en **ladinos*** (= indio que habla castellano).
SINÓN: **1.** astuto, sagaz.

lado s. m. **1.** *Me di un golpe en el **lado** izquierdo* (= en el costado izquierdo). **2.** *El cuadrado tiene cuatro **lados*** (= tiene cuatro caras). **3.** *Es muy optimista, siempre ve el **lado** bueno de las cosas* (= el aspecto). ◆ **estar** o **ponerse del lado de alguien 4.** *Mi amigo siempre **se pone de mi lado*** (= siempre está a mi favor, me apoya y me defiende). ◆ **ir cada uno por su lado 5.** *Cuando eran niños fueron juntos al colegio pero ahora **va cada uno por su lado*** (= ahora cada uno tiene su propia vida).
SINÓN: **1.** costado. **2.** banda, borde, canto, margen. **3.** aspecto. FAM: *bilateral, ladera, ladear, lateral.*

ladrador, a adj. *Es un perro muy **ladrador*** (= ladra mucho).
FAM: → *ladrar.*

ladrar v. intr. *El perro **ladraba** cada vez que aparecía el gato* (= emitía su sonido propio).
FAM: → *ladrador, ladrido.*

ladrido s. m. *Debe de haber alguien en la puerta, porque he oído los **ladridos** del perro* (= los sonidos que emiten los perros).
FAM: → *ladrar.*

ladrillo s. m. *Mi casa no es de piedra, la hicieron con **ladrillos*** (= piezas de barro de color rojizo, cocidas en hornos especiales).

ladrón, ona s. *La policía detuvo a los **ladrones** que habían robado en la joyería* (= las personas que roban).
SINÓN: atracador, caco, ratero.

lagaña s. f. *Al levantarme, suelo tener **lagañas** en los ojos* (= secreción de las glándulas de los párpados, que se cuaja en los bordes de éstos).

lagartija s. f. Las **lagartijas** son lagartos pequeños de color verde o pardo por la parte superior y blanco por la parte inferior, que se mueven muy de prisa.
FAM: → *lagarto.*

lagarto s. m. Amér. El **lagarto** es un reptil de cuatro patas y cola larga, con el cuerpo cubierto de escamas de color verde que se alimenta de insectos pequeños.
FAM: *lagartija, lagartón.*

lago s. m. *Daré un paseo en barca por el **lago*** (= una extensión de agua dulce rodeada de tierra).
FAM: *lacustre, laguna.*

lágrima s. f. **1.** *Al despedirnos, a María se le llenaron los ojos de **lágrimas*** (= de las gotas que desprenden los ojos al llorar). ◆ **deshacerse en lágrimas 2.** ***Se deshizo en lágrimas** al conocer la muerte de su madre* (= lloró muchísimo). ◆ **lágrimas de cocodrilo 3.** *No me vengas con esas **lágrimas de cocodrilo*** (= lágrimas fingidas de la persona que llora sin sentimiento).
FAM: *lacrimal, lacrimógeno, lagrimal.*

lagrimal s. m. El **lagrimal** es la parte rojiza del ojo más cercana a la nariz y es la glándula que produce las lágrimas.
FAM: → *lágrima.*

laguna s. f. *La **laguna** es un lago pequeño* (= una extensión pequeña de agua dulce).
FAM: → *lago.*

laico, a adj. *Voy a un colegio **laico**, no es ni de monjas ni de frailes* (= no religioso).

lambuzo, a adj. Amér. Merid. **1.** *Pedrito es muy **lambuzo*** (= goloso). **2.** *Tu nuevo amigo es un **lambuzo*** (= sinvergüenza).
SINÓN: **1.** glotón. **2.** descarado, desvergonzado.
ANTÓN: **2.** respetuoso, tímido, vergonzo.

lamentable adj. **1.** *La noticia de su enfermedad es **lamentable*** (= causa pena). **2.** *El boxeador tenía un aspecto **lamentable** después de la pelea* (= producía tristeza).
SINÓN: **1.** dramático, trágico. **2.** desastroso, penoso. ANTÓN: **2.** admirable, inmejorable.
FAM: → *lamentar.*

lamentación s. f. *Sus **lamentaciones** me pusieron triste* (= los lamentos o quejas que hacía llorando).
SINÓN: lamento, queja, quejido. FAM: → *lamentar.*

lamentar v. tr. **1.** ***Lamento** que no pueda asistir a la fiesta* (= lo siento). ◆ **lamentarse**

v. pron. **2.** *Mi abuelo* ***se lamenta*** *de que ya no puede trabajar* (= se queja).
SINÓN: **1.** apenarse, disgustarse, sentir. **2.** quejarse. ANTÓN: **1.** celebrar. **2.** alegrarse. FAM: → *lamentable, lamentación, lamento.*

lamento s. m. *Se quejaba de su mala suerte con grandes* ***lamentos*** (= con grandes quejidos).
SINÓN: lamentación, queja, quejido. FAM: → *lamentar.*

lamer v. tr. *Los animales* ***lamen*** *a sus crías para limpiarlas* (= les pasan la lengua por su cuerpo).
SINÓN: chupar. FAM: *relamer.*

lámina s. f. **1.** *Cortamos una* ***lámina*** *de metal delgada y alargada* (= una plancha plana). **2.** *Me gustan las* ***láminas*** *a todo color de la enciclopedia* (= los dibujos).
SINÓN: **1.** chapa, placa, plancha. **2.** estampa, grabado, ilustración.

lámpara s. f. *Enciende la* ***lámpara,*** *que no veo nada* (= un utensilio que sirve de soporte a uno o más focos eléctricos).

lamparón s. m. *Tengo un* ***lamparón*** *de grasa en la camisa* (= una mancha).
SINÓN: mancha.

lana s. f. *Mi madre me hizo un suéter de* ***lana*** *para el invierno* (= del hilo fabricado con el pelo de las ovejas).
FAM: *lanar, lanero, lanudo.*

lanar adj. *A todos los animales que tienen el cuerpo recubierto de lana, como las ovejas y las llamas, se les llama ganado* ***lanar.***
FAM: → *lana.*

lancha s. f. *Alquilamos una* ***lancha*** *para recorrer la costa* (= una barca con motor).
SINÓN: barca, bote.

lanero, a adj. *La industria* ***lanera*** *es muy importante en Uruguay* (= de la lana).
SINÓN: lanar. FAM: → *lana.*

langosta s. f. **1.** Las **langostas** son insectos saltadores que se multiplican con gran facilidad y que, al emigrar, constituyen terribles plagas para la agricultura pues devoran todos los cultivos. **2.** La **langosta** es un marisco de color oscuro, que se vuelve rojo al cocerlo o asarlo y cuya carne es muy sabrosa y apreciada.
FAM: *langostino.*

langostino s. m. El **langostino** es un marisco parecido a la langosta, pero más pequeño.
FAM: *langosta.*

lánguido, a adj. *Aquel enfermo tenía una mirada* ***lánguida*** (= débil y sin alegría).
SINÓN: débil, decaído, triste. ANTÓN: animado, contento, vigoroso.

lanudo, a adj. *Esta clase de ovejas es muy* ***lanuda*** (= tiene mucha lana).
FAM: → *lana.*

lanza s. f. *Antiguamente se usaba la* ***lanza*** *como arma de defensa y de caza* (= un arma antigua compuesta por un palo largo terminado en un hierro puntiagudo y cortante).
FAM: *lanzada, lanzador, lanzamiento, lanzar.*

lanzada s. f. *El guerrero le dio una* ***lanzada*** *y le hizo una herida* (= un golpe con su lanza).
FAM: → *lanza.*

lanzador, a adj. *Mi hermano es* ***lanzador*** *de jabalina* (= atleta que practica el lanzamiento de aparatos).
FAM: → *lanza.*

lanzamiento s. m. **1.** *Han hecho una oferta de* ***lanzamiento*** *de este libro* (= para dar a conocer al público algo nuevo). **2.** *Este deportista practica el* ***lanzamiento*** *de disco* (= la prueba atlética que consiste en lanzar aparatos como el disco, el martillo, la jabalina, etc.). **3.** *El* ***lanzamiento*** *del cohete fue un éxito* (= el conjunto de operaciones que acompañan a su salida).
SINÓN: **1, 3.** proyección. FAM: → *lanza.*

lanzar v. tr. **1.** *El niño* ***lanzó*** *una piedra al río* (= la tiró). **2.** ***Lanzó*** *un grito del susto que se dio* (= gritó). ◆ **lanzarse** v. pron. **3.** *Los paracaidistas* ***se lanzaron*** *desde el avión* (= se arrojaron).
SINÓN: **1.** tirar. **1, 3.** arrojar(se). **2.** emitir. **3.** precipitarse. ANTÓN: **1.** guardar, retener. FAM: → *lanza.*

lapa s. f. **1.** La **lapa** es un molusco marino con concha en forma de escudo que vive adherido a las rocas de la costa. **2.** *Pedro es como una* ***lapa,*** *siempre se engancha con nosotros y no hay forma de despedirse de él* (= es pegajoso y pesado).

lapicera s. f. *En esta caja, tengo varias* ***lapiceras,*** *toma la que escriba mejor* (= biromes, estilográficas).
SINÓN: lápiz. FAM: *lápiz.*

lápida s. f. *Han encontrado una* ***lápida*** *muy antigua con una inscripción grabada* (= una losa).
SINÓN: losa.

lápiz s. m. **1.** *He hecho un dibujo con* ***lápiz*** *y luego lo he pintado* (= con una barra de madera con una mina de grafito dentro que sirve para escribir y dibujar). ◆ **lápiz de labios 2.** *Mi madre siempre lleva en el bolso un* ***lápiz de labios,*** *para pintarse los labios* (= un maquillaje en barra para labios). ◆ **lápiz óptico 3.** *Mi computadora tiene un* ***lápiz óptico*** (= un aparato electrónico con forma de lápiz que capta una señal y la transmite a una computadora o un video, etc.).
SINÓN: **1.** lapicera. FAM: *lapicera.*

lapsus linguae s. m. *Jaime tuvo un* ***lapsus linguae;*** *en vez de decir "un kilo de filete" dijo "un filo de quilete"* (= equivocación).
SINÓN: confusión, error.

largar v. tr. **1.** *Los marineros están* ***largando*** *los cabos y las velas del barco* (= soltando poco a poco). **2.** *Me* ***largó*** *un discurso aburridísimo* (= dijo, contó cosas pesadas y aburridas). R. de la Plata **3.** *Ha llegado el momento de* ***largar*** *la*

carrera (= empezar). ◆ **largarse** v. pron. **4.** ***Se largó*** *de la reunión sin ser visto* (= se fue).
SINÓN: 1. aflojar, desplegar. **1, 2.** soltar. **3.** comenzar. **4.** ausentarse, escabullirse, marcharse. **ANTÓN: 1.** recoger. **3.** quedarse, volver. **FAM:** → *largo.*

largo, a adj. **1.** *Este cable es muy* ***largo,*** *llegará bien al enchufe* (= tiene mucha longitud). **2.** *Fue un discurso* ***largo,*** *parecía que no se iba a acabar nunca* (= duró mucho tiempo). ◆ **largo** s. m. **3.** *El* ***largo*** *de la mesa es de metro y medio* (= su longitud). ◆ **a lo largo 4.** *Se estiró en el sofá* ***a lo largo*** (= ocupando todo el largo del sofá). ◆ **a lo largo de 5.** *Hizo muchos viajes* ***a lo largo de*** *su vida* (= durante su vida). ◆ **¡largo!** interj. **6.** *¡****Largo*** *de aquí!* (= ¡vete de aquí, fuera!, expresión con la que se echa a alguien de un sitio). ◆ **hablar largo y tendido 7.** *Estuvimos* ***hablando largo y tendido*** *sobre ese asunto* (= durante mucho tiempo). ◆ **a la larga 8.** *Deberías contárselo porque* ***a la larga*** *se enterará* (= tarde o temprano se enterará). ◆ **dar largas a un asunto 9.** *Siempre está* ***dando largas al asunto*** *pero al final tendrá que enfrentarse a él* (= retrasándolo). ◆ **pasar de largo 10.** *Nos cruzamos en la calle pero no me vio y* ***pasó de largo*** (= pasó por delante).
SINÓN: 2. dilatado, extenso. **3.** longitud. **ANTÓN: 1, 2.** corto. **2.** breve, conciso. **3.** ancho. **FAM:** *alargar, largar, largometraje, larguirucho.*

largometraje s. m. *Esta tarde en la televisión he visto un* ***largometraje*** *muy interesante* (= una película de más de una hora de duración).
ANTÓN: cortometraje. **FAM:** → *largo.*

larguirucho, a adj. *Parece mentira que sean hermanos, porque uno es* ***larguirucho*** *y el otro rechoncho* (= es muy alto y muy delgado).
ANTÓN: rechoncho. **FAM:** → *largo.*

laringe s. f. La **laringe** es un órgano que forma parte del aparato respiratorio; está situado a continuación de la boca y en él se forman los sonidos de la voz.
FAM: *laringitis.*

laringitis s. f. *Tuve* ***laringitis*** *y no podía ni hablar* (= una inflamación de la laringe).
FAM: *laringe.*

larva s. f. *Hemos estudiado en el laboratorio una* ***larva*** *de mariposa a la que todavía no le habían crecido las alas* (= una mariposa en período de desarrollo, antes de convertirse en adulto).

láser s. m. El **láser** es un dispositivo que produce unos rayos de luz muy intensos y que se utiliza en la industria, la medicina, las telecomunicaciones, etc.

lástima s. f. **1.** *Pedro sintió* ***lástima*** *al ver a su gato herido* (= le dio pena). **2.** *Es una* ***lástima*** *que no puedas venir* (= me disgusta). ◆ **dar lástima 3.** ***Da lástima*** *ver a un niño tan pequeño pidiendo limosna* (= causa pena y compasión). ◆ **hecho una lástima 4.** *Después del largo viaje las flores llegaron* ***hechas una lástima*** (= estropeadas).
SINÓN: 1. compasión. **1, 2.** pena. **ANTÓN: 1, 2.** alegría. **FAM:** → *lastimar.*

lastimadura s. f. Amér. *La caída me produjo una* ***lastimadura*** *en el tobillo* (= una herida leve).

lastimar v. tr. **1.** *El golpe* ***lastimó*** *la pata del caballo* (= la hirió). **2.** *Lo* ***lastimarás*** *si le hablas tan duramente* (= le harás daño).
SINÓN: 1, 2. dañar, herir. **1.** lesionar. **2.** disgustar, ofender. **ANTÓN: 2.** agradar, complacer. **FAM:** *lástima, lastimero, lastimoso.*

lastimero, a adj. *Se oían los gritos* ***lastimeros*** *del enfermo* (= de dolor).
FAM: → *lastimar.*

lastimoso, a adj. *El perro llegó en estado* ***lastimoso*** *porque otros perros lo habían atacado* (= daba pena verlo).
SINÓN: deplorable, lamentable, penoso. **ANTÓN:** excelente. **FAM:** → *lastimar.*

lata s. f. **1.** *Hemos abierto una* ***lata*** *de sardinas* (= un envase hecho de hojalata). **2.** *Es una* ***lata*** *ir al colegio con tantos libros en la cartera* (= un fastidio). ◆ **dar la lata 3.** *Estos niños no paran de* ***dar la lata*** *en clase* (= de molestar a los demás).
SINÓN: 2. fastidio, pesadez. **FAM:** *enlatar, latoso.*

lateral adj. *No vayas por el pasillo central, sino por uno de los* ***laterales*** (= los que están a los lados).
ANTÓN: central. **FAM:** → *lado.*

látex s. m. El **látex** es un líquido parecido a la leche que hay en el interior del tronco de algunos árboles. Se endurece al contacto con el aire.

latido s. m. *Pongo la mano en la parte izquierda de mi pecho y siento los* ***latidos*** *del corazón* (= su movimiento rítmico al bombear la sangre).
SINÓN: palpitación. **FAM:** *latir.*

latifundio s. m. *En Venezuela hay muchos* ***latifundios*** *que, a pesar de su gran extensión, pertenecen a un solo dueño* (= terreno cultivable de grandes dimensiones perteneciente a una sola persona).
ANTÓN: minifundio.

latigazo s. m. *El domador dio un* ***latigazo*** *al león* (= lo golpeó con el látigo).
SINÓN: azote. **FAM:** *látigo.*

látigo s. m. *Para domar las fieras, el domador usa un* ***látigo*** (= una correa atada a un palo).
SINÓN: azote. **FAM:** *latigazo.*

latín s. m. *Los antiguos romanos hablaban* ***latín*** (= lengua de la cual se derivan las lenguas romances como el italiano, el español, el portugués, el francés, el rumano, el catalán y el gallego).
FAM: *latino.*

latino, a adj. **1.** *Las personas que pertenecen a la región italiana del Lacio y a las demás regiones que formaron parte del Imperio Romano son*

latinas. **2.** *También se llaman* ***latinos*** *a los habitantes de los países que hablan lenguas derivadas del latín.* **3.** *La literatura* ***latina*** *es muy abundante y rica* (= la que está escrita en latín).
FAM: *latín.*

latinoamericano, a adj. **1.** *Los países* ***latinoamericanos*** *son los países de América de habla hispana o española* (= de Latinoamérica). ◆ **latinoamericano, a** s. **2.** *Los* ***latinoamericanos*** *son las personas nacidas en Latinoamérica.*
SINÓN: hispanoamericano.

latir v. intr. *Cuando tengo miedo, el corazón me* ***late*** *muy de prisa* (= me palpita).
SINÓN: palpitar. **FAM:** *latido.*

latitud s. f. **1.** *El barco estaba a 40° de* ***latitud*** *norte* (= a esa distancia del ecuador hacia el Polo Norte). ◆ **latitudes** s. f. pl. **2.** *Los esquimales viven en* ***latitudes*** *muy altas* (= en lugares muy alejados del ecuador).
ANTÓN: 1. longitud.

latón s. m. *La lámpara maravillosa de Aladino era de* ***latón****, dorada y muy brillante* (= de un metal que es la mezcla de cobre y cinc).

latoso, a adj. *¡No seas* ***latoso*** *y deja ya de molestar!* (= no seas pesado).
SINÓN: pesado. **ANTÓN:** divertido, entretenido.
FAM: → *lata.*

laúd s. m. El **laúd** es un instrumento musical parecido a la guitarra, pero de forma ovalada y más pequeño.

laurel s. m. **1.** El **laurel** es un árbol con hojas perennes muy aromáticas, que se emplean como condimento en la cocina. ◆ **dormirse alguien sobre, o en, sus laureles 2.** *Ahora que has sacado buenas notas no* ***te duermas en los laureles*** *y sigue estudiando* (= no dejes de estudiar, confiando en los éxitos que ya has conseguido).

lava s. f. *Los ríos de* ***lava*** *caliente que arrojaba el volcán en erupción arrasaron los pueblos de los alrededores* (= material líquido muy espeso y muy caliente compuesto por sustancias minerales fundidas, procedentes del interior de la tierra).

lavable adj. *No hace falta que limpies en seco esta alfombra, porque es* ***lavable*** (= se puede lavar con agua sin peligro de que se estropee o se encoja).
FAM: → *lavar.*

lavabo s. m. *Gotea una cañería en el* ***lavabo*** (= el recipiente donde me lavo las manos y la cara).
FAM: → *lavar.*

lavadero s. m. *Se inundó el* ***lavadero*** (= lugar de la casa donde se lava la ropa).
FAM: → *lavar.*

lavadora s. f. *Se nos descompuso la* ***lavadora*** *y tenemos que lavar la ropa a mano* (= la máquina automática para lavar la ropa).
FAM: → *lavar.*

lavanda s. f. La **lavanda** es una planta que da pequeñas flores azules dispuestas en espigas, que son muy aromáticas.
SINÓN: espliego.

lavandería s. f. *Este tejido es muy delicado para lavarlo en casa, llévalo a la* ***lavandería*** (= a un establecimiento donde hay aparatos para lavar y secar la ropa).
FAM: → *lavar.*

lavandina s. f. Arg. *Unas gotas de* ***lavandina*** *agregadas al agua de pozo la tornan potable* (= lejía).

lavaplatos s. m. **1.** *Desde que tenemos el* ***lavaplatos*** *ya no hay peleas para ver quién lava los platos en casa* (= la máquina eléctrica que lava platos, vasos y cubiertos). **2.** *Trabaja como* ***lavaplatos*** *en un restaurante y se pasa el día lavando vajillas y utensilios de cocina* (= se encarga de lavar la vajilla y los utensilios de cocina de un establecimiento).
SINÓN: 1. lavavajillas. **FAM:** → *lavar.*

lavar v. tr. *El pantalón está sucio, es necesario* ***lavarlo*** (= limpiarlo con agua y jabón).
SINÓN: limpiar, fregar. **ANTÓN:** ensuciar, manchar.
FAM: *lavable, lavabo, lavadero, lavadora, lavandería, lavaplatos, lavavajillas.*

lavavajilla s. m. *Mete los platos y los vasos sucios en el* ***lavavajilla*** (= en la máquina para lavar vajilla).
SINÓN: lavaplatos. **FAM:** → *lavar.*

laxo, a adj. *Tendrás que hacer deporte, tienes los músculos demasiado* ***laxos*** (= demasiado flojos).
SINÓN: flácido, flojo, relajado. **ANTÓN:** firme, tenso, tieso, tirante.

lazada s. f. **1.** *Me ato los cordones de los zapatos con una* ***lazada****, así, para desatármelos sólo tengo que tirar* (= un nudo que se deshace con facilidad). Amér. **2.** *El vaquero tiró al suelo al animal echándole una buena* ***lazada*** (= arrojó el lazo con nudo corredizo a las patas de un animal).
SINÓN: 1. lazo. **2.** pial. **FAM:** → *lazo.*

lazarillo s. m. *El* ***lazarillo*** *acompañaba al hombre ciego* (= muchacho que sirve de guía a un ciego).

lazo, a s. m. **1.** *Mi hermana se sujeta el pelo con un* ***lazo*** *que le sirve de adorno* (= con una cinta atada con un bonito nudo fácil de desatar). **2.** *El granjero captura su caballo con un* ***lazo*** (= con una cuerda que termina en un nudo corredizo).
FAM: *enlace, enlazar, lazada.*

le Es un pronombre personal. VER CUADRO DE PRONOMBRES PERSONALES.

leal adj. *Siempre está a mi lado cuando lo necesito porque es un amigo* ***leal*** (= que no me traicionará ni me abandonará nunca).
SINÓN: fiel, franco, noble. **ANTÓN:** desleal, infiel, traidor. **FAM:** *lealtad.*

lealtad s. f. *Los esposos se juran **lealtad** y respeto* (= juran ser fieles y respetuosos mutuamente).
SINÓN: fidelidad, franqueza, nobleza. **ANTÓN:** deslealtad, traición. **FAM:** *leal.*

lebrel s. m. El **lebrel** es una raza de perro de figura estilizada, cuerpo largo, patas hacia atrás y hocico puntiagudo, muy apto para la caza.

lección s. f. **1.** *Mi hermano recibe **lecciones** para aprender a conducir* (= clases). ◆ **dar una lección a alguien 2.** *Con ese castigo **le dimos una buena lección*** (= un buen escarmiento).
SINÓN: 1. clase. **FAM:** → *leer.*

lechal adj. *Los corderos **lechales** son los que todavían maman.*
FAM: → *leche.*

leche s. f. **1.** *El bebé se alimenta de la **leche** que mama de su madre* (= líquido blanco que producen las mamas de las hembras). **2.** *Cuando vayas a tomar sol, ponte una **leche** protectora* (= una crema líquida que se pone en la piel para protegerla).
SINÓN: 2. crema. **FAM:** *lactancia, lácteo, lechal, lechería, lechero, lechón, lechoso.*

lechería s. f. *Siempre compramos la leche en esta **lechería*** (= en ese establecimiento donde venden leche).
FAM: → *leche.*

lechero, a adj. **1.** *Una vaca **lechera** es una vaca que da leche.* ◆ **lechero, a** s. Amér. **2.** *En otros tiempos, los **lecheros** pasaban todas las mañanas repartiendo leche casa por casa* (= personas que venden leche).
FAM: → *leche.*

lecho s. m. *Los esposos duermen en el **lecho** conyugal o matrimonial* (= en la cama).
SINÓN: cama.

lechón, a s. **1.** Un **lechón** es una cría de cerdo que todavía mama. ◆ **lechón** s. m. **2.** Los **lechones** son los cerdos machos.
SINÓN: 1. cochinillo. **2.** cerdo, cochino, puerco.
FAM: → *leche.*

lechoso, a adj. **1.** *Este licor es tan **lechoso** que lo había confundido con leche* (= tiene apariencia de leche). **2.** *Tienes un aspecto **lechoso**, estás muy pálido* (= estás blanco como la leche).
SINÓN: blanquecino. **FAM:** → *leche.*

lechuga s. f. **1.** La **lechuga** es una planta de huerta cuyas hojas verdes y tiernas se comen crudas en la ensalada. ◆ **más fresco que una lechuga 2.** *Se mete con todo el mundo, es **más fresco que una lechuga*** (= es un caradura).

lechuza s. f. La **lechuza** es un ave rapaz que sale de noche, de plumaje blanco, manchado de gris y de negro y que se alimenta de insectos y ratones.

lectivo, a adj. *Aunque hoy mucha gente tiene feriado, para el colegio es día **lectivo*** (= día de clase).

lector, a s. *Los **lectores** de este periódico son en su mayoría jóvenes* (= las personas que lo leen).
FAM: → *leer.*

lectura s. f. *Empleó casi una hora en la **lectura** de ese cuento* (= en leerlo).
FAM: → *leer.*

leer v. tr. **1.** *María está aprendiendo a **leer** y ya reconoce casi todas las letras* (= a comprender lo que está escrito). **2.** *Para tocar, los músicos **leen** las notas musicales escritas en sus partituras* (= las interpretan).
SINÓN: 2. interpretar. **FAM:** *lección, lector, lectura, legible, leyenda, releer.*

legal adj. *Su actuación fue perfectamente **legal** porque no quebrantó ninguna ley* (= de acuerdo con la ley).
SINÓN: lícito, reglamentario. **ANTÓN:** ilegal.
FAM: → *ley.*

legalidad s. f. *Hay que actuar siempre dentro de la **legalidad** si se quiere ser un buen ciudadano* (= hay que respetar lo establecido por las leyes).
SINÓN: ley. **FAM:** → *ley.*

legalizar v. tr. *El Gobierno **legalizó** el divorcio* (= le dio carácter legal).
SINÓN: autorizar. **ANTÓN:** desautorizar, ilegalizar.
FAM: → *ley.*

legañoso, a adj. *Cuando me levanto, tengo los ojos **legañosos*** (= con muchas lagañas).
FAM: *lagaña.*

legar v. tr. *Cuando murió, **legó** todos sus bienes a su hijo* (= se los dejó).
SINÓN: dejar. **FAM:** *legación.*

legendario, a adj. **1.** *Los fantasmas y monstruos son seres **legendarios*** (= que sólo existen en las leyendas). **2.** *Aquél, fue un actor **legendario*** (= que obtuvo mucha fama).
SINÓN: 1. fabuloso, fantástico. **2.** célebre, famoso. **ANTÓN: 1.** real, verídico.

legible adj. *No entiendo la letra de tu redacción, repítela con letra **legible*** (= que se pueda leer).
FAM: → *leer.*

legislación s. f. *Mi hermana está estudiando abogacía y tiene que aprenderse toda la **legislación** nacional* (= el conjunto de leyes de un país o de una materia concreta).
SINÓN: código, normativa. **FAM:** → *ley.*

legislar v. intr. *El Parlamento es el encargado de **legislar*** (= de hacer las leyes).
FAM: → *ley.*

legislativo, a adj. *La asamblea **legislativa** ha decidido aprobar una nueva ley* (= el organismo que tiene poder para hacer leyes).
SINÓN: legislador. **FAM:** → *ley.*

legislatura s. f. *Durante los cuatro años que duró su **legislatura**, el gobierno hizo muchas*

reformas (= el período de tiempo en el que tiene poder para hacer o reformar las leyes).
FAM: → *ley.*

legítimo, a adj. **1.** *No se puede condenar lo que es* ***legítimo*** (= lo que está de acuerdo con la ley). **2.** *Este bolso es de cuero* ***legítimo****, no es una imitación* (= verdadero).
SINÓN: **1.** legal. **2.** auténtico, genuino, verdadero. ANTÓN: **1.** ilegal. **2.** falso. FAM: → *ley.*

legua s. f. La **legua** es una medida de longitud que equivale, aproximadamente, a cinco kilómetros y medio.

legumbre s. f. *En aquella huerta se cultivan toda clase de* ***legumbres****: porotos, garbanzos, lentejas, habas, arvejas, etc.* (= toda clase de frutos o semillas que crecen en vainas).

lejanía s. f. *La* ***lejanía*** *de su país lo ponía triste* (= la gran distancia).
SINÓN: distancia. ANTÓN: cercanía, proximidad. FAM: → *lejos.*

lejano, a adj. *Japón es un país* ***lejano*** (= está a mucha distancia de aquí).
ANTÓN: cercano, próximo, vecino. FAM: → *lejos.*

lejía s. f. *Mi madre desinfecta el suelo con* ***lejía*** (= con un líquido compuesto de agua y sales).

lejos adv. **1.** *El pueblo está aún muy* ***lejos****, todavía queda un largo viaje para llegar* (= a gran distancia). ◆ **a lo lejos 2.** *Allá* ***a lo lejos*** *se ve una estrella* (= a gran distancia).
ANTÓN: **1.** cerca. FAM: *alejamiento, alejar, lejanía, lejano.*

lelo, a adj. *Se quedó* ***lelo*** *mirando la televisión* (= se quedó atontado).
SINÓN: alelado, bobo, tonto.

lema s. m. *El* ***lema*** *de esta tienda es:* el cliente siempre tiene razón (= la frase que expresa una intención o una regla de conducta).

lencería s. f. **1.** *Mi madre fue a la* ***lencería*** *para comprarse ropa interior* (= a un establecimiento donde venden ropa interior de mujer). **2.** *La* ***lencería*** *del hogar es el conjunto de ropa de cama, de mesa y de baño* (= sábanas, manteles, toallas, etc.).

lengua s. f. **1.** La **lengua** es un órgano musculoso, situado dentro de la boca, que nos permite gustar los alimentos y articular los sonidos. **2.** *El francés es una* ***lengua*** *viva porque la habla hoy mucha gente* (= es un idioma). ◆ **lengua materna 3.** *Mi* ***lengua materna*** *es el español pero también sé hablar el inglés* (= es el idioma que hablo desde que era pequeño y el que habla mi familia). ◆ **malas lenguas 4.** *Dicen las* ***malas lenguas*** *que se hizo rico robando a los demás* (= las personas que hablan mal de la gente y de las cosas). ◆ **no tener pelos en la lengua 5.** *Nunca se anda con rodeos,* ***no tiene pelos en la lengua*** (= nunca se calla lo que piensa). ◆ **tener algo en la punta de la lengua 6.** *¿Cómo se dice?...* ***lo tengo en la punta de la lengua*** *y no me sale* (= estoy a punto de decir algo que no acaba de venirme a la memoria). ◆ **tirar de la lengua a alguien 7.** *No nos lo quiere contar así que habrá que* ***tirarle de la lengua*** (= tendremos que provocarlo e intentar que diga lo que no quiere decir).
SINÓN: **2.** idioma, lenguaje. FAM: *bilingüe, bilingüismo, deslenguado, lenguado, lenguaje, lengüeta, lingüística.*

lenguado s. m. El **lenguado** es un pez marino de cuerpo casi plano, boca lateral y ojos a un mismo lado del cuerpo, cuya carne es muy sabrosa y apreciada.
FAM: → *lengua.*

lenguaje s. m. **1.** El **lenguaje** es la capacidad que tienen las personas para comunicarse a través de las palabras. **2.** *No entendía el* ***lenguaje*** *de aquellos turistas* (= su idioma).
SINÓN: **1.** habla. **2.** idioma, lengua. FAM: → *lengua.*

lengüeta s. f. *Se rompió la* ***lengüeta*** *del zapato* (= la tira de piel que tiene por debajo de los cordones).
FAM: → *lengua.*

lente s. f. **1.** *Han cambiado la* ***lente*** *del telescopio* (= el cristal que sirve para aumentar la visión). ◆ **lentes** s. m. pl. **2.** *Me tuve que poner* ***lentes*** *porque no veía bien* (= gafas). ◆ **lentes de contacto** s. f. pl. **3.** *Como no me gusta usar anteojos me puse* ***lentes de contacto*** (= lentes muy pequeñas que se ponen directamente en los ojos).
FAM: *lente.* SINÓN: **2.** anteojos, gafas. FAM: *lentilla.*

lenteja s. f. La **lenteja** es una legumbre cuyas semillas, de color pardo, son muy nutritivas.
FAM: *lentejuela.*

lentejuela s. f. *El disfraz de hada está lleno de* ***lentejuelas*** (= de pequeñas láminas redondas, del tamaño de una lenteja, de metal u otro material brillante que sirve para adornar las prendas de vestir).
FAM: *lenteja.*

lentitud s. f. *Las tortugas caminan con* ***lentitud*** (= muy despacio).
SINÓN: calma, tardanza. ANTÓN: rapidez. FAM: *lento.*

lento, a adj. **1.** *El anciano tiene un caminar muy* ***lento*** (= muy pausado y tranquilo). **2.** *Siempre termina los exámenes el último porque es muy* ***lento*** (= lo hace todo muy despacio).
SINÓN: **1.** pausado, reposado, sosegado, tranquilo. **2.** calmoso, tardón. ANTÓN: **1, 2.** rápido, veloz. FAM: *lentitud.*

leña s. f. **1.** *Para hacer fuego en la chimenea se pone* ***leña*** (= madera seca cortada del tronco o de las ramas de los árboles). ◆ **echar leña al fuego 2.** *Ya está bastante enojado, no* ***eches más leña al fuego*** (= no provoques que aumente su enojo).
FAM: *leñador, leñera, leño, leñoso.*

leñador, a s. *Los* ***leñadores*** *cortan los troncos de los árboles.*
FAM: → *leña.*

leñera s. f. *Ya tenemos suficiente* **leña** *en la* ***leñera*** *para este invierno* (= lugar donde se guarda la leña).
FAM: → *leña.*

leño s. m. *Echa un buen* ***leño*** *en la chimenea para que el fuego dure más tiempo* (= un trozo grueso de madera).
FAM: → *leña.*

leo s. m. Es el 5º signo del zodíaco: comprende las personas nacidas entre el 22 de julio y el 22 de agosto.

león, ona s. El **león** es un animal mamífero carnívoro, grande, de pelo color ocre claro, y es muy feroz.
FAM: *leonera.*

leopardo s. m. El **leopardo** es un animal mamífero carnívoro, grande, de cuerpo esbelto y patas fuertes, cabeza grande y cuello corto, cuya piel ocre amarillenta con manchas negras es muy apreciada en peletería.

lépero, a adj. Amér. Cent., Méx. **1.** *En el pueblo tiene fama de* ***lépero*** (= soez, ordinario). Cuba, Ec. **2.** *Hay que ser* ***lépero*** *para ser dirigente en el sindicato* (= astuto, perspicaz).

lepra s. f. *Antiguamente mucha gente moría de* ***lepra*** (= una enfermedad contagiosa que produce heridas y lesiones en la piel y los nervios).
FAM: *leproso.*

leproso, a adj. *Los* ***leprosos****, a los que se marginaba y apartaba del mundo, vivían miserablemente su enfermedad* (= las personas que padecían lepra).
FAM: *lepra.*

lerdo, a adj. *Es tan* ***lerdo*** *que a veces no sabe ni su nombre* (= tan tonto).
SINÓN: tonto, torpe, zoquete. ANTÓN: listo.

les Es un pronombre personal. VER CUADRO DE PRONOMBRES PERSONALES.

lesión s. f. *Me caí de la bicicleta y me hice una* ***lesión*** *en la rodilla y en el codo* (= una herida).
FAM: *ileso, lesionar.*

lesionar v. tr. *De un zarpazo, el león* ***lesionó*** *al domador en el brazo* (= lo hirió).
SINÓN: herir, lastimar. FAM: → *lesión.*

letargo s. m. *Los osos permanecen en* ***letargo*** *durante la hibernación* (= se quedan como dormidos o inactivos durante el invierno).
SINÓN: adormecimiento, aletargamiento.

letra s. f. **1.** *El alfabeto castellano tiene 27* ***letras*** (= tiene 27 signos que representan los sonidos). **2.** *La* ***letra*** *de algunas canciones es interesante* (= el texto escrito). **3.** *Escribe con una* ***letra*** *muy clara* (= tiene un modo de escribir muy claro). ◆ **al pie de la letra 4.** *Hizo lo que le mandé* ***al pie de la letra*** (= exactamente como se lo mandé). ◆ **letra mayúscula 5.** *Después de un punto la primera* ***letra*** *es* ***mayúscula*** (= es más grande de lo normal). ◆ **letra minúscula 6.** *Normalmente se escribe con* ***letra minúscula*** (= con la letra pequeña).
SINÓN: **3.** caligrafía. FAM: *deletrear, deletreo, letrero.*

letrero s. m. *En la puerta del comercio han puesto el* ***letrero*** *de* cerrado (= han puesto un cartel).
SINÓN: cartel, rótulo. FAM: → *letra.*

levadura s. f. *Para que la masa del pan aumente de volumen y quede más blanda, el panadero le añade* ***levadura*** (= un polvo que fermenta la harina).

levantar v. tr. **1.** *Si* ***levantas*** *el brazo podrás alcanzar el libro* (= si lo mueves hacia arriba). **2.** ***Levanta*** *a tu hermana del suelo que se ha caído* (= ponla de pie otra vez). **3.** *El conferenciante* ***levantó*** *la voz para que todos lo oyeran* (= la subió). **4.** *En un mes* ***levantaron*** *un edificio* (= lo construyeron). **5.** ***Levantó*** *la vista para ver el letrero* (= la elevó). **6.** *El calor* ***levanta*** *la pintura* (= la separa de la pared). **7.** *Cuando termines,* ***levantamos*** *el campamento y nos vamos a otro sitio* (= lo recogemos todo para irnos). **8.** *Por fin han* ***levantado*** *la prohibición de circular por esa calle* (= se vuelve a poder circular por ella). **9.** *La música* ***levanta*** *el ánimo* (= produce alegría). ◆ **levantarse** v. pron. **10.** *El avión* ***se levantó*** *en el aire* (= se elevó). **11.** ***Se levantó*** *un viento muy fuerte* (= comenzó a soplar). **12.** *Los soldados* ***se levantaron*** *contra sus superiores* (= se sublevaron). **13.** *José* ***se levanta*** *a las siete* (= a esa hora sale de la cama).
SINÓN: **1, 3, 5.** alzar, elevar, subir. **2.** incorporar. **4.** construir, edificar. **6.** arrancar, despegar, separar. **9.** alentar, animar. **10.** remontarse. **12.** amotinarse, rebelarse, sublevarse. ANTÓN: **1, 3, 5, 9, 11.** bajar. **2.** acostar, tumbar. **4.** derribar, derrumbar. **6.** adherir, pegar. **7.** establecerse, instalar, montar. **9.** desanimar. **11.** descender. **12.** someterse. **13.** acostarse.

levante s. m. **1.** *El Sol sale por* ***levante*** (= sale por el Este). **2.** *El Océano Atlántico esta en el* ***Levante*** *americano.*
SINÓN: **1.** Este, oriente. ANTÓN: **1.** occidente, Oeste, poniente. FAM: *levantino.*

levar v. tr. *El barco* ***levó*** *anclas y salió del puerto* (= el barco recogió las anclas).
SINÓN: izar. FAM: → *leve.*

leve adj. **1.** *Como tienes mal la espalda tú llevarás los paquetes* ***leves*** *y yo los pesados* (= tú llevarás los paquetes que no pesan). **2.** *Isabel ha tenido suerte, en el accidente no se hizo nada, sólo una herida* ***leve*** (= sólo se hizo una herida sin importancia).
SINÓN: **1, 2.** ligero. ANTÓN: **1.** pesado. **2.** grave. FAM: *levar, levedad.*

levita s. f. La **levita** es una chaqueta masculina ajustada, llega por delante hasta la cintura y tiene, por detrás, dos faldones.

léxico s. m. *No entiendo a Juan cuando habla porque utiliza un* ***léxico*** *muy difícil para mí* (= utiliza unas palabras que no entiendo).
SINÓN: vocabulario.

ley s. f. **1.** *Los fenómenos naturales siguen unas* ***leyes*** *que se cumplen constantemente* (= siguen unos principios). **2.** *Todos los ciudadanos debemos respetar las* ***leyes*** *y cumplirlas* (= debemos respetar las normas).
FAM: *ilegal, legal, legalidad, legalizar, legislación, legislar, legítimo.*

leyenda s. f. *Mi abuelo me contó la* ***leyenda*** *de San Jorge y el dragón* (= una historia no siempre verdadera que se transmite de unos a otros hasta que la conoce mucha gente).
SINÓN: fábula, historia.

liana s. f. *En la Selva, Tarzán se lanzaba de una* ***liana*** *a otra para ir de un sitio a otro* (= es un tallo largo y resistente de enredaderas que cuelgan de los árboles).

liar v. tr. *Mi hermana* ***lió*** *el paquete con papel de embalar y un cordel para enviarlo por correo* (= lo envolvió en un papel y lo ató).
SINÓN: atar, embalar, empaquetar, envolver. **ANTÓN:** desenvolver, desliar. **FAM:** *desliar, lío, lioso.*

libanés, esa adj. **1.** *Beirut es una ciudad* ***libanesa*** (= está en el Líbano). ◆ **libanés, a** s. **2.** *Los* ***libaneses*** *son las personas nacidas en el Líbano.*

libélula s. f. La **libélula** es un insecto que tiene cuatro alas iguales, muy largas y transparentes.

liberación s. f. *El preso espera con impaciencia su* ***liberación*** *para ver a su familia* (= espera poder salir de la cárcel).
FAM: → *libre.*

liberado, a adj. *Desde que trabaja se siente una mujer* ***liberada*** (= se siente una mujer independiente).
SINÓN: independiente. **ANTÓN:** dependiente, esclavo. **FAM:** → *libre.*

liberal adj. *Las personas* ***liberales*** *están en contra del dominio por la fuerza* (= las personas abiertas y tolerantes).
FAM: → *libre.*

liberar v. tr. ***Liberaron*** *al prisionero y pudo volver a casa* (= lo dejaron en libertad).
ANTÓN: apresar. **FAM:** → *libre.*

libertad s. f. **1.** *Puedes hablar con toda* ***libertad,*** *que no me enojaré digas lo que digas* (= puedes decir lo que quieras respetando a los demás). **2.** *El prisionero recuperó su* ***libertad*** (= volvió a ser libre). **3.** *Me tomo la* ***libertad*** *de usar tu teléfono* (= me tomo la confianza).
SINÓN: **1.** confianza, franqueza. **2.** independencia. **ANTÓN:** **2.** prisión. **FAM:** → *libre.*

libertador, a adj. *Los soldados fueron los* ***libertadores*** *de esta ciudad que ya llevaba tres meses ocupada por el enemigo* (= consiguieron echar al enemigo).
FAM: → *libre.*

libertinaje s. m. *Confunde la libertad con el* ***libertinaje*** *al romper faroles y coches* (= confunde la libertad con hacer lo que quiere sin respetar nada).
FAM: → *libre.*

libio, a adj. **1.** *Trípoli es una ciudad* ***libia*** (= es una ciudad de Libia). ◆ **libio, a** s. **2.** *Los* ***libios*** *son las personas nacidas en Libia.*

libra s. f. **1.** La **libra** es el nombre de la moneda inglesa. **2.** *Pedí 300 gramos de jamón y me pusieron una* ***libra*** (= unos 400 gramos). ◆ **libra** s. m. **3.** Es el séptimo signo del zodíaco: comprende las personas nacidas entre el 22 de septiembre y el 23 de octubre.

librar v. tr. **1.** *El flotador* ***libró*** *al niño de ahogarse* (= lo salvó de ahogarse). **2.** *El pagador* ***libró*** *un cheque a mi favor* (= lo confeccionó).
SINÓN: **1.** evitar, liberar, salvar. **FAM:** → *libre.*

libre adj. **1.** *Eres* ***libre*** *de decidir si vienes con nosotros o te quedas en casa* (= puedes elegir lo que quieres hacer). **2.** *Podemos ir a cenar juntos porque esta noche estoy* ***libre*** (= no tengo nada que hacer). **3.** *Los pájaros viven* ***libres*** (= viven sueltos). **4.** *Deja el asiento* ***libre*** *para que se siente esta señora mayor* (= déjalo desocupado).
SINÓN: **2.** disponible. **3.** suelto. **ANTÓN:** **2.** comprometido, ocupado. **3.** cautivo. **FAM:** *liberación, liberado, liberal, liberar, libertad, libertador, libertinaje, librar.*

librería s. f. *Fui a la* ***librería*** *a comprar un diccionario* (= fui al negocio donde venden libros).
FAM: → *libro.*

librero, a s. *Pregunté al* ***librero*** *si tenía el libro que necesitaba* (= pregunté a la persona que vende libros).
FAM: → *libro.*

libreta s. f. *Pedro hizo unas anotaciones en su* ***libreta*** (= en su pequeño cuaderno).
FAM: → *libro.*

libreto s. m. **1.** *Mi hermano leía el* ***libreto*** *mientras escuchaba la ópera de Mozart* (= leía el texto de la ópera). **2.** *El actor del teleteatro no sabía muy bien su* ***libreto*** (= el texto que debía decir).
FAM: → *libro.*

libro s. m. **1.** *Mi padre tiene muchos* ***libros*** *en su biblioteca* (= tiene muchas obras; cada una está compuesta por hojas impresas cosidas por un lado y protegidas por cubiertas). ◆ **libro de texto** **2.** *Olvidé el* ***libro de texto*** *en el colegio y no pude hacer la tarea* (= olvidé el libro de una materia).
FAM: *librería, librero, libreta, libreto.*

licencia s. f. *El soldado aprovechó la **licencia** para irse a casa* (= aprovechó el permiso).
SINÓN: autorización, permiso. **FAM:** *licenciado, licenciar, licenciatura.*

licenciado, a s. *Juan es **licenciado** en Geografía* (= ha obtenido ese título en la Universidad).
SINÓN: graduado, titulado. **FAM:** → *licencia.*

licenciar v. tr. **1.** *Cuando acabó la guerra lo **licenciaron** y pudo volver a su casa* (= le dieron el permiso definitivo). ◆ **licenciarse** v. pron. **2.** ***Me licencié** en Biología* (= obtuve el título de biólogo).
SINÓN: **2.** graduarse. **FAM:** → *licencia.*

licenciatura s. f. *Para conseguir la **licenciatura** hay que aprobar todos los cursos de la Universidad* (= para conseguir el título de una carrera).
FAM: → *licencia.*

lícito, a adj. *Es **lícito** que reclames lo que es tuyo* (= es justo que pidas lo que es tuyo).
SINÓN: justo, legal. **ANTÓN:** ilegal.

licor s. m. *De todas las bebidas alcohólicas los **licores** son las que menos le gustan porque son demasiado dulces* (= bebidas alcohólicas dulces).

licuar v. tr. ***Licuamos** unas zanahorias para bebernos su zumo* (= convertimos en líquido las zanahorias).

líder s. *Desde que es el **líder** de ese partido político aparece mucho en televisión* (= desde que lo dirige).

lidiar v. intr. *Los ejércitos **lidiaron** hasta que uno de ellos venció* (= combatieron).
SINÓN: batallar, combatir, luchar, pelear. **ANTÓN:** rendirse.

liebre s. f. La **liebre** es un animal mamífero parecido al conejo pero con las orejas más cortas y es más rápido.

lienzo s. m. **1.** *El pintor extiende los colores sobre el **lienzo*** (= sobre una tela de lino o algodón que se usa para pintar). **2.** *Se ha inaugurado una exposición de **lienzos** de Wilfredo Lam* (= una exposición de cuadros).
SINÓN: **1.** tela. **2.** cuadro, pintura.

lifting s. m. *Desde que Isabel se ha hecho el **lifting** parece más joven* (= desde que se ha hecho una operación de cirugía estética para hacer desaparecer las arrugas).

liga s. f. **1.** *Se han unido varias personas para formar una **liga** en defensa de los animales* (= para formar una asociación). **2.** *Me gusta seguir la **liga** de fútbol* (= competencia deportiva de los diferentes equipos de fútbol). **3.** *Las mujeres sujetaban antes las medias con una **liga*** (= las sujetaban con una cinta elástica).
SINÓN: **1.** agrupación, alianza, asociación. **2.** campeonato, competición. **FAM:** → *ligar.*

ligadura s. f. *El prisionero se soltó las **ligaduras** y logró escapar* (= se soltó las cuerdas que lo ataban).
SINÓN: atadura. **FAM:** → *ligar.*

ligamento s. m. *Jugando a fútbol me rompí un **ligamento** de la rodilla y me tuvieron que operar* (= me rompí una fibra que une los huesos).
SINÓN: tendón. **FAM:** → *ligar.*

ligar v. tr. ***Ligaron** las manos del preso a su espalda* (= las ataron).
SINÓN: amarrar, anudar, atar, liar. **ANTÓN:** desatar, desligar, soltar. **FAM:** *liga, ligadura, ligamento.*

ligereza s. f. **1.** *Las liebres tienen mucha **ligereza** para correr* (= tienen mucha agilidad). **2.** *La **ligereza** del papel y del corcho los hace muy manejables* (= su poco peso). **3.** *Mi hermano actuó con gran **ligereza** al comprarse el coche y ahora tiene problemas para pagarlo* (= actuó con imprudencia).
SINÓN: **1.** agilidad, prontitud, rapidez. **2.** levedad. **3.** imprudencia, insensatez. **ANTÓN:** **1.** lentitud. **2.** pesadez. **3.** acierto, prudencia. **FAM:** → *ligero.*

ligero, a adj. **1.** *Como la maleta es **ligera** la puede llevar el niño* (= como pesa muy poco). **2.** *Mi hermana tiene un andar muy **ligero** y llega pronto a cualquier sitio* (= tiene un andar muy rápido). **3.** *Jaime tiene un sueño **ligero**, cualquier ruido lo despierta* (= tiene un sueño poco profundo). ◆ **a la ligera** **4.** *No hagas las cosas **a la ligera** porque te equivocarás* (= no las hagas sin pensar).
SINÓN: **1.** leve. **2.** ágil, rápido, veloz. **ANTÓN:** **1, 3.** pesado. **2.** lento, torpe. **3.** profundo. **FAM:** *aligerar, ligereza.*

lija s. f. *Pulí la madera de la puerta con papel de **lija*** (= hoja de papel o tela que tiene pegados en una de sus caras polvos de vidrio molido y que sirve para lijar).
FAM: *lijar.*

lijar v. tr. *Antes de pintar la puerta, el carpintero la **lija** con un papel muy duro para que quede lisa* (= la raspa con papel de lija para alisarla).
SINÓN: pulir. **FAM:** *lija.*

lila s. f. **1.** La **lila** es un arbusto de flores pequeñas y aromáticas de color violeta o blanco. ◆ **lila** adj. **2.** *El traje que te compré es de color **lila*** (= es de color violeta como la flor). ◆ **lila** s. m. **3.** *El **lila** es mi color preferido.*

lima s. f. **1.** *El carpintero utilizó una **lima** para pulir la madera* (= una herramienta de acero que sirve para alisar metales o madera). **2.** *¿Tienes una **lima** para las uñas?* (= un instrumento que sirve para retocar las uñas).
FAM: *limar.*

limar v. tr. *El prisionero **había limado** los barrotes de su celda* (= los había desgastado con una lima para romperlos).
SINÓN: desgastar, pulir. **FAM:** *lima.*

limitado, a adj. *Sólo fue a la fiesta un número **limitado** de personas* (= un número pequeño).
SINÓN: escaso, pequeño, reducido. ANTÓN: ilimitado. FAM: → *límite.*

limitar v. tr. **1.** *Han **limitado** el campo con una valla* (= lo han separado del resto marcando unos límites). **2.** *No debes correr tanto y debes **limitar** la velocidad* (= debes reducirla). ◆ **limitar** v. intr. **3.** *Panamá **limita** al este con Colombia y al Oeste con Costa Rica* (= está al lado de esos países). ◆ **limitarse** v. pron. **4.** ***Me limité** a decirle que era una desobediente* (= sólo le dije eso).
SINÓN: **1.** acotar, delimitar, separar. **2.** reducir. **3.** lindar. ANTÓN: **2.** aumentar. FAM: → *límite.*

límite s. m. *El balón ha salido de los **límites** del campo* (= ha salido de las líneas que marcan su extensión).
SINÓN: frontera, linde. FAM: *delimitar, ilimitado, limitado, limitar.*

limítrofe adj. *Costa Rica es un país **limítrofe** con Nicaragua* (= hace frontera con Nicaragua).
FAM: → *límite.*

limón s. m. El **limón** es el fruto del limonero, es de color amarillo o verde, muy aromático y de sabor ácido.
FAM: *limonada, limonar, limonero.*

limonada s. f. *Voy a exprimir unos limones para prepararme una **limonada*** (= para prepararme un refresco hecho con jugo de limón, agua y azúcar).
FAM: → *limón.*

limonar s. m. *En la finca, hay un **limonar*** (= hay una plantación de limoneros).
FAM: → *limón.*

limonero s. m. El **limonero** es un árbol de hojas perennes, cuyo fruto es el limón.
FAM: → *limón.*

limosna s. f. *Dimos una **limosna** a un chico necesitado para que pudiera comer* (= le dimos un poco de dinero).
SINÓN: caridad.

limosnero, a s. *Hay muchos **limosneros** por las calles* (= personas que piden limosna).
SINÓN: mendigo.

limpiabotas s. m. *Mientras leía el periódico en el parque le limpiaba los zapatos un **limpiabotas*** (= un muchacho que limpia los zapatos y les da brillo).

limpiador, a adj. *Para limpiar los cristales compramos un líquido **limpiador**.*
FAM: → *limpio.*

limpiaparabrisas s. m. *Cuando llueve mi padre pone en marcha el **limpiaparabrisas** del coche* (= unas varillas metálicas provistas de gomas que, al deslizarse repetidamente sobre el cristal, lo limpian).

limpiar v. tr. **1.** *Cuando **limpio** el suelo lo dejo brillante* (= cuando le quito la suciedad). **2.** *En el autobús me **limpiaron** la cartera* (= me la robaron).
SINÓN: **1.** asear, lavar. **2.** robar. ANTÓN: **1.** ensuciar, manchar. FAM: → *limpio.*

limpieza s. f. *Mi madre ha comprado jabón y trapos para hacer la **limpieza** de la casa* (= para quitar la suciedad).
SINÓN: aseo. FAM: → *limpio.*

limpio, a adj. **1.** *Ponte una camisa **limpia** porque la que llevas está llena de manchas* (= una camisa sin suciedad). **2.** *Este trigo está **limpio** de paja* (= no tiene paja). **3.** *El negocio le salió mal y se quedó **limpio*** (= se quedó sin dinero). **4.** *No me ha engañado porque su comportamiento siempre ha sido **limpio*** (= siempre ha sido honrado). ◆ **limpio** adv. **5.** *Puedes confiar en Isabel porque siempre juega **limpio*** (= siempre juega sin hacer trampas). ◆ **poner en limpio** o **pasar en limpio 6.** *Todos los días **paso en limpio** los deberes para no presentarlos sucios o con tachaduras* (= los vuelvo a redactar).
SINÓN: **1.** pulcro. **3.** arruinado. **4.** honesto, honrado, noble. ANTÓN: **1, 5.** sucio. **4.** deshonesto. FAM: *limpiador, limpiar, limpieza.*

limusina s. f. *La **limusina** que conduce es tan grande que ocupa el sitio de dos coches* (= el coche de lujo de gran tamaño que conduce).

linaje s. m. *Es una persona de noble **linaje*** (= sus antepasados pertenecieron a la nobleza).
SINÓN: abolengo, estirpe.

lince s. m. **1.** El **lince** es un mamífero carnívoro semejante a un gato grande salvaje. **2.** *Tienes una vista de **lince*** (= te das cuenta de todo en seguida).

linchar v. tr. *La multitud estuvo a punto de **linchar** al asesino pero llegó la policía y lo impidió* (= estuvo a punto de matarlo).

lindar v. intr. *Bolivia **linda** con Brasil y con Perú* (= está al lado de los dos países).
SINÓN: limitar. FAM: → *linde.*

linde s. f. *La **linde** de su finca está al pie de la colina* (= el límite de su finca).
SINÓN: *límite.* FAM: → *lindar.*

lindo, a adj. **1.** *Aunque no tiene los rasgos de la cara bonitos, María es **linda*** (= es guapa). ◆ **de lo lindo 2.** *Nos hemos aburrido **de lo lindo*** (= nos hemos aburrido mucho).
SINÓN: **1.** bonito, gracioso, hermoso. ANTÓN: **1.** feo, horrible.

línea s. f. **1.** *Con una regla, tracé una **línea*** (= hice una raya). **2.** *Lee en voz alta la primera **línea** de la página* (= lee el primer renglón). **3.** *Me escribió unas **líneas** saludándome para las fiestas* (= me escribió una carta). **4.** *Hay varias **líneas** de autobuses para ir al centro* (= un medio de transporte). **5.** *La **línea** telefónica está cortada* (= el sistema de cables que hace posible la comunicación telefónica). **6.** *Este vestido es de **línea** sencilla* (= es de estilo sencillo). **7.** *María come poco para guardar la **línea***

(= para no engordar). ◆ **en líneas generales 8.** ***En líneas generales*** *tiene razón por lo que ha dicho* (= en general tiene razón aunque no en todo) ◆ **leer** o **decir algo entre líneas 10.** *Por lo que me* ***dijo entre líneas*** *está harta de su situación* (= aunque no lo expresó claramente lo insinuó).

SINÓN: **1.** raya, trazo. **2.** renglón. **3.** carta. **4.** itinerario, recorrido, trayecto. **5.** cable. **6.** diseño, estilo. **7.** silueta. FAM: *alinear, delineante, lineal.*

lineal adj. *Necesitamos una regla para hacer dibujo* ***lineal*** (= que se hace a base de trazos).
FAM: → *línea.*

lingote s. m. *En la caja fuerte de este banco guardan* ***lingotes*** *de oro* (= guardan barras gruesas de ese metal).

lingüística s. f. La **Lingüística** es la ciencia que estudia el lenguaje.
FAM: → *lengua.*

linimento s. m. *Para aliviarme el dolor muscular el masajista me aplicó un* ***linimento*** *que me dejó como nuevo* (= me aplicó una pomada).
SINÓN: pomada, ungüento.

lino s. m. *Compré un vestido de* ***lino*** *y se arrugaba mucho* (= lo compré de una tela que se hace con las fibras de una planta).

linterna s. f. *Esta* ***linterna*** *no alumbra porque tiene las pilas gastadas* (= es un utensilio con un foco y pilas que sirve para proyectar luz).

lío s. m. **1.** *Hice un* ***lío*** *con la ropa sucia y la metí en una bolsa* (= la puse toda junta en desorden). **2.** *Nadie ponía orden a la entrada del cine y aquello era un* ***lío*** (= era un caos). ◆ **hacerse un lío 3.** *Confundí los griegos con los romanos y me* ***hice un lío*** *con la lección* (= me hice un embrollo). ◆ **meterse en un lío 4.** *El día que, en lugar de ir a clase, me fui al cine,* ***me metí en un lío*** *con mis padres* (= tuve problemas con ellos).

SINÓN: **2.** caos, confusión, desorden. ANTÓN: **2.** orden. FAM: → *liar.*

linyera s. f. R. de la Plata **1.** *Vivía como una* ***linyera,*** *sin residencia fija* (= persona abandonada, vagabunda y ociosa). **2.** ***Linyera*** es el atado en que el vagabundo guarda sus efectos personales.

lipotimia s. f. *Su desmayo no fue nada grave; se trataba sólo de una* ***lipotimia*** (= de un desmayo pasajero).

liquen s. m. El **liquen** es una planta formada por la asociación de un alga con un hongo. No tiene hojas, ni flores ni raíces y vive en zonas húmedas.

liquidación s. f. *Este abrigo fue tan barato porque lo compré en una* ***liquidación*** (= un negocio que hacía grandes rebajas). SINÓN: rebaja, saldo. FAM: *liquidar.*

liquidar v. tr. **1.** *Juan* ***liquidó*** *la cuenta y se fue del hotel* (= pagó lo que debía). **2.** *Este asunto* ***fue liquidado*** *el año pasado* (= se resolvió). **3.** *Antes de cerrar definitivamente su comercio el dueño* ***liquidó*** *todo* (= lo vendió todo a bajo precio). **4.** *El asesino* ***liquidó*** *a su víctima* (= la mató).

SINÓN: **1.** pagar, saldar. **2.** resolver, terminar. **4.** eliminar, matar. ANTÓN: **2.** comenzar, empezar. FAM: *liquidación.*

líquido s. m. *El agua, el vino y la leche son* ***líquidos*** (= son sustancias que se adaptan a la forma del recipiente que las contiene).
SINÓN: fluido. ANTÓN: sólido.

lira s. f. **1.** La **lira** es un antiguo instrumento musical de cuerda. **2.** *Como visitaba Italia y Turquía fue al banco para conseguir* ***liras*** *italianas y turcas* (= moneda italiana y turca).
FAM: *lírico.*

lírico, a adj. *El autor de este poema* ***lírico*** *refleja los sentimientos que él tenía en ese momento* (= poema que expresa los sentimientos del autor).
FAM: *lira.*

lirio s. m. El **lirio** es una planta de flores vistosas de color violeta o blanco.

lirón s. m. **1.** El **lirón** es un animal pequeño, mamífero y roedor, que duerme durante todo el invierno. ◆ **dormir como un lirón 2.** *A Inés no hay quien la despierte, siempre* ***duerme como un lirón*** (= siempre duerme profundamente).

lisboeta adj. **1.** *Esta mantelería es* ***lisboeta*** (= es de Lisboa). ◆ **lisboeta** s. **2.** *Los* ***lisboetas*** *son las personas nacidas en Lisboa.*

lisiado, a adj. *Después del accidente, quedó* ***lisiado*** *de las piernas* (= quedó herido y ahora no puede caminar ni mover las piernas).
SINÓN: impedido, inválido.

liso, a adj. **1.** *Después de lijar la madera, quedó muy* ***lisa*** (= quedó llana). **2.** *María tiene el pelo tan* ***liso*** *que le cuesta peinarlo* (= no lo tiene rizado). **3.** *No quiero una tela con dibujos sino* ***lisa*** (= quiero una tela de un solo color y sin dibujos).

SINÓN: **1.** llano, plano. **2.** lacio. ANTÓN: **1.** rugoso. **2.** rizado. FAM: *alisar.*

lista s. f. **1.** *Juan tiene una camisa blanca con* ***listas*** *azules* (= con rayas azules). ◆ **pasar lista 2.** *El profesor* ***pasa lista*** *cada día* (= nombra a cada uno de los alumnos).

SINÓN: **1.** franja, tira. FAM: *alistar, listado, listín, listón.*

listado s. m. *Aparecerán los resultados de los exámenes en un* ***listado*** (= en una lista).
SINÓN: lista, relación. FAM: → *lista.*

listo, a adj. **1.** *María es muy* ***lista,*** *todo lo entiende a la primera* (= es muy inteligente). **2.** *¿Estás* ***listo*** *para salir ahora?* (= ¿estás preparado?).

SINÓN: **1.** despierto, espabilado, inteligente, vivo. **2.** preparado. ANTÓN: **1.** tonto, torpe.

listón s. m. **1.** *Es muy hábil: con sólo unos **listones** hace una mesa* (= con sólo unas tablas). Méx. **2.** *Adornó su cabello con un vistoso **listón*** (= tira de tela).
SINÓN: 1. tabla. **2.** cinta. **FAM:** → *lista.*

lisura s. f. **1.** *Después de lustrada la mesa tenía una gran **lisura*** (= tersura de la superficie de una cosa). Guat. Pan., Perú. **2.** *Para decir groserías en público, hay que tener mucha **lisura*** (= falta de respeto). Perú **3.** *Caminaba con mucha **lisura*** (= gracia, donaire).
SINÓN: 2. atrevimiento, desvergüenza, osadía. **ANTÓN: 2.** corrección, cortesía, educación. **FAM:** → *liso.*

litera s. f. *Mi hermana y yo dormimos en una **litera,** yo en la cama de arriba y ella en la de abajo* (= dormimos en un mueble formado por dos camas, una encima de la otra).

literal adj. *Tiene una gran memoria, te puede repetir de manera **literal** la letra de una canción con sólo oírla una vez* (= de manera exacta).
SINÓN: fiel, textual.

literario, a adj. *La crítica **literaria** es la que trata de los libros de literatura.*
FAM: → *literatura.*

literato, a s. *Carpentier fue un gran **literato*** (= fue un gran escritor).
SINÓN: autor, escritor. **FAM:** → *literatura.*

literatura s. f. **1.** *Cien años de soledad es una de las grandes obras de la **literatura*** (= una gran obra de arte cuyo medio de expresión es la palabra). **2.** *En el colegio estudio **Literatura** hispanoamericana* (= estudio el conjunto de las obras literarias de hispanoamérica).
FAM: *literario, literato.*

litoral adj. **1.** *Perú es uno de los países **litorales** del Pacífico* (= uno de los que tienen costa en este mar). ◆ **litoral** s. m. **2.** *Las playas del **litoral** Atlántico sur son más frías que las del Caribe* (= de las costas atlánticas).
SINÓN: 2. costa.

litro s. m. *Compré un **litro** de leche* (= es la unidad de medida de los líquidos).
FAM: *centilitro, decalitro, decilitro, hectolitro, mililitro.*

liturgia s. f. *Asistimos a la celebración de la **liturgia** todos los domingos* (= asistimos al conjunto de prácticas del culto a Dios).

lívido, a adj. *Cuando te dieron la noticia te quedaste tan **lívido** que parecía que te ibas a desmayar* (= te quedaste muy pálido).
SINÓN: pálido.

Ll La doble letra **ll**, llamada *elle* es el sonido de las letras **l** y **l** juntas en palabras como allá, fuelle, allí, rollo y lluvia.

llaga s. f. *Hay que limpiar todos los días la **llaga** para que no salga pus y no se infecte* (= hay que limpiar todos los días la herida).
SINÓN: herida.

llama s. f *Se quemó con la **llama** de una hornalla* (= se quemó con el fuego).
SINÓN: llamarada. **FAM:** *llamarada.*

llama s. f. La **llama** es un mamífero de cuello largo y erguido, orejas tiesas y cabeza pequeña del que se aprovecha su leche, su lana y su carne. Vive en los Andes y es zutilizado como bestia de carga.

llamada s. f. **1.** *Los náufragos lanzan **llamadas** de socorro* (= lanzan gritos de socorro). **2.** *Hemos recibido dos **llamadas** telefónicas para ti* (= te han llamado dos veces).
SINÓN: 1. grito. **2.** aviso, mensaje. **FAM:** → *llamar.*

llamar v. tr. **1.** ***Llamamos** a los niños a la mesa* (= les dijimos que vinieran). **2.** *Como había fuego **llamamos** a los bomberos* (= les avisamos). **3.** *Te **llamé** por teléfono y no estabas* (= te telefoneé). **4.** *A la niña la **llaman** Cuca* (= le han puesto el apodo de Cuca). ◆ **llamar** v. intr. **5.** *Abre porque **han llamado** a la puerta* (= han tocado el timbre). ◆ **llamarse** v. pron. **6.** *Mi compañero de pupitre **se llama** Luis Pérez Ramírez* (= tiene como nombre y apellidos Luis Pérez Ramírez).
SINÓN: 1, 2. avisar. **3.** telefonear. **4.** apodar, denominar, nombrar. **FAM:** *llamada, llamador, llamativo.*

llamarada s. f. *Salen **llamaradas** al echar un poco de gasolina al fuego* (= salen llamas grandes).
SINÓN: llama. **FAM:** *llama.*

llamativo, a adj. *Los payasos usan unos trajes de colores **llamativos** para hacerse notar* (= usan unos trajes de colores chillones).
SINÓN: chillón, estridente, vistoso. **ANTÓN:** apagado. **FAM:** → *llamar.*

llana s. f. *El albañil extendió el yeso por la pared con una **llana*** (= con una herramienta plana de metal con asa).

llanero, a s. Amér. Merid. *Los **llaneros** tuvieron un importante papel en la historia de Venezuela* (= habitante de la región de los llanos).
FAM: → *llano.*

llaneza s. f. *A pesar de ser una persona importante trata a la gente con mucha **llaneza*** (= trata a la gente con mucha sencillez).
SINÓN: familiaridad, naturalidad, sencillez. **ANTÓN:** solemnidad, ceremoniosidad. **FAM:** → *llano.*

llano, a adj. **1.** *Cuando las carreteras no tienen curvas ni pendientes es porque la región es **llana*** (= no hay desniveles). **2.** *Juan es muy **llano** en su trato a pesar de su fama* (= es muy sencillo en su trato). ◆ **llano** s. m. **3.** *Desde la torre de la iglesia podemos ver todo el **llano*** (= podemos ver toda la llanura).
SINÓN: 1. plano, uniforme. **2.** familiar, espontáneo, natural, sencillo. **3.** llanura. **ANTÓN: 1.** des-

igual, montañoso. **2.** solemne. FAM: → *allanamiento, allanar, llaneza, llanura, rellano.*

llanta s. f. *Compraron **llantas** nuevas para las cuatro ruedas del coche* (= cubiertas de hule y malla metálica que forman la parte de los neumáticos que gira sobre el pavimento).
SINÓN: goma, neumático.

llanto s. m. *Escucha el **llanto** de ese niño; debe tener hambre* (= escucha el lloro).
SINÓN: lloro. ANTÓN: carcajada, risa.

llanura s. f. *Cruzamos una gran **llanura** en la que no había ni la más mínima elevación del terreno* (= un terreno muy llano y extenso).
SINÓN: llano, planicie. ANTÓN: montaña. FAM: → *llano.*

llave s. f. **1.** *No puedo abrir la puerta porque he perdido la **llave*** (= he perdido el instrumento metálico que sirve para abrir y cerrar una cerradura). **2.** *Para aflojar las tuercas de la rueda necesitas una **llave*** (= herramienta que permite aflojar o apretar las tuercas). **3.** *Tomás evitó la inundación del piso porque cerró la **llave** del agua* (= el grifo que impide su paso). **4.** *El luchador ganó por una **llave** que inmovilizó al otro luchador* (= ganó por un movimiento). ◆ **bajo llave** **5.** *Guardé el chocolate **bajo llave** para que no lo encontraran los niños* (= lo guardé en un sitio cerrado con llave). ◆ **echar la llave** **6.** *Me fui y **eché la llave*** (= me fui y cerré con llave la puerta).
ANTÓN: **3.** grifo. FAM: *llavero.*

llavero s. m. *Recojo y guardo todas mis llaves en el **llavero*** (= utensilio de distintas formas que se usa para llevar juntas las llaves).
FAM: → *llave.*

llegada s. f. **1.** *Espero la **llegada** del cartero de un momento a otro* (= espero la venida del cartero). **2.** *Un corredor abandonó a dos kilómetros de la línea de **llegada*** (= a dos kilómetros de la meta).
SINÓN: **2.** meta. ANTÓN: **1.** ida, marcha. **2.** salida. FAM: *llegar.*

llegar v. intr. **1.** *Cuando **llegue** a la ciudad iré a tu casa* (= cuando ya esté ahí). **2.** *Tengo ganas de que **lleguen** las vacaciones* (= de que tengan lugar las vacaciones). **3.** *Por fin **llegó** a general después de veinte años en el ejército* (= por fin consiguió ser general). **4.** *Tiene una falda que le **llega** a las rodillas* (= le cubre las piernas hasta las rodillas). ◆ **llegar lejos** **5.** *Juan como es tan estudioso **llegará lejos*** (= tendrá un futuro brillante). ◆ **llegar a las manos** **9.** *Aunque nos enojamos mucho nunca **llegamos a las manos*** (= nunca nos pegamos).
SINÓN: **1.** arribar. **3.** alcanzar, conseguir, lograr. **4.** alargarse. ANTÓN: **1.** marchar, partir, salir. **2.** cesar, interrumpir. **3.** fracasar. FAM: *llegada.*

llenar v. tr. **1.** *¿Quieres **llenar** de vino esta botella?* (= ¿quieres colmar de vino esta botella?). **2.** ***Llenó** la habitación de juguetes* (= puso muchos juguetes en la habitación). **3.** *La noticia me **llenó** de alegría* (= la noticia me hizo muy feliz). **4.** *Debes **llenar** este formulario* (= debes completarlo). ◆ **llenarse** v. pron. **5.** *Comimos tanto en el restaurante que **nos llenamos*** (= que nos hartamos).
SINÓN: **1.** colmar. **2.** abarrotar. **4.** rellenar. **5.** atiborrarse, hartarse. ANTÓN: **1, 2.** vaciar. FAM: → *lleno.*

lleno, a adj. **1.** *Este vaso está **lleno** de agua* (= ya no cabe más). **2.** *Estoy tan **lleno** que no puedo comer nada más* (= estoy saciado). **3.** *Cuando hay Luna **llena**, la Luna se ve desde la Tierra totalmente redonda e iluminada.* ◆ **lleno** s. m. **4.** *Había un **lleno** increíble en el teatro ya que la obra era muy buena* (= estaban ocupadas todas las localidades).
SINÓN: **1.** rebosante, repleto. ANTÓN: **1.** vacío. FAM: *llenar, rellenar, relleno.*

llevadero, a adj. *El calor de hoy es **llevadero** si te sientas a la sombra* (= se puede soportar bien).
SINÓN: soportable. ANTÓN: insoportable. FAM: *llevar.*

llevar v. tr. **1.** *Juan **lleva** a su bebé en brazos* (= lo carga). **2.** *Ayer **llevé** a los niños al parque* (= ayer fui con ellos). **3.** *Luis **lleva** dinero encima* (= tiene dinero). **4.** *Juan **lleva** el negocio de su padre* (= lo administra). **5.** ***Llevo** tres días esperándote* (= hace tres días que te espero). **6.** *Mi abuelo **lleva** bien su enfermedad* (= la soporta). **7.** *María **lleva** una falda azul* (= viste una falda azul). **8.** ***Lleva** tú el coche que yo tengo sueño* (= conduce tú). ◆ **llevarse** v. pron. **9.** *Después de mucho esfuerzo **me llevé** el premio* (= conseguí el premio). **10.** *Helena y Virginia **se llevan** bien* (= son muy amigas). **11.** *Estas faldas largas ya no **se llevan*** (= ya no están de moda). ◆ **llevar adelante** **12.** ***Llevó adelante** su plan y consiguió que lo ascendieran* (= realizó su idea). ◆ **llevar las de perder** **13.** *Como es más pequeña Isabel siempre **lleva las de perder*** (= sale perdiendo).
SINÓN: **1.** acarrear, cargar, transportar. **4.** administrar, dirigir, encargarse. **6.** aguantar, soportar. **7.** lucir, vestir. **8.** conducir. **9.** conseguir, lograr. FAM: *llevadero.*

llorar v. intr. **1.** *María **llora** porque se ha hecho daño* (= solloza).
SINÓN: gemir, gimotear, lloriquear, sollozar. FAM: *lloriquear, lloro, llorón, lloroso.*

lloriquear v. intr. *Este niño debe tener algo porque lleva un rato **lloriqueando*** (= lleva un rato gimoteando).
SINÓN: gimotear, llorar. FAM: → *llorar.*

llorón, ona adj. **1.** *Pedro es un niño **llorón** que llora por cualquier cosa* (= es un niño que llora mucho). ◆ **lloronas** s. f. pl. Amér. Merid.

2. *Aquel gaucho lleva unas relucientes* ***lloronas*** (= espuelas grandes).
ANTÓN: alegre, risueño. **FAM:** → *llorar.*

lloroso, a adj. *Se nota que has llorado porque tienes los ojos* ***llorosos*** (= los tienes con señales de haber llorado).
SINÓN: llorón. **ANTÓN:** alegre. **FAM:** → *llorar.*

llover v. intr. **1.** *Si no te llevas el paraguas te mojarás porque* ***está lloviendo*** (= está cayendo agua de las nubes). ◆ **como quien oye llover 2.** *Su madre lo reprendió pero él la escuchó* ***como quien oye llover*** (= sin hacer el menor caso).
SINÓN: 1. diluviar, lloviznar. **FAM:** *llovizna, lloviznar, lluvia, lluvioso.*

llovizna s. f. *No es que llueva pero la* ***llovizna*** *que cae terminará mojándonos* (= pero la lluvia fina y uniforme que cae).
SINÓN: lluvia. **FAM:** → *llover.*

lloviznar v. intr. *No se puede decir que llueva, sólo* ***llovizna*** *un poco* (= sólo cae una lluvia suave y menuda).
FAM: → *llover.*

lluvia s. f. **1.** *Salí sin el paraguas y me mojé con la* ***lluvia*** *que caía a cántaros* (= me mojé con el agua que caía de las nubes). Arg., Chile, Nic. **2.** *Llamó al plomero porque la* ***lluvia*** *estaba descompuesta* (= dispositivo de los baños que hace caer finos chorros de agua).
SINÓN: 1. aguacero, chaparrón, precipitación. **2.** ducha, regadera. **FAM:** → *llover.*

lluvioso, a adj. *Como este otoño ha sido muy* ***lluvioso*** *los pantanos están llenos* (= como este otoño ha llovido mucho).
FAM: → *llover.*

lo Es un pronombre personal. VER CUADRO DE PRONOMBRES PERSONALES.

lobato o **lobezno** s. m. El **lobato** es la cría del lobo.
FAM: → *lobo.*

lobera s. f. *Los lobos se refugiaron en su* ***lobera*** (= se refugiaron en la cueva donde viven).
FAM: → *lobo.*

lobo, a s. **1.** El **lobo** es un mamífero carnicero, semejante a un perro salvaje, de pelaje gris oscuro. ◆ **lobo marino 2.** → *foca* . ◆ **lobo de mar 3.** *Mi abuelo se pasó toda su vida en un barco, era un auténtico* ***lobo de mar*** (= era un marino con experiencia).
FAM: *lobato, lobera.*

lóbrego, a adj. *Los cementerios siempre dejan una impresión* ***lóbrega*** *a quien los visita* (= dejan una impresión triste).
SINÓN: melancólico, sombrío, triste. **ANTÓN:** alegre.

lóbulo s. m. *Llevaba unos aros colgados en los* ***lóbulos*** *de las orejas* (= los llevaba en el extremo inferior, blando y redondeado de las orejas).

local adj. **1.** *Leo los periódicos* ***locales*** *para tener información de la región en que vivo* (= leo los periódicos que se publican en mi localidad). **2.** *Cuando el dentista me pone anestesia* ***local*** *me queda toda la boca dormida* (= cuando me pone anestesia en una parte de la boca). ◆ **local** s. m. **3.** *En este* ***local*** *se puede instalar un cine* (= en este lugar cubierto y cerrado).
SINÓN: 3. recinto, sala. **ANTÓN: 2.** general, total.
FAM: *localidad, localización, localizar.*

localidad s. f. **1.** *Nací en una* ***localidad*** *situada en la provincia de Buenos Aires* (= nací en un pueblo). **2.** *Las* ***localidades*** *de las canchas de fútbol son muy incómodas* (= los asientos). **3.** *Como no quedan* ***localidades*** *para el concierto tendré que quedarme en casa* (= no quedan entradas).
SINÓN: 1. población. **2.** asiento, butaca. **3.** billete, boleto, entrada. **FAM:** → *local.*

localización s. f. *El examen consistía en la* ***localización*** *en un mapa de varias ciudades* (= consistía en encontrarlas).
FAM: → *local.*

localizar v. tr. *Los perros trataban de* ***localizar*** *la madriguera de los conejos* (= trataban de encontrarla).
SINÓN: encontrar. **FAM:** → *local.*

loción s. f. *Mi padre después de afeitarse se pone una* ***loción*** *que huele muy bien* (= un líquido para después de afeitarse).

loco, a adj. **1.** *Había muchas personas* ***locas*** *en el manicomio* (= había muchas personas dementes). **2.** *No me atrevo a viajar con él porque es un* ***loco*** *conduciendo* (= es un imprudente). **3.** *Está* ***loca*** *de alegría por haber aprobado todos los exámenes* (= está muy contenta). ◆ **cada loco con su tema 4.** ***Cada loco con su tema,*** *no se van a llegar a entender nunca* (= cada uno habla de una cosa). ◆ **hacer algo a lo loco 5.** ***Hizo el trabajo a lo loco*** *y le salió mal* (= lo hizo deprisa y corriendo).
SINÓN: 1. demente, desequilibrado. **2.** imprudente, insensato. **ANTÓN: 1.** cuerdo. **2.** prudente, sensato. **FAM:** *alocado, enloquecer, locura.*

locomoción s. f. *El avión es el medio de* ***locomoción*** *más rápido que tenemos* (= el medio de transporte).
SINÓN: desplazamiento.

locomotora s. f. *El maquinista conduce el tren desde la* ***locomotora*** (= la conduce desde la máquina que arrastra los vagones).

locro s. m. Amér. Merid. *Sirvieron a los invitados* ***locro*** *y empanadas criollas* (= plato de carne con maíz o trigo, condimentado y guisado).

locuaz adj. *Margarita es muy* ***locuaz*** *con la gente que conoce pero con los desconocidos se queda callada* (= es muy habladora).
SINÓN: hablador, parlanchín. **ANTÓN:** silencioso.
FAM: *locución.*

locución s. f. Una **locución** es un grupo de palabras que, por estar juntas, pierden su significado y adquieren otro; por ejemplo: *dar la lata, echar una mano...*
FAM: *locuaz.*

locura s. f. **1.** *Últimamente le dan ataques de* ***locura*** *durante los cuales puede hacer cualquier cosa por disparatada que sea* (= hace cosas que no son normales). **2.** *Comprar esa casa tan cara fue una* ***locura*** *porque no tenía dinero para pagarla* (= fue una imprudencia). **3.** *Quiere con* ***locura*** *a sus nietos* (= los quiere mucho).
SINÓN: 1. demencia. **1, 3.** delirio. **2.** disparate, imprudencia, insensatez. **ANTÓN: 1.** cordura. **2.** acierto, sensatez. **FAM:** → *loco.*

locutor, a s. *No me gusta cómo presenta el programa este* ***locutor*** (= este presentador).
FAM: *interlocutor.*

lodo s. m. *Como ha llovido y el camino está lleno de* ***lodo*** *me he manchado los zapatos* (= está lleno de barro).
SINÓN: barro, fango.

lógico, a adj. **1.** *Tu explicación me convence porque es* ***lógica*** (= es razonable y coherente). **2.** *Es* ***lógico*** *que no venga a la fiesta si tiene que trabajar* (= es natural). ◆ **lógica** s. f. **3.** *Daniel usa la* ***lógica*** *para resolver los problemas de matemáticas* (= usa la razón).
SINÓN: 1. coherente, razonable. **2.** natural, normal. **3.** razón. **ANTÓN: 1.** absurdo, disparatado. **1, 2.** ilógico. **2.** extraño.

logotipo s. m. *Tengo una camiseta con el* ***logotipo*** *de las Olimpíadas de Barcelona dibujado* (= con el símbolo o emblema de las Olimpíadas).
SINÓN: emblema, símbolo.

logrado, a adj. *La imitación de aquel actor fue muy* ***lograda*** (= muy bien hecha).
SINÓN: conseguido. **ANTÓN:** descuidado. **FAM:** → *logro.*

lograr v. tr. *El atleta* ***logró*** *la victoria* (= consiguió la victoria).
SINÓN: alcanzar, conseguir, obtener. **ANTÓN:** fracasar. **FAM:** → *logro.*

logro s. m. *Fue todo un* ***logro*** *conseguir que viniera con nosotros al cine* (= fue todo un éxito).
SINÓN: éxito, resultado. **ANTÓN:** fracaso. **FAM:** *logrado, lograr.*

loma s. f. *Subimos a una* ***loma*** *para ver mejor el paisaje* (= subimos a una colina).
SINÓN: cerro, colina.

lombriz s. f. La **lombriz** es un gusano de cuerpo muy alargado que vive en terrenos húmedos.

lomo s. m. **1.** *De un salto subió al* ***lomo*** *del caballo* (= subió a la parte del caballo que está entre el cuello y las ancas). **2.** *Se me ha despegado el* ***lomo*** *del libro* (= la parte de la tapa del libro por donde se unen las hojas).

lona s. f. *La* ***lona*** *de la tienda de campaña está rota y entra el aire cuando estamos dentro* (= la tela gruesa con la que está hecha).

lonchar o **lonchear** v. intr. y tr. Amér. *Los domingos de verano vamos a* ***lonchar*** *a la orilla del río* (= comer bocadillos y otros alimentos preparados).

lonche s. m. Amér. *Como no tengo mucho tiempo, sólo comeré un* ***lonche*** (= almuerzo liviano y poco abundante).

lonchería s. f. *Dentro de la fábrica hay una* ***lonchería*** *para el personal* (= restaurante en el que se sirven platos livianos).

londinense adj. **1.** *El palacio de Buckingham es* ***londinense*** (= está en Londres). ◆ **londinense** s. **2.** *Los* ***londinenses*** *son las personas nacidas en Londres.*

loneta s. f. Ant., R. de la Plata. *Los operarios usan ropa de* ***loneta*** (= tela gruesa y resistente que se emplea para hacer ropa de trabajo, toldos y sacos).

longaniza s. f. *No quise ni una rodaja de* ***longaniza*** *porque me sienta mal la carne de cerdo* (= embutido largo y delgado de carne de cerdo picada y adobada).

longitud s. f. *Vivo en una calle que mide 100 metros de* ***longitud*** (= mide 100 metros a lo largo, desde una esquina hasta la otra).

lonja s. f. R. de la Plata. *Luis se compró un látigo con mango de plata y tres* ***lonjas*** (= triras de cuero).

loro s. m. El **loro** es un ave de hermoso plumaje que imita la voz humana y repite algunas palabras o frases simples.
SINÓN: cotorra, papagayo.

losa s. f. *La* ***losa*** *que cubría la tumba de mi abuelo estaba rota y la cambiamos* (= la piedra).
FAM: *loseta.*

loseta s. f. *El suelo del cuarto de baño está cubierto de* ***losetas*** (= está cubierto de azulejos o losas pequeñas).
SINÓN: azulejo, baldosa. **FAM:** *losa.*

lote s. m. **1.** *Se ha dividido el terreno y se ha vendido por* ***lotes*** (= se ha vendido por partes separadas). **2.** *Se vende todo un* ***lote*** *de cacerolas* (= se vende todo un conjunto de cacerolas).
SINÓN: 1. parte, porción. **2.** conjunto, serie.
FAM: → *lotería.*

lotería s. f. **1.** *He comprado un número de* ***lotería*** *para ver si en el próximo sorteo me hago millonario* (= he comprado un número de un juego en el que son premiados los números de los billetes y que se sacan al azar). **2.** *En el sorteo de Navidad me saqué la* ***lotería*** (= me gané un premio en ese juego). **3.** *Me he sacado la* ***lotería*** *con este nuevo trabajo* (= he tenido mucha suerte).
FAM: *lote.*

loto s. m. El **loto** es una planta acuática de flores muy olorosas, hojas grandes y brillantes.

loza s. f. *Cuidado con los platos y tazas de* ***loza*** *que si se caen se rompen* (= objetos hechos de barro fino cocido y barnizado).
SINÓN: cerámica, porcelana.

lozanía s. f. *La juventud se caracteriza por la* ***lozanía*** *de su aspecto* (= se caracteriza por su vigor y su frescura).
SINÓN: frescura, vigor. **ANTÓN:** debilidad.

lubina s. f. La **lubina** es un pez marino con el dorso azul negruzco y el vientre blanco; su carne es muy apreciada.

lubricante s. m. *Puse* ***lubricante*** *en las ruedas de la bicicleta para que no chirriaran* (= puse un líquido que disminuía el roce entre las piezas de las ruedas).

lucero s. m. *El cielo en las noches de verano está lleno de* ***luceros*** (= está lleno de estrellas).
SINÓN: estrella. **FAM:** → *luz.*

lucha s. f. **1.** *En los últimos años ha aumentando la* ***lucha*** *contra el cáncer* (= los estudios para combatir esa enfermedad). **2.** *Cayeron muchos soldados en la* ***lucha*** *contra el enemigo* (= cayeron en el combate).
SINÓN: 2. batalla, combate, conflicto, contienda. **FAM:** → *luchar.*

luchador, a s. **1.** *Mi padre es un* ***luchador****, intenta conseguir lo mejor para nuestra familia y nunca se rinde.*
FAM: → *luchar.*

luchar v. intr. **1.** *Luis y Juan* ***luchan*** *por conseguir la victoria* (= se esfuerzan por conseguirla). **2.** *El general alentó a los soldados antes de salir a* ***luchar*** *contra los enemigos* (= los animó a combatir). **3.** *Ellos* ***luchaban*** *contra el hambre en el mundo* (= hacían lo que podían para acabar con él).
SINÓN: 2. batallar, combatir, pelear, reñir. **FAM:** *lucha, luchador.*

lúcido, a adj. *Cuando se te vaya el efecto del alcohol y estés* ***lúcido*** *hablaremos* (= cuando estés despejado).
SINÓN: despejado, despierto. **ANTÓN:** espeso. **FAM:** → *luz.*

luciérnaga s. f. La **luciérnaga** es un insecto que por la noche emite luz.
FAM: → *luz.*

lucio s. m. El **lucio** es un pez grande de agua dulce, de color verdoso con rayas pardas y cuya carne es muy sabrosa.

lucir v. tr. **1.** *Juan* ***luce*** *su coche nuevo* (= se lo muestra a todo el mundo). ◆ **lucir** v. intr. **2.** *Cambia la figura de sitio porque donde está ahora no* ***luce*** *nada* (= no destaca). ◆ **lucirse** v. pron. **3.** *Isabel* ***se lució*** *haciendo el examen sin ningún error* (= demostró su inteligencia).
SINÓN: 1. enseñar, exhibir. **2.** destacar, resaltar. **3.** triunfar. **FAM:** → *luz.*

lucrativo, a adj. *Se ha hecho rico porque su negocio es muy* ***lucrativo*** (= produce muchas ganancias).
FAM: *lucro.*

lucro s. m. *Montó este negocio únicamente por* ***lucro*** (= para obtener ganancias).
FAM: *lucrativo.*

ludo s. m. Amér. Merid. *Mis padres juegan al* ***ludo*** *con sus amigos* (= juego de mesa en el que se hacen avanzar fichas por un tablero, en función de las cifras obtenidas al tirar un dado).
SINÓN: parchís.

luego adv. **1.** ***Luego*** *te lo explicaré* (= después te lo explicaré). ◆ **luego** conj. **2.** *Tú no eres profesor,* ***luego*** *no puedes dar clases* (= en consecuencia no puedes dar clases). ◆ **desde luego** **3.** ***Desde luego*** *que iré a la fiesta, no me la perdería por nada* (= por supuesto que iré a la fiesta). ◆ **hasta luego** **4.** *Me voy, ya nos veremos,* ***hasta luego*** (= adiós).
SINÓN: 1. después. **3.** naturalmente.

lugar s. m. **1.** *Encontraron una pistola en el* ***lugar*** *del crimen* (= la encontraron en el sitio). **2.** *El corredor llegó en cuarto* ***lugar*** *a la meta* (= llegó en cuarta posición). ◆ **en lugar de** **3.** *Podemos ir al cine* ***en lugar de*** *ir al teatro* (= en vez de ir al teatro).
SINÓN: 1. sitio. **2.** posición, puesto. **FAM:** *lugareño.*

lugareño, a adj. *Estos* ***lugareños*** *acogen muy bien a los visitantes* (= las personas que viven en lugares o poblaciones pequeñas).
SINÓN: aldeano, pueblerino. **FAM:** *lugar.*

lúgubre adj. *La idea de la muerte es* ***lúgubre*** (= es muy triste).
SINÓN: sombrío, triste.

lujo s. m. **1.** *Al ver la casa decorada con objetos tan caros comprendí que vivían con mucho* ***lujo*** (= que vivían con mucha riqueza). **2.** *Cuando estamos de vacaciones nos permitimos el* ***lujo*** *de levantarnos tarde* (= nos damos esa comodidad). **3.** *Me contó la película con todo* ***lujo*** *de detalles* (= con muchos detalles).
SINÓN: 1. ostentación, riqueza, suntuosidad. **ANTÓN: 1.** modestia, pobreza. **FAM:** *lujoso.*

lujoso, a adj. *Es una casa muy sencilla por fuera, pero muy* ***lujosa*** *por dentro* (= tiene muchas cosas de valor).
SINÓN: suntuoso. **ANTÓN:** modesto, sobrio. **FAM:** *lujo.*

lumbago s. m. *Mi padre tuvo un ataque de* ***lumbago*** *cuanto se agachaba y no se pudo levantar* (= tuvo un dolor muy intenso en la zona situada entre la última costilla y los glúteos).

lumbrera s. f. *Cristina es una* ***lumbrera****, resuelve cualquier problema que se le plantea* (= es muy lista).
SINÓN: genio, sabelotodo, sabio.

luminosidad s. f. *Como en verano los días tienen mucha **luminosidad** me pongo anteojos oscuros* (= los días tienen mucha claridad).
SINÓN: claridad, luz. ANTÓN: oscuridad. FAM: → *luminoso.*

luminoso, a adj. *Mi reloj tiene una esfera **luminosa** que permite ver la hora en la oscuridad* (= tiene una esfera brillante).
FAM: *iluminación, iluminar, luminosidad.*

luna s. f. **1.** *El 21 de julio de 1969 los primeros astronautas caminaron sobre la **Luna*** (= caminaron sobre el satélite que vemos de noche y gira alrededor de la Tierra). **2.** *El niño lanzó una piedra y rompió la **luna** del escaparate* (= rompió el cristal del escaparate). ◆ **luna de miel 3.** *Los recién casados se fueron de **luna de miel** a Grecia* (= se fueron de viaje de novios a Grecia). ◆ **estar en la luna 4.** *Como **estabas en la luna** no te has enterado de lo que he dicho* (= como estabas distraído).
SINÓN: **2.** cristal. FAM: *alunizaje, alunizar, lunar, lunático, lunes.*

lunar adj. **1.** *Las fases **lunares** son cuatro: la luna nueva, cuarto creciente, luna llena y cuarto menguante* (= de la luna). ◆ **lunar** s. m. **2.** *María tiene un **lunar** en la cara* (= tiene una pequeña mancha oscura). **3.** *Me he comprado una blusa blanca con **lunares** azules* (= con dibujos estampados circulares).
FAM: → *luna.*

lunático, a adj. *Como es tan **lunático** no sé de qué humor estará ahora* (= como es tan raro).
SINÓN: raro, maniático. ANTÓN: cuerdo. FAM: → *luna.*

lunes s. m. *Voy todos los **lunes** al gimnasio* (= voy el día de la semana que sigue al domingo).
FAM: → *luna.*

lunfardo s. m. R. de la Plata. *Las letras de los tangos tienen palabras del **lunfardo** rioplatense* (= antigua jerga de los delincuentes, muchas de cuyas palabras se difundieron en el habla familiar).
SINÓN: argot, germanía.

lupa s. f. *Verás el insecto mejor con una **lupa** más grande* (= con una lente de cristal que aumenta el tamaño de los objetos).

lustrabotas s. m. Amér. Merid. *En la puerta del bar hay un **lustrabotas*** (= el que limpia y lustra el calzado).
SINÓN: limpiabotas. FAM: → *lustrar.*

lustrar v. tr. ***Lustró** tanto la plata que su cara se reflejaba en ella* (= le dio brillo).
SINÓN: abrillantar, pulir. FAM: → *lustre.*

lustre s. m. *De tanto limpiar sacó **lustre** a los muebles* (= sacó brillo).
SINÓN: brillo, resplandor. FAM: *lustrar, lustroso.*

lustro s. m. *Hace un **lustro** que hice la primera comunión* (= hace cinco años).

lustroso, a adj. *Dejó el suelo **lustroso** de tanto fregarlo* (= lo dejó brillante).
SINÓN: brillante, reluciente. ANTÓN: apagado, mate. FAM: → *lustre.*

luto s. m. *Juan se vistió de negro en señal de **luto** porque se había muerto su padre* (= está triste y vestido de negro porque ha muerto alguien querido).

luz s. f. **1.** *La habitación es muy clara porque le da la **luz** del sol* (= porque recibe la claridad del sol). **2.** *Cuando salgas de casa apaga las **luces*** (= apaga las lámparas que están encendidas). **3.** *Su explicación arrojó **luz** al asunto* (= arrojó claridad). ◆ **luces** s. f. pl. **4.** *No entenderá nada porque tiene pocas **luces*** (= tiene poca inteligencia). ◆ **luz natural 5.** *Por la mañana trabajo siempre con **luz natural*** (= trabajo con la luz del sol). ◆ **luz eléctrica 6.** *Por la noche enciendo la **luz eléctrica*** (= enciendo la luz artificial). ◆ **dar a luz 7.** *Mi hermana **ha dado a luz** a una niña* (= ha parido a una niña). ◆ **salir a la luz 8.** ***Salió a la luz** la noticia que querían mantener en secreto* (= se hizo pública la noticia).
SINÓN: **1.** claridad, luminosidad. **2.** lámpara. **4.** inteligencia. ANTÓN: **1.** oscuridad, tinieblas. FAM: → *lucero, lúcido, luciérnaga, lucir, reluciente, relucir, trasluz.*

M

M s. f. **1.** La **m** *(eme)* es la decimotercera letra del abecedario español. **2.** En la numeración romana, la ***M*** mayúscula significa *mil.*

macá s. m. *En el estanque se posaron varios* ***macás*** (= ave palmípeda sudamericana, que nada muy bien pero camina con pesadez).

macachí o **macachín** s. m. R. de la Plata. *Durante la primavera, el prado se cubre de* ***macachines*** (= hierbas cortas y tiernas, parecidas al trébol).

macadán s. m. Amér. Cent., Merid. *Muchas calles están pavimentadas con* ***macadán*** (= piedras pequeñas machacadas, cubiertas con una capa de asfalto).

macaguá s. m. Amér. Merid., Ant. *Javier nunca había visto un* ***macaguá*** (= ave rapaz diurna, que caza serpientes).

macana s. f. Arg. **1.** *El soldado recibió un golpe de* ***macana*** *luchando con un indio* (= machete de madera usado como arma de pelea). Perú, R. de la Plata **2.** *Siempre está diciendo* ***macanas*** (= embuste, mentira, desatino). Bol., Col., Ec., Ven. **3.** *Para salir se echaban una* ***macana*** *sobre los hombros* (= chal que usan las mujeres mestizas).

macaneador, a adj. Amér. Merid. **1.** *Tu hermano es muy* ***macaneador*** (= tiene por costumbre decir mentiras). **2.** *Nunca hagas negocios con gente* ***macaneadora*** (= poco seria). **3.** *La maestra dice que sus alumnos son muy* ***macaneadores*** (= muy charlatanes).

SINÓN: 1. embustero, engañoso, falso, farsante, mentiroso. **ANTÓN:** sincero, veraz.

macanear v. intr. Amér. Merid. *Mis padres me reprenden cuando* ***macaneo*** (= cuando digo mentiras).

SINÓN: engañar, mentir. **FAM:** *macana, macaneador, macanudo.*

macanudo, a adj. Amér. Cent., Merid. *El domingo fuimos al campo y pasamos un día* ***macanudo*** (= magnífico).

SINÓN: admirable, asombroso, fabuloso, sorprendente. **ANTÓN:** horrendo, horrible.

macaquear v. intr. R. de la Plata. **1.** *Siempre que hablas,* ***macaqueas*** (= gesticulas como los monos). **2.** *La maestra se impacientó porque los niños* ***macaqueaban*** *durante la clase* (= no se comportaban con seriedad).

macarrón s. m. *Hoy hemos comido* ***macarrones*** *de primer plato* (= hoy hemos comido pastas alimenticias hechas con harina de trigo y que tienen forma de canutillos huecos).

macedonia s. f. *Hoy hemos comido* ***macedonia*** *de postre* (= una mezcla de frutas cortadas en trozos pequeños).

macerar v. tr. *Cuando preparo macedonia dejo la fruta* ***macerar*** *en zumo de naranja durante un día* (= la dejo en remojo).

maceta s. f. *Tengo que cambiar la* ***maceta*** *de esta planta porque le ha quedado pequeña* (= el recipiente de barro cocido donde cultivo la planta).

SINÓN: tiesto. **FAM:** *macetero.*

macetero s. m. *Colocamos las macetas llenas de flores en* ***maceteros*** *y desde la calle se veía un balcón precioso* (= las pusimos en los soportes de hierro o madera en que se colocan).

FAM: *maceta.*

machacar v. tr. **1.** ***Machaca*** *el ajo en el mortero hasta deshacerlo* (= golpéalo hasta que se deshaga). ◆ **machacar** v. intr. **2.** *No sigas* ***machacando*** *sobre ese asunto porque no pienso hacerte caso* (= no sigas insistiendo).

SINÓN: 1. aplastar, moler. **2.** insistir. **FAM:** *machacón.*

machacón, ona adj. *El profesor es tan* ***machacón*** *que nos mandó repetir los ejercicios tres veces* (= es una persona que insiste mucho para que las cosas estén bien hechas).

SINÓN: insistente. **FAM:** → *machacar.*

machazo adj. Amér. Merid. **1.** *Mi hermano se ha comprado un piso* ***machazo*** (= muy grande). **2.** *Las chicas dicen que Luis es muy* ***machazo*** (= muy valiente).

SINÓN: 1. colosal, enorme, gigantesco, inmenso, mayúsculo. **ANTÓN: 1.** chico, diminuto, pequeño, reducido. **FAM:** → *macho.*

machete s. m. **1.** *El soldado limpiaba cada día su* ***machete*** *y comprobaba que estuviera afilado* (= cuchillo grande). Argent. **2.** *Se copió las respuestas del* ***machete*** *que tenía prepara-*

do (= papelito con apuntes que suelen usar los estudiantes).
SINÓN: chuleta.

macho adj. **1.** *Mi primo se cree muy* ***macho*** *y dice que no tiene miedo a nada* (= se cree muy valiente). ◆ **macho** s. m. **2.** Los animales de sexo masculino son ***machos*** y los de sexo femenino, hembras.
SINÓN: **1.** valiente. ANTÓN: **1.** cobarde **2.** hembra.

machucarse v. pron. Amér. **1.** ***Me machuqué*** *el dedo con la puerta* (= me hice una contusión, un daño producido por un golpe). **2.** *Al caerse del árbol, las manzanas* ***se machucaron*** (= quedaron dañadas por un golpe).
FAM: → *machucón.*

machucón s. m. Amér. *Carlos se cayó y se hizo un* ***machucón*** *en la rodilla* (= se hizo una contusión por un golpe).

macizo, a adj. **1.** *Los muros de los castillos eran muy* ***macizos*** (= eran muy sólidos, sin huecos). **2.** *Esta niña está* ***maciza*** (= está fuerte). ◆ **macizo** s. m. **3.** *Los montañeros atravesaron el* ***Macizo*** *Central* (= atravesaron una cadena de montañas).
SINÓN: **1.** sólido. **2.** fuerte, musculoso. ANTÓN: **1.** hueco. **2.** endeble, fofo.

macondo s. m. Col. *La granja se reconocía porque en la entrada tenía un enorme* ***macondo*** (= árbol semejante a la ceiba y muy corpulento).

madeja s. f. *Mi abuela hace una* ***madeja*** *de lana* (= recoge el hilo de la lana enrollándolo de forma ordenada).
SINÓN: ovillo.

madera s. f. **1.** La parte dura que está debajo de la corteza de los árboles se llama ***madera.*** **2.** *Con esta* ***madera*** *el carpintero hace los muebles* (= con estas tablas). **3.** *Juan tiene* ***madera*** *de escritor* (= tiene condiciones para escribir).
SINÓN: **2.** tablón. FAM: *maderero, madero.*

maderero, a adj. **1.** *Vivo cerca de una industria* ***maderera*** (= cerca de un lugar donde se trabaja la madera). ◆ **maderero** s. m. **2.** *Los* ***madereros*** *son las personas que se dedican al negocio de las maderas.*
FAM: → *madera.*

madero s. m. *Cuando fui a ver al carpintero para encargarle una mesa me di un golpe con un* ***madero*** (= con una pieza larga de madera).
SINÓN: tabla, tablón. FAM: → *madera.*

madrastra s. f. *Ahora tiene* ***madrastra*** *porque después de la muerte de su madre, su padre se casó con otra mujer* (= la mujer de su padre).
FAM: → *madre.*

madre s. f. **1.** *Ana quiere mucho a su* ***madre*** (= quiere mucho a la mujer que la trajo al mundo). **2.** *La* ***madre*** *Teresa es una monja muy conocida* (= la hermana Teresa).
SINÓN: **1.** mamá. **2.** hermana, religiosa, sor. FAM: *comadre, comadreja, comadreo, comadrona, madrastra, madrina, maternal, maternidad, materno.*

madreselva s. f. *Huelen bien estas flores de* ***madreselva*** (= matas trepadoras de hoja verde oscuro y flores olorosas).

madriguera s. f. *Los perros persiguieron a los conejos hasta la* ***madriguera*** (= hasta el lugar donde se esconden los conejos).
SINÓN: guarida.

madrileño, a adj. **1.** *Me gusta comer cocido* ***madrileño*** (= plato típico de Madrid). ◆ **madrileño, a** s. **2.** *Los* ***madrileños*** *son las personas nacidas en Madrid.*

madrina s. f. **1.** *La* ***madrina*** *de Alfonso cada año, el Día de Ramos, le regala la palma* (= la persona que el día del bautizo de Alfonso se comprometió a cuidarlo y a ayudarlo si le faltaba la madre). Amér. Merid. **2.** *No es fácil domar un caballo sin la* ***madrina*** (= yegua mansa que sirve de guía).
FAM: → *madre.*

madrugada s. f. *Se marcharon de* ***madrugada*** *cuando todavía no había salido el sol* (= se marcharon al amanecer).
SINÓN: alba, amanecer, aurora. FAM: → *madrugar.*

madrugar v. intr. *Como salíamos de viaje al amanecer tuve que* ***madrugar*** (= tuve que levantarme temprano).
FAM: *madrugada, madrugador, madrugón.*

madrugón s. m. *Tuve que pegarme un* ***madrugón*** *para sacar el pasaporte antes de ir a trabajar* (= tuve que levantarme muy temprano).
FAM: → *madrugar.*

madurar v. intr. *En verano* ***maduran*** *las ciruelas y ya se pueden comer* (= alcanzan el punto conveniente para poderlas comer). **2.** *Isabel* ***ha madurado*** *desde que murió su madre* (= Isabel ha crecido, se ha hecho más sensata).
SINÓN: **2.** formarse. FAM: *maduración, madurez, maduro, prematuro.*

madurez s. f. *Aunque es joven tiene la* ***madurez*** *de una persona mayor* (= tiene la sensatez).
SINÓN: prudencia, sensatez. FAM: → *madurar.*

maduro, a adj. **1.** *Como las cerezas están* ***maduras*** *ya se pueden comer* (= ya no están verdes). **2.** *Este chico tiene una conducta muy* ***madura*** *para la edad que tiene* (= una conducta muy prudente).
SINÓN: **2.** juicioso, prudente, reflexivo, sensato. ANTÓN: **1.** verde. **2.** imprudente, insensato. FAM: → *madurar.*

maestría s. f. *Me falta mucha práctica para jugar al tenis con la* ***maestría*** *de un campeón* (= con la habilidad de un campeón).
SINÓN: destreza, habilidad. ANTÓN: torpeza. FAM: → *maestro.*

maestro, a adj. **1.** *En clase estudiamos las obras **maestras** de la literatura* (= las obras más importantes). ◆ **maestro, a** s. **2.** *Mi **maestro** explica muy bien las lecciones* (= mi profesor).
SINÓN: 1. ejemplar, importante, magistral, relevante. **2.** pedagogo, profesor. **FAM:** *amaestrar, maestría, magisterio, magistrado, magistral.*

mafia s. f. *La policía detuvo a dos jefes de la **mafia** porque pensó que eran los responsables del crimen* (= detuvo a dos jefes de la organización secreta de bandidos).

magdalena s. f. **1.** *Compré una docena de **magdalenas** para comerlas en el desayuno con chocolate* (= unos bollos pequeños, hechos de harina, huevos, leche y azúcar). ◆ **llorar como una Magdalena 2.** *Me daba mucha pena porque **lloraba como una Magdalena*** (= lloraba mucho).

magia s. f. **1.** *Me impresionó mucho con sus juegos de **magia*** (= al hacer cosas extraordinarias y sorprendentes mediante trucos).
FAM: *mágico, mago.*

mágico, a adj. *Entonces pronunció una frase **mágica** y apareció un conejo en el sombrero* (= pronunció una frase destinada a producir efectos misteriosos).
FAM: → *magia.*

magisterio s. m. *Se dedicó al **magisterio** porque tenía interés por la enseñanza* (= se dedicó a dar clases).
FAM: → *maestro.*

magistrado, a s. *El **magistrado** lo condenó a diez años de cárcel* (= el juez del Tribunal de Justicia).
SINÓN: juez. **FAM:** → *maestro.*

magistral adj. *El actor representó su papel de un modo **magistral*** (= lo representó de un modo genial).
SINÓN: genial, perfecto. **ANTÓN:** imperfecto. **FAM:** → *maestro.*

magnate s. m. *Con sus muchos negocios se convirtió en todo un **magnate*** (= es todo un potentado).
SINÓN: capitalista, potentado.

magnético, a adj. *Un elemento **magnético** es aquél que tiene las propiedades del imán* (= que atrae el hierro).
FAM: → *magnetismo.*

magnetismo s. m. *El **magnetismo** es la propiedad que tienen los imanes de atraerse entre sí.*
FAM: *magnético, magnetizar, magnetófono.*

magnetizar v. tr. *Con sus palabras **magnetizaba** a los que lo oían* (= fascinaba a los que lo oían).
SINÓN: entusiasmar, fascinar. **FAM:** → *magnetismo.*

magnífico, a adj. *Ayer me regalaron un libro muy bueno, pero éste es **magnífico*** (= es espléndido).
SINÓN: espléndido, excelente, maravilloso. **ANTÓN:** común, corriente, vulgar.

magnitud s. f. **1.** *La torre aumentó de **magnitud** con los pisos añadidos* (= aumentó de tamaño). **2.** *Todavía no se puede evaluar la **magnitud** de la catástrofe* (= la importancia de la desgracia).
SINÓN: 1. dimensión, tamaño. **2.** importancia.

magnolia o **magnolio** s. La **magnolia** es un árbol de flores grandes y de color blanco y con un fruto con semillas rojas.

mago, a s. **1.** *Conozco a un **mago** que hace unos juegos de magia tan buenos que todavía no he podido descubrir el truco* (= una persona que practica la magia). ◆ **mago, a** adj. **2.** *Los Reyes **Magos** se llamaban Melchor, Gaspar y Baltasar* (= eran tres personajes de Oriente que, guiados por una estrella, llegaron a Belén para adorar a Jesús).
SINÓN: 1. ilusionista, prestidigitador. **FAM:** → *magia.*

magro, a adj. *Prefiero la carne **magra** a la grasienta* (= prefiero la carne sin grasa).
SINÓN: flaca.

maguey s. m. *En los terrenos áridos crece el **maguey*** (= planta de hojas muy grandes y carnosas, de las que se obtiene una fibra textil y de cuyo tallo se extrae una bebida llamada aguamiel).

magullar v. tr. **1.** *Juan dejó caer el frutero y **magulló** las manzanas* (= las golpeó). ◆ **magullarse** v. pron. **2.** *En la caída se golpeó y **se magulló** pero no se hizo heridas* (= se lastimó).
SINÓN: 2. lastimarse.

mahometano, a adj. **1.** *La mayoría de los árabes siguen la religión **mahometana*** (= tienen la religión que fundó Mahoma). ◆ **mahometano, a** s. **2.** *Los **mahometanos** son los seguidores de la religión de Mahoma.*
SINÓN: musulmán. **FAM:** *mahometismo.*

mahometismo s. m. *Mahoma fundó el **mahometismo** y Cristo fundó el cristianismo* (= Mahoma fundó el islamismo).
SINÓN: islamismo. **FAM:** *mahometano.*

maicero, a s. Amér. *En el pueblo, se estableció un nuevo **maicero*** (= persona que comercia con maíz).
FAM: *maíz.*

maíz s. m. El **maíz** es una planta alta, de hojas largas, que produce unas espigas o mazorcas de granos gruesos y amarillos.
FAM: *maizal.*

maizal s. m. El **maizal** es un campo o terreno sembrado de maíz.
FAM: *maíz.*

majada s. f. **1.** *En el monte, vimos un pastor que cuidaba una **majada*** (= conjunto de ovejas). Méx. **2.** *Con la **majada** de los animales se*

hace abono para las plantas y sirve también como combustible (= excremento del ganado).
SINÓN: 1. manada, rebaño. **FAM:** *majar.*

majestad s. f. *El tratamiento que corresponde a un rey es el de Su* ***Majestad.***
FAM: *majestuoso.*

majestuoso, a adj. *La procesión avanzaba con un paso* ***majestuoso*** (= avanzaba con un paso solemne).
SINÓN: digno, imponente, grandioso, solemne. **ANTÓN:** humilde. **FAM:** *majestad.*

mal adj. **1.** *En la frase* hoy tengo un ***mal*** día, ***mal*** *es apócope de malo.* ◆ **mal** s. m. **2.** *Los animales no distinguen el bien del* ***mal*** (= no distinguen lo que está bien de lo que no lo está). ◆ **mal** adv. **3.** *Luis escribe tan* ***mal*** *que nadie entiende su letra* (= no escribe con claridad). ◆ **no hay mal que por bien no venga 4.** *Perdió el trabajo pero ha encontrado uno mejor así que ya ves,* ***no hay mal que por bien no venga*** (= parecía un mal que perdiera el trabajo, pero ha sido un bien porque ha encontrado uno mejor).
SINÓN: 1. malo. **2.** maldad. **ANTÓN: 1.** buen, bueno. **2, 4.** bien. **2.** bondad. **FAM:** *maldad, maldición, maldito, maleficio, malentendido, malestar, maleza, malhechor, malicia, malicioso, maligno, malo.*

malabarista s. *En el circo había* ***malabaristas*** *tan hábiles que iban aumentando la dificultad de los ejercicios lanzando cada vez más objetos al aire* (= había personas que se dedicaban a lanzar y a recoger diversos objetos).

malambo s. m. Chile, R. de la Plata. *Aprendimos a bailar el* ***malambo*** (= danza popular de zapateo, exclusivamente masculina, sin canto, que se ejecuta con acompañamiento rítmico).

malaquita s. f. *Compré un anillo que llevaba una* ***malaquita*** (= que llevaba un mineral verde y resistente).

malcriado, a adj. *Como está tan* ***malcriado*** *no obedece a nadie y siempre hace lo que quiere, es insoportable* (= como está tan mimado).
SINÓN: consentido, mimado. **FAM:** → *criar.*

malcriar v. tr. *Cuando era pequeño lo* ***malcriaron*** *tanto que ahora no hace caso a nadie* (= lo mimaron).
SINÓN: consentir, mimar. **FAM:** → *criar.*

maldad s. f. *Su* ***maldad*** *era tan grande que se complacía en hacer daño a los demás* (= era una persona muy mala).
SINÓN: perversidad. **ANTÓN:** bondad. **FAM:** → *mal.*

maldecir v. tr. *Sergio* ***maldecía*** *su mala suerte.*
SINÓN: renegar. **ANTÓN:** bendecir. **FAM:** → *decir.*

maldición s. f. *Sería horrible que se cumpliera la* ***maldición*** *que echó a sus compañeros porque estaba enojada* (= que se cumpliera el deseo de que les ocurra un daño a sus compañeros).
ANTÓN: bendición. **FAM:** → *mal.*

maldito, a adj. **1.** ***Maldita*** *la gracia que me hace salir con esta lluvia* (= no me hace ninguna gracia salir). **2.** *La* ***maldita*** *televisión no me dejó concentrar* (= la dichosa televisión).
ANTÓN: bendito. **FAM:** → *mal.*

malecón s. m. **1.** *Para defensa del puerto construyeron un* ***malecón*** (= murallón que se construye para defenderse de las aguas). Amér. Merid. **2.** *La avenida terminaba en un* ***malecón*** *sobre el río* (= muelle, terraplén).

maleficio s. m. *La bruja echó un* ***maleficio*** *a la bella durmiente* (= la hechizó).
SINÓN: embrujo, encantamiento. **FAM:** → *mal.*

malentendido s. m. *Debido a un* ***malentendido*** *hice el trabajo mal* (= porque no entendí bien lo que tenía que hacer).
FAM: → *mal.*

malestar s. m. *Debido a su* ***malestar*** *se ha tomado una aspirina y se ha acostado sin cenar* (= se encontraba mal).
SINÓN: molestia. **ANTÓN:** bienestar. **FAM:** → *mal.*

maleta s. f. *Antes de salir de viaje pongo mi ropa en la* ***maleta*** (= en una caja con asa usada para llevar las cosas en un viaje).
FAM: *maletero.*

maletero s. m. *En el* ***maletero*** *del coche ya no cabían más maletas* (= en el espacio destinado a llevar maletas).
SINÓN: baúl, cajuela. **FAM:** *maleta.*

maleza s. f. **1.** *Hay que arrancar la* ***maleza*** *del sembrado para que no estropee la cosecha* (= hay que arrancar las hierbas malas). **2.** *No podían seguir avanzando porque la* ***maleza*** *era muy espesa* (= porque la vegetación era muy espesa).
FAM: → *mal.*

malformación s. f. *Tiene una* ***malformación*** *en la mano, por eso sólo tiene cuatro dedos* (= tiene una deformidad en la mano).
SINÓN: deformidad. **FAM:** → *forma.*

malgastar v. tr. *No he podido comprar el libro que necesitaba porque* ***malgasté*** *el dinero* (= porque lo empleé en comprar cosas inútiles).
SINÓN: derrochar, desperdiciar, tirar. **ANTÓN:** administrar, ahorrar, invertir. **FAM:** → *gastar.*

malhablado, a adj. *¡No seas* ***malhablado*** *y habla con educación!* (= ¡no digas groserías!).
SINÓN: descarado, desvergonzado. **FAM:** → *hablar.*

malhechor, a s. *La policía detuvo al* ***malhechor*** *en varias ocasiones* (= a la persona que había cometido muchos delitos).
SINÓN: bandido, criminal, delincuente. **ANTÓN:** bienhechor. **FAM:** → *mal.*

malherir v. tr. *En el robo el asaltante* ***malhirió*** *al cajero del banco* (= lo hirió gravemente).
FAM: → *herir.*

malhumorado, a adj. *Hoy estoy **malhumorado** porque el jefe me ha dicho que no me va a aumentar el sueldo* (= hoy estoy enfadado).
SINÓN: disgustado, enfadado, enojado, irritado. **ANTÓN:** contento, feliz, satisfecho. **FAM:** → *humor.*

malicia s. f. *Actúa con tanta **malicia** que cuesta descubrir lo que pretende* (= actúa con tanta astucia).
SINÓN: astucia, picardía. **ANTÓN:** bondad, ingenuidad, sinceridad. **FAM:** → *mal.*

malicioso, a adj. *Como eres tan **malicioso** siempre estás pensando mal* (= como tienes tan mala intención).
SINÓN: desconfiado, malintencionado. **ANTÓN:** ingenuo, inocente, sincero. **FAM:** → *mal.*

maligno, a adj. **1.** *Sus intenciones eran siempre **malignas*** (= muy malas). **2.** *El cáncer es una enfermedad **maligna*** (= es una enfermedad muy grave).
SINÓN: **1.** malvado, perverso. **2.** grave. **ANTÓN:** **1.** bondadoso. **2.** benigno. **FAM:** → *mal.*

malintencionado, a adj. *Es tan **malintencionado** que me empujó para que me cayera en el barro* (= es tan malo).
SINÓN: malicioso. **ANTÓN:** bienintencionado. **FAM:** → *intención.*

malla s. f. **1.** *La bailarina se cambió dos veces la **malla** en todo el espectáculo* (= se cambió dos veces el traje). **2.** *Los pescadores están repasando las redes para reparar las **mallas*** (= están repasando los hilos o cuerdas que forman las redes).
SINÓN: **2.** red.

malo, a adj. **1.** *Esta película no me gustó porque es muy **mala*** (= no es entretenida y está mal hecha). **2.** *El tabaco es **malo** para la salud* (= hace daño). **3.** *Este niño siempre está haciendo travesuras porque es muy **malo*** (= no se porta bien). **4.** *Económicamente estás pasando una **mala** temporada* (= una temporada difícil). **5.** *Si no obedeces por las buenas lo harás **por las malas*** (= lo harás por la fuerza).
SINÓN: **2.** dañino, nocivo. **3.** inquieto, revoltoso, travieso. **4.** difícil. **ANTÓN:** **1, 2, 3, 4.** bueno. **2.** beneficioso. **3.** bondadoso, cándido. **FAM:** → *mal.*

malograrse v. pron. *Se ha **malogrado** el plan por la lluvia, así que habrá que pensar en otro* (= se ha estropeado el plan).
SINÓN: fracasar. **ANTÓN:** aprovechar(se). **FAM:** → *logro.*

maloliente adj. *Para entrar en aquel bar **maloliente** había que taparse la nariz* (= para entrar en aquel bar que tenía un olor desagradable).
SINÓN: apestoso. **FAM:** → *oler.*

malón s. m. Amér. Merid. *Con la ocupación de la pampa y el chaco, terminaron los **malones** contra las poblaciones y estancias* (= ataque inesperado de un grupo de jinetes indios).

malsano, a adj. *En las grandes ciudades la contaminación es **malsana*** (= es perjudicial para la salud).
SINÓN: insano, insaluble. **ANTÓN:** sano, saludable. **FAM:** → *sanar.*

maltratar v. tr. *El jinete **maltrató** tanto a su caballo que le causó varias heridas* (= golpeó a su caballo).
SINÓN: apalear, dañar, golpear. **ANTÓN:** cuidar, mimar. **FAM:** → *tratar.*

maltrecho, a adj. *El perro quedó **maltrecho** por los golpes que le dieron unos niños malvados* (= quedó en mal estado físico).
SINÓN: maltratado. **FAM:** → *tratar.*

malva s. f. **1.** *La **malva** es una planta de flores moradas que se usa en medicina.* ◆ **malva** adj. **2.** *Tu vestido tiene un tono **malva,** no rosa* (= tiene un color morado claro).

malvado, a adj. *En las películas las personas **malvadas** son siempre castigadas* (= las personas malas).
SINÓN: criminal, malo, perverso. **ANTÓN:** bueno. **FAM:** → *mal.*

mamá s. f. *Ha tenido un niño, así que ahora ya es **mamá*** (= ya es madre).
SINÓN: madre.

mamadera s. f. Amér. Cent., Merid. *Cuando las madres no tienen leche propia, alimentan a los bebés con **mamadera*** (= biberón para los lactantes).
SINÓN: biberón, mamila.

mamar v. tr. *Los bebés **maman** la leche del pecho de la madre* (= la sacan chupándola con los labios).
SINÓN: chupar. **FAM:** *mamífero.*

mamarracho s. m. *En la fiesta con aquella ropa tan ridícula ibas hecho un **mamarracho*** (= estabas ridículo).
SINÓN: adefesio, fantoche.

mamboretá s. m. R. de la Plata. *En España llaman santateresa al **mamboretá** de la pampa argentina* (= insecto de color verde, de patas muy largas).

mameluco s. m. Amér. Merid., Ant. **1.** *Los mecánicos se ponen un **mameluco** para no mancharse* (= traje de faena). Méx. **2.** *Le regalaron un **mameluco** precioso al niño* (= trajecito para bebé que cubre el torso, las piernas y los brazos).
SINÓN: mono.

mamey s. m. Amér. El **mamey** es una fruta de pulpa muy sabrosa, dulce y roja.

mamífero, a adj. **1.** *El hombre y otros animales que se alimentan con la leche de sus madres son **mamíferos.*** ◆ **mamífero** s. m. **2.** *El conjunto de todos estos seres forman el grupo de los **mamíferos.***
FAM: *mamar.*

mamila s. f. Méx. *Ya es hora de darle la **mamila** al niño* (= biberón).
SINÓN: biberón, mamadera.

mamón s. m. Amér. **1.** *El **mamón** crece en las regiones tropicales* (= árbol corpulento y de poca altura, de fruto comestible). ◆ **mamón, ona** adj. **2.** *Los terneros **mamones** tienen carne muy tierna y de color claro* (= que todavía maman).
SINÓN: **1.** papaya.

mamotreto s. m. **1.** *Tengo que leer ese **mamotreto*** (= ese libro tan grueso y aburrido). **2.** *Ese armario es un **mamotreto*** (= es un mueble muy grande, pesado y que no sirve para nada).
SINÓN: **2.** armatoste, trasto.

mampara s. f. *La clase estaba dividida por una **mampara*** (= por un tabique de madera).
SINÓN: biombo.

mamut s. m. *En la prehistoria, existían una especie de elefantes muy grandes con pelo largo llamados **mamuts.***

manada s. f. *El pastor cuida la **manada** de ovejas* (= cuida el rebaño).
SINÓN: rebaño.

manantial s. m. *De entre estas rocas sale un **manantial** de agua muy pura* (= sale una corriente de agua que brota del interior de la tierra).
SINÓN: fuente, pozo, surtidor. FAM: *manar.*

manar v. intr. *El agua que **mana** de esas rocas tiene propiedades medicinales* (= el agua que brota).
SINÓN: brotar, fluir, salir, surgir. ANTÓN: escasear, estancarse. FAM: *manantial.*

mancha s. *Tiene una **mancha** de chocolate en la camisa* (= se ensució con el chocolate).
SINÓN: marca, señal, suciedad. FAM: *manchar, manchado, quitamanchas.*

manchado, a adj. *Cámbiate de blusa porque la que llevas está **manchada*** (= está sucia).
SINÓN: sucio. ANTÓN: limpio. FAM: → *mancha.*

manchar v. tr. *Si no te lavas las manos **mancharás** todo lo que toques con esas manos tan sucias* (= ensuciarás todo lo que toques).
SINÓN: ensuciar, pringar. ANTÓN: limpiar. FAM: → *mancha.*

manco, a adj. *Quedó **manca** del brazo izquierdo porque lo perdió en el accidente* (= le falta un brazo).
SINÓN: lisiado, tullido.

mandadero, a s. R. de la Plata, Méx. *Llamaremos a un **mandadero** para que lleve estos paquetes* (= persona que hace mandados).
FAM: → *mandar.*

mandado s. m. R. de la Plata, Méx. *Esta tarde tengo que hacer varios **mandados*** (= diligencias y encargos).
FAM: → *mandar.*

mandamiento s. m. **1.** *Los **mandamientos** de la ley de Dios son diez* (= los mandatos de la ley de Dios). **2.** *Fue encarcelado por no obedecer el **mandamiento** del juez* (= por no obedecer la orden del juez).
SINÓN: mandato, orden. FAM: → *mandar.*

mandar v. tr. **1.** *El profesor **mandó** que salieran los alumnos* (= lo ordenó). **2.** *Juan **mandó** una carta a su abuelo* (= envió una carta). **3.** *Mi padre **mandó** llamar al electricista* (= le encargó que viniera). ◆ **mandar** v. intr. **4.** *En los gobiernos republicanos **manda** el Presidente de la República* (= gobierna el Presidente).
SINÓN: **1.** decretar, dictar, ordenar. **2.** enviar, remitir. **3.** encargar, encomendar, pedir. **4.** dirigir, gobernar. FAM: *comandante, comando, encomendar, mandamiento, mandatario, mandato, mando.*

mandarina s. f. *Las **mandarinas** son frutos semejantes a las naranjas, pequeñas, muy dulces y de cáscara aromática.*

mandatario s. m. *El embajador se entrevistó con el **mandatario** de aquel país* (= se entrevistó con el gobernante).
SINÓN: gobernante. FAM: → *mandar.*

mandato s. m. **1.** *El intendente impondrá multas a quienes no cumplan sus **mandatos*** (= a quienes no cumplan sus órdenes). **2.** *Durante su **mandato** el presidente ha hecho muchas cosas por el club* (= durante el período en el cual él lo ha dirigido).
SINÓN: **1.** mandamiento, orden. **2.** dirección, gobierno. FAM: → *mandar.*

mandíbula s. f. *Cuando voy al dentista me terminan doliendo las **mandíbulas** de tener tanto rato la boca abierta* (= los dos huesos que sostienen los dientes en todos los animales vertebrados).
SINÓN: maxilar.

mandioca s. f. **1.** *Muchos pueblos indios americanos cultivaban **mandioca** para su alimentación* (= arbusto de 2 ó 3 metros de altura, de cuya raíz carnosa se obtiene una fécula comestible).

mando s. m. **1.** *El coronel tenía bajo su **mando** a cien soldados* (= bajo su autoridad). **2.** *Los **mandos** de la máquina se estropearon y tuvieron que desenchufarla* (= los botones que dirigen su funcionamiento).
SINÓN: **1.** autoridad, dominio, gobierno, poder. **2.** botón, llave, palanca. FAM: → *mandar.*

manecilla s. f. *No sé qué hora es porque las **manecillas** de este reloj están rotas* (= las agujas que señalan las horas).
SINÓN: aguja. FAM: → *mano.*

manejable adj. *Esta aspiradora es muy **manejable** porque pesa poco* (= muy fácil de utilizar).
FAM: → *manejar.*

manejar v. tr. **1.** *Mi padre me enseña a **manejar** la computadora* (= a utilizarla). **2.** *En poco tiempo aprendió a **manejar** el coche de su padre.* (= a conducir). ◆ **manejarse** v. pron. **3.** *A pesar de saber poco inglés, Juan **se manejó** bien cuando estuvo en Inglaterra* (= no tuvo problemas).
SINÓN: **1, 2, 3.** conducir, maniobrar. **3.** apañarse, desenvolverse. FAM: *manejable, manejo.*

manejo s. m. *El avión es de difícil* ***manejo*** (= es difícil de pilotear).
SINÓN: conducción, maniobra. FAM: → *manejar.*

manera s. f. **1.** *Lo reconoció desde lejos por su* ***manera*** *de caminar* (= por su forma de hacerlo). ◆ **de cualquier manera 2.** *Si haces los ejercicios* ***de cualquier manera,*** *la profesora te los hará repetir* (= si los haces mal). ◆ **de todas maneras 3.** *No sé si podré ir,* ***de todas maneras,*** *espérame* (= en cualquier caso, espérame).
SINÓN: forma, modo. FAM: *amanerado.*

manga s. f. *Esta camisa tiene las* ***mangas*** *cortas* (= la parte de las prendas de vestir que cubre el brazo).
FAM: *manguera.*

mangangá s. m. Amér. Merid. *El niño lloraba porque lo había picado un* ***mangangá*** (= abejorro de gran tamaño, cuya picadura produce hinchazón, dolor y fiebre).

mango s. m. **1.** *Yo sujetaba la sartén por el* ***mango*** *y Juan removía la salsa* (= la sujetaba por la parte del asa). **2. mango** s. m. *Tiene una gran plantación de* ***mangos*** (= árbol americano, de mucha altura, que produce frutos aromáticos y de sabor muy agradable).

manguera s. f. *No puedo regar porque la* ***manguera*** *del jardín está rota* (= el tubo flexible que lanza el agua).
SINÓN: manga, tubo. FAM: → *manga.*

maní s. m. Amér. Merid. *Los* ***maníes*** *se usan para preparar postres y golosinas* (= cacahuates).
SINÓN: cacahuate. FAM: → *manisero.*

manía s. f. **1.** *No me pongo estos zapatos porque les tengo* ***manía*** (= no me gustan). **2.** *Mi vecina tiene la* ***manía*** *de dejar todas las luces de la casa encendidas* (= la obsesión).
SINÓN: **1.** antipatía. **2.** furor, obsesión. ANTÓN: **1.** simpatía. FAM: *maniático, manicomio.*

maniático, a adj. **1.** *Es una chica muy* ***maniática,*** *lo quiere todo en orden* (= su gran preocupación es el orden). ◆ **maniático, a** s. **2.** *Juan es un* ***maniático*** *de los coches de carrera* (= todo el día está pensando en ellos).
SINÓN: caprichoso. FAM: → *manía.*

manicomio s. m. *Cerca de mi casa hay un* ***manicomio*** (= un hospital para locos y enfermos mentales).
FAM: → *manía.*

manifestación s. f. **1.** *Fue recibido con* ***manifestaciones*** *de alegría* (= el público le expresó su alegría). **2.** *Hoy hay una* ***manifestación*** *para protestar contra los bajos salarios* (= una reunión de personas). **3.** *Las* ***manifestaciones*** *del político crearon mucha polémica* (= lo que dijo).
SINÓN: **1.** demostración, exhibición, expresión.
FAM: → *manifestar.*

manifestante s. m. f. *Los* ***manifestantes*** *llevaban grandes pancartas* (= las personas que participan en la manifestación).
FAM: → *manifestar.*

manifestar v. tr. **1.** *El presidente* ***manifestó*** *ante los periodistas que no aceptaba la propuesta* (= dijo). **2.** *Con este regalo me* ***manifestó*** *su cariño* (= me demostró). ◆ **manifestarse** v. pron. **3.** *Los trabajadores* ***se manifestaron*** *con pancartas delante del ayuntamiento para pedir un aumento de sueldo* (= se reunió un grupo de personas para protestar).
SINÓN: **1.** alegar, decir, exponer, presentar, revelar. **2.** enseñar, mostrar. ANTÓN: **1.** callar. **2.** esconder, ocultar. FAM: *manifestación, manifestante.*

manija s. f. R. de la Plata. *Se me ha roto la* ***manija*** *de las boleadoras* (= bola que sirve de agarradera).

manilla s. f. *No toques la* ***manilla*** (= palanca para abrir y cerrar puertas y ventanas).
SINÓN: manija.

maniobra s. f. **1.** *Para sacar el coche del garaje hice varias* ***maniobras*** (= toda una serie de movimientos con el coche). **2.** *El ejército hizo* ***maniobras*** *en un campo militar* (= simuló un combate).
SINÓN: **1.** manipulación, operación. **2.** ejercicio, práctica. FAM: → *mano.*

maniobrar v. intr. *Yo no sé* ***maniobrar*** *con esta grúa tan grande* (= no sé cómo moverla).
FAM: → *mano.*

manipulador s. m. *Las líneas telegráficas quedaron interrumpidas porque el* ***manipulador*** *se rompió* (= el aparato que sirve para abrir y cerrar las comunicaciones).
FAM: → *mano.*

manipular v. tr. **1.** *Ten cuidado al* ***manipular*** *esta máquina tan peligrosa* (= al hacerla funcionar). **2.** *Ciertas personas* ***manipulan*** *a otras* (= las utilizan según sus intereses). **3.** *El político* ***manipuló*** *los resultados de la encuesta para mejorar su imagen* (= los cambió).
SINÓN: **1.** manejar, operar, tocar. **2.** utilizar, manejar. **3.** alterar, cambiar, modificar. FAM: → *mano.*

maniquí s. m. f. *En estos escaparates hay* ***maniquíes*** *que exhiben los últimos modelos de vestidos de gala* (= muñecos que imitan el tamaño y la forma del cuerpo humano).
SINÓN: figura, muñeco.

manisero s. m. Amér. Merid. *Todavía se ven* ***maniseros*** *con su cocina a cuestas y voceando su mercancía* (= vendedor ambulante de maníes tostados).

manivela s. f. *Los coches antiguos se ponían en marcha dándole vueltas a una* ***manivela*** (= a una barra que servía para poner en marcha el motor).

manjar s. m. *Me encanta la mermelada; para mí es un verdadero* ***manjar*** (= una comida deliciosa).
SINÓN: delicia.

mano s. f. **1.** *Pedro escribe con la* ***mano*** *derecha y María con la izquierda.* **2.** *La parada del autobús está a* ***mano*** *izquierda* (= está en el lado izquierdo de la calle). **3.** *Al cuadro sólo le falta una* ***mano*** *de barniz* (= una capa). ◆ **a mano 4.** *Este suéter está hecho* ***a mano*** (= no lo ha hecho una máquina). **5.** *¿Tienes algún bolígrafo* ***a mano****?* (= ¿lo tienes cerca?). ◆ **echar una mano 6.** *Voy a* ***echarle una mano*** *porque él solo no puede trasladar el sofá* (= voy a ayudarlo). ◆ **lavarse las manos 7.** *Si esta idea sale mal, yo* ***me lavo las manos*** (= no me hago responsable). ◆ **tener buena mano 8.** *Mi madre* ***tiene buena mano*** *para la cocina* (= sabe cocinar muy bien).
SINÓN: **1.** extremidad. **2.** costado, lado. **3.** baño, capa. FAM: *manecilla, manicura, maniobra, maniobrar, manipulador, manipular, manojo, manopla, manosear, manotada, manotazo, manual, manufactura, manuscrito.*

manojo s. m. *Llevaba en la mano un* ***manojo*** *de rosas* (= un ramillete).
SINÓN: ramillete. FAM: → *mano.*

manopla s. f. *María se puso el abrigo, la bufanda y las* ***manoplas*** (= los guantes sin separaciones para los dedos).
SINÓN: guante. FAM: → *mano.*

manosear v. tr. *Juan* ***manoseó*** *tanto las fotos que las ensució* (= las tocó mucho).
SINÓN: sobar, tocar. FAM: → *mano.*

manotazo s. m. *De un* ***manotazo*** *rompí la lámpara* (= de un golpe con la mano abierta).
SINÓN: golpe, guantazo, manotada. FAM: → *mano.*

mansedumbre s. f. *Cuando llamé a mi perro, se acercó con mucha* ***mansedumbre*** (= con mucha tranquilidad).
SINÓN: suavidad, tranquilidad. ANTÓN: rebeldía. FAM: → *manso.*

mansión s. f. *Viven en una* ***mansión*** *porque son muy ricos* (= en una casa muy grande y lujosa).
SINÓN: residencia.

manso, a adj. *Mi gato es muy* ***manso****, se deja acariciar por todos* (= es muy dócil y no ataca).
SINÓN: benigno, dócil, suave, tranquilo. ANTÓN: bravo, rebelde. FAM: *amansado, amansar, mansedumbre.*

manta s. f. *Cuando hace frío duermo con una* ***manta*** (= una tela de lana de forma rectangular que sirve para abrigar).
FAM: → *mantear.*

mantear v. tr. *En la película* ***mantearon*** *al ganador de la carrera* (= lo pusieron encima de una manta y lo lanzaron repetidas veces hacia arriba).
FAM: *manta, mantel, mantelería, mantilla, manto, mantón.*

manteca s. f. **1.** *En lugar de aceite usé* ***manteca*** *de cerdo para freír la carne* (= la grasa del cerdo). R. de la Plata **2.** *Con el desayuno comemos tajadas de pan untado con* ***manteca*** (= mantequilla).
SINÓN: grasa. FAM: *mantecada, mantecado, mantecoso, mantequera, mantequilla.*

mantecoso, a adj. *Me gusta más el queso* ***mantecoso*** *que el queso seco* (= el que tiene mucha grasa).
SINÓN: grasiento. FAM: → *manteca.*

mantel s. m. *Ya he puesto el* ***mantel*** *y los platos* (= la tela que sirve para cubrir la mesa sobre la que se come).
FAM: → *mantear.*

mantelería s. f. *Tendrás que poner otra* ***mantelería*** *porque ésta no tiene suficientes servilletas* (= el juego de mantel y servilletas).
FAM: → *mantear.*

mantener v. tr. **1.** *Desde que murió su padre, Juan trabaja y* ***mantiene*** *a su madre y a sus hermanos* (=se hace cargo de sus gastos de alimento y ropa). **2.** *Durante toda la carrera el atleta* ***mantuvo*** *sus fuerzas* (= las conservó hasta el final). **3.** *Los cimientos* ***mantienen*** *toda la estructura de la casa* (= la sostienen). **4.** ***Mantengo*** *la opinión de que fumar es malo para la salud* (= estoy convencido de ello). ◆ **mantenerse** v. pron. **5.** *El equilibrista* ***se mantiene*** *en la cuerda* (= se sostiene sin caerse). ◆ **mantenerse en sus trece 6.** *A pesar de lo mucho que insistimos, Luis se* ***mantuvo en sus trece*** *y se negó a hacernos el favor* (= no cambió de opinión).
SINÓN: **1.** alimentar, cuidar, nutrir. **2.** conservar. **3.** sostener. **4.** defender. ANTÓN: **1.** ayunar, desnutrir. **3.** abandonar, dejar, soltar. **4.** renunciar. FAM: → *tener.*

mantequera s. f. *Olvidé la* ***mantequera*** *fuera del refrigerador* (= el recipiente donde se guarda y sirve la manteca).
FAM: → *manteca.*

mantequilla s. f. *Me gusta desayunar tostadas con mermelada y* ***mantequilla*** (= un alimento que se elabora con la manteca o nata de la leche).
FAM: → *manteca.*

mantilla s. f. *Para ir a misa, algunas mujeres se cubrían la cabeza con una* ***mantilla*** (= con un paño de seda o de encaje).
SINÓN: velo. FAM: → *mantear.*

mantillo s. m. *El* ***mantillo*** *es la capa superior del suelo que se usa como abono.*
SINÓN: humus.

manto s. m. *Las mujeres de aquel pueblo se abrigaban con un* ***manto*** (= con una capa larga).
SINÓN: capa. FAM: → *mantear.*

mantón s. m. *Mi abuela cuando tiene frío se pone sobre la espalda un* ***mantón*** (= una pieza rectangular de tela o de lana).
SINÓN: chal. **FAM:** → *mantear.*

manual adj. **1.** *Me gustan los trabajos* ***manuales*** (= los que hacemos con las manos). ◆ **manual** s. m. **2.** *Se ha comprado un* ***manual*** *de jardinería para aprender a cultivar flores* (= un libro que recoge todos los aspectos de un tema).
SINÓN: 2. libro. **FAM:** → *mano.*

manubrio s. m. Amér. *En el* ***manubrio*** *de mi bicicleta he puesto un timbre y un espejo* (= tubo de formas diversas con el que se guían las bicicletas).

manufactura s. f. **1.** *La* ***manufactura*** *de la corbata se paga muy cara* (= las corbatas hechas a mano). **2.** *En algunos países hay muchas* ***manufacturas*** *de tejidos* (= muchas fábricas).
SINÓN: 1. confección, fabricación. **2.** fábrica. **FAM:** → *mano.*

manuscrito, a adj. **1.** *Antiguamente todos los libros eran* ***manuscritos*** (= escritos a mano). ◆ **manuscrito** s. m. **2.** *Encontré un* ***manuscrito*** *del siglo XV* (= un documento escrito a mano).
FAM: → *mano.*

manzana s. f. **1.** *La* ***manzana*** *es el fruto del manzano: es redonda, verdosa, amarilla o roja, agridulce y muy saludable.* **2.** *Pedro vive en esta* ***manzana*** (= en este grupo de casas limitado en sus cuatro lados por calles).
FAM: *manzanar, manzanilla, manzano.*

manzanilla s. f. **1.** *La* ***manzanilla*** *es una hierba con hojas abundantes y flores olorosas amarillas y blancas.* **2.** *También se llama* ***manzanilla*** *a la flor de la planta del mismo nombre.* **3.** *Me he tomado una* ***manzanilla*** *porque me dolía la barriga* (= una infusión de esta flor).
FAM: → *manzana.*

manzano s. m. El **manzano** es el árbol que produce las manzanas.
FAM: → *manzana.*

maña s. f. **1.** *Mi madre se da mucha* ***maña*** *para arreglar los enchufes* (= mucha habilidad y destreza). ◆ **mañas** s. f. pl. **2.** *Suele emplear todas sus* ***mañas*** *para convencerme* (= toda su picardía).
SINÓN: 1. destreza, habilidad. **2.** astucia. **ANTÓN: 1.** torpeza. **FAM:** *mañoso.*

mañana s. f. **1.** *Para llegar al lugar donde acamparemos, tenemos toda la* ***mañana*** (= desde el amanecer hasta el mediodía). **2.** *Anoche me desperté a las dos de la* ***mañana*** (= dos horas después de la medianoche). ◆ **mañana** s. m. **3.** *Todo lo que aprendamos ahora, nos sirve para el* ***mañana*** (= para el futuro). ◆ **mañana** adv. **4.** *Hoy no vamos al cine, iremos* ***mañana*** (= el día después de hoy).
SINÓN: 2. madrugada. **3.** futuro, porvenir. **ANTÓN: 3.** pasado. **4.** ayer. **FAM:** *mañanero, matinal, matutino.*

mañero, a adj. *Ten cuidado al montar ese caballo porque es muy* ***mañero*** (= es arisco y no obedece).
SINÓN: mañoso. **ANTÓN:** dócil. **FAM:** maña.

mañoso, a adj. *Mi hermano menor no quiere comer pescado porque es muy* ***mañoso*** (= es caprichoso).
SINÓN: caprichoso. **ANTÓN:** dócil. **FAM:** *maña.*

mapa s. m. *El profesor nos señaló en el* ***mapa*** *las principales montañas de América* (= en un dibujo en el que está representada la geografía de la Tierra o de una parte de la Tierra).
FAM: *mapamundi.*

mapache o **mapachín** s. m. Amér. Cent., Méx. *El* ***mapache*** *lava sus alimentos antes de comérselos* (= mamífero pequeño, muy parecido al tejón).

mapamundi s. m. *Pudimos ver todos los países del mundo en un* ***mapamundi*** (= en un gráfico en el que está representada la superficie de toda la Tierra dividida en dos hemisferios).
SINÓN: mapa. **FAM:** *mapa.*

maqueta s. f. *Juan se entretiene construyendo* ***maquetas*** *de aviones* (= reproducciones de aviones en tamaño muy reducido).
SINÓN: diseño, modelo.

maquillaje s. m. *El* ***maquillaje*** *que se pone la hace parecer más joven* (= las cremas y colores que se pone en la cara).
FAM: *maquillar.*

maquillar v. tr. **1.** *He* ***maquillado*** *a mi amiga porque iba a una fiesta* (= le he pintado la cara para que estuviera más bonita). ◆ **maquillarse** v. pron. **2.** *Para salir en televisión hay que* ***maquillarse*** (= hay que pintarse la cara).
SINÓN: embellecer. **ANTÓN:** afear. **FAM:** *maquillaje.*

máquina s. f. **1.** *Es más cómodo usar una* ***máquina*** *de coser que coser a mano* (= un aparato que cose). **2.** *El tren va arrastrado por una* ***máquina*** (= por una locomotora).
SINÓN: 1. aparato, artefacto, mecanismo. **2.** locomotora. **FAM:** *maquinaria, maquinilla, maquinista.*

maquinaria s. f. **1.** *El agricultor compró* ***maquinaria*** *agrícola para hacer más rápidamente su trabajo* (= varias máquinas). **2.** *La* ***maquinaria*** *del reloj se ha estropeado y no sé qué hora es* (= el mecanismo que le permite funcionar).
SINÓN: 2. mecanismo. **FAM:** → *máquina.*

maquinista s. m. f. *Le pregunté al* ***maquinista*** *hacia dónde iba el tren* (= a la persona que manejaba el tren).
SINÓN: mecánico. **FAM:** → *máquina.*

mar s. m. f. **1.** *El Mediterráneo y el Caribe son* ***mares*** (= grandes extensiones de agua salada pero más pequeñas que un océano). ◆ **alta mar** **2.** *Los barcos pescaban en* ***alta mar*** (= a gran distancia de la costa). ◆ **a mares** **3.** *No pudimos*

*ir de excursión porque llovía **a mares*** (= llovía mucho). ◆ **hacerse a la mar 4.** *A pesar de la tormenta los pescadores **se hicieron a la mar*** (= se metieron en el mar con los barcos). ◆ **un mar de 5.** *Tengo **un mar de** dudas y no sé qué hacer* (= tengo muchas dudas).
FAM: *amerizar, marea, marear, marejada, maremoto, mareo, marina, marinero, marino, marisco, marisma, marítimo, submarinista, submarino, ultramarino.*

maraca s. f. Amér. *El alegre sonido de una **maraca** acompañaba a la danza* (= instrumento musical formado por una calabaza pequeña con semillas en su interior, y una agarradera).
FAM: → *maraquero.*

maraquero s. f. Amér. *Varios **maraqueros** prometieron venir a la fiesta* (= músicos que tocan las maracas).
FAM: → *maraca.*

maratón s. m. *El atleta corrió la **maratón*** (= una carrera de 42 kilómetros de distancia).
SINÓN: carrera.

maravilla s. f. **1.** *La catedral de mi ciudad es una **maravilla*** (= es muy bonita). ◆ **a las mil maravillas 2.** *Juan y Pedro no discuten nunca porque se entienden **a las mil maravillas*** (= se entienden muy bien).
SINÓN: 1. admiración, prodigio. **ANTÓN: 1.** horror. **FAM:** *maravillar, maravilloso.*

maravillar v. tr. *El equilibrista **maravilló** a todo el público con su exhibición* (= todo el público se quedó admirado).
SINÓN: admirar, asombrar, sorprender. **ANTÓN:** horrorizar. **FAM:** *maravilla.*

maravilloso, a adj. *Este paisaje de montañas es **maravilloso*** (= es muy bonito).
SINÓN: admirable, asombroso, excelente, extraordinario, hermoso, magnífico. **ANTÓN:** corriente, vulgar. **FAM:** → *maravilla.*

marca s. f. **1.** *Mi lápiz tiene una **marca** para distinguirlo de los otros* (= una señal). **2.** *Los deportistas luchan para conseguir mejores **marcas*** (= mejores resultados).
SINÓN: 1. distintivo, indicación, señal, signo. **2.** resultado. **FAM:** → *marcar.*

marcador s. m. *Vimos en el **marcador** que ganábamos dos a cero* (= en el tablero que indica el resultado del partido).
SINÓN: indicador, señalador. **FAM:** → *marcar.*

marcar v. tr. **1.** *Antes del partido **marcaron** el campo de fútbol* (= lo dividieron con unas señales pintadas). **2.** *Nuestro equipo de fútbol **marcó** cuatro goles* (= hizo cuatro goles). **3.** *El termómetro **marca** cuarenta grados* (= indica que hay cuarenta grados). **4.** *Has llegado justo cuando iba a **marcar** tu número de teléfono* (= a llamarte por teléfono).
SINÓN: 3. indicar, señalar. **FAM:** *marca, marcador.*

marcha s. f. **1.** *Durante la **marcha** hablábamos del paisaje que veíamos* (= mientras íbamos caminando). **2.** *El tren aceleró la **marcha*** (= aumentó la velocidad). **3.** *Su **marcha** nos entristeció a todos* (= su partida).
SINÓN: 1. excursión, viaje. **2.** paso, velocidad. **3.** ida, partida, salida. **ANTÓN: 3.** regreso. **FAM:** *marchar.*

marchar v. intr. **1.** *Los ensayos de teatro no **marchan** bien* (= no van bien). **2.** *Los soldados **marchaban** en el desfile en columna de a dos* (= caminaban ordenadamente). ◆ **marcharse** v. pron. **3.** *Debe **marcharse** de Madrid* (= debe irse).
SINÓN: 3. irse, partir, trasladarse. **ANTÓN: 3.** llegar, permanecer, volver. **FAM:** *marcha.*

marchitar v. tr. **1.** *El calor **marchitó** el rosal* (= lo secó). ◆ **marchitarse** v. pron. **2.** *Las flores **se han marchitado** porque no tenían agua* (= se han secado).
SINÓN: secar. **ANTÓN:** rejuvenecer. **FAM:** *marchito.*

marchito, a adj. *La planta está **marchita** porque nadie la ha regado* (= está seca).
SINÓN: lacio, muerto, mustio, seco. **ANTÓN:** fresco, lozano, terso. **FAM:** *marchitar.*

marciano, a adj. **1.** *El protagonista de la película vio cómo aterrizaba una nave **marciana*** (= de Marte). ◆ **marciano, a** s. **2.** *Los **marcianos** son los supuestos habitantes del planeta Marte.*

marco s. m. **1.** *El **marco** de la puerta y el del cuadro son de madera* (= los recuadros que están a su alrededor). **2.** *Todavía tengo cien pesos en **marcos*** (= en la moneda de Alemania y de Finlandia).
FAM: *enmarcar.*

marea s. f. *Me baño en el mar cuando sube la **marea*** (= cuando sube el nivel de agua).
FAM: → *mar.*

marear v. tr. **1.** *La vas a **marear** con tantas preguntas* (= a confundir). ◆ **marearse** v. pron. **2.** *Si viajo en barco **me mareo*** (= me duele la cabeza y el estómago por culpa del movimiento).
SINÓN: 1. aburrir, agobiar, enfadar, fastidiar, molestar. **FAM:** → *mar.*

marejada s. f. *No nos bañamos en la playa porque había **marejada*** (= las olas eran muy grandes).
FAM: → *mar.*

maremoto s. m. *El barco se hundió debido a las grandes olas que produjo el **maremoto*** (= el movimiento muy violento de las aguas del mar).
FAM: → *mar.*

mareo s. m. *Con el balanceo del barco me dio un **mareo** y me sentí muy mal* (= sentí ganas de vomitar).
SINÓN: desmayo, vértigo. **FAM:** → *mar.*

marfil s. m. *Los colmillos de los elefantes son de **marfil*** (= de una materia dura y blanca).

margarina s. f. *Mi hermana pone **margarina** en las tostadas* (= una mantequilla que está hecha de grasa y aceite animal y vegetal).
SINÓN: mantequilla.

margarita s. f. La **margarita** es una flor que tiene un centro amarillo rodeado de pétalos blancos.

margen s. m. **1.** *Los juncos crecen en el **margen** de los ríos* (= en la orilla). **2.** *Esta hoja tiene poco **margen*** (= poco espacio sin escribir a los lados).
SINÓN: **1.** borde, orilla. **2.** borde. ANTÓN: centro. FAM: *marginar.*

marginar v. tr. *El entrenador **ha marginado** a Juan y últimamente no juega* (= no lo incluye en el equipo).
SINÓN: ignorar, olvidar. ANTÓN: recordar. FAM: *margen.*

mariachi s. m. Méx. *Después del banquete, vendrá el **mariachi*** (= conjunto de músicos que visten trajes característicos e interpretan composiciones tradicionales; está compuesto por guitarras, violines y trompetas, principalmente).

marido s. m. *Mi tío es el **marido** de mi tía* (= el hombre que está casado con ella).
SINÓN: consorte, cónyuge, esposo. ANTÓN: esposa.

marihuana o **mariguana** s. f. Amér. *Fumar **marihuana** es dañino para la salud porque produce efectos excitantes y alucinatorios* (= hojas de cáñamo de la India).

marimba s. f. Amér. *El sonido de la **marimba** es muy alegre* (= instrumento musical formado por varias láminas de madera o metal, de distinta longitud, que se hacen sonar golpeándolas con dos palillos).

marina s. f. **1.** *En esta **marina** el pintor pintó un barco en una tormenta* (= en este cuadro sobre el mar). **2.** *Estudia **marina** porque quiere ser capitán de barco* (= la ciencia que enseña a navegar). **3.** *La **marina** británica es muy poderosa* (= el conjunto de buques y soldados de la armada de Gran Bretaña).
SINÓN: **3.** armada, flota. FAM: → *mar.*

marinero, a adj. **1.** *Me compré un gorro **marinero** para ir en el barco* (= como el que llevan los hombres del mar). ◆ **marinero** s. m. **2.** *En la cabina del barco están el capitán y cuatro **marineros*** (= cuatro hombres que navegan y trabajan en él).
SINÓN: **2.** navegante, marino, tripulante. FAM: → *mar.*

marino, a adj. **1.** *Las corrientes **marinas** hundieron el barco* (= las corrientes del mar). ◆ **marino** s. m. **2.** *Mi padre fue un **marino** que viajó en los barcos más grandes* (= un militar al servicio de la Marina).
SINÓN: **1.** marítimo, náutico, naval. **2.** marinero, navegante, tripulante. FAM: → *mar.*

marioneta s. f. *A mi hermano le gusta el teatro de **marionetas*** (= de muñecos que se mueven por medio de hilos).
SINÓN: *fantoche, muñeco, títere.*

mariposa s. f. *Las **mariposas** son unos insectos con alas de colores muy bonitos y que vuelan sobre las flores.*

mariquita s. f. *Cacé una **mariquita*** (= insecto muy pequeño marrón y rojo con manchitas negras en el dorso).

marisco s. m. *Fuimos a un restaurante a comer camarones y otros **mariscos*** (= unos animales marinos que no tienen espinas y son muy sabrosos).
FAM: → *mar.*

marisma s. f. *En las **marismas** a menudo se cultiva arroz* (= en unos terrenos muy húmedos situados a la orilla del mar).
FAM: → *mar.*

marítimo, a adj. *Me gusta contemplar el puerto desde el paseo **marítimo*** (= desde la calle que está al lado del mar).
SINÓN: marino. FAM: → *mar.*

marlo s. m. Amér. Merid. *El **marlo** se usa como combustible y para alimento del ganado* (= mazorca desgranada del maíz).
SINÓN: olote, zuro.

mármol s. m. *En el museo hay grandes estatuas de **mármol*** (= de piedra de color blanco o de otros colores, utilizada en la escultura, la construcción y la decoración).
FAM: *marmolista.*

marmolista s. m. *El **marmolista** pulía el mármol que había extraído de la cantera* (= la persona que trabaja el mármol y luego lo vende).
FAM: *mármol.*

marmota s. f. La ***marmota*** es un animal pequeño parecido al ratón, su piel es de color pardo rojizo y pasa los inviernos durmiendo.

marquesina s. f. **1.** *En la estación hay una **marquesina** para resguardar a los viajeros de la lluvia* (= un tejado). Amér. Merid., Méx. **2.** *Las luces de la **marquesina** iluminaban toda la calle* (= letrero luminoso que hay en la entrada de los cines y los teatros, y en el que se anuncia el nombre del espectáculo que se presenta así como el de los artistas que intervienen en él).

marquetería s. f. *José trabaja en **marquetería** y ha hecho una mesa muy bonita* (= hace trabajos con madera fina).
SINÓN: ebanistería.

marrano, a s. *En la cuadra de la granja hay dos **marranos*** (= dos cerdos).
SINÓN: cerdo, gorrino, puerco.

marrón adj. *Tengo un pantalón **marrón*** (= de color café).
SINÓN: castaño.

marroquí adj. **1.** *Rabat es la capital **marroquí*** (= de Marruecos). ◆ **marroquí** s. m. f. **2.** *Las personas nacidas en Marruecos son **marroquíes.***

marta s. f. La **marta** es un animal pequeño, carnívoro y de piel muy apreciada.

marte s. m. **Marte** es uno de los nueve planetas que giran alrededor del Sol y tiene dos satélites.

martes s. m. *El **martes** tengo cita con el dentista* (= el segundo día de la semana, posterior al lunes y anterior al miércoles).

martillazo s. m. *Sin querer, rompí el cristal de un **martillazo*** (= de un golpe fuerte de martillo).
FAM: → *martillo.*

martillear v. intr. *Mi vecino nos molesta cuando **martillea** para clavar un cuadro* (= cuando da golpes repetidos con el martillo).
FAM: → *martillo.*

martilleo s. m. *No soporto el **martilleo** que hacen los carpinteros* (= los golpes repetidos dados con el martillo).
FAM: → *martillo.*

martillo s. m. **1.** *No pude colgar el cuadro porque no tenía un **martillo*** (= una herramienta compuesta de una cabeza de hierro y un mango de madera que sirve para clavar clavos). **2.** El ***martillo*** es un pequeño hueso del oído humano.
FAM: *martillar, martillazo, martillear, martilleo.*

martineta s. f. Amér. Merid. *Iremos al monte a cazar **martinetas*** (= perdices de gran tamaño, con un copete de plumas).

mártir s. m. f. *San Lorenzo fue un **mártir*** (= murió en defensa de la religión cristiana).
SINÓN: sacrificado, víctima. **FAM:** *martirio, martirizar.*

martirio s. m. *Las clases se han convertido en un **martirio** porque la profesora no deja de regañarnos* (= lo pasamos muy mal).
FAM: → *mártir.*

martirizar v. tr. **1.** *Deja de **martirizar** al perro, todo el tiempo le estás tirando de la cola* (= deja de hacerlo sufrir). **2.** *Siempre me está **martirizando** con sus bromas pesadas* (= me está molestando).
SINÓN: **1.** dañar, maltratar, torturar. **2.** afligir, atormentar, molestar. **FAM:** → *mártir.*

marxismo s. m. El **marxismo** es la concepción filosófica, social y política fundada por Carlos Marx que defiende una sociedad sin clases sociales.
FAM: *marxista.*

marxista adj. **1.** *El este de Europa vivió un período político **marxista*** (= que defendía la igualdad de clases). ◆ **marxista** s. m. f. **2.** *Los **marxistas** son los partidarios del marxismo.*
FAM: *marxismo.*

marzo s. m. *En **marzo** hay una temperatura agradable en ambos hemisferios* (= en el tercer mes del año que tiene treinta y un días).

más adv. **1.** *Hace falta **más** gente para terminar esta obra* (= un mayor número de personas). **2.** *Me gustan **más** los bombones que los caramelos* (= prefiero los bombones). ◆ **de más 3.** *Has puesto un cubierto **de más** porque somos cinco y hay seis* (= de sobra). ◆ **más bien 4.** *No estoy triste, **más bien** estoy cansado* (= en realidad estoy cansado). ◆ **por más que 5.** ***Por más que** me lo pidas no te lo daré* (= aunque insistas no te lo daré).
ANTÓN: menos. **FAM:** *demás, demasiado.*

masa s. f. **1.** *El panadero preparaba la **masa** del pan* (= la mezcla de agua, levadura y harina). **2.** *Me costó mucho encontrar a mis amigos entre aquella **masa** de gente* (= entre aquel gran grupo de personas).
SINÓN: **1.** papilla, pasta. **2.** multitud. **FAM:** *amasar, masilla.*

masaje s. m. *Ayer me dieron un **masaje** en la pierna porque me dolía de tanto andar* (= me frotaron la pierna con fuerza).
FAM: *masajista.*

masajista s. m. f. *Fui a un **masajista** para que me aliviara los dolores de la pierna* (= la persona que da masajes).
FAM: → *masaje.*

mascar v. tr. *Pedro se pasa el tiempo **mascando** chicles* (= masticando).
SINÓN: masticar.

máscara s. f. **1.** *El día de carnaval no te conocí por la **máscara** que llevabas* (= la pieza que te cubría la cara). **2.** *Cuando trabajan en las colmenas, los apicultores utilizan una **máscara*** (= una careta que les permite proteger el rostro de las picaduras de las abejas). **3.** *Los bomberos utilizan una **máscara** para no asfixiarse* (= una careta que impide que entren gases tóxicos en los pulmones).
SINÓN: **1.** antifaz. **1, 2, 3.** careta. **FAM:** *desenmascarar, enmascarado.*

mascota s. f. **1.** *En mi dormitorio tengo un oso de peluche que es mi **mascota*** (= un muñeco que me da buena suerte). Amér. Merid., Méx. **2.** *Mi **mascota** es un gatito negro* (= el animal que tengo en casa y que me hace compañía).

masculino, a adj. **1.** *Andrés es del sexo **masculino*** (= es un hombre). **2.** *Las palabras* perro *y* sofá *son de género **masculino*** (= porque pueden llevar los artículos *el* o *un*).
ANTÓN: femenino.

masilla s. f. *El vidriero usa **masilla** para que los cristales no se caigan* (= una pasta que sirve para sujetar los cristales a los marcos de las ventanas).
SINÓN: pasta, mastique. **FAM:** → *masa.*

masita s. f. Amér. Merid., Ant. *En la reunión sirvieron **masitas**, golosinas y bebidas refrescantes* (= pastelillo relleno de dulces y cremas).

masticar v. tr. *Me costó **masticar** aquella carne tan dura* (= me costó triturarla con los dientes para poder tragarla).
SINÓN: mascar, triturar. FAM: *masticación.*

mástil s. m. *Un marinero se sube al **mástil** para ver cuánto falta para llegar al puerto* (= a cualquiera de los palos que sostienen las velas).
SINÓN: palo.

mastín s. m. *Me han regalado un cachorro de **mastín*** (= de un perro de gran tamaño y peludo que suele vivir en las zonas de montaña).

mata s. f. **1.** *En la finca abandonada han crecido muchas **matas*** (= muchas plantas de tallo corto con muchas ramas). **2.** *Planté una **mata** de tomatera* (= una planta pequeña).
SINÓN: **1.** arbusto. **2.** planta. FAM: *matorral.*

matadero s. m. *Los ganaderos llevan los animales al **matadero** y luego desde allí se distribuye la carne a los mercados* (= al lugar donde se mata y descuartiza a los animales).
FAM: → *matar.*

matambre s. f. Amér. Merid. *Hoy comeremos **matambre*** (= corte de carne vacuna o porcina, que se come asado a la parrilla o se cuece enrollado con un relleno de verduras, ají, huevos y otros ingredientes).

matanza s. f. **1.** *Algunas batallas son verdaderas **matanzas*** (= mueren muchos soldados). **2.** *El próximo mes en la granja hacemos la **matanza** de los cerdos* (= los matamos y preparamos los embutidos).
SINÓN: **1.** exterminio. FAM: → *matar.*

matar v. tr. **1.** *Los asesinos **mataron** a su víctima* (= le quitaron la vida). **2.** *Este niño me **mata** con tantas preguntas* (= me molesta). ◆ **matarse** v. pron. **3.** ***Me maté** por llegar primero pero no lo conseguí* (= hice todo lo que pude). ◆ **matar el tiempo 4.** ***Mataban el tiempo** jugando al ajedrez* (= pasaban el tiempo).
SINÓN: **1.** aniquilar, asesinar, ejecutar, exterminar. **2.** fastidiar, molestar. ANTÓN: **1.** resucitar, revivir, salvar. FAM: *matadero, matador, matanza, matasellos, matón, rematar.*

matasellos s. m. *El empleado de correos marcaba las cartas con el **matasellos*** (= el instrumento que se emplea para inutilizar los timbres o estampillas de las cartas).
FAM: → *matar.*

mate s. m. **1.** *Perdí la partida con un **mate*** (= con una jugada de ajedrez en la que el rey muere). **2.** *En Uruguay, Argentina, Paraguay y sur de Brasil, se bebe **mate*** (= una infusión con las hojas secas y trituradas del arbusto del mismo nombre). ◆ **mate** adj. **3.** *Mi reloj es de oro **mate*** (= sin brillo).
SINÓN: **1.** jaque. **3.** opaco. ANTÓN: **3.** brillante.

matear v. intr. Amér. Merid. *Los uruguayos **matean** mientras caminan con un termo bajo el brazo* (= toman mate).

matemáticas s. f. pl. *Las **Matemáticas** me gustan mucho y siempre saco buenas notas* (= la ciencia que trata de los números y de las cantidades).
FAM: *matemático.*

matemático, a adj. **1.** *Algunas reglas **matemáticas** son difíciles* (= las que tratan los números). **2.** *Mi reloj es **matemático** y nunca se atrasa* (= es exacto). ◆ **matemático, a** s. **3.** *Es profesor en la universidad porque es uno de los mejores **matemáticos*** (= de los especialistas en Matemáticas).
SINÓN: **2.** exacto, justo, preciso. FAM: *matemáticas.*

materia s. f. **1.** *La goma es la **materia** de que están hechos los globos* (= la sustancia). **2.** *He aprobado matemáticas pero es la **materia** que me parece más difícil* (= la asignatura). ◆ **materia prima 3.** *El trigo es la **materia prima** del pan* (= el producto básico). ◆ **entrar en materia 4.** *Primero hablamos de temas sin importancia pero luego **entramos en materia*** (= hablamos de los asuntos más importantes).
SINÓN: **1.** sustancia. **2.** asignatura. FAM: *inmaterial, material.*

material adj. **1.** *Es muy ambicioso y le importan más las cosas **materiales** que las espirituales* (= sólo le da importancia a lo que se puede conseguir con dinero). **2.** *Esta joya que me has regalado tiene poco valor **material*** (= no vale mucho dinero). **3.** *Ya tengo todos los **materiales** necesarios para hacer un armario* (= la madera, clavos y otros elementos). **4.** *El **material** del laboratorio del colegio es muy delicado* (= el equipo).
SINÓN: **2.** comercial. **3.** elemento. **4.** equipo, instrumento. ANTÓN: **1, 2.** espiritual. FAM: → *materia.*

maternal adj. *El amor **maternal** es diferente a los demás* (= el amor de la madre por sus hijos).
SINÓN: materno. FAM: → *madre.*

maternidad s. f. **1.** *La **maternidad** hace muy feliz a la mujer* (= el hecho de tener un hijo). **2.** *Cuando tuve a mi hijo estuve en la **maternidad** tres días* (= en la clínica).
SINÓN: **2.** hospital, clínica. FAM: → *madre.*

materno, a adj. **1.** *El amor **materno** es diferente a los demás* (= el que siente una madre hacia su hijo). **2.** *El castellano es mi lengua **materna*** (= la lengua que hablo desde que era pequeño y la que habla mi familia).
SINÓN: maternal. FAM: → *madre.*

matinal adj. *Va a la escuela en el turno **matinal*** (= el turno de la mañana).
SINÓN: matutino. FAM: → *mañana.*

matiz s. m. **1.** *En el cuadro se apreciaban varios **matices** del azul* (= varios tonos de azul).

2. *En las palabras del político se percibía un claro* ***matiz*** *ofensivo* (= un tono de ofensa).
SINÓN: **1.** color, tono. **2.** tono.

matón s. m. *El* ***matón*** *de la película se peleaba con todo el mundo* (= el personaje que presumía de fuerza y valentía).
SINÓN: fanfarrón. FAM: → *matar.*

matorral s. m. *El jardín de la casa abandonada estaba lleno de* ***matorrales*** (= había muchas plantas salvajes y maleza).
FAM: *mata.*

matrero s. m. Amér. Merid. *Dicen que hay varios* ***matreros*** *en la zona* (= bandoleros que se ocultan en los montes para huir de la justicia).
FAM: *bandido, maleante.*

matrícula s. f. **1.** *No lo admitieron en el colegio porque la* ***matrícula*** *ya estaba llena* (= la lista de todos los alumnos que se han inscrito). **2.** *La policía anotó la* ***matrícula*** *del coche que conducía el ladrón* (= una placa con números y letras que sirve para diferenciar un vehículo de otro).
SINÓN: **1.** lista, registro. **2.** placa. FAM: *matricular.*

matricular v. tr. **1.** *Mi padre me* ***matriculó*** *en el colegio* (= me inscribió). ◆ **matricularse** v. pron. **2.** *Hoy* ***me matricularé*** *en la escuela* (= me inscribiré).
SINÓN: alistar, anotar, inscribir, registrar. FAM: *matrícula.*

matrimonio s. m. **1.** *José y María van a formar un* ***matrimonio*** (= van a casarse). **2.** *En esta casa vive un* ***matrimonio*** *con sus dos hijos* (= una pareja casada).
SINÓN: **1.** boda, enlace, nupcias, unión. **2.** pareja.

matungo adj. y s. R. de la Plata. *Tiene un carro viejo tirado por un* ***matungo*** (= caballo viejo y de poca utilidad).

maturrango, a adj. Amér. *Montaba como los* ***maturrangos*** (= mal jinete, torpe para montar).

matutino, a adj. *Se levanta muy temprano para poder hacer su gimnasia* ***matutina*** *antes de ir al trabajo* (= la gimnasia que hace por la mañana).
FAM: → *mañana.*

maullar v. intr. *El gato* ***maullaba*** *en el tejado* (= hacía miau).
FAM: *maullido.*

maullido s. m. *Por la noche se oían los* ***maullidos*** *del gato de mi vecina* (= los sonidos emitidos por el gato).
FAM: *maullar.*

maxilar adj. **1.** *Le dieron un golpe y le rompieron el hueso* ***maxilar*** (= el hueso de la mandíbula). ◆ **maxilar** s. m. **2.** *Al masticar movemos el* ***maxilar*** *inferior* (= la mandíbula).

máximo, a adj. *El equipo obtuvo la* ***máxima*** *puntuación* (= la más alta que se puede conseguir).
SINÓN: límite, tope. ANTÓN: mínimo.

mayas s. m. pl. Los **mayas** habitan desde la antigüedad en el sur de México, Guatemala, Honduras y Belice. En la época prehispánica desarrollaron grandes culturas.

mayo s. m. *Tengo pensado viajar en* ***mayo*** (= en el quinto mes del año que tiene treinta y un días).

mayonesa s. f. *Me gusta comer la verdura con* ***mayonesa*** *en lugar de con aceite* (= con una salsa que se hace con aceite y yema de huevo batido).

mayor adj. **1.** *Esta casa es* ***mayor*** *que la tuya* (= es más grande). ◆ **mayor** s. m. **2.** *Los* ***mayores*** *a veces no entienden a los jóvenes* (= las personas que tienen más edad). ◆ **mayor de edad** **3.** *Cuando seas* ***mayor de edad*** *podrás votar* (= cuando tengas 18 años).
SINÓN: **1.** superior. ANTÓN: **1.** inferior, menor.
FAM: *mayordomo, mayoría, mayúsculo.*

mayordomo s. m. *El* ***mayordomo*** *les abrió la puerta y los acompañó hasta el salón* (= el criado principal de la casa).
SINÓN: criado. FAM: → *mayor.*

mayoreo s. m. *En este almacén sólo venden al* ***mayoreo*** (= venden en grandes cantidades y a comerciantes al menudeo).
ANTÓN: menudeo. FAM: → *mayor, mayoría, mayorista.*

mayoría s. f. **1.** *La* ***mayoría*** *de mis amigos son estudiantes* (= la mayor parte). **2.** *En la votación sacó* ***mayoría*** (= el mayor número de votos). ◆ **mayoría de edad** **3.** *Cuando tengas la* ***mayoría de edad*** *podrás votar* (= cuando tengas 18 años).
SINÓN: **1.** generalidad. ANTÓN: minoría. FAM: → *mayor.*

mayorista adj. *Se unieron varias familias para comprar más barato en un almacén* ***mayorista*** (= que vende sólo en grandes cantidades).
ANTÓN: minorista. FAM: → *mayor, mayoreo, mayoría.*

mayúsculo, a adj. **1.** *Me llevé un susto* ***mayúsculo*** *porque no sabía que estabas en casa* (= muy grande). ◆ **mayúscula** s. f. **2.** *Los nombres propios se escriben con* ***mayúscula*** (= con una letra de tamaño más grande).
SINÓN: **1.** inmenso, máximo. ANTÓN: **1.** minúsculo. **2.** minúscula. FAM: → *mayor.*

maza s. f. *El malabarista del circo lanzaba las* ***mazas*** *al aire y las recogía* (= unos objetos de forma alargada y de madera).
SINÓN: mazo, porra. FAM: *mazazo, mazo.*

mazapán s. m. *En Navidad se comen* ***mazapanes*** (= unos dulces hechos con almendra y azúcar).

mazazo s. m. *Con un fuerte* ***mazazo*** *clavó el palo en el suelo* (= con un golpe con la maza).
SINÓN: golpe. FAM: → *maza.*

mazmorra s. f. *En los castillos de la antigüedad los soldados metían a sus presos en* ***mazmorras*** (= en prisiones subterráneas).
SINÓN: calabozo, celda, prisión.

mazorca s. f. **1.** *El granero está lleno de* ***mazorcas*** *de maíz* (= de espigas recubiertas de grano). R. de la Plata **2.** *La* ***mazorca*** *mantenía el orden con métodos violentos* (= cuerpo armado de la gobernación de Buenos Aires en la época de Rosas).

mburucuyá o **maracuyá** s. m. *El* ***mburucuyá*** *es originario del Brasil y vive en las zonas templadas* (= enredadera de flores vistosas y perfumadas, y de fruto comestible).

me Es un pronombre personal. VER CUADRO DE PRONOMBRES PERSONALES.

meandro s. m. *Desde el avión se veían los* ***meandros*** *que formaba el río* (= las curvas del río).

mecánica s. f. La **Mecánica** es la parte de la Física que estudia el equilibrio de los cuerpos sometidos a fuerzas. **2.** *Como sé* ***mecánica*** *yo mismo arreglaré el coche* (= la ciencia que estudia el funcionamiento de las máquinas).
FAM: *mecánico, mecanismo, mecano, mecanografía, mecanógrafo.*

mecánico, a adj. **1.** *Meter cartas en los sobres es un trabajo* ***mecánico*** (= que se realiza con las manos sin necesidad de pensar en lo que estás haciendo). **2.** *Los trenes de juguetes son* ***mecánicos*** (= se mueven y funcionan con una máquina). ◆ **mecánico, ca** s. **3.** *El* ***mecánico*** *me ha dicho que la avería del coche estaba en el motor* (= la persona que arregla motores).
SINÓN: **3.** maquinista. FAM: → *mecánica.*

mecanismo s. m. *El* ***mecanismo*** *de un avión es muy complicado* (= el conjunto de piezas que le permiten funcionar).
SINÓN: aparato, maquinaria. FAM: → *mecánica.*

mecano s. m. *He hecho una torre con el* ***mecano*** (= con un juguete que tiene unas piezas y unos tornillos para construir varias cosas).
FAM: → *mecánica.*

mecanografía s. f. *Estoy aprendiendo* ***mecanografía*** *porque quiero trabajar en una oficina* (= la técnica de escribir a máquina).
FAM: → *mecánica.*

mecanógrafo, a s. *María es una buena* ***mecanógrafa*** *porque es muy rápida y nunca se equivoca* (= la persona que escribe a máquina).
FAM: → *mecánica.*

mecedora s. f. *La abuela suele sentarse en la* ***mecedora*** *y balancearse* (= en una silla de brazos, y con patas en forma de arco para poder balancearse).
FAM: *mecer.*

mecenas s. m. *El joven pintor le agradece al* ***mecenas*** *la exposición que le ha organizado* (= a una persona rica que ayuda a los artistas).
SINÓN: patrocinador, protector.

mecer v. tr. *Juan* ***mece*** *la cuna para que el bebé se duerma* (= la mueve muy lentamente).
SINÓN: acunar, balancear, columpiar. ANTÓN: detener, parar. FAM: *mecedora.*

mecha s. f. *Mi padre encendía la* ***mecha*** *del petardo con un encendedor* (= una pequeña cuerda que sirve para encenderlo).
FAM: *mechero, mechón.*

mechero s. m. *Mi padre enciende su cigarro con un* ***mechero*** (= con un aparato que produce una llama).
SINÓN: encendedor. FAM: → *mecha.*

mechón s. m. *Le caía un* ***mechón*** *de pelo sobre la frente* (= un poco de pelo).
FAM: → *mecha.*

medalla s. f. **1.** *María lleva en el cuello una cadena con una* ***medalla*** (= una joya de forma redonda y plana). **2.** *Al soldado le dieron la* ***medalla*** *al valor* (= un premio honorífico).
SINÓN: **1.** medallón. **2.** condecoración, distinción, galardón. FAM: *medallón.*

medallón s. m. *El brujo del cuento llevaba en el cuello un gran* ***medallón*** *que tenía poderes mágicos* (= una gran medalla).
SINÓN: medalla. FAM: *medalla.*

media s. f. *Mi madre en invierno se pone* ***medias*** *para no tener frío en las piernas* (= unas prendas que cubren los pies y las piernas).

mediano, a adj. *Me he comprado un coche de tamaño* ***mediano*** (= ni muy grande ni muy pequeño).
SINÓN: intermedio, mediocre, moderado, razonable, regular. ANTÓN: considerable. FAM: → *medio.*

medianoche s. f. *Te llamaré cuando llegue, aunque sea* ***medianoche*** (= a las doce de la noche).
ANTÓN: mediodía. FAM: → *medio.*

mediante adv. *Consiguieron levantar el coche* ***mediante*** *una grúa* (= con la ayuda de una grúa).
FAM: → *medio.*

medicamento s. m. *Los* ***medicamentos*** *se compran en las farmacias* (= los productos que sirven para curar enfermedades).
SINÓN: medicina, remedio. FAM: → *medicina.*

medicina s. f. **1.** *Juan conoce muy bien los síntomas de la gripe porque estudia* ***Medicina*** (= la ciencia que estudia las enfermedades y la manera de curarlas). **2.** *Ve a la farmacia y tráeme esta* ***medicina*** (= este medicamento).
SINÓN: **2.** medicamento. FAM: *medicamento, medicinal, médico.*

medicinal adj. *Desde que toma hierbas* ***medicinales*** *se encuentra mejor* (= las que tienen efectos curativos).
FAM: → *medicina.*

médico, a s. **1.** *El* ***médico*** *me ha recetado un jarabe para la tos* (= la persona que tiene como profesión la medicina). ◆ **médico de cabecera 2.** *Mi madre ha llamado al* ***médico de cabecera*** *para que venga a visitarme a casa* (= al médico de la familia).
SINÓN: doctor. **FAM:** → *medicina.*

medida s. f. **1.** *Debo tomar las* ***medidas*** *del armario* (= su tamaño). **2.** *El metro es la* ***medida*** *que se emplea para medir longitudes* (= la unidad). **3.** *Tomamos las* ***medidas*** *necesarias para evitar que nos robaran* (= tomamos las precauciones). ◆ **a medida que 4.** *Va echando agua* ***a medida que*** *se vacía la piscina* (= tal y como se va vaciando).
SINÓN: 1. dimensión. **2.** unidad. **3.** precaución, prevención. **FAM:** → *medir.*

medieval adj. *Es un castillo* ***medieval****, del siglo XV* (= lo construyeron durante la Edad Media).
FAM: → *medio.*

medio, a adj. **1.** *He comprado* ***medio*** *kilo de arroz* (= la mitad de un kilo). **2.** *El balón está en la línea* ***media*** *del campo* (= entre los dos extremos del campo). **3.** *El gol lo hizo el* ***medio*** campista (= el jugador situado entre los defensores y los delanteros). ◆ **medio** s. m. **4.** *Debemos defender nuestro* ***medio*** (= el ambiente natural que nos rodea). ◆ **medios** s. m. pl. **5.** *No podrá construirse una casa porque no tiene* ***medios*** *económicos suficientes* (= no tiene el dinero necesario). ◆ **medio** adv. **6.** *Ese hombre está* ***medio*** *borracho* (= algo). ◆ **a medias 7.** *Juan no ha entregado el dibujo porque estaba* ***a medias*** (= sin terminar).
SINÓN: 1. mitad. **2.** central. **4.** ambiente. **5.** bien, dinero recurso. **6.** algo. **ANTÓN: 1.** entero. **2.** extremo. **FAM:** → *inmediato, intermediario, intermedio, mediano, medianoche, mediante, medieval, mediocre, mediodía, promedio.*

mediocre adj. *No te puedo poner muy buena nota porque tu trabajo es* ***mediocre*** (= no es muy bueno).
SINÓN: insuficiente, malo. **ANTÓN:** excelente, bueno. **FAM:** → *medio.*

mediodía s. m. *Estaré en casa al* ***mediodía****, hacia las doce o la una* (= en el momento en que el sol está en lo más alto del cielo).
ANTÓN: medianoche. **FAM:** → *medio.*

medir v. tr. *Tengo que* ***medir*** *el armario para saber si cabe en esta habitación* (= tengo que ver cuántos metros tiene).
SINÓN: calcular. **FAM:** *centímetro, decámetro, decímetro, hectómetro, kilómetro, medición, medida, métrico, metro, milímetro, simetría.*

meditar v. tr. *Necesito* ***meditar*** *esta decisión tan importante* (= necesito pensarla atentamente).
SINÓN: considerar, discurrir, pensar, reflexionar. **ANTÓN:** distraerse. **FAM:** *premeditación.*

mediterráneo, a adj. *Italia y España son países* ***mediterráneos*** (= están situados cerca del mar Mediterráneo).

médula s. f. La **médula** es una sustancia grasa que se halla dentro de los huesos de algunos animales.

medusa s. f. Las **medusas** son unos animales marinos que tienen forma de sombrilla y tentáculos en sus bordes.

mejilla s. f. *Me besó en las* ***mejillas*** (= en las dos partes salientes de la cara que están debajo de los ojos).
SINÓN: cachete.

mejillón s. m. Los **mejillones** son unos moluscos marinos, comestibles, de concha azul y negra, que viven adheridos a las rocas.

mejor adj. **1.** *Esta bicicleta es* ***mejor*** *que aquélla* (= es superior). ◆ **mejor** adv. **2.** *Mi amigo trabaja* ***mejor*** *que tú* (= de una manera más perfecta). ◆ **a lo mejor 3.** *Llámame porque* ***a lo mejor*** *voy contigo* (= quizás).
SINÓN: 1. preferible, superior. **ANTÓN:** peor. **FAM:** *desmejorar, inmejorable, mejora, mejorar, mejoría.*

mejora s. f. *La casa está bien pero he de hacer* ***mejoras*** *en la cocina* (= obras para mejorarla).
FAM: → *mejor.*

mejorar v. tr. **1.** *Estoy haciendo reformas en la casa porque quiero* ***mejorarla*** (= porque quiero que esté más bonita). ◆ **mejorar** v. intr. **2.** *Desde que toma este jarabe* ***ha mejorado*** *mucho* (= no se encuentra tan mal). **4.** *El tiempo va a* ***mejorar*** *y ya podremos ir a la playa* (= dejará de hacer mal tiempo).
SINÓN: 2. aliviar, curar, sanar. **ANTÓN:** empeorar.
FAM: → *mejor.*

mejoría s. f. *He notado una* ***mejoría*** *en la garganta al tomar este jarabe* (= ya me duele menos).
SINÓN: adelanto, alivio. **ANTÓN:** empeoramiento.
FAM: → *mejor.*

melancolía s. f. *Cuando estuve fuera del país recordaba a mi familia con* ***melancolía*** (= con tristeza).
SINÓN: abatimiento, pena, tristeza. **ANTÓN:** alegría. **FAM:** *melancólico.*

melancólico, a adj. *Se pone muy* ***melancólico*** *cuando piensa en los amigos que hace mucho tiempo que no ve* (= muy triste).
SINÓN: afligido, mustio, sombrío, triste. **ANTÓN:** alegre, contento. **FAM:** *melancolía.*

melena s. f. **1.** *María tiene una bonita* ***melena*** *que le llega hasta la cintura* (= tiene el pelo muy largo). **2.** *El león tiene una* ***melena*** *muy espesa* (= una crin).
SINÓN: 1. cabellera. **2.** crin. **FAM:** *melenudo.*

melenudo, a adj. *El náufrago de la película iba mal vestido y era* ***melenudo*** (= tenía el pelo largo y abundante).
FAM: *melena.*

mellizo, a adj. *Luis y Pablo se parecen tanto porque son hermanos* ***mellizos*** (= los dos nacieron el mismo día).
SINÓN: gemelo.

melocotón s. m. Los **melocotones** son unos frutos amarillos o rojos con hueso y de pulpa muy jugosa.
SINÓN: durazno. **FAM:** *melocotonar, melocotonero.*

melocotonero s. m. *En la finca de mi tío hemos plantado un* ***melocotonero*** (= un árbol cuyo fruto es el melocotón).
SINÓN: duraznero. **FAM:** → *melocotón.*

melodía s. f. *Todavía recuerdo la* ***melodía*** *de la canción de la película* (= la música).
SINÓN: motivo, música, tema. **FAM:** *melodioso.*

melodioso, a adj. *Me gusta escuchar el* ***melodioso*** *canto de los pájaros* (= el canto dulce y agradable).
SINÓN: armonioso, musical. **ANTÓN:** cacofónico. **FAM:** *melodía.*

melón s. m. **1.** El **melón** es una planta de tallos ramosos que da como fruto el melón. **2.** El **melón** es una fruta de cáscara verde o amarilla, gruesa y dura; su pulpa es blanda, jugosa y sabrosa.
FAM: *melonar.*

membrana s. f. *Debajo de la cáscara del huevo hay una* ***membrana*** (= un tejido fino y resistente).
FAM: *membranoso.*

membranoso, a adj. *Las alas de algunos insectos son* ***membranosas*** (= son finas y resistentes).
FAM: *membrana.*

membrete s. m. *Todos los papeles y sobres de la oficina llevan* ***membrete*** (= está impreso el nombre de la empresa).

membrillo s. m. **1.** El **membrillo** es un árbol alto con unas hojas redondeadas y flores grandes de color rosado o blanco. **2.** Los **membrillos** son unos frutos parecidos a las peras, de color amarillo, muy aromáticos y dulces.

memela s. f. Méx. *Las* ***memelas*** *se comen con salsa de chile y queso o carne* (= tortilla de maíz ovalada y gruesa).

memoria s. f. **1.** *Está perdiendo la* ***memoria*** *y no se acuerda de lo que hizo ayer* (= la facultad de retener y recordar lo pasado). **2.** *He leído una* ***memoria*** *sobre las actividades del club* (= un escrito en el que constan los hechos y datos más importantes). ◆ **memorias** s. f. pl. **3.** *Mucha gente escribe sus* ***memorias*** (= un libro donde cuenta los acontecimientos más importantes de su vida). ◆ **de memoria 4.** *Luis se sabe todas las tablas de multiplicar* ***de memoria*** (= puede repetirlas sin necesidad de consultas porque se acuerda de todas).
SINÓN: 1. recuerdo. **2.** exposición, informe. **ANTÓN: 1.** olvido. **FAM:** *desmemoriado, memorizar.*

memorizar v. tr. *Tuve que* ***memorizar*** *todo el discurso* (= aprenderlo de memoria).
SINÓN: grabar, recordar. **ANTÓN:** olvidar. **FAM:** → *memoria.*

mencionar v. tr. *El profesor* ***mencionó*** *a diferentes escritores muy famosos* (= los nombró).
SINÓN: citar, nombrar. **ANTÓN:** olvidar, omitir.

mendigar v. intr. *Hay gente pobre que* ***mendiga*** *para poder comer* (= que pide dinero por las calles).
SINÓN: pedir, solicitar, suplicar. **ANTÓN:** dar. **FAM:** *mendigo.*

mendigo, a s. *En la puerta de la iglesia había un* ***mendigo*** *que suplicaba ayuda* (= una persona que pedía dinero).
SINÓN: indigente, mísero, pobre, pordiosero. **ANTÓN:** rico. **FAM:** *mendigar.*

mendrugo s. m. *Les dieron a los patos un* ***mendrugo*** *de pan* (= un trozo de pan duro).
SINÓN: trozo.

menear v. tr. *No* ***menees*** *la mesa, al final tirarás la ropa* (= no la muevas).
SINÓN: mover. **ANTÓN:** detener, parar.

mengano, a s. *Siempre llega tarde porque se entretiene hablando con fulano y* ***mengano*** (= con cualquier persona).

menguante adj. *La Luna está en cuarto* ***menguante*** *cuando tiene forma de C* (= está en la fase en que va disminuyendo su tamaño aparente).
ANTÓN: creciente. **FAM:** *menguar.*

menguar v. intr. *Al hacerse viejo* ***menguaron*** *sus fuerzas y se cansaba al andar* (= perdió la fuerza).
SINÓN: disminuir, mermar. **ANTÓN:** aumentar, crecer. **FAM:** *menguante.*

meninges s. f. pl. Las **meninges** son las membranas que envuelven el encéfalo y la médula espinal.

menisco s. m. *Me rompí el* ***menisco*** *y no puedo andar* (= un cartílago o ligamento de la rodilla).

menor adv. **1.** *Mi hermano es* ***menor*** *que yo* (= es más pequeño). ◆ **menor de edad 2.** *Todavía no puede conducir porque es* ***menor de edad*** (= no tiene 18 años).
SINÓN: inferior, pequeño, reducido. **ANTÓN:** mayor. **FAM:** *aminorar, minoría, pormenor.*

menos adv. **1.** *Hoy ha llovido* ***menos*** *que ayer* (= no ha llovido tanto). **2.** *Son* ***menos*** *de las diez* (= no han dado aún las diez en el reloj). **3.** *Te presto lo que quieras* ***menos*** *mis zapatos nuevos* (= excepto mis zapatos nuevos). ◆ **al menos** o **por lo menos 4.** ***Por lo menos*** *tiene dos perros y un gato* (= como mínimo). ◆ **de menos 5.** *Me has dado cien pesos* ***de menos*** (= faltan cien pesos). ◆ **a menos que 6.** *No iremos a la playa* ***a menos que*** *salga el sol* (= salvo que salga el sol).
SINÓN: 3. excepto. **ANTÓN: 1, 2.** más.

menosprecio s. m. *Sentía un gran* ***menosprecio*** *hacia las personas mentirosas* (= un gran desprecio).
SINÓN: desprecio. ANTÓN: aprecio.

mensaje s. m. *Envié un* ***mensaje*** *a mi amigo comunicándole que llegaría al día siguiente* (= una nota).
SINÓN: aviso, encargo, nota, recado. FAM: *mensajero.*

mensajero, a s. *Utilicé los servicios de un* ***mensajero*** *para enviarte el paquete* (= de una persona que lleva paquetes o mensajes adonde se le indica).
SINÓN: enviado, recadero. FAM: *mensaje.*

menstruación s. f. La **menstruación** es la sangre que expulsa la mujer una vez al mes por la vagina.
SINÓN: período, regla.

mensual adj. **1.** *Vas a tener una paga* ***mensual*** (= la recibirás cada mes). **2.** *El soldado tenía un permiso* ***mensual*** *y se fue a ver a sus padres* (= un permiso que dura un mes).
FAM: → *mes.*

mensualidad s. f. *Ya he cobrado la* ***mensualidad*** (= el sueldo que me pagan cada mes).
SINÓN: paga, salario. FAM: → *mes.*

menta s. f. La **menta** es una planta de pequeñas hojas que se emplea para hacer infusiones.
SINÓN: hierbabuena.

mental adj. *Está en el hospital porque tiene una enfermedad* ***mental*** (= de la mente).
SINÓN: cerebral, espiritual, intelectual. FAM: → *mente.*

mentalidad s. f. *Tienes una* ***mentalidad*** *anticuada y por eso no nos entendemos* (= tu manera de pensar es anticuada).
SINÓN: idea, pensamiento. FAM: → *mente.*

mente s. f. **1.** *Con su* ***mente*** *tan clara comprende muy rápidamente las explicaciones del profesor* (= con su inteligencia). **2.** *Está en mi* ***mente*** *hacerte un regalo* (= en mi pensamiento).
SINÓN: **1.** entendimiento, inteligencia. **2.** pensamiento, propósito, voluntad. FAM: *mental, mentalidad.*

mentir v. intr. *El ladrón* ***mintió*** *al decir que él no lo había robado* (= no dijo la verdad).
FAM: *desmentir, mentira, mentiroso.*

mentira s. f. *Dice tantas* ***mentiras*** *que nadie le cree* (= tantas cosas que no son verdad).
SINÓN: bola, cuento, embuste, engaño, falsedad.
ANTÓN: verdad. FAM: → *mentir.*

mentiroso, a adj. *No creas nada de lo que Juan te diga porque es muy* ***mentiroso*** (= tiene costumbre de no decir la verdad).
SINÓN: embustero, engañoso, falso, farsante.
ANTÓN: verdadero, verídico. FAM: → *mentir.*

mentón s. m. *Al caerme de boca me golpeé el* ***mentón*** (= la parte saliente de la cara que está en el extremo de la mandíbula inferior).
SINÓN: barbilla.

menú s. m. **1.** *El camarero nos trajo el* ***menú*** *para que escogiéramos lo que queríamos comer* (= la lista de platos que prepara el restaurante). **2.** *Voy a elegir un buen* ***menú*** *para la cena de esta noche* (= la comida, los postres y la bebida).

menudeo s. m. Las ventas al **menudeo** son las que atienden las necesidades del consumidor individual. Son ventas por unidad o por poca cantidad de mercancías.
ANTÓN: mayoreo.

menudo, a adj. **1.** *Es difícil leer una letra tan* ***menuda*** (= tan pequeña). ◆ **menudo** s. m. Ant., Méx., R. de la Plata **2.** *Con el* ***menudo*** *de las aves se hace un caldo muy sabroso* (= estómago y otras vísceras de las aves de corral, las reses y los carneros). ◆ **a menudo 3.** *Me gusta el cine y voy* ***a menudo*** (= voy mucho).
SINÓN: **1.** chico, pequeño. ANTÓN: **1.** grande.

meñique adj. *Me he dado un golpe en el dedo* ***meñique*** (= en el más pequeño y más delgado de la mano).

mequetrefe s. m. *A ese* ***mequetrefe*** *nadie se lo toma en serio* (= a esa persona ridícula).
SINÓN: muñeco, payaso, títere.

mercader s. m. *Los* ***mercaderes*** *del cuento vendían unas lámparas mágicas* (= los comerciantes).
SINÓN: comerciante, mercante, negociante.
FAM: → *mercado.*

mercado s. m. *Mi madre fue al* ***mercado*** *a comprar verduras y pescado fresco* (= al lugar donde se pueden comprar objetos y comida).
SINÓN: feria, plaza. FAM: *mercader, mercancía, mercante, mercantil, supermercado.*

mercancía s. f. *El panadero repartía con su furgoneta la* ***mercancía*** *a las tiendas* (= el pan que vende).
SINÓN: artículo, producto. FAM: → *mercado.*

mercante adj. *El barco* ***mercante*** *llegó al puerto y empezaron a desocuparlo* (= el barco que sólo transporta mercancías).
SINÓN: mercantil. FAM: → *mercado.*

mercantil adj. *Mi padre ha creado una sociedad* ***mercantil*** (= una empresa que se dedica al comercio).
SINÓN: comercial, económico, mercante. FAM: → *mercado.*

mercería s. f. *Luisa ha ido a la* ***mercería*** *a comprar botones* (= al comercio donde venden cosas necesarias para coser y bordar).

mercurio s. m. **1. Mercurio** es el planeta más cercano al Sol. **2.** El **mercurio** es un metal de color y brillo semejantes a los de la plata; es el único metal líquido a temperatura ordinaria.

merecer v. tr. *El actor actuó tan bien que **mereció** un premio* (= se ganó un premio).
SINÓN: ganar, lograr. ANTÓN: perder. FAM: *merecido, mérito.*

merecido s. m. *El ladrón estuvo en la cárcel durante dos años y se llevó su **merecido*** (= su castigo justo).
FAM: → *merecer.*

merendar v. tr. *Al volver del colegio **meriendo** pan y chocolate* (= me lo como por la tarde).
FAM: → *merienda.*

merengue s. m. *No me gustan los **merengues** porque son muy dulces* (= los pasteles blancos hechos con azúcar y clara de huevo).

meridiano s. m. Un **meridiano** es todo círculo máximo de la esfera terrestre que pasa por los dos polos.
FAM: *meridional.*

meridional adj. *La América **meridional** tiene un clima agradable* (= la parte sur de América).
ANTÓN: septentrional. FAM: *meridiano.*

merienda s. f. *Mi **merienda** preferida es el pan con chocolate* (= la comida ligera que se hace a media tarde).
FAM: *merendar.*

mérito s. m. *Lo que hace el equilibrista tiene mucho **mérito*** (= merece admiración).
FAM: → *merecer.*

merluza s. f. La **merluza** es un pez marino de carne muy sabrosa y cuerpo alargado.
SINÓN: pescadilla.

mermar v. tr. *A Juan le han **mermado** la paga en su oficina* (= se la han reducido).
SINÓN: bajar, disminuir, menguar, reducir. ANTÓN: aumentar.

mermelada s. f. *Ayer comí **mermelada** de durazno con las tostadas del desayuno* (= un dulce de conserva hecho con fruta cocida con azúcar).

mero s. m. El **mero** es un pez marino, de gran tamaño y de carne muy apreciada.

mes s. m. *Enero es el primer **mes** del año y diciembre el último* (= cada una de las doce partes en que se divide el año).
FAM: *bimensual, bimestral, bimestre, mensual, mensualidad, semestral, semestre, trimestral, trimestre.*

mesa s. f. **1.** *Se rompió la **mesa** del comedor* (= un mueble compuesto de una superficie lisa sostenida por una o varias patas). ◆ **mesa redonda 2.** *Los profesores organizaron una **mesa redonda** para comentar los nuevos planes de estudio* (= se reunieron para discutir un tema). ◆ **poner la mesa 3.** *Antes de sentarnos a comer, hay que **poner la mesa*** (= hay que poner los platos, cubiertos y vasos para comer).
FAM: *sobremesa.*

mesero, a s. Méx. *Pedro trabaja en un bar como **mesero*** (= mozo, camarero que sirve en las mesas).

meseta s. f. *En el centro de Bolivia se encuentra la **meseta** llamada Altiplano* (= una región alta y llana).

mesías s. m. *Los cristianos celebran en Navidad el nacimiento del **Mesías*** (= de Jesucristo).
SINÓN: Jesucristo.

mesón s. m. *Pasamos la noche en un viejo y rústico **mesón** del pueblo* (= en un establecimiento donde se puede comer y dormir).
SINÓN: fonda, parador, posada. FAM: *mesonero.*

mesonero, a s. *El **mesonero** nos trajo el vino y la comida* (= el dueño del mesón).
FAM: *mesón.*

mestizo, a adj. *El protagonista de la película era un indio **mestizo*** (= su padre era indio y su madre una mujer blanca).

meta s. f. **1.** *El atleta llegó a la **meta** muy cansado* (= al final de la carrera). **2.** *Introdujo dos veces el balón en la **meta** contraria* (= en el arco del campo de fútbol). **3.** *Mi **meta** es terminar mis estudios* (= mi objetivo).
SINÓN: **1.** fin, final, término. **2.** portería. **3.** objetivo. ANTÓN: **1.** principio.

metabolismo s. m. El **metabolismo** es el proceso de asimilación de los alimentos que se produce en el organismo vivo.

metáfora s. f. *Para decir que los cabellos eran rubios, el poeta hizo una **metáfora** y dijo que eran de oro* (= hizo una comparación figurada).
SINÓN: figura, imagen.

metal s. m. **1.** *El hierro es el **metal** más corriente* (= un tipo de material que se extrae de algunos minerales). ◆ **metal precioso 2.** *La plata, el oro y el platino son **metales preciosos*** (= los metales con los que se hacen joyas).
FAM: *metálico, metalurgia, metalúrgico.*

metálico, a adj. **1.** *En el patio del colegio hay una reja **metálica** para que no se vaya la pelota a la calle* (= una reja de metal). **2.** *No me pagues con un cheque, págame en **metálico*** (= con billetes o monedas).
FAM: → *metal.*

metalurgia s. f. La **metalurgia** es la industria que se dedica a extraer los metales de los minerales.
FAM: → *metal.*

metalúrgico, a adj. **1.** *Se produjo una huelga de trabajadores **metalúrgicos*** (= los que trabajan en las fábricas que extraen metales). ◆ **metalúrgico** s. m. **2.** *Marcos conoce muy bien los metales porque es **metalúrgico*** (= trabaja el metal).
FAM: → *metal.*

metamorfosis s. f. *La mariposa es el resultado de la **metamorfosis** de la oruga* (= de su completa transformación).
SINÓN: cambio, mudanza, transformación.

meteorito s. m. Los **meteoritos** son trozos de rocas del espacio que a veces llegan a la superficie terrestre.

meteorología s. f. La **Meteorología** es la ciencia que estudia los fenómenos atmosféricos.

meter v. tr. **1.** ***Metí** la fruta en el refrigerador* (= la puse). ◆ **meterse** v. pron. **2.** ***Se metió** en el comedor sin que nadie le diera permiso* (= entró). **3.** *Juan **se metió** a músico* (= eligió esta profesión). **4.** *No me gusta tu amigo porque siempre **se mete** conmigo* (= me molesta). **5.** *Un cabo es una porción de tierra que **se mete** en el mar* (= que se introduce).
SINÓN: 1. colocar, introducir, poner. **2, 5.** entrar, penetrar. **3.** dedicarse. **4.** provocar. **ANTÓN: 1.** sacar. **2, 5.** salir. **FAM:** *emisión, emitir, inadmisible, intromisión, someter.*

metiche adj. y s. Méx. *No me gustan los **metiches*** (= las personas entrometidas).

método s. m. **1.** *Me gusta el **método** empleado en este trabajo* (= la manera de hacer el trabajo). **2.** *Me gusta el **método** de mi maestro* (= la manera de enseñar).
SINÓN: 1. norma, orden, regla. **2.** costumbre, hábito, modo, uso. **ANTÓN: 1.** desorden.

metralleta s. f. *El policía llevaba la **metralleta** en la mano* (= un arma de fuego, portátil e individual, que realiza, automáticamente, muchos disparos).
FAM: *ametralladora.*

métrico, a adj. El sistema **métrico** es el que se refiere a las medidas que están relacionadas con el metro.
FAM: → *medir.*

metro s. m. **1.** El **metro** es la unidad para medir longitudes. ◆ **metro cuadrado 2.** El **metro cuadrado** es la unidad para medir superficies. ◆ **metro cúbico 3.** El **metro cúbico** es la unidad para medir volúmenes.
FAM: → *medir.*

mexicano, a adj. **1.** *La bandera **mexicana** es verde, blanca y roja* (= de México). ◆ **mexicano, a** s. **2.** *Los **mexicanos** son las personas nacidas en México.*

mezcal s. m. Méx. El **mezcal** es una bebida alcohólica que se obtiene por fermentación de las hojas del maguey.

mezcla s. f. *El café con leche es la **mezcla** del café con la leche* (= la combinación).
SINÓN: unión. **ANTÓN:** separación. **FAM:** *mezclar.*

mezclar v. tr. **1.** *Mi madre **mezcló** azúcar, huevos y harina para hacer un pastel* (= combinó todos los ingredientes). **2.** *Unos compañeros la **mezclaron** en un asunto que a ella no le importaba nada* (= la metieron en el asunto). ◆ **mezclarse** v. pron. **3.** *Siempre le ha gustado **mezclarse** con gente muy original* (= relacionarse).
SINÓN: 1. juntar, unir. **2.** involucrar. **3.** relacionarse. **ANTÓN: 1.** desunir, separar. **FAM:** *mezcla.*

mezquino, a adj. *Es una persona tan **mezquina** que siempre habla mal de sus amigos* (= es despreciable).
SINÓN: despreciable, miserable. **ANTÓN:** noble.

mezquita s. f. *Visitamos la **mezquita** donde los musulmanes celebran y realizan sus prácticas religiosas* (= el templo).

mi Es un posesivo. VER CUADRO DE POSESIVOS.

mi s. m. **Mi** es la tercera nota de la escala musical.

mí Es un pronombre personal. VER CUADRO DE PRONOMBRES PERSONALES.

miau s. m. *El gato hacía **miau** para llamar nuestra atención* (= el sonido que emiten los gatos).

mica s. f. La **mica** es un mineral formado por láminas delgadas, flexibles y brillantes.

microbio s. m. *Si no te curan la herida con alcohol los **microbios** te la infectarán* (= unos seres vivos muy pequeños, microscópicos, que pueden provocar ciertas enfermedades).
SINÓN: bacilo, bacteria.

micrófono s. m. *El cantante usó el **micrófono** para que todos lo oyéramos* (= un aparato que aumenta la voz).

microscópico, a adj. **1.** *Los glóbulos de la sangre son **microscópicos*** (= sólo se ven con el microscopio de tan minúsculos que son). **2.** *El médico hizo unas observaciones **microscópicas** de varios microbios* (= con el microscopio).
SINÓN: 1. diminuto, minúsculo. **ANTÓN: 1.** grande, mayúsculo. **FAM:** *microscopio.*

microscopio s. m. *Observaron la bacteria con el **microscopio*** (= con un aparato óptico que se emplea para observar objetos muy pequeños que no se pueden ver a simple vista).
FAM: *microscópico.*

miedo s. m. **1.** *Como tenía tanto **miedo** del perro, se encerró en la habitación y no salió* (= tenía mucho temor). **2.** *Tengo **miedo** de no llegar a tiempo para tomar el avión* (= temo que eso ocurra).
SINÓN: 1. ansiedad, inquietud, pánico, temor. **2.** sospecha. **ANTÓN: 1.** audacia, tranquilidad, valor. **FAM:** *miedoso.*

miedoso, a adj. *Luis es tan **miedoso** que no se atreve a salir de su casa* (= cree que habrá un peligro).
SINÓN: cobarde. **ANTÓN:** audaz, tranquilo, valiente. **FAM:** *miedo.*

miel s. f. *La **miel** que fabrican las abejas es muy dulce* (= una sustancia que hacen las abejas con el polen de las flores).

miembro s. m. **1.** *Los brazos son los **miembros** superiores del cuerpo humano y las piernas los inferiores* (= las extremidades). **2.** *Desde*

que es ***miembro*** *del club se pasa el día jugando al tenis* (= desde que forma parte de él). **3.** *En matemática un* ***miembro*** *es cada una de las expresiones separadas por el signo igual* (= es una parte).
SINÓN: **1.** extremidad. **2.** socio. **3.** parte.

mientras adv. **1.** ***Mientras*** *tú te bañas yo me iré vistiendo* (= al mismo tiempo que tú te bañas). **2.** ***Mientras*** *estuvo en la casa, sonó el teléfono dos veces* (= durante el tiempo que estuvo en la casa). ◆ **mientras que 3.** *Nosotros iremos en tren* ***mientras que*** *ellos irán en coche* (= en cambio). ◆ **mientras tanto 4.** *Yo lavaré los platos,* ***mientras tanto*** *tú hazte la cama* (= al mismo tiempo).

miércoles s. m. *El* ***miércoles*** *es el tercer día de la semana* (= el que va después del martes y antes del jueves).

miga s. f. **1.** *Echó a las palomas unas* ***migas*** *de pan* (= unos trocitos de pan). **2.** *Sólo podía comerse la* ***miga*** *del pan porque si no le dolían los dientes* (= la parte interior y blanda). ◆ **hacer buenas** (o **malas**) **migas con alguien 3.** *Juan es muy simpático, siempre* ***hace buenas migas*** *con todo el mundo* (= se entiende muy bien con la gente).
SINÓN: **1.** migaja, pedazo, trozo. **2.** migajón. **FAM:** *desmigar, migaja.*

migaja s. f. *Mi madre barrió las* ***migajas*** *de pan que habían caído al suelo* (= los pequeños trozos).
SINÓN: miga, pedazo, resto, sobra, trozo. **FAM:** *miga.*

migración s. f. **1.** *La falta de empleo provoca las* ***migraciones*** *de las personas a lugares donde puedan encontrarlo* (= el abandono de su país). **2.** *La* ***migración*** *de aves se produce en invierno y primavera* (= su traslado a lugares más cálidos).
SINÓN: emigración. **ANTÓN:** inmigración. **FAM:** → *emigrar.*

mil *La computadora le costó* ***mil*** *pesos.*
FAM: *milenario, milenio, milésimo, milhojas, milla, millar, millón, millonario.*

milagro s. m. **1.** *La transformación del agua en vino fue uno de los* ***milagros*** *que hizo Jesucristo* (= un acontecimiento que no se puede explicar con la razón porque es sobrenatural). **2.** *Ha sido un* ***milagro*** *que aprobara el examen porque no había estudiado casi nada* (= ha sido algo inesperado). ◆ **hacer milagros 3.** *Mi hermano* ***hace milagros*** *con el dinero* (= consigue que le dure mucho aunque gane poco).
SINÓN: **1.** maravilla, prodigio. **FAM:** *milagroso.*

milagroso, a adj. **1.** *Fue algo* ***milagroso*** *que aprobara sin haber estudiado* (= algo increíble). **2.** *La gente cree que la Virgen* ***milagrosa*** *cura todos los males* (= que hace milagros).
SINÓN: extraordinario, maravilloso, sobrenatural. **ANTÓN:** natural. **FAM:** *milagro.*

milenario, a adj. *Esta pirámide es una construcción* ***milenaria*** (= fue construida hace más de 1000 años).
FAM: → *mil.*

milenio s. m. *En el año 1999 acaba el segundo* ***milenio*** *de nuestra era* (= habrán pasado 2 000 años).
FAM: → *mil.*

milésimo, a adj. **1.** *Iba por la* ***milésima*** *página del libro* **2.** *Le tocó una* ***milésima*** *parte del premio* (= una de las mil partes iguales en que se dividió).
FAM: → *mil.*

milicia s. f. **1.** *Cuando estuvo en el ejército aprendió todas las técnicas de la* ***milicia*** (= las técnicas militares). **2.** *Abandonó la* ***milicia*** *y se hizo cura* (= abandonó el ejército).
SINÓN: ejército, guardia, tropa. **FAM:** → *militar.*

milico s. m. Amér. Merid. *Un* ***milico*** *impedía la entrada a toda persona ajena al cuartel* (= término despectivo con que se designa a los militares).

miligramo s. m. Si un gramo lo dividimos en mil partes, cada una de ellas es un **miligramo**.
FAM: → *gramo.*

mililitro s. m. Si un litro lo dividimos en mil partes, cada una de ellas es un **mililitro**.
FAM: → *litro.*

milímetro s. m. Si un metro lo dividimos en mil partes, cada una de ellas es un **milímetro**.
FAM: → *metro.*

militante s. m. *Los* ***militantes*** *del partido político votaron por su líder* (= los que formaban parte de él).
SINÓN: adepto, asociado, partidario. **FAM:** → *militar.*

militar adj. **1.** *Los soldados fueron trasladados a la región* ***militar*** (= donde estaban los cuarteles del ejército). ◆ **militar** s. m. **2.** *Después de la guerra premiaron a algunos* ***militares*** *con medallas* (= soldados). ◆ **militar** v. intr. **3.** *José* ***milita*** *en un partido político* (= forma parte de él).
SINÓN: **2.** combatiente, guerrero, soldado. **3.** figurar. **ANTÓN:** civil. **FAM:** *milicia, militante.*

milla s. f. *El barco estaba a una* ***milla*** *de la costa* (= a 1.852 metros de distancia).
SINÓN: nudo. **FAM:** → *mil.*

millar s. m. *En la plaza había un* ***millar*** *de personas celebrando la victoria del equipo* (= había aproximadamente mil).
FAM: → *mil.*

millón s. m. *Esta ciudad tiene un* ***millón*** *de habitantes.*
FAM: → *mil.*

millonario, a adj. *Las personas* ***millonarias*** *suelen tener muchas casas y coches* (= las personas que son muy ricas).
SINÓN: acaudalado, poderoso, rico. **ANTÓN:** pobre. **FAM:** → *mil.*

milonga s. f. *Las canciones con ritmo de* ***milonga*** *fueron muy populares entre los negros de la época de la colonia* (= tonada popular del Río de la Plata que se canta y se baila).

milpa s. f. Amér. Cent., Méx. *Todos los aborígenes agricultores de América tenían grandes* ***milpas*** (= plantaciones de maíz).

mimar v. tr. *Lo* ***han mimado*** *tanto que se enoja mucho si no consigue lo que quiere* (= le han dado siempre todo lo que pedía).
SINÓN: consentir. **ANTÓN:** despreciar. **FAM:** → *mimo.*

mimbre s. m. *La cesta estaba hecha de* ***mimbre*** (= de varas de madera flexibles y muy resistentes).

mímica s. f. *Juan usó la* ***mímica*** *para imitar a su profesor* (= el arte de imitar y de expresarse con gestos).
FAM: → *mimo.*

mímico, a adj. **1.** *Como no podían hablar en voz alta hacían gestos* ***mímicos*** *para entenderse* (= gestos con las manos y sin usar palabras).
FAM: → *mimo.*

mimo s. m. **1.** *El* ***mimo*** *imitó a varios personajes en su actuación* (= un actor que emplea sólo gestos y movimientos corporales). **2.** *Trató a mi hermano pequeño con* ***mimo*** (= con cariño y gran ternura).
SINÓN: 2. caricia, cariño, condescendencia, halago. **ANTÓN: 2.** desprecio, dureza, sequedad. **FAM:** *mimar, mímica, mímico, mimosa, mimoso.*

mimoso, a adj. *Es una niña muy* ***mimosa****, siempre hace caricias a sus padres* (= es muy cariñosa).
SINÓN: cariñoso, delicado, tierno. **FAM:** → *mimo.*

mina s. f. **1.** *Los mineros bajaban a la* ***mina*** *y se pasaban todo el día sin ver el sol* (= a una excavación en la tierra que se hace para extraer minerales). **2.** *Muchas* ***minas*** *de diamantes de África todavía no han sido descubiertas* (= lugares en el interior de la tierra donde se encuentra un mineral). **3.** *Se me ha roto la* ***mina*** *del lápiz y no puedo escribir* (= la punta). **4.** *Los soldados pusieron una* ***mina*** *enterrada que no hizo explosión* (= un explosivo).
SINÓN: 1. excavación, galería, túnel, pozo. **2.** filón, yacimiento. **4.** bomba, explosivo. **FAM:** → *minar, mineral, minería, minero.*

minar v. tr. **1.** *Los mineros* ***minaron*** *el terreno para abrir las galerías donde encontrar el carbón* (= colocaron explosivos). **2.** *Los soldados* ***minaron*** *el territorio para que no pudieran pasar los enemigos* (= enterraron explosivos).
FAM: → *mina.*

mineral adj. **1.** *Las piedras pertenecen al reino* ***mineral*** (= son materias naturales que no tienen vida). ◆ **mineral** s. m. **2.** *El hierro, el carbón y el oro son* ***minerales****.*
FAM: → *mina.*

minería s. f. **1.** *En esta región casi todo el mundo trabaja en la* ***minería*** (= en las minas). **2.** *En el sur de África la* ***minería*** *es la industria más importante* (= el conjunto de minas y explotaciones mineras).
SINÓN: 2. excavación, explotación. **FAM:** → *mina.*

minero, a adj. **1.** *Este es un pueblo* ***minero*** (= sus habitantes trabajan en las minas). ◆ **minero** s. m. **2.** *Los* ***mineros*** *bajan a la mina para extraer los minerales que hay en ella* (= las personas que trabajan en las minas).
FAM: → *mina.*

minga s. f. Arg., Col., Chile, Par., Perú. *Lo invitaron a participar en una* ***minga*** (= grupo de personas que hacen algún trabajo por la comida).

miniatura s. f. **1.** *Necesitaba una lupa para ver los detalles de aquella* ***miniatura*** (= aquella cosa tan pequeña). **2.** *La caseta del perro es una* ***miniatura*** (= es muy pequeña).

minifundio s. m. *En esta región hay varios* ***minifundios*** (= terrenos de cultivo de poca extensión).
ANTÓN: latifundio.

mínimo, a adj. **1.** *El hombre tenía una estatura* ***mínima*** (= era muy bajo). ◆ **mínimo** s. m. **2.** *La temperatura llegó al* ***mínimo*** *y tuvimos que encender la calefacción* (= al grado más bajo).
ANTÓN: máximo.

ministerio s. m. **1.** *El Gobierno se divide en varios* ***ministerios****, como Hacienda, Agricultura, Educación y otros* (= se divide en varios departamentos). **2.** *Tuvo que ir al* ***Ministerio*** *de Justicia a ver al juez* (= al edificio donde están los despachos del ministro). **3.** *Cuando ocupó su* ***ministerio*** *realizó muchos cambios en el país* (= cuando lo nombraron ministro).
SINÓN: 1, 2. gabinete, gobierno. **3.** cargo, ejercicio, empleo, función. **FAM:** *ministro.*

ministro, a s. *Los* ***ministros*** *se reunieron para hablar de los cambios que harían en el país* (= las personas que componen el Gobierno, bajo la dirección del Presidente de la nación).
FAM: *ministerio.*

minoría s. f. **1.** *Sólo una* ***minoría*** *apoyó sus opiniones* (= una pequeña cantidad de personas). ◆ **minoría de edad 2.** *Durante la* ***minoría*** *de edad no puedes votar* (= cuando todavía no tienes la edad suficiente).
ANTÓN: mayoría. **FAM:** *menor.*

minorista adj. y s. Amér. Merid., Ant. *El almacén* ***minorista*** *de mi barrio vende muy barato* (= comercio que vende los productos al menudeo).
ANTÓN: mayorista.

minucia s. f. *Siempre se enoja por* ***minucias*** (= por cosas sin importancia).
FAM: *minucioso.*

inundación
puente
dique
crecida
presa
rueda de paletas
molino
nubes
cielo
rojo
anaranjado
verde
azul
índigo (añil)
arco iris
arroyo
afluente
confluencia
orilla
vado
manantial
pescador
caña de pescar
talud
recodo
banco de arena
remolino
rebotes
remolino
ribera
río
caña
sauce
berro
remo
bote
barca
canoa
kayac
peces de agua dulce
salmón
anguila
carpa
trucha

petrolero
transbordador
bananero

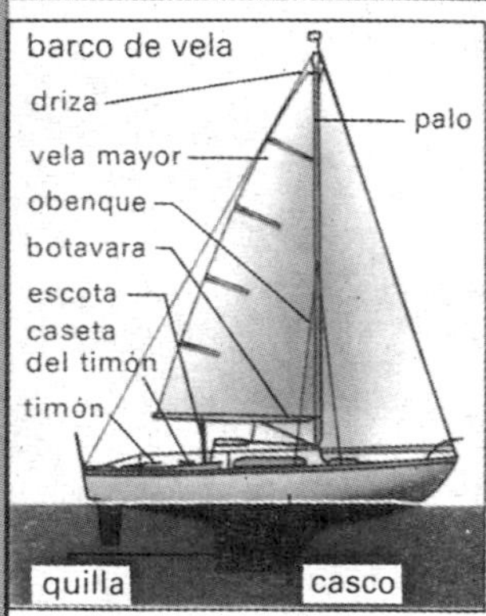
barco de vela
driza
palo
vela mayor
obenque
botavara
escota
caseta del timón
timón
quilla
casco

bote neumático

lancha de motor

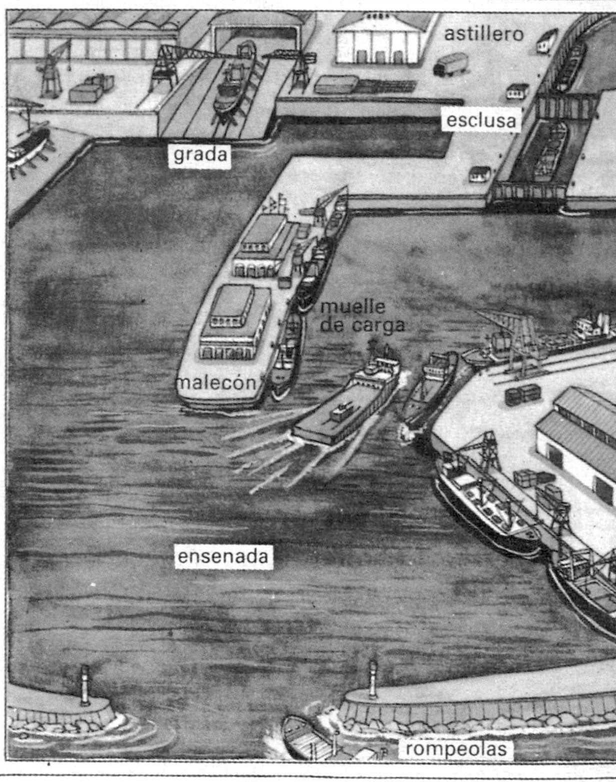
astillero
esclusa
grada
muelle de carga
malecón
ensenada
rompeolas

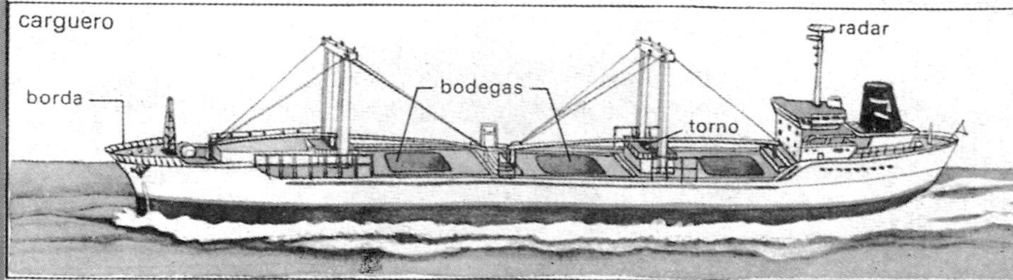
carguero
radar
borda
bodegas
torno

draga
remolcadores
carguero
grúa
dique seco
depósito
dársena
almacén
barcos
estación marítima
muelle
faro
dique flotante
escollera
boya
balizas
luces de señales
delantera proa
estribor
babor

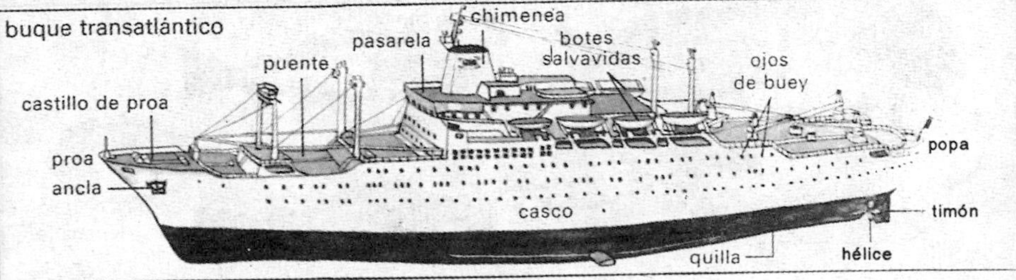
buque transatlántico
chimenea
pasarela
botes salvavidas
puente
ojos de buey
castillo de proa
popa
proa
ancla
casco
timón
quilla
hélice

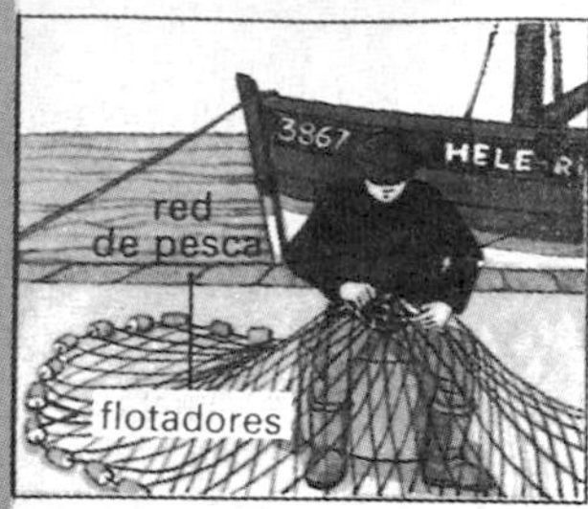
red de pesca
flotadores

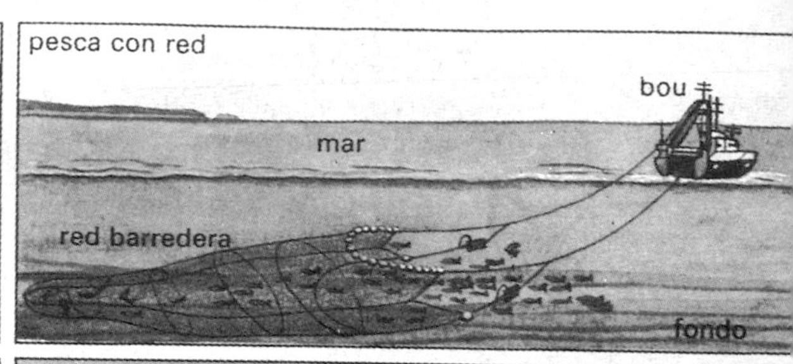
pesca con red
bou
mar
red barredera
fondo

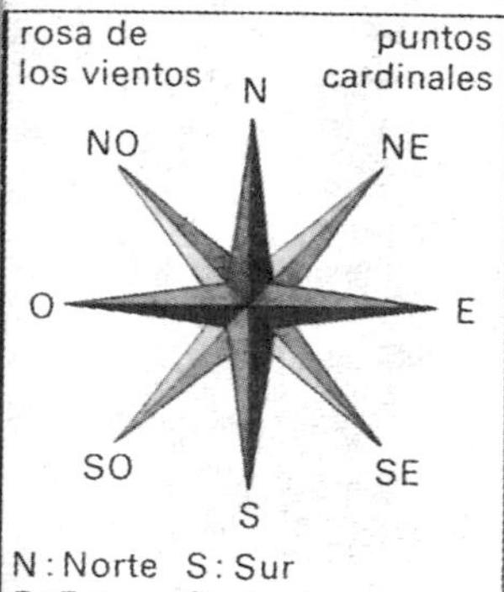
rosa de los vientos
puntos cardinales
N
NO
NE
O
E
SO
SE
S
N: Norte S: Sur
E: Este O: Oeste

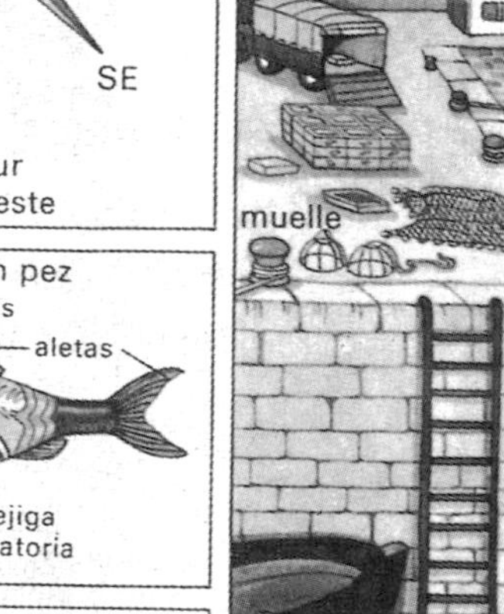
anatomía de un pez
espinas
branquias
aletas
estómago
vejiga natatoria
barbillas

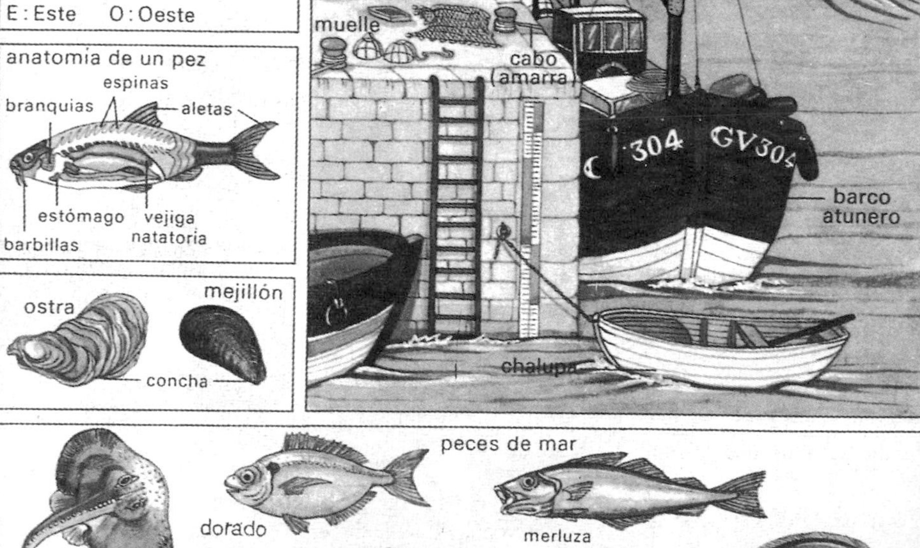
farol; farola
muelle
cabo (amarra)
barco atunero
chalupa
ostra
mejillón
concha

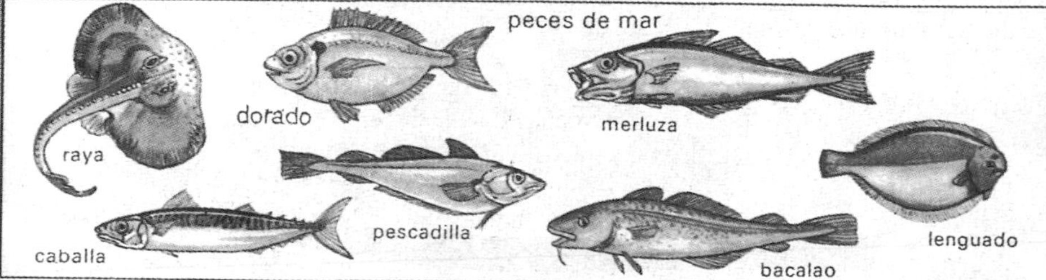
peces de mar
raya
dorado
merluza
pescadilla
lenguado
caballa
bacalao

minucioso, a adj. *María es muy* ***minuciosa*** *haciendo trabajos manuales* (= los hace con mucha atención y cuidando todos los detalles).
SINÓN: detallista, escrupuloso. **FAM:** *minucia.*

minuendo s. m. En la resta 4 – 1 = 3 el **minuendo** es el **4.**

minúscula s. f .**1.** Las letras *a, b, c* son **minúsculas**, mientras que *A, B, C* son mayúsculas. ◆ **minúsculo, a** adj. **2.** *El reloj está formado por piezas* ***minúsculas*** (= de dimensiones muy pequeñas).
SINÓN: 2. diminuto, microscópico. **ANTÓN: 1.** mayúscula. **2.** enorme, gigantesco, monumental.

minuta s. f. **1.** *El abogado nos hizo pagar una carísima* ***minuta*** *por sus servicios* (= una factura). **2.** *El camarero nos dio la* ***minuta*** *para que escogiéramos un plato* (= la lista de las comidas del restaurante).
SINÓN: 1. factura, honorarios. **2.** carta, menú.

minutero s. m. *El reloj tenía roto el* ***minutero*** (= la manecilla que señala los minutos).
SINÓN: aguja, manecilla. **FAM:** *minuto.*

minuto s. m. *Una hora tiene 60* ***minutos*** (= es una medida de tiempo que equivale a 60 segundos).
FAM: *minutero.*

mío, a Es un posesivo. VER CUADRO DE POSESIVOS.

miope adj. *Juan es tan* ***miope*** *que sin anteojos no ve nada* (= tiene un defecto en los ojos que no le permite ver bien de lejos).
FAM: *miopía.*

miopía s. f. *A causa de la* ***miopía*** *debe usar anteojos* (= a causa de un defecto de la visión que le impide ver correctamente los objetos lejanos).
FAM: *miope.*

mirada s. f. **1.** *Tiene una* ***mirada*** *muy intensa* (= un modo de mirar). **2.** *Estoy echando una* ***mirada*** *a esos libros* (= les estoy echando un vistazo).
SINÓN: 2. ojeada, repaso, vistazo. **FAM:** → *mirar.*

mirador s. m. *Observo todo el mar desde un* ***mirador*** (= desde un lugar muy bien situado que permite contemplar el paisaje).
SINÓN: terraza. **FAM:** → *mirar.*

miramiento s. m. *Nos echó de casa sin ningún* ***miramiento*** (= sin educación).
SINÓN: atención, cautela, consideración, cuidado, educación, respeto. **FAM:** → *mirar.*

mirar v. tr. **1.** *Antes de saludarla la* ***miró*** *un buen rato* (= la observó). ◆ **mirar** v. intr. **2.** *Si no lo encuentras encima de la mesa,* ***mira*** *en el cajón* (= búscalo allí). **3.** *Me llama cuando me quiere pedir algo, sólo* ***mira*** *por sus intereses* (= sólo se preocupa de él mismo). **4.** *El balcón* ***mira*** *al jardín* (= está enfrente de él). ◆ **mirándolo bien 5.** ***Mirándolo bien,*** *no vale la pena comprarse un coche tan caro* (= si se piensa detenidamente).
SINÓN: 1. contemplar, examinar, observar. **2.** buscar. **3.** apreciar, atender, estimar. **FAM:** *admirar, mirada, mirador, miramiento, mirilla, mirón.*

mirilla s. f. *Miró por la* ***mirilla*** *de la puerta para ver quién llamaba* (= por un pequeño agujero).
SINÓN: rejilla, ventanilla. **FAM:** → *mirar.*

mirlo s. m. El **mirlo** es un pájaro de color negro, fácil de domesticar, que aprende a repetir sonidos humanos.

mirón, ona adj. **1.** *Mi vecina es muy* ***mirona,*** *siempre está observando todo lo que hacemos* (= es muy curiosa). ◆ **mirón, ona** s. **2.** *En la playa, las mujeres se sentían observadas por un* ***mirón*** (= un hombre que las miraba con insistencia).
SINÓN: curioso. **FAM:** → *mirar.*

misa s. f. *Los católicos van cada domingo a la iglesia para oír* ***misa*** (= a una ceremonia religiosa).

miserable adj. **1.** *No tenían dinero y vivían en una vivienda muy* ***miserable*** (= muy pobre). **2.** *Le pagan un sueldo* ***miserable*** (= muy poco dinero). ◆ **miserable** s. m. f. **3.** *Se portó como un* ***miserable*** *al dejar que castigaran a su amigo por algo que había hecho él* (= como un canalla).
SINÓN: 1. pobre, desdichado, infeliz, mísero. **2.** escaso. **3.** canalla, criminal, perverso. **ANTÓN: 1.** feliz, rico. **2.** generoso. **3.** honrado. **FAM:** → *miseria.*

miseria s. f. **1.** *Hay gente que vive en la* ***miseria*** (= en una gran pobreza). **2.** *Gana una* ***miseria*** *y sólo tiene lo justo para comer* (= muy poco dinero).
SINÓN: 1. escasez, estrechez, pobreza. **ANTÓN: 1.** riqueza. **FAM:** *miserable, mísero.*

misericordia s. f. *Debes sentir* ***misericordia*** *hacia los pobres* (= debes compadecerte de ellos y ayudarlos).
SINÓN: altruismo, bondad, compasión, generosidad, lástima, piedad. **ANTÓN:** crueldad.

mísero, a adj. **1.** *El hombre que tocaba el violín en la calle tenía un aspecto* ***mísero*** (= parecía muy pobre). **2.** *Era tan* ***mísero*** *que nunca hacía regalos a sus amigos* (= tan tacaño y avaro).
SINÓN: 1. desgraciado, desdichado, infeliz, pobre. **2.** avaro, miserable. **ANTÓN: 1.** feliz. **2.** generoso, rico. **FAM:** → *miseria.*

misil s. m. *El avión del ejército lanzó un* ***misil*** (= un cohete explosivo).

misión s. f. **1.** *Tu* ***misión*** *es llevar esta carta al profesor* (= la tarea que debes hacer). **2.** *La* ***misión*** *de los bomberos es principalmente apagar fuego* (= el trabajo). **3.** *Una* ***misión*** *de cien-*

tíficos viajó a la selva para realizar unos estudios (= una expedición).
SINÓN: **1.** cometido, encargo. **2.** obligación, trabajo, labor. **3.** expedición. FAM: *misionero.*

misionero, a adj. **1.** *El sacerdote desarrolló su labor* ***misionera*** *en la India* (= religiosa). ◆ **misionero, a** s. **2.** *Esta iglesia de África fue creada por los* ***misioneros*** (= por los religiosos cristianos que iban a países lejanos para prestar su ayuda).
FAM: *misión.*

mismo, a adj. **1.** *El pantalón y la camisa son del* ***mismo*** *color* (= de igual color). ◆ **mismo, a** pron. **2.** *La falda que vi era la* ***misma*** *que llevaba Sonia* (= era idéntica a la de Sonia).
SINÓN: **1.** exacto, idéntico, igual. ANTÓN: **1.** distinto.

misterio s. m. *En la película no consiguen resolver el* ***misterio*** (= algo imposible de comprender).
SINÓN: enigma, incógnita, secreto. FAM: *misterioso.*

misterioso, a adj. *Esta desaparición es muy* ***misteriosa*** (= no hay forma de explicarla).
SINÓN: inexplicable, oculto, secreto. ANTÓN: evidente. FAM: → *misterio.*

mitad s. f. **1.** *No me des toda la naranja, sólo quiero la* ***mitad*** (= una de las dos partes iguales en que se divide). **2.** *El nadador se paró a* ***mitad*** *del recorrido* (= a igual distancia del principio que del final).
SINÓN: medio. ANTÓN: entero.

mitin s. m. *En el* ***mitin*** *del partido político no habló el presidente* (= en una reunión sobre política a la que asiste mucha gente).
SINÓN: asamblea, reunión.

mito s. m. **1.** *Las obras griegas narran muchos* ***mitos*** (= muchas leyendas). **2.** *Mickey Mouse es un* ***mito*** *de los dibujos animados* (= un personaje muy famoso).
SINÓN: **1.** fábula, leyenda, tradición. ANTÓN: **1.** realidad. FAM: *mitología.*

mitología s. f. La **mitología** es la historia que habla de los dioses y héroes de la Antigüedad.
FAM: *mito.*

mixto, a adj. *Como voy a una escuela* ***mixta,*** *en el recreo jugamos los niños con las niñas* (= a una escuela en la que hay niños y niñas).
SINÓN: combinado. ANTÓN: simple.

mobiliario s. m. *He de cambiar el sofá y el resto del* ***mobiliario*** *del salón* (= el resto de los muebles).
SINÓN: menaje. FAM: *mueble.*

mocasín s. m. *Mi madre ha llevado los* ***mocasines*** *al zapatero* (= los zapatos sin cordones).
SINÓN: calzado, zapato.

mochila s. f. **1.** *El excursionista llenó su* ***mochila*** *con las cosas que necesitaba para la excursión* (= una bolsa grande que se cuelga en la espalda). Amér. **2.** *Mi hermano tenía tantas cosas en su* ***mochila*** *que no podía levantarla* (=bolsa grande para los libros de la escuela).
SINÓN: bolsa, saco.

mochuelo s. m. **1.** El **mochuelo** es un ave nocturna pequeña, parecida a un búho.

moco s. m. **1.** *Mi madre siempre le tiene que limpiar los* ***mocos*** *a mi hermano pequeño* (= la sustancia que sale de la nariz). ◆ **llorar a moco tendido 2.** *Se sentía tan triste que no paraba de* ***llorar a moco tendido*** (= lloraba mucho).
SINÓN: **1.** mucosidad. FAM: *mocoso, mucosidad.*

mocoso, a adj. *No entró en el juego porque todavía era un* ***mocoso*** (= no era suficientemente mayor).
FAM: → *moco.*

moda s. f. **1.** *María siempre va vestida a la última* ***moda*** (= con las últimas novedades). **2.** *Últimamente están de* ***moda*** *las polleras cortas* (= a mucha gente le gusta llevarlas).
SINÓN: actualidad, novedad, uso. ANTÓN: desuso. FAM: *modisto.*

modales s. m. pl. *Si tuvieras buenos* ***modales*** *hubieses dejado sentar a la señora* (= si fueras educado).
SINÓN: manera. FAM: → *modo.*

modalidad s. f. *En el concurso de poesía había varias* ***modalidades*** *de premios* (= varias clases diferentes).
SINÓN: clase. FAM: → *modo.*

modelar v. tr. *El escultor* ***modela*** *la arcilla para hacer una estatua* (= la amasa y le da forma).
SINÓN: esculpir. FAM: → *modo.*

modelo s. m. **1.** *Pedro usa* ***modelos*** *para dibujar* (= usa objetos que le sirven para copiarlos). **2.** *Tu hermano es un* ***modelo*** *de educación* (= su conducta debe ser imitada). **3.** *Este coche es un* ***modelo*** *antiguo* (= es un tipo de coche que se fabricó hace muchos años). **4.** *La modista nos vendió algunos de sus* ***modelos*** (= de sus vestidos). ◆ **modelo** s. m. f. **5.** *Las* ***modelos*** *desfilaron con los últimos trajes del diseñador* (= las personas que trabajan enseñando la ropa que llevan puesta a la gente). ◆ **modelo** adj. **8.** *María es una niña* ***modelo,*** *se porta muy bien y es muy estudiosa* (= que debe servir de ejemplo).
SINÓN: **2.** ejemplo, patrón, pauta. **3.** ejemplar, tipo. **4.** traje, vestido. **5.** maniquí. FAM: → *modo.*

moderado, a adj. **1.** *Los precios de este restaurante son* ***moderados*** (= no son demasiado caros).
SINÓN: razonable, templado. ANTÓN: exagerado, excesivo. FAM: → *moderar.*

moderador, a s. *El* ***moderador*** *le dio la palabra varias veces durante el debate* (= la persona que dirige una charla para que no hablen todos a la vez).
SINÓN: coordinador. FAM: → *moderar.*

moderar v. tr. **1.** *Debes* ***moderar*** *la velocidad si no quieres tener un accidente* (= debes conducir más despacio). **2.** *Me han elegido para* ***moderar*** *un debate* (= para dirigir la conversación y que hable todo el mundo pero no a la vez).
SINÓN: 1. frenar, suavizar, templar. **2.** coordinar. **ANTÓN: 1.** aumentar, excitar. **FAM:** *moderado, moderador.*

modernismo s. m. **1.** El **modernismo** fue una corriente literaria de principios del s. XX, creada por el poeta nicaragüense Rubén Darío. **2.** *El arquitecto más famoso del* ***modernismo*** *fue Gaudí* (= del movimiento cultural de finales del s. XIX y principios del s. XX).
FAM: → *moderno.*

modernizar v. tr. ***Han modernizado*** *la oficina instalando computadoras* (= la han equipado con medios modernos).
SINÓN: actualizar, renovar. **ANTÓN:** atrasar, envejecer. **FAM:** → *moderno.*

moderno, a adj. **1.** *Las computadoras forman parte de la vida* ***moderna*** (= de la vida actual). **2.** *Me he comprado un vestido muy* ***moderno*** (= con un estilo muy actual).
SINÓN: actual, nuevo, reciente, último. **ANTÓN:** antiguo. **FAM:** *modernizar, modernismo.*

modestia s. f. *Su* ***modestia*** *le impide presumir de su inteligencia* (= no da importancia a las cosas que él tiene).
SINÓN: humildad, pudor, sencillez. **ANTÓN:** ostentación. **FAM:** *modesto.*

modesto, a adj. *Marta es muy* ***modesta,*** *nunca presume de sus buenas notas* (= no da importancia a sus éxitos).
SINÓN: discreto, humilde, reservado, sencillo. **ANTÓN:** orgulloso, presumido. **FAM:** *modestia.*

modificación s. f. *El profesor hizo muchas* ***modificaciones*** *en mi trabajo* (= muchos cambios).
SINÓN: cambio, reforma. **FAM:** *modificar.*

modificar v. tr. ***Modifiqué*** *varias palabras de mi redacción* (= las cambié).
SINÓN: cambiar, mudar, transformar. **ANTÓN:** confirmar, conservar. **FAM:** *modificación.*

modismo s. m. Un **modismo** es una expresión que tiene una estructura fija, como por ejemplo: *sin ton ni son.*
SINÓN: giro.

modisto, a s. *La* ***modista*** *me hizo un vestido para la fiesta* (= la persona que crea y cose vestidos).
FAM: *moda.*

modo s. m. **1.** *Hay varios* ***modos*** *de llegar a la ciudad; en tren, en barco, en avión...* (= varias formas). **2.** *Le dolió que lo dijera de este* ***modo*** *tan brusco* (= de esta manera). ◆ **modos** s. m. pl. **3.** *El profesor la castigó por haberle contestado con malos* ***modos*** (= con malos modales). ◆ **a modo de 4.** *Se puso una toalla en la cabeza* ***a modo de*** *turbante* (= como si fuera). ◆ **de modo que 5.** *Si no apruebas no irás de vacaciones,* ***de modo que*** *estudia* (= así que).
SINÓN: 1, 2. forma, manera, medio, método. **3.** modales. **FAM:** *modales, modalidad, modelar, modelo.*

modorra s. f. *Después de comer me entra una* ***modorra*** *que tengo que hacer una siesta* (= me entra sueño).
SINÓN: sueño.

módulo s. m. *La biblioteca estaba construida con varios* ***módulos*** *donde colocar los libros* (= varias piezas que se pueden combinar).
SINÓN: elemento, pieza.

mofarse v. pron. ***Mofarse*** *de una persona no es de buena educación* (= reírse de ella).
SINÓN: burlarse.

moho s. m. *El queso se cubrió de* ***moho*** *porque llevaba varias semanas fuera del refrigerador* (= de un hongo de color verdoso que lo iba descomponiendo).
FAM: *enmohecerse, mohoso.*

mohoso, a adj. *En un ambiente húmedo, el pan se pone* ***mohoso*** (= se llena de moho).
FAM: → *moho.*

mojar v. tr. *Me* ***mojé*** *los zapatos a causa de la lluvia* (= se humedecieron con el agua).
SINÓN: calar, empapar. **ANTÓN:** secar. **FAM:** *remojar, remojo, remojón.*

molar s. m. *El dentista le ha sacado un* ***molar*** (= una muela).
FAM: *muela.*

molde s. m. *Pusimos el flan en un* ***molde*** *para cocerlo* (= en un recipiente que le da forma).
SINÓN: forma, matriz, modelo, tipo. **FAM:** *amoldarse.*

mole s. f. **1.** *El elefante era una* ***mole,*** *pesaba más de 200 kilos* (= era muy grande y pesado). Méx. **2.** *Me gusta el pollo o el guajolote con* ***mole*** (= salsa hecha con distintas clases de chile, chocolate y semillas de calabaza).

molécula s. f. *El científico estudiaba las* ***moléculas*** *de oxígeno con un microscopio muy potente* (= la parte más pequeña en que se divide una sustancia).

moler v. tr. **1.** *Ana* ***molió*** *los granos de café con el molinillo* (= los trituró hasta convertirlos en polvo). **2.** *Estoy* ***molido*** *de tanto trabajar* (= estoy muy cansado). Méx. **3.** *Estos niños* ***muelen*** *mucho a sus papás* (= les causan muchas molestias por traviesos).
SINÓN: 1. aplastar, machacar, pulverizar, triturar. **2.** cansar, maltratar. **FAM:** *molinero, molinillo, molino.*

molestar v. tr. *No* ***molestes*** *al profesor con tus gritos* (= no lo interrumpas).
SINÓN: enfadar, enojar, estorbar, fastidiar, incomodar. **FAM:** *molestia, molesto.*

molestia s. f. **1.** *El humo del tabaco no causa más que* ***molestias*** *en los ojos* (= sensaciones desagradables). **2.** *Sentía* ***molestias*** *en el estómago por haber comido demasiado* (= tenía dolor).
SINÓN: 1. contrariedad, fastidio, incomodidad. **2.** dolor, malestar. **ANTÓN: 2.** bienestar. **FAM:** → *molestar.*

molesto, a adj. **1.** *El humo del tabaco es muy* ***molesto*** *para el que no fuma* (= es muy desagradable). **2.** *Estoy* ***molesto*** *por no haber sido invitado a la fiesta* (= estoy enojado).
SINÓN: 1, desagradable, incómodo. **2.** disgustado. **ANTÓN: 1.** agradable. **2.** contento. **FAM:** → *molestar.*

molinero, a s. *El* ***molinero*** *nos vendió la harina del trigo que había molido* (= la persona que trabaja en el molino).
FAM: → *moler.*

molinillo s. m. *Para moler el café necesitas un* ***molinillo*** (= un instrumento pequeño que sirve para moler).
FAM: → *moler.*

molino s. m. *Llevamos los granos de trigo al* ***molino*** *para que los convirtieran en harina* (= al lugar donde están las máquinas para molerlos).
FAM: → *moler.*

molleja s. f. *Las aves digieren los alimentos que comen en la* ***molleja*** (= en el estómago donde ablandan y trituran los alimentos).

molusco s. m. *El mejillón, el caracol y la almeja son* ***moluscos*** (= son animales de cuerpo blando que están protegidos por una concha).

momentáneo, a adj. *Fue un dolor* ***momentáneo*** *pero muy intenso* (= se me pasó en seguida).
SINÓN: breve, fugaz, instantáneo, rápido. **ANTÓN:** permanente. **FAM:** → *momento.*

momento s. m. **1.** *Nos paramos en su casa un* ***momento*** *para recoger a su hermano* (= paramos sólo el tiempo necesario para recoger a su hermano). **2.** *Decidió marcharse en el* ***momento*** *oportuno, cuando todavía no llovía* (= en la ocasión). ◆ **a cada momento 3.** *Está fumando* ***a cada momento,*** *es como una chimenea* (= continuamente). ◆ **al momento 4.** *Hizo el encargo* ***al momento*** *y sin quejarse* (= en seguida). ◆ **de momento 5.** ***De momento*** *dejaremos las maletas en el coche, luego las sacaremos* (= por ahora). ◆ **de un momento a otro 6.** *No se vayan que el profesor llegará* ***de un momento a otro*** (= está a punto de llegar). ◆ **por momentos 7.** *Como la fiebre le aumentaba* ***por momentos,*** *llamaron al médico* (= le subía rápidamente).
SINÓN: instante. **ANTÓN:** eternidad. **FAM:** *momentáneo.*

momia s. f. *Los científicos estudian las* ***momias*** *que encontraron en las pirámides de Egipto* (= los cadáveres desecados).

monada s. f. **1.** *En el zoológico los monos nos divirtieron con sus* ***monadas*** (= con sus gestos y saltos). **2.** *La muñeca que me regalaron es una* ***monada*** (= es muy bonita). **3.** *En una persona tan mayor como él, sus* ***monadas*** *no tienen gracia* (= sus tonterías). **4.** *Mi primo pequeño siempre hace* ***monadas*** *cuando jugamos con él* (= hace cosas propias de un niño).
SINÓN: 1. gracia, monería. **2.** bonito, precioso. **4.** gracia. **FAM:** → *mono.*

monaguillo s. m. *El* ***monaguillo*** *le trajo el vino y el agua al cura* (= el niño que lo ayuda a celebrar la misa).

monarca s. m. *El* ***monarca*** *vivía en el palacio real rodeado de sus súbditos* (= el Rey).
SINÓN: príncipe, rey, soberano. **FAM:** *monarquía.*

monarquía s. f. *En una* ***monarquía*** *el jefe de la nación es el rey* (= en ese sistema político).
FAM: *monarca.*

monasterio s. m. *Los monjes vivían en un* ***monasterio*** *situado encima de una montaña* (= en una casa para religiosos muy grande).
SINÓN: abadía, claustro, convento.

mondadientes s. m. *Mi abuelo después de las comidas usa un* ***mondadientes*** *para limpiarse los dientes* (= un palillo).
SINÓN: palillo. **FAM:** → *mondar.*

mondar v. tr. *Todavía no sabe* ***mondar*** *la fruta porque es muy pequeño* (= no sabe quitarle la piel).
SINÓN: limpiar, pelar. **FAM:** *mondadientes.*

moneda s. f. **1.** *Pagó la entrada con un billete y le devolvieron el cambio con varias* ***monedas*** (= unas piezas de metal que tienen un determinado valor y que se usan para comprar algo). **2.** *La* ***moneda*** *de Brasil es el cruzado y la de México el peso.*
SINÓN: 1. pieza. **FAM:** *monedero, monetario.*

monedero s. m. *Luisa no pudo pagar porque había perdido su* ***monedero*** (= la bolsa donde guardaba el dinero).
FAM: → *moneda.*

monería s. f. **1.** *Los monos del zoológico nos divirtieron mucho con sus* ***monerías*** (= con sus saltos y volteretas). **2.** *Todavía es un niño muy pequeño pero ya hace* ***monerías*** (= cosas graciosas).
SINÓN: 1, 2. gracia, monada. **FAM:** → *mono.*

monetario, a adj. *El gobierno informó que el valor* ***monetario*** *del peso había aumentado* (= el valor de esta moneda).
FAM: → *moneda.*

monigote s. m. **1.** *En clase de trabajos manuales hicimos un* ***monigote*** (= una figura hecha de trapo). **2.** *Su cuaderno de dibujo estaba lleno de* ***monigotes*** (= de dibujos graciosos).

monitor s. m. *Las imágenes del partido se veían por un* ***monitor*** (= por una pantalla).

monja s. f. *Las* ***monjas*** *del convento rezaban varias veces al día en la capilla* (= las mujeres que pertenecen a una orden religiosa).
SINÓN: hermana, madre, religiosa, sor. **FAM:** *monje.*

monje s. m. *Los* ***monjes*** *del monasterio se dedicaban a rezar y a trabajar* (= los hombres que pertenecen a una orden religiosa).
SINÓN: fraile, religioso. **FAM:** *monja.*

mono, a adj. **1.** *Es un niño tan* ***mono*** *que todos lo miran por la calle* (= muy bonito). ◆ **mono, a** s. **2.** Los **monos,** como el chimpancé y el gorila, son animales mamíferos que viven en la selva y que tienen mucha facilidad para colgarse de los árboles.
SINÓN: 1. bonito, delicado, gracioso, hermoso, lindo. **2.** mico, simio. **ANTÓN: 1.** feo. **FAM:** *monada, monería.*

monóculo s. m. *Antiguamente en vez de anteojos se usaban* ***monóculos*** (= una lente que se ponía en un solo ojo).

monólogo s. m. *Lo que iba a ser un diálogo entre dos amigos se convirtió en un* ***monólogo*** *de uno de ellos* (= sólo hablaba uno de los dos).
ANTÓN: coloquio, conversación, diálogo.

monopolio s. m. *Esta empresa tiene el* ***monopolio*** *del tabaco* (= es la única que puede venderlo).
SINÓN: concesión, exclusiva, privilegio.

monosílabo, a adj. Pan *es una palabra* ***monosílaba*** *y* cama *es bisílaba* (= tiene una sola sílaba).
FAM: → *sílaba.*

monotonía s. f. *La* ***monotonía*** *del trabajo, hizo que se cansara de hacer siempre lo mismo* (= la poca variedad).
SINÓN: rutina. **ANTÓN:** variedad. **FAM:** *monótono.*

monótono, a adj. *Jugar siempre a lo mismo es muy* ***monótono*** (= es muy aburrido).
SINÓN: aburrido, invariable, regular, uniforme. **ANTÓN:** irregular, variado. **FAM:** *monotonía.*

monstruo s. m. *Los* ***monstruos*** *de la película tenían dos cabezas* (= los personajes horribles). **2.** *Tu hermano es un* ***monstruo*** *del ajedrez, siempre gana a todo el mundo* (= juega extraordinariamente bien al ajedrez). **3.** *Sólo un* ***monstruo*** *puede tratar tan mal a sus hermanos* (= una persona muy mala).
SINÓN: 1, 2. fenómeno, prodigio. **2.** as, campeón. **FAM:** *monstruoso.*

monstruoso, a adj. **1.** *Los personajes malvados de la película tenían un aspecto* ***monstruoso*** (= no parecían humanos). **2.** *Se comportó de forma* ***monstruosa*** *haciéndolo trabajar sabiendo que estaba enfermo* (= de forma muy cruel).
SINÓN: 1. espantoso. **2.** cruel, inhumano, perverso. **ANTÓN: 1.** bello, natural, perfecto. **FAM:** *monstruo.*

montacargas s. m. *Pusimos varios muebles en el* ***montacargas*** *para subirlos a la sexta planta* (= en un ascensor preparado para subir y bajar objetos de mucho peso).
SINÓN: ascensor. **FAM:** *montar.*

montaje s. m. *Para hacer el* ***montaje*** *de las piezas seguimos las instrucciones del manual* (= para colocarlas en su sitio).
FAM: → *montar.*

montaña s. f. **1.** *Los excursionistas llegaron a la cima de la* ***montaña*** *después de un duro ascenso* (= de una elevación natural del terreno). **2.** *Tenía una* ***montaña*** *de trabajo* (= mucho trabajo). ◆ **montaña rusa 3.** *Cuando fuimos al parque de atracciones subimos a la* ***montaña rusa*** (= una atracción que tiene la forma de una montaña).
ANTÓN: 1. depresión, llanura, valle. **FAM:** → *monte.*

montañismo s. m. *Los jóvenes que se dedican al* ***montañismo*** *aman la naturaleza* (= que practican el deporte de subir a las montañas).
SINÓN: alpinismo. **FAM:** → *monte.*

montañista s. *Los* ***montañistas*** *no pudieron llegar a la cima a causa de la tormenta* (= las personas aficionadas a subir a las montañas).
SINÓN: alpinista. **FAM:** → *monte.*

montañoso, a adj. *Los Andes son una cadena* ***montañosa*** (= donde hay muchas montañas).
ANTÓN: llano. **FAM:** → *monte.*

montar v. tr. **1.** *Luis* ***montó*** *el motor del coche cuando terminó de arreglarlo* (= puso todas las piezas en su lugar). **2.** *Con el dinero que tenía ahorrado* ***montó*** *una fábrica de juguetes* (= la creó). ◆ **montar** v. intr. **3.** *Los jinetes de carreras* ***montan*** *muchas horas para entrenarse* (= van a caballo).
SINÓN: 1. ajustar, armar, disponer, instalar, preparar. **2.** establecer, crear. **3.** cabalgar. **ANTÓN: 1.** desarmar, desmontar. **3.** apearse, bajar. **FAM:** *desmontar, montacargas, montaje, montura, remontar.*

montaraz adj. *Los indios domaban con habilidad los potros* ***montaraces*** (= que viven en los montes o en lugares agrestes).
FAM: *monte.*

monte s. m. **1.** *Aunque el* ***monte*** *era alto, no fue difícil escalarlo* (= una elevación grande del terreno). **2.** *El fuego se extendió por el* ***monte*** *por culpa de la imprudencia de unos excursionistas* (= por un terreno cubierto de árboles, arbustos y matas).
SINÓN: 1. montaña. **FAM:** *montaña, montañés, montañismo, montañoso, montés, montículo.*

montés, a adj. *Los cazadores cazaron un gato* ***montés*** (= que vive en el monte).
FAM: → *monte.*

montículo s. m. *En medio de la llanura hay un* ***montículo*** *desde donde se ve el pueblo a lo lejos* (= un monte pequeño).
SINÓN: cerro. FAM: → *monte.*

montón s. m. **1.** *Tengo un* ***montón*** *de papeles encima de la mesa* (= muchos papeles). **2.** *No sé si tendré tiempo de ir al cine, tengo un* ***montón*** *de trabajo* (= mucho).
SINÓN: **1.** pila. **2.** infinidad, multitud, sinnúmero.
FAM: *amontonar.*

montonera s. f. Amér. Merid. *Las* ***montoneras*** *tuvieron un importante papel en las luchas civiles de Sudamérica* (= grupo de jinetes armados que respondían a un jefe involucrado en contiendas civiles).

montura s. f. *Antes de montar en el caballo debes ajustar bien la* ***montura*** (= la silla sobre la que se monta). **2.** *Se me rompió la* ***montura*** *de los anteojos* (= el soporte donde van acoplados los cristales).
FAM: → *montar.*

monumental adj. **1.** *La Catedral de Lima es una obra* ***monumental*** (= es una obra con un gran valor histórico). **2.** *En medio de la plaza hay una estatua* ***monumental*** (= enorme).
SINÓN: **1, 2.** admirable, enorme, fenomenal, grande, magnífico, prodigioso. ANTÓN: **2.** minúsculo. FAM: *monumento.*

monumento s. m. **1.** *La ciudad hizo un* ***monumento*** *a la persona que la había fundado* (= una escultura para recordarlo). **2.** *No tuvimos tiempo de visitar todos los* ***monumentos*** *de la ciudad* (= todos sus edificios históricos).
SINÓN: **1.** estatua. **2.** edificio, obra. FAM: *monumental.*

moño s. m. *Se ató el cabello largo con un* ***moño*** (= cinta atada en forma de lazo).

moqueta s. f. *Mi padre compró una* ***moqueta*** *para cubrir el suelo del salón* (= una alfombra de tela fuerte).

mora s. f. **1.** La **mora** es el fruto de color morado que da el moral. **2.** La **mora** es un fruto pequeño y de color blanco que da la morera. **3.** También se llama **mora** al fruto pequeño, redondo y con unos granos negros que da la zarzamora.
SINÓN: **3.** zarzamora. FAM: *morado, moral, morera, zarzamora.*

morada s. f. *Los animales volvían a su* ***morada*** *cuando se hacía de noche* (= al lugar donde vivían).
SINÓN: casa, hogar, vivienda.

morado, a adj. *Me he comprado un pantalón de color* ***morado*** (= entre rojo y azul).
FAM: *mora.*

moral adj. **1.** *Aunque nadie me obliga tengo el deber* ***moral*** *de ayudarlo* (= creo que debo hacerlo). ◆ **moral** s. f. **2.** *Su* ***moral*** *le impide traicionar a sus amigos* (= lo que él considera que está bien o mal). **3.** *Todo le había salido mal pero no perdía la* ***moral*** (= no perdía el ánimo por continuar).
FAM: *amoral, inmoral, moraleja.*

moraleja s. f. *La* ***moraleja*** *del cuento es que no debemos mentir* (= enseñanza).
SINÓN: consejo, enseñanza, lección. FAM: → *moral.*

morcilla s. f. *Nos comimos la* ***morcilla*** *que el carnicero había hecho* (= un embutido preparado con sangre de cerdo cocida y otros ingredientes como arroz, cebolla y otros condimentos).

mordaza s. f. *Le pusieron una* ***mordaza*** *en la boca para que no pudiera gritar* (= un trapo o un pañuelo).
FAM: *amordazar.*

morder v. tr. *El perro* ***mordía*** *la carne para arrancar un pedazo* (= le clavaba los dientes apretando muy fuerte).
SINÓN: mascar, masticar, mordisquear. FAM: *mordedura, mordisco, mordisquear.*

mordida s. f. Méx. *Tuvo que dar* ***mordida*** *al funcionario para que tramitara su expediente* (= cohecho, coima, soborno).

mordisco s. m. **1.** *El perro le dio un* ***mordisco*** (= le clavó los dientes). **2.** *Como no tenía mucha hambre dio un* ***mordisco*** *al bocadillo y lo guardó* (= se comió un trozo).
SINÓN: **1.** mordedura, mordida. **2.** bocado.
FAM: → *morder.*

mordisquear v. tr. *El ratón* ***mordisqueaba*** *el queso* (= le daba pequeños mordiscos).
FAM: → *morder.*

moreno, a adj. *Volví muy* ***moreno*** *de tanto tomar el sol* (= con la piel de color oscuro, tirando a castaño).
SINÓN: bronceado, oscuro. ANTÓN: blanco, pálido.

morera s. f. La **morera** es un árbol alto y fuerte cuyas hojas sirven de alimento a los gusanos de seda.
FAM: → *mora.*

moribundo, a adj. *Tras el accidente, entró en el hospital* ***moribundo*** (= a punto de morir).
FAM: → *morir.*

morir v. intr. **1.** ***Ha muerto*** *después de una gravísima enfermedad* (= ha dejado de vivir). **2.** *La mayoría de los ríos van a* ***morir*** *al mar* (= desembocan en el mar). ◆ **morirse** v. pron. **3.** *Me comería lo que fuera, tengo un hambre que* ***me muero*** (= tengo mucha hambre).
SINÓN: **1.** expirar, fallecer. **2.** desembocar.
ANTÓN: **1.** nacer. FAM: *inmortal, inmortalizar, moribundo, mortaja, mortal, mortalidad, mortífero, mortificar, muerte, muerto.*

moro, a adj. **1.** *Las danzas* ***moras*** *son muy bonitas* (= las del Norte de África). ◆ **moro, a** s. **2.** *Los* ***moros*** *son las personas nacidas en el Norte de África.* ◆ **haber moros en la costa 3.** *Antes de entrar miraron si* ***había moros en la costa*** (= si había alguien).
SINÓN: mahometano, marroquí, musulmán.

morral s. m. *El cazador lleva las perdices en su* ***morral*** (= en un saco especial para transportar la caza).
SINÓN: bolsa, mochila, saco.

morrón s. m. Amér. *Los* ***morrones*** *sirven para acompañar guisos y ensaladas* (= pimiento grueso y dulce).

morsa s. f. La **morsa** es un animal parecido a la foca, con dos colmillos muy largos.

morse s. m. *Transmitieron su mensaje en* ***morse****, a través del telégrafo* (= un alfabeto representado por combinaciones de puntos y rayas).

mortadela s. f. *Mi madre nos ha preparado un bocadillo de* ***mortadela*** (= de un embutido de carne picada de cerdo o de vaca).

mortaja s. f. *Colocaron la* ***mortaja*** *al difunto* (= una sábana que lo envolvía).
FAM: → *morir.*

mortal adj. **1.** *Todo ser vivo es* ***mortal*** (= acaba muriéndose). **2.** *Sufría una enfermedad* ***mortal*** (= que causa la muerte). ◆ **mortal** s. m. f. **3.** *Se equivoca como todos los* ***mortales*** (= como todas las personas).
ANTÓN: 1, 3. inmortal. **FAM:** → *morir.*

mortalidad s. f. *Con la contaminación de los ríos el índice de* ***mortalidad*** *de los peces ha aumentado* (= la cantidad de peces que han muerto).
ANTÓN: inmortalidad. **FAM:** → *morir.*

mortero s. m. **1.** *Machaqué los granos en el* ***mortero*** (= en un recipiente de material duro para triturar los alimentos). **2.** *El albañil ponía capas de* ***mortero*** *entre los ladrillos* (= una mezcla de cemento, agua y arena que se usa en la construcción).
SINÓN: 1. almirez.

mortífero, a adj. *Se ha descubierto una nueva sustancia* ***mortífera*** (= que puede ocasionar la muerte).
SINÓN: mortal. **FAM:** → *morir.*

mortificar v. tr. *No paraba de* ***mortificarlo*** *con sus quejas* (= de molestarlo).
SINÓN: afligir, dañar, doler, molestar. **ANTÓN:** agradar, complacer. **FAM:** → *morir.*

mosaico s. m. *Al* ***mosaico*** *que hay en la iglesia le faltan algunas piedras* (= una obra artística hecha con trozos de piedras de diferentes colores).
SINÓN: loseta.

mosca s. f. **1.** *Alrededor del animal había muchas* ***moscas*** *que lo molestaban* (= insectos pequeños que vuelan y son de color negro). ◆ **por si las moscas 2.** *Saldremos antes* ***por si las moscas*** (= por si acaso). ◆ **parecer una mosca muerta 3.** *Aunque* ***parecía una mosca muerta*** *tenía un carácter muy fuerte* (= parecía muy inocente).
FAM: *moscardón, mosquearse, mosquitero, mosquito.*

moscardón s. m. *Me pone muy nervioso el zumbido de los* ***moscardones*** (= de unas moscas muy grandes y pesadas).
SINÓN: mosca. **FAM:** → *mosca.*

moscovita adj. **1.** *Los bailarines* ***moscovitas*** *son famosos en todo el mundo* (= de Moscú). ◆ **moscovita** s. m. f. **2.** *Los* ***moscovitas*** *son las personas nacidas en Moscú.*

mosquearse v. pron. **1.** ***Se mosqueó*** *con su amigo porque no le había dejado la bicicleta* (= se enfadó con él). **2.** ***Nos mosqueamos*** *cuando el director nos descubrió jugando* (= nos asustamos).
SINÓN: 1. enfadarse, molestarse. **2.** asustarse, desconfiar. **FAM:** → *mosca.*

mosquetón s. m. **1.** *Los soldados salieron de marcha con el* ***mosquetón*** *al hombro* (= con una escopeta corta). **2.** *El andinista pasó la cuerda que lo sujetaba por el* ***mosquetón*** (= por una anilla que se usa para asegurar la cuerda de los escaladores).
SINÓN: 2. gancho, hebilla.

mosquitero s. m. *El* ***mosquitero*** *evitó que los mosquitos nos picaran durante la noche* (= una cortina de tela o metálica que se pone en las ventanas y a veces sobre la cama).
FAM: → *mosquito.*

mosquito s. m. El **mosquito** es un insecto pequeño que pica a personas y animales.
FAM: → *mosca.*

mostaza s. f. La **mostaza** es una planta cuyas semillas se emplean para dar sabor a ciertos alimentos.

mosto s. m. *Como no podía tomar alcohol bebía* ***mosto*** (= el jugo de la uva sin fermentar).

mostrador s. m. *El empleado puso las mercancías encima del* ***mostrador****, para que las viéramos* (= encima del tablero donde se ponen las cosas que se despachan).
FAM: → *mostrar.*

mostrar v. tr. **1.** *El comerciante le* ***mostró*** *las telas para que se las comprara* (= se las enseñó). **2.** *Ana* ***mostró*** *un gran valor confesándose culpable* (= demostró que era valiente). **3.** *El profesor nos* ***mostró*** *cómo debíamos usar la computadora* (= nos lo explicó). ◆ **mostrarse** v. pron. **4.** ***Se mostró*** *muy agradecido por los regalos* (= expresó su agradecimiento).
SINÓN: 1. enseñar. **3.** explicar, exponer, indicar, presentar, señalar. **2.** demostrar, manifestar, ostentar, probar, revelar. **4.** comportarse, por-

tarse. **ANTÓN: 1.** esconder, ocultar. **2.** disimular. **FAM:** *demostración, demostrar, demostrativo, mostrador, muestra, muestrario.*

mota s. f. *Se le metió una **mota** de polvo en el ojo* (= un grano muy pequeño).

mote s. m. *Se lo conoce más por el **mote** que por su nombre* (= por el apodo).
SINÓN: alias, apodo.

motín s. m. *Los presos de la cárcel hicieron un **motín** para protestar* (= se rebelaron).
SINÓN: rebelión, sublevación, tumulto. **FAM:** *amotinarse.*

motivar v. tr. **1.** *El premio que recibió lo **motivó** para seguir trabajando* (= lo animó). **2.** *El humo **motivó** que empezara a toser* (= provocó).
SINÓN: 1. animar, impulsar. **2.** causar, originar. **FAM:** *motivo.*

motivo s. m. **1.** *No tiene ningún **motivo** para enojarse, se lo he dicho con buena intención* (= razón). **2.** *Hicieron una fiesta con **motivo** de su cumpleaños* (= para esa ocasión). **3.** *Toda la casa está decorada con **motivos** navideños* (= con adornos).
SINÓN: 1. causa, razón. **2.** ocasión. **3.** adorno, figura. **ANTÓN: 1.** consecuencia. **FAM:** *motivar.*

motocicleta s. f. *Debes colocarte el casco siempre que subas a una **motocicleta*** (= a un vehículo de dos ruedas con motor).
FAM: → *motociclista.*

motociclista s. *Los **motociclistas** se pusieron el casco antes de empezar la carrera* (= las personas que conducen motocicletas).
SINÓN: motorista. **FAM:** *motocicleta.*

motocultivadora s. f. *El campesino labraba la tierra con la **motocultivadora*** (= con un arado pequeño que tiene un motor).

motor s. m. *Tuvimos una avería en el **motor** del coche* (= en el mecanismo que lo pone en movimiento).
FAM: *motorista.*

motorista s. *La carrera de motos acabó cuando los **motoristas** llegaron a la meta* (= los que conducían).
SINÓN: motociclista. **FAM:** *motor.*

mover v. tr. **1.** ***Movimos** la lámpara de su sitio y la llevamos a una habitación donde no había luz* (= la cambiamos de lugar). **2.** *Juan no puede **mover** el brazo porque se lo ha roto* (= no puede ponerlo en movimiento). ◆ **moverse** v. pron. **3.** *Empezamos a **movernos** dos semanas antes del concierto para conseguir una entrada* (= nos preocupamos por conseguirlas).
SINÓN: 1. cambiar, desplazar, mudar, trasladar. **2.** agitar, menear. **ANTÓN: 1, 2.** detener, inmovilizar. **FAM:** *conmoción, conmovedor, conmover, inmóvil, móvil, movilizar, movimiento, remover.*

móvil adj. **1.** *El juguete tenía una parte **móvil** y otra fija* (= una parte que se movía). ◆ **móvil** s. m. **2.** *El **móvil** del atraco fue el robo de una joya carísima* (= el motivo del atraco).
SINÓN: 2. causa, impulso, motivo, razón. **ANTÓN: 1.** fijo, estable. **2.** resultado. **FAM:** → *mover.*

movilizar v. tr. **1.** *Los estudiantes **movilizaron** a todos sus compañeros para protestar* (= los reunieron para empezar la protesta). **2.** *El capitán **movilizó** a sus soldados para hacer una marcha* (= los puso en fila).
FAM: → *mover.*

movimiento s. m. **1.** *Pedro hizo unos **movimientos** con el brazo para que lo vieran* (= lo agitó). **2.** *En la ciudad había mucho **movimiento** de coches y personas* (= mucha actividad). **3.** *Martín pertenece al **movimiento** político que ha ganado las elecciones* (= a la organización).
SINÓN: 2. actividad, alteración, agitación, circulación, traslado. **ANTÓN: 1, 2.** firmeza, inmovilidad, quietud. **FAM:** → *mover.*

mozo, a adj. **1.** *Ya ha dejado de ser un niño y se ha convertido en todo un **mozo*** (= en un joven). ◆ **mozo** s. m. **2.** *Cuando llegamos al hotel un **mozo** nos llevó las maletas a la habitación* (= un empleado joven).
SINÓN: 1. joven, mancebo, muchacho. **2.** criado. **ANTÓN: 1.** anciano, veterano, viejo.

mucamo, a s. Arg., Cuba, Chile, Par., Urug. *En los hoteles, las **mucamas** limpian las habitaciones* (= servidor, criado, persona de limpieza).

muchacho, a s. **1.** *Aunque se ha dejado la barba, todavía es un **muchacho*** (= es muy joven). **2.** *Nos sirvió la comida la **muchacha** de la casa* (= la criada).
SINÓN: 1. joven, mozo. **2.** criada, doncella. **ANTÓN: 1.** anciano, adulto, veterano, viejo.

muchedumbre s. f. *En la plaza, se reunió una gran **muchedumbre*** (= una gran cantidad de personas).
SINÓN: gentío, multitud. **ANTÓN:** escasez. **FAM:** *mucho.*

mucho, a adj. **1.** *Comer **mucho** chocolate no es bueno para el estómago* (= comer una gran cantidad). ◆ **mucho** adv. **2.** *Hemos hecho **mucho** más de lo que se nos pedía* (= bastante más).
SINÓN: 1. abundante. **1, 2.** bastante, demasiado. **ANTÓN:** escaso, insuficiente, limitado, poco. **FAM:** *muchedumbre.*

mucosidad s. f. *Debido al catarro tiene mucha **mucosidad*** (= muchos mocos).
SINÓN: moco. **FAM:** → *moco.*

muda s. f. **1.** *Cuando vayas de viaje debes llevarte varias **mudas** para cambiarte* (= conjuntos de ropa interior). **2.** *Las serpientes se esconden cuando hacen la **muda** de piel* (= durante el período en que cambian su piel).
SINÓN: 2. cambio, mudanza. **FAM:** → *mudar.*

mudanza s. f. *Hemos alquilado un gran camión para hacer la **mudanza** a la nueva casa* (= para hacer el traslado de los muebles).
SINÓN: cambio, muda, traslado. **FAM:** → *mudar.*

mudar v. tr. **1.** *Algunos gusanos **mudan** su forma y se convierten en mariposas* (= cambian de forma). **2.** *Algunos animales como la serpiente, **mudan** la piel* (= se desprenden de la que tienen y producen otra nueva). ◆ **mudarse** v. pron. **3.** *Siempre que llego de hacer deporte me ducho y **me mudo** de ropa* (= me cambio de ropa). **4.** *Esta casa nos resulta pequeña, pronto tendremos que **mudarnos*** (= tendremos que cambiar de casa).
SINÓN: 2, 3, 4. cambiar, modificar, transformar, variar. **FAM:** *muda, mudanza.*

mudo, a adj. **1.** *Como era **mudo** de nacimiento, se expresaba haciendo señas* (= no podía hablar). **2.** *La sorpresa lo ha dejado **mudo*** (= no ha podido decir ni una palabra).
SINÓN: 2. callado, silencioso. **ANTÓN: 2.** charlatán, hablador. **FAM:** *enmudecer.*

mueble s. m. *Compramos una mesa y varias sillas nuevas, pero el resto de los **muebles** de la casa no los hemos cambiado* (= el mobiliario).
SINÓN: mobiliario. **FAM:** *amueblar, mobiliario.*

mueca s. f. *Juan le hizo una **mueca** para avisarle que el profesor acababa de entrar* (= le hizo un gesto con la cara).
SINÓN: gesto.

muela s. f. **1.** *El dentista me ha tenido que sacar una **muela*** (= uno de los dientes que están en la parte posterior de la boca). **2.** *Han tenido que reparar la **muela** del molino* (= un gran disco de piedra que sirve para moler). **3.** *El cuchillo lo afilé usando una **muela*** (= una piedra que se emplea para afilar herramientas). ◆ **muela del juicio 4.** *A mi padre le han tenido que sacar la **muela del juicio** porque le crecía torcida* (= una muela que sale al final de la dentadura cuando ya se es mayor).
FAM: *molar.*

muelle s. m. *El barco estuvo unos días en el **muelle** antes de continuar el viaje* (= en el lugar donde los barcos atracan para cargar y descargar).
SINÓN: andén, atracadero, embarcadero.

muerte s. f. **1.** *Tras la **muerte** del Rey, su hijo lo sucedió* (= cuando dejó de vivir). **2.** *Las guerras sólo traen **muerte** y miseria* (= destrucción). ◆ **odiarse a muerte 3.** *Desde que se pelearon, **se odian a muerte*** (= no pueden soportarse).
SINÓN: 1. fallecimiento, fin. **2.** destrucción, ruina. **ANTÓN: 1.** resurrección, vida. **2.** reconstrucción. **FAM:** → *morir.*

muerto, a adj. **1.** *Cuando lo encontraron ya estaba **muerto*** (= sin vida). ◆ **muerto, a** s. m. **2.** *En el accidente hubo tres **muertos*** (= tres personas que perdieron la vida).
SINÓN: difunto. **ANTÓN:** vivo. **FAM:** → *morir.*

muesca s. f. *Reconoció su bastón por la **muesca** que le había hecho con la navaja* (= un corte para hacerle una señal).
SINÓN: corte.

muestra s. f. **1.** *He traído un trocito de tela para que te sirva de **muestra** y decidas si es la que te gusta* (= de modelo). **2.** *Este regalo es una **muestra** del cariño que te tiene* (= es una prueba).
SINÓN: 1. ejemplar, modelo, tipo. **2.** demostración, prueba. **ANTÓN: 1.** copia, imitación. **FAM:** → *mostrar.*

muestrario s. m. *Escogí la tela que más me gustaba de todo el **muestrario*** (= de toda la colección de telas que me enseñaron).
SINÓN: catálogo, colección, repertorio, selección. **FAM:** → *mostrar.*

mugido s. m. *El toro lanzó un fuerte **mugido** al entrar en la plaza* (= el sonido que hacen las vacas y los toros).
FAM: *mugir.*

mugir v. intr. *Se oye **mugir** a las vacas en el establo* (= el modo de producir sonidos propios de este animal).
FAM: *mugido.*

mujer s. f. **1.** *No hace mucho todavía era una niña, ahora ya es una **mujer*** (= una persona adulta de sexo femenino). **2.** *Juan nos ha presentado a su **mujer** y a sus hijos* (= a su esposa).
SINÓN: 1. hembra. **2.** cónyuge, esposa. **ANTÓN: 1.** hombre, varón. **2.** esposo, marido.

mula s. f. La **mula** es un animal nacido del cruce de un caballo y una burra.
FAM: *mulo.*

mulato, a adj. *En África conocimos a un chico **mulato*** (= hijo de padre negro y madre blanca o al revés).

muleta s. f. *Como se había roto la pierna tenía que andar con una **muleta*** (= con un bastón especial que se apoya debajo del brazo).
SINÓN: apoyo, bastón. **FAM:** *muletilla.*

muletilla s. f. *Juan tiene la manía de usar siempre la **muletilla*** ¿verdad? *cuando habla* (= una expresión que se repite sin necesidad y que no significa nada cuando se dice).
FAM: *muleta.*

mulo s. m. El **mulo** es el animal nacido del cruce de un asno y una yegua.
FAM: *mula.*

multa s. f. *Ha tenido que pagar una **multa** por estacionar su coche en un lugar prohibido* (= una cantidad de dinero como castigo).
SINÓN: castigo, pena, sanción. **FAM:** *multar.*

multar v. tr. *Lo **multaron** por pasar un semáforo en rojo* (= le hicieron pagar una cantidad de dinero como castigo).
SINÓN: castigar, sancionar. **FAM:** *multa.*

multicolor adj. *Juan lleva una camisa **multicolor** muy original* (= de muchos colores).
SINÓN: colorado, colorido. **FAM:** → *color.*

múltiple adj. *Nos hemos encontrado en la biblioteca en* ***múltiples*** *ocasiones* (= varias veces).
SINÓN: diverso, variado, vario. ANTÓN: elemental, sencillo, simple, único. FAM: *multiplicación, multiplicador, multiplicando, multiplicar, múltiplo.*

multiplicación s. f. **1.** *La* ***multiplicación*** *de la población ha hecho que se tengan que construir muchas casas* (= el aumento). **2.** *La* ***multiplicación*** *de 3 por 6 da 18* (= es una operación matemática que permite sumar, tantas veces como se quiere, un número sobre sí mismo; si sumas seis veces 3, dará 18 como en el ejemplo).
SINÓN: **1.** aumento, crecimiento, reproducción. ANTÓN: **1.** disminución, reducción. **2.** división. FAM: → *múltiple.*

multiplicador s. m. *En la multiplicación 3 x 4 = 12,* **3** *es el multiplicando y* **4** *el* ***multiplicador.***
FAM: → *múltiple.*

multiplicando s. m. *En la multiplicación 5 x 4 = 20,* **5** *es el* ***multiplicando*** *y* **4** *el multiplicador.*
FAM: → *múltiple.*

multiplicar v. tr. **1.** *Mi hermano está aprendiendo a* ***multiplicar*** (= a hacer multiplicaciones). **2.** *Juan* ***ha multiplicado*** *los errores en su último examen* (= está cometiendo cada vez más). ◆ **multiplicarse** v. pron. **3.** *Los conejos* ***se multiplican*** *con gran rapidez* (= se reproducen rápidamente).
SINÓN: **2.** aumentar, crecer, reproducir. **3.** reproducirse. ANTÓN: **2.** dividir, rebajar, reducir. FAM: → *múltiple.*

múltiplo adj. *20 es un número* ***múltiplo*** *de 2, 4, 5 y 10* (= todos esos números están contenidos dos o más veces en 20).
FAM: → *múltiple.*

multitud s. f. *Había una* ***multitud*** *de gente en la calle para ver los fuegos artificiales* (= un gran número).
SINÓN: gentío, muchedumbre. ANTÓN: escasez.

mundial adj. *Los deportistas se están entrenando para el campeonato* ***mundial*** *de atletismo* (= donde participan todos los países del mundo).
SINÓN: internacional, universal. FAM: *mundo.*

mundo s. m. **1.** *El* ***mundo*** *es el conjunto de todas las cosas que existen* (= el universo). **2.** *Durante las vacaciones ha decidido dar la vuelta al* ***mundo*** (= a la Tierra). **3.** *Todo el* ***mundo*** *conoce a este famoso pintor* (= todas las personas). **4.** *Mi padre es una persona de* ***mundo*** *pues ha viajado mucho* (= tiene mucha experiencia de la vida). **5.** *Conoce muy bien el* ***mundo*** *del periodismo* (= ese ambiente). **6.** *Abandonó el* ***mundo*** *para dedicarse a la vida religiosa* (= la vida social). ◆ **hundirse el mundo 7.** *Cuando lo dejó la novia le pareció que* ***se le hundía el mundo*** (= se desanimó mucho). ◆ **traer un niño al mundo 8.** *Mi madre* ***trajo a mi hermano al mundo*** *cuando yo tenía dos años* (= nació entonces). ◆ **venir al mundo 9.** ***Vino al mundo*** *una semana antes de lo que decían los médicos* (= nació). ◆ **no ser algo nada del otro mundo 10.** *Este vestido es cómodo pero* ***no es nada del otro mundo*** (= es muy normal y corriente).
SINÓN: **1.** creación, cosmos, universo. **2.** globo, tierra. **3.** humanidad. **5.** ambiente. FAM: *mundial.*

munición s. f. *Los soldados dejaron de disparar porque se les acabaron las* ***municiones*** (= las balas).
SINÓN: carga.

municipal adj. **1.** *En verano nos vamos a bañar al balneario* ***municipal*** (= al que es de la Municipalidad). **2.** *Fue un inspector* ***municipal*** *quien me puso la multa* (= un inspector de tránsito).
SINÓN: **2.** guardia urbano. FAM: *municipio.*

municipio s. m. *Los habitantes del* ***municipio*** *votaron para elegir a su intendente* (= del territorio que tiene una Municipalidad).
FAM: *municipal.*

muñeca s. f. **1.** *Jugando al baloncesto me rompí la* ***muñeca*** (= la articulación donde se juntan la mano y el brazo). **2.** *Las niñas jugaban con las* ***muñecas*** (= con unos juguetes con forma de figura humana).
SINÓN: **2.** muñeco. FAM: *muñeco, muñequera.*

muñeco s. m. *Se divertía lanzando al aire el* ***muñeco*** *de paja que acababa de hacer* (= el juguete en forma de figura humana).
SINÓN: fantoche, maniquí, monigote. FAM: → *muñeca.*

muñequera s. f. *El jugador de tenis llevaba una* ***muñequera*** *porque le dolía la muñeca* (= una tira de cuero o tela alrededor de la muñeca que sirve para comprimirla).
FAM: → *muñeca.*

mural adj. **1.** *En clase hay un mapa* ***mural*** (= un mapa que ocupa una gran parte de la pared). ◆ **mural** s. **2.** *El* ***mural*** *que pintó el artista ocupaba toda la pared del fondo* (= el cuadro que pintó en una pared).
FAM: *muro.*

muralla s. f. *La* ***muralla*** *que rodea el castillo está en buen estado* (= el muro que lo protege de los ataques enemigos).
SINÓN: muro. FAM: *amurallado, amurallar.*

murciélago s. m. El **murciélago** es un animal cuyo cuerpo es semejante al de un ratón, tiene grandes alas, se alimenta de insectos y solamente sale de noche.

murmullo s. m. *El* ***murmullo*** *de la gente hablando no me dejó dormir* (= el ruido continuo y suave).
SINÓN: rumor, susurro. FAM: *murmurar.*

murmurar v. intr. **1.** *Luis siempre* ***murmura*** *de Teresa* (= habla mal de ella en su ausencia). **2.** *Las hojas de los árboles* ***murmuraban*** *sua-*

vemente por la acción de la brisa (= hacían un ruido continuo y suave). **3.** *No le gustó lo que le dijo y se fue* ***murmurando*** (= protestando en voz baja).
SINÓN: 1. censurar, criticar, despellejar. **3.** quejarse. **ANTÓN: 1.** alabar, celebrar, elogiar. **FAM:** *murmullo.*

muro s. m. *El* ***muro*** *estaba lleno de carteles* (= la pared exterior).
SINÓN: muralla, pared, tapia. **FAM:** *mural.*

musa s. f. **1.** *Los griegos creían que había nueve* ***musas*** *y que cada una de ellas representaba y protegía una ciencia o un arte* (= que había diosas). **2.** *Algunos poetas tardan en recibir la* ***musa*** (= la inspiración).
SINÓN: 2. ingenio, inspiración.

musaraña s. f. La **musaraña** es un mamífero parecido a la rata, con el pelaje rojizo y las patas delanteras más pequeñas que las traseras.

muscular adj. *El atleta tiene una lesión* ***muscular*** *en la pierna* (= tiene un problema en un músculo de la pierna).
FAM: → *músculo.*

musculatura s. f. La ***musculatura*** es el conjunto de los músculos del cuerpo.
FAM: → *músculo.*

músculo s. m. *El cuerpo de los atletas tiene los* ***músculos*** *muy desarrollados* (= los tejidos elásticos que permiten el movimiento).
FAM: *muscular, musculatura, musculoso.*

musculoso, a adj. *El boxeador tiene los brazos* ***musculosos*** (= sus músculos son muy abultados y visibles porque es muy fuerte).
SINÓN: fuerte. **ANTÓN:** débil, flojo. **FAM:** → *músculo.*

museo s. m. *Visitamos un* ***museo*** *de pintura* (= un edificio donde se reúnen y exponen obras de arte).
SINÓN: galería, pinacoteca.

musgo s. m. *Nos fuimos a un bosque donde la tierra está muy húmeda para recoger* ***musgo*** *para el nacimiento* (= una capa blanda de plantas verdes muy pequeñas).

música s. f. **1.** *Mi hermano estudia* ***música*** *en el Conservatorio* (= estudia cómo se toca un instrumento y se componen canciones). **2.** *A mi padre no le gusta la* ***música*** *que escuchamos* (= las canciones que oímos). **3.** *Quiero aprender a leer* ***música*** *para poder tocar esa sonata en el piano* (= a interpretar las notas musicales en una partitura).
SINÓN: 1. armonía, melodía. **2.** canción, composición, concierto. **3.** partitura. **ANTÓN: 1, 2, 3.** cacofonía. **FAM:** *musical, músico.*

musical adj. **1.** *En la televisión hay un programa* ***musical*** (= de música). **2.** *María tiene una voz* ***musical*** (= agradable).
SINÓN: 2. armonioso, melodioso. **FAM:** → *música.*

músico, a s. *Mozart fue un* ***músico*** *importante* (= una persona que tocaba muy bien cualquier instrumento y que componía música).
SINÓN: compositor. **FAM:** → *música.*

musitar v. tr. *Mi abuela siempre* ***está musitando*** *cosas que nadie entiende* (= está hablando en voz baja y para sí misma).
SINÓN: murmurar, susurrar. **ANTÓN:** gritar, vocear.

muslo s. m. *Esta laguna es muy poco honda y nos llega el agua hasta los* ***muslos*** (= hasta la parte de la pierna situada por encima de la rodilla).

mustio, a adj. **1.** *Las flores* ***mustias*** *no son tan hermosas como las frescas* (= las flores que están a punto de secarse). **2.** *Juan es un hombre* ***mustio*** (= triste).
SINÓN: 1. marchito. **2.** melancólico, triste. **ANTÓN: 1.** fresco, frondoso, lozano, verde. **2.** alegre, contento, divertido.

musulmán, ana adj. **1.** *La religión* ***musulmana*** *obliga a las mujeres a llevar un velo en la cara* (= la religión de las personas que creen en un dios que se llama Alá). ◆ **musulmán, ana** s. **2.** Un **musulmán** es una persona que cree en un dios que se llama Alá.
SINÓN: mahometano.

mutación s. f. *En el desierto hay grandes* ***mutaciones*** *de temperatura pues por la noche hace mucho frío y de día mucho calor* (= grandes cambios).

mutilar v. tr. *Después del accidente le* ***han mutilado*** *las dos piernas* (= se las han cortado).
SINÓN: amputar, cortar, quitar. **ANTÓN:** injertar.

mutismo s. m. *Juan se refugió en su* ***mutismo*** (= se negó a hablar).
SINÓN: silencio.

mutuo, a adj. *Mi amigo y yo nos prestamos ayuda* ***mutua*** (= él me ayuda a mí y yo a él).
SINÓN: bilateral, recíproco. **ANTÓN:** personal, singular.

muy adv. **1. Muy** es el apócope de *mucho* y se usa delante de adjetivos y de adverbios. **2.** *Mi padre es* ***muy*** *inteligente* (= tiene mucha inteligencia).

N s. f. La **n** *(ene)* es la decimocuarta letra del abecedario español.

nabo s. m. El **nabo** es una planta de huerta, cuya raíz carnosa, de color blanco, es comestible.

nácar s. m. *Me regalaron una caja de* ***nácar*** (= de un material blanco, con reflejos de varios colores que se saca de las conchas de ciertos moluscos).

nacer v. intr. **1.** *Los bebés* ***nacen*** *después de pasar nueve meses en el vientre de su madre* (= vienen al mundo). **2.** *Para que* ***nazca*** *una planta, hay que poner una semilla en la tierra* (= para que brote). **3.** *Al bebé le* ***está naciendo*** *el pelo* (= le está creciendo). **4.** *El Sol, al* ***nacer*** *por la mañana, aparece en el horizonte* (= al salir). **5.** *Con el descubrimiento de las ondas* ***nacieron*** *la radio y la televisión* (= tuvieron en ellas su principio). **6.** *Cuando* ***nace,*** *el río es una pequeña corriente de agua* (= empieza). **7.** *Entre María y yo* ***nació*** *una buena amistad* (= comenzó). ◆ **nacer para 8.** *No nos sorprendimos cuando mi tío ganó el premio, pues todos sabíamos que él* ***nació para*** *el éxito* (= que él siempre tendría éxito). ◆ **volver a nacer 9.** *El día que tuvimos el accidente de coche mi padre dijo que* ***volvimos a nacer*** (= que nos escapamos por muy poco de la muerte).
SINÓN: 2. germinar. **2, 6.** brotar. **7.** comenzar, surgir. **ANTÓN: 1.** fallecer, morir. **FAM:** *naciente, nacimiento, natal, natalidad, nativo, navidad, navideño, renacer, renacimiento.*

naciente adj. *Hoy nos despertamos muy temprano y pudimos ver el sol* ***naciente*** (= el sol cuando aparecía por el horizonte).
FAM: → *nacer.*

nacimiento s. m. **1.** *Mi tía está muy contenta por el* ***nacimiento*** *de su hijo* (= porque vino al mundo). **2.** *Todos los años instalamos, en Navidad, un* ***Nacimiento*** (= un pesebre). **3.** *Sucre es mi lugar de* ***nacimiento*** (= es donde nací). **4.** *Fuimos de excursión hasta el* ***nacimiento*** *del río* (= hasta su principio). ◆ **de nacimiento 5.** *No conoce los colores porque es ciego* ***de nacimiento*** (= es ciego desde que nació).
SINÓN: 2. pesebre. **3, 4.** origen. **ANTÓN: 1.** fallecimiento, muerte. **FAM:** → *nacer.*

nación s. f. **1.** *Argentina y Chile son dos* ***naciones*** *distintas* (= cada una tiene su propio gobierno y está formada por un grupo distinto de personas). **2.** *La* ***nación*** *mexicana tiene una gran extensión* (= el territorio mexicano). **3.** *Los nacidos en Uruguay forman la* ***nación*** *uruguaya* (= las personas que hablan el mismo idioma y tienen las mismas costumbres e historia).
SINÓN: 1, 2. país, patria, pueblo. **2.** territorio. **3.** Estado. **FAM:** *internacional, nacional, nacionalidad, nacionalismo, nacionalista, nacionalizar.*

nacional adj. *El equipo* ***nacional*** *jugó contra otro extranjero* (= el de nuestro país).
FAM: → *nación.*

nacionalidad s. f. *Las personas con pasaporte ecuatoriano son de* ***nacionalidad*** *ecuatoriana* (= nacieron en Ecuador o llevan muchos años en Ecuador).
FAM: → *nación.*

nacionalismo s. m. **1.** *Su* ***nacionalismo*** *le impide ver los defectos de su país* (= el amor por su país). **2.** El **nacionalismo** es una tendencia política que defiende la autonomía e independencia de las naciones.
SINÓN: 1. patriotismo. **FAM:** → *nación.*

nacionalista adj. *El partido* ***nacionalista*** *ganó las elecciones* (= el partido que defiende la independencia de su nación).
FAM: → *nación.*

nacionalizar v. tr. **1.** *El Gobierno* ***nacionalizó*** *a varios extranjeros* (= les dio la nacionalidad). **2.** *El Gobierno* ***nacionalizó*** *los Bancos extranjeros* (= los puso bajo su control y dejaron de ser extranjeros). ◆ **nacionalizarse** v. pron. **3.** *Los extranjeros que llevan muchos años en Argentina pueden* ***nacionalizarse*** *argentinos* (= pueden conseguir la nacionalidad argentina).
FAM: → *nación.*

nada s. f. **1.** *En la Biblia se dice que Dios creó el mundo de la* ***nada*** (= de lo que no existe). ◆ **nada** pron. indef. **2.** *Algunas bebidas no tienen casi* ***nada*** *de alcohol* (= una pequeña cantidad). **3.** *No ha comido* ***nada*** *en todo el día* (= ni un poco). ◆ **nada** adv. **4.** *No eres* ***nada*** *rápido* (= eres lento). ◆ **nada menos que 5.** *¿Sabes*

*quién estuvo en mi casa? **Nada menos que** el director de la escuela* (= alguien importante). ◆ **como si nada 6.** *El escalador subió la montaña **como si nada*** (= como si fuera lo más fácil del mundo). **7.** *Le dije que viniera pero él siguió jugando con sus amigos **como si nada*** (= como si no me hubiera oído). ◆ **de nada 8.** *Cuando le di las gracias por el regalo, él me contestó **de nada** en francés* (= me contestó con la expresión que se usa para responder al que da las gracias). ◆ **por nada 9.** *Yo no dejaría mi bicicleta **por nada** del mundo pues ya me la han estropeado varias veces* (= en ningún caso).
ANTÓN: todo.

nadador, a adj. **1.** *El cisne es un ave **nadadora*** (= se desplaza sobre el agua). ◆ **nadador, a** s. **2.** *Los buenos **nadadores** meten la cabeza debajo del agua mientras nadan* (= las personas que saben nadar).
FAM: → *nadar.*

nadar v. intr. **1.** *Los náufragos se cansaron de **nadar*** (= ya no podían avanzar ni mantenerse flotando sobre el agua). **2.** *Este señor tan rico **nada** en la abundancia* (= tiene muchísimo dinero).
FAM: *nadador, natación.*

nadie pron. indef. **1.** *Pregunté quién había gritado en clase y **nadie** respondió* (= ninguna persona). ◆ **no ser nadie 2.** *Mi padre dice que ese compañero suyo de trabajo **no es nadie** para hablarle de ese modo tan insultante* (= no es una persona importante). ◆ **ser un don nadie 3.** *Ese pobre hombre es **un don nadie** y se cree que todos lo envidiamos* (= una persona insignificante).
ANTÓN: 1. alguien.

nafta s. f. Amér. *La mayoría de los automóviles consumen **nafta**, y los camiones, gasóleo* (= combustible líquido derivado del petróleo).
SINÓN: gasolina.

naftalina s. f. *Mi madre siempre pone **naftalina** en los armarios para matar las polillas* (= un producto que se usa contra las polillas).

náhuatl s. m. Amér. *El profesor está haciendo investigaciones sobre el **náhuatl*** (= lengua que hablaba el pueblo azteca y que en la actualidad emplean muchos grupos indígenas mexicanos).

naipe s. m. *Gané el juego porque tuve suerte con los **naipes** que me tocaron* (= con las cartas).
SINÓN: carta.

nalga s. f. *Para hacer bajar la fiebre, me pusieron una inyección en las **nalgas*** (= en el trasero).
SINÓN: culo, trasero.

nana s. f. **1.** *Para hacer dormir a mi hermano pequeño, mi madre le canta una **nana*** (= una canción de cuna). Amér. **2.** *Cuando éramos pequeños nos cuidaba una **nana*** (una niñera). Amér. Merid. **3.** *Juan se cayó y se hizo **nana** en la rodilla* (= herida leve). ◆ **nanas** s. f. pl. **4.** *Mi abuela tiene típicas **nanas** de la vejez* (= molestias, malestares leves).
SINÓN: 2. ama. **3.** lesión, pupa. **4.** achaques.

naranja s. f. **1.** La **naranja** es una fruta con la corteza de color entre rojo y amarillo y muy jugosa. **2.** *Me han regalado una pelota de color **naranja*** (= de un color parecido al de una naranja).
FAM: *anaranjado, naranjada, naranjal, naranjo.*

naranjada s. f. *Cuando tengo sed, bebo un vaso de **naranjada*** (= de una bebida hecha con jugo de naranja).
FAM: → *naranja.*

naranjal s. m. *En esta región, hay muchos **naranjales*** (= terrenos plantados de naranjos).
FAM: → *naranja.*

naranjo s. m. El **naranjo** es un árbol de hojas perennes, de flores blancas y muy perfumadas, que produce un fruto comestible: la naranja.
FAM: → *naranja.*

narciso s. m. El **narciso** es una planta de hojas largas y estrechas y de flores blancas o amarillas muy perfumadas.

narcótico s. m. *El médico le administró un **narcótico** para calmar su dolor* (= un medicamento que produce sueño y relaja).
SINÓN: sedante.

nardo s. m. El **nardo** es una planta de flor blanca, olorosa y en forma de espiga.

narigudo adj. *Pinocho es **narigudo*** (= tiene la nariz grande).
SINÓN: narizón. **FAM:** → *nariz.*

nariz s. f. **1.** *Si te tapas la **nariz** no olerás nada y tendrás que respirar por la boca* (= el órgano que está encima de la boca y que sirve para oler y respirar). ◆ **darse de narices** con alguien **2.** *Justo cuando me escapaba de la escuela, **me di de narices** con el director* (= me encontré con él cara a cara). ◆ **meter las narices** en algo **3.** *Cristina es muy curiosa y siempre **está metiendo las narices** en lo que no le importa* (= siempre está curioseando).
FAM: *narigudo, nasal.*

narración s. f. *La **narración** del viaje de la profesora nos gustó mucho* (= la historia que nos contó).
SINÓN: relato. **FAM:** → *narrar.*

narrador, a s. *Este escritor es un buen **narrador*** (= sabe contar historias muy bien).
FAM: → *narrar.*

narrar v. tr. *A Marcos le gusta inventar cuentos y **narrárselos** a los demás* (= contárselos).
SINÓN: contar, explicar, relatar. **FAM:** *narración, narrador, narrativo.*

narrativo, a adj. *El estilo **narrativo** de este escritor es brillante* (= su forma de contar la historia).
FAM: → *narrar.*

nasal adj. *El aire entra en la nariz a través de las fosas* ***nasales*** (= a través de los agujeros de la nariz).
FAM: → *nariz.*

nata s. f. **1.** *Esta leche tiene tanta* ***nata*** *que no me gusta* (= tiene una capa cremosa que la cubre). **2.** *Me encanta comer fresas con* ***nata*** (= una crema que se hace con azúcar y con la parte cremosa de la leche).
FAM: *desnatado, desnatadora, natillas.*

natación s. f. *Estas patas de rana son adecuadas para las competencias de* ***natación*** (= para el deporte que consiste en mover los pies y las manos dentro del agua para avanzar).
FAM: → *nadar.*

natal adj. *Después de vivir varios años en el extranjero, volvió a su país* ***natal*** (= al país donde nació).
SINÓN: nativo. **FAM:** → *nacer.*

natalidad s. f. *La* ***natalidad*** *en la India es muy elevada* (= el número de niños que nacen al año).
FAM: → *nacer.*

natillas s. f. pl. *De postre hemos tomado* ***natillas*** (= un dulce parecido al flan pero más líquido).
FAM: → *nata.*

nativo adj. **1.** *En esta academia de inglés, los profesores son* ***nativos*** (= son de un país de habla inglesa). ◆ **nativo, a** s. **2.** *El misionero vivía entre los* ***nativos,*** *en medio de la selva* (= entre las personas que nacieron ahí).
SINÓN: indígena, natural, originario, oriundo. **ANTÓN:** extranjero. **FAM:** → *nacer.*

natural adj. **1.** *Las Ciencias* ***Naturales*** *estudian los seres vivos, las plantas y las rocas.* **2.** *Prefiero los alimentos* ***naturales*** *a los enlatados* (= los alimentos frescos y sin conservantes). **3.** *¿El color de tu pelo es* ***natural*** *o te lo has teñido?* (= ¿es del color que siempre has tenido?). **4.** *Luis es muy* ***natural*** *y siempre dice lo que piensa* (= no es falso). **5.** *Los argentinos son* ***naturales*** *de Argentina* (= han nacido allí). **6.** *Es* ***natural*** *que en invierno nieve en la montaña* (= es normal).
SINÓN: **2.** fresco. **4.** espontáneo. **5.** nativo, originario, oriundo. **6.** lógico, normal. **ANTÓN:** **3.** teñido. **4.** artificial. **5.** extranjero. **6.** extraño, ilógico, insólito. **FAM:** → *naturaleza.*

naturaleza s. f. **1.** La ***naturaleza*** es el conjunto de todo lo que existe en el mundo sin intervención de los hombres. **2.** *Para practicar este deporte se necesita tener una* ***naturaleza*** *robusta* (= se necesita ser muy fuerte).
FAM: *antinatural, natural, naturalidad, sobrenatural.*

naturalidad s. f. **1.** *Le contó la noticia con la mayor* ***naturalidad*** (= sin darle importancia). **2.** *A pesar de ser una persona importante, trata a todo el mundo con* ***naturalidad*** (= con sencillez y amabilidad).
SINÓN: **1.** espontaneidad. **2.** amabilidad, franqueza, sencillez. **FAM:** → *naturaleza.*

naufragar v. intr. *La tormenta y el huracán hicieron* ***naufragar*** *al barco* (= lo hundieron).
FAM: *naufragio, náufrago.*

naufragio s. m. *El* ***naufragio*** *del barco en medio de la tormenta fue trágico* (= el hundimiento).
FAM: → *naufragar.*

náufrago, a s. *Un helicóptero salvó a un* ***náufrago*** (= a una persona que viajaba en un barco que se hundió).
FAM: → *naufragar.*

náusea s. f. **1.** *Cuando me mareo me dan* ***náuseas*** (= me dan ganas de vomitar). **2.** *El olor a pescado podrido me da* ***náuseas*** (= me da asco).
SINÓN: **2.** asco. **ANTÓN:** **2.** agrado.

náutico, a adj. *Hay una tienda cerca del puerto donde venden objetos* ***náuticos*** (= objetos relacionados con la navegación).
SINÓN: marino, marítimo, naval. **FAM:** → *nave.*

nauyaca s. f. Méx. *A uno de los excursionistas lo picó una* ***nauyaca*** (= serpiente muy venenosa, de color pardo negruzco y amarillo).

navaja s. f. **1.** *Si quieres cortar el pan con la* ***navaja,*** *tendrás que abrirla sacando la hoja del mango* (= un cuchillo que suele ser muy útil en una excursión y que puede guardarse en un bolsillo). **2.** La **navaja** es un molusco comestible de conchas rectangulares muy alargadas.
FAM: *navajazo.*

naval adj. *Lo que más me gusta de las películas de piratas son los combates* ***navales*** (= entre varios barcos).
SINÓN: marítimo, náutico. **FAM:** → *nave.*

nave s. f. **1.** *Cristóbal Colón partió con tres* ***naves*** *para descubrir otras tierras* (= con tres embarcaciones). **2.** *Esta iglesia tiene tres* ***naves*** (= tres espacios muy amplios entre los muros). **3.** *Antes de vender la mercancía, se almacena en grandes* ***naves*** (= en unos almacenes muy grandes). ◆ **nave espacial** s. f. **4.** *Los astronautas se fueron a la luna en una* ***nave espacial*** (= en un vehículo para volar por el espacio).
SINÓN: **1.** barco, embarcación. **FAM:** *náutico, naval, navegable, navegación, navegante, navegar, navío.*

navegable adj. *El río es* ***navegable*** (= los barcos pueden desplazarse por él).
FAM: → *nave.*

navegación s. f. *La* ***navegación*** *marítima es la que se efectúa en barcos y la* ***navegación*** *aérea la que se efectúa en vehículos aéreos* (= el desplazamiento en barco o avión).
FAM: → *nave.*

navegante s. *Los* ***navegantes*** *recorren los mares* (= las personas que viajan en una nave).
FAM: → *nave.*

navegar v. intr. **1.** *Hoy podemos* ***navegar*** (= dar un paseo en barco). **2.** *El barco* ***navega*** *a una velocidad muy alta* (= anda).
FAM: → *nave.*

Navidad s. f. **1.** *El 25 de diciembre es el día de* ***Navidad*** (= se celebra el nacimiento de Jesucristo). ◆ **navidades** s. f. pl. **2.** *Pasaré las* ***navidades*** *en casa de mis primos* (= el lapso comprendido entre el 24 de diciembre y el 6 de enero).
FAM: → *nacer.*

navideño adj. *En esta tienda venden bolas de colores, guirnaldas, y todo tipo de adornos* ***navideños*** (= de Navidad).
FAM: → *nacer.*

navío s. m. *Hemos visto entrar un* ***navío*** *en el puerto* (= un barco grande).
SINÓN: barco, buque, nave. FAM: → *nave.*

nazi adj. Los **nazis** eran seguidores de una doctrina política totalitaria, nacionalista y racista que afirmaba que los pueblos germánicos eran superiores a los otros pueblos.
FAM: *nazismo.*

nazismo s. m. *En 1920, Hitler fundó el* ***nazismo*** (= una doctrina de tipo racista y dictatorial).
FAM: *nazi.*

neblina s. f. *La* ***neblina*** *provocó el accidente porque el conductor no podía ver bien la carretera* (= una niebla espesa y baja).
SINÓN: bruma. FAM: *niebla.*

neceser s. m. *Mi madre me puso el peine, la pasta dentífrica y el cepillo en el* ***neceser*** *mientras yo hacía la maleta* (= en un estuche para guardar los objetos de aseo).
FAM: → *necesitar.*

necesario, a adj. **1.** *La comida es* ***necesaria*** *para vivir* (= sin comer no podemos vivir). **2.** *No tengo el dinero* ***necesario*** *para ir al cine* (= no tengo suficiente dinero). **3.** *Es* ***necesario*** *hacer la tarea si quieres sacar buenas notas* (= es conveniente que la hagas). **4.** *No es* ***necesario*** *hacer ese ejercicio* (= no hace falta).
SINÓN: **1.** imprescindible, indispensable, preciso, vital. **2.** suficiente. **3.** conveniente, recomendable. **4.** forzoso, obligatorio. ANTÓN: **1.** innecesario. **4.** voluntario. FAM: → *necesitar.*

necesidad s. f. **1.** *La nutrición es una* ***necesidad*** *pues si no comemos nos morimos* (= es imprescindible comer para vivir). **2.** *Tengo* ***necesidad*** *de hablar contigo* (= debo decirte una cosa). **3.** *Se encontró en la* ***necesidad*** *de pedir dinero para poder comer* (= tuvo que pedirlo para poder comer). **4.** *Tuve que responder por* ***necesidad*** (= no me quedó más remedio). **5.** *Su* ***necesidad*** *es tan grande que no tiene ni dinero para comprar pan* (= su pobreza). **6.** *Voy al baño a hacer mis* ***necesidades*** (= a evacuar).
SINÓN: **2.** urgencia. **3.** aprieto, apuro. **4.** obligación. **5.** pobreza. ANTÓN: **5.** riqueza. FAM: → *necesitar.*

necesitado, a adj. *Piden limosna las personas* ***necesitadas*** (= los pobres).
SINÓN: indigente, pobre. ANTÓN: acaudalado, adinerado, rico. FAM: → *necesitar.*

necesitar v. tr. **1.** ***Necesito*** *estudiar más para aprobar* (= si quiero aprobar, tengo que trabajar más). **2.** ***Necesito*** *un poco más de tiempo para poder acabar este ejercicio* (= no tengo suficiente).
SINÓN: precisar. ANTÓN: prescindir. FAM: *innecesario, neceser, necesario, necesidad, necesitado.*

necio adj. **1.** *¡Qué* ***necio*** *es! No dice más que tonterías y se cree que lo sabe todo* (= ¡qué tonto es!). **2.** *Es tan* ***necio*** *que no quiso aceptar mis disculpas* (= testarudo).
SINÓN: **1.** bobo, burro, tonto, zoquete. **2.** terco.
ANTÓN: **1.** inteligente, listo, sabio.

néctar s. m. *Las mariposas y las abejas chupan el* ***néctar*** *de las flores* (= un jugo muy dulce).

nefasto, a adj. *El año más* ***nefasto*** *de mi vida fue cuando reprobé el curso* (= el más desgraciado).
SINÓN: desastroso, desdichado, desgraciado.
ANTÓN: dichoso.

negación s. f. **1.** *A todo lo que le preguntaba contestaba con una* ***negación*** *moviendo la cabeza de un lado a otro* (= a todo decía no). **2.** *Ese objeto tan feo es la* ***negación*** *de la belleza* (= lo contrario). **3.** *En una frase, el adverbio* no *indica una* ***negación.***
SINÓN: **2.** carencia, falta. ANTÓN: **1, 3.** afirmación. **2.** abundancia. FAM: → *negar.*

negar v. tr. **1.** *Nadie puede* ***negar*** *que la nieve es blanca* (= nadie puede decir que no lo es). **2.** *El acusado* ***negó*** *haber cometido el crimen* (= dijo que él no lo hizo). **3.** *Le pedí el lápiz y me lo* ***negó*** (= no me lo dio). **4.** *Cuando apareció la pistola* ***negaron*** *su propiedad* (= nadie la reconoció como suya). **5.** *Ese tonto me* ***negó*** *el saludo volviéndose de espaldas cuando me vio* (= no me saludó). ◆ **negarse** v. pron. **6.** *Cuando me invitaron a fumar* ***me negué*** (= dije que no quería hacerlo).
SINÓN: **1, 2.** desmentir. **5.** rehusar. **6.** oponerse.
ANTÓN: **1, 2.** afirmar. **3.** conceder. **4.** admitir. **6.** aceptar. FAM: *abnegación, innegable, negación, negativo, renegar.*

negativo, a adj. **1.** *Le pedí a mi padre que me dejara ir y su respuesta fue* ***negativa*** (= me dijo que no). ◆ **negativa** s. f. **2.** *Su* ***negativa*** *a colaborar nos ha perjudicado mucho pues contábamos con él* (= dijo que no nos iba a ayudar). ◆ **negativo** s. m. **3.** *Con el* ***negativo*** *de esta foto puedes hacer más copias en papel* (= con la tira de

celuloide en la que se imprime la foto y que tiene los colores invertidos).
ANTÓN: **1.** afirmativo, positivo. FAM: → *negar.*

negligencia s. f. *El perro se murió por* ***negligencia*** *de su dueño* (= porque no se ocupó de cuidarlo).
SINÓN: descuido, desinterés. ANTÓN: atención, cuidado, diligencia, interés. FAM: *negligente.*

negligente adj. *Es un chico muy* ***negligente*** *en sus estudios y por eso saca malas notas* (= es un chico que no se preocupa ni se interesa por estudiar).
SINÓN: descuidado, dejado, perezoso. ANTÓN: aplicado, atento. FAM: *negligencia.*

negociante s. m. *Los* ***negociantes*** *ganan mucho dinero comprando y vendiendo cosas* (= las personas que se dedican a hacer negocios).
SINÓN: comerciante. FAM: → *negocio.*

negociar v. tr. **1.** *Mi padre dice que quiere* ***negociar*** *el precio de la casa pues es muy cara* (= quiere discutir el precio). **2.** *Los dos países* ***negocian*** *un tratado de paz* (= se están poniendo de acuerdo para que haya paz). ◆ **negociar** v. intr. **3.** *Mi tío* ***negocia*** *con vinos* (= los compra y vende para ganar dinero).
SINÓN: **2.** pactar. **3.** comerciar. FAM: → *negocio.*

negocio s. m. **1.** *Este señor ha montado un* ***negocio*** *de compra y venta de coches* (= una tienda). **2.** *Juan hizo un buen* ***negocio*** *pues compró una motocicleta a muy buen precio y luego la vendió más cara* (= ganó mucho dinero).
SINÓN: **1.** comercio, establecimiento, tienda. FAM: *negociante, negociar.*

negro, a adj. **1.** *El carbón es de color* ***negro*** (= es el color más oscuro de todos). **2.** *La chimenea está* ***negra*** (= está sucia). **3.** *Si no corriges tu mala conducta te espera un porvenir muy* ***negro*** (= no te irá nada bien). ◆ **negro, a** s. **4.** *África está poblada en su mayoría por* ***negros*** (= por personas con la piel oscura). **5.** *El* ***negro*** *es el color más oscuro; es también el color que representa la tristeza y el luto en nuestra cultura.*
SINÓN: **2.** sucio. **3.** desfavorable. ANTÓN: **1, 4, 5.** blanco. **2.** limpio. **3.** prometedor. FAM: *ennegrecer, negrura, negruzco.*

negrura s. f. *La* ***negrura*** *de la noche nos asustó* (= la gran oscuridad).
SINÓN: oscuridad. ANTÓN: blancura, claridad. FAM: → *negro.*

negruzco, a adj. *El cielo está* ***negruzco*** *porque va a caer una tormenta* (= casi negro).
ANTÓN: blancuzco. FAM: → *negro.*

nene s. *¡Qué* ***nene*** *más guapo!* (= niño pequeño).
SINÓN: crío, chiquillo. FAM: → *niño.*

nenúfar s. m. El **nenúfar** es una planta acuática de hojas redondas y verdes y flores blancas, que flota en el agua.

neologismo s. m. *En el lenguaje técnico se utilizan muchos* ***neologismos*** (= muchas palabras que se acaban de inventar).

neón s. m. *En la cocina de mi casa hay una luz de* ***neón*** (= un tubo fluorescente que emite una luz blanca).

neoyorquino, a adj. **1.** *El aeropuerto* ***neoyorquino*** *es enorme* (= de Nueva York). ◆ **neoyorquino, a** s. **2.** *Los* ***neoyorquinos*** *son las personas nacidas en Nueva York.*

nervio s. m. **1.** Los **nervios** son cordones fibrosos que, partiendo del cerebro, de la médula y de los centros nerviosos, transmiten las sensaciones y las órdenes a los músculos para que se mueva el cuerpo. **2.** *Las hojas de las plantas también tienen* ***nervios*** (= unos hilos que sobresalen un poco de las hojas). **3.** *Mi tío es un hombre de mucho* ***nervio*** (= es muy activo). **4.** *En las bóvedas de las iglesias se ven los* ***nervios*** *de los arcos que se cruzan* (= la continuación de la columna que forma el arco). ◆ **nervios** s. m. pl. **5.** *Por culpa de los* ***nervios*** *respondí muy mal a las preguntas de la profesora* (= por culpa de la falta de tranquilidad y por la excitación).
SINÓN: **3.** energía, vigor. **5.** nerviosismo. ANTÓN: **3.** apatía. **5.** tranquilidad. FAM: *nerviosismo, nervioso.*

nerviosismo s. m. *El* ***nerviosismo*** *de los alumnos antes del examen era muy grande* (= su falta de tranquilidad y su excitación).
SINÓN: inquietud, nervios. ANTÓN: serenidad, tranquilidad. FAM: → *nervio.*

nervioso, a adj. **1.** *En esta lámina están dibujados los principales nervios del sistema* ***nervioso*** (= del sistema del cuerpo que se ocupa de los nervios). **2.** *Cuando está* ***nervioso*** *no puede quedarse sentado ni cinco minutos* (= cuando no está tranquilo, sino alterado).
SINÓN: **2.** excitado, inquieto, intranquilo. ANTÓN: **2.** sereno, tranquilo. FAM: → *nervio.*

neto, a adj. **1.** *Después de descontar lo que él debía, mi padre cobró 25.000 pesos* ***netos*** (= el total de lo que cobró). **2.** *En los días claros se ven muy* ***netos*** *los perfiles de las montañas* (= muy nítidos).
SINÓN: **2.** claro, limpio. ANTÓN: **1.** bruto.

neumático s. m. *Los* ***neumáticos*** *de las ruedas de los coches tienen una cubierta de caucho y un tubo de goma lleno de aire* (= la parte exterior de la rueda).

neutral adj. *El árbitro debe ser* ***neutral*** *durante el partido* (= no debe estar a favor ni en contra de ninguno de los dos equipos).
SINÓN: imparcial. ANTÓN: parcial. FAM: *neutro.*

neutro, a adj. **1.** *La abeja obrera es un animal* ***neutro*** (= que no tiene sexo). **2.** *El gris es un color* ***neutro*** (= es un color indefinido).
SINÓN: **2.** indefinido, indeterminado. FAM: *neutral.*

nevada s. f. *Este invierno cayó una gran **nevada** en la Cordillera* (= nevó mucho).
FAM: → *nieve.*

nevar v. impers. *Este paisaje se pone precioso cuando **nieva*** (= cuando cae nieve).
FAM: → *nieve.*

nevera s. f. *Las bebidas se enfrían en la **nevera*** (= en la cámara que sirve para refrescar lo que se guarda en ella y que suele funcionar con electricidad).
SINÓN: refrigerador.

nexo s. m. *Siempre tiene que haber un **nexo** entre lo que dices y lo que piensas* (= una relación).
SINÓN: conexión, vínculo.

ni **1.** Es una conjunción. VER CUADRO DE CONJUNCIONES. ◆ **ni que** **2.** *Estoy harto de que me hable así, ¡**ni que** yo fuera tonto!* (= como si yo fuera tonto).

nicaragüense adj. **1.** *En las guerrillas **nicaragüenses** murió mucha gente* (= de Nicaragua). ◆ **nicaragüense** s. **2.** *Los **nicaragüenses** son las personas nacidas en Nicaragua.*

nicho s. m. *En el cementerio hay **nichos** para colocar los ataúdes* (= unos huecos en los muros).

nicotina s. f. *Estos cigarrillos son bajos en **nicotina*** (= tienen menos cantidad de una sustancia perjudicial para la salud que se encuentra en los cigarrillos).

nido s. m. **1.** *Los pájaros construyen sus **nidos** con hierbas, pajas, plumas, ramas y barro* (= sus viviendas). **2.** *También se le llama **nido** al agujero donde procrean otros animales, como las serpientes.*
SINÓN: **2.** guarida, madriguera. FAM: *anidar.*

niebla s. f. *Los coches circulaban muy despacio porque la **niebla** impedía ver bien la carretera* (= un vapor denso y bajo que impide ver con claridad).
SINÓN: bruma. FAM: *neblina.*

nieto, a s. *Yo soy el único **nieto** de mis abuelos* (= de todos sus hijos, mi padre ha sido el único que ha tenido un hijo).
FAM: *bisnieto, tataranieto.*

nieve s. f. **1.** *Cuando hace frío, puede caer **nieve*** (= puede caer agua helada en forma de copos blancos). Amér. Cent., Méx. **2.** *Comimos **nieves** de limón y crema* (= helado).
FAM: *nevada, nevar.*

nimbo s. m. *Si te fijas, podrás ver el **nimbo** alrededor de la luna* (= el círculo de luz que la rodea).
SINÓN: aureola.

ninfa s. f. *En el cuento, el cazador se encontró con una **ninfa** en el bosque que le rogó que no matara más animales* (= con una diosa que vivía en el bosque).

ningún adj. indef. ***Ningún** es el apócope de* ninguno*; se usa delante de los nombres masculinos en singular: Juan no tiene **ningún** interés en verte* (= no le interesa en absoluto).
ANTÓN: algún. FAM: *ninguno.*

ninguno, a adj. indef. **1.** *Llueve tanto que no tengo **ningunas** ganas de salir a la calle* (= no me apetece en absoluto). ◆ **ninguno** pron. indef. **2.** *Esperé a mis amigos y no vino **ninguno*** (= no vino nadie).
ANTÓN: alguno. FAM: *ningún.*

niña s. f. *Si hay mucha luz, la **niña** del ojo se cierra* (= la pupila del ojo).
SINÓN: pupila.

niñera s. f. *Cada tarde viene una **niñera** a cuidarnos hasta que llega mi madre de trabajar* (= una persona que se dedica a cuidar niños).
FAM: → *niño.*

niñez s. f. *Carlos pasó su **niñez** en México* (= los primeros años de su vida).
SINÓN: infancia. ANTÓN: vejez. FAM: → *niño.*

niño, a adj. **1.** *Mi madre me dice que soy muy **niño*** (= que me porto como una persona pequeña). ◆ **niño, a** s. **2.** *Los **niños** no pueden ver esta película para adultos* (= las personas que tienen menos de catorce años).
SINÓN: **1.** infantil. **2.** criatura, crío, nene. ANTÓN: **2.** adulto. FAM: aniñado, nene, niñera, niñez.

nipón, ona adj. **1.** *Los coches **nipones** se están vendiendo mucho en Europa* (= de Japón). ◆ **nipón, ona** s. **2.** *Los **nipones** son las personas nacidas en Japón.*
SINÓN: japonés.

níquel s. m. *Las ruedas de mis patines son de **níquel*** (= de un metal de color claro, duro y de brillo parecido al de la plata).

níspero s. m. Los **nísperos** son los frutos comestibles del árbol del mismo nombre, de forma ovalada, piel amarillenta y con dos semillas muy grandes en su interior.

nítido, a adj. *Estoy seguro de que no me equivoco porque conservo un recuerdo muy **nítido** de aquella conversación* (= tengo un recuerdo exacto de la conversación).
SINÓN: claro, preciso. ANTÓN: borroso, confuso.

nitrógeno s. m. El **nitrógeno** es un gas transparente y sin olor que, combinado con el oxígeno, forma el aire.

nivel s. m. **1.** *El agua le llega al **nivel** de las rodillas* (= a la altura). **2.** *Estos deportistas tienen un buen **nivel*** (= saben jugar muy bien). **3.** *En este barrio tan lujoso viven personas de un **nivel** económico muy alto* (= viven personas con mucho dinero). ◆ **paso a nivel** **4.** *Se formó una fila de coches en el **paso a nivel** hasta que pasó el tren* (= en el lugar donde hay unas barreras que no dejan pasar a los coches cuando tiene que venir un tren). ◆ **estar al mismo nivel** **5.** *Los alumnos de esta clase están todos **al mismo nivel*** (= to-

dos saben lo mismo, no hay nadie que sepa más que los demás).
SINÓN: 1. altura. **FAM:** *desnivel, nivelación, niveladora, nivelar.*

nivelación s. f. *Antes de comenzar la obra se hizo la* ***nivelación*** *del terreno* (= se allanó e igualó).
FAM: → *nivel.*

niveladora s. f. *Desde que pasó la* ***niveladora*** *todos los terrenos están al mismo nivel* (= la máquina con la que se igualan los terrenos que no están al mismo nivel).
SINÓN: aplanadora. **FAM:** → *nivel.*

nivelar v. tr. **1.** *Para* ***nivelar*** *este terreno han tenido que sacar muchos camiones llenos de tierra y piedras* (= para obtener una superficie horizontal; sin hoyos ni montículos). **2.** *El arquitecto* ***niveló*** *las dos torres* (= las puso a la misma altura). **3.** *Debo* ***nivelar*** *mis gastos con mis ingresos si no quiero tener deudas* (= no debo gastar más de lo que gano).
SINÓN: 1. alisar, allanar, aplanar. **1, 2, 3.** igualar. **3.** compensar, **ANTÓN: 1, 2.** desnivelar.
FAM: → *nivel.*

no adv. *Siempre que le ofrecemos algo para comer, nos dice que* ***no*** (= lo rechaza).
ANTÓN: sí.

nixtamal s. m. Amér. Cent., Méx. *Preparamos el* ***nixtamal*** *para hacer las tortillas* (= maíz cocido en agua con cal).

nobiliario, a adj. *En los países donde hay aristocracia algunas personas poseen títulos* ***nobiliarios*** (= título de conde, marqués o barón).
FAM: → *noble.*

noble adj. **1.** *José es una persona muy* ***noble*** *e incapaz de engañar a nadie* (= tiene buenas intenciones y sentimientos). **2.** *El oro es un metal* ***noble*** (= es un metal fino y selecto).
SINÓN: 1. franco, honesto, leal, sincero. **2.** precioso, selecto. **ANTÓN: 1.** desleal. **FAM:** *nobleza.*

nobleza s. f. **1.** *El rey de España visitó nuestro país acompañado por varios miembros de la* ***nobleza*** *española* (= condes, duques y demás aristócratas). **2.** *Muestra una gran* ***nobleza*** *de espíritu perdonando a sus enemigos* (= muestra su generosidad y bondad).
SINÓN: 1. aristocracia. **2.** honestidad, honradez, generosidad. **FAM:** → *noble.*

noche s. f. **1.** *Por la* ***noche*** *dormimos y de día vamos a la escuela* (= durante los períodos de oscuridad entre la puesta del sol y el amanecer). ◆ **buenas noches 2.** *Antes de irme a dormir, siempre les digo* ***buenas noches*** *a mis padres* (= me despido). ◆ **hacerse de noche 3.** *En invierno* ***se hace de noche*** *antes que en verano* (= oscurece). ◆ **pasar la noche en blanco o en claro 4.** *Estaba tan nervioso por la excursión que* ***pasé toda la noche en blanco*** (= no dormí nada).
ANTÓN: 1. día, mañana. **FAM:** *anoche, anochecer, anteanoche, noctámbulo, nocturno, nochebuena, trasnochar.*

nochebuena s. f. **1.** *El 24 de diciembre es* ***Nochebuena*** (= la noche en que se celebra el Nacimiento de Jesucristo). Méx. **2.** *En invierno florecen las* ***nochebuenas*** (= plantas de flores amarillas sobre inflorescencias rojas).
FAM: → *noche.*

noción s. f. **1.** *La* ***noción*** *que tenía del barco era bien distinta* (= la idea que me había hecho). **2.** *Tiene algunas* ***nociones*** *de alemán pero aún le queda mucho por aprender* (= sabe hablarlo o entenderlo un poco).
SINÓN: 1. idea. **2.** conocimiento. **ANTÓN: 2.** ignorancia.

nocivo, a adj. *El tabaco es* ***nocivo*** *para la salud* (= es perjudicial y hace daño).
SINÓN: dañino, peligroso, perjudicial. **ANTÓN:** beneficioso.

noctámbulo, a adj. *Las personas* ***noctámbulas*** *hacen sus actividades durante la noche.*
FAM: → *noche.*

nocturno, a adj. *La lechuza es un animal* ***nocturno*** (= durante el día se oculta y sale por la noche).
ANTÓN: diurno. **FAM:** → *noche.*

nodriza s. f. *Lo crió una* ***nodriza*** *porque su madre murió en el parto* (= una mujer que cría y da el pecho a un niño que no es su hijo).

nogal s. m. El **nogal** es un árbol muy alto y fuerte cuyo fruto es la nuez y su madera es muy estimada.
FAM: *nuez.*

nómada adj. *La gente que vive en el desierto es* ***nómada*** (= son personas que no viven en un sitio fijo pues se trasladan de un lado a otro).

nombrar v. tr. **1.** *El profesor pasó lista* ***nombrando*** *uno por uno a todos los alumnos* (= diciendo el nombre de cada uno). **2.** *La Municipalidad lo* ***nombró*** *hijo predilecto porque había trabajado mucho por su ciudad* (= le dio ese título). **3.** *Tuvimos que* ***nombrar*** *a un delegado para que representara a toda la clase* (= tuvimos que elegirlo entre todos).
SINÓN: 1. llamar, mencionar. **2, 3.** designar, elegir, escoger, proclamar. **FAM:** → *nombre.*

nombre s. m. **1.** *Los amigos lo llaman Pepe pero su* ***nombre*** *es José* (= la palabra que se utiliza para hablar de una persona o llamarla). **2.** *En Gramática al* ***nombre*** *también se lo llama sustantivo: los* ***nombres*** *pueden ser propios o comunes.* ◆ **en nombre de 3.** *Juan habló con la maestra* ***en nombre de*** *toda la clase para protestar por los nuevos cambios* (= le dijo cuál era la opinión de toda la clase). ◆ **no tener nombre 4.** *El comportamiento de Cris-*

gaviotas
golondrina
de mar
cuervo
marino
petrel

chaleco
salvavidas
salvavidas
bala
cubeta
rastrillo
castillos
de arena

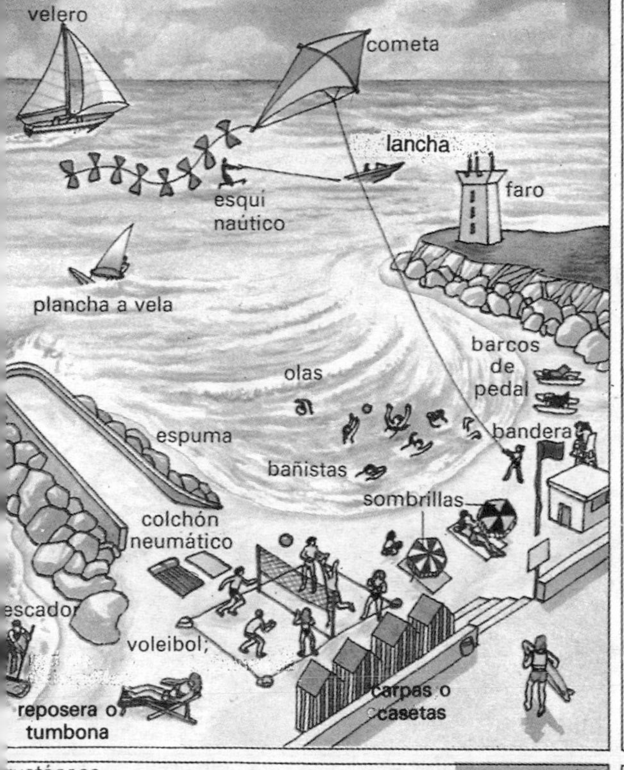
velero
cometa
lancha
faro
esqui
naútico
plancha a vela
barcos
de
pedal
olas
espuma
bandera
bañistas
sombrillas
colchón
neumático
escador
voleibol;
reposera o
tumbona
carpas o
casetas

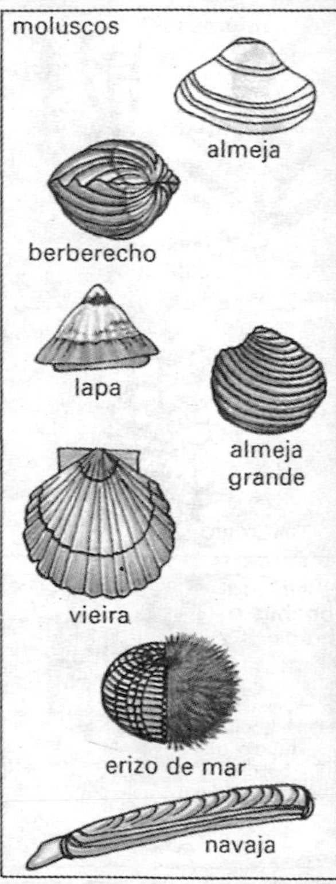
moluscos
almeja
berberecho
lapa
almeja
grande
vieira
erizo de mar
navaja

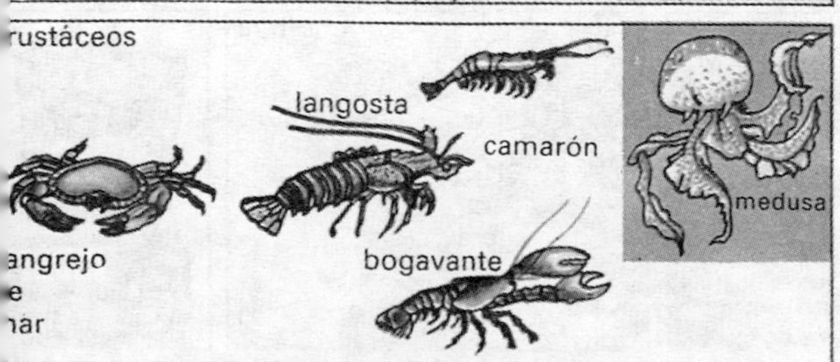
rustáceos
langosta
camarón
medusa
bogavante
angrejo
e
nar

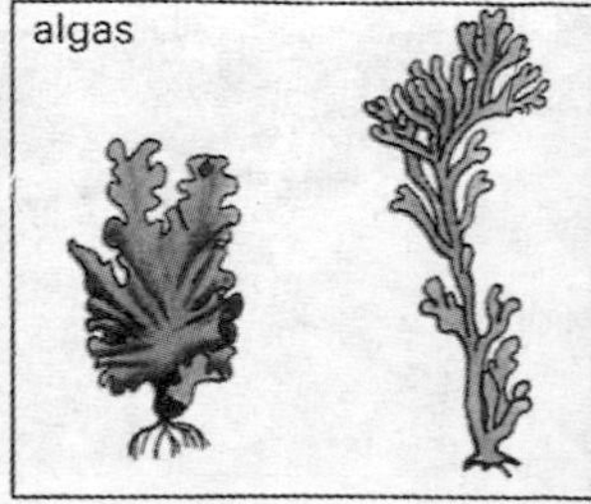
algas

pimiento
granos de arroz
arroz
aceitunas
melón
sandía
limones
higos

mimosa
lavanda
espliego
tomillo

islote
cultivo en
terrazas
olivos
aloes

juego de
bochas o
bolos
bocha
o bolo o
boliche
(bola de madera)

viñedo
sulfatado

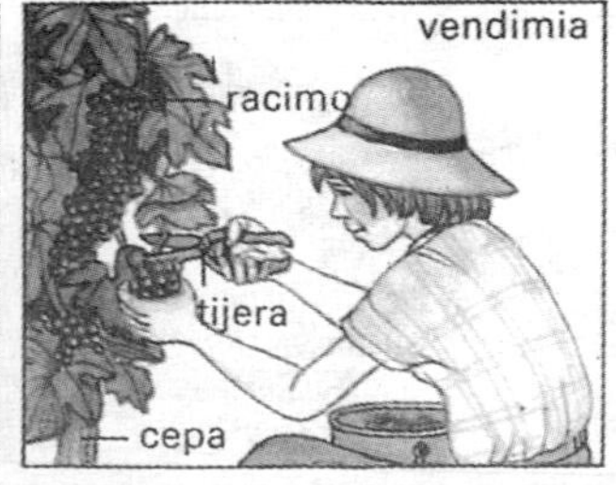
vendimia
racimo
tijera
cepa

viñado

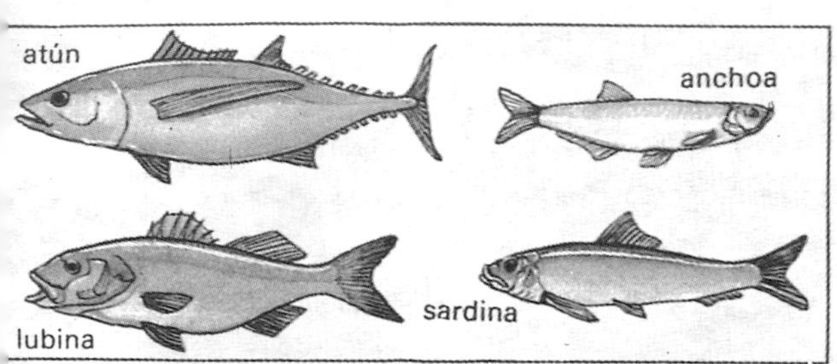
atún
anchoa
lubina
sardina

golondrina
copete
flamenco rosa
grulla
pies palmeados

eninsula
ruinas
cornisa
ciprés

arco de triunfo
frontón
anfiteatro
arcadas

prensa

aro
tonel
canilla
canillero
barrica

botella
tapón
cuello
etiqueta

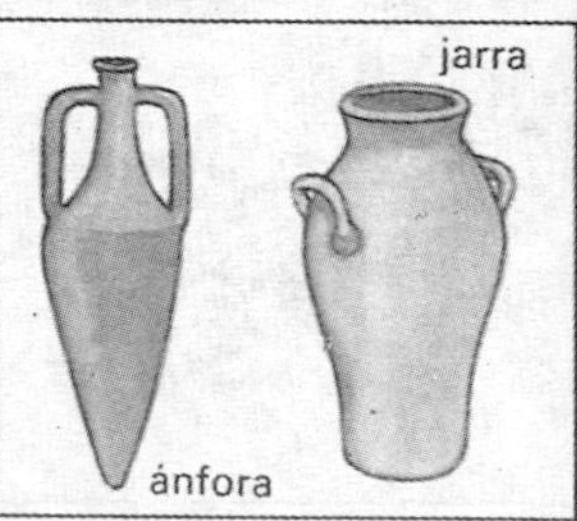
jarra
ánfora

montón de sal
salina
coral
estrella de mar
caballito
de mar
congrio
anémona
de mar
tentáculos
ventosas
pulpo

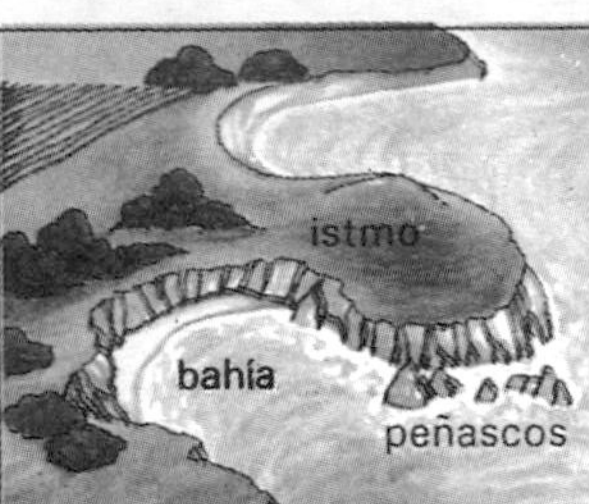
istmo
bahía
peñascos

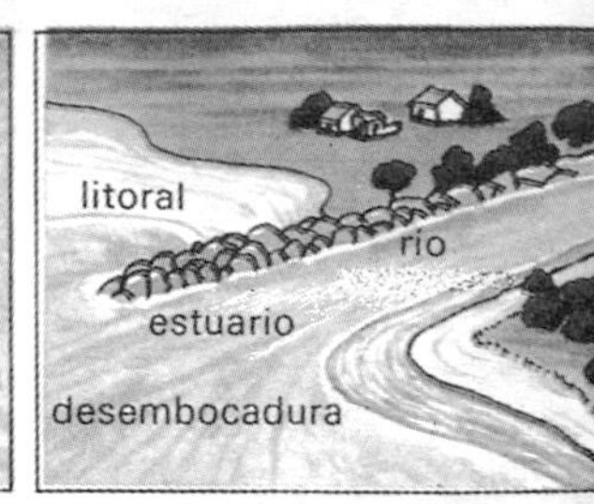
litoral
río
estuario
desembocadura

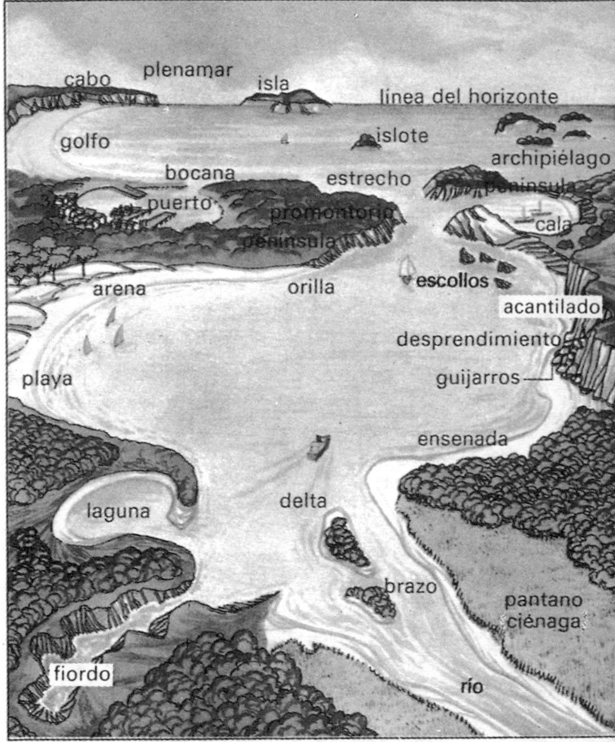
cabo
plenamar
isla
línea del horizonte
golfo
islote
archipiélago
bocana
estrecho
península
puerto
promontorio
península
cala
arena
orilla
escollos
acantilado
desprendimiento
guijarros
playa
ensenada
laguna
delta
brazo
pantano
ciénaga
fiordo
río

marea baja

marea alta

tina ***no tiene nombre,*** *estoy muy enojada* (= es indignante).
SINÓN: **2.** sustantivo. **FAM:** *nombrar, nómina, pronombre, pronominal.*

nomeolvides s. m. El **nomeolvides** es la flor de una hierba de tallos extendidos que tiene el mismo nombre.

nómina s. f. *El Jefe de Personal tenía la* ***nómina*** *de todos los empleados* (= la lista).
SINÓN: lista. **FAM:** → *nombre.*

nopal s. m. Méx. *Cuando maduran las tunas de los* ***nopales****, los chicos estamos de parabienes* (= cacto de tallos aplanados, cuyo fruto es la tuna o higo chumbo).

nordeste o **noreste** s. m. *El* ***noreste*** *es el punto que está justo en la mitad entre el Norte y el Este.*
ANTÓN: sudeste, sureste.

nórdico, a adj. *Suecia y Noruega son países* ***nórdicos*** (= del norte de Europa).
SINÓN: escandinavo. **FAM:** → *norte.*

noria s. f. **1.** *En la finca, la* ***noria*** *gira incesantemente para sacar el agua del pozo* (= la máquina que sirve para sacar el agua). **2.** *Me encanta subirme a la* ***noria*** *en el parque de atracciones* (= a una rueda muy grande que gira).

norma s. f. *Si no cumples las* ***normas*** *del colegio te castigarán* (= si no sigues las reglas establecidas para actuar bien).
SINÓN: regla. **FAM:** *anormal, normal, normalidad, normalizarse, subnormal.*

normal adj. **1.** *La temperatura es* ***normal*** *para esta época del año* (= es la que debe ser). **2.** *No es* ***normal*** *que se porte de esa manera, algo le pasa* (= no es lo habitual).
SINÓN: corriente, habitual, natural. **ANTÓN:** anormal, extraño, insólito. **FAM:** *norma.*

normalidad s. f. *Cuando terminó de llover todo volvió a la* ***normalidad*** (= a ser como antes).
FAM: → *norma.*

normalizarse v. pron. *Después de las vacaciones* ***se*** *ha vuelto a* ***normalizar*** *nuestra vida* (= ha vuelto a ser como era antes).
FAM: → *norma.*

noroeste s. m. *El* ***noroeste*** *es el punto que está justo en la mitad entre el Norte y el Oeste.*
ANTÓN: sudoeste, suroeste.

norte s. m. **1.** *Canadá está al* ***norte*** *de Estados Unidos* (= más cerca del Polo Norte y más lejos del Ecuador). **2.** *En el mar soplaba un* ***norte*** *fuerte* (= viento procedente del Norte).
SINÓN: **1.** septentrión. **ANTÓN:** sur. **FAM:** *nórdico, nordeste, noreste, noroeste.*

norteamericano, a adj. *Canadá, Estados Unidos y México son países* ***norteamericanos*** (= pertenecen a la parte norte de América). ◆ **norteamericano, a** s. **2.** *Los* ***norteamericanos*** *son las personas nacidas en Norteamérica.*

noruego, a adj. **1.** *Marcos me enseñó una foto de un fiordo* ***noruego*** (= de Noruega). ◆ **noruego, a** s. **2.** *Los* ***noruegos*** *son las personas nacidas en Noruega.* **3.** *El* ***noruego*** *es la lengua que se habla en Noruega.*

nos Es un pronombre personal. VER CUADRO DE PRONOMBRES PERSONALES.

nosotros, as Es un pronombre personal. VER CUADRO DE PRONOMBRES PERSONALES.

nostalgia s. f. *Cuando estoy fuera de mi casa durante muchos días siento* ***nostalgia*** (= siento pena de no estar con mi familia y amigos).
SINÓN: melancolía. **ANTÓN:** alegría, indiferencia.

nota s. f. **1.** Do, re, mi, fa, sol, la, si *son las siete* ***notas*** *musicales* (= son los siete sonidos de la escala musical). **2.** *En el examen tuvimos buenas* ***notas*** (= buenas calificaciones). **3.** *Tengo un libro lleno de* ***notas*** (= pequeñas explicaciones que se ponen en los márgenes o al pie de la página). **4.** *Para que no se me olvide, voy a tomar* ***nota*** *de todo lo que tengo que comprar* (= voy a apuntarlo todo). **5.** *Como no estaba en casa, le he dejado una* ***nota*** (= le escribí en un papel lo que le tenía que decir).
SINÓN: **2.** calificación, puntuación, resultado. **3.** advertencia, explicación. **5.** mensaje. **FAM:** *anotar, notable, notar, notaría, notario.*

notable adj. **1.** *Algunos edificios son* ***notables*** *por su belleza* (= destacan entre los demás). **2.** *Es un hombre* ***notable*** *por su capacidad de inventar cosas raras* (= es diferente a los demás).
SINÓN: **1, 2.** admirable, destacado. **ANTÓN:** **2.** insignificante, mediocre. **FAM:** → *nota.*

notar v. tr. **1.** *No* ***noto*** *el frío porque estoy muy abrigado* (= no lo siento). **2.** ***Noté*** *que estabas más delgado* (= me di cuenta de que estabas más delgado).
SINÓN: **1.** experimentar, sentir. **2.** advertir, observar, reparar. **FAM:** → *nota.*

notaría s. f. *Mi madre fue a la* ***notaría*** *para firmar un documento ante el notario* (= a la oficina donde atiende el notario).
FAM: → *nota.*

notario s. m. El **notario** es un funcionario público autorizado para dar fe o garantía de lo que se dice en los contratos o testamentos.
SINÓN: escribano. **FAM:** → *nota.*

noticia s. f. *Las* ***noticias*** *más importantes siempre están en la primera página de los periódicos* (= la información de algo que ha pasado).
FAM: *noticiero.*

noticiero s. m. *En el* ***noticiero*** *de la televisión han dicho que ha estallado una bomba en Madrid* (= en el programa de noticias).
FAM: *noticia.*

novato, a adj. *Este profesor es **novato** y por eso no sabe cómo tratarnos* (= hace poco que empezó a dar clases en una escuela).
SINÓN: nuevo, principiante. ANTÓN: veterano. FAM: → *nuevo.*

novecientos *Vivo en un pueblo de la costa que tiene **novecientos** habitantes.*

novedad s. f. **1.** *La **novedad** de esta máquina está en su fácil manejo* (= lo que es nuevo). **2.** *La primera película en color fue una **novedad** en su momento* (= una cosa que nunca se había visto antes). **3.** *No hay ninguna **novedad** en el estado de salud del enfermo* (= todo sigue igual). ◆ **novedades** s. f. pl. **4.** *Me gusta ver en los escaparates las últimas **novedades*** (= los últimos artículos que han salido al mercado).
SINÓN: **2.** innovación. **3.** alteración, cambio, variación **4.** creación. FAM: → *nuevo.*

novela s. f. *Quiero acabar de leer esta **novela** para saber cómo termina la historia* (= un libro que cuenta una historia larga y generalmente inventada).
FAM: *novelesco, novelista.*

novelesco, a adj. *Lo que has contado es tan extraordinario que parece una historia **novelesca*** (= muy propia de una novela).
FAM: → *novela.*

novelista s. *Ayer conocí al **novelista** que escribió ese libro* (= a la persona que se dedica a escribir novelas).
FAM: → *novela.*

noveno, a 1. *Ese corredor llegó en el **noveno** lugar a la meta* (= después del número ocho). **2.** *Le tocó una **novena** parte del dinero* (= le tocó una parte de las nueve en que se repartió).
FAM: → *nueve.*

noventa *Mi bisabuelo tiene **noventa** años.*
FAM: → *nueve.*

noviazgo s. m. *El **noviazgo** de mis padres duró dos años* (= el tiempo durante el cual fueron novios antes de casarse).
FAM: *novio.*

novicio, a adj. *La monja **novicia** está a punto de pronunciar los primeros votos* (= la monja que está aún en período de prueba antes de entrar definitivamente en una orden religiosa).
FAM: → *nuevo.*

noviembre s. m. ***Noviembre** es el penúltimo mes del año* (= está comprendido entre octubre y diciembre y tiene 30 días).

novillo, a s. *Hemos visto a un **novillo** junto a una vaca pastando en un prado* (= un toro o una vaca de dos o tres años).

novio, a s. **1.** *Tras la boda, los **novios** saludaron a los invitados en la puerta de la iglesia* (= las personas que se acababan de casar). **2.** *Hoy he conocido a la **novia** de mi hermano* (= a la chica que sale con mi hermano).
SINÓN: **2.** pretendiente, prometido. FAM: *noviazgo.*

nubarrón s. m. *Es posible que llueva pues el cielo se ha cubierto de grandes **nubarrones*** (= de nubes oscuras y densas).
SINÓN: nube. FAM: → *nube.*

nube s. f. **1.** *El cielo está cubierto de **nubes*** (= de vapor de agua condensado, de color blanco u oscuro). **2.** *Cuando bajó, el helicóptero levantó una **nube** de polvo que impidió verlo* (= tanto polvo que lo tapaba). **3.** *Una **nube** de fotógrafos rodeó al artista* (= muchos). ◆ **estar en las nubes 4.** *Siempre **está en las nubes** y no se entera de lo que pasa a su alrededor* (= siempre está distraído y despistado). ◆ **andar o estar por las nubes 5.** *Mi madre siempre se queja de que los precios en el mercado **están por las nubes*** (= de que está todo muy caro). ◆ **poner a alguien por las nubes 6.** Me dio mucha vergüenza cuando mi abuela ***me puso por las nubes*** *delante de todo el mundo* (= habló muy bien de mí, me alabó).
SINÓN: **1.** nubarrón. **2.** cortina. FAM: *nubarrón, nublado, nublar, nuboso.*

nublado, a adj. *El cielo está **nublado*** (= cubierto de nubes).
SINÓN: nuboso. ANTÓN: despejado. FAM: → *nube.*

nublar v. tr. **1.** *No veía bien porque las lágrimas le **nublaban** la vista* (= le tapaban los ojos). ◆ **nublarse** v. pron. **2.** *El cielo **se está nublando** y ya casi no hay sol* (= se está cubriendo de nubes).
ANTÓN: **2.** aclararse, despejarse. FAM: → *nube.*

nuboso, a adj. *El cielo está **nuboso** y amenaza tempestad* (= está cubierto de nubes).
SINÓN: nublado. ANTÓN: despejado. FAM: → *nube.*

nuca s. f. *Me duele la **nuca** porque me caí de espaldas* (= la parte posterior del cuello, que une la cabeza con la espina dorsal).

nuclear adj. *Los ecologistas protestan porque no quieren que instalen una central **nuclear*** (= una fábrica en la que se produce energía eléctrica a partir del núcleo del átomo).
FAM: → *núcleo.*

núcleo s. m. **1.** *El verbo es el núcleo del sintagma verbal* (= es la parte más importante). **2.** *Hoy estudiamos en clase de Ciencias Naturales el **núcleo** de las células* (= el centro de las células).

nudillo s. m. *Tomás cerró la mano para llamar con los **nudillos** a la puerta* (= con la parte de los dedos que sobresale al cerrar la mano).
FAM: → *nudo.*

nudismo s. m. *En esa playa se practica el **nudismo*** (= puedes bañarte y tomar el sol desnudo).
FAM: → *desnudo.*

nudo s. m. **1.** *No puedo desatar el **nudo** de mis zapatos* (= no puedo soltar los cordones que están atados). **2.** *Andrés arrancó una rama del*

nudo** del árbol* (= de la parte dura y redondeada que está en el tronco). **3.** *En esta estación hay muchas vías de tren porque es un **nudo** de comunicaciones* (= es un centro donde se cruzan muchas vías). **4.** *Este barco va a ocho **nudos (= a ocho millas marinas por hora).
SINÓN: **1.** lazada, lazo. **3.** centro, cruce, núcleo. **FAM:** *anudar, nudillo, reanudar.*

nuera s. f. *Mi madre es muy amiga de sus **nueras*** (= de las mujeres que se han casado con mis hermanos).

nuestro, a Es un posesivo. VER CUADRO DE POSESIVOS.

nueve *Un embarazo dura **nueve** meses.*
FAM: *novecientos, noveno, noventa.*

nuevo, a adj. **1.** *Hoy me he puesto unos pantalones **nuevos*** (= los acabo de comprar y no los había estrenado). **2.** *Este alumno es **nuevo** y no conoce a nadie* (= es la primera vez que viene al colegio). **3.** *La pintura de la puerta es **nueva*** (= la han vuelto a pintar). **4.** *Esta planta tiene una hoja **nueva*** (= acaba de nacer). **5.** *Soy **nuevo** en este oficio* (= lo estoy aprendiendo). **6.** *Estos zapatos están **nuevos*** (= no están gastados). **7.** *Mi madre dice que cada día le doy **nuevas** razones para enojarse* (= distintas razones). ◆ **de nuevo 8.** *Cuando hables con él **de nuevo,** dile que me llame* (= cuando vuelvas a hablar con él).
SINÓN: **3.** reciente. **5.** novato, principiante. **6.** flamante, impecable. **ANTÓN:** **1, 6.** viejo. **2, 5.** veterano. **6.** estropeado, gastado. **FAM:** *innovación, novedad, novicio, renovación, renovador, renovar.*

nuez s. f. **1.** Una **nuez** es un fruto seco aceitoso, de cáscara dura. **2.** Los hombres tienen un abultamiento en la garganta llamado **nuez.**
FAM: *nogal.*

nulidad s. f. **1.** *Mi padre ha ido al notario para ver si puede conseguir la **nulidad** del documento* (= para hacer que ese documento pierda su valor). **2.** *Este chico es una **nulidad*** (= todo lo hace mal).
FAM: → *nulo.*

nulo, a adj. **1.** *El juez declaró **nulo** el contrato porque no aparecía la firma del interesado* (= dijo que el contrato no servía). **2.** *Ese chico no está en el equipo porque es **nulo** para los deportes* (= no sirve porque lo hace muy mal).
SINÓN: **2.** incapaz, inepto, inútil, torpe. **ANTÓN:** **1.** válido. **2.** apto. **FAM:** *anular, nulidad.*

numeración s. f. **1.** *Para poder hacer la **numeración** de estos papeles tienes que ordenarlos primero* (= para poder poner un número a cada hoja). **2.** *La **numeración** arábiga se expresa en cifras y la romana en letras* (= los signos que se utilizan para representar los números).
FAM: → *número.*

numerador s. m. *El **numerador** de 3/4 es 3.*
FAM: → *número.*

numeral adj. *Los **numerales** son todas las palabras que designan números.*
FAM: → *número.*

numerar v. tr. *Voy a **numerar** las hojas para que no se mezclen* (= voy a ponerles un número a cada una para que sigan un orden).
FAM: → *número.*

número s. m. **1.** Los **números** son signos que representan cantidades y que sirven para contar. **2.** *Cada año disminuye el **número** de perdices* (= cada año hay menos perdices). **3.** *Esa noticia se publicó en el último **número** de la revista* (= en la última revista de ese nombre que se publicó). **4.** *El público aplaudió al malabarista al acabar su **número*** (= su espectáculo). **5.** *El **número** de la palabra* gallina *es singular y el de* gallinas *es plural* (= lo que sirve para distinguir si hay una cosa o más). ◆ **hacer números 6.** *Tenemos que **hacer números** para ver si nos conviene tomar un taxi entre todos* (= tenemos que calcular lo que nos va a costar). ◆ **número primo 7.** *El siete es un **número primo*** (= sólo se puede dividir entre siete). ◆ **número uno 8.** *Sergio es el **número uno** en matemáticas* (= es el mejor de la clase). ◆ **sin número 9.** *Para hacer este trabajo tropezamos con un **sin número** de dificultades* (= tuvimos muchísimos problemas).
SINÓN: **1.** cifra. **2.** cantidad. **3.** ejemplar. **4.** espectáculo. **FAM:** *enumeración, enumerar, innumerable, numeración, numerador, numeral, numerar, numerario, numeroso.*

numeroso, a adj. *Con el disparo volaron **numerosos** pájaros* (= muchos).
SINÓN: innumerable. **ANTÓN:** escaso. **FAM:** → *número.*

numismática s. f. La **numismática** es la ciencia que trata de la descripción e historia de las monedas.

nunca adv. **1.** ***Nunca** haré lo que me pides* (= no tengo la más mínima intención de hacerlo). **2.** *Javier **nunca** ha estado en París* (= ni una sola vez).
SINÓN: jamás.

nupcias s. f. pl. *El viudo se casó en segundas **nupcias** con la que hoy es su esposa* (= es su segunda boda).
SINÓN: boda, casamiento, enlace, matrimonio.

nutria s. f. La **nutria** es un mamífero carnívoro, que habita a orillas de los ríos y es muy apreciada por su piel parda rojiza.

nutrición s. f. *Mediante la **nutrición** los seres vivos recuperan la energía y las sustancias que necesitan para poder vivir* (= a través de lo que comen).
SINÓN: alimentación. **FAM:** → *nutrir.*

nutrido, a 1. *Vimos unas fotos de unos niños sucios y mal **nutridos** que pedían limosna* (= estaban muy delgados porque comían muy poco y muy mal). **2.** *En la fiesta había un **nutri-***

do *grupo de escritores* (= había muchos y buenos escritores).

SINÓN: **1.** alimentado. **2.** abundante, cuantioso, numeroso. **ANTÓN:** escaso. **FAM:** → *nutrir.*

nutrir v. tr. *Como gastas energías necesitas **nutrir** tu organismo* (= alimentar, dar de comer).

SINÓN: alimentar. **FAM:** *desnutrición, nutrición, nutrido, nutritivo.*

nutritivo, a adj. *La leche es un alimento muy **nutritivo*** (= es muy completo porque tiene muchas vitaminas y minerales).

SINÓN: alimenticio. **FAM:** → *nutrir.*

nylon s. f. *Mi madre prefiere las camisas de **nylon** a las de algodón porque no tiene que plancharlas* (= de un material sintético muy resistente).

Ñ s. f. La **ñ** *(eñe)* es la decimoquinta letra del abecedario español.

ñacurutú s. m. Amér. Merid. *Dicen que el* ***ñacurutú*** *es domesticable* (= especie de lechuza, de plumaje negro y amarillo).

ñandú s. m. El **ñandú** es un ave parecida al avestruz, de tronco grueso y robusto y cuello largo, con patas largas terminadas en tres dedos y alas poco desarrolladas. Vive sólo en América del Sur.

ñandubay s. m. R. de la Plata. *Para hacer los postes, emplearon madera de* ***ñandubay*** (= árbol de madera rojiza, dura y resistente).

ñandutí s. m. Amér. Merid. *Las mujeres paraguayas hacen bellísimos tejidos de* ***ñandutí*** (= encaje de hilo hecho a mano).

ñaña s. f. Amér. Merid. *Mi abuela tiene algunas* ***ñañas*** (= molestias y achaques propios de la edad).

ñapindá s. f. *Me gusta el aroma de las flores del* ***ñapindá*** (= arbusto espinoso sudamericano, de flores amarillas y perfumadas).

ñato, a adj. Amér. *María es muy* ***ñata*** (= tiene la nariz pequeña y plana).

ñoñería o **ñoñez** s. f. *¡No hagas* ***ñoñerías*** *y deja de portarte como un niño mimado!* (= tonterías que no tienen ninguna gracia).
FAM: *ñoño.*

ñoño, a adj. *¡No seas tan* ***ñoño*** *y llama las cosas por su nombre!* (= sé un poco más atrevido y ten más gracia).
SINÓN: cursi. **FAM:** *ñoñería.*

ñoqui s. m. Amér. Merid. *Anoche comimos* ***ñoquis*** *con salsa de tomates* (= trocitos de pasta hecha con puré de patata, harina y huevos, que se cuecen en agua y se aderezan con mantequilla o salsas).
SINÓN: gnochi.

ñuto, a adj. Col., Ec., Perú. *La carne* ***ñuta*** *se mastica y digiere con más facilidad* (= dícese de la carne blanda o ablandada a golpes).

O s. f. **1.** La **o** *(o)* es la decimosexta letra del abecedario español. ◆ **2.** Es también una conjunción. VER CUADRO DE CONJUNCIONES.

oasis 1. *Los exploradores anduvieron todo el día por el desierto y por la noche descansaron en un* ***oasis*** (= en un lugar en medio del desierto donde hay agua, árboles y plantas). **2.** *La casa de mi abuela es como un* ***oasis*** *para mí pues ahí nadie me molesta* (= es un lugar tranquilo e invita al descanso).

obcecarse v. pron. *Es imposible convencer a Pablo porque cuando* ***se obceca*** *con una idea no hay quién se la quite* (= cuando se le mete una idea en la cabeza).
SINÓN: empeñarse, obstinarse.

obedecer v. tr. *El soldado* ***obedecía*** *todas las órdenes de su jefe* (= cumplía todas las órdenes).
SINÓN: acatar, cumplir, respetar. **ANTÓN:** desobedecer, rebelarse. **FAM:** *desobedecer, desobediencia, obediencia, obediente.*

obediencia s. f. *Por falta de* ***obediencia*** *el soldado fue castigado* (= por no cumplir las órdenes).
SINÓN: disciplina, respeto. **ANTÓN:** desobediencia, rebelión. **FAM:** → *obedecer.*

obediente adj. *El niño* ***obediente*** *no se atrasa en las tareas de clase* (= el que hace todo lo que se le ordena).
SINÓN: disciplinado. **ANTÓN:** indisciplinado, rebelde. **FAM:** → *obedecer.*

obelisco s. m. *Los egipcios decoraban la entrada de sus templos con un* ***obelisco*** (= con un monumento de piedra en forma de columna muy alta, terminada en punta).

obenque s. m. *La cabeza del mástil de un buque está sujeta por los* ***obenques*** (= por unas cuerdas muy gruesas).

obesidad s. f. *Como todo el mundo se mete con la* ***obesidad*** *de mi hermana, ahora no quiere comer* (= la gordura).
SINÓN: gordura. **ANTÓN:** delgadez. **FAM:** *obeso.*

obeso, a adj. *Pedro está muy* ***obeso*** *y el médico le dice que tiene que perder peso* (= está demasiado gordo).
SINÓN: gordo, grueso. **ANTÓN:** delgado, flaco. **FAM:** *obesidad.*

obispo s. m. *El* ***obispo*** *celebró la misa en la catedral* (= la máxima autoridad religiosa de una diócesis).
FAM: *arzobispo.*

objeción s. f. *Después de explicarnos cómo iba a dar el curso, el catedrático preguntó si alguien tenía alguna* ***objeción*** (= si alguien quería hacer alguna crítica).
SINÓN: inconveniente. **FAM:** *objetar.*

objetar v. tr. *Siempre que proponemos un plan, Andrés tiene algo que* ***objetar*** (= Andrés encuentra algún defecto).
ANTÓN: aceptar, aprobar. **FAM:** *objeción.*

objetivo s. m. **1.** *Con el* ***objetivo*** *de la cámara se enfoca y aumenta la imagen que se desea fotografiar.* **2.** *El atleta consiguió su* ***objetivo:*** *ganar la carrera* (= consiguió lo que se proponía). **3.** *El disparo del cazador no alcanzó su* ***objetivo*** (= no alcanzó su presa). ◆ **objetivo, a** adj. **4.** *Ese periódico es* ***objetivo*** *pues narra los hechos como suceden* (= no impone su manera de ver las cosas). **5.** *El juez era* ***objetivo*** (= juzgaba los hechos sin apasionarse). **6.** *La existencia de la piedra es un hecho* ***objetivo*** (= real).
SINÓN: 1. lente. **2.** fin, meta. **3.** blanco. **4, 5.** imparcial. **ANTÓN: 4, 5.** parcial, subjetivo. **FAM:** *objeto.*

objeto s. m. **1.** *Tiene la mesa llena de los* ***objetos*** *más raros* (= de cosas). **2.** *Siempre ha sido su familia el* ***objeto*** *de todas sus preocupaciones* (= el centro). **3.** *La reunión no tenía más* ***objeto*** *que discutir los problemas del barrio* (= el motivo por el cual se celebró).
SINÓN: 1. cosa. **3.** fin, finalidad, intención, propósito. **FAM:** *objetivo.*

oblicuo, a adj. *Han puesto un tablón* ***oblicuo*** *para sostener la pared que se caía* (= inclinado).
SINÓN: diagonal, inclinado.

obligación s. f. **1.** *Todos los ciudadanos tienen la* ***obligación*** *de respetar a los demás* (= el deber). **2.** *El director de la empresa tiene muchas* ***obligaciones*** *que atender* (= muchos asuntos).
SINÓN: 1, 2. compromiso, deber, responsabilidad. **FAM:** → *obligar.*

obligar v. tr. *En la aduana me* ***obligaron*** *a abrir mi equipaje* (= me exigieron que lo abriera).
SINÓN: exigir, imponer. **FAM:** *obligación, obligatorio.*

obligatorio, a adj. *En muchos países el servicio militar es* ***obligatorio*** (= no es voluntario).
SINÓN: obligado. **ANTÓN:** voluntario. **FAM:** → *obligar.*

oboe s. m. **1.** *El sonido del* ***oboe*** *es grave* (= es un instrumento de viento hecho con madera). **2.** *Conozco al* ***oboe*** *que toca en la orquesta* (= a la persona que toca ese instrumento).

obra s. f. **1.** *La mesa del comedor es* ***obra*** *del ebanista* (= la hizo él en la carpintería). **2.** *En el museo vimos muchas* ***obras*** *de arte* (= pinturas y esculturas muy importantes). **3.** *En la biblioteca hay una* ***obra*** *de diez tomos* (= un libro que ocupa diez tomos). **4.** *Las* ***obras*** *del edificio se acabarán dentro de dos meses* (= la construcción del edificio). **5.** *En mi casa están haciendo* ***obras*** (= la están arreglando).
SINÓN: **1.** creación. **3.** publicación. **5.** reforma.
FAM: → *obrar.*

obrar v. tr. **1.** *La medicina* ***obró*** *buenos resultados en el enfermo* (= produjo). ◆ **obrar** v. intr. **2.** *Le dolió mucho que* ***obrase*** *con tan mala fe* (= que se comportase así). ◆ **obrar en poder de 3.** *El documento* ***obra en poder del*** *notario* (= lo tiene él).
SINÓN: **1.** causar, producir. **2.** comportarse, portarse, proceder. **FAM:** *obra, obrero.*

obrero, a s. *Los* ***obreros*** *cobraron su jornal al terminar el trabajo* (= los trabajadores).
SINÓN: trabajador. **FAM:** → *obrar.*

obscurecer v. tr. → **oscurecer**.

obscuro, a adj. → **oscuro, a**.

obsequiar v. tr. *En mi cumpleaños me* ***obsequiaron*** *con muchas cosas* (= me regalaron).
SINÓN: regalar. **ANTÓN:** despreciar. **FAM:** *obsequio.*

obsequio s. m. *Mi madre se alegró con el* ***obsequio*** *que le compré por su cumpleaños* (= con el regalo).
SINÓN: presente, regalo. **FAM:** *obsequiar.*

observación s. f. **1.** *El profesor me hizo algunas* ***observaciones*** *sobre el trabajo que le presenté* (= algunas advertencias). **2.** *Tengo algunas* ***observaciones*** *que hacer a su plan porque no acaba de gustarme* (= algunas objeciones).
SINÓN: **1.** advertencia, comentario, indicación. **2.** objeción. **FAM:** → *observar.*

observador, a adj. **1.** *Tú eres tan* ***observador*** *que no se te escapa ningún detalle* (= lo miras todo). ◆ **observador, a** s. **2.** *En las reuniones de la Municipalidad hay* ***observadores*** *que no participan en las decisiones pero sí observan lo que pasa en ellas* (= son espectadores).
FAM: → *observar.*

observar v. tr. **1.** *Pedro* ***observaba*** *el cielo para ver si llovería* (= lo miraba atentamente). **2.** ***He observado*** *que está distraído últimamente* (= lo he notado). **3.** *No* ***observa*** *ninguna de las señales de tráfico* (= no las respeta).
SINÓN: **1.** contemplar, examinar, mirar. **2.** advertir, notar. **3.** cumplir, obedecer, respetar. **ANTÓN:** **3.** desobedecer. **FAM:** *observación, observador, observatorio.*

observatorio s. m. *En la visita al* ***observatorio*** *astronómico pudimos ver las estrellas con el telescopio* (= a un lugar desde donde puede estudiarse el cielo con telescopios).
FAM: → *observar.*

obsesión s. f. *Tiene* ***obsesión*** *por hacerlo todo bien y no siempre le sale así* (= tiene esa manía).
SINÓN: manía.

obstáculo s. m. **1.** *Hubo que quitar todos los* ***obstáculos*** *que impedían la entrada del coche en el garaje* (= los estorbos que había en el garaje). **2.** *Me pusieron tantos* ***obstáculos*** *para poder inscribirme en el cursillo que al final lo dejé* (= muchas dificultades).
SINÓN: **1.** estorbo. **2.** dificultad, impedimento, inconveniente, traba. **ANTÓN:** **2.** facilidad. **FAM:** *obstaculizar.*

obstante *Me parece bien tu idea,* ***no obstante*** *déjame pensarla detenidamente* (= pero, de todos modos, déjame pensarla).

obstinación s. f. *Su* ***obstinación*** *es tan grande que siempre consigue lo que se propone* (= su empeño en conseguirlo).
SINÓN: empeño, terquedad, testarudez. **FAM:** *obstinarse.*

obstruir v. tr. **1.** *Los árboles caídos* ***obstruyeron*** *el camino* (= no se podía pasar). ◆ **obstruirse** v. pron. **2.** *El agujero* ***se obstruyó*** *por la tierra que le cayó* (= se tapó con tierra).
SINÓN: **1.** entorpecer, estorbar. **2.** cerrarse, taparse, taponarse. **ANTÓN:** **2.** abrirse.

obtención s. f. *Ha rendido examen para la* ***obtención*** *del título de médico* (= para conseguirlo).
FAM: → *tener.*

obtener v. tr. **1.** *Como Andrés estudió mucho* ***obtuvo*** *buenas calificaciones* (= las consiguió). ◆ **obtenerse** v. pron. **2.** *La gasolina* ***se obtiene*** *del petróleo* (= se saca del petróleo).
SINÓN: **1.** alcanzar, conseguir, lograr. **2.** extraerse, sacarse. **FAM:** → *tener.*

obtuso, a adj. **1.** *He comprado unas tijeras de punta* ***obtusa*** *para no lastimarme* (= de punta redonda). **2.** *Dibujamos un ángulo* ***obtuso*** (= un ángulo mayor que el recto). **3.** *Le cuesta aprender porque es muy* ***obtuso*** (= torpe).
SINÓN: **3.** torpe. **ANTÓN:** **1.** puntiagudo. **3.** avispado, listo.

obús s. m. *Los soldados disparaban con el* ***obús*** (= con un arma de fuego menor que el cañón).

obvio, a adj. *Todos estaban de acuerdo con él porque era* ***obvio*** *que tenía razón* (= era evidente).
SINÓN: claro, evidente. ANTÓN: confuso, oscuro.

oca s. f. **1.** La **oca** es un ave con plumas blancas y parecida al pato pero más grande. **2.** *Luis es muy aficionado al juego de la* ***oca*** (= un juego de mesa con casillas en espiral y con dibujos, en el que se va avanzando según el número que salga en un dado).

ocasión s. f. **1.** *Tuve la* ***ocasión*** *de viajar por toda Hispanoamérica* (= tuve la oportunidad). **2.** *Con* ***ocasión*** *de su aniversario, Francisco celebró una fiesta* (= con motivo). **3.** *No siempre se porta como en aquella* ***ocasión*** (= como aquella vez).
SINÓN: **1.** oportunidad. **2.** motivo. **3.** momento, vez. FAM: *ocasionar.*

ocasionar v. tr. *El fuego* ***ocasionó*** *la destrucción del bosque* (= la produjo).
SINÓN: causar, motivar, producir, provocar. ANTÓN: evitar, impedir. FAM: *ocasión.*

ocaso s. m. **1.** *Me gusta contemplar el* ***ocaso*** *desde la montaña* (= la puesta del sol). **2.** *En este libro de historia se explica el* ***ocaso*** *del Imperio Romano* (= la decadencia).
SINÓN: **1.** anochecer, atardecer, crepúsculo. **2.** caída, decadencia. ANTÓN: **1.** alba, amanecer, aurora. **2.** auge.

occidental adj. *Chile, Perú y Ecuador son países* ***occidentales*** *de América* (= están en el oeste de América).
ANTÓN: oriental. FAM: *occidente.*

occidente s. m. **1.** *Al atardecer, el sol se pone por el* ***occidente*** (= por el oeste). **2.** *Luis ha viajado por todas las naciones del* ***occidente*** *de Europa y ahora quiere conocer el Este* (= del oeste).
SINÓN: **1.** poniente. **1, 2.** oeste. ANTÓN: **1, 2.** este, oriente. FAM: *occidental.*

oceánico, a adj. *Hicimos un viaje* ***oceánico*** *para llegar a Europa* (= por el océano).
FAM: → *océano.*

océano s. m. *El* ***océano*** *Atlántico es el que separa Europa de América* (= es un mar muy extenso). *Otros* ***océanos*** *son el Pacífico, el Índico y el Ártico.*
FAM: *oceánico, oceanografía.*

oceanografía s. f. *Desde que estudia* ***oceanografía,*** *nos explica cosas muy interesantes del mar* (= es el estudio del mar y de la vida marina).
FAM: → *océano.*

ocelote s. m. El **ocelote** es un felino con la cola muy larga y el pelo largo que vive en América. Se parece al jaguar, y su piel con manchas negras, es muy apreciada.
SINÓN: onza, puma.

ochenta adj. *Tengo que estudiar* ***ochenta*** *páginas.*
FAM: → *ocho.*

ocho adj. *Llegó a la ciudad el día* ***ocho*** *de octubre.*
FAM: *octavo, octogonal, octógono, ochenta, ochocientos.*

ochocientos, as adj. *Tengo* ***ochocientos*** *pesos para comprar un regalo.*
FAM: → *ocho.*

ocio s. m. *Dedico mis momentos de* ***ocio*** *a la lectura* (= mi tiempo libre).
ANTÓN: actividad, trabajo. FAM: *ocioso.*

ocioso, a adj. *Como ya ha terminado el trabajo que tenía que hacer, ahora está* ***ocioso*** *esperando más* (= está sin hacer nada).
SINÓN: desocupado, inactivo, parado. ANTÓN: activo, ocupado. FAM: *ocio.*

ocote s. m. Amér. Cent., Méx. *Para alumbrar, los campesinos utilizan la resina o la madera del* ***ocote*** (= pino de hojas perennes, duras y puntiagudas, que crece en la Meseta Central de México).

ocre s. m. *Pintó las paredes de color* ***ocre*** *porque el blanco puro no le gusta* (= un color amarillo rojizo).

octavo, a adj. **1.** *En la carrera obtuve el* ***octavo*** *lugar.* **2.** *Partimos la tarta en ocho partes iguales y me comí una* ***octava*** *parte.*
FAM: → *ocho.*

octogonal adj. *Pedro compró un espejo* ***octogonal*** (= en forma de polígono de ocho lados y ocho ángulos).
SINÓN: octagonal. FAM: → *ocho.*

octógono, a adj. *Dibujé un polígono* ***octógono*** (= un polígono de ocho lados y ocho ángulos).
SINÓN: octágono. FAM: → *ocho.*

octubre s. m. *El 27 de* ***octubre*** *es mi cumpleaños* (= es el décimo mes del año, comprendido entre septiembre y noviembre y tiene 31 días).

ocular adj. *Mi abuelo sufre una infección* ***ocular*** (= en los ojos).
FAM: → *ojo.*

oculista s. m. *Luis fue al* ***oculista*** *para que le revisara la vista* (= al médico especialista en las enfermedades de los ojos).
SINÓN: oftalmólogo. FAM: → *ojo.*

ocultar v. tr. **1.** *El póster* ***ocultaba*** *los agujeros de la pared* (= los tapaba). **2.** ***Ocultaron*** *lo que había pasado porque sabían que se enojaría* (= lo callaron, lo disimularon).
SINÓN: **1.** cubrir, esconder, tapar. **2.** callar, disimular, silenciar, omitir. ANTÓN: **1, 2.** descubrir. FAM: *oculto.*

oculto, a adj. *La casa está* ***oculta*** *por los árboles y casi no se ve desde el camino* (= está escondida).
SINÓN: escondido. ANTÓN: visible. FAM: *ocultar.*

ocupación s. f. **1.** *Tengo tantas* ***ocupaciones*** *que no me queda tiempo para ir al cine* (= tengo mucho trabajo). **2.** *El ejército no pudo impedir la* ***ocupación*** *de la ciudad* (= que el ejército contrario entrara en la ciudad).
SINÓN: 1. obligación, quehacer, tarea, trabajo.
FAM: → *ocupar.*

ocupante s. m. f. *Ninguno de los* ***ocupantes*** *del coche sufrió heridas en el accidente* (= de los pasajeros que viajaban en él).
FAM: → *ocupar.*

ocupar v. tr. **1.** *Es una mesa que* ***ocupa*** *demasiado espacio* (= que lo llena). **2.** *Los árabes invadieron la península Ibérica y la* ***ocuparon*** *durante ocho siglos* (= vivieron en ella). **3.** *En ese hotel mi padre* ***ocupa*** *el cargo de director* (= trabaja como director). **4.** *Si hay luz en la casa es que alguien la* ***ocupa*** (= alguien vive en ella). **5.** *La nueva fábrica* ***ocupará*** *a muchos jóvenes sin trabajo* (= les dará empleo). ◆ **ocuparse** v. pron. **6.** *La policía* ***se ocupa*** *de cuidar el orden público* (= se encarga).
SINÓN: 1. llenar. **2.** adueñarse, apoderarse, apropiarse. **3.** ejercer. **4.** habitar. **5.** emplear. **6.** dedicarse, emplearse, encargarse. **ANTÓN: 2.** abandonar. **5.** desemplear. **6.** despreocuparse. **FAM:** *desocupado, desocupar, despreocuparse, ocupación, ocupante, preocupación, preocupar.*

ocurrencia s. f. *Parece muy serio pero tiene unas* ***ocurrencias*** *muy graciosas* (= tiene salidas graciosas).
SINÓN: gracia, salida. **FAM:** → *ocurrir.*

ocurrente adj. *Tu hermano es muy* ***ocurrente,*** *siempre nos hace reír* (= es muy gracioso).
SINÓN: gracioso, ingenioso. **FAM:** → *ocurrir.*

ocurrir v. intr. **1.** *El descubrimiento de América* ***ocurrió*** *en 1492* (= sucedió en esa fecha). ◆ **ocurrirse** v. pron. **2.** *De repente* ***se le ocurrió*** *la idea de ir a pescar y nos fuimos* (= le vino esa idea).
SINÓN: 1. acontecer, pasar, suceder. **FAM:** *ocurrencia, ocurrente.*

oda s. f. *El poeta recitó una* ***oda*** *dedicada al mar* (= un poema de varias estrofas, cuya finalidad es resaltar grandes sentimientos).

odiar v. tr. *Pedro* ***odia*** *a Luis porque le quitó la novia* (= siente hacia él antipatía y rechazo).
SINÓN: aborrecer, detestar. **ANTÓN:** amar, querer.
FAM: → *odio.*

odio s. m. *Es tan grande el* ***odio*** *que siente hacia él que nunca lo volvió a saludar* (= la antipatía que siente).
SINÓN: antipatía, fobia, manía. **ANTÓN:** amor, cariño, simpatía. **FAM:** *odiar, odioso.*

odioso, a adj. *Es un hombre tan mentiroso y orgulloso que me resulta* ***odioso*** (= me resulta muy antipático).
SINÓN: antipático, desagradable, detestable.
ANTÓN: agradable, simpático. **FAM:** → *odio.*

odisea s. f. *El viaje de vuelta ha sido una* ***odisea:*** *se nos descompuso el coche y luego nos perdimos dos veces* (= ha sido un viaje largo lleno de aventuras y dificultades).

odontología s. f. *Estudió* ***Odontología*** *y ahora trabaja en una clínica dental* (= la parte de la medicina que estudia los dientes).
FAM: → *diente.*

odontólogo, a s. *María fue al* ***odontólogo*** *porque tenía una caries* (= fue al médico especialista de los dientes).
SINÓN: dentista. **FAM:** → *diente.*

oeste s. m. **1.** *Los puntos cardinales son cuatro: Norte, Sur, Este y* ***Oeste*** (= es el punto cardinal que está hacia donde se pone el Sol). **2.** *El Océano Pacífico está al* ***oeste*** *de América* (= está en la parte occidental).
SINÓN: 1. poniente. **2.** occidente. **ANTÓN: 1.** levante. **1, 2.** este. **2.** oriente.

ofender v. tr. **1.** *Me* ***han ofendido*** *tus palabras porque me acusas de algo que no es cierto* (= me han herido). **2.** *Tiene un modo de hablar tan incorrecto que* ***ofende*** *los oídos de quien lo escucha* (= que molesta mucho). ◆ **ofenderse** v. pron. **3.** *Juan* ***se ofendió*** *porque le dije que no me gustaba su camisa* (= se enojó conmigo).
SINÓN: 1, 2. herir. **2.** desagradar. **2, 3.** molestar(se). **3.** enfadarse, enojarse, resentirse. **ANTÓN: 1.** alabar, honrar. **2.** agradar, gustar. **FAM:** *inofensivo, ofendido, ofensa.*

ofendido, a adj. *Luis está muy* ***ofendido*** *por lo que le dijo y se niega a hablar con él* (= está muy molesto).
SINÓN: molesto. **FAM:** → *ofender.*

ofensa s. f. *Tus palabras han sido una gran* ***ofensa*** *para él* (= han sido un insulto).
SINÓN: insulto. **ANTÓN:** alabanza, honor. **FAM:** → *ofender.*

oferta s. f. **1.** *Le han hecho una* ***oferta*** *de trabajo muy interesante* (= una propuesta de trabajo). **2.** *El comercio tenía muebles de* ***oferta*** *que merecían la pena* (= más baratos de lo normal). **3.** *¿Sigues pensando en tu* ***oferta*** *de acompañarme?, pues vámonos* (= en tu promesa).
SINÓN: 1. proposición, propuesta. **2.** ocasión.
FAM: → *ofrecer.*

oficial adj. **1.** *El Gobierno ha hecho pública su decisión* ***oficial*** *de bajar el precio de los combustibles* (= es una decisión de autoridad porque viene del Gobierno). ◆ **oficial** s. m. **2.** *En la fábrica textil, Andrés llegó a* ***oficial*** *de primera a los tres años* (= trabaja como encargado). **3.** *En el desfile estaban todos los* ***oficiales,*** *desde el alférez hasta el capitán con sus soldados* (= todos los militares con título y responsabilidad en el ejército).
FAM: → *oficio.*

oficina s. f. *En su* ***oficina,*** *el director tiene su teléfono y la computadora con la que trabaja* (= en su despacho).
SINÓN: despacho. **FAM:** → *oficio.*

oficinista s. m. f. *En el despacho del abogado, el* ***oficinista*** *escribía a máquina y guardaba papeles* (= la persona empleada en una oficina).
SINÓN: empleado, funcionario. **FAM:** → *oficio.*

oficio s. m. **1.** *En vez de estudiar, prefiere aprender un* ***oficio*** (= un trabajo). **2.** *Su* ***oficio*** *es el de mostrar el museo a los visitantes* (= su función en su trabajo).
SINÓN: 1. profesión. **1, 2.** trabajo. **FAM:** *oficial, oficina, oficinista.*

ofrecer v. tr. **1.** *Le* ***han ofrecido*** *un empleo* (= se lo han propuesto). **2.** *Jaime* ***ofreció*** *un ramo de flores a su maestra* (= se lo regaló). ◆ **ofrecerse** v. pron. **3.** *Juan* ***se ofreció*** *para acompañarnos a la estación en su coche* (= estaba dispuesto a acompañarnos).
SINÓN: 1. proponer. **2.** dar, regalar. **3.** brindarse. **ANTÓN:** negar(se). **FAM:** *oferta, ofrecimiento.*

ofrecimiento s. m. *Le agradecí a mi hermano su* ***ofrecimiento*** *de ayudarme* (= su propuesta).
FAM: → *ofrecer.*

oftalmología s. f. La **oftalmología** es la parte de la medicina que estudia todo lo relacionado con los ojos.
FAM: *oftalmólogo.*

oftalmólogo, a s. *El* ***oftalmólogo*** *me recetó unos anteojos porque no veía bien* (= el médico especialista de la vista).
SINÓN: oculista. **FAM:** *oftalmología.*

ofuscarse v. pron. ***Se ofuscó*** *por lo que le habíamos dicho* (= se perturbó tanto que ya no pudo pensar en nada más).
SINÓN: obsesionarse.

ogro s. m. *El* ***ogro*** *del cuento raptaba a la princesa para devorarla* (= uno de los personajes imaginarios de los cuentos que tienen aspecto humano y tamaño gigantesco).

¡oh! interj. **1.** ***¡Oh!*** *¡qué flores tan hermosas!* (= es una expresión de sorpresa). **2.** ***¡Oh!*** *¡qué suerte!* (= es una expresión de admiración). **3.** ***¡Oh!*** *¡qué lástima!* (= es una expresión de decepción, de pena).

oído s. m. **1.** *Tiene muy desarrollado el sentido del* ***oído*** (= uno de los cinco sentidos que tiene el hombre a través del cual percibimos los sonidos). **2.** *Lávate bien los* ***oídos*** (= las orejas). ◆ **entrar por un oído y salir por otro 3.** *Este niño nunca hace caso, todo le* ***entra por un oído y le sale por el otro*** (= no atiende ni hace caso de lo que le dicen). ◆ **tener buen oído 4.** *Enrique* ***tiene buen oído*** *para la música* (= aprende muy rápido las canciones).
SINÓN: 2. oreja. **FAM:** → *oír.*

oír v. tr. **1.** *Desde mi casa* ***oigo*** *las campanas* (= percibo su sonido). **2.** *Él* ***oyó*** *perfectamente lo que le dije* (= me entendió). ◆ **como quien oye llover 3.** *No te preocupes de lo que digan, tú* ***como quien oye llover*** (= no le prestes atención).
SINÓN: 2. enterarse, escuchar. **FAM:** *audición, audiencia, audífono, auditivo, auditorio, auricular, oído, otitis, oyente.*

ojal s. m. *El novio llevaba una flor en el* ***ojal*** *del saco* (= en el corte que se hace en la tela para pasar por ella un botón y abrocharlo).
FAM: → *ojo.*

ojalá interj. ***¡Ojalá*** *regrese hoy mi madre!* (= me gustaría mucho que volviera).

ojeada s. f. *El profesor echó una* ***ojeada*** *a mi cuaderno* (= lo miró rápidamente y por encima).
SINÓN: mirada, vistazo. **FAM:** → *ojo.*

ojear v. tr. *El médico* ***ojeó*** *mi herida para ver si estaba curada* (= la observó por encima).
FAM: → *ojo.*

ojeras s. f. pl. *Tengo* ***ojeras*** *porque esta noche he dormido mal* (= unas sombras oscuras, alrededor de los párpados inferiores).
FAM: → *ojo.*

ojo s. m. **1.** *María tiene los* ***ojos*** *verdes* (= el órgano por el que vemos). **2.** *Esa llave no entra en el* ***ojo*** *de esta cerradura* (= en su agujero). **3.** *Me gusta que me acompañe a comprar porque tiene buen* ***ojo*** *con las telas* (= tiene buen gusto y sabe elegirlas). **4.** *Tengo mucho* ***ojo*** *con los coches al cruzar la calle* (= mucho cuidado). **5.** *No he pegado los* ***ojos*** *en toda la noche y estoy agotado* (= no he dormido). **6.** *Mi padre mira con buenos* ***ojos*** *el noviazgo de mi hermana* (= le parece bien). ◆ **¡ojo!** interj. **7.** ***¡Ojo*** *con ese hombre, que puede hacerte daño!* (= ¡cuidado!). ◆ **a ojo 8.** *Calculó* ***a ojo*** *el dinero que tenía pero vio que no le alcanzaba* (= calculó aproximadamente). ◆ **ojo de buey 9.** *Nuestro camarote tenía* ***ojos de buey*** *desde donde veíamos el mar* (= unas ventanas redondas de los barcos que no se pueden abrir). ◆ **comer con los ojos 10.** *Pide de todo lo que ve porque* ***come con los ojos,*** *pero luego no lo prueba* (= todo le apetece pero no lo come). ◆ **costar un ojo de la cara 11.** *La casa es muy bonita pero no la puedo comprar porque* ***cuesta un ojo de la cara*** (= cuesta muy cara). ◆ **en un abrir y cerrar de ojos 12.** *¡Ya estás aquí!, has llegado* ***en un abrir y cerrar de ojos****! (= has llegado muy rápido).*
SINÓN: 2. agujero, orificio. **FAM:** *anteojera, anteojo, ocular, oculista, ojal, ojeada, ojear, ojeras, reojo.*

ojota s. f. Amér. Merid. *Las antiguas* ***ojotas*** *indígenas se usan mucho en el verano* (= sandalias de suela y lonjas de cuero que se cruzan sobre el pie).

ola s. f. **1.** *La tempestad levantaba* ***olas*** *enormes* (= grandes ondas en el mar). **2.** *Mañana aumentará bruscamente la temperatura porque vendrá una* ***ola*** *de calor* (= hará mucho calor).
FAM: *oleaje.*

oleaje s. m. *Los pescadores no salieron al mar porque había un fuerte* ***oleaje*** (= por el movimiento brusco de las olas del mar).
FAM: *ola.*

óleo s. m. **1.** *Mi padre pinta al* ***óleo*** *y a la acuarela* (= una técnica de pintura). **2.** *Los* ***óleos*** *de este pintor son muy buenos* (= los cuadros hechos con ese tipo de pintura).

oleoducto s. m. Un **oleoducto** es una tubería que transporta el gas o el petróleo a grandes distancias.

oler v. tr. **1.** ***Huelo*** *el humo de alguien que está fumando* (= noto el olor del tabaco). ◆ **oler** v. intr. **2.** *Este perfume* ***huele*** *a rosas* (= despide olor). **3.** *No me gustan sus intenciones: esto no me* ***huele*** *bien* (= creo que esconde algo malo).
SINÓN: 1. olfatear, olisquear. **FAM:** *inodoro, maloliente, olfatear, olfato, olor, oloroso.*

olfatear v. tr. *El perro* ***olfateaba*** *la calle para encontrar el camino* (= la olía intensamente).
SINÓN: husmear, oler, olisquear. **FAM:** → *oler.*

olfato s. m. **1.** *Los perros tienen buen* ***olfato*** (= tienen muy desarrollado el sentido). **2.** *Mi tío tiene mucho* ***olfato*** *para los negocios* (= sabe los que son buenos y los que son malos).
SINÓN: 2. instinto, intuición. **FAM:** → *oler.*

olimpíada s. f. *Cada cuatro años se celebran las* ***olimpíadas*** (= competencias deportivas en las que participan atletas de todos los países en todos los deportes).
FAM: *olímpico.*

olímpico, a adj. *Los primeros Juegos* ***Olímpicos*** *se celebraron en Olimpia.*
FAM: *olimpíada.*

oliva s. f. → **aceituna.**
FAM: → *olivo.*

olivar s. m. *Viene del* ***olivar,*** *de recoger aceitunas* (= de la plantación de olivos).
FAM: → *olivo.*

olivo s. m. Los **olivos** son árboles de hojas perennes que producen aceitunas.
FAM: *oliva, olivar.*

olla s. f. **1.** *Quita la tapa de la* ***olla*** *para ver si hierve el agua* (= un recipiente que sirve para cocinar y suele tener una o dos asas). ◆ **olla a presión 2.** *Como es muy tarde, es mejor preparar la comida en la* ***olla a presión*** (= un tipo de olla metálica cerrada herméticamente que cocina los alimentos en menos tiempo del normal).
SINÓN: 1. cacerola.

olmo s. m. El **olmo** es un árbol grande y muy alto, de hojas aserradas y forma acorazonada; su madera es muy apreciada.

olor s. m. *Las rosas dejaban un* ***olor*** *exquisito en el comedor* (= dejaban un aroma muy agradable).
FAM: → *oler.*

oloroso, a adj. *Las flores suelen ser muy* ***olorosas*** (= despiden buen olor).
SINÓN: aromático, fragante. **ANTÓN:** inodoro. **FAM:** → *oler.*

olote s. m. Méx. El **olote** es la parte dura de la espiga del maíz, donde se insertan los granos.
SINÓN: marlo, zuro.

olvidadizo, a adj. *Como es tan* ***olvidadizo*** *anota lo que tiene que hacer en una agenda* (= se le olvida todo con mucha facilidad).
SINÓN: desmemoriado, despistado, distraído. **FAM:** → *olvidar.*

olvidar v. tr. *Voy a anotar tu teléfono en la agenda porque, si no, lo* ***olvido*** (= no lo recuerdo).
ANTÓN: acordarse, recordar. **FAM:** *inolvidable, olvidadizo, olvido.*

olvido s. m. **1.** *Aquel suceso fue tan desagradable que ha pasado al* ***olvido*** (= que no quiero recordarlo). **2.** *¡Vaya* ***olvido,*** *no he ido a la cita!* (= ¡vaya descuido!).
SINÓN: 2. descuido, despiste. **FAM:** → *olvidar.*

ombligo s. m. El **ombligo** es la cicatriz que queda en el vientre después de cortar el cordón umbilical.
FAM: *umbilical.*

ombú s. m. *Javier trepó hasta la cima del* ***ombú*** (= árbol o hierba gigante, de tronco grueso y fofo y follaje tupido; es típico de las llanuras pampeanas).

omisión s. f. *La* ***omisión*** *de dos líneas dificulta la lectura del texto* (= el olvido, la falta de dos líneas).
FAM: *omitir.*

omitir v. tr. *El conferenciante* ***omitió*** *algunos detalles en su conferencia* (= no los dijo).
SINÓN: olvidar, silenciar, suprimir. **ANTÓN:** indicar. **FAM:** *omisión.*

ómnibus s. m. Amér. Merid. *Para ir al parque debemos tomar un* ***ómnibus*** (= vehículo urbano de transporte de pasajeros).
SINÓN: autobús, autocar, bus.

omnívoro, a adj. Los animales **omnívoros** son los que comen toda clase de alimentos.

omóplato s. m. Los **omóplatos** son los dos huesos anchos y casi planos que tenemos a ambos lados de la espalda, debajo de los hombros y que permiten mover los brazos.

once adj. *El caballo número* ***once*** *ganó la carrera.*

onda s. f. **1.** *El viento formaba* ***ondas*** *de gran altura en el mar* (= olas). **2.** *Tiene* ***ondas*** *en el pelo* (= rizos grandes). **3.** *El sonido se transmite mediante* ***ondas*** (= mediante vibraciones a través del aire).
SINÓN: 1. ola. **1, 2.** ondulación. **2.** rizo. **FAM:** *ondear, ondulación, ondulado, ondulante, ondular.*

ondear v. intr. *Las banderas de la Casa de Gobierno* ***ondean*** *al viento* (= se mueven formando ondulaciones).
SINÓN: ondular. **FAM:** → *onda.*

ondulación s. f. *La piedra que tiré al lago formó varias* ***ondulaciones*** *en la superficie* (= formó ondas).
SINÓN: onda. **FAM:** → *onda.*

ondulado, a adj. *El terreno no era liso sino* ***ondulado*** (= hacía subidas y bajadas pequeñas).
FAM: → *onda.*

ondulante adj. *La serpiente se desplaza con movimientos* ***ondulantes*** (= va de un lado a otro formando curvas).
SINÓN: sinuoso. **FAM:** → *onda.*

ondular v. intr. **1.** *El viento hacía* ***ondular*** *las banderas* (= hacía que se movieran formando ondas). ◆ **ondular** v. tr. **2.** *La peluquera le* ***onduló*** *el cabello a María* (= le hizo grandes rizos).
SINÓN: 1. ondear. **2.** rizar. **ANTÓN: 2.** alisar.
FAM: → *onda.*

opacar v. tr. *Con un papel* ***opacaron*** *los vidrios de la ventana* (= volvieron opaco lo que era traslúcido).
FAM: → *opaco.*

opaco, a adj. **1.** *La madera, el hierro, el cartón, son cuerpos* ***opacos*** (= son cuerpos que no dejan pasar la luz). **2.** *El foco de mi habitación da una luz* ***opaca*** (= sin brillo).
SINÓN: 2. mate, sombrío. **ANTÓN: 1.** transparente. **2.** brillante.

ópalo s. m. El **ópalo** es un mineral parecido al cristal, que puede ser de colores y que se usa para hacer joyas.

opción s. f. **1.** *Puedes elegir entre varias* ***opciones*** (= entre varias posibilidades que te proponen). **2.** *Si envía este boleto, tiene* ***opción*** *a participar en el concurso* (= tiene derecho).
SINÓN: 1. alternativa, elección, posibilidad. **2.** acceso, derecho. **FAM:** → *optar.*

ópera s. f. *Hemos escuchado una* ***ópera*** *en el teatro* (= una obra de teatro cantada y con acompañamiento de orquesta).

operación s. f. **1.** *Hoy haremos* ***operaciones*** *matemáticas: sumas, restas, multiplicaciones y divisiones* (= haremos cálculos de matemáticas). **2.** *Los cirujanos hacen* ***operaciones*** *quirúrgicas* (= hacen intervenciones para curar una enfermedad). **3.** *El banquero hizo una* ***operación*** *comercial que le dio muchos beneficios* (= hizo un trabajo de comercio).
SINÓN: 2. intervención. **FAM:** → *operar.*

operador, a s. **1.** *Varios* ***operadores*** *filmaron la película con sus cámaras* (= las personas que se encargan de manejar las cámaras de cine y de televisión). **2.** *El* ***operador*** *de computación terminó su trabajo* (= el que maneja o programa la computadora).
SINÓN: 1. camarógrafo. **FAM:** → *operar.*

operar v. tr. **1.** ***Operaron*** *a Juan de las amígdalas* (= le hicieron una intervención quirúrgica). ◆ **operar** v. intr. **2.** *Después de ordenar los papeles* ***operaba*** *con ellos rápidamente* (= trabajaba con mucha facilidad).
SINÓN: 1. intervenir. **FAM:** *operación, operador, operario.*

operario, a s. *Ha venido un* ***operario*** *telefónico para ponernos la línea de teléfono* (= una persona que trabaja en una empresa).
FAM: → *operar.*

opinar v. intr. *Todo el mundo* ***opinaba*** *sobre el tema* (= todos tenían una idea sobre el tema).
SINÓN: estimar, juzgar, pensar. **FAM:** *opinión.*

opinión s. f. *Marta expresó su* ***opinión*** *sobre el proyecto* (= dijo lo que pensaba).
SINÓN: juicio, parecer. **FAM:** *opinar.*

opio s. m. El **opio** es un jugo desecado que se obtiene de algunas plantas y que se utiliza como droga.

oponer v. tr. **1.** *Los campesinos* ***opusieron*** *un dique a las aguas para evitar la inundación* (= obstaculizaron el paso del agua). ◆ **oponerse** v. pron. **2.** *Siempre* ***se opone*** *a lo que proponemos los demás porque quiere mandar siempre* (= rechaza lo que decimos).
SINÓN: 2. rechazar. **ANTÓN: 1.** facilitar. **2.** aceptar, admitir. **FAM:** → *poner.*

oportunidad s. f. *Al terminar mis estudios, tuve la* ***oportunidad*** *de trabajar en el extranjero* (= tuve la posibilidad).
SINÓN: ocasión, posibilidad. **FAM:** → *oportuno.*

oportuno, a adj. **1.** *Elegimos el momento* ***oportuno*** *para ir a la playa porque casi no había gente* (= el momento más conveniente). **2.** *La paso muy bien con Ana porque es muy* ***oportuna*** (= siempre se le ocurren cosas graciosas).
SINÓN: 1. adecuado, apropiado, conveniente, preciso. **2.** gracioso, ingenioso, ocurrente. **ANTÓN: 1, 2.** inoportuno. **FAM:** *importunar, inoportuno, oportunidad.*

oposición s. f. **1.** *Juan expresó su* ***oposición*** *al proyecto* (= expresó su desacuerdo). **2.** *En el Parlamento, los partidos de la* ***oposición*** *censuraban al Gobierno* (= los partidos con otra opinión). **3.** *Emilio aprobó las pruebas de* ***oposición*** *para profesor* (= unos exámenes con varias pruebas donde se va descartando a los que se presentan hasta que quedan los mejores).
SINÓN: 1. desacuerdo, rechazo. **ANTÓN: 1.** acuerdo, conformidad. **FAM:** → *poner.*

opresión s. f. **1.** *El pueblo se rebeló contra la* ***opresión*** *de sus gobernantes* (= contra el abuso de autoridad). **2.** *El enfermo siente* ***opresión*** *en el pecho* (= siente como si lo apretaran).
SINÓN: 1. abuso, tiranía. **2.** presión. **ANTÓN: 1.** libertad. **2.** alivio. **FAM:** → *oprimir.*

oprimir v. tr. **1.** *Teresa* ***oprimió*** *el timbre para llamar* (= lo apretó para que sonara). **2.** *Los gobernantes tiránicos* ***oprimen*** *al pueblo y lo hacen desgraciado* (= mediante su autoridad le quitan su libertad).
SINÓN: 1. apretar, presionar. **2.** dominar, esclavizar. **ANTÓN: 1.** soltar. **2.** liberar. **FAM:** *compresa, compresor, comprimir, opresión.*

optar v. intr. *Puedes* ***optar*** *entre ir al cine o al teatro* (= puedes elegir entre las dos cosas).
SINÓN: elegir, escoger. **ANTÓN:** rechazar. **FAM:** *opción, optativo.*

optativo, a adj. *En este curso hay dos materias* ***optativas*** (= se puede elegir entre cursar una o la otra).
FAM: → *optar.*

óptico, a adj. **1.** *Tengo dañado el nervio* ***óptico*** (= del ojo). ◆ **óptico, a** s. **2.** *El* ***óptico*** *me ha recomendado unos anteojos de sol* (= es la persona que hace y vende anteojos y otros aparatos relacionados con la visión, como lupas). **3.** *En Física, estudiamos* ***óptica*** (= la parte de la Física que estudia la luz y sus leyes).

optimismo s. m. *Su* ***optimismo*** *es tan grande que nunca se desanima* (= su forma positiva de ver las cosas).
ANTÓN: pesimismo. **FAM:** → *óptimo.*

optimista adj. *Ana tiene un carácter tan* ***optimista*** *que nos contagia su alegría* (= ve el lado favorable de las cosas).
ANTÓN: pesimista. **FAM:** → *óptimo.*

óptimo, a adj. *El resultado de las pruebas ha sido realmente* ***óptimo*** (= muy bueno).
SINÓN: excelente. **ANTÓN:** pésimo. **FAM:** *optimismo, optimista.*

opuesto, a adj. **1.** *El blanco es* ***opuesto*** *al negro* (= son colores contrarios). **2.** *Pedro y yo tenemos opiniones* ***opuestas*** *y nunca nos ponemos de acuerdo* (= tenemos opiniones muy diferentes).
SINÓN: 1, 2. contrario. **2.** adverso. **ANTÓN:** idéntico, igual. **FAM:** → *poner.*

oquedad s. f. *Nos refugiamos de la lluvia en la* ***oquedad*** *de una roca* (= en una parte hueca o excavada).
SINÓN: agujero, hueco.

oración s. f. **1.** *Juan reza sus* ***oraciones*** *antes de acostarse* (= unas frases con las que se dirige a Dios, a la Virgen o a los santos para agradecer o pedir algo). **2.** *En el examen tuvimos que hacer el análisis de unas* ***oraciones*** (= de unas frases que tuvieran sentido).
SINÓN: 1. rezo, ruego. **2.** frase. **FAM:** → *orar.*

orador, a s. *Alberto es un buen* ***orador*** (= nos convence a todos cuando habla).
FAM: → *orar.*

oral adj. **1.** *El examen no era escrito sino* ***oral*** (= había que contestar de palabra). **2.** *Muchas medicinas se toman por vía* ***oral*** (= por la boca, como el jarabe).
SINÓN: 1. verbal. **2.** bucal.

orangután s. m. Los **orangutanes** son monos fuertes, altos y feroces, que tienen un aspecto semejante al del hombre.

orar v. intr. *Los creyentes* ***oraban*** *en la iglesia* (= se dirigían a Dios y le rezaban).
SINÓN: rezar. **FAM:** *oración, orador.*

órbita s. f. **1.** *La Tierra describe una* ***órbita*** *alrededor del Sol* (= una trayectoria curva). **2.** La **órbita** del ojo es la cavidad donde está colocado.

orca s. f. La **orca** es un mamífero marino muy grande, parecido a la ballena pero con manchas blancas en el cuerpo y en los ojos.

orden s. m. **1.** *María pone en* ***orden*** *los libros* (= los coloca cada uno en su lugar). **2.** *Los soldados desfilan en* ***orden*** (= uno detrás del otro). **3.** *Las páginas de un libro están en* ***orden*** *numérico* (= se suceden unas a otras según su número). **4.** *La policía restableció el* ***orden*** (= consiguió que la gente se calmara). ◆ **orden** s. f. **5.** *Han dado la* ***orden*** *de abandonar el colegio* (= nos han mandado salir). ◆ **orden del día 6.** *Me acaban de pasar la* ***orden del día*** (= el conjunto de temas que se van a tratar en la reunión). ◆ **estar a la orden del día 7.** *Ir a este bar* ***está a la orden del día*** (= está de moda). ◆ **sin orden ni concierto 8.** *Estos libros están colocados* ***sin orden ni concierto*** (= están colocados de forma desordenada).
SINÓN: 5. mandato. **ANTÓN: 1, 2, 4.** desorden. **FAM:** *desorden, desordenado, desordenar, ordenado, ordenanza, ordenar, subordinado.*

ordenado, a adj. *El nuevo oficinista es muy* ***ordenado*** *y siempre sabe dónde están sus cosas* (= siempre tiene las cosas en su sitio correspondiente).
ANTÓN: desordenado. **FAM:** → *orden.*

ordenanza s. m. *Mario es el* ***ordenanza*** *de la oficina* (= el encargado de llevar órdenes y transmitir recados).
SINÓN: bedel. **FAM:** → *orden.*

ordenar v. tr. **1.** *Enrique* ***ordenó*** *su colección de monedas* (= puso cada una en su sitio). **2.** *El general* ***ordenó*** *a los soldados vigilar el campamento* (= se lo mandó).
SINÓN: 1. clasificar, organizar. **2.** mandar. **ANTÓN: 1.** desordenar. **FAM:** → *orden.*

ordeñador, a adj. *El ganadero compró una máquina* ***ordeñadora*** *para extraer rápida y mecánicamente la leche de las vacas* (= es una máquina para ordeñar las vacas).
FAM: *ordeñar.*

ordeñar v. tr. *Después de* ***ordeñar*** *las vacas, el ganadero vende la leche que ha obtenido* (= después de sacarles la leche de las ubres).
FAM: *ordeñador.*

ordinal adj. Primero, segundo, décimo *son números* ***ordinales;*** uno, dos, diez *son cardinales* (= son números que expresan el lugar que ocupa una cosa). VER CUADRO DE NÚMEROS.

ordinariez s. f. *Es muy desagradable oírle decir tantas* ***ordinarieces*** (= decir palabras groseras).
SINÓN: grosería, vulgaridad. **ANTÓN:** delicadeza, fineza. **FAM:** → *ordinario.*

ordinario, a adj. **1.** *El autobús hoy no hace el recorrido* ***ordinario*** *sino que se desvía* (= el recorrido habitual, normal). **2.** *Natalia es muy* ***ordinaria*** *hablando, siempre da gritos* (= es poco educada).
SINÓN: 1. acostumbrado, corriente, habitual, normal, regular. **2.** basto, grosero, maleducado, vulgar. **ANTÓN: 1.** anormal, desacostumbrado, extraordinario, insólito. **2.** cortés, distinguido, educado, fino. **FAM:** *extraordinario, ordinariez.*

orear v. tr. *Mi madre puso la manta en la terraza para* ***orearla*** (= para que le diera el aire y oliese bien).
SINÓN: airear, ventilar.

orégano s. m. El **orégano** es una hierba aromática y silvestre que se usa para condimentar la comida.

oreja s. f. **1.** *Por mi cumpleaños, todos mis amigos me tiraban de las* ***orejas*** (= de la parte externa del oído). ◆ **calentar las orejas 2.** *Si sigues portándote mal voy a* ***calentarte las orejas*** (= voy a regañarte y pegarte).

orfanato s. m. *Vive en el* ***orfanato*** *porque murieron sus padres* (= en un lugar donde recogen a los niños huérfanos y los cuidan).
SINÓN: hospicio. **FAM:** *orfandad.*

orfandad s. f. *Desde su* ***orfandad,*** *se siente muy triste* (= desde que murieron sus padres).
FAM: *orfanato.*

orfeón s. m. Un **orfeón** es un coro formado por personas que cantan sin acompañamiento musical.

orgánico, a adj. *Los hombres, los animales y los vegetales son seres* ***orgánicos*** (= son seres que tienen vida propia).
FAM: → *órgano.*

organillo s. m. Un **organillo** es un órgano pequeño y portátil, parecido al piano.
FAM: → *órgano.*

organismo s. m. **1.** *En Biología, estudiamos el* ***organismo*** *de los seres vivos* (= el conjunto de órganos internos del cuerpo). **2.** *La Organización de las Naciones Unidas es un* ***organismo*** *internacional* (= es un grupo de personas dedicadas a un fin común).
FAM: → *órgano.*

organista s. m. *El sacerdote que tocaba el órgano en la catedral, era un gran* ***organista*** (= la persona que toca el órgano).
FAM: → *órgano.*

organización s. f. **1.** *Hoy voy a dedicarme a la* ***organización*** *de mis papeles* (= a colocarlos ordenadamente). **2.** *Los partidos son* ***organizaciones*** *políticas* (= son grupos de personas unidas por una idea común). **3.** *La* ***organización*** *del archivo es muy buena porque permite encontrar rápidamente las cosas* (= el modo en que está ordenado).
SINÓN: 1, 3. colocación, orden, ordenación. **2.** agrupación. **ANTÓN: 1, 3.** desorden, desorganización. **FAM:** → *organizar.*

organizado, a adj. *Juan es un chico muy* ***organizado,*** *lo anota todo en su agenda y así siempre sabe lo que tiene que hacer* (= es muy cuidadoso y ordenado).
SINÓN: ordenado. **ANTÓN:** desordenado. **FAM:** → *organizar.*

organizador, a adj. *Cristina es la* ***organizadora*** *de la fiesta* (= la persona encargada de prepararla).
SINÓN: coordinador. **FAM:** → *organizar.*

organizar v. tr. **1.** *Tengo que* ***organizar*** *mis libros porque ya no sé dónde está cada uno* (= tengo que colocarlos en orden). **2.** *Esta agencia* ***organiza*** *viajes al extranjero* (= los prepara para que no tengamos que preocuparnos de nada).
SINÓN: 1. ordenar. **2.** montar, preparar. **ANTÓN: 1.** desordenar, desorganizar. **FAM:** *desorganización, desorganizar, organización, organizado, organizador.*

órgano s. m. **1.** *Las notas graves del* ***órgano*** *resonaban por toda la iglesia* (= de un instrumento musical de viento compuesto de muchos tubos y un teclado). **2.** *Los ojos son los* ***órganos*** *de la vista y la nariz es el* ***órgano*** *del olfato* (= son las partes del cuerpo que sirven para ver y para oler). **3.** *Este periódico es el* ***órgano*** *del partido* (= el medio de comunicación para divulgar sus ideas).
FAM: *orgánico, organillo, organismo, organista.*

orgía s. f. *Los antiguos romanos celebraban* ***orgías*** (= banquetes donde se bebía y comía en exceso).

orgullo s. m. **1.** *Las excelentes notas de sus hijos lo llenan de* ***orgullo*** (= de satisfacción). **2.** *Su* ***orgullo*** *le impide pedir perdón* (= su sentimiento de superioridad).
SINÓN: 1. honra, satisfacción. **2.** altivez, arrogancia, soberbia, vanidad. **ANTÓN: 1.** vergüenza. **2.** humildad, modestia. **FAM:** *enorgullecer, orgulloso.*

orgulloso, a adj. **1.** *Alfonso se siente* ***orgulloso*** *de haber ganado el primer premio* (= se siente satisfecho). **2.** *Como es tan* ***orgulloso*** *le molesta que alguien no alabe sus cualidades* (= tan arrogante).
SINÓN: 1. satisfecho. **2.** altivo, arrogante, soberbio, vanidoso. **ANTÓN: 1.** avergonzado. **2.** humilde, modesto. **FAM:** → *orgullo.*

orientación s. f. **1.** *Como carecían de brújula, los excursionistas encontraron la* ***orientación***

observando la posición del Sol (= la dirección adecuada). **2.** *Con la* ***orientación*** *del profesor pude terminar mis ejercicios* (= con su ayuda).
SINÓN: 2. ayuda, guía. **FAM:** → *oriente.*

orientador, a adj. *De no haber sido por los carteles* ***orientadores*** *me hubiera perdido* (= por los carteles indicadores).
SINÓN: indicador. **FAM:** → *oriente.*

oriental adj. **1.** *El Uruguay está en la costa* ***oriental*** *del Río de la Plata* (= está al Este del Río de la Plata). ◆ **oriental** s. **2.** *Los* ***orientales*** *son las personas nacidas en los países de Oriente o asiáticos.*
ANTÓN: occidental. **FAM:** → *oriente.*

orientar v. tr. **1.** ***Orientamos*** *la barca hacia la orilla* (= la dirigimos hacia la orilla). **2.** *El profesor me* ***orientó*** *acerca de las carreras universitarias que podía elegir* (= me informó). ◆ **orientarse** v. pron. **3.** *Es difícil* ***orientarse*** *en la oscuridad* (= encontrar la dirección correcta).
SINÓN: 2. aconsejar, informar, instruir. **ANTÓN: 2, 3.** desorientar(se). **FAM:** → *oriente.*

oriente s. m. *Para ver salir el Sol, debemos mirar hacia el* ***oriente*** (= hacia el Este).
SINÓN: este, levante. **ANTÓN:** occidente, oeste, poniente. **FAM:** *desorientar, orientación, orientador, oriental, orientar.*

orificio s. m. *No llega agua al depósito porque el* ***orificio*** *de entrada está taponado* (= el agujero).
SINÓN: agujero.

origen s. m. **1.** *Para encontrar el error en el cálculo volvió al* ***origen*** *de las operaciones* (= volvió al principio). **2.** *El mal estado de la carretera fue el* ***origen*** *del accidente* (= fue la causa). **3.** *Aunque nació en México, sus padres son de* ***origen*** *español* (= nacieron en España).
SINÓN: 1. comienzo, inicio, principio. **2.** causa, motivo. **ANTÓN: 1.** fin, final, término. **FAM:** *original, originar, originario.*

original adj. **1.** *Aunque habla muchos idiomas, su lengua* ***original*** *es el portugués* (= su lengua primera). **2.** *En los museos hay muchos cuadros* ***originales*** *pintados por grandes artistas* (= que no son copiados). **3.** *Nos sorprendió a todos con un vestido muy* ***original*** (= fuera de lo normal). ◆ **original** s. m. **4.** *Fotocopié el documento para conservar el* ***original*** *y entregar las copias* (= el documento del que se hacen copias).
SINÓN: 1. primero. **3.** extraño, singular. **ANTÓN: 3.** corriente, normal. **4.** copia. **FAM:** → *origen.*

originar v. tr. **1.** *Las fuertes lluvias* ***originaron*** *grandes inundaciones* (= fueron la causa de las inundaciones). ◆ **originarse** v. pron. **2.** ***Se originó*** *una gran confusión cuando se apagaron las luces del edificio* (= se formó una gran confusión).
SINÓN: 1. causar, producir. **2.** comenzar, empezar, formarse. **ANTÓN: 2.** acabarse, terminarse. **FAM:** → *origen.*

originario, a adj. *Aunque lleva muchos años en Argentina, su familia es* ***originaria*** *de Italia* (= procedente de Italia).
SINÓN: natural, oriundo, procedente. **FAM:** → *origen.*

orilla s. f. **1.** *Caminábamos en fila por la* ***orilla*** *del camino* (= por el margen del camino). **2.** *En la* ***orilla*** *del mar, un niño echaba agua y arena en su cubo* (= en el límite entre la tierra y el agua del mar).
SINÓN: 1. borde, extremo, margen. **2.** ribera.

orina s. f. *El médico le aconsejó que se hiciera un análisis de* ***orina*** (= líquido amarillento que procede de los riñones y que expulsamos fuera del cuerpo).
FAM: *orinal, orinar, urinario, urología, urólogo.*

orinal s. m. *Debajo de la cama del enfermo hay un* ***orinal*** (= un recipiente donde orina).
FAM: → *orina.*

orinar v. intr. **1.** *En el colegio, pedimos permiso cuando queremos* ***orinar****.* ◆ **orinar** v. tr. **2.** *Ernesto sufrió un fuerte golpe en el riñón y* ***orinó*** *sangre* (= la expulsó fuera del cuerpo).
FAM: → *orina.*

oriundo, a adj. *Aunque vive en Asunción, no es* ***oriundo*** *de Paraguay* (= nacido en Paraguay).
SINÓN: natural, originario, procedente.

ornar v. tr. → **adornar**.

oro s. m. **1.** *En las joyerías venden objetos de* ***oro*** (= metal precioso y de gran valor). ◆ **oros** s. m. pl. **2.** *La baraja española tiene cuatro clases de cartas: las espadas, los bastos, las copas y los* ***oros*** ◆ **oro negro 3.** → **petróleo**. ◆ **a precio de oro 4.** *Como eran las primeras cerezas de la temporada, me las vendieron* ***a precio de oro*** (= a un precio muy elevado). ◆ **el oro y el moro 5.** *Me prometieron* ***el oro y el moro*** *y al final no me dieron nada* (= me prometieron mucho). ◆ **llenarse de oro 6.** ***Se llenó de oro*** *con aquel negocio* (= se enriqueció).

orquesta s. f. *Escuchamos el concierto de música clásica que interpretaba la* ***orquesta*** (= un conjunto de músicos que tocan diferentes instrumentos).

orquídea s. f. La **orquídea** es una flor de formas y colores muy vistosos.

ortiga s. f. La **ortiga** es una planta cubierta de unos pelos que al rozar con la piel producen una irritación muy molesta.

ortografía s. f. La **Ortografía** es la parte de la Gramática que nos enseña a escribir correctamente las palabras.
FAM: *ortográfico.*

ortográfico, a adj. *En la carta que recibí había una incorrección* ***ortográfica*** (= una palabra mal escrita).
FAM: *ortografía.*

ortopedia s. f. La **ortopedia** es la prevención, tratamiento y corrección de las deformidades físicas mediante prótesis o miembros artificiales.
FAM: *ortopédico.*

ortopédico, a adj. *Después del accidente, Juan tuvo que llevar un aparato* ***ortopédico*** *para poder caminar mejor* (= un aparato destinado a ayudar a caminar).
FAM: *ortopedia.*

oruga s. f. Las **orugas** son larvas que se transforman en insectos.

os Es un pronombre personal. VER CUADRO DE PRONOMBRES PERSONALES.

osadía s. f. **1.** *Este niño tuvo la* ***osadía*** *de responder mal al profesor* (= el atrevimiento). **2.** *Su* ***osadía*** *fue enorme al entrar en el edificio que estaba en llamas* (= su valentía).
SINÓN: **1.** descaro, insolencia. **1, 2.** atrevimiento. **2.** audacia, imprudencia, valentía. ANTÓN: **1.** consideración. **2.** prudencia. FAM: *osar.*

osar v. intr. *Ángel* ***osó*** *lanzarse al mar desde una gran altura* (= se atrevió).
SINÓN: arriesgarse, atreverse. ANTÓN: evitar. FAM: *osadía.*

oscilar v. intr. **1.** *La lámpara que colgaba del techo de la terraza* ***oscilaba*** *con el fuerte viento* (= se movía en continuo vaivén). **2.** *La temperatura del desierto* ***oscila*** *entre el día y la noche* (= cambia mucho).
SINÓN: **1.** balancear, mecer. **2.** variar.

oscurecer v. tr. **1.** *Al comenzar la película,* ***oscurecieron*** *la sala* (= apagaron las luces). **2.** *Tantas palabras técnicas* ***oscurecen*** *el texto* (= hacen difícil su comprensión). **3.** *Luis* ***oscureció*** *su dibujo, ensombreciendo una de sus partes, para hacer resaltar las demás.* ◆ **oscurecer** v. intr. **4.** *En verano* ***oscurece*** *más tarde que en invierno* (= anochece más tarde). ◆ **oscurecerse** v. pron. **5.** *Si el cielo sigue* ***oscureciéndose*** *no tardará en llover* (= si sigue nublándose).
SINÓN: **1.** apagar. **1, 3.** ensombrecer. **2.** complicar, confundir. **4.** anochecer. **5.** cubrirse, nublarse. ANTÓN: **1.** alumbrar, iluminar. **1, 2, 4.** aclarar. **4.** amanecer. **5.** aclararse, despejarse.
FAM: → *oscuro.*

oscuridad s. f. **1.** *La* ***oscuridad*** *me impidió verlo con claridad* (= la falta de luz). **2.** *Pedro se expresó con tanta* ***oscuridad*** *que no entendimos nada* (= con tanta confusión).
SINÓN: **1.** penumbra, tiniebla. **2.** complejidad, complicación, confusión. ANTÓN: **1.** luminosidad, luz. **1, 2.** claridad. **2.** brillantez, sencillez. FAM: → *oscuro.*

oscuro, a adj. **1.** *Era una habitación* ***oscura*** *en la que apenas distinguíamos los muebles* (= sin luz ni claridad). **2.** *El traje de mi padre es azul* ***oscuro*** (= casi negro). ◆ **a oscuras 3.** *Al cerrar la persiana, la habitación se quedó* ***a oscuras*** (= sin luz).
SINÓN: **1.** sombrío, tenebroso. ANTÓN: **1.** iluminado. **1, 2.** claro. FAM: *oscurecer, oscuridad.*

óseo, a adj. *Mi abuelo padece una enfermedad* ***ósea*** (= de los huesos).
FAM: *hueso.*

osezno s. m. El **osezno** es el cachorro del oso.
FAM: *oso.*

oso, a s. **1.** El **oso** es un mamífero omnívoro de gran tamaño, de pelaje largo y espeso, orejas redondas y hocico puntiagudo. ◆ **oso hormiguero 2.** El **oso hormiguero** es un mamífero sin dientes, de cola larga, largo hocico y larga lengua que utiliza para alimentarse de hormigas.
FAM: *osezno.*

ostentación s. f. **1.** *Carmen mostró con* ***ostentación*** *sus excelentes notas* (= con orgullo). **2.** *Los palacios reales están decorados con gran* ***ostentación*** (= con mucho lujo).
SINÓN: **1.** orgullo, vanidad. **2.** lujo, pompa. ANTÓN: **1, 2.** humildad, modestia, sencillez. FAM: *ostentar.*

ostentar v. tr. **1.** ***Ostentaba*** *con orgullo todas sus medallas* (= las exhibía). **2.** *Mi tío* ***ostenta*** *el cargo de vicepresidente de una asociación protectora de animales* (= posee este cargo).
SINÓN: **1.** exhibir, lucir, presumir. **2.** ocupar, poseer, tener. ANTÓN: **1.** esconder, ocultar. FAM: *ostentación.*

ostra s. f. La **ostra** es un molusco marino de concha muy áspera y de carne muy apreciada como alimento.

otitis s. f. *Se puso unas gotas en el oído para curarse la* ***otitis*** *que padecía* (= una inflamación de los oídos que produce mucho dolor).
FAM: → *oír.*

otoñal adj. *A mí me agrada contemplar el paisaje* ***otoñal*** (= típico del otoño).
FAM: *otoño.*

otoño s. m. *Durante el* ***otoño*** *los árboles pierden las hojas* (= durante la estación del año entre el verano y el invierno).
FAM: *otoñal.*

otorgar v. tr. *El capitán* ***otorgó*** *a los soldados el permiso que le habían solicitado* (= les dio lo que habían pedido).
SINÓN: conceder, dar. ANTÓN: quitar, rehusar, retirar.

otro, a adj. indef. **1.** *Hoy leo* ***otro*** *libro* (= un libro distinto del que leí ayer). **2.** *Se ha comido* ***otra*** *manzana* (= una más). ◆ **otro, a** pron. indef. **3.** *Yo no quiero hacerlo, que lo haga* ***otro.***

ovación s. f. *Al terminar el concierto, los músicos recibieron una gran* ***ovación*** (= muchos aplausos).
SINÓN: aplauso, palmas.

ovalado, a adj. *El huevo tiene forma* ***ovalada*** (= su forma es curva y alargada).
FAM: *óvalo.*

óvalo s. m. El **óvalo** es la figura que sale al dibujar un huevo.
FAM: *ovalado.*

ovario s. m. **1.** El **ovario** es la parte de la planta que contiene las semillas. **2.** En los animales hembra, es el órgano que se encarga de la formación de los óvulos.

oveja s. f. La **oveja** es un mamífero herbívoro muy apreciado por su carne, su lana y su leche. Es la hembra del carnero.
FAM: *ovino.*

overol s. m. Amér. *Se puso un **overol** para no ensuciarse mientras arreglaba el auto* (= prenda de una sola pieza, de tela gruesa y resistente, compuesta de pantalón y pechera con tirantes).
SINÓN: mameluco.

ovillo s. m. *Le faltaba un **ovillo** de lana para terminar el suéter que estaba tejiendo* (= una bola de lana enrollada).
SINÓN: madeja.

ovino, a adj. *El pastor bajó del monte el ganado **ovino*** (= las ovejas, los corderos y los carneros).
SINÓN: lanar. **FAM:** *oveja.*

ovíparo, a adj. Son **ovíparos** los animales que, como la gallina, se reproducen por huevos.

óvulo s. m. El **óvulo** es la célula sexual femenina que se une en la fecundación con la célula masculina formando un nuevo ser.

oxidar v. tr. *La humedad del mar **ha oxidado** las piezas de hierro del barco* (= las ha cubierto de una capa rojiza).
FAM: → *oxígeno.*

óxido s. m. *El **óxido** se obtiene combinando oxígeno con un metal.*
FAM: → *oxígeno.*

oxigenarse v. pron. *En el campo **nos oxigenamos*** (= respiramos aire puro sin contaminar).
SINÓN: airearse. **FAM:** → *oxígeno.*

oxígeno s. m. *Sin **oxígeno** los animales y las plantas no pueden vivir* (= gas existente en el aire y el agua imprescindible para la respiración de los seres vivos).
FAM: *inoxidable, oxidar, óxido, oxigenarse.*

oyamel s. m. Méx. *Para la casa de campo compraron muebles rústicos de **oyamel*** (= especie de pino que crece en lugares fríos y de gran altitud).

oyente adj. **1.** *Todos los que han llamado son **oyentes** habituales de este programa de radio* (= personas que cada día escuchan el programa.). ◆ **oyente** s. **2.** *En clase de literatura hay dos **oyentes*** (= dos alumnos que asisten al curso sin estar matriculados).
FAM: → *oír.*

P s. f. La **p** *(pe)* es la decimoséptima letra del abecedario español.

pabellón s. m. **1.** *Visitamos los diversos **pabellones** de la feria* (= los diversos edificios que la forman). **2.** *En cada **pabellón** del campamento dormían doce soldados* (= en cada tienda de campaña).
SINÓN: **1.** edificio. **2.** tienda.

paca s. f. *Detrás de esos matorrales se ha escondido una **paca*** (= mamífero roedor sudamericano de hocico puntiagudo, patas y cola cortas y pelaje pardo rojizo).

pacer v. intr. *En el monte **pace** el ganado* (= come la hierba del campo).
SINÓN: pastar. FAM: *apacentar.*

pachorra s. f. *Trabaja con **pachorra**, como si tuviera sueño* (= con indolencia y tardanza).

pachorriento, a adj. Amér. Cent., Merid. *En las zonas muy tórridas, la gente suele ser muy **pachorrienta*** (= actúa con lentitud).
SINÓN: calmo, lento. ANTÓN: rápido, veloz.

pachucho, a adj. Amér. Cent., Merid. *Se lo veía callado y **pachucho*** (= flojo, alicaído).

paciencia s. f. **1.** *La estudiante esperaba con **paciencia** el resultado del examen* (= con tranquilidad). **2.** *Aquel enfermo aguanta con **paciencia** el dolor* (= con resignación).
SINÓN: **1.** calma, serenidad, tranquilidad. **2.** aguante, resignación, temple. ANTÓN: **1.** inquietud, intranquilidad, nerviosismo. **2.** desesperación. FAM: *paciente.*

paciente adj. **1.** *Jaime soportó **paciente** las bromas pesadas de sus amigos* (= con paciencia). ◆ **paciente** s. **2.** *El médico visita a sus **pacientes** cada día* (= a los enfermos).
SINÓN: **1.** tranquilo, sufrido. **2.** enfermo. ANTÓN: **1.** impaciente, inquieto. FAM: *paciencia.*

pacificar v. tr. **1.** *Tras varios meses de enfrentamiento, el ejército **pacificó** la región* (= estableció la paz y el orden). ◆ **pacificarse** v. pron. **2.** *Después de tantas discusiones por fin **se pacificaron** los ánimos* (= se calmaron).
SINÓN: **2.** apaciguarse, calmarse, sosegarse, tranquilizarse. ANTÓN **1.** armarse, sublevarse. FAM: → *paz.*

pacífico, a adj. **1.** *Me gustaría vivir en un país **pacífico** en el que no existiera la violencia* (= en un país que quiere o busca la paz). **2.** *Es hombre muy **pacífico** al que no le gustan las discusiones* (= muy tranquilo).
SINÓN: **2.** apacible, benigno, bonachón, pausado, sereno, sosegado, tranquilo. ANTÓN: **1, 2.** violento. **2.** inquieto, nervioso. FAM: → *paz.*

pacifista s. m. f. *Los **pacifistas** se han manifestado en contra de las armas y a favor de la paz* (= los partidarios de la paz).
FAM: → *paz.*

pactar v. tr. **1.** *Los ejércitos **han pactado** el fin de la guerra* (= han acordado finalizar la guerra). **2.** *El Gobierno **pacta** con los trabajadores el aumento de sueldo* (= ambos llegan a un acuerdo).
SINÓN: acordar, comprometerse, tratar, convenir. ANTÓN: desentenderse, oponerse. FAM: *pacto.*

pacto s. m. *Estos dos países firmaron un **pacto** para no atacarse mutuamente* (= firmaron una alianza mediante la cual se comprometieron a no atacar).
SINÓN: acuerdo, alianza, arreglo, convenio, tratado. ANTÓN: desacuerdo, discordia, hostilidad, ruptura. FAM: *pactar.*

padecer v. tr. **1.** *El niño **padecía** fuertes dolores de cabeza* (= sufría dolores de cabeza). **2.** *La madre **padecía** con gran dolor, el sufrimiento de su hijo* (= lo soportaba). ◆ **padecer** v. intr. **3.** *Mi abuelo **padece** del corazón* (= tiene una enfermedad en el corazón).
SINÓN: **1, 2, 3.** sufrir. **2.** soportar, aguantar. ANTÓN: disfrutar, gozar. FAM: → *pasión.*

padrastro s. m. *Después de la muerte del padre de Pedro, su madre se volvió a casar; su segundo marido es el **padrastro** de Pedro.*
FAM: → *padre.*

padre s. m. **1.** *El señor Torres es **padre** de tres hijos* (= es un hombre con tres hijos). **2.** *El **padre** Antonio es el sacerdote de esta iglesia.* **3.** *De la Cierva es el **padre** del helicóptero* (= es su inventor). ◆ **padres** s. pl. **4.** *Yo quiero mucho y respeto a mis **padres*** (= tanto a mi padre como a mi madre).
SINÓN: **1.** papá. **2.** sacerdote, religioso. **3.** autor, creador, inventor. FAM: *apadrinar, compadre, padrastro, padrino, paternal, paternidad, paterno.*

padrino s. m. **1.** *Cuando lo bautizaron, le pusieron el mismo nombre que su **padrino*** (= que la persona que se compromete a cuidarlo si sus padres no pueden hacerlo). **2.** *En aquella situación difícil, Carlos fue mi **padrino*** (= fue mi protector).
SINÓN: protector, tutor. **FAM:** → *padre.*

padrón s. m. *Cuando vayas a vivir a otra ciudad, tienes que ir al Registro Civil para que incluyan tu nombre en el **padrón*** (= en la lista de residentes de la localidad).
SINÓN: censo, lista. **FAM:** *empadronarse.*

paella s. f. La **paella** es el plato típico de algunas regiones españolas hecho con arroz, pescado, carne, mariscos, legumbres y condimentado con azafrán.
FAM: *paellera.*

paellera s. f. *Mi madre prepara la paella en una **paellera*** (= en una sartén grande con dos asas).
SINÓN: sartén. **FAM:** *paella.*

paga s. f. **1.** *Mi padre cobra la **paga** el día treinta de cada mes* (= el sueldo). **2.** *La invitó a cenar como **paga** a sus favores* (= como agradecimiento).
SINÓN: 1. jornal, mensualidad, salario, sueldo. **2.** agradecimiento, recompensa. **FAM:** → *pagar.*

pagano, a adj. *El Cristianismo se impuso sobre las religiones **paganas** de Grecia y Roma* (= religiones que creían en varios dioses).

pagar v. tr. **1.** *Juan **pagó** 90 pesos por el libro que compró* (= le costó esa cantidad de dinero). **2.** *Te **pagaré** el favor con un beso* (= te lo recompensaré con un beso). **3.** ***Pagó** su falta de atención con un reprobado* (= sufrió las consecuencias).
SINÓN: 1. abonar. **2.** corresponder, premiar, recompensar, reconocer. **ANTÓN: 1, 2.** adeudar, deber. **FAM:** *paga, pago.*

página s. f. *Leí algunas **páginas** del libro* (= leí lo que estaba impreso en cada cara de las hojas).
SINÓN: plana.

pago s. m. **1.** *No me hicieron el **pago** por mi trabajo* (= no me dieron la cantidad de dinero que me debían). **2.** *En **pago** de su participación le concedieron una medalla de honor* (= como reconocimiento). R. de la Plata **3.** *Los emigrantes siempre sueñan con volver al **pago*** (= lugar en que una persona ha nacido).
SINÓN: 1. abono. **2.** premio, recompensa, reconocimiento. **FAM:** → *pagar.*

pagoda s. f. En algunos países orientales como China, India y Japón, los templos se llaman **pagodas**.

paila s. f. Amér. Merid. *Muchos platos regionales se cuecen al fuego en una **paila*** (= sartén de gran tamaño).

país s. m. *Venezuela es un **país** de América* (= una nación).
SINÓN: estado, nación. **FAM:** *paisaje, paisajista, paisano.*

paisaje s. m. *Desde la torre del castillo se descubre un bonito **paisaje*** (= una vista del conjunto de la región).
SINÓN: panorama, vista. **FAM:** → *país.*

paisajista s. *Este pintor es un gran **paisajista*** (= pinta muy bien los paisajes).
SINÓN: pintor. **FAM:** → *país.*

paisano, a adj. **1.** *En Londres, me encontré con un chico **paisano** mío* (= que había nacido en el mismo pueblo que yo). ◆ **paisano, a** s. **2.** *Los **paisanos** no se acostumbran a vivir en la ciudad* (= los hombres del campo). **3.** *A la ceremonia acudieron tres militares; el resto eran **paisanos*** (= no eran militares). ◆ **de paisano** **4.** *Cuando salen del cuartel de permiso, los soldados se visten **de paisano*** (= no visten el uniforme militar).
SINÓN: 1. compatriota. **2.** aldeano, campesino. **3.** civil. **ANTÓN: 1.** extranjero, forastero. **2.** ciudadano. **3.** militar. **FAM:** → *país.*

paja s. f. **1.** *Cuando se trilla el trigo, se separa el grano de la **paja*** (= del tallo seco). **2.** *Pedro bebe la limonada con una **pajita*** (= con un pequeño tubo de material plástico).
SINÓN: 2. popote. **FAM:** *pajar.*

pajar s. m. **1.** *El campesino guardó la paja en el **pajar*** (= en el lugar destinado a ese fin). ◆ **una aguja en un pajar** **2.** *Tratar de encontrarlo era tan difícil como buscar **una aguja en un pajar*** (=algo imposible).
FAM: *paja.*

pajarera s. f. *Vimos varios pájaros tropicales en las **pajareras** del zoológico* (= en unas jaulas grandes con barrotes de hierro para que no se escapen los pájaros).
SINÓN: jaula. **FAM:** → *pájaro.*

pajarería s. f. *Estos pájaros los compré en la **pajarería*** (= en la tienda donde venden pájaros).
FAM: → *pájaro.*

pajarita s. f. *Pedro se distrae haciendo **pajaritas** de papel* (= doblando el papel hasta conseguir la forma de un pájaro).
FAM: → *pájaro.*

pájaro s. m. *El gorrión, el mirlo y el papagayo son **pájaros*** (= aves de pequeño tamaño).
FAM: *pajarera, pajarería, pajarita.*

pajarón, ona adj. Amér. Merid. *Si no fuera tan **pajarón**, no lo hubieran embaucado* (= que se distrae con facilidad).
SINÓN: despistado, distraído, olvidadizo. **ANTÓN:** atento. **FAM:** *pájaro.*

paje s. m. *Antiguamente, algunos señores tenían **pajes** que los acompañaban y los servían* (= criados jóvenes).

pajonal s. m. Amér. Merid. *Mi perro se perdió en un* ***pajonal*** (= lugar húmedo cubierto de maleza).
FAM: *paja.*

pajuerano, a adj. Amér. Merid. *A los* ***pajueranos*** *no les gusta el bullicio de las ciudades* (= campesinos que van a vivir a la ciudad).

pala s. f. **1.** *Los obreros descargaban la arena del camión con* ***palas*** (= con unas herramientas con un mango largo y una plancha generalmente de hierro o madera y de forma rectangular o redonda). **2.** *Jugamos al frontón con* ***palas*** (= con tablas de madera de forma redondeada, con las que golpeamos la pelota).
FAM: *paleta, paletilla.*

palabra s. f. **1.** *Los animales no están dotados de la* ***palabra*** (= no pueden hablar). **2.** *Tengo que buscar en el diccionario el significado de la* ***palabra*** átomo (= del término *átomo*). **3.** *¿Me das tu* ***palabra*** *de que no se lo contarás a nadie?* (= ¿Me das tu promesa?). **4.** *Cuando lo creyó oportuno, pidió la* ***palabra*** *para hablar en público* (= pidió el derecho a intervenir). ◆ **palabra compuesta 5.** Sacacorchos *es una* ***palabra compuesta*** (= está formada a su vez por dos palabras). ◆ **dejar** a alguien **con la palabra en la boca 6.** *Me interrumpió* ***dejándome con la palabra en la boca*** (= no me dejó terminar lo que pensaba decir). ◆ **dirigir la palabra 7.** *Como estaba enojado conmigo no* ***me dirigió la palabra*** *en toda la tarde* (= no me habló en toda la tarde). ◆ **faltar palabras 8.** *Me* ***faltan palabras*** *para expresar la alegría que siento* (= no puedo expresar mi alegría por la emoción que siento). ◆ **medir las palabras 9.** *La próxima vez* ***mide*** *mejor* ***tus palabras*** *y no te equivocarás* (= vigila lo que dices). ◆ **quitar la palabra de la boca 10.** *Se me anticipó y* ***me quitó la palabra de la boca*** (= dijo lo mismo que yo iba a decir). ◆ **última palabra 11.** *La* ***última palabra*** *de este caso la tiene el juez* (= la decisión final es del juez).
SINÓN: **1.** habla, lenguaje. **2.** término, vocablo, voz. **3.** compromiso, promesa. **4.** turno. FAM: *apalabrar, palabrota.*

palabrota s. f. *Es un maleducado; se pasa el día diciendo* ***palabrotas*** (= diciendo groserías).
SINÓN: insulto, grosería. FAM: → *palabra.*

palacio s. m. *Los reyes viven en* ***palacios*** (= en edificios grandes y lujosos).
SINÓN: mansión.

paladar s. m. **1.** *La leche estaba muy caliente y me quemé la lengua y el* ***paladar*** (= la parte superior del interior de la boca). **2.** *Enseguida nota si el vino es bueno porque tiene un* ***paladar*** *muy fino* (= el sentido del gusto).
SINÓN: **2.** gusto. FAM: *paladear.*

paladear v. tr. *Le gusta* ***paladear*** *la comida* (= saborearla lentamente).
SINÓN: catar, gustar, probar, saborear. FAM: *paladar.*

palanca s. f. *Esta barra de hierro me sirvió de* ***palanca*** *para levantar ese peso* (= pieza larga que se apoya en un punto y que sirve para levantar pesos).

palangana s. f. *Echó agua en la* ***palangana*** *para lavarse las manos* (= en un recipiente grande, portátil, que sirve para lavarse).

palco s. m. *Toda la familia presenció la obra de teatro sentada en el mismo* ***palco*** (= en un espacio cerrado, en forma de balcón, con varios asientos).

palenque s. m. Amér. Merid. *Cuando terminó la cabalgata, atamos los caballos al* ***palenque*** (= poste o serie de postes a los que se sujetan los caballos para que no se escapen). Méx. **2.** *Abrieron un* ***palenque*** *en los arrabales* (= lugar donde se exhiben riñas de gallos y otros espectáculos por el estilo).
FAM: *palo.*

paleolítico, a adj. *En el Museo de Arqueología podemos observar numerosas muestras de arte* ***paleolítico*** (= del primer período de la prehistoria).

palestino, a adj. **1.** *Las aguas del río Jordán bañan el territorio* ***palestino*** (= de Palestina). ◆ **palestino, a** s. **2.** *Los* ***palestinos*** *son las personas nacidas en Palestina.*

paleta s. f. *1. El pintor sujeta con la mano izquierda la* ***paleta*** (= la tabla de madera donde tiene los colores que va a utilizar). Amér. **2.** *En el parque venden* ***paletas*** *de caramelo* (= dulces, golosinas o helados que envuelven un palito con el que se los sostiene).
FAM: → *pala.*

paletilla s. f. Las **paletillas** son cada uno de los dos huesos anchos, planos y de forma triangular de la espalda.
SINÓN: omóplato. FAM: → *pala.*

paliacate s. m. Méx. Los **paliacates** son pañuelos grandes, hechos con telas estampadas en vistosos colores.

paliar v. tr. **1.** *El médico le recetó unas pastillas para* ***paliar*** *el dolor de muelas* (= para hacer menor el dolor). **2.** *Intentaban* ***paliar*** *el escándalo con palabras tranquilizadoras* (= intentaban disminuir su importancia).
SINÓN: aminorar, disminuir, moderar, suavizar. ANTÓN: agravar, aumentar.

palidecer v. intr. **1.** ***Palideció*** *al contemplar el accidente* (= quedó pálido, sin color). **2.** *Su belleza* ***palidece*** *con el paso del tiempo* (= va disminuyendo).
FAM: → *pálido.*

palidez s. f. *Me preocupa la* ***palidez*** *de tu cara* (= la pérdida de color rosado de tu cara).
ANTÓN: color. FAM: → *pálido.*

pálido, a adj. **1.** *Ha estado enfermo y aún está* ***pálido*** (= el color de su cara es muy blanco). **2.** *En esta tela contrastan las rayas de color rojo vivo con las de color rosa* ***pálido*** (= poco intenso).
SINÓN: **1.** lívido. ANTÓN: **1.** colorado. **2.** intenso, vivo. FAM: *palidecer, palidez.*

palillero s. m. *Pon los palillos en el* ***palillero*** (= en el recipiente donde se colocan los palillos de dientes).
FAM: → *palo.*

palillo s. m. **1.** *Antes de lavarme los dientes me quito los restos de comida con un* ***palillo*** (= con un mondadientes). **2.** *Tocaba el tambor con los* ***palillos*** (= con dos varillas de madera). **3.** *Como no come está hecho un* ***palillo*** (= está muy delgado). ◆ **palillos** s. pl. **4.** *En China utilizan para comer* ***palillos*** *en vez de cubiertos* (= dos varas pequeñas generalmente de madera, utilizadas para tomar los alimentos en algunos países orientales).
SINÓN: **1.** mondadientes. FAM: → *palo.*

paliza s. f. **1.** *Antes de robarle la cartera, los ladrones le dieron una* ***paliza*** (= le dieron muchos golpes). **2.** *Está descansando de la* ***paliza*** *que se ha dado trabajando tantas horas* (= del esfuerzo que ha realizado). **3.** *Nos dieron una* ***paliza*** *marcándonos doce goles* (= tuvimos una gran derrota).
SINÓN: **1.** zurra. FAM: → *palo.*

palma s. f. **1.** La **palma** es un árbol de tronco recto y alto, sin ramas, con hojas verdes recortadas y puntiagudas. **2.** *El Domingo de Ramos fuimos a bendecir las* ***palmas*** (= las hojas de la palmera, especialmente las de color amarillo). **3.** *Me dio un golpe en la espalda con la* ***palma*** *de la mano* (= con la parte interior de la mano). ◆ **palmas** s. f. pl. **4.** *Al terminar la representación, el público batió* ***palmas*** (= aplaudió fuertemente). ◆ **llevarse las palmas 5.** *En los concursos de dibujo, siempre es Ana la que* ***se lleva las palmas*** (= siempre es la mejor).
SINÓN: **1.** palmera. **4.** aplauso, ovación, palmada. FAM: *palmada, palmera, palmeral, palmero, palmo.*

palmada s. f. **1.** *Me saludó dándome una* ***palmada*** *en el hombro* (= un golpe suave con la palma de la mano). **2.** *Alrededor del estadio se oían las* ***palmadas*** *de los espectadores* (= los aplausos del público).
SINÓN: **1.** golpe. **2.** aplauso, palma, ovación. FAM: → *palma.*

palmar s. m. *En la provincia argentina de Entre Ríos es famoso el* ***palmar*** *de la ciudad de Colón* (=un lugar poblado de palmeras).
FAM: → *palma.*

palmera s. f. La **palmera** es un árbol sin ramas, de tronco recto y alto, con hojas verdes, recortadas y puntiagudas.
FAM: → *palma.*

palmito s. m. Amér. *Para la cena, mamá preparó una ensalada de* ***palmitos*** (= cogollos tiernos de cierta palmera de cultivo).
FAM: → *palma.*

palmo s. m. *Esta mesa mide siete* ***palmos*** (= la distancia que va del dedo pulgar al meñique con la mano extendida).
SINÓN: cuarta. FAM: → *palma.*

palo s. m. **1.** *El agricultor golpeaba el olivo con un* ***palo*** *para que cayeran las aceitunas* (= con un trozo de madera, largo y cilíndrico). **2.** *La baraja española se divide en cuatro* ***palos:*** *oros, copas, espadas y bastos.* **3.** *El velero tiene tres* ***palos*** *que sostienen las velas* (= tres maderos redondos).
SINÓN: **1.** bastón, vara. FAM: *apalear, palillero, palillo, paliza.*

paloma s. f. La **paloma** es un ave de la que existen muchas variedades; es de cuerpo rechoncho y de vuelo muy rápido. Es el símbolo de la paz.
SINÓN: tórtola. FAM: *palomar, palomitas, palomo.*

palomar s. m. *He estado en el* ***palomar*** *poniendo comida a las palomas* (= en el sitio donde viven y se crían las palomas).
FAM: → *paloma.*

palomitas s. f. pl. *Me comí una bolsa de* ***palomitas*** *viendo la película* (= de granos de maíz tostado).
FAM: → *paloma.*

palomo s. m. El **palomo** es el macho de la paloma.
FAM: → *paloma.*

palpar v. tr. **1.** *El médico* ***palpó*** *el vientre de Pedro para saber dónde le dolía exactamente* (= lo tocó con la mano). **2.** *En medio de la oscuridad* ***iba palpando*** *los muebles para no tropezar* (= iba tocándolos).
SINÓN: tocar.

palpitación s. f. *El señor García fue al médico porque siente* ***palpitaciones*** (= siente que su corazón late muy fuerte).
SINÓN: latido. FAM: *palpitar.*

palpitar v. intr. *Después de la carrera me* ***palpitaba*** *el corazón* (= me latía fuertemente).
SINÓN: latir. FAM: *palpitación.*

pálpito s. m. Amér. Merid. *Pedro tenía el* ***pálpito*** *de que iba a aprobar el examen de matemáticas* (= el presentimiento).
SINÓN: corazonada, presagio, sospecha, suposición. FAM: *palpar.*

palta s. f. Amér. Merid. *La* ***palta*** *se come en ensalada o condimentada con salsa mayonesa* (= fruto del palto).
SINÓN: aguacate. FAM: *palto.*

palto s. m. Amér. Merid. *Este año los* ***paltos*** *dieron muchos frutos* (= árbol de porte mediano y hojas brillantes, cuyo fruto es la palta).
FAM: *palta.*

pampa s. f. *Lo que más me gustó de Argentina fue la **pampa*** (= una llanura muy extensa y sin árboles).
SINÓN: llano, llanura, pradera.

pampero s. m. R. de la Plata. *El **pampero** anuncia la llegada de días fríos y secos* (= viento fuerte y frío que sopla del oeste en la llanura pampeana).
FAM: *pampa.*

pan s. m. *Cada día compramos dos kilos de **pan*** (= de una masa cocida de harina, agua, sal y levadura).
FAM: *empanada, empanadilla, empanar, panadería, panadero, panera.*

pana s. f. *Me compré un traje de **pana** para el invierno* (= de una tela gruesa parecida al terciopelo, pero de algodón y que forma una especie de surcos).

panadería s. f. *Fui a comprar pan a la **panadería*** (= al negocio donde se vende el pan).
FAM: → *pan.*

panadero, a s. *El **panadero** acaba de sacar los panecillos del horno* (= la persona que hace y vende el pan).
FAM: → *pan.*

panal s. m. *Las abejas vienen de aquel árbol porque allí han construido un **panal*** (= un lugar hecho con cera donde las abejas almacenan la miel).

panameño, a adj. **1.** *En la bandera **panameña** aparecen dos estrellas, una roja y otra azul* (= de Panamá). ◆ **panameño, a** s. **2.** *Los **panameños** son las personas nacidas en Panamá.*

pancarta s. f. *Los manifestantes llevaban una **pancarta*** (= un gran cartel con frases escritas por ellos).
SINÓN: cartel.

páncreas s. m. El **páncreas** es un órgano situado cerca del hígado; segrega un jugo que favorece la digestión.

panda s. m. El **panda** es un animal mamífero carnívoro parecido al oso, se caracteriza por tener el pelo blanco y dos grandes manchas negras alrededor de los ojos.

pandereta s. f. *Juan cantaba villancicos y yo tocaba la **pandereta*** (= un instrumento musical de forma redonda que lleva unas chapas de hierro alrededor que al chocar entre ellas hacen sonido).
SINÓN: pandero. FAM: *pandero.*

pandero s. m. *Este **pandero** ya no suena bien porque la piel se ha aflojado* (= un instrumento de música de forma circular).
SINÓN: pandereta. FAM: *pandereta.*

pandilla s. f. *Mis amigos y yo formamos una **pandilla*** (= un grupo muy unido).
SINÓN: bando, grupo.

panel s. m. *Las puertas del armario están formadas por dos **paneles*** (= por dos superficies planas).

panela s. f. Amér. *A los niños pequeños les gusta mucho la **panela*** (= azúcar sin refinar).

panera s. f. *Pon el pan en la **panera** y llévalo a la mesa* (= en un cestillo sin asas que sirve para colocar el pan cortado y servirlo en la mesa).
FAM: → *pan.*

pánico s. m. *Al oír la explosión sentí **pánico*** (= tuve mucho miedo).
SINÓN: espanto, miedo, susto, temor, terror.
ANTÓN: calma, paz, serenidad, sosiego, tranquilidad.

panorama s. m. *Desde la colina se ve un hermoso **panorama*** (= una hermosa vista general).
SINÓN: paisaje, vista.

panqueque s. m. Amér. Merid. *Como postre o en la merienda se comen los **panqueques*** (= porción muy delgada de masa frita, que se cubre con dulce, queso, etcétera).

pantalla s. f. **1.** *He comprado una **pantalla** nueva para la lámpara de tu mesita de noche* (= una lámina que cubre el foco para que no moleste su luz). **2.** *La **pantalla** del cine es más grande que la de la televisión* (= la superficie de color claro en que se proyectan las imágenes).
SINÓN: **1.** lámina.

pantalón s. m. *Mi padre se compró unos **pantalones*** (= una prenda de vestir que cubre las piernas desde la cintura hasta los pies).

pantano s. m. *Había llovido tanto que se formaron **pantanos*** (= charcos, ciénagas).
SINÓN: ciénaga. FAM: *pantanoso.*

pantanoso, a adj. *Estos terrenos son **pantanosos** y no podrás atravesarlos con el coche* (= están llenos de charcos).
FAM: *pantano.*

panteón s. m. *La familia Rodríguez tiene en el cementerio un **panteón*** (= una tumba grande donde entierran a sus familiares muertos).
SINÓN: mausoleo, sepulcro, sepultura, tumba.

pantera s. f. La **pantera** es un mamífero salvaje, con manchas redondas y amarillentas en la piel. También se llama así al leopardo completamente negro.
SINÓN: leopardo.

pantógrafo s. m. *Los trolebuses funcionan con corriente eléctrica que les llega a través del **pantógrafo*** (= de una especie de brazo articulado colocado sobre ellos).

pantomima s. f. *En el teatro de la escuela representamos una **pantomima*** (= representación por figura y gesto sin palabras).

pantorrilla s. f. *He corrido mucho y me duele la **pantorrilla*** (= la parte de atrás de la pierna por debajo de la rodilla).

pantufla s. f. *Cuando me levanto de la cama me pongo unas* ***pantuflas*** (= unas zapatillas sin talón).
SINÓN: zapatilla.

panucho s. m. Méx. *En Yucatán es frecuente comer* ***panuchos*** *con pollo* (= tortilla rellena con frijoles y acompañada de carne o pollo guisado).

panza s. f. *Ese hombre tiene mucha* ***panza*** *porque come mucho* (= tiene mucha barriga).
SINÓN: abdomen, barriga, vientre. FAM: *panzada, panzudo.*

panzada s. f. *Se dio una* ***panzada*** *de comida* (= comió mucho).
SINÓN: atracón. FAM: → *panza.*

panzón, ona adj. *Si no fuera tan* ***panzón*** *no tendría tanta dificultad en atarse los zapatos* (= si no tuviera tanta barriga).
SINÓN: gordinflón, gordo. ANTÓN delgado, esbelto, flaco. FAM: → *panza.*

pañal s. m. *El bebé se había hecho pis y su madre le puso un* ***pañal*** *limpio* (= una especie de calzón de plástico que en su interior lleva un material absorbente).
SINÓN: envoltura. FAM: → *paño.*

paño s. m. **1.** *Para quitar el polvo de la mesa usé un* ***paño*** (= un trapo). **2.** *Mi padre se compró un traje de* ***paño*** (= un traje hecho con un tejido de lana). ◆ **estar en paños menores** **3.** *He tardado en abrirte la puerta porque* ***estaba en paños menores*** (= sólo llevaba la ropa interior).
FAM: *empañarse, pañal, pañuelo.*

pañuelo s. m. **1.** *La chica adornaba su cuello con un* ***pañuelo*** *de seda* (= con un trozo de tela cuadrado). **2.** *Sacó del bolsillo su* ***pañuelo*** *y se limpió el sudor* (= un trozo de tela).
FAM: → *paño.*

Papa s. m. El **Papa** o Sumo Pontífice es el jefe de la Iglesia Católica.
SINÓN: Pontífice, Santidad.

papa s. f. **1.** *Me gusta mucho comer* ***papas*** *fritas con salsa de tomate* (= patatas). R. de la Plata **2.** *Tienes una* ***papa*** *en la media* (= agujero).
SINÓN: patata.

papá s. m. *A mi padre lo llamo cariñosamente* ***papá.***

papada s. f. *Ese hombre está muy gordo y tiene mucha* ***papada*** (= tiene un abultamiento carnoso debajo de la barbilla).

papagayo s. m. El **papagayo** es un ave de hermoso colorido amarillo, verde y rojo, que repite palabras y frases simples.
SINÓN: loro.

papalote s. m. Ant., Méx. *Cuando hay viento, los niños aprovechan para jugar con los* ***papalotes*** (= cometas).
SINÓN: barrilete.

papaya s. f. La **papaya** es una fruta tropical de color amarillento y cáscara verde que tiene un sabor dulce parecido al del melón.

papel s. m. **1.** *Toma un* ***papel*** *y escribe tu nombre* (= una hoja). **2.** *José perdió un* ***papel*** *muy importante* (= un documento). **3.** *El actor representaba muy bien su* ***papel*** (= su personaje). **4.** *El subdirector hace el* ***papel*** *de jefe cuando falta el director* (= las funciones).
SINÓN: **1.** hoja. **2.** documento, impreso, manuscrito, pliego. **3.** personaje. **4.** cargo, cometido, función. FAM: *empapelado, empapelar, papeleo, papelera, papelería, papeleta.*

papeleo s. m. *Aunque tenga que hacer mucho* ***papeleo*** *voy a denunciar el robo del coche* (= aunque tenga que trajinar con muchos trámites).
FAM: → *papel.*

papelera s. f. *Debes tirar todos esos papeles a la* ***papelera*** *y no al suelo* (= al recipiente donde se echan los papeles).
SINÓN: cesta, cesto. FAM: → *papel.*

papelería s. f. *Compré estos cuadernos y estos lápices en la* ***papelería*** (= en la tienda donde se venden papeles y material escolar).
FAM: → *papel.*

papeleta s. f. *Siempre que hay elecciones voto depositando mi* ***papeleta*** *en la urna* (= un papel pequeño en el que está escrita mi elección).
FAM: → *papel.*

paperas s. f. pl. *He estado enfermo de* ***paperas*** (= se me ha inflamado la parte lateral del cuello).

papilla s. f. *El bebé toma una* ***papilla*** *porque todavía no puede masticar* (= una comida muy triturada).
SINÓN: crema.

papiro s. m. *Antiguamente, los egipcios escribían en* ***papiros*** (= en unas láminas de papel obtenidas del tallo de una planta).

paquete s. m. **1.** *El cartero trajo varias cartas y un gran* ***paquete*** (= un objeto envuelto en cartón y papel para facilitar su transporte). Amér. Merid. **2.** *Ana está siempre muy* ***paqueta*** (= bien vestida y acicalada).
SINÓN: **1.** bulto, envoltorio **2.** arreglado. FAM: *empacar, empaquetar, paquetear.*

paquetear v. intr. R. de la Plata. *Tu abuela* ***paquetea*** *incluso cuando va de compras* (= va bien vestida y acicalada).
SINÓN: acicalarse, arreglarse. FAM: *paquete.*

par adj. **1.** *Los números 2, 4, 6, 8 son números* ***pares*** (= porque se pueden dividir entre dos). ◆ **par** s. m. **2.** *Una pareja es un* ***par*** *de personas* (= dos personas). ◆ **de par en par** **3.** *Ha dejado abierta la puerta* ***de par en par*** *y hace mucho frío* (= la ha dejado totalmente abierta).
SINÓN: **2.** pareja. ANTÓN: impar. FAM: *impar.*

para Es una preposición. VER CUADRO DE PREPOSICIONES.

parábola s. f. **1.** *En clase la profesora nos ha leído una bonita* ***parábola*** (= una historia que nos aconsejaba ser más buenos). **2.** Una **parábola** es una curva geométrica.
SINÓN: **1.** enseñanza, moraleja.

parabrisas s. m. *Gracias al* ***parabrisas*** *el conductor se protege del viento, del polvo y de la lluvia* (= gracias al cristal delantero del coche).

paracaídas s. m. *La avioneta se descompuso y el piloto tuvo que lanzarse con un* ***paracaídas*** (= con un aparato de tela resistente que, abierto como una sombrilla, va disminuyendo la velocidad de la caída).
FAM: → *caer.*

paracaidista s. m. f. *Los* ***paracaidistas*** *descendían desde el avión colgados de sus paracaídas* (= las personas que se lanzan con paracaídas).
FAM: → *caer.*

parachoques s. m. *No tuve tiempo de frenar y choqué con el coche de delante pero sólo se abolló el* ***parachoques*** (= la barra que llevan los coches delante y detrás como protección).
SINÓN: defensa, paragolpes. **FAM:** → *chocar.*

parada s. f. *Había mucha gente en la* ***parada*** *porque hacía rato que no pasaba el autobús* (= en el lugar donde el autobús se detiene para que los pasajeros puedan subir o bajar).
SINÓN: estación, estacionamiento. **FAM:** → *parar.*

paradero s. m. *Mi gato se ha escapado y no sé cuál será su* ***paradero*** (= no sé dónde estará).
SINÓN: escondite, refugio. **FAM:** → *parar.*

parado, a adj. **1.** *No te bajes del coche hasta que no esté totalmente* ***parado*** (= hasta que no se haya detenido totalmente). Amér. **2.** *El acróbata estaba* ***parado*** *sobre una cuerda* (= de pie).
SINÓN: **1.** detenido, quieto. **FAM:** → *parar.*

paradoja s. f. *Es una* ***paradoja*** *que esta familia siendo tan pobre gaste tanto dinero* (= es una contradicción).
SINÓN: absurdo, contradicción, disparate. **ANTÓN:** lógica.

parador s. m. *Pasamos la noche en un* ***parador*** *de la carretera* (= en un hotel donde se puede comer y dormir).
SINÓN: hostal, fonda, mesón, posada. **FAM:** → *parar.*

paraguas s. m. *Empieza a llover, abre tu* ***paraguas*** (= el objeto compuesto de un bastón y de una tela impermeable que sirve para no mojarse con la lluvia).
FAM: *paragüero.*

paraguayo, a adj. **1.** *Asunción es la capital* ***paraguaya*** (= de Paraguay). ◆ **paraguayo, a** s. **2.** *Los* ***paraguayos*** *son las personas nacidas en Paraguay.*

paragüero s. m. **1.** *He llevado a arreglar el paraguas roto al* ***paragüero*** (= a la persona que arregla y hace paraguas). ◆ **2.** *Mete el paraguas en el* ***paragüero,*** *así no mojarás el suelo* (= en el mueble donde se colocan los paraguas).
FAM: *paraguas.*

paraíso s. m. **1.** *Dios creó a Adán y a Eva y los colocó en el* ***Paraíso*** (= en un jardín hermoso y apacible). **2.** *Me encanta estar en este pueblo porque es un* ***paraíso*** (= es un lugar muy bello y tranquilo).
SINÓN: **1.** cielo, edén. **ANTÓN:** **1.** infierno.

paraje s. m. *Di un paseo por aquellos* ***parajes*** *tranquilos* (= por aquellos lugares lejanos y solitarios).
SINÓN: lugar, sitio, zona.

paralelas s. f. pl. *Ese gimnasta es el campeón en los ejercicios en* ***paralelas*** (= de un aparato de gimnasia compuesto por dos barras paralelas).
FAM: → *paralelo.*

paralelo, a adj. **1.** *Estas dos calles son* ***paralelas*** (= una corre en igual sentido que la otra y no se cruzan en ningún lugar). ◆ **paralelo** s. m. **2.** *Se puede establecer un* ***paralelo*** *entre la vida de estas dos personas* (= se pueden comparar). **3.** *En el globo terrestre, los* ***paralelos*** *son círculos imaginarios que se sitúan por encima y por debajo del Ecuador.*
SINÓN: **2.** comparación, correspondencia, semejanza. **ANTÓN:** **2.** diferencia. **FAM:** *paralelas, paralelogramo.*

paralelogramo s. m. *El cuadrado, el rectángulo y el rombo son* ***paralelogramos*** (= son polígonos de cuatro lados paralelos dos a dos).
FAM: → *paralelo.*

parálisis s. f. *Este anciano sufre* ***parálisis*** *y no puede moverse* (= una enfermedad que impide el movimiento).
FAM: *paralítico, paralizar.*

paralítico, a adj. *Se quedó* ***paralítico*** *y tiene que ir en una silla de ruedas* (= se quedó con las piernas inmóviles).
SINÓN: impedido, inmóvil, inválido, lisiado. **FAM:** → *parálisis.*

paralizar v. tr. **1.** *La enfermedad le* ***ha paralizado*** *un brazo* (= no lo puede mover). **2.** ***Han paralizado*** *las obras del hotel hasta que la Municipalidad les conceda un permiso* (= las han parado).
SINÓN: **2.** cesar, detener. **ANTÓN** **1.** mover. **2.** continuar. **FAM:** → *parálisis.*

páramo s. m. *Después del huracán, el pueblo parecía un* ***páramo*** (= lugar desolado).

parar v. intr. **1.** *Ya puedes cerrar el paraguas porque* ***ha parado*** *de llover* (= ya no llueve). **2.** *Este tren* ***para*** *en todas las estaciones* (= se detiene). ◆ **parar** v. tr. **3.** *El arquero* ***paró*** *la pelota con las dos manos* (= la atrapó).◆ **pararse** v. pron. Amér. **4.** *Cuando llegó su jefe* ***se paró***

en señal de respeto (se puso de pie). ◆ **sin parar** **5.** *Hablaba **sin parar** y la profesora la castigó* (= todo el tiempo estaba hablando).
SINÓN: **1.** cesar. **2.** detener, frenar. **3.** atrapar, detener. **4.** incorporarse, levantarse. ANTÓN: **1, 2.** continuar, proseguir, seguir. FAM: *disparar, disparo, parada, paradero, parado, parador, paro, preparación.*

pararrayos s. m. *Aquella barra metálica que ves en lo alto de la catedral es un **pararrayos*** (= un aparato que protege los edificios de los rayos cuando hay tormenta).

parásito, a adj. **1.** *El agricultor echa insecticida a sus cosechas para matar a los insectos **parásitos** que destruyen las plantas* (= a los insectos que se alimentan de la savia de las plantas). ◆ **parásito** s. m. **2.** *Le hemos puesto al perro un collar que elimina los **parásitos** como las pulgas* (= los pequeños animales que se alimentan de su sangre).

parcela s. f. *Mi tío cultiva una **parcela** de la finca de esos señores* (= un pequeño terreno).
SINÓN: propiedad, solar, terreno, tierra. FAM: → *parte.*

parche s. m. **1.** *Reparé el agujero del pantalón con un **parche*** (= con un trozo de tela). **2.** *Esto que has hecho es un **parche,** se ha de arreglar mejor* (= es un pegote).
SINÓN: **1.** remiendo. **2.** pegote, retoque.

parcial adj. **1.** *Hoy tenemos un examen **parcial** de matemáticas* (= nos examinamos de una parte de la materia). **2.** *No me gustó el árbitro porque fue **parcial*** (= ayudó a un equipo más que a otro).
ANTÓN: **1.** completo, pleno, total. **2.** objetivo. FAM: → *parte.*

pardo, a adj. *Esta temporada se usa mucho el color **pardo*** (= el color semejante al de la tierra).

parecer v. intr. **1.** *Me **parece** mal que no ayudes a tu madre* (= creo que está mal). **2.** *Este niño **parece** tímido porque no habla con nadie* (= así lo aparenta). ◆ **parecerse** v. pron. **3.** *Estos dos hermanos **se parecen** mucho* (= son casi iguales).
SINÓN: **1.** considerar, creer, opinar, pensar. **2.** aparentar. **3.** igualarse. FAM: *aparecer, aparentar, aparente, aparición, apariencia, desaparecer, desaparición, parecido, reaparecer, reaparición.*

parecido, a adj. **1.** *Estos dos niños son muy **parecidos** porque son hermanos gemelos* (= son casi iguales). ◆ **parecido** s. m. **2.** *No veo ningún **parecido** entre tu dibujo y el mío* (= ninguna semejanza).
SINÓN: **1.** equivalente, idéntico, igual, semejante, similar. **2.** igualdad, semejanza, similitud. ANTÓN: **1.** desigual, diferente, distinto. **2.** diferencia, distinción. FAM: → *parecer.*

pared s. f. **1.** *La finca está rodeada por una **pared*** (= por un muro de piedra). **2.** *Esta **pared** separa mi habitación del comedor* (= este tabique).
ANTÓN: **1.** muro, tapia. **2.** tabique.

pareja s. f. **1.** *Alicia y Pedro forman una **pareja** muy simpática* (= son novios). **2.** *La **pareja** de Andrés en el concurso de televisión es su hija* (= la persona que concursa con él).
SINÓN: **1, 2.** par. **2.** acompañante, compañero. ANTÓN: **1, 2.** unidad, uno.

parentesco s. m. *¿Tienes algún **parentesco** con ese chico que tiene el mismo apellido que tú?* (= ¿son de la misma familia?).
SINÓN: lazo, relación. FAM: *pariente.*

paréntesis s. m. Es un signo ortográfico ( ) que se usa para aclarar algo dicho con anterioridad.

pariente s. m. f. *Como mi padre es hermano del tuyo, tú y yo somos **parientes*** (= pertenecemos a la misma familia).
SINÓN: familiar. ANTÓN: extraño. FAM: *parentesco.*

parietal s. m. Los **parietales** son los dos huesos que están situados a los dos lados del craneo.

parir v. intr. *La vaca está preñada y va a **parir** pronto* (= va a tener un ternero).
SINÓN: alumbrar, dar a luz, engendrar, procrear.

parisino, a adj. **1.** *Es muy elegante y siempre lleva la moda **parisina*** (= de París). ◆ **parisino, a** s. **2.** *Los **parisinos** son las personas nacidas en París.*

parlamentar v. intr. *Los representantes de los obreros **están parlamentando** con los jefes sobre el aumento de sueldo* (= están intentando llegar a un acuerdo).
SINÓN: conversar, charlar, hablar, negociar, tratar. FAM: → *parlamento.*

parlamentario, a adj. **1.** *Los debates **parlamentarios** sobre las nuevas leyes duraron hasta muy tarde* (= los efectuados en el Parlamento). ◆ **parlamentario, a** s. **2.** *Los **parlamentarios** elegidos en las elecciones acudieron a la primera sesión del Parlamento* (= los diputados y los senadores).
SINÓN: **2.** diputado, senador. FAM: → *parlamento.*

parlamento s. m. *El **Parlamento** votó un proyecto de ley* (= el conjunto de diputados y senadores).
FAM: *parlamentar, parlamentario.*

parlanchín, ina adj. *No le cuentes tu secreto a Juan porque es un hombre muy **parlanchín*** (= que habla mucho y explica lo que debía callarse).
SINÓN: charlatán, hablador, imprudente, indiscreto, inoportuno. ANTÓN: callado, discreto.

paro s. m. *Los empresarios amenazan con el **paro** total de la fábrica si los trabajadores no acaban la huelga* (= con la interrupción del trabajo).
SINÓN: detención, interrupción. ANTÓN: actividad. FAM: → *parar.*

parodia s. f. *El humorista hizo una* ***parodia*** *de un famoso cantante* (= hizo una imitación graciosa y con burla).
SINÓN: caricatura, imitación.

parpadear v. intr. **1.** *Le ha entrado algo en los ojos y por eso* ***parpadea*** *mucho* (= abre y cierra repetidamente los párpados). **2.** *El foco está mal puesto y por eso* ***parpadea*** (= se enciende y se apaga).
SINÓN: 1. guiñar, pestañear. **2.** oscilar. **FAM:** → *párpado.*

parpadeo s. m. **1.** *Cuando se pone nervioso no puede evitar el* ***parpadeo*** (= el guiño involuntario del ojo). **2.** *Desde mi habitación se veía el* ***parpadeo*** *de los letreros luminosos* (= cómo se apagaban y se encendían).
SINÓN: 1. guiño, pestañeo. **2.** oscilación. **FAM:** → *párpado.*

párpado s. m. *Las pestañas están en el borde de los* ***párpados*** (= en los pliegues de la piel que cubren y protegen los ojos).
FAM: *parpadear, parpadeo.*

parque s. m. **1.** *A la salida del colegio los niños iban al* ***parque*** *a columpiarse y a jugar* (= a un terreno cercado con muchos árboles, plantas y a veces columpios). ◆ **parque nacional 2.** *Hemos visitado un* ***parque nacional*** *que hay en Bariloche* (= una extensión donde hay animales y plantas que son cuidados y protegidos).
SINÓN: 1. jardín. **FAM:** *aparcamiento, aparcar.*

parqué s. m. *El suelo de la cocina de mi casa es de baldosas pero el del salón es de* ***parqué*** (= de maderas pequeñas y finas que forman dibujos geométricos).

parquímetro s. m. *En mi ciudad han instalado* ***parquímetros*** *en las calles más importantes* (= unos aparatos que sirven para controlar el tiempo que un coche está estacionado y la cantidad de dinero que se debe pagar).

parra s. f. *Mi padre está en el jardín podando la* ***parra*** (= la planta de la vid extendida sobre unos palos).

párrafo s. m. *El texto tiene tres* ***párrafos*** (= tres grupos de líneas separados por un punto y aparte).

parricida s. m. f. *El* ***parricida*** *ha sido encerrado en la cárcel* (= una persona que mató a su padre).
SINÓN: asesino.

parrilla s. f. **1.** *Asamos la carne en la* ***parrilla*** (= en una rejilla de hierro que colocamos sobre el fuego). Amér. **2.** *Iremos a cenar a una* ***parrilla*** (= restaurante especializado en la preparación de carnes asadas a las brasas).
SINÓN: 1. rejilla. **2.** parrillada. **FAM:** *parra.*

parrillada s. f. Amér. *Nos invitaron a una* ***parrillada*** (= comida consistente en carnes y achuras asadas a la parrilla).

párroco s. m. *En esta iglesia celebran misa el* ***párroco*** *y dos sacerdotes más* (= el cura que se encarga de una iglesia de barrio, pueblo o ciudad).
SINÓN: cura, padre, sacerdote. **ANTÓN:** laico, seglar. **FAM:** *parroquia.*

parroquia s. f. *Todos sus hijos fueron bautizados en la misma* ***parroquia*** *en la que se casaron ellos* (= en la misma iglesia).
SINÓN: iglesia, templo. **FAM:** *párroco.*

parte s. f. **1.** *Cada niño comió la* ***parte*** *del pastel que le correspondía* (= el trozo). **2.** *En alguna* ***parte*** *he dejado las llaves pero no sé dónde* (= en algún lugar). **3.** *Sólo he leído la primera* ***parte*** *del libro* (= los primeros capítulos). **4.** *Ya tengo una gran* ***parte*** *de los libros de la colección* (= una gran cantidad). ◆ **parte** s. m. **5.** *Ahora darán el* ***parte*** *meteorológico y sabremos si mañana lloverá* (= la información del tiempo). ◆ **de parte de 6.** *Te traigo este paquete* ***de parte de*** *María* (= te lo envía María).
SINÓN: 1. división, fragmento, pedazo, porción. **2.** lugar, sitio. **3.** apartado, capítulo, sección. **4.** cantidad. **5.** información, noticia. **ANTÓN: 1, 3, 4.** todo, totalidad. **FAM:** *apartado, apartar, aparte, compartimento, compartir, departamento, imparcial, imparcialidad, parcela, parcial, participación, participante, participar, partícula, particular, partida, partidario, partido, partir, repartidor, repartir, reparto.*

participación s. f. **1.** *Lo condenaron a dos años de cárcel por su* ***participación*** *en el robo* (= por su colaboración). **2.** *Compré una* ***participación*** *de la lotería* (= un décimo). **3.** *Juan y Marcela nos enviaron su* ***participación*** *de casamiento* (= la invitación para asistir a la ceremonia).
SINÓN: 1. colaboración. **2.** billete, décimo. **3.** invitación. **ANTÓN: 1.** abstención. **FAM:** → *parte.*

participante adj. *En el campeonato de fútbol había quince equipos* ***participantes*** (= quince equipos que iban a jugar en el campeonato).
FAM: → *parte.*

participar v. intr. *Juan y Antonio* ***han participado*** *en la carrera* (= han intervenido en la carrera junto con otros corredores).
SINÓN: competir, intervenir. **ANTÓN:** abstenerse, desentenderse. **FAM:** → *parte.*

participio s. m. Hablado *es el* ***participio*** *del verbo* hablar (= una forma del verbo).

partícula s. f. *Al limar el hierro se desprenden* ***partículas*** *de metal* (= pequeños trozos de metal).
SINÓN: migaja, pizca. **ANTÓN:** totalidad. **FAM:** → *parte.*

particular adj. **1.** *Por este camino no pueden pasar todos los coches porque es* ***particular*** (= pertenece a su propietario). **2.** *Hemos de resolver este problema* ***particular*** (= concreto).

3. *María tiene un talento* ***particular*** *para la música* (= especial).
SINÓN: **1, 2.** personal, propio. **3.** distinto, especial, singular, único. ANTÓN: **1, 2.** general, público. **3.** habitual, normal. FAM: → *parte.*

partida s. f. **1.** *La* ***partida*** *del avión será dentro de una hora* (= se irá dentro de una hora). **2.** *Para poder sacar el pasaporte me piden la* ***partida*** *de nacimiento* (= un documento oficial que certifica cuándo y en qué lugar nació una persona). **3.** *Para acabar la obra necesitamos una* ***partida*** *de diez albañiles* (= un grupo). **4.** *El comerciante espera recibir mañana una nueva* ***partida*** *de géneros* (= un nuevo envío). **5.** *Quisiera jugar una* ***partida*** *de ajedrez* (= un juego).
SINÓN: **1.** salida. **2.** acta, certificado. **3.** grupo. **4.** envío, expedición. ANTÓN: **1.** llegada. FAM: → *parte.*

partidario, a adj. **1.** *Soy* ***partidario*** *de dejar ya esta discusión* (= prefiero dejar de hablar). **2.** *El candidato fue aplaudido por sus* ***partidarios*** (= por sus seguidores).
SINÓN: **2.** adepto, aficionado, seguidor. ANTÓN: **2.** enemigo, rival. FAM: → *parte.*

partido s. m. **1.** *El* ***partido*** *comunista presentó a sus candidatos* (= el grupo político). **2.** *El* ***partido*** *de fútbol dura noventa minutos* (= la competencia).
SINÓN: **1.** agrupación. **2.** competencia, juego. FAM: → *parte.*

partir v. tr. **1.** ***Partió*** *el postre en cuatro partes* (= lo dividió). **2.** ***Partió*** *las nueces con un martillo para podérselas comer* (= les rompió las cáscaras). ◆ **partir** v. intr. **3.** ***Partieron*** *ayer hacia Nueva York* (= se fueron). ◆ **partirse** v. pron. **4.** *Se cayó y* ***se partió*** *la pierna* (= se la rompió). ◆ **a partir de 5.** ***A partir de*** *aquí la calle está en obras y no se puede pasar* (= desde aquí).
SINÓN: **1.** dividir. **2.** abrir, romper. **3.** ir, marchar, salir. **4.** fracturarse, quebrarse, romperse. ANTÓN: **1, 4.** unir. **3.** regresar, venir, volver. FAM: → *parte.*

partitura s. f. *El pianista estudia su* ***partitura*** (= la hoja donde está escrita la música que debe tocar).
SINÓN: texto.

parto s. m. *En el momento del* ***parto*** *la embarazada fue llevada al quirófano* (= en el momento del nacimiento del niño).
SINÓN: nacimiento.

pasa s. f. Las **pasas** son las frutas secas.
FAM: → *pasar.*

pasable adj. *Estos trabajos tienen algún defecto pero están* ***pasables*** (= no son ni muy buenos ni muy malos).
FAM: → *pasar.*

pasada s. f. **1.** *Tengo que dar otra* ***pasada*** *de pintura a la puerta* (= otra capa de pintura). **2.** *El jugador hizo una buena* ***pasada*** *y su compañero marcó un gol* (= le pasó muy bien la pelota). ◆ **de pasada 3.** *He leído la revista* ***de pasada*** *porque no tenía tiempo* (= la he leído por encima). ◆ **hacer** o **jugar una mala pasada 4.** *Me* ***jugaste una mala pasada*** *al tenerme dos horas esperándote en la calle* (= me hiciste una jugarreta).
SINÓN: **1.** capa, mano. **2.** pase. FAM: → *pasar.*

pasadizo s. m. *Un* ***pasadizo*** *comunicaba una parte del castillo con una entrada secreta* (= un pasillo estrecho).
SINÓN: corredor, pasillo. FAM: → *pasar.*

pasado adj. **1.** *El año* ***pasado*** *estuve de vacaciones en la playa* (= el año anterior). **2.** *Este pescado debe de estar* ***pasado*** *porque huele muy mal* (= debe de estar podrido). ◆ **pasado** s. m. **3.** *En el* ***pasado*** *no había luz eléctrica* (= hace muchos años). **4.** *En la frase* Ayer vi a Marta *el verbo está en* ***pasado*** (= en el tiempo verbal que expresa que una acción ya se ha hecho).
SINÓN: **1.** anterior. **2.** podrido. **3.** antigüedad. ANTÓN: **1.** próximo. **2.** bueno, fresco. **3.** futuro, mañana, porvenir, presente. FAM: → *pasar.*

pasador s. m. *Se recogió el pelo con un* ***pasador*** (= con una horquilla).
FAM: → *pasar.*

pasaje s. m. **1.** *Mi casa está en un* ***pasaje*** *que comunica dos grandes calles* (= en una calle estrecha). **2.** *He comprado dos* ***pasajes*** *de avión* (= dos boletos). **3.** *No cabe un viajero más en el avión, porque el* ***pasaje*** *está completo* (= el conjunto de las personas que viajan en el avión). **4.** *La profesora ha leído un* ***pasaje*** *de una novela* (= un fragmento).
SINÓN: **1.** calleja, corredor, paso. **2.** billete. **3.** viajeros. **4.** fragmento, párrafo. FAM: → *pasar.*

pasajero, a adj. **1.** *Lo que le dijiste le molestó, pero tuvo un enojo* ***pasajero*** (= le duró poco). ◆ **pasajero, a** s. **2.** *Los* ***pasajeros*** *subieron al tren* (= los viajeros).
SINÓN: **1.** breve, corto, fugaz, momentáneo, temporal. **2.** viajero. ANTÓN: **1.** duradero. FAM: → *pasar.*

pasamanos s. m. pl. *Mi abuela baja las escaleras apoyándose en el* ***pasamanos*** (= en un listón de madera o de metal que se pone sobre la barandilla de la escalera).
SINÓN: barandilla. FAM: → *pasar.*

pasamontañas s. m. *Los escaladores para protegerse del frío usan un* ***pasamontañas*** (= una capucha que cubre toda la cabeza dejando descubiertos sólo los ojos).
FAM: → *pasar.*

pasaporte s. m. *En la aduana, me pidieron el* ***pasaporte*** (= el documento necesario para viajar al extranjero).
FAM: → *pasar.*

pasar v. tr. **1.** ***Pasé*** *la silla al comedor* (= la llevé). **2.** ***Hemos pasado*** *la frontera y ya estamos*

en Brasil (= la hemos cruzado). **3.** *Me* ***han pasado*** *el telegrama* (= me lo han entregado). **4.** *El contrabandista* ***pasó*** *la mercancía escondida en un camión* (= la introdujo en el país). **5.** *María* ***pasó*** *los exámenes* (= los aprobó). **6.** ***Estoy pasando*** *unos momentos muy malos porque tengo muchos problemas* (= estoy soportando). **7.** *Se me* ***está pasando*** *el dolor de muelas* (= se me está aliviando). **8.** *Le* ***pasó*** *la mano por la mejilla* (= lo acarició). **9.** *Mi abuela* ***pasa*** *el hilo por el agujero de la aguja* (= lo introduce). **10.** *Sólo pueden* ***pasar*** *diez niños* (= ser admitidos). **11.** *Ese cine* ***pasa*** *una buena película* (= la proyecta). ◆ **pasar** v. intr. **12.** *La carretera estaba cortada y no pudimos* ***pasar*** (= no pudimos continuar). **13.** *El tiempo* ***pasa*** *deprisa* (= transcurre). **14.** ***Pasé*** *las vacaciones en el sur del país* (= estuve allí). **15.** *¿Qué* ***pasó*** *cuando se lo dijiste?* (= ¿qué sucedió?). **16.** *Hace cuatro años que tengo esta chaqueta y todavía puede* ***pasar*** (= todavía me la puedo poner). ◆ **pasarse** v. pron. **17.** ***Se ha pasado*** *a otro partido político* (= se ha cambiado de partido). **18.** *El arroz está muy blando porque* ***se ha pasado*** (= se ha cocido demasiado tiempo). **19.** *Hay que comer esta fruta antes de que* ***se pase*** (= antes de que se pudra). **20.** *Este hombre* ***se pasa*** *de bueno* (= es demasiado bueno).
SINÓN: **1.** llevar, transportar, trasladar. **2.** atravesar, cruzar. **3.** dar, entregar. **4, 9.** introducir. **5.** aprobar, superar. **6.** soportar, sufrir, vivir. **7.** aliviar. **8.** acariciar, rozar. **10.** admitir. **11.** proyectar. **12.** avanzar, continuar, proseguir, seguir. **13.** transcurrir. **14.** estar, permanecer. **15.** acontecer, ocurrir, suceder. **16.** aguantar. **17.** cambiar, mudar. **18.** estropearse, quemarse. **19.** madurar, pudrirse. **20.** exagerar, excederse. ANTÓN: **1.** dejar. **2, 17.** permanecer, quedarse. **5.** suspender. **7.** seguir. **8.** golpear. **10.** rechazar. **12.** detener, parar. **20.** limitarse. FAM: *antepasado, pasa, pasable, pasada, pasadizo, pasado, pasador, pasaje, pasajero, pasamanos, pasamontañas, pasaporte, pasarela, pasatiempo, pase, pasear, paseo, pasillo, paso, repasar, repaso, sobrepasar, traspasar.*

pasarela s. f. **1.** *Este río se atraviesa por medio de una* ***pasarela*** (= de un puente pequeño). **2.** *Subimos a la barca gracias a la* ***pasarela*** (= a una tabla que sirve de paso). **3.** *Las modelos enseñaban los vestidos desfilando por la* ***pasarela*** (= por un pasillo del escenario).
SINÓN: **1.** puente. **2.** escala, plancha, tabla. FAM: → *pasar.*

pasatiempo s. m. *La lectura es mi* ***pasatiempo*** *favorito* (= mi mejor distracción).
SINÓN: distracción, diversión, entretenimiento. ANTÓN: aburrimiento, fastidio. FAM: → *pasar.*

pascua s. f. *Los cristianos van a la iglesia a celebrar la* ***Pascua*** (= la fiesta cristiana que recuerda la resurrección de Cristo).
FAM: *pascual.*

pascual adj. *Después de la Cuaresma, la Iglesia Católica celebra el tiempo* ***pascual*** (= el período en que se recuerda la resurrección de Cristo).
FAM: *pascua.*

pase s. m. **1.** *El futbolista hizo un buen* ***pase*** *a su compañero* (= le pasó muy bien la pelota). **2.** *Los estudiantes tienen un* ***pase*** *para entrar en los museos* (= un carné que les permite pagar menos).
SINÓN: **1.** pasada. **2.** autorización, licencia, permiso. FAM: → *pasar.*

pasear v. tr. **1.** *Mi madre* ***pasea*** *a mi hermano pequeño por el parque* (= lo lleva a la calle). **2.** *Este hombre* ***pasea*** *su mercancía por los mercados* (= la lleva de un mercado a otro). ◆ **pasear** v. intr. **3.** *María* ***pasea*** *con su perro por la calle* (= va andando tranquilamente).
SINÓN: **1, 2.** conducir, llevar. **2.** exhibir. **3.** andar, caminar, deambular. FAM: → *pasar.*

paseo s. m. **1.** *Todas las tardes voy de* ***paseo*** *por el parque* (= camino tranquilamente). **2.** *Esta ciudad tiene hermosos* ***paseos*** (= hermosos lugares para pasear).
SINÓN: **1.** caminata, recorrido. **2.** avenida, calle, camino, jardín, parque. FAM: → *pasar.*

pasillo s. m. *Todas las puertas dan al* ***pasillo*** *que atraviesa el piso* (= al corredor).
SINÓN: corredor, galería. FAM: → *pasar.*

pasión s. f. **1.** *Lucas ama con* ***pasión*** *a su esposa* (= con un amor muy intenso). **2.** *Tiene tal* ***pasión*** *por el fútbol que no deja de ir a ningún partido* (= tal afición).
SINÓN: **1.** amor, deseo. **2.** afición, interés. ANTÓN: **1.** indiferencia. FAM: *apasionar, compadecer, compasión, compasivo, impasible, padecer.*

pasionaria s. f. Amér. *Planté una* ***pasionaria*** *en el jardín para que cubra la pared medianera* (= enredadera ornamental cuyas flores recuerdan objetos de la pasión de Jesucristo, da un fruto comestible llamado mburucuyá o maracuyá).

pasivo, a adj. *Este niño tiene una actitud* ***pasiva*** *y no hace nada por aprender* (= no está interesado en el estudio).
SINÓN: inactivo, indiferente. ANTÓN: activo, diligente, dinámico.

paso s. m. **1.** *Oigo* ***pasos*** *en el pasillo* (= oigo que alguien anda). **2.** *Hay* ***pasos*** *en la nieve* (= hay huellas). **3.** *Esta carretera es el único* ***paso*** *para llegar en coche al otro lado de las montañas* (= el único camino). **4.** *Tendremos que acelerar el* ***paso*** *si queremos llegar a tiempo* (= tendremos que andar más rápido). **5.** *Estoy aprendiendo los* ***pasos*** *del tango* (= los movimientos de los pies propios de este baile). **6.** *He seguido todos los* ***pasos*** *necesarios para denunciar el robo* (= todos los trámites). **7.** *El descubrimiento de este medicamento representa un gran* ***paso*** *en la curación del cáncer* (= un gran progreso). ◆ **de paso 8.** *Ya que vienes a mi casa,* ***de paso*** *tráe-*

me los libros que te presté (= aprovechando que vienes). ◆ **paso a nivel 9.** *Al cruzar por el **paso a nivel** asegúrate de que no venga ningún tren* (= por el lugar en el que las vías de tren atraviesan el camino).

SINÓN: 1. pisada. **2.** huella, señal. **3.** camino, comunicación. **4.** marcha. **5.** ritmo. **6.** papeleo, trámites. **7.** avance, progreso. **ANTÓN: 7.** retroceso. **FAM:** → *pasar.*

pasta s. f. **1.** *Me lavo los dientes cada mañana con un cepillo y **pasta*** (= con dentífrico). **2.** *Me gustan todas las **pastas:** macarrones, canelones y espaguetis* (= los productos alimenticios elaborados con harina de trigo y agua).

SINÓN: 1. dentífrico. **FAM:** *pastel, pastelería, pastelero, pastilla.*

pastar v. intr. *En el prado, las vacas **pastan*** (= comen hierba).

SINÓN: apacentar, pacer, rumiar. **FAM:** *pastizal, pasto, pastor.*

pastel s. m. *El día de mi cumpleaños soplé todas las velas del **pastel*** (= de un tipo de torta o bizcochuelo).

FAM: → *pasta.*

pastelería s. f. *No puedo pasar por delante de la **pastelería** sin comprar unos bollos* (= negocio donde venden pasteles).

SINÓN: confitería. **FAM:** → *pasta.*

pastelero, a s. *El **pastelero** acaba de sacar una bandeja de pasteles del horno* (= la persona que hace y vende los pasteles).

FAM: → *pasta.*

pasteurizar v. tr. *En la fábrica vimos los grandes recipientes que se utilizan para **pasteurizar** la leche* (= para eliminar los microbios sometiéndola a temperaturas muy altas).

pastilla s. f. **1.** *Me he lavado las manos con la **pastilla** de jabón y ahora huelen muy bien* (= con una porción cuadrada de jabón). **2.** *El médico le ha recetado unas **pastillas** para la tos* (= un medicamento de forma redondeada y plana que se traga).

SINÓN: 1. tableta. **2.** cápsula, píldora. **FAM:** *pasta.*

pastizal s. m. *Los ganaderos llevaban a las vacas para que comieran hierba a un monte con muchos **pastizales*** (= con muchos terrenos con pastos).

FAM: → *pastar.*

pasto s. m. **1.** *Las ovejas y las vacas no comen el mismo tipo de **pasto*** (= de hierba). **2.** *Holanda es un país abundante en **pastos*** (= en prados).

SINÓN: 2. prado. **FAM:** → *pastar.*

pastor, a s. *El **pastor** guiaba el rebaño de ovejas* (= la persona que cuida el ganado).

FAM: → *pastar.*

pata s. f. **1.** *El perro se ha hecho daño en la **pata** y ahora anda rengo* (= en una de sus extremidades). **2.** *Una de las **patas** de la mesa está rota* (= una de las piezas sobre las que se apoya en el suelo). ◆ **meter la pata 3.** ***Has metido la pata** porque la fiesta de cumpleaños era una sorpresa* (= has dicho algo que no deberías haber dicho). ◆ **tener uno mala pata 4.** *No me he ganado la lotería por un número, siempre **tengo mala pata*** (= tengo mala suerte). ◆ **patas arriba 5.** *No he tenido tiempo de ordenar la habitación y está todo **patas arriba*** (= desordenado).

SINÓN: 1. extremidad. **2.** apoyo, pie, soporte. **FAM:** *patada, patalear, pataleo, patear, patilla.*

patada s. f. **1.** *El caballo le dio una **patada** al perro* (= una coz). **2.** *Al futbolista le dieron una **patada** en la pierna* (= un golpe con el pie).

SINÓN: 1. coz. **2.** puntapié. **FAM:** → *pata.*

patalear v. intr. **1.** *Cuando mi hermano pequeño se enoja, **patalea*** (= da patadas en el suelo con los pies). **2.** *El público mostró su desacuerdo con el árbitro **pataleando*** (= golpeando el suelo con los pies).

FAM: → *pata.*

pataleo s. m. **1.** *Con su **pataleo** el niño tiró toda la ropa de la cuna* (= con sus patadas). **2.** *Todos tenemos derecho al **pataleo*** (= a protestar cuando creemos merecer algo).

FAM: → *pata.*

patasca s. f. Arg. *De las comidas tradicionales que hace mi madre, me gusta la **patasca** (= guiso de maíz y carne de cerdo).*

paté s. m. *En la fiesta había unos sabrosos canapés de **paté*** (= de una pasta hecha de carne o hígado picado).

SINÓN: foie-gras.

patear v. tr. **1.** *El jinete se cayó y el caballo lo **pateó*** (= lo golpeó con sus patas). ◆ **patear** v. intr. **2.** *En el teatro el público mostraba su desagrado **pateando*** (= golpeando el suelo con los pies).

SINÓN: 1. golpear, pisotear. **2.** taconear. **FAM:** → *pata.*

patente adj. **1.** *Es una injusticia **patente** que exista tanta pobreza* (= es una injusticia evidente). ◆ **patente** s. f. **2.** *Esta industria tiene la **patente** para fabricar este producto* (= el documento que se lo permite). Amér. Merid. **3.** *La policía detuvo el camión porque los números de la **patente** casi no se veían* (= placa de metal que lleva inscripto el número de matrícula de un vehículo).

SINÓN: 1. cierto, claro, evidente, indiscutible, visible. **2.** documento, título. **ANTÓN: 1.** confuso, dudoso, oscuro.

paternal adj. *El profesor lo trataba como a un hijo y le demostraba un cariño **paternal*** (= propio de un padre).

SINÓN: benigno, bondadoso, bueno, cariñoso, comprensivo. **ANTÓN:** inflexible, rígido. **FAM:** → *padre.*

paternidad s. f. *Cuando nació su primer hijo se cumplió su deseo de* ***paternidad*** (= de ser padre).
FAM: → *padre.*

paterno, a adj. *El primer apellido es el apellido* ***paterno*** (= del padre).
SINÓN: paternal. **FAM:** → *padre.*

patilla s. f. *Manuel se dejó crecer las* ***patillas*** (= la barba que crece delante de las orejas).
SINÓN: barba, mechón, pelo, vello. **FAM:** → *pata.*

patín s. m. *María se desliza por la acera con los* ***patines*** (= sobre unos botines con ruedas para deslizarse).
FAM: *patinador, patinaje, patinar, patinazo, patinete.*

patinada s. f. Amér.→ **patinazo**.

patinador, a s. ***Los patinadores*** *se sujetan bien los patines en los pies antes de empezar a andar* (= las personas que se desplazan con los patines).
FAM: → *patín.*

patinaje s. m. *Hay niños que practican el* ***patinaje*** *sobre hielo* (= que patinan sobre una pista de hielo).
FAM: → *patín.*

patinar v. intr. **1.** *Es normal que te caigas al suelo la primera vez que* ***patines*** (= que uses los patines). **2.** *Las ruedas del coche* ***patinan*** *sobre el barro* (= giran pero no avanzan).
SINÓN: **2.** resbalar. **FAM:** → *patín.*

patinazo s. m. *El accidente se debió al* ***patinazo*** *de las ruedas* (= se deslizaron sin que el conductor pudiera controlarlas).
SINÓN: deslizamiento, resbalón. **FAM:** → *patín.*

patineta s. f. *De pequeño me gustaba deslizarme con la* ***patineta*** *y dar vueltas por la calle* (= en un juguete hecho con una madera con ruedas a la que me subía).
FAM: → *patín.*

patio s. m. **1.** *Durante el recreo jugamos al fútbol en el* ***patio*** *del colegio* (= en un espacio abierto). **2.** *Vimos muy bien la obra de teatro porque estábamos sentados en el* ***patio*** *de butacas* (= en la planta baja).

pato, a s. **1.** Los **patos** son aves palmípedas de pico ancho que nadan muy bien, pero caminan con dificultad. ◆ **pato** s. m. R. de la Plata **2.** *Ayer presenciamos un partido de* ***pato*** (= deporte que se practica a caballo, y en el cual los jugadores se disputan una pelota con asas).

patota s. f. Amér. Merid. *En algunos barrios las* ***patotas*** *atemorizan a los vecinos* (= grupo de jóvenes que se divierten burlándose de la gente y cometiendo desmanes).
SINÓN: banda, cuadrilla, pandilla. **FAM:** → *patotero.*

patotero s. m. Amér. Merid. *En el bar de la esquina se reúnen varios* ***patoteros*** (= miembros de una patota).
FAM: → *patota.*

patria s. f. *Pedro es paraguayo y Paraguay es su* ***patria*** (= el país donde nació).
SINÓN: estado, nación, país. **FAM:** *compatriota, patriota, patriótico, patriotismo.*

patriota adj. *Carlos es muy* ***patriota*** *y defiende su país* (= ama mucho a su patria).
SINÓN: nacionalista. **FAM:** → *patria.*

patriótico, a adj. *Los soldados cantan himnos* ***patrióticos*** (= que expresan el amor por su patria).
SINÓN: nacionalista. **FAM:** → *patria.*

patriotismo s. m. *Al soldado le dieron una medalla porque demostró su* ***patriotismo*** (= el amor a la patria).
SINÓN: civismo, nacionalismo. **FAM:** → *patria.*

patrocinar v. tr. *El proyecto salió adelante porque lo* ***patrocinaba*** *la empresa* (= lo pagaba).
SINÓN: garantizar, sostener, subvencionar.

patrón, ona s. **1.** *Los agricultores celebran el día de San Isidro porque es su* ***patrón*** (= su protector). **2.** *El* ***patrón*** *me ha dejado una habitación* (= el dueño de la casa). **3.** *Este* ***patrón*** *favorece a sus trabajadores* (= este empresario). **4.** *El capitán es el* ***patrón*** *del barco* (= es la persona que manda). ◆ **patrón** s. m. **5.** *María se hace un vestido fijándose en el* ***patrón*** (= en el molde).
SINÓN: **1.** protector, santo. **2.** propietario. **3.** director, empresario. **4.** capitán. **5.** modelo. **ANTÓN:** **3.** empleado, subordinado.

patrulla s. f. **1.** *El ladrón fue detenido por una* ***patrulla*** *de la policía* (= por un grupo de policías). **2.** *En varios puntos de la costa hay* ***patrullas*** (= grupos de barcos que controlan las costas). Méx. **3.** *Los policías subieron al ladrón a la* ***patrulla*** (= al coche con que patrullan las calles).
SINÓN: **1.** partida, grupo. **3.** patrullero. **FAM:** *patrullar, patrullero.*

patrullar v. intr. *Los policías* ***patrullan*** *por las calles* (= circulan en grupos para vigilar).
SINÓN: custodiar, rondar, vigilar. **FAM:** → *patrulla.*

patrullero, a adj. *Los barcos* ***patrulleros*** *rescataron al náufrago* (= los barcos que vigilan las costas).
FAM: → *patrulla.*

pausa s. f. **1.** *El conferenciante hizo una* ***pausa*** *en su discurso para beber un poco de agua* (= una breve parada). **2.** *El profesor habla con* ***pausa*** *para que podamos anotar lo que dice* (= habla despacio).
SINÓN: **1.** interrupción, intervalo, parada. **2.** lentitud. **ANTÓN:** **2.** rapidez.

pausado, a adj. *Al anciano le duelen las piernas y camina de forma* ***pausada*** (= lentamente).
SINÓN: calmoso, lento.

pavimentar v. tr. *Van a* ***pavimentar*** *las calles porque están llenas de agujeros* (= van a asfaltarlas).
SINÓN: adoquinar, asfaltar, empedrar. **FAM:** *pavimento.*

pavimento s. m. *La casa está terminada, sólo falta colocar el* ***pavimento*** *de madera* (= el material que va en el suelo).
FAM: *pavimentar.*

pava s. f. Amér. Merid. *Calentamos agua en la* ***pava****, para tomar mate* (= recipiente de metal con asa y un pico por el que sale el líquido).
SINÓN: caldero.

pavo, a s. **1.** El **pavo** es un ave que tiene un plumaje negro con manchas blancas en la cola y en las alas. Amér. **2.** *Juan se creyó esa historia porque es muy* ***pavo*** (= tonto y crédulo). ◆ **pavo real 3.** El **pavo real** es un ave que tiene unas plumas muy grandes en la cola que forman un vistoso abanico de colores.
SINÓN: **1.** guajolote. **2.** bobo, necio, tonto. ANTÓN : **2.** inteligente, sagaz.

payada s. f. Amér. Merid. *Nos gusta ir a las fiestas gauchescas porque siempre hay alguna* ***payada*** (= canción improvisada, acompañada de guitarra, en la que uno o dos cantores inventan rimas sobre un tema propuesto por el público).
FAM: *payar.*

payador s. m. Amér. Merid. *José Betinotti fue un gran* ***payador*** *rioplatense* (= autor y cantor de payadas).
FAM: *payar.*

payana s. f. R. de la Plata. *Nos pasamos horas jugando a la* ***payana*** (= cierto juego que consiste en tirar al suelo tres piedrecillas que se deben recoger mientras se lanza otra al aire).
SINÓN: cantillos.

payar v. intr. Amér. Merid. *En el Uruguay se mantiene vigente el arte de* ***payar*** (= cantar payadas).
SINÓN: payada, payador.

payasada s. f. *El público del circo se reía con las* ***payasadas*** *de los cómicos* (= con las bromas).
SINÓN: broma, farsa, tontería. ANTÓN: seriedad. FAM: *payaso.*

payaso s. m. *El* ***payaso*** *llevaba una nariz roja y unos grandes zapatos* (= el cómico del circo que hace reír).
SINÓN: bufón, cómico. FAM: *payasada.*

payuca adj. R. de la Plata. *Pasé tanto tiempo en el campo, que cuando volví a la ciudad me sentía como un* ***payuca*** (= campesino que visita una ciudad).

paz s. f. **1.** *Después de un año de guerra los países firmaron la* ***paz*** (= el tratado por el que ponen fin a la guerra). **2.** *Me gusta pasear por el campo para disfrutar de la* ***paz*** (= de la tranquilidad).
SINÓN: **1.** convenio, tratado, tregua. **2.** calma, quietud, reposo, serenidad, tranquilidad. ANTÓN: **1.** enemistad, guerra, odio, ruptura. **2.** bullicio.
FAM: *apaciguar, impaciencia, impacientar, impaciente, pacificar, pacífico, pacifista.*

peaje s. m. *Esta es una autopista de* ***peaje*** (= en la que hay que pagar para circular por ella).

peatón, ona s. *Las aceras están reservadas a los* ***peatones*** (= a las personas que van a pie).
SINÓN: caminante, transeúnte. ANTÓN: automovilista. FAM: → *pie.*

pebete, a s. R. de la Plata. *Los* ***pebetes*** *esperan ansiosos las vacaciones* (= muchachos).
SINÓN: adolescente, joven, mozo. ANTÓN: adulto. FAM: → *pibe.*

peca s. f. *Ese niño tiene muchas* ***pecas*** *en la cara* (= muchas manchas de color castaño).
FAM: *pecoso.*

pecado s. m. *La religión enseña que el orgullo, la envidia y la pereza son* ***pecados*** (= son faltas que no se deben cometer).
SINÓN: culpa, falta. ANTÓN: virtud. FAM: → *pecar.*

pecador, a s. *Los* ***pecadores*** *deben arrepentirse de lo que han hecho* (= los que cometen faltas graves).
SINÓN: culpable. ANTÓN: santo, virtuoso. FAM: → *pecar.*

pecar v. intr. **1.** *El sacerdote nos dijo que no debemos* ***pecar*** (= ofender a Dios). ◆ **pecar de 2.** *Siempre* ***pecas de*** *ingenuo y por eso te toman el pelo* (= eres demasiado ingenuo).
SINÓN: **1.** ofender. ANTÓN: **1.** acatar. FAM: *pecado, pecador.*

pecarí s. m. *Cuando fuimos a cazar, encontramos un* ***pecarí*** (= especie de jabalí sudamericano, pequeño, que despide un olor fétido).

pecera s. f. *Hay que cambiar el agua de la* ***pecera*** (= del recipiente de cristal donde nadan los peces de colores).
SINÓN: vasija. FAM: *pez.*

pechada s. f. Amér. Merid. **1.** *Los chicos se pelearon y se dieron un par de* ***pechadas*** (= empujones dados con el pecho o los hombros). **2.** *Quisieron cobrarme una* ***pechada*** *por esa falda* (= precio excesivo).
SINÓN: **1, 2.** pechazo. FAM: *pechar.*

pechar v. tr. Amér. Merid. **1.** *Diego trastabilló porque Juan lo* ***pechó*** (= le dio una pechada). **2.** *Para poder comprarse la casa, tuvo que* ***pechar*** *a sus padres* (= pedirles dinero prestado).
FAM: *pechada, pechazo.*

pechazo s. m. Amér. Merid. *La maestra reprendió a los chicos porque estaban dándose* ***pechazos*** (= golpes dados con el pecho o los hombros).
SINÓN: pechada. FAM: *pechar.*

pechera s. f. *Por el escote del chaleco se le veía la* ***pechera*** *de la camisa* (= la parte de la camisa que cubre el pecho).
FAM: → *pecho.*

pecho s. m. **1.** *Tengo mucha tos y me duele el* ***pecho*** (= la parte del cuerpo humano que va des-

de el cuello al vientre). **2.** *Esa mujer tiene unos* ***pechos*** *muy grandes* (= unos senos). ◆ **tomarse algo a pecho 3.** *No* ***te lo tomes a pecho*** *porque te lo ha dicho sin querer* (= no te preocupes).
SINÓN: 1. tórax, tronco. **2.** seno, teta. **FAM:** *pechera, pechuga, peto.*

pechuga s. f. *He partido medio pollo separando la* ***pechuga*** *de la pata* (= la parte del pecho de las aves).
FAM: → *pecho.*

pecoso, a adj. *Dibujó a un niño* ***pecoso*** *y le puso unos pequeños puntos en la cara* (= a un niño con pecas).
FAM: *peca.*

pedagogía s. f. *La maestra ha estudiado* ***Pedagogía*** (= la ciencia que se ocupa de la educación de los niños).
FAM: *pedagogo.*

pedagogo, a s. *Este profesor es un buen* ***pedagogo*** (= enseña muy bien).
SINÓN: educador, maestro. **FAM:** *pedagogía.*

pedal s. m. *La bicicleta no se moverá si no haces girar los* ***pedales*** (= las palancas que se mueven al presionarlas con los pies y que ponen en funcionamiento las ruedas de la bicicleta).
FAM: *pedalear.*

pedalear v. intr. *Los ciclistas* ***pedalean*** *con fuerza cuando están subiendo una cuesta* (= mueven con los pies los pedales de su bicicleta).
FAM: *pedal.*

pedante adj. *María es muy presumida y* ***pedante*** (= siempre se está alabando a sí misma).
SINÓN: sabihondo. **ANTÓN:** natural, sencillo.

pedazo s. m. *Rompió el papel en varios* ***pedazos*** *y los tiró a la papelera* (= en varios trozos).
SINÓN: parte, porción, trozo, parcela. **FAM:** *despedazar.*

pedestal s. m. *La estatua no se apoya directamente sobre el suelo sino sobre un* ***pedestal*** (= sobre una base en forma de columna).
FAM: → *pie.*

pediatra s. m. f. *Mi madre llevó a mi hermano pequeño al* ***pediatra*** (= al médico especialista en enfermedades infantiles).
FAM: *pediatría.*

pediatría s. f. *Mi hermano es médico y ahora quiere dedicarse a la* ***pediatría*** (= la especialidad de la medicina que estudia las enfermedades de los niños).
FAM: *pediatra.*

pedido s. m. *Estoy esperando el* ***pedido*** *de camisas que hice a la fábrica* (= el encargo).
SINÓN: encargo. **FAM:** → *pedir.*

pedigüeño, a adj. *Tus padres no te pueden comprar todos tus caprichos; así aprenderás a no ser tan* ***pedigüeño*** (= a no pedir tantas cosas).
FAM: → *pedir.*

pedir v. tr. **1.** *Pedro me* ***pidió*** *que lo acompañara a su casa* (= me dijo que le hiciera ese favor). **2.** *El mendigo* ***pide*** *limosnas a la gente* (= intenta que le den algo de dinero). **3.** *¿Cuánto* ***piden*** *por el coche?* (= ¿cuánto dicen que vale?).
SINÓN: 1. rogar, suplicar. **2.** mendigar. **3.** cobrar. **ANTÓN: 1.** acceder. **2.** conceder, dar. **3.** pagar. **FAM:** *pedido, pedigüeño, petición.*

pedrada s. f. *De una* ***pedrada*** *rompió el cristal* (= de un golpe con una piedra).
SINÓN: golpe. **FAM:** → *piedra.*

pedregal s. m. *Se hacía difícil caminar por el* ***pedregal*** (= por el terreno lleno de piedras sueltas).
FAM: → *piedra.*

pedregoso, a adj. *No me gusta andar por terrenos* ***pedregosos*** (= llenos de piedras).
FAM: → *piedra.*

pedregullo s. m. Amér. Merid. *Los albañiles no pudieron preparar el hormigón porque les faltaba el* ***pedregullo*** (= conjunto de piedras trituradas que se usan en la construcción).
FAM: → *piedra.*

pedrusco s. m. *Lancé un* ***pedrusco*** *y el perro fue a buscarlo* (= una piedra).
FAM: → *piedra.*

pegajoso, a adj. **1.** *El niño ha tocado el caramelo con las manos y las tiene* ***pegajosas*** (= pringosas). **2.** *María es muy* ***pegajosa****, todo el día me está besando* (= es demasiado cariñosa).
SINÓN: 1. pringoso, viscoso. **2.** fastidioso, molesto. **FAM:** → *pegar.*

pegamento s. m. *He arreglado el jarrón poniéndole* ***pegamento*** *a los trozos rotos* (= una materia pegajosa que permite que dos objetos se peguen entre sí).
SINÓN: adhesivo, cola. **FAM:** → *pegar.*

pegar v. tr. **1.** *Andrés* ***pegó*** *las fotos en el álbum* (= las fijó con pegamento). **2.** *No* ***pegues*** *la silla a la mesa* (= no la acerques tanto). **3.** *Le* ***pegaron*** *la enfermedad* (= se la contagiaron). **4.** *Le* ***pegó*** *un par de cachetadas en la cara* (= lo abofeteó). **5.** *Anda loco por las calles* ***pegando*** *voces* (= gritando). ◆ **pegar** v. intr. **6.** *Esta falda no* ***pega*** *con esta camisa* (= no queda bien). ◆ **pegarse** v. pron. **7.** *Al bajar la escalera* ***se pegó*** *en la cabeza* (= se golpeó). **8.** *No se llevan bien y* ***se pegan*** *con frecuencia* (= se pelean y se golpean).
SINÓN: 1. adherir, enganchar, fijar. **2.** acercar, arrimar. **3.** contagiar, contaminar, infectar, transmitir. **4.** abofetear, golpear, zurrar. **5.** dar. **7.** golpearse. **8.** pelearse. **ANTÓN: 1, 2.** despegar, separar. **4.** acariciar. **FAM:** *despegar, despego, despegue, pega, pegajoso, pegamento, pegatina, pegote.*

pehuén s. m. *En el sur de la Cordillera de los Andes hay grandes bosques de* ***pehuén*** (= especie de pino, muy apreciado por su madera y por su fruto).

refugio
glaciar
sendero

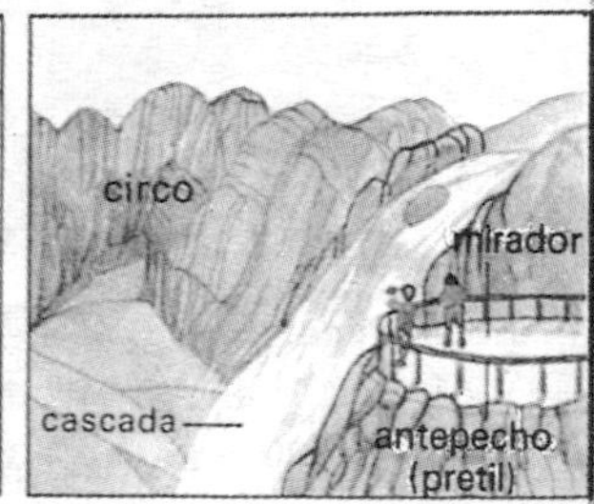
circo
mirador
cascada
antepecho (pretil)

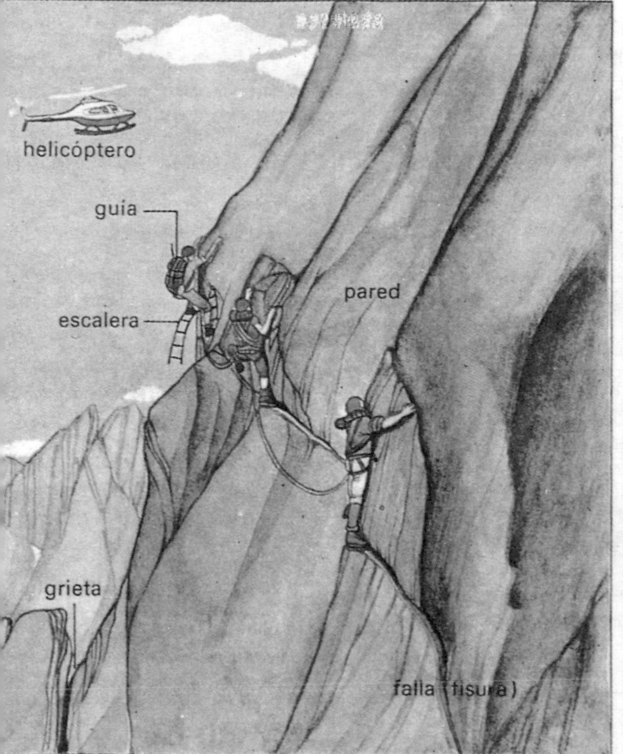
helicóptero
guía
escalera
pared
grieta
falla (fisura)

bajada
montañista; alpinista

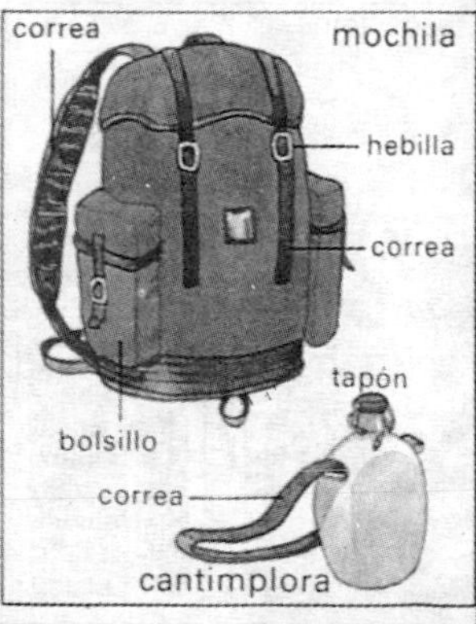
correa
mochila
hebilla
correa
tapón
bolsillo
correa
cantimplora

bastón de montañista
mango
pico
mosquetón
clavija
cuerda
martillo
gemelos
lentes
bota de clavos

perezoso
tucán
oso hormiguero
tapir
armadillo
tatú
anaconda
explotación petrolífera
torre de
perforación
petrolero
cordillera
silos
rascacielos
viaducto
autopista
ferrocarril
locomotora
puente colgante

llama
jaguar
puma
caimán

cacto

cima
cañón
cataratas
lago
embarcadero

estancia o
hacienda
jinete
bueyes

cultivo en extensión

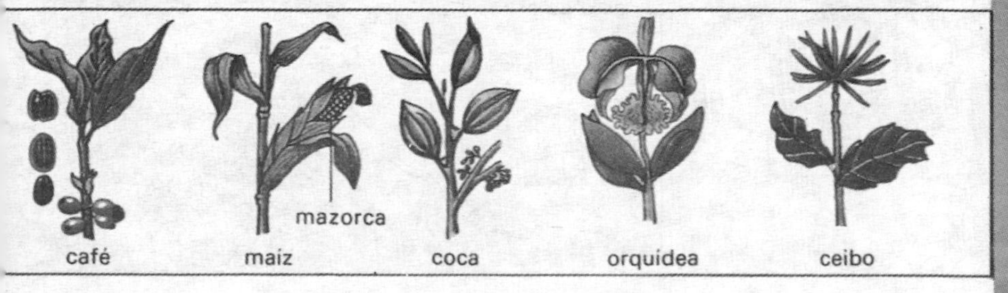
mazorca
café
maiz
coca
orquídea
ceibo

aves
rapaces
buitre
gavilán
águila
lechuza
ala
cernicalo
plumas
garras

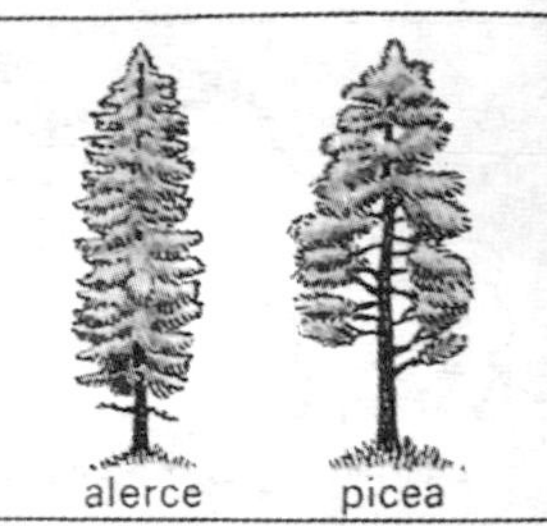
alerce
picea

cuernos
cabra montés
marmota
gamuza

minerales
amatista
cristales de cuarzo
mica
azufre
malaquita
granito

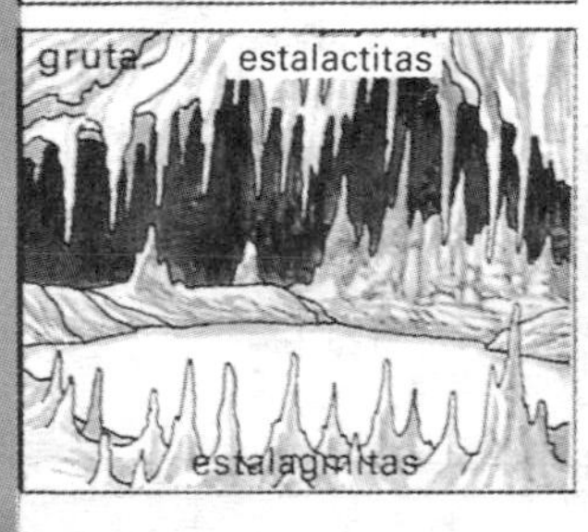
gruta
estalactitas
estalagmitas

nieves perpetuas
cumbre
picacho
arista
paso entre dos montañas
glaciar
cúpula
meseta
ladera
acantilado
embalse
presa
carretera serpenteante
teleférico
rebaño
valle
chalé
carpas
pasto de altura
tiendas
torrente
cabra
pedregal
túnel

peinado s. m. *María fue a la peluquería y cambió de* ***peinado*** (= de forma de peinarse).
FAM: → *peinar.*

peinar v. tr. **1.** *La madre* ***peinó*** *al niño con cuidado* (= le desenredó y ordenó el pelo). ◆ **peinarse** v. pron. **2.** *Todas las mañanas* ***me peino*** (= desenredo y aliso mi cabello).
SINÓN: desenredar. **ANTÓN:** despeinar. **FAM:** *despeinar, peinado, peine, peineta.*

peine s. m. *Este* ***peine*** *tiene dos púas rotas y rompe el pelo* (= el utensilio que sirve para peinarse).
FAM: → *peinar.*

pelada s. f. Amér. Merid. *Andrés usa un peluquín para ocultar su* ***pelada*** (= calvicie).
SINÓN: calva. **FAM:** → *pelo.*

peladilla s. f. *En Navidad como muchas* ***peladillas*** (= muchas almendras cubiertas de azúcar).
SINÓN: almendra.

pelado, a adj. **1.** *Después del incendio las montañas quedaron* ***peladas*** (= sin ningún árbol). **2.** *Hay que darle las manzanas* ***peladas*** *porque todavía no sabe usar el cuchillo* (= sin piel).
SINÓN: 1. árido, claro, desnudo, liso, llano, raso. **ANTÓN: 1.** fértil. **FAM:** → *pelo.*

pelar v. tr. **1.** *Al soldado lo* ***pelaron*** (= le cortaron mucho el pelo). **2.** *Antes de cocinar la gallina has de* ***pelarla*** (= has de desplumarla). **3.** ***Pélame*** *la naranja, por favor* (= quítale la cáscara). **4.** *Los ladrones* ***pelaron*** *a Juan* (= le robaron todo el dinero). ◆ **pelarse** v. pron. **5.** *He tomado mucho el sol y* ***me estoy pelando*** (= se me está cayendo la piel).
SINÓN: 1. cortar, rapar. **2 .** desplumar. **4.** robar. **FAM:** → *pelo.*

peldaño s. m. *El niño sube de dos en dos los* ***peldaños*** *de la escalera* (= los escalones).
SINÓN: escalón.

pelea s. f. *Un perro y un gato tuvieron una* ***pelea*** *porque los dos querían la misma comida* (= un enfrentamiento).
SINÓN: bronca, conflicto, discordia, disputa, enfrentamiento, lucha, pugna, riña. **ANTÓN:** amistad, calma, comprensión. **FAM:** *pelear.*

pelear v. intr. **1.** *Los soldados* ***pelearon*** *ferozmente* (= lucharon). **2.** *Siempre están* ***peleando*** *por cosas sin importancia* (= están riñendo). **3.** *Antonio* ***pelea*** *por conseguir un trabajo* (= se esfuerza). ◆ **pelearse** v. pron. **4.** *Los niños* ***se peleaban*** *por jugar con el coche* (= se pegaban).
SINÓN: 1. batallar, combatir, luchar. **2.** discutir, disputar, regañar, reñir. **3.** afanarse, esforzarse. **4.** pegarse. **ANTÓN: 1, 2.** rendirse. **4.** calmarse, reconciliarse. **FAM:** *pelea.*

peletería s. f. *Mi madre compró un abrigo de piel en la* ***peletería*** (= en la tienda donde venden y fabrican ropa de piel).
FAM: *piel.*

pelícano s. m. El **pelícano** es un ave palmípeda y acuática, de plumaje blanco, que tiene debajo del pico una bolsa donde deposita los alimentos.

película s. f. **1.** *Todavía puedo tomar más fotos porque me queda* ***película*** (= una cinta para hacer fotografías). **2.** *Esta semana están dando en el cine una gran* ***película*** (= un buen filme).
SINÓN: 1. cinta, rollo. **2.** filme.

peligrar v. intr. *Si el enfermo no reacciona con la medicación,* ***peligra*** *su vida* (= puede morir).
SINÓN: arriesgar, exponer. **ANTÓN:** asegurar, salvar. **FAM:** → *peligro.*

peligro s. m. **1.** *No tomes las curvas tan rápidamente porque no me gusta el* ***peligro*** (= el riesgo). **2.** *Esta zona es un* ***peligro*** *por los terremotos* (= es muy peligrosa).
SINÓN: amenaza, riesgo. **ANTÓN:** seguridad. **FAM:** *peligrar, peligroso.*

peligroso, a adj. *Las carreteras con hielo son* ***peligrosas*** (= es muy arriesgado ir por ellas).
SINÓN: arriesgado. **ANTÓN:** seguro. **FAM:** → *peligro.*

pelirrojo, a adj. *Hay más gente rubia y morena que* ***pelirroja*** (= con el cabello de color rojizo).
FAM: → *pelo.*

pellejo s. m. *Con el* ***pellejo*** *de los animales se hacen bolsos y botas* (= con la piel curtida).
SINÓN: cuero, piel. **FAM:** *despellejar.*

pellizcar v. tr. **1.** *Juan me* ***ha pellizcado*** *el brazo y me ha dejado una señal* (= me ha apretado la piel con los dedos). **2.** *Le gusta mucho* ***pellizcar*** *la comida* (= tomar un poco y probarla).
SINÓN: 1. retorcer. **2.** mordisquear, picar, probar. **FAM:** *pellizco.*

pellizco s. m. **1.** *Me ha dolido el* ***pellizco*** *que me has dado en el brazo* (= el apretón). **2.** *Yo sólo quiero un* ***pellizco*** *de pan* (= un poco).
SINÓN: 2. migaja. **FAM:** → *pellizcar.*

pelmazo, a adj. *No seas* ***pelmazo*** *y deja de molestar al perro* (= no seas fastidioso).
SINÓN: fastidioso, molesto, pesado. **ANTÓN:** agradable.

pelo s. m. **1.** *Cuando seas mayor te crecerá* ***pelo*** *en la barba y te afeitarás como tu padre* (= te crecerá vello). **2.** *Tiene un bonito* ***pelo*** *de color rubio* (= el cabello que cubre su cabeza). ◆ **tomar el pelo a alguien 3.** *No puedo creer que este regalo tan bonito sea para mí, seguro que* ***me estás tomando el pelo*** (= seguro que me estás engañando). ◆ **ponérsele a uno los pelos de punta 4.** *A mi vecina no le gustan nada las tormentas y* ***se le ponen los pelos de punta*** (= tiene mucho miedo).
SINÓN: 1. vello. **2.** cabello. **ANTÓN: 2.** calva. **FAM:** *depilar, pelado, peladura, pelar, pelirrojo, peludo, peluquería, peluquero, peluquín, pelusa.*

pelón s. m. R. de la Plata. *Los **pelones**, como los duraznos y los damascos, son frutas de verano* (= fruto de sabor parecido al del durazno, pero de piel lisa y rojiza).
FAM: *pelo.*

pelota s. f. **1.** *Me regalaron una **pelota** para jugar al fútbol* (= un balón). **2.** *A los niños les gusta hacer **pelotas** de nieve y tirárselas entre ellos* (= bolas de nieve). ◆ **pelota vasca 3.** *En los partidos de **pelota vasca** los jugadores golpean la pelota con la mano y la lanzan contra una pared* (= de un deporte parecido al frontón que se practica en México).
SINÓN: **1.** balón. **2.** bola. FAM: *apelotonarse, pelotón.*

pelotón s. m. **1.** *Al mando del sargento avanzaba con orden el **pelotón*** (= un pequeño grupo de soldados). **2.** *Un corredor se escapó del **pelotón** y se puso en el primer lugar de la carrera* (= del grupo formado por otros corredores).
SINÓN: **1.** escuadra, grupo. **2.** conjunto, grupo.

peluca s. f. *Marta lleva una **peluca** porque se ha disfrazado de payaso* (= una cabellera hecha con cabellos artificiales).
SINÓN: peluquín, postizo. FAM: → *pelo.*

peluche s. m. *A mi hermano pequeño le han regalado un oso de **peluche*** (= un oso hecho de un tejido suave y blando).

peludo, a adj. *El señor Martínez tiene los brazos muy **peludos*** (= con mucho pelo).
SINÓN: melenudo. ANTÓN: calvo. FAM: → *pelo.*

peluquería s. f. *Voy a la **peluquería** para cortarme el pelo* (= al establecimiento donde te peinan).
SINÓN: barbería. FAM: → *pelo.*

peluquero, a s. *Susana me ha hecho este peinado tan bonito porque es **peluquera*** (= su oficio es cortar y peinar el pelo a los clientes).
FAM: → *pelo.*

peluquín s. m. *Luis lleva un **peluquín** porque tiene muy poco pelo* (= una peluca pequeña que le cubre sólo una parte de la cabeza).
SINÓN: peluca, postizo. FAM: → *pelo.*

pelusa s. f. **1.** *Los duraznos están cubiertos de **pelusa*** (= de pelos suaves). **2.** *La casa está bastante sucia y hay **pelusas** debajo de las camas* (= montones de polvo).
SINÓN: **1.** vello. **2.** polvo. FAM: → *pelo.*

pelvis s. f. La **pelvis** está formada por los huesos de la cadera y el final de la columna vertebral.

pena s. f. **1.** *Condenaron al ladrón a una **pena** de cinco años de cárcel* (= un castigo). **2.** *La muerte de mi tío nos produjo mucha **pena*** (= mucha amargura). ◆ **valer algo la pena 3.** *Te recomiendo que leas este libro porque **vale la pena*** (= es muy bueno).
SINÓN: **1.** castigo, sanción. **2.** amargura, dolor, sufrimiento. ANTÓN: **1.** indulto, perdón. **2.** alegría, alivio. FAM: *apenar, penal, penoso.*

penal s. m. **1.** *El ladrón cumple la condena en un **penal*** (= en una cárcel). **2.** *Un jugador le hizo la zancadilla a Juan dentro del área y el árbitro pitó un **penal*** (= un castigo que consiste en que un jugador lance la pelota directamente al arco sin que intervengan los otros jugadores).
SINÓN: **1.** cárcel, prisión. **2.** penalty. FAM: → *pena.*

penalizar v. tr. Amér. *La falta del jugador fue evidente, pero el árbitro no la **penalizó*** (= no cobró una falta en el juego).
SINÓN: castigar, sancionar. ANTÓN: perdonar, premiar. FAM: *pena.*

pender v. intr. *La lámpara que **pendía** del techo se cayó mientras la limpiaba* (= que colgaba del techo).
SINÓN: colgar. FAM: *pendiente, péndulo.*

pendiente adj. **1.** *Todavía está **pendiente** el trabajo que empezaste* (= está sin terminar). ◆ **pendiente** s. f. **2.** *La carretera de la sierra es una **pendiente** muy pronunciada* (= una cuesta). ◆ **pendiente** s. m. **3.** *Me duelen las orejas porque estos **pendientes** me aprietan mucho* (= estos objetos de adorno que llevo en las orejas).
SINÓN: **1.** incompleto, suspendido. **2.** cuesta, ladera, subida. **3.** colgante. FAM: → *pender.*

péndulo s. m. *El **péndulo** del reloj va de un lado a otro* (= el peso que está colgando de una barra).
FAM: → *pender.*

pene s. m. El **pene** es el órgano genital del hombre que sirve para orinar y procrear.

penetrar v. tr. **1.** *Aquellos chillidos me **penetraron** los oídos* (= me afectaron). ◆ **penetrar** v. intr. **2.** *La humedad **ha ido penetrando** en las paredes* (= se ha ido filtrando). **3.** *El ladrón consiguió **penetrar** en la casa por el balcón* (= consiguió entrar).
SINÓN: **1.** afectar. **2.** atravesar, filtrar, impregnar, introducirse. **3.** acceder, entrar, pasar. ANTÓN: **2.** expulsar, sacar. **3.** salir. FAM: *compenetrarse, impenetrable.*

penicilina s. f. *Tengo una infección en los oídos y el médico me ha recetado **penicilina*** (= un antibiótico muy eficaz para eliminar las infecciones).

península s. f. *En la república de México hay dos grandes **penínsulas**: la de Baja California y la de Yucatán* (= un territorio rodeado de agua en casi todo su contorno, menos un lado por donde se une al continente).
FAM: *peninsular.*

peninsular adj. **1.** *El clima **peninsular** es más variado que el de las islas* (= el clima de la península). ◆ **peninsular** s. m. f. **2.** *Los **peninsulares** son las personas nacidas en una península.*
FAM: *península.*

penitencia s. f. **1.** La **penitencia** es un sacramento en el que se confiesan los pecados al sacerdote. **2.** *¿Has roto el vaso? Pues en* ***penitencia*** *pegarás los trozos* (= como castigo).
SINÓN: 1. confesión. **2.** castigo, pena. **ANTÓN: 1.** absolución. **2.** indulto, perdón.

penoso, a adj. *Era un espectáculo* ***penoso*** *contemplar el bosque después del incendio* (= era muy triste).
SINÓN: angustioso, doloroso, triste. **ANTÓN:** alegre, contento, grato. **FAM:** → *pena.*

pensador, a s. *Los* ***pensadores*** *pasan muchas horas profundizando en sus estudios* (= los sabios).
SINÓN: erudito, estudioso, intelectual, sabio. **FAM:** → *pensar.*

pensamiento s. m. **1.** *Esta mañana me vino al* ***pensamiento*** *la fecha de tu cumpleaños* (= a la memoria). **2.** *Lucía me confió sus* ***pensamientos*** (= sus opiniones).
SINÓN: 1. memoria, mente. **2.** idea, opinión, plan, proyecto, reflexión. **FAM:** → *pensar.*

pensar v. tr. **1.** *No se sabe si los animales* ***piensan*** (= si forman ideas en su mente). **2.** ***Pienso*** *que tienes razón* (= opino que tienes razón). **3.** *Debes* ***pensar*** *bien las respuestas antes de contestar* (= saber muy bien lo que vas a decir). **4.** *Elena* ***piensa*** *venir mañana* (= tiene la intención de venir mañana).
SINÓN: 1. meditar, razonar. **2.** creer, opinar. **3.** examinar, observar, reflexionar. **4.** intentar, proyectar. **ANTÓN: 1.** ofuscarse. **4.** confirmar. **FAM:** *impensable, pensador, pensamiento, pensativo.*

pensativo, a adj. *Está* ***pensativo:*** *seguramente busca la solución a sus problemas* (= está dándole vueltas a algo que le preocupa).
SINÓN: concentrado. **ANTÓN:** distraído. **FAM:** → *pensar.*

pensión s. f. **1.** *¿Cuál es el precio de la* ***pensión*** *completa en este hotel?* (= de la habitación y la comida). **2.** *Me quedé a dormir en una* ***pensión*** (= en un hotel pequeño). **3.** *Mi abuelo cobra la* ***pensión*** *de jubilación* (= un dinero por los años que trabajó).
SINÓN: 2. albergue, fonda. **3.** jubilación, retiro. **FAM:** *pensionista.*

pensionista s. m. f. **1.** *Mi abuelo ya no trabaja y ahora es* ***pensionista*** (= cobra una paga por estar ya retirado). **2.** *Los* ***pensionistas*** *de este hotel están satisfechos con el trato que les dan* (= las personas que residen en él). **3.** *Los* ***pensionistas*** *de este colegio no son muy numerosos* (= los alumnos que comen y duermen en él). ◆ **medio pensionista 4.** *No todos los niños de este colegio son internos, algunos son* ***medio pensionistas*** (= comen en el colegio pero duermen en su casa).
SINÓN: 1. retirado. **2.** huésped. **3.** interno. **FAM:** *pensión.*

pentagonal adj. *Esta mesa tiene forma* ***pentagonal*** (= como la de un polígono de cinco lados).
SINÓN: poligonal. **FAM:** *pentágono.*

pentágono s. m. A la figura cerrada o polígono de cinco lados se le llama **pentágono.**
FAM: *pentagonal.*

pentagrama s. m. *El guitarrista leía la música de la canción en un* ***pentagrama*** (= en un papel rayado con cinco líneas paralelas y cuatro espacios donde se escriben las notas musicales).

penúltimo, a adj. *El atleta no pudo ganar la carrera pues quedó en* ***penúltima*** *posición* (= antes del último).
FAM: → *último.*

penumbra s. f. *La habitación se encontraba en la* ***penumbra*** *y no veía quién estaba dentro* (= casi a oscuras).

peña s. f. **1.** *Subimos a una* ***peña*** *para ver mejor el paisaje* (= a una roca enorme). **2.** *Una* ***peña*** *de amigos jugamos a la lotería* (= un grupo). **3.** *Me inscribí en una* ***peña*** *de fútbol* (= en un club de aficionados).
SINÓN: 1. peñasco, piedra, roca. **2.** coro, grupo, tertulia. **3.** asociación, casino, círculo, club. **FAM:** *despeñadero, despeñar, peñasco, peñón.*

peñasco s. m. *Las olas chocan contra los* ***peñascos*** *del acantilado* (= contra las grandes rocas).
SINÓN: peña, roca. **FAM:** → *peña.*

peñón s. m. *En ese* ***peñón*** *no hay ni un solo árbol, sólo se ven rocas* (= en ese monte donde hay muchas rocas).
SINÓN: monte. **FAM:** → *peña.*

peón s. m. **1.** *El juego del ajedrez tiene ocho* ***peones*** (= las figuras más pequeñas del juego de ajedrez). **2.** *El capataz de la obra dirige el trabajo de los* ***peones*** (= de los obreros).
SINÓN: 2. obrero. **FAM:** *peonza.*

peonía s. f. La **peonía** es una flor grande roja, rosa o blanca, muy hermosa pero sin aroma.

peonza s. f. *Los niños jugaban a ver quién hacía girar mejor la* ***peonza*** (= el juguete de madera en forma de cono, que, al lanzarlo, da muchas vueltas).
SINÓN: trompo. **FAM:** *peón.*

peor adj. **1.** *Este vino es malo, pero aquél todavía es* ***peor*** (= es más malo). ◆ **peor** adv. **2.** *Esta lección la sé* ***peor*** *que la anterior* (= no la sé bien).
SINÓN: 1. pésimo. **ANTÓN: 1, 2.** mejor. **FAM:** *empeoramiento, empeorar.*

pepinillo s. m. Los **pepinillos** son pepinos pequeños que se conservan mucho tiempo en vinagre.
FAM: *pepino.*

pepino s. m. El **pepino** es un fruto alargado, de piel verde que, después de pelado, se come en la ensalada.
FAM: *pepinillo.*

pepita s. f. **1.** *El melón y la sandía tienen* ***pepitas*** *en su interior* (= pequeñas semillas). **2.** *El buscador de oro encontró una* ***pepita*** (= un pequeño trozo de oro puro).

peplo s. m. *Las antiguas griegas usaban* ***peplos*** (= unos vestidos largos sin mangas que caían sueltos desde los hombros).
SINÓN: túnica.

pequeñez s. f. **1.** *Si lo comparas con un transatlántico, te darás cuenta de la* ***pequeñez*** *de la barca* (= de su reducido tamaño). **2.** *Estos niños siempre se pelean por* ***pequeñeces*** (= por cosas sin importancia).
SINÓN: **2.** tontería. FAM: *pequeño.*

pequeño, a adj. **1.** *No me caben los libros porque mi mochila es más* ***pequeña*** *que la tuya* (= es de menor tamaño). **2.** *María es aún muy* ***pequeña*** *para ir a la escuela* (= todavía no tiene la edad necesaria). **3.** *Has cometido un* ***pequeño*** *error en el examen* (= un error sin importancia). **4.** *El señor González es el dueño de un* ***pequeño*** *comercio* (= de un comercio poco importante).
SINÓN: **1.** chico. **2.** chiquillo, joven. **3.** leve, ligero. **3, 4.** insignificante. ANTÓN: **1.** grande. **1, 2.** mayor. **2.** adulto. **3.** apreciable, fuerte. **4.** importante. FAM: *pequeñez.*

pequinés s. m. *Mi vecina tiene varios perros pero el que más le gusta es el* ***pequinés*** (= un perro pequeño de pelo largo que tiene el hocico muy corto y los ojos saltones).

pera s. f. La **pera** es una fruta de cáscara áspera y de color verde o amarillo con una carne jugosa y sabrosa.
FAM: *peral.*

peral s. m. *He arrancado unas cuantas peras maduras del* ***peral*** (= el árbol que da las peras).
FAM: *pera.*

perca s. m. La **perca** es un pez de río comestible, de cuerpo alargado, verdoso en el lomo y plateado en el vientre.

percance s. m. *Los jóvenes tuvieron un pequeño* ***percance*** *y por eso llegaron tarde* (= un pequeño problema).
SINÓN: contratiempo, daño, imprevisto, perjuicio.

percatarse v. pron. ***Se percató*** *de su error y lo corrigió antes de entregar el examen* (= se dio cuenta).
SINÓN: advertir, percibir. ANTÓN: ignorar.

percebe s. m. El **percebe** es un marisco que se cría pegado a las rocas y es muy apreciado por su exquisito sabor.

percha s. f. **1.** *En clase colgamos los abrigos en los ganchos de la* ***percha*** (= del mueble que sirve para colgar la ropa). **2.** *Cuelga la chaqueta en la* ***percha*** *para que no se arrugue* (= en la madera curva que termina en un gancho).
SINÓN: **1.** perchero. **2.** gancho. FAM: *perchero.*

perchero s. m. *He colgado los abrigos en el* ***perchero*** *de la entrada* (= en el mueble donde se cuelgan la ropa y los sombreros).
SINÓN: percha. FAM: *percha.*

percibir v. tr. **1.** ***Percibo*** *los latidos de mi corazón si me pongo la mano en el pecho* (= los siento). **2.** *El Estado* ***percibe*** *los impuestos que pagan los ciudadanos* (= los cobra). **3.** *Después de la explicación* ***percibí*** *la diferencia entre los dos problemas* (= me di cuenta de la diferencia).
SINÓN: **1.** escuchar, oír, sentir. **2.** cobrar, recaudar, recolectar. **3.** comprender, percatarse. ANTÓN: **2.** abonar, dar, distribuir, pagar. FAM: *imperceptible.*

perdedor, a adj. **1.** *El equipo* ***perdedor*** *sólo recibirá una pequeña copa* (= el equipo que no gane). **2.** *Al final de este lío, él salió triunfante y tú* ***perdedor*** (= tú perjudicado).
SINÓN: **2.** damnificado, dañado, perjudicado, víctima. ANTÓN: ganador, triunfante. FAM: → *perder.*

perder v. tr. **1.** ***He perdido*** *mi bolígrafo y ahora no tengo con qué escribir* (= no sé dónde está). **2.** *No* ***pierdas*** *el tiempo viendo tonterías en la televisión* (= no lo malgastes). **3.** ***Has perdido*** *una gran oportunidad* (= no la has aprovechado). **4.** *Juan* ***ha perdido*** *la salud* (= últimamente siempre está enfermo). **5.** ***Perdió*** *todos sus bienes* (= se arruinó). **6.** *El equipo* ***perdió*** *el partido* (= no lo ganó). **7.** *El alumno* ***perdió*** *el respeto al profesor* (= no lo trató con educación). **8.** *María* ***ha perdido*** *a su abuelo* (= porque ya era muy mayor y se ha muerto). **9.** *Este vestido lo has lavado mucho y* ***ha perdido*** *el color* (= está descolorido). ◆ **perderse** v. pron. **10.** ***Nos perdimos*** *en el bosque* (= no sabíamos el camino de vuelta). **11.** ***Me pierdo*** *ante este problema tan difícil* (= no veo cómo resolverlo). **12.** *Con el granizo* ***se ha perdido*** *mucha fruta* (= se ha arruinado). **13.** *Al final el barco* ***se perdió*** *en el horizonte y ya no lo vimos más* (= desapareció).
SINÓN: **1.** extraviar. **2.** derrochar, malgastar. **3.** desperdiciar. **5.** arruinarse, quebrar. **10.** extraviarse. **11.** confundirse, desorientarse, embarullarse. **12.** estropearse. **13.** desaparecer. ANTÓN: **1.** encontrar. **2, 3.** aprovechar. **5.** enriquecerse. **6.** ganar, vencer. **11.** acertar, orientarse. **13.** aparecer, brotar. FAM: *imperdible, perdedor, pérdida.*

pérdida s. f. **1.** *Juan está triste por la* ***pérdida*** *de su perro* (= por la desaparición). **2.** *El ejército en aquella batalla sufrió fuertes* ***pérdidas*** (= murieron muchos soldados). **3.** *El comerciante tuvo* ***pérdidas*** *en su negocio porque vendió menos de lo que pensaba* (= perdió dinero).
SINÓN: **1.** desaparición. **2.** baja, muerte. **3.** déficit, derroche, deuda. ANTÓN: **1.** aparición. **3.** beneficio, ganancia. FAM: → *perder.*

perdigón s. m. **1.** El **perdigón** es el pollo de la perdiz. **2.** *El cazador llevaba una escopeta de*

perdigones (= de cartuchos llenos de pequeñas bolitas de plomo).
FAM: *perdiz.*

perdiz s. f. La **perdiz** es un ave del tamaño de la paloma, con manchas rojas y blancas en su plumaje.
FAM: *perdigón.*

perdón s. m. *Juan pidió **perdón** por llegar tarde a la reunión* (= disculpas).
SINÓN: clemencia, disculpa, indulto. **ANTÓN:** castigo, condena, sanción. **FAM:** *imperdonable, perdonar.*

perdonar v. tr. **1.** *Espero que me **perdones** este error* (= que me disculpes). **2.** *El profesor me **ha perdonado** hacer el dictado porque tengo la mano vendada* (= no tuve que hacerlo).
SINÓN: 1. disculpar. **2.** exceptuar. **ANTÓN: 1.** castigar, condenar. **2.** obligar. **FAM:** → *perdón.*

perdurar v. intr. **1.** *Hace una semana que empezó a llover y todavía **perdura** el mal tiempo* (= todavía continúa). **2.** *En algunos pueblos **perduran** costumbres muy antiguas* (= siguen existiendo).
SINÓN: durar, continuar, permanecer, persistir, seguir. **ANTÓN:** acabar, finalizar, terminar. **FAM:** → *durar.*

peregrino, a s. **1.** *Roma y Jerusalén son dos ciudades visitadas por muchos **peregrinos** cristianos* (= por muchos viajeros). ◆ **peregrino, a** adj. **2.** *La llegada de las cigüeñas **peregrinas** anunciaba que ya era primavera* (= de las aves que emigran de un país a otro). **3.** *A veces tienes ideas **peregrinas** como ésta de pintar la casa de rojo* (= ideas raras).
SINÓN: 1. caminante, romero, viajero. **3.** extraño, extraordinario, raro. **ANTÓN: 3.** corriente, natural, normal.

perejil s. m. El **perejil** es una planta de hojas muy recortadas y verdes, que se usa para condimentar ciertas comidas.

perenne adj. **1.** *Hay plantas y árboles que tienen hojas **perennes*** (= hojas que se mantienen verdes todo el año). **2.** *Vivo a la orilla del mar y oigo el ruido **perenne** de las olas* (= constante).
SINÓN: 1. inmortal, permanente, perpetuo. **2.** constante, inagotable, incesante. **ANTÓN: 1.** caduco. **2.** fugitivo, pasajero.

pereza s. f. **1.** *Tengo que vencer la **pereza** y ponerme a trabajar* (= la falta de ganas de hacer algo). **2.** *Este niño está muy cansado y camina con **pereza*** (= con lentitud).
SINÓN: 1. holgazanería. **2.** lentitud, tardanza. **ANTÓN: 1.** actividad, ánimo. **2.** prontitud, rapidez. **FAM:** *desperezarse, perezoso.*

perezoso, a adj. **1.** *Oscar es muy **perezoso** y le gusta estar sin hacer nada* (= muy holgazán). ◆ **perezoso** s. m. **2.** El **perezoso** es un animal mamífero sin dientes que vive en la zona tropical de América y que se caracteriza por sus lentos movimientos.
SINÓN: 1. gandul, holgazán. **ANTÓN: 1.** activo. **FAM:** → *pereza.*

perfección s. f. **1.** *Juan habla francés a la **perfección*** (= muy bien). **2.** *Esta escultura es de una gran **perfección*** (= de una gran belleza).
SINÓN: 1. corrección. **2.** belleza, gracia, hermosura. **ANTÓN: 1, 2.** imperfección. **2.** fealdad. **FAM:** *desperfecto, imperfección, imperfecto, perfeccionamiento, perfeccionar, perfecto.*

perfeccionamiento s. m. *Marcos habla muy bien inglés, pero ahora asiste a cursos de **perfeccionamiento*** (= a unos cursos donde le enseñarán a hacerlo aún mejor).
ANTÓN: iniciación. **FAM:** → *perfección.*

perfeccionar v. tr. *Conviene que **perfecciones** tus conocimientos de francés* (= que lo hables mejor).
SINÓN: mejorar, perfilar. **ANTÓN:** empeorar, estropear, perjudicar. **FAM:** → *perfección.*

perfecto, a adj. *Tienes muy buena nota porque has hecho un trabajo **perfecto*** (= muy bien hecho).
SINÓN: admirable, correcto, hermoso, impecable, óptimo. **ANTÓN:** imperfecto, incorrecto. **FAM:** → *perfección.*

perfil s. m. **1.** *Me hice una foto de **perfil** y se me ve la nariz muy grande* (= de lado). **2.** *Apoyé la mano en el papel y, pasando el lápiz alrededor de los dedos, dibujé el **perfil** de la mano* (= el contorno).
SINÓN: 1. lado. **2.** contorno, silueta. **FAM:** *perfilar.*

perfilar v. tr. *Ya está acabado mi cuadro, pero he de **perfilarlo*** (= he de darle los últimos toques).
SINÓN: acabar, completar, perfeccionar, rematar, retocar, pulir, terminar. **FAM:** *perfil.*

perforación s. f. *Esta máquina está pensada para realizar la **perforación** de la roca* (= para hacer agujeros en ella).
SINÓN: abertura. **ANTÓN:** taponamiento. **FAM:** *perforar.*

perforar v. tr. *Quería clavar un cuadro pero acabó **perforando** la pared* (= haciendo un gran agujero).
SINÓN: agujerear, atravesar, calar, taladrar, traspasar. **ANTÓN:** tapar, taponar. **FAM:** *perforación.*

perfumar v. tr. **1.** *Juan **perfuma** su pañuelo con colonia* (= le da un olor agradable). ◆ **perfumarse** v. pron. **2.** *Antes de salir de casa **se perfuma*** (= se pone perfume).
ANTÓN : apestar, infectar. **FAM:** → *perfume.*

perfume s. m. **1.** *La violeta despide un **perfume** delicado* (= un olor agradable). **2.** *Me regalaron un frasco de **perfume** que olía muy bien* (= de un producto que sirve para oler bien).
SINÓN: 1. aroma, fragancia, olor. **2.** colonia. **FAM:** *perfumar, perfumería.*

perfumería s. f. *He ido a la* ***perfumería*** *a comprar jabón y colonia* (= al negocio donde se venden perfumes y productos de belleza).
FAM: → *perfume.*

pergamino s. m. *Antiguamente se escribía sobre* ***pergaminos*** (= en pieles de cordero especialmente preparadas para escribir sobre ellas).

perico s. m. Méx. *El* ***perico*** *de mi vecina se pasa el día diciendo palabrotas* (= loro de plumaje verde, domesticable, que puede repetir palabras y frases cortas).

pericón s. m. R. de la Plata. *Las parejas se dispusieron a bailar un* ***pericón*** (= danza folklórica que bailan varias parejas; los bailarines van deteniéndose en el centro del ruedo para intercambiar relaciones o coplas galantes).

periferia s. f. *Cada día tengo que tomar el autobús porque el colegio está en la* ***periferia*** (= en las afueras de la ciudad).

perilla s. f. Méx. **1.** *Las puertas de la casa de mi abuela tienen* ***perillas*** *doradas* (= picaportes). Amér. **2.** *Hubo que cambiar la* ***perilla*** *de la lámpara* (= el interruptor). ◆ **de perillas 3.** *El dinero que me han devuelto me viene* ***de perillas*** *para comprarme la moto* (= me lo han dado en el momento en que más lo necesitaba).
FAM: *pera.*

perímetro s. m. *Hemos medido el* ***perímetro*** *del jardín para saber cuántos metros de valla necesitamos* (= el contorno).
SINÓN: contorno.

periódico, a adj. **1.** *Desde que estuvo enferma María se hace revisiones médicas* ***periódicas*** (= va al médico cada cierto tiempo). ◆ **periódico** s. m. **2.** *Todas las mañanas, leo el* ***periódico*** (= la publicación de las noticias de actualidad).
SINÓN: **1.** habitual, regular. **2.** diario, semanario. ANTÓN: **1.** irregular. FAM: → *período.*

periodismo s. m. *Mi hermano quiere trabajar en la radio y por eso estudia* ***periodismo*** (= los estudios que enseñan a hacer reportajes y crónicas en los periódicos, la televisión o la radio).
SINÓN: información, prensa. FAM: → *período.*

periodista s. *Los* ***periodistas*** *hicieron interesantes preguntas al presidente* (= las personas que escriben en los periódicos o dan informaciones en la radio o en la televisión).
FAM: → *período.*

período s. m. **1.** *Durante el* ***período*** *de vacaciones el colegio está cerrado* (= durante la época). **2.** El **período** es la sangre que expulsa la mujer una vez al mes por la vagina.
SINÓN: **1.** época. **2.** menstruación, regla. FAM: *periódico, periodismo, periodista.*

peripecia s. f. *El viaje fue toda una aventura: montamos a camello, entramos en una gruta y muchas* ***peripecias*** *más* (= muchos hechos inesperados y divertidos).

periquito s. m. El **periquito** es un pájaro de muchos colores, semejante al loro pero más pequeño.

periscopio s. m. *El capitán del submarino miraba por el* ***periscopio*** *para ver si había algún barco cerca* (= por el aparato compuesto por un tubo y unos espejos que permite mirar la superficie del mar desde los submarinos sumergidos).

perjudicar v. tr. *El granizo* ***perjudica*** *las cosechas porque arruina la fruta* (= les hace mucho daño).
SINÓN: arruinar, dañar. ANTÓN: ayudar, beneficiar, favorecer. FAM: *perjudicial, perjuicio.*

perjudicial adj. *Fumar es* ***perjudicial*** *para la salud* (= es malo).
SINÓN: dañino, malo, nocivo. ANTÓN: beneficioso, benéfico, favorable. FAM: → *perjudicar.*

perjuicio s. m. *El incendio causó graves* ***perjuicios*** *en la casa* (= graves daños).
SINÓN: daño. ANTÓN: beneficio. FAM: → *perjudicar.*

perla s. f. *María se ha comprado en la joyería un bonito collar de* ***perlas*** (= de unas pequeñas bolas que se encuentran en el interior de las ostras).

permanecer v. intr. **1.** *Pedro* ***ha permanecido*** *ocho días en París porque tenía mucho trabajo* (= ha estado). **2.** *Tu hermano está enojado y por eso* ***permanece*** *en silencio* (= sigue en silencio).
SINÓN: **1.** quedarse, residir. **2.** perdurar, persistir, seguir. ANTÓN: **1.** irse, mudarse. **2.** alterar, cambiar, cesar. FAM: *permanente.*

permanente adj. **1.** *Esta máquina hace un ruido* ***permanente*** (= constante). ◆ **permanente** s. f. **2.** *María ha ido a la peluquería para que le hagan la* ***permanente*** (= para que le ricen el pelo).
SINÓN: **1.** constante, continuo, duradero, incesante, perenne. **2.** ondulación, rizo. ANTÓN: **1.** pasajero, variable. FAM: *permanecer.*

permeable adj. *Las plantas para crecer necesitan agua, por eso deben plantarse en un terreno* ***permeable*** (= que deje pasar el agua).
SINÓN: absorbente. ANTÓN: impenetrable, impermeable. FAM: *impermeable.*

permiso s. m. *No puedo salir del trabajo sin el* ***permiso*** *de mi jefe* (= sin la autorización).
SINÓN: autorización, consentimiento, licencia. ANTÓN: prohibición. FAM: *permitir.*

permitir v. tr. **1.** *Como ya me encuentro mejor, el médico me* ***permite*** *levantarme de la cama* (= me ha dado la autorización para hacerlo). **2.** *El avión* ***permite*** *hacer largos viajes en pocas horas* (= lo hace posible). ◆ **permitirse** v. pron. Amér. **3.** *El capataz de la fábrica* ***se ha permitido*** *despedir a un obrero* (= tomarse una atribución que no le corresponde).
SINÓN: **1.** admitir, asentir, autorizar, conceder, consentir. **2.** dejar, favorecer, posibilitar. ANTÓN: **1.** negar, prohibir. **2.** impedir. FAM: *permiso.*

pernicioso, a adj. *El tabaco es* ***pernicioso*** *para la salud* (= es muy malo).
SINÓN: dañino, malo, nocivo, peligroso, perjudicial. **ANTÓN:** beneficioso, benéfico, favorable.

pero Es una conjunción. VER CUADRO DE CONJUNCIONES.

perón s. m. Méx. *Me comí un* ***perón*** *delicioso* (= una especie de manzana de cáscara verde y sabor un poco ácido).

peroné s. m. El **peroné** es uno de los dos huesos largos y delgados que tenemos en la pierna.

perpendicular adj. *Las líneas que forman una cruz son* ***perpendiculares*** (= porque se cruzan formando un ángulo recto).

perpetuo, a adj. **1.** *En los picos más altos de la cordillera hay nieves* ***perpetuas*** (= hay nieve durante todo el año). **2.** *El título de Rey es* ***perpetuo*** (= porque dura toda la vida).
SINÓN: 1. constante, continuo, duradero, eterno, perenne, permanente. **2.** vitalicio. **ANTÓN: 1.** pasajero, variable. **1, 2.** temporal.

perplejo, a adj. *Cuando me anunciaste la mala noticia, me quedé* ***perplejo*** (= sorprendido y sin saber qué hacer).
SINÓN: confuso, dudoso, indeciso, vacilante. **ANTÓN:** firme, preciso.

perrera s. f. *Si quieres un perro puedes ir a la* ***perrera*** *y llevarte uno de los de allí* (= al sitio donde se guardan los perros que han sido abandonados).
FAM: → *perro.*

perrilla s. f. Méx. *Me salió una* ***perrilla*** *en el ojo izquierdo* (= un granito infeccioso que aparece en el borde de los párpados).
SINÓN: orzuelo.

perro, a s. El **perro** es un animal mamífero que tiene muy buen olfato y que es un buen amigo del hombre, le es leal y lo defiende.
SINÓN: can. **FAM:** *perrera.*

persa adj. **1.** *Las alfombras* ***persas*** *son muy bonitas y caras* (= de la antigua Persia). ◆ **persa** s. m. f. **2.** *Los* ***persas*** *eran las personas nacidas en la antigua Persia.*

persecución s. f. *La policía salió en* ***persecución*** *del ladrón* (= salió a buscarlo).
SINÓN: búsqueda. **FAM:** → *seguir.*

perseguidor, a s. *El ladrón huyó de sus* ***perseguidores*** (= de las personas que iban tras él).
ANTÓN: fugitivo. **FAM:** → *seguir.*

perseguir v. tr. **1.** *El policía* ***persigue*** *al ladrón* (= va tras él para atraparlo). **2.** *Parece como si me* ***persiguieras*** (= te encuentro en todas partes). **3.** *Ahora* ***persigue*** *el puesto de director de la fábrica* (= hace todo lo posible por conseguirlo).
SINÓN: 1, 2. seguir. **1, 3.** acosar. **2.** buscar. **3.** pretender. **ANTÓN: 1, 2.** abandonar, dejar. **FAM:** → *seguir.*

persiana s. f. *Cierra la* ***persiana*** *para que no entre el sol* (= el objeto formado por una serie de tablas pequeñas que se pone en las ventanas).

persistir v. intr. **1.** *Hace días que llueve y todavía el mal tiempo* ***persiste*** (= continúa). **2.** *Juan* ***persiste*** *en que tiene razón* (= sigue pensándolo).
SINÓN: 1. continuar, durar, perdurar, seguir. **2.** insistir. **ANTÓN:** abandonar, cesar.

persona s. f. **1.** *¿Cuántas* ***personas*** *caben en este cine?* (= ¿cuántos individuos?). **2.** *En la frase* tú lees, *el verbo está conjugado en segunda* ***persona*** *del singular* (= en la forma que permite saber de quién se está hablando).
SINÓN: 1. hombre, individuo, ser. **FAM:** *personaje, personal, personalidad, personarse, personificar.*

personaje s. m. **1.** *Bolívar es un* ***personaje*** *histórico* (= una persona importante). **2.** *Los* ***personajes*** *de este cuento viven muchas aventuras* (= las personas imaginadas por el escritor).
SINÓN: 1. persona. **2.** protagonista. **FAM:** → *persona.*

personal adj. **1.** *Tengo que tratar contigo un asunto* ***personal*** *que sólo nos importa a los dos* (= un asunto privado). ◆ **personal** s. m. **2.** *En esta empresa necesitan más* ***personal*** *para trabajar* (= más gente).
SINÓN: 1. individual, particular, privado. **2.** gente. **ANTÓN: 1.** colectivo, común, público. **FAM:** → *persona.*

personalidad s. f. **1.** *Tiene una* ***personalidad*** *muy fuerte y es muy responsable* (= un carácter muy firme). **2.** *Varias* ***personalidades*** *del mundo político asistieron al acto* (= varias personas importantes).
SINÓN: 1. carácter. **2.** personaje. **FAM:** → *persona.*

personificar v. tr. **1.** *El pintor* ***personificó*** *a la primavera como una mujer joven* (= la representó en forma de persona). **2.** *San Francisco* ***personifica*** *la sencillez y el amor a la Naturaleza* (= lo representa).
SINÓN: 2. representar. **FAM:** → *persona.*

perspectiva s. f. **1.** *El palacio está dibujado con* ***perspectiva*** (= tal y como lo ve el pintor desde donde está situado). **2.** *Hay buenas* ***perspectivas*** *de triunfo* (= muchas posibilidades). **3.** *Desde lo alto de la montaña se veía una bonita* ***perspectiva*** *del valle* (= un bonito panorama).
SINÓN: 2. esperanza, posibilidad, probabilidad. **3.** paisaje, panorama, vista.

persuadir v. tr. *Tu amigo nos* ***ha persuadido*** *y haremos lo que él propone* (= nos ha convencido).
SINÓN: convencer. **FAM:** *persuasivo.*

persuasivo, a adj. *Tu amigo es tan* ***persuasivo*** *que, aunque no tenía ganas, iré con él al cine* (= sabe convencer a los demás).
FAM: *persuadir.*

pertenecer v. intr. *No tires esos libros porque me* ***pertenecen*** (= son míos).
FAM: → *tener.*

pértiga s. f. *El campeón logró saltar más de seis metros de altura con ayuda de la* ***pértiga*** (= de la vara larga).
SINÓN: garrocha, vara.

peruano, a adj. **1.** *Lima es la capital* ***peruana*** (= de Perú). ◆ **peruano, a** s. **2.** *Los* ***peruanos*** *son las personas nacidas en Perú.*

perverso, a adj. *En el cuento de Blancanieves la reina es un personaje muy* ***perverso*** (= muy malo).
SINÓN: malo, malvado. **ANTÓN:** bueno, honesto, virtuoso. **FAM:** *pervertir.*

pervertir v. tr. *Antes era un buen chico pero los malos amigos lo* ***han pervertido*** (= lo han convertido en una persona de malas costumbres).
SINÓN: corromper. **FAM:** *perverso.*

pesa s. f. **1.** *En un platillo de la balanza hay papas y en el otro dos* ***pesas*** (= dos piezas de metal que sirven para pesar). **2.** *Las* ***pesas*** *del reloj van bajando a medida que pasa el tiempo* (= los trozos de metal que cuelgan de una cadena). **3.** *Este gimnasta es especialista en levantamiento de* ***pesas*** (= de un aparato gimnástico formado por una barra de hierro y dos discos muy pesados en los extremos).
FAM: → *pesar.*

pesadez s. f. **1.** *No puedo levantar esta piedra por su* ***pesadez*** (= porque pesa mucho). **2.** *Es una* ***pesadez*** *tener que hacer todos los días lo mismo* (= un aburrimiento). **3.** *Tengo* ***pesadez*** *de estómago porque no he digerido bien la comida* (= tengo molestias).
SINÓN: **1.** peso. **2.** aburrimiento, fastidio. **3.** molestia. **ANTÓN:** **1.** ligereza. **FAM:** → *pesar.*

pesadilla s. f. **1.** *Anoche tuve una* ***pesadilla*** *y me desperté asustado* (= un sueño desagradable y angustiante). **2.** *Su mal comportamiento es una* ***pesadilla*** *para sus padres* (= una constante preocupación).
SINÓN: **2.** angustia, contrariedad, disgusto, preocupación. **FAM:** → *pesar.*

pesado, a adj. **1.** *Es muy difícil mover este refrigerador porque es muy* ***pesado*** (= pesa mucho). **2.** *Tengo un sueño* ***pesado*** *y me cuesta mucho despertarme* (= profundo). **3.** *Tomás es muy gordo y tiene un andar* ***pesado*** (= muy lento y torpe). **4.** *¡No seas* ***pesado,*** *déjame en paz!* (= ¡no molestes!). **5.** *Es un trabajo muy* ***pesado*** *porque hay que hacer todo el día lo mismo* (= muy aburrido).
SINÓN: **2.** intenso, profundo. **3.** lento, torpe. **4, 5.** fastidioso, insoportable, molesto. **ANTÓN:** **1, 2.** ligero. **3.** ágil, rápido, veloz. **4, 5.** agradable, ameno, grato. **FAM:** → *pesar.*

pesaje s. m. *El comerciante realizaba el* ***pesaje*** *de las papas* (= las pesaba).
FAM: → *pesar.*

pésame s. m. *Le di el* ***pésame*** *a Beatriz al salir de la iglesia* (= le manifesté mi dolor ante la muerte de su familiar).
FAM: → *pesar.*

pesar v. tr. **1.** *El carnicero* ***pesó*** *la carne* (= comprobó su peso). ◆ **pesar** v. intr. **2.** *¿Puedes llevarme este paquete?* ***pesa*** *poco* (= es ligero). **3.** *Me* ***pesa*** *haber mentido* (= estoy arrepentido). ◆ **pesar** s. m. **4.** *Cuéntame tus* ***pesares*** *y así sabré por qué lloras* (= tus penas). ◆ **a pesar de** **5.** ***A pesar de*** *que estoy muy cansado, vendré contigo* (= aunque).
SINÓN: **3.** arrepentirse, lamentar. **4.** angustia, pena, tristeza. **ANTÓN:** **4.** alegría, júbilo. **FAM:** *compensar, contrapeso, pesa, pesadez, pesadilla, pesado, pesaje, pésame, peso.*

pesca s. f. **1.** *Los domingos voy de* ***pesca*** *al río* (= trato de atrapar peces). ◆ **pesca de altura** **2.** La **pesca de altura** es la que se realiza en alta mar, lejos de la costa. ◆ **pesca de bajura** **3.** La **pesca de bajura** es la que se realiza cerca de la costa.
FAM: → *pescar.*

pescadería s. f. *Voy a la* ***pescadería*** *a comprar un kilo de sardinas* (= al comercio donde venden pescado).
FAM: → *pescar.*

pescadero, a s. *El* ***pescadero*** *me ha dicho que esta merluza es muy fresca* (= la persona que vende pescado).
FAM: → *pescar.*

pescadilla s. f. La **pescadilla** es la cría de la merluza.
FAM: → *pescar.*

pescado s. m. *El* ***pescado*** *que más me gusta es el bacalao* (= el pez comestible).
FAM: → *pescar.*

pescador, a s. *Los* ***pescadores*** *regresaron al puerto con sus barcas llenas de peces* (= las personas que salen al mar para pescar).
FAM: → *pescar.*

pescar v. tr. **1.** *Mi tío* ***pescó*** *con la caña una trucha en el río* (= la capturó y la sacó del agua). **2.** *Todos los años* ***pesco*** *una gripe* (= me engripo). **3.** *Me* ***han pescado*** *copiando en el examen* (= me han sorprendido).
SINÓN: **1.** capturar. **2.** contraer. **3.** agarrar, atrapar, sorprender. **FAM:** *pesca, pescadería, pescadero, pescadilla, pescado, pescador, pesquero.*

pescuezo s. m. *El* ***pescuezo*** *de la jirafa es muy largo* (= el cuello).
SINÓN: cuello.

pesebre s. m. **1.** *En el* ***pesebre*** *hay cuatro vacas* (= el establo). **2.** *En Navidad hacemos el* ***pesebre*** *con todas las figuras* (= el nacimiento).
SINÓN: **1.** cuadra, establo. **2.** nacimiento.

peseta s. f. *Al llegar a España, los turistas cambian su dinero por* ***pesetas*** (= por la moneda de España).

pesimismo s. m. *Su* ***pesimismo*** *lo lleva a pensar que siempre saldrá todo mal* (= su carácter negativo y desconfiado).
SINÓN: abatimiento, desánimo. **ANTÓN:** esperanza, optimismo. **FAM:** → *pésimo.*

pesimista adj. *Juan es tan* ***pesimista*** *que siempre dice que todo le saldrá mal* (= tan desconfiado con lo que pasará en el futuro).
SINÓN: desesperado. **ANTÓN:** optimista. **FAM:** → *pésimo.*

pésimo, a adj. *Le han puesto la peor nota porque el examen era* ***pésimo*** (= muy malo).
SINÓN: deficiente, malísimo. **ANTÓN:** notable, óptimo. **FAM:** *pesimismo, pesimista.*

peso s. m. **1.** *El* ***peso*** *de esta mesa es de 20 kilos* (= es lo que pesa). **2.** *El atleta lanzó el* ***peso*** *a 15 metros* (= una bola metálica). **3.** *Después de hablar contigo me he quitado un* ***peso*** *de encima* (= me he tranquilizado). **4.** *Sus opiniones son de mucho* ***peso*** *y se tienen muy en cuenta* (= son muy importantes). **5.** *Esta estantería no puede resistir el* ***peso*** *de tantos libros* (= la carga). **6.** *El* ***peso*** *es la moneda oficial de varios países americanos, entre otros México y la Argentina.*
SINÓN: **1, 5.** carga, masa, pesadez. **3.** pesar. **4.** fuerza, influencia. **ANTÓN:** **1.** ligereza. **FAM:** → *pesar.*

pespunte s. m. *Coseré estas dos telas haciendo un* ***pespunte*** (= varias puntadas juntas).

pesquero, a adj. *En este puerto, hay barcos* ***pesqueros*** (= destinados a la pesca).
FAM: → *pescar.*

pestaña s. f. *Tiene los ojos muy bonitos y las* ***pestañas*** *muy largas* (= los pelos que nacen alrededor de los párpados).
FAM: *pestañear, pestañeo.*

pestañear v. intr. **1.** ***Pestañeaba*** *rápidamente porque le había entrado arena en los ojos* (= movía los párpados). ◆ **sin pestañear** **2.** *Carlos seguía la película* ***sin pestañear*** (= estaba muy atento).
SINÓN: **1.** parpadear. **FAM:** → *pestaña.*

pestañeo s. m. *Con un* ***pestañeo*** *rápido conseguirás que la mota de polvo te salga del ojo* (= con un movimiento rápido de los párpados).
SINÓN: parpadeo. **FAM:** → *pestaña.*

peste s. f. **1.** *Antiguamente las* ***pestes*** *producían muchos muertos* (= una enfermedad transmitida por contagio). **2.** *No se aguanta la* ***peste*** *que sale de este lavabo tan sucio* (= el mal olor). ◆ **echar pestes** **3.** *Tu amiga es insoportable: siempre está* ***echando pestes*** *de los demás* (= hablando mal de otras personas).
SINÓN: **1.** epidemia, plaga. **2.** tufo. **ANTÓN:** **1.** bienestar, salud. **2.** aroma. **FAM:** *apestar.*

pestillo s. m. *Todas las noches cierro la puerta con un* ***pestillo*** *para estar más seguro* (= con una pieza gruesa de metal muy resistente).
SINÓN: cerrojo.

petaca s. f. **1.** *Mi padre lleva los cigarros en una* ***petaca*** (= en un estuche para el tabaco). **2.** *Como se iba a quedar el fin de semana llevó sus cosas en una pequeña* ***petaca*** (= maleta).
SINÓN: **1.** cigarrera. **2.** maleta.

pétalo s. m. *La margarita tiene los* ***pétalos*** *blancos y alargados* (= las pequeñas hojas que forman la corola).

petardo s. m. *En las fiestas estallan muchos* ***petardos*** (= pequeñas cargas explosivas que hacen mucho ruido).

petición s. f. *Su* ***petición*** *fue aceptada* (= le concedieron lo que pidió).
SINÓN: pedido, ruego, solicitud. **FAM:** → *pedir.*

petirrojo s. m. El **petirrojo** es un pájaro pequeño de color verde y con el pecho, el cuello y la frente de color rojo.

petizo, a adj. Amér. Merid. **1.** *En la familia de mi cuñado, todos son* ***petizos*** (= de baja estatura). ◆ **petizo** s. m. **2.** *Los niños se turnaban para montar al* ***petizo*** (= caballo de poca alzada).

peto s. m. *El niño llevaba unos pantalones con tirantes y con un* ***peto*** *azul* (= con un trozo de tela que cubre el pecho).
SINÓN: pechera. **FAM:** → *pecho.*

petrel s. m. El **petrel** es un ave palmípeda marina, de plumaje negro, que se alimenta de los huevos de los peces.

petrificar v. tr. **1.** *La mala noticia* ***petrificó*** *a todo el mundo* (= los dejó muy asombrados). ◆ **petrificarse** v. pron. **2.** *Estos fósiles* ***se petrificaron*** *hace millones de años* (= se convirtieron en piedra).

petróleo s. m. *Del* ***petróleo*** *extraído de la tierra se obtiene la gasolina* (= de un líquido negro que se refina y se utiliza como fuente de energía).
FAM: *petrolero, petrolífero.*

petrolero s. m. *En el puerto hay dos grandes* ***petroleros*** (= dos barcos muy grandes que transportan petróleo).
FAM: → *petróleo.*

petrolífero, a adj. *Oriente Medio es una zona* ***petrolífera*** (= tiene mucho petróleo).
FAM: → *petróleo.*

petunia s. f. Las **petunias** son plantas de jardín con flores grandes en forma de campanillas de varios colores.

pez s. m. Los **peces** son animales que viven en el mar y en los ríos, respiran por branquias y se mueven gracias a aletas, aptas para la natación.
FAM: *pecera.*

pezón s. m. *El niño mamaba chupando la leche del* ***pezón*** *de la madre* (= de la parte central de la teta).

pezuña s. f. *Hay animales como la vaca y el toro que tienen **pezuñas*** (= uñas gruesas).

piadoso, a adj. **1.** *Mi padre ha sido **piadoso** conmigo y me ha perdonado el castigo* (= muy bondadoso). **2.** *Mi abuela es muy **piadosa** y va todos los domingos a misa* (= es muy religiosa).
SINÓN: 1. benigno, bondadoso, bueno, caritativo, compasivo, humano. **2.** beato, místico, religioso. **ANTÓN: 1.** cruel, inhumano. **FAM:** → *piedad.*

pial o **peal** s. m. Amér. **1.** *Los ganaderos atrapan las reses con un **pial*** (= lazo que se arroja a las patas de los animales para derribarlos y poder marcarlos). **2.** *Para que el potro no huyera, el vaquero le amarró las patas con un **pial*** (= cuerda o lazo).
FAM: *pialar.*

pialar o **pealar** v. tr. Amér. *Tuvieron que **pialar** al potro salvaje* (= echarle un pial a las patas).
FAM: *pial.*

pianista s. *Juan es **pianista** y hoy da un concierto* (= toca el piano).
FAM: *piano.*

piano s. m. *María en clase de música aprende a tocar el **piano*** (= un instrumento musical con unas teclas blancas y negras).
FAM: *pianista.*

piar v. intr. *Los pájaros **pían** en el nido para pedir comida* (= hacen pío, pío).

piara s. f. *En la finca hay una **piara** de cerdos* (= un gran grupo).
SINÓN: manada.

pibe, a s. Amér. Merid. *Tu sobrino es un **pibe** muy simpático* (= niño).
SINÓN: chiquillo, rapaz. **ANTÓN:** adulto.

pica s. f. *Los escaladores al llegar a la cima de la montaña clavaron una **pica** con la bandera de su país* (= una vara larga que termina en una punta metálica).
SINÓN: lanza. **FAM:** → *picar.*

picacho s. m. *Esas montañas no terminan en cimas redondeadas sino en **picachos*** (= en picos).
FAM: → *picar.*

picador s. m. *Ángel trabaja de **picador** en la finca de caballos* (= es la persona que los doma).
SINÓN: domador. **FAM:** → *picar.*

picadora s. f. *Mi madre para hacer hamburguesas utiliza la **picadora** para picar la carne* (= la máquina que corta los alimentos en trozos muy pequeños).
FAM: → *picar.*

picadura s. f. *Esta pomada alivia el dolor que producen las **picaduras** de los mosquitos* (= los pequeños pinchazos del aguijón).
FAM: → *picar.*

picana s. f. Amér. Merid. *Cuando el ganado camina con lentitud, se usa la **picana** para estimularlo* (= vara larga terminada en una punta de hierro).
SINÓN: pica. **FAM:** → *picar.*

picanear v. tr. Amér. Merid. *El peón **picaneaba** al ganado* (= lo estimulaba con la picana).
SINÓN: picar, pinchar. **FAM:** → *picar.*

picante adj. *Necesito beber agua porque la salsa está muy **picante*** (= tiene mucha pimienta).
FAM: → *picar.*

picapedrero s. m. *Tiene mucha fuerza en los brazos porque trabaja de **picapedrero*** (= pica las piedras para darles una forma determinada).
SINÓN: cantero. **FAM:** → *picar.*

picaporte s. m. Amér. Merid., Méx. El **picaporte** es una barra movible de metal que sirve para cerrar las puertas.
SINÓN: manilla. **FAM:** → *picar.*

picar v. tr. **1.** *Me **picó** una avispa en el brazo y me arde* (= me clavó su aguijón). **2.** *Mi madre **picó** la carne para hacer hamburguesas* (= la cortó en trozos muy pequeños). **3.** *La paloma **picaba** los granos de maíz* (= los comía con el pico). **4.** ***Picó** el pez cuando ya pensaba que no iba a pescar nada* (= mordió el cebo que estaba en el anzuelo). **5.** *Hace un rato **he picado** unas papas fritas y ahora no tengo hambre* (= he comido un poco). **6.** *El jinete **picó** al caballo para que corriera más* (= le dio un golpe con la espuela). **7.** *Este picador **pica** bien los caballos* (= sabe adiestrarlos). **8.** *Me bajé del tren sin que los revisores me **picaran** el boleto* (= sin que me lo marcaran). **9.** *La humedad **picó** esta vasija de metal* (= la oxidó). **10.** *El escultor **pica** la piedra* (= la golpea y le da forma). **11.** *Me **pica** la curiosidad por descubrir la verdad* (= tengo ganas de saberlo). **12.** *¡No lo **piques** más o se enojará!* (= ¡no lo molestes!). ◆ **picar** v. intr. **13.** *Me **pica** la herida* (= me dan ganas de rascármela). **14.** *Esta salsa **pica** porque tiene mucho picante* (= me hace arder la garganta). **15.** *En verano **pica** mucho el sol* (= calienta demasiado). **16.** *La publicidad se hace para que la gente **pique*** (= para que compre aquel producto). ◆ **picarse** v. pron. **17.** ***Se me ha picado** una muela y me duele* (= se me ha hecho una caries). **18.** ***Se ha picado** la ropa porque ha estado mucho tiempo guardada* (= la ha agujereado la polilla). **19.** *Tu amigo **se ha picado** por lo que dijiste de él* (= se ha ofendido).
SINÓN: 1, 6. espolear, herir. **1.** clavar. **2.** cortar, desmenuzar, triturar, trocear. **3.** comer. **4.** morder. **5.** pellizcar. **7.** adiestrar, domar. **8.** marcar, perforar. **9.** corroer, oxidar. **10.** golpear. **11.** estimular, excitar, motivar. **12.** alterar, enojar, irritar, provocar. **13.** escocer. **15.** calentar, quemar. **17, 18.** agujerearse. **19.** enfadarse, enojarse, disgustarse, molestarse, ofenderse. **ANTÓN: 12.** sosegar, tranquilizar. **19.** alegrarse. **FAM:** *pica, picacho, picador, picadora, picadura, picante, picapedrero, picaporte, pico, picor, picotazo, picudo, piqueta, repicar, repiquetear, repiqueteo.*

picardía s. f. *El niño no lo ha hecho para molestarte porque no tiene* ***picardía*** (= no hace las cosas con maldad).
SINÓN: astucia, maldad, malicia. ANTÓN: bondad, ingenuidad. FAM: *pícaro.*

pícaro, a adj. *Tu hermano es muy* ***pícaro,*** *siempre consigue que la abuela le dé dinero para caramelos* (= muy pillo).
SINÓN: astuto, bribón, pillo. ANTÓN: ingenuo. FAM: *picardía.*

pichicho, a s. R. de la Plata. *Cada día quiero más a este* ***pichicho*** *que encontré en la calle* (= perro pequeño y manso).

pichincha s. f. Amér. Merid. **1.** *Este pantalón es una auténtica* ***pichincha*** (= cosa apreciable que se compra a bajo precio). **2.** *Mi padre invirtió una gran cantidad de dinero para concretar una* ***pichincha*** (= negocio muy bueno).
ANTÓN: **1.** ganga, ocasión, oportunidad.

pichón s. m. **1.** *La paloma daba de comer a los* ***pichones*** (= a sus crías). Amér. **2.** *Daniel no sabe nada de la vida; es un* ***pichón*** (= joven sin experiencia).
SINÓN: **1.** palomo. **2.** inexperto, novato, principiante. ANTÓN: **2.** experto.

picnic s. m. Amér. *El día que comienza la primavera, los estudiantes salen de* ***picnic*** (= día de campo, comida campestre. Es una palabra inglesa).

pico s. m. **1.** *Los pájaros toman su comida con el* ***pico*** (= con la parte dura y puntiaguda de su boca). **2.** *La lanza termina en* ***pico*** (= en punta). **3.** *El Everest es el* ***pico*** *más alto del mundo* (= la montaña más alta). **4.** *El albañil agujerea la pared con un* ***pico*** (= con una herramienta terminada en dos puntas). **5.** *La pelota me ha costado 20 pesos y* ***pico*** (= un poco más de 20 pesos).
SINÓN: **2.** punta. **3.** cima, cumbre, cúspide. **4.** piqueta. FAM: → *picar.*

picor s. m. *Se rasca porque siente* ***picor*** *por todo el cuerpo* (= escozor).
SINÓN: ardor, escozor. FAM: → *picar.*

picotazo s. m. *La gallina me dio un* ***picotazo*** *en el dedo* (= un golpe con su pico).
FAM: → *picar.*

picudo, a adj. *Para disfrazarse de bruja se compró un sombrero muy* ***picudo,*** *con forma de cucurucho* (= muy puntiagudo).
SINÓN: puntiagudo. ANTÓN: obtuso, redondo. FAM: → *picar.*

pie s. m. **1.** *Tengo una herida en el* ***pie*** *y no puedo andar* (= en la parte terminal de las extremidades inferiores). **2.** *Se ha roto el* ***pie*** *de la lámpara* (= el tubo con que se apoya en el suelo). **3.** *Al* ***pie*** *de la montaña hay un bonito hotel* (= en la parte de abajo). **4.** *Firmó al* ***pie*** *de la carta* (= en la parte final del escrito). ◆ **pie palmeado 5.** *Los flamencos y los patos tienen los* ***pies palmeados*** (= sus dedos están unidos por una membrana). ◆ **a pie 6.** *Los excursionistas recorrieron muchos kilómetros* ***a pie*** (= andando). ◆ **de pie 7.** *El público del teatro se puso* ***de pie*** *para aplaudir a los actores* (= se levantó de sus asientos). ◆ **al pie de la letra 8.** *He estudiado mucho y sé la lección* ***al pie de la letra*** (= la sé muy bien). **9.** *He hecho todo lo que me mandaste* ***al pie de la letra*** (= exactamente como tú me dijiste). ◆ **en pie 10.** *A pesar de su antigüedad el edificio aún se mantiene* ***en pie*** (= en buen estado).
SINÓN: **1.** extremidad. **2.** apoyo, pata. **4.** final. FAM: *apear, bípedo, peatón, pedestal, trípode.*

piedad s. f. **1.** *Tuvo* ***piedad*** *del pobre anciano y lo ayudó a cruzar la calle* (= sintió compasión por él). **2.** *María reza con* ***piedad*** (= con devoción).
SINÓN: **1.** compasión, lástima, misericordia, pena. **2.** devoción, fe. ANTÓN: **1.** crueldad. FAM: *apiadarse, piadoso, pío.*

piedra s. f. **1.** *Esta casa está construida con* ***piedra*** (= con roca tallada). **2.** *Durante la tormenta cayó* ***piedra*** (= granizo muy grueso). ◆ **piedra preciosa 3.** *Los diamantes y las esmeraldas son* ***piedras preciosas*** (= las piedras que se usan para hacer joyas).
SINÓN: **1.** losa, peña, roca. **2.** granizo. FAM: *apedrear, empedrado, empedrar, pedrada, pedregal, pedregoso, pedrusco.*

piel s. f. **1.** *María tiene la* ***piel*** *morena de tanto tomar el sol* (= el fino tejido que recubre su cuerpo). **2.** *Mi tía se compró unos zapatos de* ***piel*** (= de cuero). **3.** *Antes de comer las ciruelas, les quito la* ***piel*** (= la membrana que las recubre).
SINÓN: **1.** cutis, epidermis. **2.** cuero, pellejo. **3.** cáscara. FAM: *peletería.*

pienso s. m. *Por las mañanas el granjero va a las cuadras a ponerles agua y* ***pienso*** *a los animales* (= el alimento seco que se da al ganado).

pierna s. f. *El futbolista está rengueando porque le duele una* ***pierna*** (= una de sus extremidades inferiores).
SINÓN: extremidad.

pieza s. f. **1.** *María se compró un traje de baño de dos* ***piezas*** (= de dos partes). **2.** *Arreglé la mesa colocándole una* ***pieza*** *de madera* (= un trozo). **3.** *El ajedrez tiene 32* ***piezas*** (= 32 figuras). **4.** *Ese mueble es una* ***pieza*** *hermosa* (= una obra de arte). **5.** *El motor no funciona porque le falta una* ***pieza*** (= una parte). **6.** *Los músicos interpretaron varias* ***piezas*** (= varias obras musicales).
SINÓN: **1, 5.** parte. **2.** parche, trozo. **3.** trebejo. **4.** obra.

pigmento s. m. *Las pecas son oscuras porque tienen un* ***pigmento*** (= una sustancia natural que da color a una parte del organismo).

pijama s. m. *Juan duerme con* ***pijama*** (= con un traje suave compuesto de chaqueta y pantalón. También se dice piyama).

pila s. f. **1.** *En el jardín instalaron una fuente con una* ***pila*** (= con un recipiente hondo que recoge el agua). **2.** *Esta radio funciona con* ***pilas*** (= con unos aparatos que acumulan corriente eléctrica). **3.** *Sobre la mesa hay una* ***pila*** *de libros* (= muchos libros).
SINÓN: **1.** fuente. **2.** batería. **3.** montón. **FAM:** *pilar, pilote.*

pilar s. m. *Estos* ***pilares*** *sostienen el puente* (= estas columnas).
SINÓN: columna. **FAM:** → *pila.*

pilcha s. f. Amér. Merid. *Ana tiene buenas* ***pilchas*** (= prendas de vestir).

píldora s. f. *Juan bebe un poco de agua para tragar mejor las* ***píldoras*** *para la tos* (= los medicamentos en forma de pequeñas bolas).
SINÓN: gragea, pastilla, tableta.

pileta s. f. **1.** *Después de comer lavamos los platos en la* ***pileta*** *de la cocina.* **2.** *Como hacía mucho calor nos zambullimos en la* ***pileta*** *de natación* (= alberca). ◆ **tirarse a la pileta** **3.** *No sabía nada del negocio pero decidió* ***tirarse a la pileta*** (= arriesgarse).
SINÓN: **1.** pila. **2.** alberca, piscina. **FAM:** → *pila.*

pillar v. tr. *La policía consiguió* ***pillar*** *al ladrón que había huido* (= consiguió atraparlo).
SINÓN: agarrar, atrapar. **ANTÓN:** dejar, soltar.

pillo, a adj. *Este chiquillo es tan* ***pillo*** *que siempre acaba consiguiendo lo que quiere* (= tan astuto).
SINÓN: astuto, listo, pícaro. **ANTÓN:** bueno, honesto, honrado.

pilón s. m. Amér. **1.** *Para separar la cáscara del grano de los cereales, se utiliza el* ***pilón*** (= mortero grande de madera, piedra o metal). Méx. **2.** *En el mercado, algunos vendedores dan* ***pilón*** (= cantidad extra de mercadería que se da como regalo al cliente).

piloncillo s. m. Méx. *Compré un* ***piloncillo*** *para hacer miel* (= cono de azúcar sin refinar).

pilote s. m. *Construyeron la casa sobre gruesos* ***pilotes*** (= sobre gruesas columnas de madera).
SINÓN: pilar, poste. **FAM:** → *pila.*

pilotear v. tr. *No es fácil* ***pilotear*** *un avión* (= conducirlo).
SINÓN: conducir, dirigir, guiar. **FAM:** → *piloto.*

piloto s. m. *El* ***piloto*** *del avión deseó a los pasajeros un feliz vuelo* (= la persona que conducía el avión).
SINÓN: conductor. **FAM:** *copiloto, pilotar.*

pimentón s. m. *El chorizo es rojo porque lleva* ***pimentón*** (= el polvo de pimiento seco que se usa en la comida para darle sabor y color rojizo).
FAM: → *pimienta.*

pimienta s. f. *Esta carne está picante porque lleva* ***pimienta*** (= unas bolitas negras que se emplean enteras o molidas como condimento).
FAM: *pimentón, pimiento.*

pimiento s. m. El **pimiento** es un fruto de carne dura, de color rojo o verde que se suele comer en guisos y ensaladas.
FAM: → *pimienta.*

pinacoteca s. f. Una **pinacoteca** es un museo de pinturas.
SINÓN: museo. **FAM:** → *pintar.*

pinar s. m. *El suelo de este* ***pinar*** *está lleno de piñas* (= de este bosque de pinos).
FAM → *pino.*

pincel s. m. *El pintor aplicaba los colores con el* ***pincel*** (= con una brocha muy fina).
SINÓN: brocha. **FAM:** *pincelada.*

pincelada s. f. *El pintor le ha dado la última* ***pincelada*** *al cuadro* (= le ha dado el último toque de pincel).
SINÓN: brochazo, toque, trazo. **FAM:** *pincel.*

pinchar v. tr. **1.** *La enfermera me* ***pinchó*** *para ponerme la inyección* (= me clavó la aguja). **2.** *El ciclista* ***ha pinchado*** *y no puede continuar en la carrera* (= la rueda de su bicicleta se ha agujereado y ha perdido aire).
SINÓN: **1.** clavar, herir. **2.** perforar, ponchar, reventar. **FAM:** *pincho.*

pinchazo s. m. *Me quedó la marca del* ***pinchazo*** (= de la inyección).
SINÓN: herida, picadura. **FAM:** → *pinchar.*

pingo s. m. Amér. Merid. **1.** *El que ganó la carrera es un buen* ***pingo*** (= caballo hermoso, resistente y buen corredor). **2.** *¡No menciones al* ***pingo****!* (= diablo). **3.** *Este* ***pingo*** *ha roto el cristal de un pelotazo* (= chico travieso).
SINÓN: **1.** corcel. **2.** demonio, Satán, Satanás.

ping-pong s. m. *Hemos sacado al jardín la mesa de* ***ping-pong*** *para jugar un rato* (= un juego parecido al tenis pero que se juega lanzando la pelota sobre una mesa).

pingüino, a s. m. El **pingüino** es un ave palmípeda propia de regiones frías, de alas negras y pecho de color blanco que camina en posición vertical.

pinino s. m. **1.** *Los niños pequeños al hacer sus primeros* ***pininos*** *suelen caerse al suelo* (= al dar sus primeros pasos). **2.** *Hace poco que estudio piano y estoy haciendo mis primeros* ***pininos*** (= mis primeras pruebas).
SINÓN: **1.** paso. **2.** ensayo, progreso, prueba.

pino s. m. Los **pinos** son árboles que tienen hojas verdes en todas las estaciones del año; dan piñas, dentro de las cuales están los piñones.
FAM: *pinar.*

pinole s. m. Méx. *Me gusta comer* ***pinole*** (= harina de maíz tostado con azúcar, cacao, canela, con la que también se prepara una bebida que tiene el mismo nombre).

pinta s. f. **1.** *Tengo un perro blanco con* ***pintas*** *negras* (= con manchas). **2.** *Al ver la buena*

pinta *del cordero asado me animé a comerlo* (= el buen aspecto).
SINÓN: **1.** mancha, mota, señal. **2.** apariencia, aspecto. FAM: → *pintar.*

pintar v. tr. **1.** *Conozco al artista que* ***pintó*** *ese cuadro* (= que lo dibujó y le dio color). **2.** ***Pintaron*** *las paredes de mi habitación de amarillo* (= las cubrieron de pintura amarilla). **3.** *Tal como la* ***pintas,*** *la fiesta debió de ser muy divertida* (= tal como la describes).
SINÓN: **1.** colorear. **3.** contar, describir. FAM: *pinacoteca, pinta, pintarrajear, pintor, pintoresco, pintura.*

pintarrajear v. tr. *Mi hermano pequeño* ***pintarrajeó*** *las paredes de su habitación* (= las manchó con varios colores).
SINÓN: emborronar, garabatear. FAM: → *pintar.*

pintor s. m. **1.** *Picasso fue un gran* ***pintor*** (= un artista que pintó cuadros famosos). **2.** *El señor García es* ***pintor*** *y va a venir a mi casa para pintar el comedor* (= se dedica a pintar las paredes de las casas).
FAM: → *pintar.*

pintoresco, a adj. **1.** *Vivo en un pueblo* ***pintoresco*** *y viene a verlo mucha gente* (= en un pueblo que llama la atención por la hermosura de su paisaje y la originalidad de sus construcciones). **2.** *Tiene una forma de hablar tan* ***pintoresca*** *que, a veces, no lo entiendes* (= tan original).
SINÓN: **1.** atractivo, típico. **2.** característico, curioso, original. FAM: → *pintar.*

pintura s. f. **1.** *Compré un tarro de* ***pintura*** *de color verde para pintar la silla* (= un líquido que sirve para pintar). **2.** *Visité una exposición de* ***pintura*** (= de cuadros).
SINÓN: **1.** color. **2.** cuadro. FAM: → *pintar.*

pinza s. f. **1.** *Mi madre tiende la ropa con* ***pinzas*** *para que se seque* (= con unos broches que tienen un resorte y sirven para sujetar la ropa). **2.** *Las patas de los cangrejos acaban en* ***pinzas*** (= en unos órganos que les sirven para agarrar los alimentos). **3.** *María se depila las cejas con una* ***pinza*** (= con un instrumento metálico en forma de ángulo agudo). **4.** *Es tan reservado que no le sacas las cosas ni con* ***pinzas*** (= lo oculta todo). **5.** *Hay que hacerle unas* ***pinzas*** *en la cintura de la falda para achicarla* (= unos pliegues). **6.** *Necesité unas* ***pinzas*** *para sacar un clavo muy duro.* (= alicates).
SINÓN: **5.** pliegue. **6.** alicates.

piña s. f. **1.** *Recogimos varias* ***piñas*** *y las abrimos para sacar los piñones* (= los frutos del pino). **2.** La **piña** es una fruta de los países cálidos que se come fresca o en conserva. R. de la Plata. **3.** *La discusión fue subiendo de tono, y terminaron dándose varias* ***piñas*** (= trompadas).
FAM: *piñón.*

piñata s. f. Méx. *En la escuela rompimos una* ***piñata*** (= vasija de barro decorada con papel de colores, que cuelga de una soga, para que los jugadores intenten romperla con los ojos vendados).

piñón s. m. **1.** El **piñón** es la semilla del pino que está dentro de la piña; es comestible después de quitarle la cáscara. **2.** *El ciclista tuvo que abandonar la carrera porque se le rompió el* ***piñón*** *de la bicicleta* (= la rueda dentada movida por una cadena).
FAM: *piña.*

pío s. m. **1.** **Pío, pío** es el sonido que emiten los pájaros. ◆ **pío, a** adj. **2.** *María es muy* ***pía*** *y siempre está rezando* (= es muy piadosa). ◆ **no decir ni pío 3.** *Cuando me regañó mi profesora, no me atreví a* ***decir ni pío*** (= no me atreví a decir nada).
SINÓN: **2.** devoto, piadoso. FAM: → *piedad.*

piocha s. f. Amér. Cent., Ant. **1.** *El campesino trabaja la tierra con una* ***piocha*** (= herramienta de labranza, con mango de madera y una pieza de metal en un extremo). Méx. **2.** *El maestro se dejó crecer la* ***piocha*** (= el pelo de la barbilla).
SINÓN: **1.** azada, azadón.

piojo s. m. *Es importante lavarse bien el cabello para no tener* ***piojos*** (= unos insectos parásitos).
FAM: *piojoso.*

piojoso, a adj. *Aquel niño estaba sucio y* ***piojoso*** (= tenía la cabeza llena de piojos).
SINÓN: roñoso, sucio. ANTÓN: limpio. FAM: *piojo.*

piolín s. m. Amér. Merid. *Para remontar la cometa se necesita un* ***piolín*** *muy largo* (= cordel delgado).
SINÓN: cordón, cuerda. FAM: *piola.*

pionero, a s. **1.** *Los* ***pioneros*** *que llegaron a América fueron españoles* (= fueron sus primeros exploradores). **2.** *Isaac Peral fue un* ***pionero*** *en la fabricación del submarino* (= fue uno de los primeros que intentó hacerlo).
SINÓN: **1.** explorador. **2.** inventor.

pipa s. f. *Juan no fuma cigarrillos, fuma en* ***pipa*** (= en un utensilio que consta de un tubo y un cuenco donde se pone el tabaco).

pique s. m. **1.** *El pescador estaba contento porque había buen* ***pique*** *en el río* (= buena pesca). ◆ **irse a pique 2.** *Con la tormenta el barco* ***se fue a pique*** (= se hundió). **3.** *Como no tenemos dinero para el viaje, nuestras ilusiones* ***se han ido a pique*** (= se han acabado).
SINÓN: **1.** pesca.

piqueta s. f. *El albañil pica la pared con la* ***piqueta*** (= con una herramienta parecida a un pico).
FAM: → *picar.*

piragua s. f. *Los indios americanos navegan por sus ríos en* ***piraguas*** (= en unas embarcaciones estrechas y alargadas).
SINÓN: barca, canoa.

pirámide s. f. *Los egipcios construyeron* ***pirámides*** *gigantescas* (= unos monumentos con las caras triangulares unidas por sus vértices).

piraña s. f. La **piraña** es un pez temible que tiene una gran cabeza y unos dientes puntiagudos y fuertes. Abunda en los ríos sudamericanos.

pirata s. m. *Antiguamente, los barcos que transportaban riquezas eran atacados por* ***piratas*** (= por ladrones de los mares).
SINÓN: bandido, ladrón.

piropo s. m. *El joven dirigió a la muchacha un bonito* ***piropo*** (= una frase en la que le decía que era linda).
SINÓN: alabanza, galantería. **ANTÓN:** insulto, ofensa.

pirueta s. f. *El acróbata del circo hacía* ***piruetas*** (= saltos y volteretas).
SINÓN: brinco, cabriola, giro, salto, voltereta.

pirulí s. m. Amér. *En las plazas y parques públicos, siempre hay vendedores de* ***pirulíes*** (= caramelos cónicos y largos, con un palito para sostenerlos).

pisada s. f. **1.** *Se notan las* ***pisadas*** *que dejó el ladrón al caminar por la tierra del jardín* (= las huellas). **2.** *Viene alguien porque he oído* ***pisadas*** *en la escalera* (= pasos).
SINÓN: 1. huella, paso. **2.** pasos. **FAM:** → *pisar.*

pisapapeles s. m. *Pon el* ***pisapapeles*** *sobre esos documentos para que no se los lleve el viento* (= el utensilio que sirve para sujetar los papeles).
FAM: → *pisar.*

pisar v. tr. **1.** *Me estás* ***pisando*** *el pie y me haces daño* (= has puesto tu pie sobre el mío). **2.** ***Pisé*** *una cucaracha* (= la aplasté con el pie). **3.** *No tuvo tiempo de* ***pisar*** *el freno y chocó contra el otro coche* (= de apretarlo con el pie). **4.** *No permitiré que me* ***pisen*** (= que me humillen).
SINÓN: 1, 2. aplastar, pisotear. **2.** estrujar. **3.** apretar. **4.** humillar, ofender, pisotear. **ANTÓN: 4.** alabar, apreciar, elogiar. **FAM:** *apisonadora, pisada, pisapapeles, piso, pisotear, pisotón.*

piscina s. f. *Los niños aprenden a nadar en la* ***piscina*** (= en una alberca).
SINÓN: alberca, estanque, pileta de natación.

piscis s. m. **Piscis** es el duodécimo signo del zodíaco, va desde el 20 de febrero hasta el 20 de marzo.

piso s. m. **1.** *No entres en la habitación, que el* ***piso*** *está húmedo* (= el suelo). **2.** *Vivo en el primer* ***piso*** (= en la primera planta). **3.** *Se han comprado un* ***piso*** *de grandes dimensiones* (= una vivienda que ocupa toda una planta de un edificio).
SINÓN: 1. suelo. **2.** planta. **3.** vivienda. **FAM:** → *pisar.*

pisotear v. tr. **1.** *No* ***pisotees*** *las flores, pasa por el otro lado* (= no pongas el pie encima). **2.** *No le importa* ***pisotear*** *a la gente con tal de conseguir lo que se propone* (= hacerle daño).
SINÓN: 1. aplastar, pisar. **2.** humillar, ofender. **ANTÓN: 2.** alabar, apreciar, elogiar. **FAM:** → *pisar.*

pisotón s. m. *Me dio un* ***pisotón*** *que todavía me duele* (= puso su pie sobre el mío con mucha fuerza).
FAM: → *pisar.*

pista s. f. **1.** *El ladrón no dejó* ***pistas*** *y la policía todavía no ha podido encontrarlo* (= no dejó ninguna señal que lo pudiera delatar). **2.** *Los payasos del circo salieron a la* ***pista*** (= al lugar destinado a las atracciones). **3.** *Ensancharon la* ***pista*** *del aeropuerto* (= el terreno donde aterrizan los aviones).
SINÓN: 1. huella, rastro, señal. **FAM:** *autopista, despistado, despistar, despiste.*

pistilo s. m. El órgano femenino de la flor es el **pistilo;** es fecundado por el polen.
ANTÓN: estambre.

pistola s. f. **1.** *El policía llevaba una* ***pistola*** (= un arma corta de fuego que se dispara con una sola mano). **2.** *Pintó las puertas a* ***pistola*** (= con un utensilio del cual sale la pintura a presión).
SINÓN: 1. revólver. **2.** soplete. **FAM:** *pistolera, pistolero.*

pistolera s. f. *El sherif sacó una pistola de su* ***pistolera*** *y disparó* (= del estuche que lleva colgado en la cintura donde guarda la pistola).
SINÓN: cartuchera. **FAM:** → *pistola.*

pistolero s. m. *El* ***pistolero*** *de la película del oeste tenía muy buena puntería* (= la persona que disparaba con una pistola).
SINÓN: asesino, atracador, bandido, delincuente, malhechor. **FAM:** → *pistola.*

pistón s. m. *El coche no funciona porque se ha roto un* ***pistón*** (= la pieza que hace que el coche se mueva).

pita s. f. Amér. *Plantaron una* ***pita*** *en el jardín botánico* (= especie de agave de flores amarillas y hojas carnosas con espinas en el borde, de las que se obtiene una fibra textil).
SINÓN: maguey.

pitar v. intr. **1.** *El guardia* ***pitó*** *para indicar que los coches ya podían pasar* (= hizo sonar el pito). Amér. Merid. **2.** *No se debe* ***pitar*** *en los lugares públicos* (= fumar).
FAM: → *pito.*

pitido s. m. *El árbitro dio un* ***pitido*** *para señalar el final del partido* (= hizo sonar el silbato).
FAM: → *pito.*

pito s. m. *El árbitro hizo sonar el* ***pito*** *para señalar la falta de un jugador* (= el silbato).
SINÓN: silbato. **FAM:** *pitar, pitido, pitillera, pitillo, pitón.*

pitón s. m. **1.** *Los toros tienen* ***pitones*** (= cuernos). ◆ **pitón** s. f. **2.** La **pitón** es una serpiente muy grande de Asia y África que estrangula con su cuerpo a sus presas.
SINÓN: 1. cuerno. **2.** víbora. **FAM:** → *pito.*

pizarra s. f. *Las casas de montaña tienen tejados de **pizarra*** (= de una piedra negra azulada).

pizarrón s. m. *El profesor me mandó escribir en el **pizarrón*** (= en una tabla oscura fijada en la pared de las aulas).
SINÓN: encerado.

pizca s. f. *La sopa está sosa, le falta una **pizca** de sal* (= un poco).
SINÓN: fragmento, pellizco, trozo. ANTÓN: totalidad.

pizza s. f. *Los americanos hemos adoptado la **pizza** de origen italiano* (= masa chata y por lo común redondeada, sobre la cual se pone salsa de tomate, queso u otros ingredientes).

pizzería s. f. *Para que mamá no cocinara, fuimos todos a la **pizzería*** (= casa de comidas en la que se expenden pizzas).

placa s. f. **1.** *Todos los coches deben llevar su **placa** con el número de matrícula* (= una pieza de metal). Amér. **2.** *En cada consultorio del hospital una **placa** indica el nombre y especialidad del médico que atiende* (= lámina de metal, que se coloca en la puerta de una oficina, en la que figura el nombre y la especialidad del profesional).
SINÓN: chapa.

placentero, a adj. *Mis vacaciones en el campo fueron muy **placenteras*** (= muy agradables y tranquilas).
SINÓN: agradable, ameno, apacible, cómodo, confortable, divertido, grato. ANTÓN: desagradable, incómodo, ingrato, molesto. FAM: → *placer.*

placer s. m. **1.** *Ha sido un **placer** haberte conocido* (= me ha gustado mucho). **2.** *¡Qué **placer** tomar un baño con el calor que hace!* (= ¡qué gusto!). **3.** *Es bueno disfrutar de los **placeres** de la vida* (= de las diversiones).
SINÓN: **1, 2.** alegría, dicha, felicidad, gusto, júbilo, regocijo. **3.** distracción, diversión, entretenimiento. ANTÓN: **1, 2.** melancolía, pena, tristeza. **3.** aburrimiento. FAM: *complacer, placentero.*

plafón s. m. *Hay que comprar un **plafón** para tapar el foco del techo* (= un rosetón de vidrio traslúcido).

plaga s. f. *En el campo hay una **plaga** de gusanos que se comen las hojas de las plantas* (= una invasión).
SINÓN: azote, invasión. FAM: *plagar.*

plagar v. tr. *Los estudiantes **han plagado** de carteles la fachada de la Universidad* (= la han llenado).
SINÓN: cubrir, invadir, llenar. FAM: *plaga.*

plan s. m. **1.** *El arquitecto presentó el **plan** para reformar el barrio* (= el programa). **2.** *Estoy haciendo **planes** para el futuro* (= proyectos).
SINÓN: intento, proyecto. FAM: → *plano.*

plana s. f. *En la primera **plana** del periódico aparecen las noticias más importantes* (= en la primera hoja).
SINÓN: capa, hoja. FAM: → *plano.*

plancha s. f. **1.** *He recubierto la puerta con una **plancha** de acero para hacerla más resistente* (= con una lámina delgada y fina de acero). **2.** *Necesito la **plancha** porque este vestido está muy arrugado* (= el aparato eléctrico que sirve para planchar la ropa). **3.** *Cuando te canses de nadar puedes hacer la **plancha*** (= dejar el cuerpo inmóvil sobre el agua para flotar). **4.** *¡Qué **plancha**! El escritor estaba justo a mi lado cuando yo decía que el libro era horrible* (= ¡qué metedura de pata!).
SINÓN: **1.** chapa, hoja, lámina. **4.** error, ridículo, torpeza. FAM: *planchar.*

planchar v. tr. *He de **planchar** esta falda tan arrugada* (= he de alisarla con la plancha).
SINÓN: alisar, estirar. ANTÓN: arrugar. FAM: *plancha.*

plancton s. m. El **plancton** es el conjunto de los pequeños seres vivos que viven en la superficie del mar y de los lagos.

planear v. tr. **1.** *Los ladrones **planearon** bien el robo antes de hacerlo* (= estudiaron cómo hacerlo). **2.** ***Planeaba** ir a tu casa; pero no he podido* (= tenía la intención). ◆ **planear** v. intr. **3.** *El avión **planea** con los motores parados* (= se mantiene en el aire).
SINÓN: **1.** preparar, tramar. **1, 2.** proyectar. **2.** pensar. FAM: → *plano.*

planeta s. m. *La Tierra es uno de los nueve **planetas** y gira alrededor del Sol.*

planicie s. f. *En esta **planicie** no hay ninguna montaña* (= en esta extensa llanura).
SINÓN: llano, llanura. ANTÓN: cordillera, montaña, monte.

planificar v. tr. *El Gobierno **planifica** la economía* (= traza un plan).
SINÓN: organizar, programar, proyectar. FAM: → *plano.*

plano, a adj. **1.** *Vamos a sentarnos en un sitio **plano*** (= liso). ◆ **plano** s. m. **2.** *El arquitecto nos entregó los **planos** de la casa* (= el dibujo que representa cómo será después de construida).
SINÓN: **1.** liso, llano, raso. ANTÓN: **1.** irregular, montañoso. FAM: *aplanar, plan, plana, planear, planificar.*

planta s. f. **1.** *Las **plantas** del jardín se van a secar si no las riegas* (= todo aquello que vive adherido al suelo por medio de raíces, que tiene hojas y a veces flores). **2.** *De tanto caminar me duelen las **plantas** de los pies* (= la parte inferior). **3.** *Mi cuñada vive en la sexta **planta** de este edificio* (= en el sexto piso).
SINÓN: **3.** piso. FAM: → *plantar.*

plantación s. f. **1.** *Esta época es buena para la **plantación** de rosales* (= para poner las semillas en la tierra). **2.** *En Paraguay hay muchas **plantaciones** de naranjos* (= hay muchas fincas donde se cultivan naranjas).
SINÓN: **1.** sembrado, siembra. **2.** explotación, finca. FAM: → *plantar.*

plantar v. tr. **1.** *Ya han empezado a sacar hojas nuevas los rosales que* ***plantamos*** *en el jardín* (= los rosales que colocamos en la tierra para que crezcan). **2.** ***Plantamos*** *las tiendas de campaña a la orilla de un río* (= instalamos). **3.** *Después de dos años de noviazgo decidió* ***plantar*** *a su novio* (= abandonarlo). ◆ **plantarse** v. pron. **4.** *Cuando llegó el general, el soldado lo saludó* ***plantándose*** *firme delante de él* (= se puso en pie muy erguido). ◆ **dejar plantado 5.** *Juan me* ***dejó plantado*** *pues lo esperé hasta tarde y no vino* (= faltó a la cita que teníamos).
SINÓN: **1.** cultivar, poblar, repoblar. **2.** colocar. **4.** detenerse, pararse. ANTÓN: **1, 2.** arrancar, quitar, sacar. FAM: *planta, plantación, plantador, plantón, suplantar, trasplantar, trasplante.*

plantear v. tr. **1.** *No sé cómo puedes solucionar ese problema que me* ***planteas*** (= que me explicas). ◆ **plantearse** v. pron. **2.** *Mi padre* ***se está planteando*** *la posibilidad de cambiar de trabajo* (= está pensándolo).
SINÓN: formular.

plantel s. m. Amér. Merid. **1.** *Aún no tenemos completo el* ***plantel*** *para que funcione la fábrica* (= conjunto de directivos, empleados y obreros). **2.** *En la hacienda tenemos un buen* ***plantel*** *de reproductores* (= conjunto de animales de características especiales).
SINÓN: **1.** nómina, plantilla. FAM: *planta, plantación, plantado, plantar, plantilla.*

plantígrados s. m. pl. Los **plantígrados** son los animales que, como el oso, andan sobre la planta de los pies.

plantilla s. f. **1.** *Cuando el zapato me queda grande, le pongo dentro una* ***plantilla*** (= una pieza que tiene su misma forma). **2.** *La costurera cortó la tela siguiendo el modelo de una* ***plantilla*** (= de un molde). **3.** *Faltan cuatro personas para completar la* ***plantilla*** *de la fábrica* (= para que estén todas las personas que tienen que trabajar en ella).
SINÓN: **2.** molde, patrón. **3.** personal.

plantón s. m. *Estuve de* ***plantón*** *en el banco pues había mucha gente* (= tuve que esperar mucho tiempo para ser atendido).
FAM: → *plantar.*

plástico, a adj. *La pintura, la arquitectura y la escultura son artes* ***plásticas*** (= pues su objetivo es hacer cosas bellas). ◆ **plástico** s. m. **2.** *A los niños pequeños les dan de beber en vasos de* ***plástico*** *pues no se rompen* (= de un material muy resistente y ligero). ◆ **plástica** s. f. **3.** *En clase de* ***plástica,*** *aprendo a hacer objetos con barro, madera, yeso* (= en la clase donde nos enseñan a dar forma con materiales blandos).

plata s. f. **1.** *Tengo una cadena de* ***plata*** (= de un metal brillante y de color blanco que se utiliza mucho en joyería). Amér. **2.** *Ese banquero maneja mucha* ***plata*** (= dinero).
SINÓN: **2.** fortuna, riqueza. FAM: *plateado, platero, platillo, platino, plato, plató, platudo.*

plataforma s. f. *En los talleres elevan los coches poniéndolos sobre unas* ***plataformas*** (= sobre unas superficies planas y grandes).

platanar s. m. Un **platanar** es una plantación de plátanos.
FAM: *plátano.*

plátano s. m. El **plátano** es un árbol que produce una fruta de su mismo nombre que es alargada, con la cáscara amarilla y su carne es blanda y dulce.
FAM: *platanar.*

platea s. f. *Vi la obra teatral desde la* ***platea*** (= una de las localidades con balcón, situadas en el primer piso, casi al nivel del patio de butacas).

plateado, a adj. **1.** *Esta bandeja no es de plata, sólo está* ***plateada*** (= tiene una capa de plata). **2.** *Estas nubes tienen un color* ***plateado*** (= semejante al color de la plata, entre blanco y gris).
FAM: → *plata.*

plática s. f. Amér. *Las autoridades tuvieron una* ***plática*** *satisfactoria con los representantes sindicales* (= conversación, diálogo).

platicar v. intr. Amér. *Estuvieron* ***platicando*** *y no llegaron a ningún acuerdo* (= dialogando, discutiendo, conversando).

platillo s. m. **1.** *La balanza tiene dos* ***platillos;*** *en uno se pone lo que se quiere pesar y en otro las pesas* (= dos platos pequeños). ◆ **platillos** s. m. pl. **2.** *El músico hacía sonar los* ***platillos*** *golpeando el uno contra el otro* (= un instrumento musical que consiste en dos discos de metal). ◆ ***platillo volador*** s. m. **3.** *Yo creo que existen los extraterrestres porque la otra noche vi un* ***platillo volador*** *en el cielo* (= una nave de los extraterrestres).
FAM: *plato.*

platino s. m. *Las joyas de* ***platino*** *son muy caras* (= de un metal precioso del color de la plata).
FAM: → *plata.*

plato s. m. **1.** *Alcánzame el* ***plato*** *para que te sirva la comida* (= el recipiente donde se pone la comida que se va a comer). **2.** *Este cocinero prepara unos* ***platos*** *exquisitos* (= unas comidas).
SINÓN: **2.** comida, manjar. FAM: *platillo.*

platudo, a adj. Amér. *Dicen que ese empresario es muy* ***platudo*** (= que tiene mucho dinero y muchos bienes).
SINÓN: acaudalado, adinerado, millonario, rico. ANTÓN: pobre. FAM: *plata.*

playa s. f. *En esa* ***playa*** *hay que tener mucho cuidado porque las olas son muy fuertes* (= lugar en la orilla del mar, con arena, donde la gente se va a bañar y a tomar sol).
FAM: *playero.*

playero, a adj. **1.** *Ya tenemos preparada la ropa* ***playera*** *de este verano* (= la ropa para ir a

la playa). ◆ **playeras** s. f. pl. **2.** *Iba descalzo porque se olvidó las* ***playeras*** *en la playa* (= las sandalias para ir a la playa).
FAM: *playa.*

plaza s. f. **1.** *Delante de mi casa hay una* ***plaza*** *donde voy a jugar con mis amigos* (= un lugar ancho con árboles y juegos para niños y al que van a dar varias calles). **2.** *En mi escuela están buscando un profesor de inglés porque ha quedado una* ***plaza*** *libre* (= un puesto de trabajo). ◆ **plaza de toros** s. f. **3.** *Cuando viaje a España visitaremos una* ***plaza de toros*** (= el lugar donde se llevan a cabo las corridas de toros).
SINÓN: **1.** explanada. **2.** feria, mercado. **3.** puesto. FAM: *desplazar, plazoleta, plazuela.*

plazo s. m. **1.** *Tienen un* ***plazo*** *de tres días para hacer el trabajo* (= cuentan con ese tiempo). **2.** *El señor Gómez pagó antes del* ***plazo*** (= antes de la fecha en que debía pagar). **3.** *Compramos la casa a* ***plazos*** (= pagando una cuota mensual). **4.** *Juan hace proyectos a largo* ***plazo*** (= para dentro de mucho tiempo).
SINÓN: **1, 2, 4.** tiempo. **3.** cuota, pago. ANTÓN: **3.** contado. FAM: *aplazar.*

plazoleta s. f. *En este jardín, hay una* ***plazoleta*** *con una fuente en el centro* (= una plaza pequeña).
SINÓN: plazuela. FAM: → *plaza.*

plazuela s. f. *En esta* ***plazuela*** *no hay sitio para estacionar los coches* (= en esta plaza pequeña).
SINÓN: plazoleta. FAM: → *plaza.*

pleamar s. f. El tiempo que tarda en subir la marea se llama **pleamar**.

plegable adj. *Saca las sillas* ***plegables*** *al jardín* (= que se pueden doblar para guardarlas).
FAM: → *plegar.*

plegar v. tr. **1.** *Mi hermana y yo* ***plegamos*** *las sábanas y las guardamos en el armario* (= las doblamos sobre sí mismas varias veces). ◆ **plegarse** v. pron. **2.** *Al oír tu opinión él* ***se plegó*** *a ella* (= obedeció).
SINÓN: **1.** doblar. **2.** ceder, rendirse, someterse. ANTÓN: **1.** desplegar, estirar, extender. **2.** rebelarse, resistir. FAM: desplegar, plegable, pliego, pliegue.

pleito s. m. *Mi abuelo ganó un* ***pleito*** *a su vecino, que lo acusaba ante el juez de haberle robado unas tierras* (= un juicio).
SINÓN: juicio, proceso. ANTÓN: acuerdo, paz.

plenitud s. f. *El actor de esta película está en la* ***plenitud*** *de su carrera artística* (= está en el mejor momento de ella).
FAM: → *pleno.*

pleno, a adj. *No es normal que haga tanto calor en* ***pleno*** *invierno* (= en medio del invierno).
FAM: *plenitud, repleto.*

pleura s. f. La **pleura** es la membrana que cubre cada uno de los dos pulmones.

pliego s. m. *Le escribió una carta de dos* ***pliegos*** (= en dos hojas de papel grandes).
FAM: → *plegar.*

pliegue s. m. *Está planchando los* ***pliegues*** *de la falda* (= los lugares donde está plegada como adorno).
SINÓN: pinza. FAM: → *plegar.*

plomada s. f. *Para hacer las paredes rectas, el albañil usa una* ***plomada*** (= un trozo de plomo sujeto a un hilo que indica la línea vertical).
FAM: *plomo.*

plomero, a s. Amér. Merid., Méx. *Hay que llamar al* ***plomero*** *para que arregle la cañería de agua que se ha roto* (= persona que repara cañerías y grifos).
SINÓN: fontanero.

plomo s. m. **1.** El **plomo** es un metal de color gris muy pesado con el que se fabrican tuberías. **2.** *Me aburro mucho con él porque es un* ***plomo*** (= es una persona pesada, molesta).
SINÓN: **2.** molesto, pesado. ANTÓN: **2.** agradable, ameno, grato, simpático. FAM: *plomada.*

pluma s. f. **1.** *El nido estaba lleno de* ***plumas*** *de los pájaros* (= de lo que cubre y protege la piel de los pájaros). **2.** *Prefiero escribir con* ***pluma*** *que con lápiz* (= con el instrumento que sirve para escribir con tinta líquida).
SINÓN: **2.** lapicera. FAM: *desplumar, plumaje, plumero.*

plumaje s. m. *El pavo real tiene un hermoso* ***plumaje*** *de diversos colores* (= el conjunto de plumas que cubre su cuerpo).
FAM: → *pluma.*

plumero s. m. *Este* ***plumero*** *ya no quita bien el polvo porque se le han caído varias plumas* (= este objeto compuesto de un mango con plumas en un extremo).
FAM: → *pluma.*

plural adj. Casas *es el* ***plural*** *de la palabra* casa (= porque se refiere a más de una casa).
ANTÓN: singular.

pluscuamperfecto s. m. El tiempo verbal en la frase *yo ya había acabado* es el pretérito **pluscuamperfecto**.

población s. f. **1.** *La* ***población*** *de la Argentina es de más de treinta y dos millones* (= el número de habitantes). **2.** *En la ribera del río había* ***poblaciones*** *muy pintorescas.* (= lugares o villas).
SINÓN: **1.** habitante, residente. **2.** localidad, pueblo. FAM: → *pueblo.*

poblado, a adj. **1.** *La ciudad está más* ***poblada*** *que el campo* (= vive más gente en ella). **2.** *Este bosque está* ***poblado*** *de hongos* (= está lleno de hongos). ◆ **poblado** s. m. **3.** *Estuvimos en un* ***poblado*** *en el que no había luz eléctrica* (= en un pueblo muy pequeño).
SINÓN: **2.** lleno, repleto. **3.** pueblo. FAM: → *pueblo.*

poblador, a s. *Los primeros* ***pobladores*** *de la región se establecieron en las orillas del río* (= los primeros habitantes).
SINÓN: habitante. **FAM:** → *pueblo.*

poblar v. tr. **1.** *Gentes venidas de otras tierras* ***poblaron*** *esta región* (= vinieron aquí a vivir). **2.** *Especies variadas de peces* ***pueblan*** *el fondo del mar* (= viven).
SINÓN: 1. colonizar, establecerse, fundar, ocupar. **2.** habitar. **ANTÓN: 1.** despoblar, emigrar. **FAM:** → *pueblo.*

pobre adj. **1.** *Es una familia muy* ***pobre*** *y tienen que trabajar mucho para poder comer* (= tiene muy poco dinero). **2.** *El trabajo que presentó era* ***pobre*** *porque le faltaban muchos datos* (= era insuficiente). **3.** *El* ***pobre*** *niño no hacía más que llorar porque se había perdido* (= desgraciado).
SINÓN: 1. necesitado. **2.** escaso, insuficiente. **3.** desdichado, desgraciado, desvalido, infeliz, triste. **ANTÓN: 1.** adinerado, rico. **2.** abundante, suficiente. **3.** dichoso, feliz. **FAM:** *empobrecer, pobreza.*

pobreza s. f. **1.** *La* ***pobreza*** *en la que vive le impide comer todos los días* (= no tiene dinero para comprar comida). **2.** *Tu* ***pobreza*** *de vocabulario hace que te expreses muy mal* (= conoces y utilizas muy pocas palabras).
SINÓN: 1. miseria, necesidad. **2.** carencia, escasez, falta. **ANTÓN: 1.** riqueza. **2.** abundancia. **FAM:** → *pobre.*

pocho, a adj. y s. Méx. *Estuvo un tiempo en California y regresó hecho un* ***pocho*** (= mexicano emigrado a los Estados Unidos, que adquiere las costumbres de este país y habla un dialecto mezcla de inglés y español).

pocilga s. f. **1.** *Los cerdos viven en una* ***pocilga*** (= en el lugar donde se guardan los cerdos en una granja). **2.** *Tienes tu habitación hecha una* ***pocilga*** (= está muy sucia y desordenada).
SINÓN: cuadra.

pocillo s. m. *Sirvieron a los visitantes sendos* ***pocillos*** *de café* (= pequeña taza para servir café o chocolate).

poción s. f. *La bruja le dio una* ***poción*** *mágica y lo convirtió en un sapo* (= una bebida).

poco, a adj. **1.** *Tienes hambre porque te puso* ***poca*** *comida* (= muy escasa). ◆ **poco** s. m. **2.** *Ponme un* ***poco*** *de agua* (= no me llenes el vaso). ◆ **poco** adv. **3.** *Nadie sabe lo que piensa porque habla muy* ***poco*** (= apenas habla). ◆ **poco a poco 4.** *No puedes comer toda esa comida de golpe, debes ir comiéndola* ***poco a poco*** (= lentamente). ◆ **poco más o menos 5.** *En la excursión éramos,* ***poco más o menos*** *cuarenta niños* (= alrededor de cuarenta niños). ◆ **por poco 6.** ***Por poco*** *lo atropella un coche porque cruzó la calle sin mirar* (= casi).
SINÓN: 1. escaso. **ANTÓN: 1.** abundante. **2, 3.** mucho.

poda s. f. *El suelo está lleno de ramas de los árboles porque es época de la* ***poda*** (= han cortado algunas ramas de los árboles para que crezcan mejor).
SINÓN: cortadura. **FAM:** → *podar.*

podadera s. f. *Los vendimiadores cortan los racimos de uvas con la* ***podadera*** (= con unas tijeras grandes).
SINÓN: tijera. **FAM:** → *podar.*

podar v. tr. *El jardinero* ***poda*** *los rosales del jardín* (= les corta algunas ramas).
SINÓN: cortar, talar. **FAM:** *poda, podadera.*

poder v. tr. **1.** *Los mudos no* ***pueden*** *hablar* (= no tienen esa capacidad). **2.** *Me han prestado un coche, así que* ***puedo*** *acompañarte al aeropuerto* (= tengo la posibilidad de hacerlo). ◆ **poder** v. imper. **3.** ***Puede*** *que llueva mañana* (= no es del todo seguro). ◆ **poder** s. m. **4.** *El director de la escuela tiene* ***poder*** *suficiente para despedir a un profesor que no cumple con su trabajo* (= autoridad y capacidad de actuar). **5.** *El presidente que estaba en el* ***poder*** *declaró la guerra al país vecino* (= que gobernaba el país).
SINÓN: 4. autoridad, dominio, gobierno. **FAM:** *apoderarse, imposibilidad, imposible, impotencia, impotente, poderoso, posibilidad, posible, potencia, potente.*

poderoso, a adj. **1.** *Las naciones* ***poderosas*** *gobiernan el mundo* (= fuertes). **2.** *Este banquero es un hombre* ***poderoso*** (= muy rico). **3.** *Se quedó dormido profundamente porque tomó un* ***poderoso*** *calmante* (= que es muy eficaz). **4.** *Debes de tener una razón muy* ***poderosa*** *para actuar de ese modo* (= importante).
SINÓN: 1. enérgico, potente. **2.** adinerado, rico. **ANTÓN: 1.** débil. **2.** pobre. **FAM:** → *poder.*

podio o **podium** s. m. *Los tres atletas ganadores subieron al* ***podio*** *para recibir sus medallas* (= a una plataforma con tres niveles donde los deportistas ganadores reciben los premios).

podrido, a adj. *Esta carne debe de estar* ***podrida*** *porque huele muy mal* (= debe de estar en mal estado).
FAM: *pudrirse.*

poema s. m. **1.** *Todos los versos de este* ***poema*** *tienen el mismo número de sílabas* (= de esta composición literaria en verso). ◆ **ser alguien** o **algo un poema 2.** *Ver cómo juega el cachorro con el gato* ***es todo un poema*** (= es muy agradable).
FAM: → *poeta.*

poesía s. f. **1.** *Este escritor no escribe novela, sólo escribe* ***poesía*** (= en ese género literario). **2.** *En clase de literatura hemos leído unas* ***poesías*** *de Vallejo* (= unos poemas).
SINÓN: 1. lírica. **2.** poema. **ANTÓN:** prosa. **FAM:** → *poeta.*

poeta s. m. *Rubén Darío fue un gran* ***poeta*** (= un gran escritor de versos).
FAM: *poema, poesía, poético, poetisa.*

poético, a adj. *María estudia la obra* ***poética*** *de Jorge Luis Borges* (= todos los poemas).
SINÓN: lírico. **FAM:** → *poeta.*

poetisa s. f. *Sor Juana Inés de la Cruz fue una* ***poetisa*** (= una mujer que escribía poesías).
FAM: → *poeta.*

polaco, a adj. **1.** *Me han regalado un libro de un escritor* ***polaco*** (= de Polonia). ◆ **polaco, a** s. **2.** *Los* ***polacos*** *son las personas nacidas en Polonia.* **3.** *El* ***polaco*** *es la lengua que se habla en Polonia.*
SINÓN: polonés.

polar adj. **1.** *Las regiones* ***polares*** *son las más frías de todo el mundo* (= del Polo Norte o del Polo Sur). **2.** *Los marineros no se perdieron porque se guiaron por la estrella* ***polar*** (= una estrella que indica la dirección del Polo Norte).
FAM: *polo.*

polea s. f. *En la mudanza, subieron el armario gracias a una* ***polea*** *que colocaron en el balcón* (= gracias a un mecanismo compuesto por una rueda con un canal por el que pasa una soga).

polémica s. f. *En estos días, en la prensa ha habido mucha* ***polémica*** *acerca de la nueva ley* (= artículos en los que se discutían sus ventajas y desventajas).
SINÓN: debate, discusión, disputa. **ANTÓN:** acuerdo.

polen s. m. El **polen** de las flores es un polvo fino que sirve para su reproducción.

policía s. f. **1.** *Llamaron a la* ***policía*** *para que persiguiera a los ladrones* (= a los agentes encargados de hacer respetar las leyes). ◆ **policía** s. m. f. **2.** *Un* ***policía*** *le impuso una multa por conducir a mucha velocidad* (= un agente de la autoridad).
SINÓN: **2.** agente, guardia, vigilante. **FAM:** *policíaco, policial.*

policíaco, a adj. *Leo novelas* ***policíacas*** (= que tratan de policías y ladrones).
FAM: → *policía.*

policial adj. *Este banco está bajo vigilancia* ***policial*** (= lo vigilan policías).
FAM: → *policía.*

polideportivo s. m. *En el* ***polideportivo,*** *se practican varios deportes: fútbol, tenis, natación.* (= en un lugar destinado a practicar varios deportes).
SINÓN: club. **FAM:** → *deporte.*

poliedro s. m. *El cubo es un* ***poliedro*** (= es un cuerpo geométrico que está limitado por varias caras).

poligamia s. f. *En los países árabes, se permite la* ***poligamia*** (= un hombre puede tener varias esposas).

políglota o **poliglota** adj. *Ese embajador es* ***políglota*** *y puede hablar en español, francés, inglés o alemán* (= habla varios idiomas).

polígono s. m. **1.** Un **polígono** es una figura geométrica que tiene varios lados rectos. ◆ **polígono de tiro** **2.** *Practicamos tiro al blanco en el* ***polígono de tiro*** (= en un lugar en que se enseña y se practica el uso de las armas).

polilla s. f. *Esta manta de lana está llena de agujeros porque se la han comido las* ***polillas*** (= unos insectos pequeños parecidos a las mariposas pero de color dorado).
FAM: *apolillar.*

politeísmo s. m. *Los griegos practicaban el* ***politeísmo*** (= creían en muchos dioses).
ANTÓN: monoteísmo. **FAM:** → *ateo.*

política s. f. *A mi padre le gusta mucho hablar de* ***política*** (= le gusta hablar de los problemas del país y de lo que hacen los que gobiernan el país para solucionarlos).
FAM: *político.*

político, a s. **1.** *Los ministros y los diputados son* ***políticos*** (= son las personas que gobiernan un país). ◆ **político, a** adj. **2.** *Todos los partidos* ***políticos*** *están pendientes de los resultados de las elecciones* (= las organizaciones que quieren gobernar el país). **3.** *Mi hermano* ***político*** *va a acompañar a mi padre al despacho del abogado* (= el hombre que está casado con mi hermana).
SINÓN: **1.** gobernante. **3.** cuñado. **FAM:** *política.*

polizón s. m. *Viajó de* ***polizón*** *en el barco y no lo descubrieron* (= viajó sin comprar boleto).

pollera s. f. Amér. Merid. *Este año, se usan mucho las* ***polleras*** *cortas* (= faldas).

pollería s. f. *Siempre compro el pollo en la misma* ***pollería*** (= en un comercio donde se venden pollos, gallinas y otras aves).
FAM: → *pollo.*

pollito s. m. *La gallina va delante de sus* ***pollitos*** (= de sus crías).
FAM: → *pollo.*

pollo s. m. *Hoy nos comimos un* ***pollo*** *entre cuatro personas* (= un gallo joven).
FAM: *pollería, pollito.*

polo s. m. **1.** *Los* ***polos*** *son regiones muy frías* (= las zonas de la Tierra situadas en los extremos Norte y Sur). **2.** *Ahora han comenzado a televisar partidos de* ***polo*** (= deporte en el que los jugadores, montados a caballo, golpean una pequeña pelota con un mazo largo de madera, para que atraviese la meta del equipo contrario).
FAM: *polar.*

polonés, esa adj. **1.** *En el teatro vimos unas danzas* ***polonesas*** (= de Polonia). ◆ **polonés, esa** s. **2.** *Los* ***poloneses*** *son las personas nacidas en Polonia.*
SINÓN: polaco.

polución s. f. *Los humos de los coches y de las fábricas provocan la* ***polución*** *del aire* (= la suciedad del aire).
SINÓN: contaminación.

polvareda s. f. *La carretera es de tierra y los coches levantan una gran* ***polvareda*** (= una nube de polvo).
FAM: → *polvo.*

polvera s. f. *María guarda el polvo del maquillaje en la* ***polvera*** (= en una caja o estuche).
FAM: → *polvo.*

polvo s. m. **1.** *La casa deshabitada estaba llena de* ***polvo*** (= de partículas muy finas de tierra). **2.** *Mi madre siempre compra el café en* ***polvo*** (= ya han molido los granos). **3.** *Mi madre se pone* ***polvo*** *en la cara* (= maquillaje).
SINÓN: **1.** partícula. **2.** molido. FAM: *desempolvar, polvareda, polvera, pólvora, polvoriento, polvorín, polvorón, pulverizador, pulverizar.*

pólvora s. f. *En los cartuchos, hay una carga de* ***pólvora*** *que explota cuando se dispara* (= una sustancia explosiva).
FAM: → *polvo.*

polvoriento, a adj. *Cuando volvimos a casa después de las vacaciones, los muebles estaban* ***polvorientos*** (= cubiertos de polvo).
SINÓN: sucio. ANTÓN: limpio. FAM: → *polvo.*

polvorín s. m. *En el* ***polvorín*** *guardan todos los explosivos* (= en el almacén donde se guardan la pólvora y los explosivos).
FAM: → *polvo.*

polvorón s. m. *En Navidad compré* ***polvorones*** (= unos dulces pequeños de manteca, huevos, azúcar y harina, que al comerlos se deshacen como si fueran polvo).
FAM: → *polvo.*

pomada s. f. *El médico me ha dicho que me tenía que poner una* ***pomada*** *en la quemadura* (= una crema).
SINÓN: bálsamo, crema.

pomelo s. m. El **pomelo** es una fruta agridulce, parecida a la naranja pero más grande y amarillenta.
SINÓN: toronja.

pomo s. m. *Se ha caído el* ***pomo*** *de la puerta y ahora no se puede abrir* (= la pieza que sirve para abrir una puerta).
SINÓN: picaporte. FAM: *pómulo.*

pompa s. f. **1.** *Al remover el agua con jabón se forman* ***pompas*** (= pequeñas bolas transparentes llenas de aire). **2.** *La boda de la actriz se celebró con mucha* ***pompa*** (= con mucho lujo).
SINÓN: **1.** burbuja. **2.** lujo, ostentación. ANTÓN: **2.** discreción, humildad, sencillez.

pómulo s. m. *Juan tiene rojos los* ***pómulos*** *porque le ha dado el sol en la cara* (= la parte que sobresale de las mejillas, debajo de los ojos).
FAM: *pomo.*

ponche s. m. *Mezcló ron, azúcar y limón con agua caliente para preparar un* ***ponche*** (= una bebida caliente).

poncho s. m. Amér. *Los aborígenes americanos cubrían su cuerpo con grandes y gruesos* ***ponchos****, tejidos con decorativas figuras coloreadas* (= prendas de lana, semejantes a una manta, con una abertura en el medio para pasar la cabeza).

poner v. tr. **1.** ***Pon*** *el libro sobre la mesa* (= coloca). **2.** *Vamos a* ***poner*** *la mesa para comer* (= a poner los platos, cubiertos y vasos). **3.** ***Puse*** *ya el azúcar en el café* (= ya lo agregué). **4.** ***Pongo*** *en tus manos mis secretos* (= te los confío). **5.** ***Ponle*** *en la carta que la quiero mucho* (= escríbelo en la carta). **6.** *La gallina* ***puso*** *un huevo* (= lo expulsó). **7.** *Lo* ***pusieron*** *a dirigir un departamento de la fábrica* (= lo mandaron). **8.** *Ha nacido un niño y le van a* ***poner*** *de nombre Ismael* (= le van a dar el nombre). **9.** *Le* ***pusieron*** *una multa por estacionar mal el coche* (= le hicieron pagar). **10.** *Siempre* ***ponen*** *ese cuadro como ejemplo de buena pintura* (= hablan de ese cuadro). **11.** *Se* ***ha puesto*** *en venta esta casa* (= se vende). **12.** ***Puso*** *muy mala cara cuando le pedí dinero* (= hizo). **13.** ***Ha puesto*** *un negocio de compra y venta de coches* (= ha abierto). **14.** ***Pon*** *la radio para escuchar las noticias* (= enciende). ◆ **ponerse** v. pron. **15.** *Juan* ***se puso*** *a mi lado* (= se colocó). **16.** *María* ***se puso*** *el vestido nuevo* (= se vistió con él). **17.** *El sol* ***se pone*** *al atardecer* (= se oculta). **18.** *Pinté las paredes y* ***me puse*** *lleno de pintura* (= me manché). **19.** ***Me pongo*** *a escribir en este momento* (= empiezo). **20.** *Al oír la noticia Pedro* ***se puso*** *pálido* (= se quedó sin color). ◆ **poner en claro 21.** *Por fin* ***ha puesto en claro*** *sus intenciones* (= las explicó claramente). ◆ **ponerse al corriente 22.** *Has faltado muchos días a la escuela y ahora debes* ***ponerte al corriente*** *de lo que hemos estado haciendo* (= debes averiguarlo). ◆ **ponerse uno bien 23.** *Espero que* ***te pongas bien*** *y que puedas volver al colegio muy pronto* (= que te cures de tu enfermedad).
SINÓN: **1, 15.** colocar(se), situar(se), ubicar(se). **2.** disponer, preparar. **4.** confiar, depositar, entregar. **5.** anotar, escribir. **6.** expulsar, soltar. **7.** encargar, encomendar. **8.** llamar. **14.** conectar, encender. **16.** adornarse, vestirse. **17.** ocultarse. **18.** ensuciarse, mancharse. **19.** comenzar, empezar. ANTÓN: **1.** quitar, retirar. **16.** quitarse. **17.** amanecer, aparecer, nacer, salir. **20.** acabar, finalizar, terminar. FAM: *anteponer, apostar, apuesta, componer, composición, compositor, deponer, descomponer, disponer, disponible, disposición, dispuesto, exponer, exposición, expositor, imponente, imposición, impuesto, imponer, indispuesto, oponer, oposición, opuesto, poniente, posición, posponer, postura, predispuesto, preposición, presupuesto, proponer, proposición, propósito, propuesta, puesto, reponer, repuesto, suponer, suposición, supuesto.*

poney s. m. *En ese picadero, tienen caballos y* ***poneys*** *para los niños* (= caballos pequeños).

poniente s. m. *El Sol se pone por el* ***poniente*** (= por el Oeste).
SINÓN: ocaso, occidente, Oeste. **ANTÓN:** Este, levante, oriente. **FAM:** → *poner.*

pontífice s. m. *El Sumo* ***Pontífice*** *es el Papa* (= es la máxima autoridad de la Iglesia Católica).
SINÓN: Papa.

popa s. f. *El timón está en la* ***popa*** *del barco* (= en la parte de atrás).
ANTÓN: proa.

popelina s. f. *Me gusta mucho tu blusa de* ***popelina*** (= tela fina de seda o algodón, que se usa para la confección de prendas de vestir).
SINÓN: poplín.

poplín s. m. Amér. Merid.→ **popelina.**

popote s. m. Méx. *Tomé el jugo de frutas con un* ***popote*** (= tubito de papel o de plástico para sorber líquidos).

popular adj. **1.** *Los villancicos son canciones* ***populares*** (= del pueblo, que todo el mundo conoce y canta). **2.** *Esta cantante es muy* ***popular*** *en su país* (= muy conocida). **3.** *La aristocracia no pertenece a la clase* ***popular*** (= a la de la mayoría de la gente).
SINÓN: **1.** común, público. **2.** admirado, célebre, famoso, querido. **ANTÓN:** **1.** individual, selecto, singular. **2.** desconocido. **FAM:** → *pueblo.*

popularidad s. f. *El alcalde de mi pueblo goza de mucha* ***popularidad*** *entre la gente* (= todos lo quieren).
SINÓN: estima. **FAM:** → *pueblo.*

populoso, a adj. *Vivo en un barrio muy* ***populoso*** (= donde vive mucha gente).
SINÓN: habitado, poblado. **ANTÓN:** despoblado. **FAM:** → *pueblo.*

por Es una preposición. VER CUADRO DE PREPOSICIONES.

porcelana s. f. **1.** *Esos platos de* ***porcelana*** *son muy fáciles de romper* (= esos platos de un material muy fino y muy frágil con el que se hacen vajillas y figuras). **2.** *Hemos visto una exposición de* ***porcelanas*** *chinas* (= de figuras hechas con esa materia).

porcentaje s. m. *El* ***porcentaje*** *de niñas de mi colegio es del 40 por ciento* (= de 100 alumnos, hay 40 niñas y 60 niños).

porche s. m. *La casa de mi abuela tiene un* ***porche*** *lleno de macetas* (= una terraza cubierta que está a la entrada).
SINÓN: cobertizo.

porcino, a adj. *En esta región se dedican a la cría del ganado* ***porcino*** *y venden muchos jamones y chorizos* (= a la cría de cerdos).
FAM: → *puerco.*

porción s. f. *A cada uno le ha tocado una* ***porción*** *de la tarta* (= una parte).
SINÓN: fragmento, parte, pedazo, trozo.

pormenor s. m. *Nos contó todos los* ***pormenores*** *de su viaje* (= todos los detalles).
SINÓN: detalle, particularidad. **FAM:** → *menor.*

poro s. m. **1.** *El sudor sale por los* ***poros*** *de la piel* (= por unas aberturas muy pequeñas que hay en la piel). Méx. **2.** El **poro** es un bulbo alargado comestible, de sabor parecido al de la cebolla.
SINÓN: agujero, orificio. **FAM:** *poroso.*

porongo s. m. R. de la Plata. *El mate cebado en un* ***porongo*** *tiene mejor sabor* (= recipiente hecho con una calabaza de cáscara dura, vaciada y seca).

pororó s. m. Amér. Merid. *Comimos un paquete de* ***pororós*** *mientras veíamos el partido de fútbol* (= granos de maíz blanco, azucarados y tostados).
SINÓN: palomitas.

poroso, a adj. *Las esponjas son* ***porosas*** (= tienen muchos agujeros pequeños).
FAM: *poro.*

poroto s. m. Amér. Cent., Amér. Merid. *El campesino vendió su cosecha de* ***porotos*** *a buen precio* (= frijoles).
SINÓN: alubia, habichuela, judía.

porque Es una conjunción. VER CUADRO DE CONJUNCIONES.

porqué s. m. *Quisiera saber el* ***porqué*** *de tu enojo* (= la razón).
SINÓN: causa, motivo, razón.

porquería s. f. **1.** *Los barrenderos han trabajado mucho para limpiar las aceras que estaban llenas de* ***porquería*** (= de basura). **2.** *Esta bicicleta está hecha una* ***porquería*** (= está ya muy vieja y no sirve para nada).
SINÓN: **1.** basura, suciedad. **FAM:** → *puerco.*

porra s. f. *El policía lleva una* ***porra*** *para intimidar a los delincuentes* (= un palo que sirve para pegar).
SINÓN: macana, palo. **FAM:** *aporrear, porrazo.*

porrazo s. m. **1.** *El guardia le dio un* ***porrazo*** *al ladrón* (= un golpe con la porra). **2.** *Se dio un* ***porrazo*** *con la silla porque no la vio* (= un golpe muy fuerte).
SINÓN: golpe. **ANTÓN:** caricia. **FAM:** *porra.*

porrón s. m. *En mi pueblo, los hombres beben el vino en* ***porrón*** (= en una vasija de cristal parecida a una aceitera pero más grande).
SINÓN: botijo.

portaaviones s. m. *Dos aviones de combate despegaron de la cubierta del* ***portaaviones*** (= del buque de guerra que transporta aviones).
FAM: → *portar.*

portada s. f. *En la* ***portada*** *del libro están escritos el título y el autor* (= en la tapa).
SINÓN: cubierta, tapa. **FAM:** → *puerta.*

portador, a adj. **1.** *Juan es* ***portador*** *de una enfermedad* (= está enfermo y la puede transmitir a otros). ◆ **portador, a** s. **2.** Al llegar el ***porta-***

dor de la noticia, fuimos todos a recibirlo (= el que traía la noticia).
FAM: → *portar.*

portaequipajes s. m. *Coloqué las maletas en el **portaequipajes*** (= en la parte del coche que sirve para poner el equipaje).
SINÓN: baca, cajuela, maletero. **FAM:** → *portar.*

portafolios s. m. *Al llegar a casa de trabajar, mi padre siempre repasa los documentos que trae en su **portafolios*** (= en su cartera o carpeta).

portal s. m. *Te espero en el **portal** y así no tengo que subir hasta tu casa* (= en la entrada principal del edificio).
SINÓN: entrada. **FAM:** → *puerta.*

portalámparas s. m. *Los focos se fijan en el **portalámparas*** (= en una pieza metálica que está preparada para ajustarlas).
FAM: → *portar.*

portarretratos s. m. *Puse la fotografía en un **portarretratos*** (= en un pequeño cuadro enmarcado y cubierto por un cristal).
FAM: → *portar.*

portar v. tr. **1.** *El campeón **porta** en la mano la antorcha con la llama olímpica* (= lleva). ◆ **portarse** v. pron. **2.** *Pedro **se porta** bien en la escuela y saca muy buenas notas* (= no hace nada malo, es un buen chico).
SINÓN: 2. comportarse. **FAM:** *aportación, aportar, insoportable, portaaviones, portador, portaequipajes, portafolios, portalámparas, portarretratos, portátil, portavoz, soportar, soporte.*

portátil adj. *Me llevo el televisor **portátil** a mi habitación* (= el televisor que puedo llevar de un sitio a otro).
SINÓN: manejable, movible. **ANTÓN:** estable, fijo, inmóvil. **FAM:** → *portar.*

portavoz s. m. *Jorge es el **portavoz** de sus compañeros ante los profesores* (= él habla en nombre de todos).
SINÓN: delegado, representante. **FAM:** → *portar.*

portazo s. m. *Se enojó mucho y se fue dando un **portazo** al salir de la habitación* (= cerró la puerta dando un golpe).
FAM: → *puerta.*

portento s. m. *No me extraña que saque tantas buenas notas porque ese chico es un **portento*** (= es muy inteligente).
SINÓN: genio, prodigio. **ANTÓN:** desastre, inútil.

portería s. f. *Desde la **portería,** el portero del edificio controla las personas que entran y salen* (= desde el lugar donde está el portero en la entrada de un edificio).
SINÓN: conserjería, entrada. **FAM:** → *puerta.*

portero, a adj. *El **portero** de este edificio me preguntó a qué piso iba* (= la persona que se encarga de la limpieza del edificio y controla a las personas que entran en él).
SINÓN: bedel, conserje, ordenanza. **FAM:** → *puerta.*

portillo s. m. *Además de la entrada principal, la muralla tiene varios **portillos** para que la gente pueda entrar y salir* (= entradas pequeñas o aberturas).
FAM: → *puerta.*

portorriqueño, a o **puertorriqueño, a** adj. **1.** *Me gusta mucho la música **portorriqueña*** (= de Puerto Rico). ◆ **portorriqueño, a** o **puertorriqueño, a** s. **2.** *Los **portorriqueños** son las personas nacidas en Puerto Rico.*

portón s. m. Amér. *¡Abre el **portón** para que pueda entrar el auto!* (= puerta grande de hierro).

portuario, a adj. *En el muelle vimos a los trabajadores **portuarios** que descargaban un barco* (= a las personas que trabajan en el puerto).
FAM: *puerto.*

portugués, esa adj. **1.** *En casa tenemos unos manteles **portugueses*** (= de Portugal). ◆ **portugués, esa** s. **2.** *Los **portugueses** son las personas nacidas en Portugal.* ◆ **portugués** s. m. **3.** *El **portugués** es el idioma hablado en Portugal.*

porvenir s. m. *Es difícil adivinar el **porvenir*** (= lo que ocurrirá en el futuro).
SINÓN: futuro. **ANTÓN:** pasado, presente. **FAM:** → *venir.*

posada s. f. *Nos paramos en un pueblo a mitad del camino para dormir en una **posada*** (= en un hotel pequeño).
SINÓN: albergue, hostal, hotel. **FAM:** → *posar.*

posar v. tr. **1.** *Mi padre me acariciaba **posando** suavemente su mano sobre mi cabeza* (= poniéndola). ◆ **posar** v. intr. **2.** *María **posa** ante el fotógrafo* (= se coloca ante él para que le saque fotos). ◆ **posarse** v. pron. **3.** *Después de volar un rato, el pájaro **se posó** sobre una rama* (= se detuvo para descansar). **4.** *En el fondo de la taza quedaban las partículas de café que **se habían posado*** (= que se habían depositado).
SINÓN: 1. colocar, poner. **3.** detenerse, reposar. **4.** depositarse. **ANTÓN: 3.** remontarse. **FAM:** *posada, pose, poso, reposar.*

posdata o **postdata** s. f. *En la carta, le decía en la **posdata** que intentaría regresar lo antes posible* (= en lo que se añade al final de una carta, después de firmarla).

pose s. f. **1.** *Ricardo siempre hace unas **poses** muy divertidas cuando le van a sacar una foto* (= posturas). **2.** *Su generosidad es pura **pose** porque en el fondo yo sé que es muy egoísta* (= es falsa, no es sincera).
SINÓN: gesto, postura. **FAM:** → *posar.*

poseer v. tr. *La familia Martínez **posee** una casa en el campo pero no va nunca* (= la tiene).
SINÓN: tener. **ANTÓN:** carecer, faltar, necesitar. **FAM:** *posesión, posesivo.*

posesión s. f. **1.** *Las pruebas del crimen están en **posesión** del juez* (= las tiene el juez). ◆ **posesiones** s. f. pl. **2.** *El señor García tiene mu-*

chas ***posesiones*** *en el campo* (= muchas propiedades).
FAM: → *poseer.*

posesivo, a adj. **1.** *Andrés es muy* ***posesivo*** (= muy dominante; quiere imponer su criterio). **2.** Mi, mío, tu, tuyo, su, suyo *son adjetivos* ***posesivos.*** VER CUADRO DE POSESIVOS.
FAM: → *poseer.*

posguerra o **postguerra** s. f. *En los años de la* ***posguerra,*** *Alemania tuvo que volver a construir las ciudades bombardeadas durante la guerra* (= después de la guerra).
FAM: → *guerra.*

posibilidad s. f. **1.** *No tenemos ninguna* ***posibilidad*** *de aprobar si no estudiamos* (= no podremos). **2.** *Estas becas son para las personas que no tienen* ***posibilidades*** *económicas de pagarse los estudios* (= que no pueden conseguir el dinero para pagarlos).
SINÓN: **2.** medios, recursos. FAM: → *poder.*

posible adj. **1.** *Es* ***posible*** *hacer este trabajo en dos horas* (= se puede hacer). **2.** *¿Vendrás mañana? Es* ***posible*** (= es probable). **3.** *No es* ***posible*** *encontrar fresas en invierno* (= no se puede). ◆ **hacer todo lo posible 4.** *Voy a* ***hacer todo lo posible*** *para aprobar, porque si no tendré problemas* (= voy a intentar hacer todo lo que pueda).
SINÓN: **2.** probable, realizable. ANTÓN: imposible, improbable. FAM: → *poder.*

posición s. f. **1.** *¿En qué* ***posición*** *duermes?* (= postura). **2.** *El corredor llegó en cuarta* ***posición*** (= en cuarto lugar). **3.** *¿Cuál es tu* ***posición*** *ante este problema?* (= ¿cuál es tu opinión?). **4.** *El avión indicó su* ***posición*** (= el lugar donde se encontraba). **5.** *Su* ***posición*** *económica le permite comprarse todos los caprichos* (= su situación económica).
SINÓN: **1.** postura. **2.** lugar, plaza, puesto. **3.** idea, juicio, opinión. **4.** orientación, situación.
FAM: → *poner.*

positivo, a adj. **1.** *Mi padre me ha dado una respuesta* ***positiva,*** *así que ya puedo ir al cine* (= me ha dicho sí). **2.** *El resultado de su trabajo fue* ***positivo*** (= consiguió lo que se proponía). **3.** *Debes ser más* ***positivo*** *y no ver las cosas siempre por su lado malo* (= debes pensar más en el lado bueno de las cosas). ◆ **número positivo 4.** *Todos los números a partir de cero son* ***números positivos*** (= porque son mayores de cero).
SINÓN: **1.** afirmativo. **2.** favorable. **3.** optimista, práctico. ANTÓN: **1, 4.** negativo. **2.** dudoso, incierto, inseguro. **3.** pesimista.

poso s. m. *Esta botella de vino tiene* ***poso*** *en el fondo* (= se han depositado pequeñas partículas sólidas).
SINÓN: hez. FAM: → *posar.*

posponer v. tr. *Vamos a* ***posponer*** *la fiesta porque mi madre está enferma* (= vamos a celebrarla más adelante).
SINÓN: aplazar, retrasar. ANTÓN: adelantar.
FAM: → *poner.*

postal adj. **1.** *Recibí un paquete* ***postal*** (= me lo enviaron por correo). ◆ **postal** s. f. **2.** *Mis amigos me han enviado una* ***postal*** *desde Londres* (= una cartulina rectangular con una fotografía típica del lugar).
SINÓN: **2.** tarjeta.

postdata f. → **posdata.**

poste s. m. *La carretera está bordeada por* ***postes*** *de electricidad* (= unos palos muy altos de madera o de hierro que sujetan los cables).
SINÓN: palo, pilar.

postergar v. tr. *Mi madre tenía una cita pero la* ***ha postergado*** *para poder ir a la reunión de la escuela* (= la dejó para otro día).
SINÓN: aplazar, posponer, retrasar. ANTÓN: adelantar.

posteridad s. f. *Este pintor pasará a la* ***posteridad*** *porque es uno de los mejores hoy en día* (= seguirá siendo famoso después de su muerte).
SINÓN: fama, futuro. FAM: *posterior.*

posterior adj. **1.** *Mi llegada ha sido* ***posterior*** *a la tuya* (= llegué después que tú). **2.** *Recibí un golpe en la parte* ***posterior*** *de la cabeza porque me caí de espaldas* (= en la parte de atrás).
SINÓN: **1.** siguiente. **2.** detrás, trasero. ANTÓN: **1, 2.** anterior. **2.** delantero. FAM: *posteridad.*

postguerra s. f. → **posguerra.**

postizo, a adj. *Para disfrazarse se colocó una barba* ***postiza*** (= una barba falsa).
SINÓN: artificial, falso. ANTÓN: natural, verdadero.

postrarse v. pron. *Los Reyes Magos* ***se postraron*** *ante el niño Jesús en actitud de respeto* (= se arrodillaron).

postre s. m. *De* ***postre*** *nos dieron helado* (= el último plato de una comida).

postura s. f. **1.** *Estás inclinado y esa no es una buena* ***postura*** *para trabajar* (= posición). **2.** *Tu* ***postura*** *ante la religión es errónea* (= tu opinión).
SINÓN: **1.** posición. **2.** idea, juicio, opinión, razonamiento. FAM: → *poner.*

potable adj. *No deben beber de la fuente porque esta agua no es* ***potable*** (= no se puede beber porque puede hacerles daño).

potaje s. m. *Hoy para comer nos han dado un* ***potaje*** *de lentejas* (= un guiso con lentejas).
SINÓN: guiso, puchero.

potencia s. f. **1.** *Este coche no tiene* ***potencia*** *para correr a doscientos kilómetros por hora* (= no tiene fuerza suficiente). **2.** *Japón y Estados Unidos son dos grandes* ***potencias*** (= son dos países muy fuertes y con mucho poder). **3.** *El resultado de elevar 2 a la tercera* ***potencia*** *es 8* (= de multiplicar un número por sí mismo tres veces).
SINÓN: **1.** fuerza. **2.** estado, nación. **3.** producto.
ANTÓN: **1.** debilidad, impotencia. FAM: → *poder.*

pote s. m. *El café está guardado en un* ***pote*** *para que no pierda el aroma* (= en un recipiente cerrado).

potente adj. **1.** *Los países más* ***potentes*** *son los que dominan el mundo* (= los más fuertes y poderosos). **2.** *Un foco de luz muy* ***potente*** *iluminaba la enorme sala* (= muy fuerte).
SINÓN: enérgico, fuerte, poderoso. **ANTÓN:** débil, endeble. **FAM:** → *poder.*

potrero s. m. Amér. *Los caballos y las vacas pastan en el* ***potrero*** (= campo o prado delimitado por un alambrado, que se destina a la alimentación del ganado).
FAM: → *potro.*

potro s. m. *La yegua trota delante de su* ***potro*** (= de su cría).

pozo s. m. *Hicieron un* ***pozo*** *para sacar agua* (= un agujero muy hondo).
SINÓN: excavación, perforación.

pozole s. m. Méx. El **pozole** se prepara con granos de maíz, carne vacuna o de cerdo, pollo, cebolla, chile y condimentos hervidos hasta formar un caldo.

práctica s. f. **1.** *Hace* ***prácticas*** *con el coche para aprender a conducir* (= hace ejercicios). **2.** *Este orador habla muy bien porque tiene mucha* ***práctica*** (= mucha experiencia). **3.** *Primero nos explicaron la teoría del tenis y luego la pusimos en* ***práctica*** *jugando un partido* (= aplicamos la teoría). **4.** *La misa y los sacramentos son* ***prácticas*** *religiosas* (= son costumbres). ◆ **en la práctica 5.** *En teoría, tus ideas son muy buenas, pero* ***en la práctica*** *son imposibles de realizar* (= si intentas aplicarlas).
SINÓN: 1, 4. ejercicio. **2.** experiencia, facilidad, habilidad. **3.** aplicación. **ANTÓN: 2.** incapacidad, inexperiencia. **FAM:** *practicante, practicar, práctico.*

practicante adj. **1.** *Los católicos* ***practicantes*** *van a misa cada domingo* (= los que cumplen con sus obligaciones religiosas). ◆ **practicante** s. m. f. **2.** *El* ***practicante*** *me puso una inyección* (= un estudiante avanzado de medicina que realiza su práctica profesional).
FAM: → *práctica.*

practicar v. tr. **1.** *Hace tiempo que no* ***practico*** *ningún deporte y estoy muy torpe* (= que no lo hago). **2.** *Tengo que* ***practicar*** *estos ejercicios de música porque no me salen bien* (= tengo que repetirlos varias veces). **3.** *Se le* ***ha practicado*** *una operación quirúrgica* (= se le ha hecho). **4.** *Pedro es católico pero no* ***practica*** *su religión* (= no cumple con sus obligaciones religiosas).
SINÓN: 1. ejercitar. **2.** efectuar. **1, 3.** ejecutar, ejercer. **ANTÓN:** abandonar, dejar. **FAM:** → *práctica.*

práctico, a adj. **1.** *Mi hermano tiene un gran sentido* ***práctico*** (= sabe hacer las cosas de la manera más lógica). **2.** *Con este abrelatas tan* ***práctico*** *no tendrás ningún problema para abrir las latas* (= tan útil y fácil de usar).
SINÓN: 1. diestro, experto, hábil. **2.** eficaz, útil. **ANTÓN: 1.** inexperto. **2.** inútil. **FAM:** → *práctica.*

pradera s. f. *En la* ***pradera*** *pastan las vacas* (= en el terreno muy extenso, llano y cubierto de hierba).
SINÓN: pasto. **FAM:** *prado.*

prado s. m. *Las vacas pastan en el* ***prado*** (= en el terreno llano cubierto de hierba y menos extenso que una pradera).
SINÓN: pasto. **FAM:** *pradera.*

precaución s. f. *Es necesario manipular los cables eléctricos con* ***precaución*** (= con cuidado).
SINÓN: cuidado, prudencia. **ANTÓN:** descuido, distracción. **FAM:** *precavido.*

precavido, a adj. *Antonio es muy* ***precavido*** *porque nunca cruza la calle sin mirar* (= prudente).
SINÓN: astuto, cauteloso, previsor, prudente, sagaz. **ANTÓN:** bobo, imprudente, ingenuo. **FAM:** *precaución.*

precedente s. m. *Esta catástrofe no tiene* ***precedentes*** (= anteriormente nunca se había visto otra igual).
SINÓN: antecedente. **FAM:** *preceder.*

preceder v. tr. **1.** *Una larga enfermedad* ***precedió*** *a su muerte* (= tuvo lugar antes de su muerte). **2.** *El sueldo mayor es para el director, que* ***precede*** *al subdirector* (= tiene un cargo más importante).
SINÓN: adelantar, anteceder, anticipar. **ANTÓN:** seguir, suceder. **FAM:** *precedente.*

preceptor, a s. *Antiguamente los nobles no iban a la escuela porque tenían un* ***preceptor*** *que les daba clases en su casa* (= un maestro).
SINÓN: maestro, profesor, tutor.

precintar v. tr. *Después de envasar los productos, los* ***precintan*** *para que se conserven en buen estado* (= les ponen un cierre seguro).
FAM: → *cinta.*

precinto s. m. *Para abrir esa caja, hay que romper antes el* ***precinto*** *que la cierra* (= un sello o atadura que se pone para que sólo la pueda abrir la persona autorizada para ello).
FAM: → *cinta.*

precio s. m. *Debes decirme el* ***precio*** *de lo que quieres comprar para darte el dinero* (= cuánto dinero cuesta).
SINÓN: coste, costo, valor. **FAM:** *apreciable, apreciar, aprecio, despreciar, desprecio, inapreciable, preciosidad, precioso.*

preciosidad s. f. *Esta niña es una* ***preciosidad*** (= es muy guapa).
SINÓN: belleza, hermosura. **ANTÓN:** fealdad. **FAM:** → *precio.*

precioso, a adj. **1.** *María es **preciosa*** (= muy guapa). **2.** *El oro y la plata son metales **preciosos*** (= de gran valor).
SINÓN: **1.** bello, bonito, guapo. **2.** caro, costoso, inestimable. ANTÓN: **1.** desagradable, feo. **2.** barato, insignificante. FAM: → *precio.*

preciosura s. f. Amér. *Tu hija es una verdadera **preciosura*** (= preciosidad).
SINÓN: belleza, hermosura. ANTÓN: fealdad. FAM: → *precio.*

precipicio s. m. *Sentí vértigo al asomarme por el **precipicio** para ver el río que corría por el fondo* (= por un corte profundo y vertical del terreno).
SINÓN: abismo, barranco. FAM: *precipitación, precipitar.*

precipitación s. f. **1.** *No debes obrar con tanta **precipitación** pues antes hay que pensar bien las cosas* (= no debes actuar antes de tiempo). **2.** *Han anunciado **precipitaciones** en todo el país* (= que caerá lluvia, nieve o granizo).
FAM: → *precipicio.*

precipitar v. tr. **1.** *El señor Martínez debe **precipitar** su salida pues su mujer acaba de tener un hijo* (= adelantarla). ◆ **precipitarse** v. pron. **2.** *El agua **se precipitaba** desde la altura en forma de cascada* (= caía). **3.** *No **te precipites** y piénsalo bien antes de tomar una decisión* (= no actúes con prisa y sin pensarlo antes). **4.** *Al oír el ruido del ascensor, mis hermanos y yo **nos precipitamos** hacia la puerta* (= corrimos).
SINÓN: **1.** acelerar, adelantar, apresurar. **2.** abalanzarse, caer. **3.** apresurarse. ANTÓN: **1.** retrasar. **3.** calmarse. FAM: → *precipicio.*

precisar v. tr. **1.** *Le explicó sus planes **precisando** todos los detalles* (= explicándolos claramente). **2.** *Este trabajo **precisa** dos horas* (= son necesarias dos horas para hacerlo bien).
SINÓN: **1.** aclarar, concretar, determinar, explicar, indicar. **2.** necesitar. ANTÓN: **1.** generalizar. **2.** sobrar. FAM: *impreciso, precisión, preciso.*

precisión s. f. **1.** *Compré un reloj de gran **precisión*** (= muy exacto). **2.** *Pedro me pide que le explique con **precisión** lo ocurrido* (= con todos los detalles).
SINÓN: exactitud. ANTÓN: imperfección. FAM: → *precisar.*

preciso, a adj. **1.** *Es **preciso** que vengas a ayudarme* (= es necesario). **2.** *Llegué a tu casa sin problemas gracias a la descripción **precisa** del recorrido que me diste* (= con muchos detalles, exacta). **3.** *La carrera comenzó en el **preciso** instante en que el juez dio la salida* (= justo en ese momento).
SINÓN: **1.** imprescindible, indispensable, necesario. **2, 3.** exacto. ANTÓN: **1.** inútil. **2, 3.** impreciso. FAM: → *precisar.*

precoz adj. *Mozart fue un niño **precoz** pues a los cuatro años ya sabía tocar el violín* (= estaba muy adelantado pues hacía cosas propias de un niño mayor que él).
SINÓN: prematuro, temprano. ANTÓN: maduro.

predecir v. tr. *El adivino sabe **predecir** el futuro* (= sabe lo que pasará en el futuro).
SINÓN: adivinar, pronosticar. FAM: → *decir.*

predicado s. m. *En la frase* el perro ladra, *ladra es el **predicado** y* el perro *es el sujeto* (= indica lo que hace el perro).
FAM: *predicar.*

predicar v. tr. *Los domingos el cura **predica** a los fieles sobre la moral cristiana* (= pronuncia su sermón).
FAM: *predicado.*

predicción s. f. *Tus **predicciones** no se han cumplido* (= lo que tú decías que iba a suceder).
SINÓN: presagio, presentimiento, pronóstico. FAM: → *decir.*

predilección s. f. *Se nota la **predilección** del abuelo por el nieto mayor pues siempre le hace los mejores regalos* (= de todos los nietos, es el que prefiere).
SINÓN: preferencia. FAM: *predilecto.*

predilecto, a adj. *La fiesta **predilecta** de los niños es la del día de Reyes* (= la que más les gusta).
SINÓN: favorito, preferido. FAM: *predilección.*

predispuesto, a adj. *Es un buen chico, siempre está **predispuesto** a ayudarme* (= siempre me ofrece su ayuda).
FAM: → *poner.*

predominar v. tr. *En mi clase **predominan** las niñas* (= hay más niñas que niños).
SINÓN: abundar, dominar. FAM: → *dueño.*

predominio s. m. *En verano hay un **predominio** de los días soleados sobre los nublados* (= hay más días soleados).
SINÓN: dominio, superioridad. ANTÓN: inferioridad. FAM: → *dueño.*

preescolar adj. *La educación **preescolar** se ha difundido en todos los países americanos* (= dícese de la formación que se da a los menores de 6 años).

prefabricado, a adj. *Los albañiles no construyen las paredes de esos galpones sino que las montan con elementos **prefabricados*** (= que ya estaban fabricados).
FAM: → *fábrica.*

prefacio s. m. *En el **prefacio** de la novela, el autor dice que la historia que cuenta sucedió de verdad* (= en la introducción).
SINÓN: introducción, prólogo. ANTÓN: epílogo.

preferencia s. f. **1.** *Juan, por su experiencia en el oficio, tiene **preferencia** sobre Pedro para ser seleccionado* (= tiene más posibilidades de ser elegido). **2.** *Antonio siente **prefe-***

rencia *por la música clásica* (= le gusta más que las otras).
SINÓN: 1. prioridad, superioridad, ventaja. **2.** predilección. **ANTÓN: 1.** desventaja, inferioridad. **FAM:** → *preferir.*

preferible adj. *Es **preferible** que vengas mañana porque hoy estoy muy ocupado* (= es mejor, más conveniente).
SINÓN: conveniente, mejor. **FAM:** → *preferir.*

preferir v. tr. *Juan **prefiere** las rosas a los claveles* (= las rosas le gustan más).
FAM: *preferencia, preferible.*

prefijo s. m. Pre *en* predecir *y* sobre *en* sobrecarga *son **prefijos*** (= son elementos que se colocan delante de una palabra para formar otra).
FAM: → *fijo.*

pregón s. m. *Vamos rápido a la plaza porque oigo que ya están leyendo el **pregón** de las fiestas* (= están anunciando en voz alta que van a empezar las fiestas).
SINÓN: anuncio, aviso. **FAM:** *pregonar.*

pregonar v. tr. **1.** *Una mujer va **pregonando** lo sucedido en todo el mundo* (= lo va contando). **2.** *El pescadero **pregona** a gritos los pescados que vende* (= anuncia).
SINÓN: 1. divulgar. **2.** anunciar, avisar, vocear. **ANTÓN:** callar, murmurar, susurrar. **FAM:** *pregón.*

pregunta s. f. *Este niño quiere saberlo todo y no hace más que **preguntas*** (= pide información acerca de lo que quiere saber).
SINÓN: interrogación. **ANTÓN:** respuesta. **FAM:** → *preguntar.*

preguntar v. tr. *Juan me **preguntó** si iba a ir a su casa* (= quería saber si iba a ir).
SINÓN: interrogar. **ANTÓN:** contestar, responder. **FAM:** *pregunta, preguntón.*

preguntón, ona adj. *Es un niño curioso y **preguntón*** (= siempre quiere saberlo todo).
FAM: → *preguntar.*

prehispánico, a adj. Las ciudades y templos **prehispánicos** son los que se construyeron en América antes de la llegada de los españoles.

prejuzgar v. tr. *No debes **prejuzgar** a la gente sin conocerla bien pues las apariencias pueden engañar* (= dar una opinión sobre cómo es una persona sin conocerla bien).
FAM: → *juez.*

prehistoria s. f. *En tiempos de la **prehistoria** los hombres vivían en cavernas* (= el tiempo que se inicia con la aparición del hombre en la Tierra hasta que aparecen los primeros documentos escritos).
FAM: → *historia.*

prematuro, a adj. *Su madre ha dado a luz a un niño **prematuro** porque aún le faltaba al bebé un mes para nacer* (= a un niño que nació antes de la fecha prevista).
FAM: → *madurar.*

premeditación s. f. *Ha preparado el viaje con todo detalle porque no hace nada sin **premeditación*** (= siempre lo planea todo muy bien antes de realizarlo).
SINÓN: reflexión. **FAM:** *meditar.*

premiar v. tr. *Para **premiar** su esfuerzo, le hicieron un regalo* (= como reconocimiento a su esfuerzo).
SINÓN: galardonar, gratificar, homenajear, recompensar. **ANTÓN:** castigar, sancionar. **FAM:** *premio.*

premio s. m. **1.** *Esta película recibió el primer **premio** del concurso* (= la eligieron como la mejor película). **2.** *Mi padre ha ganado un **premio** de la lotería y le van a pagar mucho dinero* (= ha jugado a la lotería y ha ganado).
SINÓN: 1. distinción, galardón, gratificación, homenaje, recompensa. **ANTÓN: 1.** castigo, sanción. **FAM:** *premiar.*

prenda s. f. *Llevé varias **prendas** a la tintorería: un pantalón, una falda, una camisa* (= distintos tipos de ropa).
SINÓN: ropa.

prender v. tr. **1.** *La policía **prendió** al ladrón y se lo llevó a la comisaría* (= lo atrapó). **2.** *Juntaron varias ramas secas y les **prendieron** fuego* (= las encendieron para quemarlas). **3.** *Con un alfiler **prendió** una flor en el vestido* (= la sujetó). ◆ **prender** v. intr. **4.** *La planta se murió porque no **prendió** bien en la tierra* (= no se adhirió bien). Amér. **5.** *¡**Prende** la luz, por favor! No veo nada* (= enciende un artefacto o aparato eléctrico).
SINÓN: 1. apresar, aprisionar, capturar, detener, encarcelar. **2.** encender, incendiar. **3.** sujetar. **4.** arraigar, enraizar. **ANTÓN: 1.** dejar, liberar, libertar. **3.** apagar, extinguir. **4.** secarse. **FAM:** *apresar, desprender, desprendimiento, emprender, presa, presidiario, presidio, preso, prisión, prisionero, reprender.*

prensa s. f. **1.** *Para hacer el vino se aprietan las uvas en la **prensa*** (= en una máquina que aprieta las uvas para obtener el mosto). **2.** *La **prensa** publicó la noticia del terremoto* (= los periódicos).

preñada adj. f. *La vaca que estaba **preñada** ha parido un ternero* (= que estaba embarazada).
SINÓN: embarazada. **ANTÓN:** estéril.

preocupación s. f. *Mi padre tiene muchas **preocupaciones** y está muy nervioso* (= tiene muchos problemas).
SINÓN: angustia, apuro, inquietud. **ANTÓN:** despreocupación. **FAM:** → *ocupar.*

preocupar v. tr. **1.** *A mi padre le **preocupa** mi salud* (= está alarmado por mi enfermedad). ◆ **preocuparse** v. pron. **2.** *Es un buen amigo porque siempre **se preocupa** por ellos* (= siempre quiere que estén contentos y sufre si no lo están).
SINÓN: 1. alarmar, turbar. **2.** interesarse. **ANTÓN: 1.** sosegar, tranquilizar. **1, 2.** despreocuparse. **FAM:** → *ocupar.*

preparación s. f. **1.** *Ganaron los atletas que tenían mejor **preparación** para resistir las pruebas* (= que habían trabajado mucho para estar en forma). **2.** *La **preparación** de la fiesta nos llevó mucho tiempo* (= tardamos mucho en organizar todo lo necesario para la fiesta). **3.** *El farmacéutico está haciendo una **preparación*** (= un medicamento).
SINÓN: 2. disposición, organización. **3.** medicamento. **FAM:** → *preparar.*

preparar v. tr. **1.** *María **prepara** sus maletas para ir de viaje* (= hace las maletas). **2.** *Estoy **preparando** mi examen para que me salga bien* (= estoy estudiando). ◆ **prepararse** v. pron. **3.** *Juan **se prepara** para salir* (= está haciendo lo necesario para poder salir).
SINÓN: disponer, ordenar, organizar. **ANTÓN:** improvisar. **FAM:** *preparación, preparativo.*

preparativo s. m. *Ya hemos empezado con los **preparativos** del viaje porque pronto nos iremos* (= hemos empezado a hacer todo lo necesario para irnos de viaje).
SINÓN: plan, proyecto. **FAM:** → *preparar.*

preparatoria s. m. *Mi hermano mayor está en la **preparatoria*** (= escuela o curso previo al ingreso en la universidad).

preposición s. f. De, en, por, para *son **preposiciones.*** VER CUADRO DE PREPOSICIONES.
FAM: → *poner.*

prepotencia s. f. *El profesor actuó con **prepotencia** ante los alumnos* (= hizo abuso o alarde de poder).

presa s. f. **1.** *El cazador consiguió una **presa*** (= cazó un animal). **2.** *El águila y el tigre son animales de **presa*** (= cazan y se alimentan de otros animales). **3.** *La casa ha sido **presa** de las llamas* (= fue destruida por el fuego). **4.** *Construyeron una **presa** para embalsar agua* (= un muro para detener el agua). Amér. Merid. **5.** *El camarero le sirvió una **presa** de pollo a cada uno de los comensales* (= trozo de carne de ave).
SINÓN: 1. botín, captura, caza, pieza, robo. **3.** víctima. **4.** dique, embalse. **5.** parte, pedazo, porción. **FAM:** → *prender.*

presagio s. m. **1.** *Hay **presagios** de tormenta pues el cielo está muy oscuro* (= señales). **2.** *No creo en los **presagios** sobre el futuro* (= en las predicciones).
SINÓN: 1. señal, signo. **2.** predicción, pronóstico, suposición.

prescindir v. intr. **1.** *El entrenador no puede **prescindir** de los mejores jugadores del equipo* (= no puede perderlos porque los necesita). **2.** *Tuvieron que **prescindir** de los criados porque no tenían dinero para pagarles* (= tuvieron que renunciar a ellos).
SINÓN: 1. desechar, eliminar, exceptuar, excluir. **2.** abstenerse, evitar, renunciar, privarse. **ANTÓN: 1.** incluir, poner. **FAM:** *imprescindible.*

presencia s. f. **1.** *La **presencia** de la policía impidió el atraco* (= la policía estaba allí). **2.** *El acusado declaró en **presencia** del juez* (= delante del juez).
SINÓN: asistencia, concurrencia. **ANTÓN:** ausencia. **FAM:** → *presente.*

presenciar v. tr. *Voy a **presenciar** un partido de fútbol* (= voy a verlo al estadio).
SINÓN: asistir. **ANTÓN:** ausentarse, faltar. **FAM:** → *presente.*

presentación s. f. **1.** *Asistimos a la **presentación** de la moda de este verano en un desfile* (= a un acto en el que se daba a conocer la moda de este verano). **2.** *Apetece comer cuando los platos tienen una buena **presentación*** (= tienen buen aspecto).
SINÓN: 1. exhibición, exposición. **2.** apariencia, aspecto. **ANTÓN: 1.** omisión. **FAM:** → *presente.*

presentador, a s. *El **presentador** del programa de televisión explicó las normas del concurso* (= la persona que presenta el programa).
FAM: → *presente.*

presentar v. tr. **1.** *Mañana tengo que **presentar** un trabajo de historia* (= tengo que entregarlo). **2.** *Juan me **presentó** a Pilar* (= me la ha dado a conocer). **3.** ***Presentó** el libro ante el auditorio* (= explicó su contenido). **4.** *Debes **presentar** la documentación en el Ministerio* (= debes entregarla). **5.** *Fue al médico para que le mirara una herida que **presentaba** mal aspecto* (= que tenía mal aspecto). ◆ **presentarse** v. pron. **6.** *María **se presenta** al examen* (= se va a examinar). **7.** ***Se presentó** en mi casa sin avisarme que iba a venir* (= apareció por mi casa).
SINÓN: 1. descubrir, enseñar, exhibir. **1, 4.** mostrar. **3.** explicar, exponer. **4.** entregar. **6.** acudir. **ANTÓN: 1.** esconder, ocultar, tapar. **FAM:** → *presente.*

presente adj. **1.** *El profesor explica para todos los alumnos que están **presentes** en el aula* (= para todos los que están en clase). **2.** *No piensa en el futuro, sólo piensa en el momento **presente*** (= en lo que sucede ahora). ◆ **presente** s. m. **3.** El **presente** es el tiempo del verbo que expresa lo que ocurre en el momento en que se habla.
SINÓN: 1. asistente, espectador. **2.** actual. **ANTÓN: 1.** ausente. **2, 3.** futuro, pasado. **FAM:** *presencia, presenciar, presentación, presentador, presentar, representar.*

presentimiento s. m. *Tengo el **presentimiento** de que Carlos vendrá* (= tengo la sensación de que va a venir).
SINÓN: corazonada, intuición. **FAM:** → *sentir.*

presentir v. tr. **1.** ***Presiento** que si voy a su casa no lo voy a encontrar, no sé por qué* (= tengo la sensación). **2.** ***Presiento** que va a llo-*

ver porque veo unas nubes grises (= tengo la impresión).
SINÓN: **1.** prever, sospechar. **2.** adivinar, pronosticar. **FAM:** → *sentir.*

preservar v. tr. *La manta me* ***preserva*** *del frío* (= me protege de él).
SINÓN: abrigar, amparar, cobijar, cubrir, defender, garantizar, guardar, proteger, resguardar, salvar. **ANTÓN:** abandonar, dejar.

presidencia s. f. **1.** *Han nombrado a un nuevo presidente del Gobierno porque se murió el que hasta ahora ocupaba la* ***presidencia*** (= el cargo que ocupa la persona que dirige un país). **2.** *Le queda un mes para que deje la* ***presidencia*** (= para que acabe el tiempo de su mandato).
SINÓN: autoridad, dirección, gobierno, poder. **FAM:** → *presidir.*

presidente s. **1.** *En las elecciones los ciudadanos votaron para elegir a su* ***presidente*** (= al jefe del gobierno). **2.** *El* ***presidente*** *del tribunal pidió silencio* (= la persona que ocupa el puesto más importante y que tiene más poder).
SINÓN: autoridad, jefe. **FAM:** → *presidir.*

presidiario, a s. *El* ***presidiario*** *intentó escapar de la cárcel pero no lo consiguió* (= el preso).
SINÓN: condenado, preso, prisionero. **FAM:** → *prender.*

presidio s. m. *El criminal está cumpliendo condena en un* ***presidio*** (= en la cárcel).
SINÓN: cárcel, penal, prisión. **FAM:** → *prender.*

presidir v. tr. *El director* ***presidió*** *el debate* (= lo dirigió).
SINÓN: dirigir. **FAM:** *presidencia, presidente, vicepresidente.*

presión s. f. **1.** *La* ***presión*** *atmosférica disminuye con la altitud* (= el peso del aire). **2.** *Con la* ***presión*** *del dedo sobre el tapón, consigo cerrar la botella* (= apoyando el dedo con fuerza). **3.** *Los obreros han hecho un día de huelga para hacer* ***presión*** *y conseguir un aumento de sueldo* (= para forzar).
SINÓN: **2.** fuerza. **3.** fuerza, influencia. **FAM:** *presionar.*

presionar v. tr. **1.** *Juan* ***presiona*** *el botón del timbre para que suene* (= lo aprieta). **2.** ***Presionaron*** *al enemigo para que huyera* (= lo obligaron a huir).
SINÓN: **1.** apretar, comprimir. **2.** forzar, obligar. **ANTÓN:** **1.** aflojar. **FAM:** *presión.*

preso, a s. *En la cárcel, los* ***presos*** *esperan con ansiedad su libertad* (= las personas que están encerradas en una cárcel por haber hecho algo contra la ley).
SINÓN: presidiario, prisionero, recluso. **FAM:** → *prender.*

prestamista s. *Le tuvo que pedir dinero prestado a un* ***prestamista*** (= a una persona que se dedica a prestar dinero a cambio de un interés).
SINÓN: acreedor. **FAM:** → *prestar.*

préstamo s. m. *Los bancos conceden* ***préstamos*** (= prestan cantidades de dinero que han de ser devueltas con intereses).
SINÓN: crédito. **FAM:** → *prestar.*

prestancia s. f. Amér. Merid., Méx. *Era un caballero de gran* ***prestancia*** (= aspecto distinguido, excelencia, calidad superior).
SINÓN: distinción.

prestar v. tr. **1.** *Me* ***prestó*** *sus libros con la condición de que se los devolviera mañana* (= me los dejó). **2.** *La música* ***prestó*** *alegría a la fiesta* (= proporcionó). **3.** *Los niños deben* ***prestar*** *atención a lo que dice la maestra* (= deben atender y escuchar). ◆ **prestarse** v. pron. **4.** ***Me presté*** *a ayudarlo a preparar el examen* (= me ofrecí).
SINÓN: **1.** dejar, entregar, fiar. **2.** dar, otorgar. **4.** brindar, ofrecer. **ANTÓN:** **1.** devolver. **FAM:** *prestamista, préstamo.*

prestidigitador, a s. *El* ***prestidigitador*** *hizo salir un conejo de su sombrero* (= el mago).
SINÓN: ilusionista, mago.

prestigio s. m. *Este científico tiene mucho* ***prestigio*** (= es muy conocido porque es muy bueno en su trabajo).
SINÓN: autoridad, fama, importancia.

presumido, a adj. *Le gusta ir muy bien vestido y arreglado porque es muy* ***presumido*** (= le gusta demostrar a los demás que es el más guapo).
SINÓN: orgulloso, vanidoso. **ANTÓN:** natural, sencillo. **FAM:** → *presumir.*

presumir v. tr. **1.** ***Presumo*** *que estás enojada con tu novio porque hace días que no te veo con él* (= lo supongo). ◆ **presumir** v. intr. **2.** *Pedro* ***presume*** *de su fuerza* (= se cree e intenta demostrar a todo el mundo que es el más fuerte de todos).
SINÓN: **1.** juzgar, sospechar, suponer. **2.** enorgullecer. **ANTÓN:** **1.** desconocer, ignorar. **FAM:** *presumido, presunto, presuntuoso.*

presunto, a adj. *El* ***presunto*** *asesino ha sido detenido por la policía* (= la persona que se supone que es el asesino).
FAM: → *presumir.*

presuntuoso, a adj. *No seas tan* ***presuntuoso*** *creyendo que eres el más listo* (= no seas tan creído).
SINÓN: orgulloso, vanidoso. **ANTÓN:** natural, sencillo. **FAM:** → *presumir.*

presupuesto s. m. *Antes de empezar la obra, el albañil nos hizo un* ***presupuesto*** *de lo que nos iba a cobrar* (= calculó lo que nos iba a costar).
SINÓN: cálculo, cómputo, coste, cuenta, estimación. **FAM:** → *poner.*

presuroso, a adj. *En cuanto me avisaste vine* ***presuroso*** (= rápidamente).
SINÓN: rápido, veloz. **ANTÓN:** lento.

erizo
armiño
comadreja
liebre

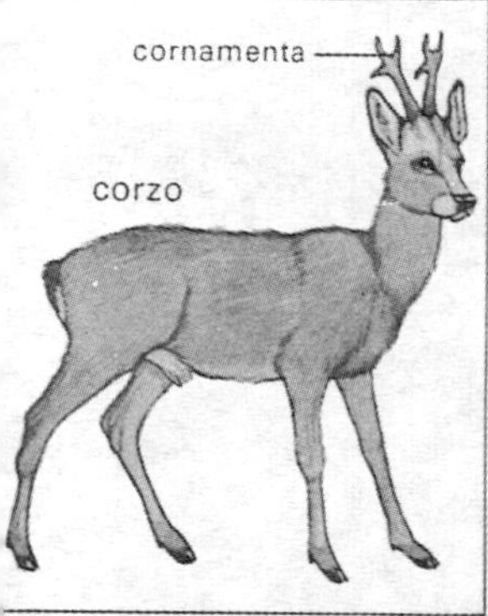
cornamenta
corzo

ardilla
raíces
jabalí
brote
tocón

tejón
zorro

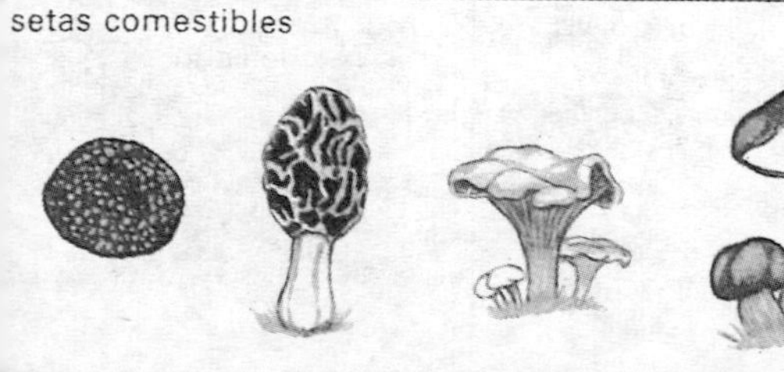
setas comestibles

setas venenosas

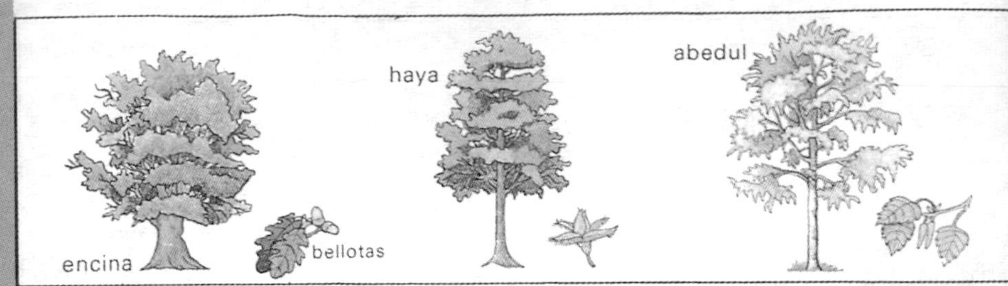
abedul
haya
encina
bellotas

fresno

arboleda
horcadura
rama
maleza
mantillo
(humus)
camino
forestal
tallo

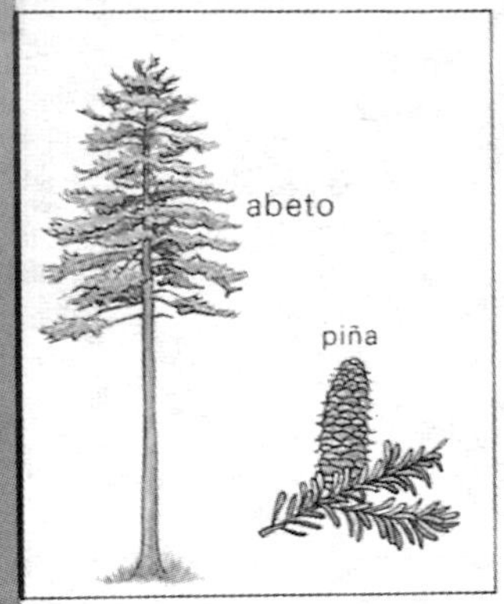
abeto
piña

brezo
lirio de
los valles
vincapervinca

helecho

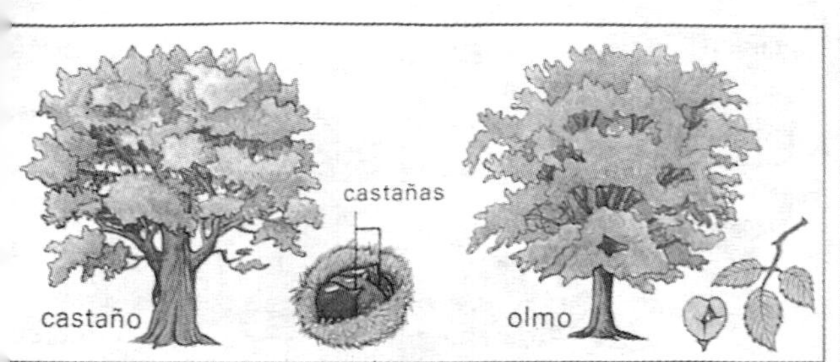
castañas
castaño
olmo

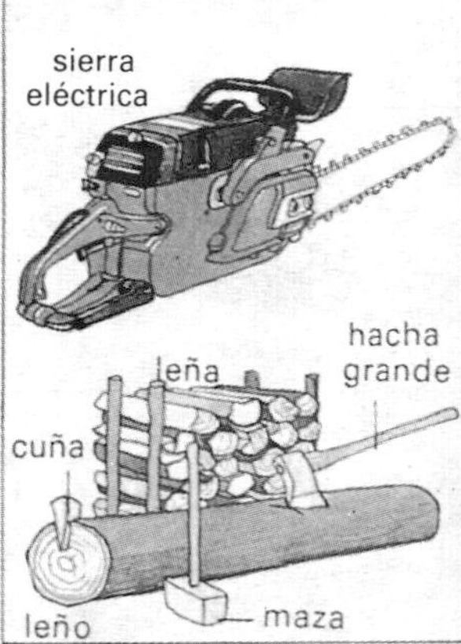
sierra eléctrica
hacha grande
leña
cuña
leño
maza

corteza
soto
leñador

yema
álamo
pino
piña
pinocha

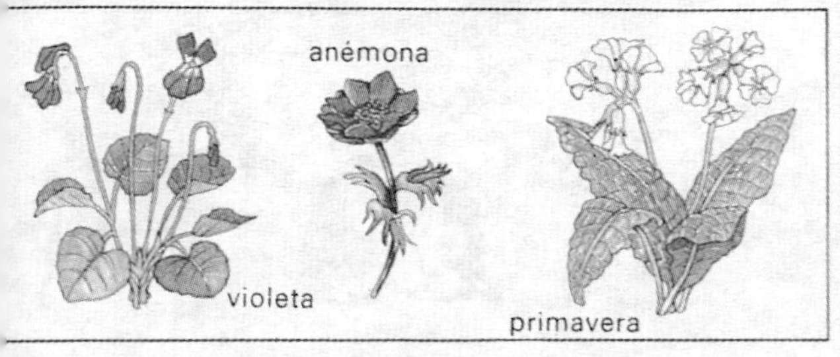
anémona
violeta
primavera

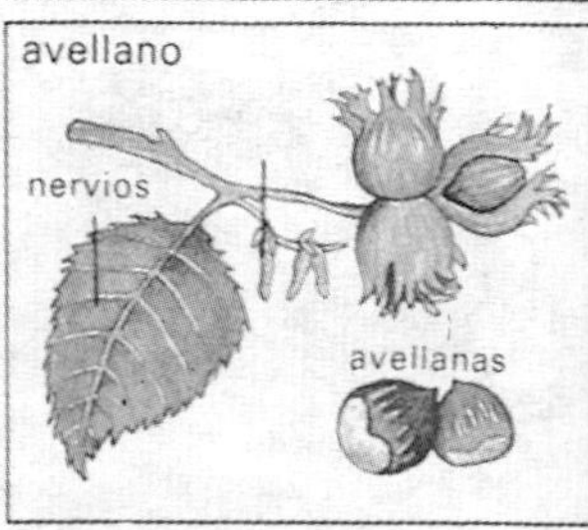
avellano
nervios
avellanas

ballenero

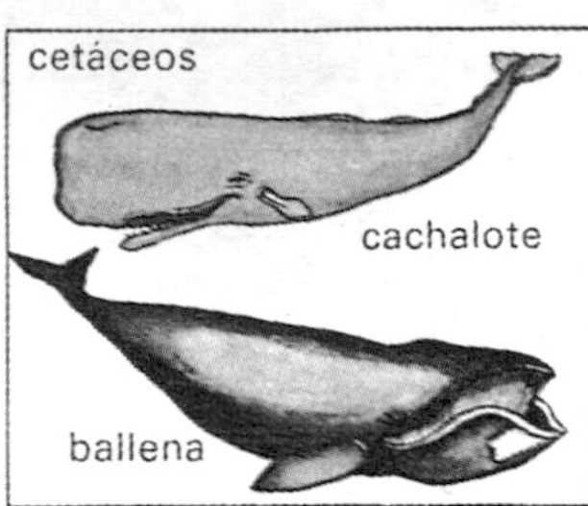
cetáceos
cachalote
ballena

foca
morsa

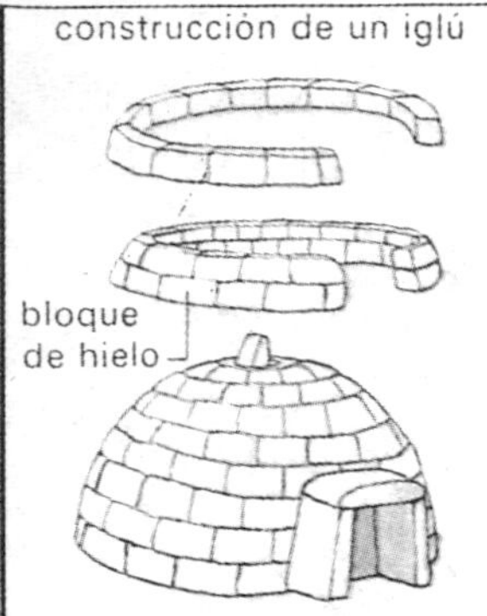
construcción de un iglú
bloque de hielo

aurora boreal
estación meteorológica
banco de hielo
rompehielos
iceberg

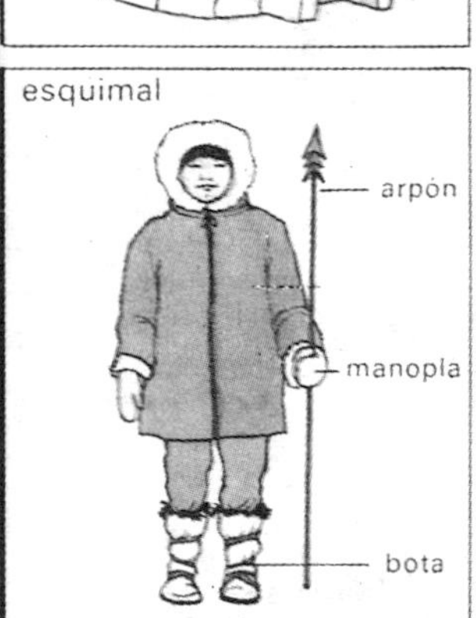
esquimal
arpón
manopla
bota

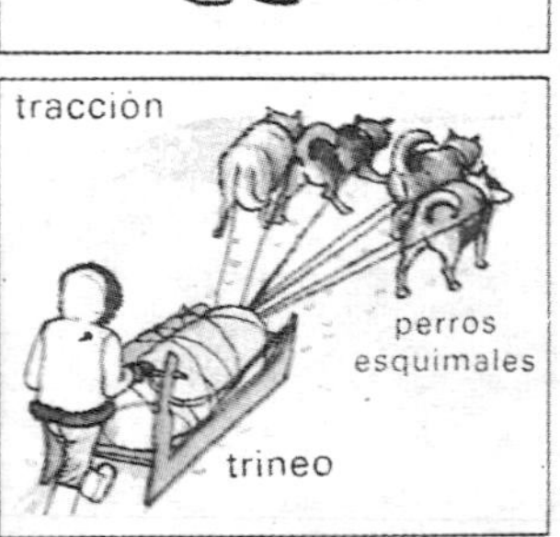
tracción
perros esquimales
trineo

oso blanco
cornamenta
pingüinos
reno

pretender v. tr. ***Pretende*** *llegar a presidente* (= tiene la intención de serlo y hará todo lo posible para conseguirlo).
SINÓN: ambicionar, anhelar, ansiar, aspirar, desear. **FAM:** → *tender.*

pretendiente adj. **1.** *Este príncipe es* ***pretendiente*** *al trono* (= quiere llegar a ser rey). ◆ **pretendiente** s. m. **2.** *Esta chica tiene muchos* ***pretendientes*** *que se quieren casar con ella* (= hay muchos chicos que se quieren casar con ella).
SINÓN: **1.** candidato. **2.** enamorado. **ANTÓN:** **1.** titular. **FAM:** → *tender.*

pretérito, a adj. **1.** *El abuelo siempre dice que en las épocas* ***pretéritas*** *se vivía mejor que ahora* (= en el pasado). ◆ **pretérito** s. m. **2.** El **pretérito** es un tiempo verbal que se utiliza para referirse a acciones pasadas.

pretexto s. m. *Dijo que estaba enfermo pero era un* ***pretexto*** *para no venir* (= una razón falsa para no hacer algo).
SINÓN: cuento, disculpa, excusa, mentira. **ANTÓN:** sinceridad, verdad.

pretil s. m. *En este puente hay un* ***pretil*** *para que la gente no se caiga al río* (= una barrera).

prevenir v. tr. **1.** *Más vale* ***prevenir*** *las enfermedades que curarlas* (= tomar precauciones para no contraer ninguna enfermedad). **2.** *Te* ***prevengo*** *que la película no es buena* (= te advierto). **3.** *Lo* ***han prevenido*** *contra mí diciéndole que soy un mentiroso* (= le han hablado mal de mí). ◆ **prevenirse** v. pron. **4.** ***Me he prevenido*** *contra el frío poniéndome este abrigo de lana* (= me he preparado).
SINÓN: **1.** disponer, preparar. **2.** adelantar, anticipar. **3.** advertir, avisar, comunicar, informar. **4.** prepararse. **FAM:** → *venir.*

prevención s. f. *Las vacunas sirven para la* ***prevención*** *de enfermedades* (= para evitar ciertas enfermedades).
SINÓN: previsión. **FAM:** → *venir.*

prever v. tr. **1.** *El médico* ***prevé*** *que con este tratamiento mejorarás* (= sabe lo que va a ocurrir). **2.** *Como* ***he previsto*** *que vendrías con tu novia, puse un plato más en la mesa* (= preparé lo necesario por si me hacía falta).
SINÓN: **1.** adivinar, anticipar, creer, pensar, presagiar, presentir, profetizar, pronosticar, sospechar. **2.** disponer, preparar. **ANTÓN:** **1.** errar. **2.** sorprender. **FAM:** → *ver.*

previo, a adj. *No puedes comer en el comedor de la escuela sin* ***previo*** *aviso* (= sin decirlo antes).
SINÓN: anterior. **ANTÓN:** posterior.

previsión s. f. **1.** *Menos mal que tuve la* ***previsión*** *de traer un paraguas porque empieza a llover* (= pensé en la posibilidad de que iba a llover). **2.** *La* ***previsión*** *del tiempo se hace teniendo en cuenta el estado de la atmósfera* (= la explicación anticipada del tiempo).
SINÓN: **1.** atención, cálculo, cautela, precaución, prudencia. **ANTÓN:** **1.** descuido. **FAM:** → *ver.*

previsor, a adj. *Si fueras* ***previsor*** *tendrías una linterna en casa para cuando se va la luz* (= si te prepararas para lo que pudiera suceder).
SINÓN: cauteloso, precavido. **FAM:** → *ver.*

prieto adj. Méx. *Jaime es* ***prieto*** (= muy moreno).

primates s. m. pl. *En la sección de* ***primates*** *del zoológico, los niños tiraban maníes a los monos* (= donde están los monos, los gorilas, los chimpancés, los orangutanes).

primario, a adj. **1.** *Cuando acabe la enseñanza* ***primaria,*** *haré un viaje con mis compañeros* (= la que se imparte a los niños menores de 13 años). ◆ **colores primarios** **2.** *El rojo, el amarillo y el azul son* ***colores primarios*** (= son colores que se pueden combinar para conseguir todos los demás).
FAM: → *primero.*

primavera s. f. **1.** *Los árboles florecen en* ***primavera*** (= en la estación del año que es posterior al invierno). **2.** La **primavera** es una planta de flores amarillas en forma de parasol, hojas grandes y tallos rectos.
FAM: *primaveral.*

primaveral adj. *La violeta es una flor* ***primaveral*** (= aparece en la primavera).
ANTÓN: invernal, otoñal. **FAM:** *primavera.*

primer adj. *Hoy es el* ***primer*** *día del mes.* **Primer** es el apócope de primero, se utiliza delante de un nombre masculino.
FAM: → *primero.*

primero, a VER CUADRO DE NÚMEROS. ◆ **primero** adv. ***Primero*** *haz los deberes y luego juegas* (= antes de jugar debes hacer los deberes).
FAM: *primario, primer, primitivo, primogénito.*

primitivo, a adj. *Los pueblos* ***primitivos*** *no conocían la escritura ni la agricultura* (= los primeros hombres que existieron en la Tierra).
SINÓN: antiguo, inicial, original. **ANTÓN:** actual, contemporáneo. **FAM:** → *primero.*

primo, a s. *Pedro es mi* ***primo*** (= es hijo de mi tía).

primogénito, a adj. *Mi hermano mayor es el hijo* ***primogénito*** (= el primero que nació).
FAM: → *primero.*

primordial adj. *El objetivo* ***primordial*** *del maestro es enseñar a los niños* (= el más importante).

primoroso, a adj. *María hizo un bordado* ***primoroso*** (= precioso, muy delicado).
SINÓN: bello, bonito, delicado, fino, precioso, selecto. **ANTÓN:** áspero, chapucero, defectuoso, deficiente, descuidado.

princesa s. f. *En los países donde hay monarquía, las* ***princesas*** *son las hijas de los reyes.*
FAM: *príncipe.*

principal adj. *¿Quién es el actor* ***principal*** *de esta película?* (= el más importante).
SINÓN: capital, fundamental, importante. **ANTÓN:** secundario. **FAM:** → *principio.*

príncipe s. m. *Vi una foto del* ***príncipe*** *de España* (= del hijo del rey).
FAM: *princesa.*

principiante adj. *Comete muchos errores porque es un actor* ***principiante*** (= hace poco que trabaja como actor).
SINÓN: aprendiz, novato. **ANTÓN:** experto. **FAM:** *principio.*

principio s. m. **1.** *Estoy escribiendo el* ***principio*** *de un poema* (= lo estoy comenzando a escribir). **2.** *No bebo alcohol porque es contrario a mis* ***principios*** (= no está de acuerdo con mi manera de pensar). **3.** *Estudio el* ***principio*** *de Arquímedes* (= la ley científica que él descubrió). **4.** *A* ***principios*** *del mes que viene nos iremos de vacaciones* (= en los primeros días). ◆ **en principio 5.** ***En principio*** *no tengo intención de irme de vacaciones* (= en un primer momento). ◆ **por principio 6.** *Me niego a pegar a los niños* ***por principio*** (= porque esa es mi manera de pensar).
SINÓN: 1. comienzo, origen. **2.** convicción, regla. **3.** ley. **4.** inicio. **ANTÓN: 1, 4.** final. **FAM:** *principal, principiante.*

pringar v. tr. **1.** *Juan se* ***pringó*** *los dedos con mermelada* (= se ensució con ella). **2.** *Me* ***pringaste*** *el suelo de pintura* (= me lo manchaste).
SINÓN: 1. pegotear. **2.** manchar. **FAM:** *pringoso, pringue.*

pringoso, a adj. *Los muebles de la cocina se ponen* ***pringosos*** *con el aceite de los guisos* (= se ensucian con la grasa).
SINÓN: grasiento, manchado, sucio. **ANTÓN:** limpio. **FAM:** → *pringar.*

pringue s. m. *Limpio la sartén para quitarle el* ***pringue*** *que tiene* (= la grasa).
SINÓN: grasa, suciedad. **FAM:** → *pringar.*

prioridad s. f. *En los cruces, tienen* ***prioridad*** *los coches que vienen por la derecha* (= ellos deben pasar primero).
SINÓN: preferencia. **FAM:** *prioritario.*

prioritario, a adj. *El objetivo* ***prioritario*** *del profesor es que los niños aprendan* (= el más importante).
ANTÓN: secundario. **FAM:** *prioridad.*

prisa s. f. **1.** *No comas con tanta* ***prisa*** *pues tienes que masticar bien* (= hazlo despacio). ◆ **darse prisa 2.** *Si no* ***te das prisa*** *llegaremos tarde* (= si no vas más rápido). ◆ **de prisa y corriendo 3.** *Tuve que hacer los deberes* ***de prisa y corriendo*** *porque llegué muy tarde a casa* (= muy rápidamente).
SINÓN: rapidez, velocidad. **ANTÓN:** calma, lentitud, tardanza. **FAM:** *aprisa, apresurarse, deprisa.*

prisión s. f. **1.** *El culpable fue condenado a diez años de* ***prisión*** (= a estar encerrado en una cárcel). **2.** *Enviaron al culpable a la* ***prisión*** (= a la cárcel).
SINÓN: 2. cárcel, mazmorra, penal. **ANTÓN: 1.** liberación, libertad. **FAM:** → *prender.*

prisionero, a s. *Durante la guerra lo hicieron* ***prisionero*** (= cayó en manos del enemigo).
SINÓN: cautivo, preso. **ANTÓN:** libre. **FAM:** → *prender.*

prisma s. m. Un **prisma** es un cuerpo geométrico, formado por dos polígonos iguales y paralelos que son sus bases y entre ambas tienen tantas caras rectangulares como lados tienen esos polígonos.
FAM: *prismático.*

prismáticos s. m. pl. *Estaba tan lejos el barco que usé unos* ***prismáticos*** *para verlo* (= un instrumento óptico que sirve para ver de lejos).
SINÓN: anteojos, binoculares. **FAM:** *prisma.*

privado, a adj. **1.** *Por este camino* ***privado,*** *sólo pueden pasar los propietarios de la finca* (= un camino que pertenece a unas personas y que no es de uso público). **2.** *No me gusta que se metan en mi vida* ***privada*** (= en mi vida personal). **3.** *Don Andrés es profesor en una escuela* ***privada*** (= en una escuela que no depende directamente del Estado y sus alumnos tienen que pagar una cuota mensual).
SINÓN: 1. familiar, reservado. **2.** íntimo, particular, personal. **ANTÓN:** público. **FAM:** → *privar.*

privar v. tr. **1.** *Un accidente lo* ***ha privado*** *de su pierna* (= la ha perdido). **2.** *El médico me* ***ha privado*** *de comer grasas* (= me lo ha prohibido). ◆ **privarse** v. pron. **3.** *Juan* ***se priva*** *de comer dulces para no engordar* (= renuncia a comer algo que le gusta mucho).
SINÓN: 1. despojar, perder. **2.** prohibir, suprimir. **3.** abstenerse, dejar. **ANTÓN: 1.** devolver, recuperar. **2.** autorizar, permitir. **FAM:** *privado, privilegiado, privilegio.*

privilegiado, a adj. *Este hotel de lujo está en un lugar* ***privilegiado*** (= excepcional y superior a la mayoría).
SINÓN: aventajado, especial, excelente, excepcional, extraordinario, único. **ANTÓN:** desafortunado, inferior. **FAM:** → *privar.*

privilegio s. m. *Antiguamente, los nobles gozaban de* ***privilegios*** *que otros no tenían* (= tenían derechos especiales).
SINÓN: concesión, derecho, gracia. **ANTÓN:** desventaja. **FAM:** → *privar.*

pro s. m. **1.** *Estoy en* ***pro*** *de esta ley* (= estoy a favor). **2.** *Antes de decidirme, analizo los* ***pros*** *y los contras* (= los aspectos favorables y los desfavorables).

proa s. f. *Avanzaba el barco en el mar cortando las olas con la* ***proa*** (= con la parte delantera).
SINÓN: delantera. **ANTÓN:** popa.

probabilidad s. f. *Tiene muchas* ***probabilidades*** *de éxito porque ha trabajado mucho* (= es muy posible que lo consiga).
SINÓN: posibilidad. ANTÓN: improbabilidad. FAM: → *probar.*

probable adj. **1.** *Es* ***probable*** *que tenga fiebre, porque me duele mucho la cabeza* (= puede ser). **2.** *Es difícilmente* ***probable*** *lo que me estás diciendo porque no tienes testigos* (= no se puede demostrar que sea cierto).
SINÓN: **1.** posible. **2.** aceptable, demostrable. ANTÓN: **1.** imposible. **2.** inaceptable. FAM: → *probar.*

probado, a adj. *Es un hecho* ***probado*** *que el hombre no puede volar* (= se ha demostrado).
FAM: → *probar.*

probador s. m. *Antes de comprarse el vestido, mi tía se lo probó en el* ***probador*** (= en una habitación que hay en las tiendas para que la gente pueda probarse la ropa).
FAM: → *probar.*

probar v. tr. **1.** *Si realmente te interesa estudiar inglés,* ***pruébalo*** *y si ves que no puedes, lo dejas* (= inténtalo). **2.** *El abogado* ***probó*** *cuanto decía* (= lo demostró). **3.** *El sastre me* ***probó*** *el traje* (= vio si me quedaba bien o mal). **4.** *Voy a* ***probar*** *el vino* (= tomaré un poco para saber qué tal está). **5.** *No* ***prueba*** *el chocolate porque le sienta mal* (= no lo come nunca).
SINÓN: **1.** intentar. **2.** demostrar. **3.** comprobar. **4, 5.** gustar, paladear, saborear. ANTÓN: **1.** abandonar, desistir. **4.** abstenerse. FAM: *aprobado, aprobar, comprobable, comprobación, comprobante, comprobar, improbable, probabilidad, probable, probado, probador, prueba.*

probeta s. f. *En el experimento que hicimos en clase de química mezclamos varias sustancias distintas en una* ***probeta*** (= en un tubo alargado de cristal).

problema s. m. **1.** *Juan debe resolver ese* ***problema*** *de aritmética* (= ese ejercicio). **2.** *Hay* ***problemas*** *de circulación en esta ciudad* (= hay dificultades para circular). **3.** *Tengo muchos* ***problemas*** *en mi trabajo y estoy muy preocupado* (= están sucediendo cosas que no son fáciles de solucionar).
SINÓN: **1.** ejercicio. **2, 3.** dificultad. ANTÓN: solución. FAM: *problemático.*

problemático, a adj. *Este asunto es muy* ***problemático,*** *no sé cómo resolverlo sin perjudicar a nadie* (= es difícil de resolver).
SINÓN: complejo, complicado, difícil. ANTÓN: cierto, evidente, fácil. FAM: *problema.*

procedencia s. f. **1.** *Esos señores son de* ***procedencia*** *italiana* (= nacieron en Italia). **2.** *Llegó un tren con* ***procedencia*** *de Asunción* (= que venía de Asunción).
SINÓN: origen. ANTÓN: destino. FAM: → *proceder.*

proceder v. intr. **1.** *Este barco* ***procede*** *de Valparaíso* (= viene de ahí). **2.** *El aceite de oliva* ***procede*** *de las aceitunas* (= se saca de las aceitunas). **3.** *El juez* ***procede*** *con justicia* (= actúa). **4.** *Es necesario* ***proceder*** *a la limpieza de la casa* (= comenzar a limpiarla). **5.** *Ante esta dificultad,* ***procede*** *ir con cuidado* (= conviene). ◆ **proceder** s. m. **6.** *No entiendo tu* ***proceder*** (= tu forma de actuar).
SINÓN: **1.** venir. **2.** extraer, sacar. **3.** actuar. **4.** comenzar, emprender, realizar. **5.** convenir. **6.** comportamiento, conducta. ANTÓN: **1.** llegar. **4.** terminar. FAM: *procedencia, procesar, procesión, proceso.*

procesar v. tr. **1.** *Lo van a* ***procesar*** *por un delito que, según él, no cometió* (= lo van a juzgar). **2.** *Debemos* ***procesar*** *todos estos datos en la computadora* (= introducirlos).
FAM: → *proceder.*

procesión s. f. *La* ***procesión*** *salió de la iglesia* (= el desfile religioso).
SINÓN: desfile. FAM: → *proceder.*

proceso s. m. **1.** *La enfermedad siguió un* ***proceso*** *rápido* (= un desarrollo). **2.** *A lo largo del* ***proceso*** *varios testigos declararon a favor del acusado* (= en el juicio).
SINÓN: **1.** curso, desarrollo, evolución, marcha. **2.** juicio, pleito. FAM: → *proceder.*

proclamar v. tr. **1.** *La Iglesia lo* ***proclamó*** *Papa* (= así lo declararon solemnemente). **2.** *Los periódicos* ***proclamaron*** *en grandes titulares el final de la guerra* (= lo anunciaron). **3.** *El jurado la* ***proclamó*** *como la mejor película del año* (= la eligió como la mejor). ◆ **proclamarse** v. pron. **4.** *El dictador* ***se proclamó*** *jefe del Estado* (= se nombró él mismo).
SINÓN: **1.** coronar, declarar. **2.** aclamar, anunciar. **4.** nombrarse. ANTÓN: **1, 3.** rechazar. FAM: → *clamar.*

procrear v. tr. *Esta mujer ha* ***procreado*** *tres hijos* (= ha engendrado).
SINÓN: engendrar, parir. FAM: → *crear.*

procurar v. tr. **1.** *Los bomberos* ***procuraron*** *por todos los medios apagar el fuego* (= lo intentaron). **2.** *¿Me puedes* ***procurar*** *un libro?* (= ¿me lo puedes conseguir?).
SINÓN: **1.** intentar. **2.** buscar, conseguir, proporcionar. ANTÓN: abandonar, abstenerse, descuidar.

prodigio s. m. **1.** *La rápida curación de aquella enfermedad tan grave fue un* ***prodigio*** (= algo extraordinario). ◆ **prodigio** adj. **2.** *Mozart fue un niño* ***prodigio*** *porque a los seis años ya componía música* (= fuera de lo normal).
SINÓN: **1.** milagro. **2.** excepcional, raro. ANTÓN: **1.** normalidad. **2.** normal.

producción s. f. **1.** *Es necesario aumentar la* ***producción*** *de petróleo* (= hay que producir más). **2.** *Las nuevas técnicas modificaron la* ***producción*** *de papel* (= la manera de fabricar-

lo). **3.** *La* ***producción*** *literaria de este autor es abundante* (= el conjunto de sus obras).
SINÓN: 2. fabricación. **3.** creación. **ANTÓN: 2.** consumo. **FAM:** → *producir.*

producir v. tr. **1.** *Estar mucho tiempo al sol* ***produce*** *quemaduras* (= las causa). **2.** *Estos olivos* ***producen*** *muchas aceitunas* (= dan). **3.** *El dinero del banco me* ***produce*** *ganancias* (= me proporciona). **4.** *Esta fábrica* ***produce*** *juguetes* (= fabrica). ◆ **producirse** v. pron. **5.** *¿Cómo* ***se produjo*** *el accidente?* (= ¿cómo sucedió?).
SINÓN: 1. causar. **2, 3.** dar, proporcionar. **4.** fabricar. **5.** ocasionar, suceder. **FAM:** *contraproducente, improductivo, producción, productivo, producto, productor, reproducción, reproducir.*

productivo, a adj. *Aquí hay muchos huertos porque esta tierra es muy* ***productiva*** (= da muchos frutos).
SINÓN: fecundo, fértil, fructífero, provechoso, rentable. **ANTÓN:** estéril, inútil. **FAM:** → *producir.*

producto s. m. **1.** *En los supermercados, el detergente está en la sección de los* ***productos*** *de limpieza* (= de todas las cosas relacionadas con la limpieza). **2.** *Doce es el* ***producto*** *de multiplicar 6 por 2* (= el resultado).
SINÓN: 1. artículo, género. **2.** resultado. **FAM:** → *producir.*

productor, a adj. **1.** *Las empresas* ***productoras*** *de computadoras obtienen muchos beneficios* (= que las fabrican). ◆ **productor, a** s. **2.** *Los* ***productores*** *de trigo no están contentos con la cosecha* (= los que se dedican al cultivo y venta de trigo). **3.** *El señor García es el* ***productor*** *de la película* (= él pone el dinero necesario para realizarla).
SINÓN: 1. fabricante. **2.** empresario, obrero, trabajador. **FAM:** → *producir.*

proeza s. f. *En este libro se cuentan las* ***proezas*** *de los conquistadores españoles en América del Sur* (= las aventuras).
SINÓN: aventura, hazaña.

profanar v. tr. ***Profanaron*** *la iglesia celebrando un baile en su interior* (= no respetaron un lugar sagrado).
SINÓN: blasfemar, burlarse, despreciar, mofarse, violar. **ANTÓN:** respetar. **FAM:** *profano.*

profano, a adj. **1.** *Mozart compuso música religiosa y música* ***profana*** (= música que no es religiosa). **2.** *Soy* ***profano*** *en astronomía* (= no sé nada de esa ciencia).
SINÓN: 1. seglar. **2.** inculto. **ANTÓN: 1.** religioso. **2.** culto, sabio. **FAM:** *profanar.*

profecía s. f. *Existen muchas* ***profecías*** *acerca del fin del mundo* (= se han hecho muchas predicciones).
SINÓN: predicción. **FAM:** *profeta, profetisa, profetizar.*

profesión s. f. *Para ejercer la* ***profesión*** *de abogado hay que estudiar Derecho* (= para trabajar como abogado).
SINÓN: actividad, función, oficio. **FAM:** *profesional, profesor, profesorado.*

profesional adj. **1.** *Atender a sus pacientes es parte de la actividad* ***profesional*** *del médico* (= propia de su oficio). ◆ **profesional** s. m. f. **2.** *Este equipo de fútbol no está formado por aficionados, sino por* ***profesionales*** (= por personas cuyo trabajo consiste en jugar al fútbol).
ANTÓN: 2. aficionado. **FAM:** → *profesión.*

profesor, a s. *El señor García es* ***profesor*** *de Matemáticas y la señora González es* ***profesora*** *de Química* (= enseñan estas materias).
FAM: → *profesión.*

profesorado s. m. *El* ***profesorado*** *se reunirá para hablar de los problemas de la escuela* (= todos los profesores).
FAM: → *profesión.*

profeta s. m. **1.** *Mahoma es el* ***profeta*** *de la religión musulmana* (= es una persona que habló a los musulmanes en nombre de Dios para explicarles cuál era su voluntad). **2.** *Fuiste un buen* ***profeta*** *al adivinar que iba a contraer la gripe porque ya me he engripado* (= una persona que tiene la capacidad de adivinar el futuro).
SINÓN: mensajero. **FAM:** → *profecía.*

profetisa s. f. *Esa mujer tiene fama de* ***profetisa*** *porque siempre adivina lo que va a suceder* (= tiene la capacidad de adivinar el futuro).
FAM: → *profecía.*

profetizar v. tr. *Este periódico* ***profetizó*** *los acontecimientos que acaban de suceder* (= adivinó el futuro).
SINÓN: anunciar, prever, pronosticar. **FAM:** → *profecía.*

prófugo, a s. *El* ***prófugo*** *huía de la policía ocultándose en la montaña* (= la persona que se escapa de la policía).
SINÓN: fugitivo.

profundidad s. f. **1.** *Excavaron varios metros para hacer un pozo de bastante* ***profundidad*** (= muy hondo). **2.** *El juez estudia en* ***profundidad*** *el caso antes de emitir sentencia* (= estudia todos los detalles).
SINÓN: 1. hondura. **FAM:** → *profundo.*

profundizar v. intr. *Es necesario* ***profundizar*** *en este problema para entenderlo mejor* (= estudiarlo con más detalle).
SINÓN: ahondar, analizar, examinar, investigar, penetrar. **FAM:** → *profundo.*

profundo, a adj. **1.** *Este pozo es 10 metros más* ***profundo*** *que el otro* (= la distancia desde su superficie hasta el fondo es mayor). **2.** *María tiene un amor* ***profundo*** *por su madre* (= muy grande y sincero). **3.** *Juan sufrió un cambio* ***profundo*** *cuando se casó* (= muy grande). **4.** *No se despierta fácilmente porque tiene un sueño* ***profundo*** (= intenso). ◆ **profundo** s. m. **5.** *Encontraron el barco hundido en lo* ***profundo*** *del mar*

(= en el fondo). **6.** *Me ha dolido en lo más* ***profundo*** *de mi alma* (= en lo más íntimo).
SINÓN: **1.** hondo. **2.** fuerte, grande, intenso. **3.** radical. ANTÓN: **2, 3.** superficial. **4.** leve. FAM: *profundidad, profundizar.*

progenitor, a s. *Debes ser respetuoso y obedecer siempre a tus* ***progenitores*** (= a tus padres).

programa s. m. **1.** *Ya repartieron el* ***programa*** *de las fiestas* (= la lista de actos que se van a celebrar). **2.** *El candidato a las elecciones anunció su* ***programa*** (= sus planes; lo que piensa hacer). **3.** *Esta pregunta del examen no corresponde al* ***programa*** *de la asignatura* (= a lo que había que estudiar). **4.** *Me gustan los* ***programas*** *sobre deportes, tanto de radio como de televisión* (= las emisiones).
SINÓN: **1.** lista. **2.** plan, proyecto. **3.** asignatura, materia. FAM: *programar.*

programar v. tr. **1.** *Este cine* ***programa*** *películas interesantes* (= las pone en su lista de espectáculos). **2.** *Todavía no* ***hemos programado*** *nuestras vacaciones así que no sé qué vamos a hacer* (= no las hemos planeado).
SINÓN: **1.** poner, proyectar. **2.** organizar, planear. FAM: *programa.*

progresar v. intr. *Juan* ***progresa*** *en inglés, así que pronto podrá hablar con los ingleses* (= cada día sabe más).
SINÓN: adelantar, avanzar, mejorar. FAM: → *progreso.*

progresista adj. *Este presidente es* ***progresista*** (= partidario de mejorar las condiciones de toda la gente).
FAM: → *progreso.*

progresivo, a adj. *Estos ejercicios tienen una dificultad* ***progresiva*** (= son cada vez más difíciles).
SINÓN: creciente. FAM: → *progreso.*

progreso s. m. **1.** *Pedro hace* ***progresos*** *en música y ha empezado a tocar obras muy difíciles* (= cada vez toca mejor el piano). **2.** *Gracias al* ***progreso*** *científico la gente vive muchos años* (= a los avances de la ciencia).
SINÓN: **1.** adelanto. **2.** auge, avance, desarrollo, evolución, mejora, perfeccionamiento, superación. ANTÓN: retroceso. FAM: *progresar, progresista, progresivo.*

prohibir v. tr. **1.** *La ley* ***prohíbe*** *el tráfico de droga y lo castiga con penas fuertes* (= no lo autoriza). **2.** *Se* ***prohíbe*** *pisar el césped* (= no se permite hacerlo).
SINÓN: impedir, privar. ANTÓN: autorizar, permitir. FAM: → *exhibir.*

prójimo s. m. *Debemos amar al* ***prójimo*** (= a los demás seres humanos).
SINÓN: semejante.

prole s. f. *Mi padre tiene que trabajar mucho para poder alimentar a toda la* ***prole*** (= a todos sus hijos).
SINÓN: descendencia. FAM: *proletario.*

proletario, a s. Un **proletario** es una persona que vive modestamente del producto de su trabajo.
SINÓN: artesano, jornalero, obrero, trabajador. ANTÓN: amo, dueño, patrón, propietario. FAM: *prole.*

prologar v. tr. *Un amigo del escritor* ***prologó*** *la novela* (= escribió el prólogo).
SINÓN: encabezar, introducir. FAM: *prólogo.*

prólogo s. m. *En el* ***prólogo*** *el autor del libro expone por qué lo ha escrito* (= en la introducción).
SINÓN: comienzo, introducción. ANTÓN: conclusión, epílogo. FAM: *prologar.*

prolongar v. tr. *No debemos* ***prolongar*** *nuestra estancia aquí por más tiempo pues mis padres tienen que volver al trabajo* (= no podemos seguir aquí).
SINÓN: alargar. ANTÓN: acortar, abreviar.

promedio s. m. *Hemos hecho 320 kilómetros en 4 horas; lo que significa un* ***promedio*** *de 80 km por hora* (= un cálculo del número de kilómetros que hicimos por hora).
SINÓN: media. ANTÓN: total. FAM: → *medio.*

promesa s. f. **1.** *Juan no cumplió su* ***promesa*** *pues me dijo que me iba a venir a buscar y no lo hizo* (= su palabra). **2.** *Este atleta es una* ***promesa*** *porque es muy bueno* (= se prevé que será un gran campeón).
SINÓN: **1.** compromiso, juramento, palabra. **2.** esperanza. ANTÓN: **1.** olvido. FAM: → *prometer.*

prometer v. tr. **1.** *Antonio me* ***prometió*** *que vendría mañana* (= me dijo que lo haría). ◆ **prometer** v. intr. **2.** *Este niño* ***promete*** *porque saca muy buenas notas* (= parece que tendrá éxito). ◆ **prometerse** v. pron. **3.** *María y Luis* ***se prometieron*** (= decidieron que se iban a casar).
SINÓN: **1.** afirmar, asegurar, jurar. **3.** comprometerse. ANTÓN: **1.** negar. FAM: *comprometer, comprometido, compromiso, promesa, prometido.*

prometido, a s. *Luis es el* ***prometido*** *de María* (= la persona que se va a casar con ella).
SINÓN: novio. FAM: → *prometer.*

promoción s. f. **1.** *La empresa ha sacado un producto nuevo y para su* ***promoción*** *regalan una pelota al comprador* (= para conseguir que la gente lo conozca y lo compre). **2.** *Cada año mi madre tiene una cena con los compañeros de su* ***promoción*** (= con las personas que estudiaron la carrera con ella).

promontorio s. m. *Hay un faro en el* ***promontorio*** (= en el cabo alto que domina el mar).
SINÓN: cerro, montículo.

promover v. tr. *Juan fue quien* ***promovió*** *la idea de ir a la playa este fin de semana* (= fue quien la tuvo y convenció a los demás para ir).

pronombre s. m. Los **pronombres** son aquellas palabras que sustituyen a un nombre cuando este nombre se refiere a una persona.
FAM: → *nombre.*

pronominal adj. Peinarse, lavarse *son verbos* ***pronominales*** (= se conjugan con las formas del pronombre personal).
FAM: → *nombre.*

pronosticar v. tr. *Los especialistas* ***han pronosticado*** *la victoria de este boxeador* (= la han anunciado antes de que se celebre el combate).
SINÓN: adivinar, profetizar. **FAM:** *pronóstico.*

pronóstico s. m. **1.** *Pedro no se equivocó en sus* ***pronósticos*** *y acertó lo que iba a suceder* (= cuando anunció lo que iba a pasar). **2.** *La televisión dio el* ***pronóstico*** *del tiempo* (= anunció qué tiempo hará mañana). **3.** *El médico me comunicó su* ***pronóstico*** (= su opinión sobre la enfermedad que tengo).
SINÓN: 1. presagio. **2.** predicción. **3.** juicio, opinión. **FAM:** *pronosticar.*

prontitud s. f. *María respondió con* ***prontitud*** *porque sabía la respuesta* (= rápidamente).
SINÓN: prisa, rapidez, velocidad. **ANTÓN:** lentitud, tardanza. **FAM:** *pronto.*

pronto adv. **1.** *Por las mañanas me levanto* ***pronto*** *para ir a la escuela* (= rápido, sin perder tiempo). **2.** *Has llegado* ***pronto*** *pues no te esperaba hasta las seis* (= antes de hora). ◆ **de pronto 3.** *Había un sol hermoso y* ***de pronto*** *se nubló y empezó a llover* (= de repente). ◆ **por lo pronto 4.** *No sé cómo vamos a encontrar al dueño de este perro, pero,* ***por lo pronto*** *podemos preguntar a ver si alguien lo conoce* (= de momento). ◆ **tan pronto como 5.** ***Tan pronto como*** *me enteré de la noticia, llamé a mi amigo* (= en cuanto me enteré).
SINÓN: 1, 2. temprano. **ANTÓN: 1, 2.** tarde. **FAM:** *prontitud.*

pronunciar v. tr. **1.** *Este niño* ***pronuncia*** *mal las palabras y no se le entiende cuando habla* (= las articula mal). **2.** *El Presidente* ***pronunció*** *un discurso* (= lo dijo).
SINÓN: 1. articular, silabear. **2.** decir, emitir. **FAM:** → *anunciar.*

propaganda s. f. *Antes de las elecciones, los partidos políticos hacen* ***propaganda*** *de sus proyectos* (= dan a conocer sus proyectos para convencer a la gente de que los voten).
SINÓN: comunicación, difusión, información, publicación, publicidad. **FAM:** *propagar.*

propagar v. tr. **1.** *Los periódicos* ***propagaron*** *la noticia del terremoto* (= la publicaron y se ha enterado todo el mundo). ◆ **propagarse** v. pron. **2.** *El fuego* ***se propagó*** *rápidamente por todo el bosque* (= se extendió). **3.** *Los conejos* ***se propagan*** *mucho porque en cada parto nacen muchas crías* (= se reproducen).
SINÓN: 1. publicar. **2.** extender. **3.** reproducirse. **ANTÓN: 1.** callar, ocultar, silenciar. **FAM:** *propaganda.*

propiedad s. f. **1.** *Mis tíos tienen una* ***propiedad*** *en el campo* (= una casa y un terreno que les pertenece). **2.** *El agua tiene la* ***propiedad*** *de hervir a 100 grados de temperatura* (= la característica). **3.** *Habla muy bien y utiliza las palabras con* ***propiedad*** (= correctamente).
SINÓN: 1. bien, capital, posesión. **2.** característica, cualidad. **FAM:** → *propio.*

propietario, a s. *¿Quién es el* ***propietario*** *de esta casa?* (= ¿a quién pertenece?).
SINÓN: amo, dueño. **FAM:** → *propio.*

propina s. f. *Después de pagar la cuenta de la comida mi padre le dio una* ***propina*** *al camarero* (= algo de dinero en agradecimiento por sus servicios).
SINÓN: gratificación.

propio, a adj. **1.** *Mi vecino tiene su* ***propia*** *computadora* (= una computadora que le pertenece). **2.** *Me lo dijo el* ***propio*** *periodista que escribió la noticia* (= él mismo). **3.** *Es muy* ***propio*** *de él hacer ese tipo de cosas* (= es típico que lo haga). **4.** *Juan, Perú, Ramírez son nombres* ***propios*** (= designan seres o cosas particulares y se escriben siempre con letra mayúscula).
SINÓN: 1. personal. **2.** mismo. **3.** característico, lógico, normal. **ANTÓN: 1, 3.** ajeno. **3.** impropio, inadecuado. **4.** común. **FAM:** *apropiado, apropiar, expropiar, impropio, propiedad, propietario.*

proponer v. tr. **1.** *A Juan le* ***han propuesto*** *ser delegado de curso* (= se lo han ofrecido). ◆ **proponerse** v. pron. **2.** ***Se propone*** *salir mañana de viaje* (= tiene esa intención).
SINÓN: 1. ofrecer. **2.** intentar, procurar. **FAM:** → *poner.*

proporción s. f. **1.** *En este país la* ***proporción*** *de mujeres es mayor que la de hombres* (= el porcentaje). **2.** *Esta mesa es demasiado grande, no guarda* ***proporción*** *con estas sillas tan pequeñas* (= no guarda una relación justa y equilibrada). **3.** *Me quedé impresionado con las* ***proporciones*** *de aquel palacio* (= con su tamaño).
SINÓN: 1. porcentaje, relación. **2.** armonía, equilibrio, relación. **3.** dimensión, medida, tamaño. **FAM:** *proporcionado, proporcional, proporcionar.*

proporcionado, a adj. *Este atleta está muy bien* ***proporcionado*** (= todo su cuerpo tiene medidas armoniosas).
SINÓN: armonioso, equlibrado. **FAM:** → *proporción.*

proporcional adj. *El esfuerzo que realiza es* ***proporcional*** *a los resultados obtenidos*

(= según el esfuerzo que hagas, conseguirás mejores o peores resultados).
SINÓN: equitativo, justo. **ANTÓN:** desproporcionado. **FAM:** → *proporción.*

proporcionar v. tr. *¿Podrías* ***proporcionarme*** *este libro?, yo no sé dónde comprarlo* (= me lo podrías conseguir).
SINÓN: conceder, conseguir, dar, facilitar, suministrar. **ANTÓN:** quitar. **FAM:** → *proporción.*

proposición s. f. *Rechacé la* ***proposición*** *de Juan porque no me convencía* (= lo que me proponía).
SINÓN: oferta, ofrecimiento, propuesta, sugerencia. **FAM:** → *poner.*

propósito s. m. **1.** *No tengo el* ***propósito*** *de molestarte* (= la intención). ◆ **a propósito 2.** *Perdón por el pisotón, no lo hice* ***a propósito*** (= no lo hice queriendo).
SINÓN: ganas, idea, intención. **FAM:** → *poner.*

propuesta s. f. **1.** *La junta del colegio ha aprobado nuestra* ***propuesta*** *de hacer más excursiones* (= la petición que hicimos). **2.** *Tu* ***propuesta*** *de ir al cine me ha convencido* (= tu sugerencia).
SINÓN: 1. petición. **2.** sugerencia. **FAM:** → *poner.*

propulsión s. f. *Los aviones funcionan a* ***propulsión*** (= por un mecanismo que los impulsa hacia adelante al expulsar gases o fluidos a gran velocidad).

prórroga s. f. *La* ***prórroga*** *del partido de fútbol fue de media hora* (= el tiempo añadido al que está establecido).
SINÓN: continuación. **FAM:** → *rogar.*

prosa s. f. *Las novelas están escritas en* ***prosa,*** *mientras que la poesía lo está en verso* (= en la forma natural del lenguaje, sin rima ni medida).
ANTÓN: verso.

proseguir v. tr. *Durante esta semana* ***prosiguen*** *las fiestas de mi pueblo* (= continúan).
SINÓN: continuar, durar, seguir. **ANTÓN:** cesar, detener, interrumpir, parar. **FAM:** → *seguir.*

prospecto s. m. *Antes de tomar un medicamento debes leer el* ***prospecto*** (= un papel o folleto que acompaña al medicamento, en el que se explican las instrucciones de uso y para qué sirve).
SINÓN: folleto, instructivo.

prosperar v. intr. ***Ha prosperado*** *mucho gracias a su negocio y ahora vive muy bien* (= ha mejorado su situación).
SINÓN: enriquecer(se), mejorar, triunfar. **ANTÓN:** arruinarse, empeorar, empobrecer, fracasar. **FAM:** *prosperidad, próspero.*

prosperidad s. f. *Cuando acabaron los conflictos llegaron tiempos de* ***prosperidad*** (= de felicidad, bienestar y progreso económico).
SINÓN: auge, bienestar, expansión, felicidad, progreso. **ANTÓN:** decadencia. **FAM:** → *prosperar.*

próspero, a adj. **1.** *Se está enriqueciendo desde que tiene un negocio* ***próspero*** (= que crece y da mucho dinero). **2.** *¡Feliz Navidad y* ***próspero*** *Año Nuevo!* (= feliz).
SINÓN: 1. floreciente. **2.** feliz, venturoso. **ANTÓN: 1.** decadente. **2.** desgraciado. **FAM:** → *prosperar.*

protagonista s. **1.** *Alicia es la* ***protagonista*** *de Alicia en el país de las maravillas* (= el personaje principal). **2.** *Fue el verdadero* ***protagonista*** *del proyecto porque fue el que más trabajó en él* (= el que desempeñó el papel más importante).

protección s. f. *La perra da* ***protección*** *a sus cachorros* (= los defiende de cualquier peligro).
SINÓN: amparo, ayuda, cuidado, defensa. **FAM:** → *proteger.*

protector, a adj. *La Sociedad* ***protectora*** *de animales defiende y protege a todos los animales.*
SINÓN: defensor. **FAM:** → *proteger.*

proteger v. tr. **1.** *La policía* ***protege*** *a los ciudadanos que cumplen y respetan la ley* (= los defiende y ayuda). **2.** *El paraguas nos* ***protege*** *de la lluvia* (= evita que nos mojemos).
SINÓN: 1. amparar, apoyar, ayudar, defender, favorecer. **2.** librar, resguardar. **ANTÓN:** abandonar, oponerse, perseguir. **FAM:** *protección, protector, protegido.*

protegido, a s. *María es la* ***protegida*** *del director y nunca la castiga* (= el director siempre la defiende).
SINÓN: favorito. **FAM:** → *proteger.*

prótesis s. f. *Perdió la pierna en un accidente y le pusieron una* ***prótesis*** (= una pierna ortopédica).
SINÓN: ortopedia, postizo.

protesta s. f. *La decisión del árbitro provocó las* ***protestas*** *del público* (= el público demostró que no estaba contento).
SINÓN: descontento, oposición, reclamación. **ANTÓN:** acuerdo, conformidad. **FAM:** → *protestar.*

protestante s. Los **protestantes** son las personas que siguen y obedecen las creencias y principios del protestantismo, que es una doctrina religiosa cristiana diferente del catolicismo.
FAM: → *protestar.*

protestantismo s. m. El **protestantismo** es un movimiento religioso cristiano separado de la Iglesia Católica que no admite la autoridad del Papa y no cree ni en los santos ni en la Virgen.
FAM: → *protestar.*

protestar v. intr. **1.** *Los vecinos* ***protestan*** *contra el ruido de la calle* (= dicen que les molesta). **2.** *¡Deja de* ***protestar*** *por todo y haz lo que te digo!* (= de quejarte y refunfuñar).
SINÓN: 1. oponerse. **2.** quejarse, reclamar. **ANTÓN: 1.** aceptar, obedecer, someterse. **2.** admitir, aguantar(se). **FAM:** *protesta, protestante, protestantismo.*

provecho s. m. **1.** *Con la venta de la cosecha, el labrador sacó mucho* ***provecho*** (= mucho

beneficio). **2.** *Saca muy buenas notas, obtiene* ***provecho*** *de lo que estudia* (= lo aprovecha bien). ◆ **de provecho 3.** *Si quieres ser un hombre* ***de provecho*** *en la vida, debes estudiar mucho desde niño* (= útil y que sepa desenvolverse). ◆ **¡buen provecho! 4.** *Espero que les guste la comida,* ***¡buen provecho!*** (= ¡que la disfruten!).
SINÓN: **1.** beneficio, ventaja. **2.** aprovechamiento, avance, rendimiento. **3.** útil, resuelto. ANTÓN: **1, 2.** daño, pérdida, perjuicio. FAM: → *aprovechable, aprovechado, aprovechar, provechoso.*

provechoso, a adj. *Si no vas a hacer nada* ***provechoso*** *mejor será que vengas con nosotros al cine* (= nada útil).
SINÓN: beneficioso, bueno, conveniente, eficaz, útil, ventajoso. ANTÓN: inconveniente, inútil, perjudicial. FAM: *provecho.*

proveer v. tr. **1.** *Ya ha llegado el camión que* ***provee*** *de leche a las tiendas del barrio* (= que la entrega). **2.** *Me* ***han provisto*** *del equipo necesario para ir de excursión* (= me han dado todo lo necesario para ir).
SINÓN: abastecer, dotar, suministrar. ANTÓN: desproveer. FAM: *provisión.*

provenir v. intr. **1.** *Estas mercancías* ***provienen*** *de Venezuela* (= vienen de ese país). **2.** *El accidente* ***provino*** *de la falta de visibilidad* (= fue causado por ella).
SINÓN: **1.** proceder. **2.** causar, originar. FAM: → *venir.*

proverbio s. m. *A quien madruga Dios lo ayuda, es un* ***proverbio*** (= es una frase de origen popular que expresa un consejo, una esperanza o una crítica).

provincia s. f. *La Argentina está dividida en* ***provincias*** (= las zonas territoriales y administrativas en que se dividen algunos países).
FAM: *provincial, provinciano.*

provincial adj. *El señor Gómez es el director* ***provincial*** *de la empresa* (= es el responsable de la empresa en esta provincia).
FAM: → *provincia.*

provinciano, a adj. **1.** *Los que no vivimos en la capital somos* ***provincianos.*** **2.** *En aquel pueblo tienen una mentalidad muy* ***provinciana*** (= atrasada, muy distinta de la que hay en una gran ciudad).
SINÓN: **2.** pueblerino. FAM: *provincia.*

provisión s. f. *Ya tenemos las* ***provisiones*** *necesarias para comer durante todo el invierno* (= la comida y demás cosas que necesitamos y acumulamos para disponer de ellas en caso de necesidad).
SINÓN: abastecimiento, suministro, víveres. ANTÓN: desabastecimiento. FAM: *proveer.*

provisional adj. *Los obreros hicieron un arreglo* ***provisional*** *del boquete* (= que no es definitivo o permanente).
SINÓN: momentáneo, pasajero, temporal. ANTÓN: definitivo.

provisorio, a adj. Amér. *En la empresa adoptaron una medida* ***provisoria****: todo el personal saldrá una hora antes* (= provisional).
SINÓN: momentáneo, pasajero, temporal. ANTÓN: definitivo.

provocador, a adj. *Es una persona* ***provocadora*** *que siempre está buscando pelea* (= le gusta causar situaciones desagradables).
SINÓN: alborotador, desafiante, incitador. FAM: *provocar.*

provocar v. tr. **1.** *Mi mal comportamiento* ***ha provocado*** *el enojo del profesor* (= ha causado). **2.** *No* ***provoques*** *a la gente con tus insultos* (= no des ocasión a que haya violencia). **3.** *Tus chistes me* ***han provocado*** *risa* (= me han producido).
SINÓN: **1.** causar. **2.** estimular, excitar, mover. **3.** producir. ANTÓN: **2.** calmar, sosegar, tranquilizar. FAM: *provocador.*

proximidad s. f. **1.** *Hay una gran* ***proximidad*** *entre mi casa y la suya* (= cercanía). **2.** *Se declaró un incendio en las* ***proximidades*** *del puerto* (= en los alrededores del puerto).
SINÓN: cercanía. ANTÓN: alejamiento, lejanía. FAM: → *próximo.*

próximo, a adj. **1.** *Nos volveremos a ver la* ***próxima*** *semana* (= la semana que viene). **2.** *Esta ciudad está* ***próxima*** *al mar* (= cerca del mar).
SINÓN: **1.** siguiente. **2.** cercano, inmediato. ANTÓN: **1.** pasado. **2.** lejano, remoto. FAM: *aproximación, aproximado, aproximar, proximidad.*

proyección s. f. *La* ***proyección*** *de la película se realizará esta tarde en el salón de actos del colegio* (= el pase de la película).
SINÓN: exhibición, pase. FAM: → *proyectar.*

proyectar v. tr. **1.** *Juan* ***proyecta*** *salir mañana* (= tiene la intención). **2.** *En este cine* ***proyectan*** *una buena película* (= la ponen en pantalla).
SINÓN: **1.** idear, intentar, pensar, planear, preparar. ANTÓN: **1.** impedir. FAM: *proyección, proyectil, proyecto, proyector.*

proyectil s. m. *Los* ***proyectiles*** *lanzados desde aviones y barcos de combate destruyeron la ciudad* (= las balas o bombas que se lanzan con un arma de fuego).
FAM: → *proyectar.*

proyecto s. m. **1.** *¿Cuáles son tus* ***proyectos*** *para las vacaciones?* (= ¿qué piensas hacer?). **2.** *El arquitecto presentó el* ***proyecto*** *del edificio con unos planos muy detallados* (= los planos, cálculos e instrucciones para construirlo).
SINÓN: **1.** idea, intención, plan. **2.** croquis, esquema, plano. FAM: → *proyectar.*

proyector s. m. *La fuerte luz del* ***proyector*** *de cine o de diapositivas permite ver las imágenes*

en la pantalla (= del aparato que proyecta imágenes en una pantalla gracias a un potente foco de luz).
FAM: → *proyectar.*

prudencia s. f. **1.** *Mi padre conduce con* ***prudencia,*** *por eso no ha sufrido nunca un accidente* (= con mucho cuidado). **2.** *Juan come y bebe con* ***prudencia*** *porque no quiere engordar* (= toma cantidades moderadas).
SINÓN: **1.** cuidado, sensatez, precaución. **2.** moderación. ANTÓN: **1.** imprudencia. **2.** exceso. FAM: *imprudencia, imprudente, prudente.*

prudente adj. *Debes ser* ***prudente*** *al cruzar la calle* (= debes tener cuidado).
SINÓN: cauteloso, juicioso, precavido, responsable, sensato. ANTÓN: imprudente, insensato, irresponsable. FAM: → *prudencia.*

prueba s. f. **1.** *Ya están haciendo la última* ***prueba*** *del aparato para ver si funciona bien* (= la última comprobación). **2.** *El acusado presentó* ***pruebas*** *que demostraban su inocencia* (= aportó testimonios que demuestran la verdad de un hecho). **3.** *Juan no ha superado la* ***prueba*** *de francés* (= el examen). **4.** *María participó en la* ***prueba*** *de natación* (= en la competencia). Amér. **5.** *Los equilibristas del circo ejecutaron unas* ***pruebas*** *increíbles* (= acrobacias espectaculares y difíciles).
SINÓN: **1.** ensayo, comprobación. **2.** demostración, testimonio. **3.** examen. **4.** competición. FAM: → *aprobar, comprobar, improbable, probabilidad, probador, probar.*

psicología s. f. La **Psicología** es la ciencia que estudia el comportamiento humano.
FAM: *psicólogo.*

psicólogo, a s. *Acudió a consultar con el* ***psicólogo*** *para que lo ayudara a superar sus problemas personales* (= un profesional que analiza los problemas de las personas y las ayuda a reflexionar sobre ellos).
FAM: *psicología.*

psiquiatra s. m. f. *El* ***psiquiatra*** *le ha mandado un tratamiento para curar su enfermedad mental* (= el médico que trata las enfermedades mentales).
FAM: *psiquiatría.*

psiquiatría s. f. La **Psiquiatría** es la parte de la Medicina que estudia las enfermedades mentales.
FAM: *psiquiatra.*

púa s. f. **1.** *El erizo está cubierto de unas* ***púas*** *que usa para defenderse* (= de espinas, alargadas y acabadas en punta). **2.** *Este peine ya no sirve porque se han caído algunas* ***púas*** (= los dientes del peine). **3.** *Toco la guitarra con una* ***púa*** (= con un trocito de hueso o de plástico que rasca las cuerdas).
SINÓN: **1.** espina, punta. **2.** diente. **3.** uña.

pubertad s. f. La **pubertad** es la primera fase del adolescente en la que va desarrollando los rasgos del adulto, como el cambio de voz, la aparición del vello y la capacidad de reproducción.

pubis s. m. El **pubis** es la parte inferior del vientre, que se cubre de vello en la pubertad.

publicación s. f. **1.** *La* ***publicación*** *de este libro tuvo lugar ayer* (= la aparición en las librerías). **2.** *Los periódicos, los libros, las revistas son* ***publicaciones*** (= son obras que se imprimen). **3.** *La* ***publicación*** *de la noticia en los periódicos sorprendió mucho a la gente* (= salió un artículo que hablaba de la noticia).
SINÓN: **1, 3.** aparición, difusión, edición, divulgación. FAM: → *público.*

publicar v. tr. **1.** ***Publicaron*** *este diccionario en 1993* (= en esta fecha se imprimió y comenzó a venderse en las librerías). **2.** *Nadie se había enterado hasta que* ***publicaron*** *la noticia en los periódicos* (= escribieron sobre ello).
SINÓN: **1.** editar, imprimir. **1, 2.** difundir, divulgar. ANTÓN: **1.** ocultar. **2.** callar. FAM: → *público.*

publicidad s. f. *Esta marca de computadoras hace mucha* ***publicidad*** *porque quiere que el público la conozca* (= hace muchos anuncios para que la gente la compre).
SINÓN: divulgación, promoción, propaganda. FAM: → *público.*

público, a adj. **1.** *Todo el mundo puede usar el teléfono* ***público*** (= que pertenece a todo el mundo). **2.** *Yo voy a un colegio* ***público*** (= del Estado, que no es privado). ◆ **público** s. m. **3.** *Al finalizar la representación teatral, el* ***público*** *aplaudió* (= el conjunto de espectadores). **4.** *Esta tienda permanecerá cerrada al* ***público*** *durante el mes de agosto* (= a la gente). ◆ **en público 5.** *No me gusta cantar* ***en público,*** *me da mucha vergüenza* (= delante de la gente).
SINÓN: **1.** común. **2.** estatal, nacional. **3.** espectador. **4.** gente. ANTÓN: **1, 2.** privado. FAM: *publicación, publicar, publicidad.*

puchero s. m. Amér. Merid., Méx. **1.** *En invierno, sienta bien comer un plato de* ***puchero*** (= comida que se hace con carne vacuna, papas, camotes, garbanzos, verduras y otros ingredientes, hervidos). **2.** *El bebé va a llorar porque ya está haciendo* ***pucheros*** (= produce gemidos y parece que va a llorar).
SINÓN: **2.** gesto, mueca.

pucho s. m. Amér. Merid. **1.** *El incendio del bosque fue producido por un* ***pucho*** (= colilla del cigarrillo). **2.** *Cuando regresé de la escuela no encontré ni un* ***pucho*** *de comida en la heladera* (= trozo pequeño de alguna cosa).

pudor s. m. *Sentía* ***pudor*** *de desnudarse ante el médico* (= le daba vergüenza).
SINÓN: reparo, timidez, vergüenza. ANTÓN: descaro.

pudrirse v. pron. *Estas frutas* ***se han podrido*** *y no se pueden comer* (= no están frescas).
SINÓN: corromperse, dañarse, descomponerse, estropearse. FAM: *podrido.*

pueblo s. m. **1.** *Todos los habitantes de este* ***pueblo*** *se conocen entre sí* (= de esta población más pequeña que una ciudad). **2.** *Dicen que la alegría es una cualidad del* ***pueblo*** *brasileño* (= de los habitantes de ese país).
SINÓN: **1.** aldea, villa. **2.** gente, nación. FAM: *despoblado, despoblarse, población, poblado, poblador, poblar, popular, popularidad, populoso, repoblación, repoblar.*

puente s. m. **1.** *Cruzamos el río atravesando un* ***puente*** *de piedra* (= una construcción que permite pasar de un lado a otro de un río, precipicio, etc.). **2.** *El oficial de guardia comunicaba a la tripulación las órdenes dadas por el capitán, desde lo alto del* ***puente*** (= de una plataforma con barandilla sobre la cubierta de un barco). ◆ **puente aéreo 3.** *Se estableció un* ***puente*** *aéreo entre la capital y la ciudad afectada por el huracán* (= la comunicación por avión entre dos ciudades mediante vuelos frecuentes y continuos). ◆ **puente colgante 4.** *Un* ***puente colgante*** *está sujetado por cables, cadenas y hierros.* ◆ **puente hidráulico 5.** *En el taller mecánico ponen el coche en el* ***puente hidráulico*** *para poder revisar la parte de abajo* (= en una plataforma que se puede elevar soportando grandes pesos). ◆ **puente levadizo 6.** *Tuvimos que detenernos porque levantaron el* ***puente levadizo*** *ya que pasaba un barco por el río* (= puente que se levanta abriéndose en dos mitades).
SINÓN: **1.** pasarela, viaducto.

puerco, a s. **1.** *Los* ***puercos*** *duermen en la pocilga* (= los cerdos). **2.** *Lo has ensuciado todo, eres un* ***puerco*** (= eres muy sucio). ◆ **puerco espín 3.** El **puerco espín** es un animal mamífero parecido al erizo pero más grande, de cuerpo redondo, patas cortas con uñas fuertes, con pelos largos en la cabeza y con el cuerpo y la cola llenos de púas.
SINÓN: **1.** cerdo, cochino, marrano. **2.** asqueroso, sucio. ANTÓN: **2.** aseado, limpio. FAM: *porcino, porquería.*

puericultura s. f. La **puericultura** es la ciencia que estudia el cuidado, la salud y el buen desarrollo de los niños pequeños.
FAM: *puericultor.*

puerro s. m. El **puerro** es una planta alta de hojas planas de color verde y flores rosas cuyo bulbo estrecho y alargado es comestible.
SINÓN: poro.

puerta s. f. **1.** *Abrí la* ***puerta*** *para entrar en la habitación* (= la abertura en la pared que comunica dos habitaciones o la calle con el interior de una casa). ◆ **cerrársele a uno todas las puertas 2.** *Se portó muy mal con todos y* ***se le cerraron todas las puertas*** (= ya nadie está dispuesto a tratar con él). ◆ **dar a uno con la puerta en la narices 3.** *Es un antipático, fui a prestarle ayuda y* ***me dio con la puerta en las narices*** (= no quiso saber nada de mí). ◆ **ir de puerta en puerta 6.** *Aquel pobre hombre va* ***de puerta en puerta*** *pidiendo limosnas y ayudas* (= va a muchos sitios o acude a muchas personas).
SINÓN: **3.** desentender, rechazar. ANTÓN: **3.** aceptar, agradecer. FAM: *compuerta, portada, portal, portazo, portería, portero, portillo.*

puerto s. m. **1.** *El* ***puerto*** *Ordás está en Venezuela a orillas del río Orinoco* (= lugar en la costa o a orillas de un río donde atracan los barcos). **2.** *Debido a la nieve están cerrados todos los* ***puertos*** *de montaña y los coches no pueden circular* (= las carreteras entre montañas). ◆ **puerto franco 3.** Un **puerto franco** es aquel en el que no hay que pagar impuestos de aduana por las mercancías.
SINÓN: **2.** paso. FAM: *portuario.*

puertorriqueño, a o **portorriqueño, a** adj. **1.** *La isla* ***puertorriqueña*** *está en el mar Caribe* (= de Puerto Rico). ◆ **puertorriqueño, a** o **portorriqueño, a** s. **2.** *Los* ***puertorriqueños*** *son las personas nacidas en Puerto Rico.*

pues Es una conjunción. VER CUADRO DE CONJUNCIONES.

puesto, a adj. **1.** *He dejado la mesa bien* ***puesta*** *para comer* (= preparada). ◆ **puesto** s. m. **2.** *Vete a tu* ***puesto,*** *te he dicho que no te levantes en clase* (= a tu sitio). **3.** *Este señor ocupa un* ***puesto*** *importante en la empresa* (= un cargo). **4.** *Mi vecino ha montado un* ***puesto*** *de carne en el mercado* (= una pequeña tienda). ◆ **puesta** s. f. **5.** *Es muy bonito ver la* ***puesta*** *de Sol en la playa* (= cuando se oculta el sol). ◆ **puesto que 6.** ***Puesto que*** *no me escuchas, me voy* (= ya que).
SINÓN: **1.** dispuesto, preparado. **2.** lugar, sitio. **3.** cargo, empleo. **4.** tenderete, tienda. **5.** atardecer, crepúsculo, ocaso. **6.** como, ya que. FAM: → *poner.*

puf s. m. *El* ***puf*** *del salón no es muy cómodo porque no tiene respaldo* (= el taburete bajo, todo de una pieza, sin patas).

púgil o **pugilista** s. m. → **boxeador.**

pugna s. f. **1.** *Hay países vecinos que están siempre en* ***pugna*** (= en peleas continuas). **2.** *Entre padres e hijos suele haber algunas* ***pugnas*** (= algunas diferencias).
SINÓN: **1.** batalla, combate, contienda, lucha, pelea. **2.** diferencia, oposición. ANTÓN: armonía, paz. FAM: *repugnancia, repugnante.*

pulcro, a adj. *Es un niño muy* ***pulcro;*** *tiene unos cuadernos y trabajos que da gusto verlos* (= es muy cuidadoso, limpio y ordenado con sus cosas).
SINÓN: cuidadoso, esmerado, impecable, limpio, ordenado. ANTÓN: chapucero, desordenado, sucio.

pulga s. f. **1.** *Mi perro tiene* ***pulgas*** *y no para de rascarse* (= pequeños insectos parásitos, de

color oscuro, que viven entre sus pelos). ◆ **tener uno malas pulgas 2.** *No se le puede decir nada porque* ***tiene muy malas pulgas*** (= muy mal carácter).
FAM: *pulgón.*

pulgar s. m. *¡Con lo mayor que eres y aún te chupas el* ***pulgar*** *como los niños pequeños!* (= el primer dedo de la mano y el más gordo).

pulgón s. m. Los **pulgones** son insectos pequeños que viven sobre las plantas.
FAM: *pulga.*

pulidora s. f. *Los albañiles pasaron la* ***pulidora*** *por las paredes para dejarlas sin asperezas* (= una máquina que sirve para pulir).
FAM: *pulir.*

pulimentar v. tr. → **pulir**.

pulir v. tr. **1.** *El carpintero* ***pulió*** *con lija la mesa para dejarla totalmente lisa* (= la frotó para que quedara lisa y suave). **2.** *Tendrías que* ***pulir*** *tu lenguaje; no haces más que decir palabrotas* (= perfeccionarlo).
SINÓN: 1. frotar, lijar, pulimentar. **FAM:** *pulidora.*

pulmón s. m. Los **pulmones** son los órganos de la respiración, que están dentro del tórax.
FAM: *pulmonar, pulmonía.*

pulmonar adj. *La tuberculosis es una enfermedad* ***pulmonar*** (= de los pulmones).
FAM: → *pulmón.*

pulmonía s. f. La **pulmonía** es una enfermedad caracterizada por una inflamación de los pulmones.
FAM: → *pulmón.*

pulpa s. f. *La* ***pulpa*** *del durazno es muy jugosa* (= la carne).
SINÓN: carne.

púlpito s. m. *El sacerdote habla desde el* ***púlpito*** *de la iglesia* (= desde una plataforma que hay en las iglesias).

pulpo s. m. El **pulpo** es un animal marino, comestible, que tiene ocho tentáculos.

pulque s. m. Méx. *Daniel nos sirvió un vaso de* ***pulque*** (= bebida alcohólica que se elabora dejando fermentar el jugo del cogollo del maguey).

pulóver s. m. R. de la Plata → **suéter.**

pulsar v. tr. *Juan* ***pulsó*** *las cuerdas de su guitarra antes de empezar a tocar* (= las tocó para que sonaran).
SINÓN: oprimir, presionar, tocar. **FAM:** → *pulso.*

pulsera s. f. **1.** *Ana lleva en la muñeca una* ***pulsera*** *de oro* (= una cadena o aro de adorno para la muñeca). **2.** *Me regalaron un reloj de* ***pulsera*** (= un reloj con correa para llevarlo en la muñeca).
SINÓN: 1. brazalete. **FAM:** → *pulso.*

pulso s. m. *Después de correr, noto el* ***pulso*** *muy fuerte y rápido* (= el latido de la sangre en las venas, que se puede percibir en la muñeca, cuello, ingle y sienes).
SINÓN: latido. **FAM:** *expulsar, impulsar, impulsivo, impulso, pulsar, pulsera.*

pulverizador s. m. *Los productos insecticidas o algunos perfumes se venden en* ***pulverizadores*** (= en aparatos que esparcen el líquido en pequeñísimas gotas).
SINÓN: vaporizador. **FAM:** → *polvo.*

pulverizar v. tr. **1.** *Pisé una tiza y la* ***pulvericé*** *en el suelo* (= la dejé como si fuera polvo). **2.** *María* ***pulveriza*** *colonia sobre su cabello* (= se la aplica en forma de pequeñas gotitas).
SINÓN: 1. moler, triturar. **2.** echar, esparcir. **FAM:** → *polvo.*

puma s. m. El **puma** es un animal mamífero carnicero de América que tiene el tamaño de una pantera y es muy parecido al tigre.

puna s. f. Amér. Merid. *Los habitantes de la* ***puna*** *soportan temperaturas extremas entre el día y la noche* (= meseta de gran altitud, que se encuentra entre los cordones de la Cordillera de los Andes en Argentina y Bolivia).
SINÓN: altiplano.

punta s. f. **1.** *Me di un golpe con la* ***punta*** *de la mesa* (= con el extremo). **2.** *Juan saca* ***punta*** *al lápiz para dibujar líneas finas* (= lo afila). **3.** *Las bailarinas saben caminar sobre la* ***punta*** *de los pies* (= apoyando sólo los dedos de los pies). Amér. Merid. **4.** *Tengo una* ***punta*** *de revistas de historietas* (= una gran cantidad). Amér. Merid., Méx. **5.** *Los amigos de mi hermano son una* ***punta*** *de mentirosos* (= un conjunto). ◆ **ponérsele (a uno) los pelos de punta 6.** *Se asustó tanto por la tormenta que* ***se le pusieron los pelos de punta*** (= erizados).
SINÓN: 1. extremidad, extremo, vértice. **FAM:** *apuntalar, despuntar, puntada, puntal, puntapié, puntera, puntería, puntiagudo, puntilla.*

puntada s. f. *Se me rompió el pantalón y mi madre le dio unas* ***puntadas*** (= lo cosió).
SINÓN: cosido, punto. **FAM:** → *punta.*

puntal s. m. *Reforzaron la pared que amenazaba caerse con* ***puntales*** *de hierro* (= con unas vigas que sirven para sostener una estructura provisionalmente).
SINÓN: viga. **FAM:** → *punta.*

puntapié s. m. *Pedro me dio un* ***puntapié*** *en la pierna* (= un golpe con la punta de su pie).
SINÓN: patada. **FAM:** → *punta.*

puntera s. f. La **puntera** de los calcetines y de los zapatos es la parte que cubre los dedos de los pies.
FAM: → *punta.*

puntería s. f. *El cazador disparó con buena* ***puntería*** *y mató a la liebre* (= con habilidad para dar en el blanco).
SINÓN: acierto, habilidad. **FAM:** → *punta.*

puntero s. m. Amér. *Ganan todos los partidos de fútbol porque tienen buenos* ***punteros*** (= jugadores que avanzan por las puntas o las bandas).
FAM: → *punta.*

puntiagudo, a adj. *No es chata, todo lo contrario, tiene la nariz* ***puntiaguda*** (= en forma de punta).
SINÓN: afilado, aguzado. **FAM:** → *punta.*

puntilla s. f. **1.** *Adornó el pañuelo bordeándolo con una* ***puntilla*** (= un fino encaje). ◆ **de puntillas 2.** *Me fui* ***de puntillas*** *para que no oyeran mis pasos* (= pisando sólo con los dedos de los pies).
SINÓN: 1. encaje. **2.** en puntas de pie. **FAM:** → *punta.*

punto s. m. **1.** Un **punto** al final de una frase indica que ésta ha terminado. **2.** Sobre la "i" y sobre la "j" se pone un **punto**. **3.** *El equipo ganó por cinco* ***puntos*** *de diferencia* (= cinco tantos). **4.** *El médico me dio diez* ***puntos*** *en la herida* (= diez puntadas para coserme la herida). **5.** *Mi madre hace tejidos de* ***punto,*** *ya me ha hecho tres suéteres* (= teje con lana). **6.** *Volvimos a nuestro* ***punto*** *de salida* (= lugar). **7.** *El orador trató varios* ***puntos*** *en su discurso* (= varias cuestiones). ◆ **punto cardinal 8.** Los **puntos cardinales** son cuatro: norte, sur, este y oeste. ◆ **punto de vista 9.** *Según tu* ***punto de vista*** *todo el mundo es bueno* (= según tu manera de pensar). ◆ **punto y coma 10.** El **punto y coma** (;) es un signo ortográfico que señala una pausa mayor que la coma y menor que el punto. ◆ **a punto 11.** *La comida está* ***a punto*** (= está preparada). ◆ **hasta cierto punto 12.** *Eso es verdad* ***hasta cierto punto*** *pero no acabo de creerlo* (= en parte).
SINÓN: 3. tanto. **6.** lugar. **7.** asunto, cuestión, materia. **11.** listo, preparado. **FAM:** *puntuación, puntual, puntualidad, puntuar.*

puntuación s. f. **1.** *Obtuve una buena* ***puntuación*** *en el examen* (= una buena nota). **2.** El punto, la coma y el punto y coma son signos ortográficos de **puntuación**.
SINÓN: 1. calificación, nota. **2.** notación. **FAM:** → *punto.*

puntual adj. *Este alumno es muy* ***puntual,*** *nunca llega tarde* (= llega siempre a la hora debida).
SINÓN: cumplidor, preciso, regular. **ANTÓN:** impreciso, irregular. **FAM:** → *punto.*

puntualidad s. f. *El profesor me ha puesto una falta de* ***puntualidad*** *por llegar tarde a clase* (= por no ser puntual).
FAM: → *punto.*

puntuar v. tr. **1.** *Juan no sabe* ***puntuar*** *sus escritos, nunca pone bien las comas y los puntos* (= no sabe poner los signos de puntuación). **2.** *El equipo no consiguió* ***puntuar*** *en el partido* (= no logró marcar ningún punto).
SINÓN: 2. anotar, marcar. **FAM:** → *punto.*

punzante adj. *No juegues con objetos* ***punzantes,*** *te puedes lastimar* (= que pinchan por estar acabados en punta).
SINÓN: afilado, penetrante. **ANTÓN:** romo.

punzón s. m. **1.** *Necesito un* ***punzón*** *para hacer un agujero en este cinturón de cuero* (= un instrumento que sirve para hacer agujeros). **2.** *El joyero grabó mi nombre en la pulsera con un* ***punzón*** (= con un instrumento de acero que sirve para grabar la piedra o los metales).
SINÓN: buril, pincho, punta.

puñado s. m. *Juan me dio un* ***puñado*** *de caramelos* (= todos los que le caben en la mano).
FAM: → *puño.*

puñal s. m. *A la víctima le clavaron un* ***puñal*** (= un arma de acero semejante a un cuchillo).
FAM: *puñalada.*

puñalada s. f. *Murió de siete* ***puñaladas*** (= le habían clavado un puñal siete veces).
FAM: *puñal.*

puñetazo s. m. *Se pelearon a* ***puñetazo*** *limpio* (= dándose golpes con los puños de las manos).
FAM: → *puño.*

puño s. m. **1.** *Le pegó un golpe con el* ***puño*** (= con la mano cerrada). **2.** *Al lavarse las manos se le mojaron un poco los* ***puños*** *de la camisa* (= la parte de la manga que rodea la muñeca). **3.** *Agarró el bastón por el* ***puño*** (= por el mango).
SINÓN: 3. empuñadura, mango. **FAM:** *apuñalar, empuñadura, empuñar, puñado, puñetazo.*

pupila s. f. *Cuando la luz nos da en los ojos, las* ***pupilas*** *se hacen más pequeñas* (= las partes negras y redondas del centro de los ojos, a través de las cuales pasa la luz).

pupilo, a s. *El tutor trataba y educaba a sus* ***pupilos*** *como si fueran hijos suyos* (= niños huérfanos a cargo de un tutor que los educa y cuida).
SINÓN: huérfano.

pupitre s. m. *En mi antiguo colegio escribíamos sobre* ***pupitres*** (= mesas que tenían una tapa inclinada sobre la que se escribía y dentro de la cual podíamos guardar los libros).
SINÓN: escritorio, mesa.

puré s. m. *Después de cocer las papas, las trituró para hacer* ***puré*** (= una crema espesa).
SINÓN: papilla.

pureza s. f. **1.** *En el campo, el aire tiene mucha* ***pureza*** *porque no está contaminado* (= está muy limpio). **2.** *Este diamante es una piedra de gran* ***pureza*** (= no tiene ningún elemento extraño). **3.** *La Real Academia Española de la Lengua trata de preservar la* ***pureza*** *del lenguaje* (= su uso correcto).
SINÓN: limpieza, perfección. **ANTÓN: 1.** polución. **1, 2, 3.** impureza. **FAM:** → *puro.*

purgante s. m. → **laxante.**

purificar v. tr. *Es necesario **purificar** el agua para poder beberla* (= quitarle toda la suciedad e impurezas).
SINÓN: limpiar. **ANTÓN:** ensuciar. **FAM:** → *puro.*

puro, a adj. **1.** *Es muy bueno para los pulmones respirar aire **puro*** (= sin impurezas ni mezclas). **2.** *Lo que te digo es la **pura** verdad* (= sincera y honesta). ◆ **puro** s. m. **3.** *Mi padre fuma un **puro** después de una gran comida* (= un cigarro hecho con hojas de tabaco enrolladas).
SINÓN: 1. limpio, neto. **2.** desinteresado, honesto, simple, sincero. **3.** cigarro, habano. **ANTÓN: 1.** contaminado, impuro, mezclado. **2.** falso, incierto, interesado. **FAM:** *impureza, pureza, purificar.*

púrpura s. m. El **púrpura** es un color rojo oscuro parecido a la sangre.
FAM: *purpurina.*

purpurina s. f. **1.** *Para la fiesta de disfraces me puse el pelo lleno de **purpurina*** (= polvo dorado o plateado). **2.** *Para el disfraz de rey pintamos la corona de cartón con **purpurina** para que pareciera de oro* (= pintura dorada o plateada que se obtiene de un polvo muy fino).
SINÓN: diamantina. **FAM:** *púrpura.*

pus s. m. *Se te infectó la herida y la tienes llena de **pus*** (= de un líquido amarillento).

Q s. f. La **q** *(cu)* es la decimoctava letra del abecedario español.

que 1. Es una conjunción. VER CUADRO DE CONJUNCIONES. ◆ **que** pron. rel. **2.** *Los alumnos* ***que*** *estaban cansados no fueron a la excursión* (= sólo aquellos que lo estaban).

qué pron. inter. **1.** *¿**Qué** comes?* (= es una palabra que sirve para preguntar). ◆ **qué** pron. excl. **2.** *¡**Qué** guapa estás!* (= es una palabra que sirve para expresar admiración, sorpresa, etc.).

quebracho s. m. Amér. Merid. *Utilizaron madera de* ***quebracho*** *en la construcción de los durmientes del ferrocarril* (= árbol de gran altura, cuya madera es muy dura y resistente).

quebrada s. f. Amér. Merid. *Los rayos del Sol se reflejaban en la* ***quebrada*** (= abertura estrecha y honda en un suelo montañoso).

quebradizo adj. *Ten cuidado, estas copas de cristal son muy* ***quebradizas*** (= se rompen con facilidad).
SINÓN: frágil. **ANTÓN:** fuerte, irrompible, resistente. **FAM:** → *quebrar.*

quebrado s. m. *En el colegio hacemos operaciones con* ***quebrados*** (= con fracciones).
SINÓN: fracción. **ANTÓN:** entero. **FAM:** → *quebrar.*

quebrantar v. tr. *No debemos* ***quebrantar*** *las leyes, sino respetarlas* (= desobedecer).
SINÓN: desobedecer, violar. **ANTÓN:** cumplir. **FAM:** → *quebrar.*

quebrar v. tr. **1.** *Un asaltante* ***quebró*** *el cristal* (= lo rompió). ◆ **quebrar** v. intr. **2.** *El negocio de Ricardo* ***quebrará*** *porque tiene más deudas que ganancias* (= fracasará).
SINÓN: 1. romper. **2.** arruinarse, fracasar, hundirse. **FAM:** *quebradizo, quebrado, quebrantar, quiebra.*

quechua o **quichua** s. m. *El profesor se ha dedicado al estudio de la lengua* ***quechua*** (= idioma que hablaban los pueblos del Perú y que se difundió por el imperio de los incas).

quedar v. intr. **1.** *De la casa que se quemó sólo* ***quedan*** *las paredes negras* (= sólo permanecen las paredes, de todo lo demás no hay nada). **2.** ***Quedó*** *en primer lugar en la carrera* (= resultó campeón). **3.** *Es muy educado, siempre* ***queda*** *como un caballero* (= da la impresión a los demás de ser un caballero). **4.** *No* ***queda*** *aceite en casa* (= ya no hay). **5.** *Todavía* ***queda*** *bastante para llegar* (= falta). **6.** ***Hemos quedado*** *mañana a las seis en mi casa* (= nos hemos puesto de acuerdo para vernos a esa hora). ◆ **quedarse** v. pron. **7.** *Fui a Río por dos días pero* ***me quedé*** *una semana* (= permanecí allí). **8.** *Es un caradura,* ***se ha quedado*** *con los libros que le dejé* (= no me los ha devuelto). **9.** *Estos pantalones no* ***me quedan*** *bien* (= no me sientan).
SINÓN: 1. restar. **2.** resultar. **4.** haber. **5.** faltar. **6.** citarse, encontrarse. **7.** permanecer. **8.** apropiarse. **ANTÓN: 7.** irse, marcharse, partir. **8.** desprenderse.

quehacer s. m. *En mi casa, cada uno tiene su* ***quehacer*** (= su ocupación).
SINÓN: ocupación, tarea, trabajo. **FAM:** → *hacer.*

queja s. f. **1.** *Las* ***quejas*** *del herido eran terribles* (= sus expresiones de dolor). **2.** *Tus* ***quejas*** *no tienen fundamento* (= tus protestas).
SINÓN: 1. gemido, lamento, quejido. **2.** protesta. **ANTÓN: 2.** contento, satisfacción. **FAM:** → *quejarse.*

quejarse v. pron. **1.** *Después de caerse Raúl* ***se quejaba*** (= decía que le dolía). **2.** ***Te quejas*** *por todo, no aguantas nada* (= protestas por todo).
SINÓN: 1. clamar, dolerse, gemir, lamentarse. **2.** protestar. **ANTÓN: 1.** alegrarse, reírse. **FAM:** *queja, quejido.*

quejido s. m. *Durante la noche oí tus* ***quejidos*** *por el dolor de muelas* (= tus gemidos).
SINÓN: gemido, lamento, queja. **FAM:** → *quejarse.*

quelite s. m. Amér. Cent., Méx. *Los* ***quelites*** *resultan deliciosos para acompañar la carne* (= planta silvestre cuyos cogollos tiernos son comestibles).

quema s. f. *La* ***quema*** *del bosque duró varios días* (= el incendio).
SINÓN: incendio. **FAM:** → *quemar.*

quemadura s. f. *Tengo en la mano la cicatriz de la* ***quemadura*** *que me produjo el fuego* (= de la herida producida por el contacto del fuego).
FAM: → *quemar.*

quemar v. tr. **1.** *El jardinero amontona las hojas secas para* ***quemarlas*** (= destruirlas con fuego). **2.** *La arena de la playa estaba tan caliente*

*que me **quemaba** los pies* (= me los abrasaba). ◆ **quemar** v. intr. **3.** *Espera un poco para tomar la sopa porque ahora **quema*** (= está demasiado caliente).
SINÓN: 1. calcinar, incendiar, inflamar. **1, 2, 3.** abrasar. **3.** arder. **ANTÓN: 1.** apagar. **FAM:** *quema, quemadura, quemazón.*

quemarropa *El asesino puso el cañón de la pistola junto a la cabeza de la víctima y le disparó un tiro **a quemarropa*** (= muy cerca de aquello a lo que se dispara con un arma de fuego).

quena s. f. Amér. Merid. *Algunos cantos y bailes folklóricos de Bolivia y el NO. argentino se acompañan con la **quena*** (= flauta de caña, con cinco agujeros).

querella s. f. *Lo estafaron y presentó una **querella** ante el juez* (= una acusación contra quien lo estafó).

querencia s. f. **1.** *La **querencia** por su ciudad natal lo hizo volver a ella* (= el afecto hacia el lugar en el que se crió). Amér. Merid. **2.** *Después de buscar buenos pastos en la extensión de la pampa, los vacunos volvían a la **querencia*** (= sitio donde se han criado y al que vuelven algunos animales).
SINÓN: 1. afecto. **FAM:** → *querer.*

querer v. tr. **1.** *Pedro **quiere** verte mañana* (= lo desea y le gustaría). **2.** *Yo **quiero** mucho a mi madre* (= la amo). ◆ **sin querer 3.** *Lo siento, te he pisado **sin querer*** (= lo hice sin darme cuenta).
SINÓN: 1. desear, pretender. **2.** amar, apreciar, estimar. **ANTÓN: 2.** aborrecer, odiar. **FAM:** *querencia, querido.*

querido, a adj. *Su carta empezaba así: **Querido** amigo* (= amado).
SINÓN: amado, estimado. **FAM:** → *querer.*

querosene s. m. El **querosene,** que se utiliza como combustible en los aviones a reacción y en algunas estufas, es petróleo refinado.

querubín o **querube** s. m. *El bebé era tan guapo que parecía un **querubín*** (= un ángel).
SINÓN: ángel.

quesadilla s. f. Amér. *Para la cena, preparó unas **quesadillas** de carne* (= tortillas de maíz o trigo rellenas de queso, papa, carne u hongos).
FAM: → *queso.*

quesera s. f. *Guarda el queso en la **quesera** para que no se eche a perder* (= en un recipiente cubierto con una tapa de cristal).
FAM: → *queso.*

quesero, a s. *El **quesero** de mi pueblo hace quesos y los vende en el mercado.*
FAM: → *queso.*

queso s. m. El **queso** es un producto alimenticio que se obtiene cuajando o haciendo sólida la leche de oveja, cabra, vaca y otros animales.
FAM: *quesera, quesero, requesón.*

quetzal s. m. Amér. Cent., Méx. *Los turistas se quedaron extasiados mirando el bello plumaje del **quetzal*** (= ave trepadora de plumaje verde brillante en el dorso y rojo en el pecho, y patas y pico amarillos; tiene un abundante copete).

quichua s. m.→ **quechua.**

quicio s. m. **1.** *Pintamos el **quicio** de la ventana* (= el madero donde están las bisagras). ◆ **sacar de quicio 2.** *¡Estate quieto, me **sacas de quicio!*** (= acabas con mi paciencia).

quiebra s. f. *El negocio de mi tío está en **quiebra** porque no ha podido pagar sus deudas* (= en ruina o bancarrota).
SINÓN: bancarrota, ruina. **FAM:** → *quebrar.*

quien pron. relat. **1.** *Esta es la persona a **quien** debes avisar* (= debes avisarle a ella). ◆ **quien** pron. indef. **2.** ***Quien** sepa la respuesta que levante la mano* (= el que la sepa).

quién pron. inter. *¿**Quién** te ha dicho eso?* (= ¿qué persona?). ◆ **quién** pron. excl. **2.** *¡**Quién** pudiera ser millonario!* (= ¡qué persona!).

quieto, a adj. *Después de rodar varios metros, la pelota se quedó **quieta*** (= dejó de moverse).
SINÓN: inmóvil, parado. **FAM:** *inquietar, inquietud, inquieto, quietud.*

quietud s. f. **1.** *Su **quietud** era tal que no movía ni un músculo de su cara* (= no se movía nada). **2.** *¡Qué **quietud**! está todo tranquilo y silencioso* (= ¡qué tranquilidad!).
SINÓN: 1. inmovilidad. **2.** calma, paz, serenidad, sosiego, tranquilidad. **ANTÓN: 1.** actividad, movilidad. **2.** bullicio. **FAM:** → *quieto.*

quijada s. f. *Vimos en el museo una **quijada** de dinosaurio con todos sus dientes* (= las mandíbulas).
SINÓN: mandíbula.

quijote s. m. *Es un **quijote,** siempre está dispuesto a defender a los demás de las injusticias, como don Quijote* (= es un hombre soñador e idealista que lucha desinteresadamente por lo que cree justo).
SINÓN: idealista, soñador.

quilla s. f. *Están pintando la **quilla** del barco con una pintura especial que resiste al agua* (= una pieza alargada del barco, situada en la parte inferior).

quillango s. m. Arg. *Los aborígenes argentinos fabricaban **quillangos** con pieles cosidas* (= cobertor hecho de piel de guanaco).

quillay s. m. *Para lavar la ropa, las campesinas empleaban una sustancia obtenida del **quillay*** (= cierto árbol sudamericano, con cuya corteza hervida se obtiene un líquido jabonoso).

quilo s. m. → **kilo.**

quimera s. f. *Tu idea de vivir sin trabajar no es más que una **quimera*** (= algo que se imagina como verdadero pero que es falso).
SINÓN: ilusión, fantasía, utopía. **ANTÓN:** realidad.

química s. f. La **Química** es la ciencia que estudia la composición de las sustancias, las transformaciones de la materia y de la energía.
FAM: *químico.*

químico, a adj. **1.** *El cloro es un elemento **químico*** (= estudiado por la Química). **2.** *Las reacciones de los ácidos son transformaciones **químicas,** no físicas.* ◆ **químico, a** s. **3.** *Los **químicos** del laboratorio están analizando unas muestras de agua* (= las personas que se dedican al estudio de la Química).
FAM: *química.*

quimono s. m. → **kimono**.

quina s. f. *Aún hoy se usa la **quina** para disminuir la fiebre* (= corteza del quino, de la cual se extrae una sustancia de propiedades medicinales; también se toma como aperitivo).

quince *En la cesta hay **quince** frutas: diez duraznos y cinco manzanas.*
FAM: *quincena, quincenal.*

quincena s. f. *Mis vacaciones duran una **quincena*** (= quince días).
FAM: → *quince.*

quincenal adj. *Mi sueldo es **quincenal*** (= cobro cada quince días).
FAM: → *quince.*

quincho s. m. Amér. Merid. *El fuego destruyó los **quinchos** de las cabañas* (= techos o paredes hechos con juncos, cañas o totoras).

quincuagésimo adj. *Llegó en **quincuagésimo** lugar en la maratón, 49 corredores llegaron antes que él.*

quiniela s. f. Amér. Merid. *Luis juega a la **quiniela** con la esperanza de ganar mucho dinero* (= apuesta para acertar los números sorteados).

quinielero s. m. R. de la Plata. *Juan es **quinielero*** (= el que recibe apuestas para jugadas clandestinas de quiniela).
FAM: → *quiniela.*

quinientos *Luisa ha encontrado un billete de **quinientos** pesos.*

quino s. m. *Al pie del cerro hay varios **quinos,** de los cuales los pobladores extraen la corteza* (= árbol americano cuya corteza es la quina).

quinqué s. m. El **quinqué** es una pequeña lámpara con un tubo de cristal que protege la llama y que funciona con petróleo.

quintillizo, a adj. Se llama **quintillizo** a cada uno de los mellizos de un parto quíntuple.

quinto, a adj. **1.** *Vivo en el **quinto** piso* (= después del cuarto). **2.** *Entre los dos se comieron dos **quintas** partes del budín* (= cada una de las cinco partes iguales en que está dividido algo). ◆ **quinta** s. f. **3.** *Mi hermana y su marido pasan los fines de semana en su **quinta*** (= finca).
SINÓN: **3.** campo, chacra.

quíntuplo, a o **quíntuple** *Cincuenta es el **quíntuplo** de diez.*

quintuplicar v. tr. ***He quintuplicado** mis ahorros* (= se han multiplicado por cinco).

quiosco s. m. → **kiosco**.

quipo o **quipu** s. m. Amér. *Para recordar y comunicar datos y hechos de la vida, los indios peruanos utilizaban el **quipo*** (= serie de cordones hechos con lana de colores, con nudos de diferente forma).

quirófano s. m. *En el **quirófano** hay varios médicos y enfermeras operando a un paciente* (= en la sala de operaciones del hospital).
FAM: → *cirugía.*

quirquincho s. m. *Con el caparazón de los **quirquinchos** se construyen los charangos* (= armadillo sudamericano con el cuerpo cubierto de un caparazón articulado).

quiromancia s. f. *Aquella mujer que hace **quiromancia** me miró las manos y me dijo que iba a ser muy famoso* (= adivinó el futuro mediante la interpretación de las líneas de las manos).

quirúrgico, a adj. *Anestesiaron al paciente para someterlo a una intervención **quirúrgica*** (= de cirugía).
FAM: → *cirugía.*

quisquilloso, a adj. *Hay que hablarle con cuidado porque es tan **quisquilloso** que se ofende por cualquier cosa* (= le da importancia a cosas que no la tienen).
SINÓN: susceptible.

quiste s. m. *Se va a operar del **quiste** que le ha salido en el cuello* (= del bulto de grasa que tiene en el cuello).
SINÓN: tumor.

quitamanchas s. m. *Límpiate esa mancha de grasa del pantalón con el **quitamanchas*** (= con un producto que elimina las manchas en seco).
FAM: → *mancha.*

quitar v. tr. **1.** ***Quitó** de la mesa la fruta podrida* (= la sacó). ◆ **quitar** v. intr. **2.** *No estoy de acuerdo con lo que dices, pero eso no **quita** que sea tu amigo* (= eso no impide).
SINÓN: **1.** apartar, sacar, separar. **2.** impedir, obstaculizar. ANTÓN: **1.** agregar, poner. FAM: *desquitar.*

quite s. m. Amér. **1.** *José realizó un **quite,** y así pudo esquivar el golpe* (= movimiento rápido del cuerpo). **2.** *El defensor hizo un **quite** extraordinario* (= en ciertos deportes, el acto de quitar la pelota al contrincante).
FAM: *quitar.*

quizá(s) adv. ***Quizás** vaya a verte, pero no sé si podré* (= es posible pero no seguro).
SINÓN: acaso.

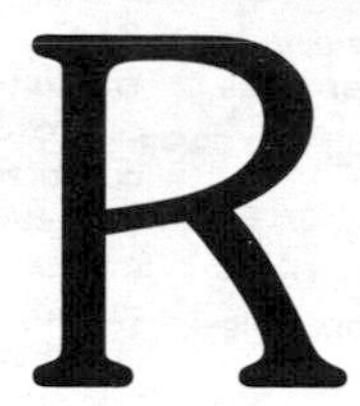

R s. f. La **r** *(erre)* es la decimonovena letra del abecedario español.

rábano s. m. **1.** *El **rábano** es una planta cuya raíz comestible es blanca por dentro y generalmente roja por fuera.* ◆ **importarle a uno un rábano 2.** *Me **importa un rábano** lo que tú digas* (= no me importa nada).

rabí o **rabino** s. m. El **rabino** es el jefe espiritual o sacerdote de los judíos.

rabia s. f. **1.** *La mordedura de mi perro no es peligrosa porque está vacunado contra la **rabia*** (= contra una enfermedad infecciosa transmitida por la saliva de ciertos animales). **2.** *Me da mucha **rabia** perder algo* (= me enojo mucho).
SINÓN: 1. hidrofobia. **2.** berrinche, cólera, coraje, desesperación, enojo, irritación, rabieta. **ANTÓN: 2.** alegría, calma, paz, sosiego, tranquilidad. **FAM:** *rabiar, rabieta, rabioso.*

rabiar v. intr. **1.** *Daba pena verlo **rabiar** de dolor de muelas* (= desesperar). **2.** *Le hablaron muy bien de la película y David **rabiaba** por ir al cine a verla* (= tenía muchas ganas de ir). **3.** *Que me aplazaran en el examen me hizo **rabiar*** (= enojar). ◆ **a rabiar 4.** *Me gustan los macarrones **a rabiar,** comería todos los días* (= me gustan mucho).
SINÓN: 1. desesperar, mortificar. **2.** desear, querer. **3.** enfurecer, irritar. **ANTÓN: 3.** apaciguar, serenar, tranquilizar. **FAM:** → *rabia.*

rabieta s. f. *Cuando mi hermano pequeño tiene una **rabieta** empieza a patalear y llorar* (= pataleos o enojos cortos).
SINÓN: berrinche, enojo, pataleo. **FAM:** → *rabia.*

rabillo s. m. **1.** *Se comió la pera entera, sólo dejó el **rabillo*** (= el tallito que sostiene la hoja o el fruto). ◆ **mirar con el rabillo del ojo 2.** *Se creía que no me daba cuenta pero vi cómo me **miraba con el rabillo del ojo*** (= me miraba disimuladamente, por el lado externo del ojo).
SINÓN: 1. tallo.

rabino s. m. → **rabí.**

rabioso, a adj. **1.** *Tuvieron que matar al perro porque estaba **rabioso*** (= estaba enfermo de rabia). **2.** *Se pone muy **rabioso** cuando no consigue lo que quiere* (= muy furioso).
SINÓN: 2. airado, colérico, enfurecido, enojado, furioso, violento. **ANTÓN: 2.** pacífico, sereno, tranquilo. **FAM:** → *rabia.*

rabo s. m. **1.** *El perro estaba contento y no paraba de mover el **rabo*** (= la cola). **2.** *Tomó las cerezas por el **rabo** y luego se lo quitó para comérselas* (= la ramita que sostiene la hoja o el fruto). ◆ **salir con el rabo entre las piernas 3.** *Descubrimos su engaño y, avergonzado, **salió con el rabo entre las piernas*** (= salió humillado y sin saber qué decir).
SINÓN: 1. cola. **2.** tallo.

racha s. f. **1.** *El viento sopla a **rachas** con golpes bruscos* (= a golpes de viento). **2.** *Mi equipo favorito lleva una buena **racha** de triunfos* (= una temporada en que siempre gana).
SINÓN: 1. ráfaga. **2.** época, etapa, período, tiempo.

racial adj. *En los países o lugares en que conviven razas diversas, surgen, a veces, problemas **raciales*** (= surgen enfrentamientos debidos a las diversas razas de las personas).
FAM: → *raza.*

racimo s. m. *Las uvas, las grosellas y las guindas nacen en **racimo*** (= sus frutos están unidos a un tallo común).

raciocinio s. m. *Los hombres se diferencian de los animales por su **raciocinio*** (= por su capacidad para pensar).
FAM: → *razón.*

ración s. f. **1.** *Se quejan de que las **raciones** que les dan para comer son muy pequeñas* (= de la cantidad de comida). **2.** *Tomamos como aperitivo una **ración** de calamares* (= un plato). **3.** *Hoy ya he tomado mi **ración** de sol, ya tengo bastante* (= ya he tomado la cantidad que debía tomar).
SINÓN: 2. porción. **FAM:** *racionar.*

racional adj. **1.** *A diferencia de los animales, que no pueden pensar, las personas somos seres **racionales*** (= que tenemos la capacidad de pensar). **2.** *Tomaste una decisión **racional*** (= muy sensata).
SINÓN: 2. justo, sabio, sensato. **ANTÓN: 2.** absurdo, irracional. **FAM:** → *razón.*

racionar v. tr. *El sargento **racionó** la escasa comida entre los soldados* (= la repartió).
SINÓN: distribuir, suministrar, repartir. **FAM:** *ración.*

racismo s. m. *El* ***racismo*** *es contrario a la dignidad humana* (= el menosprecio por otras razas humanas).
FAM: → *raza.*

racista adj. *Óscar es una persona* ***racista*** *porque cree que su raza es superior, y desprecia a las personas de otras razas* (= es una persona que desprecia las demás razas).
FAM: → *raza.*

radar s. m. *Los barcos y aviones llevan un* ***radar*** *para localizar obstáculos u otros objetivos* (= un aparato electrónico que permite localizar los objetos a distancia, por medio de ondas).

radiación s. f. *El médico que me miró por rayos X llevaba un traje especial para protegerse del exceso de* ***radiación*** (= de ondas invisibles de energía).
SINÓN: onda, rayo. FAM: *radiactividad, radiactivo.*

radiactividad s. f. *Ciertos elementos químicos como el radio y el uranio tienen* ***radiactividad*** (= emiten rayos y partículas atómicas perjudicales para la salud).
FAM: → *radiación.*

radiactivo, a adj. *Los residuos* ***radiactivos*** *son muy peligrosos* (= emiten rayos que tienen radiactividad y que son perjudiciales para la salud).
FAM: → *radiación.*

radiador s. m. **1.** *Enciende el* ***radiador****, que empieza a hacer frío* (= el aparato de calefacción). **2.** *De vez en cuando hay que echar agua al* ***radiador*** *del coche para que el motor no se caliente* (= en el aparato que refrigera el motor).
SINÓN: **2.** refrigerador. ANTÓN: **2.** calentador.
FAM: → *radio.*

radiante adj. **1.** *¡Que día más lindo!, hace un sol* ***radiante*** (= brilla mucho, está muy luminoso). **2.** *Cuando le entregaron el premio estaba* ***radiante*** (= estaba muy contento).
SINÓN: **1.** brillante, claro, deslumbrante, luminoso, resplandeciente. **2.** alegre, contento, feliz.
ANTÓN: **1.** apagado, oscuro. **2.** triste. FAM: → *radio.*

radiar v. tr. *Introdujeron al enfermo en la sala de rayos X para* ***radiarlo*** (= para tratarlo con rayos X).
FAM: → *radio.*

radical adj. **1.** *Con las obras, la habitación ha sufrido un cambio* ***radical****, no parece la misma* (= un cambio total). **2.** *¡No seas tan* ***radical*** *en tus opiniones, piensa que puedes estar equivocado!* (= intransigente).
SINÓN: **1.** completo, total. **2.** inflexible, intolerante, intransigente. FAM: → *raíz.*

radicar v. intr. *El problema de la sequía* ***radica*** *en la falta de lluvias* (= tiene su origen).
SINÓN: basarse, consistir, originarse. FAM: → *raíz.*

radio s. m. **1.** El **radio** es la línea que va desde el centro a cualquier punto de la circunferencia. **2.** *Se me rompió un* ***radio*** *de la rueda de la bicicleta* (= una barra fina de acero que parte del centro de la rueda). **3.** El **radio** es un hueso del antebrazo. **4.** El **radio** es un elemento químico metálico, de color blanco brillante y que tiene mucha radiactividad. ◆ **radio** s. f. **5.** *Enciende la* ***radio****, que van a dar las noticias* (= el aparato que sirve para captar los programas transmitidos por una emisora).
FAM: *radiador, radiante, radiar, radiodifusión, radiografía, radioyente.*

radiocasete s. m. *Me gustaría tener un* ***radiocasete*** *para poder grabar en casete los programas de radio* (= un aparato formado por una radio y un magnetófono capaz de reproducir cintas de casete).
SINÓN: casetera. FAM: → *radio.*

radiodifusión s. f. *La* ***radiodifusión*** *permite la emisión de noticias, música y programas a través de ondas radioeléctricas que llegan al público.*
SINÓN: radio. FAM: → *radio.*

radiografía s. f. *Al enfermo le han hecho una* ***radiografía*** *del pulmón para ver si está bien o no* (= una fotografía con rayos X).
SINÓN: fotografía, placa. FAM: → *radio.*

ráfaga s. f. **1.** *Una* ***ráfaga*** *de viento casi tumba la barca* (= un golpe fuerte de viento). **2.** *La ametralladora dispara en* ***ráfagas*** (= con disparos muy seguidos).
SINÓN: **1.** racha.

raíz s. f. **1.** *Tendrías que cavar hondo para arrancar este árbol porque tiene unas* ***raíces*** *muy profundas* (= las partes de la planta que están bajo tierra y que sirven para fijarla al suelo y absorber los alimentos). **2.** *En clase de matemáticas, aprendimos a extraer la* ***raíz*** *cuadrada de un número* (= la cantidad que se ha de multiplicar por sí misma para obtener ese número). **3.** *La* ***raíz*** *de la palabra* amar *es* am (= es la parte común de una serie de palabras de la misma familia).
SINÓN: **3.** radical. ANTÓN: **3.** terminación.
FAM: → *arraigar, enraizar, radical.*

raja s. f. **1.** *El agua se escapa por una* ***raja*** *de la vasija* (= por una abertura estrecha y alargada). **2.** *¿Quieres una* ***raja*** *de melón?* (= un trozo).
SINÓN: **1.** abertura, hendidura, rajadura, ranura, rendija. **2.** rodaja, tajada. FAM: *rajar.*

rajar v. tr. **1.** ***Rajamos*** *el melón en siete rodajas* (= lo dividimos en rajas o trozos). ◆ **raja tabla 2.** *El sargento hace cumplir las órdenes* ***a raja tabla*** (= estrictamente).◆ **rajarse** v. pron. **2.** *La pared* ***se ha rajado*** *y hay peligro de que se derrumbe* (= se ha agrietado).
SINÓN: **1.** dividir, partir, romper, trocear. **2.** estrictamente, rigurosamente. **3.** abrir(se), agrietar(se), partir(se), quebrar(se). ANTÓN: **1, 3.** cerrar, juntar, unir. FAM: *raja.*

ralea s. f. *No te fíes cuando vayas con gente de esa* ***ralea*** (= con ese tipo de gente).
SINÓN: calaña, clase, tipo.

rallador s. m. *Para rallar las zanahorias, el queso o el pan, mi madre usa el* ***rallador*** (= un utensilio de cocina con agujeros y puntas salientes).
FAM: *rallar.*

rallar v. tr. *Para los entremeses, mi madre* ***ralló*** *unas zanahorias* (= las frotó con un rallador para reducirlas a pequeños trozos).
SINÓN: desmenuzar. **FAM:** *rallador.*

rally s. m. *Han cortado aquella carretera llena de curvas porque están haciendo un* ***rally*** (= una carrera de coches en terreno difícil).

rama s. f. **1.** Las **ramas** son las partes de los árboles que tienen hojas, flores y frutos. **2.** *Una* ***rama*** *de mi familia está radicada en el exterior* (= una parte de mi familia). **3.** *La Zoología es una* ***rama*** *de la Biología* (= una sección). ◆ **andarse uno por las ramas 4.** *No te* ***andes por las ramas*** *y cuéntame de una vez lo que pasó* (= no te andes con rollos y ve al grano).
SINÓN: 1. ramo, vara. **2.** casta, descendencia. **3.** parte, sección. **FAM:** *ramaje, ramal, ramillete, ramo.*

ramal s. m. **1.** *Llevo el caballo a la cuadra, agarrándolo por el* ***ramal*** (= por la cuerda que va atada a su cabeza). **2.** *Dejamos la carretera y nos desviamos por un* ***ramal*** (= por un desvío o carretera que se aparta de la principal).
SINÓN: 2. desvío. **FAM:** → *rama.*

ramillete s. m. *Raúl reunió unas cuantas flores en un* ***ramillete*** *y se las regaló a María* (= un ramo de flores pequeño).
SINÓN: manojo, ramo. **FAM:** → *rama.*

ramo s. m. **1.** *La novia llevaba en sus manos un bonito* ***ramo*** (= un conjunto de flores). **2.** *El domingo de* ***Ramos*** *se llama así porque en la procesión se llevan palmas, ramos de olivo o laurel.* **3.** *Una carnicería es un comercio del* ***ramo*** *de la alimentación* (= una parte de una industria).
SINÓN: 1. manojo, ramillete. **3.** especialidad, sector. **FAM:** → *rama.*

rampa s. f. *Se llega al estacionamiento por una* ***rampa*** (= por una superficie en pendiente).
SINÓN: cuesta, pendiente. **ANTÓN:** llanura.

rana s. f. La **rana** es un pequeño anfibio que vive tanto en el agua como en tierra, de color verde y con los ojos saltones.

ranchero, a s. **1.** *Un* ***ranchero*** *es una persona que se ocupa de los animales de una granja o rancho.* ◆ **ranchera** s. f. **2.** *En algunas regiones de América se bailan* ***rancheras*** *en las reuniones populares* (= ritmo acompasado que se baila con parejas sueltas, y a veces se canta).
SINÓN: ganadero, granjero. **FAM:** *rancho.*

ranchería s. f. Méx. *Antes de llegar a la ciudad hay muchas* ***rancherías*** (= poblados rurales muy pequeños y generalmente pobres).

ranchería s. m. Arg., Col., Chile, Guat., Perú, Urug. *Los* ***rancheríos*** *abundan en los arrabales de las grandes ciudades* (= conjunto de ranchos diseminados por el campo).
FAM: *ranchera, ranchero, rancho.*

rancho s. m. **1.** *En la película del Oeste, los jinetes vivían en un* ***rancho*** (= en una granja). **2.** *A los soldados del cuartel no les gustaba el* ***rancho*** (= la comida que se hace para muchas personas). Amér. Merid. **3.** *Los* ***ranchos*** *eran las viviendas típicas de los gauchos en las llanuras rioplatenses* (= casa humilde, por lo común de barro y paja, situada en el campo o en las afueras de los poblados). Méx. **4.** *Mi amiga Mónica tiene un* ***rancho*** *donde siembran frijol y donde hay ganado* (= finca campestre dedicada a la agricultura o a la ganadería).
SINÓN: 1. granja, hacienda. **2.** comida, guisado. **FAM:** *ranchero.*

rancio, a adj. *Tira ese yogur, que está* ***rancio*** (= está pasado, caducado).
SINÓN: pasado. **ANTÓN:** fresco, sano.

rango s. m. **1.** *Los soldados deben tener respeto a los oficiales de* ***rango*** *superior* (= de categoría superior). R. de la Plata. **2.** *En el recreo todos jugamos al* ***rango*** (= juego infantil en el que una fila de niños saltan sobre las espaldas de otro que está agachado).
SINÓN: categoría, clase, jerarquía.

ranura s. f. **1.** *El carpintero hizo una* ***ranura*** *en la pata de la mesa para unirla al tablero* (= una abertura). **2.** *Aunque estaba cerrada, entraba luz por la* ***ranura*** *de la puerta* (= la rendija que queda entre la puerta y el suelo).
SINÓN: abertura, corte, hendidura, muesca, rendija.

rapar v. tr. **1.** *El barbero le* ***rapó*** *la barba a mi padre* (= se la afeitó). **2.** *Desde que le* ***raparon*** *el pelo, ya no tiene que peinarse* (= se lo dejaron muy corto).
SINÓN: 1. afeitar. **2.** pelar.

rapaz adj. **1.** El halcón es un ave **rapaz** que atrapa a sus presas con sus potentes garras. **2.** *Ten cuidado con él porque es tan* ***rapaz*** *que si te descuidas te robará algo* (= es propenso al robo). ◆ **rapaces** s. f. pl. **3.** Las **rapaces** son una clase de aves carnívoras con alas fuertes, pico curvo, corto y con grandes garras, también se las llama de rapiña.
SINÓN: 2. avaricioso. **ANTÓN: 2.** generoso.

rape s. m. **1.** El **rape** es un pez comestible que puede medir uno o dos metros, con la parte delantera plana, ojos salientes y boca grande. ◆ **al rape 2.** *Cuando mi hermano se fue a la conscripción le cortaron el pelo* ***al rape*** (= se lo dejaron muy corto).

rapidez s. f. *La liebre corre con una* ***rapidez*** *extraordinaria* (= velocidad).
SINÓN: aceleración, ligereza, prisa, velocidad. **ANTÓN:** calma, lentitud, tardanza. **FAM:** *rápido.*

rápido, a adj. **1.** *Este caballo va a ganar porque es el más* ***rápido*** (= el que corre más deprisa). **2.** *La conversación telefónica fue* ***rápida*** (= duró poco tiempo).
SINÓN: 1. ágil, ligero, veloz. **2.** breve, corto. **ANTÓN: 1.** lento, pausado. **2.** largo. **FAM:** *rapidez.*

rapiña s. f. **1.** *Los piratas vivían de la* ***rapiña*** (= del robo). **2.** *Las aves de* ***rapiña*** *se caracterizan por tener grandes garras y fuerte pico.*
SINÓN: 1. hurto, robo, saqueo, timo.

raptar v. tr. *Los delincuentes* ***han raptado*** *a un niño y han pedido mucho dinero como rescate* (= lo han secuestrado).
SINÓN: arrancar, arrebatar, secuestrar. **ANTÓN:** entregar.

rapto s. m. *La policía detuvo a aquel hombre por el* ***rapto*** *de un niño* (= por el secuestro).
SINÓN: secuestro.

raqueta s. f. *Se juega al tenis con una pelota y una* ***raqueta*** (= una pala con mango y un enrejado de cuerdas).
SINÓN: pala.

raquítico, a adj. **1.** *Este niño está* ***raquítico*** *porque come muy poco* (= ha crecido poco y está muy delgado). **2.** *Muchos niños nacidos en países subdesarrollados están* ***raquíticos*** (= padecen la enfermedad del raquitismo por falta de vitamina D).
SINÓN: 1. delgado, endeble, flaco. **ANTÓN:** fuerte, robusto, sano.

rareza s. f. **1.** *Este libro es muy caro debido a su* ***rareza*** (= porque hay pocos ejemplares como éste). **2.** *Santiago tiene muchas* ***rarezas*** (= tiene un carácter muy raro).
SINÓN: 1. curiosidad, escasez, extrañeza, singularidad. **2.** capricho, genialidad, manía. **ANTÓN: 1.** abundancia. **2.** normalidad. **FAM:** *raro.*

raro, a adj. **1.** *La nieve en primavera es un fenómero* ***raro*** (= poco frecuente). **2.** *He encontrado un pez muy* ***raro*** *que no había visto nunca* (= curioso, muy extraño). **3.** *Juan es un chico muy* ***raro,*** *nunca se sabe cómo va a reaccionar* (= tiene un comportamiento y una manera de ser poco comunes). **4.** *Este libro es muy caro porque es muy* ***raro*** (= existen muy pocos ejemplares).
SINÓN: 1. anormal, excepcional, extraño. **2.** curioso, escaso, especial, exótico. **3.** maniático, original, sorprendente. **4.** escaso. **ANTÓN:** abundante, frecuente, habitual, normal, vulgar. **FAM:** *rareza.*

ras *El estacionamiento está* ***a ras*** *del suelo por lo que no necesita rampa de acceso* (= a la misma altura que el suelo).

rascacielos s. m. *Nueva York es célebre por sus* ***rascacielos*** (= por sus edificios muy altos).
FAM: → *rascar.*

rascar v. tr. **1.** *Mi perro* ***rasca*** *la puerta para que lo deje entrar* (= la araña con sus patas). ◆ **rascarse** v. pron. **2.** *Sentía una fuerte picazón y* ***me rasqué*** *con las uñas* (= me arañé ligeramente).
SINÓN: 1. arañar, frotar. **2.** arañarse. **FAM:** *rascacielos, rascador.*

rasgar v. tr. *Cada uno tiraba por un lado de la tela hasta que la* ***rasgaron*** (= la rompieron de lado a lado).
SINÓN: desgarrar, despedazar, destrozar, rajar, romper. **ANTÓN:** componer, juntar, unir. **FAM:** *rasgo, rasgón, rasguño.*

rasgo s. m. **1.** *Tu letra tiene unos* ***rasgos*** *muy claros y redondeados* (= forma de los trazos al escribir). **2.** *Te pareces mucho a tu padre, tienes los mismos* ***rasgos*** *de la cara* (= ambos tienen características de la cara similares). **3.** *La generosidad es uno de los* ***rasgos*** *principales de su persona* (= es una de las características de su personalidad). **4.** *Fue un* ***rasgo*** *heroico lanzarse al mar para salvar al náufrago* (= fue una acción digna de admiración).
SINÓN: 1. línea, trazo. **2.** fisonomía. **3.** atributo, cualidad. **4.** acción, gesto. **FAM:** → *rasgar.*

rasguño s. m. *Se cayó, pero sólo se hizo algunos* ***rasguños*** (= arañazos sin importancia).
SINÓN: arañazo. **FAM:** → *rasgar.*

raso, a adj. **1.** *Este terreno es muy* ***raso,*** *es muy fácil andar por él* (= es muy llano). **2.** *En el café me pongo una cucharada* ***rasa*** *de azúcar* (= llena hasta los bordes). ◆ **al raso 3.** *Cuando fuimos de excursión dormimos* ***al raso*** (= al aire libre). ◆ **soldado raso 4.** *No llegó a cabo, se quedó en* ***soldado raso*** (= sin una categoría superior). ◆ **raso** s. m. **5.** *Para la fiesta, se puso un vestido de* ***raso*** (= de un tejido liso y brillante).
SINÓN: 1. liso, llano, plano. **ANTÓN: 1.** accidentado. **FAM:** *arrasar.*

raspar v. tr. **1.** *El carpintero tuvo que* ***raspar*** *la puerta* (= frotarla con una lima para reducir un poco su superficie). **2.** *La paloma* ***raspó*** *la rama del árbol* (= pasó tocándola ligeramente).
SINÓN: 1. desgastar, lijar, limar. **2.** rozar. **FAM:** → *raspa.*

raspón o **rasponazo** s. m. **1.** *Aquel señor tiene la carrocería de su coche llena de* ***raspones*** (= de rayaduras). **2.** *Al rozar la pared me hice un* ***raspón*** *en la piel* (= un rasguño).
SINÓN: 1. arañazo, rayada, señal. **2.** herida, rasguño, rozadura, señal. **FAM:** → *raspar.*

rastreador s. m. Amér. Merid. *Cuando vamos a cazar, nos acompaña un* ***rastreador*** (= hombre que sabe seguir las huellas y señales que dejan los animales en el campo).
FAM: → *rastro.*

rastrear v. tr. *La policía está* ***rastreando*** *las pistas que dejaron los delincuentes* (= está investigando o estudiándolas para descubrirlos).
SINÓN: escudriñar, indagar, investigar. **FAM:** → *rastro.*

rastrero, a adj. *Robar a su propia familia fue de lo más **rastrero*** (= de lo más miserable).
SINÓN: despreciable, indigno. ANTÓN: noble. FAM: → *rastro.*

rastrillar v. tr. *Juan **rastrilla** el césped del jardín para quitar las hojas secas y los desperdicios* (= lo limpia con un rastrillo).
FAM: → *rastro.*

rastrillo s. m. *El jardinero recoge las hojas del suelo con un **rastrillo*** (= con un utensilio con dientes).
FAM: → *rastro.*

rastro s. m. **1.** *Lo encontraron siguiendo el **rastro** que había dejado en la nieve* (= las señales que dejaba). **2.** *Se marchó sin dejar **rastro**, nadie sabe dónde está* (= sin dejar ninguna señal de haber estado allí). Méx. **3.** *En el **rastro** matan y descuartizan las reses y los cerdos para enviar luego la carne a los frigoríficos* (= matadero).
SINÓN: **1, 2.** huella, marca, paso, pisada. FAM: *rastrear, rastreo, rastrillar, rastrillo.*

rasurar v. tr. → **afeitar.**

rata s. f. La **rata** es un animal mamífero roedor, de pelo gris, patas cortas y cola larga que vive en el campo y en las cloacas de las ciudades. Puede transmitir enfermedades infecciosas.
FAM: *ratero, ratón, ratonera.*

ratero, a s. *Hay que vigilar la casa y tener cuidado con los **rateros*** (= con los ladrones).
SINÓN: caco, ladrón. FAM: → *rata.*

ratificar v. tr. *Al principio no lo aseguró, pero luego **ratificó** su decisión* (= la confirmó).
SINÓN: confirmar, corroborar. ANTÓN: invalidad, negar.

rato s. m. **1.** *María salió de aquí hace un **rato**, no debe haber ido lejos* (= hace poco tiempo). ◆ **a ratos 2.** *No me duele siempre, pero **a ratos** no puedo soportarlo* (= unas veces sí y otras no). ◆ **pasar el rato 3.** *Me gusta ver la televisión para **pasar el rato*** (= para distraerme). ◆ **ratos perdidos 4.** *Como estoy muy ocupada, sólo puedo leer **a ratos perdidos*** (= cuando tengo un momento libre sin nada que hacer).
SINÓN: instante, momento, tiempo.

ratón s. m. Un **ratón** es un animal mamífero roedor, parecido a la rata pero más pequeño.
FAM: → *rata.*

ratonera s. f. **1.** *Había muchos ratones en el sótano y puso una **ratonera** para atraparlos y matarlos* (= una trampa para cazar ratones). **2.** *También se llama **ratonera** al lugar donde viven los ratones.*
SINÓN: **1.** cepo, trampera. **2.** escondrijo, madriguera. FAM: → *rata.*

raudal s. m. **1.** *Después de las lluvias, el río bajaba con un gran **raudal** de agua* (= en grandes cantidades). ◆ **a raudales 2.** *Llueve **a raudales*** (= llueve muchísimo).
SINÓN: **1.** torrente. **2.** abundantemente. ANTÓN: **2.** escasamente.

raya s. f. **1.** *Tengo una camisa blanca con **rayas** azules* (= con líneas). **2.** *Pascual sabe hacerse muy bien la **raya** del pelo* (= una línea que divide sus cabellos). **3.** *Lleva muy bien planchada la **raya** de los pantalones* (= el doblez vertical que se hace al pancharlos). ◆ **a raya 4.** *El profesor siempre nos mantiene **a raya** en clase* (= no deja que nadie se exceda o se pase de un límite de orden). ◆ **pasarse de la raya 5.** *Siempre **se pasa de la raya** con esas bromas tan pesadas* (= se pasa del límite, se excede de manera que no se puede tolerar). **6.** La **raya** es un pez de cuerpo aplanado en forma de rombo, con unas aletas muy grandes y una cola muy larga y delgada.
SINÓN: banda, línea. FAM: *rayado, rayar, subrayado, subrayar.*

rayado, a adj. **1.** *Escribo en un cuaderno **rayado*** (= que tiene rayas). ◆ **rayado** s. m. **2.** *Me gusta mucho el **rayado** de tu camisa* (= su conjunto de rayas).
ANTÓN: **1.** liso. FAM: → *raya.*

rayar v. tr. **1.** ***Hemos rayado** una hoja en blanco para no torcernos al escribir* (= le hemos trazado rayas). ◆ **rayarse** v. pron. **2.** *Al mover los muebles **se rayó** el suelo* (= aparecieron rayas o cortes). **3.** *Ya puedes tirar ese disco porque **se ha rayado*** (= se ha hecho una raya que corta el surco del disco y hace que no suene bien).
FAM: → *raya.*

rayo s. m. **1.** *Las plantas crecen gracias a los **rayos** del Sol* (= gracias a las líneas de luz que proceden del sol). **2.** *Durante la tormenta cayó un **rayo*** (= una descarga eléctrica producida por el choque de dos nubes). ◆ **rayos x 3.** *El médico me miró los huesos por **rayos x*** (= unas radiaciones que atraviesan los cuerpos blandos y permiten ver su interior).
SINÓN: **1.** destello. **2.** chispa, relámpago.

rayuela s. f. *En el patio de recreo jugamos a la **rayuela*** (= dibujamos en el suelo unas casillas por las que hay que ir pasando una piedra, saltando en un solo pie y sin pisar ninguna de las líneas pintadas).

raza s. f. **1.** *Son dos perros de la misma **raza*** (= del mismo grupo en que se dividen los perros). **2.** *Las **razas** humanas se distinguen, entre otras cosas, por el color de la piel* (= los grupos de seres humanos con unos rasgos físicos comunes).
SINÓN: **1.** especie, familia. **2.** etnia. FAM: *racial, racismo, racista.*

razón s. f. **1.** *El hombre es un ser dotado de **razón*** (= de inteligencia, de la capacidad de pensar). **2.** *Tienes **razón** en lo que dices* (= estás en lo cierto). **3.** *Luis aportó tres **razones** para probar lo que decía* (= tres argumentos). **4.** *¿Conoces la **razón** de su ausencia?* (= el motivo). ◆ **entrar en razón 5.** *Tuve que hacerlo **entrar en razón** porque lo que quería hacer era una locu-*

ra (= tuve que convencerlo para que actuara de forma razonable). ◆ **perder la razón 6.** *Don Quijote* ***perdió la razón*** *de tanto leer libros de caballerías* (= se volvió loco).
SINÓN: 1. inteligencia, pensamiento. **2.** acierto. **3.** argumento, prueba. **4.** causa, motivo. **ANTÓN: 2.** equivocación. **4.** consecuencia, efecto. **FAM:** *irracional, raciocinio, racional, razonable, razonamiento, razonar.*

razonable adj. **1.** *Hazle caso porque Luis es una persona* ***razonable*** (= sensata). **2.** *José tiene una estatura* ***razonable*** *para su edad* (= normal).
SINÓN: 1. cuerdo, justo, prudente, sensato. **2.** adecuado, apropiado, justo. **ANTÓN: 1.** insensato. **2.** exagerado. **FAM:** → *razón.*

razonamiento s. m. **1.** *A base de* ***razonamiento*** *hallarás la solución al problema* (= de reflexión). **2.** *No entiendo tu* ***razonamiento*** *al afirmar tal cosa* (= no entiendo cuáles son las ideas que te han llevado a esa conclusión).
SINÓN: 1. pensamiento, reflexión. **FAM:** → *razón.*

razonar v. intr. ***Has razonado*** *bien el problema, es correcto* (= lo has pensado bien).
SINÓN: pensar, reflexionar. **FAM:** → *razón.*

re s. m. El **re** es la segunda nota de la escala musical.

reacción s. f. **1.** *Estaba enojado y tuvo una mala* ***reacción*** (= respondió muy mal). **2.** *En el laboratorio estudiamos varias* ***reacciones*** *químicas* (= los procesos químicos en que una sustancia se transforma en otra). **3.** *Al enterarme de la noticia, mi primera* ***reacción*** *fue de enojo, pero luego se me pasó* (= mi respuesta fue enojarme). ◆ **a reacción 4.** Un avión **a reacción** funciona al despedir un chorro de gases a gran presión del motor, con lo cual se eleva.
SINÓN: 1. actitud, comportamiento, respuesta. **FAM:** → *acción.*

reaccionar v. intr. **1.** *Al conocer la noticia* ***reaccionó*** *violentamente* (= respondió con una actitud violenta). **2.** *Después del accidente el herido no parecía* ***reaccionar*** *pues no se movía* (= no respondía a los estímulos).
SINÓN: 1. actuar, comportarse, responder. **2.** animar, mejorar, reconfortar. **ANTÓN: 2.** debilitar. **FAM:** → *acción.*

reaccionario, a s. *Los* ***reaccionarios*** *están en contra de cualquier innovación o idea progresista* (= las personas que sólo creen en la tradición y en lo que está establecido, y que no creen en lo nuevo).
SINÓN: conservador, tradicionalista. **ANTÓN:** innovador, progresista.

reacio, a adj. *Soy totalmente* ***reacio*** *a todo tipo de drogas* (= estoy en contra).
SINÓN: contrario, opuesto. **ANTÓN:** partidario.

reactor s. m. *El piloto ha puesto en marcha los* ***reactores*** *del avión* (= los motores de reacción).
FAM: → *acción.*

real adj. *La historia que te he contado es* ***real****, no la he inventado* (= ha sucedido de verdad).
SINÓN: auténtico, cierto, verdadero, verídico. **ANTÓN:** falso, irreal. **FAM:** → *irreal, realidad, realismo, realista, realizable, realizar.*

realidad s. f. **1.** *La* ***realidad*** *no tiene nada que ver con el mundo de los sueños* (= lo que ocurre de verdad). ◆ **en realidad 2.** *Iré a la fiesta aunque,* ***en realidad,*** *no tengo muchas ganas* (= de hecho).
SINÓN: 1. existencia, verdad. **2.** realmente, efectivamente. **ANTÓN:** fantasía. **FAM:** → *real.*

realismo s. m. *Nos describió el accidente con tanto* ***realismo*** *que parecía que lo estábamos presenciando* (= nos lo contó tal como ocurrió en realidad).
SINÓN: fidelidad. **ANTÓN:** idealismo. **FAM:** → *real.*

realista adj. **1.** *Me gustan las novelas* ***realistas*** *porque cuentan las cosas tal y como son* (= el tipo de novelas que se basan en las descripciones de las personas y las cosas tal como son de verdad). **2.** *Es muy* ***realista*** *pues no se hace ilusiones imposibles* (= se da cuenta perfectamente de cómo es la realidad, sin engañarse). ◆ **realista** s. Amér. **3.** *Las luchas entre* ***realistas*** *y patriotas culminaron con las guerras por la independencia americana* (= partidarios del rey o del dominio de la monarquía española en América).
SINÓN: 2. práctico, sensato. **ANTÓN:** idealista. **FAM:** → *real.*

realizable adj. *Este trabajo es difícil pero* ***realizable*** (= se puede hacer).
SINÓN: posible. **ANTÓN:** imposible. **FAM:** → *real.*

realizar v. tr. *Este atleta* ***ha realizado*** *lo que nadie se podía imaginar* (= ha hecho).
SINÓN: conseguir, efectuar, hacer, obtener, producir. **FAM:** → *real.*

realzar v. tr. *Este peinado* ***realza*** *su belleza* (= la destaca).
SINÓN: acentuar, destacar, enaltecer. **ANTÓN:** disimular, menospreciar, ocultar.

reanimar v. tr. **1.** ***Reanimaron*** *al ahogado con respiración artificial* (= lograron que volviera en sí). **2.** *Tus palabras siempre me* ***reaniman*** *cuando estoy decaído* (= me dan valor y ánimo).
SINÓN: 1. fortalecer, restablecer. **2.** animar, consolar, estimular. **ANTÓN: 1.** debilitar. **2.** abatir, acobardar. **FAM:** → *animar.*

reanudar v. tr. *Juan y María* ***han reanudado*** *sus relaciones* (= las han vuelto a establecer después de una interrupción).
SINÓN: continuar, proseguir, seguir. **ANTÓN:** acabar, detener, interrumpir. **FAM:** → *nudo.*

reaparecer v. intr. *Esta mancha* ***reaparece*** *aunque se limpie varias veces* (= siempre vuelve a salir).
SINÓN: resurgir, retornar. **ANTÓN:** desaparecer. **FAM:** → *parecer.*

reaparición s. f. *La **reaparición** de la revista del colegio ha alegrado a todos* (= se ha vuelto a editar).
SINÓN: regreso, vuelta. ANTÓN: desaparición. FAM: → *parecer.*

reavivar v. tr. *Eché un tronco más a la chimenea para **reavivar** el fuego que se estaba apagando* (= para hacerlo más intenso y fuerte).
SINÓN: estimular, fortalecer, vitalizar, vivificar. ANTÓN: debilitar.

rebaja s. f. **1.** *El vendedor me hizo una **rebaja** en la compra* (= un descuento). ◆ **rebajas** s. f. pl. **2.** *Esperamos a las **rebajas** para hacer algunas compras* (= a la época en que todo se vende más barato).
SINÓN: **1.** descuento, disminución. ANTÓN: aumento. FAM: → *bajar.*

rebajar v. tr. **1.** *Con unas máquinas **han rebajado** el terreno para hacer una carretera* (= lo han allanado). **2.** *El comerciante no me ha querido **rebajar** ni un centavo en la compra* (= reducir el precio). **3.** *Tuve que **rebajarme** y pedirle perdón* (= tuve que humillarme).
SINÓN: **1.** allanar, desmontar. **2.** abaratar. **3.** degradar, humillar. ANTÓN: **1.** aumentar, encarecer, subir. FAM: → *bajar.*

rebalsar v. intr. *Cierra la llave para que el agua no **rebalse** porque el lavabo ya está lleno* (= para que no salga por encima del borde del lavabo).
SINÓN: derramarse, desbordarse. ANTÓN: vaciarse. FAM: *embalse.*

rebanada s. f. *En la merienda, hemos comido **rebanadas** de pan untadas con mantequilla* (= trozos de pan cortados como si fueran rodajas).
SINÓN: loncha, rodaja.

rebaño s. m. *Este pastor cuida su **rebaño** de ovejas* (= un conjunto de ovejas).
SINÓN: manada.

rebasar v. tr. *No corras tanto, ya **hemos rebasado** la velocidad permitida* (= la hemos sobrepasado).
SINÓN: exceder, sobrepasar.

rebatir v. tr. *En la reunión, todos **rebatieron** mi idea porque les parecía equivocada* (= todos la rechazaron dando sus motivos para ello).
SINÓN: rechazar, refutar, replicar. ANTÓN: corroborar, ratificar.

rebelarse v. pron. *Los piratas **se rebelaron** contra su capitán* (= se negaron a obedecerlo).
SINÓN: amotinarse, desobedecer, sublevarse. ANTÓN: atacar, consentir, obedecer. FAM: → *rebelde.*

rebelde adj. **1.** *Metieron a los soldados **rebeldes** en un calabozo* (= a los que no obedecían a la autoridad militar). **2.** *Este niño es muy **rebelde*** (= muy indisciplinado).
SINÓN: **2.** indisciplinado, indómito, terco, travieso. ANTÓN: **2.** dócil, obediente. FAM: *rebelarse, rebeldía, rebelión.*

rebeldía s. f. *La **rebeldía** de este niño le ha ocasionado graves problemas* (= desobediencia).
SINÓN: desobediencia, obstinación, terquedad. ANTÓN: obediencia, sumisión. FAM: → *rebelde.*

rebelión s. f. *La **rebelión** de estos soldados es un delito penado por la ley* (= su desobediencia a las autoridades).
SINÓN: alboroto, alzamiento, conspiración, motín, sublevación. ANTÓN: obediencia. FAM: → *rebelde.*

rebenque s. m. Amér. Merid., Méx. *El jinete azotaba al caballo con el **rebenque*** (= látigo pequeño con cabo de madera forrado en cuero).

reblandecer v. tr. *El calor **reblandece** la mantequilla* (= la pone blanda).
SINÓN: ablandar. ANTÓN: endurecer. FAM: → *blando.*

rebobinar v. tr. *Tienes que **rebobinar** la cinta de video para poder grabar desde el principio* (= tienes que enrollar hacia atrás la cinta).

reborde s. m. *Luis está sentado en el **reborde** de la ventana* (= en su parte saliente).
SINÓN: borde, orilla, saliente. ANTÓN: centro. FAM: → *borde.*

rebosante adj. **1.** *Mi madre me trajo un vaso **rebosante** de leche* (= que se derramaba por los bordes superiores). **2.** *Está **rebosante** de alegría* (= está muy alegre).
SINÓN: desbordante. ANTÓN: vacío. FAM: *rebosar.*

rebotar v. intr. **1.** *Tengo una pelota que **rebota** mucho* (= que salta muchas veces de un solo golpe). **2.** *Lanzo la pelota contra el suelo y luego **rebota** en la pared* (= choca contra la pared para luego volver a caer en el suelo).
SINÓN: **1.** saltar. **2.** pegar. FAM: → *bote.*

rebote s. m. *Con un solo golpe, esta pelota da hasta cinco **rebotes*** (= salta cinco veces).
SINÓN: salto. FAM: → *bote.*

rebozar v. tr. *Mi madre **reboza** el pescado antes de freírlo* (= lo cubre con harina y huevo batido).
SINÓN: empanar, recubrir.

rebozo s. m. Amér. **1.** *Las mujeres se cubren desde la cabeza hasta el pecho con su **rebozo*** (= manto de lana fina). **2.** *El bebé está envuelto en un **rebozo*** (= trozo de tela con que se cubre a los niños pequeños, por encima del pañal).

rebuscar v. tr. **1.** ***He rebuscado** información en la biblioteca para hacer mi trabajo* (= la he buscado con mucho cuidado). ◆ **rebuscarse** v. pron. Amér. Merid. **2.** *Desde que se quedó sin trabajo, Pedro no ha cesado de **rebuscarse** la vida* (= hace lo posible por encontrar una ocupación que le permita ganar dinero para mantenerse).
SINÓN: buscar. ANTÓN: encontrar. FAM: → *buscar.*

rebuznar v. intr. *El burro* ***rebuzna*** *cuando emite su voz propia.*
FAM: *rebuzno.*

recado s. m. **1.** *Te han llamado por teléfono y como no estabas han dejado el* ***recado*** *de que llames* (= me han pedido que te lo diga). **2.** *Volverá pronto, ha salido a hacer un* ***recado*** (= una cosa que tenía que hacer). Amér. Merid. **3.** *Siempre que monto a caballo, me aseguro de que el* ***recado*** *esté bien ajustado* (= conjunto de piezas que forman la montura).
SINÓN: **1.** aviso, comunicación, mensaje. **2.** encargo, gestión. **3.** apero. FAM: *recadero.*

recaer v. intr. **1.** *Las culpas siempre* ***recaen*** *en el pobre Juan* (= siempre lo culpan a él). **2.** *Mi hermano parecía ya curado, pero* ***ha recaído*** *en su enfermedad* (= ha vuelto a enfermar).
SINÓN: **2.** empeorar, enfermar. ANTÓN: **2.** mejorar. FAM: → *caer.*

recalcar v. tr. *El profesor* ***recalcó*** *las palabras más importantes de su explicación* (= insistió en ellas pronunciándolas con lentitud y con un tono de voz más elevado).
SINÓN: acentuar, insistir, destacar. FAM: → *calcar.*

recámara s. f. **1.** *En las grandes residencias, los vestidos se guardaban en la* ***recámara*** (= cuarto después de la cámara). Col., Méx., Pan. **2.** *Puedes dormir en mi* ***recámara*** (= dormitorio).

recapacitar v. intr. *Antes de tomar una decisión es necesario* ***recapacitar*** *para no equivocarse* (= hay que pensar mucho).
SINÓN: meditar, pensar, reflexionar. FAM: → *capaz.*

recargar v. tr. *Mi padre* ***recarga*** *su encendedor cuando se le acaba el gas* (= lo llena de gas).
SINÓN: llenar, rellenar. ANTÓN: aligerar, disminuir, vaciar. FAM: → *carga.*

recaudación s. f. **1.** *La* ***recaudación*** *para la Cruz Roja la hace gente voluntaria* (= la colecta de dinero). **2.** *El comerciante cuenta sus gastos y su* ***recaudación*** (= el dinero que ha cobrado). **3.** *El señor Pérez ha ido a pagar sus impuestos a la oficina de* ***recaudación*** (= a la oficina donde se ingresan los impuestos).
SINÓN: **1.** colecta. **2.** ingreso. ANTÓN: **2.** gasto. FAM: → *caudal.*

recaudar v. tr. *El Estado* ***recauda*** *los impuestos de los contribuyentes* (= cobra).
SINÓN: cobrar, ingresar, recibir, recoger. ANTÓN: abonar, donar, pagar. FAM: → *caudal.*

recaudo s. m. Amér. Cent., Méx. *Para dar sabor a las comidas, hay que ponerles* ***recaudos*** (= condimentos, especias y verduras con que se sazona la comida).
FAM: → *recaudería.*

recelar v. intr. No hay que ***recelar*** *de los buenos amigos porque nunca te traicionarán* (= no hay que dudar de su amistad).
SINÓN: desconfiar, dudar, sospechar, temer. ANTÓN: confiar, creer, esperar. FAM: → *celo.*

recepción s. f. **1.** *La* ***recepción*** *de esta carta me ha alegrado* (= el recibirla). **2.** *Cuando regresé de mi viaje me hicieron una calurosa* ***recepción*** (= un caluroso recibimiento). **3.** *A la* ***recepción*** *del embajador ha asistido mucha gente importante* (= a la fiesta organizada por una embajada). **4.** *En el hotel, pasamos por* ***recepción*** *para retirar la llave de nuestra habitación* (= por el lugar donde se atiende al público).
SINÓN: **1.** llegada. **2.** acogida, bienvenida, recibimiento. **3.** fiesta, reunión. ANTÓN: **2.** despedida. FAM: → *recibir.*

receptividad s. f. *Este joven público tiene una gran* ***receptividad*** *para todo lo que sea innovador* (= una gran predisposición para aceptar lo nuevo).

receptor s. m. **1.** *El emisor es el que emite un mensaje y el* ***receptor*** *es el que lo recibe.* **2.** *Un buen* ***receptor*** *de televisión permite recibir bien las señales televisadas* (= un buen aparato preparado para recibir las ondas emitidas por una emisora).
ANTÓN: emisor. FAM: → *recibir.*

receta s. f. **1.** *Compré en la farmacia los medicamentos indicados en la* ***receta*** *del médico* (= en el papel donde ha escrito los medicamentos que debo tomar). **2.** *¿Cuál es la* ***receta*** *de este pastel?* (= ¿cómo se prepara?).
FAM: *recetar.*

recetar v. tr. *El médico* ***ha recetado*** *al enfermo unas inyecciones* (= le ha mandado ponérselas).
SINÓN: indicar, mandar, ordenar. FAM: *receta.*

rechazar v. tr. **1.** *Le molestó mucho que* ***rechazaran*** *su idea* (= que no la aceptaran). **2.** *El acusado* ***rechazó*** *firmemente la acusación que dirigían contra él* (= la negó).
SINÓN: **1.** despreciar, oponer, rehusar. **2.** negar. ANTÓN: acceder, aceptar, admitir. FAM: *rechazo.*

rechazo s. m. *Lo decepcionó profundamente el* ***rechazo*** *de su amigo cuando le pidió ayuda* (= la negación de su amigo a ayudarlo).
SINÓN: negación, oposición. FAM: *rechazar.*

rechinar v. intr. *Al abrirse, esta puerta* ***rechina*** (= hace un ruido desagradable, muy agudo).
SINÓN: crujir, chirriar.

rechistar v. intr. *Cuando mi padre me mandó a la cama me fui sin* ***rechistar*** (= sin protestar).
SINÓN: contestar, contradecir, protestar, replicar. ANTÓN: asentir, obedecer.

rechoncho, a adj. *Era tan* ***rechoncho*** *que llamaba la atención en aquel grupo de hombres altos y delgados* (= era bajo y gordo).
SINÓN: gordinflón, gordo, obeso, regordete. ANTÓN: delgado, flaco.

rechupete Esta tarta está de ***rechupete****, voy a servirme otra porción* (= está muy buena).
SINÓN: bueno, rico. ANTÓN: malo.

recibidor s. m. *Como tenía mucha prisa, no quiso pasar y se quedó en el* ***recibidor*** (= en la entrada de la casa).
SINÓN: entrada, vestíbulo. **FAM:** → *recibir.*

recibimiento s. m. *Al regresar a su pueblo después de su triunfo le hicieron un gran* ***recibimiento*** (= una gran acogida).
SINÓN: acogida, bienvenida, recepción. **ANTÓN:** despedida. **FAM:** → *recibir.*

recibir v. tr. **1.** *Ya* ***he recibido*** *la carta que me enviaste* (= ya me ha llegado). **2.** *Juan* ***recibió*** *una patada jugando al fútbol* (= le dieron una patada). **3.** *El mar* ***recibe*** *el agua de los ríos* (= le llega el agua de los ríos). **4.** *Mis compañeros* ***recibieron*** *mi propuesta con entusiasmo* (= la aceptaron). **5.** *Mi tía* ***recibió*** *a sus amigos en su casa* (= los acogió). **6.** *Fui a* ***recibir*** *a mi primo a la estación* (= a esperar).
SINÓN: **3.** recoger. **4.** aceptar, aprobar. **5.** acoger. **6.** esperar. **ANTÓN:** **1, 3, 4.** rechazar. **4.** desechar. **FAM:** *recepción, receptor, recibidor, recibimiento, recibo, recipiente.*

recibo s. m. *Mi padre ha pagado sus facturas y le han dado un* ***recibo*** (= un papel firmado en el que se reconoce que las ha pagado).
FAM: → *recibir.*

reciclaje s. m. *Esta empresa se dedica al* ***reciclaje*** *del papel pues lo fabrican a partir de desperdicios* (= realizan una operación por la que se someten los desperdicios para que vuelvan a ser utilizados).
FAM: *reciclar.*

reciclar v. tr. *Hay que devolver las botellas de vidrio para que se puedan* ***reciclar*** (= someterlas a un proceso para que vuelvan a ser utilizables).
FAM: *reciclaje.*

recién adj. *Fuimos a la clínica a visitar al* ***recién*** *nacido* (= al bebé que acababa de nacer).
FAM: *reciente.*

reciente adj. *Este edificio es una construcción* ***reciente*** *y por eso aún le faltan algunos detalles* (= acabada de hacer).
SINÓN: actual, nuevo. **ANTÓN:** pasado, viejo. **FAM:** *recién.*

recinto s. m. *Entramos en el* ***recinto*** *de la exposición* (= en un lugar cerrado que está dentro de unos límites).

recio, a adj. **1.** *El levantador de pesas tiene unos brazos* ***recios*** (= fuertes y robustos). **2.** *En Siberia, el invierno es* ***recio*** *e insoportable* (= muy duro y difícil de soportar).
SINÓN: **1.** fuerte, potente, robusto. **2.** duro, cruel. **ANTÓN:** **1.** débil. **2.** benigno, suave.

recipiente s. m. *Los bidones, las botellas y los vasos son* ***recipientes*** *porque pueden contener líquidos o gases.*
FAM: → *recibir.*

recíproco, a adj. **1.** *Existe un amor* ***recíproco*** *entre los dos* (= en el que uno ama al otro y viceversa). **2.** Pelearse *es un verbo* ***recíproco*** (= son necesarios dos sujetos para realizar la acción verbal).
SINÓN: **1.** mutuo, respectivo.

recitación s. f. *En su* ***recitación*** *dio al poema la entonación adecuada* (= cuando recitaba el poema).
SINÓN: recital. **FAM:** → *recitar.*

recitador, a s. *Los actores de teatro son muy buenos* ***recitadores*** (= saben dar a los textos o poemas la entonación adecuada).
FAM: → *recitar.*

recital s. m. **1.** *Este pianista ha dado* ***recitales*** *por todo el mundo* (= conciertos). **2.** *El poeta ofreció un magnífico* ***recital*** *de sus mejores poemas* (= los leyó en público).
SINÓN: **1.** concierto. **2.** recitación. **FAM:** → *recitar.*

recitar v. tr. *Es emocionante oírlo* ***recitar*** *tan bien los poemas* (= decir en voz alta y de memoria un poema o un texto literario).
SINÓN: declamar. **FAM:** *recitación, recitador, recital.*

reclamación s. f. *No se han tenido en cuenta mis* ***reclamaciones*** *porque todo sigue igual de mal* (= mis protestas por algo que no iba bien).
SINÓN: exigencia, oposición, protesta, queja. **ANTÓN:** concesión. **FAM:** *reclamar.*

reclamar v. tr. **1.** *El pueblo* ***reclama*** *justicia* (= pide algo a lo que tiene derecho). **2.** *El médico tiene mucho trabajo pues lo han* ***reclamado*** *en varios sitios* (= lo han llamado para que vaya a atender enfermos). ♦ **reclamar** v. intr. **3.** *Si te venden algo en mal estado puedes* ***reclamar*** (= protestar o quejarte para que te lo cambien).
SINÓN: **1.** exigir, pedir, reivindicar, rogar. **2.** llamar, requerir. **3.** protestar, quejarse, oponerse. **ANTÓN:** **1, 3.** conceder, conformarse. **FAM:** *reclamación.*

reclinar v. tr. ***Reclinó*** *la cabeza sobre la almohada y se quedó dormido* (= la apoyó).
SINÓN: apoyar, recostar. **ANTÓN:** enderezar, levantar.

reclusión s. f. *Condenaron al delincuente a tres años de* ***reclusión*** (= de prisión).
SINÓN: encarcelamiento, internamiento. **ANTÓN:** liberación.

recluta s. m. *Ya han llegado los nuevos* ***reclutas*** *al cuartel para recibir la instrucción militar* (= los que se incorporan a la vida militar, y que llegarán a ser soldados después de la instrucción y jura de bandera).
FAM: *reclutar.*

reclutar v. tr. **1.** *Cuando hay guerra, el Estado* ***recluta*** *mucha gente* (= la alista en sus tropas). **2.** *Esta empresa* ***ha reclutado*** *nuevos empleados* (= ha contratado).
SINÓN: **1.** alistar. **2.** contratar, reunir. **ANTÓN:** despedir. **FAM:** *recluta.*

recobrar v. tr. **1.** *Querría* ***recobrar*** *el dinero que me deben* (= recuperar). ◆ **recobrarse** v. pron. **2.** *El herido* ***se recobra*** *lentamente* (= mejora).
SINÓN: 1. recuperar. **2.** mejorar, recuperarse, restablecerse. **ANTÓN: 1** perder. **2.** empeorar.

recodo s. m. *Lo iba siguiendo pero lo perdí de vista en un* ***recodo*** *del camino* (= en una curva muy cerrada).
SINÓN: ángulo, esquina, vuelta.

recoger v. tr. **1.** ***Recoge*** *del suelo el libro que se ha caído* (= levántalo). **2.** ***He recogido*** *datos para mi trabajo* (= he reunido). **3.** *Los agricultores* ***recogen*** *la cosecha en verano* (= hacen la recolección de los frutos). **4.** *Este depósito* ***recoge*** *el agua de la lluvia* (= la guarda o almacena). **5.** ***Recojo*** *la ropa en mi armario* (= la guardo y ordeno). **6.** *Tuvo que* ***recoger*** *el vestido con un cinturón para no arrastrarlo por el suelo* (= tuvo que acortarlo). **7.** *El asilo* ***recoge*** *a las gentes sin hogar* (= las cobija y les da albergue). **8.** ***Recogimos*** *a mis amigos en su casa para ir al colegio juntos* (= los fuimos a buscar). **9.** *La constitución* ***recoge*** *los derechos y deberes de todos los ciudadanos por igual* (= tiene en cuenta). ◆ **recogerse** v. pron. **10.** *El escritor* ***se recoge*** *en su casa de campo para poder escribir mejor* (= se aísla en un sitio retirado). **11.** *Antes llegaba muy tarde a casa, pero ahora* ***se recoge*** *más pronto* (= regresa más temprano). **12.** *Mi abuela* ***se recoge*** *el pelo con un moño* (= se lo sujeta).
SINÓN: 1. alzar, levantar. **2.** acumular, juntar, reunir. **3.** cosechar, recolectar. **4.** almacenar. **4, 5.** guardar. **5.** ordenar. **7.** acoger, albergar, cobijar. **10.** apartarse, asilarse. **11.** acostarse, irse, retirarse. **12.** ceñirse, sujetarse. **ANTÓN: 1.** tirar. **2.** separar. **5.** desordenar. **7.** echar, rechazar. **11.** salir. **FAM:** → *coger.*

recogida adj. **1.** *Se está muy a gusto porque es un sitio muy* ***recogido*** (= muy acogedor y tranquilo). ◆ **recogida** s. f. **2.** *Ha llegado el tiempo de la* ***recogida*** *de la uva* (= de la cosecha).
SINÓN: 1. acogedor, resguardado. **2.** cosecha, recolección. **ANTÓN: 1.** incómodo. **2.** siembra. **FAM:** → *coger.*

recolección s. f. *Este año, los agricultores están contentos porque han tenido una buena* ***recolección*** (= una buena cosecha).
SINÓN: cosecha, recogida. **ANTÓN:** siembra. **FAM:** → *colección.*

recolectar v. tr. *Los agricultores* ***recoletan*** *el trigo en verano* (= lo recogen o cosechan).
SINÓN: cosechar, recoger. **ANTÓN:** sembrar. **FAM:** → *colección.*

recomendable adj. **1.** *Esa persona con la que sales no me parece muy* ***recomendable*** (= no es buena para ti). **2.** *Es muy* ***recomendable*** *hacer deporte* (= es muy bueno y aconsejable).
SINÓN: aconsejable, apreciable, estimable. **ANTÓN:** indigno. **FAM:** → *recomendar.*

recomendación s. f. **1.** *¡Ten en cuenta mis* ***recomendaciones****!* (= mis consejos). **2.** *Con tantas* ***recomendaciones*** *no tardará en encontrar trabajo* (= alabanzas o elogios que hace una persona de otra para favorecerla).
SINÓN: 1. consejo, ruego. **2.** alabanza, elogio, influencia. **FAM:** → *recomendar.*

recomendado, a s. *Lo trataron muy bien porque era el* ***recomendado*** *del director* (= el protegido).
SINÓN: favorecido, protegido. **FAM:** → *recomendar.*

recomendar v. tr. **1.** *En la televisión* ***han recomendado*** *prudencia en la carretera* (= han aconsejado). **2.** *Ha conseguido el puesto porque lo* ***ha recomendado*** *el jefe* (= ha hablado bien de él para apoyarlo y favorecerlo).
SINÓN: 1. aconsejar, sugerir. **2.** alabar, apoyar, elogiar. **ANTÓN: 1.** desaconsejar. **2.** desamparar, perjudicar. **FAM:** *recomendable, recomendación, recomendado.*

recompensa s. f. *Se ha ofrecido una* ***recompensa*** *a la persona que encuentre un perro perdido* (= han ofrecido premiar a la persona que lo encuentre).
SINÓN: gratificación, premio. **ANTÓN:** castigo, multa. **FAM:** *recompensar.*

recompensar v. tr. *A este señor lo* ***recompensaron*** *con una medalla por haber salvado dos náufragos* (= lo premiaron).
SINÓN: condecorar, galardonar, premiar. **ANTÓN:** castigar, sancionar. **FAM:** *recompensar.*

reconciliarse v. pron. *Discutieron y estuvieron mucho tiempo sin tratarse, pero ahora* ***se han reconciliado*** (= han vuelto a ser amigos).
SINÓN: aliarse, perdonarse. **ANTÓN:** enemistarse, separarse. **FAM:** *concilio.*

recóndito, a adj. *Casi nos perdemos porque la casa estaba en un lugar* ***recóndito*** *de la montaña* (= muy escondido).
SINÓN: escondido, oculto. **ANTÓN:** visible.

reconfortar v. tr. **1.** *Tu amistad nos* ***ha reconfortado*** *en nuestro dolor* (= nos ha dado ánimos). **2.** *Esta comida me* ***ha reconfortado*** (= me ha dado fuerzas).
SINÓN: 1. animar, consolar. **2.** fortalecer, reanimar. **ANTÓN: 1.** entristecer. **FAM:** → *fuerza.*

reconocer v. tr. **1.** *Lo había visto pocas veces antes, pero lo* ***reconocí*** *enseguida* (= supe que era él, lo identifiqué). **2.** *El médico* ***reconoció*** *al enfermo para ver cómo se encontraba* (= lo examinó). **3.** *El arquitecto* ***reconoció*** *el terreno antes de construir sobre él* (= lo examinó de cerca). **4.** *Hay que saber* ***reconocer*** *los propios errores y tratar de solucionarlos* (= admitirlos, aceptarlos). **5.** *Siempre* ***reconoceré*** *todo lo que has hecho por mí* (= te lo agradeceré).
SINÓN: 1. distinguir, identificar. **2, 3.** examinar, explorar. **4.** aceptar, admitir. **5.** agrade-

cer. **ANTÓN: 1.** confundir. **4.** negar, rechazar, repudiar. **5.** desagradecer. **FAM:** → *conocer.*

reconocible adj. *Verónica es fácilmente **reconocible** por su larga cabellera rubia* (= se la puede reconocer fácilmente, tiene algo que la diferencia de los demás).
FAM: → *conocer.*

reconocimiento s. m. **1.** *Al enfermo le han hecho un **reconocimiento*** (= un examen médico). **2.** *Como prueba de **reconocimiento** te he traído este regalo* (= como prueba de mi agradecimiento).
SINÓN: 1. estudio, examen, exploración. **2.** agradecimiento, gratitud. **ANTÓN: 2.** ingratitud. **FAM:** → *conocer.*

reconquistar v. tr. *Esta región se perdió en la guerra, al ser conquistada por el enemigo, pero luego la **reconquistaron*** (= la volvieron a recuperar).
SINÓN: recuperar. **ANTÓN:** perder. **FAM:** → *conquista.*

reconstituyente s. m. *El médico me ha recetado un **reconstituyente** porque estaba muy débil* (= un medicamento para darme fuerza).
SINÓN: tónico.

reconstrucción s. f. *La **reconstrucción** de este puente ha durado varios meses* (= estaba casi destruido y lo han vuelto a construir).
SINÓN: arreglo, reparación, restauración. **ANTÓN:** destrucción. **FAM:** → *construir.*

reconstruir v. tr. *Después de la guerra, fue preciso **reconstruir** muchos edificios que quedaron destruidos* (= tuvieron que volverlos a construir).
SINÓN: reparar, restaurar. **ANTÓN:** derribar, destrozar. **FAM:** → *construir.*

recopilar v. tr. ***Han recopilado** todos sus poemas en un único libro* (= los han recogido y unido porque estaban dispersos).
SINÓN: juntar, recoger, unir. **ANTÓN:** disgregar, dispersar.

récord s. m. *Aquel atleta batió un **récord** con su salto* (= consiguió la mejor marca en una competencia).

recordar v. tr. **1.** *No **recuerdo** tu nombre, lo he olvidado* (= no me acuerdo). **2.** *¡**Recuerda** que tienes que estudiar!* (= tenlo presente). **3.** *Tus ojos me **recuerdan** a los de tu padre, son iguales que los suyos* (= me hacen pensar en ellos).
SINÓN: 1. acordarse, evocar. **2.** pensar, reflexionar. **ANTÓN:** olvidar. **FAM:** → *acordar.*

recordatorio s. m. **1.** *Hacer un nudo en el pañuelo me sirve como **recordatorio** para no olvidarme de algo* (= como señal que indica que debo acordarme de algo). **2.** *El día de mi primera comunión, repartí entre mis familiares y amigos unos **recordatorios*** (= unas estampas que indican esta fecha).
SINÓN: 1. advertencia, aviso, señal. **2.** estampa. **FAM:** → *acordar.*

recorrer v. tr. *Mi familia **ha recorrido** casi toda América* (= ha viajado por casi toda América).
SINÓN: andar, cruzar, viajar, pasar, atravesar. **FAM:** → *correr.*

recorrido s. m. *Este tren es de largo **recorrido**, pasa por muchas ciudades y muy distantes* (= su itinerario es muy largo, recorre una distancia muy larga).
SINÓN: itinerario, trayecto. **FAM:** → *correr.*

recortar v. tr. **1.** *Mi madre me **ha recortado** el bajo del pantalón* (= ha cortado un trozo de tela que sobraba). **2.** *Para adornar la clase, **hemos recortado** figuras de papel* (= hemos cortado el papel dándole forma). **3.** *Si seguimos así nos quedaremos sin dinero, hay que **recortar** gastos* (= hay que reducir los gastos).
SINÓN: 1, 2. cortar. **3.** disminuir, reducir. **ANTÓN: 3.** aumentar. **FAM:** → *cortar.*

recorte s. m. **1.** *Mi hermana se ha hecho una falda con **recortes** de tela que encontró en un baúl* (= con trozos de tela que sobraban). **2.** *El profesor nos ha traído un **recorte** de periódico para que hagamos un resumen del artículo* (= un artículo recortado de un periódico).
SINÓN: 1. pedazo, trozo.

recostarse v. pron. *Lee descansadamente el periódico **recostándose** en el sillón* (= apoyándose sobre él).
SINÓN: apoyarse, inclinarse, sostenerse. **ANTÓN:** alzarse, enderezarse. **FAM:** *acostar.*

recrear v. tr. **1.** *Este pintor **ha recreado** un paisaje en su cuadro* (= lo ha pintado). ◆ **recrearse** v. pron. **2.** ***Se recrea** con la lectura, se pasa horas leyendo libros, le encanta* (= disfruta haciéndolo).
SINÓN: 1. reproducir. **2.** divertir, gozar. **ANTÓN: 2.** aburrirse. **FAM:** → *crear.*

recreativo, a adj. *Pasé un rato jugando con unas máquinas **recreativas*** (= de juegos).
FAM: → *crear.*

recreo s. m. **1.** *Durante el **recreo** jugamos en el patio y las aulas quedan vacías* (= cuando se interrumpen las clases para ir a jugar). **2.** *Hay que alternar el trabajo y el **recreo*** (= la diversión).
SINÓN: 2. diversión. **FAM:** → *crear.*

recriminar v. tr. *Siempre me **recriminan** mi falta de estudio y mis malas notas* (= me lo echan en cara).
SINÓN: desaprobar, reprochar. **ANTÓN:** aceptar, aprobar.

rectangular adj. *Las páginas de este libro son **rectangulares*** (= tienen forma de rectángulo).
FAM: *rectángulo.*

rectángulo s. m. *Un campo de fútbol tiene forma de* ***rectángulo*** *con sus cuatro ángulos rectos y los lados iguales dos a dos.*
FAM: *rectangular.*

rectificar v. tr. **1.** *¿**Has rectificado** tus faltas de ortografía?* (= ¿las has corregido?). **2.** *Debo* ***rectificar*** *la mala opinión que tenía de tu amigo, estaba equivocado* (= debo cambiar mi forma de pensar).
SINÓN: **1, 2.** corregir, enmendar. **2.** cambiar.
FAM: → *recto.*

rectitud s. f. *El director actúa siempre con* ***rectitud*** *y por eso todos lo respetamos* (= con honestidad, justicia y seguridad).
SINÓN: firmeza, honestidad, honradez, justicia.
ANTÓN: injusticia, inmoralidad. FAM: → *recto.*

recto, a adj. **1.** *Con una regla haces líneas* ***rectas*** (= no curvas). **2.** *Un ángulo* ***recto*** *se traza con una escuadra y mide 90 grados* (= es un ángulo que no es ni agudo ni obtuso). **3.** *Para llegar hasta allí tienes que ir* ***recto*** *sin desviarte* (= derecho). **4.** *El padre de Juan es un hombre muy* ***recto*** *en su conducta* (= muy honesto). ◆ **recta** s. f. **5.** Una **recta** es el camino más corto entre dos puntos (= una línea no curva). ◆ **recto** s. m. **6.** El **recto** es la parte final del intestino grueso.
SINÓN: **1.** rectilíneo. **1, 3.** derecho. **4.** honesto.
ANTÓN: **1, 3.** curvo. **4.** deshonesto. FAM: → *directo, indirecta, indirecto, rectificar, rectitud, semirecta.*

rector, a s. *El* ***rector*** *de la universidad pronunció el discurso de apertura del nuevo curso* (= la persona que la dirige).

recuadro s. m. *Para destacar la noticia en el periódico, la han colocado dentro de un* ***recuadro*** (= dentro de un rectángulo o cuadrado).
FAM: → *cuadro.*

recubrir v. tr. *Las hojas de los árboles* ***recubren*** *el suelo en otoño* (= lo tapan totalmente).
SINÓN: cubrir, tapar. ANTÓN: descubrir, destapar.
FAM: → *cubrir.*

recuento s. m. *Después de las elecciones, se hizo el* ***recuento*** *de votos para comprobar el número de personas que había votado* (= los contaron uno a uno).
SINÓN: cómputo, control, escrutinio. FAM: *cuenta.*

recuerdo s. m. **1.** *A mi abuelo le gusta contarnos sus* ***recuerdos*** (= los momentos pasados de su vida que tiene en su memoria). **2.** *Te he traído de mi viaje un pequeño* ***recuerdo*** (= un regalo). ◆ **recuerdos** s. m. pl. **3.** *Dé usted* ***recuerdos*** *a su familia de mi parte* (= saludos).
SINÓN: **2.** regalo. **3.** saludos. ANTÓN: **1.** olvido.
FAM: → *acordar.*

recuperable adj. *No tiramos las bote las de vidrio porque éste es un material* ***reci perable*** (= se puede volver a utilizar).
SINÓN: aprovechable, útil. ANTÓN: inservible, inútil. FAM: → *recuperar.*

recuperación s. f. **1.** *La* ***recuperación*** *del dinero robado fue obra de la policía* (= la obtención de algo que se había perdido). **2.** *El enfermo tuvo una rápida* ***recuperación*** (= mejoró enseguida).
SINÓN: **1.** rescate. **2.** alivio, mejora. ANTÓN: **1.** pérdida. **2.** empeoramiento. FAM: → *recuperar.*

recuperar v. tr. **1.** *¿**Has recuperado** el dinero que habías prestado?* (= ¿te lo han devuelto?). **2.** ***Recuperé*** *en septiembre la materia que tenía reprobada en junio* (= la aprobé después de haberla reprobado). ◆ **recuperarse** v. pron. **3.** *El enfermo* ***se recuperó*** *completamente* (= mejoró, se curó).
SINÓN: **1.** recobrar, rescatar. **2.** aprobar, reparar. **4.** mejorar. ANTÓN: **1.** perder. **2.** reprobar. **3.** empeorar. FAM: *recuperable, recuperación.*

recurrir v. intr. **1.** *Cuando estoy en apuros suelo* ***recurrir*** *a mi mejor amigo para que me ayude* (= acudo a él en busca de ayuda). **2.** *El abogado* ***recurrió*** *contra la sentencia que dictó el juez* (= hizo una reclamación para que cambiaran la sentencia).
SINÓN: **1.** acudir, pedir, solicitar. **2.** reclamar.
ANTÓN: **2.** aceptar. FAM: *recurso.*

recurso s. m. **1.** *Se podría intentar hacer esto como último* ***recurso*** (= como última solución). **2.** *El abogado presentará un* ***recurso*** *contra la sentencia del jurado* (= una reclamación). ◆ **recursos** s. m. pl. **3.** *Es muy pobre, carece de* ***recursos*** *económicos* (= no tiene medios económicos).
SINÓN: **1.** manera, medio, salida, solución. **2.** reclamación. **3.** bienes, capital, medios. FAM: *recurrir.*

red s. f. **1.** *El pescador lanzó su* ***red*** *al mar para pescar* (= lanzó una malla hecha de hilo o cuerda que sirve para pescar). **2.** *El país tiene una importante* ***red*** *de carreteras que comunica las distintas poblaciones* (= un conjunto de carreteras). **3.** *Este hotel pertenece a una* ***red*** *hotelera extendida por todo el mundo* (= un conjunto organizado de hoteles de la misma empresa).
SINÓN: **1.** malla. FAM: *redecilla, redil.*

redacción s. f. **1.** *En clase, hacemos ejercicios de* ***redacción*** *en los que contamos algo real o inventado* (= una narración por escrito). **2.** *Visitamos la* ***redacción*** *del periódico para ver cómo trabajaban los periodistas* (= la oficina donde se redactan las noticias y los artículos).
SINÓN: **1.** narración. FAM: → *redactar.*

redactar v. tr. *El periodista* ***redacta*** *su artículo* (= lo escribe).
SINÓN: componer, escribir, narrar. FAM: *redacción, redactor.*

redactor, a s. *Mi tío es* ***redactor*** *en un periódico* (= escribe artículos para un periódico).
SINÓN: cronista, periodista. FAM: → *redactar.*

redada s. f. *La policía hizo una* ***redada*** *en aquel local y detuvo a muchos sospechosos* (= una operación policial que consiste en detener a varias personas en un lugar determinado).
SINÓN: batida. **FAM:** → *red.*

redentor, a adj. *Según la religión católica, Jesucristo fue el* ***Redentor*** *que salvó a todos los hombres con su muerte* (= el que salvó a todos los hombres).
SINÓN: liberador, salvador.

redil s. m. *El pastor metió a sus ovejas en el* ***redil*** (= en un lugar vallado donde se encierra el ganado).
FAM: → *red.*

redoblar v. tr. **1.** *Al final de curso hay que* ***redoblar*** *los esfuerzos* (= hay que trabajar aún más). ◆ **redoblar** v. intr. **2.** *En el desfile,* ***redoblaban*** *los tambores* (= sonaban al golpearlos con los palillos).
SINÓN: 1. aumentar, duplicar, reforzar. **2.** repicar. **ANTÓN: 1.** disminuir. **FAM:** → *doblar.*

redondeado, a adj. *Las tijeras que usan los niños en la escuela son* ***redondeadas*** (= no terminan en punta, sino en forma redonda).
FAM: → *redondo.*

redondear v. tr. *Costaba un poco menos, pero para* ***redondear*** *la cuenta le di cien pesos* (= añadí una pequeña cantidad para que quedaran números redondos).
FAM: → *redondo.*

redondel s. m. *Pedro hace* ***redondeles*** *con su compás* (= hace círculos).
SINÓN: círculo, circunferencia. **FAM:** → *redondo.*

redondez s. f. *Las ruedas, los aros y los anillos tienen en común su* ***redondez*** (= que son redondos).
FAM: → *redondo.*

redondo, a adj. **1.** *Comemos alrededor de una mesa* ***redonda*** (= circular). **2.** *La pelota de fútbol es* ***redonda*** (= esférica). **3.** *El negocio le ha salido* ***redondo*** (= le ha salido muy bien). ◆ **números redondos 4.** *Son 495 pero cuenta 500 en* ***números redondos*** (= añade 5 para que sea una unidad completa).
SINÓN: 1. circular. **2.** esférico. **FAM:** *redondeado, redondear, redondel, redondez.*

reducido, a adj. *Esta habitación es demasiado* ***reducida*** *para cuatro personas* (= es muy pequeña).
SINÓN: chico, estrecho, limitado, pequeño. **ANTÓN:** amplio, espacioso, grande. **FAM:** *reducir.*

reducir v. tr. **1.** *Es preciso* ***reducir*** *nuestros gastos* (= disminuir). **2.** *El incendio* ***redujo*** *la casa a cenizas* (= la convirtió en algo más pequeño). **3.** *La policía consiguió* ***reducir*** *a los delincuentes que se resistían a su detención* (= pudo obligarlos a rendirse).
SINÓN: 1. disminuir, limitar, rebajar. **2.** convertir, transformar. **3.** dominar, someter. **ANTÓN: 1.** ampliar, aumentar. **FAM:** *reducido.*

redundancia s. f. *Decir que* come comida *o que* sube arriba *es una* ***redundancia*** (= es una repetición innecesaria de información).

reembolso s. m. *Ya he ahorrado suficiente para el* ***reembolso*** *de la deuda que tenía* (= para devolver la cantidad que debía).
SINÓN: devolución, reintegro.

reemplazar v. tr. ***Hemos reemplazado*** *las piezas viejas por las nuevas* (= las hemos sustituido).
SINÓN: cambiar, reponer, sustituir.

refacción s. f. Amér. Merid. **1.** *Los albañiles están trabajando mucho en la* ***refacción*** *del edificio* (= reparación y mejora). Méx. **2.** Las **refacciones** son las piezas de recambio con las que se sustituyen las gastadas de cualquier aparato.
SINÓN: 1. arreglo, reconstrucción, reforma, restauración. **2.** repuesto. **ANTÓN:** abandono, derribo. **FAM:** → *refaccionar.*

refaccionar v. tr. Amér. Centr., Merid. *Mis padres están* ***refaccionando*** *una casita en las montañas para poder vivir en ella* (= la están reparando).
SINÓN: arreglar, mejorar, reconstruir, reformar, restaurar. **ANTÓN:** abandonar, descuidar. **FAM:** → *refacción.*

referencia s. f. **1.** *En su discurso, no hizo* ***referencia*** *a lo que nos interesaba* (= no habló de ello). **2.** *Para no perdernos en la ciudad, todos tomamos como punto de* ***referencia*** *la torre de la iglesia* (= como señal para orientarnos). **3.** *Los diccionarios son obras de* ***referencia*** (= de consulta). **4.** *Admitieron al señor Martínez en la fábrica porque tenía buenas* ***referencias*** (= buenos informes).
SINÓN: 1. alusión, comentario, mención. **2.** orientación, relación. **3.** consulta. **4.** informe. **FAM:** *referéndum, referente, referir.*

referéndum s. m. *Los asuntos importantes del Estado se someten a* ***referéndum*** *para que todos los ciudadanos puedan dar su opinión* (= a votación pública).
SINÓN: consulta, votación. **FAM:** → *referencia.*

referente adj. *No dijo nada* ***referente*** *a ti, habló de otras personas* (= no dijo nada sobre ti).
SINÓN: concerniente, relativo. **FAM:** → *referencia.*

referir v. tr. **1.** *Al volver de la expedición, los alpinistas* ***refirieron*** *sus aventuras* (= las contaron). **2.** *No sé a quién* ***te refieres*** *cuando dices eso* (= no sé de quién hablas).
SINÓN: 1. contar, narrar, relatar. **ANTÓN: 1.** callar, omitir. **FAM:** → *referencia.*

refilón 1. *Al pasar por su lado, Marta me miró* ***de refilón*** (= me miró de reojo). **2.** *He mirado este libro* ***de refilón,*** *todavía no sé muy bien de qué trata* (= rápidamente, sin profundizar).
SINÓN: (de) reojo.

refinado, a adj. **1.** *Esta señora es una dama* ***refinada*** *y de buen gusto* (= es elegante y fina en su forma de ser y comportarse). **2.** *A la policía le costó mucho detener a ese ladrón tan* ***refinado*** (= tan astuto y que actuaba con gran perfección). ◆ **refinado** s. m. **3.** *Para quitar las impurezas de los metales, se someten a un proceso de* ***refinado*** (= de limpieza de impurezas).
SINÓN: 1. distinguido, elegante, exquisito. **2.** astuto, sagaz. **ANTÓN: 1.** grosero, tosco, vulgar. **2.** ingenuo, torpe. **FAM:** → *fino.*

refinar v. tr. ***Refinar*** *el petróleo es quitarle las impurezas.*
SINÓN: limpiar, mejorar, perfeccionar, purificar. **ANTÓN:** empeorar. **FAM:** → *fino.*

refinería s. f. *Han construido una* ***refinería*** *de petróleo en la zona industrial* (= una instalación industrial que se dedica a refinar el petróleo).

reflector s. m. *La luz del* ***reflector*** *es muy fuerte* (= del aparato que proyecta rayos luminosos).
FAM: → *reflejar.*

reflejar v. tr. **1.** *La deslumbró la luz que* ***refleja*** *el espejo* (= la luz que llegaba al espejo y que éste dirigía hacia otro lado). **2.** *Sus palabras desagradables* ***reflejaban*** *su mal carácter* (= mostraban cómo era su carácter). ◆ **reflejarse** v. pron. **3.** *La luna* ***se refleja*** *en el agua del lago en las noches claras* (= queda reproducida su imagen en el agua).
SINÓN: 1. reflectar. **2.** mostrar. **3.** reproducirse. **FAM:** *reflector, reflejo.*

reflejo s. m. **1.** *El* ***reflejo*** *del Sol en el agua me molesta la vista* (= el brillo). **2.** *Este conductor tiene buenos* ***reflejos*** (= reacciona bien y con rapidez ante un estímulo).
SINÓN: 1. brillo, destello. **2.** reacción. **FAM:** → *reflejar.*

reflexión s. f. **1.** *Necesito un tiempo de* ***reflexión*** *para tomar la decisión correcta* (= un tiempo para pensar). **2.** *El eco es producido por la* ***reflexión*** *del sonido sobre las paredes* (= éstas devuelven el sonido).
SINÓN: 1. consideración, meditación. **2.** rebote. **FAM:** *reflexionar, reflexivo.*

reflexionar v. intr. *¡****Reflexiona*** *antes de decidirte!* (= ¡piénsalo bien!).
SINÓN: analizar, considerar, meditar, pensar. **FAM:** → *reflexión.*

reflexivo, a adj. **1.** Peinarse *o* sentarse *son verbos* ***reflexivos*** *porque la acción del verbo recae en el propio sujeto.* **2.** *Es un hombre muy* ***reflexivo*** *que nunca hace las cosas sin pensar* (= que piensa y medita mucho las cosas). **3.** *Un espejo es una superficie* ***reflexiva*** (= que refleja las imágenes).
SINÓN: 2. pensativo, prudente. **ANTÓN: 2.** atolondrado, irreflexivo. **FAM:** → *reflexión.*

reforma s. f. **1.** *Nuestros vecinos han hecho* ***reformas*** *en su vivienda* (= han hecho modificaciones). **2.** *Este partido político propone una* ***reforma*** *de la sociedad* (= un cambio profundo para mejorarla).
SINÓN: cambio, modificación, renovación, reparación. **ANTÓN:** conservación. **FAM:** → *forma.*

reformar v. tr. **1.** ***Hemos reformado*** *la distribución de la casa para que sea más acogedora* (= la hemos modificado para mejorarla). ◆ **reformarse** v. pr. **2.** *Este niño* ***se ha reformado*** *a base de castigos* (= ha mejorado su comportamiento).
SINÓN: 1. cambiar, modificar, rehacer, renovar, reparar. **2.** corregirse, enmendarse. **ANTÓN:** conservar, mantener. **FAM:** → *forma.*

reformatorio s. m. Un **reformatorio** es un establecimiento donde se trata de cambiar la mala conducta de los jóvenes que ya han cometido algún delito.
FAM: → *forma.*

reforzar v. tr. **1.** *Durante la noche* ***han reforzado*** *la vigilancia para evitar que se cometan más delitos* (= han aumentado el número de vigilantes). **2.** ***Han reforzado*** *esta pared que amenazaba con derrumbarse* (= le han puesto un refuerzo para que aguante y sea más resistente).
SINÓN: 1. aumentar, intensificar. **2.** afianzar, arreglar, fortalecer, reparar. **ANTÓN: 1.** disminuir. **FAM:** → *fuerza.*

refrán s. m. Dime con quién andas y te diré quién eres *es un* ***refrán*** (= es una frase popular que indica una verdad general).
FAM: *refranero.*

refranero s. m. *Tengo un libro que recoge el* ***refranero*** *español* (= la colección de refranes).
FAM: *refrán.*

refrenar v. tr. *Deberías* ***refrenar*** *tus deseos de gastar esas bromas tan pesadas* (= deberías intentar evitarlos).
SINÓN: contener, moderar, reprimir. **ANTÓN:** liberar, potenciar.

refrescante adj. *Una naranjada con hielo es una bebida* ***refrescante*** (= que disminuye la sensación de calor).
FAM: → *fresco.*

refrescar v. tr. **1.** *He puesto el agua en el refrigerador para* ***refrescarla*** (= para que se enfríe). ◆ **refrescar** v. intr. **2.** *El tiempo* ***ha refrescado*** *durante la noche* (= ha bajado la temperatura). ◆ **refrescarse** v. pron. **3.** *Ha salido a* ***refrescarse*** *un poco porque adentro hacía mucho calor* (= a tomar el fresco).
SINÓN: 1. enfriar, refrigerar. **ANTÓN:** calentar(se). **FAM:** → *fresco.*

refresco s. m. *Bebimos unos* ***refrescos*** *para quitarnos la sed* (= unas bebidas frescas).
FAM: → *fresco.*

refrigeración s. f. *Han instalado un sistema de* ***refrigeración*** *en el cine porque en verano hace mucho calor* (= un sistema con el que se enfría o refresca el ambiente).

refrigerador, a adj. **1.** *Para que el pescado llegue en buenas condiciones a su destino se transporta en camiones* ***refrigeradores*** (= que tienen heladeras en su interior). ◆ **refrigerador** s. m. **2.** *Mete la mantequilla en el* ***refrigerador*** *para que no se ablande y se estropee* (= en la nevera).
SINÓN: 2. heladera, nevera. **ANTÓN:** calentador. **FAM:** → *frío.*

refrigerio s. m. *Llegué muy cansada pero me tomé un* ***refrigerio*** *y me repuse enseguida* (= una comida ligera para reponer fuerzas).
SINÓN: tentempié.

refuerzo s. m. **1.** *El techo de esta casa en ruinas necesita* ***refuerzos*** (= hay que ponerle nuevos postes para que no se caiga). **2.** *El general ha pedido* ***refuerzos*** *ante la amenaza de un ataque enemigo* (= más hombres para aumentar la fuerza del ejército).
SINÓN: 2. apoyo, auxilio, ayuda, socorro. **FAM:** → *fuerza.*

refugiado, a s. *Este país acoge a los* ***refugiados*** *políticos que tuvieron que huir de sus países por sus ideas* (= a las personas que han tenido que dejar su país porque estaban en peligro en él).
SINÓN: exiliado. **FAM:** → *refugio.*

refugiarse v. pron. ***Nos refugiamos*** *en una cueva hasta que pasó la tormenta* (= nos protegimos de la lluvia).
SINÓN: acogerse, ampararse, protegerse. **FAM:** → *refugio.*

refugio s. m. **1.** *Hay centros en los que dan* ***refugio*** *a los que no tienen hogar* (= les dan un sitio donde poder vivir). **2.** *Durante la guerra, todos bajaban al* ***refugio*** *al sonar la alarma de bomba* (= a un lugar protegido contra los efectos de las bombas).
SINÓN: 1. acogida, amparo, protección. **2.** albergue, guarida. **FAM:** *refugiado, refugiarse.*

refunfuñar v. intr. *¡Que mal carácter tiene!, siempre está* ***refunfuñando*** (= siempre está protestando).
SINÓN: gruñir, murmurar, protestar, quejarse.

regadera s. f. **1.** *Para regar todas las plantas he tenido que llenar la* ***regadera*** *de agua dos veces* (= el recipiente que sirve para regar). Méx. **2.** *El baño de mi departamento tiene tina y* ***regadera*** (= ducha, aparato para ducharse).
SINÓN: 2. duchador, lluvia. **FAM:** → *regar.*

regadío s. m. *Este terreno es de* ***regadío*** *y sus frutos se morirían sin agua* (= todos los frutos que produce necesitan agua).
SINÓN: riego. **FAM:** → *regar.*

regalar v. tr. *Mis padres me* ***han regalado*** *un reloj por mi cumpleaños* (= me lo han dado).
SINÓN: dar, obsequiar, ofrecer. **ANTÓN:** recibir. **FAM:** *regalo.*

regalo s. m. *El día de mi cumpleaños, recibí muchos* ***regalos*** (= me dieron muchas cosas).
SINÓN: obsequio, presente. **FAM:** *regalar.*

regañadientes *Pablo siempre hace sus tareas* ***a regañadientes*** (= a disgusto y protestando).
FAM: → *regañar.*

regañar v. tr. *Mi profesor me* ***regañó*** *por no hacer los deberes* (= me riñó).
SINÓN: reñir, reprender, reprochar. **ANTÓN:** alabar, elogiar. **FAM:** *regañadientes, regañina.*

regañina s. f. *Ante mis malas calificaciones, mi padre me ha echado una buena* ***regañina*** (= me riñó).
SINÓN: bronca, reprimenda, reproche. **ANTÓN:** alabanza, elogio. **FAM:** → *regañar.*

regar v. tr. **1.** *Hay que* ***regar*** *las plantas para que crezcan y se alimenten* (= echarles agua). **2.** *El Iguazú* ***riega*** *esta comarca* (= pasa por ella).
SINÓN: 1. irrigar, mojar. **ANTÓN: 2.** secar. **FAM:** *irrigar, regadera, regadío, reguero, riego.*

regata s. f. Una **regata** es una competencia deportiva entre barcos ligeros.

regatear v. tr. *Después de* ***regatear*** *el precio con el vendedor, consiguió llevarse lo que quería, pagando menos dinero de lo que le pedían al principio* (= después de discutir el comprador y el vendedor sobre el precio de algo).
SINÓN: debatir, discutir.

regazo s. m. *El bebé está acurrucado en el* ***regazo*** *de su madre* (= sobre las rodillas y contra el pecho de su madre).

regenerarse v. pron. *Desde que va al colegio ya no se porta tan mal,* ***se ha regenerado*** *mucho* (= ha dejado su mala conducta).
SINÓN: reformarse, renovarse. **ANTÓN:** estropearse.

regentar v. tr. *Mi padre* ***regenta*** *un hotel y debe encargarse de todo lo que ocurre en él* (= lo dirige).
SINÓN: dirigir. **FAM:** → *regir.*

regente s. m. f. *Cuando un rey es demasiado joven para gobernar se nombra un* ***regente*** (= a una persona que gobierna provisionalmente hasta que el rey esté capacitado para hacerlo).
SINÓN: gobernante. **FAM:** → *regir.*

régimen s. m. **1.** *Venezuela tiene un* ***régimen*** *democrático* (= es su forma de gobierno). **2.** *El* ***régimen*** *interno de estos monjes es muy severo* (= el reglamento). **3.** *El médico me ha mandado seguir un* ***régimen*** *para adelgazar* (= una dieta en la que se me han prohibido ciertos alimentos).
SINÓN: 1. gobierno. **2.** disciplina, regla, reglamento. **3.** dieta. **FAM:** → *regir.*

regimiento s. m. *El coronel está al mando de un* ***regimiento*** *de jóvenes soldados* (= de una unidad militar).
FAM: → *regir.*

región s. f. *La Mesopotamia, Cuyo y la Patagonia son* ***regiones*** *argentinas muy distintas entre sí* (= son territorios con características propias).
SINÓN: territorio, zona. **FAM:** *regional.*

regional adj. *Hemos visto una exhibición de bailes* ***regionales*** (= propios de las distintas regiones).
SINÓN: comarcal, territorial. FAM: *región.*

regir v. tr. **1.** *El Presidente* ***rige*** *este país de forma democrática* (= lo gobierna). ◆ **regir** v. intr. **2.** *La pena de muerte no* ***rige*** *en este país desde hace muchos años* (= no se aplica).
SINÓN: **1.** gobernar, dirigir. FAM: *regencia, regentar, regente, régimen, regimiento.*

registrador, a adj. **1.** *Un termómetro es un aparato* ***registrador*** *de la temperatura* (= que marca la temperatura). ◆ **caja registradora** **2.** *En los comercios tienen* ***cajas registradoras*** *donde guardan el dinero de las ventas, suman y restan cantidades y anotan todo lo que se ha vendido* (= máquinas que anotan, suman y controlan automáticamente las ventas de un comercio).
FAM: → *registro.*

registrar v. tr. **1.** *En la aduana los guardias* ***han registrado*** *mi maleta* (= han mirado lo que llevaba dentro). **2.** *En el almacén, don Antonio* ***registra*** *las mercancías que entran y salen* (= las anota). **3.** *Este empresario* ***ha registrado*** *todos sus productos para que nadie pueda copiarlos* (= los ha inscrito en un registro para asegurar que son de su propiedad y que nadie pueda imitarlo). **4.** *Hoy, el termómetro* ***registra*** *una temperatura muy baja* (= marca). ◆ **registrarse** v. pron. **5.** ***Nos hemos registrado*** *en ese hotel en cuanto llegamos* (= nos hemos inscrito en su registro de clientes).
SINÓN: **1.** examinar, inspeccionar. **2.** anotar, contabilizar, enumerar. **3, 5.** anotar, inscribir. **4.** marcar. FAM: → *registro.*

registro s. m. **1.** *La policía entró en casa de los sospechosos con una orden de* ***registro*** (= con una orden para buscar pruebas de un delito). **2.** *Al nacer, nuestros padres nos anotan en el* ***registro*** (= en un libro o cuaderno donde anotan nombres y datos de todos los ciudadanos). **3.** *Mi padre fue al* ***registro*** *de la propiedad para inscribir su finca* (= a la oficina donde se inscriben las fincas o casas compradas).
SINÓN: **1.** examen, exploración, inspección. FAM: *registrador, registrar.*

regla s. f. **1.** *Trazo líneas rectas con una* ***regla*** (= con un instrumento de dibujo que sirve para hacer líneas o medir distancias entre dos puntos). **2.** *Este niño siempre hace trampas, no respeta las* ***reglas*** *del juego* (= las normas del juego).
SINÓN: **2.** ley, norma, principio. FAM: *arreglar, arreglo, reglamentario, reglamento.*

reglamentario, a adj. *No puedes participar si no llevas el equipo* ***reglamentario*** (= el equipo que ha sido fijado por el reglamento).
SINÓN: legal. ANTÓN: ilegal. FAM: → *regla.*

reglamento s. m. *Tu conducta es contraria al* ***reglamento*** *del colegio* (= al conjunto de reglas o normas).
SINÓN: código, normas. FAM: → *regla.*

regocijar v. tr. **1.** *La llegada de las fiestas* ***regocija*** *a todo el pueblo* (= alegra mucho). ◆ **regocijarse** v. pron. **2.** ***Se regocija*** *contemplando las medallas que consiguió* (= se alegra y siente placer contemplándolas).
SINÓN: **1.** alegrar, entusiasmar. **2.** complacerse, recrearse, regodearse. ANTÓN: **1.** aburrir, entristecer. **2.** sufrir. FAM: → *gozo.*

regocijo s. m. *Celebraron la victoria con gran* ***regocijo*** (= con gran alegría).
SINÓN: alegría, jolgorio, júbilo. ANTÓN: fastidio, lamento, tristeza. FAM: → *gozo.*

regordete, a adj. *Este bebé está* ***regordete*** (= está bastante gordo).
SINÓN: gordinflón, gordo, obeso, rechoncho. ANTÓN: delgado, esquelético, flaco. FAM: → *gordo.*

regresar v. intr. **1.** *Sale de casa por la mañana y* ***regresa*** *por la tarde* (= vuelve a casa). ◆ **regresarse** v. pron. Amér. **2.** *Al finalizar la clase,* ***nos regresamos*** *a casa* (= nos marchamos).
SINÓN: **1.** retornar, volver. **2.** irse. ANTÓN: **1.** marchar, salir. **2.** permanecer, quedarse. FAM: → *regreso.*

regresión s. f. *Como no se esfuerza en sus estudios se nota una* ***regresión*** *en su aprendizaje en lugar de un avance* (= un retroceso en su desarrollo).
SINÓN: retroceso. ANTÓN: avance. FAM: → *regreso.*

regreso s. m. *El* ***regreso*** *a casa en automóvil fue lento por culpa de la caravana* (= la vuelta a casa).
SINÓN: retorno, vuelta. ANTÓN: ida, marcha. FAM: *regresar, regresión.*

reguero s. m. *El camión cisterna tenía un agujero e iba dejando a su paso un* ***reguero*** *del líquido que contenía* (= un chorro de líquido).
SINÓN: chorro, rastro, señal. FAM: → *regar.*

regular v. tr. **1.** *El semáforo* ***regula*** *el tránsito en las calles* (= lo ordena y organiza). **2.** *Las leyes* ***regulan*** *los derechos y deberes de los ciudadanos* (= determinan las normas). **3.** *Con los grifos de agua caliente y fría, puedes* ***regular*** *la temperatura a tu gusto* (= la puedes ajustar y modificar como quieras).
SINÓN: **1.** ordenar, organizar. **2.** normalizar, reglamentar. **3.** ajustar. ANTÓN: desordenar, desorganizar.

regular adj. **1.** *Es un inmigrante pero ahora su situación en el país es totalmente* ***regular*** (= es legal). **2.** *El sueño y la comida de este bebé son* ***regulares*** (= duerme y come lo que debe y cuando debe). **3.** *Un polígono es* ***regular*** *cuando sus lados y sus ángulos son iguales.* **4.** Cantar *es un verbo* ***regular*** *porque sigue la regla general en su conjugación.*
SINÓN: **1.** reglado, reglamentado. **2.** normal, uniforme. ANTÓN: **1, 2.** irregular. **2.** anormal, inestable. FAM: *irregular.*

rehabilitación s. f. *Después del accidente tuvo que hacer ejercicios de* ***rehabilitación*** (= tuvo que hacer ejercicios para volver a moverse correctamente).
SINÓN: recuperación. FAM: *rehabilitar.*

rehabilitar v. tr. **1.** *Al* ***rehabilitarlo,*** *pudo ocupar el puesto del que lo habían apartado injustamente* (= al reincorporarlo). **2.** ***Han rehabilitado*** *el viejo edificio que estaba en ruinas* (= lo han vuelto a poner en condiciones para su uso).
SINÓN: **1.** reincorporar, reponer, restablecer. **2.** reparar, restaurar. ANTÓN: **1, 2.** apartar, incapacitar. FAM: *rehabilitación.*

rehacer v. tr. **1.** *He tenido que* ***rehacer*** *mi trabajo porque estaba todo mal* (= volverlo a hacer). ◆ **rehacerse** v. pron. **2.** *Después de la enfermedad, ha tardado mucho tiempo en* ***rehacerse*** (= en ponerse bien del todo).
SINÓN: **1.** repetir. **2.** fortalecerse, reanimarse, restablecerse. ANTÓN: **1.** conservar. **2.** debilitarse. FAM: → *hacer.*

rehén s. m. *Los secuestradores dicen que ejecutarán a sus* ***rehenes*** *si no se paga por ellos un fuerte rescate* (= a sus prisioneros retenidos para obligar a los demás a cumplir lo que piden).
SINÓN: prisionero.

rehuir v. tr. *Yo* ***rehuyo*** *a los perros porque les tengo miedo* (= huyo de ellos).
SINÓN: apartar, eludir, esquivar, evitar, rechazar. ANTÓN: aceptar, acercar. FAM: → *huir.*

rehusar v. tr. ***Rehusé*** *muchas invitaciones por tener mucho trabajo* (= las rechacé).
SINÓN: despreciar, esquivar, rechazar, rehuir. ANTÓN: aceptar, admitir.

reina s. f. **1.** *En los países en que aún hay monarquía, la* ***reina*** *es la esposa del rey.* **2.** *En el juego del ajedrez, la* ***reina*** *es la pieza más importante después del rey.* **3.** *En un enjambre de abejas, la* ***reina*** *es la que pone los huevos.*
FAM: → *rey.*

reinado s. m. *El descubrimiento de América se realizó durante el* ***reinado*** *de los Reyes Católicos en España* (= mientras ellos eran reyes).
SINÓN: gobierno, mandato. FAM: → *rey.*

reinar v. intr. **1.** *Pedro I fue el único monarca que* ***reinó*** *en América* (= que fue rey). **2.** *En mi familia hay un ambiente muy agradable en el que* ***reina*** *la confianza* (= predomina).
SINÓN: **1.** gobernar, mandar. **2.** imperar, predominar, prevalecer. FAM: → *rey.*

reincidir v. intr. *Había dejado el alcohol pero su falta de voluntad lo hizo* ***reincidir*** (= lo hizo volver a caer en ese mal).
SINÓN: recaer. ANTÓN: corregirse, enmendarse.

reincorporar v. tr. *Durante la guerra,* ***reincorporaron*** *a muchos hombres que ya habían abandonado el ejército* (= los volvieron a incorporar).
SINÓN: rehabilitar, reponer. ANTÓN: apartar.

reino s. m. **1.** *España es un* ***reino*** (= es una nación gobernada por un rey). **2.** *Las ciencias naturales dividen los seres de la naturaleza en tres* ***reinos*** *o grupos: el animal, el vegetal y el mineral.*
SINÓN: **1.** monarquía, reinado. FAM: → *rey.*

reintegrar v. tr. **1.** *Como el concierto no se celebró, le* ***reintegraron*** *el dinero que había pagado por la entrada* (= se lo devolvieron todo). ◆ **reintegrarse** v. pron. **2.** *Todos* ***nos reintegramos*** *a las clases después de las vacaciones* (= nos volvemos a incorporar).
SINÓN: **1.** devolver, restituir. **2.** reincorporarse.

reír v. intr. **1.** *Todos* ***reían*** *gracias a los chistes de Manuel* (= celebraban con risas). **2.** *Aquel payaso nos hizo* ***reír*** *toda la tarde* (= nos provocó la risa). ◆ **reírse** v. pron. **3.** ***Nos reímos*** *mucho con sus chistes* (= nos hizo mucha gracia). **4.** *Luis* ***se reía*** *de las manías de su profesor* (= se burlaba de ellas).
SINÓN: **1.** aplaudir, celebrar. **2.** carcajear, sonreír. **4.** burlarse, mofarse, ridiculizar. ANTÓN: llorar. FAM: *irrisorio, risa, risueño, sonreír, sonriente, sonrisa.*

reiterar v. tr. *El acusado* ***reiteró*** *varias veces que era inocente* (= repitió varias veces).
SINÓN: confirmar, repetir.

reivindicar v. tr. **1.** *Los obreros* ***han reivindicado*** *el aumento de salario que les deben* (= han reclamado). **2.** *El grupo terrorista* ***reivindicó*** *el atentado* (= se declaró autor del atentado).
SINÓN: **1.** exigir, pedir, reclamar. ANTÓN: **1.** abandonar, ceder.

reja s. f. *Las ventanas de la cárcel están protegidas con* ***rejas*** *para que no se escapen los presos* (= con barrotes de hierro).
SINÓN: enrejado, verja. FAM: *enrejado, enrejar, rejilla.*

rejilla s. f. **1.** *En el confesionario de la iglesia hay una* ***rejilla*** *a través de la cual hablan el cura y el que se confiesa sin que se vean entre ellos* (= un conjunto de barrotes de madera o hierro cruzados). Amér. Cent., Merid. **2.** *En el patio de mi casa hay dos* ***rejillas*** *para desagotar el agua de la lluvia* (= lámina emparrillada con la que se cubren los sumideros).
FAM: → *reja.*

rejuvenecer v. tr. *Ese peinado te* ***rejuvenece*** (= te hace parecer más joven).
SINÓN: modernizar. ANTÓN: envejecer. FAM: → *joven.*

relación s. f. **1.** *¿Cuál es la* ***relación*** *entre estos dos hechos?* (= su punto en común). **2.** *Pedro ha hecho una* ***relación*** *exacta de lo que vio* (= una narración o relato). **3.** *Alejandro ha roto sus* ***relaciones*** *con María* (= ya no se trata con ella). ◆ **relaciones** s. f. pl. Amér. **4.** *Juan acaba de llegar a la ciudad y ya tiene muchas* ***relaciones*** (= personas amigas o conocidas). R. de la

Plata. **5.** *En las danzas del gato y el pericón, las parejas intercambian* ***relaciones*** (= frases o rimas que se dicen durante las pausas musicales).
SINÓN: **1.** conexión. **2.** narración, relato. **3.** contacto, trato. **4.** amistades, camaradas, colegas, compañeros, conocidos. ANTÓN: **4.** enemigos. FAM: *correlación, relacionar, relativo.*

relacionar v. tr. **1.** *En clase de Geografía,* ***relacionamos*** *el clima con la producción de una zona* (= vemos su relación o dependencia). **2.** *Francisco nos* ***ha relacionado*** *con sus amigos* (= nos ha puesto en contacto con ellos).
SINÓN: **1.** asociar, comparar. **2.** conectar, unir. ANTÓN: aislar, separar. FAM: → *relación.*

relajar v. tr. **1.** *Este masaje* ***relaja*** *los músculos* (= los pone menos tensos). ◆ **relajarse** v. pron. **2.** *Después de trabajar con intensidad necesito* ***relajarme*** (= necesito tranquilizarme). **3.** *Parece que la disciplina del colegio* ***se ha relajado*** (= ya no es tan dura).
SINÓN: **1.** ablandar, aflojar, distender. **2.** distraerse, esparcirse, evadirse, tranquilizarse. **3.** debilitar, disminuir, suavizar. ANTÓN: **1.** endurecer, tensar. **2.** cansarse, entregarse.

relamer v. tr. **1.** *El gato* ***relame*** *su pata* (= pasa la lengua una y otra vez por ella). ◆ **relamerse** v. pron. **2.** *Juan* ***se relamía*** *al ver el pastel* (= pasaba repetidas veces su lengua por los labios).
SINÓN: **1.** chupar, lamer. FAM: → *lamer.*

relámpago s. m. *Durante la tormenta, vimos un* ***relámpago*** *entre las nubes* (= un resplandor producido por una descarga eléctrica).
SINÓN: rayo. FAM: *relampaguear, relampagueo.*

relampaguear v. intr. *Está empezando a* ***relampaguear,*** *así que la tormenta está cerca* (= empieza a haber relámpagos).
SINÓN: centellear. FAM: → *relámpago.*

relampagueo s. m. *Durante la tormenta, al continuo* ***relampagueo*** *le seguían fuertes truenos* (= a la claridad producida por los relámpagos).
FAM: → *relámpago.*

relatar v. tr. *Amparo nos* ***relató*** *su viaje con toda clase de detalles* (= nos lo contó).
SINÓN: contar, narrar, referir. FAM: *relato.*

relativo, a adj. **1.** *He leído un libro* ***relativo*** *a la vida de los peces* (= que trata de eso). **2.** *Lo que dicen es muy* ***relativo,*** *no lo pueden afirmar porque depende de otras cosas* (= no es absoluto, varía según como se mire). **3.** Que, quien, cual, cuyo *son pronombres* ***relativos*** *ya que introducen una oración subordinada.*
SINÓN: **1.** concerniente, referente. ANTÓN: **1.** ajeno. **2.** absoluto, completo, perfecto. FAM: *relación.*

relato s. m. **1.** *El testigo hizo el* ***relato*** *de los hechos* (= el informe detallado). **2.** *Todos estuvimos atentos a su maravilloso* ***relato*** *de aventuras* (= al cuento que nos narró).
SINÓN: **1.** explicación, exposición. **2.** cuento, narración. FAM: *relatar.*

releer v. tr. *Al* ***releer*** *el libro descubrí detalles que no había advertido en la primera lectura* (= al volver a leerlo).
FAM: → *leer.*

relevar v. tr. **1.** *Lo* ***han relevado*** *de su cargo por no cumplir con sus obligaciones* (= lo han echado). **2.** *Es el momento de* ***relevar*** *a quien está haciendo la guardia* (= de reemplazarlo por otra persona). **3.** *Le agradecí que me* ***relevara*** *de tener que asistir a la reunión* (= que me liberara o excusara para no ir).
SINÓN: **1.** echar, expulsar, destituir. **2.** sustituir, reemplazar. ANTÓN: **1.** aceptar, colocar. FAM: *relevo.*

relevo s. m. **1.** *El* ***relevo*** *de la guardia se efectúa cada dos horas* (= el cambio, la sustitución). **2.** *No puede abandonar su puesto hasta que no llegue su* ***relevo*** (= la persona que lo sustituye). ◆ **relevos** s. m. pl. **3.** *Hemos ganado la carrera de* ***relevos*** (= la carrera entre varios equipos cuyos miembros se van sustituyendo después de recorrer determinada distancia).
SINÓN: **1, 2.** cambio, reemplazo, sustitución. FAM: *relevar.*

relieve s. m. **1.** *En el techo de esta sala existen figuras en* ***relieve*** (= que sobresalen). **2.** *Ha escrito obras de mucho* ***relieve*** (= de mucha importancia). **3.** *En geografía estudiamos el* ***relieve*** *de Chile, que es un país muy montañoso* (= el conjunto de accidentes geográficos, como montañas, valles, mesetas, etc.).
ANTÓN: **2.** importancia, mérito.

religión s. f. El Cristianismo, el Islamismo y el Budismo son **religiones** o doctrinas que tienen sus propias normas y que han surgido de las creencias en uno o varios dioses.
ANTÓN: creencia, doctrina. FAM: *religioso.*

religioso, a adj. **1.** *La misa es una ceremonia* ***religiosa*** (= pertenece a la religión). **2.** *Esta persona es muy* ***religiosa,*** *nunca falta a misa* (= practica una religión y cumple con sus obligaciones). ◆ **religioso, a** s. **3.** *Los* ***religiosos*** *son miembros de una orden o comunidad que consagran su vida a Dios.*
SINÓN: **2.** creyente, devoto, fiel, piadoso, virtuoso. **3.** fraile, monje. FAM: *religión.*

relinchar v. intr. *El caballo* ***relincha*** *cuando emite su voz propia.*
FAM: *relincho.*

relincho s. m. *Se oían desde fuera los* ***relinchos*** *del caballo que estaba en la cuadra* (= los sonidos que emite el caballo).
FAM: *relinchar.*

reliquia s. f. **1.** *En esta capilla, se adoran las* ***reliquias*** *de un santo* (= los restos de su cuerpo y los objetos que le pertenecían). **2.** *Estas ruinas son* ***reliquias*** *de la civilización griega* (= son restos).
SINÓN: **1, 2.** restos. **2.** ruinas.

rellano s. m. *Sus viviendas dan al mismo **rellano** de la escalera* (= al espacio claro entre dos tramos de una escalera).
SINÓN: descansillo. **FAM:** → *llano.*

rellena s. f. Amér. Merid., Méx. *Me gustan mucho las **rellenas*** (= embutidos preparados con sangre de cerdo cocida y otros ingredientes).
SINÓN: morcilla. **FAM:** → *lleno.*

rellenar v. tr. *El cocinero **rellenó** el pavo antes de asarlo* (= le metió dentro carne picada, queso y otros ingredientes para hacerlo más sabroso).
SINÓN: llenar. **ANTÓN:** vaciar. **FAM:** → *lleno.*

relleno, a adj. **1.** *Me gustan las aceitunas **rellenas** porque son más sabrosas y no tienen hueso* (= dentro llevan algún ingrediente, como anchoas). ◆ **relleno** s. m. **2.** *Hicimos una guerra de almohadones, se rompió la funda y empezó a salirse todo el **relleno*** (= toda la lana o plumas que llevaba adentro).
FAM: → *lleno.*

reloj s. m. El **reloj** es un dispositivo o mecanismo que mide el tiempo y que indica en cada momento la hora que es.
SINÓN: cronómetro. **FAM:** *relojería, relojero.*

relojería s. f. **1.** *La **relojería** suiza se considera la mejor y más perfecta del mundo* (= el oficio y técnica de hacer relojes). **2.** *Se me descompuso el reloj y lo llevé a la **relojería** para que me lo arreglaran* (= al taller donde se fabrican, arreglan y venden relojes).
FAM: → *reloj.*

relojero, a s. *El **relojero** tiene por oficio reparar y vender relojes.*
FAM: → *reloj.*

reluciente adj. *Hoy hace un sol **reluciente*** (= que brilla mucho).
SINÓN: brillante, resplandeciente. **ANTÓN:** opaco. **FAM:** → *luz.*

relucir v. intr. **1.** *El cielo está claro y el sol **reluce*** (= brilla). ◆ **sacar a relucir 2.** *Le molestó que **sacara a relucir** aquellas viejas historias* (= que dijera de manera inoportuna cosas que no venían al caso).
SINÓN: 1. brillar, centellear, deslumbrar, relumbrar, resplandecer. **2.** decir, descubrir, revelar. **FAM:** → *luz.*

relumbrar v. intr. *La nieve **relumbra** con los rayos del Sol* (= brilla).
SINÓN: brillar, cegar, relucir, resplandecer. **FAM:** → *lumbre.*

remanso s. m. **1.** *Nos bañamos en un **remanso** del río porque donde había corriente era peligroso* (= en el lugar donde se detiene o se hace más lenta una corriente de agua). **2.** *La cima de la montaña era un **remanso** de paz* (= un lugar muy tranquilo).

remar v. intr. *Todos **remamos** a un tiempo con fuerza, y la barca avanzó por el agua bastante rápida* (= movimos los remos para hacerla avanzar por el agua).
FAM: *remo.*

rematar v. tr. **1.** *El granjero **remató** a su caballo herido porque estaba sufriendo y no tenía cura* (= lo acabó de matar). **2.** *El delantero **remató** la pelota con la cabeza* (= la envió hacia el arco contrario). **3.** *Consiguió muy barata esa casa porque la compró en un **remate*** (= una subasta). Amér. **4.** *El próximo sábado **rematarán** la casa de enfrente* (= la venderán al mejor postor). **5.** *En la tienda **rematarán** la ropa de invierno* (= la venderán a bajo precio por el fin de la temporada).
SINÓN: 1. matar. **3. 4.** subastar. **5.** liquidar. **ANTÓN: 1.** revivir. **FAM:** *remate.*

remate s. m. **1.** *Con este **remate** quedará totalmente terminada la obra* (= con este último retoque). **2.** *El **remate** del delantero dio en el poste del arco* (= su lanzamiento al arco). Amér. Merid., Méx. **3.** *Compró un cuadro impresionista en un **remate*** (= venta de una cosa al que ofrece más dinero por ella). **4.** *En el almacén habrá remate de todas las mercancías* (= la venderán a bajo precio). ◆ **de remate 5.** *Estás loco **de remate*** (= estás completamente loco).
SINÓN: 3. subasta. **4.** liquidación. **FAM:** *rematar.*

remediar v. tr. *Tú has sido el causante del problema y tú tendrás que **remediarlo*** (= tendrás que solucionarlo).
SINÓN: arreglar, solucionar. **FAM:** → *remedio.*

remedio s. m. **1.** *El problema se ha complicado tanto que ya no hay **remedio*** (= ya no hay solución). **2.** *Este jarabe es un buen **remedio** contra la tos* (= es un buen medicamento). ◆ **no haber** o **no tener más remedio 3.** *Si sigues con tu mala conducta **no tendré más remedio** que castigarte* (= me obligarás a castigarte).
SINÓN: 1. arreglo, corrección, solución. **2.** medicamento. **FAM:** *irremediable, remediar.*

rememorar v. tr. → **recordar.**

remendar v. tr. *Me tuvieron que **remendar** los pantalones porque me hice un agujero* (= tuvieron que arreglármelos con un parche o trozo de tela para que no se viera el agujero).
SINÓN: arreglar, zurcir. **ANTÓN:** romper. **FAM:** *remiendo.*

remesa s. f. *Esta tienda ha recibido una **remesa** de alimentos en mal estado* (= un conjunto de cosas que se envía de una sola vez).

remiendo s. m. *Con este **remiendo** se tapará el agujero que tienes en la camisa* (= con este parche o trozo de tela cosido encima del agujero).
SINÓN: parche. **FAM:** *remendar.*

remilgo s. m. *No me vengas con **remilgos** y cómete todo, que está muy bueno* (= con manías).
SINÓN: asco, escrúpulo, manía.

reminiscencia s. f. → **recuerdo.**

remitente s. m. *El nombre del **remitente** debe escribirse al dorso del sobre* (= de la persona que envía la carta).
ANTÓN: destinatario. FAM: *remitir.*

remitir v. tr. **1.** *Tienes que **remitir** el cupón a esta dirección* (= debes enviarlo). ◆ **remitirse** v. pron. **2.** *Puedo asegurarte que es cierto, **me remito** a las pruebas, no invento nada* (= me atengo a ellas y a nada más).
SINÓN: **1.** enviar, mandar. **2.** ajustarse, atenerse, ceñirse. ANTÓN: **1.** recibir. FAM: *remitente.*

remo s. m. **1.** *Siempre navegarás más rápido si remas con dos **remos** que con uno solo* (= con dos palas de madera largas y estrechas que sirven para mover las embarcaciones en el agua). **2.** *Hemos visto una competencia de **remo** por la televisión* (= de un deporte náutico que se practica con embarcaciones impulsadas por remos).
FAM: *remar.*

remojar v. tr. *Mi madre **remoja** la ropa muy sucia en agua y jabón antes de lavarla* (= la deja algún tiempo en el agua).
FAM: → *mojar.*

remojo s. m. *Hay que poner las alubias, lentejas y garbanzos en **remojo** antes de cocerlos* (= hay que dejarlos un tiempo en agua).
FAM: → *mojar.*

remojón s. m. *Se cayó a la alberca y se dio un buen **remojón*** (= se mojó de golpe).
SINÓN: chapuzón. FAM: → *mojar.*

remolacha s. f. La **remolacha** es una planta de cuya raíz, comestible, se extrae el azúcar.
SINÓN: betabel, betarraga.

remolcador s. m. *El barco averiado ha sido socorrido por un **remolcador** que lo ha arrastrado hasta el puerto* (= por un barco con un potente motor que arrastra a otros barcos).
FAM: *remolcar.*

remolcar v. tr. *Se nos averió el coche y avisamos a una grúa para que nos **remolcara** hasta un taller* (= para que nos arrastrara).
SINÓN: arrastrar, tirar. FAM: → *remolcador, remolque.*

remolino s. m. **1.** *En este lugar del río el agua hace **remolinos*** (= se agita dando vueltas). **2.** *Andrés se pone la raya de su peinado en el lado derecho porque en el izquierdo tiene un **remolino*** (= un conjunto de pelos que salen en diferentes direcciones y que son difíciles de peinar). **3.** *Alrededor del accidente, se formó un **remolino** de gente* (= una reunión desordenada de gente en un sitio).
SINÓN: **1.** torbellino. **3.** confusión, disturbio, revuelo. ANTÓN: **3.** calma.

remolón, ona adj. *No te hagas el **remolón** y levántate de la cama* (= no seas perezoso).
SINÓN: perezoso. ANTÓN: activo, diligente.

remolque s. m. **1.** *El coche quedó metido en el barro y el **remolque** se tuvo que hacer con una grúa* (= una grúa lo sacó de allí arrastrándolo). **2.** *Este tractor lleva detrás de sí un **remolque** cargado de hierba* (= un vehículo sin motor que es arrastrado por un camión).
FAM: → *remolcar.*

remontar v. tr. **1.** *Al remero de la piragua, le costó mucho esfuerzo **remontar** el río* (= llevar su embarcación aguas arriba en una corriente). ◆ **remontarse** v. pron. **2.** *La construcción de esta catedral **se remonta** al siglo XVIII* (= pertenece a esa época del pasado).
SINÓN: **1.** ascender, elevar, subir. ANTÓN: **1.** bajar, descender. FAM: → *montar.*

remordimiento s. m. *Tengo **remordimientos** por haber sido tan egoísta* (= siento arrepentimiento).
SINÓN: arrepentimiento, preocupación. ANTÓN: consuelo, paz.

remoto, a adj. *En los cuentos infantiles siempre se dice que los hechos sucedieron en un **remoto** país* (= en un país muy lejano).
SINÓN: apartado, distante, lejano, retirado. ANTÓN: cercano.

remover v. tr. ***Remueve** bien el azúcar en el café para que se disuelva pronto* (= agítalo dándole vueltas).
SINÓN: agitar, batir, disolver, revolver. ANTÓN: aquietar. FAM: → *mover.*

remuneración s. f. *En su nuevo trabajo cobra una muy buena **remuneración*** (= cobra un buen sueldo).
SINÓN: paga, honorarios, salario, sueldo.

renacer v. intr. *Las flores **renacen** en primavera* (= vuelven a aparecer).
SINÓN: florecer, reaparecer, revivir. ANTÓN: desaparecer, morir. FAM: → *nacer.*

renacimiento s. m. **1.** *Después de la crisis, se ha producido un **renacimiento** de la economía* (= un resurgimiento). **2.** El **Renacimiento** es un período histórico entre los siglos XV y XVI en el que se produjo un gran desarrollo de las artes, las ciencias y las letras de Europa.
SINÓN: florecimiento, reaparición, renovación, resurgimiento, resurrección. FAM: → *nacer.*

renacuajo s. m. *En la charca, hay **renacuajos** que, aunque no se parezcan en nada, se convertirán más tarde en ranas* (= son ranas en período de desarrollo).

renal adj. *Tiene que beber mucha agua porque tiene una enfermedad **renal*** (= de los riñones).

rencor s. m. *No hay que sentir **rencor** hacia quien nos ha hecho algún mal, sino intentar perdonarlo* (= sentir odio y deseos de venganza).
SINÓN: desprecio, odio, rabia. ANTÓN: afecto, cariño. FAM: *rencoroso.*

rencoroso, a adj. *Es muy **rencoroso** y no olvida ni perdona el mal que le hayan podido hacer* (= es muy vengativo y nunca perdona).
SINÓN: hostil, vengativo. ANTÓN: caritativo, piadoso. FAM: *rencor.*

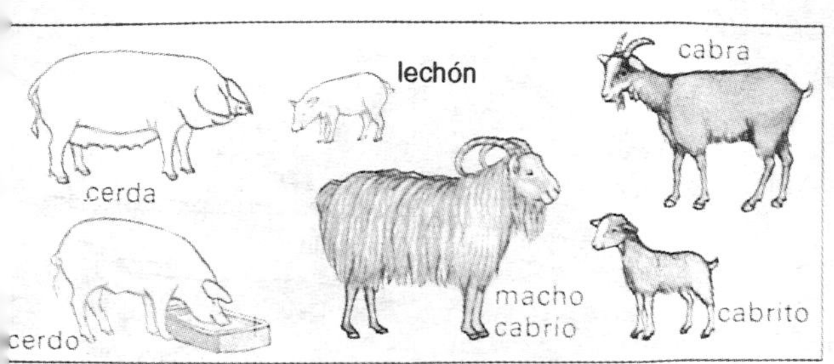
lechón
cabra
cerda
macho cabrío
cabrito
cerdo

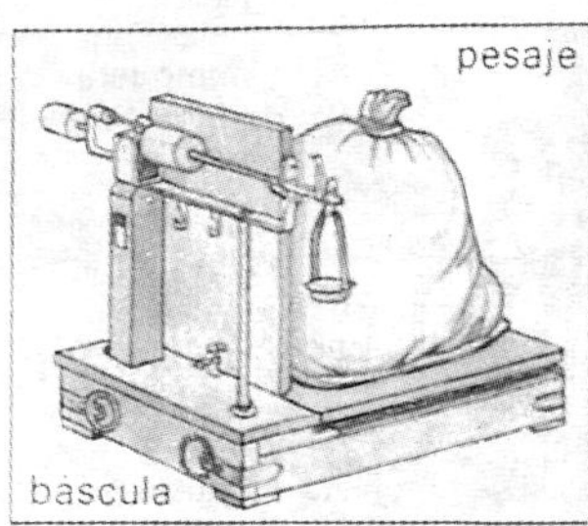
pesaje
báscula

MÁQUINAS AGRÍCOLAS
caballos
agricultores
feria agrícola
bovino
ganado

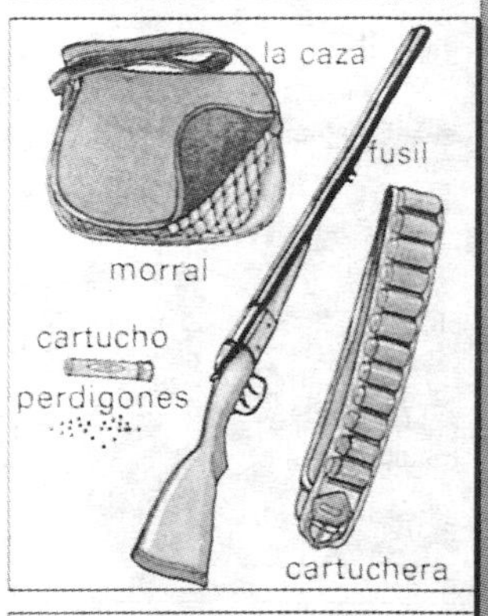
la caza
fusil
morral
cartucho
perdigones
cartuchera

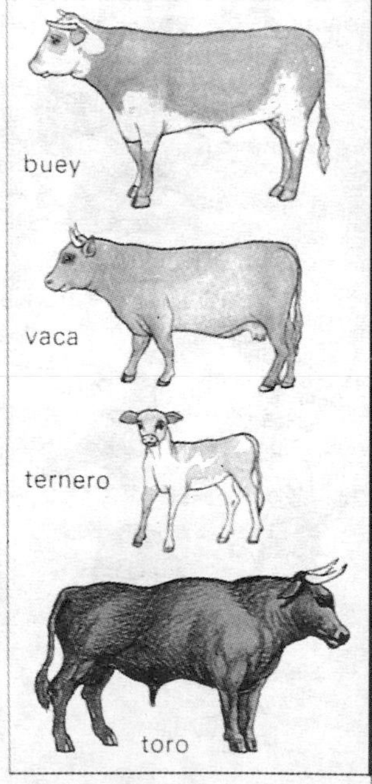
buey
vaca
ternero
toro

mulo
carnero
borrego
recado o apero
burro
oveja
cordero

manguera
de insecticida
árbol
frutal
hoz
guadaña
rastrillo
dientes
mango
horquilla
azada
apicultura
colmena
panal
celdillas
abeja
animales de corral
pavo
ganso
paloma
cresta
gallo
gallina
pato
gallineta
pintada
conejo
silos
granjera
corral
gallinas
abrevadero o
bebedero
estanque

camión para transporte
de animales

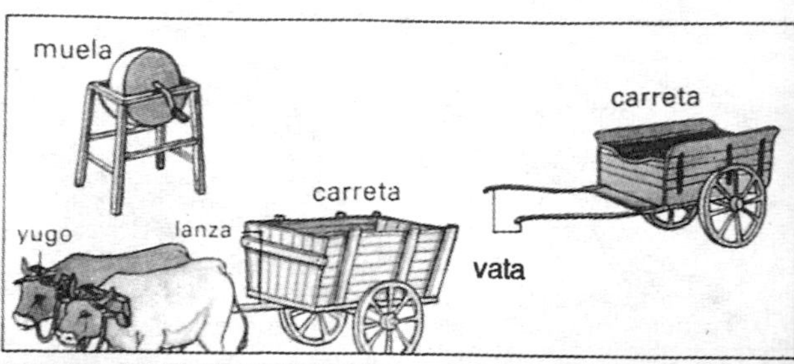
muela
carreta
carreta
yugo
lanza
vata

cobertizo del material
polea
pocilga
granero
tractor
gato

recolección de aceitunas
escalera

recolección de naranjas
cesta o
canasto

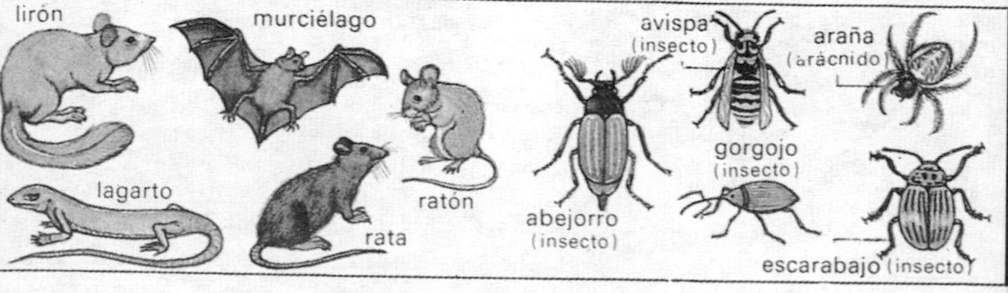
lirón
murciélago
avispa
(insecto)
araña
(arácnido)
gorgojo
(insecto)
lagarto
ratón
rata
abejorro
(insecto)
escarabajo (insecto)

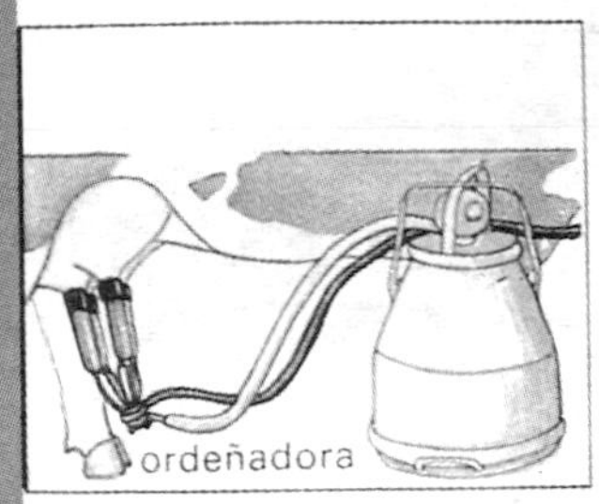
ordeñadora

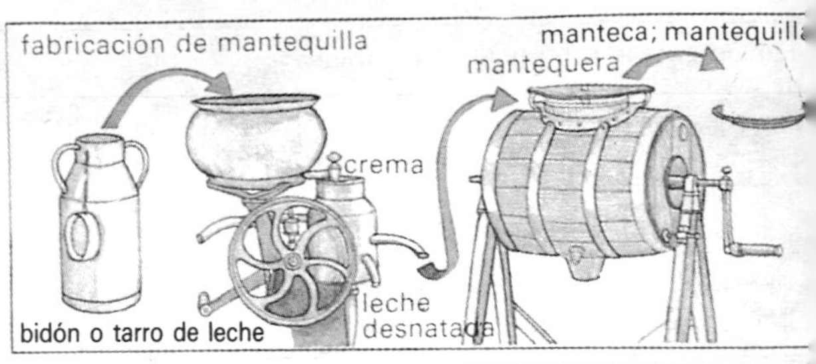
fabricación de mantequilla
manteca; mantequilla
mantequera
crema
leche
desnatada
bidón o tarro de leche

pastizal
alambrado

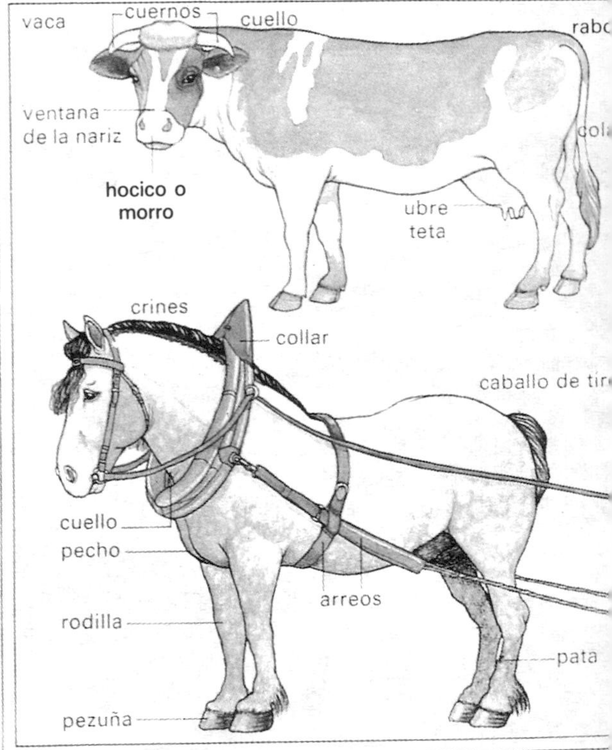
vaca
cuernos
cuello
rabo
ventana
de la nariz
hocico o
morro
ubre
teta
crines
collar
caballo de tiro
cuello
pecho
arreos
rodilla
pata
pezuña

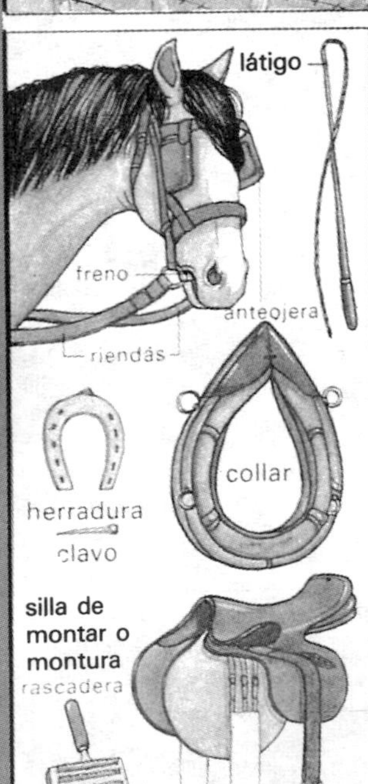
látigo
freno
anteojera
riendas
herradura
clavo
collar
silla de
montar o
montura
rascadera
cincha
estribo

cuadra
tabique
pesebre
paja

rendija s. f. *Observé a escondidas, por la* ***rendija*** *de la puerta, lo que estaba haciendo* (= por la abertura larga y estrecha que queda entre la puerta y la pared).
SINÓN: abertura, grieta, ranura.

rendido, a adj. *He estado trabajando durante todo el día y estoy* ***rendida*** (= muy cansada).
SINÓN: agotado, cansado, fatigado. **ANTÓN:** descansado. **FAM:** *rendir.*

rendir v. tr. **1.** *El dinero en el banco le* ***rinde*** *buenos intereses* (= le proporciona). **2.** *Este paseo me ha dejado* ***rendido,*** *estoy agotado* (= me ha cansado mucho). ◆ **rendir** v. intr. **3.** *Estudia bastante pero no* ***rinde*** *lo suficiente* (= no da los resultados que debería). ◆ **rendirse** v. pron. **4.** *Los soldados* ***se han rendido*** (= han abandonado el combate).
SINÓN: 1. proporcionar. **2.** agotar, cansar, fatigar. **ANTÓN: 2.** descansar. **FAM:** *rendido.*

renegar v. intr. **1.** ***Renegó*** *de su patria y de su religión para adoptar otras más acordes con sus ideas* (= rechazó las suyas propias para adoptar otras). **2.** *No lo dejaron salir y se quedó en casa* ***renegando*** (= protestando y refunfuñando).
SINÓN: 1. detestar, rechazar, renunciar, repudiar. **2.** gruñir, protestar, quejarse, refunfuñar. **ANTÓN: 1.** reafirmar. **FAM:** → *negar.*

renglón s. m. *Al leer aquella página se saltó un* ***renglón*** (= una línea escrita).
SINÓN: línea.

renguear v. intr. Amér. *A causa del golpe, Juan* ***renguea*** *de la pierna izquierda* (= camina moviendo una pierna con dificultad).
SINÓN: cojear.

renguera s. f. Amér. *Pedro camina con la ayuda de un bastón a causa de su* ***renguera*** (= dificultad para caminar).
SINÓN: cojera. **FAM:** → *renguear.*

reno s. m. Los **renos** son animales parecidos a los ciervos, que viven en los países fríos.

renovación s. f. *Solicitó la* ***renovación*** *de su pasaporte porque ya estaba vencido* (= que le dieran uno nuevo).
SINÓN: revalida. **ANTÓN:** conservación. **FAM:** → *nuevo.*

renovador, a adj. *Es una persona muy* ***renovadora*** *que siempre quiere cambiar y modernizarlo todo* (= es muy innovador).
SINÓN: moderno, progresista. **ANTÓN:** antiguo. **FAM:** → *nuevo.*

renovar v. tr. **1.** *Desde que* ***renovaron*** *la vieja tienda, parece otra y tiene más clientes* (= la reformaron y la dejaron como nueva). **2.** *Tengo que* ***renovar*** *el carné de conductor porque lo tengo vencido* (= tengo que actualizarlo). **3.** *Esta empresa* ***ha renovado*** *su personal* (= lo ha cambiado).
SINÓN: 1. modernizar, reformar, restaurar. **2.** actualizar. **3.** cambiar. **ANTÓN:** conservar. **FAM:** → *nuevo.*

renta s. f. **1.** *No trabaja porque tiene mucho dinero y vive de sus* ***rentas*** (= de los beneficios que le produce su dinero en el banco). **2.** *Mi tía paga una* ***renta*** *elevada por el alquiler de la casa en la que vive* (= el alquiler que tiene que pagar periódicamente al propietario).
SINÓN: 1. beneficio, ganancia. **2.** alquiler. **FAM:** *rentable, rentar.*

rentable adj. *Este señor tiene un negocio* ***rentable*** (= que le produce beneficios).
SINÓN: productivo. **ANTÓN:** improductivo. **FAM:** → *renta.*

rentar v. tr. **1.** *El dinero que mi padre tenía en el banco le* ***rentaba*** *algún beneficio cada año* (= le producía). **2.** *Como no podían comprar una casa la* ***rentaron*** (= la alquilaron).
SINÓN: 1. producir, proporcionar. **2.** alquilar. **ANTÓN: 1.** perder. **FAM:** → *renta.*

renunciar v. tr. **1.** *Tuvo que* ***renunciar*** *a sus planes porque cayó enfermo* (= tuvo que abandonarlos). **2.** ***Renunció*** *a su herencia porque dijo que no se la merecía* (= la rechazó aunque tenía derecho a ella).
SINÓN: 1. abandonar, desistir. **2.** rechazar, rehusar. **ANTÓN: 1.** mantener, persistir. **2.** aceptar, admitir. **FAM:** → *anunciar.*

reñido, a adj. **1.** *La competencia estuvo muy* ***reñida*** *porque todos los deportistas lucharon al máximo* (= era difícil de ganar). **2.** *Lo útil no está* ***reñido*** *con lo bello* (= no es incompatible con lo bello).
SINÓN: 1. disputado, encarnizado, igualado. **2.** opuesto, incompatible. **FAM:** → *reñir.*

reñir v. tr. **1.** *El padre* ***riñó*** *a su hijo por desobedecer* (= lo regañó). ◆ **reñir** v. intr. **2.** *Pablo* ***ha reñido*** *con su novia y ya no salen juntos* (= se ha enojado con ella y ha roto sus relaciones).
SINÓN: 1. regañar, reprender. **2.** enojarse, romper. **ANTÓN: 2.** reconciliarse. **FAM:** *riña.*

reo, a s. *El* ***reo*** *fue sentenciado a dos años de cárcel* (= la persona acusada de un delito en un juicio).

reojo *Me miró* ***de reojo*** *para que no me diera cuenta de que me miraba* (= con disimulo).
SINÓN: refilón (de). **FAM:** → *ojo.*

reparación s. f. *La* ***reparación*** *del coche nos ha costado muy cara* (= el arreglo).
SINÓN: arreglo, reforma, restauración. **FAM:** *reparar.*

reparar v. tr. **1.** *Tras* ***reparar*** *el tejado ya no hay goteras en la casa* (= después de arreglarlo). **2.** *Le regaló un ramo de flores para* ***reparar*** *su falta de cortesía* (= para corregir su falta). ◆ **reparar** v. intr. **3.** *No* ***reparó*** *en que el coche de delante frenó de repente y chocó contra él* (= no se dio cuenta).

SINÓN: 1. arreglar, componer, restaurar. **2.** corregir, remediar. **3.** advertir, percatarse, percibir. **ANTÓN: 1.** descomponer, estropear. **2.** agraviar, ofender. **FAM:** *reparación.*

reparo s. m. *No pongas tantos* ***reparos,*** *no lo ha hecho tan mal* (= no le busques tantas faltas). **SINÓN:** falta, objeción, traba.

repartición s. f. *La* ***repartición*** *del dinero fue justa pues se dividió en partes iguales* (= la distribución).
SINÓN: distribución, división, reparto.

repartidor, a s. *Roberto es* ***repartidor*** *en un supermercado* (= lleva la compra a los domicilios). **FAM:** → *reparto.*

repartir v. tr. **1.** *Mi madre* ***repartió*** *la comida entre todos* (= la dividió en trozos y nos la sirvió). **2.** *El cartero* ***reparte*** *las cartas a los domicilios* (= las distribuye).
SINÓN: 1. dividir, partir. **2.** distribuir. **ANTÓN: 1.** unir. **FAM:** → *reparto.*

reparto s. m. **1.** *Esta noche se hará la ceremonia del* ***reparto*** *de premios* (= se dará a cada uno su premio). **2.** *Esta película tiene un excelente* ***reparto,*** *en ella actúan los mejores actores del momento* (= el conjunto de los actores que intervienen).
SINÓN: 1. distribución, repartición. **FAM:** *repartidor, repartir.*

repasar v. tr. **1.** *Al* ***repasar*** *las cuentas vi que había un error* (= al volverlas a mirar para ver si estaban bien). **2.** *Ya he estudiado para el examen pero tengo que* ***repasar*** *un poco* (= volver a leer para retenerlo en la memoria o acabar de comprenderlo).
SINÓN: 1. comprobar, examinar. **1, 2.** revisar. **2.** releer. **FAM:** → *pasar.*

repaso s. m. **1.** *Hizo un* ***repaso*** *de la lista de la compra para ver si faltaba algo* (= hizo una comprobación). **2.** *Antes del examen, doy un* ***repaso*** *a las lecciones que ya he estudiado* (= las vuelvo a leer y revisar para retenerlas).
SINÓN: 1. comprobación, inspección, revisión. **2.** relectura, revisión. **FAM:** → *pasar.*

repatriar v. tr. *El gobierno* ***ha repatriado*** *a las personas que tuvieron que huir durante la guerra* (= les ha facilitado el regreso).
ANTÓN: desterrar.

repelente adj. **1.** *No podía soportar aquel olor tan* ***repelente*** *y me marché* (= tan repugnante y asqueroso). **2.** *Es un niño* ***repelente,*** *siempre quiere sobresalir dando respuestas a todo* (= es un niño insoportable). **3.** *En las noches de verano me paso por la piel un* ***repelente*** *de insectos* (= un líquido que ahuyenta los mosquitos).
SINÓN: 1. asqueroso, repugnante. **2.** pedante, sabelotodo, sabihondo. **ANTÓN: 1.** agradable, atractivo. **FAM:** *repeler.*

repeler v. tr. **1.** *Los soldados* ***repelieron*** *el ataque enemigo* (= lo rechazaron). **2.** *Las serpientes me* ***repelen,*** *no puedo ni verlas* (= me causan repugnancia).
SINÓN: 1. echar, rechazar. **2.** aborrecer, despreciar, repugnar. **ANTÓN: 1.** aceptar, admitir. **2.** atraer, gustar. **FAM:** *repelente.*

repente *Estábamos tan tranquilos y* ***de repente,*** *sonó el teléfono* (= de golpe, sin esperarlo). **FAM:** *repentino.*

repentino, a adj. *Tuvo una muerte* ***repentina*** *que nadie esperaba porque gozaba de buena salud* (= rápida e inesperada).
SINÓN: brusco, inesperado, instantáneo, rápido, súbito. **ANTÓN:** lento, previsto, tardío. **FAM:** *repente (de).*

repercutir v. intr. **1.** *Esos golpes de tambor* ***repercuten*** *en mi cabeza y no puedo concentrarme* (= su sonido retumba en mi cabeza). **2.** *Los vicios y malas costumbres* ***repercuten*** *negativamente en la salud* (= la afectan).
SINÓN: 1. resonar, retumbar. **2.** afectar, causar, implicar, influir.

repertorio s. m. *Este cantante tiene un amplio* ***repertorio*** *de canciones* (= canta una amplia lista de canciones).
SINÓN: índice, lista.

repetición s. f. *Después de varias* ***repeticiones*** *el coro consiguió una perfecta interpretación de la pieza musical* (= de haberla cantado varias veces).
FAM: → *repetir.*

repetidor, a adj. **1.** *En mi clase hay algunos alumnos* ***repetidores*** (= que hacen por segunda vez el mismo curso). ◆ **repetidora** s. f. **2.** *Gracias a la* ***repetidora*** *que instalaron en lo alto de la montaña podemos ver bien la televisión* (= al aparato electrónico o estación de radio o televisión que retransmite por ondas las señales recibidas de una estación principal).
FAM: → *repetir.*

repetir v. tr. **1.** *He tenido que* ***repetir*** *mi ejercicio porque la primera vez lo hice mal* (= he tenido que hacerlo de nuevo). ◆ **repetir** v. intr. **2.** *Los macarrones estaban tan buenos que* ***repetí*** (= que me comí otro plato de lo mismo).
SINÓN: 1. rehacer, reiterar, reproducir. **FAM:** *repetición, repetidor.*

repicar v. tr. *En mi pueblo, el día de la fiesta, el sacristán* ***repica*** *las campanas* (= las hace sonar rítmica y repetidamente).
SINÓN: repiquetear, resonar. **FAM:** → *picar.*

repiquetear v. tr. → **repicar.**

repiqueteo s. m. *El* ***repiqueteo*** *de las campanas de la iglesia anuncia alguna función religiosa* (= el sonido rápido y rítmico de las campanas).

repisa s. f. *Esta estantería tiene cuatro* ***repisas*** *o estantes* (= cuatro placas horizontales colo-

cadas contra la pared que sirven para colocar en ellas objetos).
SINÓN: estante. **FAM:** → *pisar.*

repleto, a adj. *El salón de actos estaba **repleto** de gente* (= estaba lleno y no cabía nadie más).
SINÓN: colmado, lleno. **ANTÓN:** vacío.

réplica s. f. **1.** *Recibió duras **réplicas** que afirmaban lo contrario de lo que él defendía* (= contestaciones). **2.** *Este pintor ha hecho una **réplica** exacta de un cuadro de su pintor favorito* (= una copia exacta).
SINÓN: **1.** contestación, objeción, respuesta. **2.** copia, duplicado.

replicar v. tr. **1.** *Este niño siempre **replica** a las personas mayores* (= protesta cuando le mandan hacer algo). ◆ **replicar** v. intr. **2.** *Le **he replicado*** (= he rechazado sus argumentos).
SINÓN: **1.** oponerse, protestar. **2.** argumentar, rechazar. **ANTÓN:** **1.** obedecer. **2.** aceptar.

repoblación s. f. *Gracias a la **repoblación** de pinos que se hizo después del incendio, vuelve a haber árboles en esta zona* (= gracias a que se plantaron árboles de nuevo).
SINÓN: cultivo, siembra, trasplante. **FAM:** → *pueblo.*

repoblar v. tr. *Si las autoridades no **hubieran repoblado** el monte, ahora estaría sin árboles* (= si no hubieran plantado árboles).
SINÓN: plantar, poblar, sembrar. **ANTÓN:** despoblar. **FAM:** → *pueblo.*

repollo s. m. El **repollo** es una col con las hojas muy apretadas.

reponer v. tr. **1.** *Juan **ha repuesto** el dinero que había sacado del banco* (= lo ha vuelto a poner). **2.** *Como tuvo mucho éxito, la compañía de teatro **ha repuesto** la obra* (= la ha vuelto a representar). **3.** *Cuando se lo pregunté **repuso** que él no había sido* (= contestó que él no había sido). ◆ **reponerse** v. pron. **4.** *Juan **se ha repuesto** completamente de su enfermedad* (= se ha recuperado).
SINÓN: **1.** devolver, restituir. **3.** contestar, replicar. **4.** fortalecer, mejorar, restablecer, sanar. **ANTÓN:** **1, 2.** quitar. **4.** empeorar. **FAM:** → *poner.*

reportaje s. m. *¿Has leído el **reportaje** del periódico sobre el aterrizaje en la luna?* (= ¿has leído el artículo del periódico?).
SINÓN: artículo, crónica, noticia. **FAM:** *reportero.*

reportar v. tr. *Este negocio no me **ha reportado** ningún beneficio* (= este negocio no me ha proporcionado ninguna ganancia).
SINÓN: acarrear, producir, traer.

reportero, a s. *El periódico envió al lugar de los hechos a un **reportero** que se encargará de mandar la información* (= envió a un periodista).
SINÓN: corresponsal, cronista, periodista. **FAM:** *reportaje.*

reposado, a adj. *Como es tan **reposado** no se pone nervioso por nada* (= es muy tranquilo).
SINÓN: sereno, sosegado, tranquilo. **ANTÓN:** intranquilo.

reposar v. intr. **1.** *Como has trabajado mucho **reposa** un momento* (= descansa un momento). **2.** *Hay que guardar silencio porque el enfermo está **reposando*** (= está durmiendo). **3.** *Mi abuelo murió en Madrid pero su cuerpo **reposa** en Veracruz* (= su cuerpo está enterrado en Veracruz).
SINÓN: **1.** descansar, parar. **2.** dormir. **ANTÓN:** **1.** trabajar. **FAM:** *reposo.*

reposo s. m. *Necesito un poco de **reposo** después de tanto ajetreo* (= necesito un poco de tranquilidad).
SINÓN: calma, paz, quietud, tranquilidad. **ANTÓN:** inquietud, movimiento. **FAM:** *reposar.*

reprender v. tr. *¿Por qué me **has reprendido** si no he hecho nada malo?* (= ¿por qué me has reñido?).
SINÓN: regañar, reñir, reprochar. **ANTÓN:** alabar, elogiar, felicitar. **FAM:** → *prender.*

represa s. f. Amér. Merid. *El gobierno decidió construir una **represa** sobre el río* (= construcción para embalsar el agua de un río).
SINÓN: dique, embalse, presa. **FAM:** → *prender.*

representación s. f. **1.** *Habló ante el alcalde en **representación** de todos los vecinos* (= una sola persona explicó al alcalde la opinión del pueblo). **2.** *Es la primera **representación** de esta obra de teatro* (= es la primera puesta en escena).
SINÓN: **1.** delegación. **2.** función. **FAM:** → *representar.*

representante s. m. f. *Como el Presidente no podía asistir a la reunión ha enviado un **representante** en su lugar* (= ha enviado un delegado).
SINÓN: agente, delegado, embajador. **FAM:** → *representar.*

representar v. tr. **1.** *Este dibujo **representa** el paisaje de la región* (= reproduce el paisaje de la región). **2.** *Los actores **representan** un papel en la obra de teatro* (= interpretan un papel). **3.** *Eduardo **representa** al presidente en esta reunión* (= actúa en nombre del presidente).
SINÓN: **1.** mostrar, reproducir. **2.** interpretar. **FAM:** *representación, representante.*

represión s. f. *En aquella situación de **represión** el pueblo no podía decir lo que pensaba* (= en aquella situación de falta de libertad).
ANTÓN: libertad, permiso. **FAM:** *reprimir.*

reprimir v. tr. *No pudo **reprimir** las lágrimas y se puso a llorar* (= no pudo aguantar las lágrimas).
SINÓN: aguantar, contener, frenar, impedir. **ANTÓN:** estallar, liberar. **FAM:** *represión.*

reprobar v. tr. *Me **reprobaron** en el examen de matemática* (= no me aprobaron en el examen).
SINÓN: aplazar, bochar.

reprochar v. tr. *Le* ***ha reprochado*** *su falta de compañerismo* (= se lo ha echado en cara).
SINÓN: censurar, condenar, regañar. **ANTÓN:** alabar, elogiar. **FAM:** *reproche.*

reproche s. m. *Merece nuestros* ***reproches*** *por su conducta grosera* (= merece nuestras críticas).
SINÓN: censura, crítica, protesta. **ANTÓN:** alabanza, elogio, felicitación. **FAM:** *reprochar.*

reproducción s. f. **1.** *La* ***reproducción*** *de las aves se realiza a través de huevos* (= tienen sus crías de esa manera). **2.** *Este dibujo es la* ***reproducción*** *de un cuadro* (= es la copia).
SINÓN: 1. multiplicación. **2.** copia, imitación. **ANTÓN: 2.** original. **FAM:** → *producir.*

reproducir v. tr. **1.** *El grabador* ***reproduce*** *el sonido una vez grabado* (= lo repite). **2.** *Las fotocopias* ***reproducen*** *textos o dibujos* (= copian textos o dibujos). ◆ **reproducirse** v. pron. **3.** *Los pájaros* ***se reproducen*** *a través de los huevos* (= dan vida a otros pájaros a través de los huevos).
SINÓN: 1. repetir. **2.** copiar. **3.** multiplicarse, procrear. **FAM:** → *producir.*

reptar v. intr. *Las serpientes* ***reptan*** (= avanzan arrastrándose sobre el vientre).
SINÓN: arrastrar, deslizarse. **FAM:** *reptil.*

reptil s. m. *Las serpientes, las culebras y los lagartos son* ***reptiles*** (= son animales que avanzan arrastrándose).
FAM: *reptar.*

república s. f. La **república** es una forma de gobierno democrático en el cual el presidente es elegido por los ciudadanos.
FAM: *republicano.*

republicano, a adj. *Este país tiene un gobierno* ***republicano*** *porque su presidente ha sido elegido por todos los ciudadanos.*
FAM: *república.*

repuesto adj. **1.** *Después de un mes en la clínica, volvió al trabajo* ***repuesto*** *de su enfermedad* (= ya estaba recuperado). ◆ **repuesto** s. m. **2.** *El señor Pérez tiene una tienda de* ***repuestos*** *para el automóvil* (= tiene una tienda de piezas que pueden sustituir a las que están averiadas). ◆ **de repuesto 3.** *Los coches llevan siempre una rueda* ***de repuesto*** (= llevan una rueda de recambio).
SINÓN: 2. accesorio, recambio. **FAM:** → *poner.*

repugnancia s. f. *Las arañas me producen una gran* ***repugnancia*** (= me dan asco).
SINÓN: asco, odio. **ANTÓN:** atracción. **FAM:** → *pugna.*

repugnante adj. *¿De dónde procede ese olor tan* ***repugnante****?* (= ¿de dónde procede ese olor tan desagradable?).
SINÓN: asqueroso, desagradable, repelente. **ANTÓN:** agradable, bueno, grato. **FAM:** → *pugna.*

reputación s. f. *A este médico lo conoce todo el mundo, tiene muy buena* ***reputación*** (= tiene mucha fama).
SINÓN: fama, prestigio, renombre.

requerir v. tr. *Algunas plantas* ***requieren*** *muchos cuidados* (= necesitan mucho cuidado).
SINÓN: necesitar, precisar.

requesón s. m. El **requesón** es una masa blanca que se extrae de la leche cuajada.
FAM: → *queso.*

requisito s. m. *El único* ***requisito*** *que se le exigía para darle el puesto de trabajo era tener el título* (= lo único que se le pedía).
SINÓN: condición, exigencia.

res s. f. *El pastor sacó las* ***reses*** *a pastar* (= sacó los animales a pastar).
SINÓN: animal.

resaca s. f. **1.** *Cuando el mar tiene* ***resaca*** *es peligroso bañarse* (= cuando las olas empujan hacia dentro). **2.** *Como bebí mucho alcohol anoche, ahora tengo* ***resaca*** (= tengo malestar).
SINÓN: 1. marea. **2.** cruda. **FAM:** → *sacar.*

resaltar v. intr. *Como es la única casa pintada de verde,* ***resalta*** *entre las demás* (= llama la atención).
SINÓN: destacar. **FAM:** → *saltar.*

resbaladizo, a adj. **1.** *La piel de los peces es* ***resbaladiza*** (= se escurre entre las manos). **2.** *Cuidado con el hielo porque pone la calle* ***resbaladiza*** (= la pone deslizante).
SINÓN: deslizante, escurridizo. **FAM:** → *resbalar.*

resbalar v. intr. **1.** *Cuando caminaba sobre el hielo* ***resbalé*** *y me caí* (= me deslicé y me caí). ◆ **resbalarse** v. pron. **2.** ***Se me resbaló*** *el vaso y se me cayó* (= se me escurrió y se me cayó).
SINÓN: 1. deslizar. **2.** escurrir. **FAM:** *resbaladizo, resbalón.*

resbalón s. m. *Juan pisó la cáscara de una banana y del* ***resbalón*** *cayó al suelo* (= perdió el equilibrio).
SINÓN: deslizamiento, patinazo. **FAM:** → *resbalar.*

rescatar v. tr. ***Han rescatado*** *a los rehenes aprovechando un descuido de sus vigilantes* (= los han liberado).
SINÓN: liberar, recuperar, salvar. **ANTÓN:** retener, secuestrar. **FAM:** *rescate.*

rescate s. m. **1.** *Varios grupos de* ***rescate*** *inspeccionan la zona para encontrar a dos montañistas perdidos* (= grupos de salvamento). **2.** *Los que secuestraron al niño pidieron un* ***rescate*** *por su liberación* (= pidieron una cantidad de dinero).
SINÓN: 1. liberación, recuperación, salvamento. **ANTÓN: 1.** pérdida. **2.** secuestro. **FAM:** *rescatar.*

resecar v. tr. *Cuando va a la playa se pone crema porque el sol* ***reseca*** *la piel* (= le hace perder su humedad natural).
SINÓN: secar. **ANTÓN:** humedecer. **FAM:** → *seco.*

reseco, a adj. *Como no ha llovido en todo el verano este terreno está **reseco*** (= está muy seco).
ANTÓN: húmedo. FAM: → *seco.*

resentirse v. pron. *Todavía **se resiente** del golpe que se dio en la pierna* (= todavía le duele).
SINÓN: debilitarse.

reserva s. f. **1.** *Aunque den la película mañana, podemos hacer hoy la **reserva** de localidades* (= pueden guardarnos las entradas para no quedarnos sin ellas). **2.** *No te preocupes porque se gaste el azúcar, porque tengo más de **reserva*** (= tengo más de repuesto). **3.** *Miguel muestra mucha **reserva** en sus palabras porque no confía en nosotros* (= tiene mucho cuidado al hablar). **4.** *Todos los países tienen una **reserva** ecológica para proteger su flora y su fauna.*
SINÓN: **1.** reservación. **3.** cautela, discreción, precaución, prudencia. ANTÓN: **3.** imprudencia, indiscreción. FAM: → *reservar.*

reservado, a adj. **1.** *Como es tan **reservado** nunca se sabe lo que piensa* (= es muy callado). **2.** *Esta botella está **reservada** para una fiesta* (= está guardada para una fiesta). ◆ **reservado** s. m. **3.** *Para estar más tranquilos cenaremos en un **reservado** del restaurante* (= en una habitación sólo para nosotros).
SINÓN: **1.** callado, silencioso. ANTÓN: **1.** parlanchín. FAM: → *reservar.*

reservar v. tr. **1.** *Mi tío **reservó** unas botellas de vino para beberlas por Navidad* (= las guardó). **2.** *Me **reservo** mi opinión sobre este tema* (= callo mi opinión).
SINÓN: **1.** conservar, guardar, retirar. **2.** callar, esconder, ocultar, silenciar. ANTÓN: **1.** sacar, usar. FAM: *reserva, reservado.*

resfriado s. m. *Raúl sufre un fuerte **resfriado** y no para de toser* (= sufre una enfermedad poco grave que lo hace estornudar y toser).
SINÓN: catarro, constipado, resfrío. FAM: → *frío.*

resfriarse v. pron. *¡Abrígate más si no quieres **resfriarte**!* (= ¡abrígate más si no quieres ponerte enfermo!).
SINÓN: acatarrarse. FAM: → *frío.*

resguardar v. tr. **1.** *El toldo nos **resguarda** del sol* (= nos protege del sol). ◆ **resguardarse** v. pron. **2.** *Durante la tormenta **nos resguardamos** de la lluvia en una cueva* (= nos protegimos).
SINÓN: amparar(se), defender(se), proteger(se). FAM: → *guardar.*

resguardo s. m. *Aquella cueva nos sirvió de **resguardo** de la lluvia* (= nos sirvió de protección).
SINÓN: protección, refugio. FAM: → *guardar.*

residencia s. f. **1.** *Tiene su lugar de **residencia** en el centro de la ciudad* (= tiene su domicilio en el centro). **2.** *Mi hermano vive en una **residencia** de estudiantes* (= vive en un edificio con varios estudiantes).
SINÓN: **1.** domicilio. **2.** casa, hogar. FAM: → *residir.*

residencial adj. *Mi tía vive en un barrio **residencial*** (= vive en un barrio donde se encuentran las viviendas lujosas).
FAM: → *residir.*

residente adj. *Aunque Carlos nació en México es **residente** de los Estados Unidos* (= es habitante de los Estados Unidos).
SINÓN: habitante. FAM: → *residir.*

residir v. intr. *Desde que mis tíos **residen** en Caracas los veo muy a menudo* (= desde que viven en Caracas).
SINÓN: habitar, vivir. FAM: *residencia, residencial, residente.*

residuo s. m. *La ceniza es el **residuo** de la leña quemada* (= es lo que queda de la leña).
SINÓN: resto.

resignación s. f. *Esta persona acepta con **resignación** su desgracia* (= acepta con paciencia su desgracia).
SINÓN: conformidad, humildad, paciencia. ANTÓN: rebeldía. FAM: *resignarse.*

resignarse v. pron. *Juan no estaba de acuerdo con su calificación pero **se resignó*** (= la aceptó en contra de su voluntad).
SINÓN: aguantarse, conformarse, someterse. ANTÓN: rebelarse. FAM: *resignación.*

resina s. f. La **resina** es una sustancia pegajosa que se extrae de los pinos.

resistencia s. f. **1.** *Puso mucha **resistencia** a que lo sacaran de allí* (= puso mucha oposición). **2.** *Este atleta tiene gran **resistencia** física, no se cansa nunca* (= tiene mucha fuerza).
SINÓN: **1.** negativa, oposición. **2.** fortaleza, fuerza, vigor. ANTÓN: **2.** debilidad, fragilidad. FAM: → *resistir.*

resistente adj. *Para construir el puente han empleado materiales muy **resistentes*** (= han empleado materiales muy fuertes).
SINÓN: firme, fuerte, potente. ANTÓN: blando, débil. FAM: → *resistir.*

resistir v. tr. **1.** *El barco está viejo pero **resistió** la tormenta* (= la soportó sin romperse). **2.** *No debía comerlos, pero no pude **resistir** la tentación de comer bombones* (= no pude rechazarlos). ◆ **resistirse** v. pron. **3.** ***Se resiste** a creer lo que le he contado* (= no quiere creerme).
SINÓN: **1.** aguantar, soportar. **2.** rechazar, rehusar. ANTÓN: **1.** ceder, sucumbir. FAM: *irresistible, resistencia, resistente.*

resolución s. f. *Adoptó la **resolución** de no comer dulces* (= tomó la decisión de no comer dulces).
SINÓN: decisión.

resolver v. tr. **1.** *¿**Has resuelto** este problema?* (= ¿has encontrado la solución?). **2.** *No sabía si salir o quedarme; al final **resolví** salir de vacaciones* (= decidí salir de vacaciones).

3. *Mi padre* ***resuelve*** *todas mis dudas* (= me las aclara).
SINÓN: 1. solucionar. **2.** decidir, determinar. **3.** aclarar. **ANTÓN: 1, 3.** complicar. **FAM:** → *solución.*

resonancia s. f. *La noticia tuvo mucha* ***resonancia*** (= tuvo mucha difusión).
SINÓN: difusión, eco.

resonar v. intr. **1.** *Baja el volumen de la música porque* ***resuena*** *en toda la casa* (= se oye mucho). **2.** *Sus palabras aún* ***resuenan*** *en mis oídos* (= sus palabras aún se reproducen en mis oídos).
SINÓN: 1. retumbar.

respaldar v. tr. *Sus amigos siempre lo* ***respaldan*** (= siempre lo apoyan).
SINÓN: apoyar, ayudar, proteger.

respaldo s. m. **1.** *El* ***respaldo*** *de la silla está roto* (= la parte de la silla donde se apoya la espalda). **2.** *He salido adelante gracias al* ***respaldo*** *de un amigo que me ayudó* (= gracias al apoyo).
SINÓN: 2. apoyo, auxilio, ayuda, protección. **ANTÓN: 2.** abandono. **FAM:** *espalda.*

respectivo, a adj. *En la excursión, cada profesor iba con su clase* ***respectiva*** (= iba con su clase correspondiente).
SINÓN: correspondiente.

respecto *Todavía no ha pensado nada* ***respecto*** *a su futuro* (= todavía no ha pensado nada sobre su futuro).

respetable adj. **1.** *Había que tener en cuenta una opinión tan* ***respetable*** *como esa* (= una opinión tan digna como esa). **2.** *Carlos es tan* ***respetable*** *que nunca ha quebrantado la ley* (= es tan honesto que nunca ha desobedecido ninguna ley). **3.** *Mi casa se halla situada a una distancia* ***respetable*** *del colegio* (= está a bastante distancia).
SINÓN: 1. admirable, honorable. **2.** decente, honesto. **3.** enorme, grande. **ANTÓN: 1.** despreciable. **2.** indecente. **3.** mínimo, pequeño. **FAM:** → *respeto.*

respetar v. tr. **1.** *Luis siempre* ***ha respetado*** *las normas de la escuela* (= siempre las ha obedecido). **2.** *Cristina* ***respeta*** *a las personas mayores cediéndoles su asiento en el autobús* (= las trata con consideración dejándoles su asiento en el autobús).
SINÓN: 1. acatar, obedecer. **2.** considerar. **ANTÓN: 1.** desobedecer. **2.** molestar. **FAM:** → *respeto.*

respeto s. m. *El maestro merece el* ***respeto*** *de sus alumnos* (= merece la consideración y el buen trato).
SINÓN: atención, consideración. **ANTÓN:** desconsideración, desprecio. **FAM:** *irrespetuoso, respetable, respetar, respetuoso.*

respetuoso, a adj. *Juan fue tan* ***respetuoso*** *conmigo que no me dejó sola entre desconocidos* (= fue muy atento conmigo).
SINÓN: atento, cortés, educado. **ANTÓN:** grosero, irrespetuoso. **FAM:** → *respeto.*

respingón, a adj. *Elisa tiene la nariz* ***respingona*** (= tiene la nariz con la punta hacia arriba).

respirable adj. *Con tanto humo, el aire no es* ***respirable*** (= no es puro).
SINÓN: limpio, puro, sano. **ANTÓN:** cargado, irrespirable, sucio. **FAM:** → *respirar.*

respiración s. f. **1.** La **respiración** es el proceso que permite a los seres vivos tomar oxígeno y expulsar gases nocivos. **2.** *Había corrido tanto que llegó sin* ***respiración*** (= que llegó sin aliento). **3.** *Es una habitación con poca* ***respiración*** (= con poca ventilación).
SINÓN: 2. aliento. **3.** ventilación. **FAM:** → *respirar.*

respiradero s. m. *La ventilación de este almacén procede de los* ***respiraderos*** *situados en el techo* (= de unas aberturas por donde entra y sale el aire).
FAM: → *respirar.*

respirar v. intr. **1.** *Está vivo porque todavía* ***respira*** (= todavía inspira y expulsa el aire). **2.** *Al verlo salir sano del accidente* ***he respirado*** (= me he tranquilizado). **3.** *Después de tanto trabajo puedo* ***respirar*** *un poco* (= puedo descansar un poco).
SINÓN: 2. relajarse, tranquilizarse. **ANTÓN: 2.** excitarse. **FAM:** → *espirar, expirar, inspiración, inspirar, irrespirable, respirable, respiración, respiradero, respiratorio, respiro.*

respiratorio, a adj. *Después de correr hicieron algunos ejercicios* ***respiratorios*** *inspirando y expulsando aire* (= hicieron ejercicios de respiración).
FAM: → *respirar.*

respiro s. m. **1.** *Después de tanto trabajar me he tomado un* ***respiro*** (= me he tomado un descanso). **2.** *Tus palabras me han servido de* ***respiro*** *en mi dolor* (= me han animado).
SINÓN: 1. descanso, pausa. **2.** alivio, consuelo. **FAM:** → *respirar.*

resplandecer v. intr. **1.** *Las estrellas* ***resplandecen*** *en la negra noche* (= brillan mucho). **2.** *Su cara* ***resplandece*** *de alegría* (= su cara refleja mucha alegría).
SINÓN: 1. brillar, relucir, relumbrar. **ANTÓN: 1.** apagar, oscurecer. **FAM:** *resplandeciente, resplandor.*

resplandeciente adj. **1.** *Hoy hace un sol* ***resplandeciente*** (= hoy hace un sol brillante). **2.** *Este niño está* ***resplandeciente*** *de felicidad* (= se lo nota feliz).
SINÓN: 1. brillante, radiante. **2.** radiante. **ANTÓN: 2.** oscuro, triste. **FAM:** → *resplandecer.*

resplandor s. m. **1.** *Con tanto sol el **resplandor** de la nieve molesta a la vista* (= la luminosidad de la nieve). **2.** *El oro es un metal con mucho **resplandor*** (= con mucho brillo).
SINÓN: **1.** luminosidad. **2.** brillo. ANTÓN: **1.** oscuridad. FAM: → *resplandecer.*

responder v. tr. **1.** *¿Puedes **responder** a esta pregunta?* (= ¿puedes contestar a esta pregunta?). **2.** *Pedro llamó por teléfono pero no le **respondieron*** (= nadie atendió el teléfono). ◆ **responder** v. intr. **3.** *María es una mal educada porque **responde** de malas maneras* (= porque replica de forma irrespetuosa). **4.** *Que nadie se preocupe porque yo **respondo** de los daños causados* (= me hago responsable). **5.** *Si mi hermano no **responde** a los medicamentos, tendrán que llevarlo al hospital* (= si los medicamentos no lo curan).
SINÓN: **1, 2.** contestar. ANTÓN: **1.** preguntar. **3.** callar, escuchar, respetar. FAM: *correspondencia, corresponder, correspondiente, corresponsal, respuesta.*

responsabilidad s. f. **1.** *Cada uno debe hacerse cargo de sus **responsabilidades*** (= debe hacerse cargo de sus obligaciones). **2.** *El señor Gómez ocupa un cargo de mucha **responsabilidad*** (= ocupa un cargo de mucha importancia).
SINÓN: **1.** deber. **1, 2.** compromiso, obligación. FAM: *irresponsable, responsable.*

responsable adj. **1.** *¿Quién es el **responsable** del accidente?* (= ¿quién tuvo la culpa?). **2.** *Los padres son **responsables** de sus hijos menores* (= están obligados a cuidarlos). **3.** *Pedro es muy **responsable** en su trabajo* (= es muy cumplidor).
SINÓN: **1.** culpable. **3.** cumplidor, eficaz, serio. ANTÓN: **3.** irresponsable. FAM: → *responsabilidad.*

respuesta s. f. **1.** *Han dado a mi pregunta una **respuesta** afirmativa* (= me han dicho que sí). **2.** *Ante tus insultos el silencio ha sido mi única **respuesta*** (= ha sido mi única reacción).
SINÓN: **1, 2.** contestación. **2.** reacción. ANTÓN: **1.** pregunta. FAM: → *responder.*

resquebrajarse v. pron. *Cuando cayó el jarrón al suelo se **resquebrajó*** (= se rajó).
SINÓN: agrietarse, rajarse.

resta s. f. La **resta** es una operación matemática que consiste en hallar la diferencia entre dos cifras.
ANTÓN: aumento, suma. FAM: → *restar.*

restablecerse v. tr. **1.** *La policía **restableció** el orden que había antes de la pelea* (= lo volvió a imponer). ◆ **restablecerse** v. pron. **2.** *Después de su enfermedad Luis ya **se ha restablecido** y ha vuelto a trabajar* (= ya se ha recuperado).
SINÓN: **1.** imponer, poner, reponer. **2.** reanimarse, recuperarse, rehacerse. ANTÓN: **1.** destruir, quitar. **2.** empeorar, recaer. FAM: → *establecer.*

restante adj. *De los cinco libros que me dejaste hoy te he devuelto tres y mañana te devolveré los dos libros **restantes*** (= los dos libros que faltan).
SINÓN: resto, sobrante. FAM: → *restar.*

restar v. tr. **1.** *Cuando **resto** dos a cinco me quedan tres* (= cuando quito dos a cinco). **2.** *Esto ha sido muy grave, no le **restes** importancia* (= no le quites importancia).
SINÓN: descontar, disminuir, quitar. ANTÓN: añadir, sumar. FAM: *resta, restante, resto.*

restaurante s. m. *Hemos comido en un buen **restaurante*** (= en un establecimiento donde sirven comidas).

restaurar v. tr. **1.** *Es preciso **restaurar** las buenas costumbres porque se han perdido* (= es preciso volver a imponerlas). **2.** *Algunos castillos europeos que estaban en ruinas **han sido restaurados** y ahora son museos* (= los han reparado).
SINÓN: **1.** restablecer. **2.** reconstruir, reparar.

restituir v. tr. *La policía **restituyó** el objeto robado a su dueño* (= lo devolvió).
SINÓN: devolver, reponer. ANTÓN: quitar, restar.

resto s. m. **1.** *Como sólo nos hemos comido la mitad del pastel el **resto** lo guardamos para mañana* (= el trozo que queda). **2.** *En la resta 7 – 5 = 2, el 2 es el **resto**.*
SINÓN: **1.** parte, sobrante, trozo. **2.** residuo, resultado. FAM: → *restar.*

restregar v. tr. *Para limpiar bien la cazuela tan sucia hay que **restregarla** mucho* (= hay que frotar mucho).
SINÓN: frotar, rascar, raspar.

restricción s. f. *Como hay **restricciones** en el consumo de agua hay que bañarse por la mañana o por la noche* (= como hay limitación en el consumo de agua).
SINÓN: disminución, limitación. ANTÓN: ampliación. FAM: *restringir.*

restringir v. tr. *Hay que **restringir** el consumo de electricidad porque está muy cara* (= hay que disminuir el gasto de electricidad).
SINÓN: acortar, disminuir. ANTÓN: ampliar, aumentar. FAM: *restricción.*

resucitar v. tr. **1.** *El Evangelio cuenta que Jesucristo encontró a Lázaro muerto y lo **resucitó*** (= le devolvió la vida). ◆ **resucitar** v. intr. **2.** *Jesucristo **resucitó** al tercer día de su muerte* (= volvió a la vida).
SINÓN: renacer. ANTÓN: **1.** matar. **2.** morir. FAM: *resurrección.*

resuelto, a adj. **1.** *Este problema está **resuelto*** (= está solucionado). **2.** *Este niño se atreve a cualquier cosa; es muy **resuelto*** (= es muy valiente).
SINÓN: **1.** finalizado, terminado. **2.** arriesgado, atrevido, audaz, valiente. ANTÓN: **2.** miedoso, tímido. FAM: → *solución.*

resultado s. m. *¿Cuál fue el* ***resultado*** *del partido de fútbol?* (= ¿cómo terminó?).
SINÓN: conclusión, desenlace, solución. **ANTÓN:** comienzo. **FAM:** *resultar.*

resultar v. intr. **1.** *La casa* ***resulta*** *pequeña para una familia tan grande* (= la casa es pequeña). **2.** *Mi plan no* ***resultó*** *como yo esperaba* (= no se produjeron los efectos que yo esperaba).
FAM: *resultado.*

resumen s. m. *Marcos me contó el* ***resumen*** *de la novela que había leído* (= me la contó en pocas palabras).
SINÓN: esquema, guión, síntesis. **ANTÓN:** ampliación. **FAM:** *resumir.*

resumidero s. m. Amér.→ **sumidero.**

resumir v. tr. *¿Puedes* ***resumir*** *el último libro que has leído?* (= ¿puedes decir en pocas palabras de qué trata?).
SINÓN: abreviar, reducir. **ANTÓN:** ampliar, extender. **FAM:** *resumen.*

resurgir v. intr. *Cuando se volvieron a encontrar después de tantos años, su antigua amistad* ***resurgió*** (= volvió a surgir).
SINÓN: reaparecer, renacer, volver. **ANTÓN:** desaparecer.

resurrección s. f. *Según el Evangelio la* ***resurrección*** *de Jesucristo tuvo lugar al tercer día después de su muerte* (= su vuelta a la vida).
SINÓN: reaparición, renacimiento. **ANTÓN:** desaparición, muerte. **FAM:** *resucitar.*

retablo s. m. *En el* ***retablo*** *del altar se veía a los apóstoles con Jesús en la última cena (*= en un conjunto de figuras que representan una historia*).*
FAM: → *tabla.*

retaguardia s. f. *Los soldados que estaban en la* ***retaguardia*** *atendían a los soldados heridos en el frente* (= los que estaban en la parte más alejada de la batalla).
ANTÓN: frente, vanguardia. **FAM:** → *guardar.*

retar v. tr. **1.** *Mi compañero me* ***ha retado*** *para ver si corro tanto como él* (= me ha desafiado). Amér. Merid. **2.** *Cuando no cumplo con mis obligaciones, mi papá me* ***reta*** (= me reprende).
SINÓN: **1.** desafiar, provocar. **2.** regañar, rezongar. **ANTÓN:** **1.** calmar, pacificar. **2.** alabar, elogiar. **FAM:** *reto.*

retazo s. m. Amér. *Con el* ***retazo*** *que quedaba no tenía tela suficiente para un vestido* (= con lo que queda de una pieza que se ha cortado).
SINÓN: pedazo, recorte.

retener v. tr. **1.** *En la empresa le* ***retienen*** *parte del sueldo para pagar sus impuestos* (= le descuentan una parte del sueldo). **2.** *No llegó a tiempo porque lo* ***retuvo*** *una vecina haciéndole preguntas* (= lo detuvo). **3.** *No he podido* ***retener*** *su nombre* (= memorizarlo).
SINÓN: **1.** conservar, descontar, guardar. **2.** detener, parar. **3.** recordar. **ANTÓN:** **3.** olvidar.
FAM: → *tener.*

retentiva s. f. *Tiene mucha* ***retentiva,*** *en cuanto oye algo ya no se le olvida* (= tiene mucha memoria).
SINÓN: memoria.

retirada s. f. *El ejército comenzó su* ***retirada*** *tras su derrota* (= inició su huida).
SINÓN: huida. **ANTÓN:** avance. **FAM:** → *tirar.*

retirado, a adj. **1.** *Vivo en un lugar tan* ***retirado*** *que para ir de compras tengo que usar el coche* (= vivo en un lugar muy apartado). **2.** *Desde que está* ***retirado*** *del ejército sólo se ocupa de sus plantas* (= desde que está jubilado).
SINÓN: **1.** apartado, distante, lejano. **2.** jubilado.
ANTÓN: **1.** cercano, próximo. **2.** activo. **FAM:** → *tirar.*

retirar v. tr. **1.** *¡**Retira** los platos de la mesa!* (= ¡quítalos!). **2.** *Venía un coche por la mitad del camino y me tuve que* ***retirar*** *para dejarlo pasar* (= me tuve que apartar). ◆ **retirarse** v. pron. **3.** *Como era mayor* ***se retiró*** *y se dedicó a cuidar las plantas para entretenerse* (= se jubiló). **4.** *Los monjes* ***se retiran*** *a vivir en los monasterios* (= se aíslan, dejando el trato con la gente). **5.** *Santiago* ***se retira*** *para descansar a las diez* (= se va a dormir a esa hora).
SINÓN: **1.** quitar. **2.** apartar. **3.** jubilarse. **4.** aislarse. **5.** acostarse. **ANTÓN:** **1, 2.** acercar. **5.** levantarse. **FAM:** → *tirar.*

retiro s. m. **1.** *El* ***retiro*** *le llegó a los 65 años* (= la jubilación). **2.** *Mi abuelo cobra cada mes su* ***retiro*** (= cobra cada mes un sueldo que paga el Estado a los que dejan de trabajar por la edad).
SINÓN: **1.** jubilación. **2.** pensión. **FAM:** → *tirar.*

reto s. m. **1.** *Mi amigo me ha lanzado un* ***reto*** *a ver quién corría más* (= me ha desafiado). Amér. Merid. **2.** *El niño recibió un* ***reto*** *por sus malas calificaciones* (= reprimenda).
SINÓN: **1.** desafío. **ANTÓN:** **2.** alabanza, elogio.
FAM: *retar.*

retocar v. tr. *La cantante* ***retocó*** *su peinado antes de salir al escenario* (= le dio los últimos toques para que estuviera perfecto).
SINÓN: arreglar, corregir. **FAM:** → *tocar.*

retoque s. m. *El pintor ha dado los últimos* ***retoques*** *a su cuadro* (= ha hecho las últimas correcciones).
SINÓN: arreglo, corrección, modificación. **FAM:** → *tocar.*

retorcer v. tr. **1.** ***Retuerce*** *tanto la ropa para escurrirla que la deja deformada* (= la tuerce tanto dándole vueltas). ◆ **retorcerse** v. pron. **2.** *Le dolía tanto el estómago que se* ***retorcía*** *de dolor* (= que hacía gestos y movimientos bruscos a causa del dolor).
SINÓN: **1.** enroscar, rizar. **2.** doblarse. **ANTÓN:** enderezar. **FAM:** → *torcer.*

retorcido, a adj. *Esta persona es tan* ***retorcida*** *que siempre piensa mal* (= es muy mal pensada).
SINÓN: falsa, hipócrita, mal pensada. ANTÓN: leal, sincero. FAM: → *torcer.*

retornar v. intr. *Las golondrinas se van en otoño pero* ***retornan*** *cada primavera* (= vuelven).
SINÓN: regresar, volver. FAM: → *torno.*

retortijón s. m. *El niño está llorando y se aprieta el vientre porque debe de tener* ***retortijones*** (= debe de tener dolor de panza).

retractarse v. pron. *El director había prometido un aumento de sueldo pero luego* ***se retractó*** *de sus palabras* (= se volvió atrás de su promesa).
SINÓN: arrepentirse, desdecirse, retirar. ANTÓN: confirmar, persistir.

retraído, a adj. *Como es tan* ***retraído*** *le cuesta mucho hacer amigos* (= como es tan tímido).

retransmisión s. f. *Encendió la televisión para ver la* ***retransmisión*** *del partido* (= para ver la emisión del partido que se jugó por la mañana).
SINÓN: emisión. FAM: → *transmitir.*

retransmitir v. tr. *Hoy* ***retransmiten*** *el partido de fútbol* (= lo emiten de nuevo por televisión).
SINÓN: divulgar, emitir. FAM: → *transmitir.*

retrasado, a v. tr. *Este alumno va un poco* ***retrasado*** *en sus estudios porque estuvo enfermo* (= no lleva el ritmo normal de la clase).
SINÓN: atrasado. ANTÓN: adelantado. FAM: → *retraso.*

retrasar v. tr. **1.** *Mi padre no se va hoy de viaje porque lo* ***ha retrasado*** (= se irá más tarde). ◆ **retrasar** v. pron. **2.** *Este alumno* ***se retrasa*** *en sus estudios* (= no va al ritmo de los demás). **3.** ***Me he retrasado*** *porque no ha sonado el despertador* (= he llegado tarde).
SINÓN: **1.** aplazar, suspender. ANTÓN: **1, 2.** adelantar, avanzar. FAM: → *retraso.*

retraso s. m. **1.** *He llegado con diez minutos de* ***retraso*** *a nuestra cita* (= he llegado tarde). **2.** *Hay pueblos que sufren un importante* ***retraso*** *cultural* (= sufren un importante atraso cultural).
SINÓN: **1, 2.** atraso. ANTÓN: adelanto, anticipación. **2.** desarrollo. FAM: *retrasado, retrasar.*

retratar v. tr. **1.** ***Retraté*** *a mis amigos para tener un recuerdo del día de la excursión* (= les tomé una fotografía). **2.** *Esta novela* ***retrata*** *muy bien al personaje central* (= lo describe muy bien).
SINÓN: **1.** fotografiar. **2.** describir. FAM: *autorretrato, retratista, retrato.*

retrato s. m. **1.** *He ido al estudio de un fotógrafo para que me haga un* ***retrato*** (= una fotografía). **2.** *El escritor hace un buen* ***retrato*** *de los personajes de su libro* (= hace una buena descripción). ◆ **ser el vivo retrato de 3.** *Juan es* ***el vivo retrato de*** *su padre* (= Juan se parece mucho a su padre).
SINÓN: **1.** dibujo, pintura. **2.** descripción. FAM: → *retratar.*

retreta s. f. Amér. Cent., Merid. *Esta noche iremos al parque a escuchar una* ***retreta*** (= concierto de música militar ejecutada por una banda).

retribución s. f. *Por habernos arreglado el tejado aquel hombre recibió una buena* ***retribución*** (= recibió una buena paga).
SINÓN: paga, salario, sueldo. FAM: *retribuir.*

retribuir v. tr. *Todavía no le* ***han retribuido*** *el trabajo que ha hecho* (= todavía no le han pagado).
SINÓN: pagar, recompensar. FAM: *retribución.*

retroceder v. intr. ***Retrocede*** *porque esta calle no tiene salida* (= ve hacia atrás).
SINÓN: desandar, regresar. ANTÓN: adelantar, avanzar. FAM: *retroceso.*

retroceso s. m. *En vez de mejorar ha sufrido un* ***retroceso*** *en su enfermedad* (= ha vuelto a estar tan grave como antes).
SINÓN: empeoramiento. ANTÓN: avance, mejoría. FAM: *retroceder.*

retrógrado, a adj. *Como es tan* ***retrógrado*** *no permite que su mujer se ponga pantalones* (= como es tan anticuado).
SINÓN: anticuado. ANTÓN: progresista.

retrovisor s. m. *El conductor vio por el* ***retrovisor*** *que el coche que venía detrás quería adelantársele* (= vio por el espejo que le permite ver la carretera detrás de él).
FAM: → *ver.*

retumbar v. intr. *Puso la música tan alta que* ***retumbaba*** *por toda la casa* (= se oía la música muy fuerte).
SINÓN: ensordecer, resonar, tronar.

reuma s. m. *Mi abuelo tiene* ***reuma*** *y casi no puede moverse* (= tiene unos dolores en las articulaciones de su cuerpo).

reunión s. f. *El director ha convocado una* ***reunión*** *con todos los socios para el lunes próximo* (= ha decidido juntar a todos los socios para hablar de ciertos temas).
SINÓN: asamblea. FAM: → *unir.*

reunir v. tr. **1.** *El pastor* ***reúne*** *su rebaño disperso por el campo para meterlo en el corral* (= lo junta en un mismo lugar). ◆ **reunirse** v. pron. **2.** *Cada domingo* ***nos reunimos*** *unos cuantos amigos en mi casa para ver el partido de fútbol* (= nos juntamos).
SINÓN: agrupar(se), concentrar(se), congregar(se), juntar(se), unir(se). ANTÓN: desunir(se), separar(se). FAM: → *unir.*

revalorizarse v. pron. *Este departamento* ***se ha revalorizado*** *pues ahora nos costaría el*

doble de lo que nos costó (= ha aumentado su precio).
SINÓN: aumentar. ANTÓN: disminuir. FAM: → *valer.*

revancha s. f. *Juan quiso tomarse la* ***revancha*** *después de haber perdido la partida de ajedrez* (= quiso otra oportunidad para demostrar que él también puede ganar).

revelación s. f. *La* ***revelación*** *de ese detalle me permitió conocer sus intenciones* (= el descubrimiento).
SINÓN: descubrimiento. FAM: → *vela.*

revelar v. tr. **1.** *Pedro no quiere* ***revelar*** *sus secretos a su hermana* (= no se los quiere contar). **2.** *El fotógrafo* ***reveló*** *el rollo de fotografías* (= hizo visible las imágenes impresas en una placa fotográfica).
SINÓN: **1.** decir, declarar, descubrir, divulgar, manifestar, publicar. ANTÓN: callar, ocultar. FAM: → *vela.*

reventado, a adj. *Estoy* ***reventado*** *de tanto trabajar* (= estoy agotado).
SINÓN: agotado, cansado, molido, rendido, roto. ANTÓN: descansado. FAM: *reventar.*

reventar v. intr. *Como el globo tenía tanto aire* ***reventó*** (= estalló).
SINÓN: estallar, explotar. FAM: *reventado.*

reverdecer v. intr. *En primavera el campo* ***reverdece*** (= se vuelve verde).
SINÓN: renacer, revivir. ANTÓN: morir. FAM: → *verde.*

reverencia s. f. *El estudiante sentía* ***reverencia*** *por algunos profesores muy sabios* (= sentía mucho respeto).
SINÓN: respeto. FAM: *irreverencia.*

reversible adj. *Como es un impermeable* ***reversible*** *puedo darlo vuelta* (= un impermeable que se puede usar por el derecho y por el revés).
FAM: *reverso.*

reverso s. m. *Esta medalla tiene la imagen de la virgen en la cara y en el* ***reverso*** *la fecha de mi nacimiento* (= en la parte de atrás).
SINÓN: dorso, revés. FAM: *reversible.*

revés s. m. **1.** *Mi madre me hizo un suéter con el* ***revés*** *lleno de nudos* (= con la parte interior). **2.** *El jugador de tenis ha dado un* ***revés*** (= ha enviado la pelota con un golpe de izquierda a derecha). **3.** *Todos estos* ***reveses*** *lo han desmoralizado* (= estos contratiempos). ◆ **al revés 4.** *Llevas la camisa* ***al revés*** *y se te ve la etiqueta* (= del lado contrario).
SINÓN: **1.** reverso. **3.** contratiempo, fracaso. ANTÓN: **1.** delantero, frente. **3.** éxito.

revisar v. tr. **1.** *María* ***revisa*** *su ejercicio antes de entregarlo* (= lo repasa). **2.** *Hay que* ***revisar*** *la lavadora porque no funciona bien* (= hay que examinarla y repararla si fuera necesario).
SINÓN: **1.** releer, repasar. **2.** comprobar, examinar, inspeccionar, reconocer, verificar. ANTÓN: **2.** descuidar. FAM: → *ver.*

revisión s. f. *En el colegio me hicieron una* ***revisión*** *médica* (= me hicieron un examen médico).
SINÓN: examen, reconocimiento. FAM: → *ver*

revista s. f. **1.** *Mi padre recibe en casa varias* ***revistas*** *mensuales* (= recibe varias publicaciones periódicas). **2.** *Mi prima es bailarina de* ***revista*** (= es bailarina en un espectáculo teatral en el que predomina la música). ◆ **pasar revista 3.** *El general* ***pasa revista*** *a sus tropas todos los días* (= las inspecciona todos los días).
FAM: → *ver.*

revivir v. intr. **1.** *Las plantas* ***reviven*** *en primavera* (= renacen en primavera). **2.** *No quisiera* ***revivir*** *aquellos momentos difíciles de mi pasado* (= no quisiera recordar).
SINÓN: **1.** renacer, resucitar, reverdecer. **2.** recordar. ANTÓN: **1.** morir. **2.** olvidar. FAM: → *vivir.*

revolcar v. tr. **1.** *El caballo* ***revolcó*** *al jinete* (= lo arrojó al suelo, pisoteándolo). ◆ **revolcarse** v. pron. **2.** *Los niños* ***se revuelcan*** *en la arena de la playa* (= dan vueltas).
SINÓN: **1.** derribar. **2.** restregarse, tumbarse. ANTÓN: **1, 2.** levantar. FAM: → *volcar.*

revolotear v. intr. **1.** *Una abeja* ***revolotea*** *sobre una flor* (= vuela dando giros alrededor de ella). **2.** *El viento hace* ***revolotear*** *las hojas muertas* (= las levanta y hace volar).
SINÓN: **1.** aletear. FAM: → *volar.*

revoltijo s. m. *¡Qué* ***revoltijo*** *de papeles hay en esta mesa!* (= ¡qué desorden!).
SINÓN: confusión, desorden, mezcla. ANTÓN: orden. FAM: → *revolver.*

revoltoso, a adj. *Como Andrés es tan* ***revoltoso*** *todo lo toca y nunca deja una cosa en su sitio* (= como es tan inquieto y travieso).
SINÓN: inquieto, travieso. ANTÓN: pacífico, tranquilo. FAM: → *revolver.*

revolución s. f. **1.** *En la* ***revolución*** *francesa mataron al rey* (= cuando el pueblo francés derrocó al rey para imponer un nuevo régimen político). **2.** *El descubrimiento de la electricidad fue una* ***revolución*** *en el desarrollo de la técnica* (= fue un gran cambio). **3.** Una **revolución** es un cambio brusco en política, economía o sociedad.
SINÓN: **1.** sublevación. **2.** alboroto, cambio, novedad. FAM: *revolucionar, revolucionario.*

revolucionar v. tr. **1.** *Con su llegada* ***ha revolucionado*** *a los niños* (= los ha alborotado). **2.** *Este pintor* ***ha revolucionado*** *el mundo de la pintura con sus cuadros* (= los ha cambiado).
SINÓN: **1.** agitar, alborotar, alterar. **2.** cambiar, modificar. FAM: → *revolución.*

revolucionario, a adj. **1.** *Ese partido es demasiado* ***revolucionario*** (= pretende cambios violentos en la política). **2.** *Este producto* ***revolucionario*** *causará impacto* (= este producto in-

novador). ◆ **revolucionario, a** s. **3.** Los **revolucionarios** son las personas partidarias de imponer un cambio político brusco.
SINÓN: 1. agitador, alborotador. **2.** innovador, renovador. **FAM:** → *revolución.*

revolver v. tr. **1.** *Mi madre* ***revuelve*** *la leche después de echar el chocolate* (= la remueve dándole vueltas). **2.** *Mi hermano* ***revuelve*** *los cajones de mi armario* (= los desordena).
SINÓN: 1. agitar, batir, mezclar. **2.** desordenar, enredar. **ANTÓN: 1.** ordenar. **2.** apaciguar. **FAM:** *revoltijo, revoltoso.*

revólver s. m. *El atracador sacó un* ***revólver*** *y disparó* (= sacó un arma de fuego parecida a una pistola).

revuelo s. m. *En el colegio se ha armado un gran* ***revuelo*** *porque ha sido expulsado un profesor* (= se ha armado un gran alboroto).
SINÓN: alboroto, conmoción, tumulto. **ANTÓN:** calma, orden. **FAM:** → *volar.*

revuelta s. f. *A causa de una* ***revuelta*** *ha tenido que venir la policía para poner orden* (= a causa de un alboroto).
SINÓN: alboroto, disturbio.

revuelto, a adj. **1.** ***Ha revuelto*** *el café para que no se quede el azúcar en el fondo* (= ha removido el café). **2.** *Ha dejado el armario* ***revuelto*** (= lo ha dejado desordenado).

rey s. m. **1.** *En algunos países de Europa gobiernan* ***reyes*** (= son los jefes de Estado de una monarquía). **2.** *El* ***rey*** *es la pieza más importante del ajedrez.* **3.** *El león es el* ***rey*** *de los animales salvajes* (= es el que sobresale por su fuerza entre los demás).
SINÓN: 1. monarca, soberano. **FAM:** *real, reina, reinado, reinar, reino.*

reyerta s. f. *En una* ***reyerta*** *le dieron un navajazo* (= en un enfrentamiento).
SINÓN: altercado, contienda, disputa.

rezagarse v. pron. *Tenemos que esperar a Esteban porque* ***se ha rezagado*** (= se ha quedado atrás).
SINÓN: atrasarse. **ANTÓN:** adelantarse.

rezar v. tr. *Se va a la iglesia para* ***rezar*** *a Dios* (= para orar).
SINÓN: orar. **FAM:** *rezo.*

rezo s. m. *Antes de acostarse, Jorge dice sus* ***rezos*** (= sus oraciones).
SINÓN: oración. **FAM:** *rezar.*

rezongar v. tr. Amér. **1.** *Mario le pegó a su hermanita, y el padre le* ***rezongó*** (= lo regañó). **2.** *Cuando lo mandan a limpiar su dormitorio, siempre* ***rezonga*** (= protestar con enojo).
SINÓN: 1. reprender, retar. **2.** refunfuñar. **ANTÓN: 1.** alabar, elogiar. **FAM:** → *rezongo.*

ría s. f. *Cuando hay marea baja las* ***rías*** *se quedan casi sin agua* (= las desembocaduras abiertas de los ríos en las que entra el mar).
FAM: → *río.*

riachuelo s. m. *Los niños pescan en un* ***riachuelo*** (= en un río pequeño y de poco caudal).
FAM: → *río.*

ribera s. f. *El pescador está sentado con su caña en la* ***ribera*** *del río* (= en la orilla).
SINÓN: margen, orilla.

ribete s. m. *La blusa tenía un* ***ribete*** *dorado en el cuello y en los puños* (= tenía una cinta que bordeaba el cuello y los puños).

rico, a adj. **1.** *El señor Ramos puede comprar cualquier cosa porque es un hombre muy* ***rico*** (= tiene mucho dinero y bienes). **2.** *Mi mamá hace unos flanes más* ***ricos*** *que los que venden hechos* (= hace unos flanes más sabrosos). **3.** *¡Qué niño tan* ***rico,*** *por cualquier cosa se ríe!* (= ¡qué simpático y cariñoso es!).
SINÓN: 1. acaudalado, adinerado. **2.** apetitoso, delicioso, gustoso, sabroso. **3.** agradable, guapo, lindo, simpático. **ANTÓN: 1.** pobre. **2.** insípido, soso. **3.** desagradable, feo, odioso. **FAM:** *enriquecedor, enriquecer, riqueza.*

ridiculizar v. tr. ***Ridiculiza*** *siempre a los demás, exagerando sus defectos* (= se burla de los demás).
SINÓN: burlarse, caricaturizar. **ANTÓN:** alabar, elogiar. **FAM:** *ridículo.*

ridículo, a adj. **1.** *Santiago se vistió con un traje tan* ***ridículo*** *que todos se reían de él* (= se vistió con un traje grotesco). **2.** *Sus ganancias han sido tan* ***ridículas*** *que no le alcanzan para comer* (= sus ganancias han sido escasas). ◆ **ridículo** s. m. **3.** *En la reunión habló tan mal el francés que hizo el* ***ridículo*** (= provocó la risa).
SINÓN: 1. absurdo, cómico, divertido. **2.** escaso, insignificante, mínimo, pequeño. **ANTÓN: 1.** formal, serio. **2.** abundante, cuantioso. **FAM:** *ridiculizar.*

riego s. m. *Esta planta necesita mucho* ***riego*** (= necesita mucha cantidad de agua).
FAM: → *regar.*

riel s. m. *Los trenes circulan sobre* ***rieles*** (= sobre unas barras metálicas a las que se acopla cualquier máquina que pueda deslizarse en ellas).
SINÓN: raíl.

rienda s. f. **1.** *El jinete pone las* ***riendas*** *a su caballo* (= le pone las correas que sirven para dirigirlo). ◆ **tener o llevar las riendas 2.** *Susana* ***lleva las riendas*** *del negocio* (= dirige el negocio). ◆ **aflojar las riendas 3.** *Como era el último día de clase el profesor* ***aflojó las riendas*** (= nos hizo trabajar menos). ◆ **dar rienda suelta 4.** *Como estaba aburrido* ***di rienda suelta*** *a mi imaginación* (= no contuve mi imaginación).

riesgo s. m. *Los domadores de fieras corren el* ***riesgo*** *de que los ataquen* (= corren peligro).
SINÓN: peligro. **FAM:** *arriesgado, arriesgar.*

rifa s. f. *He ganado una muñeca en una* ***rifa*** (= en un sorteo).
SINÓN: sorteo, tómbola. **FAM:** *rifar.*

rifar v. tr. ***Hemos rifado*** *una botella de champán y le ha tocado a un vecino* (= la hemos sorteado entre varias personas).
SINÓN: sortear. FAM: *rifa.*

rifle s. m. Un **rifle** es un arma de fuego parecida a un fusil.

rígido, a adj. **1.** *Esa barra es tan* ***rígida*** *que no la podrías doblar* (= es tan dura). **2.** *El director es tan* ***rígido*** *que no permite que nadie desobedezca las normas* (= es muy severo y quiere que se cumplan las normas de forma estricta).
SINÓN: **1.** duro, tieso. **2.** severo. ANTÓN: **1.** blando, suave. **2.** benigno.

rigor s. m. **1.** *Alberto castiga a sus hijos con excesivo* ***rigor*** (= con demasiada dureza). **2.** *Sus explicaciones carecían de* ***rigor*** *científico* (= no tenían exactitud científica). ◆ **de rigor 3.** *Nos fuimos después de las despedidas* ***de rigor*** (= después de las despedidas de cortesía).
SINÓN: **1.** inflexibilidad. **1, 2.** rigurosidad. ANTÓN: **1.** blandura. **2.** imprecisión. FAM: *riguroso.*

riguroso, a adj. **1.** *Mi padre es muy* ***riguroso*** *con sus empleados* (= hace cumplir con exactitud las normas). **2.** *Hizo un estudio* ***riguroso*** *de la situación* (= un estudio muy detallado).
SINÓN: **1.** estricto, inflexible, rígido, severo. **2.** minucioso, preciso. ANTÓN: **1.** clemente, flexible. **2.** impreciso. FAM: *rigor.*

rima s. f. **1.** *En un poema, al final de cada verso hay una* ***rima*** (= hay repetición de sonidos a partir de la última vocal acentuada). **2.** *Las* ***rimas*** *de Gustavo Adolfo Bécquer son composiciones en verso.*
FAM: *rimar.*

rimar v. intr. Llave ***rima*** *con* nave *porque tienen la misma terminación* (= las últimas letras de cada palabra son iguales, a partir de la última vocal acentuada).
FAM: *rima.*

rimbombante adj. *Esta señora lleva un vestido muy* ***rimbombante*** (= muy llamativo).
SINÓN: exagerado, llamativo. ANTÓN: discreto, sencillo.

rincón s. m. **1.** *Han colocado la mesa en un* ***rincón*** *de la habitación* (= en el ángulo formado por dos paredes). **2.** *Encontramos un* ***rincón*** *bonito donde pasamos las vacaciones* (= un lugar apartado y tranquilo). **3.** *Su hermano ocupa todo el armario y a él sólo le deja un* ***rincón*** (= un espacio pequeño).
SINÓN: **1.** esquina. **2.** lugar, sitio. **3.** hueco. FAM: *arrinconar, rinconera.*

rinconera s. f. *María ha comprado una* ***rinconera*** *para una de las esquinas del salón* (= un mueble que por su forma se adapta a un rincón).
FAM: → *rincón.*

ring s. m. *Ese boxeador ayer aguantó media hora en el* ***ring*** (= lugar en que se celebran los combates de boxeo).

rinoceronte s. m. El **rinoceronte** es un animal de gran tamaño de África que tiene uno o dos cuernos en la nariz y se alimenta de vegetales.

riña s. f. *Alberto resultó herido en la* ***riña*** *que tuvo con Carlos* (= en la pelea).
SINÓN: lucha, pelea. FAM: → *reñir.*

riñón s. m. **1.** *Como tenía problemas de orina fue operado de un* ***riñón*** (= de uno de los dos órganos que sirven para eliminar impurezas de nuestro organismo a través de la orina). ◆ **riñones** s. m. pl. **2.** *A Santiago le duelen los* ***riñones*** *de tanto agacharse* (= la parte inferior de la espalda).

río s. m. *El Amazonas es el* ***río*** *más largo de América* (= es una corriente de agua que desemboca en el mar).
FAM: *ría, riachuelo.*

riqueza s. f. *Su* ***riqueza*** *es tan grande que tiene veinte casas y diez coches* (= tiene mucho dinero y bienes).
SINÓN: caudal, fortuna. ANTÓN: pobreza. FAM: → *rico.*

risa s. f. **1.** *Sus chistes han provocado las* ***risas*** *de todos* (= las carcajadas). ◆ **morirse de risa 2.** *Cada vez que cuenta un chiste* ***me muero de risa*** *con las caras que pone* (= me carcajeo mucho). ◆ **estar muerto de risa 3.** *Te compraste ese vestido y* ***está muerto de risa*** *en el armario* (= está sin usar, olvidado). ◆ **tomar a risa 4.** *No puedo hablar en serio con él porque todo se lo* ***toma a risa*** (= porque se burla de todo).
FAM: → *reír.*

risueño, a adj. *Este niño está contento porque se lo ve muy* ***risueño*** (= se lo ve muy sonriente).
SINÓN: sonriente. ANTÓN: serio. FAM: → *reír.*

rítmico, a adj. *Los relojes tienen un sonido* ***rítmico*** (= tienen un sonido regular).
SINÓN: armonioso, regular. FAM: *ritmo.*

ritmo s. m. **1.** *Los bailarines danzan al* ***ritmo*** *de la música* (= siguiendo la sucesión ordenada de los sonidos de la música). **2.** *Anda más despacio porque no puedo ir a un* ***ritmo*** *tan rápido como el tuyo* (= no puedo ir a una marcha tan rápida).
FAM: *rítmico.*

rito s. m. **1.** *Cada religión tiene sus propios* ***ritos*** (= sus ceremonias tradicionales). **2.** *Tomar café después de comer es para él un* ***rito*** (= es una costumbre).
SINÓN: **1.** ceremonia. **2.** costumbre.

rival adj. **1.** *Los dos equipos* ***rivales*** *saludan al público antes de empezar el partido* (= los dos equipos contrarios). **2.** *Cuando juego al tenis, mi amigo se convierte en mi* ***rival*** (= en mi adversario, compite para ganar).
SINÓN: adversario, competidor, contrario, contrincante. ANTÓN: aliado. FAM: *rivalidad.*

rivalidad s. f. *Existe una gran* ***rivalidad*** *entre estos dos equipos de fútbol* (= los dos pretenden ganar siempre).
SINÓN: competencia, lucha, oposición. **ANTÓN:** alianza, amistad. **FAM:** *rival.*

rizar v. tr. **1.** *A María la peluquera le* ***ha rizado*** *el pelo* (= le ha hecho bucles). **2.** *El viento* ***riza*** *la superficie del mar* (= levanta pequeñas olas).
SINÓN: 1. retorcer. **1, 2.** ondular. **ANTÓN:** estirar. **FAM:** *rizo.*

rizo s. m. *Mi madre se ha hecho unos* ***rizos*** *en su pelo* (= se lo ha ondulado).
SINÓN: bucle. **FAM:** → *rizar.*

robar v. tr. *Me* ***han robado*** *la cartera* (= me la han quitado contra mi voluntad).
SINÓN: desvalijar, hurtar, saquear. **ANTÓN:** devolver. **FAM:** *robo.*

roble s. m. **1.** El **roble** es un árbol de madera muy dura que tiene como fruto la bellota. **2.** *Esa mesa es de* ***roble*** (= está hecha con madera del árbol del mismo nombre). ◆ **ser un roble 3.** *Luis nunca está enfermo,* ***es un roble*** (= está muy sano).

robo s. m. *En mi calle se ha cometido un* ***robo*** (= alguien se ha llevado lo que no es suyo).
FAM: *antirrobo, robar.*

robot s. m. **1.** Un ***robot*** es una máquina automática que hace movimientos y trabajos como un hombre. **2.** *Rosa actúa como un* ***robot*** *sin pensar en lo que hace* (= actúa como una máquina).

robusto, a adj. *Pedro es tan* ***robusto*** *porque hace mucho deporte* (= es de músculos muy desarrollados).
SINÓN: fuerte, musculoso. **ANTÓN:** débil, frágil.

roca s. f. **1.** *No pudieron seguir haciendo el pozo porque encontraron una* ***roca*** (= encontraron una pieza dura). **2.** *Subimos a una* ***roca*** (= subimos a un peñasco). ◆ **ser como una roca 3.** *No le afecta nada de lo que le diga,* ***es como una roca*** (= es insensible).
SINÓN: 1. piedra. **2.** peñasco. **FAM:** *rocoso.*

roce s. m. **1.** *Tiene la piel tan irritada por el sol que el mínimo* ***roce*** *con la ropa le hace daño* (= el mínimo contacto con la ropa). **2.** *Tengo poco* ***roce*** *con mis vecinos* (= tengo poco trato).
SINÓN: 1. contacto, toque. **2.** relación, trato. **FAM:** → *rozar.*

rociar v. tr. *Una máquina de riego* ***rocía*** *el césped del jardín* (= esparce sobre él gotas menudas de agua).
SINÓN: esparcir, salpicar. **ANTÓN:** secar. **FAM:** *rocío.*

rocío s. m. *Por la mañana nos mojamos los zapatos porque el prado estaba cubierto de* ***rocío*** (= estaba cubierto de gotitas de agua que provienen de la humedad).
FAM: *rociar.*

rocoso, a adj. *Esta costa no tiene mucha vegetación porque es* ***rocosa*** (= porque está llena de rocas).
SINÓN: abrupto, pedregoso. **FAM:** *roca.*

rodada s. f. Amér. Merid., R. de la Plata. *Durante la carrera de caballos, se produjo una* ***rodada*** (= caída brusca de un caballo con su jinete).
FAM: *rodar.*

rodaja s. f. *Córtame una* ***rodaja*** *de salchichón* (= córtame una rebanada).
SINÓN: loncha, tajada.

rodaje s. m. **1.** *El* ***rodaje*** *de la película duró seis meses* (= la filmación de la película). **2.** *Conduce muy lento porque su coche está en* ***rodaje*** (= las piezas nuevas del coche se estropearían con cambios bruscos y tiene que pasar un tiempo hasta que pueda correr más).
FAM: → *rodar.*

rodar v. tr. **1.** ***Han rodado*** *esta película en las afueras de la ciudad* (= la han filmado en las afueras). ◆ **rodar** v. intr. **2.** *El tren* ***rueda*** *a cien kilómetros por hora* (= avanza a esa velocidad). **3.** *La pelota* ***rueda*** *por el suelo* (= avanza dando vueltas). **4.** *El esquiador resbaló en la cima de la montaña y cayó* ***rodando*** *hasta el llano* (= cayó dando vueltas). R. de la Plata **5.** *El jockey* ***rodó*** *varias veces* (= cayó con el caballo mientras corría una carrera).
SINÓN: 1. filmar. **2.** andar, circular. **3.** girar. **4.** resbalar. **FAM:** *rodada, rodaje, rodillo, rueda, ruedo.*

rodear v. tr. **1.** *Todos los amigos* ***rodeaban*** *a Pedro cuando iba a apagar las velas del pastel* (= estaban alrededor de él). **2.** *Una verja* ***rodea*** *el jardín* (= está colocada alrededor del jardín).
SINÓN: 2. cercar, vallar. **FAM:** *rodeo.*

rodeo s. m. **1.** *Di un* ***rodeo*** *para no encontrarme con un compañero* (= di una vuelta para no encontrarme con un compañero). Amér. Cent., Merid. **2.** *Los ganaderos reunieron al ganado en el* ***rodeo*** (= lugar amplio y llano donde se junta al ganado para contarlo). ◆ **rodeos** s. m. pl. **3.** *Le he dicho la verdad sin* ***rodeos*** (= le he dicho la verdad directamente). ◆ **andar con rodeos 4.** *No te* ***andes con rodeos*** *y dime claramente lo que piensas* (= habla claro y dime lo que piensas).
SINÓN: 1. desvío, vuelta. **FAM:** *rodear.*

rodilla s. f. **1.** *Al caerse, se ha golpeado en la* ***rodilla*** *y no puede doblar la pierna* (= se ha golpeado en la articulación que une el muslo con la pierna). ◆ **de rodillas 2.** *Le pedí* ***de rodillas*** *que no se fuera* (= le supliqué que no se fuera).
FAM: *arrodillar, rodillazo, rodillera.*

rodillazo s. m. *Jugando al fútbol me dieron un* ***rodillazo*** *en el estómago* (= me dieron un golpe con la rodilla).
FAM: → *rodilla.*

rodillera s. f. **1.** *El arquero de fútbol lleva* ***rodilleras*** (= lleva vendas elásticas que protegen sus rodillas). **2.** *Mi madre me ha cosido unas* ***rodilleras*** *en el pantalón* (= me ha cosido unos parches a la altura de las rodillas). **3.** *Este pantalón está tan viejo que tiene* ***rodilleras*** (= tiene bolsas a la altura de las rodillas).
SINÓN: **2.** parche, remiendo. **FAM:** → *rodilla.*

rodillo s. m. **1.** *María aplasta la masa con un* ***rodillo*** (= con un cilindro de madera usado en la cocina). **2.** *Ha igualado el campo con un* ***rodillo*** (= con un cilindro muy pesado de hierro que se emplea para apretar y allanar la tierra). **3.** *Está pintando el techo con un* ***rodillo*** (= con un cilindro recubierto de un material que empapa y sirve para pintar).
SINÓN: **1, 2.** rollo. **FAM:** → *rodar.*

roedor, a adj. *Los ratones, los conejos y las ardillas son animales* ***roedores*** (= son animales que tienen sólo un par de dientes con los que trituran los alimentos).
FAM: → *roer.*

roer v. tr. **1.** *El conejo* ***roe*** *zanahorias* (= las parte con sus dientes). **2.** *El perro* ***roía*** *el hueso* (= le quitaba poco a poco la carne que tenía pegada).
SINÓN: **1.** mordisquear. **FAM:** *corroer, roedor.*

rogar v. tr. *María me* ***ha rogado*** *que vaya mañana a verla* (= me lo ha pedido).
SINÓN: implorar, pedir, solicitar, suplicar. **FAM:** *arrogancia, arrogante, interrogación, interrogar, interrogativo, interrogatorio, prórroga, ruego.*

rojizo, a adj. *Enrique tiene unas manchas* ***rojizas*** *en el brazo* (= tiene unas manchas un poco rojas).
FAM: → *rojo.*

rojo, a adj. **1.** *La sangre es de color* ***rojo*** (= es de color encarnado). ◆ **rojo, a** s. **2.** *El* ***rojo*** *te favorece.* ◆ **al rojo vivo 3.** *La discusión está* ***al rojo vivo*** (= está muy acalorada). ◆ **ponerse rojo 4.** *Cuando vio que había metido la pata* ***se puso rojo*** (= se avergonzó).
SINÓN: colorado, encarnado. **FAM:** *enrojecer, enrojecimiento, pelirrojo, rojizo, sonrojarse.*

rollo s. m. *He sacado el* ***rollo*** *de mi máquina fotográfica* (= he sacado el carrete).
SINÓN: película. **FAM:** *arrollar, desenrollar, enrollar.*

romance adj. **1.** *El castellano es una lengua* ***romance*** (= es una lengua que procede del latín). ◆ **romance** s. m. **2.** El **romance** es una composición poética con rima en los versos pares. **3.** *María tuvo un* ***romance*** *de vacaciones* (= una relación poco duradera).

románico, a adj. *Esta iglesia es de estilo* ***románico*** (= es de un estilo característico de la Edad Media europea).

romano, a adj. **1.** *El Coliseo es un monumento* ***romano*** (= es un monumento que está en Roma). ◆ **romano, a** s. **2.** *Los* ***romanos*** *son las personas nacidas en Roma.*

romanticismo s. m. **1.** El **Romanticismo** fue un movimiento artístico y literario del siglo XIX, caracterizado por el predominio de los sentimientos y de todo lo individual. **2.** *Su* ***romanticismo*** *le impide ver las cosas tal como son* (= sentimientos exagerados).
ANTÓN: realismo. **FAM:** *romántico.*

romántico, a adj. *Isabel es tan* ***romántica*** *que espera un príncipe azul* (= es muy soñadora).
SINÓN: sentimental, soñador. **ANTÓN:** realista. **FAM:** *romanticismo.*

rombo s. m. Un **rombo** es una figura geométrica con cuatro lados iguales cuyos ángulos no son rectos.

romero s. m. El **romero** es una planta que huele muy bien, y tiene flores pequeñas de color lila.

rompecabezas s. m. *He perdido una pieza del* ***rompecabezas*** *que me han regalado* (= juego formado por varias piezas que se tienen que unir para formar una figura).
FAM: → *romper.*

rompehielos s. m. *En las zonas heladas del mar los únicos barcos que pueden pasar son los* ***rompehielos*** (= buques preparados para abrirse camino entre el hielo).
FAM: → *romper.*

rompeolas s. m. *Gracias al* ***rompeolas*** *la tempestad no destrozó los barcos que estaban en el puerto* (= gracias al muro de piedras que protege el puerto de las olas del mar).
SINÓN: dique. **FAM:** → *romper.*

romper v. tr. **1.** *María* ***ha roto*** *un plato* (= lo ha reducido a pedazos). **2.** *Marcos* ***ha roto*** *la lavadora* (= la ha descompuesto). **3.** *Los novios* ***han roto*** *su compromiso* (= han terminado su relación). **4.** *La bala* ***rompió*** *el cristal del escaparate* (= agujereó el cristal). ◆ **romper** v. intr. **5.** *Las olas* ***rompían*** *en el acantilado* (= se deshacían formando espuma). **6.** *De pronto* ***rompió*** *a llover* (= de pronto empezó a llover). ◆ **romperse** v. pron. **7.** ***Se me ha roto*** *el pantalón* (= se me ha rasgado).
SINÓN: **1.** destrozar, destruir, desunir, partir, quebrar. **2.** estropear. **4.** agujerear, perforar, rajar. **7.** rajarse, rasgarse. **ANTÓN:** **1, 2.** arreglar. **1.** juntar, unir. **2.** reparar. **FAM:** *corromper, corrupción, irrompible, rompecabezas, rompehielos, rompeolas, roto, rotura, ruptura.*

rompope s. m. Amér. Cent., Méx. *Bebieron un vaso de* ***rompope*** (= bebida preparada con huevos batidos, leche, azúcar, canela y aguardiente).

ron s. m. *Bebo* ***ron*** *con limonada* (= es una bebida alcohólica extraída de la caña de azúcar).

roncar v. intr. *Cuando* ***roncas*** *no me dejas dormir* (= cuando duermes y haces ruido al respirar).
FAM: → *ronco.*

roncha s. f. *Me ha debido de picar un bicho porque tengo una* ***roncha*** *en el brazo* (= porque tengo un bulto pequeño enrojecido).

ronco, a adj. *Como Juan está* ***ronco*** *casi no puede hablar* (= tiene la garganta irritada).
SINÓN: afónico. **FAM:** *enronquecer, roncar, ronquera, ronquido.*

ronda s. f. **1.** *Hemos hecho una* ***ronda*** *por la ciudad* (= hemos dado una vuelta). **2.** *La primera* ***ronda*** *la ha pagado Eugenia, yo pago la segunda* (= las primeras bebidas que hemos consumido). Amér. Merid., Méx. **3.** *En el recreo, las niñas juegan a la* ***ronda*** (= juego que consiste en tomarse de las manos varias niñas formando una rueda, mientras saltan y cantan).

rondar v. tr. **1.** ***Me está rondando*** *una idea por la cabeza y la voy a poner en práctica* (= se me está ocurriendo una idea). **2.** *La policía* ***ronda*** *la ciudad por la noche* (= la vigila).
SINÓN: 2. vigilar.

ronquera s. f. *No le reconocí la voz por teléfono debido a su* ***ronquera*** (= porque tenía la garganta irritada y hablaba con voz grave).
SINÓN: afonía. **FAM:** → *ronco.*

ronquido s. m. *Tuve que despertarla porque sus* ***ronquidos*** *no me dejaban dormir* (= por los ruidos que hacía al respirar mientras dormía).
FAM: → *ronco.*

ronronear v. intr. *El gato* ***ronronea*** *cuando está contento* (= emite un sonido semejante a un ronquido).

roñoso, a adj. **1.** *Cámbiate la camisa porque la que llevas está* ***roñosa*** (= está muy sucia). **2.** *Este hombre es tan* ***roñoso*** *que nunca da nada gratis* (= es muy tacaño).
SINÓN: 1. asqueroso, puerco, sucio. **2.** mísero, tacaño. **ANTÓN: 1.** limpio. **2.** espléndido, generoso.

ropa s. f. *La señora de Martínez lleva la* ***ropa*** *a la lavandería* (= lleva pantalones, camisas, suéteres). ◆ **ropa interior 2.** *Debes cambiarte de* ***ropa interior*** *diariamente* (= de calcetines, calzoncillos y camiseta). ◆ **a quema ropa 3.** *El secuestrador, al ver que llegaba la policía, se asustó y le disparó* ***a quema ropa*** (= le disparó a muy poca distancia).
SINÓN: 1. traje, vestido. **FAM:** *arropar, desarroparse, ropaje, ropero.*

ropavieja s. f. Méx., R. de la Plata. *Ayer cenamos una sabrosa* ***ropavieja*** (= comida que se hace con los restos del puchero).

ropero s. m. *Guardé el vestido en el* ***ropero*** (= en un armario para la ropa).
SINÓN: armario. **FAM:** → *ropa.*

rosa s. f. **1.** *Corté unas* ***rosas*** *para ponerlas en un florero* (= corté unas flores del rosal). ◆ **rosa** s. m. **2.** *El* ***rosa*** *me gusta más que el verde.* ◆ **rosa** adj. **3.** *María lleva una falda de color* ***rosa*** (= lleva una falda que tiene ese color). ◆ **como una rosa 4.** *Ayer estaba enfermo pero hoy ya está* ***como una rosa*** (= pero hoy ya está bien y con buen aspecto). ◆ **de color de rosa 5.** *Ve siempre las cosas* ***de color de rosa*** (= las ve de una forma muy optimista). ◆ **rosa de los vientos 6.** *En casa tengo una lámina* ***con la rosa de los vientos*** (= con un círculo que tiene marcados los puntos cardinales y los nombres de los vientos).
FAM: *rosáceo, rosado, rosal, rosaleda, rosario, sonrosado.*

rosado, a adj. *Cuando amanece, el cielo tiene un color* ***rosado*** (= parecido al rojo claro).
SINÓN: rosa. **FAM:** → *rosa.*

rosal s. m. El **rosal** es una planta con espinas en los tallos, que da rosas.
FAM: → *rosa.*

rosaleda s. f. *En esta* ***rosaleda*** *hay rosas de todos los colores* (= en esta plantación de rosales).
FAM: → *rosa.*

rosario s. m. *La anciana reza las Avemarías pasando entre sus dedos el* ***rosario*** (= un objeto que sirve para llevar la cuenta de las oraciones).
FAM: → *rosa.*

rosca s. f. **1.** *Mi madre trajo para comer unas* ***roscas*** (= panecillos de forma circular con un agujero en el centro). **2.** Cada vuelta de un tornillo se llama **rosca**. **3.** *El Día de Reyes comemos siempre de postre la* ***rosca*** *de reyes* (= comemos de postre un bollo que es de forma circular).
FAM: → *rosca.*

rosquilla s. f. *Tomamos para merendar café con leche y unas* ***rosquillas*** (= unos bizcochos dulces que forman pequeños aros).
FAM: → *rosca.*

rostro s. m. *Este niño tiene el* ***rostro*** *lleno de pecas, sobre todo la nariz* (= la cara).
SINÓN: cara.

rotación s. f. **1.** La **rotación** es el movimiento que tiene la Tierra cuando gira sobre sí misma y que da lugar al día y a la noche. **2.** *Como este cargo se cubre por* ***rotación*** *pasan por él todos los empleados* (= primero lo ocupa un empleado y luego otro).
FAM: *rotativa.*

rotativa s. f. *Al estropearse la* ***rotativa*** *no se ha podido imprimir el periódico* (= la máquina cilíndrica de imprimir).
FAM: *rotación.*

roto, a adj. *No te sientes en ese sillón porque está* ***roto*** *y te puedes hacer daño* (= porque está arruinado).
SINÓN: cascado, partido, quebrado. **ANTÓN:** entero, nuevo. **FAM:** → *romper.*

rotonda s. f. *Esta calle termina en la* ***rotonda*** (= plaza circular).

rótula s. f. *Al caerse de rodillas se ha partido la* ***rótula*** (= se ha roto el hueso móvil de la rodilla).

rotulador s. m. *Me he comprado* ***rotuladores*** *de colores para subrayar palabras* (= unos

instrumentos de colores para escribir que tienen una barra de fieltro impregnada en tinta).
FAM: → *rótulo.*

rotular v. tr. *El pintor* ***rotuló*** *el nombre del almacén en la furgoneta* (= pintó las letras del almacén en la furgoneta).
FAM: → *rótulo.*

rótulo s. m. **1.** *Como no leía bien el* ***rótulo*** *tuve que acercarme para ver qué anunciaba* (= no veía bien el letrero). **2.** *Por el* ***rótulo*** *de la puerta vimos que aquél era el consultorio del dentista* (= por la placa de la puerta).
SINÓN: **1.** cartel, letrero. **2.** placa. **FAM:** *rotulador, rotular.*

rotundo, a adj. **1.** *El cantante obtuvo un éxito tan* ***rotundo*** *que tuvo que repetir algunas canciones* (= tuvo un éxito muy grande). **2.** *Me dio una contestación tan* ***rotunda*** *que no pude replicarle* (= no había posibilidad de discutir la respuesta).
SINÓN: **1.** completo. **2.** preciso, terminante.

rotura s. f. *Este jarrón tiene la marca de una* ***rotura*** (= tiene la marca del lugar por donde se había roto antes).
SINÓN: raja, ruptura. **FAM:** → *romper.*

rozadura s. f. **1.** *No me hice daño, fue sólo una* ***rozadura*** (= una herida superficial en la piel). **2.** *El señor Martínez tiene la carrocería de su coche llena de* ***rozaduras*** (= la tiene llena de pequeños roces).
SINÓN: **1.** arañazo. **2.** arañazo, golpes, señal.
FAM: → *rozar.*

rozar v. tr. **1.** *Separa la silla de la pared porque la está* ***rozando*** (= la está tocando). **2.** *Quítale la etiqueta del suéter porque le* ***roza*** *y le hace daño* (= porque le raspa). ◆ **rozar** v. intr. **3.** *La bicicleta* ***rozó*** *con el bordillo y me caí* (= lo tocó un poco). ◆ **rozarse** v. pron. **4.** *Estábamos tan juntos que* ***nos rozábamos*** (= que nos tocábamos).
SINÓN: **1, 3.** tocar. **2.** raspar. **FAM:** *roce, rozadura.*

ruana s. f. Urug. *Las mujeres se abrigan con* ***ruanas*** *tejidas con lana de colores* (= manta de lana que se echa sobre los hombros y cubre la parte delantera del cuerpo).

rubeola s. f. *Mi hermana se ha quedado en la cama porque tiene* ***rubeola*** (= porque tiene una enfermedad que le produce una erupción en la piel y es contagiosa).

rubí s. m. El **rubí** es una piedra preciosa de color rojo que se usa en joyería.

rubio, a adj. *Margarita tiene el pelo tan* ***rubio*** *que parece blanco.*
ANTÓN: negro, oscuro.

rublo s. m. *Para ir a Rusia tuve que cambiar pesos por* ***rublos*** (= por la moneda de Rusia).

ruborizar v. tr. **1.** *La mala educación de este niño* ***ruboriza*** *a sus padres* (= les avergüenza). ◆ **ruborizarse** v. pron. **2.** *Cuando tengo que hablar en público* ***me ruborizo*** (= mi cara se pone roja porque me da mucha vergüenza).
SINÓN: **1.** avergonzar. **2.** enrojecerse, sonrojarse.

rúbrica s. f. *Cuando firmo una carta, pongo mi nombre con una* ***rúbrica*** (= pongo mi nombre con un trazo que siempre es el mismo).
SINÓN: firma.

rudimentario, a adj. *Te lo voy a explicar de una forma muy* ***rudimentaria*** *para que lo entiendas* (= te lo voy a explicar de una forma muy elemental).
SINÓN: elemental.

rudo, a adj. **1.** *Esta tela de saco es demasiado* ***ruda*** *para hacer un vestido con ella* (= es demasiado áspera). **2.** *Andrés era muy* ***rudo*** *pero con el tiempo ha ido corrigiendo sus malos modales* (= era muy grosero).
SINÓN: **1.** áspero, basto, tosco. **2.** grosero, vulgar. **ANTÓN:** **1.** fino. **2.** refinado.

rueda s. f. *Los coches tienen cuatro* ***ruedas*** *y las bicicletas tienen dos* (= objetos circulares que giran alrededor de un eje).
SINÓN: neumático. **FAM:** → *rodar.*

ruedo s. m. Amér. Merid., Méx. *Tenía sucio el* ***ruedo*** *del vestido* (= borde inferior de los vestidos y las faldas).
FAM: → *rueda.*

ruego s. m. *Al fin, mi padre accedió a mis* ***ruegos*** *y me compró una moto* (= accedió a mis peticiones).
SINÓN: petición, solicitud. **ANTÓN:** exigencia.
FAM: → *rogar.*

rufián s. m. *Ya han detenido al* ***rufián*** *que atracó a mi abuela* (= ya han detenido al sinvergüenza).
SINÓN: canalla, sinvergüenza. **ANTÓN:** caballero.

rugby s. m. *Los estadounidenses juegan mucho al* ***rugby*** (= es un deporte de equipo que se practica con un balón de forma ovalada).

rugido s. m. **1.** *En el zoológico oí el* ***rugido*** *de un león* (= oí el grito del león). **2.** *Durante la tempestad, se oía el* ***rugido*** *del mar* (= se oía el estruendo del mar). **3.** *Al enojarse dio un* ***rugido*** (= dio un grito fuerte).
SINÓN: **1.** bramido. **2.** estruendo. **3.** grito. **FAM:** *rugir.*

rugir v. intr. **1.** *El león* ***ruge*** *ante sus enemigos* (= emite los sonidos que le son característicos). **2.** *Martín* ***ruge*** *cuando se enoja* (= da gritos). **3.** *Cuando hay tempestad el mar* ***ruge*** (= hace un ruido fuerte y sordo).
SINÓN: **1.** bramar. **2.** gritar. **FAM:** *rugido.*

ruido s. m. **1.** *Por favor, cierra la ventana porque el* ***ruido*** *de los coches me molesta para estudiar* (= el conjunto de sonidos desagradables). **2.** *El* ***ruido*** *de la tormenta no nos dejó oír la película* (= el estruendo de la tormenta).
SINÓN: **1.** bullicio, jaleo. **2.** estruendo. **ANTÓN:** silencio. **FAM:** *ruidoso.*

ruidoso, a adj. *Nuestros vecinos son tan **ruidosos** que se los oye desde la calle* (= son muy escandalosos).
SINÓN: escandaloso. ANTÓN: silencioso. FAM: *ruido.*

ruin adj. **1.** *Como es tan **ruin** siempre actúa a traición* (= es muy falso). **2.** *Es demasiado **ruin** para gastar dinero en eso* (= es demasiado tacaño).
SINÓN: **1.** malo, miserable. **2.** avaricioso, avaro, miserable. ANTÓN: **1.** honrado, noble. **2.** generoso. FAM: → *ruina.*

ruina s. f. **1.** *Estos edificios están en **ruina** por el terremoto* (= están destruidos). **2.** *Visitamos las **ruinas** del imperio inca* (= sus restos). **3.** *Esta familia está en la **ruina** porque el señor ha perdido su trabajo* (= no tienen dinero suficiente para vivir).
SINÓN: **1.** derrumbamiento, destrucción. **2.** escombro, resto. **3.** quiebra. FAM: *arruinar, ruin, ruinoso.*

ruinoso, a adj. *Este puente está **ruinoso** y no se puede pasar por él* (= está en muy mal estado).
FAM: → *ruina.*

ruiseñor s. m. El **ruiseñor** es un pájaro de color pardo rojizo que canta muy bien.

ruleta s. f. *Enrique ha apostado mil pesos en la **ruleta** y los ha perdido* (= es un juego de azar).

rulo s. m. *Mi madre tiene **rulos** en el pelo* (= rizos).

rumano, a adj. **1.** *Bucarest es la capital **rumana*** (= es la capital de Rumania). ◆ **rumano, a** s. **2.** *Los **rumanos** son las personas nacidas en Rumania.* **3.** *El **rumano** es el idioma que se habla en Rumania.*

rumba s. f. *Mis padres saben bailar la **rumba*** (= es un baile que procede de Cuba).

rumbear o **rumbar** v. intr. Amér. **1.** *Cuando hacemos una fiesta, me gusta **rumbear*** (= bailar la rumba). Amér. **2.** *Para navegar correctamente, hay que saber **rumbear*** (= tomar determinado rumbo y seguirlo).

rumbo s. m. **1.** *El barco ha zarpado **rumbo** a Europa* (= el barco se dirige hacia ese continente). **2.** *Desde que anda con sus nuevas amistades, parece que ha cambiado su **rumbo** en la vida* (= ha cambiado la forma de actuar).
SINÓN: **1.** dirección, ruta.

rumiante s. m. f. *Los bueyes, los corderos y los camellos son **rumiantes*** (= son animales que tienen el estómago dividido en tres o cuatro partes, se alimentan de vegetales y no tienen dientes incisivos en la parte superior de la boca).
FAM: *rumiar.*

rumiar v. tr. **1.** *Las vacas **rumian** la hierba* (= mastican por segunda vez la hierba que ya han tragado). **2.** *Espera un momento porque **estoy rumiando** un plan para conseguir lo que queremos* (= estoy pensando un plan).
FAM: *rumiante.*

rumor s. m. **1.** *Corre el **rumor** de que ha llegado un personaje famoso a la ciudad* (= corre una noticia que no se ha comprobado). **2.** *Desde mi habitación, oigo el **rumor** de las olas* (= oigo el ruido). **3.** *En la sala, se oían **rumores** de descontento* (= se oían voces confusas).
SINÓN: **1.** chisme. **2.** zumbido. **3.** murmullo, ruido. FAM: *rumorearse.*

rumorearse v. pron. ***Se rumorea** que va a subir el precio de la gasolina* (= se comenta).
SINÓN: comentarse. FAM: *rumor.*

rupestre adj. *En esta cueva se han descubierto pinturas **rupestres*** (= pinturas prehistóricas en las cavernas).

ruptura s. f. *¿Cuál es la causa de la **ruptura** de Mercedes y Ernesto?* (= ¿por qué se han separado?).
SINÓN: riña, separación. ANTÓN: amistad, unión.
FAM: → *romper.*

rural adj. *Desde que vive en la ciudad echa de menos el ambiente **rural*** (= el ambiente del campo).
SINÓN: campestre. ANTÓN: urbano.

ruso, a adj. **1.** *La catedral de San Basilio es un edificio **ruso*** (= está en Rusia). ◆ **ruso, a** s. **2.** *Los **rusos** son las personas nacidas en Rusia.* ◆ **ruso** s. m. **3.** *El **ruso** es el idioma que se habla en Rusia.*

rústico, a adj. **1.** *Aunque están cerca de la ciudad son unas fincas **rústicas*** (= no son propias de la ciudad sino del campo). **2.** *Ramón tiene costumbres muy **rústicas** y a veces dice groserías* (= tiene costumbres poco finas).
SINÓN: **1.** campestre. **2.** basto, grosero. ANTÓN: **1.** urbano. **2.** educado, fino.

ruta s. f. *Este barco sigue la **ruta** del sur* (= se dirige al sur).
SINÓN: recorrido, rumbo, trayecto.

rutina s. f. *Siempre la misma **rutina**: de casa al trabajo y del trabajo a casa* (= siempre lo mismo).
SINÓN: costumbre, repetición. ANTÓN: novedad.
FAM: *rutinario.*

rutinario, a adj. *El señor Martínez lleva todo el año una vida **rutinaria** excepto en vacaciones* (= todos los días hace lo mismo).
SINÓN: habitual, monótono. ANTÓN: original, variado. FAM: *rutina.*

S

S s. f. La **s** *(ese)* es la vigésima letra del abecedario español.

sábado s. m. El **sábado** es el sexto día de la semana.

sabana s. f. **1.** *Vimos cebras, elefantes y leones en la* ***sabana*** *africana* (= en grandes llanuras con una vegetación formada principalmente por plantas herbáceas, arbustos y árboles aislados). Amér. **2.** *Los granjeros llevan los caballos a pastar a la* ***sabana*** (= llanura extensa cubierta de hierbas y pastos pero casi sin árboles).
FAM: → *sabanero.*

sábana s. f. *Con la* ***sábana*** *de abajo cubro el colchón y con la de arriba me tapo cuando estoy en la cama* (= cada una de las dos piezas que se utilizan como ropa de cama).

sabelotodo s. m. *Pregúntale a él que es un* ***sabelotodo*** (= siempre cree que lo sabe todo).
SINÓN: listo, sabihondo. **FAM:** → *saber.*

saber v. tr. **1.** ***Supe*** *la noticia al leer el periódico* (= me enteré de la noticia). **2.** *Ana* ***sabe*** *francés* (= lo habla y lo entiende). **3.** *Ricardo* ***sabe*** *nadar* (= tiene esa habilidad). **4.** *No* ***sabe*** *ir a casa de su amiga* (= no conoce el camino). **5.** ***Sé*** *que vendrá* (= estoy seguro de que vendrá). ◆ **saber** v. intr. **6.** *Este caramelo* ***sabe*** *a fresa* (= tiene sabor a fresa). ◆ **a saber 7.** *Tiene que rendir varias asignaturas,* ***a saber****: Matemáticas, Física y Química* (= por ejemplo).
SINÓN: **1.** enterarse. **2.** dominar, entender. **ANTÓN:** **1, 2.** desconocer, ignorar. **FAM:** *consabido, sabelotodo, sabiduría, sabihondo, sabio.*

sabiduría s. f. *Las personas que han leído mucho poseen* ***sabiduría*** (= poseen grandes conocimientos).
SINÓN: cultura. **ANTÓN:** ignorancia, incultura. **FAM:** → *saber.*

sabiendas *Lo has hecho* ***a sabiendas*** *de que me fastidiabas* (= lo has hecho sabiendo que me fastidiabas).

sabihondo, a adj. *Ramón se cree que lo sabe todo; es un* ***sabihondo*** (= presume de sabio sin serlo).
SINÓN: listo, sabelotodo. **FAM:** → *saber.*

sabio, a adj. **1.** *Como es un hombre* ***sabio*** *cuando él habla todos se callan* (= como es un hombre que sabe muchas cosas). **2.** *Todo lo que has dicho es muy* ***sabio*** (= es muy sensato).
SINÓN: **1.** culto, instruido. **2.** prudente, sensato. **ANTÓN:** **1.** ignorante. **FAM:** → *saber.*

sablazo s. m. *Menudo* ***sablazo*** *nos dieron en ese bar, pues nos cobraron una barbaridad* (= nos cobraron más de lo debido).

sable s. m. *En el museo confundí una espada con un* ***sable*** (= con un arma parecida a la espada pero curva y de un solo filo).

sabor s. m. *Me gusta el* ***sabor*** *del chocolate* (= el gusto).
SINÓN: gusto. **FAM:** *desabrido, saborear, sabroso.*

saborear v. tr. *Como me gusta el pastel lo* ***saboreo*** (= lo como lentamente para disfrutar de su sabor).
SINÓN: gustar, paladear. **FAM:** → *sabor.*

sabotaje s. m. *La caída del avión no fue un accidente pues se debió a un* ***sabotaje*** (= alguien lo destruyó a propósito).
FAM: *sabotear.*

sabroso, a adj. *El pescado que he cenado estaba tan* ***sabroso*** *que he pedido más* (= estaba muy rico).
SINÓN: **1.** apetitoso, delicioso, exquisito, gustoso, rico. **ANTÓN:** insípido, soso. **FAM:** → *sabor.*

sabueso s. m. **1.** *Pedro siempre va a cazar con sus dos* ***sabuesos*** (= siempre va a cazar con un tipo de perro que tiene el oído y el olfato muy fino). **2.** *Ese policía fue el* ***sabueso*** *que detuvo al asesino* (= fue la persona con especial habilidad para investigar).

sacacorchos s. m. *Con este* ***sacacorchos*** *sacaré el tapón de corcho de la botella* (= con este utensilio en forma de espiral).

sacapuntas s. m. *En la escuela, uso con frecuencia mi* ***sacapuntas*** *porque rompo mucho las puntas de mis lápices* (= uso con frecuencia un instrumento para afilar lápices).

sacar v. tr. **1.** ***Saqué*** *dos lápices de la caja* (= los tomé). **2.** *El aceite de oliva lo* ***sacan*** *de las aceitunas* (= lo extraen de las aceitunas). **3.** ***Saqué*** *un premio en la lotería* (= gané un premio). **4.** ***Saqué*** *la máxima calificación en matemáticas* (= conseguí la máxima calificación). **5.** ***Sacamos*** *varias fotografías* (= tomamos varias foto-

grafías). ◆ **sacarse** v. pron. **6.** ***Me he sacado*** *la licencia de conducir* (= he obtenido la licencia). ◆ **sacar adelante 7.** *Juan* ***ha sacado adelante*** *la empresa* (= ha conseguido que la empresa progrese). ◆ **sacar en claro** o **en limpio 8.** *Después de hablar con ella sólo conseguí* ***sacar en claro*** *que no quería estudiar* (= sólo llegué a la conclusión).
SINÓN: 1. retirar. **2.** extraer. **4.** conseguir, lograr, obtener. **ANTÓN: 1.** guardar, meter. **FAM:** *resaca, saque.*

sacarina s. f. *Luisa pone* ***sacarina*** *en el café en lugar de azúcar porque está haciendo régimen* (= una sustancia blanca en forma de pequeñas pastillas que se utiliza en lugar del azúcar).

sacerdote s. m. *El* ***sacerdote*** *católico celebra la Santa Misa el domingo* (= la persona que dirige los servicios religiosos, los actos de culto y las oraciones).
SINÓN: cura.

saciar v. tr. *Comí mucho para* ***saciar*** *el hambre que tenía* (= para quedar completamente satisfecho).
SINÓN: colmar, hartar, llenar, satisfacer. **FAM:** *insaciable.*

saco s. m. **1.** *El cemento se transporta en* ***sacos*** (= se transporta en bolsas). Amér. **2.** *Para este verano, voy a comprarme un* ***saco*** *de hilo* (= prenda de vestir, masculina o femenina, que cubre los brazos y el cuerpo desde los hombros hasta debajo de la cintura). R. de la Plata. **3.** *Ana se compró un* ***saco*** *de color azul* (= abrigo de mujer, amplio, que cubre hasta las rodillas). ◆ **saco de dormir 4.** *Cuando vamos de excursión dormimos en un* ***saco de dormir*** (= dormimos en una especie de bolsa de tejido impermeable relleno de plumas). ◆ **echar en saco roto 5.** *Escúchame y no* ***eches*** *mis palabras* ***en saco roto*** (= y no olvides mis palabras).
SINÓN: 2. americana, chaqueta. **3.** tapado. **FAM:** *sacón, saquear.*

sacón s. m. R. de la Plata. *Si sales a la calle, ponte el* ***sacón*** *porque hace mucho frío* (= abrigo de mujer, amplio y más largo que el saco).
FAM: *saco.*

sacramento s. m. *El bautismo es un* ***sacramento*** (= es un acto de la religión católica).
FAM: → *sagrado.*

sacrificar v. tr. **1.** *Los romanos* ***sacrificaban*** *animales en honor a sus dioses* (= los mataban). **2.** *Tuvo que* ***sacrificar*** *su día libre para ayudar a su padre* (= tuvo que renunciar a algo que le apetecía). ◆ **sacrificarse** v. pron. **3.** *Enrique* ***se sacrifica*** *por sus compañeros* (= renuncia a lo que él quiere por ellos).
FAM: *sacrificio.*

sacrificio s. m. **1.** *Hay religiones que ofrecen* ***sacrificios*** *a sus dioses en señal de homenaje* (= les ofrecen una víctima). **2.** *Los padres hacen* ***sacrificios*** *para sacar adelante a sus hijos* (= se privan de las cosas que les gustaría hacer).
FAM: *sacrificar.*

sacristán s. m. *El* ***sacristán*** *cerró la iglesia* (= la persona que se ocupa del cuidado de la iglesia).

sacudida s. f. *El terremoto provocó fuertes* ***sacudidas*** *en los edificios de la ciudad* (= provocó fuertes movimientos).
FAM: *sacudir.*

sacudir v. tr. *Mi madre* ***sacude*** *la alfombra para quitarle el polvo* (= la agita para que quede limpia).
FAM: *sacudida.*

sádico, a adj. *Juan es un* ***sádico*** *porque le encanta hacer sufrir a la gente* (= disfruta haciendo crueldades).
SINÓN: cruel, desalmado, salvaje. **ANTÓN:** bondadoso, piadoso.

saeta s. f. **1.** *Pedro utiliza un arco para lanzar* ***saetas*** (= para lanzar flechas). **2. Saetas** se llaman también unas canciones religiosas españolas.
SINÓN: 1. flecha. **2.** copla.

safari s. m. *Durante el* ***safari*** *vimos varios elefantes* (= durante la excursión de caza realizada en África).

sagaz adj. *Mi padre es muy* ***sagaz*** *pues prevé lo que va a ocurrir y se prepara para ello* (= es muy astuto).
SINÓN: astuto, listo. **ANTÓN:** bobo, ingenuo, torpe.

sagitario s. m. Es el noveno signo del zodíaco: comprende las personas nacidas entre el 22 de noviembre y el 21 de diciembre.

sagrado, a adj. **1.** *La iglesia es un lugar* ***sagrado*** (= es un lugar que se dedica al culto divino). **2.** *Para mí, la amistad es algo* ***sagrado*** (= es algo muy respetable).
SINÓN: 1. bendito, santo. **2.** respetable. **ANTÓN: 1.** profano. **FAM:** *consagrar, sacramento, sagrario.*

sagrario s. m. *En el altar de las iglesias, hay un* ***sagrario*** (= hay un pequeño recinto en forma de armario donde se guarda la Eucaristía).
FAM: → *sagrado.*

sahariano, a adj. *Estuve de vacaciones en el desierto* ***sahariano*** (= estuve en el desierto del Sahara). ◆ **sahariano, a** s. **2.** *Los* ***saharianos*** *son las personas nacidas en el Sahara.*

sal s. f. *Esta sopa está sosa; hay que ponerle* ***sal*** (= hay que ponerle una sustancia de color blanco que sirve para condimentar los alimentos).
FAM: *ensalada, ensaladera, ensaladilla, salado, salar, salero, saleroso, salina, salinero.*

sala s. f. *Mis padres reciben las visitas en la* ***sala*** (= las reciben en la pieza principal de mi casa).
SINÓN: salón. **FAM:** *antesala, salón.*

salado, a adj. **1.** *El pescado que comí estaba muy* ***salado*** (= tenía demasiada sal). Amér. Merid. **2.** *En este supermercado, los precios son muy* ***salados*** (= elevados, caros). Méx. **3.** *Hace tiempo que estoy* ***salada*** (= tengo mala suerte).
SINÓN: 2. caro, costoso. **ANTÓN: 2.** bajo, barato.
FAM: → *sal.*

salamandra s. f. La **salamandra** es un anfibio, parecido al lagarto; su piel es negra con manchas amarillentas.

salar v. tr. ***Salaremos*** *este pescado* (= le echaremos sal).
SINÓN: sazonar. **FAM:** → *sal.*

salar s. m. Amér. Merid. *Los* ***salares*** *son antiguas lagunas desecadas* (= grandes extensiones de tierra y sal).
SINÓN: salina.

salario s. m. *Mi padre cobra un* ***salario*** *cada mes por el trabajo que realiza* (= cobra una cantidad fija de dinero).
SINÓN: jornal, paga, sueldo. **FAM:** *asalariado.*

salchicha s. f. Una **salchicha** es un embutido alargado y delgado de carne de cerdo picada.
FAM: *salchichón.*

salchichón s. m. *Mi bocadillo es de* ***salchichón*** (= es de un embutido hecho con jamón, tocino y pimienta).
FAM: *salchicha.*

saldo s. m. **1.** *Voy a mirar el* ***saldo*** *que tengo en la cuenta del banco* (= voy a ver cuánto dinero tengo). **2.** *En ese comercio los precios son de* ***saldo*** (= los precios están muy rebajados).

salero s. m. *Mi madre puso en la mesa el* ***salero*** *por si alguien encontraba la comida sosa* (= puso en la mesa el recipiente para guardar y servir la sal).
FAM: → *sal.*

salida s. f. **1.** *La* ***salida*** *del tren es a las doce* (= la partida del tren). **2.** *En este cine, hay una puerta de* ***salida*** *y otra de entrada* (= hay una puerta por donde se sale). **3.** *Mi primo es muy gracioso; tiene unas* ***salidas*** *que nos hacen reír mucho* (= tiene unas ocurrencias). **4.** *Ya he hecho varias* ***salidas*** *al extranjero* (= ya he hecho varios viajes).
SINÓN: 1. marcha, partida. **3.** agudeza, gracia, ocurrencia. **ANTÓN: 1.** llegada. **2.** entrada.
FAM: → *salir.*

salina s. f. Las **salinas** son lugares donde se extrae la sal del agua del mar.
FAM: → *sal.*

salir v. intr. **1.** *Javier* ***salió*** *de su casa para ir a comprar* (= se fue a la calle). **2.** *María* ***sale*** *hoy para Europa* (= se marcha hoy). **3.** *El Sol* ***sale*** *por el Este* (= aparece por el Este). **4.** *Todos los sábados* ***salimos*** *con amigos* (= vamos a divertirnos con amigos). **5.** *Beatriz* ***sale*** *con José desde hace un mes* (= mantiene una relación sentimental con él). **6.** *Esta revista sólo* ***sale*** *una vez al mes* (= sólo se publica una vez al mes). **7.** *La hierba ha comenzado a* ***salir*** (= ha comenzado a brotar). **8.** *El vino* ***sale*** *de la uva* (= procede de la uva). **9.** *Esa mancha* ***saldrá*** *con agua y jabón* (= desaparecerá con agua y jabón). **10.** *Este solar* ***sale*** *a mil pesos el metro cuadrado* (= cuesta mil pesos el metro cuadrado). **11.** *Te* ***ha salido*** *muy bien ese dibujo* (= has conseguido hacerlo muy bien). **12.** *Mi caballo* ***salió*** *vencedor en la carrera* (= quedó en primer lugar). **13.** *Mi hermano* ***salió*** *a mi madre* (= se parece a ella). ◆ **salirse** v. pron. **14.** *Esta botella está rajada porque* ***se está saliendo*** *el agua* (= se está escapando el agua). ◆ **salirse con la suya 15.** *Eugenia siempre* ***se sale con la suya*** (= siempre consigue lo que se propone). ◆ **salir algo de alguien 16.** *No me sentí obligada,* ***salió de mí*** (= lo hice voluntariamente). ◆ **salir pitando 17.** ***Salí pitando*** *porque llegaba tarde a clase* (= me marché rápidamente).
SINÓN: 1, 2. irse. **2.** marchar, partir. **3.** aparecer. **6.** publicarse. **7.** brotar, nacer. **8.** extraerse, proceder, sacarse. **9.** desaparecer, quitarse. **10.** costar, valer. **13.** parecerse. **14.** rebosar. **ANTÓN: 1.** entrar. **2.** llegar, regresar, volver. **3.** ocultarse.
FAM: *salida, saliente, sobresaliente, sobresalir.*

saliva s. f. *Si hablo mucho me quedo sin* ***saliva*** (= me quedo sin el líquido producido en nuestra boca que se mezcla con los alimentos y nos permite tragarlos).
SINÓN: baba.

salivadera s. f. Amér. Merid. *Antiguamente, en los bares había* ***salivaderas*** (= escupideras, recipientes para escupir la saliva).
FAM: *saliva.*

salmón s. m. **1.** El **salmón** es un pez marino de carne rojiza muy apreciada. ◆ **salmón** adj. **2.** *Tengo una camisa color* ***salmón*** (= de un color rosado).

salón s. m. **1.** *Celebramos mi cumpleaños en el* ***salón*** *de mi casa* (= en la habitación más amplia de la casa). **2.** *Celebraron el banquete de bodas en un* ***salón*** *del hotel* (= en una sala del hotel). Méx. **3.** *Después del recreo, todos los alumnos entraron a sus* ***salones*** (= aulas).
SINÓN: sala. **FAM:** → *sala.*

salpicadera s. f. Méx. Las **salpicaderas** son las piezas de la carrocería de los automóviles que cubren las ruedas.
SINÓN: guardabarros, guardafango.

salpicadura s. f. *Tengo el pantalón lleno de* ***salpicaduras*** *de barro* (= de pequeñas manchas de barro).
SINÓN: mancha. **FAM:** → *salpicar.*

salpicar v. tr. **1.** *Al echar las papas a la sartén me* ***he salpicado*** *de aceite* (= me han saltado gotas de aceite). **2.** *El autobús* ***salpicó*** *mi ropa de barro* (= la manchó de barro al pasar por un charco).
SINÓN: 1. rociar. **2.** manchar. **FAM:** *salpicadera, salpicadura.*

salsa s. f. **1.** *Me gustan los macarrones con **salsa** de tomate* (= con la sustancia líquida que acompaña un plato de comida). **2.** *La música fue la **salsa** de la fiesta* (= fue la gracia de la fiesta).
SINÓN: **2.** animación. FAM: *salsera.*

salsera s. f. *Mi madre puso en la mesa una **salsera** llena de mayonesa* (= un recipiente para servir la salsa).
FAM: *salsa.*

salserilla s. f. *Limpio los pinceles en el agua de la **salserilla*** (= en el agua que hay en una especie de lata pequeña con poco fondo).

saltador, a adj. *Las ranas son **saltadoras*** (= saltan mucho).
SINÓN: saltarín. FAM: → *saltar.*

saltamontes s. m. El **saltamontes** es un insecto de color verde, con dos pares de alas y de patas largas adaptadas al salto.

saltar v. intr. **1.** *Para jugar a la cuerda hay que **saltar*** (= hay que levantar los pies del suelo). **2.** *Entré en el jardín **saltando** desde el muro* (= entré tirándome desde el muro). **3.** *Cuando oyó el timbre **saltó** del sillón para abrir la puerta* (= se levantó de repente). **4.** *El gato **saltó** sobre el ratón* (= lo atacó). **5.** *Al tocar el coche **saltó** la alarma* (= se disparó la alarma). **6.** *Cuando está de mal humor **salta** por cualquier cosa* (= se enoja por cualquier cosa). ◆ **saltar** v. tr. **7.** *Miraba aquella revista **saltando** algunas páginas* (= pasándolas sin leerlas). ◆ **saltarse** v. pron. **8.** *Al leer una carta, **me salté** un renglón* (= no lo leí y me pasé al siguiente). ◆ **saltar por los aires 9.** *Estalló la bomba y el coche **saltó por los aires*** (= el coche explotó). ◆ **saltar a la vista 10.** ***Salta a la vista** que llegará tarde* (= está claro que llegará tarde).
SINÓN: **1.** brincar. **2.** arrojarse, lanzarse, tirarse. **4.** abalanzarse. **5.** dispararse. **6.** enojarse. **8.** omitir. FAM: *asaltar, asalto, resaltar, saltador, saltarín, saltear, saltimbanqui, salto, saltón, sobresaltar, sobresalto.*

saltarín, ina adj. *Los canguros son animales **saltarines*** (= que se trasladan dando muchos saltos).
SINÓN: saltador. FAM: → *saltar.*

saltimbanqui s. *En la plaza del pueblo los **saltimbanquis** y titiriteros dieron un espectáculo* (= los acróbatas que realizan saltos y ejercicios al aire libre).
FAM: → *saltar.*

salto s. m. **1.** *El saltamontes da grandes **saltos*** (= da grandes brincos). **2.** *Desde la zona baja del río vimos un **salto** de agua* (= una cascada). **3.** *Realicé un **salto** de tres metros* (= la distancia saltada). **4.** *Di un **salto** en la lectura para enterarme antes del final* (= dejé varias líneas sin leer).
SINÓN: **1.** brinco. **2.** cascada. FAM: → *saltar.*

saltón, ona adj. *La rana tiene los ojos **saltones*** (= le sobresalen mucho).
ANTÓN: hundido. FAM: → *saltar.*

salud s. f. **1.** *Practicar deporte es bueno para la **salud*** (= para que el cuerpo esté sano). ◆ **¡Salud!** interj. **2.** *Alzó la copa de champán y dijo: **¡Salud!*** (= y brindó). **3.** *Cuando estornudé mi amigo me dijo: **¡Salud!*** ◆ **curarse en salud 4.** *Como estaba resfriada **se curó en salud** llevándose muchos pañuelos de repuesto* (= fue previsora).
ANTÓN: **1.** enfermedad. FAM: *saludable.*

saludable adj. **1.** *El aire puro de las montañas es **saludable*** (= es bueno para la salud). **2.** *Nadie diría que está enfermo, tiene un aspecto muy **saludable*** (= tiene un aspecto muy sano).
SINÓN: **1.** beneficioso. **1, 2.** sano. ANTÓN: **1.** dañino, perjudicial. FAM: *salud.*

saludar v. tr. *Al verlo llegar me acerqué a **saludarlo*** (= me acerqué para decirle hola y preguntarle cómo estaba).
FAM: *saludo.*

saludo s. m. ¿Qué tal estás?, hola, buenos días *son **saludos*** (= son palabras o fórmulas que se usan para saludar).
FAM: *saludar.*

salvación s. f. **1.** *Resultó difícil realizar la **salvación** de los náufragos* (= fue difícil salvarlos). **2.** *Con obras buenas quiere conseguir la **salvación** de su alma* (= desea obtener la gloria eterna).
SINÓN: **1.** rescate. ANTÓN: **2.** condenación. FAM: → *salvar.*

salvador, a s. m. *Los náufragos se mostraron agradecidos con sus **salvadores*** (= con las personas que les habían salvado la vida).
FAM: → *salvar.*

salvadoreño, a adj. **1.** *Santa Ana es una ciudad **salvadoreña*** (= de El Salvador). ◆ **salvadoreño, a** s. **2.** *Los **salvadoreños** son las personas nacidas en El Salvador.*

salvajada s. f. *Tirando de la cola al gato has cometido una **salvajada*** (= has cometido una crueldad).
FAM: → *salvaje.*

salvaje adj. **1.** *El león es un animal **salvaje*** (= es un animal que vive libremente). **2.** *Hay terrenos **salvajes*** (= sin cultivar). **3.** *En las selvas del río Amazonas hay pueblos **salvajes*** (= hay pueblos sin civilizar).
SINÓN: **2.** agreste, silvestre. ANTÓN: **1.** doméstico. **2.** cultivado. FAM: *salvajada, salvajismo.*

salvajismo s. m. *Aquel grupo de jóvenes actuó con mucho **salvajismo** cuando destrozó todo lo que encontró a su paso* (= con mucha brutalidad).
SINÓN: brutalidad. ANTÓN: civismo. FAM: → *salvaje.*

salvamento s. m. *Están realizando una operación de **salvamento** para rescatar a los náufragos* (= una operación destinada a socorrer a los náufragos).
FAM: → *salvar.*

salvar v. tr. **1.** *Los médicos **salvan** muchas vidas* (= evitan la muerte a muchas personas). **2.** *Para llegar a la cima de esa montaña hay que **salvar** muchas dificultades* (= hay que evitar muchas dificultades). ◆ **salvarse** v. pron. **3.** ***Se salvó** de morir ahogado* (= se libró de la muerte).
SINÓN: 1. auxiliar, socorrer. **2.** vencer. **FAM:** *salvación, salvador, salvamento, salvavidas, salvo, salvoconducto.*

salvavidas adj. **1.** *Cuando el barco se hundió logramos salvarnos gracias a los chalecos **salvavidas*** (= a los chalecos de material inflable que mantienen a flote a las personas). ◆ **salvavidas** s. m. **2.** *Como no sé nadar, antes de meterme en el mar me pongo el **salvavidas*** (= me pongo un aro de corcho o materia inflable para flotar en el mar).
SINÓN: 2. flotador. **FAM:** → *salvar.*

salvo, a adj. **1.** *Todos salimos del accidente sanos y **salvos*** (= salimos sin daño alguno). ◆ **salvo** adv. **2.** *Toda mi familia fue a la excursión, **salvo** mi hermana* (= fueron todos menos ella). ◆ **a salvo 3.** *Corrimos un gran peligro pero ahora ya estamos **a salvo*** (= ahora ya estamos seguros).
SINÓN: 2. excepto, menos. **ANTÓN: 2.** incluso. **FAM:** → *salvar.*

salvoconducto s. m. *Con un **salvoconducto** puedo viajar por varios países* (= con un permiso para poder circular por un lugar o país).
SINÓN: pasaporte. **FAM:** → *salvar.*

samba s. m. Amér. *Durante los carnavales brasileños desfilan grandes escuelas de **samba*** (= danza popular brasileña, de ritmo rápido, que se acompaña con instrumentos de percusión).

samuro s. m. *Los **samuros** tienen hábitos diurnos* (= especie de buitres sudamericanos, de gran tamaño, de plumaje negro y cabeza pelada).

san adj. *En la iglesia había una imagen de **San** Antonio* (= san es el apócope de santo).
FAM: → *santo.*

sanar v. tr. **1.** *Este medicamento **ha sanado** al enfermo* (= lo ha curado). ◆ **sanar** v. intr. **2.** ***sanará** pronto de su enfermedad* (= se restablecerá pronto).
SINÓN: 1, 2. curar(se), restablecer(se). **2.** mejorar, reponerse. **ANTÓN: 1, 2.** enfermar. **FAM:** *malsano, sanatorio, sanear, sanidad, sanitario, sano.*

sanatorio s. m. *Cuando salió del **sanatorio** estaba totalmente curado* (= de la clínica).
SINÓN: clínica, hospital. **FAM:** → *sanar.*

sanción s. f. *El juez impuso una **sanción** al acusado por no cumplir la ley* (= impuso un castigo).
SINÓN: castigo, pena. **FAM:** *sancionar.*

sancionar v. tr. ***Sancionaron** al alumno por sus incorrecciones* (= lo castigaron).
SINÓN: castigar. **ANTÓN:** indultar, perdonar. **FAM:** *sanción.*

sanco s. m. Amér. Merid. *Los campesinos de esa región se alimentan casi exclusivamente de **sanco*** (= comida hecha con harina de maíz o yuca rallada, hervida y luego cocida al horno o frita en grasa).
FAM: *sancochar, sancocho.*

sancochar v. tr. *Este guisado está apenas **sancochado*** (= cocer la comida dejándola medio cruda y sin sazón).

sancocho s. m. Amér. Cent., Merid. *Con un **sancocho** será bastante para la cena* (= comida parecida al cocido o puchero, hecha con carne, yuca, plátano y otros ingredientes).
FAM: *sanco.*

sandalia s. f. *En verano para no tener calor en los pies llevo **sandalias*** (= un calzado abierto compuesto de una suela sujeta al pie por correas).

sandez s. f. *Como siempre dice **sandeces** ya nadie lo escucha* (= dice tonterías).
SINÓN: estupidez, tontería. **ANTÓN:** genialidad.

sandía s. f. La **sandía** es un fruto de una planta del mismo nombre, grande y redondo, de carne roja y jugosa con pepitas negras.

sandwich s. m. *Desayuné un **sandwich** de jamón* (= un bocadillo de jamón hecho con dos rebanadas de pan de molde).
SINÓN: bocadillo, emparedado.

sanear v. tr. *Hicieron desagües para **sanear** las calles de la ciudad* (= para limpiar las calles).
FAM: → *sanar.*

sangrante adj. *La herida es muy profunda y **sangrante*** (= sangra mucho).
SINÓN: sangriento. **FAM:** → *sangre.*

sangrar v. intr. *Me **sangra** mucho la herida* (= me sale mucha sangre de la herida).
FAM: → *sangre.*

sangre s. f. **1.** *El herido ha perdido mucha **sangre** en el accidente* (= ha perdido mucho líquido rojo que circula por nuestras venas y arterias). **2.** *No la puedo abandonar así porque es de mi misma **sangre*** (= porque es de mi familia). ◆ **sangre fría 3.** *Durante el incendio actuó con mucha **sangre fría** y logró salvarse* (= actuó con mucha serenidad). ◆ **mala sangre 4.** *Es mejor que no la molestes porque tiene muy **mala sangre*** (= tiene mal carácter). ◆ **helársele la sangre 5.** *Cuando oí aquella historia se **me heló la sangre*** (= me quedé muy impresionado).
FAM: *desangrar, ensangrentar, sangrante, sangrar, sangría, sangriento, sanguíneo.*

sangría s. f. **1.** *A los pinos se les hace una **sangría** para que salga la resina* (= pequeño corte). **2.** *En la fiesta, servían **sangría** para beber* (= un refresco hecho con vino, agua, azúcar y limón y otras frutas).
FAM: → *sangre.*

sangriento, a adj. *El combate fue muy **sangriento*** (= hubo muchas víctimas).
FAM: → *sangre.*

sanguíneo, a adj. *Las arterias y las venas son vasos* ***sanguíneos*** (= son los conductos por donde circula la sangre).
FAM: → *sangre.*

sanidad s. f. *Mi hermana trabaja en la* ***sanidad*** *pública* (= en los servicios que cuidan de la salud pública).
FAM: → *sanar.*

sanitario, a adj. **1.** *El gobierno tomó medidas* ***sanitarias*** *para combatir la epidemia* (= relativas a la sanidad). **2.** *El lavabo, el retrete, la bañera y el bidé del cuarto de baño son aparatos* ***sanitarios.***
FAM: → *sanar.*

sano, a adj. **1.** *Antes estaba enfermo pero ahora estoy completamente* ***sano*** (= ahora tengo mucha salud). **2.** *Hacer deporte es muy* ***sano*** (= es muy bueno para la salud). **3.** *A pesar del incendio, algunos árboles han quedado* ***sanos*** (= han quedado enteros). ◆ **cortar por lo sano 4.** *Como la casa de la playa me está causando muchas preocupaciones* ***corto por lo sano*** *y la vendo* (= acabo con las preocupaciones y la vendo).
SINÓN: **2.** saludable. ANTÓN: **1.** enfermo. **2.** dañino, nocivo, perjudicial. FAM: → *sanar.*

santarrita s. f. R. de la Plata. *La* ***santarrita*** *ya está florecida* (= planta trepadora ornamental, de hojas ovaladas y flores moradas o amarillas).
SINÓN: buganvilla.

santidad s. f. *Por su* ***santidad*** *pensaron en hacerlo santo* (= por su virtud).
FAM: → *santo.*

santificar v. tr. *Como había hecho varios milagros la iglesia lo* ***santificó*** (= lo hizo santo).
FAM: → *santo.*

santiguarse v. pron. *Cuando rezamos* ***nos santiguamos*** (= hacemos con la mano la señal de la cruz).
FAM: → *santo.*

santo, a adj. **1.** *Dios es* ***santo*** (= es perfecto y libre de toda culpa). **2.** *Cuando voy a la iglesia siempre rezo a* ***Santa*** *Rita* (= rezo a esta persona considerada santa por la Iglesia Católica). **3.** *En Semana* ***Santa*** *me voy de vacaciones* (= en la semana que va desde el domingo de Ramos al domingo de Resurrección). **4.** *Isabel me dijo que te había estado esperando todo el* ***santo*** *día* (= me dijo que te había esperado mucho). ◆ **santo** s. m. **5.** *El* ***santo*** *de Juan es en junio* (= el día que celebra la festividad del santo que lleva su nombre). ◆ **santo, a** s. **6.** *Esta mujer era una* ***santa,*** *dedicó toda su vida a los demás* (= era una virtuosa). **7.** *Había cuatro* ***santos*** *en cada lado de aquella iglesia* (= había cuatro imágenes en cada lado). ◆ **¿a santo de qué? 8.** *¿****A santo de qué*** *tienes que salir ahora que estabas estudiando?* (= ¿por qué vas a salir ahora?). ◆ **no ser santo de la devoción 9.** *Juan no* ***es santo de mi devoción*** (= no me cae bien). ◆ **(deber) a cada santo una vela 10.** *Cuando Juan compró su departamento le quedó debiendo* ***a cada santo una vela*** (= le debía un poco de dinero a cada una de varias personas). ◆ **sanseacabó 11.** *No quiero oír hablar más del asunto y* ***sanseacabó*** (= y fin de la discusión). ◆ **en un santiamén 12.** *Acabo de arreglarme* ***en un santiamén*** *y nos vamos* (= acabo de arreglarme rápidamente).
FAM: *san, santidad, santificar, santiguarse, santoral, santuario.*

santoral s. m. **1.** *En el* ***santoral*** *leí la vida de Santa Teresa* (= la leí en el libro que narra la vida de los santos). **2.** *Consulté el* ***santoral*** *para saber el día de tu santo* (= consulté la lista de los santos y de los días del año en que se celebran).
FAM: → *santo.*

santuario s. m. *En mi pueblo hay un* ***santuario*** *dedicado a la Virgen* (= hay un lugar sagrado).
SINÓN: templo. FAM: → *santo.*

sapo s. m. **1.** El **sapo** es un anfibio parecido a la rana, pero más grueso y cubierto de verrugas. Amér. Merid. **2.** *En el club hay varios aparatos para jugar al* ***sapo*** (= juego que consiste en arrojar un tejo desde una cierta distancia, para tratar de hacerlo entrar en la boca de un sapo de metal que se encuentra encima de una mesa).

saque s. m. *Un partido de fútbol se inicia con un* ***saque*** (= sacando el balón desde el centro).
FAM: → *sacar.*

saquear v. tr. *Los ladrones* ***saquearon*** *la casa* (= robaron todos los objetos valiosos de la casa).
SINÓN: desvalijar.

sarampión s. m. *Javier está en la cama porque tiene* ***sarampión*** (= tiene una enfermedad contagiosa que produce manchas o granos rojos en la piel y mucha fiebre).

sarape s. m. Méx. *Las tejedoras del pueblo hacen* ***sarapes*** (= manta con franjas de colores, que cubre el cuerpo y suele tener una abertura para meter la cabeza).
SINÓN: poncho.

sarcasmo s. m. *Es una persona amargada y por eso habla siempre con mucho* ***sarcasmo*** (= siempre ofende a los demás).

sarcófago s. m. *Encontraron un* ***sarcófago*** *con una momia dentro* (= encontraron un sepulcro).
SINÓN: urna.

sardina s. f. La **sardina** es un pez pequeño, de color azul con reflejos plateados, que vive en el mar cerca de la costa y es muy apreciado como alimento.

sargento s. m. **1.** *Luis ha sido ascendido a* ***sargento*** (= a una categoría militar). **2.** *Carmen es un* ***sargento*** *y me da miedo llevarle la contraria* (= es muy mandona).

sarpullido s. m. *A causa de una alergia me ha salido un* ***sarpullido*** *en la piel* (= me han salido muchos granitos en la piel).

sartén s. f. **1.** *Mi madre fríe papas en la* ***sartén*** (= en un utensilio de cocina que consiste en un recipiente de poco fondo y con mango). ◆ **tener la sartén por el mango 2.** *Mejor que no te enojes con el jefe porque él* ***tiene la sartén por el mango*** *y puede despedirte aunque tú tengas razón* (= es la persona que tiene poder para decidir qué hacer).

sastre, a s. m. f. *Mi padre fue al* ***sastre*** *para hacerse un traje* (= fue a ver a la persona que hace trajes).
FAM: *sastrería.*

sastrería s. f. **1.** *A Javier le gustaría dedicarse a la* ***sastrería*** (= al oficio de sastre). **2.** *Acudiré a la* ***sastrería*** *para recoger mi nuevo traje* (= iré al taller del sastre).
FAM: *sastre.*

Satán o **Satanás** s. m. *Siempre se pinta a* ***Satanás*** *con cuernos, rabo y la piel roja* (= siempre se pinta al demonio).
SINÓN: demonio, diablo.

satélite s. m. **1.** *La Luna es el* ***satélite*** *de la Tierra* (= es un astro sin luz propia que da vueltas alrededor de la Tierra). ◆ **satélite artificial 2.** *Los estadounidenses han lanzado un* ***satélite artificial*** *al espacio para que saque fotografías de la Tierra* (= han lanzado un aparato que gira alrededor de la Tierra).

satén o **satín** s. m. *Compré varios metros de tela de* ***satén*** *para forrarme un vestido* (= compré varios metros de una tela de seda o algodón parecida al raso pero de menor calidad).

satisfacción s. f. *La buena noticia me llenó de* ***satisfacción*** (= me llenó de alegría).
SINÓN: alegría, contento, gozo, placer. ANTÓN: disgusto. FAM: → *satisfacer.*

satisfacer v. tr. **1.** *Mi madre* ***ha satisfecho*** *el deseo que yo tenía de tener una moto comprándome una* (= ha hecho que se realice mi deseo de tener una moto). **2.** ***He satisfecho*** *mi apetito* (= he comido lo suficiente). **3.** *La solución que me dio no acaba de* ***satisfacerme*** (= no acaba de convencerme). ◆ **satisfacerse** v. pron. **4.** *Es tan exigente que no* ***se satisface*** *con nada* (= no se conforma con nada).
SINÓN: **2.** calmar, saciar. **3.** convencer, gustar. **4.** conformarse, contentarse. ANTÓN: **1.** frustrar. **3.** disgustar. FAM: *satisfacción, satisfactorio, satisfecho.*

satisfactorio, a adj. *Me quedé tranquila al ver que el resultado de mi examen era* ***satisfactorio*** (= era aceptable).
SINÓN: aceptable. ANTÓN: insuficiente. FAM: → *satisfacer.*

satisfecho, a adj. *Mi padre está* ***satisfecho*** *con mis notas* (= está contento).
ANTÓN: descontento, disgustado. FAM: → *satisfacer.*

saturado, a adj. *No tengo un minuto para descansar, estoy* ***saturado*** *de trabajo* (= tengo mucho trabajo).

Saturno s. m. **Saturno** es uno de los nueve planetas de nuestro sistema solar; después de Júpiter es el segundo más grande.

sauce s. m. El **sauce** es un árbol que crece en las orillas de los ríos o en lugares húmedos.

savia s. f. *Por el interior de las plantas circula la* ***savia*** (= circula el líquido que las nutre).

saxofón s. m. *Luis toca el* ***saxofón*** (= toca un instrumento musical de viento con varias llaves y con forma curvada).

sazonar v. tr. *Mi madre* ***sazona*** *la comida con sal y un poco de pimienta* (= condimenta la comida).
SINÓN: aderezar, condimentar.

se Es un pronombre personal. VER CUADRO DE PRONOMBRES PERSONALES.

sebo s. m. *Con el* ***sebo*** *se hacen velas y jabón* (= con la grasa sólida y dura que se extrae de los animales).

secado s. m. *Después de lavar la ropa, se realiza el* ***secado*** (= se cuelga para que se evapore el agua).
FAM: → *seco.*

secador s. m. *El* ***secador*** *seca mi cabello con rapidez* (= aparato eléctrico que produce aire caliente o frío).
FAM: → *seco.*

secano s. m. *Como en esta zona no hay agua para regar, dedicaremos estas tierras a cultivos de* ***secano*** (= las dedicaremos a cultivos que sólo reciben agua de la lluvia).
SINÓN: cultivos de temporal. ANTÓN: regadío. FAM: → *seco.*

secante adj. **1.** *Uso un paño* ***secante*** *para recoger el agua que se ha derramado* (= un trapo que seca). **2.** *Cuando me cae una gota de tinta utilizo el papel* ***secante*** (= un papel que seca la tinta).
FAM: → *seco.*

secar v. tr. **1.** ***He secado*** *el suelo porque estaba mojado* (= le he quitado la humedad que tenía). ◆ **secarse** v. pron. **2.** *Ese río* ***se seca*** *en verano* (= se queda sin agua). **3.** *Si no riegas esas plantas* ***se secarán*** (= se marchitarán).
SINÓN: **3.** marchitarse. ANTÓN: **1.** empapar, humedecer, mojar, regar. **3.** florecer. FAM: → *seco.*

sección s. f. **1.** *Estos grandes almacenes están divididos en* ***secciones*** (= están divididos en departamentos). **2.** *El teniente es el jefe de una* ***sección*** (= es el jefe de una compañía de soldados).
SINÓN: **1.** departamento, sector. FAM: *sector.*

seco, a adj. **1.** *Te puedes poner ya el suéter porque está* ***seco*** (= no está mojado). **2.** *No podemos*

bañarnos en el río porque está ***seco*** (= está sin agua). **3.** *Esta comida cuesta tragarla porque está muy* ***seca*** (= porque no tiene caldo). **4.** *Hay que cortar algunas hojas de esa planta porque están* ***secas*** (= están marchitas). **5.** *He comido frutos* ***secos*** (= he comido almendras, avellanas y nueces). **6.** *El clima de los desiertos es* ***seco*** (= es muy poco lluvioso). **7.** *Se pone crema en el pelo porque lo tiene muy* ***seco*** (= lo tiene poco graso). **8.** *Tiene una forma de ser muy* ***seca*** (= es muy arisco en el trato). **9.** *Este vino no se bebe con dulces porque es* ***seco*** (= porque no tiene azúcar). **10.** *La noticia del accidente me dejó* ***seca*** (= me dejó muy impresionada). ◆ **a secas 11.** *Me dijo que no* ***a secas*** (= me dijo sólo que no). ◆ **en seco 12.** *Me estaba explicando un suceso y al verte se calló* ***en seco*** (= se calló bruscamente).
SINÓN: **4.** marchito. **6.** árido. **8.** arisco, brusco. **ANTÓN:** **1.** empapado, húmedo, mojado. **3.** jugoso. **4.** verde. **6.** lluvioso. **7.** graso. **8.** amable, cariñoso. **FAM:** → *resecar, reseco, secado, secador, secano, secante, secar, sequedad, sequía.*

secretaría s. f. **1.** *Mi tío trabaja en la* ***secretaría*** *de su empresa* (= se encarga del correo y de tareas administrativas). Amér. **2.** *En algunos gobiernos, los ministerios se llaman* ***secretarías*** *de Estado.*
FAM: *secretario.*

secretario, a s. **1.** *El* ***secretario*** *del colegio hizo mi inscripción* (= la persona que está a cargo de la secretaría). Amér. **2.** *Los* ***secretarios*** *son los titulares de las Secretarías de Estado.*
FAM: *secretaría.*

secreto s. m. **1.** *Quiero decirte un* ***secreto*** (= quiero decirte algo que no sabe nadie y no debes contar). **2.** *Los científicos intentan conocer los* ***secretos*** *del universo* (= intentan conocer los misterios del universo). ◆ **secreto, a** adj. **3.** *Mi conversación con Alberto fue* ***secreta*** (= nadie se enteró).
SINÓN: **1.** confidencia. **2.** enigma, misterio. **3.** clandestino, confidencial, reservado. **ANTÓN:** **3.** público.

secta s. f. Una **secta** es una comunidad religiosa que ha adoptado ideas y ritos de otras religiones para crear la suya propia y no está reconocida oficialmente.

sector s. m. *Un* ***sector*** *de la ciudad se quedó sin luz* (= una parte de la ciudad se quedó sin luz).
SINÓN: zona. **FAM:** *sección.*

secuela s. f. *Su renguera es una* ***secuela*** *del accidente que tuvo* (= es una consecuencia negativa del accidente que tuvo).

secuencia s. f. *Las primeras* ***secuencias*** *de la película me gustaron mucho porque aparecen unos lagos hermosos* (= las primeras escenas).

secuestrador, a s. *La policía descubrió que los* ***secuestradores*** *habían encerrado al empresario en un sótano* (= las personas que tenían retenido al empresario).
FAM: → *secuestrar.*

secuestrar v. tr. *Los que* ***secuestraron*** *el avión pedían muchos millones* (= los que se apoderaron del aparato y de los pasajeros pedían a cambio muchos millones).
SINÓN: raptar. **ANTÓN:** liberar. **FAM:** *secuestrador, secuestro.*

secuestro s. m. *Este hombre fue condenado por el* ***secuestro*** *del niño* (= fue condenado por haberlo raptado).
SINÓN: rapto. **FAM:** → *secuestrar.*

secundario, a adj. **1.** *Este actor tiene un papel* ***secundario*** (= tiene un papel poco importante). ◆ **enseñanza secundaria 2.** *Cuando mi padre terminó los estudios primarios, cursó la* ***enseñanza secundaria*** (= cursó los estudios posteriores al nivel primario).
SINÓN: **2.** complementario. **ANTÓN:** **2.** principal.

sed s. f. *Necesito beber agua porque tengo* ***sed.***
FAM: *sediento.*

seda s. f. **1.** *Hay unos gusanos que producen un hilo llamado* ***seda*** *con el que luego se hacen telas.* **2.** *María tiene una blusa de* ***seda*** (= tiene una blusa de tela ligera, fina y suave). ◆ **como una seda 3.** *El coche va* ***como una seda*** (= funciona muy bien).
FAM: *sedal, sedoso.*

sedal s. m. *Cuando el pez ha mordido el anzuelo debes recoger el* ***sedal*** (= estirar del hilo de la caña de pescar).
FAM: → *seda.*

sedante s. m. *Cuando está nerviosa, mi abuela toma un* ***sedante*** (= toma un calmante).
SINÓN: calmante. **FAM:** *sedar.*

sedar v. tr. *Como estaba muy nerviosa el médico le dio unas pastillas para* ***sedarla*** (= para calmarla).
SINÓN: calmar, tranquilizar. **ANTÓN:** excitar. **FAM:** *sedante.*

sede s. f. *En el 92 la* ***sede*** *de las olimpíadas fue Barcelona* (= el lugar donde se celebraron las Olimpíadas).

sedentario, a adj. *Juan va del trabajo a casa y de casa al trabajo, lleva una vida muy* ***sedentaria*** (= tiene pocas actividades).
SINÓN: tranquilo. **ANTÓN:** activo.

sediento, a adj. **1.** *Con tanto calor el caballo está* ***sediento*** (= tiene sed). **2.** *Como no llueve y hace calor las plantas de tu jardín están* ***sedientas*** (= necesitan ser regadas).
FAM: *sed.*

sedoso, a adj. *Da gusto tocar tus cabellos porque son* ***sedosos*** *y finos* (= porque parecen de seda).
SINÓN: suave. **ANTÓN:** áspero. **FAM:** → *seda.*

seducir v. tr. **1.** ***Sedujo*** *a todos con su simpatía* (= hechizó a todos con su simpatía). **2.** *Car-*

men ***sedujo*** *a Eduardo gracias a su belleza* (= consiguió mantener con él relaciones amorosas).
SINÓN: **1.** atraer, fascinar, hechizar. ANTÓN: **1.** repeler. FAM: *seductor.*

seductor, a adj. *Carlos tiene una mirada muy* ***seductora*** (= tiene una mirada que hechiza).
FAM: *seducir.*

segador, a s. **1.** *Los* ***segadores*** *cortan la hierba* (= las personas que se dedican a cortar la hierba). ◆ **segador, a** adj. **2.** *Hemos comprado una máquina* ***segadora*** (= una máquina que corta los campos sembrados).
FAM: → *segar.*

segar v. tr. ***Segamos*** *las hierbas del prado porque estaban muy altas* (= las cortamos).
SINÓN: cortar. FAM: *segador, siega.*

seglar adj. *Aunque vive en un convento entre religiosos Luis es* ***seglar*** (= no es un religioso).
SINÓN: laico. ANTÓN: religioso.

segmento s. m. *Pintaré un* ***segmento*** *de la recta de color rojo* (= pintaré un trozo de la línea de color rojo).
SINÓN: tramo, trozo.

segregar v. tr. **1.** *Los caracoles* ***segregan*** *baba* (= producen y despiden de su cuerpo baba). ◆ **segregarse** v. pron. **2.** *Mi barrio* ***se ha segregado*** *de la ciudad y ahora es municipio independiente* (= se ha separado de la ciudad).
SINÓN: **2.** independizarse, separarse. ANTÓN: **2.** integrarse, unirse.

seguido, a adj. **1.** *Ha estornudado cinco veces* ***seguidas*** (= una detrás de otra). **2.** *Lleva una semana* ***seguida*** *estudiando* (= sin interrupción). ◆ **seguido** adv. **3.** *Vamos* ***seguido*** *al campo* (= con frecuencia). ◆ **en seguida 4.** *Nos vamos* ***en seguida*** *al cine* (= nos vamos sin perder tiempo).
SINÓN: **1.** sucesivo. **2.** ininterrumpido. **3.** frecuentemente. FAM: → *seguir.*

seguidor, a s. *Los* ***seguidores*** *de ese equipo celebraban la victoria con júbilo* (= los simpatizantes de ese equipo).
SINÓN: aficionado, simpatizante. FAM: → *seguir.*

seguir v. tr. **1.** *Juan* ***sigue*** *a Pedro en la lista de clase* (= va detrás de él). **2.** *La policía* ***sigue*** *los pasos del asesino* (= lo persigue). **3.** *Después del recreo* ***seguimos*** *nuestro trabajo en clase* (= continuamos nuestro trabajo). **4.** *Yo* ***sigo*** *tu opinión* (= soy de tu misma opinión). **5.** *Lo* ***seguí*** *hasta su casa* (= lo acompañé hasta su casa). **6.** *Andrés* ***sigue*** *la carrera de abogado* (= estudia la carrera de abogado). **7.** *Mi padre* ***sigue*** *con interés mis estudios* (= se preocupa por ellos). **8.** *Todo buen cristiano* ***sigue*** *las acciones de Cristo* (= las imita). **9.** ***Sigo*** *un tratamiento médico* (= lo llevo a cabo). ◆ **seguir** v. intr. **10.** *Mi hermano todavía* ***sigue*** *en Montevideo haciendo el servicio militar* (= aún está allí). ◆ **seguirse** v. pron. **11.** *De tus respuestas* ***se sigue*** *que has estudiado la lección* (= se deduce). **12.** *Los números* ***se siguen*** *en orden* (= se suceden).
SINÓN: **1.** suceder. **3.** continuar, proseguir. **5.** acompañar. **6.** estudiar. **8.** imitar. **11.** deducirse, derivarse. ANTÓN: **1.** preceder. **3.** interrumpir. FAM: *consecuencia, consecutivo, conseguir, persecución, perseguidor, perseguir, proseguir, seguido, seguidor, siguiente.*

según Es una preposición. VER CUADRO DE PREPOSICIONES.

segundero s. m. *Mi reloj tiene* ***segundero*** (= tiene una manecilla que marca los segundos).
FAM: *segundo.*

segundo, a adj. **1.** *Febrero es el* ***segundo*** *mes del año.* ◆ **segundo** s. m. **2.** Cada **segundo** es una de las sesenta partes iguales en que se divide un minuto. **3.** *Se ha ido hace un* ***segundo*** (= se ha ido hace poco tiempo). ◆ **con segundas 4.** *Se ha enojado porque has dicho eso* ***con segundas*** (= porque lo has dicho con doble intención).
SINÓN: **3.** instante, momento. FAM: *segundero.*

seguridad s. f. **1.** *En algunas ciudades no se puede andar solo por la noche por falta de* ***seguridad*** (= por falta de protección). **2.** *Tengo la* ***seguridad*** *de que no va a venir* (= tengo la certeza). ◆ **seguridad social 3.** *Mi hermana trabaja en la* ***seguridad social*** (= trabaja en un organismo de la administración estatal que ayuda a las personas en caso de enfermedad, desempleo, jubilación, etc.).
ANTÓN: **1.** inseguridad. FAM: → *seguro.*

seguro, a adj. **1.** *Si me acompañas no tendré miedo y me sentiré* ***seguro*** (= me sentiré protegido). **2.** *Lo que dices es* ***seguro*** *porque pocas veces te equivocas* (= lo que dices es cierto). **3.** *Las macetas de ese balcón están* ***seguras*** (= están firmes). ◆ **seguro** s. m. **4.** *Todos los coches tienen un* ***seguro*** (= tienen un contrato con una compañía para que les cubran los posibles daños). ◆ **seguro** adv. **5.** ***Seguro*** *que voy a verte* (= con toda seguridad).
SINÓN: **1.** protegido. **2.** cierto, indudable. **3.** estable, fijo. ANTÓN: **1, 2, 3.** inseguro. **2.** dudoso, incierto. FAM: *asegurar, inseguridad, inseguro, seguridad.*

seis *Tengo* ***seis*** *lápices de colores.*
FAM: *seiscientos, sesenta, sexto.*

seiscientos, as *Para comprar esta pelota pagué* ***seiscientos*** *pesos.*
FAM: → *seis.*

selección s. f. **1.** *El jurado realizó una* ***selección*** *de las tres mejores fotos del concurso* (= eligió las mejores). **2.** *Eligieron los mejores nadadores para la* ***selección*** *nacional* (= para el equipo nacional).
SINÓN: **1.** clasificación. FAM: → *seleccionar.*

seleccionar v. tr. *El entrenador* ***seleccionó*** *a los mejores jugadores* (= eligió a los mejores jugadores).
SINÓN: elegir, escoger. FAM: *selección, selectividad, selectivo, selecto.*

selectivo, a adj. *Pedro es muy* ***selectivo*** *con sus amigos, no se relaciona con cualquiera* (= Pedro es una persona que escoge a sus amigos).
FAM: → *seleccionar.*

selecto, a adj. *Este vino es tan* ***selecto*** *que resulta difícil encontrar otro mejor* (= este vino es excelente).
SINÓN: excelente, exquisito. ANTÓN: común, corriente, ordinario. FAM: → *seleccionar.*

sellar v. tr. *El juez ordenó* ***sellar*** *aquel local* (= ordenó cerrar aquel local).
FAM: *sello.*

sello s. m. **1.** *En la secretaría del colegio usan un* ***sello*** *para imprimir su nombre en los documentos* (= usan un instrumento con tinta). **2.** *Este* ***sello*** *tiene el nombre del colegio* (= lo que queda grabado al sellar).
FAM: *sellar.*

selva s. f. *Los monos viven en la* ***selva*** (= viven en un terreno extenso, lleno de árboles).
SINÓN: jungla.

semáforo s. m. *Cuando vamos andando por la calle, la luz verde del* ***semáforo*** *nos autoriza a cruzar* (= el aparato eléctrico con señales luminosas que indica que podemos pasar si está verde, y que no pasemos si está rojo).

semana s. f. **1.** *Estuve enfermo durante una* ***semana*** (= durante siete días). ◆ **entre semana 2.** ***Entre semana*** *estoy en Santiago y los fines de semana me voy a la playa* (= de lunes a viernes estoy en Santiago).
FAM: *semanal, semanario.*

semanal adj. *Este programa de televisión es* ***semanal*** (= se realiza una vez cada semana).
FAM: → *semana.*

semanario s. m. *Mi padre lee el* ***semanario*** *que recibe cada martes* (= lee una revista que aparece cada semana).
FAM: → *semana.*

semblante s. m. *Pedro tiene mal* ***semblante,*** *parece enojado* (= tiene mala cara).
SINÓN: cara, rostro.

sembrado s. m. *El agricultor echa abono en el* ***sembrado*** (= en el campo cultivado).
FAM: → *sembrar.*

sembrador, a s. *Los* ***sembradores*** *plantan semillas en la tierra* (= las personas que siembran en la tierra).
FAM: → *sembrar.*

sembrar v. tr. **1.** *Araron esta tierra para luego* ***sembrarla*** (= para esparcir semillas en ella). **2.** *Mi hermano* ***sembró*** *de juguetes la habitación* (= la llenó de juguetes).
SINÓN: **1.** plantar. **2.** esparcir. ANTÓN: **1.** cosechar. **2.** recoger. FAM: *sembrado, sembrador, siembra.*

sembrío s. m. Amér. Cent., Amér. Merid. *El agricultor elimina las malezas del* ***sembrío*** (= campo sembrado).
SINÓN: plantación, sembrado. FAM: *sembrar.*

semejante adj. **1.** *Tu suéter y el mío tienen el mismo color, son* ***semejantes*** (= son parecidos). **2.** *Pocas veces he oído* ***semejantes*** *tonterías* (= pocas veces he oído tonterías así). ◆ **semejante** s. m. **3.** *Debemos amar a nuestros* ***semejantes*** (= a los demás).
SINÓN: **1.** parecido, similar. **3.** prójimo. ANTÓN: **1.** diferente, distinto.

semen s. m. El **semen** es una sustancia segregada por los órganos reproductores masculinos en la cual se encuentran los espermatozoides.

semestral adj. **1.** *Esa revista sólo sale dos veces al año porque es* ***semestral*** (= porque se publica cada seis meses). **2.** *El curso de mecánica que estudio es* ***semestral*** (= dura seis meses).
FAM: → *mes.*

semestre s. m. *Javier trabajó en esa fábrica durante un* ***semestre*** (= trabajó durante seis meses).
FAM: → *mes.*

semicircular adj. *Ese puente tiene forma* ***semicircular*** (= es como la mitad de un círculo).
FAM: → *circular.*

semicírculo s. m. La mitad de un círculo es un **semicírculo**.
FAM: → *circular.*

semicircunferencia s. f. La mitad de una circunferencia es una ***semicircunferencia***.
FAM: → *circular.*

semifinal s. f. *Nuestro equipo jugará la* ***semifinal*** *y si gana, pasará a la final* (= uno de los dos últimos partidos del campeonato).
FAM: → *fin.*

semilla s. f. **1.** *Los piñones son las* ***semillas*** *del pino* (= son la parte del pino que puede germinar y producir nuevos pinos). **2.** *Mi compañero de banco es la* ***semilla*** *de la discordia en clase* (= es el que causa todas las discusiones en clase).
SINÓN: **1.** simiente. **2.** causa, motivo, origen.
FAM: *semillero.*

semillero s. m. *En el* ***semillero*** *han plantado geranios* (= en el lugar donde se siembran y crían plantas para trasplantarlas más tarde).
SINÓN: vivero. FAM: *semilla.*

seminario s. m. **1.** *Javier estudia en un* ***seminario*** *para ser sacerdote* (= en un centro donde estudian y se forman los jóvenes que quieren ser sacerdotes). **2.** *En el instituto, organizan* ***seminarios*** (= organizan clases donde profesores y alumnos realizan trabajos de investigación).
FAM: *seminarista.*

semirrecta s. f. Cuando un punto divide en dos partes una recta, cada una de ellas forma una **semirrecta.**
FAM: → *recto.*

sémola s. f. *Esta sopa de* ***sémola*** *te caerá bien* (= de cereales reducidos a granos muy pequeños).

senado s. m. **1.** En la antigua Roma, el **Senado** era la organización política de mayor autoridad. **2.** *El* ***Senado*** *aprobó la nueva ley de enseñanza* (= es el órgano que legisla o establece las leyes del país). **3.** El **Senado** es también el edificio donde los senadores celebran sus sesiones.
FAM: *senador.*

senador s. m. *En los países democráticos, los* ***senadores*** *son elegidos por votación* (= los miembros del Senado).
FAM: *senado.*

sencillez s. f. *Como era un problema de gran* ***sencillez,*** *no tardó en resolverlo* (= sin complicación).
FAM: *sencillo.*

sencillo, a adj. **1.** *Es una lección* ***sencilla*** *y sin complicación alguna* (= muy fácil). **2.** *Había equipos de música muy completos pero compré el más* ***sencillo*** (= el que tenía menos complementos). **3.** *El vestido era de una tela muy* ***sencilla*** *y se arruinó a los pocos días de estrenarlo* (= de poca calidad). **4.** *Es un traje discreto y* ***sencillo*** (= sin adornos). **5.** *Esta novela tiene un estilo llano y* ***sencillo*** (= muy claro).
SINÓN: **1.** fácil. **1, 2.** simple. **5.** claro, llano. ANTÓN: **1.** complicado, difícil. **1, 2.** complejo. **4.** recargado. FAM: *sencillez.*

senda s. f. *Volvíamos a casa por la* ***senda*** *del bosque* (= por un camino estrecho).
SINÓN: camino, sendero. FAM: → *sendero.*

sendero s. m. → **senda**.

sénior s. m. **1.** Llamamos **sénior** a la mayor de dos personas que tienen el mismo nombre. **2.** *Este atleta corre en la categoría* ***sénior*** (= en la categoría de corredores mayores de 21 años).

seno s. m. **1.** *Durante la pubertad, se desarrollan los* ***senos*** *de las mujeres* (= los pechos). **2.** *Se refugió en el* ***seno*** *de la religión* (= se amparó en la religión). **3.** *Hay felicidad en el* ***seno*** *de esa familia* (= entre los miembros que la componen).
SINÓN: **1.** pecho, teta. **2.** amparo, regazo.

sensación s. f. **1.** *Tengo una* ***sensación*** *de malestar muy desagradable* (= tengo una desagradable impresión). **2.** *Con este vestido causarás* ***sensación*** (= sorprenderás a todos). **3.** *Tengo la* ***sensación*** *de que lloverá* (= tengo el presentimiento de que va a llover).
SINÓN: **3.** corazonada, presentimiento. FAM: → *sentir.*

sensacional adj. **1.** *La actuación de los trapecistas fue* ***sensacional*** (= nos causó gran impresión). **2.** *Pasamos una tarde* ***sensacional*** *en el circo* (= una tarde extraordinaria).
SINÓN: **1.** impresionante. **2.** extraordinaria, fantástica, magnífica, maravillosa. ANTÓN: **1.** indiferente. **2.** horrible. FAM: → *sentir.*

sensatez s. f. *Nuestro profesor actúa con* ***sensatez*** (= de forma prudente y acertada).
SINÓN: acierto, prudencia, seriedad. ANTÓN: desacierto, imprudencia. FAM: → *sensato.*

sensato, a adj. *Fuiste muy* ***sensato*** *al aceptar sus disculpas* (= muy prudente).
SINÓN: juicioso, prudente, razonable. ANTÓN: imprudente, insensato. FAM: *insensato, sensatez.*

sensibilidad s. f. **1.** *La* ***sensibilidad*** *de la piel nos permite percibir el frío y el calor* (= la capacidad de sentir). **2.** *Este pintor tiene una gran* ***sensibilidad*** *para percibir los colores* (= una gran capacidad para captar los colores).
FAM: → *sentir.*

sensible adj. **1.** *Pedro es un niño muy* ***sensible*** *que llora por nada* (= que se emociona con facilidad). **2.** *Tiene una piel* ***sensible*** *al sol* (= que reacciona con el sol). **3.** *El médico apreció una mejoría* ***sensible*** *en su paciente* (= que no le pasó desapercibida).
SINÓN: **1.** emotivo, sentido, sentimental. **3.** apreciable, visible. ANTÓN: **1.** impasible. **1, 2, 3.** insensible. FAM: → *sentir.*

sentar v. intr. **1.** *Si te duele el estómago esta manzanilla te* ***sentará*** *bien* (= te hará bien). **2.** *Le* ***han sentado*** *bien las vacaciones* (= ha mejorado de aspecto). **3.** *Ese traje le* ***sienta*** *bien* (= lo favorece). **4.** *Me* ***sentó*** *muy mal que no me saludara* (= me molestó que no me saludara). ◆ **sentar** v. tr. **5.** ***Sentaron*** *las bases del nuevo reglamento* (= las establecieron). ◆ **sentarse** v. pron. **6.** ***Me sentaré*** *en la silla* (= posaré en ella mis nalgas).
SINÓN: **3.** favorecer, quedar. **5.** establecer. ANTÓN: **6.** levantarse. FAM: *asiento.*

sentencia s. f. **1.** *El juez ha pronunciado la* ***sentencia*** (= su decisión). **2.** No hay mal que por bien no venga *es una* ***sentencia*** *popular* (= un refrán).
SINÓN: **1.** fallo. **2.** dicho, refrán. FAM: *sentenciar.*

sentenciar v. tr. ***Sentenciaron*** *al asesino* (= lo condenaron).
SINÓN: condenar, culpar. ANTÓN: absolver, perdonar. FAM: *sentencia.*

sentido, a adj. **1.** *La despedida de mis tíos fue* ***sentida*** *por todos* (= nos dio mucha pena que se fueran). ◆ **sentido** s. m. **2.** *La vista, el oído, el olfato, el gusto y el tacto son los cinco* ***sentidos*** *que nos permiten ver, oír, oler, gustar y tocar.* **3.** *Isabel se dio un golpe en la cabeza y perdió el* ***sentido*** (= perdió el conocimiento). **4.** *Pedro tiene un gran* ***sentido*** *de la orientación* (= una gran capacidad para orientarse). **5.** *No tiene* ***sentido*** *ir a la playa cuando llueve* (= no tiene razón de ser). **6.** *¿Cuál es el* ***sentido*** *de esta*

palabra? (= ¿cuál es su significado?). **7.** *Pasamos por una calle de* ***sentido*** *único* (= de una sola dirección). **8.** *Tienes un* ***sentido*** *de la amistad distinto al mío* (= una manera de entender la amistad). ◆ **poner sus cinco sentidos 9.** *Para no equivocarse puso* ***sus cinco sentidos*** *en el cálculo* (= puso mucha atención).
SINÓN: **3.** conciencia, conocimiento. **6.** significación, significado. **7.** dirección. **8.** idea, noción. FAM: → *sentir.*

sentimental adj. **1.** *Me gustan las canciones* ***sentimentales*** *que hablan de amor* (= las canciones románticas). **2.** *Javier es muy* ***sentimental,*** *cualquier cosa afecta exageradamente a su sensibilidad* (= se emociona con facilidad).
SINÓN: **1.** romántico. **1, 2.** emotivo. **2.** sensible. ANTÓN: **2.** duro, insensible. FAM: → *sentir.*

sentimiento s. m. **1.** *El amor, el miedo, el afecto, el odio son* ***sentimientos*** *humanos* (= son los que siente el hombre). **2.** *No le declaró nunca sus* ***sentimientos*** (= su amor). **3.** *Te acompaño en el* ***sentimiento*** *por la muerte de tu abuelo* (= comparto tu pena).
SINÓN: **1.** emoción, sensación. **3.** dolor, pena, pesar, sufrimiento. ANTÓN: **3.** alegría, dicha, felicidad. FAM: → *sentir.*

sentir v. tr. **1.** ***Siento*** *un calor terrible* (= tengo mucho calor). **2.** ***Sentí*** *una gran alegría cuando me comunicaron que había aprobado el examen* (= me alegré mucho). **3.** *Mi familia* ***ha sentido*** *la muerte de mi abuela* (= ha lamentado su muerte). **4.** *Soy sincero porque digo lo que* ***siento*** (= porque digo lo que pienso). **5.** ***Siento*** *que va a hacer buen tiempo* (= lo presiento). ◆ **sentirse** v. pron. **6.** *Ana* ***se siente*** *enferma* (= no se encuentra bien de salud).
SINÓN: **3.** lamentar. **4.** creer, pensar. **5.** presentir, sospechar. **6.** hallarse. ANTÓN: **3.** celebrar. FAM: *asentir, consentimiento, consentir, insensibilidad, insensible, presentimiento, presentir, sensación, sensacional, sensibilidad, sensible, sentido, sentimental, sentimiento.*

seña s. f. **1.** *María me hizo una* ***seña*** *con la mano para darme a entender que se iba* (= un gesto para decirme que se iba). ◆ **señas** s. f. pl. **2.** *Le di las* ***señas*** *de la casa donde vivo* (= le di mi dirección).
SINÓN: **1.** gesto, señal. FAM: *contraseña, insignia, señal, señalar, señalización, señalizar.*

señal s. f. **1.** *Hagan una* ***señal*** *al lado de los ejercicios ya corregidos* (= una marca para distinguirlos). **2.** *Si se levanta será* ***señal*** *de que ya se encuentra bien* (= es síntoma de que está mejor). **3.** *La* ***señal*** *será dar tres golpes en la puerta* (= los tres golpes serán la contraseña). **4.** *El guardia hizo una* ***señal*** *con el brazo para indicar que no cruzáramos la calle* (= hizo un gesto para decirnos que no cruzáramos). **5.** *Para conducir es necesario conocer bien las* ***señales*** *de tránsito* (= las placas, discos o carteles que en las calles y carreteras sirven para ordenar el tránsito). **6.** *Esta ceniza es* ***señal*** *de que ha habido un incendio* (= es la prueba). **7.** *Este niño tiene una* ***señal*** *en su pierna* (= tiene una cicatriz).
SINÓN: **1, 7.** signo. **1, 7.** marca. **2.** síntoma. **2, 6.** muestra, prueba. **3.** contraseña. **4.** gesto, indicación. **7.** cicatriz. FAM: → *seña.*

señalar v. tr. **1.** *El profesor* ***señala*** *las faltas de ortografía con un lápiz rojo* (= pone señales para que las distingamos). **2.** *Cuando pase, te* ***señalaré*** *quién es* (= te indicaré con el dedo quién es).
SINÓN: **1.** marcar. **2.** enseñar, indicar, mostrar. FAM: → *seña.*

señalización s. f. *Las carreteras y calles tienen* ***señalizaciones*** (= tienen instaladas señales para organizar el tránsito).
FAM: → *seña.*

señalizar v. tr. ***Han señalizado*** *las pistas del aeropuerto* (= han instalado señales para informar a los pilotos).
FAM: → *seña.*

señor, a s. **1.** Utilizamos las palabras **señor** y **señora** delante del nombre de una persona en señal de respeto y educación. ◆ **señor** s. m. **2.** *Este* ***señor*** *es el director del banco* (= este hombre). **3.** *La iglesia es la casa del* ***Señor*** (= de Dios). **4.** *En la Edad Media a los propietarios de tierras se les llamaba* ***señores.*** ◆ **señora** s. f. **5.** *Esta* ***señora*** *es la directora del colegio* (= esta mujer). **6.** *El ministro llegó al aeropuerto acompañado de su* ***señora*** (= de su esposa).
SINÓN: **2.** caballero, hombre, varón. **3.** Dios. **5.** dama, mujer. **6.** esposa. FAM: *señorial, señorita.*

señorial adj. *Viven en una casa* ***señorial*** (= de gran elegancia).
SINÓN: majestuoso, noble. ANTÓN: vulgar. FAM: → *señor.*

señorita s. f. *A mi hermana la tratan de* ***señorita*** *porque es soltera y a mi madre de señora porque está casada.*
FAM: → *señor.*

señuelo s. m. R. de la Plata. *El peón metió las reses en el establo con la ayuda del* ***señuelo*** (= buey o grupo de novillos mansos que llevan cencerros al cuello y guían a los otros animales de la manada).

sépalo s. m. Los **sépalos** son las hojas pequeñas que, situadas debajo de los pétalos, forman el cáliz de la flor.

separación s. f. **1.** *Entre la mesa del profesor y el pizarrón hay una* ***separación*** *de un metro* (= un espacio de un metro). **2.** *Tras una larga* ***separación*** *se han vuelto a unir* (= tras un largo período sin estar juntos).
ANTÓN: **2.** unión. FAM: → *separar.*

separar v. tr. **1.** ***Separamos*** *las sillas que estaban muy juntas* (= las alejamos). **2.** *La cajera* ***separa*** *los billetes de las monedas* (= los pone aparte). **3.** *Los Andes* ***separan*** *Argentina de*

Chile (= sirven de barrera entre los dos países). ◆ **separarse** v. pron. **4.** *Al llegar al pueblo* ***nos separamos*** (= cada uno se fue por un camino distinto). **5.** *Tras ocho años de matrimonio, sus padres* ***se han separado*** (= han dejado de vivir juntos).
SINÓN: **1.** distanciar, espaciar. **1, 2.** apartar. ANTÓN: **1.** acercar. **1, 2, 4.** juntar(se), unir(se). FAM: *inseparable, separación.*

sepia adj. Amér. *Las viejas fotografías tenían color* ***sepia*** (= tonalidad similar al castaño claro).

septentrional adj. *Noruega es un país situado en la parte más* ***septentrional*** *de Europa* (= está situado al norte de Europa).
ANTÓN: meridional.

septiembre s. m. **Septiembre** es el noveno mes del año; está situado entre agosto y octubre y tiene treinta días.

séptimo, a adj. **1.** *Marta está en el* ***séptimo*** *curso.* **2.** *Si divides el pastel en siete trozos iguales, cada uno es la* ***séptima*** *parte del pastel.*
FAM: → *siete.*

sepulcro s. m. *Los faraones egipcios eran enterrados en enormes* ***sepulcros*** (= en grandes tumbas).

sepultar v. tr. **1.** *En los cementerios,* ***sepultan*** *los cadáveres* (= los entierran). **2.** *Las aguas desbordadas* ***sepultaron*** *el poblado* (= quedó oculto bajo el agua).
SINÓN: **1.** enterrar. FAM: *sepultura.*

sepultura s. f. **1.** *Cavaron una* ***sepultura*** *para enterrar el cuerpo sin vida del animal* (= cavaron un hoyo en la tierra para enterrarlo). ◆ **dar sepultura 2.** *Ayer* ***dieron sepultura*** *al chico muerto en el accidente* (= ayer lo enterraron).
SINÓN: **1.** fosa. FAM: *sepultar.*

sequedad s. f. **1.** *Este verano vivimos un período de gran* ***sequedad*** (= un período seco, sin lluvias). **2.** *Me ha respondido con* ***sequedad*** (= bruscamente).
SINÓN: **1.** sequía. **2.** aspereza, brusquedad. ANTÓN: **2.** amabilidad, cordialidad, cortesía. FAM: → *seco.*

sequía s. f. *Los períodos de* ***sequía*** *son perjudiciales para la agricultura* (= los períodos largos sin lluvias).
SINÓN: sequedad. FAM: → *seco.*

séquito s. m. *La actriz llegó acompañada de un* ***séquito*** *de admiradores* (= de un grupo de seguidores).
SINÓN: comitiva, corte.

ser v. cop. **1.** *María* ***es*** *guapa* (= tiene esta cualidad). **2.** *Mi hermano* ***es*** *arquitecto* (= tiene el oficio de arquitecto). **3.** *Marcos* ***es*** *de nuestro equipo* (= forma parte del equipo). **4.** *Este libro* ***es*** *mío* (= me pertenece). **5.** *No* ***es*** *de personas sinceras decir mentiras* (= no es propio de ellas). **6.** *Ricardo* ***es*** *de Buenos Aires* (= nació en Buenos Aires). ◆ **ser** v. intr. **7.** *Esta taza* ***es*** *para el café* (= sirve o se utiliza para poner el café). **8.** *Los extraterrestres no* ***son*** *de este mundo* (= no existen en nuestro mundo). **9.** *El descubrimiento de América* ***fue*** *en 1492* (= sucedió en ese año). **10.** *¿Cuánto* ***es****?* (= ¿cuánto cuesta?). ◆ **ser** s. m. **11.** *En la Tierra viven millones de* ***seres*** *vivos* (= de personas, animales y plantas).
SINÓN: **7.** servir, utilizarse. **8.** existir. **9.** acontecer, ocurrir, suceder. **10.** costar, valer.

serenarse v. pron. **1.** *Estaba muy nervioso y no lograba* ***serenarse*** (= no lograba tranquilizarse). **2.** *El barco zarpará cuando* ***se serene*** *el mar* (= cuando el mar esté en calma).
SINÓN: **1.** tranquilizarse. **1, 2.** calmarse, sosegarse. ANTÓN: **1.** inquietarse. FAM: → *sereno.*

serenata s. f. *Mozart compuso varias* ***serenatas*** (= varias composiciones musicales destinadas a ser interpretadas por la noche y al aire libre).

serenidad s. f. *Me sorprendió su* ***serenidad*** *en aquellos momentos tan trágicos* (= su tranquilidad).
SINÓN: calma, sosiego, tranquilidad. ANTÓN: intranquilidad, nerviosismo. FAM: → *sereno.*

sereno, a adj. **1.** *A pesar del disgusto, se mostraba* ***sereno*** (= estaba tranquilo). ◆ **sereno** s. m. **2.** *El pasto se humedeció a causa del* ***sereno*** (= rocío).
SINÓN: **1.** calmado, sosegado, tranquilo. **2.** rocío. ANTÓN: **1.** inquieto, intranquilo, nervioso. FAM: *serenar, serenidad.*

serie s. f. **1.** *1, 2, 3, 4, 5, etc., forman una* ***serie*** *de números* (= se suceden unos a otros ordenadamente). **2.** *El profesor nos hizo una* ***serie*** *de preguntas relacionadas con el tema que estábamos estudiando* (= varias preguntas sobre un mismo tema). **3.** *Los lunes escucho en la radio una* ***serie*** *sobre la vida de los animales* (= un programa que se emite por capítulos). ◆ **fuera de serie 4.** *Javier es un* ***fuera de serie*** *jugando al fútbol* (= es muy bueno).
SINÓN: **1.** sucesión.

seriedad s. f. *Todo trabajo debe realizarse con* ***seriedad*** (= sin tomarlo a broma).
SINÓN: responsabilidad, sensatez. ANTÓN: descuido, negligencia. FAM: *serio.*

serio, a adj. **1.** *Juan es* ***serio*** *en su trabajo* (= se preocupa por el trabajo). **2.** *Felipe tiene un semblante* ***serio*** (= poco sonriente). **3.** *Fuimos al hospital porque la herida parecía* ***seria*** (= parecía una herida importante).
SINÓN: **1.** formal, juicioso, responsable. **2, 3.** grave. **3.** considerable, importante. ANTÓN: **1.** informal, irresponsable. **2.** alegre, sonriente. **3.** insignificante. FAM: *seriedad.*

sermón s. m. **1.** *El sacerdote pronunció un* ***sermón*** (= habló a los fieles reunidos en la iglesia). **2.** *Mi padre me echó un* ***sermón*** *por llegar tan tarde a casa* (= una bronca).
SINÓN: **2.** bronca, reprimenda, reto.

serpentear v. intr. *Las culebras* ***serpentean*** *al moverse* (= se desplazan haciendo ondulaciones).
FAM: → *serpiente.*

serpentina s. f. *En la fiesta lanzamos* ***serpentinas*** (= lanzamos tiras de papel enrolladas que se desenrollan al tirarlas).
FAM: → *serpiente.*

serpiente s. f. La **serpiente** es un reptil de cuerpo largo y sin patas que avanza arrastrándose por el suelo.
FAM: *serpentear, serpentina.*

serrano, a adj. *Mi abuelo nació en un pueblo* ***serrano.*** (= en un pueblo de la sierra).
FAM: → *sierra.*

serrar v. tr. *El carpintero* ***serró*** *la madera* (= la cortó con la sierra).
SINÓN: aserrar. **FAM:** → *sierra.*

serrín s. m. *El suelo de la carpintería estaba cubierto de* ***serrín*** (= de partículas que saltan de la madera al serrarla).
SINÓN: aserrín. **FAM:** → *sierra.*

serrucho s. m. *El carpintero utilizó el* ***serrucho*** *para aserrar la madera* (= una sierra de hoja ancha con mango).
SINÓN: sierra. **FAM:** → *sierra.*

servicial adj. *Es una chica muy* ***servicial*** *que siempre está dispuesta a ayudar a los demás* (= que está dispuesta a hacer favores).
SINÓN: atento. **FAM:** → *servir.*

servicio s. m. **1.** *Pasó cinco años al* ***servicio*** *de aquella empresa* (= trabajando para la empresa). **2.** *El* ***servicio*** *de urgencias del hospital funciona las veinticuatro horas del día* (= el conjunto de personas e instalaciones). **3.** *Le agradeceré siempre el* ***servicio*** *que me ha prestado* (= su ayuda). **4.** *Tiré aquel aparato porque ya no me hacía ningún* ***servicio*** (= ya no era útil). **5.** *Tengo un* ***servicio*** *de café de porcelana* (= un conjunto de platos y tazas para servir el café). ◆ **servicio militar 6.** *Mi hermano está cumpliendo el* ***servicio militar*** (= está cumpliendo con la obligación que tienen todos los ciudadanos de servir como soldados en el ejército durante un tiempo).
SINÓN: 4. utilidad. **FAM:** → *servir.*

servidor, a s. *Aquel mayordomo era el principal* ***servidor*** *del palacio* (= el primer criado).
SINÓN: criado, lacayo, sirviente. **FAM:** → *servir.*

servidumbre s. f. *El mayordomo organizaba el trabajo de la* ***servidumbre*** (= de todos los criados).
FAM: → *servir.*

servilleta s. f. *Con la* ***servilleta*** *nos limpiamos la boca después de comer* (= con la pieza de tela o papel, pequeña y cuadrada, que usamos en la mesa para limpiarnos).
FAM: *servilletero.*

servilletero s. m. *Las servilletas se guardan enrolladas en un* ***servilletero*** (= en un aro).
FAM: *servilleta.*

servir v. intr. **1.** *Este mapa te* ***servirá*** *para no perderte* (= te será útil). **2.** *¿En qué puedo* ***servirle****?* (= ¿en qué puedo ayudarlo?). **3.** En la Antigüedad los esclavos ***servían*** *a sus amos* (= los atendían haciendo todo lo que les pedían sus amos). ◆ **servir** v. tr. **4.** *La mucama* ***sirve*** *la comida* (= la pone en el plato de cada uno). ◆ **servirse** v. pron. **5.** ***Se sirvió*** *de un cuchillo para cortar la cuerda* (= utilizó un cuchillo).
SINÓN: 2. atender, ayudar. **5.** emplear, utilizar, valerse. **FAM:** *inservible, servicial, servicio, servidor, servidumbre, siervo, sirviente.*

sesenta *Mi abuelo tiene* ***sesenta*** *años.*
FAM: → *seis.*

sesión s. f. **1.** *Los socios del club celebraron una* ***sesión*** *para tratar sobre la ampliación de las canchas de tenis* (= una reunión de trabajo). **2.** *Cada tarde hay dos* ***sesiones*** *de cine: una a las cuatro y otra a las siete* (= cada tarde pasan dos veces la misma película).
SINÓN: 1. asamblea, junta. **2.** pase.

seso s. m. Los **sesos** son la masa de tejido nervioso que forma el cerebro de los animales.
SINÓN: cerebro.

seta s. f. Las **setas** son hongos con forma de sombrero que crecen en los bosques. Algunas son comestibles y otras son venenosas.
SINÓN: hongo.

setecientos, as *Ángel tiene* ***setecientos*** *pesos.*
FAM: → *siete.*

setenta *En la biblioteca hay* ***setenta*** *libros.*
FAM: → *siete.*

seto s. m. *El jardinero podaba el* ***seto*** *que rodeaba el jardín* (= una pared formada por arbustos o por plantas muy frondosas).
SINÓN: cerco.

seudónimo s. m. *El autor de esta novela firma con* ***seudónimo*** (= con un nombre que no es el suyo).

severo, a adj. **1.** *Fuiste muy* ***severo*** *con Ana al enojarte con ella por aquella tontería* (= muy rígido). **2.** *Estaba muy enojado y su semblante era* ***severo*** (= muy serio).
SINÓN: 1. duro, inflexible, rígido, riguroso. **2.** grave, serio. **ANTÓN: 2.** sonriente.

seviche s. m.→ **cebiche.**

sexo s. m. **1.** *Juan es del* ***sexo*** *masculino y María del* ***sexo*** *femenino.* **2.** El **sexo** es la parte externa de los órganos de reproducción.
FAM: *bisexual, sexual, sexualidad.*

sexto, a adj. **1.** *El ascensor se detuvo en el* ***sexto*** *piso.* **2.** *Nos repartimos, el dinero en seis partes iguales; cada una era la* ***sexta*** *parte.*
FAM: → *seis.*

sexual adj. *Los órganos* ***sexuales*** *son diferentes en el hombre y en la mujer* (= los órganos genitales).
FAM: → *sexo.*

sexualidad s. f. *En el colegio nos dieron una charla sobre* ***sexualidad*** *y educación sexual* (= sobre el tema relacionado con la conducta sexual).
FAM: → *sexo.*

short s. m. *Se puso un* ***short*** *y una camiseta para ir a la playa* (= un pantalón corto).

si **1.** Es una conjunción. VER CUADRO DE CONJUNCIONES. ◆ **si** s. m. **2.** El **si** es la séptima nota musical.

sí adv. **1.** *¿Me acompañas al parque?* ***Sí****; te acompaño.* ◆ **sí** pron. reflex. **2.** *Las personas egoístas sólo piensan en* ***sí*** *mismas* (= en ellas mismas).
ANTÓN: **1.** no.

siamés, esa adj. **1.** Son **siameses** los hermanos que nacen unidos por alguna parte del cuerpo. **2.** *Los gatos* ***siameses*** *son de color beige, con la cabeza, las patas y la cola más oscuras* (= es una raza de gatos procedente de Asia).

siderurgia s. f. *La* ***siderurgia*** *permite la fabricación de herramientas, vigas, máquinas o motores* (= es el conjunto de técnicas y métodos para conseguir el hierro y transformarlo).

sidra s. f. La **sidra** es una bebida alcohólica que se obtiene al fermentar el jugo de manzana.

siega s. f. *Durante la* ***siega*** *los agricultores cortan el trigo, la cebada o la alfalfa de los campos de cultivo* (= es el tiempo en que se cortan los cereales ya maduros).
FAM: → *segar.*

siembra s. f. *A finales de otoño, los agricultores realizan la* ***siembra*** *del trigo* (= esparcen por la tierra las semillas de las que nacerá el trigo).
FAM: → *sembrar.*

siempre adv. **1.** ***Siempre*** *viví en Asunción* (= todo el tiempo). **2.** ***Siempre*** *está dispuesto a ayudarnos* (= en cualquier momento). **3.** *Cuando termino de comer,* ***siempre*** *me lavo los dientes* (= cada vez que termino de comer, me los lavo). **4.** *Quizá no gane, pero* ***siempre*** *podrá decir que lo intentó* (= en cualquier caso podrá decirlo).
ANTÓN: **1, 2, 3.** nunca.

sien s. f. Las **sienes** son las dos partes de la cabeza comprendidas entre la frente, la oreja y la mejilla.

sierra s. f. **1.** *Para cortar la madera o el metal se utiliza una* ***sierra*** (= una herramienta compuesta por un mango y una hoja de acero con el borde dentado). **2.** *Desde el valle, contemplábamos las montañas nevadas de la* ***sierra*** (= del conjunto de montañas situadas una al lado de otra).
SINÓN: **1.** serrucho. **2.** cordillera. **FAM:** *aserradero, aserrar, serrano, serrar, serrín, serrucho.*

siervo, a s. *Durante el feudalismo, los* ***siervos*** *trabajaban para un señor a cambio de protección* (= servidores que vivían en las tierras del señor para el que trabajaban).
SINÓN: esclavo. **FAM:** → *servir.*

siesta s. f. *Después de comer, mi abuela duerme la* ***siesta*** (= duerme un rato no muy largo).

siete *Los días de la semana son* ***siete****.*
FAM: *séptimo, setecientos, setenta.*

sietecolores s. m. Amér. Merid. *Los niños miraban admirados una bandada de* ***sietecolores*** (= pájaros pequeños de plumaje multicolor y con un penacho rojo; viven a orillas de lagos y lagunas).
FAM: *siete.*

sietemesino, a adj. *El niño que está en la incubadora es* ***sietemesino*** (= nació a los siete meses de embarazo y no a los nueve).

sifón s. m. *La soda se vende en botellas cerradas con* ***sifón*** (= con un mecanismo por el cual el líquido sale a presión).

sigilo s. m. **1.** *Por orden de la familia de la víctima, la policía llevó el caso con mucho* ***sigilo*** (= sin escándalos). **2.** *Andaban con* ***sigilo*** *para no despertar a sus padres* (= andaban casi sin hacer ruido).
SINÓN: **1.** discreción, reserva. **2.** silencio.
ANTÓN: **1, 2.** escándalo.

sigla s. f. *R.O.U. son las* ***siglas*** *de* República Oriental del Uruguay (= son las letras iniciales de un nombre que utilizamos, por comodidad, en vez del nombre entero).

siglo s. m. *Visitamos una exposición dedicada a los grandes inventos del* ***siglo*** *XIX* (= es un período de cien años).

significado s. m. *Busca en el diccionario el* ***significado*** *de la palabra* sépalo (= lo que quiere decir esta palabra).
SINÓN: sentido. **FAM:** → *significar.*

significar v. tr. **1.** *Este sonido* ***significa*** *que comienzan las clases* (= indica el inicio de las clases). **2.** *¿Qué* ***significa*** *esta palabra?* (= ¿Qué quiere decir?). ◆ **significar** v. intr. **3.** *Este anillo* ***significa*** *mucho para mí pues es un recuerdo de mis padres* (= tiene mucha importancia).
SINÓN: **3.** importar, valer. **FAM:** *insignificante, significación, significado, significativo.*

significativo, a adj. **1.** *Hizo un gesto* ***significativo*** *en señal de protesta* (= un gesto que expresaba claramente lo que pensaba). **2.** *Consiguieron la victoria en un momento muy* ***significativo*** (= muy importante).
SINÓN: **1.** expresivo. **2.** importante. **FAM:** → *significar.*

signo s. m. **1.** *La risa es un* ***signo*** *de alegría* (= una señal). **2.** *Los sonidos de una lengua se representan mediante* ***signos*** *ortográficos* (= mediante letras). **3.** *La coma (,), el punto (.), el punto y coma (;) son* ***signos*** *de puntuación.* **4.** *El* ***signo*** *(+) significa* más *y el* ***signo*** *(x)* multiplicado por. **5.** *Hizo un* ***signo*** *con la mano para indicarme que se iba* (= un gesto). **6.** *Soy del* ***signo*** *Tauro porque nací el once de mayo* (= de una de las figuras que representan una de las doce partes del zodíaco).
SINÓN: **1.** símbolo. **1, 5.** señal. **FAM:** consigna.

siguiente adj. *El número* ***siguiente*** *al dos es el tres* (= el que le sigue en orden).
ANTÓN: anterior. FAM: → *seguir.*

sílaba s. f. *La palabra* mesa *tiene dos* ***sílabas*** (= está formada por dos grupos de sonidos: *me* y *sa*).
FAM: *bisílabo, monosílabo.*

silbar v. intr. **1.** *Pedro subía las escaleras* ***silbando*** (= produciendo un sonido agudo echando aire entre los labios). ◆ **silbar** v. tr. **2.** *El público* ***silbó*** *la mala actuación del cantante* (= abucheó al cantante). **3.** *El árbitro* ***silbó*** *el final del partido* (= lo anunció haciendo sonar su silbato).
SINÓN: **2.** abuchear. ANTÓN: **2.** aplaudir. FAM: *silbato, silbido.*

silbato s. m. *El guardia urbano hizo sonar su* ***silbato*** (= un instrumento pequeño que sirve para emitir un sonido agudo).
SINÓN: pito. FAM: → *silbar.*

silbido s. m. *Juan dio un* ***silbido*** *que se oyó por todo el patio* (= un sonido agudo que se consigue haciendo pasar con fuerza el aire a través de los labios).
FAM: → *silbar.*

silencio s. m. **1.** *En los hospitales debemos guardar* ***silencio*** (= hemos de permanecer callados). **2.** *Me gusta el* ***silencio*** *del bosque* (= la ausencia de ruidos). ◆ **en silencio 3.** *El profesor nos dijo que hiciéramos los ejercicios* ***en silencio*** (= sin hablar). ◆ **romper el silencio 4.** *Después de tanto tiempo, decidió* ***romper el silencio*** *y contar lo que había sucedido* (= decidió hablar).
ANTÓN: **1, 2.** alboroto, escándalo. **2.** ruido. FAM: *silencioso.*

silencioso, a adj. **1.** *María ha estado muy* ***silenciosa*** *toda la tarde* (= no ha hablado en toda la tarde). **2.** *La iglesia es un lugar* ***silencioso*** (= un lugar donde se guarda silencio). **3.** *El andar del gato es* ***silencioso*** (= casi no hace ruido al andar).
SINÓN: **1.** callado. ANTÓN: **1.** charlatán, hablador, parlanchín. **2, 3.** ruidoso. FAM: *silencio.*

silla s. f. **1.** *Toma una* ***silla*** *y siéntate* (= un asiento con respaldo para una sola persona). ◆ **silla de montar 2.** *Para montar a caballo, el jinete coloca sobre el lomo del animal una* ***silla de montar.***
FAM: *ensillar, sillín, sillón.*

sillín s. m. *Todas las bicicletas tienen* ***sillín*** (= un asiento pequeño).
FAM: → *silla.*

sillón s. m. *Siéntate en el* ***sillón*** (= en un asiento grande con brazos que suele ser muy cómodo).
FAM: → *silla.*

silo s. m. *El granjero almacenaba el trigo en el* ***silo*** (= en un depósito grande que sirve para guardar cereales).
SINÓN: granero.

silueta s. f. **1.** *Entre la niebla pude distinguir la* ***silueta*** *del campanario de la iglesia* (= pude ver el contorno del campanario). **2.** *Luis dibujó la* ***silueta*** *de mi cara* (= el perfil de mi cara). **3.** *Rosa hace régimen para conservar su* ***silueta*** (= su buena figura).
SINÓN: **1.** contorno. **2.** perfil. **3.** figura, tipo.

silvestre adj. *El tomillo es una planta* ***silvestre*** (= que crece sin ser cultivada).
ANTÓN: natural, salvaje.

simbólico adj. *La paloma blanca es un animal* ***simbólico*** *porque representa la paz.* **2.** *Recibió por su colaboración una cantidad* ***simbólica*** *de dinero* (= una cantidad poco importante como signo de agradecimiento).
FAM: *símbolo.*

símbolo s. m. *La cruz es el* ***símbolo*** *del cristianismo* (= el signo que representa a la religión cristiana).
FAM: *simbólico.*

simetría s. f. *Al dividir un cuadrado en dos partes iguales logramos una* ***simetría*** (= las dos partes son exactamente iguales).
FAM: → *medir.*

simiente s. f. La **simiente** es la parte del fruto de la que nacerá una planta.
SINÓN: semilla.

similar adj. *Estos dos medicamentos producen un efecto* ***similar*** *y cualquiera de los dos te aliviará el dolor* (= un efecto parecido).
SINÓN: parecido, semejante. ANTÓN: diferente, distinto.

simio, a s. Los **simios**, como el gorila, el chimpancé o el mono, son mamíferos con un cerebro muy desarrollado, que tienen manos y pies y que hacen gestos muy expresivos.

simpatía s. f. **1.** *Con su carácter amable y alegre se ganó la* ***simpatía*** *de todos* (= el afecto de todos). **2.** *Gracias a su* ***simpatía*** *siempre está rodeado de amigos* (= a su carácter agradable y alegre).
SINÓN: **1.** afecto, cariño. **2.** encanto. ANTÓN: **1, 2.** antipatía. FAM: *simpático, simpatizante, simpatizar.*

simpático, a adj. *Nuestro profesor es tan* ***simpático*** *que nos sentimos muy a gusto con él* (= es una persona muy agradable).
SINÓN: agradable, encantador. ANTÓN: antipático, desagradable. FAM: → *simpatía.*

simpatizante adj. *Socios y* ***simpatizantes*** *animaron a su equipo durante todo el partido* (= que simpatizan y siguen al equipo).
FAM: → *simpatía.*

simpatizar v. intr. *Es una persona muy antipática con la que nunca* ***he simpatizado*** (= nunca nos hemos llevado bien).
SINÓN: congeniar, entenderse. FAM: → *simpatía.*

simple adj. **1.** *Era un problema tan* ***simple*** *que lo resolvimos en un momento* (= sin compli-

cación). **2.** *Esto no es más que un* ***simple*** *error* (= solamente es un error). **3.** *Eres tan* ***simple*** *que te crees cualquier cosa* (= eres tan ingenuo). **4.** *Vendían equipos de música más completos pero yo compré el más* ***simple*** (= el que tenía menos complementos).
SINÓN: 1. fácil. **1, 4.** sencillo. **3.** ingenuo, inocente. **ANTÓN: 1.** complejo, complicado. **3.** listo, malicioso. **FAM:** *simplicidad, simplificar.*

simplicidad s. f. *Era un problema de tal* ***simplicidad*** *que lo resolvió en un instante* (= de tal sencillez).
SINÓN: sencillez. **ANTÓN:** dificultad. **FAM:** → *simple.*

simplificar v. tr. ***Simplificar*** *un problema es hacerlo más sencillo* (= hacerlo menos complicado).
ANTÓN: complicar, dificultar. **FAM:** → *simple.*

simular v. tr. *Pedro* ***simulaba*** *que dormía y en realidad estaba despierto* (= aparentaba estar dormido).
SINÓN: aparentar, fingir. **FAM:** *disimular, disimulo.*

simultáneo, a adj. Dos acontecimientos son **simultáneos** cuando se producen al mismo tiempo.

sin Es una preposición. VER CUADRO DE PREPOSICIONES.

sinagoga s. f. *Los practicantes del judaísmo se reúnen en las* ***sinagogas*** (= unos edificios o locales en los que se reúnen los judíos para rezar).

sinceridad s. f. *Mostró total* ***sinceridad*** *al contar la verdad del caso* (= no ocultó nada).
SINÓN: franqueza. **ANTÓN:** falsedad, hipocresía. **FAM:** *sincero.*

sincero, a adj. *Siempre soy* ***sincero*** *y digo lo que pienso* (= no soy ningún hipócrita porque digo lo que siento).
SINÓN: franco. **ANTÓN:** falso, hipócrita, mentiroso. **FAM:** *sinceridad.*

sindical adj. *Los obreros eligen sus representantes* ***sindicales*** (= los representantes del sindicato o de la asociación que defiende sus intereses).
FAM: *sindicato.*

sindicato s. m. Los **sindicatos** son asociaciones que defienden los intereses de los trabajadores.
FAM: *sindical.*

sinfonía s. f. *La orquesta toca una* ***sinfonía*** (= una composición musical en la que las voces y los instrumentos suenan a la vez).

singular adj. **1.** *La palabra* mesa *está en número* ***singular*** *y* mesas *en plural.* **2.** *Como tiene una forma de ser muy* ***singular*** *nadie lo entiende* (= tiene un carácter muy especial).
SINÓN: 2. extraño, peculiar, raro. **ANTÓN: 1.** plural. **2.** normal.

siniestro, a adj. **1.** *La casa encantada de la película era* ***siniestra*** (= daba miedo). ◆ **siniestro** s. m. **2.** *Un incendio o una inundación son* ***siniestros*** (= son catástrofes).
SINÓN: 1. espeluznante.

sinnúmero s. m. *En este bosque, hay un* ***sinnúmero*** *de árboles* (= una cantidad incalculable).
SINÓN: multitud, sinfín.

sino Es una conjunción. VER CUADRO DE CONJUNCIONES.

sinónimo, a adj. *Las palabras* hombre *y* varón *son* ***sinónimas*** (= significan lo mismo).
SINÓN: equivalente, parecido. **ANTÓN:** antónimo, contrario.

sintaxis s. f. La **Sintaxis** es una de las partes de la Gramática que estudia cómo se combinan las palabras para formar oraciones y la relación entre oraciones.

síntesis s. f. *Después de escuchar la explicación del tema, hicimos una* ***síntesis*** *del mismo* (= un resumen).
SINÓN: resumen. **FAM:** *sintético.*

sintético, a adj. **1.** *El profesor dio una explicación* ***sintética*** *del tema* (= una explicación que resumía el tema). **2.** *Esta chaqueta no es de piel natural sino* ***sintética*** (= de piel obtenida artificialmente).
SINÓN: 1. abreviado, resumido. **2.** artificial. **ANTÓN: 1.** ampliado. **2.** natural. **FAM:** *síntesis.*

síntoma s. m. *Los* ***síntomas*** *de la gripe son la fiebre y el catarro* (= las señales que indican que alguien tiene gripe).
SINÓN: indicio, señal, signo.

sintonizar v. tr. **1.** ***Sintonizo*** *la radio para escuchar las noticias* (= la enciendo y localizo la emisora). **2.** *Mi amigo y yo* ***sintonizamos*** *en nuestros gustos* (= nos gustan las mismas cosas).
SINÓN: 2. coincidir. **FAM:** → *tono.*

sinuoso, a adj. *El sendero que cruzaba el bosque era largo y* ***sinuoso*** (= era un camino largo y lleno de curvas).
ANTÓN: recto.

sinvergüenza adj. *Este chico tan* ***sinvergüenza*** *me ha robado el bolígrafo* (= tan fresco y desvergonzado).
SINÓN: bribón, canalla, descarado, desvergonzado. **FAM:** → *vergüenza.*

siquiera adv. **1.** *Ni* ***siquiera*** *le pidieron perdón* (= no le pidieron perdón). **2.** *Dame una pista* ***siquiera*** (= dame por lo menos una pista). ◆ **siquiera** conj. **3.** *Ven a la fiesta,* ***siquiera*** *por un momento* (= aunque sólo sea un momento).

sirena s. f. **1.** *Era un cuento en el que aparecían hadas, duendes y* ***sirenas*** (= unos seres imaginarios con la mitad superior del cuerpo de mujer y la mitad inferior de pez). **2.** *Una* ***sirena*** *anuncia el paso de los bomberos* (= un aparato que produce un sonido fuerte y que se utiliza como alarma).

siringa s. f. *Juan explota una plantación de* ***siringas*** (= árbol sudamericano, de gran porte, del que se extrae un jugo lechoso que produce un caucho de excelente calidad).

sirviente, a s. *El mayordomo, la camarera y el cocinero eran los* ***sirvientes*** *de palacio* (= las personas que trabajaban y servían en palacio).
SINÓN: criado, servidor. FAM: → *servir.*

sisal s. m. Amér. Cent., Méx. *En ese establecimiento se fabrican telas e hilos de fibra de* ***sisal*** (= planta herbácea de hojas grandes y carnosas, de las que se obtiene una fibra textil).

sísmico, a adj. *En esta región, se produjo un movimiento* ***sísmico*** *que hizo temblar la superficie de la tierra* (= un movimiento producido por un terremoto).
FAM: *sismo.*

sismo s. m. Amér. *El* ***sismo*** *derribó muchos edificios de la ciudad* (= el terremoto).
SINÓN: terremoto. FAM: *sísmico.*

sistema s. m. **1.** *Ideó un nuevo* ***sistema*** *para enseñar inglés* (= una nueva manera). **2.** *El cerebro forma parte del* ***sistema*** *nervioso del cuerpo humano* (= del conjunto de órganos que, conectados entre sí, ayudan a realizar una determinada función). **3.** *No conozco el* ***sistema*** *de este aparato* (= no conozco el conjunto de piezas que lo forman).
SINÓN: **1.** método, procedimiento, técnica.

sitiar v. tr. *Los enemigos* ***han sitiado*** *y atacado la ciudad* (= la han rodeado y no dejan entrar ni salir a nadie).
SINÓN: asediar, cercar.

sitio s. m. **1.** *Este libro no está en su* ***sitio*** (= no está en el lugar que le corresponde). **2.** *Este parque es el* ***sitio*** *más bonito de la ciudad* (= es la zona más bonita). **3.** *Las tropas enemigas pusieron* ***sitio*** *a la ciudad* (= la rodearon para atacarla y apoderarse de ella).
SINÓN: **1, 2.** lugar. **2.** paraje, parte, rincón, zona. **3.** asedio, cerco. FAM: *situación, situar.*

situación s. f. **1.** *Con tantos problemas, el país atravesaba una difícil* ***situación*** (= pasaba por unas circunstancias difíciles). **2.** *Goza de una elevada* ***situación*** *económica* (= de una buena posición). **3.** *El entrenador organizó la* ***situación*** *de los jugadores en el campo* (= su colocación).
SINÓN: **2.** posición. **3.** colocación. FAM: → *sitio.*

situar v. tr. **1.** *El profesor* ***situó*** *a los niños en la primera fila* (= los colocó). **2.** *No consigo* ***situar*** *tu ciudad en el mapa* (= no logro localizarla). ◆ **situarse** v. pron. **3.** ***Se ha situado*** *en primera fila para ver mejor el espectáculo* (= se ha ubicado).
SINÓN: **1.** colocar, instalar, poner. **2.** localizar, ubicar. **3.** ubicar (se). FAM: → *sitio.*

smog s. m. *Hay mucho* ***smog*** *en la ciudad de México* (= contaminación de la atmósfera provocada por los gases y humos de las fábricas, los coches, etc.).

sobaco s. m. → **axila.**

sobado, a adj. *Este libro viejo está* ***sobado*** *de tanto usarlo* (= está muy manoseado).
SINÓN: manoseado. FAM: *sobar.*

sobar v. tr. *No* ***sobes*** *tanto ese libro que lo vas a estropear* (= no lo manosees tanto).
SINÓN: manosear. FAM: *sobado.*

soberano, a adj. **1.** *Le dieron una* ***soberana*** *paliza* (= una gran paliza). ◆ **soberano, a** s. **2.** *El rey es el* ***soberano*** *en una monarquía* (= la persona que tiene la máxima autoridad). **3.** *En una democracia, se dice que el* ***soberano*** *es el pueblo.*
SINÓN: **1.** enorme, grande. **2.** monarca. **3.** autoridad.

soberbia s. f. **1.** *Su* ***soberbia*** *lo hace ser insoportable* (= la actitud que lo hace creerse superior a los demás). **2.** *Quedé impresionado ante la* ***soberbia*** *de los salones de palacio* (= ante la abundancia de lujo).
SINÓN: **1.** altivez, arrogancia, orgullo. ANTÓN: **1.** humildad, modestia. FAM: *soberbio.*

soberbio, a adj. **1.** *No me gustan las personas* ***soberbias*** *que se creen superiores a los demás* (= las personas arrogantes y orgullosas). **2.** *El público aplaudió la* ***soberbia*** *actuación de la actriz* (= su magnífica actuación).
SINÓN: **1.** altivo, arrogante, orgulloso. **2.** espléndido, magnífico. ANTÓN: **1.** humilde, modesto. **2.** mediocre. FAM: *soberbia.*

sobornar v. tr. *Los ladrones* ***sobornaron*** *al vigilante para que les abriera la puerta* (= le dieron dinero a cambio de que hiciera algo contrario a su deber).
FAM: *soborno.*

soborno s. m. *Las personas honradas no aceptan* ***sobornos*** (= no aceptan dinero a cambio de hacer algo ilegal y contrario a su deber).
FAM: *sobornar.*

sobra s. f. **1.** *Después de comer, recogí de la mesa las* ***sobras*** (= los restos de la comida). ◆ **de sobra 2.** *Toma más hojas, que yo tengo* ***de sobra*** (= tengo muchas más de las que necesito).
SINÓN: **1.** desperdicio, resto. FAM: → *sobrar.*

sobrante adj. *Cuando termine el suéter, con la lana* ***sobrante*** *haré una bufanda* (= con lo que quede de lana).
FAM: → *sobrar.*

sobrar v. intr. **1.** ***Sobra*** *sitio para poner más libros* (= hay más sitio). **2.** *Ya te puedes ir porque aquí* ***sobras*** (= estás de más). **3.** *Este es el dinero que* ***sobró*** *después de pagar la compra* (= que quedó).
SINÓN: **1, 3.** quedar. ANTÓN: **1.** escasear. **1, 2, 3.** faltar. FAM: *sobra, sobrante.*

sobre Es una preposición. VER CUADRO DE PREPOSICIONES.

sobre s. m. *Puse la carta en un* ***sobre*** *para enviarla por correo* (= en un envoltorio de papel, plano y rectangular).

sobrealimentar v. tr. *Cuido tanto a mi perro que lo* ***sobrealimento*** (= lo alimento más de lo necesario).
FAM: → *alimento.*

sobrecarga s. f. *El camión transportaba una* ***sobrecarga*** *de mercancías* (= más peso y carga del normal).
FAM: → *carga.*

sobrecargar v. tr. *Si* ***sobrecargas*** *la barca, se hundirá* (= si le pones más peso del que puede soportar).
SINÓN: recargar. **ANTÓN:** aligerar. **FAM:** → *carga.*

sobrecogerse v. pron. ***Se sobrecogió*** *al oír el trueno* (= se asustó).
SINÓN: asustarse, espantarse. **ANTÓN:** tranquilizarse. **FAM:** → *coger.*

sobreentenderse v. pron. → **sobrentenderse.**

sobreesdrújulo, a adj. → **sobresdrújulo.**

sobremesa s. f. *Durante la* ***sobremesa*** *tomamos el café y charlamos de nuestras cosas* (= en el espacio de tiempo después de comer, en el que nos quedamos en la mesa conversando).
FAM: *mesa.*

sobrenatural adj. *Un milagro es un hecho* ***sobrenatural*** (= que la naturaleza no puede explicar).
ANTÓN: natural. **FAM:** → *naturaleza.*

sobrentenderse o **sobreentenderse** v. pron. *Cuando hablaba de* él ***se sobrentendía*** *que se refería a su hermano* (= aunque no lo decía claramente nosotros lo sabíamos).
SINÓN: adivinarse, intuirse. **FAM:** → *tender.*

sobrepasar v. tr. *El precio de este libro* ***sobrepasa*** *los cien pesos* (= su precio es superior a cien pesos).
SINÓN: superar. **FAM:** → *pasar.*

sobresaliente s. m. *María estaba muy contenta porque obtuvo un* ***sobresaliente*** *en su examen* (= obtuvo la máxima calificación).
FAM: → *salir.*

sobresalir v. intr. **1.** *Los rascacielos* ***sobresalen*** *de entre los demás edificios de la ciudad* (= destacan porque son más altos). **2.** *Andrés* ***sobresale*** *entre sus compañeros por su inteligencia* (= destaca entre los demás).
SINÓN: destacar, resaltar. **FAM:** → *salir.*

sobresaltarse v. pron. ***Me sobresalté*** *con el ruido de los coches* (= me di un gran susto).
SINÓN: alarmarse, asustarse, inquietarse. **ANTÓN:** calmarse, sosegarse, tranquilizarse. **FAM:** → *saltar.*

sobresalto s. m. *El sonido de la sirena me produjo un gran* ***sobresalto*** (= un gran susto).
SINÓN: susto. **FAM:** → *saltar.*

sobresdrújulo, a o **sobreesdrújulo, a** adj. Devuélvemelo *es una palabra* ***sobresdrújula*** (= una palabra en la que el acento recae en la antepenúltima sílaba).

sobretodo s. m. *Ponte el* ***sobretodo*** *para salir a la calle que hace frío* (= una prenda de vestir ancha y larga que se lleva sobre el traje).
SINÓN: abrigo.

sobrevivir v. intr. *Fueron cinco los pasajeros que* ***sobrevivieron****, el resto murió en el accidente* (= que escaparon de la muerte).
ANTÓN: fallecer, morir. **FAM:** → *vivir.*

sobrino, a s. *Era un tío muy generoso con sus* ***sobrinos*** (= con los hijos de sus hermanos).

socavón s. m. **1.** *A diez metros de aquella cueva, encontramos otro* ***socavón*** (= una cueva menos profunda). **2.** *La causa del accidente fue un* ***socavón*** *en medio de la calzada* (= un bache formado por el hundimiento del suelo).
SINÓN: 1. cueva. **2.** bache, hoyo.

social adj. *La droga es un problema* ***social*** (= del conjunto de personas que formamos la sociedad).
FAM: → *sociedad.*

socialismo s. m. El **socialismo** es una doctrina política que da más importancia a los intereses colectivos que a los particulares.
FAM: → *sociedad.*

socialista adj. Son **socialistas** las personas que profesan el socialismo o que son partidarias de él.
FAM: → *sociedad.*

sociedad s. f. **1.** *Las personas tenemos deberes con la* ***sociedad*** (= con el conjunto de hombres y mujeres con los que convivimos). **2.** *Las hormigas viven en* ***sociedad*** (= en grupos organizados). **3.** *Carlos trabaja en una* ***sociedad*** (= en una empresa).
SINÓN: 1. humanidad. **2.** comunidad. **3.** compañía, empresa. **FAM:** *social, socialismo, socialista, socio, sociología, sociólogo.*

socio, a s. **1.** *Mi padre trabaja en compañía de un* ***socio*** (= de una persona asociada con él en un negocio). **2.** *Ese club está formado por trescientos* ***socios*** (= por personas inscritas en él).
FAM: → *sociedad.*

sociología s. f. La **Sociología** es la ciencia que estudia las sociedades humanas y las relaciones entre los miembros que las forman.
FAM: → *sociedad.*

sociólogo, a s. Los **sociólogos** estudian las sociedades humanas, sus problemas y relaciones.
FAM: → *sociedad.*

socorrer v. tr. *Javier* ***socorrió*** *a un niño que se ahogaba* (= lo salvó del peligro de ahogarse).
SINÓN: auxiliar, ayudar, salvar. **ANTÓN:** abandonar. **FAM:** *socorrismo, socorrista, socorro.*

socorrismo s. m. *He realizado un curso de* ***socorrismo*** *para saber cómo salvar a las personas que están en peligro* (= un curso en el que he aprendido técnicas para ayudar a personas en peligro).
FAM: → *socorrer.*

socorrista s. *El **socorrista** se lanzó al agua para salvar al niño que se ahogaba* (= la persona especialista en salvar a otras personas, en caso de accidente).
FAM: → *socorrer.*

socorro s. m. **1.** *Los bomberos prestaron **socorro** a las personas encerradas en el ascensor* (= prestaron auxilio). **2.** *Los pueblos afectados por el terremoto recibieron **socorro*** (= recibieron dinero, alimentos y ropa). ◆ **¡socorro!** interj. **3.** *¡**Socorro, socorro;** que alguien me ayude!.*
SINÓN: 1, 2. ayuda. **1, 2, 3.** auxilio. **FAM:** → *socorrer.*

soda s. f. La **soda** es una bebida gaseosa que se toma normalmente con limón.

sodio s. m. El **sodio** es un metal blando muy abundante en la naturaleza.

sofá s. m. *En este **sofá** pueden sentarse tres personas* (= en este asiento cómodo, con respaldo y brazos).

sofocante adj. *Este verano, ha hecho un calor **sofocante*** (= mucho calor).
SINÓN: asfixiante. **FAM:** → *sofocar.*

sofocar v. tr. **1.** *Los bomberos consiguieron **sofocar** el incendio* (= consiguieron apagarlo). ◆ **sofocarse** v. pron. **2.** ***Me sofoqué** de tanto correr* (= me costaba respirar). **3.** *Es muy tímido y **se sofoca** cuando habla delante de mucha gente* (= se sonroja).
SINÓN: 1. apagar, extinguir. **2.** ahogarse, asfixiarse. **3.** abochornarse, avergonzarse, sonrojarse. **ANTÓN: 1.** atizar, avivar, encender. **FAM:** *sofocante, sofocón.*

soga s. f. *Ataron una **soga** a la barca que estaba en la playa para poder arrastrarla hasta la orilla* (= una cuerda gruesa de esparto).
SINÓN: cuerda.

soja s. f. La **soja** es una planta de flores violetas o blancas, parecida al poroto, de cuya semilla se extrae aceite, harina y pienso. También se le llama **soya**.

sol s. m. **1.** *La Tierra gira alrededor del **Sol*** (= del astro que nos envía luz y calor). **2.** *En esta habitación da mucho el **sol*** (= la luz que nos llega del Sol). ◆ **de sol a sol 3.** *Estuvimos trabajando **de sol a sol*** (= todo el día). **4. Sol** es también la quinta nota de la escala musical.
FAM: *insolación, solar.*

solamente adv. *Nosotros somos ocho y ellos **solamente** tres* (= son únicamente tres).
SINÓN: sólo, únicamente. **FAM:** *sólo.*

solapa s. f. **1.** *La **solapa** de mi chaqueta tiene un ojal* (= la parte superior de la chaqueta que se dobla hacia fuera). **2.** *En la **solapa** de este libro aparece una fotografía del autor junto a un comentario de su obra* (= en la parte de la cubierta del libro que se dobla hacia dentro).

solar adj. *La luz **solar** aparece todos los días al amanecer* (= del Sol).
FAM: → *sol.*

solar s. m. *En este **solar** construirán un edificio* (= en este terreno).
SINÓN: terreno. **FAM:** → *suelo.*

soldado s. m. *Los **soldados** lucharon bajo las órdenes del general* (= las personas que forman parte de un ejército).

soldar v. tr. *El plomero **soldó** los dos tubos de metal* (= los unió fundiéndolos con fuego).

soledad s. f. *Vive en **soledad**, sin nadie con quien hablar* (= vive sin compañía).
ANTÓN: compañía. **FAM:** → *solo.*

solemne adj. **1.** *Ha sido un acto **solemne** que ha contado con la participación del alcalde* (= un acto ceremonioso, celebrado con gran pompa). **2.** *Lo que acabas de decir es una **solemne** tontería* (= una gran tontería).
SINÓN: 1. ceremonioso. **2.** enorme. **ANTÓN: 1.** sencillo, informal.

soler v. intr. **1.** *Mi padre **suele** leer el periódico diariamente* (= tiene esa costumbre). **2.** *En el Caribe **suele** llover mucho* (= la lluvia es muy frecuente en esa región).
SINÓN: acostumbrar. **FAM:** *insolencia, insólito.*

solfeo s. m. *Voy a clase de música para aprender **solfeo*** (= el sistema de leer cantando las notas de música).

solicitar v. tr. ***Solicité** autorización para ausentarme* (= pedí permiso).
SINÓN: pedir, rogar. **FAM:** *solicitud.*

solicitud s. f. *Para ingresar en el colegio, llené una **solicitud*** (= un impreso donde se pide algo).
FAM: *solicitar.*

solidaridad s. f. *Mis compañeros siempre me han mostrado su **solidaridad**, apoyándome en todo momento* (= su compañerismo).
SINÓN: compañerismo, fraternidad, respaldo. **FAM:** → *sólido.*

solidez s. f. *La **solidez** de aquella construcción hacía imposible su derrumbe* (= la resistencia).
ANTÓN: fragilidad. **FAM:** → *sólido.*

solidificarse v. pron. *El agua se convierte en hielo al **solidificarse*** (= al pasar del estado líquido al sólido).
FAM: → *sólido.*

sólido, a adj. **1.** *El hielo es agua en estado **sólido*** (= no es ni líquido ni gaseoso). **2.** *Es una construcción muy **sólida** y no hay peligro de que se derrumbe* (= muy resistente).
SINÓN: 2. firme, resistente, seguro. **ANTÓN: 1.** gaseoso, líquido. **2.** frágil. **FAM:** *solidaridad, solidez, solidificarse.*

solista s. *En el teatro, actúa hoy un* ***solista*** (= una persona que interpreta ella sola, sin acompañamiento, una composición musical).
FAM: → *solo.*

solitaria s. f. La **solitaria** es un gusano parásito que vive en el intestino del hombre.

solitario, a adj. **1.** *Vivimos en una zona muy* ***solitaria,*** *casi sin vecinos* (= en una zona en la que apenas vive gente). **2.** *El pastor lleva una vida muy* ***solitaria*** (= vive muy solo). ◆ **solitario** s. m. **3.** *Como no tenía a nadie con quien jugar, hice un* ***solitario*** (= un juego de cartas para una sola persona).
SINÓN: 1. deshabitado, desierto. **2.** solo. **ANTÓN: 1.** concurrido, poblado. **FAM:** → *solo.*

sollozar v. intr. *Estaba tan triste que no paraba de* ***sollozar*** (= de llorar).
SINÓN: gimotear, llorar, lloriquear. **FAM:** *sollozo.*

sollozo s. m. *Por más que intentaba serenarse, no lograba reprimir sus* ***sollozos*** (= no podía parar de llorar).
FAM: *sollozar.*

solo, a adj. **1.** *En el florero hay una* ***sola*** *rosa* (= una única rosa). **2.** *Desde que murieron sus padres, vive* ***solo*** (= sin compañía). **3.** *Este vagabundo está* ***solo*** *en el mundo* (= no tiene quien le ayude). **4.** *Como no le gustaba ni el chorizo ni el queso, comió pan* ***solo*** (= sin añadirle nada). ◆ **a solas 5.** *Nos pidió que nos fuéramos porque quería hablarle* ***a solas*** (= en privado).
SINÓN: 1. único. **ANTÓN: 2.** acompañado. **FAM:** *soledad, solista, solitario.*

sólo adv. *Iré a verte* ***sólo*** *los domingos porque el resto de la semana tengo trabajo* (= iré únicamente los domingos).
SINÓN: solamente, únicamente. **FAM:** *solamente.*

solomillo s. m. El **solomillo** es la carne que hay entre el lomo y las costillas de la vaca.

soltar v. tr. **1.** *El jinete* ***soltó*** *las riendas del caballo* (= dejó de sujetarlas). **2.** *La policía* ***soltó*** *al sospechoso* (= lo dejó en libertad). **3.** *Le* ***soltó*** *una bofetada* (= le dio una bofetada). **4.** *Al oír el chiste* ***soltó*** *una carcajada* (= lanzó una carcajada). **5.** *No te cuento mis secretos porque luego los* ***sueltas*** *por ahí* (= se los cuentas a todos). **6.** ***Suelta*** *más cable si no, no llega hasta el enchufe* (= desenrolla más). ◆ **soltarse** v. pron. **7.** *Javier* ***se ha soltado*** *rápidamente con el inglés* (= ha aprendido muy pronto). **8.** *Ana* ***se ha soltado*** *con sus nuevos compañeros y ha perdido su timidez* (= ya no le da vergüenza estar o hablar con ellos). **9.** *Los niños* ***se sueltan*** *a andar cuando tienen alrededor de un año* (= comienzan a andar).
SINÓN: 1. desprenderse. **2.** liberar. **3.** dar, pegar. **4.** lanzar. **5.** decir, divulgar. **6.** alargarse, desenrollar. **7.** aprender. **9.** comenzar, empezar. **ANTÓN: 1.** sujetar. **2.** apresar, encarcelar. **4.** contener, reprimir. **5.** callar. **FAM:** *soltura, suelto.*

soltero, a adj. *Mi hermano es* ***soltero*** *pero pronto contraerá matrimonio* (= no está casado).
ANTÓN: casado.

soltura s. f. *El profesor habla con* ***soltura*** *el inglés* (= tiene facilidad para hablarlo).
SINÓN: facilidad, habilidad. **ANTÓN:** torpeza. **FAM:** → *soltar.*

soluble adj. *El azúcar es una sustancia* ***soluble*** (= que se disuelve en el agua y en otros líquidos).
FAM: *disolver.*

solución s. f. **1.** *No tenemos otra* ***solución*** *que hacerlo* (= no tenemos más remedio). **2.** *He encontrado la* ***solución*** *del problema* (= la respuesta que permite resolverlo). **3.** *En el laboratorio obtuvimos una* ***solución*** *al disolver varias partículas en agua* (= una mezcla).
SINÓN: 1. remedio. **2.** explicación, respuesta, resultado. **FAM:** *resolver, resuelto, solucionar.*

solucionar v. tr. *Gonzalo estaba contento porque* ***había solucionado*** *su problema* (= lo había resuelto).
SINÓN: remediar, resolver. **FAM:** → *solución.*

sombra s. f. **1.** *Si te pones delante de la luz, me haces* ***sombra*** *y no puedo coser* (= me tapas la luz). **2.** *Hacía tanto calor que continuamente buscábamos la* ***sombra*** (= un espacio donde no nos diera el sol). **3.** *La luz del foco dibujaba* ***sombras*** *en la pared* (= dibujaba siluetas). **4.** *Es un dibujo pintado a base de* ***sombras*** (= mediante tonos oscuros).
SINÓN: 3. silueta. **FAM:** *ensombrecer, sombrear, sombrero, sombrilla, sombrío.*

sombrear v. tr. **1.** *Los árboles* ***sombreaban*** *el camino* (= daban sombra). **2.** *El pintor* ***sombreó*** *con tonos oscuros su dibujo* (= lo oscureció).
SINÓN: 1. ensombrecer. **ANTÓN: 1.** iluminar. **FAM:** → *sombra.*

sombrero s. m. *Mi abuelo se cubre la cabeza con un* ***sombrero.***
FAM: → *sombra.*

sombrilla s. f. *En la playa, me pongo debajo de una* ***sombrilla*** *para protegerme del sol* (= de un objeto parecido a un paraguas que sirve para protegerse del sol).
FAM: → *sombra.*

sombrío, a adj. **1.** *Es una casa muy bonita pero demasiado* ***sombría*** (= tiene poca luz). **2.** *Tengo un recuerdo* ***sombrío*** *de los tristes días pasados* (= tengo un mal recuerdo). **3.** *Si su situación no mejora, le espera un futuro* ***sombrío*** (= un futuro muy negro).
SINÓN: 1. oscuro. **2.** melancólico, triste. **3.** negro. **ANTÓN: 1.** claro, luminoso. **2.** alegre, feliz. **3.** brillante. **FAM:** → *sombra.*

someter v. tr. **1.** *Los soldados atacaron la ciudad y* ***sometieron*** *a sus habitantes* (= los dominaron). **2.** *Lo* ***sometieron*** *a un examen médico*

(= le hicieron una revisión médica). **3.** ***Someteré*** *este problema a mi padre* (= lo consultaré con él). ◆ **someterse** v. pron. **4.** *Los atracadores se rindieron y* ***se sometieron*** *a la autoridad* (= se entregaron a la policía).
SINÓN: **1.** dominar. **3.** consultar, exponer. **4.** entregarse, rendirse. ANTÓN: **1.** liberar. **4.** rebelarse. FAM: → *meter.*

somier s. m. *El colchón se coloca sobre un* ***somier*** (= sobre un soporte flexible con resortes).

son s. m. *Escuchaba, encantado, el* ***son*** *de los violines* (= su sonido agradable).
SINÓN: sonido. FAM: → *sonar.*

sonajero s. m. *El bebé agita el* ***sonajero*** (= el juguete que tiene cascabeles sonoros en su interior).
SINÓN: sonaja. FAM: → *sonar.*

sonámbulo, a adj. *Entró tan dormido en clase que parecía un* ***sonámbulo*** (= una persona que camina mientras está dormida y que al despertarse no lo recuerda).
FAM: → *sueño.*

sonar v. intr. **1.** *Este despertador* ***suena*** *demasiado fuerte* (= produce un sonido muy fuerte). **2.** *Me* ***suena*** *su cara pero no consigo recordar quién es* (= su cara me es conocida). ◆ **sonarse** v. pron. **3.** *Tiene la nariz irritada de tanto* ***sonarse*** (= de tanto limpiarse los mocos de la nariz).
SINÓN: **1.** retumbar, zumbar. FAM: *consonante, son, sonajero, sonido, sonoro.*

soneto s. m. *El poeta compuso un* ***soneto*** (= un poema de catorce versos).

sonido s. m. *Oigo el* ***sonido*** *de una campana que repiquetea.*
FAM: → *sonar.*

sonoro, a adj. *La flauta es un instrumento* ***sonoro*** (= que suena).
FAM: → *sonar.*

sonreír v. intr. *Juan me* ***sonrió*** *amablemente al verme* (= se rió con un ligero movimiento de los labios y en silencio).
FAM: → *reír.*

sonriente adj. *Carmen siempre está contenta y* ***sonriente*** (= siempre está sonriendo).
FAM: → *reír.*

sonrisa s. f. *Me respondió con una tímida* ***sonrisa*** (= riendo con un ligero movimiento de los labios y sin producir ningún sonido).
FAM: → *reír.*

sonrojarse v. pron. *María es tan tímida que* ***se sonroja*** *constantemente* (= se le pone la cara roja de vergüenza).
SINÓN: ruborizarse, sofocarse. FAM: → *rojo.*

sonrosado, a adj. *Tiene las mejillas* ***sonrosadas*** *de tanto correr* (= de color rosa).
FAM: → *rosa.*

soñador, a adj. *Es un niño muy* ***soñador*** *que sólo piensa en aventuras imposibles con héroes que no existen* (= que sólo piensa en fantasías).
FAM: → *sueño.*

soñar v. tr. **1.** *Esta noche* ***soñé*** *que viajaba a la Luna* (= me lo imaginé mientras dormía). ◆ **soñar** v. intr. **2.** *Luis* ***sueña*** *con ser un campeón* (= desea ser un campeón).
SINÓN: **2.** anhelar, ansiar, desear. FAM: → *sueño.*

sopa s. f. **1.** *Toma la* ***sopa*** *con la cuchara* (= un plato preparado con arroz o con verduras, fideos y otras pastas hervidas en agua). ◆ **hasta en la sopa 2.** *Últimamente me encuentro a Jorge* ***hasta en la sopa*** (= en todas partes). ◆ **hacerse sopa 3.** *Llovía tanto que* ***me hice sopa*** (= me mojé mucho).
SINÓN: **1.** caldo. FAM: *sopera, sopero.*

sope s. m. Méx. *Los* ***sopes*** *son tortillas de maíz gruesas cubiertas con salsa y queso.*

sopera s. f. *Sirvió la sopa en una* ***sopera*** *de porcelana* (= en un recipiente hondo que se utiliza para servir la sopa en la mesa).
FAM: → *sopa.*

sopero, a adj. *La sopa se sirve en un plato* ***sopero*** (= en un plato hondo).
FAM: → *sopa.*

sopetón *Llegaron todos los invitados* ***de sopetón*** (= de golpe).

soplar v. intr. **1.** *En esta isla,* ***sopla*** *mucho el viento* (= hay mucho viento). ◆ **soplar** v. tr. **2.** *El día de su cumpleaños,* ***sopló*** *las velas del pastel* (= echó aire por la boca con fuerza para apagar las velas). **3.** *Alguien* ***sopló*** *a la policía el escondite de los ladrones* (= alguien lo denunció).
SINÓN: **2.** bufar. **3.** delatar. ANTÓN: **3.** encubrir. FAM: *soplido, soplo, soplón.*

soplete s. m. *El plomero soldó las cañerías con un* ***soplete*** (= con un instrumento que produce una llama muy caliente y que sirve para fundir y unir metales).

soplido s. m. *Apagué todas las velas del pastel de cumpleaños de un* ***soplido*** (= de un soplo de aire).
SINÓN: soplo. FAM: → *soplar.*

soplo s. m. **1.** *Un* ***soplo*** *de viento levantó los papeles de la mesa* (= un golpe de viento). **2.** *Tardó un* ***soplo*** *en vestirse* (= muy poco tiempo). **3.** *Al ver a los ladrones, el testigo dio el* ***soplo*** *a la policía* (= les avisó).
SINÓN: **1.** soplido. **2.** instante, momento. **3.** aviso. FAM: → *soplar.*

soplón, ona adj. *No confíes en él porque es muy* ***soplón*** (= te acusa en secreto para perjudicarte).
SINÓN: delator. FAM: → *soplar.*

soportar v. tr. **1.** *Cuatro columnas* ***soportan*** *el techo* (= lo sostienen). **2.** ***Soporta*** *el dolor sin quejarse* (= lo aguanta sin quejarse).
SINÓN: 1. sostener. **1, 2.** aguantar. **2.** resistir, tolerar. **FAM:** → *portar.*

soporte s. m. *Las columnas sirven de* ***soporte*** *para aguantar el peso del techo* (= de apoyo).
SINÓN: apoyo, base, cimiento. **FAM:** → *portar.*

sor s. f. ***Sor*** *Ángela es una monja muy amable.*
SINÓN: hermana, monja, religiosa.

sorber v. tr. **1.** ***Sorbía*** *la limonada con pequeños tragos* (= la bebía aspirándola de a poquito). **2.** *Esta esponja* ***sorbe*** *mucha agua* (= la empapa).
SINÓN: 1, 2. absorber, chupar. **2.** empapar. **ANTÓN: 2.** escupir, expulsar. **FAM:** *sorbo.*

sorbete s. m. *Cristina tomó una horchata y yo un* ***sorbete*** *de limón* (= un helado hecho con jugo de limón).

sorbo s. m. **1.** *Tenía tanta sed que se bebió el agua de un* ***sorbo*** (= de una sola vez). **2.** *En la fiesta de tu cumpleaños bebí un* ***sorbo*** *de licor* (= una cantidad muy pequeña).
SINÓN: 1. trago. **FAM:** *sorber.*

sordera s. f. *Beethoven, el famoso compositor alemán, padeció* ***sordera*** (= perdió la capacidad de oír).
FAM: → *sordo.*

sordo, a adj. *Mi abuelo está cada día más* ***sordo*** (= cada día oye menos).
FAM: *ensordecer, sordera, sordomudo.*

sordomudo, a adj. *Antonio se expresa por señas porque es* ***sordomudo*** (= nació sordo por lo que no pudo aprender a hablar).

soroche s. m. Amér. Merid. *Al llegar a la cima de la montaña, los andinistas sintieron los primeros síntomas del* ***soroche*** (= malestar y mareos producidos por la altura).
SINÓN: mal de altura, mal de montaña.

sorprendente adj. **1.** *Es* ***sorprendente*** *lo que ha crecido este niño en tan poco tiempo* (= es asombroso). **2.** *Era* ***sorprendente*** *ver la playa cubierta de nieve* (= era raro).
SINÓN: 1. asombroso, impresionante, increíble. **2.** extraño, extraordinario, insólito, raro. **ANTÓN:** normal. **FAM:** → *sorprender.*

sorprender v. tr. **1.** *La lluvia nos* ***sorprendió*** *en la playa* (= vino cuando menos la esperábamos). **2.** *Sus padres* ***sorprendieron*** *el secreto de María* (= lo descubrieron). ◆ **sorprenderse** v. pron. **3.** *No sé por qué* ***te sorprendes*** *tanto si ya te había avisado* (= no sé por qué te extrañas).
SINÓN: 1. pillar. **2.** descubrir. **3.** asombrarse, extrañarse. **FAM:** *sorprendente, sorpresa.*

sorpresa s. f. **1.** *Fue una* ***sorpresa*** *muy agradable encontrarme con Rosa en tu fiesta* (= algo que no esperaba). **2.** *El pastel escondía una* ***sorpresa*** (= un pequeño regalo).
FAM: → *sorprender.*

sortear v. tr. **1.** ***Sortearon*** *tres bicicletas y a Sergio le tocó una* (= las rifaron). **2.** *Los esquiadores que participaban en la competencia descendían la ladera* ***sorteando*** *obstáculos* (= esquivando obstáculos).
SINÓN: 1. rifar. **2.** esquivar, evitar, salvar. **FAM:** *sorteo.*

sorteo s. m. *En el* ***sorteo*** *de hoy ha salido premiado el número 999* (= en la rifa de hoy).
SINÓN: rifa. **FAM:** *sortear.*

sortija s. f. *Ana lucía una* ***sortija*** *en su dedo índice* (= un anillo).
SINÓN: 1. alianza, anillo.

S.O.S. s. m. *El barco transmitió un* ***S.O.S.*** *porque se hallaba en situación de emergencia* (= pidió ayuda transmitiendo la señal internacional de socorro).

sosegado, a adj. *Este joven tiene un carácter muy* ***sosegado*** *y nunca se enoja* (= muy tranquilo).
SINÓN: apacible, pacífico, sereno, tranquilo. **ANTÓN:** inquieto, intranquilo, nervioso. **FAM:** → *sosegar.*

sosegar v. tr. *Debes* ***sosegar*** *a Inés que está muy nerviosa* (= debes tranquilizarla).
SINÓN: apaciguar, calmar, serenar, tranquilizar. **ANTÓN:** excitar, irritar. **FAM:** *sosegado, sosiego.*

sosiego s. m. *Con tanto trabajo, no tiene ni un momento de* ***sosiego*** (= de tranquilidad).
SINÓN: calma, paz, quietud, reposo, tranquilidad. **ANTÓN:** intranquilidad, nerviosismo. **FAM:** → *sosegar.*

soso, a adj. *Pon más sal a la sopa que está muy* ***sosa*** (= que tiene poco sabor). **2.** *Es tan* ***soso*** *contando chistes que nunca nadie se ríe* (= tiene muy poca gracia). **3.** *Fue una fiesta muy* ***sosa*** *en la que nos aburrimos todos* (= muy poco animada).
SINÓN: 1. insípido. **2, 3.** aburrido. **ANTÓN: 1.** gustoso, sabroso. **1.** salado. **2.** chistoso, gracioso. **3.** animado, divertido.

sospecha s. f. *La policía tiene la* ***sospecha*** *de que los ladrones se ocultan fuera de la ciudad* (= tiene razones para creer que pueden estar fuera).
SINÓN: creencia, presentimiento, suposición. **FAM:** → *sospechar.*

sospechar v. tr. **1.** *Con este mal tiempo,* ***sospecho*** *que no podré salir* (= me temo que no podré salir). ◆ **sospechar** v. intr. **2.** *La policía* ***sospecha*** *de un individuo que conduce un coche blanco* (= cree que puede haber sido él el que cometió el delito).
SINÓN: 1. creer, imaginarse, presentir, suponer. **2.** desconfiar. **ANTÓN: 2.** confiar. **FAM:** *sospecha, sospechoso.*

sospechoso, a s. **1.** *La policía interrogaba a los* ***sospechosos*** *para averiguar si eran o no los culpables* (= a los posibles culpables). ◆ **sospechoso, a** adj. **2.** *Ya me imaginé que se rompería porque hacía un ruido muy* ***sospechoso*** (= que daba motivos para pensar que algo podía ir mal).
ANTÓN: **2.** extraño, raro. FAM: → *sospechar.*

sostén s. m. El **sostén** es una prenda interior femenina que cubre y sujeta el pecho.
ANTÓN: corpiño, sujetador.

sostener v. tr. **1.** *Cuatro columnas* ***sostienen*** *el techo del porche* (= lo aguantan). **2.** *Mientras unos aseguran que los ladrones huyeron por la ventana, otros* ***sostienen*** *que lo hicieron por el garaje* (= lo afirman). ◆ **sostenerse** v. pron. **3.** *Estuvo a punto de caerse pero logró* ***sostenerse*** (= pudo mantenerse y no perder el equilibrio).
SINÓN: **1.** aguantar, soportar. **1, 2, 3.** mantener(se). **2.** afirmar, asegurar, declarar. ANTÓN: **2.** negar. **3.** caerse. FAM: → *tener.*

sota s. f. En cada palo de la baraja española, la **sota** es la carta que tiene dibujado un paje.

sotana s. f. *El sacerdote llevaba puesta la* ***sotana*** (= una vestimenta negra y larga que llevan algunos sacerdotes).

sótano s. m. *En el* ***sótano*** *de mi casa guardamos las cosas que no usamos* (= en la parte de la casa situada por debajo del nivel de la calle).

soviético, a adj. **1.** La Unión **Soviética** era el conjunto de repúblicas cuyo gobierno central estaba en Moscú. ◆ **soviético, a** s. **2.** *Los* ***soviéticos*** *eran las personas nacidas en la Unión Soviética.*

spray s. m. *He comprado un desodorante en* ***spray*** (= en un envase con un botón que, al apretarlo, esparce el líquido pulverizado).

stop s. m. *El accidente se produjo porque uno de los dos conductores no respetó el* ***stop*** (= la señal de tránsito que obliga a detener el vehículo y ceder el paso).
SINÓN: alto.

su Es un adjetivo posesivo. VER CUADRO DE POSESIVOS.

suave adj. **1.** *La seda es un tejido muy* ***suave*** (= es liso y agradable al tacto). **2.** *Es una luz* ***suave*** *que no molesta a los ojos* (= poco intensa).
SINÓN: **1.** fino, terso. **2.** flojo. ANTÓN: **1.** áspero. **2.** fuerte, intenso. FAM: *suavidad, suavizante, suavizar.*

suavidad s. f. *La* ***suavidad*** *de la seda contrasta con la aspereza de otros tejidos* (= porque es lisa y agradable al tacto).
ANTÓN: aspereza. FAM: → *suave.*

suavizante adj. *Este líquido* ***suavizante*** *deja la ropa suave y esponjosa* (= este producto que se añade a la ropa al enjuagarla).
FAM: → *suave.*

suavizar v. tr. *Quitamos todas las asperezas para* ***suavizar*** *la tabla* (= para dejarla lisa y suave).
FAM: → *suave.*

subasta s. f. *Han sacado a* ***subasta*** *una obra de arte para que la compre el que más dinero ofrezca* (= es un sistema de venta que consiste en vender alguna cosa al que más dinero ofrece por ella).
FAM: *subastar.*

subastar v. tr. *Van a* ***subastar*** *un cuadro de un famoso pintor* (= van a venderlo a quien más dinero ofrezca).
FAM: *subasta.*

subcampeón, ona adj. *Nuestro equipo no ganó la eliminatoria, pero quedó* ***subcampeón*** (= se clasificó en segundo lugar, después del campeón).
FAM: → *campeón.*

subdirector, a s. *El* ***subdirector*** *del colegio sustituye al director cuando éste no está* (= es la persona que sustituye o ayuda al director).
FAM: → *dirigir.*

súbdito, a s. *Los* ***súbditos*** *son las personas que tienen la obligación de obedecer al rey en los países que tienen monarquía.*
SINÓN: vasallo.

subestimar v. tr. *No* ***subestimes*** *tanto a este equipo porque es más bueno de lo que te imaginas* (= no le quites mérito porque tiene más del que crees).
SINÓN: menospreciar. FAM: → *estimar.*

subida s. f. **1.** *La* ***subida*** *a la cima nos ha fatigado* (= el ascenso). **2.** *Después de esta bajada viene una* ***subida*** *muy empinada* (= un camino que sube mucho). **3.** *La radio anuncia una* ***subida*** *de la temperatura* (= un aumento).
SINÓN: **1, 3.** ascenso. **2.** cuesta. **3.** aumento. ANTÓN: **1, 2, 3.** bajada. **1, 3.** descenso. FAM: *subir.*

subir v. intr. **1.** ***Ha subido*** *al mirador a contemplar la vista* (= ha pasado de un lugar a otro más alto). **2.** *Está en cama porque le* ***ha subido*** *la fiebre* (= le ha aumentado). **3.** *La cuenta* ***sube*** *a dos mil pesos* (= todo cuesta esta cantidad). **4.** *Los pasajeros* ***subieron*** *al tren para continuar su viaje* (= ascendieron al tren). ◆ **subir** v. tr. **5.** ***Sube*** *la persiana para que entre la luz* (=álzala). **6.** *Los panaderos* ***han subido*** *el precio del pan* (= lo han aumentado). ◆ **subirse** v. pron. **7.** *El gato* ***se ha subido*** *a un árbol y no quiere bajar* (= ha trepado a un árbol).
SINÓN: **1, 3, 6.** ascender. **2, 6.** aumentar. **3.** costar. **4.** montar. **6.** incrementar. **7.** trepar. ANTÓN: **1, 2, 4, 5, 6, 7.** bajar(se). **1, 2, 4, 6, 7.** descender. **2, 6.** disminuir. FAM: *subida.*

súbito, a adj. *Este resfrío se debe a un* ***súbito*** *descenso de la temperatura* (= a un cambio repentino e inesperado del tiempo).
SINÓN: **1.** imprevisto, inesperado, repentino.

subjefe, a s. *La reunión fue dirigida por el* ***subjefe*** *porque el jefe se encontraba en el extranjero* (= por la persona que está a las órdenes del jefe y lo sustituye en su ausencia).
FAM: → *jefe.*

subjuntivo, a adj. *En la oración* Deseo que seas feliz, seas *es el presente de* ***subjuntivo*** *del verbo* ser (= el **subjuntivo** es el modo del verbo que sirve para formar oraciones que expresen duda o deseo).

sublevación s. f. *Los soldados que participaron en la* ***sublevación*** *contra el capitán fueron arrestados* (= que participaron en la rebelión).
SINÓN: motín, rebelión. **FAM:** *sublevar.*

sublevar v. tr. **1.** *Me* ***subleva*** *que sea tan injusto contigo* (= me indigna). ◆ **sublevarse** v. pron. **2.** *La tripulación* ***se sublevó*** *contra el capitán* (= se negó a obedecerle resistiéndose por la fuerza).
SINÓN: 1. enfurecer, enojar, indignar, irritar. **2.** amotinarse, levantarse, rebelarse. **ANTÓN: 1.** agradar. **2.** someterse. **FAM:** *sublevación.*

submarinista s. m. *Dos* ***submarinistas*** *trabajaban en el fondo del mar para recuperar las piezas del barco hundido* (= los oficiales de la marina que están destinados a servir en los submarinos).
FAM: → *mar.*

submarino, a adj. **1.** *Julio Verne escribió una novela sobre un viaje* ***submarino*** (= realizado bajo el mar). ◆ **submarino** s. m. **2.** *Los* ***submarinos*** *navegan debajo del agua a una cierta profundidad* (= es una clase de barco que se puede sumergir en el agua).
FAM: → *mar.*

subnormal adj. *Las personas* ***subnormales*** *tienen los mismos sentimientos que las demás* (= son personas que tienen la capacidad intelectual inferior a la que se considera normal).
FAM: → *norma.*

subordinado, a s. **1.** *Los* ***subordinados*** *cumplen las órdenes del jefe* (= son las personas que están a sus órdenes). ◆ **subordinado, a** adj. **2.** *En Gramática, la oración* ***subordinada*** *depende siempre de otra oración* (= sola tiene un significado incompleto).
FAM: → *orden.*

subrayado adj. *Los verbos transitivos de este texto están* ***subrayados*** *para distinguirlos de los intransitivos* (= tienen una raya horizontal debajo).
FAM: → *raya.*

subrayar v. tr. **1.** *La profesora nos dijo que* ***subrayáramos*** *las palabras que no entendiéramos* (= que trazáramos una raya debajo de cada palabra). **2.** *Nos* ***subrayó,*** *una y otra vez, el peligro de nadar en aquel río* (= nos insistió sobre ello).
SINÓN: 2. recalcar. **FAM:** → *raya.*

subsuelo s. m. *El* ***subsuelo*** *de esta región es muy rico en minerales* (= el terreno situado bajo la superficie de la tierra).
FAM: → *suelo.*

subterráneo, a adj. **1.** *El castillo tenía un pasadizo* ***subterráneo*** *que comunicaba con el exterior* (= situado bajo tierra). ◆ **subterráneo** s. m. **2.** *Durante el bombardeo, los civiles se refugiaban en* ***subterráneos*** (= en lugares situados bajo tierra). Arg. **3.** *En las grandes ciudades se viaja mejor en el* ***subterráneo*** (= tren que corre por debajo de las calles de una ciudad).
SINÓN: 3. metro. **FAM:** → *tierra.*

suburbio s. m. *Trabaja en el centro de la ciudad pero vive en un* ***suburbio*** (= en un barrio situado en las afueras de la ciudad).

subvención s. f. *El Estado ha concedido una* ***subvención*** *a un grupo de científicos para que realicen trabajos de investigación* (= una ayuda económica).
FAM: *subvencionar.*

subvencionar v. tr. *Una empresa española* ***ha subvencionado*** *la última película de este director* (= ha ayudado a pagar los gastos de la película).
FAM: *subvención.*

sucedáneo, a adj. *La sacarina es una sustancia* ***sucedánea*** *del azúcar que también endulza* (= que puede sustituirla).
FAM: → *suceder.*

suceder v. intr. **1.** *Aún no sé lo que* ***sucedió*** (= lo que ocurrió). **2.** *El verano* ***sucede*** *a la primavera* (= viene después de la primavera).
SINÓN: 1. acontecer, ocurrir, pasar. **2.** seguir. **FAM:** *sucedáneo, sucesión, sucesivo, suceso, sucesor.*

sucesión s. f. *Me enojé con él porque lo que dijo fue una* ***sucesión*** *de mentiras* (= dijo una mentira detrás de otra).
SINÓN: serie. **FAM:** → *suceder.*

sucesivo, a adj. **1.** *He recibido tres visitas* ***sucesivas*** (= una detrás de otra). ◆ **en lo sucesivo 2. En lo sucesivo,** *me portaré mejor* (= de ahora en adelante).
FAM: → *suceder.*

suceso s. m. *Los periódicos publican diariamente todo tipo de* ***sucesos*** (= lo que ocurre en el mundo).
SINÓN: acontecimiento. **FAM:** → *suceder.*

suciedad s. f. **1.** *La* ***suciedad*** *de los cristales me impedía ver con claridad* (= la falta de limpieza). **2.** *Hemos de limpiar la cocina porque está llena de* ***suciedad*** (= de porquería).
SINÓN: 2. porquería. **ANTÓN:** limpieza. **FAM:** → *sucio.*

sucio, a adj. **1.** *Llevas la camisa* ***sucia*** *de chocolate* (= manchada de chocolate). **2.** *Los colores oscuros no son tan* ***sucios*** *como los claros* (= no se ensucian tan fácilmente). **3.** *¿Quieres hacer el*

favor de no ser tan ***sucio*** *y lavarte los dientes!* (= tan descuidado con tu aseo personal). **4.** *Nadie se fiaba de un jugador tan* ***sucio*** *como él* (= tan tramposo).
SINÓN: 1. manchado. **1, 3.** cochino, puerco. **4.** tramposo. **ANTÓN: 1, 2, 3, 4.** limpio. **3.** aseado. **FAM:** *ensuciar, suciedad.*

sucumbir v. intr. **1.** *Tras dos días de resistencia, el pueblo* ***sucumbió*** *a los ataques del enemigo* (= se rindió porque ya no podía resistir por más tiempo). **2.** *Dos de los tres ocupantes del vehículo* ***sucumbieron*** *en el accidente* (= murieron en el accidente).
SINÓN: 1. rendirse, someterse. **2.** fallecer, morir. **ANTÓN: 1.** rebelarse, sublevarse. **2.** sobrevivir.

sucursal s. f. *Esta oficina bancaria es una* ***sucursal*** *de la central* (= depende de la oficina central).

sudafricano, a o **surafricano, a** adj. **1.** *La minería* ***sudafricana*** *es rica en carbón, oro y diamantes* (= de la República de Sudáfrica). ◆ **sudafricano, a** s. **2.** *Los* ***sudafricanos*** *son las personas nacidas en África del Sur o en la República de Sudáfrica.*

sudamericano, a o **suramericano, a** adj. **1.** *Argentina es un país* ***sudamericano*** (= de América del Sur). ◆ **sudamericano, a** s. **2.** *Los* ***sudamericanos*** *son las personas nacidas en América del Sur.*

sudar v. intr. **1.** *Hace tanto calor que estoy* ***sudando*** (= que estoy cubierto de sudor). **2.** *Si quieres conseguir la victoria tendrás que* ***sudar*** *lo tuyo* (= tendrás que esforzarte mucho).
SINÓN: 1. transpirar. **2.** afanarse, esforzarse. **FAM:** → *sudor.*

sudeste o **sureste** s. m. *El velero navegaba con rumbo* ***sudeste*** (= entre el Sur y el Este).
ANTÓN: nordeste, noreste.

sudoeste o **suroeste** s. m. *Las ventanas de mi escritorio dan al* ***suroeste*** (= a un punto entre el Sur y el Oeste).
ANTÓN: noroeste.

sudor s. m. **1.** *Tenía tanto calor que el* ***sudor*** *me empezaba a bajar por la frente* (= el líquido que segregan los poros de la piel). **2.** *Le costó muchos* ***sudores*** *acabar el trabajo* (= mucho esfuerzo).
SINÓN: 1. transpiración. **2.** esfuerzo, trabajo. **FAM:** *sudar, sudoroso.*

sudoroso, a adj. *El atleta llegó* ***sudoroso*** *a la meta* (= llegó lleno de sudor).
FAM: → *sudor.*

sueco, a adj. **1.** *Estocolmo es la ciudad* ***sueca*** *en la que se celebra la entrega de los Premios Nobel* (= de Suecia). ◆ **sueco, a** s. **2.** *Los* ***suecos*** *son las personas nacidas en Suecia.* **3.** *El* ***sueco*** *es la lengua hablada en Suecia.*

suegro, a s. *Hoy han venido a casa los* ***suegros*** *de mi hermano* (= los padres de la mujer de mi hermano).

suela s. f. *Tengo las* ***suelas*** *de los zapatos gastadas de tanto andar* (= es la parte del zapato que pisa el suelo y sobre la cual descansa el pie).
FAM: → *suelo.*

sueldo s. m. *El último día de cada mes, cobro mi* ***sueldo*** (= el dinero que me pagan por el trabajo que realizo).
SINÓN: paga, salario.

suelo s. m. **1.** *Está sentado en el* ***suelo*** (= en la superficie por la que andamos). **2.** *El* ***suelo*** *de la biblioteca es de mosaico* (= el piso). **3.** *Es un* ***suelo*** *apropiado para sembrar maíz* (= es un terreno apropiado para el cultivo del maíz).
SINÓN: 2. pavimento, piso. **3.** terreno. **ANTÓN: 2.** techo. **FAM:** *entresuelo, solar, subsuelo, suela.*

suelto, a adj. **1.** *El perro corría* ***suelto*** *por el parque* (= sin estar atado). **2.** *¿Hacemos la redacción en una hoja del cuaderno o en una* ***suelta****?* (= separada de las demás).
SINÓN: 1. libre. **ANTÓN: 1.** atado, sujeto. **FAM:** → *soltar.*

sueño s. m. **1.** *Tiene el* ***sueño*** *muy profundo y nada lo despierta* (= duerme profundamente). **2.** *Tengo tanto* ***sueño*** *que me dormiría de pie* (= tengo muchas ganas de dormir). **3.** *Esta noche he tenido unos* ***sueños*** *muy agradables* (= he soñado algo muy agradable). **4.** *Mi* ***sueño*** *es ser violinista* (= mi gran ilusión). ◆ **quitar el sueño a alguien 5.** *Su trabajo es lo único que le* ***quita el sueño*** (= es lo único que lo preocupa).
SINÓN: 4. ambición, deseo, ilusión. **FAM:** *insomnio, sonámbulo, soñador, soñar.*

suero s. m. *Estuvo en el hospital muy grave y sólo lo alimentaban con* ***suero*** (= un líquido que se inyecta en el cuerpo y que sirve de alimento).

suerte s. f. **1.** *La* ***suerte*** *quiso que nos encontráramos* (= nos encontramos por casualidad). **2.** *Siempre pierde en los juegos de azar porque tiene muy mala* ***suerte*** (= porque suceden cosas ajenas a su voluntad que lo hacen perder). **3.** *Estoy contento con mi* ***suerte*** (= con la forma en que vivo). **4.** *Nadie conoce cuál será su* ***suerte*** (= lo que le ocurrirá en el futuro).
SINÓN: 1. azar, casualidad. **2.** fortuna. **3.** situación. **4.** destino.

suéter s. m. Amér. *No olvides llevar un* ***suéter****, porque en las sierras hace mucho frío* (= prenda de vestir de lana que cubre desde los hombros hasta la cintura).
SINÓN: jersey, pulóver, tricota.

suficiente adj. *No me sirvas más sopa que ya tengo* ***suficiente*** (= ya tengo bastante).
SINÓN: bastante. **ANTÓN:** insuficiente. **FAM:** *insuficiencia, insuficiente.*

sufijo s. m. *Las partículas* -eta, -ucha, -miento *en las palabras* caseta, casucha *y* casamiento *son* ***sufijos*** (= son elementos que se

añaden al final de una palabra para formar otra palabra).
FAM: → *fijo.*

sufrido, a adj. **1.** *Es un enfermo muy* ***sufrido*** *y nunca se queja* (= que soporta su enfermedad sin quejarse). **2.** *Los colores oscuros son más* ***sufridos*** *que los claros* (= se nota menos la suciedad).
FAM: → *sufrir.*

sufrimiento s. m. *Hasta que no le calmó el dolor, pasó una hora de interminable* ***sufrimiento*** (= de mucho dolor).
SINÓN: dolor. **FAM:** → *sufrir.*

sufrir v. tr. **1.** *Ese hombre ha* ***sufrido*** *grandes disgustos porque ha vivido muchas desgracias* (= la ha pasado muy mal). **2.** *No estoy dispuesto a* ***sufrir*** *por más tiempo tus tonterías* (= no estoy dispuesto a aguantarlas). ◆ **sufrir** v. intr. **3.** *Pedro* ***sufre*** *del estómago* (= le duele el estómago).
SINÓN: **1, 3.** padecer. **2.** aguantar, soportar, tolerar. **ANTÓN:** **1.** disfrutar, gozar. **FAM:** *sufrido, sufrimiento.*

sugerencia s. f. *¿Puedo hacerte una* ***sugerencia****?* (= ¿te puedo dar una idea?).
SINÓN: idea, propuesta. **FAM:** → *sugerir.*

sugerir v. tr. **1.** *El médico me* ***sugirió*** *que descansara unos días* (= me recomendó descansar). **2.** *El profesor nos preguntó qué nos* ***había sugerido*** *la lectura que acabábamos de hacer* (= las conclusiones que sacábamos de la lectura).
SINÓN: **1.** aconsejar, recomendar. **FAM:** *sugerencia, sugestivo.*

sugestivo, a adj. *El viaje que me propusieron era muy* ***sugestivo,*** *pero desgraciadamente no pude hacerlo* (= muy atractivo).
SINÓN: atractivo. **FAM:** → *sugerir.*

suicida s. **1.** Los **suicidas** son las personas que se quitan la vida. ◆ **suicida** adj. **2.** *Sería un acto* ***suicida*** *si saltara ese muro porque me mataría* (= sería un acto muy arriesgado pues podría matarme).
FAM: → *suicidio.*

suicidarse v. pron. **Suicidarse** es quitarse la vida voluntariamente.
FAM: → *suicidio.*

suicidio s. m. *Leí en el periódico la triste noticia de su* ***suicidio*** (= leí que se había quitado la vida).
FAM: *suicida, suicidarse.*

suizo, a adj. **1.** *Saboreamos un exquisito queso* ***suizo*** (= de Suiza). ◆ **suizo, a** s. **2.** *Los* ***suizos*** *son las personas nacidas en Suiza.*

sujetador s. m. El **sujetador** es una prenda interior femenina que cubre y sujeta el pecho.
SINÓN: corpiño, sostén. **FAM:** → *sujetar.*

sujetar v. tr. ***Sujeta*** *bien el globo para que no se escape* (= agárralo con fuerza).
SINÓN: agarrar, sostener. **ANTÓN:** soltar. **FAM:** *sujetador, sujeto.*

sujeto s. m. **1.** *En la oración* Luis canta, Luis *es el* ***sujeto*** (= es la persona de la que decimos algo). **2.** *Un* ***sujeto*** *de aspecto extraño nos preguntó por ti* (= una persona que no conocíamos). ◆ **sujeto, a** adj. **3.** *No se podía mover porque tenía* ***sujetas*** *las manos y los pies* (= estaba atado de manos y pies). **4.** *El plan del viaje está* ***sujeto*** *a cambios de última hora* (= está expuesto a ser cambiado).
SINÓN: **2.** individuo, tipo. **FAM:** → *sujetar.*

sulfatado s. m. *Para proteger las viñas de enfermedades producidas por parásitos se recurre al* ***sulfatado*** (= a una operación que consiste en pulverizarlas con un producto que mata a los parásitos).
FAM: *sulfatar.*

sulfatar v. tr. ***Han sulfatado*** *las viñas para protegerlas de enfermedades causadas por parásitos* (= las han pulverizado con un producto especial para evitar ciertas enfermedades).
FAM: *sulfatado.*

sultán s. m. **1.** *El antiguo imperio turco era gobernado por un* ***sultán*** (= por un emperador). **2.** También se llama **sultán** a un príncipe musulmán.

suma s. f. **1.** *La* ***suma*** *de dos más tres es cinco.* **2.** *Tuvimos que pagar una* ***suma*** *importante de dinero* (= una gran cantidad de dinero).
SINÓN: **2.** cantidad. **ANTÓN:** **1.** resta. **FAM:** → *sumar.*

sumando s. m. *En la suma 2 + 4 = 6, el 2 y el 4 son los* ***sumandos*** (= son las cantidades que se suman).
FAM: → *sumar.*

sumar v. tr. **1.** *Siete y tres* ***suman*** *diez* (= al reunir estas dos cantidades obtengo ese resultado). **2.** ***Sumo*** *cien libros en mi biblioteca* (= reúno cien libros). ◆ **sumarse** v. pron. **3.** *La mayoría de la clase* ***se sumó*** *a la excursión* (= participó en la excursión).
SINÓN: **2.** juntar, reunir. **ANTÓN:** **1.** restar. **FAM:** *suma, sumando.*

sumergirse v. pron. *Los buceadores* ***se sumergieron*** *en el agua* (= nadaron hacia el fondo).
SINÓN: hundirse, zambullirse.

sumidero s. m. *En las calles, hay* ***sumideros*** *por los que se desvían las aguas de la lluvia* (= hay unos agujeros abiertos en el suelo por los que se desvían las aguas).
SINÓN: cloaca.

suministrar v. tr. *Esta es la papelería que* ***suministra*** *el material a la escuela* (= que le proporciona el material que necesita).
SINÓN: abastecer, surtir.

sumir v. tr. *La noticia de la desgracia lo* ***sumió*** *en una profunda tristeza* (= le causó una gran tristeza).

sumiso, a adj. *El soldado era muy* ***sumiso*** *y siempre obedecía todas las órdenes de sus superiores* (= era muy obediente).
ANTÓN: rebelde.

sumo, a adj. *Si no lo tratas con* ***sumo*** *cuidado se te puede romper* (= con mucho cuidado).

superación s. f. *La* ***superación*** *de la prueba le permitió pasar al ejercicio siguiente* (= el haberla aprobado).
FAM: *superar.*

superar v. tr. **1.** *Luis* ***superó*** *a los demás en la carrera* (= los venció). **2.** *Celebraron que* ***había superado*** *el examen* (= que lo había pasado con éxito). ◆ **superarse** v. pron. **3.** *Debes intentar* ***superarte*** *día a día* (= ser mejor cada día).
SINÓN: 1. adelantar, aventajar, ganar, vencer. **FAM:** *superación.*

superficial adj. *No te preocupes porque es una herida* ***superficial*** (= poco profunda).
SINÓN: exterior, externo. **ANTÓN:** interior, profundo. **FAM:** *superficie.*

superficie s. f. **1.** *Vimos un delfín salir a la* ***superficie*** *del mar* (= a su parte exterior). **2.** *La* ***superficie*** *de este jardín es de cien metros cuadrados* (= su extensión).
FAM: *superficial.*

superfluo, a adj. *No hagas gastos* ***superfluos*** (= gastos innecesarios).
SINÓN: innecesario, inútil. **ANTÓN:** imprescindible, necesario.

superior adj. **1.** *En la parte* ***superior*** *de este árbol hay un nido* (= en su parte más alta). **2.** *La primera parte del concierto fue muy* ***superior*** *a la segunda* (= fue mucho mejor). ◆ **superior, a** s. **3.** *Los soldados esperaban las órdenes de sus* ***superiores*** (= de las personas que los mandan y dirigen). **4.** *Sor Ángela es la* ***superiora*** *del convento* (= es la monja que dirige el convento).
SINÓN: 2. mejor. **3.** jefe. **ANTÓN: 1, 2, 3.** inferior. **2.** peor. **3.** subordinado. **FAM:** *superioridad.*

superioridad s. f. *Demostró su* ***superioridad*** *ganando a todos* (= que era mejor que los demás).
ANTÓN: inferioridad. **FAM:** *superior.*

superlativo s. m. *En la oración* María es simpatiquísima, simpatiquísima *es el* ***superlativo*** *de* simpática (= sirve para expresar el grado más alto de una cualidad).

supermercado s. m. *En los* ***supermercados*** *venden toda clase de productos de alimentación y limpieza* (= en los grandes establecimientos en los que tomamos nosotros mismos lo que compramos y lo pagamos al salir).
FAM: → *mercado.*

supersónico, a adj. Un avión **supersónico** es un avión que puede viajar a una velocidad que sobrepasa a la del sonido.

superstición s. f. *Decir que el número trece trae mala suerte es una* ***superstición*** (= es una creencia contraria a la razón).
FAM: *supersticioso.*

supersticioso, a adj. *Luis es tan* ***supersticioso*** *que nunca pasa por debajo de una escalera porque piensa que trae mala suerte* (= cree mucho en supersticiones).
FAM: *superstición.*

supervisar v. tr. *Mi padre tiene que ir a* ***supervisar*** *la obra cada día pues quiere asegurarse de que esté todo bien* (= tiene que ir a vigilar lo que están haciendo).
SINÓN: revisar.

supervivencia s. f. *Los animales huyen del peligro gracias a su instinto de* ***supervivencia*** (= gracias a su sentido de proteger sus vidas para no morir).
FAM: → *vivir.*

superviviente adj. *Fueron tres viajeros los* ***supervivientes,*** *el resto murió en el accidente* (= fueron tres las personas que se salvaron).
FAM: → *vivir.*

suplantar v. tr. *Ha conseguido, con malas artes,* ***suplantar*** *a su jefe* (= ocupar su cargo).
FAM: → *plantar.*

suplemento s. m. *Los domingos, algunos periódicos publican un* ***suplemento*** (= un cuaderno aparte).
FAM: → *suplir.*

suplente adj. *Los jugadores* ***suplentes*** *animaban a su equipo desde el banquillo* (= los jugadores que sustituyen a los que están jugando).
SINÓN: sustituto. **ANTÓN:** titular. **FAM:** → *suplir.*

suplicar v. tr. *Te* ***suplico*** *que me perdones* (= te lo pido humildemente).
SINÓN: rogar. **FAM:** *súplica, suplicio.*

suplicio s. m. *Tener que quedarme en casa a estudiar cuando todos están jugando es un verdadero* ***suplicio*** (= es algo insoportable).
SINÓN: tortura. **ANTÓN:** delicia, gozo. **FAM:** → *suplicar.*

suplir v. tr. **1.** *Blanca* ***suple*** *su falta de fuerza con su habilidad* (= la remedia). **2.** *En la segunda parte del partido, un jugador* ***suplió*** *a otro* (= lo sustituyó).
SINÓN: 1. remediar. **2.** sustituir. **FAM:** *suplemento, suplente.*

suponer v. tr. **1.** ***Supongo*** *que vendrán más tarde* (= me lo imagino). **2.** *Perder este partido* ***supondría*** *nuestra eliminación en la competencia* (= llevaría consigo nuestra eliminación). **3.** *Su familia* ***supone*** *mucho para él* (= tiene mucha importancia).
SINÓN: 1. creer, figurarse, imaginarse. **2.** implicar. **2, 3.** representar, significar. **FAM:** → *poner.*

suposición s. f. *No hagas más* ***suposiciones*** *y entérate de lo que pasó realmente* (= no te imagines más cosas).
SINÓN: hipótesis. FAM: → *poner.*

supositorio s. m. *El médico me recetó unos* ***supositorios*** *para remediar mi dolor de garganta* (= es un medicamento que se introduce por el ano).

supremo, a adj. *El presidente es el jefe* ***supremo*** *de las fuerzas armadas* (= el más importante).
SINÓN: máximo.

suprimir v. tr. **1.** ***Suprime*** *esta frase del texto y escribe otra en su lugar* (= quítala del texto). **2.** *Cuéntame lo que pasó, pero* ***suprime*** *los detalles* (= no me expliques los detalles).
SINÓN: **1.** anular, eliminar. **2.** ahorrar, omitir. ANTÓN: añadir, incluir.

supuesto s. m. **1.** *Toda idea que no esté comprobada en la realidad es un* ***supuesto*** (= es una suposición). ◆ **supuesto, a** adj. **2.** *La policía detuvo al* ***supuesto*** *autor del robo* (= al que creían que era el autor del robo). **3.** *Utilizó un nombre* ***supuesto*** *para que no supieran quién era* (= un nombre falso).
SINÓN: **1.** hipótesis, suposición. **3.** falso. ANTÓN: **3.** auténtico, verdadero. FAM: → *poner.*

sur s. m. **1.** *Argentina está en el* ***sur*** *de América* (= en el punto cardinal opuesto al Norte). ◆ **sur** adj. **2.** *Pasaremos las vacaciones en la costa* ***sur***.
ANTÓN: norte. FAM: *Sudeste, Sudoeste, Sureste, Suroeste.*

surafricano, a adj. → **sudafricano.**

suramericano, a adj. → **sudamericano.**

surco s. m. *El arado traza* ***surcos*** *en la tierra* (= zanjas que hace el agricultor para poder labrar la tierra).
SINÓN: zanja.

sureste s. m. → **sudeste.**

surgir v. intr. **1.** *El agua* ***surge*** *de los manantiales* (= brota de los manantiales). **2.** *No pudo venir a la fiesta porque le* ***surgió*** *un asunto importante* (= se le presentó).
SINÓN: **1.** brotar, manar, surtir. **2.** presentarse.

suroeste s. m. → **sudoeste.**

surtido, a adj. **1.** *En esa caja hay caramelos* ***surtidos*** (= una mezcla de diversas clases). ◆ **surtido** s. m. **2.** *En esta pastelería tienen un gran* ***surtido*** *de pasteles* (= toda clase de pasteles).
SINÓN: **1.** diverso, vario. **2.** diversidad, variedad.
FAM: → *surtir.*

surtidor s. m. **1.** *Bebí agua del* ***surtidor*** *de la fuente* (= del chorro que la hace salir hacia arriba). **2.** *En las gasolineras hay* ***surtidores*** (= aparatos que proporcionan gasolina a los coches).
FAM: → *surtir.*

surtir v. tr. **1.** *El mercado central* ***surte*** *a todo el pueblo* (= le proporciona los alimentos que necesita). ◆ **surtir efecto 2.** *Si el medicamento no* ***surte efecto*** *tendremos que probar otro más fuerte* (= si no produce ningún resultado).
SINÓN: **1.** abastecer, suministrar. FAM: *surtido, surtidor.*

surubí s. m. *La pesca del* ***surubí*** *es muy abundante en el río Paraná* (= pez de agua dulce, muy común en los ríos de las zonas templadas de Sudamérica; su piel plateada con manchas negras y sin escamas es comestible).

suscribir v. tr. **1.** *Cuando una persona se casa, debe* ***suscribir*** *un documento* (= debe firmarlo). **2.** ***Suscribo*** *lo que has dicho* (= soy de la misma opinión que tú). ◆ **suscribirse** v. pron. **3.** ***Se suscribió*** *a una asociación deportiva* (= se hizo socio de un club deportivo). **4.** *Teresa* ***se suscribió*** *a una revista cultural para recibirla cada mes en su casa* (= paga una cantidad de dinero cada mes por recibirla).
SINÓN: **2.** apoyar, aprobar. **3.** asociarse. **4.** abonarse. FAM: → *escribir.*

suscripción s. f. *La* ***suscripción*** *a esta revista mensual cuesta cien pesos anuales* (= recibir la revista en casa, cada mes, cuesta cien pesos al año).
SINÓN: abono. FAM: → *escribir.*

suspender v. tr. **1.** ***Suspendió*** *una lámpara del techo con un cable* (= la colgó). **2.** ***Suspendieron*** *el espectáculo al aire libre a causa de la lluvia* (= lo interrumpieron). **3.** *Le* ***suspendieron*** *el sueldo por no acudir al trabajo* (= dejaron de pagárselo).
SINÓN: **2.** aplazar, interrumpir, parar. ANTÓN: **2.** reanudar, restablecer. FAM: *suspensivo, suspenso.*

suspensivo, a adj. *He puesto puntos* ***suspensivos*** *al final de la frase para indicar que no lo he dicho todo* (= signo de puntuación (...) que indica que una frase ha quedado cortada).
FAM: → *suspender.*

suspenso s. m. *Era una película de* ***suspenso*** *en la que hasta el último momento no se conocía al asesino* (= una película de mucho misterio).
FAM: → *suspender.*

suspirar v. intr. **1.** *Los espectadores* ***suspiraban*** *de aburrimiento* (= respiraban fuertemente en señal de aburrimiento). **2.** ***Suspiro*** *porque lleguen las vacaciones* (= tengo ganas de que lleguen).
SINÓN: **2.** anhelar, desear, soñar. FAM: *suspiro.*

suspiro s. m. *Sentía tanta pena que daba fuertes* ***suspiros*** (= tomaba mucho aire y lo expulsaba rápidamente).
FAM: *suspirar.*

sustancia s. f. *El vinagre es una* ***sustancia*** *líquida y agria* (= está formado por una materia líquida y agria).

PAISAJES DE AMÉRICA LATINA

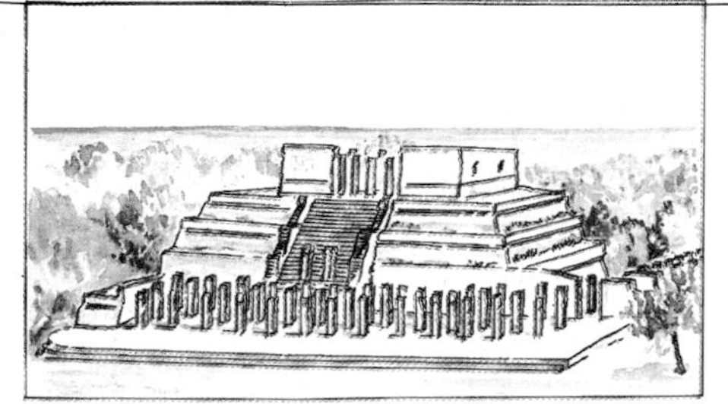

templo precolombino

cuenca de un caudaloso río

pirámide maya (Guatemala)

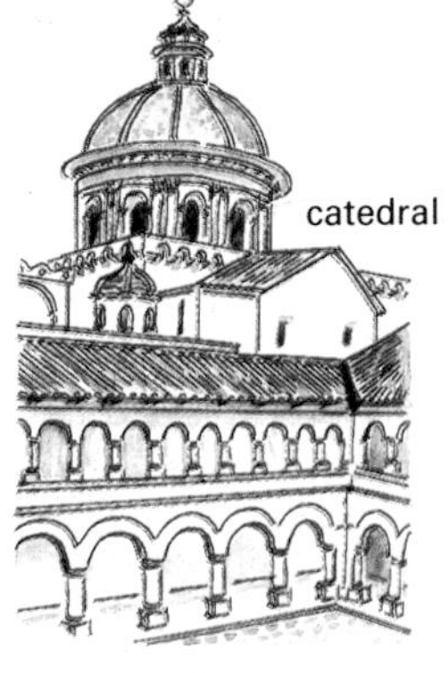

catedral

selva amazónica

playa con palmeras

cataratas

vendedora (chiapaneca) en el mercado

veracruzano

tehuana

niño tarahumara

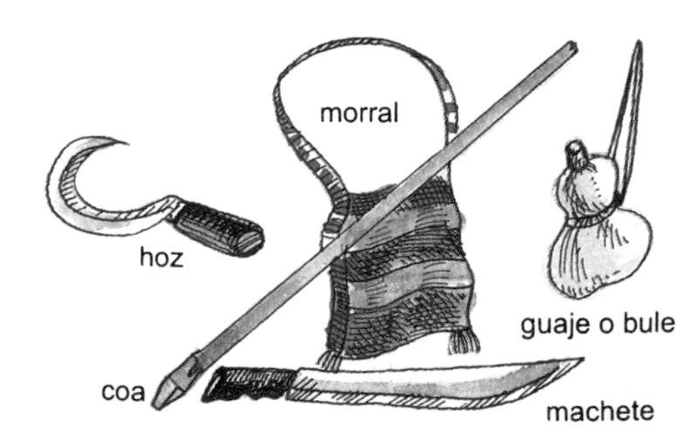

tejedora

pescador

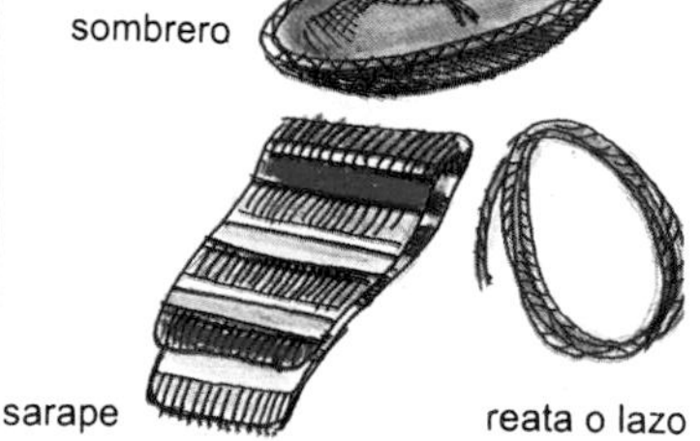

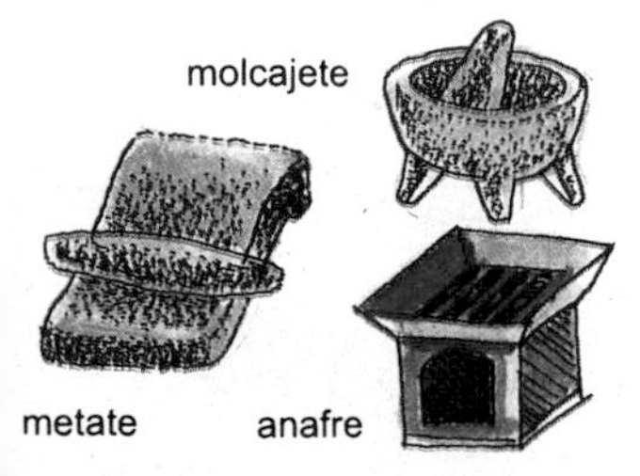

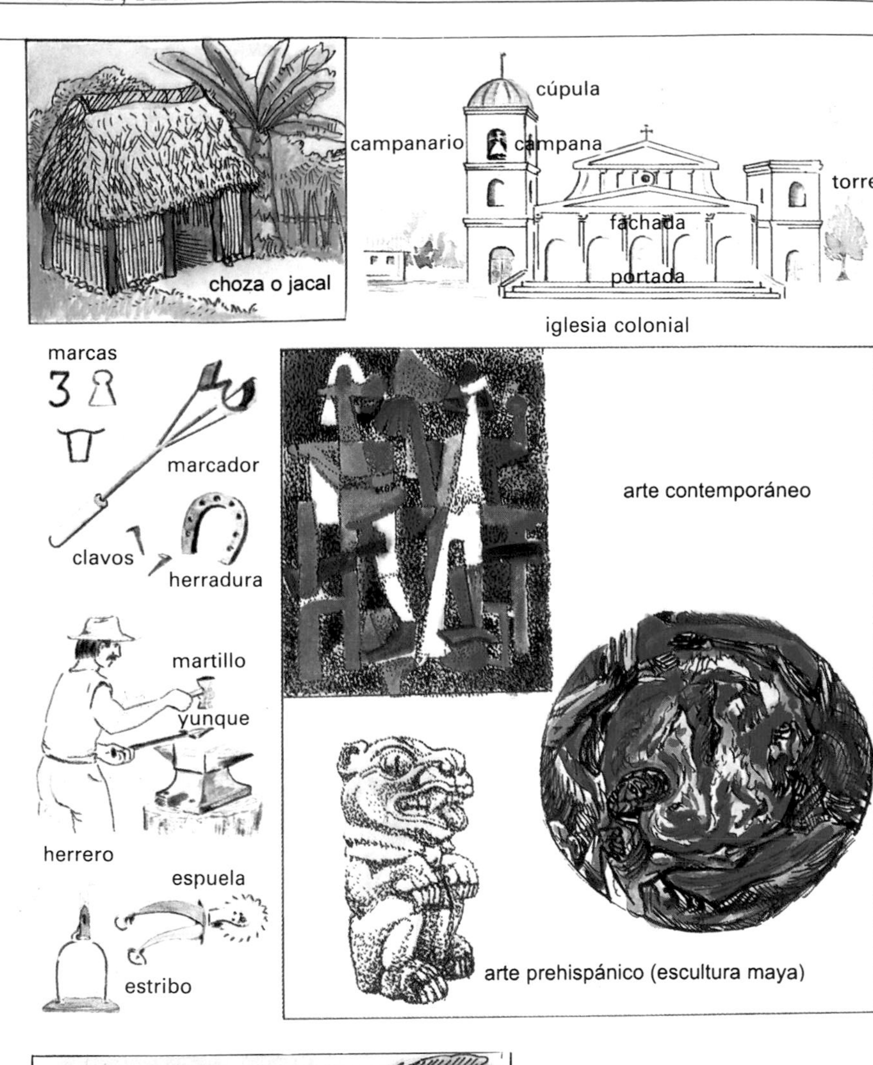
choza o jacal
cúpula
campanario
campana
torre
fachada
portada
iglesia colonial
marcas
marcador
clavos
herradura
martillo
yunque
herrero
espuela
estribo
arte contemporáneo
arte prehispánico (escultura maya)

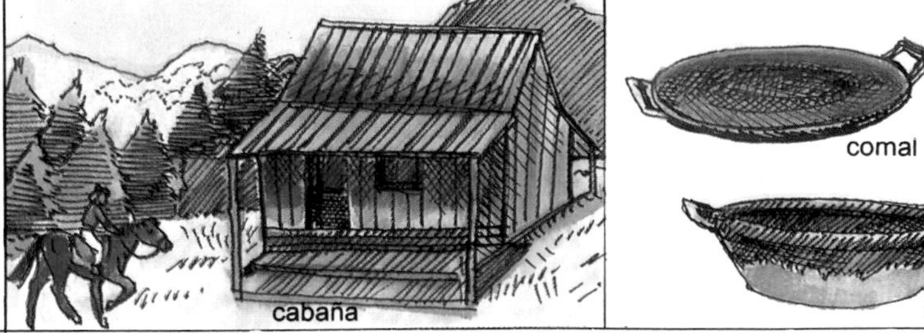
cabaña
comal
jarro
cacerola

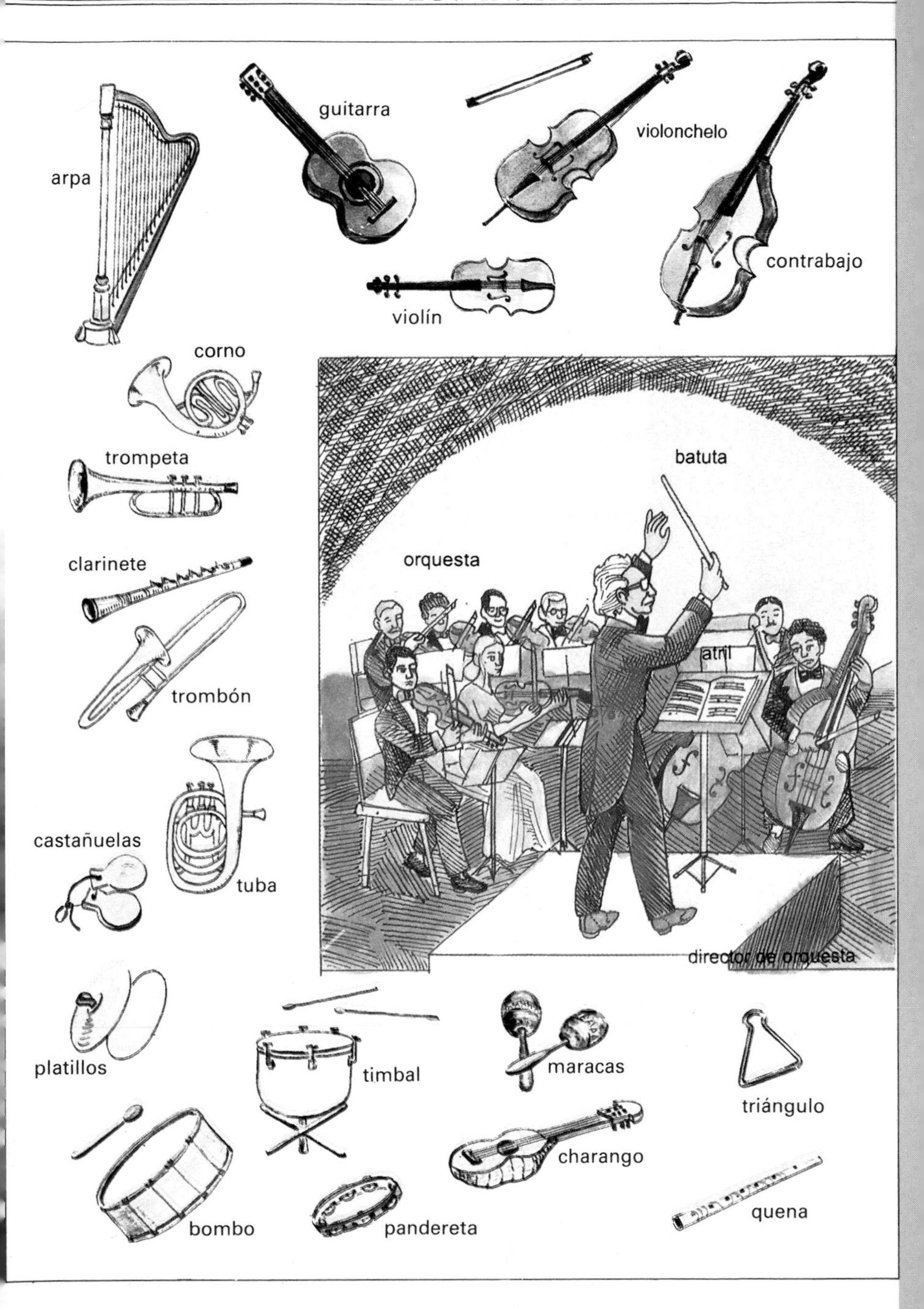
arpa
guitarra
violonchelo
contrabajo
violín
corno
trompeta
clarinete
trombón
castañuelas
tuba
batuta
orquesta
atril
director de orquesta
platillos
timbal
maracas
triángulo
charango
bombo
pandereta
quena

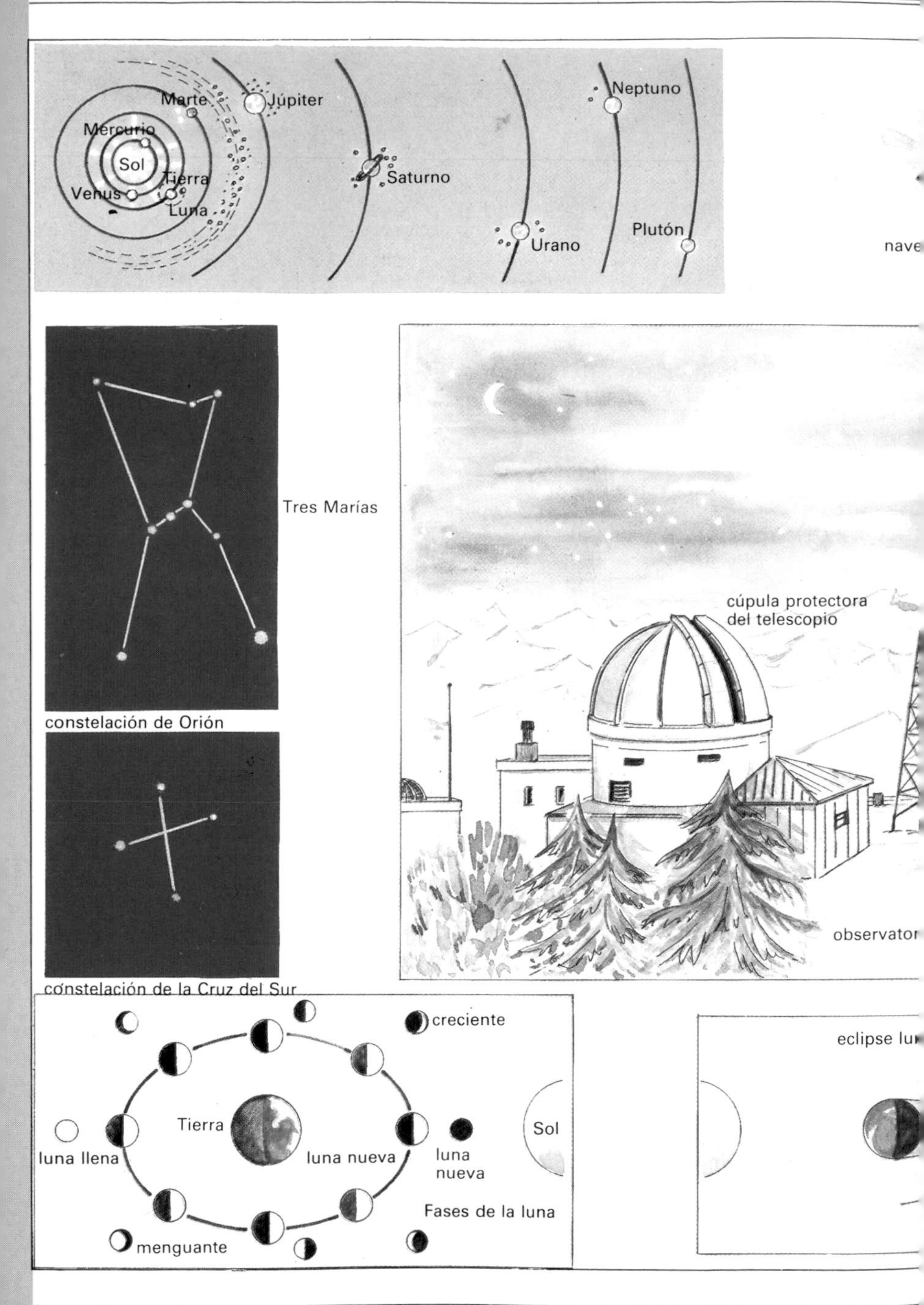
Marte
Júpiter
Mercurio
Sol
Tierra
Venus
Luna
Saturno
Neptuno
Urano
Plutón
nave
Tres Marías
constelación de Orión
constelación de la Cruz del Sur
cúpula protectora
del telescopio
observator
creciente
Tierra
luna llena
luna nueva
luna
nueva
Sol
Fases de la luna
menguante
eclipse lu

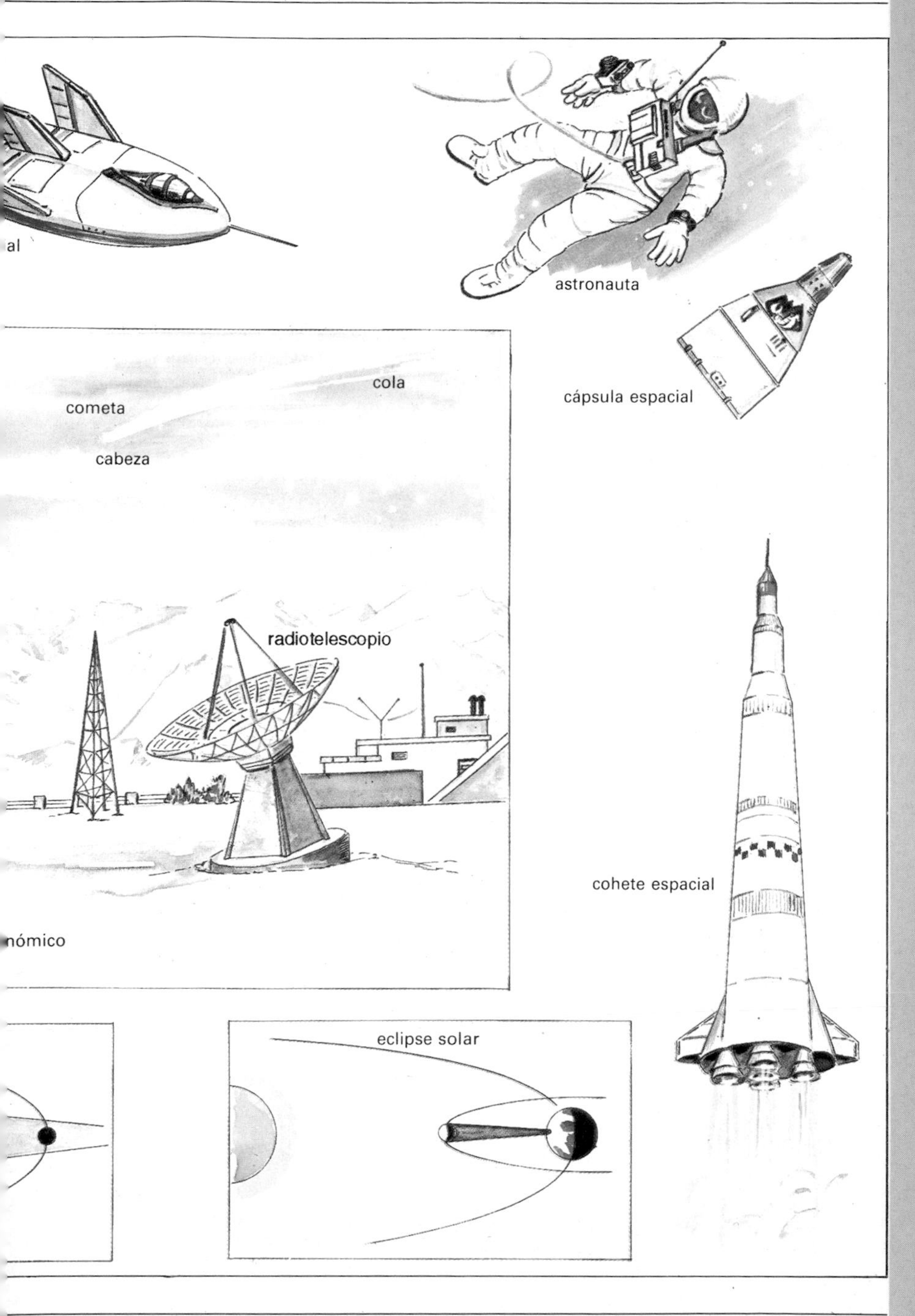
al
astronauta
cápsula espacial
cola
cometa
cabeza
radiotelescopio
nómico
cohete espacial
eclipse solar

LOS JUEGOS

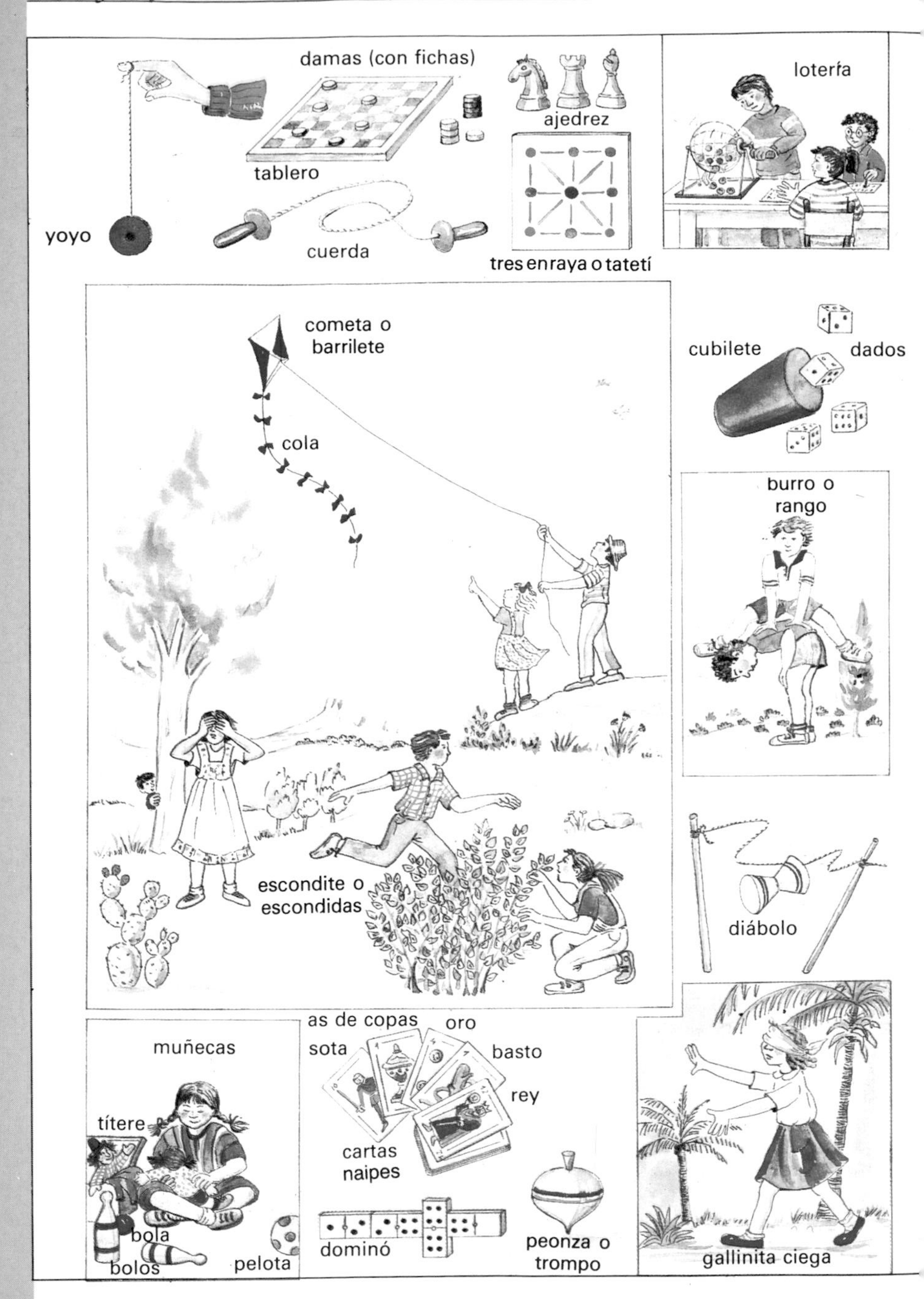

damas (con fichas)
ajedrez
lotería
tablero
yoyo
cuerda
tres en raya o tatetí
cometa o
barrilete
cola
cubilete
dados
burro o
rango
escondite o
escondidas
diábolo
as de copas
oro
sota
basto
rey
muñecas
títere
cartas
naipes
bola
bolos
pelota
dominó
peonza o
trompo
gallinita ciega

sustantivo s. m. Perro, lápiz, suspiro, Juan *son* ***sustantivos*** (= son palabras que sirven para nombrar animales, cosas, hechos y personas).
SINÓN: nombre.

sustitución s. f. *La* ***sustitución*** *del jugador titular por el suplente se produjo en el minuto seis* (= el cambio de jugadores).
SINÓN: cambio. **FAM:** → *sustituir.*

sustituir v. tr. *Nuestro profesor se enfermó y* ***fue sustituido*** *por otro* (= vino otro profesor a ocupar su lugar mientras él estaba fuera).
SINÓN: cambiar, reemplazar. **FAM:** *sustitución, sustituto.*

sustituto, a s. *El empleo de Juan lo ocupará un* ***sustituto*** *hasta que se recupere de su enfermedad* (= vendrá otra persona a ocupar su lugar hasta que él vuelva).
SINÓN: suplente. **ANTÓN:** titular. **FAM:** → *sustituir.*

susto s. m. *Me escondí detrás de la puerta para darle un* ***susto*** *cuando entrara* (= para asustarlo).
SINÓN: sobresalto. **FAM:** *asustadizo, asustar.*

sustraendo s. m. *En la resta, 5 – 2, el 2 es el* ***sustraendo*** (= es la cantidad que se resta de otra).

susurrar v. intr. **1.** *Me* ***ha susurrado*** *un consejo al oído* (= me lo ha dicho en voz muy baja). **2.** *El viento* ***susurraba*** *entre las hojas de los árboles* (= producía un ruido suave).
SINÓN: **1.** cuchichear, murmurar. **FAM:** *susurro.*

susurro s. m. **1.** *En la clase, se oía el* ***susurro*** *de los alumnos que hablaban en voz baja* (= el cuchicheo). **2.** *Desde mi habitación, oigo el* ***susurro*** *que produce el viento* (= el ruido suave).
SINÓN: **1.** cuchicheo, murmullo. **FAM:** *susurrar.*

sutil adj. *La diferencia entre estos dos perfumes es tan* ***sutil*** *que apenas se aprecia* (= es tan leve que apenas se nota).
SINÓN: leve, ligero.

sutura s. f. *El médico le dio cuatro puntos de* ***sutura*** *en la herida* (= le cosió cuatro puntos para cerrarle la herida).

suyo, a Es un posesivo. VER CUADRO DE POSESIVOS.

T s. f. La **t** *(te)* es la vigesimoprimera letra del abecedario español.

tabaco s. m. El **tabaco** es una planta tropical cuyas hojas se emplean para fabricar cigarrillos y puros.
FAM: *tabaquera.*

tábano s. m. El **tábano** es un insecto que se alimenta de la sangre que chupa a animales como la vaca o el caballo.

tabaquera s. f. *Guardó los cigarrillos en la **tabaquera*** (= en una caja pequeña que sirve para guardar cigarrillos o puros).
FAM: *tabaco.*

taberna s. f. *En algunas **tabernas,** además de vino sirven comidas* (= en los establecimientos en los que se venden y sirven vinos y bebidas).
SINÓN: bar, bodega, cantina, tasca. **FAM:** *tabernero.*

tabernero, a s. *Pidieron al **tabernero** que les sirviera un vaso de vino blanco y uno de vino tinto* (= la persona que vende y sirve vino y bebidas en una taberna).
SINÓN: bodeguero. **FAM:** *taberna.*

tabique s. m. *Las habitaciones están separadas por **tabiques*** (= por paredes delgadas).
SINÓN: pared.

tabla s. f. **1.** *El carpintero pulía una **tabla** para hacer una estantería* (= un trozo de madera plano y no muy grueso). **2.** *En el colegio aprendemos la **tabla** de multiplicar* (= la lista de resultados de las multiplicaciones entre los diez primeros números). **3.** *Al final del libro, encontrarás una **tabla** de materias* (= un índice con todos los temas que aparecen en el libro).
FAM: *retablo, tablero, tableta, tablón.*

tablero s. m. **1.** Un **tablero** es un conjunto de tablas unidas entre sí. **2.** *El **tablero** sobre el que se juega al ajedrez está formado por 64 cuadros blancos y negros.* **3.** *La pelota rebotó en el **tablero** y no llegó a entrar en la canasta* (= en la plancha que sujeta la canasta de baloncesto). **4.** *Antes de despegar, el piloto comprobó el **tablero** de mando* (= el conjunto de mandos e indicadores que permiten pilotear un avión).
FAM: → *tabla.*

tableta s. f. *Juan se comió la **tableta** de chocolate antes que las galletas* (= la pastilla de chocolate).
FAM: → *tabla.*

tablón s. m. *El carpintero serruchaba un **tablón*** (= una tabla grande y gruesa de madera).
FAM: → *tabla.*

tabú s. m. *Mi padre me explicó que hablar de sexo es un **tabú*** (= que es un tema sobre el cual la gente tiene muchos prejuicios).

taburete s. m. *Siéntate en el **taburete*** (= un asiento individual sin brazos ni respaldo).

tacaño, a adj. *Me sorprendió su generosidad porque siempre había creído que era un **tacaño*** (= una persona a la que no le gusta ni dar ni gastar el dinero o cualquier otra cosa, sino que prefiere quedárselo para sí).
SINÓN: avaro, miserable, ruin. **ANTÓN:** generoso.

tachadura s. f. *Esta carta está llena de **tachaduras** y de borrones* (= de palabras tachadas).
SINÓN: tachón. **FAM:** → *tachar.*

tachar v. tr. ***Taché** la palabra equivocada y escribí la correcta debajo* (= la suprimí haciendo una raya encima).
SINÓN: rayar. **FAM:** *tachadura, tachón.*

tacho s. m. Arg., Bol., Chile, Perú. **1.** *Para sacar ciertas manchas de la ropa, se la hierve en un **tacho** de agua con quillay* (= recipiente de metal de base redondeada y, por lo común, con dos asas). Arg., Ec., Perú. **2.** *Es conveniente que los **tachos** de residuos tengan tapa* (= cubos de la basura).

tachuela s. f. *En la ferretería, venden **tachuelas*** (= unos clavos cortos y de cabeza ancha).

taco s. m. **1.** *He tapado este hueco con un **taco** de madera* (= con un trozo de madera corto y grueso). **2.** *No pudimos jugar al billar porque no encontramos los **tacos*** (= los palos largos con los que se golpean las bolas). **3.** *Junto al teléfono encontrarás un **taco** de papeles por si quieres anotar algo* (= un bloc de notas). **4.** *Cada vez que visitamos México aprovechamos para comer **tacos*** (= tortillas de maíz arrolladas que llevan adentro pollo, carne, queso y muchos otros ingredientes). Amér. Merid., Ant. **5.** *Te pareció más alta porque llevaba zapatos de **taco** alto* (= con una pieza

que se coloca en el talón del zapato para levantar el pie).
FAM: → *tacón, taconear.*

taconear v. intr. *Mi madre* ***taconea*** *por toda la casa* (= camina haciendo ruido con los tacos).
SINÓN: zapatear. **FAM:** → *taco.*

táctica s. f. *El entrenador del equipo cambió de* ***táctica*** *para conseguir mejorar el resultado* (= ordenó emplear otro método).
SINÓN: estrategia, maniobra, método, plan.

táctil adj. *Las sensaciones* ***táctiles*** *son las que sentimos al tocar algo con los dedos.*
FAM: → *tocar.*

tacto s. m. **1.** *El* ***tacto*** *es uno de los cinco sentidos corporales* (= con él reconocemos la forma y ciertas cualidades como la suavidad, la consistencia o la temperatura de una cosa, tocándola con los dedos). **2.** *Hay que felicitarlo porque ha sabido llevar con mucho* ***tacto*** *un asunto tan difícil como éste* (= con mucha delicadeza y cuidado).
SINÓN: **2.** acierto, delicadeza, destreza, discreción, habilidad, tino. **FAM:** → *tocar.*

tacuara s. f. R. de la Plata. *Las* ***tacuaras****, con un cuchillo o una flecha atados en la punta, fueron armas temibles en las luchas entre indios y criollos* (= cañas de bambú americano, muy altas y resistentes, que crecen en regiones húmedas, donde forman montes espesos).
FAM: → *tacuarembó.*

tacuarembó s. m. R. de la Plata. *Con el* ***tacuarembó*** *se tejen cestos y otros objetos domésticos* (= caña larga, delgada y flexible).
FAM: → *tacuara.*

tacurú s. m. R. de la Plata. **1.** *El niño lloraba porque lo había picado un* ***tacurú*** (= cierta termita pequeña). **2.** *Caminando por el campo, encontramos un* ***tacurú*** (= montículo cónico de arcilla muy dura, de hasta un metro de altura, que los tacurúes construyen en lugares pantanosos, y donde viven en comunidad).
SINÓN: **2.** hormiguero.

tafia s. f. Amér. Merid., Ant. *Juan se tomó dos vasos de* ***tafia*** (= aguardiente de caña).

taimado, a adj. *Aquel sujeto era un* ***taimado*** *y nadie se fiaba de él* (= astuto, disimulado, ladino).

tajada s. f. *Córtame una* ***tajada*** *de melón* (= un trozo de melón).
SINÓN: pedazo. **FAM:** *tajo.*

tajamar s. m. Amér. Merid. *Están construyendo* ***tajamares*** *sobre ambos extremos de la playa* (= terraplén que se hace para defenderse de las aguas de un río o del mar).
SINÓN: malecón. **FAM:** *atajar.*

tajo s. m. *Me hice un* ***tajo*** *con el cuchillo y me empezó a salir sangre* (= un corte profundo).
FAM: *tajada.*

tal adj. **1.** *No merece* ***tales*** *desprecios* (= esos desprecios tan grandes). **2.** *De* ***tal*** *padre,* ***tal*** *hijo* (= como es el padre así es el hijo). ◆ **tal** adv. **3.** *Lo hice* ***tal*** *como me lo dijiste* (= de la manera que me dijiste).

tala s. f. **1.** *Se ha prohibido la* ***tala*** *del quebracho colorado* (= acción de cortar los árboles por la base del tronco). ◆ **tala** s. m. Amér. Merid. **2.** *La madera de* ***tala*** *se usa en carpintería* (= árbol alto y frondoso, de madera flexible y resistente; de su raíz se extrae un tinte).
FAM: *talar.*

taladradora s. f. → **taladro.**
FAM: → *taladrar.*

taladrar v. tr. ***Taladraron*** *el muro para pasar el cable del teléfono* (= hicieron un agujero).
SINÓN: agujerear, perforar. **FAM:** *taladradora, taladro.*

taladro s. m. *El carpintero utilizaba el* ***taladro*** *para hacer agujeros en la madera* (= un instrumento que sirve para hacer agujeros en la madera, en el metal o en el cemento).
SINÓN: taladradora. **FAM:** → *taladrar.*

talar v. tr. *Los leñadores* ***han talado*** *el bosque* (= han cortado por su parte más baja los árboles).

talco s. m. El **talco** es un polvo blanco, procedente de un mineral, que se emplea para los cuidados de la piel.

talento s. m. *Jorge tiene un* ***talento*** *especial para la música* (= tiene una aptitud especial).
SINÓN: aptitud, capacidad, habilidad. **ANTÓN:** torpeza.

talismán s. m. *Juan tiene en su habitación una piel de serpiente disecada y dice que es su* ***talismán*** (= piensa que tiene poderes mágicos y que le trae suerte).
SINÓN: amuleto.

talla s. f. **1.** *Juan y Antonio son de la misma* ***talla*** (= tienen la misma estatura). **2.** *¿Qué* ***talla*** *tienes de pantalón?* (= ¿cuál es la medida que te corresponde?).
SINÓN: **1.** altura, estatura. **2.** medida. **FAM:** *tallar.*

tallar v. tr. **1.** *El escultor* ***tallaba*** *la madera* (= la cortaba dándole forma hasta conseguir una figura). **2.** *El joyero* ***ha tallado*** *mi nombre detrás de la medalla* (= lo ha grabado).
SINÓN: **1.** esculpir. **2.** grabar. **FAM:** *talla.*

taller s. m. *Junto al* ***taller*** *de carpintería, hay un* ***taller*** *mecánico* (= los lugares donde se trabaja con herramientas o máquinas realizando un trabajo determinado).

tallo s. m. *El* ***tallo*** *de la rosa tiene espinas* (= parte de la planta que separa las flores y las hojas).

talón s. m. El **talón** es la parte posterior del pie.

talonera s. f. Amér. Cent., Amér. Merid. *Para que no se le caigan las espuelas, los jinetes se ponen* ***taloneras*** (= piezas de cuero que se colo-

can en el talón de la bota para sujetar y asegurar las espuelas).
FAM: → *talón*.

talud s. m. *Al llegar junto al río, el terreno formaba un* ***talud*** (= una inclinación).

tamal s. m. Amér. *Nos gustaron mucho los* ***tamales*** *rellenos de carne con chile* (= comida consistente en una pasta de harina de maíz rellena con carne picada y especias, o bien con dulces y frutas secas, que se envuelve en hojas de maíz o de plátano y se cuece al vapor; es un plato popular en toda América).

tamango s. m. Amér. Merid. *Ya podrías tirar esos viejos* ***tamangos*** (= zapatos rústicos o muy gastados).

tamarindo s. m. *Con los frutos del* ***tamarindo*** *se fabrican ciertos dulces típicos mexicanos* (= árbol de tronco grueso, flores en espigas amarillentas y fruto en vainas de varias semillas, comestible y medicinal).

tamaño s. m. *Estos dos cuadros son del mismo* ***tamaño*** *pues tan grande es el uno como el otro* (= tienen la misma medida).

tambalearse v. pron. *A causa de la tempestad, el barco se movía de tal forma que los pasajeros andaban* ***tambaleándose*** (= se iban de un lado a otro del barco).

tambero, a s. R. de la Plata. *Ese* ***tambero*** *no tiene experiencia en el trabajo* (= dueño o empleado de un tambo).
SINÓN: vaquero. FAM: → *tambo*.

también adv. **1.** *María fue al cine y yo* ***también*** (= yo hice lo mismo). **2.** *Es lista y* ***también*** *trabajadora* (= y además es trabajadora).
ANTÓN: tampoco.

tambo s. m. Amér. Merid. **1.** *Durante el viaje, se detuvieron en un* ***tambo*** (= posada donde se puede comer y descansar). R. de la Plata. **2.** *En los modernos* ***tambos*** *se ordeñan las vacas con máquinas especiales* (= establecimiento donde se crían vacas para vender la leche y productos derivados). Méx. **3.** *Debes arrojar la basura en el* ***tambo*** (= recipiente grande para la basura).
SINÓN: **1.** albergue, hostal, mesón. **2.** vaquería. **3.** cubo, tacho. FAM: *tambero*.

tambor s. m. *En el desfile, unos tocaban la trompeta y otros el* ***tambor*** (= un instrumento musical que consiste en una caja redonda, cerrada por una piel tensada que se toca golpeando con unos palillos).

tamiz s. m. *El albañil separaba la gravilla de la arena con el* ***tamiz*** (= con un utensilio formado por un aro y una tela metálica con pequeños agujeros que cuela la arena pero no las piedras).
SINÓN: criba.

tampoco adv. *Si tú no juegas, yo* ***tampoco*** (= yo no jugaré).
ANTÓN: también.

tan adv. **1.** *Luis es* ***tan*** *alto como yo* (= es igual de alto que yo). **2.** *No es* ***tan*** *bueno como dicen* (= no lo es tanto). **3. Tan** es apócope de tanto y se emplea delante de un adjetivo o un adverbio.

tanda s. f. *Los turistas llegaron a la playa en* ***tandas*** (= en grupos).
SINÓN: turno.

tanguear v. intr. Amér. *En la reunión,* ***tanguearon*** *hasta la madrugada* (= cantar, ejecutar o bailar el tango).
FAM: *tango*.

tango s. m. *Ramón y Teresa conocen bien los pasos del* ***tango*** (= un baile de origen rioplatense).

tanque s. m. *Los* ***tanques*** *atacaron las posiciones del enemigo* (= los vehículos muy pesados y blindados, armados con ametralladoras y cañones que pueden desplazarse por toda clase de terrenos).

tantear v. tr. ***He tanteado*** *a María, y creo que nos apoyará* (= he tratado de saber lo que piensa).
FAM: *tanto*.

tanto, a adj. **1.** *No comas* ***tantos*** *bombones* (= comes demasiados). **2.** *Tengo* ***tantos*** *amigos como él* (= el mismo número de amigos que él). **3.** *El tren llegó con* ***tanto*** *retraso que no lo pude esperar* (= con mucho retraso). ◆ **tanto** s. m. **4.** *Hemos ganado el partido por dos* ***tantos*** *a uno* (= por dos goles a uno). **5.** *Le pregunté cuánto costaba y me dijo que* ***tanto*** (= me dijo lo que costaba). ◆ **tanto** adv. **6.** *¡No tarden* ***tanto!*** (= ¡no tarden mucho!).
SINÓN: **4.** gol. FAM: *tantear*.

tapa s. f. **1.** *Levanta la* ***tapa*** *de la caja, que quiero sacar un caramelo* (= la pieza que la cierra). **2.** *La* ***tapa*** *de este libro está rota* (= la cubierta del libro). **3.** *El zapatero arregló las* ***tapas*** *de mis zapatos* (= la suela del taco).
SINÓN: **1.** tapadera. **2.** cubierta. FAM: → *tapar*.

tapado s. m. Amér. Cent., Amér. Merid. *Ana se compró un hermoso* ***tapado*** *azul* (= abrigo de mujer, que cubre desde los hombros hasta las rodillas).
FAM: *tapar*.

tapar v. tr. **1.** ***Tapa*** *la botella* (= ponle el tapón y ciérrala). **2.** *La cortina nos* ***tapaba*** *el paisaje* (= no nos dejaba verlo). ◆ **taparse** v. pron. **3.** ***Tápate*** *bien, que hace frío* (= abrígate bien).
SINÓN: **1.** cerrar. **2.** ocultar. **3.** abrigarse, arroparse, cubrirse. ANTÓN: **1.** abrir, descubrir, destapar. **3.** desnudarse, destaparse, desvestirse. FAM: *destapar, tapa, tapacubos, tapadera, tapón, taponar*.

tapera s. f. R. de la Plata. *Desde el camino, se veían algunas* ***taperas*** (= ranchos abandonados y en ruinas).

tapete s. m. **1.** *Pusimos un* ***tapete*** *encima de la mesa para jugar a las cartas* (= una tela que se coloca encima de las mesas o de los muebles para adornarlos o protegerlos). **2.** *Compramos un nuevo **tapete** para el piso del comedor* (= alfombra).

tapia s. f. *Han cercado la finca con una **tapia*** (= con una pared que sirve de valla).
FAM: *tapiar.*

tapiar v. tr. ***Tapiaron** una ventana de la habitación* (= la taparon construyendo una pared en su lugar).
FAM: *tapia.*

tapicería s. f. *En un taller de **tapicería** tejen toda clase de telas para hacer cortinas, cubrir muebles, asientos o paredes.*
FAM: → *tapiz.*

tapicero, a s. *Hay que llevar el sillón al **tapicero** para que le cambie la tela que lo cubre* (= a la persona que tiene por oficio tapizar muebles).
FAM: → *tapiz.*

tapioca s. f. Amér. *El médico le aconsejó que les diera **tapioca** a los niños* (= sopa de fécula de mandioca o de yuca).

tapir s. m. El **tapir** es un mamífero del mismo tamaño que el jabalí, que tiene la nariz prolongada en forma de pequeña trompa y vive en América y Asia.

tapiz s. m. *Las paredes del palacio estaban decoradas con **tapices** hechos a mano* (= con piezas de tejido con grandes dibujos que sirven para adornar paredes).
FAM: *tapicería, tapicero, tapizar.*

tapizar v. tr. *Hicimos **tapizar** el sofá con una tela de flores* (= lo hicimos cubrir con una tela de flores).
FAM: → *tapiz.*

tapón s. m. *Perdí el **tapón** de la cantimplora y se derramó toda la limonada por la mochila* (= perdí la pieza que tapa la cantimplora).
FAM: → *tapar.*

taponar v. tr. *El plomero **taponó** el escape de agua* (= lo tapó impidiendo que saliera más agua).
SINÓN: cerrar, obstruir, tapar. **ANTÓN:** abrir, descubrir, destapar. **FAM:** → *tapar.*

taquigrafía s. f. *He comenzado a estudiar **taquigrafía** y ya puedo escribir ochenta palabras por minuto* (= un método de escritura rápida que consiste en utilizar, en lugar de letras, signos que representan sílabas y palabras enteras).
FAM: *taquígrafo.*

taquígrafo, a s. *El **taquígrafo** escribía a gran velocidad el discurso que estaba pronunciando el presidente* (= la persona que tiene por oficio escribir mediante signos de taquigrafía, lo que se dice en un tribunal, congreso o asamblea).
FAM: *taquigrafía.*

taquilla s. f. *En la estación del tren hay una **taquilla** donde venden los boletos para viajes cercanos* (= una ventanilla).
SINÓN: ventanilla. **FAM:** *taquillero.*

taquillero, a s. *El **taquillero** me vendió dos entradas de cine* (= la persona que tiene por oficio vender entradas o boletos en unas ventanillas).
FAM: *taquilla.*

tarántula s. f. La **tarántula** es una araña cuya picadura es venenosa.

tararear v. tr. *María **tarareaba** la canción de moda porque no sabía la letra* (= cantaba la melodía en voz baja).

tararira s. f. R. de la Plata. *Los chicos volvieron contentos porque pescaron varias **tarariras*** (= peces de río de color negro y carne muy apreciada).

tardanza s. f. **1.** *Me preocupa la **tardanza** de Ana* (= su retraso). **2.** *La **tardanza** de este alumno en hacer sus deberes preocupa a su profesor* (= le preocupa su lentitud).
SINÓN: **1.** retraso. **2.** lentitud. **ANTÓN:** **2.** prisa, rapidez. **FAM:** → *tarde.*

tardar v. intr. **1.** *El tren **tardó** en llegar* (= se retrasó). **2.** *Ana **tardó** dos minutos en vestirse* (= empleó dos minutos en vestirse).
SINÓN: **1.** atrasarse, retrasarse. **ANTÓN:** **1.** adelantarse. **FAM:** → *tarde.*

tarde s. f. **1.** *Salimos del colegio a las cinco de la **tarde*** (= parte del día entre el mediodía y el anochecer). ◆ **tarde** adv. **2.** *Llegamos **tarde** a casa: eran las tres de la madrugada* (= a una hora avanzada de la noche). **3.** *Llegamos **tarde** al campo y el partido ya había empezado* (= llegamos después de la hora de comienzo).
ANTÓN: **1.** mañana. **2.** temprano. **3.** pronto.
FAM: *atardecer, tardanza, tardar, tardío.*

tardío, a adj. **1.** *Estos frutos son **tardíos** y no maduran hasta finales de verano* (= maduran más tarde de lo normal). **2.** *Fue una ayuda **tardía**, no llegó en el momento oportuno* (= que llegó demasiado tarde).
ANTÓN: **1, 2.** temprano. **FAM:** → *tarde.*

tarea s. f. **1.** *Debes terminar tus **tareas** antes de las seis* (= tu trabajo). Amér. Merid., Méx. **2.** *La maestra nos dio mucha **tarea** para el lunes* (= muchos deberes y lecciones).
SINÓN: **1.** faena, labor, quehacer, trabajo. **2.** deberes, lecciones. **FAM:** → *atareado, atarear.*

tarifa s. f. *En algunos espectáculos, los niños menores de seis años pagan una **tarifa** reducida* (= pagan menos).

tarima s. f. *La mesa del profesor está sobre una **tarima*** (= sobre una plataforma que sobresale del suelo).
SINÓN: tablado.

tarjeta s. f. **1.** *El doctor nos entregó su **tarjeta** de visita* (= una cartulina pequeña que lleva su nombre, apellido, domicilio y teléfono). **2.** *María me envió una **tarjeta** postal desde el extranjero en la que aparecía una vista de una ciudad y donde me escribía sus impresiones.*
SINÓN: **2.** postal.

tarro s. m. **1.** *Compré un **tarro** de mermelada* (= un frasco de mermelada). **2.** *Como hacía mucho calor, acompañamos la comida con un **tarro** de cerveza* (= un vaso grande especial para esa bebida).

tarta s. f. *Hicimos una **tarta** para celebrar el cumpleaños de Olga* (= una pasta delgada y horneada con frutas).
SINÓN: pastel, torta. FAM: *tartera.*

tartamudear v. intr. *Estaba tan nerviosa que empezó a **tartamudear*** (= a hablar con dificultad repitiendo sílabas y palabras).
FAM: → *tartamudo.*

tartamudez s. f. *Cuando se ponía nervioso le entraba la **tartamudez*** (= un defecto en la forma de hablar que consiste en la repetición de las sílabas o las palabras).
SINÓN: balbuceo. FAM: → *tartamudo.*

tartamudo, a adj. *Aunque era un chico **tartamudo** tenía mucha facilidad para escribir* (= tenía un defecto en la forma de hablar que consiste en la repetición de las sílabas o las palabras).
FAM: *tartamudear, tartamudez.*

tartera s. f. *Cuando salimos al campo llevamos la comida en una **tartera*** (= en un recipiente metálico y cerrado).
SINÓN: fiambrera. FAM: *tarta.*

taruga s. f. Amér. Merid. *Vimos varias **tarugas** en la ladera de la montaña* (= mamíferos salvajes parecidos al ciervo, que viven en los Andes).

tarugo s. m. **1.** *El carpintero cortó varios **tarugos** de madera* (= varios pedazos gruesos y cortos). ◆ **tarugo** adj. **2.** *¡No seas **tarugo** y trata de comportarte con más educación* (= no seas tan bruto).
SINÓN: **1.** taco. **2.** bruto.

tasa s. f. *La China tiene una **tasa** de natalidad muy alta* (= hay una gran cantidad de nacimientos).
FAM: *tasar.*

tasar v. tr. *Antes de vender las joyas las llevaron a **tasar** para que dijeran lo que cuestan* (= a que determinaran cuál era su valor real).
SINÓN: ajustar, estimar, evaluar, valorar. FAM: *tasa.*

tasca s. f. *Esta **tasca** tiene los mejores vinos de la región* (= este bar).
SINÓN: bar, bodega, taberna.

tata s. m. Amér. **1.** *Mi **tata** me llevaba a pasear todos los domingos* (= voz cariñosa con la que se designa al padre). **2.** *Desde pequeño, le enseñaron a llamar **tata** a su abuelo* (= forma de tratamiento que se usa para dirigirse a un anciano). ◆ **Tata Dios 3.** *El viejo paisano se encomendó a **Tata Dios*** (= nombre con que los campesinos designan a Dios).

tatarabuelo, a s. *En la época de mi **tatarabuelo** las costumbres eran muy diferentes* (= fue el padre de mi bisabuelo).
FAM: → *abuelo.*

tataranieto, a s. *Mi amigo es el **tataranieto** del escritor más famoso del siglo pasado* (= es el hijo de sus bisnietos).
FAM: → *nieto.*

tatetí s. m. R. de la Plata. *Cuando mis padres eran pequeños el **tatetí** se jugaba con una hoja de papel y unas semillitas, ahora se juega con la computadora* (= tres en raya).

tatú s. m. Amér. Merid. *Quedan muy pocos **tatúes** en los bosques chaqueños* (= especie de armadillo).

tatuaje s. m. *Este marinero tiene unos originales **tatuajes** en su brazo* (= unos dibujos grabados en la piel).

tauro s. m. **Tauro** es el segundo signo del zodíaco: comprende las personas nacidas entre el 20 de abril y el 20 de mayo.

taxi s. m. *He tomado un **taxi** para venir a tu casa, que me ha costado muy caro* (= un coche con chofer a quien se le paga un precio por el viaje).
SINÓN: taxímetro. FAM: *taxímetro, taxista.*

taxímetro s. m. *A medida que avanzábamos el **taxímetro** del taxi iba marcando el precio del viaje* (= un aparato que marca el precio del viaje).
FAM: → *taxi.*

taxista s. *El **taxista** me dejó en el lugar que le indiqué* (= el conductor del taxi).
FAM: → *taxi.*

taza s. f. **1.** *La mucama lavó las **tazas** en las que servía los cafés* (= unos pequeños recipientes con asa). **2.** *El cocinero puso el agua de cuatro **tazas** en el caldo* (= la que cabía en ellas).
SINÓN: **1.** pocillo. FAM: *tazón.*

tazón s. m. **1.** *Para desayunar siempre tomo la leche en un **tazón*** (= en un recipiente algo más grande que una taza). **2.** *La cocinera puso un **tazón** de agua en el caldo* (= lo que cabe en él).
SINÓN: taza. FAM: *taza.*

te Es un pronombre personal. VER CUADRO DE PRONOMBRES PERSONALES.

té s. m. **1.** El **té** es un arbusto de hojas perennes y flores blancas pequeñas, originario de la China. **2.** También se llama **té** a las hojas secas de ese arbusto. **3.** *Nos bebimos un **té** que habían traído de China* (= una infusión hecha con las hojas secas de ese arbusto).
FAM: *tetera.*

teatral adj. **1.** *Los artistas han hecho una representación **teatral** de la obra de este escritor* (= han representado una obra de teatro). **2.** *Mi hermano es muy **teatral**, siempre está llamando la atención* (= es muy exagerado).
SINÓN: **1.** dramático. **2.** afectado, exagerado.
FAM: *teatro.*

teatro s. m. **1.** *La obra se representó en varios* ***teatros*** *de la ciudad* (= en varios locales en los que se representan obras de teatro). **2.** *Los actores representaron la obra de* ***teatro*** *delante del público* (= una obra literaria especialmente escrita para ser representada en público). **3.** *Juan ha estudiado* ***teatro*** *en una escuela especial* (= para dedicarse a la profesión de actor). **4.** *Este chico hace mucho* ***teatro*** *cuando se enoja* (= es muy exagerado).
SINÓN: **2.** drama. **4.** cuento, comedia. **FAM:** *teatral.*

techo s. m. **1.** *La lámpara está colgada del* ***techo*** *del salón* (= de la parte superior que cubre el salón). **2.** *Este hombre es tan pobre que no tiene ni un* ***techo*** *para refugiarse* (= no tiene hogar). ◆ Amér. Merid. **3.** *Los precios han alcanzado su* ***techo*** (= su límite máximo).
SINÓN: **1.** techumbre. **2.** hogar. **3.** límite. **ANTÓN:** **1.** suelo. **FAM:** *techumbre.*

techumbre s. f. *Hay que reforzar la* ***techumbre*** *de la iglesia si no queremos que se nos caiga encima* (= toda su parte superior).
SINÓN: techo, tejado. **FAM:** *techo.*

tecla s. f. **1.** *Varias* ***teclas*** *del piano se han roto y ya no suenan* (= las piezas que se tocan con los dedos y que hacen que suenen algunos instrumentos como el piano o el órgano). **2.** *Debes pulsar la* ***tecla*** *de la derecha para que empiece a funcionar la computadora* (= la pieza que se toca con los dedos y que hace que algo se ponga en funcionamiento).
FAM: *teclado, teclear, tecleo, teclista.*

teclado s. m. *Se puso delante del* ***teclado*** *del piano y empezó a tocarnos un vals* (= del conjunto de teclas de un instrumento o máquina).
FAM: → *tecla.*

teclear v. tr. *Nos pusimos a* ***teclear*** *la canción sin haberla estudiado antes* (= a tocarla con un instrumento con teclas).
FAM: → *tecla.*

tecleo s. m. *En la oficina se oía el* ***tecleo*** *de las máquinas de escribir* (= el ruido de las teclas al golpearlas).
FAM: → *tecla.*

técnica s. f. **1.** *La* ***técnica*** *para construir aviones es muy complicada* (= los métodos que se usan para construirlos). **2.** *Este pintor tiene talento pero aún le falta aprender un poco de* ***técnica*** (= los procedimientos empleados para conseguir un efecto determinado).
SINÓN: **1.** método, sistema. **2.** destreza, habilidad, maña. **FAM:** *técnico.*

técnico, a adj. **1.** *Compré un libro* ***técnico*** *de arquitectura* (= un libro científico). **2.** *Los médicos hablan entre ellos un lenguaje* ***técnico*** (= muy propio de su profesión). ◆ **técnico** s. m. **3.** *Para reparar el televisor llamamos a un* ***técnico*** (= a un especialista en este campo).
SINÓN: **1, 2.** científico. **3.** entendido, especializado, experto, profesional. **ANTÓN:** **3.** aprendiz, inexperto. **FAM:** *técnica.*

tecolote s. m. Amér. Cent., Méx. *En el silencio de la noche, sólo se escuchaba el grito de un* ***tecolote*** (= búho).

teja s. f. *El tejado de mi casa está recubierto de* ***tejas*** (= de unas piezas de barro cocido que lo cubre).
FAM: *tejado.*

tejado s. m. *Todos los* ***tejados*** *de las casas tenían antenas de televisión* (= la superficie que recubre la parte superior de las casas).
SINÓN: techumbre. **FAM:** *teja.*

tejedor, a adj. **1.** *La fábrica de tejidos tenía varias máquinas* ***tejedoras*** (= que servían para fabricarlos). ◆ **tejedor, a** s. **2.** *Estas telas las ha hecho una* ***tejedora*** (= una persona que se dedica a tejer).
FAM: → *tejido.*

tejer v. tr. **1.** *Esta máquina sirve para* ***tejer*** *la lana* (= para convertirla en un tejido o tela). **2.** *En el techo hay una araña* ***tejiendo*** *una telaraña* (= la está fabricando).
FAM: → *tejido.*

tejido s. m. **1.** *La lana es un* ***tejido*** *natural* (= es una materia con la que se hacen telas). **2.** *El cuerpo humano tiene muchos* ***tejidos,*** *como el que forma los músculos* (= unos conjuntos de células diversas que poseen la misma función).
FAM: *tejedor, tejer, textil.*

tejo s. m. *Jugamos a un juego en el que se debía tirar un* ***tejo*** *dentro de un cuadro pintado en el suelo* (= una pequeña piedra).

tejocote s. m. Méx. *Trajimos a casa un montón de* ***tejocotes*** (= frutas pequeñas de color anaranjado que tienen varias semillitas juntas en el centro y la pulpa suave y agridulce).

tejón s. m. El **tejón** es un animal pequeño, salvaje, de pelo largo y tieso, que se esconde en túneles que él mismo excava.

tela s. f. **1** *Con esta* ***tela*** *que nos regaló la modista haremos una cortina* (= con este tejido). **2.** *Las arañas tejen su* ***tela*** *para cazar insectos* (= su telaraña).
SINÓN: **1.** género, lienzo, paño. **2.** telaraña. **FAM:** *telar, telaraña, telón.*

telar s. m. *Instalaron varios* ***telares*** *para fabricar las telas* (= varias máquinas de tejer).
FAM: → *tela.*

telaraña s. f. *Varios insectos han quedado atrapados en la* ***telaraña*** (= en la tela que fabrican las arañas).
FAM: → *tela.*

telecomunicación s. f. *Un complicado sistema de* ***telecomunicaciones*** *permitía que los astronautas se comunicaran con la Tierra* (= conjunto de medios técnicos que permiten hablar o escribir a distancia, como el teléfono y el telégrafo).

teleférico s. m. *Para subir a la cima de la montaña, tomamos el* ***teleférico*** (= una cabina colgada de unos cables que le permiten avanzar).

telefonazo s. m. *Te echaré un* ***telefonazo*** *para decirte si finalmente voy o no* (= te llamaré por teléfono).
FAM: → *teléfono.*

telefonear v. tr. *Nos* ***telefoneó*** *desde el extranjero para saber cómo estábamos* (= habló con nosotros por teléfono).
FAM: → *teléfono.*

telefónico, a adj. *Hoy he recibido una llamada* ***telefónica*** *de un amigo que vive en el extranjero* (= me ha llamado por teléfono).
FAM: → *teléfono.*

telefonista s. *Cuando llamé a la fábrica me respondió la* ***telefonista*** (= la persona encargada de atender el teléfono).
FAM: → *teléfono.*

teléfono s. m. *Llamé a mi amiga por* ***teléfono*** *para hablar con ella* (= un aparato conectado a un circuito eléctrico que permite hablar de un lugar a otro).
FAM: *telefonazo, telefonear, telefónico, telefonista.*

telegrafiar v. tr. *Como no tiene teléfono tendremos que* ***telegrafiar*** *a Martín para comunicarle que acaba de ganar un premio* (= tendremos que enviarle un telegrama).
FAM: → *telégrafo.*

telegráfico, a adj. *Esta mañana hemos recibido un mensaje* ***telegráfico*** *urgente* (= por telegrama).
FAM: → *telégrafo.*

telegrafista s. *El* ***telegrafista*** *envió por el telégrafo el mensaje que le dijimos* (= la persona que envía y recibe los telegramas).
FAM: → *telégrafo.*

telégrafo s. m. *Le enviamos un mensaje urgente a través del* ***telégrafo*** (= unos aparatos que permiten transmitir mensajes a distancia, de forma muy rápida).
FAM: → *telegrafiar, telegráfico, telegrafista, telegrama.*

telegrama s. m. *La noticia nos llegó a través de un* ***telegrama*** (= de un mensaje corto enviado por telégrafo).
FAM: → *telégrafo.*

telepatía s. f. *Parece que tuviéramos* ***telepatía;*** *estaba pensando en ti cuando sonó el teléfono y eras tú* (= parece que nos comunicáramos por el pensamiento).

telescopio s. m. *Los científicos pueden descubrir y estudiar las estrellas y los planetas a través del* ***telescopio*** (= a través de un aparato que tiene una lente muy potente).

telesilla s. *La* ***telesilla*** *permite a los esquiadores llegar a la cima sin ningún esfuerzo* (= un teleférico que tiene varias sillas colgadas de un cable).

telespectador, a s. *Este programa gusta mucho a los* ***telespectadores*** (= a las personas que ven la televisión).
SINÓN: televidente. **FAM:** → *televisión.*

televidente s. *El programa divirtió mucho a los* ***televidentes*** (= a las personas que ven la televisión).
SINÓN: telespectador. **FAM:** → *televisión.*

televisar v. tr. *El partido fue* ***televisado*** *en directo* (= lo dieron por televisión).
FAM: → *televisión.*

televisión s. f. **1.** *Todo el país pudo ver las imágenes del partido gracias a la* ***televisión*** (= al sistema que permite recibir las imágenes en una pantalla gracias a unas ondas eléctricas). **2.** *Hay países que tienen varias estaciones de* ***televisión*** (= varias empresas dedicadas a transmitir por televisión).
SINÓN: **1.** televisor. **FAM:** *telespectador, televidente, televisar, televisivo, televisor.*

televisivo, a adj. *Los personajes* ***televisivos*** *de los dibujos animados son muy conocidos por los niños* (= los que aparecen por televisión).
FAM: → *televisión.*

televisor s. m. *No pudimos ver el programa de dibujos porque teníamos roto el* ***televisor*** (= el aparato receptor de las imágenes y del sonido de la televisión).
SINÓN: televisión. **FAM:** → *televisión.*

télex s. m. *El periodista recibió inmediatamente la noticia por* ***télex*** (= mediante un procedimiento de transmisión instantánea de mensajes escritos a distancias).

telón s. m. *Cuando acabó la obra de teatro bajaron el* ***telón*** (= una cortina grande que tapa el escenario).
FAM: → *tela.*

tema s. m. *El* ***tema*** *de nuestra conversación fue el deporte* (= hablábamos sobre eso).
SINÓN: argumento, asunto, materia.

temblar v. intr. **1.** *Estás* ***temblando*** *de frío, ponte otro saco* (= el cuerpo se te mueve con contracciones repetidas e involuntarias). **2.** ***Tiemblo*** *sólo de pensar que puedo reprobar el examen* (= me entra miedo). **3.** *A causa del terremoto, las casas empezaron a* ***temblar*** (= a moverse).
SINÓN: **1.** estremecerse, tiritar. **2.** temer. **ANTÓN:** **1.** calentarse. **FAM:** *temblor, tembloroso.*

temblor s. m. **1.** *Le entraron unos* ***temblores*** *a causa del intenso frío* (= empezó a moverse involuntariamente). **2.** *Esta es una región que ha sufrido varios* ***temblores*** *de tierra* (= varios terremotos).
SINÓN: **1.** escalofrío. **2.** sacudida, sismo, terremoto. **FAM:** → *temblar.*

tembloroso, a adj. **1.** *Estás* ***tembloroso*** *y no sé si es de frío o de miedo* (= estás temblando).

2. *Le dio la mala noticia con voz* ***temblorosa*** (= casi sin poder hablar).
FAM: → *temblar.*

temer v. tr. **1.** ***Temo*** *que te ocurra algo malo* (= tengo miedo). **2.** *Me* ***temo*** *que va a llover* (= lo sospecho).
SINÓN: **1.** asustarse, atemorizarse. **2.** creer, sospechar. FAM: → *temor.*

temerario, a adj. *Andrés conducía de forma tan* ***temeraria*** *que la policía lo multó* (= conducía peligrosamente).
SINÓN: arriesgado, insensato. ANTÓN: prudente, sensato. FAM: → *temor.*

temeroso, a adj. *Es un alumno* ***temeroso*** *de reprobar, aunque le vaya bien en los exámenes* (= es muy miedoso).
SINÓN: asustado, cobarde, miedoso, preocupado. ANTÓN: sereno, tranquilo, valiente. FAM: → *temor.*

temible adj. *El león es una fiera* ***temible*** (= todo el mundo le tiene miedo).
SINÓN: espantoso, terrible. FAM: → *temor.*

temor s. m. *No tengas* ***temor:*** *no hay peligro* (= no tengas miedo).
SINÓN: espanto, horror, miedo, pánico, terror. ANTÓN: ánimo, atrevimiento, audacia, osadía, serenidad, valentía. FAM: *atemorizar, temer, temerario, temeroso, temible.*

temperamento s. m. *Con un* ***temperamento*** *tan fuerte va a tener más de un disgusto* (= con esta forma de ser).

temperatura s. f. **1.** *La* ***temperatura*** *del agua iba aumentando a medida que se iba calentando* (= la sensación de frío o calor). **2.** *Para la época del año en que estamos, la* ***temperatura*** *es suave* (= el clima). **3.** *El termómetro marcaba 39 grados de* ***temperatura*** (= de fiebre).
SINÓN: **3.** fiebre.

tempestad s. f. *Algunos barcos naufragaron durante la* ***tempestad*** (= llovía mucho y soplaba un viento muy fuerte).
SINÓN: borrasca, temporal, tormenta. ANTÓN: calma. FAM: → *tiempo.*

templado, a adj. *Siempre me baño con agua* ***templada*** (= entre fría y caliente).
SINÓN: tibio. FAM: → *templar.*

templar v. tr. **1.** ***Templaré*** *un poco la leche para no tomarla fría* (= la calentaré). **2.** *Un grifo* ***templaba*** *la cantidad de agua que salía* (= la regulaba). **3.** *Debes* ***templar*** *tus nervios ante el examen* (= debes tranquilizarte). ◆ **templarse** v. pron. **4.** *El clima* ***se templaba*** *a medida que llegaba la primavera* (= se hacía más tibio).
SINÓN: **1.** calentar. **2.** contener, moderar, sosegar. **3.** apaciguar, calmar, tranquilizar. ANTÓN: **1.** enfriar. FAM: *templado, temple.*

temple s. m. *Ante una situación tan difícil se comportó con mucho* ***temple*** (= con mucha tranquilidad).
FAM: → *templar.*

templo s. m. **1.** *En Atenas visitamos los antiguos* ***templos*** *de oración* (= unos edificios construidos en honor a los dioses griegos). **2.** *Las universidades son los* ***templos*** *del saber y la cultura* (= los lugares donde se desarrollan el saber y la cultura).
SINÓN: **1.** abadía, basílica, capilla, catedral, ermita, iglesia, mezquita, sinagoga.

temporada s. f. **1.** *Durante la* ***temporada*** *de invierno solemos ir a esquiar* (= durante el período de tiempo que ocupa esta estación). **2.** *Durante la* ***temporada*** *de caza el bosque está lleno de cazadores* (= durante el tiempo en que se permite cazar).
SINÓN: **1.** época, estación, período. **1, 2.** tiempo. FAM: → *tiempo.*

temporal s. m. **1.** *Varios barcos naufragaron a causa del* ***temporal*** (= de las fuertes lluvias y vientos). ◆ **temporal** adj. **2.** *La empresa me ofreció un trabajo* ***temporal*** *de dos meses* (= que sólo duraba dos meses).
SINÓN: **1.** borrasca, tempestad, tormenta. **2.** pasajero. ANTÓN: **1.** calma. **2.** duradero, eterno, indefinido. FAM: → *tiempo.*

temprano adv. **1.** *Nos levantamos muy* ***temprano*** *para ver salir el Sol* (= a primeras horas del día). ◆ **temprano, a** adj. **2.** *Empezó a trabajar a una edad muy* ***temprana*** (= antes que la mayoría).
SINÓN: pronto. ANTÓN: tarde.

tenaz adj. *Juan es muy* ***tenaz*** *cuando quiere conseguir algo* (= no para hasta conseguirlo).
SINÓN: firme, inflexible, terco, testarudo, tozudo. ANTÓN: dócil, flojo.

tenazas s. f. pl. **1.** *Cortaré el alambre con las* ***tenazas*** (= con una herramienta parecida a unas pinzas que sirve para arrancar o cortar algo). **2.** *El cangrejo me pellizcó con sus* ***tenazas*** (= con sus pinzas).

tendedero s. m. *Mi madre tiende la ropa en el* ***tendedero*** *para que se seque* (= en unos alambres o cuerdas sujetos a ambos lados).
FAM: → *tender.*

tendencia s. f. **1.** *Tiene* ***tendencia*** *a enojarse enseguida* (= suele hacerlo constantemente). **2.** *Es un pintor que siempre sigue las últimas* ***tendencias*** *artísticas* (= sigue las novedades en el mundo del arte).
SINÓN: **1.** inclinación, predisposición. FAM: → *tender.*

tender v. tr. **1.** *Si quieres que se seque la ropa debes* ***tenderla*** (= debes colgarla en el tendedero). **2.** *Juan me* ***tendió*** *la mano para saludarme* (= me la dio). **3.** *El pescador* ***tendió*** *las redes* (= las echó en el mar). **4.** *Me* ***han tendido*** *una trampa* (= han intentado engañarme). Amér. **5.** *Todas las mañanas* ***tiendo*** *mi cama* (= le pongo las sábanas y la colcha). ◆ **tender** v. intr. **6.** *La temperatura* ***tiende*** *a subir a medida que llega la primavera* (= se eleva poco a poco). ◆

tenderse v. pron. **7.** *Juan* ***se ha tendido*** *en la cama para dormir* (= se ha acostado).
SINÓN: 1, 2, 3. extender. **3.** echar, lanzar. **7.** acostarse, echarse, tumbarse. **ANTÓN: 1, 3.** doblar, recoger. **7.** levantarse. **FAM:** *desentenderse, entender, entendido, entendimiento, extender, extensión, extenso, pretender, pretendiente, tendencia, tendero, sobrentenderse.*

tendero, a s. *El* ***tendero*** *nos vendió varios artículos* (= el propietario de una tienda o la persona que vende en ella).
FAM: *tienda.*

tendón s. m. *Los músculos están unidos a los huesos por los* ***tendones*** (= por la parte alargada y dura en que terminan los músculos).

tenebroso, a adj. *El sótano del castillo encantado era un lugar muy* ***tenebroso*** (= que daba miedo).
SINÓN: tétrico.

tenedor s. m. *No se debe comer con los dedos, hay que usar el cuchillo y el* ***tenedor*** (= un instrumento que sirve para pinchar los alimentos y llevárselos a la boca).
FAM: → *tener.*

tener v. tr. **1.** *El señor Martínez* ***tiene*** *un hotel* (= es su propietario). **2.** *Juan siempre* ***tiene*** *mucha hambre* (= siente deseos de comer). **3.** *Este libro* ***tiene*** *varios capítulos* (= en él hay varios capítulos). **4.** *Este pasillo* ***tiene*** *diez metros* (= mide eso). **5.** *Lo* ***tenía*** *por un buen chico* (= creía que era buen chico). **6.** *María* ***tiene*** *cinco años* (= ésa es su edad). **7.** ***Tengo*** *que estudiar si quiero aprobar* (= debo hacerlo). **8.** ***Tengo*** *mi dinero en un banco* (= lo guardo allí). ◆ **tenerse** v. pron. **9.** *Tuvo que ponerse las muletas para* ***tenerse*** *en pie* (= para mantenerse así). ◆ **tener que ver con 10.** *¿Qué* ***tiene que ver*** *esto que dices* ***con*** *lo que estamos hablando?* (= ¿qué relación hay?).
SINÓN: 1. poseer. **2.** padecer, sentir. **3.** abarcar, comprender, contener, incluir. **4.** medir. **5.** considerar. **7.** deber, necesitar. **8.** guardar. **9.** mantenerse. **FAM:** *contenedor, contener, contenido, mantener, pertenecer, retener, sostén, sostener, tenedor, teniente.*

teniente s. m. *El* ***teniente*** *dirigió las maniobras de sus soldados* (= un militar menos importante que un capitán).
FAM: → *tener.*

tenis s. m. **1.** *Durante el partido de* ***tenis*** *el jugador lanzó varias pelotas a la red* (= un deporte en el que se lanza una pelota al contrario golpeándola con una raqueta, por encima de una red). ◆ **tenis de mesa 2.** *Los jugadores se preparaban para empezar el partido de* ***tenis de mesa*** (= de ping-pong).
FAM: *tenista.*

tenista s. *El* ***tenista*** *lanzó la pelota contra la red* (= la persona que sabe jugar al tenis).
FAM: *tenis.*

tenor s. m. *Esta ópera ha sido cantada por muchos* ***tenores*** (= los cantantes de ópera que tienen la voz muy aguda).

tensar v. tr. *Hay que* ***tensar*** *las cuerdas de la guitarra, si quieres que suene bien* (= hay que estirarlas).
SINÓN: estirar, templar. **FAM:** → *tensión.*

tensión s. f. **1.** *Si tiramos de esta cuerda por sus extremos se pondrá en* ***tensión*** (= la fuerza la pondrá tiesa). **2.** *Hizo el examen bajo una gran* ***tensión*** (= con gran angustia). **3.** *Estos cables son de alta* ***tensión*** (= tienen mucha carga eléctrica). **4.** *El médico me tomó la* ***tensión*** (= la presión de la sangre).
SINÓN: 1. tirantez. **2.** angustia, excitación. **3.** voltaje. **4.** presión. **ANTÓN: 2.** calma, serenidad, tranquilidad. **FAM:** *tensar, tenso.*

tenso, a adj. **1.** *Estas cuerdas están muy* ***tensas,*** *tendremos que aflojarlas* (= están muy tiesas). **2.** *Sus relaciones son muy* ***tensas*** *desde que se pelearon* (= casi ni se hablan).
SINÓN: 1. rígido, tieso. **1, 2.** tirante. **ANTÓN: 1.** flojo. **FAM:** → *tensión.*

tentación s. f. *No me ofrezcas chocolate porque no podré resistir la* ***tentación*** *de comérmelo todo* (= las ganas).
SINÓN: estímulo, excitación. **FAM:** → *tentar.*

tentáculo s. m. *El pulpo tiene muchos* ***tentáculos*** *con los que agarra a sus presas* (= brazos que le sirven para moverse y capturarlas).
FAM: → *tentar.*

tentador, a adj. *El chocolate es un dulce muy* ***tentador,*** *no puedo evitar comerlo* (= me dan muchas ganas de hacerlo).
FAM: → *tentar.*

tentar v. tr. **1.** *Las manos nos sirven para* ***tentar*** *las cosas* (= para tocar y reconocerlas). **2.** *Aquellas joyas* ***tentaron*** *a los ladrones* (= tuvieron ganas de robarlas). ◆ **a tientas 3.** *Cuando se fue la luz, tuve que buscar una vela* ***a tientas*** (= tuve que buscarla tocando a oscuras con las manos).
SINÓN: 1. palpar, tantear, tocar. **2.** estimular, provocar. **FAM:** *atentado, atentar, tentación, tentáculo, tentador.*

teñir v. tr. *Luisa* ***tiñó*** *su pelo de color rubio* (= le dio ese color).
SINÓN: pintar. **ANTÓN:** desteñir. **FAM:** → *tinta.*

teocalli s. m. Méx. Los aztecas llamaban a sus templos **teocallis**.

teología s. f. La **Teología** es la ciencia que trata sobre la religión.

teoría s. f. **1.** *En Matemáticas se estudia la* ***teoría*** *de los conjuntos* (= los conocimientos que permiten explicarlos). **2.** *Primero estudiaremos la* ***teoría*** *y luego la pondremos en práctica* (= las explicaciones). **3.** *El conferenciante explicó sus* ***teorías*** *sobre los cambios políticos del país* (= sus opiniones). ◆ **en teoría 4.** ***En teoría***

tendría que funcionar, pero no lo he probado (= debería ser así).
SINÓN: **3.** creencia, idea, opinión, suposición. **ANTÓN:** **1, 2.** práctica. **FAM:** *teórico.*

teórico, a adj. **1.** *El profesor nos planteó un caso* ***teórico*** (= que no había ocurrido en la realidad). ◆ **teórico, a** s. **2.** *Darwin fue un* ***teórico*** *de la evolución de las especies* (= un gran conocedor de este tema).
FAM: *teoría.*

tequila s. m. f. Méx. *Durante la fiesta, sólo se bebió* ***tequila*** (= bebida muy fuerte que se elabora con un tipo de maguey propio del estado de Jalisco).

terapia s. f. *Debo seguir una* ***terapia*** *para curar mi enfermedad* (= debo seguir un tratamiento médico).

tercer adj. *Vivo en el* ***tercer*** *piso.* **Tercer** es el apócope de tercero; se utiliza delante de sustantivos masculinos.
SINÓN: tercero. **FAM:** → *tres.*

tercero, a adj. **1.** *Este caballo fue el* ***tercero*** *en llegar a la meta.* **2.** *Dividimos el pastel en tres, y yo me comí la* ***tercera*** *parte.* ◆ **a la tercera va la vencida** **3.** *Después de hacer el examen dos veces,* ***a la tercera iba la vencida*** (= tenía que aprobar porque era la última vez que podía hacer el examen).
SINÓN: **1.** tercer. **2.** tercio. **FAM:** → *tres.*

tercio s. m. *Dividí el pastel en tres partes y me comí un* ***tercio*** (= una de las tres partes).
SINÓN: tercero. **FAM:** → *tres.*

terciopelo s. m. *María tiene una falda de* ***terciopelo*** (= de un tejido velludo muy suave).
FAM: *aterciopelado.*

terco, a adj. *Juan es tan* ***terco*** *que nunca reconoce que se ha equivocado* (= es muy necio).
SINÓN: firme, inflexible, tenaz, testarudo, tozudo. **ANTÓN:** dócil, flojo. **FAM:** *terquedad.*

tereré s. m. R. de la Plata. *Cuando hace calor, el* ***tereré*** *resulta muy refrescante* (= mate cebado con agua fría).

térmico, a adj. *La central* ***térmica*** *utiliza la energía del sol* (= la que produce energía a partir del calor).
FAM: *termo, termómetro.*

terminación s. f. *En español, la* ***terminación*** *de los verbos de la primera conjugación es* ar (= las últimas letras de las palabras).
SINÓN: fin, final, término. **ANTÓN:** comienzo, inicio, principio. **FAM:** → *término.*

terminal adj. **1.** *El trabajo de ciencias ya está en su fase* ***terminal*** (= en la última fase). ◆ **terminal** s. m. **2.** *Los viajeros bajaron del tren cuando llegó a la* ***terminal*** (= a la última estación del viaje). ◆ **terminal** adj. f. **3.** *Ingresaré ese dato en mi* ***terminal*** (= máquina con teclado y pantalla mediante la cual se proporcionan o se obtienen datos de una computadora).
FAM: → *término.*

terminante adj. *La orden dada por el padre era* ***terminante*** (= no admitía discusión).
SINÓN: claro, preciso. **ANTÓN:** ambiguo, indeciso. **FAM:** → *término.*

terminar v. tr. **1.** *Al fin hemos* ***terminado*** *ese trabajo.* ◆ **terminar** v. intr. **2.** *Las vacaciones* ***han terminado*** *y debemos volver al colegio* (= han acabado).
SINÓN: **1.** liquidar, rematar. **1, 2.** acabar, concluir, finalizar. **ANTÓN:** **1, 2.** comenzar, empezar, iniciar. **FAM:** → *término.*

término s. m. **1.** *El curso está llegando a su* ***término*** *y todavía no he estudiado* (= al final). **2.** *En el* ***término*** *de una semana debemos hacer este trabajo* (= en ese plazo de tiempo). **3.** *La casa está dentro del* ***término*** *municipal de esa ciudad* (= dentro de sus límites). **4.** *Ese diccionario tiene muchos* ***términos*** (= muchas palabras). ◆ **en último término** **5.** ***En último término*** *podemos presentarnos al examen en septiembre* (= como última solución).
SINÓN: **1.** fin, final, terminación. **2.** plazo. **4.** expresión, palabra, vocablo. **ANTÓN:** **1.** comienzo, inicio, principio. **FAM:** *determinación, determinar, interminable, terminación, terminal, terminante, terminar, terminología.*

terminología s. f. *La palabra* golfo *forma parte de la* ***terminología*** *de la Geografía* (= de las palabras propias de una ciencia o profesión).
FAM: → *término.*

termita s. f. Las **termitas** son unos pequeños insectos que se alimentan de la madera.

termo s. m. *Pusimos el café en un* ***termo*** *y lo llevamos a la excursión* (= una botella que permite conservar frío o caliente un líquido o un alimento).
FAM: → *térmico.*

termómetro s. m. *Mi madre me puso el* ***termómetro*** *para ver si tenía fiebre* (= un aparato que sirve para medir la temperatura).
FAM: → *térmico.*

ternero, a s. **1.** *Las vacas de la granja alimentaban con su leche a los* ***terneros*** (= a sus crías). **2.** *En la carnicería venden* ***ternera*** (= la carne de esos animales).

ternura s. f. *Mi madre me abrazó con* ***ternura*** (= con mucho cariño).
SINÓN: afecto, amor, cariño, dulzura. **ANTÓN:** aspereza, frialdad. **FAM:** *tierno.*

tero o **teruteru** s. m. R. de la Plata. *Mi hermana tiene varios* ***teros*** *en el jardín* (= aves zancudas pequeñas, de plumaje blanco, negro y pardo, que se caracterizan por lanzar un grito muy peculiar cuando alguien se aproxima).

terquedad s. f. *No puedo convencerlo debido a su* ***terquedad*** (= siempre cree que tiene razón).
SINÓN: obstinación, testarudez. **FAM:** *terco.*

terraplén s. m. *Hicieron un* ***terraplén*** *para colocar la vía del tren* (= levantaron el terreno echando tierra).
FAM: → *tierra.*

terráqueo, a adj. *Aprendemos la geografía del mundo con un globo* ***terráqueo*** (= que representa la Tierra con sus continentes y sus mares).
FAM: → *tierra.*

terraza s. f. **1.** *Si subes a la* ***terraza*** *de mi casa verás toda la ciudad* (= a la parte superior descubierta de los edificios). **2.** *La* ***terraza*** *del café estaba llena de gente* (= la parte exterior de un bar donde se colocan unas mesas). **3.** *Como hace buen tiempo, comeremos en la* ***terraza*** (= en el balcón grande).
SINÓN: **1.** azotea. **3.** balcón. FAM: → *tierra.*

terremoto s. m. *El* ***terremoto*** *produjo graves daños en los edificios* (= un movimiento de la tierra).
SINÓN: sacudida, sismo, temblor. FAM: → *tierra.*

terreno s. m. **1.** *Compraron unos* ***terrenos*** *para construir unas casas* (= unas tierras). **2.** *Estudió mucho para ser el mejor en el* ***terreno*** *de la informática* (= en esa disciplina).
SINÓN: **1.** parcela, solar, tierra. **2.** ámbito, campo, disciplina. FAM: → *tierra.*

terrestre adj. *El caballo es un animal* ***terrestre*** *mientras que la ballena es un mamífero marino* (= que vive en la tierra).
ANTÓN: aéreo, marino. FAM: → *tierra.*

terrible adj. **1.** *La bomba atómica es un arma* ***terrible*** (= lo destruye todo). **2.** *Hay un viento* ***terrible*** (= muy fuerte). **3.** *Es un niño* ***terrible*** (= insoportable, siempre se porta muy mal).
SINÓN: **1.** espantoso, espeluznante, horrendo, horrible, horroroso, terrorífico. **1, 2.** atroz. **2.** gigantesco, violento. **3.** insoportable, pesado.
ANTÓN: **1.** delicioso, grato, magnífico. **2.** normal. **3.** amable, bondadoso. FAM: → *terror.*

terrícola s. m. f. *En la película, los marcianos entraban en guerra con los* ***terrícolas*** (= con los habitantes de la Tierra).
FAM: → *tierra.*

territorial adj. *Todos los países que tienen costas marítimas, tienen aguas* ***territoriales*** (= zonas del mar que rodean un territorio y que le pertenecen).
FAM: → *tierra.*

territorio s. m. **1.** *Los cazadores entraron en un* ***territorio*** *donde estaba prohibido cazar* (= en una zona). **2.** *Los animales defienden permanentemente su* ***territorio*** (= el lugar donde viven).
FAM: → *tierra.*

terrón s. m. *Le puse dos* ***terrones*** *de azúcar al café* (= dos pequeños trozos de azúcar).
FAM: → *tierra.*

terror s. m. *El asesino sembró el* ***terror*** *en la ciudad* (= la gente tenía muchísimo miedo)
SINÓN: espanto, horror, miedo, pánico, temor.
ANTÓN: serenidad, valor. FAM: *aterrorizar, terrible, terrorífico, terrorismo, terrorista.*

terrorífico, a adj. *El monstruo de la película tenía un aspecto* ***terrorífico*** (= daba mucho miedo).
SINÓN: espantoso, espeluznante, horrendo, horrible, horroroso, terrible. FAM: → *terror.*

terrorismo s. m. *Los pacifistas se manifestaron en contra del* ***terrorismo*** (= los actos de ciertos grupos armados que quieren conseguir sus objetivos políticos de una forma violenta).
FAM: → *terror.*

terrorista s. m. f. **1.** *La policía detuvo a un* ***terrorista*** *que había puesto una bomba* (= una persona que participaba en actos de terrorismo). ◆ **terrorista** adj. **2.** *La policía detuvo al grupo* ***terrorista*** (= que practicaba el terrorismo).
FAM: → *terror.*

terso, a adj. *Esta crema sirve para mantener la piel* ***tersa*** (= lisa, sin arrugas).
SINÓN: liso.

tertulia s. f. **1.** *En la* ***tertulia*** *de los sábados hablaban de todo lo que se les ocurría* (= reunión de amigos). Ant., R. de la Plata. **2.** *Cuando vamos al teatro, nos ubicamos en la* ***tertulia*** (= conjunto de localidades situadas encima de los palcos).
SINÓN: peña, reunión.

teruteru s. m. R. de la Plata.→ **tero.**

tesis s. f. **1.** *Eran muy amigos pero mantenían* ***tesis*** *distintas sobre el tema* (= opiniones). **2.** *Después de terminar la carrera de Medicina redactó su* ***tesis*** *en cinco años* (= un estudio científico que le permitió obtener el título de doctor).

tesorero, a s. *La asociación se había quedado sin dinero, según explicó su* ***tesorero*** (= la persona que guarda el dinero y lleva las cuentas).
FAM: → *tesoro.*

tesoro s. m. **1.** *El millonario guardaba en su caja fuerte un* ***tesoro*** (= gran cantidad de dinero, joyas y objetos preciosos). **2.** *Los piratas de la película iban en busca de un* ***tesoro*** (= muchas y grandes riquezas que estaban escondidas). **3.** *Todo país tiene un* ***tesoro*** *público o Hacienda* (= el conjunto de bienes y dinero de la nación). **4.** *Javier es un* ***tesoro,*** *se porta muy bien* (= es muy bueno).
SINÓN: **1.** dineral, dinero, riqueza. **3.** hacienda.
FAM: → *atesorar, tesorero.*

test s. m. *Las respuestas del* ***test*** *que consideren correctas las deben marcar* (= un examen en el que hay muchas preguntas y varias respuestas para cada una y en el que hay que indicar cuál es la respuesta correcta).
SINÓN: prueba.

testamento s. m. *Antes de morir decidió quién heredaría sus bienes, y lo puso en su* ***testamento*** (= en un documento en el que una persona ex-

plica lo que hay que hacer con sus bienes cuando muera).
FAM: *testificar.*

testarudez s. f. *Nunca se deja convencer por nadie a causa de su **testarudez*** (= de su obstinación).
SINÓN: obstinación, terquedad. **FAM:** *testarudo.*

testarudo, a adj. *Eres un chico **testarudo,** siempre te empeñas en tener razón* (= no cambias tu opinión aunque estés equivocado).
SINÓN: inflexible, terco, tozudo. **ANTÓN:** dócil, flojo. **FAM:** *testarudez.*

testear v. tr. Amér. Merid. *Antes de salir de viaje, siempre **testeamos** el coche* (= lo sometemos a diversas pruebas de funcionamiento).
FAM: *test.*

testículo s. m. Los **testículos** son los órganos que producen los espermatozoides o células reproductoras masculinas.

testificar v. tr. **1.** ***Testifico** que lo que dice que ocurrió es cierto, yo lo vi* (= lo afirmo con toda seguridad). **2.** *Después del robo me pidieron que fuera a **testificar** en el juicio* (= que dijera lo que sabía y lo que había visto).
SINÓN: 1. certificar, probar. **2.** declarar. **FAM:** *testamento, testigo, testimonio.*

testigo s. **1.** *Declaró como **testigo** en el juicio contra el ladrón* (= como persona que vio el robo). **2.** *María ha sido **testigo** del accidente* (= lo ha visto y puede explicar lo que ha pasado).
FAM: → *testificar.*

testimonio s. m. *El **testimonio** de Juan permitió establecer la inocencia del acusado* (= lo que él explicó acerca de lo que había visto).
FAM: → *testificar.*

teta s. f. Las **tetas** son los órganos de las hembras de los mamíferos que producen leche para alimentar a sus crías.
SINÓN: mama, ubre. **FAM:** *tetilla.*

tetera s. f. *La mucama nos sirvió el té en una **tetera** de porcelana* (= en un recipiente donde se hace y se sirve esta bebida).
FAM: *té.*

tetilla s. f. **1.** Las tetas de los mamíferos machos se llaman **tetillas** porque son mucho más pequeñas que las de las hembras. **2.** *El bebé tomaba la leche por la **tetilla** del biberón* (= por el extremo de goma).
SINÓN: 2. chupón. **FAM:** *teta.*

textil adj. *Las modistas iban a comprar a las fábricas **textiles** de la ciudad* (= las que fabrican telas y tejidos).
FAM: → *tejer.*

texto s. m. **1.** *El político leyó el **texto** de su discurso* (= las palabras que lo componen). **2.** *En clase de historia usamos varios **textos*** (= varios libros). **3.** *En la clase todos usamos el mismo libro de **texto*** (= el mismo manual).
SINÓN: 2. libro, obra, volumen. **3.** manual.

textura s. f. *La seda es un tejido de **textura** muy fina* (= de tacto fino).

ti Es un pronombre personal. VER CUADRO DE PRONOMBRES PERSONALES.

tianguis s. m. Amér. Cent., Méx. *Todos los sábados, los campesinos van a hacer sus compras al **tianguis*** (= feria, mercado instalado en una calle).

tibia s. f. *Juan se rompió la **tibia** esquiando* (= uno de los dos huesos que unen la rodilla con el pie).

tibio, a adj. *Le preparó un baño con agua **tibia*** (= ni fría ni caliente).
SINÓN: templado.

tiburón s. m. Los **tiburones** son peces marinos enormes y muy agresivos.

tic s. m. *Cuando me pongo nervioso, tengo un **tic** en el ojo* (= movimiento nervioso, repetido e involuntario, en alguna zona del cuerpo).

tic tac s. m. *Todo estaba tan silencioso que sólo se oía el **tic tac** del reloj* (= el ruido acompasado).

tiempo s. m. **1.** *El reloj sirve para medir el paso del **tiempo*** (= los días, las horas, los minutos y los segundos). **2.** *En **tiempos** de los Reyes Católicos, Colón descubrió América* (= en esa época). **3.** *No tengo **tiempo** para jugar contigo* (= no tengo un momento libre). **4.** *En verano hace muy buen **tiempo,** no suele llover* (= el clima es bueno). **5.** *Estos muebles están viejos, tienen ya mucho **tiempo*** (= muchos años). **6.** *Hace **tiempo** que no te veo ¿Dónde te metes?* (= hace varios días). **7.** *Los partidos de fútbol se dividen en dos **tiempos*** (= en dos partes). **8.** *Los **tiempos** de los verbos, como el presente, el futuro o el imperfecto, nos permiten saber cuándo se realiza una acción.* **9.** *El vals es una música con un compás de tres **tiempos*** (= de tres unidades musicales). ◆ **a tiempo 10.** *Finalmente, llegamos **a tiempo** para tomar el avión* (= a la hora). ◆ **ganar tiempo 11.** *Preparamos la comida antes de la hora para **ganar tiempo*** (= para avanzar). ◆ **hacer tiempo 12.** *Estuve **haciendo tiempo** en casa para no llegar demasiado pronto a la cita* (= dejé pasar un rato antes de irme). ◆ **perder el tiempo 13.** *Mirar la tele es **perder el tiempo,** no sirve de nada* (= es malgastarlo).
SINÓN: 2. época, período. **3.** ocasión, oportunidad, rato. **4.** ambiente, temperatura. **5.** edad. **7.** parte, período. **FAM:** *contemporáneo, contratiempo, destiempo, tempestad, temporada, temporal.*

tienda s. f. **1.** *La pescadería es la **tienda** donde se vende pescado* (= el comercio). **2.** *En el campamento dormimos en una **tienda** de campaña* (= una estructura metálica cubierta por una tela). Amér. Merid., Ant. **3.** *Estas medias las compré en la **tienda** que abrieron en la esquina de*

mi casa (= comercio donde se venden solamente telas y ropa).
SINÓN: 1. almacén, comercio, establecimiento. **FAM:** *tendero.*

tiento s. m. Amér. *Los gauchos hacen las riendas con* ***tientos*** (= correas estrechas de cuero crudo, con las que se hacen riendas, lazos y sogas).

tierno, a adj. **1.** *Juan le echó una* ***tierna*** *mirada a su novia* (= cariñosa). **2.** *El pan está* ***tierno,*** *lo acaban de sacar del horno* (= se puede cortar y comer fácilmente).
SINÓN: 1. afectuoso, amable, amoroso, cariñoso. **2.** blando. **ANTÓN: 1.** antipático, arisco. **2.** duro. **FAM:** *ternura.*

tierra s. f. **1.** *La* ***Tierra*** *gira alrededor del Sol* (= el planeta en que vivimos). **2.** *Los marineros divisaron* ***tierra*** *después de varios días en alta mar* (= la parte de nuestro planeta que no está cubierta de agua). **3.** *Tenía los zapatos llenos de* ***tierra*** (= de granos de arena). **4.** *El campesino labra la* ***tierra*** *con el tractor* (= el campo). **5.** *Después de muchos años en el extranjero volvió a su* ***tierra*** (= al lugar donde nació). ◆ **tierra firme 6.** *Navegamos una semana antes de pisar* ***tierra firme*** (= de pisar el suelo). ◆ **echar por tierra 7.** *Nuestro profesor siempre* ***echa por tierra*** *los trabajos que hacemos, es muy exigente* (= los critica mucho).
SINÓN: 1. mundo. **2.** continente, isla. **3.** arcilla, barro. **4.** campo, propiedad. **5.** nación, país, patria. **ANTÓN: 2.** mar. **FAM:** *aterrizaje, aterrizar, desenterrar, desterrado, desterrar, destierro, enterrador, enterrar, entierro, subterráneo, terraplén, terráqueo, terraza, terremoto, terreno, terrestre, terrícola, territorial, territorio, terrón.*

tieso, a adj. **1.** *Al ver al ratón, al gato se le puso la cola* ***tiesa*** (= se le puso rígida). **2.** *El cuello de esta camisa es demasiado* ***tieso*** (= duro). ◆ **quedarse tieso 3.** *Ana* ***se quedó tiesa*** *al enterarse de la noticia* (= muy impresionada).
SINÓN: 1, 2. duro, firme, rígido. **ANTÓN:** blando, delicado, flexible.

tiesto s. m. *En mi balcón tengo varios* ***tiestos*** *con flores y plantas* (= macetas).
SINÓN: maceta, macetero.

tifón s. m. *Muchas casas se derrumbaron y se inundaron a causa del* ***tifón*** (= de los vientos muy fuertes acompañados de lluvias).
SINÓN: ciclón, huracán.

tigre s. m. Los **tigres** son animales mamíferos carnívoros, muy feroces, que tienen la piel a rayas negras y amarillas.

tijereta s. f. *Cuando vuelan, las* ***tijeretas*** *abren y cierran el extremo de la cola* (= ave palmípeda de plumaje negro, cuello largo, pico aplanado y cola en forma de horquilla).
SINÓN: tijerilla. **FAM:** *tijera.*

tijerilla s. f. Amér. Cent., Méx.→ **tijereta.**

tila s. f. *Para calmar mis nervios me bebí una* ***tila*** (= una infusión preparada con las flores del árbol llamado *tilo*).

tilde s. m. f. **1.** *La letra* o *de la palabra* cañón *lleva* ***tilde*** (= un signo ortográfico que se pone sobre las vocales que deben acentuarse). **2.** *La letra* ñ *lleva también tilde* (= un signo ortográfico).
SINÓN: 1. acento.

tilo s. m. *El médico le recomendó a mi madre tomar un té de* ***tilo*** *antes de acostarse* (= árbol de tronco grueso, gran follaje, flores secas violáceas y frutos redondos; las flores se utilizan en infusión como sedante).

timador, a s. *Un* ***timador*** *le ha vendido unos cuadros falsos a mi tío* (= una persona que engaña a otra en la venta de algo).
SINÓN: estafador. **FAM:** → *timar.*

timar v. tr. *La persona que me vendió el coche* ***me ha timado*** pues ya no funciona (= me ha engañado).
SINÓN: estafar. **FAM:** *timador, timo.*

timbal s. m. *Los soldados empezaron a golpear sus* ***timbales*** *cuando entró el emperador* (= un instrumento muy parecido al tambor).
SINÓN: tambor.

timbrazo s. m. *Para que me oyeran y me abrieran la puerta, di varios* ***timbrazos*** (= toqué varias veces el timbre).
FAM: *timbre.*

timbre s. m. **1.** *Antes de entrar en la casa, toqué el* ***timbre*** (= un botón que al apretarse hace ruido para avisar que alguien desea entrar). **2.** *Puedo reconocer a mi padre por el* ***timbre*** *de su voz* (= por su sonido característico). **3.** *El documento llevaba impreso un* ***timbre*** *del emperador* (= un sello). Amér. **4.** *Antes de enviar la carta colocamos un* ***timbre*** (= estampilla).
FAM: *timbrazo.*

timidez s. f. *A causa de su* ***timidez*** *no hacía nuevos amigos* (= tenía mucha vergüenza).
SINÓN: cobardía, indecisión, vergüenza. **ANTÓN:** atrevimiento, audacia, decisión. **FAM:** *tímido.*

tímido, a adj. *No habla con la gente que no conoce porque es muy* ***tímido*** (= le da vergüenza).
SINÓN: apagado, indeciso, vacilante, vergonzoso. **ANTÓN:** atrevido, audaz, decidido. **FAM:** *timidez.*

timo s. m. *Que te hagan pagar tanto dinero por este libro, es un* ***timo*** (= te están engañando en el precio cobrándote más de la cuenta).
SINÓN: engaño, fraude. **FAM:** → *timar.*

timón s. m. *El capitán hizo girar el barco con el* ***timón*** (= el instrumento que sirve para dirigirlo).

tímpano s. m. *La explosión le dañó el* ***tímpano,*** *y casi no oye* (= la membrana situada dentro del oído por la que se perciben los sonidos).

tina s. f. **1.** *En la chacra juntan el agua de lluvia en una* ***tina*** (= vasija de madera de gran tamaño). Chile, R. de la Plata **2.** *En el patio tene-*

mos un rosal en una ***tina*** (= maceta para plantas de adorno).

tinaja s. f. *Guardamos el vino en una* ***tinaja*** (= en una vasija de barro ancha por el centro y con una estrecha boca).

tinglado s. m. *Para hacer la obra de teatro en el colegio montaron un* ***tinglado*** (= un pequeño escenario).
SINÓN: tablado, tarima.

tinieblas s. f. pl. *Cuando se cortó la luz nos quedamos en las* ***tinieblas*** (= en la mayor oscuridad).
SINÓN: oscuridad.

tino s. m. **1.** *María conduce su coche con mucho* ***tino*** (= con habilidad). **2.** *Disparó con tanto* ***tino*** *que dio de lleno en el blanco* (= con mucha puntería). **3.** *Para tener éxito en los negocios, hay que tener mucho* ***tino*** (= hay que hacer las cosas con juicio y prudencia).
SINÓN: 1, 2. acierto, habilidad. **2.** destreza, puntería. **3.** prudencia. **FAM:** *atinar.*

tinta s. f. *Se le mancharon los papeles de* ***tinta*** *porque se le había roto el bolígrafo* (= de un líquido que se usa para escribir o dibujar).
FAM: *desteñir, teñir, tinte, tintero, tinto, tintorería.*

tinte s. m. *El* ***tinte*** *de mis zapatos es negro* (= el color).
SINÓN: color, tonalidad, tono. **FAM:** → *tinta.*

tintero s. m. *A Juan se le cayó el* ***tintero*** *sobre la alfombra y la manchó* (= un recipiente que contiene tinta).
FAM: → *tinta.*

tintinear v. intr. *Las copas de cristal* ***tintinean*** *cuando se golpean unas contra otras* (= producen un sonido característico).
FAM: *tintineo.*

tintineo s. m. *Durante el brindis se podía oír el* ***tintineo*** *de las copas* (= el sonido que producen cuando se golpean ligeramente).
FAM: *tintinear.*

tinto, a adj. *Me han regalado una botella de vino* ***tinto*** (= de color rojo oscuro).
FAM: → *tinta.*

tintorería s. f. *Llevamos varios vestidos a la* ***tintorería*** (= el establecimiento donde se tiñe y se limpia la ropa).
SINÓN: tinte. **FAM:** → *tinta.*

tío, a s. *Mis* ***tíos*** *vinieron a buscar a mis primos para llevarlos a su casa* (= los hermanos de mis padres).

típico, a adj. *La samba es un baile* ***típico*** *del Brasil.*
SINÓN: característico, específico, propio, simbólico. **ANTÓN:** común, general. **FAM:** *tipo.*

tipo s. m. **1.** *Ana tiene un buen* ***tipo,*** *no está ni gorda ni delgada* (= su cuerpo está bien proporcionado). **2.** *Este* ***tipo*** *de coche es demasiado grande* (= este modelo). **3.** *No me gusta ese* ***tipo*** (= ese hombre no me inspira confianza). **4.** *Los animales y plantas se dividen en varios* ***tipos*** *según sus características* (= grupos).
SINÓN: 1. constitución, figura, físico. **2.** ejemplar, modelo, muestra. **3.** individuo. **FAM:** *típico.*

tiquet s. m. Amér. **1.** *En el autobús, el revisor me pidió mi* ***tiquet*** (= billete de viaje). Amér. Cent., Merid. **2.** *Cuando terminó de comer, Carlos le pidió el* ***tiquet*** *al camarero del restaurante* (= pequeño papel donde se indica lo que se debe pagar por lo consumido).
SINÓN: 1. boleto. **2.** cuenta, factura.

tira s. f. *La modista cortó unas* ***tiras*** *de tela* (= unos trozos estrechos y alargados).
SINÓN: banda, cinta, faja, franja. **FAM:** → *tirar.*

tirada s. f. **1.** *Con una sola* ***tirada,*** *se cayeron tres bolos* (= solamente con un lanzamiento). **2.** *Este periódico tiene una* ***tirada*** *muy grande* (= edita muchos ejemplares).
SINÓN: 1. tiro. **2.** impresión. **FAM:** → *tirar.*

tirador, a s. **1.** *Se ha roto el* ***tirador*** *de la puerta* (= el utensilio que permite abrir y cerrar la puerta o un cajón). **2.** *Martín es un buen* ***tirador*** *de escopeta* (= dispara con mucha puntería). Amér. Merid. **3.** *El ganadero llevaba un* ***tirador*** *con monedas de plata* (= cinturón ancho de cuero, con bolsillos y adornado con monedas, que usan los gauchos y los ganaderos). **4.**→ **tirante.**
SINÓN: 1. manivela, picaporte. **FAM:** → *tirar.*

tiralíneas s. m. *Para trazar líneas rectas, usamos el* ***tiralíneas*** *y la regla* (= instrumento de punta graduable que se moja con tinta).
FAM: → *tirar.*

tiranía s. f. *El pueblo se rebeló contra la* ***tiranía*** *del jefe de Estado* (= contra el abuso de poder).
SINÓN: abuso, dictadura, dominio, imposición, opresión. **ANTÓN:** democracia, libertad. **FAM:** *tirano.*

tirano, a adj. *Este director de la fábrica es* ***tirano*** *con sus empleados* (= abusa de su autoridad).
SINÓN: dictador. **FAM:** *tiranía.*

tirante adj. **1.** *La cuerda que sujeta el barco al muelle está muy* ***tirante*** (= está muy tensa). **2.** *Antes de empezar la guerra, las relaciones entre los dos países eran muy* **tirantes** (= eran malas). ◆ **tirante** s. m. **3.** *Mi padre se sujeta los pantalones con unos* ***tirantes*** (= con unas tiras elásticas que se sujetan a los pantalones y pasan por los hombros).
SINÓN: 1. tieso. **2.** tenso. **3.** tiradores. **ANTÓN: 1.** flojo. **FAM:** → *tirar.*

tirantez s. f. *Después de haberse peleado, entre ellos ha quedado una gran* ***tirantez*** (= sus relaciones no son buenas).
SINÓN: disgusto, tensión, violencia. **ANTÓN:** entendimiento. **FAM:** → *tirar.*

tirar v. tr. **1.** *¡Ten cuidado, que vas a* ***tirar*** *el vaso!* (= se te va a caer). **2.** *Los niños* ***tiraban*** *piedras al agua* (= las lanzaban). **3.** *La casa ya estaba demasiado vieja y por eso la* ***tiraron*** *abajo* (= la derribaron). **4.** *Los soldados* ***tiraron*** *varios cañonazos contra sus enemigos* (= los dispararon). **5.** ***He tirado*** *todos los periódicos viejos* (= me he deshecho de ellos). **6.** *No debes* ***tirar*** *el dinero comprando cosas tan caras* (= no debes malgastarlo). **7.** *De esa novela se* ***han tirado*** 4.000 ejemplares (= se han impreso). ◆ **tirar** v. intr. **8.** *El caballo* ***tiraba*** *del carro* (= lo arrastraba). **9.** *A Luis le* ***tira*** *mucho escuchar música en directo* (= le atrae y le gusta). **10.** *Ese negocio va* ***tirando*** *gracias a unos pocos clientes* (= se mantiene a duras penas). **11.** *El color de esta blusa* ***tira*** *a verde* (= es parecido a este color). **12.** *Esta chimenea no* ***tira*** *bien* (= no expulsa bien el humo). ◆ **tirarse** v. pron. **13.** *Al ver los pasteles, los niños se* ***tiraron*** *sobre ellos para comerlos* (= se lanzaron). **14.** *Mi hermana* ***se tiró*** *a la laguna* (= se lanzó al agua). **15.** *Javier* ***se tiró*** *en el sofá* (= se tendió para descansar).
SINÓN: **1.** caerse, derramar, verter, volcar. **2.** arrojar, echar, lanzar. **3.** derribar. **4.** descargar, disparar, tirotear. **5.** deshacerse. **6.** malgastar. **7.** editar, imprimir. **8.** acarrerar, conducir, llevar, remolcar. **9.** aficionarse, atraer. **10.** aguantar. **11.** aproximarse, imitar, parecerse. **12.** respirar. **13.** precipitarse. **14.** arrojarse, lanzarse. **15.** acostarse, tenderse, tumbarse. **ANTÓN:** **1, 2.** recoger, sujetar. **3.** construir, erigir. **5.** conservar. **6.** ahorrar, economizar. **9.** disgustar, odiar. **FAM:** *estirar, estirón, retirada, retirado, retirar, retiro, tira, tirada, tirador, tiralíneas, tirante, tirantez, tiro, tirón, tirotear, tiroteo.*

tirita s. f. *Como ya se me había curado la herida, me quité la* ***tirita*** (= una venda pegada a la piel que la cubría).
SINÓN: curita.

tiritar v. intr. *Al salir del agua,* ***tiritaba*** *de frío* (= estaba temblando).
SINÓN: temblar, vibrar.

tiro s. m. **1.** *Los cazadores dispararon varios* ***tiros*** *durante la cacería* (= hicieron varios disparos). **2.** *Desde mi casa se oían los* ***tiros*** *de los cazadores* (= el ruido de sus disparos). **3.** *El futbolista hizo un* ***tiro*** *al arco desde el centro del campo* (= un lanzamiento). ◆ **salir el tiro por la culata** **4.** *Creyó que podría engañarlo fácilmente, pero finalmente, le* ***salió el tiro por la culata*** (= no le salió como esperaba).
SINÓN: **1.** disparo. **2.** estallido, estampido.
FAM: → *tirar.*

tirón s. m. **1.** *El ladrón le arrancó el bolso dándole un* ***tirón*** (= con un movimiento muy brusco). ◆ **de un tirón** **2.** *Como se sabía muy bien la lección, la recitó* ***de un tirón*** (= sin pararse).
FAM: → *tirar.*

tironear v. tr. *Juan no podía abrir la puerta por más que* ***tironeaba*** *del picaporte* (= daba tirones).

tirotear v. tr. *En la película, los soldados* ***tiroteaban*** *a sus enemigos* (= les disparaban varias veces).
SINÓN: descargar, disparar, tirar. **FAM:** → *tirar.*

tiroteo s. m. *Hubo un* ***tiroteo*** *entre la policía y los bandidos en el que hubo varios heridos* (= se disparaban unos contra otros).
FAM: → *tirar.*

títere s. m. *Mi padre nos contó un cuento usando unos* ***títeres*** (= unos muñecos que se mueven con la mano o con unos hilos).
SINÓN: marioneta. **FAM:** *titiritero.*

tití s. m. El **tití** es un mono pequeño, originario de Sudamérica.
SINÓN: mono, simio.

titiritero, a s. *El* ***titiritero*** *movía sus muñecos con mucha habilidad* (= es la persona que maneja los títeres).
FAM: *títere.*

titubear v. intr. **1.** *El alumno* ***titubea*** *al contestar las preguntas del profesor* (= se calla a veces porque no sabe la respuesta). **2.** *Juan siempre* ***titubea*** *antes de tirarse al agua* (= duda).
SINÓN: dudar, vacilar. **ANTÓN:** decidirse, resolver.

titular adj. **1.** *Antonio es el médico* ***titular*** *de este pueblo* (= la persona que ocupa un puesto porque lo han nombrado para ello). ◆ **titular** s. m. f. **2.** *El banco hizo un regalo a los* ***titulares*** *de las tarjetas de crédito* (= a las personas que las habían obtenido). **3.** *Los* ***titulares*** *de este periódico son muy llamativos* (= los títulos de las noticias). ◆ **titular** v. tr. *El escritor todavía no ha* ***titulado*** *su último libro* (= no le ha puesto un nombre).
SINÓN: **1, 2.** propietario. **3.** título. **FAM:** *título.*

título s. m. **1.** *El* ***título*** *de la principal novela de García Márquez es* Cien años de soledad (= el nombre de un texto escrito). **2.** *En la primera página del periódico hay un gran* ***título*** *escrito con letras mayúsculas* (= una frase que anuncia y resume la noticia). **3.** *Cuando acabe mis estudios, me darán un* ***título*** (= un diploma). **4.** *Los reyes pueden conceder* ***títulos*** *de nobleza* (= distinciones). **5.** *Los* ***títulos*** *de propiedad de la casa los tiene el abogado de la familia* (= unos escritos que demuestran de quién es la casa).
SINÓN: **1.** nombre. **2.** titular. **3.** certificado, diploma. **5.** documento, escritura. **FAM:** *titular.*

tiza s. f. *El profesor escribe en el pizarrón con la* ***tiza*** (= una barrita que se hace con arcilla blanca).
SINÓN: gis.

tizón s. m. *Hemos vuelto a encender la hoguera con los* ***tizones*** *que aún quedaban* (= con los trozos de madera medio apagados pero aún calientes).
SINÓN: brasa. **FAM:** *atizar.*

contador de velocidad
tablero;
volante
acelerador
guantera
embrague
freno de pie
freno de mano
palanca de cambio de velocidad
parte delantera
limpia-parabrisas
luz intermitente
faro
63 B 28
matrícula
antena de radio
manija o manilla
retrovisor
parabrisas
puerta
alerón
calandria
defensa o paragolpes
puente hidráulico
mecánico
parte trasera
cofre o maletero
luz de marcha trasera
63 B 28
tubo o caño de escape
luz de los frenos
borne
batería
cofre o capó
llaves
motor
gato
amortiguador
motor
bujía
válvula
pistón
biela
cilindro
cárter
camara de aire
cubierta; neumático
muelle o resorte
depósito de gasolina
cinturón de seguridad

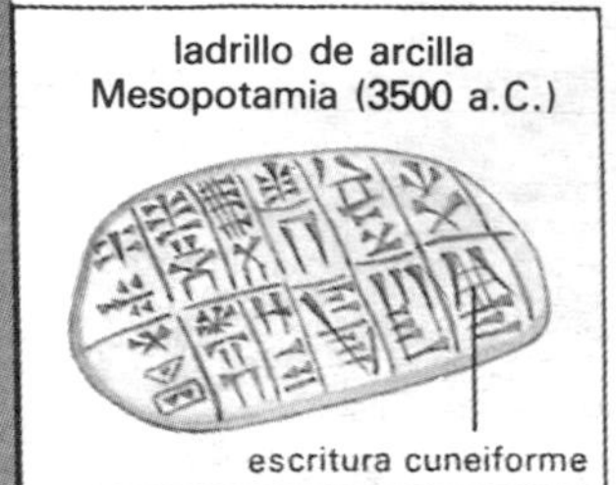
ladrillo de arcilla
Mesopotamia (3500 a.C.)
escritura cuneiforme

una imprenta en el siglo XVII
caja
prensa
página
letras
de metal

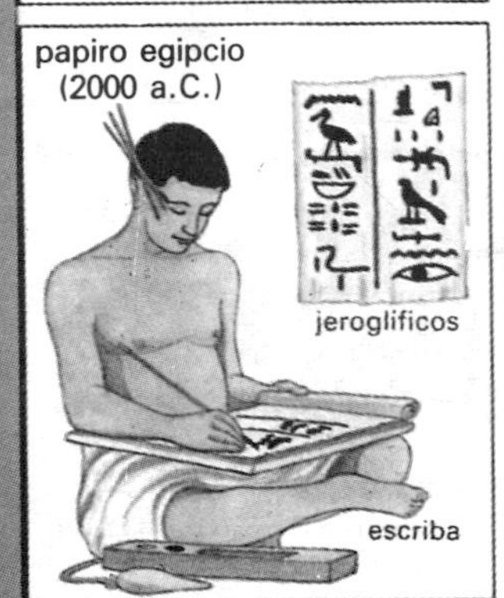
papiro egipcio
(2000 a.C.)
jeroglíficos
escriba

operador
de sonido
pantallas
sala de control
mesa
de control
tocadiscos
operadores de imagen
(técnicos)
jefe de cadena

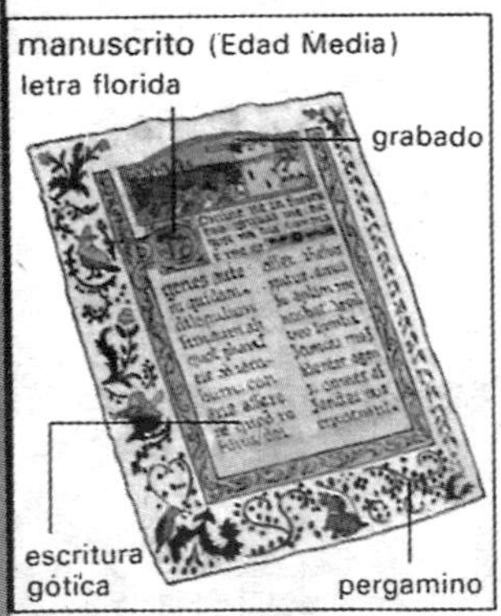
manuscrito (Edad Media)
letra florida
grabado
escritura
gótica
pergamino

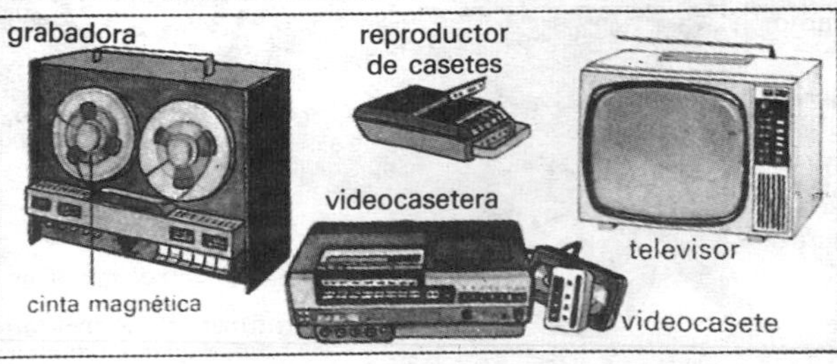
grabadora
reproductor
de casetes
videocasetera
televisor
cinta magnética
videocasete

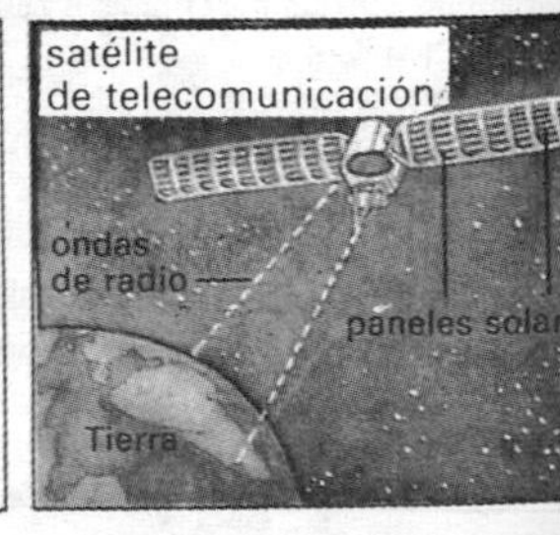
satélite
de telecomunicación
ondas
de radio
Tierra

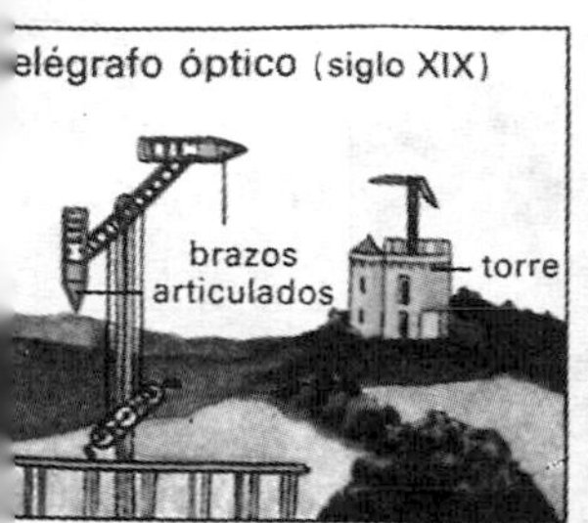
elégrafo óptico (siglo XIX)
brazos articulados
torre

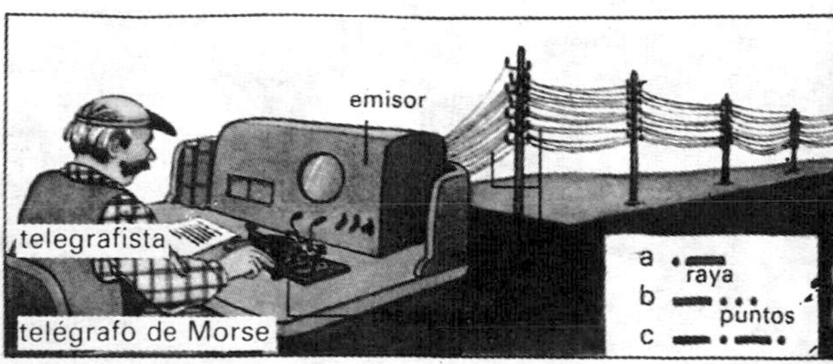
emisor
telegrafista
telégrafo de Morse
a
raya
b
puntos
c

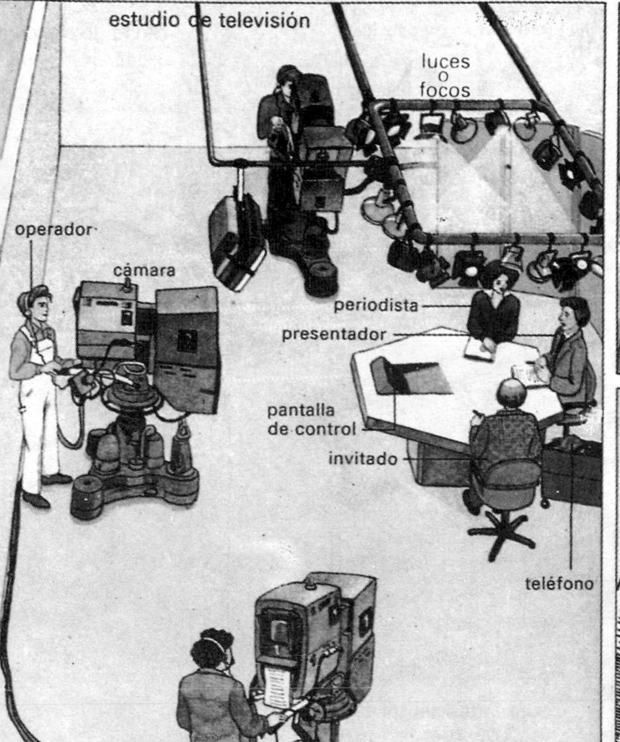
estudio de televisión
luces o focos
operador
cámara
periodista
presentador
pantalla de control
invitado
teléfono

la radiodifusión
estudio de grabación
antena emisora
periodistas
presentadora
micrófono
aparato de radio (transistor)

un periódico
la primera página
editorial
título
cabecera
EL PESO SE MANTIENE
EL DIARIO
EDITORIAL
foto
artículo

tógrafos
sala de redacción
fotocopiadora
periodista
máquina

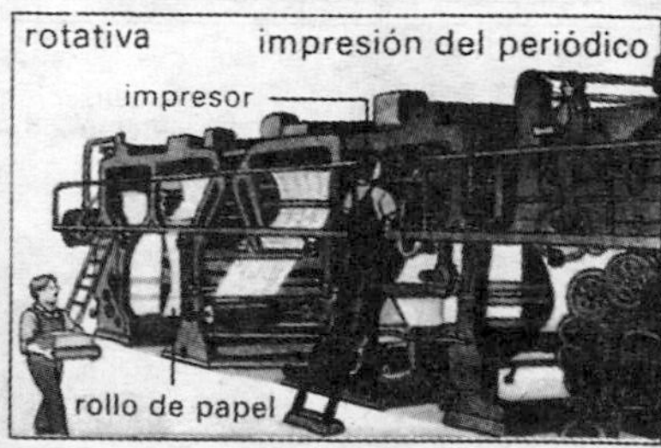
rotativa
impresión del periódico
impresor
rollo de papel

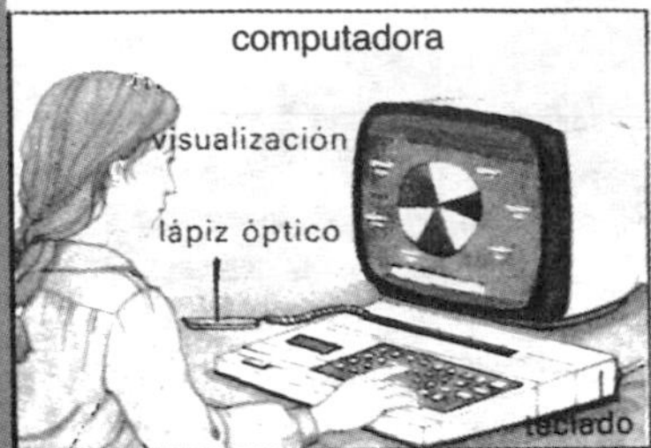
computadora
visualización
lápiz óptico
teclado

pantalla
disquetera
lector de
discos
operadora
teclista
consola
tecla

casete
cinta magnética
disco o disquete

lector de cintas
magnéticas

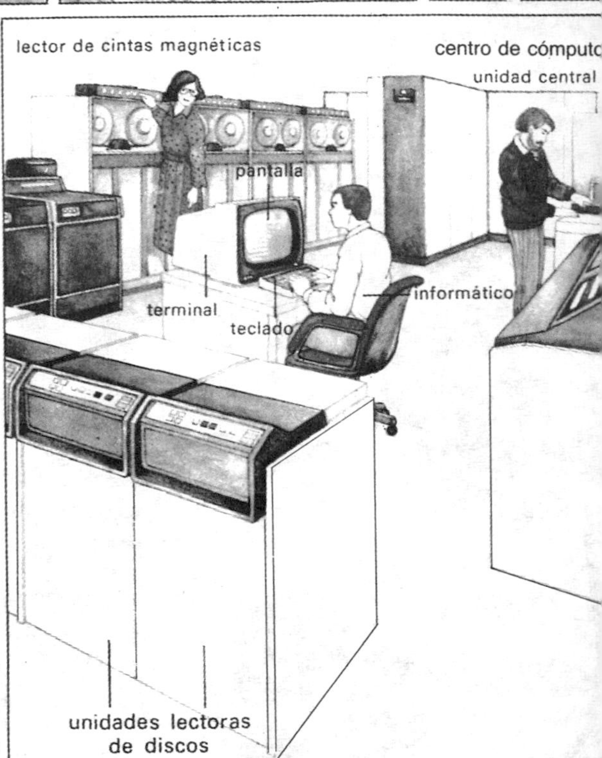
lector de cintas magnéticas
unidad central
pantalla
terminal
teclado
informático
unidades lectoras
de discos

impresora
papel continuo

juego videoeducativo
televisor
visualización
del juego
consola

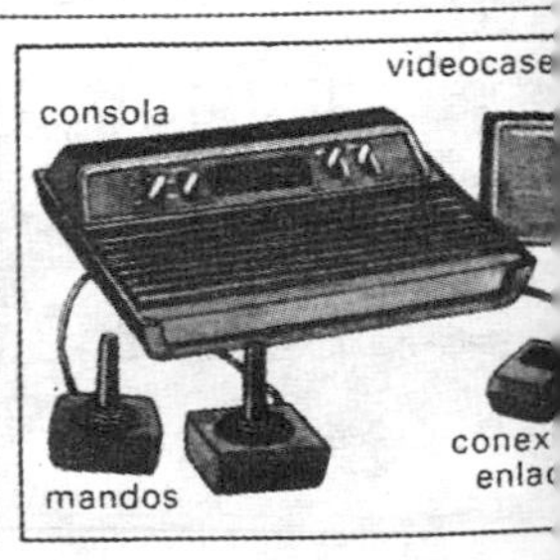
consola
mandos

toalla s. f. *Después del baño me envolví en una gran* ***toalla*** (= en una pieza de tela que sirve para secarse).
FAM: *toallero.*

toallero s. m. *En el* ***toallero*** *del cuarto de baño estaban las toallas de la familia* (= en el lugar donde se cuelgan para que se sequen).
FAM: *toalla.*

tobillo s. m. *Juan se rompió el* ***tobillo*** *al tropezar* (= la parte saliente situada a ambos lados de la unión del pie con la pierna).

tobogán s. m. *En el parque hay un* ***tobogán*** *muy alto* (= aparato inclinado por el que bajan los niños deslizándose).

tocadiscos s. m. *Pusimos varios discos en el* ***tocadiscos*** *para escuchar música* (= aparato que hace girar los discos y que permite escucharlos).
FAM: → *disco.*

tocador s. m. *Mi madre se sentó delante del* ***tocador*** *para peinarse* (= de una mesa con un espejo, delante del cual las mujeres se peinan y se maquillan).
FAM: *tocar.*

tocar v. tr. **1.** *No debes* ***tocar*** *los enchufes* (= poner los dedos en ellos). **2.** *El barco* ***tocó*** *puerto* (= llegó al muelle). **3.** *María* ***toca*** *el piano* (= interpreta piezas de música con ese instrumento). **4.** *Este trabajo está bien hecho, no lo* ***toques*** *más* (= déjalo así). ◆ **tocar** v. intr. **5.** *Este trabajo me* ***toca*** *hacerlo a mí* (= lo tengo que hacer yo). **6.** *En el reparto del pollo, me* ***tocó*** *sólo una pequeña parte* (= me correspondió). **7.** *Le* ***tocó*** *la lotería y ganó mucho dinero* (= su número salió elegido). ◆ **tocarse** v. pron. **8.** *Nuestras casas* ***se tocan*** (= están una junto a la otra).
SINÓN: **1.** manipular, manosear, palpar, tantear. **3.** ejecutar, interpretar. **4.** modificar, perfeccionar. **5, 6.** corresponder. FAM: *retocar, retoque, táctil, tacto, tocador, toque.*

tocayo, a s. *Estos dos chicos son* ***tocayos,*** *los dos se llaman Antonio* (= tienen el mismo nombre).

tocino s. m. *Fui a la carnicería a comprar* ***tocino*** (= carne de cerdo con mucha grasa).

tocón s. m. *Cuando cortaron el árbol del jardín sólo quedó el* ***tocón*** (= la parte inferior del tronco).

todavía adv. **1.** ***Todavía*** *está lloviendo* (= no ha dejado de llover). **2.** *Ana es bonita; pero su hermana lo es* ***todavía*** *más* (= mucho más). **3.** *Te estoy ayudando, y* ***todavía*** *te quejas* (= y encima).
SINÓN: aún.

todo, a adj. **1.** *Para Navidad nos reunimos* ***toda*** *la familia en mi casa* (= la familia completa). **2.** ***Todos*** *los niños recibieron varios juguetes, nadie se quedó sin ellos* (= cada uno de los niños). ◆ **todo** pron. **3.** *María se lo contó* ***todo*** (= no se olvidó nada) **4.** *Como* ***todos*** *sabían jugar a las cartas, nadie se quedó fuera del juego* (= cada uno de ellos). ◆ **todo** s. m. **5.** *Juan consideraba que la familia debía ser un* ***todo*** (= algo que no se podía separar). ◆ **todo** adv. **6.** *La herida que me hice hace una semana ya se me ha curado del* ***todo*** (= completamente). ◆ **ante todo 7.** *Debes hacerte la cama* ***ante todo*** (= antes que nada). ◆ **así y todo 8.** *No tenía dinero, pero* ***así y todo,*** *consiguió entrar a ver la película* (= a pesar de esto). ◆ **sobre todo 9.** ***Sobre todo*** *no debes pelearte con tus hermanos* (= por encima de cualquier cosa).
SINÓN: **4, 5.** totalidad. **6.** completamente. ANTÓN: **4, 5.** parte, pedazo, trozo. FAM: → *total.*

todopoderoso, a adj. *Aquel rey era* ***todopoderoso*** (= tenía todos los poderes).
FAM: → *total.*

toga s. f. *En los juicios, los jueces llevan puesta la* ***toga*** (= un traje largo de seda negra y con mangas amplias).

toldo s. m. **1.** *En la terraza, tenemos un* ***toldo*** *para protegernos del sol en verano* (= una lona que la cubre y da sombra). Amér. Cent., Merid. **2.** *Los indios nómadas de América vivían en* ***toldos*** (= en chozas hechas con pieles y ramas secas).
SINÓN: pabellón.

tolerancia s. f. *Debemos tener* ***tolerancia*** *con los demás aunque no tengan razón* (= debemos ser comprensivos).
SINÓN: comprensión, respeto. ANTÓN: incomprensión. FAM: *tolerar.*

tolerar v. tr. **1.** *No entiendo cómo puedes* ***tolerar*** *que te insulten* (= cómo puedes soportarlo). **2.** *El guardia* ***tolera*** *que los niños jueguen en el césped del jardín* (= lo permite aunque normalmente está prohibido). **3.** *Mi organismo* ***tolera*** *esta medicina sin problemas* (= puedo tomarla sin peligro).
SINÓN: **1.** aguantar, conformarse, resistir, soportar. **2.** consentir, permitir. ANTÓN: **1.** protestar, rebelarse, sublevarse. **2.** prohibir. FAM: *tolerancia.*

toma s. f. **1.** *En el jardín tenemos una* ***toma*** *de agua donde enchufamos la manguera* (= una abertura por donde sale agua del depósito). **2.** *Dentro de una hora me toca la segunda* ***toma*** *del jarabe* (= debo tomar una nueva dosis). **3.** *Cuando los árabes invadieron España, realizaron la* ***toma*** *de Granada sin gran violencia* (= la conquista).
SINÓN: **2.** dosis. **3.** conquista. FAM: *tomar.*

tomar v. tr. **1.** *Juan* ***tomó*** *el cuchillo que su hermano tenía en la mano* (= lo agarró). **2.** *Juan* ***tomará*** *una cerveza y yo un bocadillo* (= comeremos y beberemos eso). **3.** *Pedro* ***toma*** *el autobús para ir a la escuela* (= utiliza ese medio de transporte). **4.** ***Toma*** *la primera calle a la derecha y luego sigue recto hasta el final* (= vete por

ella). **5.** *El ejército enemigo* ***tomó*** *la ciudad* (= la conquistó). **6.** *El sastre le* ***tomó*** *las medidas de la cintura antes de hacerle el traje* (= se la midió). **7.** *En clase,* ***tomo*** *notas de lo que dice el profesor* (= escribo en mi cuaderno). **8.** *Durante el viaje* ***tomamos*** *varias fotografías* (= sacamos fotografías). **9.** *Durante la reunión el director* ***tomó*** *la palabra varias veces* (= empezó a hablar).
SINÓN: 1. agarrar, sujetar. **2.** beber, comer. **5.** apoderarse, conquistar, ocupar. **ANTÓN: 1.** arrojar, dejar, soltar, tirar. **5.** abandonar, perder. **FAM:** *toma.*

tomate s. m. **1.** El **tomate** es el fruto de la tomatera, es de color rojo y muy jugoso. Méx. **2.** Fruto del tomate. Es de color verde, tiene el tamaño de un limón y es muy usado para hacer salsas.
FAM: *tomatera.*

tomatera s. f. La **tomatera** es una planta que puede medir de uno a dos metros de altura cuyo fruto es el tomate.
FAM: *tomate.*

tómbola s. f. *He ganado un balón en la* ***tómbola*** (= en el lugar donde se sortean regalos).
SINÓN: rifa, sorteo.

tomillo s. m. El **tomillo** es una planta aromática que se utiliza para dar sabor a las comidas.

tomo s. m. *El escritor dividió su obra en dos* ***tomos*** (= en dos partes o libros independientes).
SINÓN: ejemplar, libro, volumen.

tonalidad s. f. *La blusa que me he comprado tiene varias* ***tonalidades*** *de azules* (= diferentes gamas de ese color).
SINÓN: color. **FAM:** → *tono.*

tonel s. m. *En la bodega guardan el vino en* ***toneles*** *de madera* (= en unas cubas grandes).
SINÓN: barril, cuba. **FAM:** *tonelada.*

tonelada s. f. *Este cargamento de arena pesa una* ***tonelada*** (= pesa mil kilos).
FAM: *tonel.*

tónico, a adj. **1.** *En la palabra* fábrica, *la sílaba* fa *es la sílaba* ***tónica*** (= en ella recae el acento). ◆ **tónico** s. m. **2.** *El médico le dio un* ***tónico*** (= una medicina que da energía).
FAM: → *tono.*

tonificar v. tr. *Un baño templado* ***tonifica*** *los músculos* (= les da fuerza).
SINÓN: animar, entonar, estimular, reconfortar. **ANTÓN:** debilitar. **FAM:** → *tono.*

tonina s. f. *En las costas del Atlántico Sur hay buena pesca de* ***toninas*** (= pez de mar semejante al atún).

tono s. m. **1.** *El cantante tenía un* ***tono*** *de voz muy grave* (= la intensidad de la voz). **2.** *No me gustó el* ***tono*** *insolente con que me contestó* (= la forma de hablar). **3.** *En otoño las hojas de los árboles toman un* ***tono*** *dorado* (= un color). ◆ **bajar uno el tono 4.** *El profesor nos dijo que* ***bajáramos el tono*** (= que no gritáramos). ◆ **fuera de tono 5.** *El comentario que hizo sobre el peinado de su amiga estaba* ***fuera de tono*** (= era inoportuno).
SINÓN: 1. entonación, voz. **3.** color, tonalidad. **FAM:** *desentonar, entonación, entonar, sintonizar, tonalidad, tónico, tonificar.*

tontería s. f. *Cuando el profesor salió de la clase los niños empezaron a hacer* ***tonterías*** (= a hacer disparates).
SINÓN: bobería, disparate, estupidez, tontada. **FAM:** → *tonto.*

tonto, a adj. **1.** *Se rompió la pierna de la forma más* ***tonta*** (= de una forma absurda). **2.** *Juan me ha dicho que era* ***tonto*** *porque me reprobaron* (= poco listo). ◆ **a tontas y a locas 3.** *Si no contestaras* ***a tontas y a locas,*** *no te equivocarías* (= si no lo hicieras sin pensar). ◆ **hacerse el tonto 4.** *En realidad, lo había entendido perfectamente, pero* ***se hacía el tonto*** (= hacía ver que no lo entendía).
SINÓN: bobalicón, bobo, imbécil, memo, necio, torpe. **ANTÓN:** inteligente, listo. **FAM:** *atontarse, tontería.*

topadora s. f. R. de la Plata. *Con dos* ***topadoras,*** *los operarios sacaron los restos de la casa derrumbada* (= palas mecánicas acopladas en el frente de un tractor).

topar v. intr. **1.** *El coche* ***topó*** *contra una farola* (= chocó contra ella). ◆ **toparse** v. pron. **2.** *Comprando en una zapatería Juan* ***se topó*** *con mi hermano* (= se lo encontró por casualidad).
SINÓN: 1. chocar. **2.** descubrir, encontrarse, hallar. **FAM:** *tope.*

tope s. m. **1.** *El ciclista no cayó al barranco porque un árbol le sirvió de* ***tope*** (= de freno). **2.** *Mi paciencia tiene un* ***tope*** (= un límite). **3.** *Los vagones del tren tienen un* ***tope*** (= una pieza metálica circular para que no choquen). **4.** *El teatro estaba hasta el* ***tope;*** *no cabía ni una persona más* (= estaba completamente lleno).
SINÓN: 1. freno. **2.** límite. **4.** completo, lleno. **FAM:** *topar.*

topinambur s. m. Amér. Merid. *Los tubérculos del* ***topinambur*** *se emplean en la alimentación del hombre y del ganado* (= planta herbácea de hasta dos metros de altura, cuyos tubérculos son parecidos a la papa).
SINÓN: jíquina.

topo s. m. El **topo** es un animal de pelo oscuro y no muy grande que vive en pequeñas galerías subterráneas que él mismo excava.

toque s. m. **1.** *Antes de entrar debes dar unos* ***toques*** *en la puerta* (= unos suaves golpes). **2.** *El pintor le ha dado un último* ***toque*** *a su cuadro* (= las últimas pinceladas para que quede bien). **3.** *Los soldados se levantaron con el* ***toque*** *de diana* (= con el sonido de una corneta

que les avisaba). **4.** *Este cuadro da un **toque** muy elegante al salón* (= le da un aire elegante).
SINÓN: **1.** golpe. **2.** retoque. **3.** sonido. **FAM:** → *tocar.*

torácico, a adj. *Los pulmones están situados en la caja **torácica*** (= en el tórax).
FAM: *tórax.*

tórax s. m. El **tórax** es la parte del cuerpo que contiene los pulmones y el corazón.
SINÓN: pecho, torso. **FAM:** *torácico.*

torbellino s. m. **1.** *El viento levantó un **torbellino** de polvo* (= una masa que se elevó girando sobre sí misma). **2.** *Tu hermano no deja nunca de moverse, es un **torbellino*** (= es una persona muy activa).
SINÓN: **1.** remolino.

torcer v. tr. **1.** *El plomero **torció** el alambre con unas tenazas* (= lo dobló). **2.** *El peso de la nieve **ha torcido** el árbol* (= lo ha dejado inclinado). **3.** ***Torció** la cabeza para ver quién era el que lo llamaba* (= la dirigió hacia ese lado). **4.** *Al llegar a la esquina, **tuerce** a la derecha* (= gira).
SINÓN: **1.** retorcer. **1, 2.** inclinar. **1, 2, 4.** doblar. **1, 4.** girar. **3, 4.** desviar. **4.** virar. **ANTÓN:** **1, 2.** desdoblar, enderezar, estirar. **4.** proseguir, seguir. **FAM:** → *retorcer, retorcido, torcido.*

torcido, a adj. *Este cuadro lo has colgado **torcido*** (= no está recto).
ANTÓN: recto. **FAM:** → *torcer.*

tordo, a adj. **1.** *El caballo **tordo** destacaba entre los que eran negros* (= el que tiene el pelo blanco y negro). ◆ **tordo** s. m. **2.** *Al atardecer, vimos una bandada de **tordos** que regresaban a sus nidos* (= pájaros pequeños de plumaje negro, pico amarillo y patas rojizas).

torear v. intr. *La plaza de toros se llenó de gente para ver **torear** al famoso torero* (= para ver cómo incitaba al toro con el capote y la muleta).
SINÓN: lidiar.

torero, a s. *Se necesita mucho valor para ser **torero*** (= para ponerse delante de un toro y torearlo).
FAM: → *toro.*

tormenta s. f. *Nos quedamos empapados porque nos sorprendió la **tormenta** y no llevábamos paraguas* (= una fuerte lluvia).
SINÓN: tempestad, temporal. **ANTÓN:** calma.

tormento s. m. **1.** *Sometieron al prisionero a grandes **tormentos** pero no confesó* (= torturas). **2.** *Estudiar para este examen es un verdadero **tormento*** (= me produce mucha angustia).
SINÓN: **1.** castigo, tortura. **2.** angustia, ansiedad, congoja, opresión, pena. **ANTÓN:** **1, 2.** placer. **2.** alegría. **FAM:** *atormentar, tormentoso.*

tormentoso, a adj. *Con este tiempo **tormentoso** no podremos ni salir de casa* (= hay truenos, relámpagos y lluvia).
FAM: → *tormento.*

tornado s. m. *El fuerte **tornado** arrancó árboles e incluso algunos tejados* (= un huracán con forma de espiral).
SINÓN: ciclón, huracán.

torneo s. m. **1.** *Los caballeros de la Edad Media solían participar en **torneos*** (= en un combate entre dos caballeros, cada uno de los cuales trataba de derribar del caballo a su contrario). **2.** *María ganó un **torneo** de tenis* (= una competencia en la que tuvo que jugar varios partidos).
FAM: → *torno.*

tornillo s. m. **1.** *La cerradura está fijada a la puerta con cuatro **tornillos*** (= unos clavos con rosca que se introducen dándoles vueltas). ◆ **apretarle a alguien los tornillos** **2.** *Su padre **le ha apretado los tornillos** para que estudie más* (= lo ha presionado para que lo haga). ◆ **faltarle a alguien un tornillo** **3.** *Parece que **le falta un tornillo,** sólo dice cosas absurdas* (= que está loco).
FAM: → *atornillar, desatornillar, destornillador.*

torniquete s. m. *Tuvieron que aplicar un **torniquete** al herido para cortarle la hemorragia* (= le pusieron una venda cerca de la herida apretándola para que dejara de salir sangre).

torno s. m. **1.** *El alfarero trabaja la arcilla con un **torno*** (= con una máquina que transmite un movimiento circular a los objetos que están encima de ella). ◆ **en torno a** **2.** *La Tierra gira **en torno al** Sol* (= alrededor de él).
FAM: → *entornar, retornar, torneo.*

toro s. m. **1.** El **toro** es un animal bovino muy bravo que tiene cuernos curvos y puntiagudos en la cabeza. ◆ **tomar el toro por las astas** **2.** *Ana decidió **tomar el toro por las astas** y se tiró con el paracaídas* (= decidió enfrentarse con valor).
FAM: *taurino, torear, torero.*

toronja s. f. Amér. *Nos quitamos la sed con un vaso de jugo de **toronjas*** (= fruta cítrica de color amarillo y tamaño mayor que el de la naranja).
SINÓN: pomelo.

torpe adj. **1.** *Cuando le quitaron el yeso de la pierna andaba de forma muy **torpe*** (= con gran dificultad). **2.** *Juan es un chico **torpe** para los trabajos manuales* (= es poco hábil). **3.** *Es un chico **torpe** con las matemáticas* (= le cuesta entenderlas).
SINÓN: **1.** lento, pesado. **2.** incapaz. **3.** bobalicón, bobo, idiota, imbécil, memo, necio, tonto. **ANTÓN:** **1.** rápido. **2.** ágil, capaz, hábil, habilidoso. **3.** inteligente, listo. **FAM:** *entorpecer, torpeza.*

torpedo s. m. *El barco de guerra lanzó varios **torpedos** contra el enemigo* (= varias bombas muy potentes y de forma cilíndrica).
SINÓN: proyectil.

torpeza s. f. **1.** *Desde que se rompió la pierna, se mueve con **torpeza*** (= con lentitud). **2.** *Actuó con **torpeza** cuando se presentó en su casa sin avisar* (= inoportunamente).
SINÓN: **1.** lentitud, pesadez. **FAM:** *torpe.*

torre s. f. **1.** *Subimos a la **torre** del castillo* (= a la parte más alta). ◆ **torre de control** **2.** *La **torre de control** dio permiso al avión para aterrizar* (= una alta torre desde donde dirigen los movimientos de los aviones en un aeropuerto).
SINÓN: **1.** campanario, torreón. FAM: *torreón.*

torrencial adj. *Han caído lluvias **torrenciales** que han destruido la cosecha* (= lluvias muy fuertes).
FAM: *torrente.*

torrente s. m. *El **torrente** desciende rápidamente por la ladera de la montaña* (= una corriente de agua que cae fuerte y velozmente).
FAM: *torrencial.*

torreón s. m. *Los castillos medievales se defendían del ataque enemigo desde sus **torreones*** (= desde unas torres grandes).
SINÓN: torre. FAM: *torre.*

torso s. m. **1.** *Como hacía mucho calor los hombres llevaban el **torso** desnudo* (= el tronco). **2.** *En el museo de arte, vimos un **torso** de Julio César* (= una escultura sin cabeza y sin extremidades).
SINÓN: **1.** pecho, tórax, tronco.

torta s. f. **1.** *El panadero puso la **torta** en el horno* (= una masa a base de harina, huevos, azúcar y mantequilla, cocida a fuego lento). **2.** *A Juan le han dado una **torta*** (= una bofetada).
SINÓN: **1.** bizcocho, bollo, mantecado. **2.** bofetada, bofetón, cachete, tortazo. FAM: *tortazo, tortilla.*

tortícolis s. f. *A causa de un mal movimiento con el cuello ahora tiene **tortícolis*** (= un dolor en el cuello, que le impide moverlo).

tortilla s. f. **1.** *Cenaré una **tortilla** de papas* (= un alimento hecho con huevos batidos y papas, frito en una sartén). Méx. **2.** Alimento de maíz cocido al fuego que se usa para hacer tacos.
FAM: → *torta.*

tortillería s. f. *Las **tortillerías** abundan en las ciudades mexicanas* (= lugar donde se hacen y venden tortillas de maíz).

tórtola s. f. La **tórtola** es un ave parecida a la paloma pero de plumaje gris rojizo.

tortuga s. f. La **tortuga** es un animal cubierto por un caparazón muy duro y que se mueve lentamente.

tortura s. f. **1.** *La **tortura** de personas o animales debe desaparecer del mundo* (= un castigo físico que produce mucho sufrimiento). **2.** *Ha sido una verdadura **tortura** estudiar para este examen* (= me ha costado mucho hacerlo).
SINÓN: **1.** castigo, tormento. **2.** angustia, ansiedad, congoja, opresión. ANTÓN: **1.** placer. **2.** alegría. FAM: *torturar.*

torturar v. tr. **1.** ***Torturaron** al prisionero aunque está prohibido por la ley* (= lo maltrataron). **2.** *Los remordimientos lo están **torturando*** (= sufre mucho moralmente).
SINÓN: **1.** martirizar. **2.** angustiar, apenarse, atormentar. FAM: *tortura.*

tos s. f. *Debes tomar el jarabe contra la **tos*** (= la expulsión violenta y ruidosa del aire de los pulmones).
FAM: *toser.*

tosco, a adj. *Este mueble lo han fabricado con materiales muy **toscos*** (= de poco valor).
SINÓN: basto, grosero, ordinario. ANTÓN: refinado.

toser v. intr. *El humo me hace **toser*** (= expulsar el aire de los pulmones por la boca haciendo ruido).
FAM: *tos.*

tostada s. f. *Para desayunar comeré una **tostada** untada con mantequilla* (= una rebanada de pan pasada por el tostador).
FAM: → *tostar.*

tostador, a s. *Para hacer tostadas usamos un **tostador** eléctrico* (= un aparato para tostar el pan).
FAM: → *tostar.*

tostar v. tr. **1.** ***Tostaremos** el pan y lo untaremos con mantequilla* (= lo pondremos en un tostador hasta que tome un color dorado). **2.** *El sol y la brisa del mar **han tostado** la piel de María* (= se le ha puesto morena).
SINÓN: **1.** asar. **2.** broncear, curtir. FAM: *tostada, tostador.*

total adj. **1.** *Tengo una confianza **total** en él* (= completa). ◆ **total** s. m. **2.** *Su compra asciende a un **total** de mil pesos* (= la suma de todo lo que ha comprado). **3.** *Aprobó el **total** de los que se presentaron al examen* (= todos los que lo hicieron). ◆ **total** adv. **4.** ***Total,** lo mejor será que lo hagas tú* (= en definitiva).
SINÓN: **1.** completo, entero, general, íntegro, universal. **2, 3.** resultado, suma. ANTÓN: **1.** incompleto, parcial, parte. **3.** resta. FAM: *todo, todopoderoso, totalidad.*

totalidad s. f. **1.** *Diego gastó la **totalidad** de su sueldo en un viaje* (= todo su sueldo). **2.** *La **totalidad** de los asistentes a la conferencia lo aplaudió* (= el conjunto de personas).
SINÓN: **1.** todo. **2.** conjunto. ANTÓN: **2.** parte.
FAM: → *total.*

totora s. f. Amér. Merid. *Ciertas aves hacen su nido en las hojas secas de la **totora*** (= planta que crece en terrenos húmedos y pantanosos; sus tallos se usan para construir techos rústicos, asientos de sillas y balsas).
FAM: → *totoral.*

totoral s. f. Amér. Merid. *En las orillas del lago Titicaca, abundan los **totorales*** (= lugar poblado de totoras).
FAM: → *totora.*

totuma s. f. Amér. *Con las **totumas** se fabrican vasijas, platos y tazas* (= fruto del totumo o güira).

tóxico, a adj. *No huelas esa sustancia porque es **tóxica*** (= perjudica gravemente la salud).

tozudo, a adj. *Es un chico tan **tozudo** que cuando se empeña en algo no hay quien lo haga cambiar de opinión* (= es muy terco).
SINÓN: tenaz, terco, testarudo. ANTÓN: dócil, razonable.

trabajador, a adj. **1.** *Las hormigas son muy **trabajadoras*** (= no descansan buscando sus alimentos). **2.** *Luis es un chico muy **trabajador**, siempre hace su tarea* (= es muy aplicado). ◆ **trabajador, a** s. **3.** *Los **trabajadores** de esa fábrica están en huelga* (= los empleados).
SINÓN: **2.** aplicado. **3.** empleado, jornalero, obrero. ANTÓN: **1, 2.** gandul, holgazán, perezoso, vago. FAM: → *trabajo.*

trabajar v. intr. **1.** *Mi padre **trabaja** en una fábrica como mecánico* (= ésta es su profesión). **2.** ***Trabajó** toda la noche en la redacción del discurso* (= realizó esa actividad). **3.** *El escultor **trabaja** el barro con varios instrumentos* (= le da forma).
SINÓN: **1.** atarearse, dedicarse, ocuparse. **3.** labrar, tallar. ANTÓN: **1.** descansar, vaguear. FAM: → *trabajo.*

trabajo s. m. **1.** *El señor López está buscando **trabajo*** (= una ocupación que le permita ganarse la vida). **2.** *Hiciste un buen **trabajo** de ciencias* (= un estudio). **3.** *El **trabajo** de esta máquina es remover la tierra* (= la función). **4.** *Gracias a su **trabajo** ha logrado ser rico* (= a su esfuerzo).
SINÓN: **1.** actividad, empleo, oficio. **2.** obra. **3.** cometido, función, misión. **4.** esfuerzo. ANTÓN: **1, 4.** ocio. FAM: *trabajador, trabajar, trabajoso.*

trabajoso, a adj. *Labrar un campo es una labor muy **trabajosa*** (= cuesta mucho).
SINÓN: complicado, difícil. ANTÓN: descansado, sencillo. FAM: → *trabajo.*

trabalenguas s. m. Tres tristes tigres triscaban en un trigal *es un **trabalenguas*** (= es una frase difícil de pronunciar).

trabar v. tr. **1.** *El niño **trababa** las piezas de su juego para que encajaran* (= las unía adaptándolas unas a otras). **2.** ***Trabó** la puerta con una silla* (= la sujetó para que no se abriera). ◆ **trabarse** v. pron. **3.** *Juan **se traba** cuando habla* (= se atasca al hablar).
SINÓN: **3.** balbucear, tartamudear.

trabuco s. m. *En la película, los piratas disparaban con **trabucos*** (= con armas de fuego antiguas, más cortas que las escopetas).

tracción s. f. **1.** *El arado se movía gracias a la **tracción** animal* (= era arrastrado por animales). **2.** *La **tracción** de este tren es eléctrica* (= la fuerza que lo mueve).
FAM: *tractor, tractorista.*

tractor s. m. *Este **tractor** arrastra un arado para labrar la tierra* (= es un vehículo de motor que sirve para remolcar las máquinas agrícolas).
FAM: → *tracción.*

tradición s. f. *Muchas **tradiciones** se conservan sólo en los pueblos* (= muchas costumbres y creencias).
SINÓN: costumbre, hábito. ANTÓN: novedad. FAM: *tradicional.*

tradicional adj. **1.** *El turrón es un postre **tradicional** en Navidad* (= típico de esa época). **2.** *Esta es una familia con unos gustos muy **tradicionales*** (= de hace muchos años).
SINÓN: **1.** característico, típico. ANTÓN: nuevo, reciente. FAM: *tradición.*

traducción s. f. *En la clase de inglés, hicimos una **traducción*** (= pasamos un texto de una lengua a otra).
SINÓN: versión. FAM: *traducir, traductor.*

traducir v. tr. *Como él sí sabía inglés, pudo **traducirnos** el discurso del político británico* (= pudo explicárnoslo en castellano).
SINÓN: interpretar, trasladar. FAM: → *traducción.*

traductor, a s. *Estudió muchos años alemán para poder ser **traductor*** (= la persona que se dedica a traducir textos y escritos a otros idiomas).
FAM: → *traducción.*

traer v. tr. **1.** *El cartero nos **trae** el correo cada día* (= nos lo entrega). **2.** *La carta **trae** buenas noticias* (= contiene). **3.** *Ana **trajo** un vestido nuevo a la fiesta* (= lo llevaba puesto). ◆ **traerse algo entre manos 4.** *Juan y Pedro pasaron toda la mañana cuchicheando, se deben **traer algo entre manos*** (= deben estar planeando algo).
SINÓN: **1.** entregar. **2.** contener. **3.** lucir, vestir. **4.** planear, tramar. ANTÓN: **1.** llevar. FAM: *contracción, contraer, contrayente, extraer.*

traficante s. m. f. *La policía detuvo a los **traficantes** de droga* (= a las personas que se dedicaban a comprarlas y a venderlas).
SINÓN: negociante, vendedor. FAM: → *tráfico.*

traficar v. intr. *Estos hombres **trafican** con armas* (= las compran y venden sin autorización).
SINÓN: comprar, negociar, vender. FAM: → *tráfico.*

tráfico s. m. **1.** *El **tráfico** por carretera será muy denso este fin de semana* (= circularán muchos vehículos). **2.** *Esos hombres se dedican al **tráfico** de droga* (= a comprarla y venderla sin autorización).
SINÓN: **1.** circulación. **2.** comercio. FAM: *traficante, traficar.*

tragaluz s. m. *La luz de la habitación entraba por el **tragaluz*** (= por una pequeña ventana situada en el techo).
FAM: → *tragar.*

tragar v. tr. **1.** *A causa de las anginas,* ***trago*** *la comida con dificultad* (= me pasa con dificultad). **2.** *El perro* ***ha tragado*** *toda la comida en un minuto* (= se la ha comido con mucha ansia). ◆ **tragarse** v. pron. **3.** *¿No querrás que* ***me trague*** *lo que me acabas de decir?* (= que me lo crea). **4.** *El mar* ***se tragó*** *la pequeña barca* (= se hundió). **5.** *Se* ***tragó*** *todo el libro en un día* (= lo terminó). **6.** *Tuvo que* ***tragarse*** *los insultos que le dijeron* (= tuvo que aguantarlos). ◆ **no tragar a alguien 7.** *Este chico es muy antipático,* ***no lo trago*** (= no lo soporto).
SINÓN: **1.** absorber, engullir. **2.** devorar, zampar. **3.** creerse. **4.** hundirse. **5.** acabar, terminar. **7.** aguantar, soportar, sufrir, tolerar. ANTÓN: **1, 2.** devolver, vomitar. **3.** aguantar, soportar, tolerar. FAM: *atragantarse, tragaluz, trago, tragón.*

tragedia s. f. **1.** *El actor interpretó muy bien la* ***tragedia*** (= una obra de teatro en la que los personajes suelen tener graves problemas y el desenlace es muy malo). **2.** *El terremoto fue una* ***tragedia*** *para la región* (= fue una gran desgracia).
SINÓN: **1, 2.** drama. **2.** calamidad, desastre, desdicha, desgracia. ANTÓN: **1.** comedia. **2.** fortuna, suerte. FAM: *trágico.*

trágico, a adj. **1.** *Este escritor es autor de varias obras* **trágicas** (= sus temas son propios de la tragedia). **2.** *Fue un accidente* ***trágico*** (= muy desgraciado).
SINÓN: **1, 2.** dramático. **2.** desgraciado. ANTÓN: **1.** cómico. FAM: *tragedia.*

trago s. m. **1.** *Sin respirar bebí un* ***trago*** *de agua* (= la cantidad que se puede beber de una sola vez). Amér. **2.** *Un borracho es una persona a la que le gusta mucho el* ***trago*** (= las bebidas alcohólicas). ◆ **pasar un mal trago 3.** *El profesor nos hizo* ***pasar un mal trago*** *tomándonos un examen tan difícil* (= nos hizo pasar un apuro).
SINÓN: **1.** bocanada, sorbo. FAM: → *tragar.*

tragón, ona adj. *Nunca conseguirá adelgazar porque es un chico muy* ***tragón*** (= come mucho y muy deprisa).
SINÓN: comilón, glotón. FAM: → *tragar.*

traición s. f. *El soldado fue encarcelado por haber cometido* ***traición*** *a su patria* (= por haber colaborado con el enemigo).
ANTÓN: fidelidad, lealtad. FAM: *traicionar, traicionero, traidor.*

traicionar v. tr. **1.** *El soldado* ***traicionó*** *a su patria dando al enemigo unas informaciones secretas* (= fue desleal). **2.** *Los nervios me* ***traicionaron*** *durante el examen y no pude aprobarlo* (= no los pude controlar).
SINÓN: **1.** delatar, engañar, estafar. FAM: → *traición.*

traicionero, a adj. *No te fíes de él porque es muy* ***traicionero*** (= no se puede confiar en él).
SINÓN: infiel, traidor. ANTÓN: fiel, leal. FAM: → *traición.*

traidor, a s. *Se ha comportado como un* ***traidor*** *al descubrirme* (= como una persona en la que no se puede confiar).
SINÓN: infiel, traicionero. ANTÓN: fiel, leal. FAM: → *traición.*

traje s. m. *El sastre nos ha hecho varios* ***trajes*** (= varios vestidos).
SINÓN: indumentaria, prenda, ropa, vestido, vestimenta.

trajín s. m. *Con tanto* ***trajín*** *por la boda me olvidé de llamarte* (= con tantas cosas que hacer).
SINÓN: ajetreo. FAM: *trajinar.*

trajinar v. tr. **1.** *Esos camiones* ***trajinan*** *mercancías de un lugar a otro* (= las transportan). ◆ **trajinar** v. intr. **2.** *Llevo toda la mañana* ***trajinando*** *en la cocina* (= haciendo cosas).
SINÓN: **1.** acarrear, transportar, trasladar. **2.** trabajar. FAM: *trajín.*

tramar v. tr. *Juan está* ***tramando*** *la forma de escaparse de clase* (= está planeando cómo hacerlo).
SINÓN: conspirar, planear, preparar.

trámite s. m. *Para conseguir la licencia de conducir tuve que hacer varios* ***trámites*** (= varias gestiones).
FAM: *tramitar.*

tramitar v. tr. *Mi padre está* ***tramitando*** *los papeles necesarios para cambiarnos de casa* (= está resolviendo los asuntos necesarios).
FAM: *trámite.*

tramo s. m. **1.** *La escalera de un edificio tiene varios* ***tramos*** (= varias partes entre descansillos). **2.** *Recorrió un* ***tramo*** *de la calle hasta llegar a la siguiente esquina* (= una parte).
SINÓN: parte, trecho, trozo.

tramojo s. m. Amér. *Los peones le pusieron un* ***tramojo*** *a cada res* (= triángulo de madera que se coloca en el cuello de las reses para que no puedan pasar a través de las cercas y alambradas).

trampa s. f. **1.** *Los cazadores pusieron varias* ***trampas*** *en el bosque* (= varios cepos para atrapar a sus presas). **2.** *No se puede jugar a las cartas con Juan, siempre hace* ***trampas*** (= viola las reglas y nos engaña). **3.** *En el piso de esta habitación hay una* ***trampa*** (= una puerta que comunica con el sótano). **4.** *Ten cuidado porque su pregunta esconde una* ***trampa*** (= trata de engañarte).
SINÓN: **1.** cepo. **4.** artimaña, engaño, treta. FAM: *tramposo.*

trampolín s. m. *Juan se tiró al agua desde el* ***trampolín*** (= una tabla horizontal, fija en uno de sus extremos y que permite saltar).

tramposo, a adj. *Juan es un* ***tramposo,*** *siempre mira mis cartas* (= no sigue las normas del juego).
FAM: *trampa.*

tranca s. f. *Pusimos una **tranca** en la puerta para que no se pudiera abrir* (= un palo grueso y fuerte).

tranquera s. f. Amér. *Cortaron ramas y troncos para construir una **tranquera*** (= puerta rústica de una estancia o de una cerca).

tranquilidad s. f. *En este barrio hay mucha **tranquilidad,** casi no pasan coches* (= hay mucha calma).
SINÓN: calma, sosiego. ANTÓN: agitación, bullicio, inquietud, intranquilidad, ruido. FAM: → *tranquilo.*

tranquilizar v. tr. *Deberías **tranquilizarlo,** está muy nervioso* (= deberías calmarlo).
SINÓN: apaciguar, calmar, sosegar. ANTÓN: inquietar, irritar. FAM: → *tranquilo.*

tranquilo, a adj. *Es un hombre **tranquilo**; raramente se pone nervioso* (= calmado).
SINÓN: impasible, pacífico, sosegado. ANTÓN: impaciente, intranquilo, inquieto, nervioso. FAM: → *intranquilidad, intranquilo, tranquilidad, tranquilizar.*

transatlántico s. m. *Los **transatlánticos** navegan por los océanos y hacen largos viajes* (= unos barcos muy grandes que pueden llevar muchos viajeros).

transbordador s. m. *El **transbordador** nos llevó de una orilla a otra* (= un barco que circula entre dos puntos fijos).
SINÓN: barco. FAM: → *transbordo.*

transbordar v. tr. **1.** *El barco **transbordaba** las mercancías por el río* (= las llevaba de un lado al otro). ◆ **transbordar** v. intr. **2.** *Para llegar a mi casa debes bajar del tren en esta estación y luego **transbordar*** (= subir a otro).
SINÓN: **1.** transportar, trasladar. **2.** pasar. FAM: → *transbordo.*

transbordo s. m. *En la próxima estación de tren haremos el **transbordo*** (= el cambio a otro tren).
FAM: *transbordador, transbordar.*

transcurrir v. intr. ***Ha transcurrido** un año desde la última vez que te vi* (= ha pasado).
SINÓN: pasar. ANTÓN: permanecer.

transeúnte s. m. f. *Pedro preguntó la hora a un **transeúnte*** (= a una persona que pasaba por la calle).
SINÓN: peatón. FAM: → *transitar.*

transformación s. f. *Mis padres han hecho muchas **transformaciones** en casa* (= muchos cambios).
SINÓN: cambio. FAM: → *forma.*

transformar v. tr. **1.** ***He transformado** mi habitación con estos nuevos muebles* (= la he cambiado). ◆ **transformarse** v. pron. **2.** *Las orugas **se transforman** en mariposas* (= se convierten). **3.** *Luis **se ha transformado** en una persona muy tranquila* (= ha cambiado su modo de ser).
SINÓN: **1.** alterar, cambiar, modificar, variar. **2.** convertirse. **1, 2, 3.** mudar. ANTÓN: **1, 2.** conservar, permanecer. FAM: → *forma.*

transfusión s. f. *Al herido le hicieron una **transfusión** de sangre* (= le inyectaron en sus venas sangre de otra persona).

transistor s. m. *Vimos el partido por un televisor de **transistores*** (= un receptor de TV que tiene un artefacto pequeñísimo para transmitir la energía eléctrica).

transitar v. intr. *Por las calles de la ciudad **transitan** muchas personas* (= circulan).
SINÓN: andar, caminar, circular, pasear. FAM: *intransitable, transeúnte, tránsito.*

transitivo, a adj. En la oración *Juan me dio un libro, dio* es un verbo **transitivo** porque debe ir acompañado de un objeto directo, que en la oración es *un libro.*
ANTÓN: intransitivo.

tránsito s. m. **1.** *El **tránsito** de coches en esta calle es muy intenso* (= la circulación). ◆ **de tránsito 2.** *Este viajante está **de tránsito** por la ciudad, no se quedará* (= de paso).
SINÓN: circulación. FAM: → *transitar.*

transmisor, a adj. **1.** *El metal es un material **transmisor** de la electricidad* (= conductor). ◆ **transmisor** s. m. **2.** *La policía posee **transmisores** para transmitir noticias y órdenes* (= unos aparatos telefónicos o de radio).
FAM: → *transmitir.*

transmitir v. tr. **1.** ***Han transmitido** las noticias por la radio* (= las han difundido). ◆ **transmitirse** v. pron. **2.** *La gripe **se transmite** fácilmente de una persona a otra* (= se contagia).
SINÓN: **1.** comunicar, difundir, radiar. **2.** contagiar, contaminar, pasar. FAM: *retransmisión, retransmitir, transmisor.*

transparencia s. f. *Debes limpiar el cristal para aumentar su **transparencia*** (= la cualidad que permite ver a través de él).
SINÓN: claridad. ANTÓN: opacidad, oscuridad.
FAM: *transparentarse, transparente.*

transparentarse v. pron. *Tu figura **se transparenta** a través del cristal* (= se puede ver a través de él).
FAM: → *transparencia.*

transparente adj. *El cristal de esta ventana es **transparente*** (= se ve a través de él).
ANTÓN: opaco, oscuro. FAM: → *transparencia.*

transportador, a adj. **1.** *Los camiones son vehículos **transportadores*** (= llevan mercancías de un lugar a otro). ◆ **transportador** s. m. **2.** *El arquitecto usaba el **transportador** para dibujar en sus planos* (= un instrumento en forma de círculo o semicírculo graduado que se usa para medir y trazar ángulos).
FAM: → *transporte.*

transportar v. tr. *El camión **transportaba** unas mercancías* (= las llevaba de un lugar a otro).
SINÓN: acarrear, llevar, trasladar. **FAM:** → *transporte.*

transporte s. m. *Este camión hará el **transporte** de las mercancías* (= las llevará de un lugar a otro).
SINÓN: traslado. **FAM:** *transportador, transportar, transportista.*

transportista s. m. *El **transportista** trajo en su camión nuevas mercancías* (= la persona que se dedica a llevar mercancías de un lugar a otro).
FAM: → *transporte.*

tranvía s. m. *Antiguamente, en vez de autobuses había **tranvías*** (= unos vehículos públicos que circulaban por unos carriles en la calle movidos por energía eléctrica).

trapecio s. m. **1.** Un **trapecio** es una figura geométrica de cuatro lados, de los cuales dos son paralelos. **2.** *En el circo, los acróbatas hacen ejercicios en el **trapecio*** (= en una barra de madera sujeta por dos cuerdas). **3.** El **trapecio** es también uno de los huesos de la mano situado en la muñeca. **4.** Los **trapecios** son unos músculos que están situados en la parte posterior del cuello.
FAM: *trapecista.*

trapecista s. *Los **trapecistas** hicieron varias piruetas en el aire* (= los acróbatas de circo que trabajan en los trapecios).
FAM: *trapecio.*

trapo s. m. *Limpiamos los cristales con un **trapo*** (= con un trozo de tela vieja).
FAM: *trapero.*

tráquea s. f. La **tráquea** es el conducto principal por donde pasa el aire que respiramos y que empieza en la laringe y acaba en los bronquios.

traquetear v. intr. Méx., R. de la Plata. *El botones del hotel no deja de **traquetear** para atender los recados de los clientes* (= andar de aquí para allá).
SINÓN: caminar, trabajar, trajinar. **ANTÓN:** descansar, parar, reposar. **FAM:** *traqueteo.*

traqueteo s. m. Méx., R. de la Plata. *A Pedro no le gusta el **traqueteo** del carromato* (= movimiento y ruido exagerados).
ANTÓN: calma, paz, reposo, sosiego, tranquilidad.
FAM: *traquetear.*

tras Es una preposición. VER CUADRO DE PREPOSICIONES.

trascendencia s. f. *La elección del alcalde ha sido un hecho de gran **trascendencia** para la población* (= de gran importancia).
SINÓN: importancia. **FAM:** *trascendental.*

trascendental adj. *Es una decisión **trascendental** y debes pensarla bien* (= de muchísima importancia).
FAM: *trascendencia.*

trasero, a adj. **1.** *El jardín está en la parte **trasera** de la casa* (= en la parte posterior). ◆ **trasero** s. m. **2.** *Me han puesto una inyección en el **trasero*** (= en las nalgas).
SINÓN: **1.** posterior. **2.** nalga. **ANTÓN:** **1.** anterior, delantero.

traslación s. f. *La Tierra tiene un movimiento de **traslación** respecto del Sol* (= gira alrededor de éste describiendo una órbita).
FAM: *trasladar.*

trasladar v. tr. **1.** ***Trasladamos** la cama a otra habitación* (= la colocamos en otro lugar). **2.** ***Trasladé** la fecha de mi viaje* (= la cambié). **3.** *A mi profesor lo **trasladaron** a otro colegio* (= lo mandaron).
SINÓN: **1.** transportar. **1, 2, 3.** cambiar, mover, mudar, traspasar. **ANTÓN:** **1.** dejar, permanecer. **2.** mantener. **FAM:** *traslación.*

trasluz s. m. *Observamos el objeto al **trasluz*** (= poniéndolo delante de la luz).
FAM: → *luz.*

trasnochar v. intr. *Luis y Mario suelen **trasnochar** los sábados* (= se acuestan muy tarde).
SINÓN: velar. **ANTÓN:** dormir. **FAM:** → *noche.*

traspasar v. tr. **1.** ***Traspasamos** la frontera para salir del país* (= la cruzamos). **2.** ***Traspasamos** el río en una barca* (= lo atravesamos). **3.** *Este clavo puede **traspasar** esta madera* (= atravesarla). **4.** *Mi padre **traspasó** su negocio a mi hermano* (= se lo cedió para que se encargara de él).
SINÓN: **1, 2.** cruzar, pasar. **3.** atravesar. **4.** ceder. **ANTÓN:** **2.** dejar, permanecer. **FAM:** → *pasar.*

trasplantar o **transplantar** v. tr. **1.** *El jardinero **trasplantó** varias plantas* (= las quitó de una maceta para plantarlas en otro sitio). **2.** *El médico le **ha trasplantado** un riñón al enfermo* (= se lo ha cambiado por otro).
FAM: → *plantar.*

trasplante s. m. *El cirujano ha hecho un **trasplante** de corazón al enfermo* (= le ha colocado el corazón de otra persona ya fallecida).
FAM: → *plantar.*

trastada s. f. *Cuando el profesor salió de clase, empezaron a hacer **trastadas*** (= travesuras).
SINÓN: jugarreta, travesura. **FAM:** → *trasto.*

trastes s. m. pl. Méx. *Ayudé a mi madre a lavar los **trastes** de la cocina* (= objetos sucios de la comida, platos, ollas, cubiertos).

trasto s. m. **1.** *Hemos tirado a la basura todos estos **trastos*** (= todos los objetos viejos o inútiles). **2.** *Mi padre ha recogido sus **trastos** de pesca* (= los utensilios que utiliza para pescar).
SINÓN: **2.** utensilio. **FAM:** *trastada, trastazo.*

trastornar v. tr. *Aquella situación tan extrema lo **trastornó*** (= lo puso nervioso).
SINÓN: alterar, desordenar, embarullar. **ANTÓN:** ordenar, tranquilizar. **FAM:** *trastorno.*

trastorno s. m. *El cambio de horario produjo un gran **trastorno** a la población* (= les causó molestias).
SINÓN: desorden, dificultad, molestia. ANTÓN: orden. FAM: *trastornar.*

tratado s. m. *Estos dos países firmaron un **tratado** de libre comercio* (= un acuerdo).
SINÓN: acuerdo, convenio, pacto, trato. ANTÓN: desacuerdo. FAM: → *tratar.*

tratamiento s. m. **1.** *Mi padre sigue un **tratamiento** para dejar de fumar* (= le han dado unos medicamentos que sirven para eso). **2.** *El petróleo es sometido a diversos **tratamientos** especiales para convertirlo en gasolina* (= a diversas operaciones químicas). **3.** *A las personas con las que no tenemos confianza les damos el **tratamiento** de "usted"* (= se las llama así).
SINÓN: **1.** cura, régimen. **2.** transformación. FAM: → *tratar.*

tratante s. m. f. *El **tratante** de animales pagó mucho dinero por ellos* (= la persona que se dedica a comprar y a vender animales).
FAM: → *tratar.*

tratar v. tr. **1.** *Este profesor hay días que nos **trata** muy bien y hay días que no* (= se comporta así). **2.** *No sé por qué ahora me **tratas** de tonto* (= me consideras). **3.** *El médico **ha tratado** mi gripe con medicinas* (= me la ha intentado curar). **4.** *En las refinerías **tratan** el petróleo para hacer gasolina* (= lo someten a ciertas transformaciones). ◆ **tratarse** v. pron. **5.** *No **nos tratamos** con los vecinos porque no nos caen bien* (= no tenemos relaciones con ellos). ◆ **tratar** v. intr. **6.** *El atleta **ha tratado** de mejorar su tiempo, pero no lo ha conseguido* (= lo ha intentado). **7.** *Este libro **trata** de política* (= desarrolla este tema). **8.** *Debemos **tratar** de "usted" a las personas mayores* (= nos debemos dirigir a ellas con esta expresión).
SINÓN: **2.** considerar. **3.** asistir, atender. **4.** transformar. **5.** convivir, frecuentar. **6.** intentar, procurar. FAM: *intratable, maltratar, maltrecho, tratado, tratamiento, tratante, trato.*

trato s. m. **1.** *El **trato** con mis amigos es muy bueno* (= nuestras relaciones son buenas) **2.** *Aunque tenían diferentes opiniones, al final han llegado a un **trato*** (= se han puesto de acuerdo).
SINÓN: **1.** relación. **2.** acuerdo, contrato, convenio, pacto, tratado. ANTÓN: **2.** desacuerdo. FAM: → *tratar.*

trauma s. m. *Ver aquel terrible accidente le produjo un gran **trauma*** (= quedó muy impresionado).
SINÓN: impresión, trastorno.

través *Veía la calle **a través de** los cristales* (= por medio de).
FAM: *atravesar.*

travesaño s. m. *No uses esta escalera pues algunos de sus **travesaños** están rotos* (= los listones de madera de sus peldaños).

travesía s. f. *El mar estaba agitado y tuvimos una **travesía** muy desagradable* (= un viaje).
SINÓN: viaje.

travesura s. f. *Si sigues haciendo **travesuras**, te van a castigar* (= si te portas mal).
SINÓN: jugarreta, trastada. FAM: *travieso.*

travieso, a adj. *Es un chico muy **travieso**, ha puesto una rana en la cama* (= hace cosas para divertirse pero que no están bien hechas).
SINÓN: bullicioso, inquieto, revoltoso. ANTÓN: bueno, obediente, sosegado, tranquilo. FAM: *travesura.*

trayecto s. m. **1.** *El **trayecto** de Quito a Guayaquil es muy largo* (= la distancia). **2.** *La carretera estaba en mal estado por lo que el **trayecto** fue muy incómodo* (= el viaje).
SINÓN: **1.** camino, distancia, espacio. **2.** recorrido, viaje. FAM: *trayectoria.*

trayectoria s. f. *La policía ha estudiado la **trayectoria** de la bala* (= la dirección que siguió).
FAM: *trayecto.*

trazar v. tr. **1.** *El arquitecto **trazó** varias líneas rectas con una regla* (= las dibujó). **2.** *Durante el descanso **trazó** las principales ideas de su trabajo* (= las explicó).
SINÓN: **1.** dibujar. FAM: *trazo.*

trazo s. m. *Un triángulo se dibuja con tres **trazos*** (= con tres líneas).
SINÓN: línea, raya. FAM: *trazar.*

trébol s. m. El **trébol** es una planta con tres pequeñas hojas de forma circular.
FAM: → *tres.*

trece **1.** *Tengo **trece** soldados de plomo.* ◆ **seguir en sus trece** **2.** *Se daba cuenta de que se había equivocado, pero él **seguía en sus trece*** (= no cambiaba de opinión).
FAM: → *tres.*

trecho s. m. **1.** *Entre tu casa y la mía hay un buen **trecho*** (= hay bastante distancia). **2.** *Desde el día que nos conocimos ha pasado un buen **trecho*** (= bastante tiempo). ◆ **de trecho en trecho** **3.** *Veo a Juan **de trecho en trecho*** (= de vez en cuando).
SINÓN: distancia, espacio, intervalo, tiempo.

tregua s. f. **1.** *Los ejércitos dejaron de luchar durante un tiempo, porque firmaron una **tregua*** (= un acuerdo). **2.** *El capataz dio una **tregua** a los obreros* (= los dejó descansar).
SINÓN: **1.** acuerdo. **2.** descanso, pausa. ANTÓN: **1.** desacuerdo. **2.** acción.

treinta *Junio tiene **treinta** días.*
FAM: → *tres.*

tremendo, a adj. **1.** *Va a tener una decepción **tremenda** cuando se entere* (= impresionante). **2.** *Los nuevos autobuses de la ciudad son **tremendos*** (= muy grandes). **3.** *Es un niño*

muy ***tremendo,*** *porque se porta mal* (= travieso).
SINÓN: 1. espantoso, impresionante, temible, terrible. **2.** colosal, considerable, enorme. **3.** travieso. **ANTÓN: 2.** insignificante, menudo, pequeño.

tren s. m. **1.** *El* ***tren*** *llegó a la estación para recoger a los pasajeros* (= vehículo de transporte formado por un conjunto de vagones arrastrados por una locomotora). ◆ **tren de aterrizaje 2.** *El avión bajó el* ***tren de aterrizaje*** *para poder rodar por la pista* (= el dispositivo donde están las ruedas). ◆ **tren de vida 3.** *Con este* ***tren de vida*** *que lleva se va a arruinar pronto* (= con estas costumbres tan lujosas).
SINÓN: ferrocarril.

trenza s. f. *La peluquera le ha hecho una* ***trenza*** *preciosa* (= un peinado hecho con tres largas mechas de cabello que se cruzan entre sí).
FAM: *trenzar.*

trenzar v. tr. *María* ***trenza*** *sus cabellos para que no le caigan sobre la cara* (= los cruza entre sí).
FAM: *trenza.*

trepador, a adj. **1.** *El mono es un animal* ***trepador*** (= sube con facilidad a lugares altos). **2.** *Este jardín está lleno de plantas* ***trepadoras*** (= que crecen agarrándose a los árboles, a la pared o a otras plantas).
SINÓN: 2. enredadera. **FAM:** *trepar.*

trepar v. intr. **1.** *Javier* ***trepó*** *hasta lo más alto del árbol ayudándose de sus pies y manos* (= subió). **2.** *En este jardín hay plantas que* ***trepan*** *agarradas de los árboles* (= que crecen).
SINÓN: 1. ascender, escalar, subir. **ANTÓN: 1.** bajar, descender. **FAM:** *trepador.*

tres *Pablo tiene* ***tres*** *hermanas: Lucía, Alicia y Elena.*
FAM: → *tercer, tercero, tercio, trébol, trece, treinta, trescientos, trienio, trillizo, trío, triptongo, trirreactor, trisílabo.*

trescientos, as *Este libro vale* ***trescientos*** *pesos.*
FAM: → *tres.*

treta s. f. *¡No me vengas con* ***tretas*** *para tratar de conseguir lo que quieres!* (= con trucos).
SINÓN: artimaña, astucia, malicia, trampa, truco.

triangular adj. *La vela de este barco es* ***triangular*** (= tiene forma de triángulo).
FAM: *triángulo.*

triángulo s. m. **1.** Un **triángulo** es una figura geométrica formada por tres lados, tres ángulos y tres vértices. **2.** *El músico hacía sonar su* ***triángulo*** *con una vara* (= un instrumento metálico de forma de triángulo).
FAM: *triangular.*

tribu s. f. *El jefe indio reunió a todos los miembros de su* ***tribu*** (= a los individuos que tienen las mismas costumbres y lengua).

tribuna s. f. **1.** *Cuando voy al estadio, me siento en la* ***tribuna*** (= en el lugar cubierto de las pistas deportivas donde se sienta el público). **2.** *Los generales presenciaron el desfile desde una* ***tribuna*** (= desde una tarima elevada).
SINÓN: 1. galería, grada. **2.** tarima. **FAM:** *tribunal.*

tribunal s. m. **1.** *El asesino compareció ante el* ***tribunal*** *que lo iba a juzgar* (= ante los jueces). **2.** *Luis rindió examen ante un* ***tribunal*** (= grupo de varios profesores).
FAM: *tribuna.*

triciclo s. m. *Mi hermano menor va por el jardín subido en un* ***triciclo*** (= bicicleta con tres ruedas).

tricolor adj. *La bandera nacional de Italia es* ***tricolor*** (= tiene tres colores).
FAM: → *color.*

tricota s. f. Arg. *Si regresas tarde debes ponerte una* ***tricota,*** *porque esta noche va a refrescar* (= suéter).

trienio s. m. *En el próximo* ***trienio*** *los precios aumentarán al doble* (= durante los próximos tres años).
FAM: → *tres.*

trigal s. m. *El granjero recogió el trigo de su* ***trigal*** (= campo donde se siembra).
FAM: *trigo.*

trigo s. m. El **trigo** es un cereal, con cuyos granos transformados en harina se hace el pan.
FAM: *trigal.*

trillar v. tr. *Los labradores* ***trillan*** *el trigo después de recogerlo* (= separan el grano de la paja).

trillizo, a s. *Esta señora ha dado a luz a unos* ***trillizos*** (= a tres niños en un mismo parto).
FAM: → *tres.*

trimestral adj. *Esta revista es* ***trimestral*** (= se publica cada tres meses).
FAM: → *mes.*

trimestre s. m. *Un año tiene cuatro* ***trimestres*** (= el conjunto de tres meses consecutivos).
FAM: → *mes.*

trimotor s. m. *El* ***trimotor*** *volaba a gran altura* (= un avión provisto de tres motores).
SINÓN: trirreactor. **FAM:** → *motor.*

trinar v. intr. *Cuando amanece, los pájaros empiezan a* ***trinar*** (= a cantar).
FAM: *trino.*

trinchar v. tr. *En el banquete* ***trincharon*** *seis corderos asados en más de cien porciones* (= partieron en trozos la carne asada u horneada).

trinche s. m. Amér. Merid., Méx. *El cocinero usa cuchillos y* ***trinches*** *para manejar la carne en el asador* (= tenedores grandes para trinchar trozos de carne).
FAM: *trinchar.*

trinchera s. f. *Los soldados se protegen en la* ***trinchera*** *de los ataques enemigos* (= en una zanja profunda que excavaron en el suelo).
SINÓN: foso, zanja. FAM: *atrincherar.*

trineo s. m. *Los perros arrastraban el* ***trineo*** *por la nieve* (= un vehículo que se desliza sobre la nieve).

trino s. m. *Me quedé horas escuchando el* ***trino*** *de los pájaros* (= su canto).
FAM: *trinar.*

trío s. m. **1.** *Jorge, José y Fernando forman un* ***trío*** *en este juego* (= un grupo de tres). **2.** *El* ***trío*** *de músicos tocaba una obra para tres instrumentos* (= un grupo formado por tres músicos).
FAM: → *tres.*

tripa s. f. **1.** *El carnicero hace chorizos con* ***tripas*** *de cerdo* (= con los intestinos). ◆ **revolvérsele a uno las tripas 2.** *Sólo de pensar algo tan asqueroso* ***se me revuelven las tripas*** (= me siento descompuesto).
SINÓN: entrañas, intestino. FAM: *destripar.*

triple adj. **1.** *El problema tiene una solución* ***triple*** (= tiene tres formas de resolverse). ◆ **triple** s. m. **2.** *Este bolígrafo me ha costado veinte pesos y en otro sitio costaba el* ***triple*** (= tres veces más).
FAM: *triplicar.*

triplicar v. tr. *El gobierno* ***ha triplicado*** *los precios en un año* (= ahora las cosas valen tres veces más que antes).
FAM: *triple.*

trípode s. m. *Coloqué mi cámara fotográfica sobre un* ***trípode*** (= un soporte de tres pies donde se coloca la cámara para que la imagen no salga movida).
FAM: → *pie.*

triptongo s. m. *En la palabra* decíais *la sílaba* -ciais *es un* ***triptongo*** (= contiene tres vocales).
FAM: → *tres.*

tripulación s. f. *Un miembro de la* ***tripulación*** *del barco nos indicó dónde estaban nuestros camarotes* (= del conjunto de personas que trabajan a bordo de un barco o un avión).
FAM: *tripulante, tripular.*

tripulante s. m. *Uno de los* ***tripulantes*** *nos enseñó cómo llegar hasta la cabina del comandante* (= una de las personas que trabajan a bordo de un avión o un barco).
FAM: → *tripulación.*

tripular v. tr. *El comandante que* ***tripulaba*** *el avión nos deseó buen viaje* (= el que llevaba el mando).
FAM: → *tripulación.*

trisílabo, a adj. *La palabra* tropical *es* ***trisílaba*** (= está formada por tres sílabas).
FAM: → *tres.*

triste adj. **1.** *Estoy muy* ***triste*** *porque se ha muerto mi gato* (= tengo mucha pena). **2.** *La poca luz que hay en la habitación le da una apariencia* ***triste*** (= poco alegre). **3.** *Esta vieja casa está en un estado* ***triste*** (= en un estado lamentable). **4.** *Desde que se marchó no ha hecho ni una* ***triste*** *llamada* (= ni una sola). **5.** *Es muy* ***triste*** *que tenga que trabajar estando enfermo* (= es injusto).
SINÓN: **1.** amargo, descontento, disgustado, dolorido, melancólico, mustio. **2.** apagado. **3.** lamentable, penoso. ANTÓN: **1.** alegre, contento, feliz, satisfecho. **2.** alegre, luminoso. **5.** agradable, gozoso, placentero. FAM: *entristecer, tristeza.*

tristeza s. f. *La* ***tristeza*** *de sus palabras nos dejó muy apenados* (= la pena con que las pronunció).
SINÓN: amargura, angustia, congoja, desconsuelo, dolor, melancolía, pena, pesar, sufrimiento. ANTÓN: alegría, dicha, felicidad, gozo, júbilo. FAM: → *triste.*

tritón s. m. El **tritón** es un batracio pequeño, con la cola larga y con el cuerpo con manchas oscuras en la piel.

triturar v. tr. *El cocinero* ***trituró*** *los ajos en el mortero* (= los machacó en trocitos muy pequeños).
SINÓN: desmenuzar, machacar, moler, picar, trocear.

triunfador, a s. *Siempre gana todos los partidos de tenis, es un* ***triunfador*** (= el vencedor).
SINÓN: ganador, triunfante, vencedor, victorioso. ANTÓN: perdedor. FAM: → *triunfo.*

triunfal adj. *El campeón de tenis fue recibido de forma* ***triunfal*** (= todo el mundo lo aclamaba).
FAM: → *triunfo.*

triunfante adj. *El ganador se dirigía al público con aire* ***triunfante*** (= orgulloso de haber ganado).
ANTÓN: perdedor. FAM: → *triunfo.*

triunfar v. intr. *Este deportista* ***triunfó*** *sobre todos sus adversarios* (= les ganó a todos).
SINÓN: arrollar, derrotar, ganar, vencer. ANTÓN: fracasar, perder. FAM: → *triunfo.*

triunfo s. m. **1.** *Celebramos el* ***triunfo*** *de nuestro equipo con una gran fiesta* (= que había ganado). **2.** *Conseguir reunir tanta gente importante ha sido un* ***triunfo*** (= un éxito).
SINÓN: **1.** victoria. **1, 2.** éxito. ANTÓN: **1.** derrota. **1, 2.** fracaso. FAM: *triunfador, triunfal, triunfante, triunfar.*

trocear v. tr. *Las papas, antes de freírse, se pelan, se lavan y se* ***trocean*** (= se cortan).
SINÓN: partir trozar. FAM: *trozo.*

trofeo s. m. **1.** *El deportista que ganó recibió un gran* ***trofeo*** *de plata* (= un premio). **2.** *Los vendedores de la batalla se llevaron varios* ***trofeos*** *de guerra* (= varios objetos valiosos que eran del enemigo).
SINÓN: **1.** copa, galardón, recompensa. **2.** botín.

trompa s. f. **1.** *Algunos músicos de la orquesta tocan la* ***trompa*** (= un gran instrumento de

viento). **2.** *El elefante levantó unos troncos con su* ***trompa*** (= la prolongación de su nariz).
FAM: *trompazo, trompeta, trompo.*

trompazo s. m. *Juan se dio un* ***trompazo*** *en la pierna que le dolió mucho* (= un fuerte golpe).
SINÓN: golpe, porrazo, tortazo. **FAM:** → *trompa.*

trompear v. tr. Amér. *El comerciante logró atrapar al ladrón y lo* ***trompeó*** (= le dio trompazos y puñetazos).
SINÓN: golpear, pegar, zurrar. **ANTÓN:** acariciar, mimar.

trompeta s. f. **1.** *El músico que tocaba la* ***trompeta*** *tenía unos cachetes muy grandes* (= un instrumento metálico de viento). ◆ **trompeta** s. m. f. **2.** *En la banda de música del ejército había un* ***trompeta*** (= un soldado que tocaba ese instrumento).
FAM: → *trompa.*

trompo s. m. *El* ***trompo*** *no paraba de dar vueltas* (= juguete que gira sobre su punta).
SINÓN: peonza. **FAM:** → *trompa.*

tronar v. impers. *Cuando la tormenta era más fuerte, empezó a* ***tronar*** (= a producirse fuertes truenos).
FAM: *trueno.*

tronchar v. tr. *Se colgó de la rama del árbol y la* ***tronchó*** (= la rompió separándola del tronco).

tronco s. m. **1.** *Este árbol tiene un* ***tronco*** *muy alto y fuerte* (= la parte de donde salen sus ramas). **2.** *Para hacer este ejercicio de gimnasia deben doblar el* ***tronco*** *y tocarse la punta de los pies con las manos* (= la parte del cuerpo que va del cuello al vientre). ◆ **dormir como un tronco 3.** *No lo despierta ni una bomba,* ***duerme como un tronco*** (= muy profundamente).
SINÓN: 1. tallo. **2.** tórax, torso.

trono s. m. *El rey recibía a los príncipes sentado en su* ***trono*** (= en el sillón que le está reservado).
FAM: *destronar.*

tropa s. f. **1.** *Nuestras* ***tropas*** *están cerca de la frontera luchando contra el enemigo* (= nuestros soldados). **2.** *Una* ***tropa*** *de turistas descendió de los autobuses* (= un grupo muy numeroso). Amér. Merid. **3.** *Los arrieros conducen la* ***tropa*** *de un potrero a otro de la estancia* (= conjunto de animales, con carga o sin ella).
SINÓN: 1. ejército. **2.** gentío, muchedumbre, multitud. **3.** manada, rebaño. **FAM:** *tropel, tropero, tropilla.*

tropero s. m. R. de la Plata. *Cuando estuvo en el campo, Pablo trabajó como* ***tropero*** (= hombre encargado de conducir una tropa de animales).
FAM: *tropa.*

tropezar v. intr. **1.** *Como iba despistado y con prisa,* ***tropecé*** *con una piedra y me caí* (= choqué contra ella). **2.** *Para conseguir lo que quería* ***he tropezado*** *con muchas dificultades* (= he tenido que vencer muchos obstáculos).
SINÓN: 1. chocar, topar. **FAM:** *tropezón, tropiezo.*

tropezón s. m. *A causa del* ***tropezón*** *con aquella piedra, me caí al suelo* (= del choque con ella).
SINÓN: encontronazo. **FAM:** → *tropezar.*

tropical adj. *En las islas* ***tropicales*** *hay plantas muy exóticas* (= en las que están en la zona de los trópicos).
FAM: *trópico.*

trópico s. m. Los **trópicos** son las dos zonas situadas al norte y al sur del ecuador.
FAM: *tropical.*

tropiezo s. m. **1.** *Fue un viaje sin* ***tropiezos,*** *todo salió muy bien* (= sin contratiempos). **2.** *Su vida ha estado llena de* ***tropiezos*** *que no ha logrado superar* (= de graves equivocaciones).
SINÓN: 1. estorbo, impedimento, obstáculo. **2.** equivocación, falta. **FAM:** → *tropezar.*

tropilla s. f. Amér. Merid. **1.** *El arriero conducía la* ***tropilla*** *a través del campo* (= recua de caballos mansos, guiados por una yegua madrina). **2.** *¡No hagas ruido! Detrás de esos arbustos hay una* ***tropilla*** (= manada de guanacos o de vicuñas).
FAM: → *tropa.*

trotar v. intr. *Los caballos* ***trotaban*** *por el campo* (= iban moviéndose más rápido que cuando andan, pero más lento que cuando corren).
FAM: *trote.*

trote s. m. *El caballo empezó a andar al* ***trote*** (= con un paso entre lento y al galope).
FAM: *trotar.*

trozo s. m. *Corté un* ***trozo*** *de pastel para cada uno* (= una parte).
SINÓN: fragmento, parte, pedazo, porción. **ANTÓN:** todo. **FAM:** *trocear.*

trucha s. f. Las **truchas** son peces que viven en los ríos y torrentes de montaña cuya carne es muy sabrosa.

truco s. m. **1.** *El mago nos hizo un* ***truco*** *en el que hacía desaparecer un conejo* (= es algo que está hecho con tanta habilidad que parece verdad pero es mentira). R. de la Plata. **2.** *Mi hermano y yo formamos una buena pareja para jugar al* ***truco*** (= cierto juego de naipes en el que los participantes, para ganar, deben hacer creer a sus adversarios que poseen la carta de más alto valor).
SINÓN: 1. artimaña, treta.

trueno s. m. **1.** *Vimos un relámpago en el cielo y luego oímos un* ***trueno*** (= el ruido que produce la descarga eléctrica en las nubes). **2.** *Todos escucharon el* ***trueno*** *producido por el disparo del cañón* (= el fuerte ruido).
SINÓN: 2. estallido, estampido, estrépito, estruendo, ruido. **FAM:** *tronar.*

trufa s. f. **1.** Las **trufas** son unos champiñones negros, comestibles, muy olorosos que se desarrollan en tierra. **2.** *Nos comimos varias* ***trufas*** *de chocolate que habíamos comprado en la pastelería* (= bombones).

tu Es un posesivo. VER CUADRO DE POSESIVOS.

tú Es un pronombre personal. VER CUADRO DE PRONOMBRES.

tubérculo s. m. *Las papas son* ***tubérculos*** *comestibles* (= raíces que se desarrollan bajo tierra).

tuberculosis s. f. *El médico le dio una vacuna contra la* ***tuberculosis*** (= enfermedad infecciosa que se desarrolla principalmente en los pulmones).

tubería s. f. *El plomero arregló las* ***tuberías*** *del cuarto de baño* (= todos los tubos por donde pasa el agua).
SINÓN: cañería, conducto. **FAM:** → *tubo.*

tubo s. m. **1.** *Los cables eléctricos pasaban por dentro de unos* ***tubos*** *de plástico* (= de unos cilindros huecos). **2.** *¿Dónde has dejado el* ***tubo*** *de las pastillas?* (= el frasco). ◆ **tubo de escape 3.** *Los gases del motor del coche salen por el* ***tubo de escape*** (= un conducto de forma cilíndrica y hueco por dentro).
FAM: *tubería, tubular.*

tubular s. m. *Este vaso alargado tiene forma* ***tubular*** (= parecida a un tubo).
FAM: → *tubo.*

tucán s. m. El **tucán** es un ave de los bosques tropicales de América, con un gran pico de color naranja y plumaje muy vistoso.

tuco s. m. R. de la Plata. *Ayer comimos unos riquísimos fideos con* ***tuco*** (= salsa espesa que se hace con carne, cebolla, pimientos y tomates picados). **2.** *En la casa de campo salimos de noche a buscar* ***tucos****, que emiten una luz mientras vuelan* (= insecto que emite una fosforescencia por el abdomen).

tuerca s. f. *Fijamos el tornillo con una* ***tuerca*** (= una pieza metálica hueca con rosca en su interior).

tuerto, a s. *Lleva un parche en un ojo porque es* ***tuerto*** (= solamente ve con uno de sus ojos).

tuétano s. m. *El* ***tuétano*** *de los huesos de vacunos es el caracú que se come en el puchero* (= sustancia blanca contenida en los huesos largos).

tul s. m. *Marta se compró un velo de* ***tul*** *para ponérselo el día de su boda* (= una tela fina de seda que forma mallas).

tulipán s. m. Los **tulipanes** son plantas con flores de seis pétalos de bellos colores, y que se cultivan principalmente en Holanda.

tumba s. f. *Ha ido al cementerio a poner flores sobre la* ***tumba*** *de su abuelo* (= el lugar donde fue enterrado).
SINÓN: panteón, sepulcro, sepultura.

tumbar v. tr. **1.** *El viento* ***tumbó*** *varios árboles* (= los tiró al suelo). ◆ **tumbarse** v. pron. **2.** *Luis* ***se tumbó*** *en el sillón después de cenar* (= se acostó).
SINÓN: 1. abatir, derribar, tirar. **2.** acostarse, echarse, tenderse. **ANTÓN: 1.** alzar, aupar. **1, 2.** levantarse. **FAM:** *tumbona.*

tumor s. m. *El médico le encontró un* ***tumor*** (= un bulto anormal dentro del cuerpo o sobre él).
SINÓN: bulto, quiste.

tumulto s. m. *En la manifestación se formó un gran* ***tumulto*** (= la gente estaba alborotada).
SINÓN: alboroto, confusión, disturbio. **ANTÓN:** orden, tranquilidad.

tuna s. f. Amér. *Los grandes cactos y los nopales producen un fruto llamado* ***tuna*** (= fruta globosa, dulce y jugosa, con la cáscara cubierta de espinas pequeñas).

túnel s. m. *El tren pasa por un* ***túnel*** *que atraviesa una montaña* (= un paso excavado bajo tierra).
SINÓN: subterráneo.

túnica s. m. *Los antiguos romanos se vestían con* ***túnicas*** (= con vestidos largos y amplios).

tupido, a adj. *La selva del Amazonas es muy* ***tupida*** (= su vegetación es muy abundante).
SINÓN: denso, espeso.

turbante s. m. *Los árabes llevaban un* ***turbante*** *en la cabeza* (= una faja de tela que la cubre y rodea).

turbar v. tr. **1.** *La mala noticia* ***turbó*** *su estado de ánimo* (= lo alteró). ◆ **turbarse** v. pron. **2.** *El alumno* ***se turbó*** *cuando le preguntaron la lección* (= se inquietó). **3.** *El silencio de la noche* ***se turbó*** *con aquel fuerte ruido* (= se interrumpió).
SINÓN: 1. alterar. **2.** aturdirse, desconcertarse, deslumbrarse, inquietarse, trastornarse. **3.** estorbar(se), interrumpir(se), molestar(se). **ANTÓN:** apaciguar, calmar, serenar, sosegar, tranquilizar. **FAM:** *disturbio, estorbar, estorbo.*

turbina s. f. *Las* ***turbinas*** *de la central eléctrica se movían a gran velocidad* (= las máquinas que transforman la fuerza del agua en energía).

turbio, a adj. **1.** *El barro ha puesto el agua* ***turbia*** (= no está limpia y transparente). **2.** *Si no llevo los anteojos veo* ***turbio*** (= con poca claridad). **3.** *Ha estado en la cárcel por mezclarse en asuntos muy* ***turbios*** (= poco honrados).
SINÓN: 1. borroso, opaco. **2.** confuso. **3.** dudoso, oscuro. **ANTÓN: 1.** transparente. **1, 2, 3.** claro. **FAM:** *enturbiar.*

turbulento, a adj. *A causa de la tormenta las aguas del río bajaban* ***turbulentas*** (= muy alborotadas).
SINÓN: alborotado, turbio. **ANTÓN:** ordenado, tranquilo.

turco, a adj. **1.** *Muchas costumbres* ***turcas*** *son desconocidas por los americanos* (= de Turquía). ◆ **turco, a** s. **2.** *Los* ***turcos*** *son las personas nacidas en Turquía.* ◆ **turco** s. m. **3.** *El* ***turco*** *es el idioma que se habla en Turquía.*

turismo s. m. **1.** *En vacaciones me dedico a hacer* ***turismo*** *por algún país extranjero* (= a viajar por él). **2.** *Los habitantes de esta parte tan bonita del país viven del* ***turismo*** (= de atender a los turistas).
SINÓN: 1. excursión, gira, viaje. **FAM:** *turista, turístico.*

turista s. m. f. *Muchos* ***turistas*** *americanos visitaban los museos de Europa* (= las personas que hacen turismo).
FAM: → *turismo.*

turístico, a adj. *Hicimos un viaje* ***turístico*** *por las Cataratas del Iguazú* (= un viaje para conocerlas).
FAM: → *turismo.*

turnar v. tr. **1.** *El soldado* ***turnó*** *a su compañero en la guardia* (= lo sustituyó). ◆ **turnarse** v. pron. **2.** *Mi padre y yo* ***nos turnábamos*** *conduciendo* (= una vez conducía uno y luego el otro).
SINÓN: alternar, suceder, sustituir. **FAM:** *turno.*

turno s. m. *Para comprar las entradas del cine tuvimos que esperar nuestro* ***turno*** (= esperamos que nos tocara porque había gente antes que nosotros).
SINÓN: tanda, vez. **FAM:** *turnar.*

turquesa s. f. **1.** La **turquesa** es una piedra preciosa de color azul verdoso que suele usarse para hacer joyas. ◆ **turquesa** s. m. **2.** *El* ***turquesa*** *es mi color preferido.* ◆ **turquesa** adj. **3.** *Me he comprado una blusa de color* ***turquesa.***

turrón s. m. *En Navidad, comemos* ***turrón*** (= es un dulce de almendras, miel y azúcar).

tutear v. tr. *No debes* ***tutear*** *a las personas de mayor edad que tú* (= no debes hablarles de tú).

tutor, a s. *El* ***tutor*** *de nuestra clase es el profesor de matemáticas* (= la persona que orienta y aconseja a un grupo de alumnos).
FAM: *tutoría.*

tutoría s. f. *En la hora de* ***tutoría,*** *comentamos al tutor nuestras dudas y problemas sobre el funcionamiento de la escuela* (= el tiempo dedicado a aconsejar a los alumnos).
FAM: *tutor.*

tuyo, a Es un posesivo. VER CUADRO DE POSESIVOS.

U s. f. **1.** La **u** es la vigesimosegunda letra del abecedario español. ◆ **u 2.** También es una conjunción. VER CUADRO DE CONJUNCIONES.

ubicar v. tr. **1.** *El museo* ***estará ubicado*** *en el centro de la ciudad* (= estará situado). Amér. Merid. **2.** *La bibliotecaria* ***ubicó*** *el libro en el lugar correspondiente* (= colocó).
SINÓN: 1. encontrarse, estar, hallarse. **2.** poner, situar. **ANTÓN: 1.** descolocar.

ubre s. f. *Para ordeñar las vacas se presionan sus* ***ubres*** (= sus tetas).
SINÓN: mama, teta.

úlcera s. f. *Al abuelo de Ana lo van a operar de* ***úlcera*** *de estómago* (= de una perforación del estómago).

ultimar v. tr. **1.** *El pintor* ***ultimó*** *los detalles para inaugurar la exposición* (= terminó los preparativos). **2.** *El policía* ***ultimó*** *al ladrón de un tiro* (= lo mató).
SINÓN: 1. acabar, concluir, finalizar, terminar. **2.** matar. **ANTÓN: 1.** comenzar, empezar, iniciar. **FAM:** → *último.*

ultimátum s. m. *Como no pagaba sus deudas, el juez le envió un* ***ultimátum*** (= una última y definitiva orden de pago).
FAM: → *último.*

último, a adj. **1.** *La letra z es la* ***última*** *del abecedario* (= no hay otra después de ella). **2.** *Después de varios intentos, los dos países firmaron un* ***último*** *acuerdo* (= el definitivo). ◆ **estar en las últimas 3.** *Mejor vamos a un sitio barato porque yo ya* ***estoy en las últimas*** (= yo ya casi no tengo dinero). ◆ **por último 4.** *El conferenciante explicó su teoría y* ***por último*** *dio las gracias a los asistentes* (= al final).
SINÓN: 1. final. **2.** definitivo. **ANTÓN: 1, 2.** primero. **FAM:** *antepenúltimo, penúltimo, ultimar, ultimátum.*

ultramarino, a adj. **1.** *El transatlántico navega hacia territorios* ***ultramarinos*** (= que están al otro lado del mar). ◆ **ultramarinos** s. m. pl. **2.** *Fuimos a una tienda de* ***ultramarinos*** *a comprar alimentos en conserva para el viaje* (= una tienda que vende comestibles que se conservan mucho tiempo).
FAM: → *mar.*

umbilical adj. *Después del parto, el médico cortó el cordón* ***umbilical*** (= el cordón que une al hijo con la madre durante la gestación).
FAM: *ombligo.*

umbral s. m. *Mis amigos nos despidieron desde el* ***umbral*** *de la puerta* (= desde el escalón de la puerta de la entrada de la casa).

un, una Estas palabras son artículos. VER CUADRO DE ARTÍCULOS.

unánime adj. *La decisión del tribunal fue* ***unánime*** *y lo declararon inocente* (= todas las personas que componían el tribunal pensaban lo mismo).
FAM: *unanimidad.*

unanimidad s. f. *La nueva ley ha sido aceptada por* ***unanimidad*** *en el parlamento* (= a todo el mundo le pareció bien).
SINÓN: acuerdo, conformidad. **ANTÓN:** desacuerdo. **FAM:** *unánime.*

undécimo, a adj. *Juan ocupa el lugar* ***undécimo*** *en la competencia.*
SINÓN: once.

ungüento s. m. *Me he curado la herida aplicándome un* ***ungüento*** *que me dio el farmacéutico* (= una pomada).
SINÓN: crema, pomada.

único, a adj. **1.** *No te equivocarás de casa porque la nuestra es la* ***única*** *con las ventanas azules* (= sólo la nuestra tiene esa característica). **2.** *Velázquez fue un pintor* ***único*** (= extraordinario).
SINÓN: 1. solo. **2.** excelente, excepcional, extraordinario, particular, singular. **ANTÓN: 1.** variado. **2.** común, corriente, normal, vulgar. **FAM:** → *uno.*

unidad s. f. **1.** *Esta caja de pañuelos trae seis* ***unidades*** *y la otra más pequeña tres* (= trae ese número de pañuelos). **2.** *El metro es la* ***unidad*** *de longitud* (= es la medida básica para medir longitudes).
SINÓN: 1. número. **2.** medida, patrón, tipo. **FAM:** → *uno.*

unificar v. tr. ***Unificaron*** *los precios del pollo y del pescado* (= ahora los dos cuestan lo mismo).
SINÓN: igualar, unir. **FAM:** → *uno.*

uniformar v. tr. *La dirección del colegio ha decidido **uniformar** a los alumnos* (= ha decidido que todos vistan uniforme).
FAM: *uniforme.*

uniforme s. m. *Los policías usan **uniforme*** (= todos ellos visten el mismo traje característico de esta profesión).
FAM: *uniformar.*

unión s. f. **1.** *La **unión** entre los países europeos ha sido muy importante en el mundo* (= su asociación). **2.** *Después de la boda, los novios celebraron su **unión*** (= su casamiento). **3.** *Esta **unión** de colores es muy bonita* (= esta combinación).
SINÓN: **1.** alianza, liga. **2.** casamiento, matrimonio. **3.** combinación, conjunto, reunión. ANTÓN: ruptura, separación. FAM: → *unir.*

unir v. tr. **1.** *El ferrocarril **une** muchas poblaciones lejanas entre sí* (= las comunica). **2.** *Conseguí el color rosa **uniendo** el blanco y el rojo* (= mezclando). **3.** *Los trozos del jarrón roto eran tan pequeños que no conseguí **unirlos*** (= no pude pegarlos). **4.** *Alberto consiguió resolver el rompecabezas **uniendo** todas sus piezas* (= juntándolas). ◆ **unirse** v. pron. **5.** *Muchos países **se unen** para ayudarse mutuamente* (= se alían). **6.** *Juan y Ana **se han unido** en matrimonio* (= se han casado).
SINÓN: **1.** comunicar, relacionar. **2.** agregar, incorporar, mezclar. **3.** pegar. **4.** encajar, juntar. **5.** aliarse, asociarse, ligarse. **6.** casarse, juntarse. ANTÓN: **2, 3.** desunir, separar. **5, 6.** separarse.
FAM: *desunir, reunión, reunir, unión.*

unísono *Si no dejan de hablar todos **al unísono** no sabré lo que están diciendo* (= todos a la vez).

unitario, a adj. *Los países europeos siguen una política **unitaria*** (= quieren hacer todo igual).

universal adj. **1.** *Las señales de tránsito son **universales*** (= son las mismas para todos los países). **2.** *He comprado varios libros de Historia **Universal*** (= que relatan la historia de todos los países del mundo).
SINÓN: **1.** general, mundial. **2.** internacional, mundial. ANTÓN: **1.** característico, concreto, particular. **2.** nacional, regional. FAM: *universo.*

universidad s. f. **1.** *Si quieres ser médico o abogado, debes estudiar en la **Universidad*** (= en el centro de estudios superiores). **2.** *Han pintado las paredes de la **Universidad*** (= del edificio donde se realizan estudios universitarios).
FAM: *universitario.*

universitario, a adj. **1.** *Andrés vive en una residencia **universitaria*** (= en un lugar especial para los estudiantes de la Universidad). ◆ **universitario, a** s. **2.** *Los **universitarios** se reunían en la biblioteca para hacer sus trabajos* (= los estudiantes de la Universidad).
FAM: *universidad.*

universo s. m. *La Tierra, el Sol, las estrellas, los planetas y todos los astros forman el **universo*** (= forman el conjunto de todas las cosas que existen).
SINÓN: cosmos. FAM: *universal.*

uno, a adj. indef. **1.** *Los dos hermanos estaban jugando; **uno** en casa y el otro en la calle.* **2.** *Juan vino a verme hace **unos** días* (= hace algunos días). **3.** *Ese libro ha costado **unos** cincuenta pesos* (= aproximadamente ese precio). ◆ **uno** pron. indef. **4.** *Llegó **uno** y dijo que se había suspendido el examen* (= llegó alguien que yo no conocía). ◆ **uno** s. m. **5.** El **uno** (1) es el número que representa sólo una cosa, la unidad.
SINÓN: **2.** alguno, varios. **4.** alguien. FAM: *único, unidad, unificar.*

untar v. tr. **1.** *Para desayunar **unto** las tostadas con mantequilla* (= las cubro de mantequilla). ◆ **untarse** v. pron. **2.** ***Me unté** arreglando la cadena de la bicicleta* (= me manché de grasa).
SINÓN: **2.** engrasarse, ensuciarse, mancharse, pringarse.

uña s. f. *Tengo que cortarme las **uñas** porque las tengo largas* (= la parte dura del extremo de los dedos).

uranio s. m. El **uranio** es un elemento químico radiactivo, muy pesado y con un aspecto parecido al hierro.

urbanidad s. f. *Ceder el asiento a una persona mayor es una norma de **urbanidad*** (= de buena convivencia entre los habitantes de un lugar).

urbanización s. f. *Mis amigos han comprado una casa en una **urbanización** cerca de la playa* (= en un terreno con casas y calles como si fuera un barrio).
FAM: → *urbano.*

urbanizar v. tr. *El Ayuntamiento **urbanizará** estos terrenos* (= edificará casas y calles).
FAM: → *urbano.*

urbano, a adj. *Cada día aumenta más la población **urbana** mientras que disminuye la rural* (= la de las ciudades).
SINÓN: ciudadano, civil. ANTÓN: rural, rústico.
FAM: *urbanización, urbanizar, urbe.*

urbe s. f. *México es una de las grandes **urbes** de América* (= de las grandes ciudades).
FAM: → *urbano.*

urgencia s. f. **1.** *Debo realizar este trabajo con **urgencia*** (= rápidamente). **2.** *En los hospitales hay un servicio de **urgencias** para los casos graves que necesitan cuidados rápidos.*
SINÓN: **1.** prisa. **2.** emergencia. ANTÓN: **1.** lentitud, tranquilidad. FAM: → *urgir.*

urgente adj. *Recibimos un telegrama **urgente** donde nos comunicaban la mala noticia* (= muy rápido).
SINÓN: inmediato, rápido. ANTÓN: despacioso, lento, pausado. FAM: → *urgir.*

urgir v. intr. *El dinero me **urge** para poder comprar este departamento* (= lo necesito en seguida).
SINÓN: apurar, necesitar, precisar. FAM: *urgencia, urgente.*

urinario, a adj. **1.** *El médico me ordenó hacer un análisis **urinario*** (= de orina). ◆ **urinario** s. m. **2.** *En los lugares públicos hay **urinarios,** donde se puede orinar.*
FAM: → *orina.*

urna s. f. *Para votar, introducimos la papeleta en una **urna*** (= en una caja ancha con una ranura en la parte superior).

urología s. f. La **Urología** es la parte de la Medicina que estudia las enfermedades de las vías urinarias.
FAM: → *orina.*

urólogo, a s. Los médicos especializados en las enfermedades de las vías urinarias se llaman **urólogos**.
FAM: → *orina.*

urraca s. f. La **urraca** es un pájaro que se caracteriza por tener el vientre blanco, el cuerpo negro y la cola larga.

urticaria s. f. *He rozado una ortiga y me ha producido **urticaria*** (= unas manchas rojas en la piel que pican mucho pero se van enseguida).

urubú s. m. *Como sucede con todas las aves de presa, el aspecto del **urubú** es desagradable* (= ave rapaz americana, parecida al buitre, de plumaje negro y brillante).

uruguayo, a adj. **1.** *La bandera **uruguaya** tiene franjas azules y blancas con un sol en una esquina* (= de Uruguay). ◆ **uruguayo, a** s. **2.** *Los **uruguayos** son las personas nacidas en Uruguay.*

urutaú s. m. *El grito del **urutaú** parece una carcajada en medio de la noche* (= ave nocturna sudamericana, de gran tamaño, cola larga, plumaje gris y ocre con manchas negras).

usado, a adj. *Aunque la camisa está muy **usada,** no parece vieja* (= aunque me la he puesto muchas veces).
SINÓN: gastado, viejo. ANTÓN: nuevo, reciente.
FAM: → *usar.*

usar v. tr. **1.** *Prefiero **usar** bolígrafo azul y no negro* (= prefiero utilizarlo). **2.** *Estamos **usando** la casa de mi abuelo mientras arreglan la nuestra* (= vivimos en ella).
SINÓN: **1.** emplear, utilizar. **2.** disfrutar. ANTÓN: **1.** inutilizar. FAM: *desuso, usado, uso, usual, usuario.*

uso s. m. **1.** *¿Cuál es el **uso** de este aparato?* (= ¿para qué sirve?). **2.** Estotro *es una palabra fuera de **uso*** (= no se utiliza corrientemente).
SINÓN: **1.** aplicación, empleo, provecho. **1, 2.** utilización. ANTÓN: **2.** desuso. FAM: → *usar.*

usted Es un pronombre personal. VER CUADRO DE PRONOMBRES PERSONALES.

usual adj. *Estoy preocupado porque no es **usual** en él que tarde tanto en llegar* (= no es normal).
SINÓN: corriente, frecuente, normal. ANTÓN: anormal, extraño, raro. FAM: → *usar.*

usuario, a s. *Son muchos los **usuarios** del avión porque es un medio de transporte rápido* (= las personas que utilizan el avión).
FAM: → *usar.*

utensilio s. m. *El martillo y el destornillador son **utensilios** necesarios en muchos trabajos* (= son objetos usados para hacer un trabajo).
SINÓN: herramienta, instrumento, útil. FAM: → *útil.*

útero s. m. El **útero** es el órgano femenino donde se desarrolla el feto hasta producirse el parto.

útil adj. **1.** *El paraguas es muy **útil** para no mojarnos cuando llueve* (= muy eficaz). **2.** *Los libros son muy **útiles** para aprender muchas cosas* (= son buenos para aprender). ◆ **útil** s. m. **3.** *Los **útiles** del agricultor son indispensables para su trabajo* (= las herramientas que necesita para su trabajo). ◆ **útiles** s. m. pl. Amér. **4.** *Mario se olvidó los **útiles** para la clase de dibujo* (= los elementos y materiales necesarios para el trabajo escolar).
SINÓN: **1, 2.** aprovechable, beneficioso, bueno, conveniente, eficaz, provechoso, rentable. **3.** herramienta, instrumento, utensilio. ANTÓN: **1, 2.** inútil. FAM: *inútil, inutilizar, utensilio, utilidad, utilitario, utilización, utilizar.*

utilidad s. f. *El teléfono es un invento de gran **utilidad** para la humanidad* (= de provecho).
SINÓN: beneficio, conveniencia, provecho.
FAM: → *útil.*

utilitario, a adj. **1.** *¡No seas **utilitario**!* (= no antepongas la utilidad a todo). s. m. **2.** Amér. Merid. *Aunque tiene una camioneta para trabajar, usa su **utilitario** para irse de vacaciones* (= un vehículo pequeño y que gasta poco combustible).
FAM: → *útil.*

utilización s. f. *En esta hoja, está explicada la correcta **utilización** del electrodoméstico* (= el uso correcto).
SINÓN: empleo, uso. FAM: → *útil.*

utilizar v. tr. *Mi padre **utiliza** la computadora para su trabajo* (= se sirve de ella).
SINÓN: emplear, usar. ANTÓN: desaprovechar.
FAM: → *útil.*

utopía s. f. *Ojalá algún día todos seamos buenos con los demás, pero me parece una **utopía*** (= me parece algo que nunca pasará).

uva s. f. La **uva** es el fruto de la vid y con ella se elabora el vino.

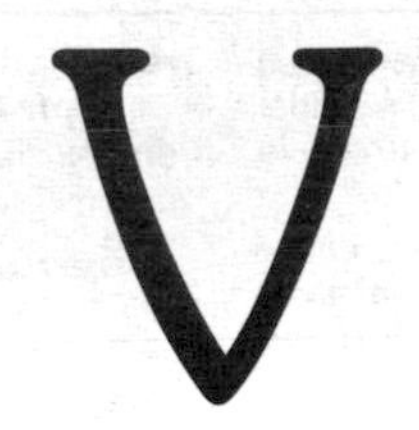

V s. f. **1.** La **v** *(ve* o *uve)* es la vigesimotercera letra del abecedario español. **2.** En la numeración romana, la letra **V** mayúscula significa cinco.

vaca s. f. *La **vaca** proporciona al hombre dos productos alimenticios: la leche y la carne* (= es la hembra del toro).
FAM: *vacuno, vaquería, vaquero.*

vacaciones s. f. pl. *Tengo muchas ganas de que empiecen las **vacaciones*** (= el tiempo de descanso).
SINÓN: descanso. ANTÓN: trabajo. FAM: *vacante.*

vacante adj. *En este trabajo han quedado dos plazas **vacantes*** (= dos puestos de trabajo que no están ocupados por nadie).
SINÓN: disponible, libre. ANTÓN: ocupado. FAM: *vacaciones.*

vaciar v. tr. *Los inquilinos **han vaciado** el piso* (= no han dejado nada en él).
SINÓN: sacar. ANTÓN: llenar, ocupar. FAM: *vacío.*

vacilación s. f. *Debes contestar con seguridad y no con **vacilación*** (= y no con dudas).
SINÓN: duda, indecisión, titubeo. ANTÓN: certeza, decisión, firmeza. FAM: → *vacilar.*

vacilante adj. *Como no sabía qué decir, me dio respuestas **vacilantes** e inseguras* (= me dio respuestas indecisas).
SINÓN: dudoso, indeciso. ANTÓN: firme, seguro. FAM: → *vacilar.*

vacilar v. intr. **1.** *Las farolas **vacilaban** por el fuerte viento* (= se movían de un lado a otro). **2.** *¡No **vaciles** en venir!* (= ¡no dudes en hacerlo!).
SINÓN: **1.** oscilar, tambalear, temblar, titubear. **2.** dudar, titubear. ANTÓN: **2.** decidir. FAM: *vacilación, vacilante.*

vacío, a adj. **1.** *La caja de bombones ya está **vacía*** (= no hay nada dentro). **2.** *Esta casa debe de estar **vacía** porque nunca entra ni sale nadie* (= está deshabitada). **3.** *Parece muy inteligente pero sus razonamientos son **vacíos*** (= sin ideas importantes). ◆ **vacío** s. m. **4.** *Hay un **vacío** en la estantería de la biblioteca* (= un espacio libre). **5.** *He sentido un gran **vacío** con la ausencia de mi mejor amigo* (= una gran pena). **6.** *La comida congelada está envasada al **vacío*** (= se le ha sacado el aire).
SINÓN: **2.** deshabitado, desierto, despoblado. **3.** hueco, nulo. **4.** hueco, oquedad. **5.** ausencia, falta. ANTÓN: **1.** lleno, repleto. **2.** poblado. FAM: *vaciar.*

vacuna s. f. *Se ha descubierto una nueva **vacuna** contra la gripe* (= una sustancia que se suministra para evitar contraer dicha enfermedad).
FAM: *vacunación, vacunar.*

vacunación s. f. *Tenemos que llevar el perro al veterinario para la **vacunación** anual* (= para que le pongan la vacuna).
FAM: → *vacuna.*

vacunar v. tr. *El médico me **ha vacunado** contra la gripe* (= me ha puesto una vacuna).
FAM: → *vacuna.*

vacuno, a adj. Las vacas, los toros, los bisontes son animales ***vacunos***.
SINÓN: bovino. FAM: → *vaca.*

vadear v. tr. *Para llegar a la otra orilla **vadeamos** el río* (= lo cruzamos por un lugar poco profundo).

vado s. m. *Hemos atravesado el río por un **vado*** (= una zona poco profunda).

vagabundo, a adj. *He recogido un perro **vagabundo** en mi casa* (= que no tenía dueño ni casa donde vivir).
FAM: → *vago.*

vagar v. intr. *Estuve **vagando** por toda la ciudad y no encontré la calle que buscaba* (= dando vueltas por todos los sitios).
SINÓN: andar, caminar, errar. FAM: → *vago.*

vagina s. f. La **vagina** es el conducto sexual femenino, que va de la vulva al útero.

vago, a adj. **1.** *¡No seas **vago** y levántate ya!* (= ¡no seas perezoso!). **2.** *Las promesas que me hizo Juan eran muy **vagas** y no sé si serán ciertas* (= eran imprecisas).
SINÓN: **1.** gandul, holgazán, ocioso, perezoso. **2.** ambiguo, impreciso, incierto, indefinido, inseguro, oscuro. ANTÓN: **1.** trabajador. **2.** cierto, claro, seguro. FAM: *vagabundo, vagancia, vagar.*

vagón s. m. *Este tren no lleva más que dos **vagones*** (= dos vehículos para transportar mercancías).
FAM: *vagoneta.*

vagoneta s. f. *En las minas, transportan el carbón en* ***vagonetas*** (= en vehículos pequeños sobre rieles).
FAM: *vagón.*

vaho s. m. *El agua hirviendo desprende mucho* ***vaho*** (= mucho vapor).
SINÓN: vapor.

vaina s. f. **1.** *El general guarda su espada en la* ***vaina*** (= en la funda). **2.** *Mi madre quitó la* ***vaina*** *de las arvejas antes de cocinarlas* (= quitó la cáscara). Amér. Cent., Amér. Merid. **3.** *Me dijo a último momento que no podía quedarse a cuidar a los chicos. ¡Qué* ***vaina****!* (= contrariedad, fastidio).
SINÓN: **1.** funda. **2.** cáscara. FAM: *desenvainar, vainilla.*

vaivén s. m. *Con el* ***vaivén*** *del barco me he mareado* (= con el movimiento de un lado a otro).
SINÓN: balanceo.

vajilla s. f. *Después de comer, hay que lavar la* ***vajilla*** (= los utensilios utilizados para servir la comida como platos, fuentes, vasos y cubiertos).

vale s. m. **1.** *Pedí un* ***vale*** *para demostrar que había pagado* (= un recibo). **2.** *He conseguido un* ***vale*** *para ir al circo gratis* (= una entrada).
SINÓN: **1.** recibo. **2.** entrada, pase. FAM: → *valer.*

valentía s. f. *Se necesita mucha* ***valentía*** *para trabajar con los leones en el circo* (= mucho valor).
SINÓN: coraje, hazaña, osadía, valor. ANTÓN: cobardía, miedo, temor. FAM: → *valer.*

valer v. tr. **1.** *Esta pelota* ***vale*** *cien pesos* (= tiene ese precio). ◆ **valer** v. intr. **2.** *La salida de los atletas en la carrera no* ***vale*** *porque uno de ellos ha empezado a correr antes* (= no es buena). ◆ **valerse** v. pron. **3.** *Como tiene la pierna rota,* ***se vale*** *de muletas para andar* (= las utiliza porque no puede sin ellas).
SINÓN: **1.** costar, importar. **2.** servir. FAM: *convalidación, convalidar, desvalido, equivalente, equivaler, evaluación, evaluar, inválido, revalorizar, vale, valentía, valeroso, validez, válido, valiente, valioso, valor, valoración, valorar.*

validez s. f. *Este boleto de avión tiene* ***validez*** *por un mes* (= puede ser utilizado durante ese período de tiempo).
FAM: → *valer.*

válido, a adj. *Mi pasaporte es* ***válido*** *para viajar por todo el mundo* (= sirve para ir a todos los países).
FAM: → *valer.*

valiente adj. *Los soldados fueron muy* ***valientes*** *y consiguieron la victoria* (= muy valerosos).
SINÓN: atrevido, heroico, valeroso. ANTÓN: cobarde, miedoso, temeroso. FAM: → *valer.*

valija s. f. *Ese viajero lleva una* ***valija*** *para sus viajes* (= una maleta grande).
SINÓN: maleta. FAM: *desvalijar.*

valioso, a adj. *El oro y la plata son metales muy* ***valiosos*** (= valen mucho).
SINÓN: apreciable, estimable, importante. ANTÓN: inapreciable, inestimable. FAM: → *valer.*

valla s. f. **1.** *Uno de los atletas se cayó al saltar las* ***vallas*** (= una pieza con dos palos verticales y uno horizontal que se usa en atletismo o para impedir el paso de los coches). **2.** *Alrededor del jardín hay una* ***valla*** *de tablas* (= una cerca).
SINÓN: **2.** cerca, tapia, vallado. FAM: *vallado, vallar.*

vallar v. tr. ***Hemos vallado*** *nuestro jardín para que no se escape el perro* (= lo hemos rodeado con una valla).
SINÓN: cercar. FAM: → *valla.*

valle s. m. *El río corre por el* ***valle*** (= por un terreno extenso y llano, rodeado de montañas).

valor s. m. **1.** *El avión es un medio de transporte de gran* ***valor*** (= de gran utilidad). **2.** *El* ***valor*** *de esta joya es muy alto* (= el precio). **3.** *Sus palabras tuvieron un gran* ***valor*** *para mí* (= fueron muy importantes). **4.** *Luis se lanzó al mar con* ***valor*** (= sin miedo). **5.** *Las medicinas tienen el* ***valor*** *de curar las enfermedades* (= tienen la virtud). ◆ **armarse de valor 6.** ***Me armé de valor*** *y le expliqué al profesor que no estaba de acuerdo con la nota del examen* (= me preparé para decírselo).
SINÓN: **1.** utilidad. **2.** coste, importe, precio. **3.** importancia. **4.** audacia, bravura, coraje, osadía, valentía. **5.** propiedad, virtud. ANTÓN: **4.** cobardía, miedo, temor. FAM: → *valer.*

valoración s. f. *Un experto en pintura hizo la* ***valoración*** *del cuadro* (= dijo lo que podía costar).
SINÓN: valuación. FAM: → *valer.*

valorar v. tr. **1.** ***Han valorado*** *la casa en cinco millones* (= han dicho que ése era su precio). **2.** *Todos* ***valoraron*** *la obra de aquel artista* (= todos la elogiaron).
SINÓN: **1.** evaluar, tasar. **2.** apreciar, considerar, elogiar, estimar, reconocer. ANTÓN: **2.** despreciar. FAM: → *valer.*

vals s. m. *Dimos tantas vueltas bailando el* ***vals*** *que no sabía dónde estaba mi mesa* (= es una danza de origen alemán).

válvula s. f. **1.** *Al cerrar la* ***válvula*** *del depósito se interrumpe el paso del agua* (= el grifo). **2.** *Antes de inflar las ruedas de la bicicleta, debes quitar la* ***válvula*** (= la pieza que deja entrar el aire y le impide salir).
SINÓN: **1.** canilla, grifo, llave.

vampiro s. m. El **vampiro** es un tipo de murciélago americano que se alimenta de la sangre de sus presas.
SINÓN: murciélago.

vándalo, a adj. **1.** Los pueblos **vándalos** procedían del centro de Europa e invadieron España en el siglo V. ◆ **vándalo** s. m. **2.** *El incendio del*

bosque lo provocó un grupo de ***vándalos*** (= de gente mala).
SINÓN: **1.** bárbaro. **2.** salvaje. ANTÓN: **2.** civilizado, culto.

vanguardia s. f. **1.** *Este periódico defiende ideas de* ***vanguardia*** (= ideas avanzadas). **2.** *Las tropas que formaban la* ***vanguardia*** *del ejército derrotaron al enemigo* (= las que van delante).
SINÓN: **1.** progreso. **2.** frente. ANTÓN: **1.** atraso. **2.** retaguardia. FAM: → *guardar.*

vanidad s. f. *Diego tiene mucha* ***vanidad*** *y nunca acepta las ideas de los demás* (= se cree superior a los demás).
SINÓN: altivez, arrogancia, orgullo. ANTÓN: discreción, humildad, modestia. FAM: *vanidoso.*

vanidoso, a adj. *Marcial es un* ***vanidoso*** (= siempre está deseando que lo alaben).
SINÓN: altivo, orgulloso, presumido. ANTÓN: discreto, humilde, modesto, sencillo. FAM: *vanidad.*

vano, a adj. **1.** *Siempre piensa en proyectos* ***vanos*** *que luego no puede realizar* (= que son inútiles). ◆ **en vano** **2.** *Intenté consolarla pero todo fue* ***en vano*** (= fue inútil).
SINÓN: **1.** ineficaz, inútil. ANTÓN: **1.** eficaz, útil.

vapor s. m. **1.** *Cuando calientas mucho el agua ésta hierve y se convierte en* ***vapor*** (= en gotas muy pequeñas de agua que flotan en el aire). **2.** *Por el río navega un* ***vapor*** (= un tipo de barco que funciona con máquina de vapor).
FAM: *evaporación, evaporar, vaporizador, vaporizarse.*

vaporizador s. m. *Esta colonia se vende en un* ***vaporizador*** (= en un aparato que expulsa el perfume en forma de gotitas muy finas).
FAM: → *vapor.*

vaporizarse v. pron. *Cuando llueve y hace calor, el agua de la lluvia* ***se vaporiza*** (= se convierte en vapor).
FAM: → *vapor.*

vaquerías s. f. pl. Amér. Merid. *Los antiguos gauchos realizaban* ***vaquerías*** *en las grandes llanuras desiertas* (= arreos de ganado cimarrón).

vaquero, a s. **1.** Los **vaqueros** son las personas que cuidan el ganado vacuno. ◆ **vaqueros** adj. **2.** *Me gusta llevar camisas y pantalones* ***vaqueros*** (= de una tela fuerte y azulada).
SINÓN: **1.** ganadero. **2.** jean. FAM: → *vaca.*

vaquillona s. f. Amér. Merid. *Vendieron varias* ***vaquillonas*** *en el mercado* (= vacas de dos o tres años de edad).
FAM: *vaca.*

vara s. f. *En clase, para señalar en el mapa, usamos una* ***vara*** (= un palo largo y delgado).
SINÓN: bastón, palo, rama. FAM: *varal, varilla.*

varar v. intr. *El barco pesquero quedó* ***varado*** *entre las rocas* (= encalló en las rocas o en un banco de arena).

variable adj. *Hoy hace un tiempo* ***variable*** (= tan pronto llueve como sale el sol).
ANTÓN: constante, estable, invariable. FAM: → *variar.*

variación s. f. *Si no hay ninguna* ***variación*** *en los planes, nos iremos de vacaciones en agosto* (= si no hay ningún cambio).
SINÓN: alteración, cambio. FAM: → *variar.*

variar v. tr. **1.** *Los precios de la fruta* ***varían*** *según la estación del año* (= no siempre son los mismos). **2.** *En el circo,* ***han variado*** *el espectáculo* (= lo han cambiado). ◆ **variar** v. intr. **3.** *El agua* ***varía*** *de estado físico* (= cambia). **4.** *Mi libro y el tuyo* ***varían*** *en el modo de tratar los mismos temas* (= son diferentes).
SINÓN: **1, 2, 3.** alterar, cambiar, modificar. **4.** diferenciarse. ANTÓN: **1, 2, 3.** conservar, mantener, permanecer. **4.** igualarse. FAM: *invariable, variable, variación, variado, variedad, vario.*

várices s. f. pl. *Mi madre tiene* ***várices*** *en las piernas* (= tiene unas venas abultadas porque no circula bien la sangre por ellas).

varicela s. f. La **varicela** es una enfermedad generalmente infantil que produce fiebre y granos en el cuerpo.

variedad s. f. **1.** *En otoño, las hojas de los árboles tienen gran* ***variedad*** *de colores rojizos y amarillentos* (= tienen colores distintos). ◆ **variedades** s. f. pl. **2.** *En la televisión han hecho un programa de* ***variedades*** (= un programa en el que hay muchas cosas como entrevistas y bailes).
SINÓN: **1.** diferencia, diversidad. FAM: → *variar.*

varilla s. f. *Las* ***varillas*** *metálicas del paraguas mantienen la tela extendida* (= las barras delgadas y largas).
SINÓN: barra. FAM: → *vara.*

vario, a adj. **1.** *María tiene una falda de* ***varios*** *colores* (= de diferentes colores). **2.** ***Varios*** *soldados terminan hoy su servicio militar* (= unos cuantos).
SINÓN: **1.** desigual, diferente, distinto, diverso. **2.** algunos, diversos, unos. FAM: → *variar.*

varón s. m. *Todos mis hermanos son* ***varones,*** *yo soy la única mujer de la familia* (= todos son hombres).
SINÓN: hombre. ANTÓN: mujer. FAM: varonil.

varonil adj. *Tiene una voz muy* ***varonil*** (= propia del hombre).
FAM: varón.

vasallo, a s. *En la Edad Media, los señores eran asistidos por sus* ***vasallos*** (= por gente que los obedecía y, a cambio, recibían protección).
SINÓN: servidor, siervo, súbdito. ANTÓN: amo, señor. FAM: *avasallar.*

vascular adj. El sistema **vascular** es el que regula la circulación de la sangre por el organismo.

vasija s. f. *El alfarero hace y vende* ***vasijas*** *de barro* (= recipientes para guardar líquidos).
FAM: → *vaso.*

vaso s. m. **1.** *Los* ***vasos*** *se usan para beber* (= los recipientes en forma cilíndrica y abiertos sólo por la parte superior que pueden ser de cristal, metal o plástico). **2.** *Luis se ha bebido un* ***vaso*** *de vino* (= la cantidad de líquido que contenía). **3.** *Hoy estudiamos los* ***vasos*** *sanguíneos* (= los conductos por donde circula la sangre).
SINÓN: 1. copa. **FAM:** *envasado, envasar, envase, vasija.*

vasto, a adj. *Desde la montaña se veía un* ***vasto*** *paisaje* (= extenso, muy grande).

vatio s. m. *Esta bombilla tiene 40* ***vatios*** (= es la unidad para medir la potencia eléctrica).

¡vaya! interj. ***¡Vaya!****, otra vez me vuelves a pedir lo mismo* (= se usa para expresar desagrado o sorpresa).

vecindad s. f. **1.** *No hay ninguna farmacia en la* ***vecindad*** (= en el contorno o cercanía de un lugar). **2.** *La falta de agua afecta a toda la* ***vecindad*** (= al conjunto de personas que viven en una población o en parte de ella). **3.** Amér. *En varios lugares de la ciudad hay* ***vecindades*** *muy pobres* (= conjunto de viviendas precarias hacinadas en un mismo terreno).
SINÓN: 1, 2. vecindario.

vecindario s. m. **1.** *Gran parte del* ***vecindario*** *de este pueblo está formado por agricultores* (= gran parte de sus habitantes). **2.** *Mi primo y yo vivimos en el mismo* ***vecindario*** (= en el mismo barrio).
SINÓN: 1. vecindad. **2.** barrio, zona. **FAM:** → *vecino.*

vecino, a s. **1.** *Mis padres y los tuyos son* ***vecinos*** *porque viven en el mismo pueblo y en el mismo edificio.* **2.** *Juan es* ***vecino*** *de La Paz* (= tiene allí su residencia). ◆ **vecino, a** adj. **3.** *Nuestras casas son* ***vecinas*** (= están muy cerca una de otra).
SINÓN: 2. ciudadano, habitante, residente. **3.** cercano, contiguo, próximo. **ANTÓN: 3.** apartado, distante, lejano. **FAM:** *avecinarse, vecinal, vecindad, vecindario.*

veda s. f. *Han impuesto la* ***veda*** *de pesca en el río porque ya casi no quedan truchas* (= la prohibición).

vegetación s. f. *En los bosques y en las selvas hay mucha* ***vegetación*** (= muchas plantas).
FAM: → *vegetal.*

vegetal adj. **1.** *En ciencias estamos estudiando las especies del mundo* ***vegetal*** (= los tipos de plantas). ◆ **vegetal** s. m. **2.** *Los* ***vegetales*** *necesitan agua para desarrollarse* (= los seres vivos que se alimentan de agua y de sales que sacan de la tierra a través de las raíces).
SINÓN: 2. planta. **FAM:** *vegetación, vegetariano.*

vegetariano, a adj. *El médico le ha mandado un régimen* ***vegetariano*** *para perder peso* (= sólo puede comer legumbres y frutas pero no carne).
FAM: → *vegetal.*

vehículo s. m. *El avión, el tren, el coche son* ***vehículos*** *modernos; las carretas son* ***vehículos*** *antiguos* (= son medios de transporte).

veinte *Tenemos* ***veinte*** *dedos, diez en las manos y diez en los pies.*

vejez s. f. *Mi bisabuelo murió en la* ***vejez*** (= cuando era muy viejo).
ANTÓN: juventud, niñez. **FAM:** → *viejo.*

vejiga s. f. *La orina se almacena en la* ***vejiga*** (= en una bolsa membranosa situada en la parte inferior del vientre).

vela s. f. **1.** *Mientras arreglaban la avería eléctrica, iluminamos la habitación con* ***velas*** (= con cilindros pequeños de cera con una mecha que se enciende). **2.** *Hay barcos que navegan gracias al viento que empuja sus* ***velas*** (= las piezas grandes de lona). ◆ **en vela 3.** *Estuve toda la noche* ***en vela*** *y hoy estoy agotado* (= sin dormir).
SINÓN: 1. cirio. **2.** lona. **FAM:** *desvelar, revelación, revelar, velamen, velar, velatorio, velero, velo.*

velado, a adj. **1.** *La fotografía está* ***velada*** *porque le dio demasiada luz* (= tiene mal los colores). ◆ **velada** s. f. **2.** *Le gusta asistir a las* ***veladas*** *de concierto en la ópera* (= a las noches en que se hace una sesión de música o cualquier otro arte).

velador s. m. Amér. Merid., Méx. **1.** *Durante la noche oímos el silbato del* ***velador*** *que pasa de ronda* (= agente de seguridad que recorre las calles por la noche). R. de la Plata. **2.** *Siempre deja el* ***velador*** *encendido toda la noche* (= lámpara que produce una luz tenue).
FAM: *vela.*

velar v. tr. **1.** *Durante la noche, la policía* ***vela*** *el edificio de la embajada* (= lo vigila). ◆ **velar** v. intr. **2.** ***Velaré*** *durante toda la noche para estudiar* (= no dormiré). **3.** *Todas las madres* ***velan*** *por sus hijos* (= los cuidan muchísimo). ◆ **velarse** v. pron. **5.** *El rollo de la cámara* ***se veló*** *porque lo pusiste a la luz* (= se dañó).
SINÓN: 4. asistir, cuidar, proteger, vigilar. **ANTÓN: 1, 3.** descuidar. **2.** adormecerse, dormirse.
FAM: → *vela.*

velatorio s. m. *Todos los asistentes al* ***velatorio*** *parecían muy tristes* (= las personas que estaban con el difunto y su familia para acompañarlos).
FAM: → *vela.*

velero s. m. *En el puerto hay un* ***velero*** (= un barco que navega a vela).
FAM: → *vela.*

veleta s. f. *Sobre el campanario de la iglesia hay una* ***veleta*** *en forma de flecha* (= una pieza metálica que gira y que indica la dirección del viento).

vello s. m. **1.** *Mi padre tiene mucho* **vello** *en el pecho* (= muchos pelos). **2.** *La cáscara del durazno está cubierta de* **vello** (= de pelusa).
SINÓN: **1.** pelo. **2.** pelusa.

velo s. m. **1.** *Paola se casó con un vestido blanco y* **velo** *sobre la cara* (= una tela fina que cubre la cabeza y la cara). **2.** *La costa está cubierta por un* **velo** *de niebla* (= por una capa que impide ver con claridad).
FAM: → *vela.*

velocidad s. f. **1.** *El avión viaja a una* **velocidad** *de 900 kilómetros por hora* (= recorre 900 kilómetros en una hora). **2.** *El coche tiene varias* **velocidades** *para regular su marcha.*
SINÓN: **1.** rapidez. ANTÓN: **1.** lentitud. FAM: *veloz.*

velódromo s. m. *La carrera de bicicletas tuvo lugar en el* **velódromo** (= en una pista especial para hacer carreras de velocidad de bicicletas).

velorio s. m. Amér.→ **velatorio.**

veloz adj. **1.** *Este caballo va a ganar porque es el más* **veloz** (= es el que corre más de prisa). **2.** *Esta secretaria es muy* **veloz** *escribiendo a máquina* (= es muy rápida).
SINÓN: **1, 2.** ágil, ligero, presuroso, rápido. **2.** diligente, vivo. ANTÓN: **1, 2.** lento. **2.** calmoso, tranquilo. FAM: *velocidad.*

vena s. f. **1.** Las **venas** son los vasos por donde vuelve la sangre al corazón después de haber bañado los tejidos de nuestro cuerpo. **2.** *Se ha encontrado bajo tierra una* **vena** *de oro* (= un filón con cierta cantidad de este mineral). **3.** *Sobre este mueble pulido se ven las* **venas** *de la madera* (= las rayas de otro color).
SINÓN: **1.** vaso. **2.** filón, veta, yacimiento.

venado s. m. → **ciervo.**

vencedor, a adj. *El tenista* **vencedor** *fue muy aplaudido por el público* (= la persona que ganó el partido).
SINÓN: ganador, triunfador. ANTÓN: perdedor.
FAM: → *vencer.*

vencer v. tr. **1.** *Después de una dura batalla, el ejército* **venció** *a las tropas enemigas* (= consiguió la victoria). **2.** *Me* **vence** *el sueño* (= no puedo aguantar más despierto). **3.** *Pedro ha conseguido* **vencer** *su miedo a la oscuridad* (= dominar). ◆ **vencer** v. intr. **4.** *El plazo para inscribirme ya* **ha vencido** (= ha acabado).
SINÓN: **1.** ganar, triunfar, someter. **2, 3.** dominar. **4.** acabar, expirar, terminar. ANTÓN: **1.** perder. **2, 3.** sucumbir. FAM: *convencer, convencimiento, convicción, convincente, invencible, vencedor, victoria, victorioso.*

venda s. f. *Me han cubierto la herida con una* **venda** (= con una tira de tela muy fina y suave que protege las heridas).
SINÓN: vendaje. FAM: *vendar, vendaje.*

vendaje s. m. *A tu hermana le han puesto en su pierna rota un* **vendaje** (= unas vendas colocadas de modo que no pueda mover la pierna).
SINÓN: venda. FAM: → *venda.*

vendar v. tr. *La enfermera le* **vendó** *la muñeca* (= la rodeó con una venda).
FAM: → *venda.*

vendaval s. m. *El* **vendaval** *derribó muchos árboles* (= un viento muy fuerte).
SINÓN: huracán.

vendedor, a s. *Roberto es* **vendedor** *de coches* (= vende objetos en un comercio).
SINÓN: comerciante. FAM: → *vender.*

vender v. tr. **1.** *El librero* **vende** *libros* (= los da a cambio de dinero). **2.** *El bandido* **ha vendido** *a sus cómplices* (= los ha traicionado).
SINÓN: **1.** despachar, liquidar. **2.** delatar, traicionar. ANTÓN: **1.** adquirir, comprar. FAM: *vendedor, venta.*

vendimia s. f. La **vendimia** es el trabajo de recolección de las uvas.
SINÓN: cosecha, recolección. FAM: *vendimiador, vendimiar.*

vendimiador, a s. *Al final de la jornada, los* **vendimiadores** *están fatigados* (= los que recogen uvas).
FAM: → *vendimia.*

veneno s. m. El **veneno** es una sustancia nociva para el organismo que puede provocar malestar, incluso la muerte.
FAM: *envenenamiento, envenenar, venenoso.*

venenoso, a adj. *¡Cuidado con los hongos porque pueden ser* **venenosos!** (= ¡pueden tener veneno!).
FAM: → *veneno.*

venezolano, a adj. **1.** *La bandera* **venezolana** *es amarilla, azul y roja* (= de Venezuela). ◆ **venezolano, a** s. **2.** *Los* **venezolanos** *son las personas nacidas en Venezuela.*

venganza s. f. *Me pegó en* **venganza** *porque yo me había reído de él* (= quería devolverme el mal que yo le había hecho).
SINÓN: escarmiento, revancha. ANTÓN: disculpa, perdón. FAM: *vengarse.*

vengarse v. pron. *Pedro ha querido* **vengarse** *de los insultos de Juan* (= ha querido devolverle el mal que le había hecho).
SINÓN: desquitarse. ANTÓN: disculpar, perdonar.
FAM: *venganza.*

venia s. f. **1.** *Con la* **venia** *del maestro, me retiré de la clase* (= permiso que se pide para ejecutar una cosa). Amér. Merid. **2.** *Los militares están obligados a hacer la* **venia** *a sus superiores* (= saludo militar).

venidero, a adj. *Los años* **venideros** *serán muy importantes* (= los años futuros, próximos).
SINÓN: futuro, próximo. ANTÓN: pasado. FAM: → *venir.*

venir v. intr. **1.** *He pedido a Pedro que* **venga** *a verme* (= que se desplace). **2.** *Pronto* **vendrá**

la noche (= se hará de noche). **3.** *El viento **viene** del Norte* (= ese es su punto de origen).
SINÓN: **1.** acudir, asistir. **2.** llegar. **3.** proceder. ANTÓN: **1.** ir, marchar. FAM: *advenimiento, adviento, avenida, conveniencia, conveniente, convenio, convenir, inconveniente, intervención, intervenir, interventor, porvenir, prevención, prevenir, provenir, venida, venidero.*

venta s. f. *¿Cuál es el precio de **venta** de estas mercancías?* (= ¿cuánto dinero debo dar para quedármelas?).
ANTÓN: compra. FAM: → *vender.*

ventaja s. f. **1.** *Para viajes rápidos, el avión tiene **ventaja** sobre el tren* (= es mejor). **2.** *Este corredor ha sacado **ventaja** a sus adversarios* (= ha corrido más deprisa que los otros).
SINÓN: **1.** superioridad. ANTÓN: **1.** inferioridad. **1, 2.** desventaja. FAM: *aventajado, aventajar, desventaja, ventajoso.*

ventajero, a o **ventajista** adj. Ant., Méx., R. de la Plata. *Mi tío siempre sale perjudicado porque su socio es muy **ventajero*** (= intenta sacar provecho de todo y no le importa perjudicar a los demás).
FAM: → *ventaja.*

ventajoso, a adj. *Ha hecho un cambio **ventajoso** al quedarse con este coche y dar el suyo* (= ha recibido más de lo que dio).
SINÓN: fructífero, interesante, provechoso, útil. FAM: → *ventaja.*

ventana s. f. **1.** *Hace calor; abre la **ventana*** (= el hueco con cristales que hay en las casas para que entre la luz y el aire en ellas). **2.** *Si me tapas las **ventanas** de la nariz no puedo respirar* (= los orificios por donde entra y sale el aire que respiramos).
SINÓN: ventanal. FAM: *ventanal, ventanilla.*

ventanal s. m. *Los **ventanales** de esta catedral son muy antiguos* (= las ventanas grandes).
SINÓN: ventana. FAM: → *ventana.*

ventanilla s. f. **1.** *Los clientes esperan delante de las **ventanillas** de correos* (= de las aberturas detrás de las cuales están los empleados). **2.** *Los vehículos tienen **ventanillas** que, en los barcos y en los aviones, son redondas y no se pueden abrir* (= ventanas pequeñas).
SINÓN: **1.** taquilla. FAM: → *ventana.*

ventilación s. f. *Abre las ventanas para que haya **ventilación*** (= para que entre aire).
FAM: → *viento.*

ventilador s. m. *Compramos un **ventilador** para no pasar calor en verano* (= un aparato eléctrico que, por medio de paletas, remueve el aire de un lugar cerrado).
FAM: → *viento.*

ventilar v. tr. *Hace demasiado calor; es necesario **ventilar** esta habitación* (= que entre aire).
SINÓN: airear. FAM: → *viento.*

ventisca s. f. *En la sierra hay una gran **ventisca*** (= una tormenta de viento y nieve).
FAM: → *viento.*

ventolina s. f. Amér. Merid. *La **ventolina** abatió la tienda de campaña* (= ráfaga de viento fuerte y fugaz).
FAM: → *viento.*

ventosa s. f. *Los pulpos tienen tentáculos con **ventosas*** (= con órganos que les sirven para adherirse).

ventrículo s. m. Los **ventrículos** son las dos cavidades inferiores del corazón que en las aves y mamíferos expulsan la sangre, transportada por las arterias, hacia los tejidos.

ventrílocuo, a s. *El **ventrílocuo** movía sus muñecos como si hablaran* (= es una persona que habla sin mover los labios y da la impresión de que la voz procede de su vientre).
FAM: *vientre.*

ver v. tr. **1.** *Pedro **ve** mal, no distingue bien lo que se presenta ante sus ojos* (= no le funciona bien el sentido de la vista). **2.** *Es necesario **ver** mejor este problema antes de hacer nada* (= examinarlo). **3.** ***He visto** unos cuadros muy bonitos en el museo* (= he contemplado). **4.** *Fuimos a **ver** a los vecinos* (= a visitarlos). **5.** *No **veo** de qué querrá hablarme* (= no me lo imagino). **6.** *Tu hermano **ve** sus errores* (= es consciente de ellos). **7.** *Ya **veo** que no aprobarás el examen* (= lo sospecho). **8.** *Ya **veremos** si vamos a tu casa* (= ya lo pensaremos). **9.** ***Me veo** en ese espejo* (= me contemplo). ◆ **a ver si 10.** ***A ver si** es verdad lo que dices y vienes a verme* (= ojalá sea verdad). ◆ **no poder ver a alguien 11.** *Es mejor que no se encuentren porque Juan **no puede ver** a Luis* (= no le gusta esa persona).
SINÓN: **1, 9.** distinguir, divisar, percibir. **2, 3.** comprobar, examinar, observar, reparar. **3, 9.** contemplar(se), mirar(se). **4.** visitar. **5.** imaginarse. **6.** comprender, reconocer. **7.** figurarse, prever, sospechar, temer. **8.** decidir, pensar. FAM: *avistar, divisar, entrever, entrevista, entrevistar, evidente, invisible, prever, previsión, previsor, retrovisor, revisar, revisor, revista, visibilidad, visible, visión, vislumbrar, visor, vistazo, visto, vistoso, visual, visualización.*

vera s. f. *Acampamos en la **vera** del río porque allí estaba más fresco* (= en la orilla).
SINÓN: orilla.

veracidad s. f. *No dudo de la **veracidad** de tus palabras pero aun así me cuesta creer lo que me cuentas* (= no dudo que sea cierto).
FAM: → *verdad.*

veranear v. intr. *Nos vamos a **veranear** a Río* (= pasaremos las vacaciones de verano allí).
FAM: → *verano.*

veraniego, a adj. *María lleva un vestido **veraniego** pero todavía hace fresco* (= propio para el verano).
FAM: → *verano.*

verano s. m. *En* ***verano*** *hace mucho calor* (= es una de las cuatro estaciones del año).
FAM: *veraneante, veranear, veraneo, veraniego.*

verbal adj. **1.** *Mi examen de inglés fue* ***verbal*** *y el de matemáticas, escrito* (= oral). **2.** *El presente, el pretérito, el futuro son tiempos* ***verbales*** (= de los verbos).
SINÓN: **1.** oral. ANTÓN: **1.** escrito. FAM: → *verbo.*

verbo s. m. El **verbo** es la parte de la oración que expresa una acción o un estado, algunos tienen una conjugación irregular.
FAM: *adverbio, verbal.*

verdad s. f. **1.** *No me digas que soy mentiroso porque siempre digo la* ***verdad*** (= siempre digo cosas ciertas). ◆ **de veras 2.** ***De veras*** *siento mucho haber dicho esto* (= de verdad).
ANTÓN: **1.** embuste, falsedad, mentira. FAM: *veracidad, verdadero, verídico, verosímil.*

verdadero, a adj. *Es una historia* ***verdadera*** (= pasó en la realidad).
SINÓN: auténtico, cierto, evidente, real, verídico. ANTÓN: falso, inexacto, irreal. FAM: → *verdad.*

verde adj. **1.** *La hierba es de color* ***verde***. **2.** *La madera* ***verde*** *arde con dificultad porque no está seca.* **3.** *Estos plátanos están* ***verdes*** (= aún no están maduros). ◆ **verde** s. m. **4.** *El* ***verde*** *te sienta muy bien.* ◆ **poner verde a uno 5.** *Estaba tan enojado con su amigo que* ***lo puso verde*** (= lo insultó).
ANTÓN: **2.** seco. **3.** maduro. FAM: *reverdecer, verdor, verdoso, verdulero, verdura.*

verdolaga s. f. Méx. *Hoy comimos cerdo con* ***verdolagas*** (= hierba de hojas carnosas que se comen guisadas con carne).

verdor s. m. *En primavera, la colina se cubre de* ***verdor*** (= de hierba y de hojas recién nacidas).
FAM: → *verde.*

verdoso, a adj. *La blusa de María es de color* ***verdoso*** (= parecido al verde).
FAM: → *verde.*

verdugo s. m. *Este hombre es un* ***verdugo*** *de sus empleados* (= es una persona que no trata bien a los demás).

verdulero, a s. *El* ***verdulero*** *me aconsejó que comprara lechugas* (= la persona que vende verduras).
FAM: → *verde.*

verdura s. f. *¿Qué* ***verduras*** *quieres comer: lechugas, zanahorias, tomates, pimientos?* (= ¿qué tipo de plantas comestibles?).
SINÓN: hortaliza. FAM: → *verde.*

vereda s. f. Amér. Merid., Ant. *Los chicos jugaban en la* ***vereda*** (= parte lateral de la calle, más alta que la calzada, destinada a los peatones).
SINÓN: acera, banqueta.

vergonzoso, a adj. **1.** *Lo que has hecho es* ***vergonzoso*** (= te debería dar vergüenza). **2.** *María es muy* ***vergonzosa*** *y por eso se esconde cuando viene gente que no conoce* (= es muy tímida).
SINÓN: **1.** indecente, indigno. **2.** modesto, tímido. FAM: → *vergüenza.*

vergüenza s. f. **1.** *A Juan le da mucha* ***vergüenza*** *hablar en público* (= siente timidez de hacerlo). **2.** *A Pablo le da* ***vergüenza*** *su mal comportamiento* (= sabe que se ha portado mal y se arrepiente).
SINÓN: **1.** bochorno, confusión, timidez. ANTÓN: **2.** atrevimiento, osadía. FAM: *avergonzarse, desvergonzado, sinvergüenza, vergonzoso.*

verídico, a adj. *La historia que nos han contado es* ***verídica*** (= pasó en la realidad).
SINÓN: auténtico, cierto, evidente, real, verdadero. ANTÓN: falso, inexacto, irreal. FAM: → *verdad.*

verificar v. tr. *Será necesario* ***verificar*** *estos cálculos antes de enseñárselos al director* (= volverlos a hacer para comprobar que están bien).
SINÓN: comprobar, confirmar, demostrar, probar.

verja s. f. *Hemos pintado la* ***verja*** *de hierro que rodea nuestro jardín* (= el conjunto de barras que cierra un lugar rodeándolo).
SINÓN: reja.

vermú s. m. *Mi padre toma como aperitivo un* ***vermú*** (= un licor de vino blanco).

verosímil adj. *Cuenta los cuentos de un modo tan* ***verosímil*** *que todos acabamos creyendo que es cierto* (= de un modo real, como si fuera cierto).
FAM: → *verdad.*

verruga s. f. *El médico me ha quitado una* ***verruga*** (= un abultamiento no doloroso en la piel).

versificar v. tr. ***Hemos versificado*** *este pequeño cuento* (= lo hemos escrito en verso).
FAM: *verso.*

versión s. f. **1.** *El señor Gutiérrez ha hecho la* ***versión*** *española de una novela inglesa* (= la ha traducido al español). **2.** *El nos ha contado su* ***versión*** *del suceso* (= la manera como él lo ha visto). **3.** *Esta película es proyectada en* ***versión*** *original* (= en la lengua en que se realizó).
SINÓN: **1.** traducción. **2.** interpretación.

verso s. m. *La obra* Don Juan Tenorio *está escrita en* ***verso*** (= las palabras están combinadas entre sí de tal manera que tienen un ritmo y rima).
SINÓN: poema, poesía. ANTÓN: prosa. FAM: *versificar.*

vértebra s. f. *Pedro se cayó y se le desplazó una* ***vértebra*** (= un hueso de la columna vertebral).
FAM: *invertebrado, vertebrado, vertebral.*

vertebrado, a adj. **1.** *Los mamíferos y las aves son animales* ***vertebrados*** (= tienen esqueleto y vértebras en la columna vertebral). ◆ **vertebrado** s. m. **2.** *Hoy hemos estudiado en Ciencias los* ***vertebrados*** (= el grupo de animales que tienen vértebras).
ANTÓN: invertebrado. FAM: → *vértebra.*

vertebral adj. *Al caerme, me dañé la columna* ***vertebral*** (= la parte de mi esqueleto que se compone de vértebras).
FAM: → *vértebra.*

vertedero s. m. *Los camiones de la basura van a tirarla al* ***vertedero*** (= a un lugar alejado de la ciudad donde se tira la basura para quemarla).
SINÓN: basurero. FAM: → *verter.*

verter v. tr. **1.** *Mi madre* ***vertió*** *agua en el vaso* (= la echó dentro). **2.** *El río* ***vierte*** *sus aguas en el mar* (= desemboca allí).
SINÓN: **1.** echar, llenar, derramar. **2.** acabar, desembocar, finalizar. FAM: *advertir, conversión, convertir, diversión, divertido, divertirse, inversión, inverso, invertido, invertir, vertedero, vertiente.*

vertical adj. *La pared de la torre es* ***vertical*** (= es perpendicular al suelo).
SINÓN: perpendicular. ANTÓN: horizontal.

vértice s. m. Los dos lados de un ángulo se unen en un punto que se llama **vértice**.

vertiente s. f. **1.** *Los escaladores subieron a la montaña por la* ***vertiente*** *norte* (= por el lado norte). **2.** *He escuchado tu versión del asunto, pero ahora me gustaría oír la otra* ***vertiente*** (= la opinión de otra persona). Amér. Merid., Méx. **3.** *Los excursionistas se detuvieron a beber agua en una* ***vertiente*** (= manantial).
FAM: → *verter.*

vértigo s. m. *Juan siente* ***vértigo*** *en la montaña* (= tiene la sensación de que se va a caer).
SINÓN: desmayo, mareo.

vesícula s. f. La **vesícula** es una bolsa pequeña y membranosa, situada cerca del hígado y que almacena la bilis.

vespertino, a adj. *La luz* ***vespertina*** *es muy buena para hacer fotografías* (= la luz de la caída de la tarde).

vestíbulo s. m. *Han cambiado la puerta del* ***vestíbulo*** *del edificio* (= de la entrada).
SINÓN: entrada, palier, portal.

vestido s. m. **1.** *Llevo todos mis* ***vestidos*** *a la tintorería para su limpieza* (= toda la ropa que tengo). **2.** *María se compró un* ***vestido*** *de seda* (= una prenda de vestir femenina formada por una sola pieza que cubre el cuerpo y las piernas).
SINÓN: **1.** atuendo, indumentaria, prenda, ropa, traje, vestimenta, vestuario. FAM: → *vestir.*

vestimenta s. f. *El cura se puso su* ***vestimenta*** *para celebrar misa* (= sus atuendos).
SINÓN: atuendo, indumentaria, ropa, traje, vestido, vestuario. FAM: → *vestir.*

vestir v. tr. **1.** *Mi madre* ***viste*** *a mi hermana pequeña* (= le pone los vestidos). **2.** ***Hemos vestido*** *las paredes con papel pintado* (= las hemos cubierto). **3.** *El verdor de la primavera* ***viste*** *los campos* (= los adorna). ◆ **vestir** v. intr. **4.** *María* ***viste*** *bien* (= con mucho gusto). **5.** *Ese traje negro* ***viste*** *mucho* (= es muy elegante). ◆ **vestirse** v. pron. **6.** *Mi hermano pequeño aún no sabe* ***vestirse*** *solo.* **7.** *El señor García* ***se viste*** *siempre en unos grandes almacenes* (= compra la ropa allí).
SINÓN: **2, 3.** adornar, embellecer. ANTÓN: **1, 6.** desnudar, desvestirse. **2, 3.** afear. FAM: *desvestir, vestido, vestimenta, vestuario.*

vestuario s. m. **1.** *María tiene un buen* ***vestuario*** *en su ropero* (= tiene muchos y muy bonitos vestidos). **2.** *El* ***vestuario*** *de los actores ha sido bien elegido* (= las ropas con las que hacen la actuación). **3.** *He olvidado el bolso en el* ***vestuario*** *del gimnasio* (= en el lugar que hay en los clubes o en los estadios para cambiarse de ropa).
SINÓN: **1, 2.** atuendo, indumentaria, prenda, ropa, traje, vestido, vestimenta. **3.** vestidor. FAM: → *vestir.*

veterano, a adj. **1.** *Como mi hermano lleva bastante tiempo en el cuartel, ya es un soldado* ***veterano*** (= ya lleva tiempo haciendo el servicio militar). **2.** *El señor Gómez es un periodista* ***veterano*** (= tiene mucha experiencia).
SINÓN: antiguo, experto. ANTÓN: inexperto, novato, nuevo.

veterinaria s. f. La **Veterinaria** es la ciencia que estudia la vida y las enfermedades de los animales.
FAM: *veterinario.*

veterinario, a adj. **1.** *En esa calle hay una clínica* ***veterinaria*** (= donde curan a los animales). ◆ **veterinario, a** s. **2.** *Hoy llevo mi perro al* ***veterinario*** *para que lo vacune* (= a la persona que conoce las enfermedades de los animales).
FAM: *veterinaria.*

vez s. f. **1.** *He ido al fútbol dos* ***veces*** (= en dos ocasiones). ◆ **veces** s. f. pl. **2.** *Mi hermano hace las* ***veces*** *de padre cuando mi papá no está* (= lo sustituye).
SINÓN: **1.** ocasión.

vía s. f. **1.** *La* ***vía*** *del tren es de hierro* (= las barras paralelas por las que circula el tren). **2.** *Llegaremos a casa por esta* ***vía*** (= por este camino). **3.** *Esta autopista tiene tres* ***vías*** *de circulación* (= tiene una anchura suficiente para que pasen tres filas de vehículos). **4.** *El médico me ha dicho que tengo un problema en las* ***vías*** *respiratorias* (= en los conductos del organismo que se encargan de alguna función).
SINÓN: **1.** carril, raíl, riel. **2.** camino, senda, sendero. **3.** carril. FAM: *desviación, desviar, desvío, enviado, enviar, envío, extraviarse, viaducto, viajante, viajar, viaje, viajero.*

viable adj. *En principio tus planes me parecen* ***viables,*** *pero déjame estudiarlos con calma* (= me parecen posibles).

viaducto s. m. *El tren atraviesa el río sobre un* ***viaducto*** (= un puente grande).
SINÓN: puente. FAM: → *vía.*

viajante s. m. *Mi tío es* ***viajante*** *de una empresa textil* (= va por todas las ciudades vendiendo mercancías).
SINÓN: agente viajero. FAM: → *vía.*

viajar v. intr. *María* ***ha viajado*** *por muchos países europeos* (= se ha desplazado a ellos para visitarlos).
FAM: → *vía.*

viaje s. m. *Luis se fue de* ***viaje*** *a Francia* (= ha ido a ese país para conocerlo).
SINÓN: travesía, trayecto. FAM: → *vía.*

viajero, a s. *Después de hacer escala en Montevideo, los* ***viajeros*** *volvieron a subir al avión* (= las personas que van a otros lugares a conocerlos).
FAM: → *vía.*

víbora s. f. La **víbora** es una serpiente muy venenosa cuya cabeza tiene forma triangular.

vibración s. f. *Se ha acostumbrado a las* ***vibraciones*** *del avión y ahora no le da miedo* (= a los movimientos).
SINÓN: temblor. FAM: → *vibrar.*

vibrante adj. *El discurso tuvo un tono* ***vibrante*** (= emocionó a quienes lo oyeron).
SINÓN: ardiente, emotivo. FAM: → *vibrar.*

vibrar v. tr. **1.** *Su discurso ha hecho* ***vibrar*** *al público* (= lo ha emocionado). ◆ **vibrar** v. intr. **2.** *Los cristales* ***vibran*** *al pasar un camión por la calle* (= se mueven y tiemblan).
SINÓN: **1.** conmover, emocionar. **2.** temblar.
FAM: *vibración, vibrante.*

vicepresidente, a s. *El* ***vicepresidente*** *asistió a la reunión* (= la persona que representa al presidente cuando no está él).
FAM: → *presidir.*

viceversa adv. *Todas las semanas, va de Cali a Medellín y* ***viceversa,*** *de Medellín a Cali* (= al revés).

vicio s. m. *A las personas fumadoras es difícil convencerlas para que dejen el* ***vicio*** *del tabaco* (= el hábito que es malo para su salud).
FAM: *vicioso.*

vicioso, a adj. *Es un hombre* ***vicioso;*** *le gusta beber y fumar* (= tiene hábitos que son malos para su salud).
FAM: *vicio.*

víctima s. f. **1.** *La catástrofe aérea produjo cien* ***víctimas*** *entre muertos y heridos* (= cien personas sufrieron daños por el accidente). **2.** *El señor Martínez ha sido* ***víctima*** *de un estafador que lo timó* (= ha sufrido las consecuencias del timo).

victoria s. f. *El equipo de fútbol de Argentina ha conseguido la* ***victoria*** (= ha ganado el campeonato).
SINÓN: triunfo. ANTÓN: derrota. FAM: → *vencer.*

victorioso, a adj. *El público recibió con aplausos al equipo* ***victorioso*** (= al que había ganado el campeonato).
SINÓN: ganador, vencedor. ANTÓN: perdedor.
FAM: → *vencer.*

vid s. f. *El labrador podó las* ***vides*** *antes de que salieran las uvas* (= las plantas que producen las uvas).

vida s. f. **1.** *Los bomberos han puesto en peligro su* ***vida*** *al rescatar a los heridos* (= han estado en peligro de muerte). **2.** *Mi abuelo ha pasado toda su* ***vida*** *en Caracas* (= desde que nació hasta hoy). **3.** *María es una chica alegre, llena de* ***vida*** (= con mucha energía y ganas de vivir). **4.** *Al volver del mercado mi madre siempre se queja de que la* ***vida*** *está muy cara* (= de que todo cuesta mucho dinero). ◆ **en la vida 5.** ***En la vida*** *olvidaré lo que hiciste por mí* (= nunca lo olvidaré). ◆ **ganarse la vida 6.** *Tuvo que* ***ganarse la vida*** *desde muy joven para poder pagarse los estudios* (= tuvo que trabajar). ◆ **hacer la vida imposible 7.** *Manuel nos* ***hace la vida imposible*** *con sus continuas exigencias* (= nos molesta).
SINÓN: **1, 2.** existencia. **3.** dinamismo, energía, vigor, vitalidad. **5.** nunca, jamás. **6.** trabajar. **7.** fastidiar, molestar. ANTÓN: **1.** muerte. **3.** tristeza. **5.** siempre. FAM: *salvavidas, vital, vitalidad.*

video s. m. El **video** es un aparato que permite grabar imágenes y sonidos en una cinta, para luego volverlos a ver por el televisor.
FAM: *videocasete.*

videocasete s. m. *Grabó el partido televisado en un* ***videocasete*** (= en una cinta de video).
FAM: *video.*

vidriera s. f. *El sol entra en la habitación por la* ***vidriera*** (= por una ventana provista de cristales).
FAM: → *vidrio.*

vidrio s. m. *Luis rompió el* ***vidrio*** *de los anteojos al limpiarlos* (= el cristal).
SINÓN: cristal. FAM: *vidriera, vitrina.*

viejo, a adj. **1.** *Mi abuela murió muy* ***vieja*** (= cuando tenía muchos años). **2.** *Pedro es un año más* ***viejo*** *que Juan* (= tiene un año más que él). **3.** *Este palacio es muy* ***viejo*** (= muy antiguo). **4.** *Fernando es un* ***viejo*** *amigo mío* (= nos conocemos desde hace mucho tiempo). ◆ **viejo, a** s. Amér. Merid., Ant. **5.** *Mi madre llama* ***viejo*** *a mi padre cuando le habla afectuosamente* (= es un apelativo que se usa para dirigirse al cónyugue o a los padres).
SINÓN: **1, 2.** anciano. **3, 4.** antiguo. ANTÓN: **1, 2.** joven, mozo, niño. **3.** actual, moderno, nuevo. **3, 4.** reciente. FAM: *envejecer, envejecimiento, vejez.*

viento s. m. **1.** *El* ***viento*** *sopla a ráfagas esta mañana* (= la corriente de aire de la atmósfera). **2.** *La trompeta y la flauta son instrumentos de* ***viento*** (= hay que soplar para que suenen). ◆ **a los cuatro vientos 3.** *Suele contar su vida* ***a los cuatro vientos*** (= a todo el mundo). ◆ **contra viento y marea 4.** *Es tan testarudo que mantiene su opinión* ***contra viento y marea*** (= aunque nadie le haga caso).

FAM: *ventilación, ventilador, ventilar, ventisca.*

vientre s. m. *A Juan le duele el* ***vientre*** (= la parte del cuerpo formada por el estómago y los intestinos).

SINÓN: abdomen, barriga, panza. **FAM:** *ventrílocuo.*

viernes s. m. El **viernes** es el quinto día de la semana, víspera del sábado.

viga s. f. *El techo está sostenido por* ***vigas*** (= por piezas gruesas de madera o de hierro colocadas sobre los muros).

FAM: *vigueta.*

vigencia s. f. *Esta ley aún tiene* ***vigencia*** (= todavía se aplica).

SINÓN: actualidad, validez, vigor. **ANTÓN:** caducidad. **FAM:** *vigente.*

vigente adj. *La nueva ley será* ***vigente*** *a partir del uno de enero* (= se empezará a aplicar).

SINÓN: actual, válido. **ANTÓN:** caduco. **FAM:** *vigencia.*

vigésimo, a adj. *La* ***vigésima*** *parte de 20 es uno* (= la parte que queda si se divide algo en veinte partes).

SINÓN: veinte.

vigía s. m. *Los* ***vigías*** *del castillo avisaron que se acercaba el enemigo* (= las personas que lo vigilaban).

SINÓN: centinela, vigilante. **FAM:** → *vigilar.*

vigilancia s. f. *Se encargó de la* ***vigilancia*** *de las joyas en el banco* (= se encargó de controlar para que nadie se las llevara).

SINÓN: atención, cuidado, guardia. **FAM:** → *vigilar.*

vigilante s. m. *Los* ***vigilantes*** *del estacionamiento avisaron a los dueños de los coches que había un incendio* (= las personas que se encargan de cuidarlo).

SINÓN: centinela, guardia, vigía. **FAM:** → *vigilar.*

vigilar v. tr. **1.** *La policía* ***vigila*** *al sospechoso* (= observa todo lo que hace). **2.** *La madre* ***vigila*** *a sus hijos* (= los cuida).

SINÓN: **1.** acechar, espiar, observar. **2.** atender, cuidar. **ANTÓN:** descuidar. **FAM:** *vigía, vigilancia, vigilante.*

vigor s. m. **1.** *El hombre atacado por los ladrones se defendió con* ***vigor*** (= con fuerza). **2.** *Esta ley sigue en* ***vigor*** (= se sigue aplicando).

SINÓN: **1.** ánimo, fuerza, energía. **2.** actualidad, validez, vigencia. **ANTÓN:** **1.** debilidad, desaliento, desánimo, impotencia.

vigueta s. f. Una **vigueta** es una viga pequeña de metal.

FAM: *viga.*

villa s. f. **1.** *Mis tíos tienen una* ***villa*** *cerca del mar para veranear* (= una casa con jardín). **2.** *Mis abuelos viven en una* ***villa*** *fuera de la ciudad* (= en un pueblo).

SINÓN: **1.** chalé, finca. **2.** localidad, pueblo. **FAM:** *villancico, villano.*

villancico s. m. Los **villancicos** son canciones que se cantan en Navidad para recordar el nacimiento de Jesucristo.

FAM: → *villa.*

villano, a adj. **1.** *Ese hombre es un verdadero* ***villano*** (= no merece más que desprecio porque es muy malo). Amér. **2.** *En la obra teatral que pusimos en el colegio, a Diego le dieron el papel de* ***villano*** (= personaje perverso).

SINÓN: falso, indigno, miserable, ruin. **FAM:** → *villa.*

vinagre s. m. *En la ensalada has puesto demasiado* ***vinagre*** (= un condimento líquido que se hace con vino agrio).

FAM: → *vino.*

vinagrera s. f. *En las mesas de los restaurantes hay* ***vinagreras*** *para que eches aceite y vinagre a tu gusto* (= dos frascos, uno para el aceite y otro para el vinagre).

FAM: → *vino.*

vinagreta s. f. *He comido pulpo con salsa* ***vinagreta*** (= con una salsa que se hace con aceite, vinagre, sal y cebolla o ajo bien picados).

FAM: → *vino.*

vincha o **bincha** s. f. Amér. Merid. *Para sujetarme el cabello cuando hago deportes, me pongo una* ***vincha*** (= cinta fina que se ata en la nuca).

vinchuca s. f. *La picadura de la* ***vinchuca*** *transmite una enfermedad muy grave* (= insecto sudamericano parecido a la chinche, de color negro y anaranjado).

vincularse v. pron. *No consigue* ***vincularse*** *con sus nuevos compañeros de clase* (= no consigue relacionarse con ellos).

FAM: *vínculo.*

vínculo s. m. *El* ***vínculo*** *que nos une es de amistad* (= la razón por la que estamos unidos).

FAM: *vincularse.*

vino s. m. *Con la carne hemos bebido una botella de* ***vino*** *tinto* (= una bebida alcohólica hecha con el jugo fermentado de las uvas).

FAM: *vinagre, vinagrera, vinagreta.*

viña s. f. *El agricultor quita las hierbas de la* ***viña*** (= del terreno donde tiene plantadas las vides que producen uvas).

SINÓN: *viñedo.* **FAM:** *viñador, viñedo.*

viñador s. m. f. *Los* ***viñadores*** *fueron a pisar las uvas para hacer el vino* (= las personas que recogen las uvas).

FAM: → *viña.*

viñatero, a s. Amér. Merid. *El* ***viñatero*** *ha prometido aumentar el salario de los cosechadores* (= dueño o cultivador de un viñedo).

FAM: → *viña.*

viñedo s. m. *Este pueblo está rodeado de* ***viñedos*** (= de plantaciones de vides).
SINÓN: viña. **FAM:** → *viña.*

viñeta s. f. *La historieta estaba representada en* ***viñetas*** (= en dibujos que van formando una historia).
SINÓN: dibujo.

violación s. f. *Este conductor ha cometido una* ***violación*** *de las normas* (= una infracción).
SINÓN: infracción. **FAM:** → *violar.*

violador, a s. m. f. *Han condenado a la cárcel al* ***violador*** *de una joven* (= porque ha cometido el delito de violar a una mujer).
FAM: → *violar.*

violar v. tr. **1.** *Contándote este secreto Juan* ***ha violado*** *su promesa* (= no la ha respetado). **2. Violar** a una mujer es un crimen castigado por la ley porque es obligarla a hacer actos sexuales empleando la fuerza y la amenaza.
SINÓN: 1. traicionar. **ANTÓN: 1.** acatar, obedecer, seguir, someterse. **1, 2.** respetar. **FAM:** *violación, violador.*

violencia s. f. *Los militares han tomado el poder por la* ***violencia*** (= empleando la fuerza).
SINÓN: brusquedad, brutalidad, fuerza, furia. **FAM:** *violento.*

violento, a adj. **1.** *La batalla fue muy* ***violenta*** (= brutal). **2.** *Me sentí* ***violento*** *en aquella reunión* (= molesto).
SINÓN: 1. agresivo, brutal, impetuoso, vehemente. **2.** disgustado, molesto. **ANTÓN: 1.** pacífico, tranquilo. **FAM:** *violencia.*

violeta s. f. **1.** Las **violetas** son flores pequeñas, muy delicadas y perfumadas, de color morado, blanco o rosado. ◆ **violeta** adj. **2.** *A mi tía Carmen le gusta el color* ***violeta*** (= el color morado).

violín s. m. **1.** *Juan aprende a tocar el* ***violín*** (= un instrumento musical de cuerda). **2.** *En esta orquesta hay cinco* ***violines*** *y tocan todos muy bien* (= cinco músicos que tocan el violín).
SINÓN: 2. violinista. **FAM:** *violinista, violón, violonchelo.*

violinista s. m. f. *Esta parte del concierto sólo la tocan los* ***violinistas*** (= los músicos que tocan el violín).
SINÓN: violín. **FAM:** → *violín.*

violón s. m. *Luis toca el* ***violón*** (= un instrumento musical de cuerdas mayor que el violín).
FAM: → *violín.*

violonchelo s. m. El **violonchelo** es un instrumento musical más grande que el violín y más pequeño que el violón y que tiene un sonido más grave.
FAM: → *violín.*

viraje s. m. *El* ***viraje*** *del barco fue tan brusco que nos mareamos* (= el giro del barco).
SINÓN: desvío, giro, vuelta. **FAM:** *virar.*

virar v. tr. **1.** *El capitán ordenó* ***virar*** *el barco* (= cambiar el rumbo). ◆ **virar** v. intr. **2.** *Al llegar a la curva, el coche* ***viró*** (= cambió su dirección).
SINÓN: desviar, doblar, girar, torcer. **ANTÓN:** proseguir, seguir. **FAM:** *viraje.*

virgen s. f. **1.** *Hay una* ***Virgen*** *antigua en el altar* (= una estatua de la Madre de Dios). **2.** Una persona es **virgen** hasta que tiene relaciones sexuales. **3.** *Era muy bonito ver la nieve* ***virgen*** (= antes de que nadie la tocara).

virgo s. m. **Virgo** es el sexto signo del zodíaco, va desde el 22 de agosto hasta el 21 de septiembre.

virreinato s. m. *El sistema de gobierno que España impuso a sus colonias hispanoamericanas fue el del* ***virreinato*** (= gobierno de un territorio colonial por un virrey).

virrey s. m. *Los* ***virreyes*** *representaban al rey en las colonias españolas de América.*

virtud s. f. **1.** *El Sol tiene la* ***virtud*** *de producir luz y calor* (= la facultad). **2.** *El valor, la generosidad, la honestidad son* ***virtudes*** *del hombre* (= son cualidades morales).
SINÓN: 1. facultad, valor. **2.** cualidad. **ANTÓN: 1.** incapacidad. **2.** maldad, pecado, vicio. **FAM:** *virtuoso.*

virtuoso, a adj. **1.** *Su conducta no ha sido* ***virtuosa*** (= no se ha portado bien). ◆ **virtuoso, a** s. **2.** *Picasso fue un* ***virtuoso*** *de la pintura* (= un gran artista).
SINÓN: 1. bueno, correcto. **ANTÓN: 1.** incorrecto, malo, perjudicial. **FAM:** *virtud.*

viruela s. f. La **viruela** es una enfermedad infecciosa y contagiosa que, al curarse, deja pequeñas marcas en la piel.

viruta s. f. *El suelo de la carpintería está lleno de* ***virutas*** *de madera* (= de trocitos finos y en forma de espiral que se obtienen al cepillar maderas).

visa o **visado** s. f. m. *Los sudamericanos necesitan* ***visa*** *para viajar a ciertos países de Europa* (= autorización de la autoridad consular para viajar al país que representa).

víscera s. f. *Las* ***vísceras*** *de las aves se comen guisadas* (= cada uno de los órganos contenidos en las cavidades del cuerpo de los animales y del hombre).
SINÓN: achuras, menudos.

viscoso, a adj. *El alquitrán caliente forma una pasta* ***viscosa*** (= una pasta espesa, blanda y pegajosa).
SINÓN: adhesivo, grasiento, pegajoso. **ANTÓN:** seco.

visera s. f. *Pedro ha bajado la* ***visera*** *de su gorra* (= un borde que protege sus ojos del sol).

visibilidad s. f. *Con esta niebla, la* ***visibilidad*** *es mala* (= no se ve bien).
FAM: → *ver.*

visible adj. **1.** *El barco está demasiado lejos y no es* ***visible*** *todavía* (= no se puede ver). **2.** *Dio*

muestras ***visibles*** *de que no quería que fuésemos a su casa* (= nos demostró claramente que no quería que fuésemos).
SINÓN: 1, 2. patente, sensible. **2.** cierto, claro, evidente. **ANTÓN: 1.** invisible. **2.** dudoso. **FAM:** → *ver.*

visillo s. m. *En la ventana de mi habitación hay un* ***visillo*** (= una cortina de tela transparente).

visión s. f. **1.** *Mi abuelo está perdiendo la* ***visión*** *y tenemos que ayudarlo para que no tropiece* (= no ve bien). **2.** *Juan tiene una* ***visión*** *distinta de la mía sobre esta situación* (= opina de un modo distinto). **3.** *Tuve* ***visiones*** *por la fiebre* (= imaginaba cosas falsas).
SINÓN: 1. vista. **2.** opinión, noción. **3.** fantasía, figuración, imaginación, sueño. **ANTÓN: 1.** ceguera. **3.** realidad. **FAM:** → *ver.*

visita s. f. **1.** *La* ***visita*** *al museo duró dos horas* (= estuvimos dos horas viéndolo). **2.** *Hemos recibido la* ***visita*** *de Pablo* (= ha venido a vernos). **3.** *El médico ha pasado* ***visita*** *a los enfermos del hospital* (= el médico los ha examinado para ver cómo estaban).
SINÓN: 2. convidado, invitado, visitante. **3.** examen, reconocimiento. **FAM:** → *visitar.*

visitante s. m. f. *Las gentes de este pueblo reciben con cordialidad a los* ***visitantes*** (= a los que vienen a visitarlos).
SINÓN: visita. **FAM:** → *visitar.*

visitar v. tr. **1.** *Juan me* ***visitó*** *en casa* (= vino a verme). **2.** *El médico* ***visitó*** *al enfermo* (= fue a ver cómo estaba). **3.** *Me gustaría* ***visitar*** *la ciudad y sus museos antes de irme* (= me gustaría ir a conocerlos).
SINÓN: 2. examinar, reconocer. **FAM:** *visita, visitante.*

vislumbrar v. tr. **1.** *A pesar de la niebla* ***vislumbramos*** *el barco* (= lo vemos confusamente). **2.** *Se comienza a* ***vislumbrar*** *la solución del problema* (= se empiezan a tener las ideas claras).
SINÓN: 1. distinguir, divisar, percibir. **2.** sospechar. **FAM:** → *ver.*

visón s. m. El **visón** es un animal parecido a la marta, cuya piel de color castaño se usa en peletería.

visor s. m. **1.** *Debes mirar por el* ***visor*** *de la máquina de fotos antes de disparar* (= por la mirilla que tiene la máquina para enfocar la foto). **2.** *Mientras nadaba el buzo miraba el fondo del mar a través del* ***visor*** (= anteojos que usan los buzos para ver debajo del agua).
FAM: → *ver.*

víspera s. f. *La Nochebuena se celebra en la* ***víspera*** *de Navidad* (= el día anterior).

vistazo s. m. *¡Échale un* ***vistazo*** *a este libro!* (= una mirada por encima).
SINÓN: mirada, ojeada. **FAM:** → *ver.*

visto, a adj. **1.** *No quiero llevar este traje a la boda porque ya está muy* ***visto*** (= ya está muy usado). ◆ **vista** s. f. **2.** *Los ojos son los órganos de la* ***vista*** (= los que nos permiten ver). **3.** *Desde esta cima hay una buena* ***vista*** (= se ve bien el paisaje). **4.** *Lo conozco de* ***vista,*** *por eso no sé cómo se llama* (= lo he visto en otras ocasiones pero nunca hablé con él). **5.** *¿Cuál es tu punto de* ***vista*** *sobre esta cuestión?* (= ¿qué piensas?). **6.** *Tiene muy buena* ***vista*** *para los negocios* (= acierta en sus negocios). **7.** *El juez suspendió la* ***vista*** *del caso* (= el juicio).
SINÓN: 2. visión. **3.** panorama. **7.** juicio. **ANTÓN: 2.** ceguera. **FAM:** → *ver.*

vistoso, a adj. *Llevas un suéter con unos colores muy* ***vistosos*** (= que llaman la atención).
FAM: → *ver.*

visual adj. *Juan tiene buena memoria* ***visual*** (= se acuerda muy bien de todo lo que ha visto).
FAM: → *ver.*

visualización s. f. Una pantalla de **visualización** es una pantalla en la que se puede contemplar imágenes.
FAM: → *ver.*

vital adj. **1.** *A pesar de su avanzada edad, es una persona muy* ***vital*** (= tiene mucha energía y ganas de hacer cosas). **2.** *El agua es un elemento* ***vital*** *para los seres vivos* (= sin ella no habría vida).
SINÓN: 1. activo, eficaz, enérgico. **2.** esencial, fundamental, importante, imprescindible, necesario. **FAM:** → *vida.*

vitalicio, a adj. *Le han concedido una pensión* ***vitalicia*** (= se la pagarán durante toda su vida).
FAM: → *vida.*

vitalidad s. f. *María está llena de* ***vitalidad*** (= de energía para hacer cosas).
SINÓN: dinamismo, energía, salud, vida, vigor. **ANTÓN:** debilidad, desánimo, desaliento. **FAM:** → *vida.*

vitamina s. f. *La leche, la carne, el pescado y los vegetales crudos contienen* ***vitaminas*** (= sustancias imprescindibles para la vida cuya carencia produce enfermedades específicas, como el escorbuto, la disminución de la visión y otras).
FAM: → *vida.*

vitorear v. tr. *El público* ***vitoreaba*** *a su equipo animándolo en el partido* (= lo aclamaba con gritos de entusiasmo).
SINÓN: aclamar, aplaudir. **ANTÓN:** abuchear, patear, silbar.

vitrina s. f. *El atleta guarda sus trofeos en una* ***vitrina*** (= en un armario con puertas de cristal).
FAM: → *vidrio.*

viudez s. f. *Desde su* ***viudez*** *don Antonio viste de negro* (= desde que murió su mujer).
FAM: → *viudo.*

viudita s. f. *La* ***viudita*** *se había posado en la rama del árbol* (= pájaro pequeño sudamericano,

de plumaje blanco, con el borde de la cola y de las alas de color negro).
FAM: → *viudo.*

viudo, a adj. *La señora Martínez es* ***viuda*** (= ha muerto su marido).
FAM: → *enviudar, viudez.*

vivencia s. f. *El escritor nos contó algunas* ***vivencias*** *de su juventud* (= algunos hechos que él vivió en esa época).
SINÓN: experiencia. **FAM:** → *vivir.*

víveres s. m. pl. *Los montañistas llevan* ***víveres*** *para poder alimentarse durante la escalada* (= llevan alimentos).
SINÓN: comestibles. **FAM:** → *vivir.*

vivero s. m. *En algunos* ***viveros*** *se crían plantas y árboles; en otros se crían peces o mariscos* (= es un lugar donde se crían vegetales y animales).
SINÓN: criadero, semillero. **FAM:** → *vivir.*

vividor, a adj. *Él es un* ***vividor*** *que se aprovecha de lo que hacen los demás* (= es una persona que no trabaja y vive a costa de los demás).
FAM: → *vivir.*

vivienda s. f. *Ya se han instalado en su nueva* ***vivienda*** (= en su nueva casa).
SINÓN: casa, domicilio, hogar, piso, residencia.
FAM: → *vivir.*

vivir v. intr. **1.** *El perro está herido pero aún* ***vive*** (= respira y le late el corazón). **2.** *Es un hombre que* ***vivió*** *para la pintura* (= que se dedicó plenamente a la pintura). **3.** *Yo* ***vivo*** *en Asunción* (= resido allí). **4.** *El recuerdo de las vacaciones* ***vivirá*** *mucho tiempo en mí* (= durará mucho tiempo). **5.** *Es necesario trabajar para* ***vivir*** (= para ganar dinero y poder tener las cosas necesarias). **6.** ***Hemos vivido*** *muy buenos momentos juntos* (= la hemos pasado bien juntos).
SINÓN: **1.** existir. **2.** dedicar. **3.** habitar, residir. **4.** durar, permanecer. **5.** mantenerse. **6.** pasar.
ANTÓN: **1.** expirar, fallecer, morir. **FAM:** → *convivencia, convivir, desvivir, revivir, sobrevivir, supervivencia, superviviente, vivencia, víveres, vivero, vividor, vivienda, vivo.*

vivo, a adj. **1.** *El pájaro que ha caído del nido aún está* ***vivo*** (= aún respira, no ha muerto). **2.** *El rojo es un color* ***vivo*** (=muy intenso). **3.** *Tu hermano es muy* ***vivo*** (= lo comprende todo rápidamente). **4.** *El recuerdo de mi abuelo sigue* ***vivo*** *entre nosotros* (= todavía dura).
SINÓN: **2.** intenso, fuerte. **3.** activo, ágil, ingenioso, rápido. **4.** presente. **ANTÓN:** **1.** muerto.
FAM: → vivir.

vizcacha s. f. Amér. Merid. *En el campo, suelen comer carne de* ***vizcacha****, que es tierna y sabrosa* (= roedor hervíboro sudamericano, parecido a la liebre, de pelaje grisáceo o castaño amarillento).

vocablo s. m. *Este diccionario tiene muchos* ***vocablos*** (= muchas palabras).
SINÓN: palabra, término. **FAM:** → *voz.*

vocabulario s. m. *Pedro lee mucho para enriquecer su* ***vocabulario*** (= el conjunto de palabras que conoce).
SINÓN: léxico. **FAM:** → *voz.*

vocación s. f. *La* ***vocación*** *de Juan es ser maestro* (= es la profesión que quiere ejercer).
SINÓN: afición, aptitud.

vocal adj. **1.** El aire pasa por las cuerdas **vocales** para producir la voz. ◆ **vocal** s. f. **2.** A, e, i, o, u *son las* ***vocales*** *de nuestro alfabeto.*
FAM: → *voz.*

vocálico, a adj. *La acentuación en castellano es* ***vocálica*** *porque recae sobre las vocales.*
FAM: → *voz.*

vocear v. tr. *Un vendedor ambulante* ***voceaba*** *los productos que vendía* (= anunciaba a voces sus precios).
SINÓN: anunciar, clamar, gritar, vociferar. **ANTÓN:** callar. **FAM:** → *voz.*

vociferar v. intr. *¿Por qué* ***vociferas*** *de esa forma?* (= ¿por qué das gritos exagerados?).
SINÓN: chillar, gritar. **ANTÓN:** callar. **FAM:** → *voz.*

vodka s. f. *En Rusia elaboran y consumen* ***vodka*** (= una bebida alcohólica).

volado s. m. *María tiene una falda con* ***volados*** (= con trozos de tela cosidos en la parte baja).
FAM: → *volar.*

volador, a adj. *¿Has visto alguna vez un pez* ***volador****?* (= que sale fuera del agua y vuela).
FAM: → *volar.*

volante s. m. *Mi padre gira el* ***volante*** *del coche al tomar una curva* (= gira la rueda que sirve para conducirlo).
FAM: → *volar.*

volar v. intr. **1.** *El avión* ***vuela*** *a 4.000 metros de altura* (= va por el aire a esa altura). **2.** *En cuanto lo oímos gritar,* ***volamos*** *a socorrerlo* (= fuimos de prisa). **3.** *Ya me he enterado del accidente porque las noticias* ***vuelan*** (= se saben rápidamente).
SINÓN: **1.** desplazarse. **2.** apresurarse, correr.
ANTÓN: **1.** aterrizar. **2.** retrasarse. **FAM:** *revolotear, revuelo, volador, volante, vuelo.*

volcán s. m. *En México hay muchos* ***volcanes*** *activos* (= es una montaña que, cuando está en erupción, arroja lava y gases).
FAM: *volcánico.*

volcánico, a adj. *La erupción* ***volcánica*** *ha producido numerosos destrozos en la ciudad* (= la explosión del volcán).
FAM: *volcán.*

volcar v. tr. **1.** *Juan* ***ha volcado*** *la caja y se ha caído todo lo que tenía dentro* (= la ha tumbado). ◆ **volcar** v. intr. **2.** ***Ha volcado*** *el camión* (= se ha caído de lado). ◆ **volcarse** v. pron.

3. *Mis amigos **se volcaron** para ayudarme* (= hicieron todo lo posible).
SINÓN: **1, 2.** inclinar, torcer, tumbar, volver. **3.** afanarse, aplicarse, dedicarse. ANTÓN: **1, 2.** enderezar, sostener. FAM: *revolcar, revolcón, volquete.*

voleibol s. m. *Hemos ganado un partido de **voleibol*** (= deporte que se juega entre dos equipos y que consiste en enviarse el balón por encima de una red).

volquete s. m. *El camión transporta arena en su **volquete*** (= en una caja grande que lleva detrás y que puede girar para volcarla y vaciarla).
FAM: → *volcar.*

voltaje s. m. *Antes de conectar la máquina de afeitar, comprueba el **voltaje** eléctrico* (= la corriente eléctrica).
SINÓN: tensión. FAM: *voltio.*

voltear v. tr. Amér. Merid., Méx. **1.** *Me manché los pantalones al **voltear** la taza de café* (= derramar). ◆ **voltear** v. intr. Amér. Merid., Méx. **2.** ***Voltea** para que pueda verte de frente* (= date vuelta para quedar de cara a mí).
SINÓN: **1.** derribar. FAM: *volver.*

voltereta s. f. *Los niños dan **volteretas** en la playa* (= saltan por el aire).
SINÓN: acrobacia, cabriola, pirueta.

voltio s. m. *Este aparato funciona con 220 **voltios*** (= es la unidad que mide la cantidad de corriente eléctrica que se necesita).
FAM: *voltaje.*

volumen s. m. **1.** *¿Cuál es el **volumen** de esta caja?* (= ¿cuánto lugar ocupa y cuánto puede contener?). **2.** *En la biblioteca del colegio hay mil **volúmenes*** (= hay mil libros). **3.** *El **volumen** de importaciones ha aumentado* (= la cantidad). **4.** *Sube el **volumen** del televisor porque no oigo* (= sube la intensidad del sonido).
SINÓN: **1.** capacidad. **2.** libro, obra, tomo. **3.** cantidad. **4.** potencia, sonido. FAM: *voluminoso.*

voluminoso, a adj. *Este mueble es demasiado **voluminoso** y no cabe en el comedor* (= ocupa mucho espacio).
SINÓN: abultado, grande. FAM: *volumen.*

voluntad s. f. **1.** *Hice los ejercicios por mi propia **voluntad**, nadie me mandó hacerlos* (= porque yo quise). **2.** *Juan es un chico con mucha **voluntad** y se esfuerza en sus estudios* (= intenta conseguir lo que se propone). **3.** *Antes de salir nos explicaron cuál era su **voluntad*** (= lo que querían). ◆ **buena o mala voluntad 4.** *Hace su trabajo con **buena voluntad** pero no le sale bien* (= con ganas de hacerlo bien).
SINÓN: **2.** afán, ambición, ánimo. **3.** ansia, deseo, gana. ANTÓN: **2.** desánimo, desgana. FAM: *involuntario, voluntario.*

voluntario, a adj. **1.** *El trabajo que les he propuesto es **voluntario*** (= lo puede hacer el que quiera). ◆ **voluntario, a** s. **2.** *Se han presentado unos **voluntarios** para ayudar a extinguir el incendio* (= lo han querido hacer pero no estaban obligados).
SINÓN: **1.** espontáneamente, opcional. ANTÓN: **1.** obligatorio. FAM: → *voluntad.*

volver v. tr. **1.** ***Vuelve** la cabeza hacia mí* (= dirígela hacia mí). **2.** ***Vuelve** la página* (= pasa a otra, ya sea a la anterior o a la posterior). ◆ **volver** v. intr. **3.** *María **volvió** a casa después de un largo viaje* (= regresó). **4.** ***Vuelve** el mal tiempo* (= otra vez hará frío). **5.** *Después de una interrupción el conferenciante **volvió** a hablar* (= siguió con su conferencia). **6.** *Este verano **volveremos** a la playa* (= iremos allí otra vez). ◆ **volverse** v. pron. **7.** *Era muy alegre pero desde que empezó el problema **se ha vuelto** triste* (= ha cambiado su forma de ser). **8.** *Mi compañero de clase **se volvió** hacia atrás* (= giró la cabeza). **9.** *Ese vino **se volvió** vinagre* (= se convirtió en vinagre). ◆ **volver en sí 10.** *Se mareó pero enseguida **volvió en sí*** (= recobró el conocimiento).
SINÓN: **1.** dirigir, orientar. **2.** pasar. **3, 4, 6.** regresar, retornar. **8.** girar, torcer. **7. 9.** convertirse. FAM: *desenvolver, devolución, devolver, envoltorio, envoltura, envolver, evolución, evolucionar, vuelta.*

vomitar v. tr. *Pedro se mareó en el barco y **vomitó** el desayuno* (= echó por la boca lo que había comido).
SINÓN: devolver. FAM: *vomitar.*

vómito s. m. *El enfermo ha tenido varios **vómitos** porque le ha caído mal la comida* (=ha expulsado varias veces la comida por la boca).
FAM: *vomitar.*

vosotros, as Son pronombres personales. VER CUADRO DE PRONOMBRES PERSONALES.

votación s. f. *Carlos fue elegido delegado por **votación*** (= cada uno de nosotros dio su opinión en un voto).
SINÓN: elección. FAM: → *voto.*

votante s. m. f. *En las últimas elecciones votó el 75 por ciento de los **votantes*** (= del conjunto de personas con derecho a votar).
FAM: → *voto.*

votar v. intr. *El señor García **votó** por el candidato de su partido* (= le dio su voto en el que constaba su decisión a favor de él).
FAM: → *voto.*

voto s. m. **1.** *A los 18 años se tiene derecho a **voto*** (= se puede expresar la opinión política en las elecciones mediante unas papeletas). **2.** *Después de la elección se han contado los **votos*** (= el número de papeles en que aparece la decisión de las personas sobre las diferentes opciones que se presentan en unas elecciones).
SINÓN: **2.** papeleta. FAM: *votación, votante, votar.*

voz s. f. **1.** *Mi maestro tiene la **voz** ronca* (= el sonido que emite cuando habla). **2.** *En la asam-*

blea participó con ***voz*** *y sin voto* (= podía hablar pero no votar). ◆ **correr la voz 3.** *Un periodista ha hecho* ***correr la voz*** *de esta noticia pero no es cierta* (=lo ha explicado a todo el mundo).
FAM: *vocablo, vocabulario, vocal, vocálico, vocear, vociferar.*

vuelco s. m. **1.** *El camión dio un* ***vuelco*** *en la curva* (= se cayó hacia un lado). ◆ **darle a alguien un vuelco el corazón 2.** *A las doce de la noche sonó el teléfono y* ***me dio un vuelco el corazón****, pensando en qué habría pasado* (= me asusté mucho).
FAM: → *volcar.*

vuelo s. m. **1.** *El pájaro inició su* ***vuelo*** (= se remontó en el aire moviendo las alas). **2.** *Entre Montevideo y Punta del Este hay más de una hora de* ***vuelo*** (= es el tiempo que se tarda viajando en avión). **3.** *Este vestido tiene mucho* ***vuelo*** (= es más ancho por la parte baja). ◆ **agarrar al vuelo 4.** *Suele* ***agarrar las cosas al vuelo*** (= suele entenderlas con mucha rapidez). ◆ **ser algo de alto vuelo 5.** *Si sigue así le van a ofrecer un trabajo* ***de alto vuelo*** (= un trabajo de mucha importancia).
SINÓN: **1.** ascenso. FAM: → *volar.*

vuelta s. f. **1.** *Después de cerrar la puerta, no olvides dar una* ***vuelta*** *a la llave* (= girarla sobre sí misma en la cerradura). **2.** *Los corredores han dado una* ***vuelta*** *a la pista* (= han hecho un recorrido alrededor de ella volviendo al punto de partida). **3.** *Estamos esperando la* ***vuelta*** *de mi hermano* (= el regreso). **4.** *Me voy a dar una* ***vuelta*** (= un paseo). **5.** *Mi padre dio la* ***vuelta*** *a la hoja del periódico* (= cambió la página). ◆ **darle vueltas 6.** *No vas a solucionar el problema aunque sigas* ***dándole vueltas*** (= aunque sigas pensando en él). ◆ **no tener vuelta de hoja 7.** ***No tiene vuelta de hoja****, tu obligación es estudiar y debes hacerlo* (= no admite discusión alguna). ◆ **vuelta de campana 8.** *El coche salió de la autopista y dio tres* ***vueltas de campana*** (= dio tres vueltas sobre sí mismo). ◆ **a la vuelta de la esquina 9.** *El verano está ya* ***a la vuelta de la esquina*** (= está muy cerca).
SINÓN: **1, 2.** giro, rotación. **2.** rodeo. **3.** regreso, venida. **4.** paseo. FAM: → *volver.*

vuelto s. m. *Pagué mi vestido con más dinero del que costaba y me dieron el* ***vuelto*** (= el dinero que sobraba).
FAM: → *volver.*

vuestro, a Son posesivos. VER CUADRO DE POSESIVOS.

vulgar adj. *¡No seas* ***vulgar*** *y deja de hablar a gritos!* (= ¡No seas grosero!).
SINÓN: grosero, ordinario. FAM: *vulgaridad.*

vulgaridad s. f. *La* ***vulgaridad*** *con que hablas es muy desagradable* (= la falta de elegancia).
FAM: *vulgar.*

vulva s. f. La **vulva** es la parte externa del aparato genital femenino.

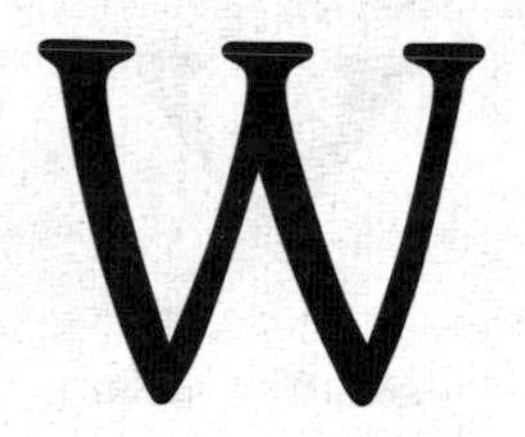

W s. f. La **w** *(uve doble)* es la vigesimocuarta letra del abecedario español. Sólo se usa en palabras extranjeras o sus derivadas, aunque en algunas palabras ya asimiladas al español se ha reemplazado la **w** por la *v*.

walkie-talkie s. m. *Con este* ***walkie-talkie*** *que me han regalado podré hablar con mi hermano poniéndonos cada uno en una esquina de la calle* (= con este aparato portátil cuya función es la misma que la de un teléfono; sirve para hablar a corta distancia con alguien que tenga otro aparato igual. Es una palabra inglesa).

water s. m. Es una palabra inglesa que designa el retrete, sobre todo en lugares públicos, en los cuales aparece abreviada **W.C.**
SINÓN: aseo, lavabo, retrete, servicio.

waterpolo s. m. *Fuimos a ver un partido de* ***waterpolo*** *a la piscina municipal* (= de un deporte acuático en el que los siete jugadores de cada equipo nadan y lanzan la pelota con la mano, tratando de introducirla en el arco contrario).

western s. m. *Me encantaría ir al cine a ver un* ***western*** (= una película cuya acción se desarrolla en el oeste de Estados Unidos y en la que los personajes son vaqueros, pistoleros, indios...).

whisky s. m. Es una palabra inglesa que designa una bebida alcohólica.

windsurf o **windsurfing** s. m. *Este verano he decidido practicar* ***windsurf*** (= un deporte que se practica en el mar y que consiste en mantener el equilibrio sobre una tabla con una vela).

X s. f. **1.** La consonante **x** *(equis)* es la vigesimoquinta letra del abecedario español. **2.** En la numeración romana, la letra **X** mayúscula significa diez.

xenofobia s. f. *No quiere salir nunca de su país porque tiene* ***xenofobia*** (= porque siente antipatía hacia los extranjeros y a lo extranjero).

xilófono s. m. El **xilófono** es un instrumento musical compuesto de varias láminas de madera o de metal que suenan al golpearlas con unos palillos.

xerófito, a o **xerófilo, a** adj. Los vegetales **xerófitos** son los que adaptan sus raíces, tallos y hojas a los medios secos.

Y s. f. **1.** La **y** *(i griega)* es la vigesimosexta letra del abecedario español. ◆ **2.** También es una conjunción. VER CUADRO DE CONJUNCIONES.

ya adv. **1.** ***Ya*** *habíamos visto antes este cuadro* (= en otra ocasión). **2.** *¿Has terminado* ***ya?*** (= ¿en este momento?). **3.** *Espérame que* ***ya*** *voy* (= que ahora voy).
SINÓN: 1. antes. **2.** ahora. **ANTÓN: 1.** nunca.

yabutí s. m. Amér.→ **jabutí.**

yacaré s. m. *No se te ocurra bañarte en este río porque hay muchos* ***yacarés*** (= reptiles anfibios sudamericanos muy peligrosos, parecidos al caimán).

yacer v. intr. **1.** *El herido* ***yacía*** *en el suelo* (= estaba tendido). **2.** *Sobre la tumba se podía leer: "Aquí* ***yace*** *un soldado"* (= aquí está enterrado).
SINÓN: 1. tenderse, tumbarse. **2.** enterrar, sepultar. **ANTÓN: 1.** enderezarse, levantarse. **FAM:** *yacimiento.*

yacimiento s. m. *Descubrieron un* ***yacimiento*** *de oro en la mina* (= gran cantidad de este metal bajo tierra).
SINÓN: cantera, filón, mina. **FAM:** *yacer.*

yagua s. f. *El techo de esas cabañas está hecho con hojas de* ***yagua*** (= cierta palmera tropical americana, cuyas hojas se emplean para techumbres y para confeccionar cestos, sombreros y cuerdas).

yaguareté s. m. *En la selva, Juan se enfrentó con un* ***yaguareté*** (= mamífero carnívoro sudamericano muy feroz, parecido al tigre).
SINÓN: jaguar.

yaguarundí s. m. *Me parece que un* ***yaguarundí*** *anda rondando el corral* (= gato montés sudamericano, de pelaje rojizo listado de negro).

yanqui adj. **1.** *Estos turistas son* ***yanquis*** (= son estadounidenses). ◆ **yanqui** s. m. f. **2.** *Los* ***yanquis*** *protestaron contra la nueva ley.*
SINÓN: estadounidense.

yapa s. f. R. de la Plata. **1.** *Siempre que Pedrito va a comprar a esa pastelería, el dueño le da la* ***yapa*** (= pequeño obsequio, particularmente alguna golosina). ◆ **de yapa** loc. adv. **2.** *Mis amigos me invitaron a pasear en bote, y de* ***yapa****, me llevaron a tomar un refresco* (= además).

yarará s. f. Arg., Bol., Par., Urug. *En las selvas misioneras abundan las* ***yararás*** *que tienen una cruz blanca sobre la cabeza* (= víbora de un metro de largo, muy venenosa de color pardo con manchas negras y blanquecinas).
SINÓN: víbora de la cruz.

yataí s. m. Arg., Par., Urug. *El palmito del* ***yataí*** *es comestible y de sabor agradable* (= palmera sudamericana, de unos diez metros de altura; sus fibras se usan para hacer sombreros y con su fruto se prepara aguardiente).

yate s. m. *Han atravesado el Atlántico en un* ***yate*** (= en un barco de recreo que puede moverse con motor o a vela).
SINÓN: embarcación.

yaya s. f. Amér. Cent., Merid. *Mi hermanito se cayó y se hizo una* ***yaya*** *en la rodilla* (= herida leve).

yedra s. f. *Las paredes de la casa estaban llenas de* ***yedra*** (= de una planta trepadora de hojas perennes).
SINÓN: hiedra.

yegua s. f. La **yegua** es la hembra del caballo.

yema s. f. **1.** En las plantas, la **yema** es el brote por donde nacen las hojas. **2.** *Para hacer la mayonesa sólo uso la* ***yema*** *del huevo* (= la parte amarilla). **3.** *Tenía una pequeña lastimadura en la* ***yema*** *del dedo* (= en la parte opuesta a la uña).

yerba o **yerba mate** s. f. **1.** *En esta hacienda hay una gran plantación de* ***yerba*** (= arbusto originario del Paraguay y el NE. argentino, cuyas hojas se usan para preparar el mate). **2.** *En mi casa compraron una nueva marca de* ***yerba*** (= hojas de ese arbusto, secas y trituradas, con las que se hace una infusión).
FAM: → *yerbal, yerbatal.*

yerbal o **yerbatal** s. m. R. de la Plata. *Sus padres son dueños de un gran* ***yerbal*** (= plantación de yerba mate).
FAM: → *yerba.*

yerno s. m. *El marido de mi hermana es el* ***yerno*** *de mis padres.*

yesero s. m. *El* ***yesero*** *nos hizo una escultura para el jardín* (= la persona que trabaja el yeso).
FAM: → *yeso.*

yeso s. m. El **yeso** es un polvo blanco que, mezclado con agua, se endurece rápidamente; se utiliza en la construcción y en la escultura.
FAM: *enyesar, yesero.*

yeta s. f. R. de la Plata. *Dice que todo le sale mal porque tiene* **yeta** (= mala suerte).

yo Es un pronombre personal. VER CUADRO DE PRONOMBRES PERSONALES.

yodo s. m. *Me pusieron un poco de* **yodo** *para desinfectar la herida* (= de un elemento químico que se utiliza para desinfectar).

yoga s. m. *Mi hermano practica* **yoga** *para relajarse* (= una gimnasia de origen oriental).

yogur s. m. *Cada mañana tomo* **yogur** (= un producto elaborado con leche fermentada).

yoyó s. m. *Todos los chicos del colegio jugábamos con un* **yoyó** *para ver quién aguantaba más tiempo moviéndolo* (= un juguete formado por un disco con un hilo enroscado; al mover la mano arriba y abajo el disco sube y baja por el hilo).

yuca s. f. **1.** *Plantamos una* **yuca** *en el jardín* (= planta ornamental de unos dos metros de atura, cuyo tronco está coronado por un penacho de hojas alargadas; sus flores se disponen alrededor de un tallo central). Amér. **2.** *Esta torta está hecha con* **yuca** (= harina que se obtiene de un cierto tipo de tubérculo).
SINÓN: **2.** casabe, guacamote.

yudo s. m. *Saber* **yudo** *es importante porque puedes defenderte sin necesidad de usar las armas* (= se practica entre dos luchadores por medio de llaves hasta conseguir el desequilibrio del contrario. También se escribe **judo**).

yugo s. m. **1.** *El* **yugo** *se pone sobre la cabeza de los bueyes para que arrastren el carro* (= es un instrumento de madera que se sujeta a la cabeza de los animales para que tiren del carro). **2.** *Los esclavos se rebelaron contra el* **yugo** *romano* (= contra la tiranía a que estaban sometidos).
SINÓN: **2.** dominación, dominio, opresión, tiranía.

yugoslavo, a adj. **1.** *Fuimos a ver unas danzas* **yugoslavas** (= típicas de Yugoslavia). ◆ **yugoslavo, a** s. **2.** *Los* **yugoslavos** *son las personas nacidas en Yugoslavia.*

yugular s. f. La **yugular** es una de las dos venas del cuello que recogen la sangre del cerebro y la llevan al corazón.

yunque s. m. *El herrero pone el hierro incandescente sobre el* **yunque** *para arreglar la herradura* (= sobre una pieza metálica muy dura, para poder forjar el hierro).

yunta s. f. *El carro es arrastrado por una* **yunta** *de bueyes* (= por una pareja de animales de labor que está atada a él).

yuyo s. m. R. de la Plata. **1.** *Recuerda que prometiste ayudarme a arrancar los* **yuyos** *del jardín* (= hierbas perjudiciales). **2.** *Cuando le duele el estómago, mi abuela toma té de* **yuyos** (= hierbas medicinales).

Z

Z s. f. La consonante **z** *(zeta)* es la vigesimoséptima y última letra del abecedario español.

zacate s. m. Méx. *El **zacate** está muy alto* (= pasto que crece en los jardines). **2.** *Cuando me baño me froto con **zacate*** (= fibra vegetal que se usa a la manera de esponja).

zafiro s. m. *El anillo que estaba en el escaparate de la joyería tenía un **zafiro*** (= una piedra preciosa de color azul).

zafra s. f. Amér. *Para la **zafra** de la caña de azúcar vienen braceros de varias provincias* (= cosecha de la caña dulce y fabricación del azúcar).

zafrero, a Amér. Los **zafreros** son los cosechadores de la caña de azúcar.

zalamería s. f. *Mi hermana siempre consigue lo que quiere de mi madre haciéndole **zalamerías*** (= se pone pesada demostrándole su cariño).
SINÓN: adulación, mimo. **FAM:** *zalamero.*

zalamero, a adj. *Es un **zalamero:** siempre está haciendo caricias a todo el mundo* (= consigue lo que quiere demostrando su cariño de forma exagerada).
SINÓN: adulador, mimoso. **ANTÓN:** arisco, hostil, seco. **FAM:** *zalamería.*

zamacueca s. f. Amér. Merid. *La **zamacueca** es el baile nacional de Chile* (= danza en la que las parejas bailan en círculos, agitando pañuelos, y que concluye con un zapateado muy vivo).
FAM: *cueca.*

zamarra s. f. *En invierno me abrigo con una **zamarra*** (= con una chaqueta de piel).
SINÓN: cazadora, campera, chamarra.

zamba s. f. *La **zamba** es una de las canciones y danzas populares más difundidas de la Argentina* (= danza popular cantada originaria del NO. de la Argentina).

zambo, a adj. Amér. *Juan es **zambo*** (= mestizo de negro e india).

zambullida s. f. *Pedro se ha dado una **zambullida** en el mar* (= se ha tirado al agua).
SINÓN: chapuzón. **FAM:** *zambullirse.*

zambullirse v. pron. *A Pedro le gusta **zambullirse** en el mar* (= se tira y se mete debajo del agua un momento).
SINÓN: sumergirse. **FAM:** *zambullida.*

zamparse v. pron. *Tenía mucha hambre y **se zampó** un bocadillo en un momento* (= se lo comió muy deprisa).
SINÓN: devorar, engullir. **ANTÓN:** ayunar.

zanahoria s. f. *Me gusta comer **zanahorias** crudas* (= una raíz comestible, alargada, de color anaranjado y muy rica en vitaminas).

zanate s. m. Méx. *Al atardecer, los **zanates** se posan en los árboles de la plaza* (= ave de plumaje negro y cola larga, parecida al cuervo, pero más pequeña).

zancada s. f. *Andrés caminaba a grandes **zancadas** y yo iba casi corriendo detrás de él* (= daba pasos muy largos).
FAM: → *zanco.*

zancadilla s. f. *El futbolista le hizo una **zancadilla** por detrás a un adversario* (= le colocó un pie entre los del adversario para que se cayera).
FAM: → *zanco.*

zanco s. m. *En el circo actuaban gigantes, cabezudos y payasos andando sobre **zancos*** (= sobre palos altos con un saliente, en el que se ponen los pies y que permiten andar a cierta altura sobre el suelo).
SINÓN: madero, palo. **FAM:** *zancada, zancadilla, zancudo.*

zancudo, a adj. **1.** *La cigüeña es un ave **zancuda*** (= tiene las patas muy largas). ◆ **zancudo** s. m. **2.** *En las zonas tropicales abundan los **zancudos*** (= mosquitos que chupan sangre humana).
FAM: → *zanco.*

zángano s. m. **1.** El **zángano** es el macho de la abeja. **2.** *¡No seas **zángano** y levántate ya de la cama, que es tarde!* (= ¡no seas holgazán!).
SINÓN: 2. gandul, holgazán, perezoso, vago. **ANTÓN: 2.** activo, diligente, dinámico, laborioso, trabajador.

zanja s. f. *En la calle, abrieron una **zanja** para meter los nuevos cables de electricidad* (= hicieron una excavación larga y estrecha en el suelo).
SINÓN: excavación.

zapallito s. m. Amér. Merid. *Hoy almorzamos* ***zapallitos*** *rellenos* (= calabazas pequeñas y redondas, de color verde por fuera y blanco amarillento por dentro).
SINÓN: calabacín. FAM: *zapallo.*

zapallo s. m. Amér. Merid. *El* ***zapallo*** *en almíbar se prepara con la pulpa del fruto cortada en cubos* (= calabaza de cáscara verde o amarillenta y pulpa fibrosa, que se come cocida o en dulce).
FAM: *zapallito.*

zapatear v. intr. *En algunas danzas folklóricas americanas el bailarín* ***zapatea*** *al ritmo de la música* (= golpea al compás de la música el suelo con los pies calzados).
SINÓN: taconear. FAM: → *zapato.*

zapatería s. f. *El dependiente de la* ***zapatería*** *me enseñó varios modelos de zapatos y al final me quedé con unos azules* (= del negocio donde venden zapatos).
FAM: → *zapato.*

zapatero, a s. *Llevó los zapatos al* ***zapatero*** *para que los arreglara* (= a la persona que hace, arregla o vende zapatos).
FAM: → *zapato.*

zapatilla s. f. **1.** *En la función de ballet, la bailarina estrenó un par de* ***zapatillas*** (= calzado muy liviano con punta dura para que las bailarinas puedan mantenerse de pie). **2.** *Necesito unas* ***zapatillas*** *de deporte para el partido de tenis de esta tarde* (= necesito un calzado ligero, con cordones, para hacer deporte).
SINÓN: **2.** tenis. FAM: → *zapato.*

zapato s. m. *Llevo* ***zapatos*** *nuevos y me hacen algo de daño en los pies.*
SINÓN: calzado. FAM: *zapatear, zapatería, zapatero, zapatilla.*

zapote s. m. Amér. Cent., Ant., Méx. *El* ***zapote*** *crece en las regiones tropicales* (= árbol de gran altura, de madera poco resistente y hojas semejantes a las del laurel; su fruto, parecido a la manzana, de cáscara verde y pulpa negra o muy oscura es dulce y jugoso).

zar s. m. **Zar** era el título que se daba al emperador de Rusia.
SINÓN: emperador, soberano.

zarandear v. tr. *Tomé a mi hermano por los brazos y lo* ***zarandeé*** (= lo moví de un lado a otro).
SINÓN: agitar, sacudir.

zarpa s. f. *El león, el gato y el tigre tienen* ***zarpas*** (= tienen las manos y los pies con las uñas curvadas y puntiagudas).
SINÓN: garra, uña. FAM: *zarpazo.*

zarpar v. intr. *El barco* ***zarpa*** *dentro de media hora y todavía no estoy preparada* (= el barco sale del puerto).
SINÓN: marchar, partir, salir. ANTÓN: atracar, llegar.

zarpazo s. m. *El tigre dio un* ***zarpazo*** *al domador* (= un golpe fuerte con sus zarpas).
SINÓN: arañazo. FAM: *zarpa.*

zarza s. f. *Juan se ha lastimado con una* ***zarza*** (= con un arbusto con espinas, que produce moras).
FAM: *zarzal.*

zarzal s. m. *Salimos del* ***zarzal*** *llenos de arañazos* (= salimos de un terreno lleno de zarzas).
FAM: *zarza.*

zarzamora s. f. La **zarzamora** es el fruto comestible de la zarza; es de color negro.
SINÓN: mora. FAM: → *mora.*

zarzuela s. f. La **zarzuela** es una obra de teatro musical parecida a la ópera.

zepelín s. m. *Por la playa pasó un* ***zepelín*** *que tiraba pelotas de goma* (= un globo alargado, con una cabina debajo donde está el motor).

zigzag s. m. *La carretera de esta montaña tiene muchos* ***zigzags*** (= muchas curvas cerradas y seguidas).
SINÓN: curva. ANTÓN: recta.

zócalo s. m. **1.** *En la nueva casa colocaron* ***zócalos*** *de cerámica en todas las paredes* (= franja que se coloca en la parte inferior de las paredes). Méx. **2.** El **zócalo** de la ciudad de México es la plaza principal de la capital, donde se encuentra el Palacio de Gobierno.

zocotroco s. m. Amér. Merid. *Ese televisor es un* ***zocotroco*** (= es un objeto grande y pesado).

zodíaco s. m. Piscis, Tauro y Sagitario *son algunos de los signos del* ***zodíaco*** (= del conjunto de doce signos utilizados en astrología).

zona s. f. **1.** *La Argentina forma parte de la* ***zona*** *templada de la Tierra* (= de la parte en que las temperaturas son suaves). **2.** *Al norte de la ciudad hay una* ***zona*** *dedicada a la industria* (= un área).
SINÓN: **1, 2.** área. **2.** espacio, franja, parte, región, sector, territorio.

zoncera s. f. Amér. *Lo que has dicho es una* ***zoncera*** (= tontería, simpleza, dicho carente de sentido).

zonzo, a adj. *¡No te comportes como un* ***zonzo****!* (= tonto).
SINÓN: bobo, estúpido, imbécil. ANTÓN: inteligente, listo, vivo. FAM: *zoncera.*

zoología s. f. La **Zoología** es la ciencia que estudia los animales.
FAM: *zoo, zoológico.*

zoológico s. m. **1.** *El domingo fuimos al* ***zoológico*** *y vimos a los monos jugando en sus columpios* (= al lugar cerrado donde viven los animales de muchas especies para que la gente los pueda ver). **Zoo** es el apócope de **zoológi-**

co. ◆ **zoológico, a** adj. **2.** *En el parque* ***zoológico*** *se pueden ver animales de otros países y salvajes.*
FAM: → *zoología.*

zopilote s. m. Amér. *El* ***zopilote*** *se abalanzó sobre el cordero muerto* (= ave rapaz de plumaje negro, que se alimenta de carroña).
SINÓN: aura, gallinaza, gallinazo, samuro.

zoquete s. m. *Claudio es un* ***zoquete,*** *le cuesta mucho aprender las cosas* (= es un poco torpe).
SINÓN: inepto, inútil, torpe. **ANTÓN:** inteligente, listo, sagaz.

zorrillo o **zorrino** s. m. *Por el olor que hay aquí, seguramente ha pasado algún* ***zorrillo*** (= animal carnívoro, de cincuenta centímetros de largo hasta la cola, pelo negro con una o dos rayas blancas longitudinales, que arroja una orina de olor penetrante).

zorro, a s. **1.** El **zorro** es un mamífero carnívoro parecido al perro con el pelo muy largo y la cola larga también. ◆ **zorro, a** s. **2.** *Luis es un* ***zorro,*** *aparenta estar enfermo para no trabajar* (= es muy astuto).
SINÓN: 2. astuto, disimulado, pícaro, tramposo.

zorzal s. m. *Canta como un* ***zorzal*** (= pájaro de color pardo y pecho claro con pequeñas motas).
FAM: *zumbido.*

zueco s. m. El **zueco** es un zapato de madera, de una sola pieza, que usan los campesinos de muchos lugares para evitar ensuciarse los zapatos con barro.

zumbar v. intr. *Muchos insectos* ***zumban*** *cuando vuelan* (= hacen un ruido monótono y ronco).
FAM: *zumbido.*

zumbido s. m. *Se oye el* ***zumbido*** *de un abejorro* (= el ruido que hace al volar).
FAM: *zumbar.*

zumo s. m. *He bebido* ***zumo*** *de naranja* (= el líquido extraído de esa fruta).
SINÓN: jugo.

zurcido s. m. *Hizo un* ***zurcido*** *para disimular la rotura del pantalón* (= una costura en la tela).
ANTÓN: descosido. **FAM:** *zurcir.*

zurcir v. tr. *¿Puedes* ***zurcirme*** *el pantalón?* (= ¿coserlo para disimular la rotura?).
SINÓN: coser, reforzar, remendar, unir. **ANTÓN:** descoser. **FAM:** *zurcido.*

zurdo, a adj. Una persona **zurda** es la que usa la mano izquierda para hacer las cosas.
SINÓN: izquierdo.

zuro s. m. El **zuro** es la mazorca desgranada del maíz.
SINÓN: marlo, olote.

zurra s. f. *Le han dado una* ***zurra*** *unos delincuentes* (= una paliza).
SINÓN: azote, golpe, paliza. **FAM:** *zurrar.*

zurrar v. tr. *Lo* ***han zurrado*** *al salir de la escuela* (= le han pegado).
SINÓN: atizar, azotar, golpear, pegar. **FAM:** *zurra.*

zurrón s. m. *El pastor lleva la comida en el* ***zurrón*** (= en una bolsa grande de cuero).
SINÓN: bolsa, mochila, morral.

Esta obra se terminó de imprimir en enero de 1999 en
Cía. Editorial Ultra, S. A. de C. V., Centeno 162,
Col. Granjas Esmeralda, México 09810, D. F.